ENCYKLOPEDIA ZDROWIA

tom II

ENCYKLOPEDIA ZDROWIA

Pod redakcją

Witolda S. Gumułki

i

Wojciecha Rewerskiego

Wydanie ósme

WYDAWNICTWO NAUKOWE PWN

Opracowanie graficzne okładki i stron tytułowych

MONIKA GRABAN i RADEK DĘBNIAK

Redaktorzy naukowi działów

WIESŁAW GRABAN, WITOLD S. GUMUŁKA, HENRYK KIRSCHNER, LONGIN MARIANOWSKI, WOJCIECH NOSZCZYK, WOJCIECH REWERSKI, JANUSZ SADOWSKI, MARIA SIENIAWSKA, REGINA STAŃCZYK, MAREK SZNAJDERMAN, ZBIGNIEW WRONKOWSKI

Redakcja i prowadzenie

ZOFIA PLUCIŃSKA, ANNA GŁAŻEWSKA-CZURYŁO, KRYSTYNA WOJTALA

Redaktor techniczny

BARBARA PENSZKO, JOLANTA CIBOR

Korekta

BOGUMIŁA ŁYSIAK, JAWIGA KOSMULSKA, KRYSTYNA KUBIAK, BARBARA WALCZYNA

ISBN 83-01-11680-3

Wydawnictwo Naukowe PWN SA
ul. Miodowa 10, 00-251 Warszawa
tel.: (0-22) 695-43-21
faks: (0-22) 826-71-63
e-mail: pwn@pwn.com.pl
http://www.pwn.com.pl

WYDAWNICTWO NAUKOWE PWN SA
Wydanie ósme
Arkuszy drukarskich 70,75
Druk ukończono w lutym 2000 r.
Druk i oprawa: Drukarnia Wydawnicza im. W. L. Anczyca S.A.
Kraków. Zam. 1062/99

PEDIATRIA

Rozwój i zdrowie dziecka zależą w dużym stopniu od najszerzej pojętej opieki, którą powinno się otoczyć dziecko od chwili poczęcia aż do osiągnięcia przez nie dojrzałości.

Organizm człowieka w okresie rozwoju różni się od organizmu dojrzałego nie tylko rozmiarami i proporcjami ciała, lecz również przebiegiem wszystkich procesów życiowych. Różnice te są tym większe, im młodsze jest dziecko; do najistotniejszych różnic należy duża dynamika wszystkich przemian i stale postępujący rozwój. Tempo zmian w organizmie dziecka, zachodzących w procesie rozwoju, jest najwyższe w pierwszym roku życia, a następnie około szóstego roku życia i w okresie pokwitania. W tych też okresach przyspiesza się tempo wzrastania, szybko zmieniają się proporcje ciała, gwałtowne zmiany zachodzą w procesach psychicznych. Okresy te wiążą się z zachwianiem ogólnoustrojowej równowagi, co m.in. wyraża się większą częstością zachorowań i bardziej burzliwym przebiegiem niektórych chorób.

Uczestniczenie w zachodzących w okresie rozwoju przemianach, wspomaganie tego rozwoju, zapobieganie chorobom i pomoc w ich zwalczaniu są dla rodziców źródłem silnych przeżyć dających poczucie pełni życia. Te same elementy decydują o atrakcyjności zawodów, które wiążą się z opieką nad dzieckiem.

W prawidłowych warunkach rodzice zapewniają dziecku ciągłą i harmonijną opiekę od pierwszych chwil jego życia. Ideałem jest, jeśli również fachowa opieka nad zdrowiem dziecka ma charakter ciągły. Znacznie łatwiej jest lekarzowi ocenić stan chorego dziecka, jeśli zna je od okresu noworodkowego i obserwuje w okresach zdrowia i chorób.

Sposoby pielęgnowania, żywienia, wychowywania i leczenia muszą ulegać zmianom w miarę rozwoju, muszą jednak też być dostosowane do osobniczych właściwości każdego dziecka. Od pierwszych bowiem chwil życia człowiek jest niepowtarzalną indywidualnością. Ten zespół różnorodnych cech, który pojawia się z przyjściem na świat nowego człowieka, a następnie zachodzące w tym człowieku w ciągu kilkunastu lat życia dynamiczne przemiany stanowią o wielkim uroku pediatrii jako działu medycyny klinicznej, decydują również jednak o tym, że jest to dział bardzo rozległy i trudny. Wymaga on bowiem znajomości procesów fizjologicznych odmiennych w każdym okresie życia dziecka i procesów chorobowych, których przebieg różni się znacznie na różnych etapach rozwoju osobniczego. Specjalistyczna opieka nad dzieckiem – pychiatryczna, neurologiczna, chirurgiczna, laryngologiczna, kardiologiczna i inne – wymaga znajomości całokształtu zagadnień pediatrii. Opieki nad zdrowiem dziecka nie można też rozbić na poszczególne okresy jego życia, tak jak dzieli się opiekę pedagogiczną na okres przedszkolny, szkoły podstawowej i średniej. Nie powinno się też wyodrębniać problemów opieki zdrowotnej nad dzieckiem zdrowym od problemów opieki nad dzieckiem chorym. Dla dobra dziecka podstawową opiekę nad nim od pierwszych dni jego życia w zdrowiu i w chorobie powinien sprawować ten sam lekarz. Niemałe znaczenie ma również znajomość środowiska dziecka, jego warunków domowych, zwyczajów panujących w rodzinie, a także stanu zdrowia najbliższego otoczenia. Jeśli ciężka choroba dziecka zmusza do umieszczenia go w szpitalu lub do leczenia w poradni specjalistycznej, bardzo ważną rolę odgrywają informacje, jakie może o chorym dziecku przekazać lekarz obserwujący je stale w okresie zdrowia i występujących poprzednio chorób.

D z i e c k o c h o r u j e na ogół g w a ł t o w n i e, tzn. choroba pojawia się u niego nagle i rozwija się niezwykle szybko. Często w ciągu kilku godzin stan dziecka staje się ciężki, a nawet groźny. Istotne znaczenie dla wyników leczenia ma więc dostatecznie szybkie jego rozpoczęcie. Również bardzo szybko dziecko powraca do zdrowia. Istnieje powiedzenie, że zdrowiejące dziecko rozkwita w oczach. Nawet bardzo doświadczonego pediatrę zaskakuje niejednokrotnie szybkość poprawy stanu zdrowia u dziecka, u którego ciężka choroba stwarzała niedawno zagrożenie życia. Żywotność i zdolności regeneracyjne organizmu dziecka są tak ogromne, że nawet w najcięższym stanie chorobowym nie wolno zaniechać walki o jego życie. Niestety, w części przypadków walka ta kończy się tylko częściowym sukcesem. W miarę postępu wiedzy medycznej coraz więcej jest dzieci przewlekle chorych, które udaje się utrzymać przy życiu, lecz nie można im zapewnić pełni zdrowia. Jest to ważny i trudny problem współczesnej pediatrii, psychologii i pedagogiki, które dążą, by pomóc tym dzieciom i ich rodzicom w zbliżeniu jakości życia do poziomu jak najbardziej normalnego.

Istotną rolę w działaniach na rzecz dzieci przewlekle chorych i niepełnosprawnych odgrywają organizacje społeczne i udział w nich rodziców. Rodzice znając najlepiej trudności, jakie choroba stwarza ich dzieciom, mogą połączonym wysiłkiem wpływać na poprawę poziomu i dostępności działań rehabilitacyjnych, ułatwiać naukę, kontakty z rówieśnikami i organizację wypoczynku.

I. ROZWÓJ PSYCHICZNY I FIZYCZNY DZIECKA

Reakcje zdrowego noworodka

Okres noworodkowy jest etapem pośrednim między bezpiecznym życiem w łonie matki a samodzielnym życiem poza jej organizmem. Trwa on ok. 4 tygodni. Po przeżyciu szoku, jakim jest poród i pierwsze zetknięcie ze światem zewnętrznym, noworodek traci bezpośrednią łączność z matką po odcięciu pępowiny, której kikut w ciągu kilkunastu dni odpada. Przystosowanie do nowych warunków wymaga wytworzenia i udoskonalenia wielu mechanizmów zapewniających prawidłowe oddychanie, krążenie, utrzymywanie stałej temperatury ciała, przyjmowanie pokarmów, oddawanie stolców, powiększanie masy ciała (zob. Okres noworodkowy, s. 1127).

Znajomość charakterystycznych cech zachowania się dziecka w pierwszych tygodniach życia zmniejsza u rodziców uczucie lęku i bezradności wobec nowej, nieznanej istoty. Właściwa ocena reakcji i potrzeb nowo narodzonego dziecka ułatwia podołanie obowiązkom, jakie przyjmują na siebie rodzice od pierwszych dni życia nowego członka rodziny.

Zdrowy noworodek przesypia z mocno zamkniętymi powiekami większą część dnia. Jest to płytki sen, w czasie którego dziecko wykonuje nagłe nieskoordynowane ruchy kończyn, nieświadome mimiczne ruchy twarzy przypominające uśmiech, okresowo napręża mięśnie grzbietu. Otwierając powieki wykonuje nieskoordynowane, bezcelowe ruchy gałek ocznych. Mięśnie noworodka są silnie napięte, co powoduje, że rączki i nóżki mają ułożenie zgięciowe i nie należy ich prostować przez silne zawijanie dziecka. W krótkich początkowo okresach czuwania, które wydłużają się stopniowo, zdrowy noworodek wykonuje energiczne ruchy rąk i nóg, czasami głośno krzyczy z grymasem płaczu na twarzy, ale bez łez, gdyż gruczoły łzowe są jeszcze „niedojrzałe". Na nieprzyjemne bodźce noworodek reaguje krzykiem, ogólnym pobudzeniem, prężeniem ciała, wymachiwaniem rękami i nogami. Podobnie zachowuje się w czasie bolesnego, przejściowego wzdęcia zwanego kolką gazową.

Zdolność regulacji temperatury (ciepłoty) ciała jest u noworodków także „niedojrzała". Ulega on łatwo ochłodzeniu (skóra staje się wtedy szaroblada i chłodna) oraz przegrzaniu, które może prowadzić do niepokoju, odwodnienia i gorączki. Prawidłowo ogrzany noworodek ma chłodne dłonie i stopy i nie należy dążyć do ich ogrzania przez cieplejsze ubranie czy podniesienie temperatury otoczenia. Nie przegrzany i prawidłowo karmiony i pojony noworodek traci tylko 5–10% urodzeniowej masy ciała i wyrównuje ją między 7 a 10 dniem życia. Fizjologiczny spadek masy ciała następuje wskutek utraty płynów z moczem i kałem oraz drogą parowania przez skórę i oddechową. W tym czasie ilość przyjmowanych płynów nie wyrównuje strat, ilość wysysanego pokarmu jest niewystarczająca, tak że dochodzi do zmniejszenia się zapasów tłuszczu w tkankach, co jest zjawiskiem w pełni prawidłowym.

Noworodek oddaje stolec kilka razy na dobę, mocz od kilkunastu do kilkudziesięciu razy na dobę. Pierwsze porcje moczu u donoszonego noworodka karmionego od pierwszej doby życia pojawiają się w ciągu 24 godz. po porodzie. Brak moczu w tym okresie nasuwa podejrzenie choroby układu moczowego. Pierwsze stolce, zwane smółką, są ciemne i lepkie. Od 3–4 doby życia stolce stają się zielonkawe, wolniejsze i liczniejsze – do 10 na dobę. Od 2 tygodnia życia liczba stolców, które są żółte i papkowate, zmniejsza się do 3–5 na dobę.

Okres noworodkowy cechuje szereg odruchów bezwarunkowych, które świadczą o niedojrzałości układu nerwowego i zanikają w pierwszych miesiącach życia. Odruch bezwarunkowy jest wrodzoną, bezpośrednią reakcją na bodziec, przebiegającą bez udziału kory mózgowej. Do charakterystycznych odruchów okresu noworodkowego należą: 1) odruch ssania, 2) odruch pełzania (w pozycji na brzuchu naprzemienne przysuwanie do przodu kolan po podrażnieniu stopy), 3) odruch obejmowania zwany Moro (podnoszenie rąk przypominające gest obejmowania przy nagłej zmianie położenia ciała, wstrząśnięciu, hałasie), 4) odruch chwytania (bezwiedne zaciskanie palców wokół przedmiotu dotykającego dłoni). Świadome chwytanie przedmiotów rozwija się stopniowo ok. trzeciego miesiąca życia początkowo obiema rękami bez zaciskania palców. Brak charakterystycznych dla okresu noworodkowego odruchów lub ich utrzymywanie się po 3–4 miesiącach życia jest objawem nieprawidłowym, świadczącym o zaburzonej czynności ośrodkowego układu nerwowego. Spośród odruchów bezwarunkowych utrzymujących się przez wiele miesięcy bardzo istotne znaczenie ma odruch ssania, który umożliwia pobieranie pokarmu już przy pierwszym przystawieniu do piersi lub podaniu smoczka i butelki z wodą lub pokarmem. Odruch ten występuje od pierwszych godzin życia przy każdym podrażnieniu okolicy warg.

Narządy zmysłów u noworodka wykształcone są stosunkowo dobrze. Odbiera on bodźce czuciowe i cieplne działające na skórę i błony śluzowe, bodźce smakowe i węchowe, niektóre bodźce wzrokowe. W pierwszych dniach życia silne światło powoduje zwężenie źrenic i zaciśnięcie powiek, w 2 tygodniu życia barwne (zwłaszcza niebieskie) przedmioty powodują krótkotrwałe zatrzymanie wzroku. Pod koniec okresu noworodkowego pojawia się reakcja na ludzki głos i fiksacja wzroku na błyszczących przedmiotach.

Już od pierwszych dni życia występują pewne cechy indywidualne w zachowaniu dziecka. Różny jest sposób reagowania na bodźce nieprzyjemne, jak głód, gorzki lub kwaśny smak, mokre pieluszki, zimno czy przegrzanie. Różne bywa nasilenie łaknienia. Różnie szybko i łatwo noworodki uspokajają się po zadziałaniu bodźców przyjemnych, jak ciepła kąpiel, słodki pokarm, przytulenie do piersi matki. Na genetycznie uwarunkowane i coraz bardziej różnicujące się wraz z dojrzewaniem cechy indywidualne nakładają się, działające już od pierwszych dni życia, wpływy otoczenia. Należy ułatwić dziecku przejście przez trudny okres noworodkowy, zaspokajając wszystkie jego potrzeby, tzn. regularnie i odpowiednio karmiąc, utrzymując prawidłową temperaturę otoczenia, czystość i świeżość powietrza, spokojną, pogodną atmosferę wśród domowników, bliski cielesny kontakt z matką najlepiej w czasie karmienia, łagodność i pieszczotliwość gestów i głosu przy czynnościach pielęgnacyjnych, które powinny być wykonywane zawsze przez te same osoby.

Pod koniec pierwszego miesiąca życia dziecka wykształcają się już najprostsze mechanizmy zapewniające podstawowe funkcje życiowe i systematyczny przyrost masy ciała. Dziecko przechodzi wtedy z okresu noworodkowego w niemowlęcy. Niektórzy uważają, że za koniec okresu noworodkowego można przyjąć czas wytworzenia się pierwszego odruchu warunkowego, czyli wymagającego udziału kory mózgowej. Jest nim zazwyczaj odruch ssania występujący przy ułożeniu dziecka w pozycji jak do karmienia bez podrażnienia okolicy ust. Pojawia się on wcześniej, niekiedy już ok. 3 tygodnia życia, u dzieci karmionych piersią. Dziecko zaczyna wykonywać ruchy ssące, gdy matka bierze je na ręce i w ułożeniu jak do karmienia przybliża je do siebie. Następuje skojarzenie z aktem ssania takich bodźców, jak pozycja ciała oraz ciepło i zapach matki. Jest to pierwszy w rozwoju dziecka bezpośredni dowód udziału kory mózgowej w procesach nerwowych. Od tego momentu liczba podobnych skojarzeń szybko wzrasta, tworząc podstawy rozwoju psychicznego i poznawania świata.

Okres noworodkowy jest nie tylko bardzo ważny w życiu dziecka, jest również niezwykle istotny dla rodziców. Powinni oni w tym okresie opanować trudną sztukę zaspokajania najważniejszych potrzeb dziecka, warunkujących jego rozwój fizyczny, psychiczny i uczuciowy, nie zaburzając przy tym spokoju i równowagi całego domu.

Przyrost masy ciała

W okresie noworodkowym dziecko wyrównuje początkowy fizjologiczny ubytek masy ciała, po czym wkracza w okres szybkiego powiększania masy ciała. Swoją wagę urodzeniową podwaja ok. 5 miesiąca życia, a potraja pod koniec pierwszego roku. W pierwszych 5 miesiącach życia niemowlę przybiera ok. 700 g miesięcznie, a w następnych 7 miesiącach po ok. 500 g miesięcznie. Masa ciała dziecka 2-letniego jest na ogół 4 razy większa od wagi urodzeniowej. Długość ciała po roku zwiększa się o ok. 50%. Stopniowo w okresie niemowlęcym zwiększa się obfitość tkanki tłuszczowej, najpierw na twarzy, potem na tułowiu, a następnie na kończynach. Pod koniec 2 r. życia sylwetka dziecka staje się szczuplejsza.

Wraz z powiększaniem się masy ciała postępuje stopniowo zmiana w proporcjach. Dokonuje się ona poprzez trwający do okresu doj-

Tabela masy ciała i wysokości dzieci od urodzenia do 23 miesiąca życia na podstawie pomiarów dzieci warszawskich (wg danych Instytutu Matki i Dziecka)

Chłopcy				Wiek miesiące	Dziewczęta			
masa ciała w kg		wysokość ciała w cm			masa ciała w kg		wysokość ciała w cm	
$\bar{x}$	$\bar{x} \pm S$	$\bar{x}$	$\bar{x} \pm S$		$\bar{x}$	$\bar{x} \pm S$	$\bar{x}$	$\bar{x} \pm S$
3,43	2,92 – 3,94	51,9	49,4 – 54,5	0	3,32	2,81 – 3,83	51,2	48,6 – 53,8
4,33	3,58 – 5,08	55,4	52,9 – 58,0	1	3,90	3,29 – 4,51	53,4	50,7 – 56,1
5,38	4,66 – 6,09	59,2	56,4 – 61,9	2	4,88	4,26 – 5,51	57,2	54,7 – 59,7
6,24	5,52 – 6,96	62,4	60,1 – 64,6	3	5,74	5,02 – 6,48	60,2	57,7 – 62,7
7,22	6,44 – 7,98	65,4	62,7 – 68,1	4	6,52	5,74 – 7,30	63,3	61,2 – 65,4
7,88	6,98 – 8,78	68,1	65,6 – 70,6	5	7,16	6,33 – 7,99	65,8	63,3 – 68,2
8,38	7,40 – 9,36	69,7	67,1 – 72,4	6	7,74	6,82 – 8,66	68,2	65,6 – 70,9
8,82	7,68 – 9,94	71,4	68,5 – 74,3	7	8,20	7,18 – 9,22	69,4	66,6 – 72,2
9,38	8,42 – 10,34	72,3	69,2 – 75,5	8	8,71	7,60 – 9,82	70,7	67,7 – 73,7
9,74	8,41 – 11,07	73,4	70,3 – 76,5	9	8,96	7,91 – 10,01	71,9	69,1 – 74,7
10,11	9,00 – 11,22	75,1	71,3 – 78,8	10	9,18	8,08 – 10,26	72,7	69,1 – 76,3
10,18	9,26 – 11,10	75,8	73,2 – 78,5	11	9,64	8,46 – 10,81	74,2	71,0 – 77,4
10,66	9,58 – 11,76	77,2	74,7 – 80,2	12	9,92	8,84 – 10,98	75,5	73,0 – 78,1
10,78	9,34 – 12,22	78,0	75,2 – 80,8	13	10,24	9,04 – 11,44	76,5	73,8 – 79,2
10,80	9,65 – 11,95	78,7	76,2 – 81,1	14	10,29	9,04 – 11,54	77,4	74,7 – 80,1
10,83	9,76 – 11,90	79,3	76,5 – 82,1	15	10,33	9,45 – 11,21	78,3	75,2 – 81,5
11,31	9,95 – 12,67	80,0	76,7 – 83,2	16	10,84	9,77 – 11,91	79,1	75,8 – 82,4
11,46	10,28 – 12,66	81,0	78,6 – 83,4	17	11,21	10,10 – 12,32	80,2	78,1 – 82,2
11,69	10,63 – 12,75	82,0	79,1 – 84,9	18	11,58	10,56 – 12,61	81,3	78,5 – 84,1
11,91	10,44 – 13,38	82,7	79,3 – 86,2	19	11,59	10,56 – 12,62	81,9	79,6 – 84,3
12,14	10,75 – 13,53	83,7	81,1 – 86,4	20	11,60	10,14 – 13,06	82,6	79,7 – 85,5
12,56	11,21 – 13,91	84,7	81,7 – 87,7	21	11,61	10,46 – 12,76	83,2	80,4 – 86,0
12,72	11,28 – 14,16	85,1	81,4 – 88,7	22	11,81	10,23 – 13,39	83,9	80,9 – 86,8
12,96	11,92 – 14,00	86,1	83,1 – 89,0	23	12,01	10,82 – 13,20	84,1	81,3 – 86,9

$\bar{x}$ – wartość średnia, S – odchylenie standardowe

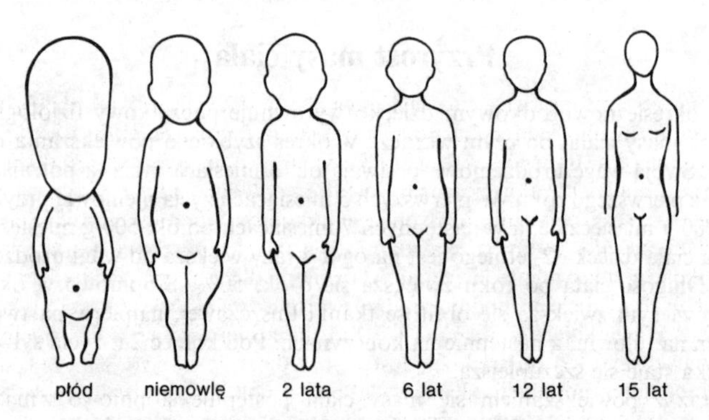

Zmiana proporcji ciała dziecka od okresu płodowego do okresu dojrzewania

rzewania wzrost długości tułowia i kończyn oraz wzrost obwodu klatki piersiowej przy stosunkowo wolniejszym wzroście obwodu głowy (rys.). Powoduje to, że obwód głowy większy u noworodka od obwodu klatki piersiowej staje się w pierwszym kwartale życia równy obwodowi klatki piersiowej, a w drugim półroczu obwód klatki piersiowej już na stałe staje się większy od obwodu głowy.

Tabela masy ciała i wysokości dzieci w wieku od 2 do 16 r. życia na podstawie pomiarów dzieci warszawskich (wg danych Instytutu Matki i Dziecka)

Chłopcy				Wiek lata	Dziewczęta			
masa ciała w kg		wysokość ciała w cm			masa ciała w kg		wysokość ciała w cm	
$\bar{x}$	$\bar{x} \pm S$	$\bar{x}$	$\bar{x} \pm S$		$\bar{x}$	$\bar{x} \pm S$	$\bar{x}$	$\bar{x} \pm S$
13,20	12,03-14,37	87,1	84,0- 90,1	2	12,13	10,98-13,28	84,3	81,4- 87,3
13,93	12,74-15,12	91,2	88,1- 94,3	2,5	13,41	12,01-14,81	89,5	86,5- 92,5
15,39	13,56-17,22	95,3	91,6- 99,0	3	14,54	12,61-16,47	93,8	89,9- 97,3
16,08	14,26-17,90	99,7	95,7-103,7	3,5	15,80	13,58-18,02	99,1	94,3-103,9
16,51	15,19-17,83	102,0	98,7-105,5	4	16,96	14,43-19,59	102,8	98,0-107,6
18,28	16,05-20,51	106,4	102,0-110,7	4,5	17,91	15,61-20,21	103,8	104,0-114,1
18,82	16,54-21,10	109,5	104,9-114,0	5	19,03	16,31-21,75	109,0	107,8-115,9
20,54	18,04-23,04	113,8	109,3-118,3	5,5	20,24	17,83-22,65	111,9	112,0-119,8
22,43	18,94-25,91	116,8	111,2-122,4	6	21,58	18,40-24,76	115,9	112,8-123,2
22,73	19,45-26,01	118,0	113,4-122,7	6,5	22,49	19,08-25,90	118,0	116,9-128,4
25,65	21,85-29,45	123,8	118,3-129,3	7	25,13	21,61-28,65	122,9	121,2-133,1
27,70	22,90-32,50	128,2	121,9-135,4	8	27,45	22,30-32,57	127,2	126,0-138,2
30,51	25,77-35,25	134,2	128,6-139,8	9	30,00	24,38-35,62	132,1	131,0-144,4
34,00	28,40-39,60	138,2	133,2-143,2	10	33,23	26,00-40,47	137,7	138,1-151,9
37,90	28,80-45,00	145,5	138,5-152,2	11	37,43	29,77-45,09	145,0	142,8-160,0
39,83	31,43-48,23	148,6	141,9-155,3	12	41,67	33,00-50,35	151,4	152,1-163,5
46,15	37,05-55,25	156,0	148,3-163,7	13	47,57	38,62-56,51	157,8	155,4-166,6
51,55	41,71-61,39	162,8	154,3-171,3	14	51,19	42,55-59,83	161,0	156,5-167,0
57,12	48,44-65,80	170,0	163,0-177,0	15	52,30	45,40-60,15	161,2	157,1-168,9
63,40	54,60-72,20	173,7	165,9-181,5	16	55,30	48,30-62,30	163,0	157,5-168,9

$\bar{x}$ – wartość średnia, S – odchylenie standardowe

Pomiary antropometryczne wykonywane w dużych grupach dzieci w poszczególnych okresach życia pozwoliły ustalić przeciętne tempo wzrastania. Przeciętne dla danego okresu życia wyniki pomiarów określa się jako „normę" dla wieku. Pojęcie normy jest dość dowolne, gdyż każde dziecko ma swoje własne genetycznie uwarunkowane tempo i granice wzrastania. Najprostszą metodą oceny przyrostu masy ciała jest okresowe porównywanie wysokości i masy ciała dziecka z normami dla danego wieku zawartymi w tabelach. Tabele te podają średnie wartości masy i wysokości ciała oraz wielkości wynikające z ujemnej (–) lub dodatniej (+) wartości odchylenia standardowego (S) od średniej. Jest to przedział, w którym znajduje się ok. 68% badanej populacji. Jeśli wysokość i masa ciała badanego dziecka odbiega od średniej, lecz mieści się w granicach jednego odchylenia standar-

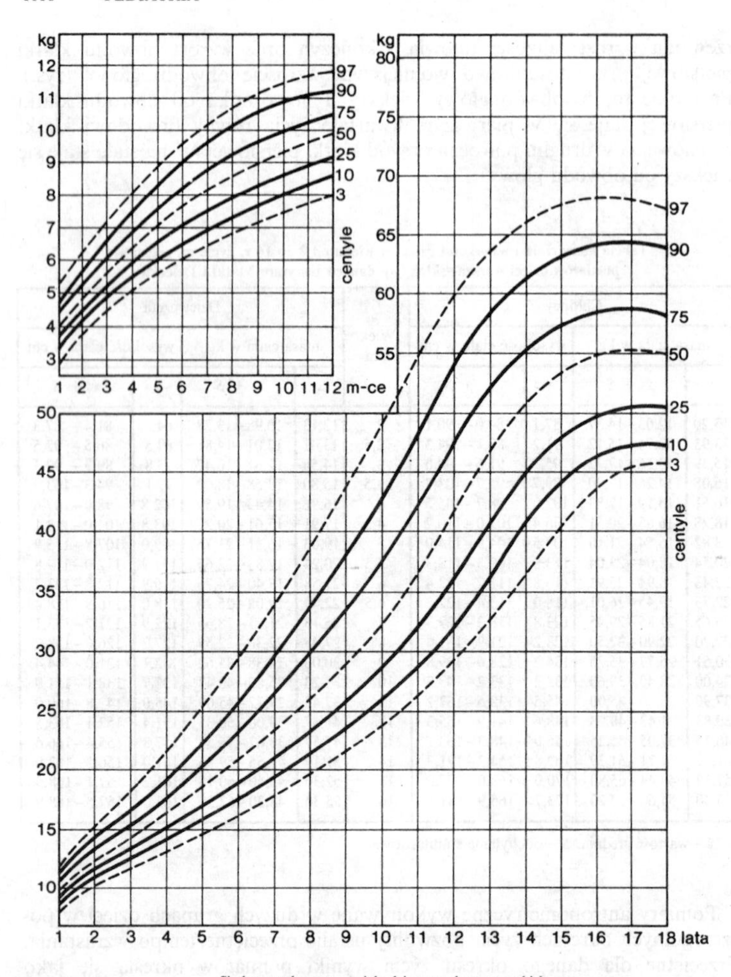

Siatka centylowa masy ciała dziewczynek warszawskich

dowego, wyniki pomiarów są uznawane za p r a w i d ł o w e, tzn. mieszczące się w granicach tzw. wąskiej normy. Wysokość i masa ciała takiego dziecka są uznawane za przeciętne. Istotne znaczenie ma porównanie masy ciała z wysokością. Jeśli masa ciała badanego dziecka mieści się w górnej granicy tzw. wąskiej normy, a wysokość w dolnej granicy tej normy dla wieku – dziecko takie, mimo masy ciała i wysokości mieszczących się w pojęciu

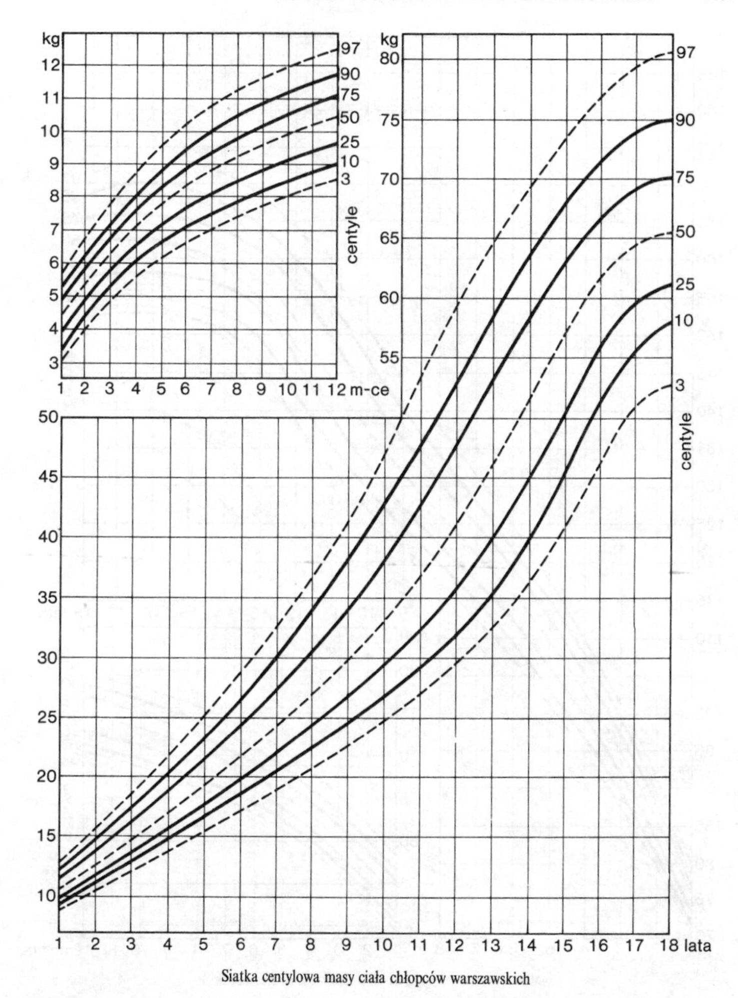

Siatka centylowa masy ciała chłopców warszawskich

p r z e c i ę t n e, ma nadmierną masę i należy ograniczyć mu dostarczanie kalorii. Istotne jest więc pojęcie m a s y n a l e ż n e j dla w z r o s t u, a nie tylko m a s y n a l e ż n e j dla w i e k u. Na bardziej wnikliwą ocenę tempa przyrostu masy ciała i wysokości pozwalają siatki centylowe (rys.). Chcąc ocenić np. wzrastanie dziecka oznacza się na odpowiedniej siatce punkt przecięcia się dwóch prostych: pionowej wyznaczającej wiek dziecka i poziomej

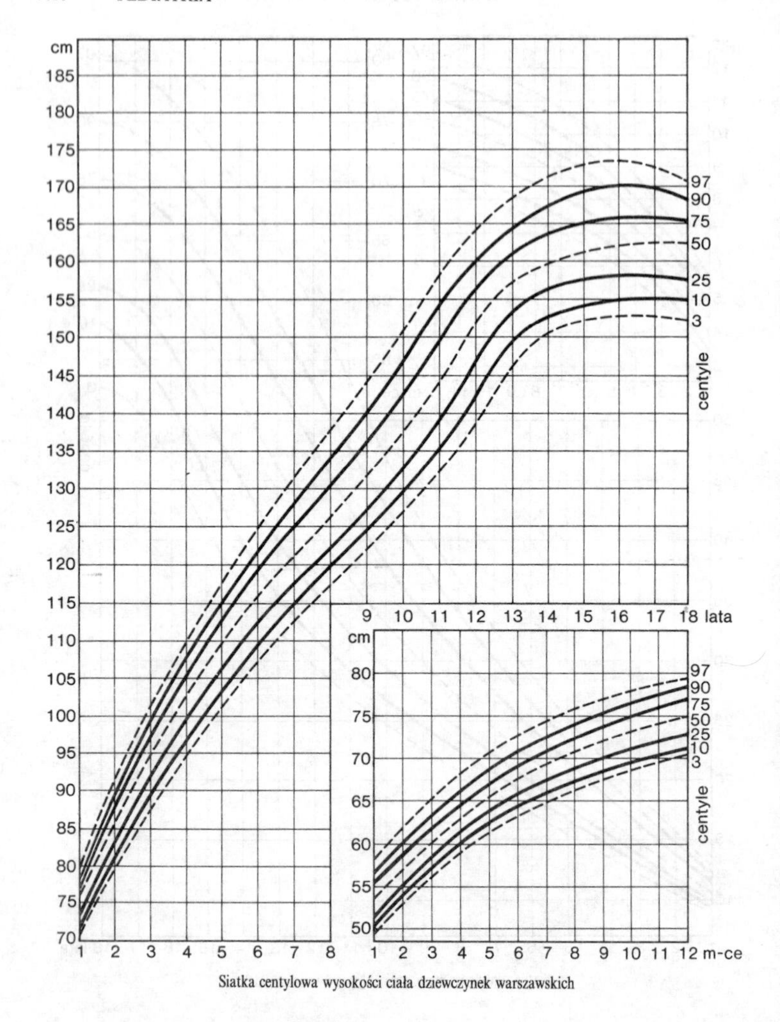

Siatka centylowa wysokości ciała dziewczynek warszawskich

wyznaczającej wysokość. Podobnie używając odpowiednich siatek ocenia się masę ciała dziecka. Jako *wąską normę* przyjmuje się wartości między 25 a 75 centylem, charakterystyczną dla 50% badanej populacji, której wymiary posłużyły do skonstruowania siatek. Jako *szeroką normę* traktuje się wartości mieszczące się między 10 a 90 centylem, występujące u 80%

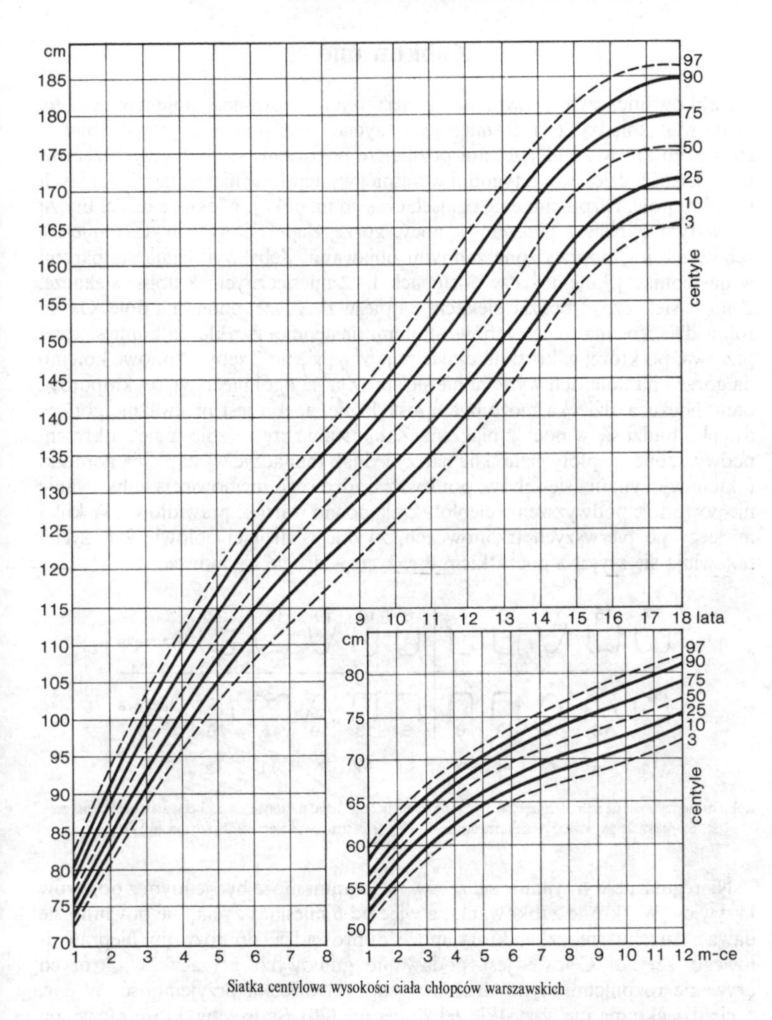

Siatka centylowa wysokości ciała chłopców warszawskich

badanych dzieci. Wartości skrajne po 10% z obu stron siatki, tzn. powyżej 90 i poniżej 10 centyli, wymagają wnikliwej obserwacji. Przechodzenie przy powtarzanych okresowo pomiarach badanej cechy z jednego kanału centylowego do innego stanowi informację o przyspieszeniu lub zwalnianiu się tempa wzrastania albo przyrostu masy ciała.

Ząbkowanie

Ząbkowanie, czyli wyrzynanie się pierwszych zębów, następuje u większości niemowląt między 6 i 9 miesiącem życia. Nie powinno jednak budzić niepokoju ani wcześniejsze, ani późniejsze pojawienie się pierwszych zębów. U większości dzieci kilka tygodni wcześniej występuje ślinienie, żucie twardych przedmiotów, rozpulchnienie dziąseł, czasem niepokój. Niektóre dzieci budzą się w tym okresie z płaczem w nocy, gorzej ssą. U innych wyrzynanie się zębów nie jest poprzedzone żadnymi objawami. Zęby wyrzynają się parami w następującej kolejności w odstępach 1–2 miesięcznych: 2 dolne siekacze, 2 górne siekacze, 2 boczne siekacze najpierw na górze, potem na dole. Około roku dziecko ma 6–8 zębów. Potem następuje zwykle kilkumiesięczna przerwa, po której w krótkim czasie pojawiają się po 2 zęby trzonowe kolejno na górze i na dole. Ich wyrzynanie się sprawia na ogół nieco więcej kłopotów. Samopoczucie dziecka może być upośledzone, apetyt jest przeważnie gorszy, dziecko budzi się w nocy z płaczem. Ząbkowanie często zbiega się z okresem podwyższonej ciepłoty ciała. Nie należy jednak tłumaczyć wystąpienia gorączki faktem wyrzynania się zębów, ponieważ u zdrowego niemowlęcia ząbkowanie nie powoduje podwyższenia ciepłoty ciała ponad wartość prawidłową. W kilka miesięcy po pierwszych trzonowcach, zwykle w drugiej połowie 2 r. życia, pojawiają się kły, a z początkiem 3 r. życia – drugie trzonowce.

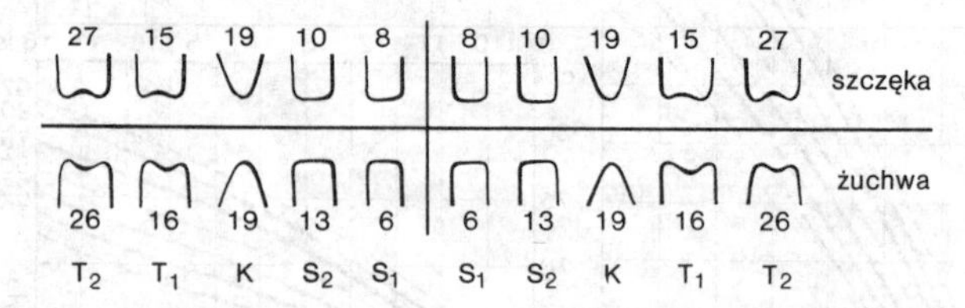

Kolejność wyrzynania się mlecznych zębów. Cyfry oznaczają miesiąc życia, w którym na ogół pojawiają się kolejne zęby: S_1 – siekacze pierwsze, S_2 – siekacze drugie, K – kły, T_1 – trzonowce pierwsze, T_2 – trzonowce drugie

Nieregularne wyrzynanie się zębów nie parami może być jednym z objawów krzywicy. W okresie ząbkowania, a więc od 6 miesiąca życia, nie powinno się dawać dziecku smoczka, który może doprowadzić do rozwoju nieprawidłowego zgryzu. Celowe jest podawanie gumowych gryzaczków, których gryzienie rozpulchnionymi dziąsłami sprawia dziecku przyjemność. W 3 r. życia dziecko ma już wszystkie zęby mleczne (20). Stałe zęby, które zaczynają się wyrzynać w 6 r. życia, formują się w szczękach już w okresie niemowlęcym (zob. Choroby jamy ustnej i zębów, Rozwój twarzy i układu stomatognatycznego, s. 1730).

Mleczne i stałe zęby szybciej ulegają próchnicy, gdy w ich zagłębieniach zatrzymuje się cukier, z którego powstaje kwas mlekowy rozpuszczający szkliwo. Należy więc ograniczyć podawanie słodkich pokarmów, przestrzegać od 2 r. życia mycia zębów po posiłkach. Od 3 r. życia zęby 2 razy do roku powinien kontrolować lekarz dentysta. Celowe jest uzupełnianie fluoru w wodzie pitnej i pokrywanie powierzchni zębów trzonowych plastikową powłoką; zmniejsza to znacznie zagrożenie próchnicą.

Rozwój czynności ruchowych w pierwszych trzech latach życia

Okres niemowlęcy

Po okresie noworodkowym, który cechuje się postępującą stabilizacją funkcji życiowych i stosunkowo małą dynamiką wzrastania i rozwoju ruchowego, następuje trwający około roku okres niemowlęcy. W ciągu pierwszego roku życia rozwój postępuje bardzo szybko. Wydłużają się stopniowo i coraz bardziej są aktywne okresy czuwania, powiększa się masa ciała, zmieniają się proporcje, prawie z dnia na dzień pojawiają się nowe ruchy i umiejętności. Rozwój ruchowy u zdrowych dzieci przebiega według pewnego schematu i jest jednym z wykładników prawidłowego rozwoju fizycznego i psychicznego. Dlatego dla oceny prawidłowości rozwoju dziecka pożyteczna jest znajomość okresów życia, w których pojawiają się poszczególne reakcje ruchowe. Ponieważ istnieją różnice indywidualne w rozwoju poszczególnych dzieci, terminy pojawiania się czynności ruchowych, podobnie jak wszystkie inne normy rozwojowe, mają tylko orientacyjne znaczenie.

Pod koniec pierwszego miesiąca życia ustępuje duże napięcie mięśniowe, znika płodowe ułożenie z przygiętymi rękami i nogami. Umiejętności ruchowe rozwijają się od głowy ku dołowi, a w zakresie ręki – od ramienia do palców.

W 2 miesiącu życia niemowlę wykonuje niecelowe ruchy głową na boki, skręca i wygina tułów, chaotycznie wymachuje rękami i nogami.

W 3 miesiącu życia stopniowe opanowanie ruchów głowy i barków pozwala na unoszenie głowy przy leżeniu na brzuchu stopniowo z coraz wyższym unoszeniem barków i klatki piersiowej. Umiejętność ta pojawia się nieco wcześniej u dzieci układanych na brzuchu, co zdaniem niektórych pediatrów sprzyja również wcześniejszemu rozwojowi narządu wzroku i nabywaniu umiejętności obserwowania. W 3 miesiącu koordynacja mięśni umożliwia dłuższą fiksację wzroku na błyszczących przedmiotach znajdujących się w odległości nie przekraczającej 3 m, a następnie wodzenie wzrokiem za poruszającym się przedmiotem i w kierunku dźwięków; dziecko zaczyna obserwować swoje unoszone do góry ręce i nogi. Również w 3 miesiącu w czasie coraz częstszych i dłuższych okresów radości wywoływanej bliskością i głosem człowieka występuje ogólne ożywienie z wydawaniem dźwięków „gruchania”, głośnym śmiechem, wymachiwaniem rękami, które potrącają będące w ich zasięgu przedmioty. W tym okresie zanikają bezwarunkowe odruchy okresu noworodkowego: chwytania, pełzania, obejmowania.

4-miesięczne niemowlę wykonuje w okresach radości i złości mostek i unosi głowę leżąc na plecach. Obie te reakcje są dowodem doskonalenia mięśni grzbietu. Przypadkowe potrącanie przedmiotów, występujące zwykle w okresach radości przy ogólnym ożywieniu, zmienia się stopniowo w celowe wyciąganie ramion do zabawki i niezdarne potrącanie jej rękami. W 4–5 miesiącu dziecko potrafi obracać się z pleców na boki, a pociągane za ręce podnosi ramiona i plecy.

5-miesięczne dziecko obraca się z pleców na brzuch, chwyta oburącz przedmioty znajdujące się nad klatką piersiową, a wkrótce również nad twarzą i z boku, obmacuje własną głowę i nogi. Uchwycony przedmiot początkowo udaje się dziecku utrzymać między obiema dłońmi zaledwie parę sekund. Następnym etapem rozwoju chwytania jest zaciskanie całej dłoni na włożonej do ręki zabawce, początkowo bez przeciwstawnego ułożenia kciuka (tzw. „małpi chwyt"). Dziecko początkowo puszcza tę zabawkę, gdy do drugiej ręki włoży mu się inny przedmiot.

W 6 miesiącu życia niemowlę chwytając palce osoby dorosłej lub pręt łóżeczka samodzielnie siada i przez chwilę pozostaje w tej pozycji mocno przygięte do przodu. Dopiero między 7 i 9 miesiącem uczy się samodzielnie siadać z pozycji na boku i coraz dłużej samodzielnie siedzi z coraz bardziej wyprostowanymi plecami. Niektóre dzieci, szczególnie te, które dużo czasu spędzają w pozycji na brzuchu przed nauczeniem się siadania, opanowują sztukę pełzania na brzuchu, tzn. przemieszczania się przy pomocy rąk najpierw w kółko, następnie do tyłu i w nieco późniejszym okresie do przodu. Dzieci te siadają na ogół później niż inne, a niektóre z nich wcześniej stoją z podparciem niż siedzą. Taka kolejność rozwoju ruchowego jest korzystna dla kształtowania prawidłowej postawy ciała.

Pod koniec 6 miesiąca życia dziecko zaczyna chwytać jedną ręką przedmioty. Wkrótce opanowuje umiejętność trzymania jednocześnie w każdej rączce po jednym przedmiocie i podnoszenia trzymanego przedmiotu do ust. Jest to początek nauki samodzielnego jedzenia, a zarazem zapowiedź poznawania (między 8 i 9 miesiącem życia) każdego przedmiotu przez wkładanie go do ust.

W 6–7 miesiącu pojawiają się zaczątki usprawniania nóg. Niemowlę trzymane pod pachy w pionowej pozycji podpiera się nogami i wykonuje ruchy stąpania.

Między 7 i 9 miesiącem podtrzymywane pod pachy niemowlę mocno podpiera się nogami i wykonuje ruchy podskakiwania. W tym okresie „małpi chwyt" całą dłonią zostaje zastąpiony chwytaniem palcami i przeciwstawnym ułożeniem kciuka. Stopniowe usprawnienie palców ręki pozwala na opanowanie ok. 9 miesiąca życia umiejętności chwytania dwoma palcami.

Około 8 miesiąca dziecko umie samo chwytać po jednym przedmiocie do każdej ręki, przekładać przedmiot z ręki do ręki i upuszczać go celowo. Między 8 i 9 miesiącem postawione stoi z podpieraniem się oraz trzymając się podparcia samodzielnie klęka. Następnym etapem przygotowującym chodzenie jest samodzielne wstawanie przy poręczy łóżeczka czy kojca, a wkrótce potem pierwsze kroki w bok wzdłuż poręczy.

W 9 miesiącu zwykle dziecko zaczyna poruszać się raczkując na kolanach w pozycji poziomej przy pomocy rąk. Doskonalenie raczkowania prowadzi do sprawnego poruszania się na czworakach z odrywaniem kolan od podłoża.

Nauka chodzenia odbywa się stopniowo między 9 i 14 miesiącem życia, w różnym tempie u różnych dzieci, poprzez następujące fazy: 1) kroczenie na boki wzdłuż poręczy, 2) kroczenie do przodu z podparciem, 3) chodzenie z trzymaniem za rękę, 4) samodzielne chodzenie. Doskonalenie samodzielnego chodzenia trwa wiele miesięcy i przebiega różnie u różnych dzieci. Jedne stawiają kroki bardzo ostrożnie, inne kroczą szybko nie zważając na przeszkody, jeszcze inne przez długi czas chętniej poruszają się raczkując niż chodząc.

W ostatnich miesiącach pierwszego roku życia dziecko doskonali umiejętność chwytania, nabiera umiejętności manipulowania palcami, potrząsa trzymanymi w rękach przedmiotami i stuka przedmiotem o przedmiot, potrafi ustawić 2 klocki jeden na drugim. Je trzymane w ręce jedzenie, np. jabłko, biszkopt itp., oburącz trzyma kubek, z którego dostaje pić i podtrzymuje butelkę.

Okres poniemowlęcy

Koniec pierwszego roku życia kończy okres niemowlęcy, 2 i 3 rok zwane są okresem poniemowlęcym. W tym okresie doskonali się pionizacja ciała, zręczność ruchów i zmysł równowagi; dziecko osiąga spory stopień samodzielności.

W pierwszym półroczu 2 r. życia dziecko stoi na palcach, schyla się po przedmiot leżący na podłodze, siada sprawnie z pozycji na plecach.

W połowie 2 r. życia biega na palcach, wspina się na sprzęty, otwiera pudełko, odwraca kartki książki, układa 3–4 klocki, pije z kubka i stopniowo coraz sprawniej je łyżeczką.

W drugiej połowie 2 r. życia zaczyna chodzić dłuższym krokiem mniej szeroko stawiając nogi, trzymane za rękę chodzi po schodach jedną nogą do przodu z dostawianiem drugiej.

Pod koniec 2 r. życia kopie piłkę, ciągnie zabawkę, przechodzi przez przeszkodę podnosząc wysoko nogę, samodzielnie chodzi po schodach. Pomaga ubierać się i rozbierać, próbuje nożyczkami ciąć papier, smaruje ołówkiem po papierze, je widelcem, układa w górę i w poziomie 4–5 klocków.

Na początku 3 r. życia dziecko całkiem opanowuje chodzenie, naprzemiennie stawia nogi idąc po schodach, potrafi nieść oburącz naczynie z wodą.

W połowie 3 r. życia potrafi stać na jednej nodze, przeskakuje przeszkody, buduje z 8 klocków, bawi się piłką.

Pod koniec 3 r. życia chodzi po wąskiej desce, samodzielnie potrafi jeść, zbierać porozrzucane przedmioty i układać je w celowy sposób, ścierać kurze, zapinać guziki, sznurować buty, myć i wycierać ręce, samodzielnie rozbierać się i ubierać z pomocą. W tym okresie wykształca się przewaga jednej ręki nad drugą.

Harmonijność rozwoju i stopień osiągniętej w ciągu pierwszych trzech lat życia sprawności ruchowej i samodzielności zależą w dużym stopniu od warunków stwarzanych dziecku przez otoczenie.

Rozwój psychiczny dziecka

Okres niemowlęcy

Pod koniec pierwszego miesiąca życia pojawiają się u dziecka pierwsze świadome reakcje na otoczenie. Pierwszy odruch warunkowy – ruchy ssące przy ułożeniu jak do karmienia – pojawia się zwykle w 3 tygodniu życia.

W 2 miesiącu życia dziecko osiąga umiejętność zatrzymywania wzroku na barwnych przedmiotach oraz zaczyna różnicować bodźce słuchowe. Najwcześniej występują reakcje skupienia i uspokojenia na głos ludzki. W 2–3 miesiącu życia niemowlę odwraca głowę w kierunku ludzkiego głosu i wkrótce samo zaczyna wydawać dźwięki gruchania. Jest to dźwięk właściwy dla wszystkich ras, wydawany również przez dzieci głuchonieme. W tym okresie pojawiają się też pierwsze reakcje uczuciowe: zadowolenia, niepokoju, złości, zaciekawienia, pierwsze łzy i uśmiech.

W 3 miesiącu życia dziecko wodzi wzrokiem za poruszającymi się przedmiotami, obserwuje własne ręce i bawi się nimi, coraz częściej się śmieje. Zaczyna zwracać na siebie uwagę otoczenia głośnym krzykiem, nawiązuje kontakt z ludźmi odpowiadając na głos i pieszczotę uśmiechem, gruchaniem i ogólnym radosnym ożywieniem.

W 4 miesiącu życia dziecko rozpoznaje matkę, zaczyna różnicować barwy, w 5 miesiącu odróżnia ludzi znajomych od obcych, coraz częściej gaworzy wydając już nie pojedyncze dźwięki, ale wymawiając całe sylaby i ich kombinacje.

W 6 miesiącu coraz pilniej obserwuje ludzi, reaguje strachem i płaczem na obcych, odpowiada gaworzeniem i głośnym śmiechem na głos i uśmiech, usiłuje zwrócić na siebie uwagę, reaguje zadowoleniem i przytulaniem się na pieszczotę.

W 7–8 miesiącu dziecko poznaje otaczające je znajome przedmioty, obserwuje je, bierze do ręki, postukuje nimi i potrząsa, wsłuchuje się w wydobywające się przy tym dźwięki, wkłada wszystko do ust. Zna swoje zabawki i zaczyna ich szukać wokół siebie, gdy się je schowa. W procesach poznawczych biorą w tym okresie życia udział wszystkie zmysły: wzrok, słuch, dotyk, smak i powonienie. Wkładanie wszystkiego do ust jest jedną z form poznawania świata.

W 9 miesiącu dziecko zaczyna naśladować mowę i proste gesty, rozumie znaczenie prostych słów i swoje imię. Bierze udział w prostych zabawach z dorosłymi, coraz częściej okazuje swoją wolę domagając się gwałtownie upragnionego przedmiotu, obecności bliskich mu osób czy wzięcia na ręce. W tym okresie życia pojawiają się pierwsze słowa: mama, tata, baba, daj – początkowo powtarzane za dorosłym, a następnie wymawiane ze zrozumieniem.

Między 9 i 12 miesiącem życia następuje szybki rozwój sprawności poruszania się, coraz lepsze rozumienie słów i stopniowy rozwój mowy. Przyswajanie nowych słów zaczyna się od ich rozumienia. Pod koniec pierwszego roku życia dziecko potrafi na polecenie pokazać części swego ciała, osoby z otoczenia. Rozumie proste polecenia i zakazy, jak „daj", „weź", „nie wolno". Rozumiejąc znaczenie wielu słów, samo potrafi wymówić zaledwie parę dwusylabowych wyrazów. Rozwój umysłowy niemowlęcia jest ściśle związany z rozwojem czynności ruchowych. Dlatego oceniając poziom rozwoju bierze się pod uwagę sprawność ruchową, umiejętności manipulacyjne, zdolność nawiązywania kontaktu z dorosłym, rozwój mowy.

Okres poniemowlęcy i przedszkolny

W okresie poniemowlęcym następuje szybki postęp sprawności ruchowej, rozwój mowy, zdolności kojarzenia i koncentracji uwagi. Zaznacza się zdolność do uogólnień i rozumienie pojęć abstrakcyjnych. Słowa oznaczają już nie tylko jakiś jeden określony przedmiot, lecz wywołują ogólne skojarzenia. Dziecko w 2 r. życia wie np., że kwiatek pachnie, że może mieć różne kolory i kształty; ma poczucie przynależności pewnych przedmiotów czy cech do określonych osób, rozróżnia proste figury geometryczne; zaczyna mieć poczucie ilości. Zaczątek liczenia stanowi dostrzeganie różnicy między „jeden" i „więcej". Dziecko 2-letnie na ogół wie, co znaczy jeden i dwa. Część trzylatków umie w prawidłowej kolejności wymienić kilka liczb.

Rozwój mowy w 2 i 3 r. życia postępuje bardzo szybko. U wielu dzieci rozwój mowy odbywa się jakby skokami. Po opanowaniu kilku nowych słów następuje przerwa w przyswajaniu sobie nowych. Dzieje się to zwykle w okresach nasilonej ruchliwości, gdy postępy w poruszaniu się i manipulowaniu rękami odsuwają na dalszy plan potrzebę mówienia. Jest to szczególnie charakterystyczne dla dzieci bardzo żywych, u których potrzeba ruchu opóźnia nieco rozwój mowy.

W pierwszym półroczu 2 r. życia liczba wymawianych słów wzrasta z każdym miesiącem o kilka. Wcześniej dziecko wymawia rzeczowniki, następnie czasowniki. Między 15 a 20 miesiącem życia zaczyna łączyć słowa w sposób zastępujący zdania: „mama am" zamiast „mamo daj mi jeść", a następnie budować proste, złożone z 2–3 wyrazów zdania.

Pod koniec 2 r. życia liczba słów używanych przez dziecko wzrasta bardzo szybko do kilkuset i wymawianie ich jest coraz bardziej prawidłowe. Pojawiają się słowa kilkusylabowe. Są to już nie rzeczowniki i czasowniki, ale również przymiotniki i przysłówki. Dziecko 2-letnie zaczyna używać w zdaniach przypadków i czasów. Pierwszym zaimkiem jest „ja". Trzylatek używa go zamiast swojego imienia, którym określa siebie dziecko 2-letnie. Nieco później pojawiają się zaimki „my", „nasz", „nam", świadczące o poczuciu wytwarzającej się więzi społecznej.

Dziecko 3-letnie mówi nieustannie, używa ok. 1000 słów, buduje poprawnie coraz dłuższe zdania, używa na ogół prawidłowych form gramatycznych, coraz sprawniej wyraża swoje myśli, relacjonuje zdarzenia, mówi o tym, co ma nastąpić w czasie przyszłym. W połowie 3 r. życia dziecko potrafi nauczyć się krótkiego wierszyka. Część dzieci w 3–4 r. życia zaczyna się jąkać. U większości jest to objaw przemijający, związany z nienadążaniem rozwoju mowy za rozwojem psychicznym i potrzebą szybkiego przekazywania swoich myśli i wrażeń. Rozwój zdolności myślenia jest w 2–3 r. życia bardzo dynamiczny. Na przełomie 1–2 r. życia wyobrażenie o przedmiotach i czynnościach wiąże się z konkretnym widzianym przedmiotem i konkretną wykonywaną czynnością czy gestem. Słowa „pokaż nosek" wiążą się z pokazaniem własnego nosa. Jest to sensoryczno-motoryczny etap myślenia. Po nim następuje etap konkretno-pojęciowy, gdy słowa zaczynają nabierać znaczenia ogólnego. „Pokaż" oznacza możliwości pokazania wszystkiego, co otacza, „nosek" jest już nie tylko własnym nosem. W tym okresie dziecko myśli głośno. Dalszy rozwój myślenia rozwija się na podstawie własnych spostrzeżeń, zapamiętywania zdarzeń, które zaczynają się łączyć w przyczyny i skutki. Wyobraźnia dopiero zaczyna się kształtować i jest bardzo niedoskonała, co warunkuje typowy w tym okresie życia brak poczucia niebezpieczeństwa, np. wybieganie na jezdnię, wchodzenie do głębokiej wody, dotykanie bardzo gorących przedmiotów.

W okresie poniemowlęcym doskonali się życie uczuciowe. Dziecko już nie tylko kocha, boi się czy złości, ale jest zdolne do współczucia, zazdrości, niepokoju o bliską osobę. Mimo bardzo silnej więzi rodzinnej, dziecko 3-letnie akcentuje swoją odrębność i przejawia coraz większą samodzielność. Silnie zaznacza się chęć wymuszania, upór, negatywizm. Wymaga to od dorosłych dużej wyrozumiałości i cierpliwości. Umiarkowana, łagodna stanowczość zapewnia dziecku równowagę i ufność.

Po płynnym opanowaniu mowy, zwykle w 3–4 r. życia, dziecko uczy się posługiwać formami grzecznościowymi. Sprawne używanie: „proszę", „dziękuję" zależy od wymagań stawianych przez otoczenie; nawyk używania form grzecznościowych, podobnie jak poprawność zachowania się, zależy od zwyczajów panujących w otoczeniu, które dziecko bardzo uważnie obserwuje już od okresu niemowlęcego i bardzo wcześnie zaczyna naśladować.

Dziecko 4-letnie umie nazwać podstawowe kolory. Umiejętność nazywania pozostałych barw i odcieni zależy od ćwiczeń i zainteresowań rozwijanych przez otoczenie.

Nauka liczenia nie idzie w parze z umiejętnością wymieniania prawidłowej kolejności liczb, którą zwykle opanowuje dziecko 3-letnie. Zwykle dopiero 4-letnie dziecko umie policzyć 3–4 przedmioty. W wieku 5 lat dziecko potrafi z większej liczby przedmiotów odliczyć prawidłowo do 10. W tym wieku dziecko powinno również rozumieć i używać prawidłowo słowa określające pory doby i roku. Dopiero 6–7-letnie uczy się dni tygodnia i miesięcy. Dziecko 6-letnie umie na ogół liczyć do 100, liczyć dziesiątkami do 100, dodawać w obrębie 10, odejmować w obrębie 5. W wieku 7 lat dodaje w obrębie 20, odejmuje w obrębie 10. Umiejętność odróżnienia monet opanowują dzieci w różnym okresie życia, głównie w zależności od praktycznych potrzeb – znacznie szybciej te dzieci, które uczestniczą w zakupach.

W wieku poniemowlęcym i przedszkolnym nauka odbywa się poprzez obserwowanie, a następnie kojarzenie faktów w przyczyny i skutki. Główną formą nauki jest w tym okresie życia zabawa. Ćwiczy ona zdolność spostrzegania, manipulowania i coraz dłuższej koncentracji uwagi. Zabawy konstrukcyjne piaskiem, klockami, układankami ćwiczą precyzję ruchów i rozwijają wyobraźnię. Zabawy tematyczne polegają na naśladowaniu otoczenia i na odtwarzaniu fikcyjnych sytuacji, jeżdżeniu nie istniejącym autem, karmieniu lalek nie istniejącymi potrawami itp. Zabawy te wymagają spostrzegawczości, zapamiętywania i wyobraźni. Zabawy artystyczne: lepienie, malowanie, wycinanki, rozwijają umiejętności manipulacyjne i poczucie estetyki. Między 3 i 6 r. życia znaczenie dydaktyczne (szkolące) mają zabawy w loteryjki, łamigłówki, gry. Uczenie się w formie zabawy stanowi przygotowanie do okresu szkolnego.

Okres szkolny

Na ogół w pierwszych klasach dzieci lubią szkołę, są dumne, że są już uczniami, idealizują nauczycieli. W starszych klasach u dużej części dzieci narasta krytycyzm i niezadowolenie. Stosunek dziecka do szkoły i jego wyniki w nauce w dużym stopniu zależą od postawy rodziców. Rodzice krytykujący szkołę często nieświadomie wytwarzają u swojego dziecka negatywny stosunek do szkoły i nauki i wpływają na obniżenie jego osiągnięć. Około 9–11 r. życia u wielu dzieci ujawnia się niechęć do wysiłku. W tym okresie bardzo potrzebna jest, zwłaszcza mniej zdolnym dzieciom, pomoc i odpowiednia zachęta w domu oraz świadomość, że są one akceptowane w szkole. Zarówno u dzieci mniej zdolnych, które osiągają złe wyniki w nauce, jak u dzieci bardzo inteligentnych, które nudzą się na zajęciach szkolnych, stopniowo pogłębia się niechęć do szkoły. Często niechęć tę nasilają złe kontakty z nauczycielem, który nie potrafi pomóc dziecku. Sprawę pogarsza krytykowanie w obecności dziecka nauczyciela przez rodziców. W okresie szkoły podstawowej i średniej wyniki w nauce mają dość ścisły związek z emocjonalnym stosunkiem dziecka do szkoły.

II. OKRES NOWORODKOWY

Noworodek

Noworodek jest to dziecko w okresie od urodzenia do 28 dnia życia. W tym czasie przystosowuje się ono do życia pozamacicznego. Dziecko po urodzeniu przechodzi ze środowiska wodnego do środowiska powietrznego.

Najważniejszą zmianą jest wyłączenie łożyska z krążenia, co następuje po odcięciu pępowiny. Powoduje to konieczność zmian czynnościowych w układzie krążenia i oddychania.

Krążenie płodowe i noworodkowe. Krążenie płodowe różni się od krążenia dorosłych, gdyż w jego skład wchodzi łożysko i pępowina, a wyłączona jest sieć naczyń płucnych. Odrębności te stwarzają konieczność istnienia w życiu płodowym połączeń w sercu i naczyniach, dla prawidłowego krążenia krwi. Połączenia te to otwór owalny pomiędzy przedsionkami serca i przewód tętniczy Botalla, łączący tętnicę płucną z aortą. Natychmiast po urodzeniu dziecka duża ilość krwi przepływa z łożyska do krążenia noworodka. Wzrasta ciśnienie krwi, która zostaje wtłoczona do naczyń płucnych. Towarzyszące temu zmiany ciśnień powodują zamknięcie zastawki w otworze międzyprzedsionkowym oraz znaczne zwężenie przewodu Botalla. Oba te połączenia powinny zarosnąć w okresie noworodkowym, a przetrwanie ich jest przyczyną wady w układzie krążenia. W pierwszych dniach życia odpadają również naczynia pępowinowe wraz z pępowiną i wytwarza się pępek.

Układ oddechowy. Rozpoczęcie oddychania jest jednoczesne ze zmianami w krążeniu. Jest ono odruchową odpowiedzią na różne bodźce działające na noworodka oraz na zaciśnięcie pępowiny, co odcina dopływ tlenu i powoduje zatrzymanie dwutlenku węgla. Jest to bodźcem dla ośrodka oddechowego, który wysyła sygnał powodujący wdechowy ruch klatki piersiowej i ssanie powietrza. Płuca rozprężają się gwałtownie, czemu towarzyszy wypełnianie krwią pustych naczyń włosowatych krążenia płucnego. Dla rozprężenia pęcherzyków płucnych, zapadniętych u płodu, potrzebna jest duża siła, tym większa, im mniejszy jest ich przekrój, a więc im mniejsze dziecko. Pomocne w tym procesie jest działanie substancji chemicznej wyściełającej pęcherzyki płucne (surfaktant), która ułatwia rozprężenie ich oraz przeciwdziała całkowitemu zapadaniu się przy wydechu. Zdrowy noworodek zaczyna oddychać w pierwszej minucie po urodzeniu, czemu towarzyszy krzyk dziecka. Noworodek urodzony w zamartwicy rozpoczyna oddychanie z opóźnieniem lub nie rozpoczyna go wcale.

Stan ogólny noworodka określa się po urodzeniu według ujednoliconych kryteriów ujętych w punktach opracowanych przez Wirginię Apgar. Bada się sprawność układu nerwowego, krążenia i oddychania. Dziecko w bardzo dobrym stanie otrzymuje 10 punktów Apgar, w ciężkiej zamartwicy 1 punkt.

Zamartwica jest to stan niedotlenienia i kwasicy, który występuje w czasie ciąży, porodu lub bezpośrednio po urodzeniu. Dziecko urodzone w ciężkiej zamartwicy jest blade lub sine, nie oddycha, nie krzyczy, jest wiotkie i ma zwolnioną czynność serca.

Leczenie polega na oczyszczeniu górnych dróg oddechowych z wód płodowych, zastosowaniu sztucznego oddychania przy użyciu specjalnej aparatury oraz wykonaniu masażu serca. Podawanie leków do żyły pępowinowej lub do dróg oddechowych stosuje się przy niedostatecznych efektach cucenia.

Przewód pokarmowy jest dobrze przygotowany w życiu płodowym do pełnienia swych funkcji. Donoszony noworodek umie ssać i szybko uczy się szukać pożywienia przy zetknięciu z piersią matki. Duża ruchomość żołądka powoduje łatwe ulewanie się pokarmu przy zmianie pozycji. Zwykle dziecko oddaje stolec w ciągu pierwszych godzin życia. Jest to smółka – nazwa pochodzi od jej smolistej barwy i konsystencji. Jest to zalegający stolec wytworzony w życiu płodowym ze złuszczonych komórek przewodu pokarmowego oraz z wód płodowych, jelitowych soków trawiennych i żółci. W drugiej, trzeciej dobie stolce stają się jaśniejsze i rzadsze, a w czwartym dniu mają cechy stolców przejściowych – zielonych, półpłynnych i licznych (ok. 10 w ciągu doby). Jest to wyrazem trudności adaptacyjnych przewodu pokarmowego, w chwili gwałtownego zwiększania się ilości wysysanego pokarmu. W następnych dniach stolce są żółte, papkowate, dziecko oddaje je 5–6 razy dziennie.

Układ moczowy. Płód oddaje niewielkie ilości moczu do wód płodowych. Często pierwsze oddanie moczu następuje bezpośrednio po urodzeniu i jest skąpe w pierwszej dobie życia. Jeśli noworodek jest zdrowy, wydolność nerek jest wystarczająca. Jednak takie czynności nerek, jak sprawne oddawanie moczu kwaśnego lub zasadowego, zależnie od potrzeb, oraz rozrzedzanie i zagęszczanie moczu nie jest dostatecznie sprawne. Stąd łatwość występowania zarówno objawów odwodnienia, jak i obrzęków, zwłaszcza u wcześniaków.

Układ nerwowy noworodka wykazuje różny stopień rozwoju zależny od długości trwania ciąży. U donoszonego dziecka napięcie mięśniowe jest znaczne, tak że noworodek leży z podkurczonymi kończynami. Bardzo niedojrzały wcześniak jest wiotki i przylega do podłoża całkowicie rozluźniony, wyprostowany. Dziecko donoszone jest ruchliwe i wędruje w kierunku głowy. Ma dobrze rozwinięte czucie skórne i smak, natomiast słuch i wzrok słabo rozwinięte. Noworodek reaguje krzykiem na ból i głód. Kora mózgowa ulega łatwemu wyczerpaniu przy każdym wysiłku, co manifestuje się prawie ciągłym snem dziecka. Oczy zdrowego noworodka są zamknięte.

Regulacja temperatury. Noworodek przechodzi ze środowiska wodnego o temperaturze powyżej 37°C do środowiska powietrznego o temperaturze pokojowej. W pierwszych godzinach życia temperatura ciała noworodka obniża się o 1–2°C, po czym podnosi się powoli. Zdolność regulowania ciepłoty jest tym gorsza, im dziecko jest mniej dojrzałe i marznie ono tym łatwiej, im mniej ma tłuszczowej tkanki podskórnej. Noworodki chore mają znaczne zaburzenia regulacji temperatury ciała, tak że nawet bardzo ciężkie zakażenia mogą objawiać się nie gorączką tylko obniżeniem temperatury. Ochrona noworodka przed utratą ciepła jest jedną z podstawowych zasad pielęgnacji.

Odporność noworodka na zakażenia jest słaba, ponieważ matka przekazuje mu tylko ten rodzaj przeciwciał, które są przepuszczane przez łożysko. Własne przeciwciała są zwykle w znikomym stężeniu i noworodek zaczyna je produkować powoli wskutek zetknięcia się z otaczającym środowiskiem drobnoustrojów. Dlatego zakażenia stanowią dla noworodka duże zagrożenie. Zakażenia stwierdzane w pierwszym tygodniu życia często są następstwem zakażeń zapoczątkowanych przed porodem. U noworodka większość zakażeń uogólnia się, gdyż niedostateczna odporność powoduje brak zdolności do zlokalizowania zakażenia w jednym narządzie. Należy więc chronić nowo narodzone dziecko przed chorym otoczeniem, ograniczać w pierwszych tygodniach jego życia kontakty z większą liczbą osób i rygorystycznie przestrzegać higieny. Karmienie piersią zmniejsza ryzyko zakażeń noworodka, ponieważ z pokarmem matki dostaje on przeciwciała przeciwbakteryjne.

Przebieg okresu noworodkowego może być trudny dla dziecka z wielu powodów. Mają na niego wpływ choroby matki i dziecka, warunki higieniczne i sposób pielęgnacji. Przebyty uraz porodowy i zamartwica, jak również niedojrzałość dziecka przedwcześnie urodzonego, zaburzają okres noworodkowy.

Masa urodzeniowa ciała noworodków (w g)
(wg Zbigniewa Słomko)

Tydzień ciąży	Średnia arytmetyczna	Rozrzut *
28	1359	916 – 1890
29	1573	1020 – 2083
30	1620	1204 – 2278
31	1882	1303 – 2816
32	2058	1392 – 2792
33	2163	1458 – 2838
34	2445	1611 – 2919
35	2698	1916 – 3070
36	2877	1973 – 3316
37	3131	2287 – 3640
38	3295	2510 – 3984
39	3401	2842 – 4005
40	3505	2119 – 4307
41	3590	2944 – 4516
42	3582	2949 – 4497
43	3514	2922 – 4325

* Rozrzut masy ciała obejmuje 80% badanych noworodków; 10% ma niższą masę, 10% – wyższą masę ciała

Prawidłowa ciąża trwa ok. 40 tygodni. Dziecko donoszone rodzi się między 37 i 42 tygodniem ciąży. Przed tym terminem rodzą się *wcześniaki*, a po nim – *dzieci przenoszone*. We wszystkich tych grupach zarówno długość, jak i masa ciała mogą być mniejsze lub większe od wartości ustalonych dla danej populacji (tabela). Wszystkie dzieci, które rodzą się z masą ciała poniżej 2500 g, zaliczane są do grupy noworodków z niską masą urodzeniową. Wśród nich wyodrębnia się dopiero *wcześniaki* i dzieci niedożywione, czyli *hypotroficzne*.

Wcześniak

Wcześniak jest to dziecko urodzone przed 37 tygodniem ciąży, wykazujące cechy niedojrzałości. Najbardziej znane są zewnętrzne cechy wcześniactwa: niższa masa ciała, mniejsza długość, skóra pokryta meszkiem

– aksamitna, krótkie, miękkie paznokcie, wiotkie uszy, nisko umieszczony pępek, a z czynności – nieumiejętność ssania. Ważniejszy niż cechy budowy zewnętrznej jest stopień niedojrzałości narządów. Warunkiem możliwości życia jest dostateczna dojrzałość płuc wcześniaka. Przed 28 tygodniem ciąży nie tylko nie ma wykształconych pęcherzyków płucnych, ale również sieć naczyń włosowatych w płucach jest bardzo skąpa. Niedobór jest również surfaktantu (substancji wyściełającej pęcherzyki płucne). Dlatego małe wcześniaki mają trudności z rozpoczęciem i utrzymaniem oddychania. Wcześniaki ciężej znoszą poród i często rodzą się w zamartwicy, a niedotlenienie i kwasica niszczą surfaktant ułatwiający oddychanie. W końcowej fazie tej niewydolności oddechowej następuje przenikanie do światła przestrzeni powietrznej płuc białek osocza i tworzą się tzw. błony szkliste, co utrudnia wymianę gazową w płucach. Wytwarza się błędne koło przyczyn i skutków, mogące prowadzić do śmierci dziecka (zob. Choroby układu oddechowego u dzieci, s. 1215).

Wcześniak może nie mieć odruchu ssania, może ssać leniwie i mieć złą koordynację ssania z połykaniem, stąd groźba zachłyśnięcia. Wcześniaki łatwiej marzną, są mniej ruchliwe, płaczą ciszej i słabiej dopominają się o jedzenie niż dzieci donoszone. Stopień tych odchyleń jest różny. Również odporność wcześniaków jest mniejsza, dlatego łatwiej ulegają zakażeniom. Duża liczba tych dzieci ma choroby wrodzone lub wady rozwojowe, gdyż są one przyczyną przedwczesnych porodów. Nie masa ciała przy urodzeniu, ale stopień dojrzałości dziecka i stan jego zdrowia warunkują zatem możliwość jego przeżycia. Łatwiej przeżyje więc dziecko hypotroficzne, ale dojrzałe, niż wcześniak o tej samej masie ciała urodzeniowej.

Opieka nad wcześniakiem to przede wszystkim pielęgnacja: inkubator z właściwą temperaturą, wczesne dostarczenie pożywienia doustne lub sondą do przełyku, a w ciężkich stanach dożylnie. Przy niewydolności oddechowej podawany jest tlen do oddychania, zwalczanie kwasicy, a w ciężkich przypadkach sztuczne oddychanie przy użyciu odpowiedniej aparatury oraz podanie surfaktantu do dróg oddechowych.

Noworodek hypotroficzny

Dystrofia wewnątrzmaciczna charakteryzuje się mniejszą lub większą masą ciała niż to wynika z długości trwania ciąży. Mniejszą masę ciała określa się hypotrofią. Powstaje ona wskutek chorób matki lub płodu albo wskutek niewydolności łożyska. Niewydolność ta może być spowodowana paleniem papierosów w ciąży lub zawodowym czy środowiskowym zatruciem matki. Ustalenie przyczyn nie zawsze jest łatwe. Dziecko hypotroficzne rzadziej niż wcześniak ma trudności oddechowe, na ogół wykazuje duże łaknienie i szybko przybywa na wadze. Część tych dzieci wykazuje niski poziom cukru i białek we krwi i wymaga dożywiania drogą dożylną. Są one również mało odporne na zakażenia, które mogą być przyczyną hypotrofii. Dzieci te są tym chudsze, a zwłaszcza tym mniejsze, im wcześniej zaistniały w ciąży czynniki wywołujące hypotrofię. Przy znacznym wychudzeniu noworodek przypomina wyniszczonego starca o cienkiej, żółtawej, pomarszczonej skórze.

Noworodki hypotroficzne, podobnie jak wcześniaki, wymagają starannej pielęgnacji, zapewnienia ciepła i wczesnego karmienia. Zarówno wcześniaki, jak dzieci z hypotrofią mogą rozwijać się prawidłowo, o ile nie są obarczone wadami rozwojowymi lub chorobami wrodzonymi (tablica 21).

Noworodki przenoszone

Dzieci urodzone z ciąży przeterminowanej (po 42 tygodniach) mają na ogół prawidłową długość, natomiast mniejszą masę ciała wskutek upośledzonego odżywiania, skórę suchą, łuszczącą się płatami. Jest to wyrazem mniejszej wydolności łożyska w ciąży trwającej zbyt długo. Dlatego u dzieci tych w czasie porodu łatwiej dochodzi do zamartwicy. Stąd wskazania do wywoływania porodu po przekroczeniu ustalonego terminu.

Nadmierna masa ciała dziecka w stosunku do długości trwania ciąży jest również objawem chorobowym. Klasyczne przykłady – to dziecko ogromne, urodzone przez matkę chorą na cukrzycę, i noworodek z obrzękiem uogólnionym w konflikcie serologicznym.

Wady rozwojowe

Wada rozwojowa polega na nieprawidłowej budowie jednego lub wielu narządów. W Polsce rodzi się ok. 2–3% noworodków z wadami. Wady rozwojowe występują częściej u dzieci kobiet bardzo młodych (poniżej 18 lat) i starszych; liczba dzieci z wadami wzrasta wraz z wiekiem matki po 35 r. życia. Wady mogą być przekazywane dziedzicznie przez rodziców, gdy są oni nosicielami nieprawidłowych genów. Wady te mogą się wówczas powtarzać u kolejnych dzieci. Zmiany w chromosomach mogą powstać również w komórkach rozrodczych rodziców nie obarczonych dziedzicznie wadą. Ponadto wiele wad wytwarza się jako wyraz zaburzeń prawidłowego rozwoju zarodka.

Czynnikami szkodliwymi działającymi na rodziców lub płód mogą być: choroby zakaźne – często wirusowe lub pasożytnicze – jak również skażenie środowiska naturalnego, szkodliwości zawodowe, promieniowanie jonizujące oraz leki przyjmowane przez ciężarną lub niektóre używki, np. alkohol. Krytyczny okres dla zagrożenia zarodka wadami to 16–75 dni rozwoju. Najbardziej zagrożone są narządy będące w okresie intensywnego rozwoju w czasie zadziałania czynnika szkodliwego. Obecnie można rozpoznać niektóre wady rozwojowe już w okresie ciąży stosując badanie ultrasonograficzne. Pozwala to na zastosowanie wczesnej interwencji chirurgicznej po porodzie.

Część dzieci z wadami jest niezdolna do życia, część wymaga natychmiastowych lub późniejszych zabiegów operacyjnych. Bywają również małe wady, nie zagrażające życiu dziecka, które mogą być sygnałem istnienia innych wad, nie objawiających się po urodzeniu. Na przykład dodatkowe palce kojarzą się często z wadami układu moczowego.

Zapobieganie wadom rozwojowym polega na objęciu opieką profilaktyczną przez specjalne poradnie tych rodzin, w których urodziły się dzieci z wadami oraz ciężarnych po 35 r. życia. Ponadto dobre warunki życia, prawidłowe odżywianie, opieka lekarska w ciąży oraz zaniechanie szkodliwej pracy w początkowych okresach ciąży – stanowią program profilaktyki. Postępem w zapobieganiu tworzenia się wad jest wprowadzenie szczepień przeciw różyczce, którymi powinno się objąć dziewczynki w wieku poprzedzającym okres dojrzewania. Różyczka płodu powoduje bowiem ciężkie wady rozwojowe.

Odżywianie noworodka

Najlepszym pożywieniem dla noworodka jest pokarm kobiecy. Znana jest odrębność składu mleka, właściwa dla każdego gatunku ssaka. Pokarm kobiecy jest przystosowany do możliwości trawienia i przyswajania, jakie ma niemowlę. Zawiera on składniki konieczne dla prawidłowej budowy i czynności organizmu dziecka. W pierwszych godzinach po porodzie wytwarza się siara, różniąca się składem od późniejszego pokarmu. Jest ona bardziej wodnista i ma sinawe zabarwienie. Bywa to źle interpretowane przez matki, które uważają, że mają zbyt chudy pokarm. Siara zawiera dużą ilość białka, którego 60% stanowią immunoglobuliny będące przeciwciałami odpornościowymi. Wczesne karmienie dziecka (6 godz. po porodzie) pozwala na przejście immunoglobulin przez przewód pokarmowy dziecka. Chronią one noworodka przed zakażeniami w okresie braku własnych przeciwciał (zob. Procesy odpornościowe, Synteza immunoglobulin, s. 1166). Siara zawiera również dużo witaminy A i E, które nie przechodzą przez łożysko, a odgrywają ważną rolę w przemianie materii.

Pokarm kobiecy ma więcej cukru i mniej białka oraz podobną ilość tłuszczu jak mleko krowie. Zasadniczą rolę odgrywają różnice jakościowe tych składników. Białko pokarmu jest łatwo trawione, w skład jego wchodzą również immunoglobuliny odpornościowe działające przeciwbakteryjnie w przewodzie pokarmowym. Pokarm kobiecy zawiera dużo cukru mlekowego, z którego powstaje galaktoza potrzebna do rozwoju mózgu. Tłuszcz mleka kobiecego jest lepiej przyswajany przez noworodka niż tłuszcze mleka krowiego. I wreszcie istnieją duże różnice dotyczące składników mineralnych. Pokarm jest bogaty w łatwo przyswajalne żelazo. Inne składniki mineralne są również we właściwej proporcji w mleku kobiecym, co zmniejsza skłonność dzieci do obrzęków, tężyczki i krzywicy.

Zaletą karmienia piersią jest również jałowość pokarmu oraz wytwarzanie od pierwszych dni życia silnej więzi uczuciowej między matką i dzieckiem w czasie karmienia. Dziecko powinno być karmione na żądanie, czyli przystawiane do piersi, gdy płacze i szuka pokarmu. Należy karmić w czasie każdego karmienia z obu piersi. Stwierdzono, że skład pokarmu zależy od długości trwania ciąży, dlatego pokarm matki jest najodpowiedniejszy dla jej dziecka. Dotyczy to przede wszystkim wcześniaków.

Jeśli wskutek chorób matki, dziecka lub, rzadko, braku pokarmu istnieje konieczność sztucznego karmienia noworodka, należy podawać mu mleko modyfikowane. Jest to sproszkowane mleko krowie, które dzięki rozcieńczeniu i dodaniu odpowiednich składników zostało upodobnione do pokarmu kobiecego. Polski preparat Laktowit 0 lub Laktowit 0F, wzbogacony w żelazo, jest przeznaczony dla wcześniaków. Najbardziej znanym preparatem importowanym jest Humana 0.

Żółtaczki noworodków

Żółtaczka jest objawem klinicznym, występującym przy nadmiarze barwników żółciowych w krwi. Barwniki te powstają w warunkach fizjologicznych z hemoglobiny uwalnianej z rozpadających się krwinek czerwonych. Powstaje wtedy bilirubina wolna, która musi w wątrobie przejść w formę związaną, rozpuszczalną w wodzie, aby mogła być wydalona do żółci i usunięta z organizmu.

Żółtaczki spowodowane nadmiarem bilirubiny wolnej. W życiu płodowym barwniki żółciowe przechodzą od płodu do matki dzięki funkcji łożyska i dopiero po urodzeniu dziecko musi zacząć wydalać je samodzielnie. Żółtaczka noworodków powstaje wskutek zwiększonego u nich rozpadu krwinek czerwonych oraz przejściowej niedomogi wątroby, która powoduje opóźnienie przetwarzania bilirubiny wolnej w związaną, wydalaną w warunkach prawidłowych z żółcią. Żółtaczka ta pojawia się w 2 lub 3 dobie życia, największe jej nasilanie u dzieci donoszonych występuje w 5 dobie, a u wcześniaków nieco później. Mija ona bez leczenia po 7–10 dniach, a u dzieci urodzonych przedwcześnie może utrzymywać się do 2 tygodni. Zarówno wcześniejsze wystąpienie żółtaczki, jak jej przedłużenie oraz nadmierne nasilenie są objawami chorobowymi.

Wszystkie choroby, które w późniejszym okresie życia mogą wywoływać żółtaczkę, u noworodka mogą być przyczyną żółtaczki o ciężkim przebiegu, z powodu niewydolności wątroby w pierwszych dniach życia. Stanowi to duże niebezpieczeństwo dla dzieci, gdyż bilirubina wolna, przekraczając pewne stężenia w surowicy krwi przenika do komórek mózgu i uszkadza go nieodwracalnie. U dzieci karmionych piersią żółtaczka fizjologiczna jest bardziej nasilona niż u dzieci karmionych sztucznie. W niektórych przypadkach stężenie bilirubiny może być znaczne, ale jest mniej niebezpieczne niż w innych ciężkich żółtaczkach.

Wiele chorób matki i dziecka oraz szereg czynników powodujących bądź wzmożony rozpad krwinek czerwonych, bądź zaburzających przemianę bilirubiny, może powiększyć żółtaczkę noworodków. Należą do nich: głodzenie dziecka, przebyta zamartwica i uraz porodowy, stany niedotlenienia, niedoczynność tarczycy, zakażenia oraz częste wymioty, np. spowodowane zwężeniem odźwiernika. Duże krwawienia do różnych narządów i tkanek bywają również przyczyną nasilonej żółtaczki, gdyż krew wylana poza naczynia szybko się rozpada. Choroby matki, np. cukrzyca czy zatrucie ciążowe, mogą być także przyczyną patologicznego przebiegu żółtaczki noworodków. Znane jest też niekorzystne działanie różnych leków podawanych ciężarnej lub noworodkowi. Najczęstszą przyczyną ciężkiej żółtaczki noworodków jest konflikt matczyno-płodowy (zob. niżej). Istnieją poza tym rzadkie, dziedziczne choroby krwinek czerwonych, polegające na nieprawidłowej budowie i funkcji, które skracają czas życia krwinek. Kliniczny przebieg tych chorób u noworodka przypomina bardzo konflikt serologiczny.

Leczenie żółtaczek spowodowanych nadmiarem bilirubiny wolnej polega na leczeniu choroby wywołującej żółtaczkę oraz na działaniu zmierzającym do zmniejszenia poziomu bilirubiny we krwi. Obniżenie poziomu bilirubiny można uzyskać stosując naświetlanie dziecka lampami niebieskimi o takiej długości fali, która rozkłada bilirubinę wolną na nietoksyczne, bezbarwne związki (fototerapia). Leczenie to trzeba stosować przez kilka dni, gdyż działa ono wolno. Dlatego w przypadkach, w których dochodzi do znacznego nasilenia żółtaczki zagrażającej komórkom mózgowym, stosuje się transfuzję wymienną. Przy nasilonej żółtaczce noworodków karmionych piersią stosuje się fototerapię i odstawienie od piersi na 48 godzin. Transfuzja wymienna jest rzadko konieczna.

Żółtaczki spowodowane nadmiarem bilirubiny związanej. Choroby zakaźne wrodzone i nabyte nasilają żółtaczkę fizjologiczną. Należą do nich uogólnione zakażenia o różnej etiologii. Najczęściej najpierw występuje nadmiar bilirubiny wolnej, po czym dołącza się wzrost bilirubiny związanej. W ciężkich wrodzonych zapaleniach wątroby może być od razu przewaga bilirubiny związanej. Tak jest w toksoplazmozie, cytomegalii, wirusowym zapaleniu wątroby i innych zakażeniach wirusowych. W wątrobie występuje zastój żółci. Skóra ma żółtoszare zabarwienie, wątroba bywa znacznie powiększona.

Żółtaczki mechaniczne mogą być spowodowane wadliwą budową dróg żółciowych, częściej – przebytym w życiu płodowym zapaleniem wątroby lub zbyt gęstą żółcią. Ten ostatni stan występuje z powodu nadmiernej gęstości wszystkich wydzielin organizmu, częściej jest następstwem żółtaczek spowodowanych nadmiarem bilirubiny wolnej, w czasie gdy następuje gwałtowna jej przemiana w formę związaną.

Leczenie. Nie ma przyczynowego leczenia zastoju gęstej żółci w wątrobie. Płukanie dwunastnicy roztworem sody może ułatwić jej odpływ do jelit. Stosowanie naświetlania lampami przeciwżółtaczkowymi jest przeciwwskazane, gdyż nasila zastój żółci. Transfuzja wymienna nie jest potrzebna, gdyż bilirubina związana nie uszkadza mózgu. W drugim miesiącu życia może być konieczne operacyjne udrożnienie przewodów żółciowych lub inny zabieg chirurgiczny, w celu polepszenia odpływu żółci. Nadmierne przedłużanie się żółtaczki grozi marskością wątroby, co rokuje niepomyślnie. Obecnie wykonuje się również przeszczepienie wątroby płodu.

Konflikt matczyno-płodowy

Konflikt matczyno-płodowy powstaje, gdy przy niezgodności grup krwi matka wytwarza przeciwciała uszkadzające krwinki płodu. Dochodzi wtedy do choroby hemolitycznej noworodka. U podstawy tego zjawiska leży zróżnicowanie krwi człowieka na wiele grup, zależnie od obecności w krwinkach czerwonych różnych antygenów, a w osoczu przeciwciał naturalnych przeciwko obcogrupowym krwinkom. Liczba antygenów grupowych jest duża i stanowią one wyodrębnione zespoły. Dziecko otrzymuje układ grupowy krwi od matki i ojca, zgodnie z prawami Mendla. Praktycznie nie ma ciąży zgodnej grupowo. Nie wszystkie antygeny są jednakowo rozpowszechnione i jednakowo silne, stąd nie wszystkie wywołują konflikt serologiczny. Najczęściej powstaje on przy niezgodności w układach Rh i AB0. Przeciwciała naturalne, znajdujące się w surowicy bez uczulenia, są dużymi białkami nie przechodzącymi przez łożysko. Aby powstał konflikt, kobieta musi się uczulić i wytworzyć przeciwciała o innych właściwościach. Przeciwciała powstające w wyniku uodpornienia są białkami o małej cząsteczce z łatwością przenikającymi przez łożysko do płodu. Konflikty w układzie Rh i AB0 mają tyle różnic, że zostaną omówione osobno.

Konflikt Rh

Układ Rh składa się z kilku antygenów. Najmocniejszy jest antygen D i on jest przyczyną większości konfliktów. Krew nie zawierająca antygenu D oznaczana jest jako Rh(–), a zawierająca go – jako Rh(+). Najczęściej konflikt matczyno-płodowy powstaje, gdy matka jest Rh(–), a dziecko Rh(+). Kobieta uodpornia się podczas niezgodnej grupowo ciąży i to najsilniej w czasie porodu, gdy duża liczba krwinek płodu może przeniknąć do jej krążenia. Do uodpornienia dochodzi również w czasie poronienia, a zwłaszcza przerwania ciąży. Również przetoczenia niezgodnej grupowo krwi wywołują ciężkie konflikty. To pierwsze zetknięcie się z obcymi krwinkami uruchamia mechanizmy odpornościowe przyszłej matki, która wytwarza już małą ilość przeciwciał anty-Rh. Zostaje to jednak „zapamiętane" przez jej komórki na całe życie. Przy ponownym zetknięciu się z krwinkami Rh(+) kobieta uruchamia właściwą produkcję przeciwciał prowadzącą do konfliktu serologicznego.

W osoczu człowieka nie ma naturalnych przeciwciał anty-Rh, są one zawsze wynikiem uodpornienia i zawsze przechodzą przez łożysko. Im jest ich więcej i im wcześniej pojawiają się w ciąży, tym cięższa jest choroba hemolityczna noworodków. W Polsce 17% ludzi ma grupę Rh(–). Nie wszystkie kobiety wytwarzają przeciwciała po zetknięciu się z krwią Rh(+). Przed wprowadzeniem profilaktyki jedno dziecko na 200 urodzonych było z konfliktem Rh. Obecnie konflikt ten jest znacznie rzadszy.

W pierwszej ciąży, nie poprzedzonej przetoczeniem niezgodnej krwi, konflikt jest dużą rzadkością. Zwykle pierwsze dziecko Rh(+) rodzi się zdrowe, a chorują dopiero następne. Istnieje tendencja do pogarszania się przebiegu choroby hemolitycznej noworodków u kolejnych dzieci. Większość noworodków rodzi się żywych z anemią o różnym nasileniu. Powiększenie wątroby i śledziony jest tym większe, im większa anemia u dziecka. Najistotniejszym objawem klinicznym jest przedwczesna i nadmierna żółtaczka. Jest ona wynikiem gwałtownego rozpadu krwinek oraz niewydolności wątroby w przetwarzaniu bilirubiny. Szybkość narastania żółtaczki i jej nasilenie są głównymi wskaźnikami warunkującymi decyzję intensywnego leczenia. Laboratoryjną miarą nasilenia żółtaczki jest poziom wolnej bilirubiny w surowicy. Nadmierny jej poziom grozi przejściem do mózgu i trwałym uszkodzeniem go. W chorobie hemolitycznej noworodków zagrożenie to jest większe niż w innych chorobach przebiegających z żółtaczką. W najlżejszej formie tej choroby żółtaczka może być nieznaczna, natomiast występuje powolna anemizacja dziecka w pierwszych tygodniach życia.

W ciężkich przypadkach choroby hemolitycznej choruje już płód. Krwinki jego są niszczone pod wpływem przeciwciał w śledzionie, co prowadzi do narastającej anemii. Organizm płodu uruchamia mechanizmy obronne w postaci wytwarzania dodatkowych ognisk krwiotwórczych, poza szpikiem kostnym, głównie w łożysku i wątrobie. Z nich wyrzucane są do krążenia duże ilości niedojrzałych krwinek czerwonych, aby zmniejszyć anemię. Wątroba gorzej spełnia swe funkcje, wytwarza mniej białek, co jest przyczyną wystąpienia obrzęków. Znaczna anemia prowadzi do niedotlenienia tkanek, a w końcowym okresie dołącza się niewydolność krążenia. Płód ginie przed terminem porodu. Niekiedy rodzi się żywy noworodek z objawami uogólnionych obrzęków, woskowoblady, niezdolny do rozpoczęcia oddychania. Zwykle mimo prób leczenia dziecko ginie.

Rozpoznanie konfliktu Rh powinno być ustalone już w okresie ciąży. Stwierdzenie przeciwciał anty-Rh w surowicy matki wskazuje na uodpornienie jej i możliwość choroby u dziecka, o ile jest ono Rh(+), ale tego badania laboratoryjne krwi ciężarnej nie mogą wykazać. Systematyczne badania stopnia uodpornienia matki, wyrażone wielkością miana przeciwciał, powinny być prowadzone w odstępach 4–6 tygodni. Gdy miano przekroczy określone granice lub gdy kobieta urodziła poprzednie dziecko z chorobą hemolityczną, powinny być wykonane badania płodu, gdyż może on wymagać leczenia. Badania te polegają na określeniu stężenia barwników żółciowych w wodach płodowych, pobranych po nakłuciu jaja płodowego. Metoda ta pozwala na ustalenie stopnia zagrożenia płodu w konflikcie serologicznym, dzięki niej można, przy dużym uodpornieniu matki, z dużym prawdopodobieństwem odróżnić płód Rh(+) od Rh(–). Ten ostatni będzie zdrowy pomimo stwierdzonych przeciwciał.

Obecnie istnieje możliwość badania krwi płodu pobranej z pępowiny. Pozwala to na określenie zarówno antygenów grupowych dziecka, łącznie z Rh, jak i zbadanie składu morfologicznego krwi. Wymaga to bardzo precyzyjnej techniki i posiadania odpowiedniego aparatu ultrasonograficznego. Dlatego badania te wykonywane są tylko w przypadkach, gdy podejrzewa się ciężkie uszkodzenie płodu.

Leczenie konfliktu Rh polega przede wszystkim na wykonaniu transfuzji wymiennej. Celem jej jest usunięcie uszkodzonych krwinek dziecka, przeciwciał oraz nadmiaru bilirubiny. Do transfuzji używa się krwi Rh(–), aby przetoczone krwinki były niewrażliwe na przeciwciała anty-Rh. W czasie jednej transfuzji wymienia się 75% krwi dziecka. Nie zmieni to jednak w sposób trwały grupy krwi dziecka, gdyż będzie ono przez całe życie wytwarzać krwinki z własnymi antygenami.

Klasycznym sposobem wykonania transfuzji jest użycie żyły pępowinowej, a w niektórych przypadkach można wypreparować do zabiegu dużą żyłę obwodową. Transfuzja wymienna jest zabiegiem poważnym, dlatego wskazania do niej są wnikliwie rozważane. W ciężkich przypadkach choroby hemolitycznej wykonuje się ją kilkakrotnie.

Leczeniem wspomagającym jest podawanie dożylnie roztworu albumin, aby zmniejszyć niebezpieczeństwo przenikania wolnej bilirubiny do mózgu. Ponadto po okresie leczenia przetaczaniem wymiennym stosuje się małe transfuzje uzupełniające w celu leczenia anemii. Leczenie naświetleniami lampami przeciwżółtaczkowymi ma znikome zastosowanie w ciężkim konflikcie serologicznym, ale w lekkich przypadkach pozwala uniknąć transfuzji wymiennej lub zmniejszyć liczbę zabiegów. Dzieci w okresie intensywnego leczenia są karmione pokarmem z butelki, natomiast w drugim tygodniu życia, a w lekkich przypadkach od urodzenia mogą być karmione piersią. Obawa przed przeciwciałami w pokarmie nie jest uzasadniona, gdyż są one trawione w przewodzie pokarmowym dziecka.

W najcięższych przypadkach stosuje się *leczenie płodów*. Stosowane są dwie metody: plazmafereza i transfuzje wewnątrzmaciczne. *Plazmafereza* polega na systematycznych upustach surowicy krwi ciężarnej w celu zmniejszenia działania przeciwciał na krwinki płodu. *Transfuzje wewnątrzmaciczne* polegają na przetoczeniu płodowi krwinek Rh(–), aby zmniejszyć anemię i utrzymać przy życiu chory płód do czasu wywołania przedwczesnego porodu. Tradycyjna metoda polega na przetaczaniu krwi do jamy otrzewnej płodu (do brzucha), skąd wsysa się ona do układu krążenia. Zabieg wykonuje się pod kontrolą ultrasonografii. Najnowsza metoda polega na przetaczaniu krwi do naczyń pępowinowych płodu, również przy zastosowaniu ultrasonografii. Wszystkie sposoby leczenia konfliktowych płodów są trudne i mogą być wykonywane tylko w wyspecjalizowanych oddziałach szpitalnych.

Profilaktyka konfliktu Rh polega na wstrzyknięciu immunoglobuliny anty-Rh D kobietom po porodach, poronieniach i przerwaniach ciąży. Preparat zawiera dużą ilość przeciwciał anty-Rh. Działanie jego polega na wyeliminowaniu Rh(+) krwinek płodu, które przeniknęły do krążenia matki. Ma to zapobiec wywołaniu uodpornienia kobiety. Polski preparat o nazwie Gamma anty-D, przeznaczony do wstrzyknięć domięśniowych, jest podawany najpóźniej w 72 godz. po porodzie lub poronieniu.

Immunoglobulinę stosuje się po porodach kobietom Rh(–), które urodziły dzieci Rh(+) i nie wytworzyły jeszcze przeciwciał anty-Rh. Po poronieniach podaje się ją również kobietom Rh(–) nie uodpornionym. W przypadkach stwierdzonego konfliktu immunoglobulina nie działa. Immunoglobulina zapobiega uodpornieniu kobiety, chroni więc przed chorobą dziecko tylko z następnej ciąży. Dlatego należy ją powtarzać po każdym porodzie i poronieniu. W krajach, w których postępowanie profilaktyczne prowadzi się rygorystycznie, konflikt Rh przestaje być zagadnieniem społecznym.

Konflikt w układzie AB0

Konflikt w układzie AB0 jest równie często spotykany, jak konflikt Rh. Kobieta może uczulić się antygenami A i B w warunkach podobnych jak w poprzednio opisanym konflikcie. Stwierdzono jednak dodatkowy mechanizm uodpornienia właściwy dla danego układu. Duże rozpowszechnienie antygenów A i B w świecie bakteryjnym i zwierzęcym powoduje uodpornienie ludzi po szczepieniach ochronnych. Stąd duża liczba tych konfliktów występuje już w pierwszej ciąży. W konflikcie AB0 płód na ogół nie choruje, a noworodek rodzi się bez anemii. Natomiast przebieg żółtaczki w pierwszych dniach życia bywa bardzo ciężki i wiele dzieci wymaga leczenia. W większości przypadków choroba hemolityczna noworodków nie powtarza się u następnych dzieci, ale nie można tego wykluczyć. Stwierdzenie uodpornienia kobiety opiera się na wykryciu przeciwciał odpornościowych przechodzących przez łożysko. Badania te są trudniejsze niż w konflikcie Rh. Znacznie więcej jest uodpornionych matek niż chorych dzieci. Z tego względu, biorąc również pod uwagę fakt, że życie płodu nie jest zagrożone, nie wykonuje się masowej diagnostyki konfliktu AB0 w ciąży. Najczęściej o leczeniu dziecka decyduje kliniczny przebieg żółtaczki, potwierdzony badaniami bilirubiny.

Leczenie jest takie samo jak w konflikcie Rh. Krew do transfuzji preparuje się z dwóch różnych grup. Najczęściej są to krwinki grupy 0, zawieszone w osoczu AB. Nie ma metody zapobiegania konfliktowi AB0.

Konflikt serologiczny w zakresie płytek i leukocytów

Małopłytkowość u płodu i noworodka może być wynikiem wytworzenia przez matkę przeciwciał przeciw płytkom dziecka przy niezgodnych antygenach. Również gdy matka choruje na małopłytkowość samoistną, jej przeciwciała niszczą płytki płodu i noworodka. Płód może zginąć wskutek krwawienia do mózgu. U noworodków stwierdza się wybroczyny i sińce w skórze oraz krwawienia do narządów wewnętrznych, w tym najgroźniejsze do mózgu.

R o z p o z n a n i e opiera się na stwierdzeniu małej liczby płytek u płodu lub noworodka i na badaniach serologicznych. W celu wczesnego rozpoznania, należy badać liczbę płytek krwi u wszystkich ciężarnych. Ciężarne z małopłytkowością oraz kobiety, które straciły dzieci wskutek krwotoków w poprzednich ciążach, powinny mieć wykonywane badania serologiczne. Pozwoli to na wczesne leczenie noworodków, a niekiedy nawet płodów.

Leczenie noworodka polega na przetoczeniu zawiesiny dobranych grupowo płytek krwi oraz stosowaniu dożylnie immunoglobulin. Czasem wskazana jest transfuzja wymienna krwi.

Konflikt w zakresie krwinek białych dotyczy granulocytów. Objawia się wystąpieniem ciężkich infekcji, w przebiegu których stwierdza się znaczne zmniejszenie liczby granulocytów. Badania serologiczne potwierdzają rozpoznanie.

W leczeniu, poza podawaniem antybiotyków, stosuje się przetaczanie masy leukocytarnej, immunoglobuliny dożylne i transfuzje wymienne krwi.

III. PIELĘGNACJA I ŻYWIENIE ZDROWEGO DZIECKA

Pielęgnacja zdrowego dziecka

Przygotowanie mieszkania. Na przyjęcie nowo narodzonego członka rodziny najkorzystniejsze jest przeznaczenie osobnego pokoju, jeśli jest to niemożliwe, należy wydzielić ze wspólnego pokoju kącik dziecięcy jasny, łatwy do wietrzenia, oddalony od łóżek, w których śpią dorośli. W pomieszczeniu przeznaczonym dla niemowlęcia powinno znajdować się łóżeczko, obok stolik do przewijania i szafka na przybory toaletowe i bieliznę dziecka. Wygodna jest komódka, która może służyć i do przewijania i do przechowywania przyborów toaletowych.

Fotel lub krzesło, na którym matka będzie karmić dziecko, powinien zapewniać jej wygodną pozycję. Tapczan czy wersalka dla matki ustawione niedaleko łóżeczka dziecka ułatwiają wstawanie do niego w nocy w pierwszych miesiącach życia. Ma to również znaczenie w okresach choroby dziecka. Podłoga i sprzęty powinny być łatwe do utrzymania w idealnej czystości.

W pokoju powinien znajdować się termometr ścienny zawieszony na wysokości łóżeczka dziecka. Pożądana jest stała temperatura ok. 20°C. W lecie okno powinno być stale otwarte i w razie potrzeby zasłaniane zasłonami w celu ochrony przed nadmiernym nasłonecznieniem i wzrostem temperatury. Korzystne jest rozwieszenie w pobliżu okna wilgotnego prześcieradła. W zimie otwieranie okna kilka razy w ciągu dnia na kilka minut i spowodowanie niewielkiego przeciągu zapewnia dopływ świeżego powietrza, nie doprowadzając do oziębienia pomieszczenia. Na czas wietrzenia niemowlę należy wynosić z pokoju. Na kaloryferach zawsze powinny być zawieszone pojemniki z wodą.

W pomieszczeniu, w którym przebywa dziecko, nie wolno palić papierosów; przed wejściem do pokoju należy zmienić obuwie na domowe pantofle.

Przybory do pielęgnacji niemowlęcia. Należy tu cały ich zestaw: wanienka, termometr kąpielowy i lekarski, pojemnik na watę, miseczka na wodę przegotowaną do mycia twarzy, butelka z oliwką, słoik z kremem na pośladki, spirytus salicylowy, miękka szczoteczka do włosów, przetłuszczone mydło dla dzieci, pojemnik z pokrywą na brudne pieluszki. Bardzo przydatna jest też, zwłaszcza w pierwszych miesiącach życia, waga niemowlęca. Można ją zastąpić zwykłą wagą kuchenną, kładąc na niej wytarowaną szalkę lub dobrze umocowaną plastykową tackę.

Łóżeczko niemowlęcia. Praktyczne są dość duże łóżeczka, takie, w których w późniejszym okresie dziecko będzie mogło swobodnie przewracać się na brzuch, pełzać, wstawać. Wygodne są *przewiewne łóżeczka* z prętów drewniane lub metalowe, z ruchomym dnem. Wysokie ustawienie dna w pierwszych miesiącach życia niemowlęcia pozwala uniknąć przy pielęgnacji nadmiernego schylania się. W miarę rozwoju czynności ruchowych dziecka, dno łóżeczka można obniżyć tak, aby dziecko mogło w łóżeczku bezpiecznie siadać, wstawać i dreptać przy poręczy. Materac powinien być twardy z włosia, trawy lub gąbki.

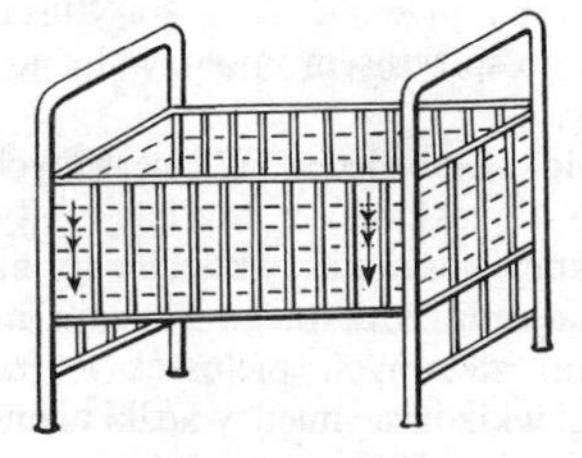

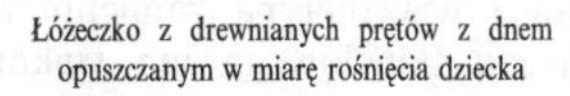
Łóżeczko z drewnianych prętów z dnem opuszczanym w miarę rośnięcia dziecka

Bielizna i pościel niemowlęcia. Wyprawka niemowlęcia powinna składać się z koca wełnianego, 2 kocyków flanelowych, 2 prześcieradeł, 4 podkładów flanelowych na prześcieradło, arkusza z miękkiej folii do przykrycia materaca pod prześcieradło i podkład flanelowy, co najmniej 40 pieluszek z tetry, 12–15 koszulek z miękkiej bawełny lub batystu, 6 kaftaników trykotowych lub flanelowych, 4 ręczników kąpielowych frotte, 2 rękawic kąpielowych.

Kąpiel. Już od okresu noworodkowego dziecko należy kąpać codziennie, zawsze o tej samej porze, najlepiej wieczorem przed ostatnim karmieniem. W pomieszczeniu, w którym odbywa się kąpiel, temperatura powinna wynosić 20–24°C, okna i drzwi powinny być pozamykane. Wanienka dziecka nie może służyć do żadnych innych celów, musi być starannie myta przed i po kąpieli, by nie zostawał na jej ściankach osad z mydła. Temperatura wody powinna wynosić 37°C. Jeśli woda jest bardzo twarda lub jej czystość nie jest pewna, należy ją przegotować. Po umyciu rąk szczoteczką i mydłem należy rozebrane niemowlę ułożyć na ręczniku rozłożonym na stoliku. Twarz dziecka należy myć wodą przegotowaną, oczyścić zwiniętym wacikiem przewody słuchowe i zagięcia małżowin usznych. Owłosioną skórę głowy i resztę ciała namydla się za pomocą myjki, zwracając uwagę na fałdy skórne, pępek i zagięcia za małżowinami usznymi. Namydlone dziecko zanurza się w wanience podtrzymując główkę. Po dokładnym spłukaniu ciała wodą przenosi się dziecko na ręczniki, zawija weń i osusza.

Pielęgnacja skóry i włosów. Czynność ta jest szczególnie ważna w pierwszych miesiącach życia dziecka. Włosy, nawet najmniejsze, trzeba uczesać po kąpieli miękką szczoteczką, skórę w fałdach ciała posmarować oliwką. Jeśli skóra na głowie pokrywa się łuskami ciemieniuchy, należy ją też nasmarować oliwką, wyszczotkować i starannie umyć. Na pośladki stosuje się krem przepisany przez lekarza lub gotowy będący w sprzedaży w aptece. Krem zapobiega lepiej niż puder odparzeniom, zwłaszcza jeśli w czasie spaceru czy w nocy nie od razu usuwa się mokrą pieluszkę. Po każdym oddaniu moczu lub stolca niemowlę trzeba przewinąć, oczyścić skórę wilgotną pieluszką i posmarować pośladki i pachwiny maścią. U dziewczynek trzeba uważać, aby nie wprowadzić maści między wargi sromowe. Przy przewijaniu należy zmywać srom od góry do dołu, aby nie wprowadzić resztek kału w okolicę cewki moczowej, co zapobiega zakażeniu dróg moczowych.

Kikut pępowiny, jeśli jeszcze nie odpadł, oraz świeżą ranę po jego odpadnięciu, należy chronić przed zamoczeniem w czasie kąpieli. Po kąpieli pępek trzeba przemyć 70% spirytusem, a jeśli jest jeszcze kikut, również zmoczyć go spirytusem i położyć luźno płatek jałowej gazy, przytrzymywany koszulką.

Ubranie niemowlęcia. W pierwszych miesiącach życia ubranie dziecka powinno się składać z rozciętej z tyłu i wiązanej na ramieniu cienkiej bawełnianej koszulki, zakładanego na nią flanelowego lub trykotowego kaftanika oraz z pewnego rodzaju majteczek utworzonych z dwóch odpowiednio złożonych pieluszek – jedną pieluszkę złożoną w podłużny prostokąt wkłada się między nóżki niemowlęcia, na drugiej, złożonej w trójkąt, układa się niemowlę i zawija. Jeśli w pokoju jest ciepło, niemowlę w łóżeczku przykrywa się obleczonym kocykiem flanelowym. Jeśli jest chłodno, zawija się je w ten kocyk, pozostawiając swobodę ruchu rączkami. Należy unikać zakładania plastykowych majteczek, gdyż powodują one odparzenia. Dobrze chroni przed zamoczeniem łóżeczka delikatna folia położona na prześcieradło pod flanelową pieluszkę. Gdy niemowlę zaczyna przewracać się na boki i energicznie się ruszać, odpowiednim ubraniem są śpioszki z dzianiny, zapewniające swobodę ruchów. Na spacerze dziecko powinno być chronione przed zmarznięciem, ale nie wolno go też przegrzewać. W chłodnych porach roku odpowiednim ubraniem na spacer jest śpiwór.

Rytm dnia. Niemowlę powinno mieć stałe godziny snu, czuwania, karmienia, spaceru i kąpieli. Przestrzeganie regularnego trybu życia już od pierwszych dni po urodzeniu przyspiesza wytworzenie właściwych nawyków, zapewnia lepszy sen, apetyt i sprzyja prawidłowemu rozwojowi. Przyspieszenie pory karmienia w razie niepokoju dziecka jest dopuszczalne, jednak pory posiłków nie powinny być dowolne i stale się zmieniać. Po okresie zalecanego w pierwszych tygodniach życia karmienia „na żądanie", celowe jest dążenie możliwie wcześnie do ustalenia regularnych posiłków o stałych porach dnia.

Spacery. W ciepłej porze roku spacery dziecka można rozpocząć od pierwszych dni jego życia, chroniąc je jedynie przed pełnym słońcem i upałem. W lecie bezpieczniej jest unikać wychodzenia na słońce między godziną 12 i 15. W tym czasie dziecko powinno pozostawać w domu przy otwartych oknach, na osłoniętej werandzie lub w miejscu osłoniętym od słońca, np w cieniu drzewa. Również w godzinach rannych i popołudniowych dziecko powinno przebywać na powietrzu w półcieniu.

W zimie pierwsze spacery należy poprzedzić tzw. werandowaniem, czyli ułożeniem ubranego jak na spacer dziecka w łóżeczku przy otwartym oknie. Werandowanie powinno się rozpocząć w drugim tygodniu życia niemowlęcia od 5 min i stopniowo wydłużać czas trwania do pół godziny. Dopiero wówczas można rozpocząć wychodzenie z domu na spacer, początkowo na 15 min, przedłużając stopniowo przebywanie na powietrzu do 2 godz.

W okresie mrozów pożądane jest wychodzenie z dzieckiem na spacer dwukrotnie w ciągu dnia. Gdy temperatura jest niższa niż 0°C twarz dziecka przed wyjściem z domu należy posmarować kremem (linomag, F 18) i sprawdzać w czasie spaceru, czy nos i policzki są prawidłowo ucieplone i różowe, aby nie dopuścić do odmrożeń. Przy temperaturze niższej od –10°C należy zrezygnować ze spaceru i poprzestać na werandowaniu.

Niemowlęta przyzwyczajone do regularnych spacerów, wówczas gdy zostają tych spacerów „pozbawione", mogą mieć trudności w zasypianiu, są niespokojne i płaczliwe.

Higiena. Jest to jeden z podstawowych warunków zdrowia dziecka. W okresie niemowlęcym, a szczególnie w pierwszych tygodniach życia, kontakty z wieloma osobami stwarzają niebezpieczeństwo zakażenia dziecka, ponieważ mechanizmy odpornościowe jego są jeszcze bardzo niedojrzałe. Matka w czasie nawet błahego zakatarzenia powinna pielęgnować i karmić niemowlę w maseczce ze złożonej kilkakrotnie gazy, osłaniającej nos i usta, zmienianej kilka razy w ciągu dnia. Kontakty dziecka z dalszą rodziną i znajomymi trzeba w pierwszych miesiącach życia ograniczyć do minimum. Przed podejściem do niemowlęcia, a również przed przystąpieniem do przyrządzania mu jedzenia, należy umyć ręce mydłem i szczotką, a na ubranie założyć czysty, codziennie prany fartuch. Karmiąca matka powinna codziennie zmieniać bieliznę osobistą, a przed podaniem dziecku piersi obmyć brodawkę przegotowaną wodą. Naczynia przeznaczone dla niemowlęcia muszą być myte oddzielnie, a przed użyciem polane wrzącą wodą i nie wycierane ściereczką. Butelki i smoczek po użyciu należy dokładnie umyć wodą z sodą, spłukać bieżącą wodą, a przed następnym użyciem wygotować przez 30 min.

Koszulki, kaftaniki, śpioszki i ręcznik niemowlęcia trzeba zmieniać co najmniej raz dziennie. Prześcieradło i obleczenie kocyka, jeśli nie zostaną zmoczone lub zbrudzone, należy zmieniać raz w tygodniu, natomiast flanelowy podkład, który kładzie się na prześcieradle, trzeba zmieniać codziennie. Zmoczone i zabrudzone kałem pieluszki przechowuje się w przykrytym pojemniku. Bielizny niemowlęcia nie powinno się prać razem z bielizną pozostałych domowników. Pieluszki trzeba przed praniem spłukać z moczu i kału. Do prania można używać mydła lub tych proszków, na których opakowaniu jest napisane, że nadają się dla niemowląt. Bielizna i pieluszki muszą być gotowane i w pierwszym półroczu życia prasowane gorącym żelazkiem. Do prania nie wolno używać środków wybielających ani detergentów. W pomieszczeniu, gdzie przebywa niemowlę lub przechowywane są jego rzeczy, nie wolno używać naftaliny ani innych środków owadobójczych. Mogą one doprowadzić, nawet przy pośrednim kontakcie (przez nasiąknięte nimi rzeczy), do ciężkich zatruć.

Utrzymanie w czystości jamy ustnej i nosa niemowlęcia nie wymaga w okresie zdrowia żadnych zabiegów higienicznych. Wydzielinę wydobywającą się z nosa czy ślinę trzeba usuwać delikatnie z zewnątrz, nie wycierając błony śluzowej wacikiem. Układanie dziecka na brzuszku już od pierwszych dni życia ułatwia oczyszczanie się nosa z wydzielanego śluzu. Wiele doświadczeń przemawia za tym, że dzieci układane od urodzenia na brzuszku nie męczą się tą pozycją, mają prawidłową postawę, są chronione przed niedorozwojem panewek stawów biodrowych, szybciej osiągają sprawność ruchową. Zdaniem niektórych obserwatorów, pozycja na brzuszku ułatwia obserwowanie otoczenia i ma korzystny wpływ na rozwój psychiki dziecka.

Niezbędnym elementem opieki nad dzieckiem jest systematyczna kontrola w poradni dla zdrowych dzieci, zgłaszanie się na badania okresowe i przeprowadzanie szczepień ochronnych.

Karmienie dziecka

Karmienie piersią

Mleko kobiece jest najwartościowszym pokarmem dla niemowlęcia i nie da się zastąpić żadnym rodzajem mieszanek mlecznych i odżywek. Jest jałowe, tzn. pozbawione bakterii, ma też odpowiednią dla niemowlęcia temperaturę. Zawiera w łatwo przyswajalnej formie i w odpowiednich dla niemowlęcia proporcjach najwartościowsze dla niego białko, węglowodany i tłuszcze oraz enzymy niezbędne do trawienia tych węglowodanów i tłuszczów. Skład aminokwasowy białka mleka kobiecego jest najodpowiedniejszy dla niemowlęcia i nie dorównuje mu skład mleka jakiegokolwiek innego ssaka.

Zmienność składu pokarmu kobiecego jest dostosowana do zmieniających się w pierwszych tygodniach życia potrzeb dziecka. W pierwszych dniach życia niewielka ilość wodnistej siary matki najlepiej zaspokaja potrzeby noworodka. Zawartość soli mineralnych, a głównie stosunek wapnia do fosforu w mleku kobiecym, zapewnia prawidłowy poziom tych składników w ustroju dziecka. Ciała odpornościowe zawarte w pokarmie matki zwiększają odporność niemowlęcia na zakażenia. Flora jelitowa, która rozwija się w przewodzie pokarmowym niemowląt karmionych piersią, ma dla nich korzystne znaczenie i zmniejsza ryzyko rozwoju w przewodzie pokarmowym dzieci bakterii chorobotwórczych. Karmienie piersią ma również bardzo istotne znaczenie dla stanu psychicznego i emocjonalnego dziecka i matki, gdyż stwarza między nimi silną więź. Bliskość i zapach matki działają korzystnie na układ nerwowy dziecka. Pierwszy odruch warunkowy wytwarza się wcześniej u niemowląt karmionych piersią. Rozwijają się one lepiej, są silniejsze, rzadziej chorują niż niemowlęta odżywiane nawet najlepszymi mieszankami. Sam akt ssania z piersi wymaga korzystnego dla dziecka wysiłku mięśniowego.

Ilość wydzielanego przez matkę pokarmu przy regularnym i prawidłowym karmieniu jest na ogół dostosowana do potrzeb dziecka. Jeśli nawet w pierwszych dniach czy tygodniach matka odnosi wrażenie, że ilość pokarmu jest niewystarczająca, systematyczne przystawianie dziecka do piersi spowoduje wzrost wytwarzania mleka. Karmić trzeba gdy dziecko płaczem sygnalizuje głód, nie narzucając w pierwszych tygodniach życia określonych godzin karmienia. Z czasem dziecko przystosowuje się do przerw między karmieniem, zazwyczaj około 3-godzinnych, i przerwy w nocy trwającej około 6–9 godzin. Jeśli dziecko nie wysysa w całości pokarmu, należy resztę dokładnie odciągnąć ręką albo specjalną pompką. Jeśli niemowlę nie nauczyło się jeszcze ssać lub ma katar, albo wady utrudniające ssanie, należy karmić je odciągniętym pokarmem podawanym łyżeczką. Podawanie odciągniętego pokarmu smoczkiem z butelki lub dokarmianie mieszankami z butelki szybko „rozleniwia" niemowlę, które przyzwyczaiwszy się do łatwego uzyskiwania mleka przez gumowy smoczek przestaje energicznie ssać pierś. Może to doprowadzić do stopniowego zanikania pokarmu. Najlepszym sprawdzianem, czy ilość pokarmu wystarcza dziecku, jest prawidłowy przyrost masy jego ciała. Jeśli istnieje podejrzenie, że ilość pokarmu jest niewystarczająca, dziecko należy ważyć co tydzień. Na ilość pokarmu, oprócz systematycznego przystawiania dziecka do piersi, wpływa spokojny tryb życia, prawidłowe odżywianie się matki, a przede wszystkim jej psychiczne nastawienie – musi ona chcieć karmić swoje dziecko oraz być przekonana, że będzie miała dostateczną ilość pokarmu, jeśli o to zadba. W okresie karmienia nie wolno w ogóle spożywać alkoholu i to pod żadną postacią. Nawet parę cm^3 pokarmu ma dla niemowlęcia duże znaczenie, jeśli musi ono być dokarmiane sztucznymi mieszankami. Niemowlę przystawiane do piersi „na żądanie" nie powinno być dopajane między karmieniami. Pojenie między karmieniami jest celowe u dzieci gorączkujących. Podaje się wtedy łyżeczką przegotowaną wodę.

Przeciwwskazania do karmienia piersią są bardzo rzadkie. Należą do nich: gruźlica, wyniszczające choroby matki, ropnie obu piersi, zażywanie przez matkę silnie działających leków przechodzących do pokarmu.

Trudność w karmieniu może stanowić płaski lub wklęsły kształt brodawki sutkowej. Takie brodawki trzeba przygotowywać do karmienia przed urodzeniem się dziecka, ćwicząc je palcami. Brodawki takie należy podawać niemowlęciu do ust wraz z otaczającą brodawkę piersią. Czas karmienia piersią powinien trwać 15–20 min. Po opróżnieniu jednej piersi, można przystawić dziecko do drugiej i kolejne karmienie zaczynać od tej drugiej, mniej opróżnionej piersi.

Karmienie mieszane

Jeśli niemowlę nie może być wystarczająco karmione piersią, przed przejściem na karmienie sztuczne należy rozważyć możliwość karmienia mieszanego. Najlepiej jest przed każdym karmieniem przystawić dziecko do piersi, aby wyssało choć trochę pokarmu, a następnie dokarmić je mieszanką. Resztę pokarmu z piersi trzeba starannie ściągnąć, co w tej sytuacji jest szczególnie ważne, gdyż niemowlę dokarmiane z butelki na ogół stopniowo coraz słabiej ssie pierś. Zaleganie pokarmu w piersi grozi stopniowym zanikaniem pokarmu i zapaleniem gruczołów piersiowych. Przy żywieniu mieszanym może zmniejszyć się narastająca niechęć niemowlęcia do ssania piersi. Podając mu mieszanki łyżeczką lub robiąc w smoczku małą dziurkę, zapobiegamy zbyt łatwemu „uzyskiwaniu" przez dziecko mleka z butelki. Przechodzenie na karmienie sztuczne powinno być szczególnie ostrożne u młodych niemowląt i w lecie, gdy częste są zachorowania na zakażenia jelitowe.

Ilość mieszanki, którą niemowlę powinno otrzymywać po karmieniu piersią, najlepiej jest ustalić znając w przybliżeniu ilość wyssanego z piersi pokarmu. W tym celu waży się niemowlę w tym samym „opakowaniu" przed i po karmieniu piersią.

Ilość pokarmu potrzebnego na dobę w poszczególnych miesiącach życia niemowlęcia (w przybliżeniu):

W pierwszych 10 dniach życia - 10-90 g na porcję, poczynając od 10 g w pierwszej i drugiej dobie, a następnie każdego dnia o 10 g więcej aż do 90 g w 10 dniu życia przy karmieniu 7 razy.

Od 11-15 dnia	100 g na porcję przy karmieniu 7 razy
W 3-4 tygodniu	110-120 g na porcję przy karmieniu 7 razy
W 2 miesiącu	130-140 g na porcję przy karmieniu 6 razy
W 3 miesiącu	130-140 g na porcję przy karmieniu 6 razy
W 4 miesiącu	140-150 g na porcję przy karmieniu 6 razy
W 5, 6, 7 miesiącu	160-180 g przy karmieniu 5 razy
Powyżej 7 miesiąca	180-200 g na porcję.

Rodzaj mieszanek zależy od okresu życia. Mieszanki te przygotowuje się z mleka modyfikowanego. Mleko modyfikowane ma skład upodobniony do składu pokarmu kobiecego.

Prawidłowe żywienie w pierwszym roku życia

Witaminy. Mimo iż pokarm kobiecy zawiera witaminy C i A, jednak ilość witamin jest w nim niewystarczająca. Witaminy, soki owocowe i jarzynowe, zupę jarzynową i żółtko wprowadza się u niemowląt karmionych piersią nieco później niż u dzieci karmionych sztucznie. Dzieciom donoszonym po 2 tygodniach życia, a dzieciom niedonoszonym od 2 tygodnia należy podawać 3-5 kropli witaminy A + D_3, tak aby zapewnić ok. 2000 j.m. (jednostek międzynarodowych) witaminy A i 500-1000 j.m. witaminy D_3 na dobę. Jedna kropla wodnego roztworu witaminy A + D_3 Polfa zawiera 580 j.m.

witaminy A i 290 j.m. witaminy D_3. Po 4 miesiącach życia podaje się witaminę D_3 bez witaminy A. Jedna kropla wodnego roztworu witaminy D_3 zawiera 500 j.m. (zob. też Krzywica i tężyczka, s. 1334). Witaminy te najlepiej jest podawać w łyżeczce odciągniętego pokarmu lub mieszanki.

Soki jarzynowe i owocowe. Podawanie ich należy rozpocząć już w 3 miesiącu życia, aby w ten sposób zapewnić dziecku dowóz soli mineralnych, niewielkich ilości żelaza i witaminy C. Podawanie soku rozpoczyna się od 1 łyżeczki (5 g) i zwiększa codziennie o 1 łyżeczkę aż do porcji 10–15 łyżeczek. Jeśli przy zwiększaniu ilości soku wystąpią luźne stolce, należy przez parę dni poprzestać na poprzedniej ilości. Dzieciom źle tolerującym nawet małe ilości soku podawanie trzeba rozpocząć od paru kropli i zwiększać bardzo powoli.

Soki podaje się między karmieniami w 1 lub 2 porcjach. Soki powinny być przygotowane z dostępnych w danym sezonie jarzyn i owoców bogatych w witaminę C. Najlepiej jest jako pierwsze podawać soki z marchwi i jabłek, które są dostępne przez cały rok. Soki te są dobrze tolerowane przez młode niemowlęta. Marchew powinna pochodzić z gleby nie nawożonej sztucznymi nawozami. Po dojściu do należnej porcji tych soków, można wprowadzać inne soki z sezonowych owoców. Należy unikać owoców cytrusowych, bananów, poziomek i truskawek ze względu na ich alergizujące właściwości. Ze 100 g owoców uzyskuje się ok. 50 g soku. Wszystkie naczynia i narzędzia używane do podawania oraz przygotowywania soku, a także same owoce i warzywa muszą być starannie umyte, spłukane pod bieżącą wodą i sparzone wrzątkiem. Jeśli sok jest kwaśny, np. z porzeczek, trzeba go rozcieńczyć przegotowaną wodą z cukrem. Dzieciom ze skłonnością do zaparć soki owocowe można podawać w większych ilościach dochodząc stopniowo do ilości, przy której stolce są prawidłowe. W 4 lub 5 miesiącu życia dziecka soki owocowe stopniowo zastępuje się roztartymi owocami. Owoce, podobnie jak soki, należy podawać między karmieniami, można je podzielić na dwie porcje w ciągu dnia.

Zupa jarzynowa. Najwcześniej po ukończeniu 4 miesięcy jedno karmienie piersią, najlepiej w porze przyszłego obiadu, zastępuje się zupą jarzynową w ilości 150–200 ml (zob. Przepisy dla niemowląt, s. 1149). Dostarcza ona soli mineralnych i żelaza. W tym okresie witaminę A + D_3 „zamienia się" na witaminę D_3. Niemowlę 5-miesięczne karmi się 5 razy dziennie: 4 razy piersią, raz zupą jarzynową. Jeśli karmione piersią dziecko źle przybywa na wadze lub ma napady kolki, zupę jarzynową można podać o miesiąc wcześniej. Dobrze rozwijającym się karmionym piersią dzieciom można przesunąć podawanie zupy o miesiąc później. W sytuacji takiej trzeba – po podwojeniu przez dziecko urodzeniowej masy ciała – podawać żelazo w dawkach zapobiegających niedokrwistości. Niemowlę 6-miesięczne otrzymuje papkę jarzynową. Po skończeniu 7 miesięcy dodaje się 10 g gotowanego mięsa i pół żółtka. Żółtko rozprowadza się w potrawach i zagotowuje. Ważne jest, aby zmiany w diecie dziecka wprowadzać stopniowo. Nie należy rozpoczynać podawania dwóch nowych potraw jednocześnie. Godziny karmienia dziecka od 6 miesiąca życia: 6, 9^{30}, 13, 16^{30}, 20.

Papkowate pokarmy (roztarte owoce, papki jarzynowe, mięso) należy podawać łyżeczką. Jest to korzystniejsze niż rozcieńczanie ich zupą lub wodą i podawanie przez smoczek. Gdy dziecko zaczyna dostawać papkę jarzynową, trzeba zmniejszyć ilość zupy i roztartych w niej warzyw, tak aby łączna ilość surowych warzyw używanych do przygotowania posiłków wynosiła 200–250 g na dobę pod koniec pierwszego roku życia.

W 7 miesiącu podaje się kisiel mleczny na mleku modyfikowanym z owocami. Między 8 i 11 miesiącem przerywa się karmienie piersią, jeśli nie przypada to na miesiące letnie. W okresie lata dobrze jest zachować choć jeden raz na dzień karmienie piersią, gdyż pokarm kobiecy chroni dziecko przed biegunkami zakaźnymi, które w lecie występują dość często.

W 9–10 miesiącu życia wprowadza się stopniowo:
1 × 200 ml mleko modyfikowane z 10 g płatków kukurydzianych
1 × 200 ml mleko modyfikowane z sucharkiem
1 × 200 ml ryż lub kasza kukurydziana na mleku modyfikowanym.
Zwiększa się ilość mięsa (15 g) przygotowując je w postaci pulpeta gotowanego.

W 11 miesiącu podaje się lane kluski na mleku modyfikowanym, cienką kromkę pytlowego chleba, 1 g masła i 5 g chudej wędliny, 20 g mięsa.

W 12 miesiącu wprowadza się 40 g twarożku ze szczypiorkiem, ziemniaki purée, mleko ukwaszone, ilość mięsa zwiększa się do 25 g.

Karmienie sztuczne

Sztuczne mieszanki, stosowane do żywienia niemowlęcia, nawet najstaranniej dobrane i przygotowywane nie zastępują w pełni pokarmu matki. Różne rodzaje mleka modyfikowanego są upodobnione nieco swoim składem do pokarmu kobiecego, nie zawierają jednak przeciwciał zwiększających odporność dziecka, ani enzymów ułatwiających trawienie. Nie mają również takiego samego jak pokarm matki składu aminokwasów, cukrów i tłuszczów, który jest dla niemowlęcia najodpowiedniejszy. Nie mają stałej temperatury, pełnej sterylności i nie zapewniają bezpośredniego kontaktu dziecka z ciałem matki. Dzieci karmione sztucznie częściej i ciężej chorują, częściej występują u nich objawy uczulenia.

P r z y g o t o w a n i e m i e s z a n e k wymaga bardzo starannego przestrzegania czystości odzieży i rąk, chronienia pomieszczenia, w którym przygotowuje się jedzenie, od much i kurzu, świeżości i najwyższej jakości używanych produktów. Naczynia przeznaczone dla niemowlęcia należy oddzielnie myć, gotować, a te, które nie nadają się do gotowania, parzyć wrzącą wodą. Butelkę po nakarmieniu niemowlęcia trzeba od razu myć, gdyż resztki mleka, które w niej zostają, są potem trudne do usunięcia. Do mycia butelek używa się wody z dodatkiem sody oczyszczanej (3 łyżeczki na 1 litr) i specjalnej szczotki, a następnie płucze się pod bieżącą wodą i wygotowuje przed następnym napełnieniem mieszanką. Starannie umyte i wygotowane smoczki przechowuje się w suchym pojemniczku pod przykryciem, a naczynia niemowlęcia – w oddzielnej szafce na czystym płótnie, przykryte czystym płótnem lub wielokrotnie złożoną gazą.

Mieszanki przyrządza się na 1 posiłek. Jeśli to niemożliwe, pasteryzuje się je po sporządzeniu (zob. niżej) i przechowuje w chłodnym miejscu. Mieszanka nie powinna pozostawać w temperaturze pokojowej dłużej niż 3 godz. Przed karmieniem mieszankę trzeba podgrzać do temperatury ciała, sprawdzając to przez wylanie kilku jej kropli na wewnętrzną stronę przedramienia. W okresie wprowadzania gęstych pokarmów powinno się przejść na karmienie niemowlęcia łyżeczką i pojenie z kubka.

Karmiąc dziecko z butelki trzeba ją trzymać w takiej pozycji, żeby smoczek wypełniony był mieszanką. Otwór w smoczku musi być odpowiednio duży, żeby dziecko nie zalewało się nadmiarem pokarmu, ani nie niepokoiło się zbyt trudnym jego wypływaniem. W czasie ssania dziecko połyka pewną ilość powietrza. Dlatego po zakończonym karmieniu trzeba je potrzymać w pozycji pionowej aż do odbicia (beknięcia). Zmniejsza to wzdęcia i prawdopodobieństwo wystąpienia kolkowych bólów brzuszka. Reagowanie karmieniem na każdy płacz dziecka może doprowadzić do otyłości, co już od okresu niemowlęcego jest wysoce niepożądane.

Do ukończenia pierwszego roku życia dziecko nie powinno otrzymywać niemodyfikowanego mleka krowiego. Na rynku jest dość znaczna różnorodność mieszanek z mleka krowiego modyfikowanego tak, żeby jak najbardziej upodobnić je do pokarmu kobiecego. Pożądane są następujące cechy modyfikowanych mieszanek dla zdrowych niemowląt: zawartość białka 1,4–1,8 g na 100 ml gotowej mieszanki, stosunek kazeiny do białek serwatkowych 40/60, dodatek aminokwasu tauryny, laktoza jako jedyny lub główny cukier, tłuszcz głównie roślinny z kwasami tłuszczowymi linolowym i α-linolenowym. Mieszanki te są wzbogacone w żelazo i witaminy, zawierają sole mineralne, a ich wartość kaloryczna dostosowana jest do wieku niemowląt. Nie zawierają glutenu, który znajduje się w produktach zbożowych i wprowadzony wcześnie do diety dziecka może powodować zaburzenia wchłaniania w przewodzie pokarmowym. Wymienione cechy posiadają m.in. mieszanki Bebilon.

Ilość przyjmowanej w mieszance witaminy D należy uwzględnić przy podawaniu witaminy D w kroplach, tak żeby łącznie nie przekraczała 1000 jednostek na dobę. Dla dzieci nie tolerujących laktozy zaleca się mieszanki niskolaktozowe, dla dzieci nie tolerujących białek mleka krowiego – mieszanki sojowe lub z hydrolizatu kazeiny, np. Neutramigen. Mieszanki te mają też zastosowanie po ciężkich biegunkach i u dzieci alergicznych. Na opakowaniach różnych rodzajów mleka modyfikowanego podana jest informacja dotycząca wieku, dla którego jest ono przeznaczone, oraz sposobu przygotowania. Pokarmy inne niż mleko wprowadza się podobnie, jak u dzieci karmionych piersią.

Przepisy dla niemowląt

(Ilości płynów podane w gramach należy odmierzać butelką)

Pasteryzacja

Na dnie garnka, w którym będzie odbywać się pasteryzacja, układa się gazę, wstawia butelki z mieszanką, przykrywając otwory butelek sparzonym pergaminowym papierem i zaciskając go wokół szyjek. Do garnka wlewa się tyle wody, aby zakryła pokarm w butelkach, garnek przykrywa się pokrywką i gotuje na małym ogniu 10–15 min. Potem butelki trzeba jak najszybciej ochłodzić i przechowywać w temperaturze 4°C.

Sucharek z mlekiem

Mleko pełne przygotowane z mleka modyfikowanego 100 g, 2,5 łyżeczki utartego sucharka (2 g), 1 płaska łyżeczka cukru (5 g) – gotować 3 min mieszając.

Soki z owoców i warzyw

Marchew, jabłko lub inne twarde owoce myje się wodą i szczoteczką, obiera się sparzonym nożem, polewa wrzątkiem, ściera na sparzonej tarce do sparzonej miseczki. Wyciska się przez złożoną kilka razy wygotowaną gazę. Ze 100 g owoców uzyskuje się ok. 50 g soku.

Kasza na mleku do podawania przez smoczek

Mleko pełne z mleka modyfikowanego 100 g, kasza kukurydziana drobno mielona lub ryż – niepełna łyżeczka (4 g), płaska łyżeczka cukru (5 g), wody 50 g.

Kaszę rozprowadzić zimną wodą, wlać na wrzące mleko i gotować 15–20 min mieszając i uzupełniając w razie potrzeby wodą, tak aby po ugotowaniu pozostało 100 g. Pod koniec gotowania dodać cukier.

Kasza półgęsta

Mleko pełne z mleka modyfikowanego 100 g, kaszy (kukurydziana, krakowska, ryż) pełna łyżeczka (6,7 g), płaska łyżeczka cukru (5 g), wody 50–150 g – w zależności od kaszy.

Podgotować kaszę na wodzie, potem dodać mleko i dogotować do miękkości mieszając, pod koniec gotowania osłodzić. Grube kasze przetrzeć przez sito przed podaniem. Kaszę krakowską i ryż przed gotowaniem trzeba płukać. Do ostudzonej do temperatury ciała kaszy na gęsto dobrze jest dodawać przecierane owoce.

Zupa jarzynowa

Warzywa mieszane z przewagą marchwi (marchew, seler, por, ziemniak, burak, szpinak, pietruszka, kwiat kalafiora bez łodyg) bez jarzyn strączkowych i kapusty – 150–200 g, płaska łyżeczka ryżu lub kaszy kukurydzianej (5 g), pół łyżeczki masła (3 g), płaska łyżeczka cukru (5 g), wody 300 g, sól do smaku.

Jarzyny wyszorować, obrać, opłukać, pokrajać, wrzucić do wrzącej wody i gotować na małym ogniu aż zmiękną (ok. 1,5 godz.). Odcedzić, do wywaru dodać kaszę rozprowadzoną niewielką ilością zimnej wody i gotować 10–15 min, dodać cukier. Do kaszy ugotowanej na wywarze przetrzeć część ugotowanych warzyw (w pierwszych dniach karmienia zupą – głównie marchew, później ilość jarzyn można zwiększyć). Dodać surowe masło, szczyptę soli, zagotować. Dla dzieci od 8 miesiąca życia smak zup powinien być określony, np. poprzez przewagę jednej z jarzyn – pomidorów, kalafiorów, ziemniaków, buraków. Zupy takie powinny być zabielane mlekiem zamiast śmietany.

Papka z jarzyn

Marchew, buraki, listki szpinaku bez łodyżek, ziemniak, kwiat kalafiora, kalarepa, dynia – 80–100 g, płaska łyżeczka masła (5 g), płaska łyżeczka cukru (do ziemniaka nie dodaje się), płaska łyżeczka mąki (3 g) (do ziemniaka nie dodaje się), mleko płynne 50 g, szczypta soli.

Jedną z wymienionych jarzyn po wyszorowaniu, obraniu (buraki obiera się i trze na drobnej tarce po ugotowaniu), opłukaniu i pokrojeniu (ziemniaków nie kroi się) gotuje się do miękkości w niewielkiej ilości wody ze szczyptą soli pod przykryciem. Surowe masło rozprowadza się z mąką w rondelku, zagotowuje się z mlekiem i dodaje się przetartą jarzynę. Podgrzewa się do zgęstnienia, dodaje się cukier. Do ziemniaka dodaje się tylko mleko, masło i sól. Burak można przyprawić sokiem z cytryny. Najlepiej tolerowaną przez dziecko jarzyną, którą wprowadza się najwcześniej, jest marchew. Nie może ona pochodzić z gleby nawożonej sztucznymi nawozami. Szpinak powinno się podawać 1 raz w tygodniu dopiero starszym niemowlętom. Porcja papki jarzynowej po ugotowaniu powinna mieć objętość 1,5–2 łyżek stołowych.

Żółtko

Żółtko podaje się w zupie jarzynowej, papce jarzynowej lub w mleku, po zagotowaniu, tak aby ścięło się w drobne kłaczki.

Mięso

Niewielki kawałek (ok. 50 g) świeżego mięsa, dobrze umytego i całkowicie pozbawionego tłuszczu, gotuje się do miękkości w wywarze z jarzyn z niewielką ilością soli. Po ugotowaniu skrobie się je na wyparzonym talerzyku na miazgę, a dla starszych niemowląt drobno sieka w poprzek włókien. Rozdrobnione mięso w ilości ok. 10–25 g (2–5 łyżeczek do herbaty) ponownie zagotowuje się w zupie jarzynowej lub papce z jarzyn. Najwcześniej można podawać pierś z kury, cielęcinę i białe mięso królika. Karmienie wyłącznie drobiem, a zwłaszcza brojlerami, jest niewskazane. Odpowiednie jest również chude mięso wołowe, wieprzowe, bardzo chude mięso baranie, ryby słodkowodne, wątroba, ozór. Pod koniec pierwszego roku życia dziecka podaje się z papką jarzynową mięso uformowane w pulpecik.

Twarożek

Kubek przegotowanego mleka (200 g) należy zakwasić łyżeczką kefiru lub 2–3 łyżeczkami pasteryzowanej śmietanki i pozostawić w temperaturze pokojowej na ok. jedną dobę. Łyżka tak zakwaszonego mleka służy do zakwaszenia mleka, z którego będzie się robiło twarożek. Powinno to być 300 g przegotowanego mleka bardzo dobrej jakości lub pełnego mleka przygotowanego z mleka sproszkowanego. Kubek ze zsiadłym mlekiem wstawia się do rondelka z wrzącą wodą odstawionego z ognia i trzyma się tak długo, aż mleko lekko się zetnie. Wodę w rondelku można w razie potrzeby ponownie podgrzać nie doprowadzając do wrzenia. Zamieszać mleko łyżeczką i wyjąć z ciepłej wody, gdy twaróg jest lekko ścięty. Po ostygnięciu wylewa się mleko na wygotowaną, kilkakrotnie złożoną gazę i odsącza się. Ze 100 g mleka uzyskuje się ok. 15 g twarożku. 40 g twarożku (8 płaskich łyżeczek) rozciera się z mlekiem modyfikowanym i cukrem na miazgę. W 50 g mleka można rozgotować jeden herbatnik lub sucharek i z taką papką utrzeć twarożek. Do tak przyrządzonego twarożku dodaje się roztarte owoce.

Lane kluski

Jedno żółtko wymieszać z płaską łyżeczką pszennej mąki i wlać cienkim strumieniem na wrzące mleko, dodać pół łyżeczki cukru i parę razy zagotować. Kluseczki powinny być bardzo drobne i miękkie.

Napoje

Na szklankę wody daje się jedną łyżeczkę glukozy i zagotowuje. Po wprowadzeniu do diety dziecka soków owocowych można dodać do przegotowanej z cukrem wody do smaku sok z owoców. Dzieciom w 4 kwartale życia płyny podaje się dodatkowo pod postacią kompotów, najlepiej z jabłek lub świeżych owoców jagodowych. Na 100 g wody daje się ok. 50 g bardzo starannie oczyszczonych i umytych owoców jagodowych i pół jabłka, 3 płaskie łyżeczki cukru. Po rozgotowaniu owoców przeciera się je do kompotu i ponownie zagotowuje.

Zalecenia dietetyczne w drugim roku życia

Po okresie niemowlęcym posiłki dziecka powinny być zbliżone do posiłków dorosłych. Wprowadzanie nowych potraw jest łatwiejsze w końcu pierwszego i na początku drugiego roku życia niż później. W tym okresie trzeba dziecko przyzwyczaić do różnorodności potraw, do gryzienia i żucia i stopniowo do samodzielnego jedzenia. Potrawy powinny być rozdrobnione, ale już nie przecierane przez sito. Podanie do ręki kromeczki chleba przyzwyczaja dziecko do gryzienia, a jedzenie nieprzetartych, a tylko rozdrobnionych widelcem jarzyn lub posiekanej wędliny czy mięsa – do żucia. Papkowate pokarmy dziecko powinno samo próbować nabierać łyżeczką. Dwuletnim dzieciom silnym i dobrze jedzącym podaje się 4 posiłki na dobę, słabszym dzieciom o gorszym łaknieniu – 5. Nie powinno się pozwalać na jedzenie między ustalonymi porami posiłków. Szczególnie niekorzystne jest podawanie słodyczy między posiłkami.

W jadłospisie dziecka 2-letniego musi znajdować się: 600 g mleka dziennie, twaróg, ser żółty, jajko, masło, 5–6 razy w tygodniu chude mięso lub ryba albo podroby, jarzyny, owoce, niewielkie ilości pieczywa, kaszy, cukru i słodyczy. Spośród jarzyn dopuszczalne są już wszystkie, również świeże i suche strączkowe, kapusta świeża i kiszona, cebula, szczypiorek, rzodkiewka drobno siekane i inne. Pożądane są wysokogatunkowe wędliny – szynka, polędwica, chudy baleron, kiełbasa szynkowa.

Żywienie dzieci w trzecim roku życia i w okresie przedszkolnym

Dziecko 3-letnie ma już dostateczne możliwości i umiejętności gryzienia i żucia, aby mogło otrzymywać nierozdrobnione pokarmy. Produkty potrzebne dziecku w wieku przedszkolnym nie różnią się zasadniczo od tych, które otrzymuje dwulatek. Dieta jest tylko obfitsza, potrawy są nierozdrobnione, mogą być od czasu do czasu smażone na oleju roślinnym. Dzieciom, które nie lubią mleka słodkiego, można je całkowicie zastąpić przez mleko zsiadłe, kefiry, jogurty lub koktajle mleczne.

Posiłki przedszkolaka powinny być kolorowe i estetycznie podane w stałych godzinach. Dziecko powinno je spożywać w przyjemnej atmosferze, przynajmniej w niektórych porach dnia w gronie rodziny. Między 3 r. życia a okresem szkolnym bardzo częstym zjawiskiem jest brak łaknienia. Jest to związane najczęściej z dużą ruchliwością i koncentracją uwagi dziecka na absorbującej je zabawie i z wolniejszym rozwojem niż w pierwszych 2 latach życia. Wszelkie formy przymuszania do jedzenia prowadzą jedynie do utrwalenia braku łaknienia i grymaszenia przy jedzeniu.

Dzieci uczęszczające do żłobka lub przedszkola powinny mieć w domu dietę uzupełnioną tymi produktami, które nie są uwzględniane w posiłkach zjadanych poza domem.

Żywienie dzieci w wieku szkolnym

Dzieci w wieku szkolnym zwykle szybko rozwijają się i mają dobry apetyt. Ich zajęcia poza domem stopniowo zwiększają się. Stwarza to potrzebę dobrego odżywiania, a zarazem utrudnia prawidłowy rozkład posiłków w ciągu dnia. T r z y p o d s t a w o w e p o s i ł k i powinny być regularne i pełnowartościowe: pierwsze śniadanie, obiad i kolacja. Większość dzieci je drugie śniadanie w szkole. Dla niektórych pożądany jest podwieczorek złożony z owoców. Częstym błędem jest zjadanie w pośpiechu pierwszego śniadania, czytanie czy nauka przy obiedzie, zbyt późno zjadana przed snem kolacja. Powinna ona być podawana nie później niż o godz. 18–19.

P i e r w s z e ś n i a d a n i e zjadane przed pójściem do szkoły powinno zawierać 250 g mleka, pieczywo, masło, ser lub jajka, miód lub dżem, dodatek owoców lub jarzyn (pomidor, rzodkiewka, szczypiorek, papryka itp.). D r u g i e ś n i a d a n i e zjadane w szkole powinno być popite herbatą lub mlekiem i składać się z pieczywa z serem, wędliną lub jajkiem oraz z owoców lub jarzyn (np. liść sałaty, rzodkiewka, ogórek, pomidor). Pierwsze i drugie śniadanie powinno zawierać ok. 40% dziennej racji pokarmowej. Istotne znaczenie ma higieniczny i estetyczny sposób zapakowania drugiego śniadania do szkoły. Duża część dzieci zjada o b i a d w stołówkach szkolnych. Jest to korzystniejsze niż jedzenie w domu odgrzewanego obiadu lub w godzinach wieczornych. K o l a c j a powinna być tym co najmniej jednym w ciągu dnia posiłkiem, który cała rodzina zjada wspólnie przy stole. Dzieciom jadającym w stołówce stosunkowo wczesna kolacja powinna uzupełniać ewentualne niedobory obiadu.

IV. SZCZEPIENIA OCHRONNE

S z c z e p i e n i a o c h r o n n e są to zabiegi medyczne stosowane w celu wytworzenia przez organizm, w sposób sztuczny, czynnej odporności na określone choroby zakaźne po zastosowaniu odpowiednich szczepionek.

Szczepienia te nie tylko chronią osoby szczepione przed ryzykiem zachorowania, ale odgrywają również istotną rolę jako czynnik przeciwepidemiczny w walce z chorobami zakaźnymi. Od czasu wprowadzenia szczepień ochronnych obserwuje się stałe zmniejszanie się zachorowalności na gruźlicę, błonicę, tężec, krztusiec, chorobę Heinego–Medina (nagminne porażenie dziecięce, poliomyelitis), odrę oraz nastąpiło całkowite zlikwidowanie zachorowań na ospę.

Warunkiem skuteczności szczepień jest odpowiednia technika produkcji i kontrola szczepionek oraz właściwa metodyka ich stosowania. Jako czynnik przeciwepidemiczny mają one znaczenie tylko wówczas, gdy są powszechnie stosowane. W zależności od sytuacji epidemiologicznej ustalana jest kolejność szczepień, jak również grupy wiekowe poddawane uodpornieniu.

Szczepionki przeciw chorobom wywoływanym przez bakterie bądź przez wirusy składają się z żywych zarazków o osłabionej zjadliwości (atenuowanych) lub z zarazków zabitych. Zarazki żywe powodują wytworzenie odporności utrzymującej się dłużej niż odporność wywołana przez zarazki zabite. Długość okresu utrzymywania się odporności musi być uwzględniana przy ustalaniu terminów ponownego szczepienia, czyli rewakcynacji. Dostatecznie wysoki poziom przeciwciał, chroniący przed zachorowaniem, zależy od systematycznego podawania dawek przypominających, w odstępach czasu różnych dla poszczególnych szczepionek.

Na podstawie badań prowadzonych w wielu krajach, głównie Europy i Ameryki, stwierdzono, że niemowlęta 6–8-tygodniowe „potrafią" wytwarzać przeciwciała po podaniu szczepionek, jest więc uzasadnione wczesne uodpornianie przeciw zakaźnym chorobom wieku dziecięcego. Poziom przeciwciał wytworzonych w pierwszych miesiącach życia obniża się w ciągu drugiego półrocza, stąd konieczność szczepień przypominających w drugim roku życia dziecka.

Szczepienie BCG

W Polsce pierwszą szczepionką, którą otrzymuje niemowlę między 3 i 15 dniem życia, jest BCG. Jest to liofilizowana szczepionka składająca się z żywych (atenuowanych) prątków. Podaje się ją śródskórnie w lewe ramię w ilości 0,1 ml. W miejscu wstrzyknięcia powinien powstać bąbelek o średnicy ± 8 mm, utrzymujący się przez kilka do kilkunastu minut. W 2–3 dni po zaszczepieniu powstaje w miejscu wkłucia naciek przekształcający się w pęcherzyk, a następnie w owrzodzenie, które po 3–6 tygodniach – niekiedy dłużej – stopniowo goi się, pozostawiając płaską bliznę (odczyn dodatni). Blizna ta świadczy o wytworzeniu się tuberkulinowej alergii poszczepiennej. U niemowląt w wieku 11–12 miesięcy średnica blizny nie powinna być mniejsza niż 3 mm. W przypadku styczności dziecka z osobą chorą na gruźlicę bądź w celach diagnostycznych, mimo stwierdzenia blizny, należy wykonać próbę tuberkulinową.

U dzieci powyżej 12 miesiąca życia alergię poszczepienną sprawdza się za pomocą tuberkulinowego odczynu śródskórnego Mantoux, polegającego na śródskórnym wstrzyknięciu 0,1 ml rozcieńczonej tuberkuliny po grzbietowej stronie środkowej części przedramienia. Wynik odczytuje się po 72 godz. Za dodatni uważa się odczyn, gdy powstał naciek o średnicy 6 mm lub większy.

Kolejne kontrole alergii tuberkulinowej wykonuje się w 7, 12 i 18 r. życia. Dzieci, które nie wytworzyły alergii poszczepiennej, jak również te, u których alergia wygasła, są ponownie szczepione szczepionką BCG.

Przy rewakcynacji muszą być zachowane odpowiednie odstępy czasu w stosunku do podawania innych szczepionek. Szczepienia przeciw błonicy, tężcowi, krztuścowi, poliomyelitis i odrze można wykonywać po 3 tygodniach od zaszczepienia BCG, natomiast szczepionkę BCG można podać po 2 tygodniach po ww. szczepieniach.

Po podaniu BCG, przy zastosowaniu prawidłowej techniki szczepienia, powikłania występują rzadko. Przy zbyt głębokim wstrzyknięciu, w miejscu szczepienia może powstać owrzodzenie lub ropień, czemu towarzyszy powiększenie węzłów chłonnych pachowych. Wyjątkowo dochodzi do rozmiękania i przebicia węzłów z wytworzeniem przetoki.

Znaczenie odporności w gruźlicy i alergii tuberkulinowej omówiono w rozdz. Gruźlica u dzieci (zob. Choroby zakaźne, Gruźlica, s. 948).

Pozostałe obowiązujące szczepionki

Szczepionka przeciw wirusowemu zakażeniu wątroby typu B zawiera antygen powierzchniowy wirusa hepatitis B. Szczepieniem objęto dzieci urodzone przez matki zarażone wirusem HBV oraz dorosłych należących do grup wysokiego ryzyka.

Szczepionka potrójna błoniczo-tężcowo-krztuścowa (Di-Te-Per) składa się z anatoksyny (toksyny pozbawionej szkodliwego działania) błoniczej, anatoksyny tężcowej i z zabitych pałeczek krztuśca. Szczepienie podstawowe obejmuje 3 wstrzyknięcia po 1 ml, w odstępach 6 tygodni. Dawka przypominająca, mająca utrwalić odporność i podnieść uzyskany poprzednio poziom przeciwciał, wynosi również 1 ml. Szczepionkę podaje się głęboko podskórnie.

Przy rewakcynacji, czyli ponownym szczepieniu, począwszy od 6 r. życia, szczepionkę Di-Te-Per zastępuje Di-Te składająca się z anatoksyn: błoniczej i tężcowej.

Obie wyżej wymienione szczepionki dają niewielki odczyn poszczepienny. Odczyn ogólny wyraża się niewysoką gorączką utrzymującą się 1–2 dni, czasami wymiotami i lekką biegunką, odczyn miejscowy – nieznacznie lub miernie nasilonym stanem zapalnym w miejscu wstrzyknięcia.

Szczepionka przeciw chorobie Heinego–Medina, czyli nagminnemu porażeniu dziecięcemu lub poliomyelitis, zawiera 3 typy żywych zarazków o osłabionej zjadliwości wirulencji. Podaje się ją doustnie 3-krotnie jednoczasowo ze szczepionką Di-Te-Per. Obowiązuje również szczepienie

Terminarz szczepień ochronnych obowiązujący w 1993 r.

Wiek		Szczepienie przeciw	Uwagi
1 rok życia	3–15 dzień życia	gruźlicy – szczepionką BCG śródskórnie	Szczepienie pierwotne BCG (z wyjątkiem dzieci ze wskazaniami do szczepienia przeciw wirusowemu zapaleniu wątroby typu B)
	I. 12 godzin po urodzeniu	gruźlicy – szczepionką BCG i jednocześnie przeciw wirusowemu zapaleniu wątroby typu B – domięśniowo	Szczepienie pierwotne BCG tylko u dzieci urodzonych przez matki zakażone wirusem zapalenia wątroby typu B; trzy kolejne dawki szczepienia podstawowego przeciw wirusowemu zapaleniu wątroby typu B podawane w odstępach 4-tygodniowych
	II. po 4 tygodniach od pierwszego szczepienia, tj. w 5 tygodniu życia	wirusowemu zapaleniu wątroby typu B – domięśniowo	
	III. po 4tygodniach od drugiego szczepienia, tj. w 9 tygodniu życia	wirusowemu zapaleniu wątroby typu B – domięśniowo	
	I. 3 miesiąc życia (u dzieci szczepionych przeciw wirusowemu zapaleniu wątroby typu B – po 4 tygodniach od trzeciego szczepienia przeciw wirusowemu zapaleniu wątroby typu B)	błonicy, tężcowi, krztuścowi – szczepionką Di-Te-Per podskórnie	Trzy kolejne dawki szczepienia podstawowego Di-Te-Per i poliomyelitis podawane w odstępach 6-tygodniowych
	II. po 6 tygodniach od pierwszego szczepienia, tj. w 4 lub 5 miesiącu życia	i jednocześnie przeciwko poliomyelitis – doustnie szczepionką żywą, poliwalentną (1, 2 i 3 typ wirusa)	U dzieci z przeciwwskazaniami do szczepień przeciwko krztuścowi należy zastosować szczepionkę Di-Te – wg zaleceń producenta. Należy podawać w 3 miesiącu życia tylko doustną szczepionkę przeciw poliomyelitis, a po 6 tygodniach podskórnie pierwszą dawkę Di-Te i jednocześnie drugą dawkę szczepionki przeciw poliomyelitis – doustnie
	III. po 6 tygodniach od drugiego szczepienia, tj. w 6 lub 7 miesiącu życia		

Wiek		Szczepienie przeciw	Uwagi
1 rok życia	11–12 miesiąc życia	gruźlicy – szczepionką BCG – śródskórnie	Szczepienie tylko u dzieci, które w wyniku pierwszego szczepienia BCG nie mają blizny bądź blizna ma średnicę mniejszą niż 3 mm. U każdego dziecka ze styczności z osobą chorą na gruźlicę należy wykonać przed szczepieniem próbę tuberkulinową Mantoux i szczepić dzieci z ujemnym wynikiem w dniu odczytania próby
	12 miesiąc życia (po 4 tygodniach od szczepienia przeciw gruźlicy)	wirusowemu zapaleniu wątroby typu B – domięśniowo	Szczepienie tylko u dzieci urodzonych przez matki zarażone wirusem zapalenia wątroby typu B – dawka przypominająca
2 rok życia	13–15 miesiąc życia	odrze – podskórnie	Wszystkie dzieci, niezależnie od wcześniejszego zachorowania
	19–24 miesiąc życia	błonicy, tężcowi, krztuścowi – szczepionką Di-Te-Per – podskórnie i jednocześnie przeciw poliomyelitis – doustnie szczepionką żywą, poliwalentną (1, 2 i 3 typ wirusa)	Czwarta dawka, uzupełniająca – szczepienia podstawowego Di-Te-Per i poliomyelitis. Dzieci z przeciwwskazaniami do szczepień przeciwko krztuścowi, które w pierwszym roku życia otrzymały dwie dawki szczepionki Di-Te oraz czwartą dawkę szczepionki przeciw poliomyelitis – doustnie
Dzieci szkolne	6 rok życia	błonicy, tężcowi – szczepionką Di-Te podskórnie i jednocześnie przeciw poliomyelitis – doustnie szczepionką żywą, poliwalentną (1, 2 i 3 typ wirusa)	Pierwsza dawka przypominająca
	7 rok życia (klasa zerowa)	gruźlicy – szczepionką BCG – śródskórnie	U każdego dziecka ze styczności z osobą chorą na gruźlicę wykonać przed szczepieniem próbę tuberkulinową Mantoux i szczepić dzieci z ujemnym wynikiem w dniu odczytania próby
	9 rok życia (klasa druga)	odrze – podskórnie	Szczepienie przypominające
	11 rok życia (klasa czwarta)	poliomyelitis – doustnie szczepionką żywą, poliwalentną (1, 2 i 3 typ wirusa)	Druga dawka przypominająca

Wiek		Szczepienie przeciw	Uwagi
Dzieci szkolne	12 rok życia (klasa piąta)	gruźlicy – szczepionką BCG – śródskórnie	Tylko dzieci z ujemnym wynikiem próby tuberkulinowej Mantoux. Szczepienia należy wykonać w dniu odczytania próby
Dzieci szkolne	13 rok życia (klasa szósta)	różyczce – podskórnie	Tylko dziewczęta
Dzieci szkolne	14 rok życia (klasa siódma)	błonicy, tężcowi – szczepionką Di-Te podskórnie	Druga dawka przypominająca
	18 rok życia (klasa trzecia szkoły ponadpodstawowej)	gruźlicy – szczepionką BCG	Tylko dzieci z ujemnym wynikiem próby tuberkulinowej Mantoux. Szczepienia należy wykonać w dniu odczytania próby
	19 rok życia lub ostatnia klasa szkoły ponadpodstawowej	błonicy, tężcowi – szczepionką Di-Te podskórnie	Trzecia dawka przypominająca
	Dorośli	tężcowi – szczepionką monowalentną podskórnie	Ze wskazań indywidualnych – zgodnie z obowiązującą instrukcją. Ze wskazań epidemiologicznych – grupy osób określa Państwowy Wojewódzki Inspektor Sanitarny
	Dorośli	gruźlicy – szczepionką BCG śródskórnie	Dotyczy osób zgłaszających się na studia wyższe, policealne studia zawodowe wszelakiego typu lub do pracy w zakładach przeciwgruźliczych, które w czasie ostatnich 12 miesięcy nie miały przeprowadzonej próby tuberkulinowej. Szczepieniu podlegają osoby tuberkulinoujemne w dniu odczytania próby tuberkulinowej Mantoux
	Dorośli	wirusowemu zapaleniu wątroby typu B – domięśniowo	Szczepienie podstawowe trzema dawkami wg schematu: 0, 1, 6 miesięcy. Szczepieniu podlegają: pracownicy służby zdrowia z grup wysokiego ryzyka zakażenia oraz uczniowie średnich szkół medycznych i studenci akademii medycznych w ciągu pierwszego roku szkolnego (akademickiego). Ponadto szczepieniu podlegają osoby: z bliskiego otoczenia z osobami zakażonymi HBV (domownicy oraz osoby przebywające w zakładach opiekuńczych, wychowawczych i zakładach zamkniętych), przygotowywane do zabiegu operacyjnego oraz przewlekle chore o wysokim ryzyku zakażenia (dializy, częste iniekcje lub zabiegi związane z przerwaniem ciągłości tkanek). Szczepienie przypominające jedną dawkę w odstępach co 5 lat; w 1993 roku szczepieniu podlegają osoby zaszczepione w 1988 roku.

przypominające między 19 i 24 miesiącem życia w 6 oraz w 11 r. życia. Nie wywołuje odczynu poszczepiennego.

Szczepionka przeciw odrze składa się z żywych, osłabionych (atenuowanych) zarazków. Podaje się ją jednorazowo podskórnie. Wywołuje niewielki zapalny odczyn miejscowy. W pewnym odsetku przypadków (10–20% wg różnych autorów) może wystąpić odczyn ogólny w postaci niezbyt wysokiej gorączki, wykwitów na skórze, lekkiego kaszlu. Powyższe objawy nie trwają na ogół dłużej niż 1–2 dni. Uzyskana odporność utrzymuje się przez wiele lat. Biorąc pod uwagę okres, w jakim stosuje się szczepienia na szeroką skalę, jest jeszcze za wcześnie, aby orzec, że uzyskana tą drogą odporność jest równie trwała, jak po przechorowaniu odry.

Szczepionka przeciw różyczce składa się z żywych (atenuowanych) zarazków. Podaje się ją jednorazowo podskórnie dziewczętom w 13 r. życia. Wywołuje ona niewielki zapalny odczyn miejscowy.

Warunkiem uzyskania odporności po omówionych szczepieniach jest właściwe przechowywanie szczepionek i prawidłowa technika szczepień. Szczepionki powinny być przechowywane w temperaturze 4–10°C, bez dostępu światła i przez czas ściśle określony od daty produkcji.

Powikłania szczepień

Po szczepieniach podskórnych powikłania należą do rzadkości. W miejscu wstrzyknięcia może powstać ropień spowodowany dodatkowym zakażeniem bakteryjnym. Wyjątkowo mogą wystąpić: zmiany w skórze o charakterze pokrzywki, obrzęk alergiczny zwany obrzękiem Quinckego, napady astmy.

Leczenie powikłań jest objawowe. Dodatkowe zakażenia bakteryjne są wskazaniem do podania antybiotyków.

Przeciwwskazania do szczepień

Przeciwwskazaniem do pierwotnego szczepienia BCG są wszystkie choroby okresu noworodkowego oraz wcześniactwo.

Poza okresem noworodkowym przeciwwskazania do szczepień stanowią: ostre choroby zakaźne, gruźlica, choroby górnych dróg oddechowych, układu krążenia, ośrodkowego układu nerwowego, choroby alergiczne, cukrzyca w stanie niewyrównanym, stany gorączkowe o niejasnej przyczynie, stany zapalne skóry i tkanki podskórnej, białaczki i nowotwory, niektóre choroby nerek.

W większości są to przeciwwskazania przejściowe.

Przeciw krztuścowi nie szczepi się dzieci z podanymi w wywiadach drgawkami oraz po przebytej chorobie ośrodkowego układu nerwowego. Przeciwwskazaniem jest także wrodzony lub nabyty zespół niedoboru immunologicznego związany z infekcjami spowodowanymi wirusem HIV.

Dzieci urodzone przez matki HIV-seropozytywne mogą podlegać szczepieniu dopiero po stwierdzeniu ich seronegatywności, co według większości autorów można określić dopiero u niemowląt w wieku 9–10 miesięcy.

Szczepienia nie objęte kalendarzem szczepień

Szczepienia przeciw durowi brzusznemu prowadzone są wśród grup ludności najbardziej narażonych na zakażenie. Decyzję o przeprowadzeniu szczepień podejmuje Państwowy Wojewódzki Inspektor Sanitarny, który może zarządzić szczepienie dzieci po ukończeniu 4 lat, a w przypadku szczególnego zagrożenia także dzieci po ukończeniu 2 lat i osób dorosłych do 60 r. życia.

Szczepionka przeciwdurowa zawiera zabite pałeczki durowe. Wstrzykuje się ją podskórnie dwukrotnie w odstępie miesiąca i po raz trzeci po roku. Szczepienia przypominające w odstępach 3–5 lat. Po szczepieniu może wystąpić niewielki odczyn, zarówno miejscowy, jak i ogólny.

W ostatnich latach coraz liczniejsze są doniesienia o szczepieniach przeciw śwince (nagminnemu zapaleniu ślinianek przyusznych).

Do uodpornienia przeciw śwince stosowane są 2 typy szczepionek: z zarazków zabitych oraz z zarazków żywych o osłabionej zjadliwości. Badania prowadzone w byłym ZSRR wykazały, że wysoki poziom przeciwciał utrzymuje się przez okres 5 lat po podaniu szczepionki zawierającej zarazki żywe. Szczepienie należy powtarzać co 5 lat.

Rozpowszechnia się również stosowanie szczepionki przeciw grypie, zalecanej przez Światową Organizację Zdrowia zarówno dla dzieci, jak i dla dorosłych. Skład szczepionki jest aktualizowany corocznie przez producenta. Szczepionka jest najbardziej skuteczna, gdy stosuje się ją co roku w okresie jesiennym, poprzedzającym okres epidemii grypy.

Kolejność szczepień regulują przepisy zawarte w kalendarzu szczepień, który jest zmienny, co roku aktualizowany.

V. PROCESY ODPORNOŚCIOWE

Odporność. Mechanizmy obronne organizmu

Odporność jest stanem, w którym organizm potrafi uruchomić reakcje obronne na czynniki obce zwane antygenami. Charakteryzuje się swoistością w stosunku do działającego antygenu i pamięcią pozwalającą łatwo rozpoznać każdy antygen działający po raz następny.

Swoistość reakcji odpornościowej, czyli immunologicznej, powoduje, że przebycie odry lub świnki chroni przed powtórnym zachorowaniem na te choroby, ale nie przed różyczką, ospą wietrzną lub inną chorobą zakaźną. Pamięć immunologiczna gwarantuje szybką i sprawną odpowiedź organizmu na antygen działający po raz drugi, bardziej skuteczną i efektywną niż przy kontakcie pierwotnym.

Antygen jest to związek wielkocząsteczkowy, który w wyniku zadziałania na organizm zdolny jest do wywołania odpowiedzi immunologicznej w postaci wytwarzania przeciwciał – tzw. odpowiedź humoralna – lub uczulonych komórek – tzw. odpowiedź komórkowa.

Zanim układ immunologiczny odpowie na wtargnięcie antygenu wytworzeniem przeciwciał i uczulonych komórek, tj. limfocytów, antygen musi być rozpoznany i zmieniony przez makrofagi. Są to komórki mające zdolność pochłaniania, zwaną fagocytozą, i rozkładania, czyli degradacji antygenu oraz „prezentowania" go limfocytom. Antygeny mogą mieć określoną postać,

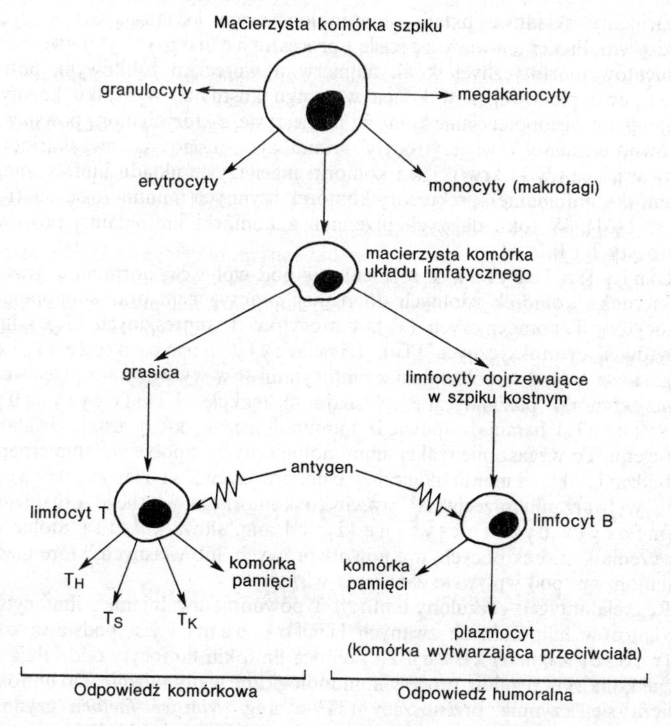

Różnicowanie komórek układu immunologicznego z macierzystej komórki szpiku: T_H – limfocyt pomocniczy, T_S – limfocyt supresyjny, T_K – limfocyt cytotoksyczny

jak np. drobnoustroje (bakterie, wirusy, pierwotniaki, grzyby), lub mogą być rozpuszczalne, np. roztwory białek, glikoprotein, ekstrakty z różnych tkanek. Drobnoustroje zawierają przeważnie kilka różnych antygenów. Antygeny upostaciowane organizm eliminuje szybciej niż antygeny rozpuszczalne, gdyż łatwiej ulegają fagocytozie.

Układ immunologiczny (UI) kierujący procesami odpornościowymi składa się z narządu centralnego, tj. z grasicy, z narządów obwodowych, takich jak śledziona, węzły chłonne, tkanka limfoidalna przewodu pokarmowego, oraz z ruchomych elementów, którymi są krążące komórki układu chłonnego (limfatycznego) i przeciwciała.

„Zadaniem" układu immunologicznego jest: a) rozpoznawanie antygenów własnych i odróżnianie ich od obcych, b) zapewnienie integralności organizmu przez eliminację zmienionych komórek własnych, które mogłyby zapoczątkować rozrost nowotworu lub zjawiska autoimmunizacyjne, c) eliminacja komórek rozpoznawalnych jako obce, d) organizacja obrony przed zakażeniem.

Elementy składowe układu immunologicznego kształtują się w życiu płodowym. Proces ten wiąże się ściśle z procesem hemopoezy, tj. tworzenia elementów morfotycznych krwi, najpierw w woreczku żółtkowym, potem w wątrobie płodowej, a w końcu w szpiku kostnym. W szpiku kostnym znajdują się wielopotencjalne komórki macierzyste, z których mogą powstawać zarówno elementy krwi (erytrocyty, granulocyty, monocyty, megakariocyty wytwarzające płytki krwi), jak i komórki macierzyste układu limfatycznego (komórki limfoidalne), prekursory komórek czynnych immunologicznie (rys. na s. 1161). W toku dalszych przemian z komórki limfoidalnej powstają limfocyty T i B.

Linia limfocytów T różnicuje się pod wpływem hormonów grasicy w kierunku komórek zdolnych do reakcji z antygenem oraz subpopulacji limocytów T pomocniczych (T_H), limfocytów T supresyjnych (T_S) i limfocytów T cytotoksycznych (T_K). Limfocyty pomocnicze (T_H, od ang. słowa *helper*) współdziałają z limfocytami B w wytwarzaniu przeciwciał przez komórki plazmatyczne. Nasilają tę reakcję. Limfocyty supresyjne (T_S) hamują odpowiedź immunologiczną, kiedy ustaje działanie antygenu. To wygaszanie reakcji immunologicznych zapobiega nadmiernemu pobudzaniu układu immunologicznego, np. procesom autoimmunizacji, czyli wytwarzaniu przeciwciał przeciwko komórkom własnego organizmu. Limfocyty cytotoksyczne (T_K, od ang. słowa *killer*) są zdolne do niszczenia komórek obcych, np. nowotworowych, lub własnych, które uległy zmianom np. pod wpływem zakażenia wirusem.

Reakcja antygen – uczulony limfocyt T powoduje uwalnianie z limfocytów mediatorów humoralnych zwanych limfokinami i jest podstawą odporności komórkowej. Za pomocą limfokin limfocyty oddziałują na różne komórki i regulują procesy immunologiczne w organizmie. Do limfokin zalicza się: czynnik przenoszący (TF z ang. *transfer factor*), czynniki chemotaktyczne, mitogenne, interferon i wiele innych. Niektóre z nich w różnych warunkach przejawiają różne funkcje. Podobną do limfokin rolę spełniają interleukiny (IL–1...IL–6), np. IL–4 jest konieczna do syntezy IgE. Interleukiny są wyzwalane przez różne komórki, m.in. przez makrofagi. Odporność komórkowa zostaje uruchomiona do walki przeciw prątkom gruźlicy, pasożytom, wirusom, zakażeniom grzybami, nowotworom; odgrywa też zasadniczą rolę w odrzucaniu przeszczepu i w alergii kontaktowej.

Limfocyty B są prekursorami komórek plazmatycznych (plazmocytów), które wytwarzają immunoglobuliny, tj. cząsteczki białkowe syntetyzowane po zadziałaniu antygenu, tzw. przeciwciała. Przeciwciała należą do 5 klas immunoglobulin: IgG, IgA, IgM, IgD, IgE. W obrębie IgG wyodrębniono 4 podklasy (IgG_1, IgG_2, IgG_3, IgG_4), a w obrębie IgA – dwie podklasy (IgA_1, IgA_2).

Odpowiedź immunologiczna, w której głównym elementem obrony są przeciwciała, jest podstawą odporności humoralnej. Przeciwciała wiążą i neutralizują antygen, inaktywują ruchliwe drobnoustroje, wspomagają fagocytozę przez opłaszczenie antygenu, czyli opsonizację (zob. niżej), aktywują dopełniacz, biorą udział w reakcji anafilaktycznej (zob. s. 1238).

Odporność powstająca pod wpływem zadziałania antygenu jest odpornością nabytą, swoistą, przeważnie trwałą, ale uruchomienie jej wymaga pewnego czasu. W organizmie działają również mechanizmy odporności wrodzonej, nieswoistej, powstającej bez wyraźnego związku z bodźcem antygenowym. Kontrolują one czynnik chorobotwórczy już od momentu jego wtargnięcia. Są to różne mechanizmy działania anatomicznych barier ochronnych błon śluzowych i skóry, lizozym, układ białek dopełniacza (komplementu), przeciwciała naturalne (opsoniny, izohemaglutyniny i in.), fagocytoza.

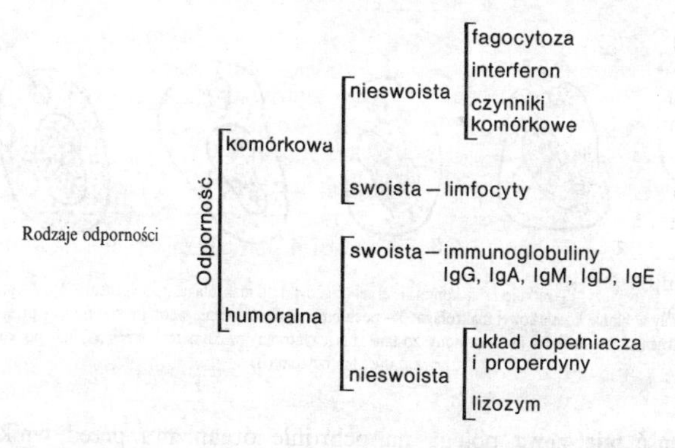

Dopełniacz. Jest to złożony układ przynajmniej 21 substancji białkowych, które biorą udział w wielu reakcjach immunologicznych. Rozmaite sekwencje tych białek zostają uczynnione pod wpływem połączenia antygenu z przeciwciałem (droga klasyczna). Rolę aktywatorów dopełniacza (droga alternatywna) mogą również spełniać endotoksyny bakterii Gram-ujemnych (tj. toksyczne produkty bakteryjne), związki lipopolisacharydowe błon komórkowych bakterii, drożdży (zymozan). Udział dopełniacza w reakcji immunologicznej prowadzi zawsze do zniszczenia komórki docelowej. W zjawiskach odpornościowych będą to najczęściej komórki drobnoustrojów. Dopełniacz bierze udział w opsonizacji, aktywuje makrofagi, współdziała z limfocytami B i układem krzepnięcia. Odgrywa również ważną rolę w mechanizmie powstawania wielu chorób.

Fagocytoza, czyli pochłanianie drobnoustrojów lub różnych cząsteczek potencjalnie chorobotwórczych, ma ważne znaczenie w odporności, zwłaszcza przeciw zakażeniom bakteryjnym. Do komórek fagocytujących należą mikrofagi, tj. granulocyty wielojądrzaste pochłaniające głównie drobnoustroje, i makrofagi – duże komórki żerne, które fagocytują większe cząsteczki oraz kompleksy immunologiczne (antygen + przeciwciało). Fagocytoza wymaga współudziału czynników chemotaktycznych, czyli przyciągających komórki fagocytujące do miejsca, gdzie znajdują się cząsteczki do pochłonięcia. Czynnikami chemotaktycznymi są niektóre limfokiny, białka dopełniacza lub przekaźniki (mediatory) uwalniane podczas reakcji alergicznej. Przebieg fagocytozy ułatwia opsonizacja, czyli wiązanie na powierzchni komórki obcej składników zawartych w surowicy krwi, spełniających rolę opsonin (przeciwciała IgM, IgG, białka dopełniacza, lizozym). Tak opłaszczone opsoninami cząsteczki łatwo ulegają fagocytozie. Poszczególne stadia procesu fagocytozy przedstawione są na rysunku. Wirusy mogą podlegać fagocytozie, ale nie ulegają zniszczeniu. Rozmnażają się zatem wewnątrz komórki i najczęściej ją całkowicie niszczą.

Odmianą fagocytozy jest pinocytoza, czyli pochłanianie płynów.

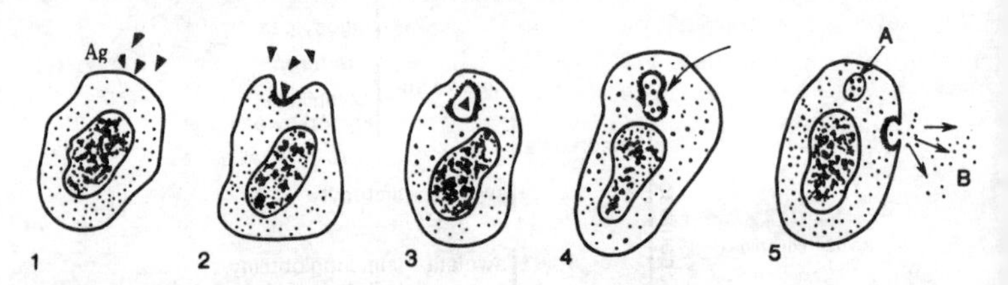

Schemat procesu fagocytozy: 1 – zetknięcie się komórki żernej (fagocyta), tj. makrofaga, z antygenem – Ag; 2 – przyłączenie antygenu i zmiany w błonie komórkowej makrofaga, 3 – pochłonięcie, 4 – trawienie wewnątrzkomórkowe prowadzące do zniszczenia antygenu, 5 – antygen nie strawiony zostaje zmagazynowany w komórce żernej (A) lub po koncentracji „przekazany" limfocytom (B)

Odporność miejscowa polega na ochronie organizmu przed wnikaniem antygenów poprzez śluzówki i skórę. Działa tu wiele czynników począwszy od immunologicznych, wśród których najważniejszą rolę pełni tzw. wydzielnicza postać IgA (S–IgA) wytwarzana w błonie podśluzowej. Przeciwciała te stale znajdują się na powierzchni błon śluzowych i w śluzie dróg oddechowych oraz w treści przewodu pokarmowego. Nie są niszczone przez enzymy wydzielane do przewodu pokarmowego, gdyż specjalna budowa czyni je niewrażliwymi na działanie enzymów. Przeciwciała te działają przeciw bakteriom, wirusom, neutralizują toksyny i enzymy bakteryjne.

Działanie S-IgA jest wspomagane przez inne immunoglobuliny (IgG, IgM), ale jedynie wówczas, gdy wytworzy się miejscowy odczyn zapalny i wystąpi wzmożona przepuszczalność naczyń. Tylko IgE wytwarzana miejscowo, tak jak S-IgA, pełni być może bezpośrednio rolę w obronie miejscowej przeciwko pasożytom. W świetle przewodu pokarmowego, układu moczowego, a zwłaszcza układu oddechowego poza S-IgA działają makrofagi, leukocyty wielojądrzaste, a także limfocyty.

W procesie oczyszczania odporność miejscową wspomagają czynniki mechaniczne, takie jak rogowacenie i złuszczanie skóry, złuszczanie nabłonka błon śluzowych, ruch rzęsek nabłonka rzęskowego usuwający obce cząsteczki, zwłaszcza w drogach oddechowych, odruch kaszlu, ruchy robaczkowe przewodu pokarmowego i wypróżnienie, przepływ moczu w układzie moczowym. Kwaśny odczyn skóry oraz treści żołądka hamuje rozwój drobnoustrojów. Mukoproteidy zawarte w śluzie dróg oddechowych uszkadzają otoczkę wirusów, lizozym we współdziałaniu z dopełniaczem jest bakteriobójczy, transferyna wytwarzana w błonie śluzowej hamuje metabolizm bakterii przez wiązanie jonów Fe^{2+}, które są konieczne dla prawidłowych procesów oksydacyjno-redukcyjnych tych drobnoustrojów.

Interferon jest to układ kilku białek hamujących namnażanie (replikację) wirusów i być może wzrost komórek nowotworowych. Wykazuje swoistość gatunkową, tzn. interferon wytworzony przez limfocyty konia nie działa u człowieka. Synteza interferonu zostaje pobudzona przez zakażenie wirusem. Zakażona komórka wytwarza interferon, który hamuje replikację wirusa. Wykryto również hamujący wpływ interferonu na podziały komórek, zwłaszcza szybko rozmnażających się, oraz działanie stymulujące na cytotoksyczne limfocyty T. Stało się to podstawą prób leczenia nowotworów przy zastosowaniu interferonu.

Dojrzewanie procesów odpornościowych z wiekiem

Wczesny rozwój układu immunologicznego i komórek immunokompetentnych w życiu płodowym powoduje, że płód potrafi reagować, czyli odpowiadać na rozmaite antygeny i wewnątrzłonowe zakażenia już w 20 tygodniu trwania ciąży. Dojrzewanie odpowiedzi immunologicznej przebiega równolegle do różnicowania się i dojrzewania narządów limfoidalnych. Grasicę nabłonkową można stwierdzić już u 6-tygodniowego płodu, a w 3 miesiącu wykazać w grasicy limfopoezę, czyli proces różnicowania się limfocytów, który jest niezależny od działania antygenu. Tymocyty, tj. limfocyty zasiedlające grasicę, szybko nabywają zdolności rozpoznawania własnych i obcych antygenów i wytwarzają tolerancję (areaktywność) w stosunku do antygenów własnych. Zaburzenie tego mechanizmu może w przyszłości prowadzić do chorób z autoagresji, w których układ immunologiczny wytwarza przeciwciała przeciwko komórkom własnego organizmu.

Wzrost i rozwój grasicy w życiu płodowym jest bardzo intensywny. Jej masa w 10 tygodniu wynosi 20 mg, a w 26 tygodniu 4 g. Największa w stosunku do masy ciała jest w okresie porodu. Przez resztę życia obserwuje się stopniowy zanik grasicy, chociaż nadal spełnia ona rolę centralnego narządu układu immunologicznego.

Rozwój śledziony wykazano już ok. 6 tygodnia życia płodowego.

Węzły chłonne z charakterystyczną budową limfoidalną stwierdzano w połowie ciąży, ale ich dojrzałość morfologiczna i funkcjonalna, podobnie jak śledziony, następuje dopiero po porodzie.

Limfocyty pojawiają się we krwi płodu między 7 a 8 tygodniem, w 10 tygodniu jest ich 1000/mm^3. Noworodek ma ich 4000–6000/mm^3, ale nie wszystkie funkcje limfocytów noworodka są w pełni dojrzałe.

L i m f o c y t y T zdolne do reakcji z antygenem pojawiają się jeszcze przed porodem. W efekcie tego noworodek może odrzucić przeszczep skóry tak jak dorosły, wytwarza też odporność po szczepieniu BCG. Liczba l i m f o c y t ó w B przed porodem i u noworodka jest taka sama lub większa niż u dorosłego. Mimo to wytwarzanie immunoglobulin, czyli przeciwciał w tym okresie jest niewielkie, co świadczy o upośledzonym przejściowo różnicowaniu limfocytów B w komórki plazmatyczne, które syntetyzują immunoglobuliny. Istotnie, liczba plazmocytów wyraźnie wzrasta dopiero po porodzie.

Synteza immunoglobulin u ludzkiego płodu występuje już ok. 11 tygodnia życia płodowego, ale wyraźny jej wzrost następuje po połowie ciąży. Skąpa synteza immunoglobulin w okresie płodowym zależy od niewielkiej stymulacji antygenowej układu immunologicznego i funkcjonalnej niedojrzałości narządów limfoidalnych.

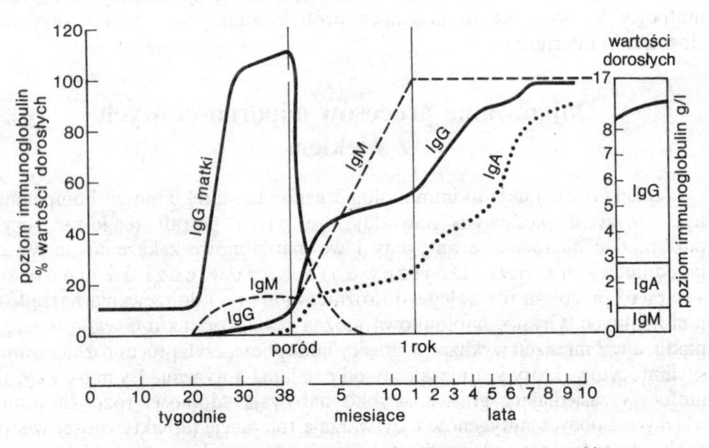

Rozwój układu immunologicznego dziecka w okresie życia płodowego i po porodzie

IgG jako jedyna z 5 klas immunoglobulin przechodzi przez łożysko i jest przekazywana przez matkę już od 3 miesiąca ciąży. Poziom IgG w surowicy noworodka jest więc taki jak u matki lub wyższy. Własne IgG wytworzone w okresie płodowym stanowią jedynie 10% całej ich wartości, ale poziom ten stopniowo wzrasta. Wartości IgG równe wartościom u człowieka dorosłego osiąga dziecko w 7 r. życia. Poziom przeciwciał od matki szybko obniża się (czas półtrwania 24–30 dni), tak że pomiędzy 2 a 6 miesiącem życia występuje tzw. hipogammaglobulinemia fizjologiczna, czyli fizjologiczny spadek immunoglobulin powodujący obniżoną odporność u niemowląt.

IgM nie przechodzi przez łożysko i jest immunoglobuliną tzw. pierwotnej odpowiedzi immunologicznej. Każde zakażenie wewnątrzłonowe lub uszkodzenie łożyska prowadzące do wzrostu stymulacji antygenowej pobudza syntezę IgM. Zakażenia przebyte w życiu łonowym (np. cytomegalia, toksoplazmoza, różyczka, kiła i inne) mogą zatem spowodować wyraźny wzrost IgM w okresie noworodkowym. Do klasy immunoglobulin IgM należą przeciwciała przeciw bakteriom Gram-ujemnym i ich endotoksynom. IgM spełnia funkcję opsoniny (wspiera aktywność fagocytów), jest też silnym aktywatorem dopełniacza. Już ok. pierwszego roku życia dziecko syntetyzuje tyle IgM, ile człowiek dorosły.

IgA jest syntetyzowana w życiu płodowym w bardzo małych ilościach i często nie udaje się jej wykryć u noworodka. Wytwarzanie tej immunoglobuliny wzrasta w 2–4 tygodniu życia lub później. Poziom IgA odpowiadający poziomowi człowieka dorosłego dziecko osiąga w 7–8 roku życia albo dopiero w okresie dojrzewania. IgA występuje w 2 postaciach: surowiczej (w surowicy krwi) i wydzielniczej S–IgA (zob. s. 1164). Synteza S–IgA rozpoczyna się od 4–6 tygodnia życia, a zatem u noworodka i młodego niemowlęcia ten mechanizm obronny nie funkcjonuje. Błony śluzowe tych dzieci są ogromnymi wrotami wejścia dla bakterii, wirusów, innych drobnoustrojów oraz alergenów. U dzieci ze skazą atopową łatwo dochodzi do alergizacji organizmu. Dzieci karmione piersią korzystają z S–IgA zawartej w siarze i mleku kobiecym, gdyż immunoglobulina ta nie zostaje rozłożona w przewodzie pokarmowym przez enzymy trawienne. Dzieci karmione piersią są dzięki temu mniej wrażliwe na biegunki, zakażenia wirusowe i bakteryjne układu oddechowego w porównaniu z noworodkami i niemowlętami karmionymi sztucznie.

IgD jest immunoglobuliną, której funkcja nie została dotąd dokładnie poznana, ale w życiu płodowym występuje dość licznie na powierzchni limfocytów.

IgE. W obrębie tej klasy przeciwciał mieszczą się reaginy czynne w alergii. IgE spełnia rolę w odporności przeciw pasożytom i być może w odporności miejscowej. IgD i IgE występują u dzieci w pierwszym roku życia w bardzo małych ilościach. Poziom IgE wzrasta wyraźnie w stanach alergicznych, oznaczanie IgE jest więc ważnym wskaźnikiem w rozpoznawaniu alergii.

Mechanizmy odporności nieswoistej, mimo że kształtują się w życiu płodowym, w pierwszym roku życia, a przynajmniej w pierwszym półroczu, nie działają sprawnie. Mikrofagi we wczesnym niemowlęctwie mają gorzej wykształcony system proteolitycznych enzymów lizozomalnych, tj. rozkładających antygeny wewnątrz fagocytu. Fagocytoza przebiega wówczas mniej sprawnie, tym bardziej że opsonizacja (zob. s. 1164) z braku IgM nie jest wystarczająca.

Zaburzenia odporności

Zaburzenia odporności stanowią dużą grupę chorób, w których zdolność organizmu do prawidłowej odpowiedzi immunologicznej zostaje zachwiana na różnych etapach rozwoju tej odpowiedzi (rys.). Konsekwencją tych

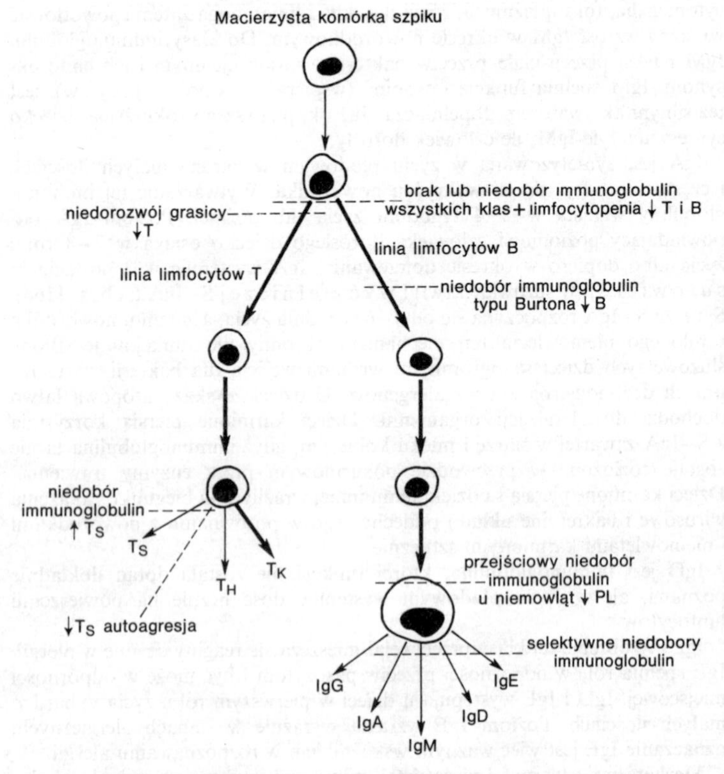

Niektóre zaburzenia odporności i miejsce ich defektu immunologicznego (zob. też rys. na s. 1161); PL – plazmocyty

zaburzeń są nawracające zakażenia lub inne objawy chorobowe wynikające z niesprawnej eliminacji antygenów, np. autoagresja (reakcje immunologiczne przeciw własnym tkankom), alergizacja.

Zespoły zaburzeń odporności dzieli się na pierwotne, tj. wrodzone, oraz wtórne, czyli nabyte w przebiegu innych chorób uszkadzających prawidłowe przemiany i dojrzewanie komórek immunologicznie kompetentnych, albo prowadzących do upośledzenia ich funkcji. Zaburzenia immunologiczne mogą obejmować mechanizmy odporności swoistej (reakcje limfocytów T i B na określone antygeny), jak i odporności nieswoistej (fagocytoza, układ dopełniacza i inne). Defekty odporności są często uwarunkowane genetycznie, mogą również tworzyć się w toku wewnątrzłonowych zakażeń wirusowych (różyczka, cytomegalia i in.), bakteryjnych lub wywołanych pierwotniakami (toksoplazmoza).

Zaburzenia odporności

Zaburzenia pierwotne (wrodzone)	Zaburzenia wtórne (nabyte)
Zaburzenia odporności komórkowej (defekt limfocytów T) Zaburzenia odporności humoralnej (defekt limfocytów B) Niedobory mieszane (defekt limfocytów T i B) Zaburzenia fagocytozy Niedobory białek składowych dopełniacza	W chorobach przebiegających z zaburzeniem syntezy białka lub zwiększonym jego rozpadem (np. choroby wątroby, niektóre choroby mięśni) W chorobach z nadmierną utratą białka (choroby nerek, zaburzenia wchłaniania) Przy upośledzonej funkcji układu chłonnego (zespoły immunoproliferacyjne, leki działające supresyjnie na układ immunologiczny, zakażenia wirusowe, np. wirusem HIV)

Zespoły zaburzeń odporności najczęściej ujawniają się już w pierwszych miesiącach życia, w przypadkach ciężkich zaburzeń prowadzą do śmierci we wczesnym dzieciństwie z powodu groźnych zakażeń. Nawracające zakażenia są głównym objawem defektów odpornościowych. Dominują na ogół zakażenia układu oddechowego (zapalenia płuc, oskrzeli, zatok obocznych nosa, uszu), prowadząc do zmian przewlekłych, takich jak rozstrzenie oskrzeli czy choroby zwłókniające płuc. Zakażenia mogą też dotyczyć skóry, przewodu pokarmowego (biegunki, robaczyce), układu nerwowego (zapalenia opon i mózgu), mogą mieć charakter zakażeń uogólnionych. Wśród innych objawów mogą występować zapalenia stawów, alergiczne i krwotoczne zmiany skórne, zaburzenia hematologiczne. Uporczywa pleśniawica błon śluzowych, silny odczyn po szczepieniach ochronnych, ciężkie powikłania po chorobach wirusowych wieku dziecięcego mogą również sugerować istnienie niesprawnych mechanizmów obronnych.

Nawracające zakażenia u dzieci z zaburzeniami odporności są często wywołane przez drobnoustroje niechorobotwórcze lub mało szkodliwe dla człowieka. Powinno to, zwłaszcza u dzieci starszych i osób dorosłych, zwrócić uwagę na funkcję układu immunologicznego chorego. U chorych z zespołem nabytego upośledzenia (niedoboru) odporności (AIDS) np. bardzo często występuje zakażenie wirusem cytomegalii lub zapalenie płuc wywołane przez *Pneumocystis carini* – pierwotniaka, który nie powoduje objawów choroby wśród ludzi ze sprawnym układem odpornościowym. Niektóre informacje dotyczące chorego lub jego rodziny mogą sugerować upośledzenie odporności. Są to: 1) poronienia, porody niewczesne, śmierć noworodków w rodzinie; 2) nieprawidłowy przebieg ciąży, dystrofia wewnątrzmaciczna, wcześniactwo; 3) podejrzenie przebytych przez matkę chorób w czasie ciąży (np. różyczka, toksoplazmoza, cytomegalia i in.); nawracające zakażenia, choroby autoimmunologiczne wśród krewnych, selektywny brak immunoglobulin (np. IgA), obniżona liczba limfocytów we krwi nawet bez objawów klinicznych u członków bliższej i dalszej rodziny.

Usunięcie migdałków podniebiennych lub migdałka III, napromienianie promieniami X, leczenie lekami immunosupresyjnymi, preparatami krwi i gamma-globuliną stwarzają dodatkowe zagrożenia rozwoju zespołu zaburzeń odporności.

Nowoczesne metody diagnostyczne pozwalają na rozpoznanie i precyzyjne różnicowanie zespołu defektów immunologicznych, wymaga to jednak wielu skomplikowanych badań, czasem możliwych do wykonania tylko w wyspecjalizowanych laboratoriach.

Leczenie niedoborów przeciwciał polega przede wszystkim na podawaniu gamma-globuliny lub na okresowym przetaczaniu plazmy. W upośledzeniu odporności komórkowej zależnym od niedorozwoju grasicy wykonywane są przeszczepy grasicy lub zastępczo podawane są jej hormony (tymozyna). Jeżeli defekt dotyczy komórki macierzystej szpiku, możliwe są przeszczepy szpiku.

Innego leczenia wymagają chorzy zakażeni wirusem HIV. Zależy ono od rodzaju zakażeń wtórnych, jakie rozwijają się u chorego. Ponadto stosowane są preparaty hamujące odwrotną transkryptazę wirusa, takie jak Suramin, Ribavirin, AZT (Retrovir, Zidovirin) i inne. Najwięcej nadziei budzi wyprodukowanie szczepionki przeciw wirusowi HIV. Rozważa się też możliwość zastosowania przeciwciał sprzężonych z substancjami toksycznymi dla zakażonych komórek.

VI. UKŁAD WYDZIELANIA WEWNĘTRZNEGO W OKRESIE ROZWOJU

Mechanizm działania układu hormonalnego

W ewolucyjnym rozwoju form żyjących na Ziemi powstawały coraz bardziej złożone organizmy od jednokomórkowych do wielokomórkowych, zbudowanych z wielu milionów komórek. Już w prostych organizmach wielokomórkowych istniała wymiana informacji między komórkami. Nośnikami informacji były różne, stosunkowo proste związki chemiczne produkowane w komórkach, np. aminokwasy, peptydy, kwasy tłuszczowe, które wnikały do sąsiadujących komórek lub wiązały się na ich powierzchni. Z biegiem czasu, w toku ewolucji, doskonalił się system sterujący rozwojem, przemianą materii, podziałem czynności między powstałymi narządami, utrzymywaniem stałości wewnętrznego środowiska organizmu oraz przystosowywaniem się do zmieniającego się środowiska zewnętrznego. Zwiększała się liczba i różnorodność nośników różnych informacji, doskonalił się sposób ich przekazywania – przewodowy w układzie nerwowym, humoralny w układzie dokrewnym, powstały swoiste receptory odbioru informacji.

W kodzie genetycznym zawartym w kwasie dezoksyrybonukleinowym (DNA) w jądrze komórki (zob. Fizjologia, s. 86) powiększał się zasób informacji, tj. jej genotyp. Do podstawowego zapisu, który zapewniał komórce utrzymanie się przy życiu, przemianę materii, rozmnażanie, reagowanie na bodźce otaczającego środowiska, dołączały się nowe geny powstające w toku ewolucji, w tym fragmenty DNA, które przekazywały osiągnięcia w zakresie układów sterujących harmonijnym współdziałaniem narządów i utrzymaniem stałości środowiska wewnętrznego w coraz bardziej złożonych organizmach.

U człowieka liczba genów, podstawowych jednostek kodu genetycznego, jest bardzo duża: rzędu trzech i pół biliona. Jednak tylko niewielki ich odsetek na danym etapie rozwoju jednostki ulega transkrypcji, czyli przepisaniu, tzn. przekazuje zawartą w nich informację do realizacji w obrębie protoplazmy komórek odpowiedniego narządu. Informacje reszty genów pozostają nie wykorzystane.

Głównym, sterującym ośrodkiem dyspozycyjnym w wielokomórkowych organizmach stał się w toku ewolucji ośrodkowy układ nerwowy – mózg. Otrzymuje on bezustannie informacje o tym, co się dzieje w otaczającym świecie, jak również we wnętrzu danego organizmu. W mózgu odbywa się ocena aktualnej sytuacji i dokonuje się wybór decyzji pozwalających na najlepsze przystosowanie się do zachodzących zmian.

Istnieją dwa główne układy przekazujące informacje do ośrodkowego układu nerwowego i jego polecenia na obwód: obwodowy układ nerwowy i układ wydzielania wewnętrznego, zwany też dokrewnym lub wewnątrzwydzielniczym. Czynności ich są ze sobą ściśle powiązane, skoordynowane, wzajemnie się uzupełniają, tak że bardzo często mówi się o zintegrowanym układzie neurohormonalnym.

W obrębie układu nerwowego sygnał w postaci impulsów bioelektrycznych przenosi się głównie drogą przewodową – przez sieć włókien nerwowych. W układzie dokrewnym przekaz informacji zachodzi drogą bezprzewodową, za pomocą swoistych związków chemicznych zwanych hormonami. Wytwarzane są one w specjalnych gruczołach i wydzielane wprost do krwi, gdzie wiążą się z tzw. białkami nośnikowymi. Do odległych komórek obwodowych docierają z prądem krwi i płynu pozakomórkowego.

Okolica mózgu zwana podwzgórzem jest powiązana naczyniami krwionośnymi z gruczołem wewnątrzwydzielniczym – przysadką leżącą u podstawy mózgu. Jest to układ podwzgórzowo-przysadkowy. Steruje on i koordynuje czynnością wielu gruczołów wydzielania wewnętrznego położonych daleko od mózgu (zob. Fizjologia, Regulacja wydzielania hormonów, s. 122).

Odkrycie poszczególnych hormonów oraz ich roli jako swoistych sygnałów – chemicznych nośników informacji – przypada na wiek XX, natomiast poznanie receptorów oraz ich budowy i sposobu działania dopiero na ostatnie ćwierćwiecze. Wykazano, że wszelkie sygnały hormonalne sterujące, modulujące wzrost i czynność poszczególnych komórek docierają aż do DNA w ich jądrze i umożliwiają wykorzystanie odpowiedniej informacji z kodu genetycznego (transkrypcję), np. syntezę i działanie jakiegoś enzymu. Mogą one również modulować proces translacji (odczytania) tej informacji w obrębie protoplazmy.

Układ neurohormonalny, mający wiele ogniw pośrednich, sprzężeń zwrotnych, zapewnia stałość płynnego środowiska, w którym znajdują się komórki organizmu, a mianowicie stałość ciśnienia osmotycznego tego środowiska, jego pH, składu jonowego, temperatury, odpowiedniego stężenia substratów odżywczych, głównie glukozy i tlenu. Optymalne odpowiedzi organizmu na zmieniające się warunki środowiska zewnętrznego, na bodźce stresowe, harmonijny przebieg rozwoju, rozrodu, są możliwe dzięki odpowiedniemu, nieustannemu modelowaniu i koordynowaniu czynności wszystkich narządów i tkanek przez hormonalne sygnały docierające do DNA komórek zawierających odpowiednie receptory wiążące hormon.

Hormony można podzielić na grupy obejmujące: hormony peptydowe i aminokwasowe (np. aminy katecholowe) oraz hormony steroidowe (pochodne cholesterolu) i eikozanoidy (pochodne kwasów tłuszczowych)

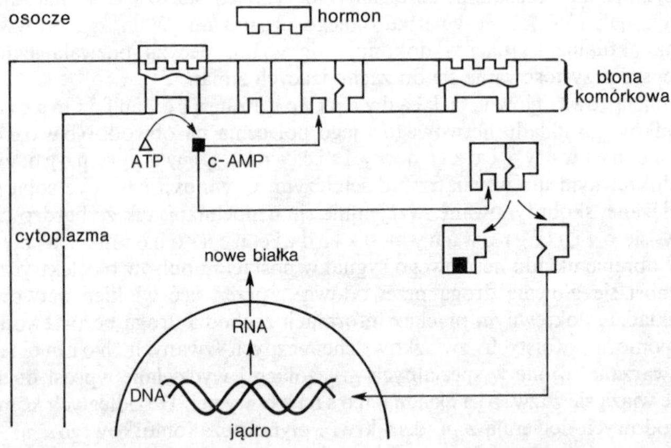

Mechanizm działania hormonów peptydowych: c-AMP – cykliczny adenozynomonofosforan, ATP – adenozynotrójfosforan, RNA – kwas rybonukleinowy, DNA – kwas dezoksyrybonukleinowy (zob. Fizjologia, Układ wydzielania wewnętrznego, s. 233). Różnią się one mechanizmem działania na komórkę.

Hormony peptydowe oraz aminy katecholowe są wiązane tylko przez komórki, posiadające w swej błonie receptory dla danego hormonu. Powstały kompleks: receptor + hormon aktywuje w komórce enzym cyklazę adenylową. Powoduje ona przejście adenozynotrójfosforanu (ATP) w cykliczny adenozynomonofosforan (c-AMP). Ten zapoczątkowuje kaskadę kolejnych reakcji, w rezultacie których z cytoplazmy zostaje przekazany sygnał dla określonej części DNA w jądrze (rys. na s. 1172). W wyniku transkrypcji tej informacji powstaje odpowiedni jądrowy m-RNA, który po translacji w protoplazmie pobudza syntezę np. określonego białka.

Hormony grupy steroidowej przenikają bezpośrednio przez błonę komórkową do protoplazmy. Jedynie te komórki są wrażliwe na ten sygnał hormonalny, które zawierają w cytoplazmie swoiste nośniki białkowe (receptory cytoplazmatyczne). Dopiero kompleks: receptorowe białko nośnikowe + hormon może przeniknąć do jądra i odsłonić do transkrypcji odpowiedni fragment DNA.

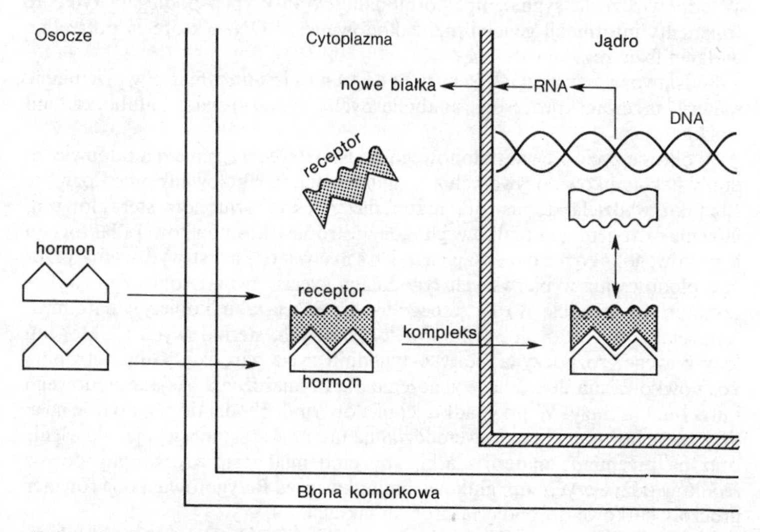

Mechanizm działania hormonów steroidowych: RNA – kwas rybonukleinowy, DNA – kwas dezoksyrybonukleinowy

Sprawne działanie układu hormonalnego uwarunkowane jest obecnością: odpowiedniego genu czy genów w genotypie, programujących syntezę hormonu; swoistych białek nośnikowych we krwi transportujących hormon; błonowych receptorów swoistych na powierzchni komórki lub wewnątrzkomórkowych białek receptorowych. Synteza, transport i recepcja (przyjęcie) hormonu są warunkiem przekazania tą drogą informacji do komórki wykonawczej.

Chociaż okres działania sygnału hormonalnego jest dłuższy niż impulsu nerwowego, sygnał ten wygasa na ogół szybko wskutek enzymatycznego unieczynnienia. Podwyższone stężenie we krwi większości hormonów jest sygnałem dla ujemnego sprzężenia zwrotnego w układzie sterującym wydzielaniem danego hormonu lub jego syntezą. Zapewnia to adekwatną reakcję na bodziec, utrzymanie stałości środowiska pozakomórkowego oraz gotowości do przyjęcia nowego sygnału.

Rola hormonów w okresie życia wewnątrzłonowego

Rozwój jest podstawową cechą materii żyjącej. Składają się na niego procesy wzrastania liczby i masy komórek oraz procesy różnicowania ich budowy i czynności. Przebieg tych procesów jest zaprogramowany w DNA. W odpowiedzi na sygnał, np. hormonalny, transkrypcji podlegają tylko te fragmenty informacji genetycznej zakodowanej w DNA, które są potrzebne w danej fazie rozwoju.

Podstawowym warunkiem wzrastania jest utrzymanie w przemianie materii przewagi procesów anabolicznych (syntezy) nad katabolicznymi (rozkładu).

W okresie życia wewnątrzłonowego podstawowe znaczenie ma odpowiedni dopływ składników odżywczych z organizmu matki, regulowany przez łożysko. Łożysko wydziela do ustroju matki duże ilości hormonów steroidowych, głównie estrogenów, i białkowych: gonadotropiny kosmówkowej i laktogenu łożyskowego. Gonadotropina kosmówkowa jest wydzielana przez jajo płodowe już w pierwszych tygodniach życia wewnątrzłonowego (wykorzystano to w teście do wczesnego wykrycia ciąży u kobiety), natomiast wydzielanie pozostałych hormonów łożyskowych: steroidowych i laktogenu łożyskowego, rozpoczyna się w 6 tygodniu życia zarodka. Gonadotropina kosmówkowa ma decydujące znaczenie dla zagnieżdżenia się jaja płodowego i utrzymania ciąży. W przypadku jej niedoboru dochodzi do poronienia. Wszystkie hormony łożyskowe oddziałują tak na wzrost macicy, jej ukrwienie oraz na przemianę materii matki, aby płód miał stale zapewniony dowóz środków odżywczych, np. glukozy, aminokwasów. Przygotowują one również gruczoły sutkowe do podjęcia procesu laktacji.

Wytwarzanie poszczególnych hormonów w gruczołach dokrewnych płodu zaczyna się w różnych okresach życia wewnątrzłonowego, począwszy od 7 tygodnia (przysadka) do 3 miesiąca (trzustka – wydzielanie insuliny).

Wielkość noworodka, stan jego rozwoju w chwili urodzenia jest wynikiem realizacji programu genetycznego danej jednostki w warunkach środowiska matczynego. Tempo rozwoju i wzrostu od chwili zapłodnienia jest bardzo szybkie, zwalnia się stopniowo.

Wpływ hormonów na rozwój w okresie życia pozałonowego

Rozwój somatyczny

Indywidualny przebieg rozwoju, począwszy od połączenia się plemnika z komórką jajową, czyli powstania zygoty, budowa i czynność tkanek, narządów, ich odrębności są zapisane w genotypie każdej jednostki. Program genetyczny stanowi potencjał rozwojowy, który może, lecz nie musi zrealizować się w pełni. Harmonijny przebieg rozwoju zależy, przy odpowiednich warunkach środowiska zewnętrznego, od sprawnego działania układu neurohormonalnego, który tak steruje rozdziałem materii i energii, aby odpowiadał on aktualnej dynamice wzrostu i rozwoju poszczególnych narządów, przy czym zawsze zostaje zachowany priorytet potrzeb układu nerwowego.

Ostateczny poziom rozwoju fizycznego i umysłowego zależy od tego, jakie były możliwości realizowania potencjału genetycznego danej jednostki w warunkach środowiska, czy w okresie rozwoju nie doszło do ciężkich zaburzeń pracy przewodu pokarmowego, nerek, regulacji hormonalnej. Interwencja medyczna w przypadkach zaburzeń wzrostu i rozwoju obejmuje możliwie jak najwnikliwsze badania diagnostyczne w celu ustalenia, czy przyczyny zaburzeń zależą od defektów genetycznych czy od przyczyn zewnętrznych, choroby itp. Ponieważ nie można bezpośrednio zbadać programu genetycznego jednostki, jego ocenę opiera się na danych pośrednich dotyczących występowania danej cechy u członków danej rodziny, w danej rasie czy populacji. Dlatego np. pomiary wysokości czy masy ciała porównuje się z odpowiednimi wielkościami w danej klasie wieku występującymi w odnośnej populacji. Służą do tego tzw. tablice norm. Wartości te, najczęściej podawane w układzie centylowym (zob. s. 1116–1119), pozwalają na określenie, jak często spotyka się w populacji cechę analizowaną u danego dziecka. W wielu przypadkach niski wzrost dziecka, budzący niepokój rodziców czy samego dziecka, jest uwarunkowany genetycznie i przeważnie nie ma potrzeby ani możliwości zmiany wrodzonego toru rozwojowego.

Na przebieg różnych elementów rozwoju i procesów wzrastania wpływają prawie wszystkie hormony. Na przyrost długości i masy ciała głównie wywierają wpływ: przysadkowy hormon wzrostu, androgeny (steroidowe hormony płciowe męskie), insulina, hormony tarczycy. Przysadkowy hormon wzrostu i insulina ułatwiają wnikanie aminokwasów do komórek i syntezę białek. Oba te hormony zwiększają również pulę i pobór substratów energetycznych przez komórki: insulina – glukozy, hormon wzrostu – wolnych kwasów tłuszczowych. Hormon wzrostu pobudza również powstanie innego hormonu – somatomedyny, która przyspiesza wzrost chrzęstnych stref wzrostowych kości długich. W przypadku braku lub niedoboru somatomedyny występuje karłowatość.

Przy niedoborze hormonów tarczycy następuje zwolnienie lub zahamowanie rozwoju, różnicowania się i dojrzewania tkanek i narządów.

Skutkiem tych zaburzeń w układzie kostnym, nerwowym, czerwonokrwinkowym jest niedorozwój fizyczny i umysłowy oraz anemia.

Androgeny przyczyniają się do wzmożenia wzrostu kośćca i tkanek miękkich – głównie mięśni – w okresie dojrzewania płciowego oraz do rozwoju owłosienia płciowego (pokwitaniowy skok wzrostowy). Obok anabolicznego działania androgeny przyspieszają proces dojrzewania chrząstek wzrostowych, co prowadzi do skostnienia stref wzrostowych i zakończenia procesu wzrostu kości długich.

Nadmiar androgenów we wczesnym okresie życia prowadzi najpierw do przyspieszenia tempa wzrostu, a następnie do przedwczesnego skostnienia chrząstek wzrostowych i karłowatości.

Różnicowanie się cielesno-płciowe

Rozmnażanie płciowe pojawiło się wcześnie w toku ewolucji, początkowo jako pomocnicza droga reprodukcji. Miało ono podstawowe znaczenie dla stałego wzbogacenia i różnicowania zasobu informacji zawartych w genotypie. Powstanie nowej jednostki, nowego organizmu jest zapoczątkowane połączeniem się komórek płciowych: męskiej i żeńskiej, z których każda ma tylko połowę liczby genów. Program genetyczny nowej jednostki nie jest więc kopią programu komórki macierzystej (co cechuje rozmnażanie bezpłciowe przez podział), lecz nowym programem z losowo przetasowanych genów rodziców.

Konsekwencją rozmnażania płciowego jest kształtowanie się odmienności osobników obu płci. Odmienność budowy ciała i czynności niektórych narządów odgrywa istotną rolę w ułatwieniu rozpoznania się i spotkania partnerów płciowych oraz spełnienia zadań związanych z reprodukcją. Odmienność ta sięga genotypu. Jedna para chromosomów, nazwanych płciowymi, u kobiety składa się z dwu dużych chromosomów (XX), u mężczyzny – z dużego i małego chromosomu (XY). Możliwość spotkań między jednostkami odmiennej płci zapewniały doskonalące się w toku rozwoju ewolucyjnego swoiste sygnały rozpoznawcze, np.: zapachowe (u owadów), wzrokowe (u ryb), dźwiękowe (u ptaków), u człowieka głównie wzrokowe i zapachowe. Na okresową zdolność wysyłania tych swoistych sygnałów, wrażliwość na ich odbiór wywierają zasadniczy wpływ steroidowe hormony płciowe wydzielane przez gruczoły płciowe. Zarówno rozwój odmiennych gonad, ich czynność, wydzielanie hormonów, odmienna budowa ciała, jak i szereg sposobów zachowania związanych z reprodukcją są wpisane w kod genetyczny. Realizacja poszczególnych tych informacji genetycznych, sterujących rozwojem kolejnych ogniw złożonego procesu kształtowania się swoistych dla danej płci narządów i cech, przypada na różne etapy rozwoju jednostki.

Płeć genetyczna zostaje zdeterminowana w chwili zapłodnienia, zależnie od tego, czy do komórki jajowej (X) wniknie plemnik (Y) czy (X) (zob. Fizjologia, s. 249). Do 8 tygodnia życia wewnątrzłonowego rozwój zarodków z genotypem XX i XY nie różni się. U obojga płci powstaje jednakowy zawiązek gonady, zwany pragonadą. Dopiero gdy do tej niezróżnicowanej gonady wnikną swobodnie pełzające w obrębie zarodka komórki zwane pierwotnymi komórkami płciowymi, następuje u osobnika XY szybkie ukształtowanie się jądra z rdzeniowej warstwy pragonady, u osobnika XX – jajnika z warstwy korowej.

Dalsze różnicowanie się płciowe zarodka i płodu jest sterowane u osobników męskiej płci (XY) przez hormony wydzielane przez jądra, czyli przez androgeny. Powodują one szybki rozwój wewnętrznych narządów typu męskiego: nasieniowodów i pęcherzyków nasiennych.

U zarodka (XX) z żeńską gonadą zarodkową kształtowanie się wewnętrznych kobiecych dróg płciowych wyprowadzających następuje wg programu genetycznego bez udziału bodźca hormonalnego.

Końcowy odcinek dróg płciowych, z widocznymi zewnętrznymi narządami płciowymi, kształtuje się do 16 tygodnia życia płodu z identycznej u obojga płci zatoki moczowo-płciowej, stanowiącej wspólne zakończenie płodowych dróg płciowych i moczowych. Męski hormon androgenny – testosteron po przemianie do dihydrotestosteronu inicjuje ukształtowanie się męskich zewnętrznych narządów płciowych z zatoki moczowo-płciowej. Jeśli taki bodziec hormonalny nie dojdzie do DNA wspomnianych komórek z zatoki moczowo-płciowej, ukształtują się zewnętrzne narządy płciowe typu żeńskiego.

Na zróżnicowanie płciowe mózgu po linii męskiej wywiera wpływ w okresie noworodkowym również testosteron. Odrębności płciowe mózgu dotyczą głównie odmiennej czynności ośrodków mózgowych wydzielających neurohormon gonadoliberynę (luliberynę), pobudzającą z kolei wydzielanie hormonów przysadkowych – gonadotropin, sterujących następnie czynnością gruczołów płciowych. U kobiet wydzielana przez neurony podwzgórzowe gonadoliberyna w rytmie pulsacji co ok. 90 min prowadzi w efekcie końcowym do powtarzających się cyklów płciowych dojrzewania i uwalniania komórek jajowych. U mężczyzn cykliczność wydzielania gonadotropin jest odmienna niż u kobiet i nie wpływa na wzrost plemników.

Końcowym etapem różnicowania płciowego jest okres pokwitania. W tym okresie androgeny pobudzają u obu płci rozwój owłosienia płciowego. Wydzielane u chłopców w dużej ilości przez jądra oraz przez korę nadnerczy powodują rozrost mięśni i kości decydujący o męskiej sylwetce ciała i męskim typie owłosienia, mutację oraz produkcję nasienia. U dziewcząt włączające się w tym okresie żeńskie hormony płciowe: estrogeny i gestageny wpływają na kształtowanie się kobiecej budowy ciała, rozwój sutków, macicy i zapoczątkowanie menstruacji.

Jakiekolwiek zaburzenia w łańcuchu: synteza testosteronu, swoisty transport, przyjęcie sygnału hormonalnego, transkrypcja i translacja odpowiedniej informacji z DNA – bywają przyczyną zaburzeń rozwoju cielesno-płciowego po linii męskiej.

Kształtowanie się narządów i czynności typu żeńskiego występuje zawsze wtedy, gdy w krytycznym okresie rozwojowym płodu na dany niezróżnicowany, ambiwalentny zawiązek dróg płciowych nie zadziała testosteron.

Jest to niezależne od rodzaju genotypu danej jednostki (XX czy XY). Poszczególne ogniwa tego złożonego procesu kształtowania się odmienności (dymorfizmu) płciowej nie są od siebie wzajemnie zależne. Dlatego znane są najróżniejsze kombinacje zaburzeń, cała mozaika różnych postaci rzekomego obojnactwa męskiego i żeńskiego.

Rola hormonów w odpowiedzi organizmu na stres

Każdy organizm jest w toku swego życia narażony na liczne szkodliwe dla niego działania otaczającego go świata, np. bardzo niskie i wysokie temperatury otoczenia, urazy mechaniczne, głód, inwazję bakterii, wirusów, grzybów, ataki innych zwierząt czy ludzi. Za Hansem Selye przyjęto dla tych wielu różnorodnych bodźców ogólną nazwę stres. Stres wyzwala w organizmie odpowiedź, reakcję alarmową, następnie adaptacyjną pozwalającą na doraźne zmniejszenie niekorzystnych skutków działania czynnika szkodliwego, na przeciwdziałanie im i następnie naprawienie powstałych szkód.

W toku rozwoju człowieka rozwinęły się liczne mechanizmy obronne, które odpowiadają na czynnik szkodliwy odpowiednio do jego rodzaju. W odpowiedzi organizmu na stres można wyróżnić niektóre wspólne cechy i fazy. Pierwszą fazą jest reakcja alarmowa, po której następuje bezpośrednia reakcja adaptacyjna organizmu.

W reakcji bezpośredniej, jak i późniejszej na stres biorą udział liczne hormony. Współdziałają one ściśle tak z autonomicznym, jak i ośrodkowym układem nerwowym. Odgrywają rolę zarówno nośników informacji o tym, co się dzieje w obwodzie, jak i nośników poleceń płynących od układu nerwowego na obwód.

W fazie reakcji alarmowej organizmu bardzo ważną rolę odgrywają hormony wydzielane przez rdzeń nadnerczy i komórki barwnikochłonne znajdujące się w zwojach współczulnego układu autonomicznego, tzw. katecholaminy. Należą do nich: dopamina, adrenalina i noradrenalina. Mają one wpływ na utrzymanie odpowiedniego ciśnienia w układzie krążenia, odpowiedniej akcji oddechowej oraz na przemianę materii komórek. W bardzo wielu komórkach znajdują się tzw. alfa i beta receptory, które wiążą odpowiednie katecholaminy. Działanie ich ułatwia mobilizację całego organizmu do odpowiedzi określanej jako ucieczka lub walka (ang. *flight or fight*).

W odpowiedzi na stres również hormony nadnerczy – glikokortykosteroidy, głównie kortyzol (zob. s. 1185), wydzielane są w dużej ilości. Działają one synergistycznie z katecholaminami w podtrzymaniu ciśnienia krwi, uwalnianiu glukozy z glikogenu wątrobowego, wolnych kwasów tłuszczowych z tkanki tłuszczowej. Kortyzol „moduluje” odczyny układu immunologicznego na inwazję bakterii czy wirusów, hamuje nadmierne reakcje immunologiczne (np. alergiczne), zmniejsza objawy zapalenia. Odgrywa bardzo ważną rolę głównie w fazie reakcji adaptacyjnej organizmu.

Niedoczynność kory nadnerczy, często uprzednio nie rozpoznana, może w sytuacji stresowej spowodować załamanie się reakcji adaptacyjnych organizmu, zapaść i nagły zgon.

Wpływ hormonów na odżywianie

Podstawowe znaczenie dla prawidłowego biegu wszystkich procesów życiowych ma pobieranie i asymilacja energii i materii z zewnątrz, w ilości pokrywającej potrzeby organizmu. Spożywane pożywienie jest zużywane na pokrywanie bieżących potrzeb organizmu oraz uzupełnianie *zapasów energetycznych*, które stanowią: *glikogen* gromadzony w wątrobie i mięśniach oraz przede wszystkim *tłuszcze* obojętne w tkance tłuszczowej. Od dawna zwrócono uwagę na to, że istnieje związek między ilością spożywanego pożywienia a zapotrzebowaniem organizmu, gdyż np. po osiągnięciu dojrzałości większość ludzi utrzymuje przez wiele lat stałą masę ciała. Odkrycia dokonane w ostatnich latach pozwalają na częściowe zrozumienie mechanizmów neurohormonalnej i metabolicznej regulacji procesu odżywiania się. Jakkolwiek istnieje duża różnorodność neurohormonalnych ogniw tej regulacji, dla uproszczenia można je rozpatrywać jako układ sterujący dwiema czynnościami: 1) inicjowaniem jedzenia oraz 2) przerywaniem, kończeniem jedzenia.

W mózgu – w *podwzgórzu* znajdują się *ośrodki* integrujące informacje związane z aktem pobrania pożywienia, procesami trawienia i przemiany materii. Jądra boczne, tzw. *ośrodek głodu*, stanowią miejsce analizy informacji, bodźców i działań związanych ze stanem głodu, procesem pobierania pokarmu. Jądra brzuszno-przyśrodkowe, tzw. *ośrodek sytości*, są stacją przyjmującą i przekazującą informacje mówiące o zaspokojeniu potrzeb energetycznych. Z ośrodka tego wychodzą bodźce działające hamująco na ośrodek głodu. Z wymienionymi ośrodkami ściśle powiązane są grupy komórek wyposażonych w swoiste receptory dostosowane do pomiaru następujących parametrów środowiska wewnątrzkomórkowego: poziomu glukozy we krwi, kwasów tłuszczowych lub metabolitów przemiany tłuszczowej, zmian temperatury.

W okolicach ośrodków głodu i sytości w podwzgórzu wykryto wiele związków peptydowych spełniających funkcję *neuromodulatorów*, takich jak: endorfiny, somatostatyna, wazopresyna, cholecystokinina, tyreoliberyna i wiele innych. Hormony te są wydzielane zarówno przez rozsiany w mózgu układ neuroendokrynalny, jak i na obwodzie, głównie w obrębie przewodu pokarmowego.

Pobudzenie ośrodka głodu wyzwala cały szereg odruchów pokarmowych, reakcji behawioralnych, czyli zmian w zachowaniu się jednostki, zabarwionych emocjonalnie niepokojem, napięciem związanym z poszukiwaniem i zdobywaniem jedzenia. U człowieka zachowanie to jest silnie modulowane przez oddziaływanie innych członków społeczeństwa, jego obyczaje, tryb życia. Zaspokojenie głodu ma silne dodatnie zabarwienie emocjonalne, wzbudza odczuwanie przyjemności i satysfakcji.

Najczęstsze choroby układu wydzielania wewnętrznego u dzieci

W ostatnim kwartale XX w. występuje bardzo szybki rozwój metod diagnostycznych w badaniach zaburzeń hormonalnych, głównie dzięki wprowadzeniu ultrasonografii, tomografii komputerowej, rezonansu magnetycznego. Metody te pozwoliły na uwidocznienie kształtu, wielkości gruczołów dokrewnych oraz niektórych zaburzeń ich budowy wewnętrznej. Ponadto wyizolowanie hormonów, określenie ich budowy chemicznej oraz biosynteza metodą inżynierii genetycznej umożliwiły opracowanie różnych metod pomiaru nawet niskich stężeń hormonów w płynach ustrojowych i tkankach.

Badania te przyczyniły się do wykorzystania samych hormonów w optymalnej terapii wielu zaburzeń hormonalnych tak wrodzonych, jak i nabytych.

Choroby przysadki

Działanie hormonów przysadkowych. Przedni płat przysadki jest zbudowany z kilku rodzajów komórek gruczołowych wydzielających poszczególne hormony białkowe: hormon wzrostu (GH), czyli somatotropinę (STH), hormon tyreotropowy (tyreotropinę, TSH), hormon adrenokortykotropowy (kortykotropinę, ACTH), gonadotropiny: folikulostymulinę (FSH), hormon luteinizujący (LH) oraz prolaktynę. Wydzielanie tych hormonów jest pobudzane przez hormony peptydowe wydzielane przez neurony różnych jąder podwzgórza. Stąd układ podwzgórzowo-przysadkowy jest obecnie rozpatrywany jako całość funkcjonalna, wiążąca cały obwodowy układ wewnętrznego wydzielania z ośrodkowym oraz autonomicznym układem nerwowym. Wpływ hamujący na wydzielanie hormonów przysadkowych wywiera podwyższanie się stężenia hormonów wydzielanych przez odpowiednie gruczoły obwodowe – działa tu ujemne sprzężenie zwrotne (zob. Fizjologia, s. 238).

Hormony przedniego płata przysadki działają tylko na te narządy, których komórki mają swoiste receptory błonowe wiążące te hormony na swej powierzchni. Hormon tyreotropowy, adrenokortykotropowy i gonadotropiny pobudzają wzrost i czynność odpowiednich obwodowych gruczołów dokrewnych: tarczycy, kory nadnerczy, gruczołów płciowych. Hormon wzrostu wydzielany jest do krwiobiegu okresowo: w stanach głodu (spadku poziomu glukozy we krwi), po wysiłku fizycznym, kilkakrotnie w nocy podczas snu. Wywiera on wieloraki wpływ na metabolizm wielu komórek organizmu. Oddziałuje na przemianę białkową przez zwiększenie transportu aminokwasów przez błonę komórkową i tym samym na syntezę białek, przemianę węglowodanową, a także tłuszczową, gdyż ułatwia lipolizę, czyli rozpad tłuszczu w tkance tłuszczowej. W komórkach wątrobowych pobudza syntezę białkowych związków zwanych somatomedynami. Związki te, wykazujące pewne powinowactwo do błonowych receptorów insulinowych, odgrywają dużą rolę w pobudzaniu procesów wzrostu chrząstek w strefach wzrostowych kości, jak również w wielu procesach metabolicznych regulujących pobieranie i przemianę energii i materii. W wyniku działania hormonu wzrostu procesy anaboliczne – wzrostu komórek – uzyskują przewagę nad procesami katabolicznymi – utraty materii i energii.

Tylny płat przysadki składa się z zakończeń włókien nerwowych wychodzących z jąder podwzgórza. Wzdłuż tych włókien spływają do tylnego płata przysadki i tam są magazynowane głównie dwa neurohormony: oksytocyna oraz hormon antydiuretyczny, czyli wazopresyna, będące związkami peptydowymi.

Tylny płat przysadki wraz z ośrodkowym układem nerwowym, głównie podwzgórzem, oraz nerkami, korą nadnerczy i gruczołami potowymi wchodzi w skład układu regulatorowego, czuwającego nad utrzymaniem stałości środowiska zewnątrzkomórkowego w zakresie ciśnienia osmotycznego i składu jonowego osocza. Wzrost ciśnienia osmotycznego płynu zewnątrzkomórkowego stanowi bodziec zwiększający w komórkach podwzgórza syntezę i wydzielanie oksytocyny i wazopresyny oraz białka nośnikowego – neurofizyny. Hormony te, razem z nośnikiem neurofizyną, są magazynowane w obrębie zakończeń nerwowych w tylnym płacie przysadki. Wzrost ciśnienia osmotycznego oraz inne sygnały powodują uwalnianie tych peptydów do krwiobiegu. W nerce wazopresyna zwiększa wchłanianie zwrotne wody, co powoduje spadek ciśnienia osmotycznego osocza do wartości normalnych.

Zaburzenia czynności przedniego płata przysadki. Zaburzenia te mogą dotyczyć tylko jednego rodzaju komórek przedniego płata przysadki, dając np. obraz izolowanego niedoboru lub nadmiaru hormonu wzrostu, albo wielu rodzajów komórek, powodując uogólnioną niedoczynność przysadki.

Przyczyną zaburzeń mogą być nieprawidłowe bodźce dochodzące z podwzgórza lub zmiany pierwotne w komórkach przysadki, np. zmiany nowotworowe.

Niedobór lub nadmiar hormonów przysadkowych, takich jak tyreotropina (TSH), kortykotropina (ACTH), gonadotropiny wyzwala niedoczynność lub nadczynność odpowiednich gruczołów: tarczycy, kory nadnerczy, gruczołów płciowych.

Zaburzenia wydzielania hormonu wzrostu. Niedobór hormonu wzrostu lub brak jego działania obwodowego (brak lub defekty receptorów, zaburzenia syntezy somatomedyn) powodują zwolnienie tempa wzrostu. Karłowatość czy bardzo niski wzrost mogą być jednak spowodowane również wieloma innymi przyczynami jak np. uwarunkowaniami genetycznymi, zaburzeniami w odżywianiu, zaburzeniami czynności nerek. Niedobór hormonu wzrostu jest przyczyną tylko kilku procent ogólnej liczby przypadków karłowatości.

Do leczenia karłowatości wywołanej brakiem lub niedoborem hormonu wzrostu wprowadzono w latach sześćdziesiątych ludzki hormon wzrostu uzyskiwany z przysadek ludzi zmarłych. Od połowy lat osiemdziesiątych wycofano te preparaty, ponieważ okazało się, że niekiedy mogą one zawierać cząstki wirusa wywołującego po latach nieuleczalną chorobę, objawiającą się degeneracją mózgu. Zastąpiły je preparaty biosyntetyczne z hodowli bakterii, którym drogą inżynierii genetycznej wprowadzono gen sterujący syntezą cząsteczki ludzkiego hormonu wzrostu.

Nadmiar hormonu wzrostu wywołuje u dziecka wzrost nadmierny – gigantyzm, a w wieku młodzieńczym objawy akromegalii, tj. wybiórczego wzrostu dłoni, stóp, szczęki dolnej. Przyczyną może być przerost komórek wytwarzających hormon wzrostu lub nowotwór wywodzący się z tej linii komórek. Od sprecyzowania rozpoznania zależy wybór metody leczniczej, np. zabiegu operacyjnego.

Zaburzenia czynności tylnego płata przysadki. Moczówka prosta, zaburzenia mechanizmu sterującego, samej biosyntezy i wydzielania hormonu wazopresyny powodują wielomocz. Do najczęstszych przyczyn tych zaburzeń należą: urazy, stany zapalne i nowotwory ośrodkowego układu nerwowego. Ilość oddawanego moczu na dobę w moczówce prostej może osiągać kilka do kilkunastu litrów. Odpowiednio do diurezy wzrasta pragnienie. W każdym przypadku konieczne jest wnikliwe badanie specjalistyczne dla ustalenia przyczyny zaburzeń, wykluczenia obecności guza.

Leczenie objawowe. Polega na stosowaniu donosowo syntetycznego związku – analogu wazopresyny. Dla zmniejszenia diurezy dobowej do 1–2 litrów przeważnie wystarcza jedno- lub dwukrotne na dobę wprowadzenie, wysoko na przegrodę nosową, jednej kropli preparatu. W leczeniu moczówki prostej znalazły zastosowanie inne leki wybiórczo hamujące ucieczkę wody przez nerki.

Choroby tarczycy

Działanie hormonów tarczycy. Tarczyca należy do narządów o najbogatszym ukrwieniu. W ciągu doby przepływa przez nią całkowita ilość krwi znajdującej się w organizmie. Tkanka tego gruczołu ma unikalną w organizmie zdolność do wychwytywania z krwiobiegu jodków nieorganicznych, magazynowania jodu i tworzenia połączeń jodu z aminokwasem tyrozyną.

Czterojodotyronina, zwana tyroksyną (T_4), i trójjodotyroniną (T_3) są to hormony wytwarzane przez komórki nabłonka tarczycy tworzące pęcherzyki. Komórki te syntetyzują również białko, glikoproteinę o masie cząsteczkowej ok. 650 000. Połączenie aminokwasu tyrozyny z jodem odbywa się w obrębie tego białka, a jodowane aminokwasy, głównie tyroksyna, są w nim magazynowane przez różny okres, zależnie od aktywności gruczołu. W razie potrzeby z tak powstałej tyreoglobuliny, zwrotnie resorbowanej ze światła pęcherzyków do komórek nabłonka, enzymy proteolityczne odszczepiają czterojodotyroninę i trójjodotyroninę. Hormony te przenikają do naczyń krwionośnych, które obfitą siatką otaczają pęcherzyki.

We krwi krąży głównie czterojodotyronina, czyli tyroksyna. Około 99% tego hormonu oraz większość trójjodotyroniny wiąże się z krążącymi białkami osocza, głównie z alfa-globuliną. Stanowi to podręczny zapas jodu hormonalnego gotowy w każdej chwili do wykorzystania przez tkanki. Na obwodzie oba hormony są uwalniane z tych połączeń i przenikają swobodnie przez błony komórkowe. W protoplazmie komórek obwodowych tyroksyna ulega enzymatycznemu odjodowaniu, tj. konwersji na trójjodotyroninę, która głównie wywiera działanie na metabolizm komórki.

Synteza i wydzielanie hormonów tarczycy pozostają pod kontrolą układu podwzgórzowo-przysadkowego, w którym duże znaczenie ma ujemne sprzężenie zwrotne. Działanie tego układu zapewnia utrzymywanie się poziomu tyroksyny we krwi w określonych granicach. Spadek poziomu tyroksyny pobudza komórki neurosekrecyjne jąder podwzgórza do wydzielania prostego trójpeptydu – tyreoliberyny (TRH), który zwiększa syntezę tyreotropiny (TSH) w komórkach przysadki. Hormon ten z kolei dociera z krwiobiegiem do powierzchni komórek nabłonka wydzielniczego tarczycy, powodując uruchomienie lub wzmożenie realizacji programu genetycznego istotnego dla tworzenia enzymów prowadzących syntezę cztero- i trójjodotyronin oraz uwalniania ich z „magazynu", jaki stanowi tyreoglobulina. W przypadkach nasilonego i długotrwałego działania tyreotropiny przysadkowej dochodzi do przerostu tarczycy, tj. do powstania wola. W warunkach fizjologicznych wzrost poziomu hormonów tarczycy we krwi wywiera działanie hamujące na aktywność komórek podwzgórza wytwarzających tyreotropinę, co z kolei prowadzi do spadku wydzielania tego hormonu i hormonów tarczycy. W ten sposób utrzymywany jest stały poziom hormonów tarczycy we krwi.

Hormony tarczycy wywierają wpływ na wytwarzanie energii w komórce, na niektóre przemiany metaboliczne, ponadto w toku rozwoju jednostki umożliwiają lub przyspieszają niektóre fazy wzrostu, różnicowanie i dojrzewanie narządów. Brak czy niedobór hormonów tarczycy u dziecka powoduje różne, w zależności od wieku dziecka, zaburzenia, zarówno wzrostu, jak rozwoju i czynności różnych narządów.

Niedoczynność tarczycy może być wrodzona lub nabyta. Wrodzoną niedoczynność tarczycy mogą powodować najczęściej: 1) zaburzenia wewnątrzłonowego rozwoju tarczycy, 2) defekty genetyczne, dziedziczone od rodziców, dotyczące genów programujących syntezę enzymów uczestniczących w poszczególnych etapach wytwarzania cztero- i trójjodotyroniny oraz 3) przeniknięcie przez łożysko związków chemicznych o działaniu przeciwtarczycowym, tzw. goitrogenów, lub jodu radioaktywnego.

Mimo że cztero- i trójjodotyronina słabo przenikają przez łożysko od matki do płodu, noworodek z wrodzoną niedoczynnością tarczycy przeważnie nie różni się wyglądem od noworodka z prawidłową tarczycą.

Objawy. Od pierwszego miesiąca życia pozałonowego następują głębokie zaburzenia dojrzewania ośrodkowego układu nerwowego prowadzące do matołectwa (kretynizm), zahamowania wzrostu i dojrzewania kości (karłowatość i znacznie opóźniony „wiek szkieletowy"), ciężkiej anemii. Skóra staje się blada, szorstka, pogrubiała, sucha, powiększony język nie mieści się w jamie ustnej. Włosy są sztywne, proste.

Wczesne rozpoznanie wrodzonej niedoczynności tarczycy, już w okresie noworodkowym, ma decydujące znaczenie dla przyszłości dziecka.

L e c z e n i e polega na doustnym podawaniu już od pierwszego miesiąca życia preparatów tarczycy, przede wszystkim l-tyroksyny, co zapewnia pokrycie zapotrzebowania organizmu na jod hormonalny i umożliwia normalny rozwój dziecka. Rozpoczęcie leczenia w okresie późniejszym, po 6 miesiącu życia, nie wyrównuje nieodwracalnych już wtedy zmian w budowie i czynności ośrodkowego układu nerwowego. W związku z tym wprowadzono w ostatnich latach w wielu krajach tzw. przesiewowe badania wszystkich noworodków w kierunku wrodzonej niedoczynności tarczycy. Badania te opierają się na oznaczeniu w kropli krwi pobranej w 3–4 dniu życia noworodka poziomu tyroksyny lub tyreotropiny przysadkowej. Z badań wynika, że wrodzona niedoczynność tarczycy występuje w różnych krajach z różną częstością – od 1:3500 urodzeń (Szwajcaria) do 1:13 000 (USA).

Regularne podawanie tyroksyny musi odbywać się przez całe życie. Wysokość dawki leczniczej ustala w każdym przypadku i kontroluje specjalista endokrynolog obserwując tok rozwoju dziecka oraz sprawdzając okresowo we krwi poziom tyroksyny i tyreotropiny. Przy przedawkowaniu hormonu występują objawy typowe dla nadczynności tarczycy.

Nadczynność tarczycy, najczęściej choroba Gravesa–Basedowa, występuje u dzieci o wiele rzadziej niż u dorosłych. Nadmiar hormonów tarczycy powoduje stan wzmożonej przemiany materii. O b j a w i a się to chudnięciem, nadmierną pobudliwością nerwową, drżeniem rąk, ich potliwością, przyspieszoną akcją serca. Często występuje w y t r z e s z c z g a ł e k o c z n y c h oraz w o l e.

Najczęstszą p r z y c z y n ą takiego stanu, poza nadmiernym wydzielaniem tyreotropiny przysadkowej, jest pobudzenie nabłonka wydzielniczego tarczycy przez niektóre frakcje immunoglobulin, czyli przeciwciał swoiście wiążących się na powierzchni błony komórek tarczycy z receptorami wrażliwymi na tyreotropinę. Przeciwciała te, skierowane przeciw różnym składnikom komórek tarczycy, wytwarzane są w układzie immunologicznym. Są one objawem a u t o a g r e s j i, powstają przypuszczalnie po zakażeniach wirusowych, przede wszystkim u dzieci z genetycznie uwarunkowanymi defektami układu immunologicznego (zob. s. 1169).

L e c z e n i e nadczynności tarczycy u dzieci najczęściej polega na stosowaniu preparatów zmniejszających wytwarzanie hormonów tarczycy. Niekiedy konieczne jest usunięcie całej tarczycy. Leczenie musi być prowadzone przez kilka lat pod kontrolą lekarza specjalisty – endokrynologa. Bardzo duże znaczenie ma systematyczne przyjmowanie zaleconych leków.

Wole jest to powiększenie tarczycy przeważnie wywołane przez nadprodukcję tyreotropiny przysadkowej. Występuje ono zarówno w niedoczynności, jak i nadczynności tarczycy, nierzadko również z prawidłowym wydzielaniem hormonów tarczycy.

Wole występujące w okresie pokwitania, tzw. w o l e p r o s t e lub m ł o d z i e ń c z e, rozwija się częściej u dziewcząt niż chłopców. Przyczyny tego, przeważnie niewielkiego i często samoistnie ustępującego wola, nie są dotąd w pełni wyjaśnione. Dużą rolę odgrywa niedobór jodu w wodzie i glebie. Na ogół wole proste nie wymaga leczenia hormonalnego. Konieczne są jednak badania diagnostyczne w celu wykluczenia innych chorób tarczycy.

Wole guzkowe lub pojedynczy guzek w tarczycy wymagają zawsze przeprowadzenia badań specjalistycznych, np. wykonania USG i scyntygramu tarczycy. Nierzadko niezbędne jest wycięcie guzka lub całego wola guzkowego. Prawdopodobieństwo gruczolaka lub raka tarczycy wzrasta z wiekiem człowieka, nowotwory te u dzieci występują bardzo rzadko.

Choroby nadnerczy

Działanie hormonów nadnercza. Nadnercze, dwa gruczoły o masie ok. 10 g, położone powyżej górnych biegunów nerek, na tylnej ścianie jamy brzusznej w obrębie tłuszczowych torebek nerek, są narządem niezbędnym do życia. Zbudowane są z części korowej składającej się z trzech warstw oraz z części rdzennej. Część korowa wytwarza hormony steroidowe, które odgrywają zasadniczą rolę w reakcji organizmu na stres oraz w utrzymywaniu ciśnienia krwi i stałego w niej stężenia jonów sodu i potasu. Czynność strefy korowej jest sterowana przez układ podwzgórzowo-przysadkowy.

W części rdzennej nadnercza powstają hormony typu katecholamin (noradrenalina, adrenalina), które mają znaczenie dla regulacji ciśnienia krwi i przemiany materii, zwłaszcza podczas reakcji na stres. Wydzielanie tych hormonów wiąże się ściśle z czynnością autonomicznego (wegetatywnego) układu nerwowego.

Rozwój kory nadnerczy rozpoczyna się we wczesnym okresie życia zarodka, syntezę hormonów można stwierdzić już od 8 tygodnia życia wewnątrzłonowego.

Hormony kory nadnerczy, czyli kortykosteroidy, można podzielić na 3 grupy: glikokortykosteroidy, mineralokortykosteroidy i hormony płciowe.

Glikokortykosteroidy są regulatorami metabolizmu komórkowego. Powodują przesunięcia przemiany materii w kierunku wzmożonego uwalniania energii i zwiększenia jej podaży dla tkanek. Wzmagają procesy kataboliczne w wielu tkankach, zwiększając powstawanie glukozy z aminokwasów, tzw. neoglukogenezę, hamują zaś syntezę białek oraz działanie hormonu wzrostu, a więc hamują procesy wzrostu większości tkanek. Wywierają także hamujący wpływ na wiele czynności układu immunologicznego oraz na rozwój procesu zapalnego i alergicznego.

Kortyzol, czyli hydrokortyzon, główny hormon tej grupy, spełnia ponadto bardzo ważną rolę w syntezie oraz regulacji wydzielania glikokortykosteroidów. Układ podwzgórzowo-przysadkowy, sterujący wydzielaniem glikokortykosteroidów za pomocą neurohormonu kortykoliberyny (CRH) oraz hormonu przysadki kortykotropiny (adrenokortykotropiny – ACTH), reaguje obniżeniem poziomu ACTH na wzrost poziomu kortyzolu, a wzrostem na jego spadek. Wydzielanie kortyzolu wykazuje rytm dobowy – największe jest rano, najmniejsze przed północą. W odpowiedzi na stres natychmiast

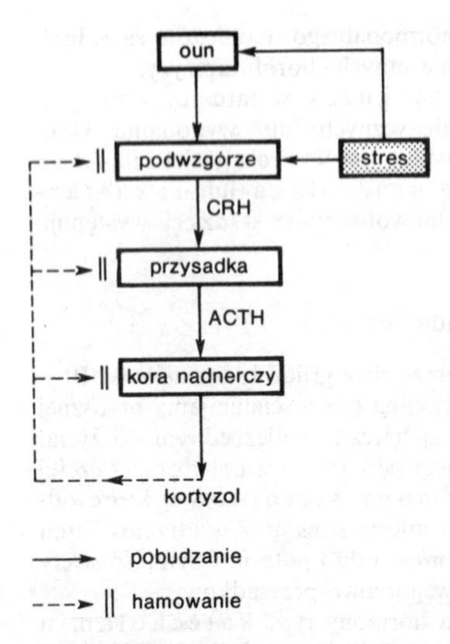

Schemat mechanizmu regulującego poziom kortyzolu we krwi oraz działanie stresu: oun – ośrodkowy układ nerwowy, CRH – kortykoliberyna (hormon uwalniający kortykotropinę), ACTH – adrenokortykotropina

znacznie wzrasta wydzielanie adrenokortykotropiny, a następnie kortyzolu (rys.).

Mineralokortykosteroidy, których głównym przedstawicielem jest aldosteron, wywierają wpływ na gospodarkę wodno-mineralną organizmu. Hamują wydalanie sodu w obrębie nerek i przewodu pokarmowego, zapewniają utrzymanie odpowiedniego ciśnienia osmotycznego, objętości krwi krążącej i ciśnienia krwi.

Regulacja wydzielania aldosteronu jest głównie powiązana z układem regulującym objętość i ciśnienie krwi krążącej, w którym uczestniczą renina i angiotensyna osocza. Spadek objętości lub ciśnienia krwi, poziomu sodu w surowicy powoduje wzrost wydzielania reniny, a w dalszym łańcuchu reakcji – zwiększone wydzielanie aldosteronu.

Hormony płciowe to głównie androgeny i estrogeny. Androgeny przyczyniają się do rozwoju drugo- i trzeciorzędowych cech płciowych w okresie pokwitania.

Niedoczynność kory nadnerczy może dotyczyć niedostatecznego wydzielania tylko glikokortykosteroidów czy mineralokortykosteroidów lub całej czynności wydzielniczej gruczołu. Przyczyny niedomogi kory nadnerczy mogą być wrodzone albo nabyte.

Wrodzoną niedoczynność kory nadnerczy najczęściej powodują dziedziczone drogą recesywną defekty genetyczne, prowadzące do braku lub niedoboru jednego z enzymów uczestniczących w biosyntezie glikokortykosteroidów. Wykryto już ok. 10 takich defektów. Najczęściej przy braku lub niedoborze enzymu 21-hydroksylazy występują zaburzenia zwane zespołem nadnerczowo-płciowym lub wrodzonym przerostem kory nadnerczy (zob. Patologia, s. 301).

Niedobór kortyzolu powoduje w tym zespole m.in. niedostateczne hamowanie wydzielania adrenokortykotropiny, a znacznie podwyższone wydzielanie tego hormonu przysadkowego z kolei pobudza korę nadnerczy do przerostu i wzmożonego wydzielania licznych kortykosteroidów, w tym androgenów – męskich hormonów płciowych oraz prekursorów kortyzolu i ich metabolitów.

W wielu przypadkach występuje również brak lub niedobór aldosteronu, powodujący ciężkie zaburzenia gospodarki wodno-elektrolitowej. Jest to tzw. zespół nadnerczowo-płciowy z utratą soli, czyli

I blok nadnerczowy. Może w nim szybko dojść do ciężkiego przełomu nadnerczowego ze spadkiem ciśnienia krwi i znacznym odwodnieniem zagrażającym życiu dziecka.

Nadmiar męskich hormonów płciowych – androgenów powoduje u płodu wirylizację zewnętrznych narządów płciowych, tak że dziewczynki przychodzą na świat z wirylizacją różnego stopnia narządów płciowych, tj. z objawami obojnactwa rzekomego żeńskiego. Przyjęto zasadę, że najkorzystniej jest wybrać płeć żeńską dla noworodka z obojnaczymi narządami płciowymi. Niemowlęta takie powinny być poddane w pierwszym roku życia badaniom specjalistycznym z ewentualną zmianą płci urzędowej, w razie potrzeby.

Leczenie wrodzonego zespołu nadnerczowo-płciowego jest hormonalne oraz chirurgiczne, stosowane są zabiegi plastyczne na obojnaczych narządach płciowych.

Istotą leczenia jest przewlekłe, przez całe życie doustne podawanie kortyzolu lub innych preparatów glikokortykosteroidów w dawce tak dobranej indywidualnie, by wyrównać niedobór kortyzolu i zahamować nadmierne wydzielanie hormonu adrenokortykotropowego.

W zespole nadnerczowo-płciowym z utratą soli podawane są również mineralokortykosteroidy.

Nabyta niedoczynność kory nadnerczy u dzieci najczęściej jest wywołana przez zakażenia bakteryjne i grzybicze. Postać ostra występuje w zakażeniach o gwałtownym przebiegu i wymaga natychmiastowego leczenia klinicznego: dożylnego podawania kortyzolu, roztworów elektrolitowych, antybiotyków. W postaci przewlekłej niedoczynności kory nadnerczy konieczne jest długotrwałe, systematyczne podawanie kortyzolu oraz niekiedy mineralokortykosteroidów.

Nadczynność kory nadnerczy może dotyczyć produkcji wszystkich grup kortykosteroidów lub wybiórczo jednej grupy, przeważnie glikokortykosteroidów – co prowadzi do tzw. zespołu lub choroby Cushinga. Nadmierne wydzielanie kortykosteroidów może być wywołane przez wzmożone wydzielanie hormonu adrenokortykotropowego przysadki na skutek zaburzeń układu podwzgórzowo-przysadkowego, np. zakłócenia działania ujemnego sprzężenia zwrotnego kortyzolu na neurosekrecyjne neurony podwzgórza. Źródłem nadmiernej produkcji kortykosteroidów mogą być również komórki nowotworowe: gruczolak lub rak nadnercza albo przysadki mózgowej, niekiedy nowotwory innych narządów. Nierzadką przyczyną nadmiaru glikokortykosteroidów jest podawanie dużych ilości tych hormonów jako leków w różnych chorobach, np. w astmie oskrzelowej, chorobie reumatycznej, białaczce.

Nadmiar glikokortykosteroidów powoduje otyłość tułowia z typową „księżycowatą" twarzą o żywoczerwonym zabarwieniu, zahamowanie wzrostu, zaniki skóry z pojawieniem się czerwonych linijnych rozstępów, odwapnienie układu kostnego usposabiające do złamań kości, skłonność do występowania zmian zakrzepowych i podstępnie rozwijających się zakażeń zagrażających życiu.

Nadmiar androgenów powoduje u dzieci obojga płci przedwczesne wystąpienie cech pokwitania, takich jak owłosienie płciowe i mutacja głosu, u dziewcząt wcześniej bywają zauważone objawy maskulinizacji.

Nadmiar mineralokortykosteroidów prowadzi do nadciśnienia, nadmiernej utraty potasu z organizmu, dającej zaburzenia pracy mięśnia sercowego i osłabienie mięśni szkieletowych.

W każdym przypadku podejrzenia nadczynności kory nadnerczy konieczne jest bezzwłoczne przeprowadzenie badania klinicznego. Współczesne metody radioimmunologicznego oznaczania kortykosteroidów we krwi i w moczu, specjalne badania rentgenowskie, takie jak tomografia komputerowa i arteriografia, oraz badania scyntygraficzne i ultrasonograficzne pozwalają na ustalenie rozpoznania, na zlokalizowanie ewentualnego nowotworu.

Ustalenie rozpoznania we wczesnym okresie choroby pozwala na skuteczne leczenie, najczęściej operacyjne, chroni też przed niekiedy nieodwracalnymi skutkami działania nadmiaru kortykosteroidów. Jeżeli udaje się usunąć nowotwór w całości, zanim doszło do przerzutów, może nastąpić całkowite wyleczenie. Jeżeli zachodzi konieczność usunięcia obu nadnerczy, co prowadzi do stanu niedoczynności, niezbędne jest codzienne zastępcze stosowanie glikokortykosteroidów, niekiedy z dodatkiem mineralokortykosteroidów.

Choroby rdzenia nadnerczy występują bardzo rzadko. Z rdzenia nadnerczy mogą wyrastać różne guzy. Spośród nich stosunkowo najczęściej występuje tzw. guz chromochłonny. Wywołuje on nadciśnienie tętnicze, wzmożone pocenie się, przyspieszenie czynności serca, bóle głowy, bladość skóry. Wczesne rozpoznanie takiego guza umożliwia usunięcie go w całości, w torebce, i daje przeważnie całkowite wyleczenie.

Choroby trzustki

Działanie hormonów trzustki. Trzustka, duży i bardzo ważny gruczoł wydzielający liczne enzymy trawienne do dwunastnicy, zawiera również liczne grupy komórek o wydzielaniu dokrewnym. Najważniejsze znaczenie dla sterowania przemianą materii i energii mają dwa hormony trzustkowe: insulina i glukagon.

Organizm czerpie energię niezbędną do wzrostu i przemiany materii ze spożywania produktów żywnościowych: węglowodanów, tłuszczów i białek. Powstają z nich dwa podstawowe substraty energetyczne dla komórek: glukoza i wolne kwasy tłuszczowe. Potrzeby energetyczne tkanek muszą być zaspokajane na bieżąco, natomiast człowiek spożywa posiłki tylko kilka razy dziennie. Mogą się również zdarzać długie okresy bez jedzenia – okresy głodu. W organizmie działa jednak bardzo sprawny neurohormonalny układ regulujący magazynowanie pobieranej z pożywienia energii, jej uwalnianie w miarę potrzeb poszczególnych tkanek z zachowaniem hierarchii w procesie pobierania glukozy. W pierwszej kolejności pokrywane jest zapotrzebowanie mózgu na glukozę. Ośrodkowy układ nerwowy pobiera i zużytkowuje jako paliwo prawie wyłącznie glukozę. Największe jednak zużycie energii przypada na układ mięśniowy, który wykonuje pracę fizyczną. Tempo przenikania glukozy przez błony komórkowe pozostaje pod kontrolą insuliny, stanowiącej ważne ogniwo w wyżej wymienionym neurohormonalnym układzie regulacyjnym.

Insulina, hormon białkowy o dużej cząsteczce, jest syntetyzowana przez tzw. komórki β znajdujące się w trzustce w skupiskach komórek zwanych wyspami Langerhansa. Bodźcem wyzwalającym wydzielanie i biosyntezę insuliny jest wzrost poziomu glukozy we krwi następujący bezpośrednio po posiłku. Cząsteczki insuliny osadzają się na tych błonach komórkowych, które zawierają odpowiednie swoiste receptory. Insulina ułatwia swobodne przenikanie glukozy do wnętrza komórek mięśniowych i tłuszczowych. W mięśniach glukoza zostaje natychmiast przetworzona, jej nadmiar zmagazynowany w postaci glikogenu mięśniowego. W tkance tłuszczowej glukoza ułatwia magazynowanie kwasów tłuszczowych w postaci tłuszczów obojętnych. Ponadto glukoza w komórce jest nie tylko zużywana jako substrat energetyczny, ale jej obecność jest niezbędna dla prawidłowego przebiegu wielu przemian metabolicznych. W wątrobie glukoza jest magazynowana w postaci glikogenu.

Niedobór insuliny zmniejsza pobieranie krążącej we krwi glukozy przez komórki insulinozależne, powoduje to niedostateczne magazynowanie energii w wątrobie, tkance tłuszczowej i mięśniach. Wskutek braku glukozy w komórce występują zaburzenia wiązania się glukozy z tlenem, wyzwalania energii, co powoduje zakłócenia biegu przemiany materii w wielu tkankach; gromadzą się kwasy organiczne powodując zakwaszenie organizmu, tj. kwasicę. Mimo znacznie podwyższonego stężenia glukozy we krwi, większość komórek nie może pokryć swego zapotrzebowania energetycznego.

Glukagon jest wydzielany przez tzw. komórki α wysp Langerhansa w trzustce. Powoduje on rozkład glikogenu zmagazynowanego w wątrobie na cząsteczki glukozy, pobudza uwalnianie tłuszczów z tkanki tłuszczowej, ułatwia przemianę aminokwasów w wątrobie na cząsteczki glukozy. Glukagon powoduje więc wzrost poziomu glukozy we krwi. Bodźcem wyzwalającym jego wydzielanie jest spadek poziomu glukozy we krwi, czyli stan niedocukrzenia – hipoglikemia.

Dzięki działaniu obu hormonów – insuliny i glukagonu – procesy magazynowania pobieranej energii (insulina) i jej uwalniania między posiłkami (glukagon), dostosowane są odpowiednio do potrzeb tkanek.

Cukrzyca. Istotą tej choroby są ciężkie zaburzenia przemiany materii i energii, przede wszystkim przyswajania glukozy przez tkanki, związane u dzieci głównie z zaburzeniem biosyntezy lub wydzielania insuliny (typ I cukrzycy).

Cukrzyca jest chorobą rzadko występującą przed okresem dojrzałości. W Polsce żyje ok. 4000 dzieci chorych na cukrzycę. Fakt, że zachorowania na cukrzycę występują częściej w niektórych rodzinach, przemawia za tym, że w powstawaniu cukrzycy odgrywa rolę czynnik dziedziczny. Niektóre dane wskazują na to, że odnośny gen czy geny mieszczą się w chromosomie szóstym, zawierającym kod genetyczny dla układu antygenów zgodności tkankowej, tzw. HLA. W niektórych przypadkach wystąpienie cukrzycy poprzedzają zakażenia wirusowe.

Do głównych objawów cukrzycy należą: wielomocz z obecnością cukru w moczu, wzmożone pragnienie, chudnięcie mimo dobrego łaknienia, ogólne osłabienie. Pogłębianie się kwasicy prowadzi do zaburzeń świadomości, do śpiączki. Nierzadko wymienione objawy uchodzą uwadze otoczenia. Dołączające się przypadkowo zakażenie czy uraz mogą u takiego dziecka spowodować gwałtowne pogorszenie się stanu ogólnego, często występują wymioty, bóle brzucha, ciężkie odwodnienie, utrata przytomności, zagrożenie życia. Wykrycie cukrzycy jest zaskoczeniem dla otoczenia.

Śpiączka cukrzycowa wymaga intensywnego leczenia szpitalnego: dożylnego podawania insuliny, roztworów elektrolitowych, wyrównania kwasicy.

Leczenie. Dzieci chore na cukrzycę pozostają pod stałą opieką poradni cukrzycowej. Leczone są przewlekle insuliną podawaną w dawce dobranej indywidualnie we wstrzyknięciach podskórnych, odpowiednią dietą oraz utrzymywaniem aktywności fizycznej w formie spacerów i odpowiedniej gimnastyki. Dobowa dawka insuliny musi być tak dobrana, aby uzyskać stan normoglikemii lub aby ilość traconego z moczem cukru była niewielka i wynosiła 20–50 g, aby nie występowały spadki glukozy we krwi poniżej 50–60 mg% (mg/dL), tj. aby nie dochodziło do stanów niedocukrzenia (hipoglikemii). Dzieciom nie można podawać doustnych leków przeciwcukrzycowych.

Ponieważ zapotrzebowanie organizmu na insulinę zależy od wieku dziecka, rozwoju, wielkości posiłków, trybu życia, stresów – dawkowanie insuliny powinno być zmieniane. Prowadzenie samokontroli przez rodzinę lub samo dziecko, polegającej na określaniu poziomu glukozy we krwi lub ilości wydalanego cukru z moczem na dobę, ułatwia odpowiednie doraźne zmiany dawek insuliny. Na przykład duży wysiłek fizyczny (biegi) powoduje obniżenie poziomu cukru we krwi i zmniejsza zapotrzebowanie na insulinę.

Przy systematycznym stosowaniu odpowiednich dawek insuliny wzrost i rozwój dzieci z cukrzycą przebiega normalnie. Natomiast przerwy we wstrzykiwaniu insuliny, jej niedobór lub nadmiar powodują ciężkie zaburzenia. Niedobór insuliny prowadzi do śpiączki kwasiczej, do rozwoju powikłań w obrębie naczyń nerkowych, siatkówki oka, nadmiar insuliny – do śpiączki z niedocukrzenia pozostawiającej trwałe zmiany patologiczne w mózgu.

Dieta powinna być tak ułożona, aby posiłki były częste, równomierne, podawane regularnie, aby zawierały dużo warzyw, owoców, trochę białka, złożone węglowodany. Przeciwwskazane jest spożywanie słodyczy, cukierniczych ciast, mocno słodzonych napojów i deserów. Na ogół jednak nie należy dziecka z cukrzycą wyłączać z posiłków spożywanych przez innych członków rodziny. Raczej należy przemyśleć jadłospis rodzinny i wzbogacić go w jarzyny i owoce, wykluczyć tłuste potrawy, tak aby jadłospis odpowiadał, z niewielkimi dodatkami czy zmianami, potrzebom dziecka chorego na cukrzycę. Gdy tryb życia dziecka chorego jest podobny do dnia rówieśników, nie rozwija się u niego kompleks małowartościowości charakterystyczny dla dzieci z przewlekłymi chorobami.

Aktywność fizyczna jest niezbędnym czynnikiem dla prawidłowego wzrostu i rozwoju każdego dziecka. Gimnastyka, uprawianie sportów, gier, zabaw ruchowych na świeżym powietrzu są konieczne dla dziecka z cukrzycą. Jest to podstawowy element terapii. Ponieważ pracujący mięsień pobiera i zużytkowuje glukozę nawet w warunkach niedoboru insuliny, ponadto wstrzyknięta insulina szybciej dociera do lepiej ukrwionego, pracującego mięśnia, może dojść do zmniejszenia się zawartości glukozy we krwi aż do zagrażającego ośrodkowemu układowi nerwowemu stanu niedocukrzenia, czyli hipoglikemii. Spożycie dodatkowego posiłku przed i po wysiłku fizycznym, słodzonego napoju lub cukierka podczas ćwiczeń zapobiega niedocukrzeniu krwi.

Stany niedocukrzenia, czyli hipoglikemia, u dzieci chorych na cukrzycę występują wtedy, gdy wstrzyknięta insulina powoduje nadmierny spadek we krwi poziomu glukozy – poniżej 40 mg% (mg/dL) lub poniżej 2,2 μmol/l. Najczęstszą przyczyną hipoglikemii, poza omyłkowym wstrzyknięciem nadmiernej ilości insuliny, jest współistniejące obniżenie się poziomu glukozy z powodu opuszczenia przez chore dziecko jednego lub więcej posiłków, dołączenie się dużego wysiłku fizycznego albo istnienie tzw. chwiejnej cukrzycy, charakteryzującej się dużymi wahaniami glikemii, czyli poziomu cukru we krwi.

Duże znaczenie dla zapobiegania ciężkim, często nieodwracalnym skutkom hipoglikemii u dzieci chorych na cukrzycę ma popularyzowanie wiedzy – szczególnie wśród rodzin i samych dzieci o przyczynach i sposobie zwalczania hipoglikemii. Ponieważ stan niedocukrzenia może zaskoczyć dziecko, spowodować nagłą utratę przytomności, dzieci chore na cukrzycę powinny nosić przy sobie, poza zapasową kanapką czy cukierkiem, legitymację dziecka chorego na cukrzycę lub bransoletkę czy medalion zawierający informację o chorobie dziecka i sposobie udzielenia pomocy przez ludzi, którzy przypadkowo znajdą się przy takim dziecku.

Przy obecnym stanie wiedzy medycznej dziecko, które zachoruje na cukrzycę we wczesnym okresie życia, ma szansę prawidłowego rozwoju, wzrostu, osiągnięcia podeszłego wieku, prowadzenia trybu życia zbliżonego do normalnego – pod warunkiem świadomego, zdyscyplinowanego współdziałania początkowo rodziny, a w późniejszym wieku samego chorego z prowadzącym leczenie lekarzem, poznania samej choroby, jej powikłań, starannego przestrzegania samokontroli stanu swego organizmu.

Stan niedocukrzenia, czyli **hipoglikemia**, występuje wtedy, gdy poziom glukozy we krwi spada poniżej 40 mg% (mg/dL) lub poniżej 2,2 μmol/l. Przyczyną może być nadmierna ilość insuliny pochodzenia zewnętrznego, np. u cukrzyków, lub pochodzenia wewnętrznego, np. w nowotworach wychodzących z komórek β wysp Langerhansa. Przyczyną hipoglikemii mogą być też zaburzenia działania mechanizmów uwalniających zmagazynowaną energię w procesie glikogenolizy i lipolizy.

Hipoglikemia jest najsilniejszym stresem metabolicznym dla organizmu zagrażającym jego życiu. W mózgu pozbawionym dopływu glukozy ustają procesy utleniania. W fazie początkowej, gdy zostaje wzbudzony stan alarmowy, w obrębie jąder podwzgórza należących do układu regulującego poziom glukozy we krwi dochodzi do: pobudzenia działania układu współczulnego – czego skutkiem jest wzmożone wydzielanie katecholamin, wzmożonego wydzielania adrenokortykotropiny, glikokortykosteroidów, hormonu wzrostu. Wszystkie te hormony hamują działanie insuliny, przyspieszają rozpad glikogenu na glukozę, rozpad tłuszczów, tj. lipolizę, co normalnie prowadzi do szybkiej normalizacji poziomu cukru we krwi.

W pierwszej fazie hipoglikemii występują objawy związane z pochodzeniem układu współczulnego: niepokój, pocenie się, bladość skóry, drżenie rąk, przyspieszenie akcji serca i oddechów. Jeśli stan hipoglikemii nie zostanie wyrównany, dołączają się objawy uszkodzenia czynności ośrodkowego układu nerwowego: odczuwanie zmęczenia, zaburzenia mowy, ziewanie, senność, zaburzenia widzenia, pobudzenie ruchowe. W końcowej fazie dochodzi do głębokiej śpiączki i śmierci.

Losy chorego zależą od czasu trwania i nasilenia stanu niedocukrzenia. Po krótkotrwałej hipoglikemii objawy chorobowe szybko cofają się. Po kolejnych napadach, zwłaszcza ciężkich, mogą pozostać trwałe uszkodzenia ogniskowe mózgu, objawiające się zaburzeniami mowy, niedowładami, upośledzeniem umysłowym, napadami padaczki. Dlatego tak istotne znaczenie ma jak najwcześniejsze rozpoznanie pierwszych objawów hipoglikemii i jej leczenie. Wypicie osłodzonego napoju czy spożycie posiłku może w fazie początkowej wyrównać niedobór glukozy i zapobiec dalszym zaburzeniom.

W stanach ciężkich konieczne jest leczenie szpitalne, dożylne podawanie roztworów glukozy, potasu, kortyzolu i glukagonu.

Zaburzenia regulacji stanu odżywiania

Ze względu na duży udział układu podwzgórzowo-przysadkowego i poszczególnych hormonów w sterowaniu pobieraniem pożywienia i rozrządem materii i energii, szereg zaburzeń hormonalnych może stać się przyczyną zaburzeń w odżywianiu, w przemianie materii.

Zaburzenia regulacji poboru pożywienia objawiają się: a) chudnięciem i brakiem łaknienia, np. w jadłowstręcie psychicznym, lub b) nadmiernym przyrostem masy ciała, czyli otyłością.

Jadłowstręt psychiczny występuje bardzo rzadko, przeważnie u dziewcząt w okresie pokwitania. Cechuje go brak łaknienia lub wstręt do jedzenia, zaburzenia miesiączkowania i postępujące chudnięcie aż do stanu ciężkiego wyniszczenia. Jakkolwiek przyczyny tej choroby nie są nadal w pełni wyjaśnione, wiele danych wskazuje na to, że pierwotne są zaburzenia psychoemocjonalne oraz powiązane z nimi zaburzenia neurohormonalne (zob. też Endokrynologia, s. 789). Konieczne jest leczenie szpitalne, wielokierunkowe, psychiatryczne, wspomagane lekami hormonalnymi.

Otyłość charakteryzuje się nadmiernym odkładaniem się tłuszczu w organizmie. Otyłością nazywa się stan, gdy nadmiar masy ciała przekracza o 20% średnią masę ciała odpowiadającą wysokości dziecka. Przyczyny otyłości mogą być różne. Zaburzenia mogą bowiem dotyczyć poszczególnych składników bilansu energetycznego organizmu i jego mechanizmu regulacyjnego. Znane są wrodzone zaburzenia, w których otyłość towarzyszy innym wadom rozwojowym, np. układu nerwowego, mięśniowego.

W ostatnim stuleciu w krajach ekonomicznie rozwiniętych, o wysokiej cywilizacji, obserwuje się wzrost częstości otyłości. Otyłość uznano za chorobę cywilizacyjną. Przeobrażenia, jakie nastąpiły we współczesnej nam cywilizacji, dotyczą sposobu żywienia oraz trybu życia, który jest mało ruchliwy, siedzący, używający coraz mniejszej pracy mięśni. Wszystkie te czynniki odgrywają rolę w bilansie energetycznym organizmu. Tymczasem wykształcone w toku wielu setek tysięcy lat mechanizmy regulacji poboru żywienia głównie nastawione są na adaptację organizmu do okresów głodu i niedostatku pożywienia. Natomiast nadmiar wysokoenergetycznych produktów zbożowych, cukru o wysokich walorach smakowych, wprowadzanych już do sztucznego żywienia niemowląt, nie wywołuje w wielu organizmach odpowiednio wzmożonej aktywności ośrodków sterujących odczuwaniem sytości ani wzmożenia przemiany materii przy nie pracujących mięśniach.

Leczenie otyłości polega na: 1) stosowaniu diety ubogoenergetycznej, 2) zwiększeniu aktywności fizycznej, 3) psychoterapii, 4) leczeniu farmakologicznym oraz 5) wyjątkowo na leczeniu chirurgicznym.

Wstępnym warunkiem podjęcia i powodzenia leczenia otyłości u dziecka jest uzyskanie pełnego, świadomego współdziałania zarówno jego, jak i jego rodziny. Podświadomą regulację poboru pożywienia musi się zastąpić świadomą samokontrolą pobierania pożywienia.

Spadek masy ciała można uzyskać przede wszystkim za pomocą odpowiedniej diety odchudzającej. Należy w każdym przypadku przywrócić właściwy stosunek między podażą kalorii i wydatkowaniem energii, czyli należy dążyć do przywrócenia prawidłowej równowagi energetycznej. Musi to być poprzedzone dłuższym okresem ujemnego bilansu gospodarki energetycznej. Stan ten można osiągnąć za pomocą bądź zwiększenia wydatkowania energii, bądź zmniejszenia dowozu kalorii lub za pomocą obu tych metod postępowania łącznie.

W diecie odchudzającej należy zmniejszyć liczbę spożywanych kalorii. Osiąga się to przez zmniejszenie ilości tłuszczu, wykluczenie cukru oraz zmniejszenie zawartości takich węglowodanów, jak mąka i jej przetwory.

Ubogoenergetyczne odchudzające diety, zawierające ok. 1000 czy nawet mniej kilokalorii, obliczane przy użyciu odpowiednich tabel, są stosowane przeważnie w warunkach sanatoryjnych lub szpitalnych, w których dają najlepsze efekty.

W domu należy zaplanować zestaw posiłków o dużej objętości, opartych na warzywach kolorowych (surówki!), np. sałata, kapusta, buraki, marchew itp., chudym mięsie oraz serze, ciemnym chlebie w małej ilości. Zalecane jest picie odtłuszczonego mleka, wód mineralnych stołowych, minimalne solenie potraw. Z jadłospisu wyklucza się zupy i sosy zaprawiane mąką i śmietaną. Natomiast polecane są chude, ubogoenergetyczne buliony, barszcz, zupy jarzynowe, chude gotowane mięso i ryby. Łatwiej jest uzyskać redukcję czy zahamowanie przyrostu masy ciała przy stosowaniu częstych ubogoenergetycznych posiłków, 3–5 na dobę. Nie należy opuszczać posiłków.

Powodzenie leczenia dietetycznego w warunkach domowych zależy od wprowadzenia zmian w rozkładzie i składzie posiłków dla całej rodziny. Najczęściej nie udaje się utrzymać odrębnej diety tylko dla otyłego dziecka.

Leczenie farmakologiczne polega na podawaniu psychotropowych środków działających hamująco na ośrodek głodu lub pobudzających ośrodek sytości, poza tym leków moczopędnych, leków zmieniających metabolizm komórki. Leki te mają tylko znaczenie środków pomocniczych przy stosowaniu odpowiedniej diety. Ponieważ wywierają one wiele niepożądanych, szkodliwych wpływów, dzieciom w zasadzie nie podaje się ich lub tylko wyjątkowo przez krótki okres, pod bardzo ścisłą kontrolą lekarską.

VII. CHOROBY PRZEWODU POKARMOWEGO U DZIECI

Znaczenie chorób przewodu pokarmowego u dzieci jest bardzo duże. U noworodków posocznice z objawami biegunkowymi oraz wady wrodzone powodujące niedrożność kanału pokarmowego, a u niemowląt ostre biegunki z objawami odwodnienia i zatrucia oraz wgłobienia i inne typy niedrożności – stanowią bezpośrednie zagrożenie życia. U dzieci starszych nierzadką dolegliwością są bóle brzucha, często spowodowane ostrym zapaleniem wyrostka robaczkowego. Przewlekłe choroby przewodu pokarmowego, takie jak np. glutenozależna choroba trzewna (celiakia) czy olbrzymie jelito grube, czyli choroba Hirschprunga, w przypadku niewłaściwego lub opóźnionego leczenia mogą stać się przyczyną trwałego nieraz upośledzenia rozwoju dziecka (karłowatość, zniekształcenia kostne).

Dolegliwości i objawy ze strony przewodu pokarmowego u dzieci stanowią jedną z najczęstszych przyczyn zmuszających do szukania porady u lekarza pediatry.

Odrębności przewodu pokarmowego u dzieci

Podstawową funkcją przewodu pokarmowego jest strawienie pożywienia i wchłonięcie substancji potrzebnych do życia, do prawidłowych czynności i wzrostu organizmu. Funkcją dodatkową jest niszczenie, zobojętnianie i nieprzepuszczanie do wnętrza organizmu szkodliwych czynników (np.

bakterii, substancji toksycznych, antygenów), które przedostają się do przewodu pokarmowego wraz z pożywieniem.

U małych dzieci w okresie rozwojowym, cechującym się zwiększonym zapotrzebowaniem organizmu na substancje budulcowe i energetyczne, sprawność procesów trawienia i wchłaniania jest jeszcze niedostateczna. Niedojrzałe są także mechanizmy odpornościowe przewodu pokarmowego noworodka i niemowlęcia i nie stanowią odpowiedniej bariery ochronnej; cienka i nie wyposażona jeszcze w odpowiednie układy odpornościowe śluzówka jest przepuszczalna zarówno dla szeregu substancji toksycznych, jak i antygenów. Tym istotniejszy jest sposób żywienia małego dziecka, rodzaj pokarmów mu podawanych jak i sposób ich przyrządzania (zob. Odżywianie noworodka, s. 1133 oraz Karmienie dziecka, s. 1144).

Niedojrzałość mechanizmów trawienia i wchłaniania, niedostateczna obrona przed zakażeniem (np. niskie stężenie kwasu solnego w żołądku, niedobór tzw. immunoglobuliny A i in.), niedojrzałość regulacji nerwowej regulującej ruchy jelit (stąd częste u młodych niemowląt ulewanie pokarmu i wzdęcia) – wszystko to wpływa na inny niż u ludzi dorosłych przebieg chorób przewodu pokarmowego. U małych dzieci często nieprawidłowe objawy ze strony przewodu pokarmowego nie świadczą o chorobie tego układu, ale towarzyszą innym chorobom, np. biegunka występuje w toku zapalenia uszu u niemowlęcia, a wymioty w przebiegu anginy u dziecka starszego. Dlatego właśnie bardzo trudno jest ocenić objawy typowe dla chorób układu trawienia, zwłaszcza gdy występują wrodzone wady funkcji, jak np. niewytwarzanie jakiegoś enzymu trawiennego bądź ich grupy, nieprawidłowa przepuszczalność ściany jelit dla białek roślinnych tzw. glutenów i inne.

Objawy chorobowe ze strony przewodu pokarmowego u dzieci

Wymioty. Jest to gwałtowne wydalenie nadtrawionej treści pokarmowej z żołądka. Treść wymiotowana (wymiociny) może mieć różną zawartość: wymioty krwawe zawierają świeżą krew, wymioty fusowate – krew zmienioną przez kwas solny żołądka (treść prawie czarna), wymioty żółciowe są zielone z domieszką żółci, wymioty kałowe, z domieszką treści jelitowej – brązowe – są bardzo groźnym objawem świadczącym o niedrożności jelit.

Przyczyną ostrych wymiotów jest zazwyczaj podrażnienie bądź stan zapalny błony śluzowej żołądka. Przyczyną uporczywych wymiotów u niemowląt może być utrudnienie w przechodzeniu treści żołądkowej do dwunastnicy (np. przerostowe zwężenie odźwiernika). Wymioty gwałtowne, zwłaszcza z zatrzymaniem oddawania stolca, są zawsze objawem groźnym, mogącym świadczyć o niedrożności jelit. Wymioty mogą być także objawem chorób ośrodkowego układu nerwowego, np. zapalenia opon mózgowo-rdzeniowych, guza mózgu, wstrząsu mózgu.

Ulewanie jest to zwracanie nie strawionego pokarmu prawie natychmiast po jego przyjęciu. Spowodowane jest cofaniem się pokarmu z żołądka.

Przeżuwanie, ruminacja, polega na zwracaniu nadtrawionego pożywienia i ponownym jego połykaniu. Występuje najczęściej u dzieci z przewlekłymi uszkodzeniami ośrodkowego układu nerwowego.

Odbijanie. Odbijanie p u s t e występuje u niemowląt łapczywie ssących na skutek połykania powietrza (a e r o f a g i a). Cofanie się z żołądka do ust bańki powietrza może prowadzić do ulewania. Odbijanie k w a ś n e występuje u dzieci starszych przy nadkwasocie. Odbijanie o s m a k u ż ó ł c i jest to zarzucanie treści dwunastniczej do żołądka przy stanie zapalnym dwunastnicy lub wypadaniu śluzówki żołądka do dwunastnicy.

Czkawka to niegroźny objaw rytmicznego skurczu mięśni gardła. Często występuje u niemowląt w I kwartale życia na skutek braku właściwej koordynacji ruchów połykania.

Nudności są to zaburzenia często poprzedzające wymioty lub je zastępujące. Nudnościom towarzyszy niejednokrotnie uczucie osłabienia, bóle brzucha, zlewne poty i inne odruchowe zjawiska.

Wzdęcie, kolka gazowa jest to powiększenie się obwodu brzucha wskutek nadmiernego wytwarzania się gazów w jelitach lub nieregulowanej koordynacji ruchów robaczkowych jelit (kolka pępkowa). U dzieci starszych wzdęcia mogą być następstwem załamania się jelita np. w następstwie siedzenia w zbyt małej ławce w pozycji pochylonej. Wzdęcie wymaga kontroli u lekarza w celu wykluczenia niedrożności czy zapalenia otrzewnej. Wzdęcie jest objawem bardzo przykrym i bolesnym, często połączonym z niepokojem i krzykiem dziecka (zwłaszcza u niemowląt).

Bóle brzucha. O s t r e b ó l e są zawsze objawem niepokojącym, wyjątek stanowią ostre kłujące bóle w lewym podżebrzu u dzieci w wieku szkolnym, po długotrwałym biegu – tzw. k o l k a ś l e d z i o n o w a. Dzieci rzadko potrafią lokalizować miejsce największego bólu i wskazują przeważnie na pępek.

Ostre bóle brzucha w o k o l i c y ż o ł ą d k a mogą być objawem zapalenia żołądka i dwunastnicy lub ostrego zatrucia pokarmowego, w okolicy na prawo od pępka – ostrego zapalenia wyrostka robaczkowego, a ostre bóle brzucha rytmicznie nasilające się – niedrożności jelit (zob. Chirurgia wieku rozwojowego, s. 1660). Ostre bóle brzucha nie lokalizowane są często następstwem wzdęcia.

B ó l e b r z u c h a p r z e w l e k ł e i n a w r a c a j ą c e u niemowląt mogą być spowodowane nieprawidłowościami budowy anatomicznej jelit, a u dzieci starszych – lambliozą, zapaleniem błony śluzowej żołądka wywołanym przez bakterię *Helicobacter pylori*, chorobą wrzodową typu dorosłych, zapaleniem jelita końcowego, przepukliną rozworu przełykowego, przewlekłym zapaleniem trzustki i innymi rzadziej spotykanymi przyczynami. Zdarza się też, że n a w r a c a j ą c e bóle brzucha dzieci starsze niekiedy symulują bądź wyolbrzymiają w celu zwrócenia na siebie uwagi lub np. aby nie pójść do szkoły.

Parcie jest to bolesny objaw połączony z wysiłkiem, występujący przed i w czasie oddawania stolca, np. przy zaparciu.

Stolce smoliste to stolce czarnobrunatne na skutek obecności krwi zmienionej przez procesy trawienne. Stolce smoliste świadczą o krwawieniu w górnych odcinkach przewodu pokarmowego.

Stolce krwawe zawierają świeżą krew. Świadczą o uszkodzeniu śluzówki jelit w dolnych odcinkach, np. przy owrzodzeniach zapalnych, wrzodziejącym zapaleniu jelit typu dorosłych, polipach, pęknięciu śluzówki odbytu, żylakach odbytu, naczyniakach.

Biegunka to oddawanie przez dzieci 3 lub więcej wolnych stolców w ciągu 12 godz. lub oddanie nawet tylko jednego, ale nieprawidłowego stolca zawierającego domieszkę krwi, śluzu lub ropy. U noworodków występowanie kilku, nawet kilkunastu wolnych stolców w ciągu doby może być zjawiskiem niechorobowym – biegunka fizjologiczna.

Biegunka ostra jest to biegunka trwająca krócej niż 10 dni.

Biegunka przewlekająca się i nawracająca. Nazwą tą określa się zarówno przewlekłe wodniste wypróżnienia z domieszką śluzu, krwi lub ropy, jak i nieprawidłowe wypróżnienia, związane z nietolerancją składników pożywienia (np. białka mleka) lub z nieprawidłowym trawieniem i wchłanianiem pokarmów. W obfitych papkowatych wypróżnieniach znajdują się niestrawione części pożywienia i znaczna domieszka tłuszczy – tzw. biegunka tłuszczowa.

Biegunka fermentacyjna to wydalanie stolców o zapachu kwaśnym, pienistych, często oddawanych pod ciśnieniem. Przyczyną jest niedostateczne trawienie cukrów, przede wszystkim cukru mlecznego – laktozy.

Odwodnienie organizmu to objaw groźny, wymagający leczenia szpitalnego. U niemowląt jest często następstwem uporczywych wymiotów i ostrej biegunki. Objawem odwodnienia jest gwałtowny spadek masy ciała, skąpe oddawanie moczu lub nieoddawanie go wcale, zapadnięcie się ciemienia, zapadnięcie gałek ocznych, utrata blasku oczu, „zaostrzenie rysów twarzy", suchość języka, karminowe wargi, ochrypły głos. Fałd skóry na brzuchu ujęty w dwa palce rozprostowuje się powoli, pozostawiając odciski palców („skóra plastelinowa").

Zaparcie jest to utrudnione oddawanie stolca o twardej konsystencji.

Żółtaczka to nadmiar barwników żółciowych we krwi, powodujący żółte zabarwienie skóry, twardówek oka, łez, śliny, ciemne zabarwienie moczu oraz odbarwienie stolca.

Żółtaczka fizjologiczna noworodków pojawia się w 2–3 dniu życia i ustępuje w 10–14 dniu życia. Przyczyną jest nadmierny rozpad krwinek czerwonych przy niedostatku enzymów przekształcających powstające barwniki żółciowe w żółć. Jeśli dziecko rodzi się z objawami żółtaczki – żółtaczka fizjologiczna przedwczesna – istnieje obawa konfliktu serologicznego. Obawa tego konfliktu bądź niedrożności wrodzonej dróg żółciowych pojawia się również przy zbyt długo utrzymującej się żółtaczce fizjologicznej – tzw. żółtaczka opóźniająca się.

Żółtaczka mechaniczna. U niemowląt najczęstszą jej przyczyną jest wrodzony brak lub niedorozwój dróg żółciowych bądź zaczopowanie ich przez zagęszczoną żółć (powikłania konfliktu serologicznego – s. 1137).

U dzieci starszych żółtaczkę mechaniczną mogą powodować: inwazja lamblii w drogach żółciowych, torbiele dróg żółciowych lub kamica dróg żółciowych.

Żółtaczka miąższowa jest spowodowana zmianami zapalnymi w wątrobie. Jej przyczyną u niemowląt jest uogólnione zakażenie bakteryjne lub wirusowe, u dzieci starszych – zakażenie wirusem zapalenia wątroby lub zatrucia, np. grzybami albo lekami.

Żółtaczka hemolityczna jest wynikiem nadmiernego rozpadu (hemolizy) krwinek czerwonych. Przyczyną u noworodków jest konflikt serologiczny, u niemowląt i dzieci starszych – najczęściej wrodzone zaburzenia zmniejszające czas życia krwinek oraz zakażenia i zatrucia (np. benzyną).

Brak łaknienia. Okresowy brak łaknienia jest częstym objawem u niemowląt otrzymujących zbyt dużą dawkę witaminy D, przekarmionych lub nieprawidłowo karmionych. Brak łaknienia bywa także wstępnym objawem zakażeń pokarmowych i zatruć.

„Fizjologiczny" brak łaknienia obserwowany jest często w tzw. wieku poniemowlęcym, kiedy to zmniejsza się zapotrzebowanie energetyczne organizmu (1–3 r. życia). U dziewcząt w wieku dojrzewania niekiedy występuje jadłowstręt psychiczny (zob. s. 1192), zwłaszcza przy chęci szybkiego odchudzenia się lub w sytuacjach konfliktowych.

Upośledzenie stanu odżywiania. U niemowląt stan niedożywienia określany jest jako dystrofia, a wyniszczenie jako atrepsja. Przyczyną bywa niedostateczna ilość pożywienia, nieprawidłowe jego wykorzystywanie przez organizm (zob. celiakia, s. 1205, oraz mukowiscydoza, s. 1229), nadmierne zużycie w toku przewlekłych zakażeń (np. posocznice w I kwartale życia, zakażenie dróg moczowych u niemowląt).

Choroby przewodu pokarmowego u noworodków

Wady wrodzone

Do zagrażających życiu dziecka anomalii należą przede wszystkim wady powodujące niedrożność przewodu pokarmowego.

Wrodzona niedrożność przełyku. Wada ta polega na zaniku końcowej części przełyku, co powoduje niemożność przedostawania się pożywienia i płynów do żołądka. Nieprawidłowość ta często występuje wspólnie z patologicznymi połączeniami, czyli przetokami między przełykiem a tchawicą. Przy próbie pojenia, a zwłaszcza karmienia dziecka, prowadzi to do przedostawania się treści pokarmowej nie do żołądka, ale do płuc, powodując krztuszenie się, sinicę, pienistą wydzielinę dookoła ust. Jeśli wada ta jest rozpoznana natychmiast po urodzeniu (próbne sondowanie żołądka), leczenie operacyjne ratuje życie dziecka.

Wrodzona niedrożność odbytu. Wada ta może być wywołana zanikiem odbytu lub wytworzeniem się błony (analogicznie do błony dziewiczej w pochwie) utrudniającej bądź uniemożliwiającej oddawanie kału. Wadzie tej może towarzyszyć nieprawidłowe ujście odbytu do cewki moczowej (analogicznie do steku ptaków) albo (u dziewcząt) – do pochwy. Wada ta wymaga szybkiego leczenia chirurgicznego.

Niedokonany zwrot jelit. W jamie brzusznej płodu jelito rosnąc na długość nie może się zmieścić. Stąd też dochodzi do zwijania się pętli jelit (analogicznie do lin na okręcie). Nieprawidłowo dokonujące się w życiu płodowym tzw. zwroty pętli jelitowych mogą być przyczyną niedrożności jelit bądź utrudnionego oddawania kału. Najgroźniejsze dla noworodka jest całkowite niedokonanie się zwrotów jelit – jelita poprzez pępek wypadają na zewnątrz jamy brzusznej – i nieprawidłowe zwroty dwunastnicy (tzw. zespół Ladda) prowadzące do niedrożności początkowych partii jelit.

Zaniki odcinkowe jelit. Analogicznie do zaniku końcowej części przełyku czy odbytu może dojść do nieprawidłowych przewężeń, a nawet całkowitego zaniku odcinków jelita cienkiego lub grubego. W tego rodzaju rzadko spotykanych wadach niezbędne jest szybkie leczenie chirurgiczne.

Niedrożność smółkowa. Ta postać niedrożności, rozwijająca się zazwyczaj już w łonie matki, spowodowana jest zatkaniem jelit przez korek zagęszczonej smółki, czyli pierwszego kału. Chorobą sprzyjającą tego rodzaju niedrożności jest mukowiscydoza (zob. s. 1229). Rokowanie jest bardzo poważne (zagrożenie życia), a leczenie polega na możliwie szybkiej interwencji chirurgicznej.

Zakażenia przewodu pokarmowego

Biegunka u noworodków. „Niestrawność fizjologiczna" u noworodków nie jest objawem choroby. Jeśli jednak noworodek wykazuje cechy odwodnienia i w jego kale wystąpią domieszki świeżej krwi, ropy oraz większe ilości śluzu – jest to sygnałem wskazującym na możliwość zakażenia przewodu pokarmowego.

Do zakażenia przewodu pokarmowego bakteriami może dojść już w łonie matki na skutek połykania przez płód zakażonych wód płodowych bądź też w czasie porodu. Bakterie mogą wniknąć do krwi przez naczynia pępowiny, poprzez które w okresie życia płodowego odżywiany jest płód, a także przez otwartą ranę, jaką stanowi okolica pępka. Ponieważ naczynia pępowinowe biegną przez wątrobę – następstwem zakażeń tego typu jest często septyczne zapalenie wątroby (żółtaczka!). Z krwi bakterie mogą przedostać się do przewodu pokarmowego, płuc, uszu, dróg moczowych, a nawet opon mózgowo-rdzeniowych, tak że w tym okresie życia biegunka zakaźna może być tylko jednym z ognisk uogólnionego, rozsianego zakażenia, czyli posocznicy.

Po urodzeniu, wobec słabej obrony przewodu pokarmowego przed bakteriami, zwłaszcza u noworodków nie karmionych piersią, może dojść do zakażenia przewodu pokarmowego z zewnątrz, np. zakażonym pokarmem. I w tym przypadku bakterie mogą przedostawać się z przewodu pokarmowego do krwi, wywołując uogólnione zakażenie.

Częstość uogólnionych zakażeń i poważne rokowanie nakazują rygorystyczne przestrzeganie wymogów higieny osobistej i higieny żywienia noworodka. Właściwe r o z p o z n a n i e i l e c z e n i e zakażeń bakteryjnych u noworodków opiera się na bakteriologicznym badaniu kału, krwi, wydzieliny z uszu, moczu, gdyż umożliwia ono prawidłowe leczenie, zwłaszcza dobór właściwego antybiotyku. Leczenie jest szpitalne.

Zakażenia wirusowe przewodu pokarmowego noworodków. Epidemie biegunek wirusowych zdarzają się na oddziałach noworodkowych. Z a p o b i e g a n i e polega na karmieniu piersią oraz na niedopuszczaniu do noworodków osób wykazujących objawy zakatarzenia i na rygorystycznym przestrzeganiu wymogów higieny.

Zakażenie grzybicze. Śluzówka jamy ustnej noworodków nie jest zdolna do obrony przed zakażeniem, wskutek czego często dochodzi do zakażeń grzybiczych. U niedostatecznie pielęgnowanych bądź słabych noworodków z reguły na śluzówce jamy ustnej i języka występują tzw. p l e ś n i a w k i, tj. białawe kolonie grzybków. W ciężkich zakażeniach pleśniawki mogą zaatakować przełyk i krtań, a nawet przedostać się do krwi.

Z a p o b i e g a n i e i l e c z e n i e polega na przestrzeganiu zasad higieny karmienia (smoczki powinny być gotowane i trzymane w naczyniach z przykrywką) oraz na pędzlowaniu śluzówki noworodka roztworem boraksu z gliceryną bądź fioletem goryczki (czyli roztworem gencjany).

Żółtaczki noworodków, zob. Okres noworodkowy, s. 1134.

Ulewanie i wymioty

U noworodków częstym zjawiskiem są ulewania związane z „fizjologicznym", niesprawnym jeszcze mechanizmem zamykającym wpust żołądka, tj. zapobiegającym cofaniu się pożywienia z żołądka do przełyku. Ulewaniom sprzyja płaska pozycja dziecka w czasie karmienia i po nim oraz „połykanie powietrza" (aerofagia) razem z pokarmem.

Z a p o b i e g a n i e polega na karmieniu dziecka „na siedząco", a także trzymaniu po karmieniu w pozycji pionowej, aby pozbyło się powietrza z żołądka.

Jeśli w 3 – 6 tygodniu życia wystąpią u noworodków (zwłaszcza u chłopców) chlustające wymioty, to może nasuwać się podejrzenie przerostowego zwężenia odźwiernika. Intensywne wymioty mogą występować również u dzieci z nieprawidłową budową narządów płciowych.

Zaparcia

Uporczywe zaparcia u noworodka, zwłaszcza przy objawach rozdęcia dolnych partii brzucha, może nasuwać podejrzenie tzw. olbrzymiego jelita grubego, czyli choroby Hirschprunga (zob. Chirurgia wieku rozwojowego, s. 1663). Stan ten wymaga leczenia chirurgicznego, które przeprowadzane jest zazwyczaj w kilku etapach. P r z y c z y n ą zaparć może być także, u dzieci karmionych sztucznie, niewłaściwy skład mieszanki mlecznej. Stolce skąpe mogą być objawem zbyt małych ilości pokarmu u matki.

Wzdęcia i „kolki" brzuszne w I kwartale życia

W pierwszych trzech miesiącach życia niejednokrotnie bardzo kłopotliwą dla rodziców dolegliwością dziecka są bolesne wzdęcia brzucha („kolki"), połączone z płaczem i krzykiem. Przejściowe te objawy są związane przede wszystkim z nieregulowaną jeszcze w tym wieku koordynacją nerwową ruchów jelit (perystaltyką).

Zapobieganie i leczenie polega na regularnym karmieniu (przestrzeganie określonych godzin posiłków) oraz zapobieganiu zaparciom. Korzystny wpływ może wywrzeć zmiana w diecie cukru na glukozę (przy zbyt częstych wypróżnieniach) bądź odwrotnie – zmiana glukozy na cukier (przy tendencji do zaparć), a także wprowadzenie jabłka tartego oraz wywarów i zup jarzynowych (powyżej 2 miesiąca życia). Również stosowanie ziół (rumianku, koperku włoskiego) może przynieść ulgę dziecku.

Choroby przewodu pokarmowego w pierwszym półroczu życia

Ostre biegunki zakaźne

Ostre biegunki zakaźne występujące w pierwszym półroczu życia mogą być wywołane nie tylko przez bakterie powodujące tego rodzaju objawy u dzieci starszych i u ludzi dorosłych, lecz także przez całą grupę bakterii dla dzieci starszych i ludzi dorosłych nieszkodliwych. Z tego względu rodzice i opiekunowie niemowlęcia muszą szczególną uwagę poświęcać przestrzeganiu zasad higieny, aby ochronić dziecko przed możliwością zakażenia (czystość pożywienia, smoczka, butelki, pieluszek, wody do kąpieli, mieszkania i in.). Częstość zakaźnych biegunek jest w omawianym okresie życia bardzo znaczna, stąd też problem ten ma duże znaczenie społeczne.

Do bakterii wywołujących ostre biegunki w pierwszym półroczu życia należą: niektóre tzw. chorobotwórcze szczepy pałeczki okrężnicy (*Escherichia coli*), pałeczki z grupy *Salmonella* (*S. enteritidis*, *S. typhimurium*, *S. agona* i in.), pałeczki z grupy *Klebsiella* i szereg innych bakterii Gram-ujemnych. Pałeczki *Shigella* atakują dzieci w tym wieku rzadko: wywołują one czerwonkę raczej u niemowląt starszych i dzieci w wieku przedszkolnym. Podobnie pałeczki duru brzusznego (*Salmonella typhi*) i duru rzekomego (*Salmonella paratyphi*) występują przede wszystkim u dzieci starszych. Przyczyną biegunki u niemowląt mogą być także bakterie należące do grupy Gram-dodatnich, np. gronkowcowe. Zdarza się to jednak nieczęsto i tylko przy masywnym zakażeniu – biegunka w toku zakażenia uogólnionego gronkowcowego czy rozmnożenia się gronkowców na skutek zniszczenia normalnej „fizjologicznej" flory bakteryjnej w czasie doustnego leczenia antybiotykami nie działającymi na gronkowce.

Do bardzo częstej, jeszcze w Polsce niedostatecznie docenianej przyczyny ostrych biegunek zakaźnych należą zakażenia wirusowe, zwłaszcza tzw. rota wirusem.

Objawy. Ostra biegunka zakaźna zaczyna się przeważnie gorączką i wymiotami. Następnie, a niejednokrotnie i równocześnie, występuje biegunka, wzdęcie i bóle brzucha oraz niechęć do jedzenia. Stolce mogą być wodniste, często zmieniają barwę na zieloną lub są odbarwione. W stolcach zawarta może być domieszka śluzu, krwi i ropy.

Przebieg choroby zależy od: 1) odporności niemowlęcia (np. niemowlęta karmione piersią lżej chorują), 2) liczby drobnoustrojów, jakimi zostało zarażone dziecko, i 3) od rodzaju drobnoustrojów.

Lekki przebieg określany jest jako niestrawność, czyli dyspepsja. Ciężki przebieg, gdy występują objawy odwodnienia, zatrucia toksynami bakteryjnymi i kwasica, nazywany jest zespołem toksycznym lub toksykozą. Wystąpienie objawów odwodnienia, zatrucia (narastający stan utraty przytomności) i kwasicy (głęboki przyspieszony oddech nasuwający nieraz przypuszczenia niewydolności oddechowej) stanowią zagrożenie życia. Niemowlę wykazujące tego rodzaju objawy powinno być jak najszybciej przewiezione do szpitala.

Leczenie ostrej biegunki zakaźnej u niemowlęcia polega na stosowaniu leczenia farmakologicznego, dietetycznego i wyrównującego zaburzenia wodno-elektrolitowe i kwasicę.

Leczenie farmakologiczne polega na stosowaniu leków zabijających bakterie na terenie przewodu pokarmowego, dających duże stężenie w świetle przewodu pokarmowego. Należy tu: furazolidon, biseptol, sulfaguanidyna. Antybiotyki są podawane tylko wtedy, gdy z biegunką współistnieją inne choroby (zapalenie uszu, zapalenie płuc, zapalenie opon mózgowo-rdzeniowych) lub też, gdy bakterie wyhodowane z kału wykazują odporność na stosowane leki.

Leczenie dietetyczne ostrej biegunki u niemowlęcia polega na zastosowaniu tzw. „przerwy wodnej", czyli głodówki, w czasie której przez 6 do 24 godz. dziecko nie otrzymuje mleka ani innych pokarmów (zwłaszcza białkowych), a jedynie jest obficie pojone. W tym czasie należy podawać dziecku tzw. „płyn do nawadniania doustnego" (zob. niżej) i marchwiankę. Marchwiankę sporządza się ze starej marchwi wyhodowanej na działce nie nawożonej sztucznymi nawozami. Po godzinnym gotowaniu marchew „przeciera się" w mikserze, rozcieńcza wodą tak, aby po odstaniu 1/3 stanowił osad marchwiowy, słodzi się glukozą (jedną łyżeczkę na 100 ml płynu) i dodaje szczyptę soli.

Po okresie „przerwy wodnej" (który nie powinien trwać dłużej niż 24 godz.) stopniowo wprowadza się mieszankę mleczną bez mąki, tak aby w ciągu trzech dni zapotrzebowanie energetyczne dziecka było w pełni pokryte mlekiem. Następnie zmienia się rodzaj mieszanki na właściwy dla wieku i stopniowo wprowadza (w zależności od wieku dziecka) normalne pożywienie: zupę jarzynową, żółtko, mięso i inne dodatki.

Przez cały okres leczenia dietą można stosować tarte jabłko z niewielką ilością glukozy lub cukru.

Wyrównywanie zaburzeń wodno-elektrolitowych i kwasicy. W ostrej biegunce u dzieci starszych i niemowląt w dobrym stanie ogólnym w warunkach domowych jest stosowany „płyn do nawadniania doustnego". Płyn ten można sporządzić słodząc 100 ml wody przegotowanej jedną łyżeczką glukozy i dodając szczyptę soli. Produkowany w Polsce preparat Gastrolit zawiera właściwe ilości glukozy, soli i kwaśnego węglanu sodu (sody). Jeden taki proszek należy rozpuścić w 200 ml przegotowanej wody i płynem tym poić dziecko w ciągu dnia. (Uwaga – nie wolno niemowlęciu z biegunką podać tego roztworu więcej niż 200 ml, tzn. nie wolno zastosować dziennie dawki większej niż zawarta w jednym proszku). Przy cięższych stanach biegunkowych (toksykozie) leczenie musi być prowadzone w szpitalu. Polega ono na nawadnianiu dożylnym metodą kroplową roztworem elektrolitów i glukozy z dodatkiem związków zasadowych (skład tzw. „kroplówki" zależy od wyników badań laboratoryjnych). Kroplówki nawadniające u niemowląt najczęściej podłączane są do żył skóry głowy.

Wymioty

Przerostowe zwężenie odźwiernika. Gwałtowne, uporczywe wymioty u niemowlęcia w pierwszych miesiącach życia, zwłaszcza u chłopców, nasuwają podejrzenie choroby polegającej na przeroście mięśnia odźwiernika. W następstwie pożywienie z żołądka do dwunastnicy przesuwa się z niezwykłym trudem, a kurcze żołądka prowadzą do gwałtownych, tzw. chlustających wymiotów. Wymioty te występują początkowo sporadycznie, a następnie po każdym posiłku. Rozpoznanie potwierdzają badania rentgenowskie i (lub) USG.

Leczenie jest wyłącznie operacyjne i nie należy z nim zbytnio zwlekać, gdyż operowanie dziecka bardzo osłabionego (wyniszczonego wymiotami) stwarza większe ryzyko.

Zianie wpustu, czyli **odpływ żołądkowo-przełykowy** lub **chalazja,** jest to występowanie uporczywego ulewania, związanego z nieprawidłowością wpustu żołądka (układu mięśniowego zamykającego żołądek od strony przełyku).

Podstawowym sposobem leczenia jest właściwe ułożenie dziecka w łóżeczku – skośnie, a nawet prawie pionowo (oczywiście głowa wyżej niż nogi!). Ułożenie takie należy zapewnić przez skośne ułożenie materaca, a nie przez podkładanie pod głowę poduszek!

Nietolerancje pokarmowe. Wymioty u niemowląt mogą być również objawem złej tolerancji mleka lub np. cukru owocowego, czyli fruktozy (tzw. fruktozemia). Białka mleka krowiego lub pokarmu kobiecego stają się alergenem, czyli czynnikiem wywołującym reakcję chorobową przewodu pokarmowego. Wymiotom w alergii na białka mleka często towarzyszą nieprawidłowe biegunkowe stolce. Leczenie polega na zastąpieniu mleka specjalnym rodzajem mieszanek leczniczych (Nutramigen, mleko sojowe i inne).

Zła tolerancja leków. Wymioty związane ze złą tolerancją leków. Lekarz zawiadomiony o tego rodzaju reakcji dziecka zmienia sposób leczenia lub w ogóle „odstawia" źle tolerowany lek.

Bóle brzucha

Ostre bóle brzucha u niemowlęcia, okresowo nasilające się (krzyk, płacz, niepokój), którym mogą towarzyszyć wymioty (zwłaszcza brunatno-zielone!), a nie towarzyszy biegunka, mogą być objawem niedrożności jelit (skrętu jelit lub tzw. wgłobienia). Zob. Chirurgia wieku rozwojowego, s. 1664.

Słabiej nasilone bóle brzucha i wzdęcia są w okresie niemowlęcym częstym objawem niestrawności i podobnie jak wymioty mogą poprzedzać wystąpienie ostrej biegunki.

Zaparcia

Uporczywe zaparcia, aż do objawów niedrożności jelit, u niemowląt w pierwszym kwartale życia mogą być wynikiem wady wrodzonej unerwienia jelita grubego (zob. Choroba Hirschprunga, s. 1663), co wymaga leczenia operacyjnego. Częściej jednak zaparcia u dzieci, zwłaszcza karmionych sztucznie, są spowodowane zbyt tłustym pokarmem (nadmiernie skoncentrowane mleko w proszku). Przyczyną zaparć i niepokoju u niemowląt jest też przedawkowanie witamin (zwłaszcza witaminy D!). Do przedawkowania może dojść łatwo wówczas, gdy dziecko jest karmione mlekiem lub mieszanką witaminizowaną, a oprócz tego otrzymuje witaminy (często w nadmiernej ilości: np. preparat A + D_3 + Vibowit Polfa).

Przy tzw. zaparciach nawykowych należy zmienić sposób żywienia dziecka, wprowadzając jabłko tarte, cukier w miejsce glukozy i wcześniej niż u innych niemowląt wywar z jarzyn bądź zupę jarzynową oraz zmniejszyć dawki witamin. O tego rodzaju postępowaniu może jednak decydować tylko lekarz pediatra.

Choroby przewodu pokarmowego w drugim półroczu życia i w okresie poniemowlęcym (do 3 r. życia)

Stany biegunkowe

Biegunki ostre u „starszych niemowląt" i dzieci w wieku przedszkolnym są głównie wywoływane przez bakterie – pałeczki czerwonki (*Shigella*) oraz różne szczepy salmonelli (*Salmonella*), wykazujące własności chorobotwórcze także u dorosłych. Głównym źródłem zakażeń są „brudne ręce" osoby pielęgnującej, zanieczyszczona woda, brudne świeże jarzyny (sałata, rzodkiewka, surowa marchew), brudne skorupki jaj.

Przy tzw. „masywnym” zakażeniu (duże ilości połkniętych drobnoustrojów) objawy chorobowe mogą być bardzo burzliwe, aż do utraty przytomności i drgawek, a w stolcach z reguły występuje świeża krew, śluz i ropa.

Leczenie jak w ostrych biegunkach zakaźnych (zob. s.1202).

Celiakia, czyli **glutenozależna choroba trzewna.** Przyczyną tej choroby jest zanik śluzówki jelit pod wpływem białek zbóż, tzw. glutenów. Następstwem są tzw. zaburzenia wchłaniania jelitowego prowadzące do zahamowania rozwoju fizycznego dziecka.

Objawem choroby są przewlekłe biegunki. Kał jest półpłynny, obfity, zawiera nie strawione części pożywienia (np. marchew), jest często odbarwiony i lśniący (duża domieszka tłuszczów). W zaawansowanej, wstępnej fazie choroby, zazwyczaj u dzieci kilku- lub kilkunastomiesięcznych, zwraca uwagę duży „rozdęty” brzuch, chude kończyny oraz zmiana usposobienia dziecka – staje się ono niechętne, przestaje się bawić i śmiać, traci apetyt.

Leczenie jest szpitalne. Niezbędne jest wykonanie wielu badań. Po ustaleniu rozpoznania dziecko leczone jest dietą bezglutenową, a często i dodatkowo mieszankami mlekozastępczymi. Dieta bezglutenowa musi być stosowana przez wiele lat, aż do osiągnięcia pełnego rozwoju fizycznego. U dzieci, które były leczone we wstępnym okresie choroby dietą bezglutenową, a następnie leczenie to przerwano, „gdyż już jest dobrze”, może dojść bądź do nawrotu objawów choroby, bądź do zahamowania rozwoju fizycznego, zwłaszcza wzrostu.

Alergia na białka mleka. Wcale nierzadką przyczyną przewlekłych dolegliwości ze strony układu trawienia, a zwłaszcza przewlekłych biegunek jest alergia na mleko, a właściwie na białka mleka: kazeinę, laktoalbuminę, laktobetaglobulinę.

Zła tolerancja mleka występuje zazwyczaj u dzieci z rodzin dotkniętych „skazą alergiczną”. Dzieci te często cierpią w okresie późniejszym na alergie skórne i alergiczną dychawicę oskrzelową. Zła tolerancja mleka ujawnia się zazwyczaj w 2–6 miesiącu życia, a objawy jej u większości dzieci dotkniętych tą nietolerancją ustępują samoistnie w tzw. wieku poniemowlęcym, tj. do 18 miesiąca życia.

Objawy złej tolerancji mleka mogą przebiegać łagodnie – w postaci okresowych wymiotów, wzdęć, okresowych biegunek, mogą być jednak bardzo burzliwe, do złudzenia przypominając stan zatrucia w przebiegu biegunki zakaźnej.

Rozpoznanie ustalane jest zazwyczaj na podstawie obserwacji zachowania się dziecka przy karmieniu mlekiem i po zastosowaniu diety bezmlecznej bądź tzw. mieszanek mlekozastępczych.

Leczenie polega na stosowaniu diety ze „sztucznego mleka” (roztwory soi lub mięsa) lub też tzw. mieszanek mlekozastępczych, w których białka mleka zastąpione są aminokwasami (np. preparat Nutramigen). Ten specjalny sposób żywienia należy stosować tak długo, jak długo utrzymuje się alergia jelitowa na mleko. Próby ponownego wprowadzania mleka do diety dziecka muszą być podejmowane ostrożnie (np. zaczynać od łyżki mleka i codziennie dawkę podwajać).

Biegunki w toku mukowiscydozy są konsekwencją uszkodzenia trzustki w przebiegu tej choroby. Dziecko mimo dobrego łaknienia nie przybywa na wadze z powodu złego trawienia pokarmów.

Leczenie polega na stosowaniu preparatów trzustki (najlepiej w formie granulowanej) oraz diety, w której zastępuje się tłuszcze zwierzęce olejami roślinnymi.

Biegunki związane ze złą tolerancją cukrów. Cukry złożone, także laktoza zawarta w mleku, cukier trzcinowy, czyli sacharoza, oraz maltoza powstająca ze skrobi – z mąki, aby mogły być prawidłowo przyswojone (wchłonięte) muszą być uprzednio strawione w jelicie cienkim przez odpowiednie enzymy. W razie braku tych enzymów (tzw. disacharydaz, do których należy laktaza, sacharaza, maltaza) cukry złożone nie zostają przyswojone. Przedostają się do jelita grubego i tam ulegają pod wpływem bakterii i drożdży fermentacji. Prowadzi to do biegunki (kwaśnej, pienistej) połączonej często z oddawaniem dużych ilości gazów i wzdęć. Wrodzony brak enzymów najczęściej dotyczy sacharazy i maltazy, wtórny – i ten najczęściej występuje – laktazy, co jest następstwem uszkodzenia ściany jelita cienkiego przez gluteny, wirusy, a także przez bakterie lub pasożyty.

Zła tolerancja cukrów nie jest objawem groźnym. Stanowi ona raczej przykrą dolegliwość i nie odbija się w istotny sposób na rozwoju fizycznym dziecka.

Bóle brzucha

Ostre bóle brzucha, zwłaszcza jeśli mają charakter „pulsujący", tj. powtarzają się co kilka lub kilkanaście minut, regularnie i niekiedy kończą się wymiotami, mogą wskazywać na niedrożność jelit (wgłobienie, skręt krezki jelit). Czasem ostre bóle brzucha i gwałtowne wymioty są wstępnym objawem ostrej biegunki.

Kolka brzuszna, tak typowa dla niemowląt w pierwszym kwartale życia, występuje u starszych dzieci znacznie rzadziej.

Wymioty

Wymioty u niemowląt i dzieci starszych nie występują często, gdyż sprawność układu trawiennego jest już zwykle dobra. Mogą jednak zdarzać się u tzw. dzieci neuropatycznych, czyli z nadwrażliwością autonomicznego układu nerwowego, gdy znajdą się one w okolicznościach udzielającego się dziecku napięcia nerwowego (np. dzieci matek znajdujących się w konfliktowej sytuacji życiowej). Wymioty mogą być również objawem złej tolerancji leków przez organizm dziecka, np. niektórych antybiotyków, sulfonamidów, polopiryny i jej pochodnych. W tej sytuacji lekarz zmienia sposób podawania leku (zastosuje go w czopkach albo w zastrzykach) lub w ogóle wycofuje go.

Gwałtowne wymioty bez biegunki nie muszą świadczyć o chorobie przewodu pokarmowego. Jeśli dziecko gorączkuje, wymioty takie mogą być np. sygnałem rozpoczynającego się zapalenia opon mózgowo-rdzeniowych, anginy lub innych chorób.

Zaparcia

Uporczywe zaparcia, zwłaszcza jeśli towarzyszy im zły stan odżywienia dziecka i „duży brzuch", mogą być objawem istnienia wady unerwienia jelita grubego (zob. Choroba Hirschprunga, s. 1663). Niekiedy, zwłaszcza u dzieci karmionych prawie wyłącznie mlekiem i otrzymujących duże dawki witaminy „D", może dojść do tzw. zaparcia nawykowego. Wprowadzenie urozmaiconego sposobu karmienia (jarzyny, owoce) prowadzi zazwyczaj do poprawy.

Zły stan odżywienia

Najczęstszymi przyczynami wyniszczenia organizmu, czyli atrepsji, są przewlekłe, uogólnione zakażenia, często początkiem swym sięgające okresu noworodkowego (zespół przedłużającej się biegunki pozakaźnej) oraz wady wrodzone, zwłaszcza dotyczące nieprawidłowej budowy bądź funkcji przewodu pokarmowego. Nierzadką przyczyną złego stanu odżywienia niemowląt są także przewlekłe zakażenia dróg moczowych.

Leczenie polega na leczeniu choroby wywołującej.

Brak łaknienia

U dzieci między 10 a 36 miesiącem życia częstym objawem, na co skarżą się rodzice, jest „brak apetytu". Zapotrzebowanie energetyczne dziecka rocznego jest mniejsze niż półrocznego niemowlęcia, gdyż zahamowaniu ulega szybki dotychczas rozwój fizyczny. Nieuchwycenie momentu, w którym należy zacząć karmić dziecko rzadziej i mniej obficie, prowadzi do konfliktu.

Leczenie polega na zmniejszeniu liczby posiłków (3 posiłki, bez „dojadek"), podawaniu środków pobudzających łaknienie, a czasami nawet na zmianie osoby karmiącej lub sposobu karmienia.

Niemowlę z nadwagą

Skłonność do „tycia" u niektórych niemowląt „starszych" może być uwarunkowana genetycznie, częściej jednak jest wynikiem dobrego apetytu oraz podawania bogato witaminizowanych i bogatych w węglowodany pokarmów.

Drugie półrocze życia to okres, gdy do posiłków mlecznych zaczyna się dodawać kasze, płatki, biszkopty, herbatniki. Jeżeli i posiłki jarzynowe zawierają dużo węglowodanów (kasza manna), to niemowlę może zostać przekarmione i wykazywać nadwagę. Postępowanie „odchudzające" nie odbiega od zaleceń dla ludzi dorosłych. Należy zwiększyć ilość jarzyn (2, a nie jeden posiłek jarzynowy), wprowadzić większą ilość owoców i ograniczyć dzienną porcję lekkostrawnych i tuczących węglowodanów, np. wprowadzić twaróg z owocami zamiast „zupy mlecznej", ograniczyć kasze, płatki itp. Nie należy karmić między posiłkami. Należy dbać o „gimnastykę" niemowlęcia i ruch, ponieważ „mały grubas" wykazuje często opóźnienie w rozwoju ruchowym. Wykazano również, że nadwaga u niemowląt stanowi pewne obciążenie sprzyjające rozwojowi niektórych chorób w przyszłości!

Choroby przewodu pokarmowego u dzieci w wieku przedszkolnym i wczesnym szkolnym

W okresie życia 3–12 lat dominują choroby wynikające z kontaktu dzieci z innymi dziećmi, a mianowicie zakaźne zapalenie wątroby, choroby pasożytnicze (np. lambioza!) oraz te, których ujawnienie jest związane z trybem życia (np. przepukliny wślizgowe żołądka).

Bóle brzucha

Zapalenie wyrostka robaczkowego. Ostre bóle brzucha u dziecka w wieku przedszkolnym i szkolnym, zwłaszcza połączone z gorączką lub nawet stanem podgorączkowym, powinny zawsze budzić niepokój w związku z możliwością zbyt późnego rozpoznania ostrego zapalenia wyrostka robaczkowego (zob. Chirurgia wieku rozwojowego, s. 1660).

Inwazje pasożytnicze. Do częstych inwazji pasożytniczych należało dawniej zarobaczenie glistą ludzką i tasiemcem. Obecnie pasożyty te spotykane są rzadko, a na plan pierwszy wysunęła się inwazja wiciowcem – lamblią jelitową.

Lamblioza. Nawracające, przewlekłe bóle brzucha, nasilające się po jedzeniu, częste okresowe biegunki, ogólne osłabienie i podżółtaczkowe zabarwienie oczu – to najczęstsze objawy umiejscowienia się lamblii w dwunastnicy i drogach żółciowych dziecka (zob. Choroby zakaźne, s. 988).

Częstość inwazji lamblią wśród dzieci przedszkolnych i szkolnych jest bardzo znaczna i sięga 60% populacji w tym wieku. Badanie w kierunku zarobaczenia tym pasożytem (poszukiwanie cyst lamblii w kale lub żywych pasożytów w treści dwunastniczej) powinno być wykonane w każdym przypadku omówionych na wstępie dolegliwości u dziecka.

Leczenie pod kontrolą lekarza powinno być rozpoczęte możliwie wcześnie i powinno objąć nie tylko chore dziecko, ale i osoby z jego otoczenia, zwłaszcza mające dolegliwości ze strony jamy brzusznej.

Zakażenie yersinią należy do zakażeń bakteryjnych powodujących dość często nawracające bóle brzucha u dzieci. Bakteria ta atakuje przede wszystkim skupiska tkanki chłonnej w końcowym odcinku jelita cienkiego, co wywołuje u dziecka objawy zbliżone do zespołu „przewlekłego zapalenia wyrostka robaczkowego".

Przepuklina wślizgowa żołądka jest to wysunięcie się kawałka żołądka ponad przeponę. Ujawnia się szczególnie często u dzieci, które gwałtownie urosły i zeszczuplały. Objawia się bólami brzucha i uczuciem pełności w żołądku. Rozpoznanie powinno być dokonane na podstawie wykonanego w specjalny sposób badania rentgenowskiego oraz, o ile możliwe, wziernikowania żołądka.

Choroba wrzodowa. U dzieci w wieku szkolnym, w odróżnieniu od późniejszego okresu życia, zmiany chorobowe dotyczą najczęściej nie żołądka, lecz dwunastnicy. Do czynników usposabiających zalicza się: „zmartwienie dziecka" (rozwód bądź kłótnie rodziców, kłopoty w szkole itp.), nieregularne odżywianie (niejedzenie drugiego śniadania lub obiadu w szkole), a czasem nadkwasotę żołądka.

Zapalenie błony śluzowej żołądka i dwunastnicy. Wywołuje je najczęściej bakteria *Helicobacter pylori.* Objawy są zbliżone do objawów choroby wrzodowej. Choroba ta występuje w Polsce często. Leczenie polega na stosowaniu amoxycylliny i preparatów bizmutu.

Psychogenne bóle brzucha polegają na symulacji dolegliwości bólowych, aby czegoś uniknąć (np. pójścia do szkoły czy tylko klasówki), bądź też aby skupić na sobie uwagę rodziców, gdy np. na świat przychodzi następne dziecko w rodzinie – jest to objaw zazdrości o uczucia opiekunów. Wprowadzanie przez medycynę coraz lepszych metod rozpoznawczych pozwala stwierdzać przyczyny i w znacznej części tego rodzaju dolegliwości – usuwać je.

Żółtaczka

Z chorób zakaźnych, częstych u dzieci w omawianym okresie życia, na szczególną uwagę zasługuje żółtaczka zakaźna. Nagła utrata łaknienia, nudności, wymioty, bóle brzucha, stan podgorączkowy, są częstymi objawami zwiastunowymi tej choroby. Zaobserwowanie ciemnego zabarwienia moczu (w kolorze ciemnego piwa), odbarwienia stolca, podżółtaczkowego zabarwienia oczu, a następnie żółtaczki wyjaśnia zwykle sprawę. Zob. Choroby zakaźne, Wirusowe zapalenie wątroby, s. 979.

Wymioty

Wymioty „acetonemiczne" jest to zespół choroby określony również mianem „napadowej acetonemii z wymiotami". Polega na okresowym, co kilka tygodni bądź miesięcy, występowaniu niepohamowanego napadu wymiotów, trwającego zwykle kilka dni. Przyczyną jest wada przemiany materii polegająca na niemożności szybkiego uwolnienia glukozy z „magazynu", jaki stanowią zasoby glikogenu w wątrobie. W tej sytuacji tłuszcze spalane są nieprawidłowo, co prowadzi m.in. do powstawania dużych ilości acetonu.

Momentami usposabiającymi i wyzwalającymi napad wymiotów jest spożycie posiłku obfitego w tłuszcze z małą ilością węglowodanów oraz stan napięcia nerwowego. Zapobiegawczo stosuje się dietę bogatą w węglowodany (dodatek glukozy bądź fruktozy – miód) oraz środki uspokajające.

Zakażenie żołądka i dwunastnicy rotawirusami zdarza się w Polsce niezwykle często („grypa brzuszna"). U dzieci starszych z reguły we wstępnym okresie choroby występują gwałtowne wymioty, a następnie biegunka.

Krwawe nawracające biegunki

W wieku szkolnym najczęstszą przyczyną ostrej biegunki, z parciem i obecnością krwi w stolcu jest czerwonka bakteryjna. Jeśli jednak biegunki tego typu są nawracające, mogą być spowodowane tzw. wrzodziejącym zapaleniem jelit. W każdym przypadku stwierdzenia krwi w kale, świeżej lub zmienionej (stolce smoliste), należy jak najszybciej zasięgnąć porady lekarza.

Choroby przewodu pokarmowego w wieku dojrzewania (13–21 lat)

W tym okresie życia występują już u młodzieży choroby przewodu pokarmowego typowe dla ludzi dorosłych.

Choroba wrzodowa. Istotna przyczyna przewlekłych wrzodów żołądka (choroby wrzodowej żołądka) nie jest w pełni znana. Znane są natomiast czynniki usposabiające, do których należą: 1) nadkwasota, 2) sytuacje konfliktowe – stresowe, 3) nieprawidłowe żywienie – zbyt długie przerwy między posiłkami, 4) palenie tytoniu i picie alkoholu.

Objawy wrzodu żołądka i owrzodzenia dwunastnicy są podobne, z tym że dla choroby wrzodowej dwunastnicy charakterystyczne są tzw. bóle głodowe – w nocy (tzw. „bóle budzące") oraz w 2–3 godz. po jedzeniu. W chorobie wrzodowej żołądka, częściej niż przy wrzodach dwunastnicy, wstępnym objawem może być nasilone nieraz krwawienie do przewodu pokarmowego.

U chorych, którzy we wcześniejszym okresie życia cierpieli na owrzodzenie dwunastnicy, dochodzić już może do powikłań, np. do zwężenia opuszki dwunastnicy utrudniającego przechodzenie stałych części pokarmu z żołądka do dwunastnicy. Stan ten, jak i silny krwotok, stanowią wskazanie do leczenia operacyjnego.

Leczenie choroby wrzodowej polega na stosowaniu środków osłaniających i przyspieszających gojenie niszy wrzodowej w ostrej fazie choroby (Ranitydyna, Tagamet, De Nol), leków zobojętniających (alkalizujących) kwas solny (np. Żel aluminium), leków uspokajających oraz na leczeniu dietetycznym. To ostatnie polega głównie na unikaniu produktów zwiększających wydzielanie soku żołądkowego (np. ostre przyprawy, tzw. „zakąski" itp.), produktów wzdymających (groch, fasola) i ciężko strawnych oraz na częstych posiłkach („wcześnie śniadanie, późno kolacja"), tak aby sok żołądkowy był stale wymieszany z papką pokarmową. Zob. też Choroby wewnętrzne, Choroba wrzodowa żołądka i dwunastnicy, s. 733.

Wrzodziejące zapalenie jelit. Przyczyną tej choroby, jak się obecnie przyjmuje, są „nadmierne" reakcje obronne ze strony śluzówki. Groźna i ciężka ta choroba objawia się m.in. przewlekłymi, krwawymi biegunkami. Rozpoznanie wymaga wykonania wziernikowania odbytnicy (rektoskopia). Leczenie zachowawcze jest długotrwałe i musi być prowadzone przez lekarzy specjalistów – gastroenterologów.

Jadłowstręt psychiczny lub **anoreksja nerwowa**. Jest to całkowity brak łaknienia prowadzący niekiedy do krańcowego wyniszczenia. Choroba występuje zwłaszcza u dziewcząt, w okresie dojrzewania. Typowymi okolicznościami towarzyszącymi są: chęć gwałtownego schudnięcia (branie tabletek „na odchudzenie"), sytuacje konfliktowe w rodzinie (np. rozwód lub kłótnie rodziców) albo w szkole (konflikt z nauczycielem) bądź też „zawiedzione uczucia osobiste".

Leczenie tego zespołu wymaga współdziałania opiekunów, lekarza psychiatry i gastrologa dziecięcego. Pożądane jest leczenie szpitalne. Zob. też Zaburzenia psychosomatyczne, s. 1358 oraz Endokrynologia, s. 789.

Rozpoznawanie chorób przewodu pokarmowego u dzieci

Badanie kału

Ocena mikrobiologiczna kału polega na poszukiwaniu bakterii chorobotwórczych, wirusów, pasożytów i ich jaj. W przypadku obecności bakterii chorobotwórczych w kale, często wykonywane jest także oznaczenie ich wrażliwości na leki, tzw. antybiogram.

Badanie kału chemiczne pozwala wykryć obecność barwników krwi (tzw. „krew utajoną") oraz nadmierne wydalanie różnych substancji, np. tłuszczów, cukrów, kwasu mlekowego i in.

Ocena mikroskopowa. Wykrycie znaczniejszych ilości tłuszczów, kulek skrobi i włókien mięsnych może świadczyć o niesprawnym trawieniu i wchłanianiu pokarmów.

Istotną informacją jest także ocena kwasoty kału.

Badanie krwi

Wynik morfologicznego badania krwi pozwala wykryć niedokrwistość, zwiększoną liczbę białych ciałek oraz granulocytów kwasochłonnych. Pomocne są także badania oceniające stężenie białek, cukru i cholesterolu we krwi. W ocenie chorób wątroby niezbędne są dane dotyczące stężenia barwników żółciowych we krwi (bilirubiny) oraz aktywności enzymów wytwarzanych przez komórki wątrobowe (aktywności transaminaz).

Próby czynnościowe

Próby oceniające sprawność trawienia i wchłaniania. Zasada ich polega na podaniu doustnym składników, których następnie „poszukuje" się we krwi. Umożliwia to ocenę sprawności ich trawienia (w tym przypadku oznacza się substancje z nich powstające) bądź wchłaniania. Najczęściej stosowaną próbą tego typu jest tzw. t e s t z d - k s y l o z ą, cukrem prawie nie wykorzystywanym przez tkanki organizmu.

Test wodorowy jest to ocena czynnościowa trawienia węglowodanów. Po posiłku zawierającym laktozę (cukier mlekowy) analizuje się wydzielanie wodoru z powietrzem wydychanym.

Zgłębnikowanie żołądka. Badanie to wykonuje się zarówno w celach rozpoznawczych (zob. niżej test Kaya), jak i leczniczych (płukanie żołądka w zatruciach, odsysanie zalegającej treści w żołądku w przypadkach niedrożności jelit, żywienie dożołądkowe wcześniaków i dzieci z zaburzeniami połykania). Badanie w celach rozpoznawczych wykonuje się na czczo, najczęściej na leżąco na lewym boku. Badanie to polega na wprowadzeniu gumowego zgłębnika dożołądkowego lub cewnika polietylenowego przez usta lub nos na głębokość zależną od wieku dziecka (odległość między nasadą nosa, a wyrostkiem mieczykowatym mostka + 10 cm). U małych dzieci cewnik może być wzmocniony nakładką zapobiegającą przed jego przegryzieniem. Badanie to wykonuje się zazwyczaj bez znieczulenia. Małym dzieciom przed zabiegiem podawane mogą być leki uspokajające i przeciwwymiotne.

Test Kaya. Zgłębnikowanie żołądka (zob. wyżej) pozwalające na ocenę wydzielania soku żołądkowego. Badanie przeprowadza się na czczo (k w a s o - t a s p o c z y n k o w a – BAO) oraz po maksymalnym pobudzeniu sekrecji pentagastryną (k w a s o t a m a k s y m a l n a – MAO).

Badanie treści dwunastniczej. S o n d a d w u n a s t n i c z a polega na wprowadzeniu cewnika przez usta lub nozdrza do żołądka, a następnie na ułożeniu badanego na prawym boku. Cewnik po pewnym czasie przedostaje się do dwunastnicy (treść wypływająca wykazuje zmianę kwasoty na zasadową). Niekiedy pomocne w badaniu jest kontrolowanie położenia cewnika na ekranie rentgenowskim.

Badanie treści dwunastnicy ma na celu: 1) ocenę czynności trzustki (w treści dwunastniczej oznaczyć można aktywność enzymów trzustkowych – amylazy, lipazy, trypsyny oraz ilość wydalanych przez trzustkę węglanów), 2) stwierdzenie ewentualnych zmian zapalnych w drogach żółciowych (obecność ropy i bakterii), 3) poszukiwanie żywych pasożytów (trofozoitów) lamblii.

Test pankreatozymino-sekretynowy polega na ocenie wydzielania trzustki (za pomocą sondy dwunastniczej) na czczo (w spoczynku) i po maksymalnym pobudzeniu wydzieliny, co uzyskuje się przez wstrzyknięcie badanemu sekretyny bądź pankreatozyminy.

Ocena rentgenowska przewodu pokarmowego

Tzw. „puste zdjęcia" jamy brzusznej. Rentgenogram wykonuje się w pozycji pionowej. Rolę kontrastu spełnia powietrze znajdujące się zawsze w pewnej ilości w przewodzie pokarmowym. Rozmieszczenie gazów i płynnej treści pokarmowej dostarcza istotnych informacji, zwłaszcza przy ocenie niedrożności jelit.

Badanie kontrastowe przewodu pokarmowego polega na wykonaniu kolejno serii zdjęć rentgenowskich po podaniu doustnym środka cieniującego, tzw. kontrastu. Zdjęcia te pozwalają ocenić stan śluzówki przewodu pokarmowego i zmiany w jego narządach.

Parietografia. Jest to badanie rentgenowskie jamy brzusznej po podaniu powietrza do jamy otrzewnej. Uwidacznia grubość ścian przewodu pokarmowego, zwłaszcza żołądka.

Duodenografia. Badanie rentgenowskie po podaniu środka rozkurczającego i powietrza do żołądka, pozwalające ocenić, czy zwężenie dwunastnicy spowodowane jest skurczem czy też zmianami chorobowymi.

Pasaż celowany jelita końcowego. Badanie to polega na podaniu badanemu doustnie kontrastu, odczekaniu, aż dotrze on w okolice wyrostka robaczkowego (ok. 2 godz.), a następnie uciśnięciu kulą gumową (tzw. pelotą) jelit tak, aby je spłaszczyć, co umożliwia ocenę śluzówki końcowych odcinków jelita cienkiego. Badanie to jest wykonywane u dzieci wykazujących objawy bólowe sugerujące „przewlekłe lub nawracające zapalenie wyrostka robaczkowego". Przyczyną przewlekających się zmian chorobowych w końcowym odcinku jelita cienkiego jest zwykle zakażenie bakteriami z grupy *Yersinia* (zob. s. 1208).

Wlew insuflacyjny. Zdjęcie rentgenowskie jelita grubego po wykonaniu wlewu doodbytniczego kontrastu, „rozpylonego" następnie na ścianie jelita grubego za pomocą wdmuchniętego powietrza. Badanie to wykonuje się u dzieci z podejrzeniem choroby Hirschprunga (olbrzymiego jelita grubego), a także u dzieci, u których należy ustalić źródło krwawienia świeżą krwią (polipy, owrzodzenia śluzówki i in.).

USG. Badanie to szczególnie skuteczne jest w ocenie chorób wątroby i dróg żółciowych, trzustki (torbiele) oraz u chorych z przerostowym zwężeniem odźwiernika.

Zabiegi kliniczne stosowane w rozpoznawaniu chorób przewodu pokarmowego

Wziernikowanie przełyku, żołądka i dwunastnicy – gastroduodenofiberoskopia. Zabieg polegający na wprowadzeniu przez usta giętkiego przewodu z włókien szklanych, z przyrządem optycznym – f i b e r o s k o p e m. Umożliwia obejrzenie przełyku, żołądka i dwunastnicy. Stosowany jest przy podejrzeniu choroby wrzodowej, krwawienia z przewodu pokarmowego i in.

Wziernikowanie odbytu i odbytnicy – rektoskopia. Zabieg ten, polegający na wprowadzeniu specjalnego przyrządu – rektoskopu (sztywnej metalowej rury zakończonej przyrządem optycznym) przez odbyt, umożliwia obejrzenie odbytu i odbytnicy. Stosowany jest przy podejrzeniu owrzodzeń, polipów, żylaków i innych zmian.

Kolonoskopia. Zabieg umożliwiający ocenę końcowego odcinka jelita cienkiego i całego jelita grubego.

Manometria. Manometria przełyku, ocena napięcia mięśni przełyku przy użyciu specjalnego przyrządu, stosowana w rzadkich wadach unerwienia przełyku (np. achalazji, przełyku olbrzymim). Manometria jelita grubego umożliwia ocenę wad unerwienia odbytnicy (np. w chorobie Hirschprunga, zob. Chirurgia wieku rozwojowego, s. 1663).

Pehametria przełyku. Ocena zmian kwasoty treści przełyku, pomaga w rozpoznawaniu zespołów zarzucania treści żołądkowej do przełyku (zianie wpustu, przepuklina wślizgowa i in.).

Biopsja jelit jest to pobranie do badania skrawka śluzówki dwunastnicy za pomocą sondy wprowadzonej przez usta. Zabieg jest wykonywany w przypadku podejrzenia choroby trzewnej (celiakii) i zaburzeń wchłaniania jelitowego. Zabieg ten jest niebolesny i bezpieczny.

Biopsja jelita grubego, zabieg polegający na pobraniu skrawka śluzówki jelita grubego. Jest wykonywany przy podejrzeniu choroby Hirschprunga (olbrzymiego jelita grubego).

Biopsja wątroby. Pobranie za pomocą specjalnej igły strzępka wątroby do badania. Zabieg jest stosowany przy przewlekłych chorobach wątroby.

Badania izotopowe (zob. Diagnostyka wizualizacyjna, Medycyna nuklearna, s. 602) stosowane bywają w celu wykrycia ogniska chorobowego (scyntygrafia) w narządach wewnętrznych, np. w wątrobie lub trzustce. Radioizotopy są używane także do poszukiwania tzw. ektopicznej śluzówki (uchyłek Meckela).

Leczenie chorób przewodu pokarmowego

Leczenie chorób przewodu pokarmowego bywa zachowawcze, przy użyciu środków farmakologicznych i zastosowaniu odpowiedniej diety, oraz chirurgiczne.

Leczenie chirurgiczne prowadzone jest w przypadkach koniecznych, m.in. w niedrożności przewodu pokarmowego, zapaleniu ropnym wyrostka robaczkowego, przerostowym zwężeniu odźwiernika, olbrzymim jelicie grubym (choroba Hirschprunga), olbrzymim przełyku, przy korekcji szeregu wad wrodzonych.

Leczenie dietetyczne. Współczesne leczenie dietetyczne chorób przewodu pokarmowego opiera się nie tylko na podawaniu łatwo przyswajalnych składników, lecz także na zastępowaniu składników szkodliwych innymi, o równorzędnej wartości energetycznej i budulcowej, czyli na stosowaniu tzw. diety eliminacyjnej.

Dieta bezglutenowa polega na wyłączaniu z pożywienia produktów zawierających gluteny, tzn. białek roślinnych zawartych w otoczce zbóż (pszenicy, żyta, jęczmienia) i zastąpieniu ich produktami otrzymanymi z kukurydzy i ryżu.

Dieta bezlaktozowa jest to pożywienie pozbawione cukru mlekowego – laktozy, którą zastępuje się innymi cukrami, a mianowicie glukozą lub fruktozą.

Diety bezresztkowe są to preparaty odżywcze (np. Terapin Polfa) zawierające aminokwasy, fruktozę, tzw. średniołańcuchowe kwasy tłuszczowe, czyli składniki, które nie wymagają trawienia i tzw. czynnego transportu przez ścianę jelit, gdyż same przez nią przenikają. Nie dochodzi więc do tworzenia się kału.

Diety bezresztkowe są stosowane w stanach pooperacyjnych i w żywieniu bardzo ciężko chorych dzieci w zamian żywienia dożylnego lub jako etap przejściowy po nim.

Dieta w uczuleniu na białka mleka polega na stosowaniu preparatów mlekozastępczych u dzieci nie znoszących mleka. Podawane jest tzw. „mleko sojowe" lub preparaty mleka, w których białka mleka krowiego zastąpiono ich hydrolizatem.

Żywienie pozajelitowe jest to podawanie produktów niezbędnych do życia dożylnie. Stosowane jest w stanach pooperacyjnych i w żywieniu najciężej chorych dzieci, a także w leczeniu ostrego zapalenia trzustki. Podstawowymi składnikami odżywczymi są tłuszcze roślinne specjalnie spreparowane, aminokwasy i fruktoza bądź glukoza. Inne składniki (witaminy, sole mineralne) uzupełniane są według potrzeb.

Wyrównywanie zaburzeń gospodarki wodno-elektrolitowej i kwasicy. Choroby przewodu pokarmowego (wymioty, biegunka) często prowadzą, zwłaszcza u noworodków i niemowląt, do stanów odwodnienia, kwasicy i niedoborów soli mineralnych (tzw. elektrolitów, np. związków sodu, potasu). Niedobory te wyrównywane są skutecznie w warunkach szpitalnych metodą nawadniania dożylnego metodą kroplową lub w warunkach domowych za pomocą płynu do nawadniania doustnego. Obie metody zostały opisane na s. 1203.

VIII. CHOROBY UKŁADU ODDECHOWEGO U DZIECI

Choroby układu oddechowego u dzieci, zwłaszcza w pierwszych latach życia, stanowią ok. 70% wszystkich zgłoszonych zachorowań. Ok. 40% dzieci leczonych w szpitalach w pierwszych 2 latach życia to dzieci z zapaleniem płuc.

W wielu przypadkach przewlekające się i nawracające zakażenia układu oddechowego u dzieci mogą prowadzić do trwałych, nieodwracalnych zmian w oskrzelach i płucach i są powodem mniejszej wydolności w wieku dojrzałym.

Coraz powszechniejsza jest opinia, że przewlekła obturacyjna choroba płuc, spowodowana zwężeniem światła oskrzeli i rozedmą – powód inwalidztwa wielu dorosłych, bierze swój początek w chorobach układu oddechowego przebytych we wczesnym dzieciństwie.

Prawidłowe sposoby zapobiegania i wczesnego leczenia chorób układu oddechowego mogą w wielu przypadkach uchronić dziecko przed skutkami powtarzających się zakażeń układu oddechowego.

Rozwój układu oddechowego

Różnicowanie się układu oddechowego rozpoczyna się ok. 4 tygodnia życia płodowego. Każdy czynnik powodujący zaburzenia w rozwoju poszczególnych elementów układu oddechowego może prowadzić do powstawania wad. Niedorozwój i wady układu oddechowego sprzyjają nawracającym i przewlekłym chorobom płuc i oskrzeli.

Układ oddechowy niemowlęcia i małego dziecka nie jest miniaturą układu oddechowego człowieka dorosłego. Płuco noworodka nie ma prawie zupełnie pęcherzyków płucnych, a wymiana gazowa zachodzi w oskrzelikach oddechowych i końcowych przestrzeniach powietrznych, z których dopiero w ciągu kilku lat powstają prawidłowe grona płucne (rys.). Liczba i wielkość

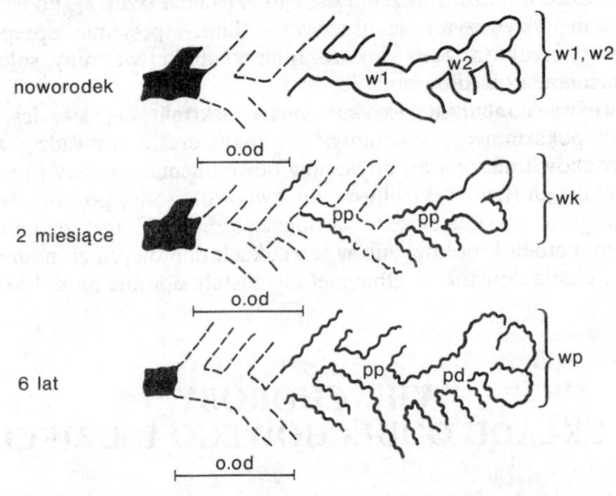

Rozwój pęcherzyków płucnych (wg L. Reid): o. od – oskrzeliki oddechowe, w1, w2 – woreczki, wk – woreczek końcowy, pp – przewody pęcherzykowe, pd – przedsionek, wp – woreczki pęcherzykowe

pęcherzyków płucnych zwiększa się bardzo szybko w ciągu pierwszych 2 lat życia, później tworzenie nowych jednostek płucnych stopniowo słabnie i dopiero w okresie dojrzewania płciowego następuje ponowny szybki wzrost płuc (liczba pierwotnych przestrzeni powietrznych u noworodka wynosi ok.

20 mln, liczba pęcherzyków płucnych w 8 r. życia ok. 300 mln). Obecnie uważa się, że tkanka płucna jest zdolna do regeneracji przez cały okres wzrastania dziecka, a więc przez 12–14 lat. Ponieważ różnicowaniu ulegają także inne elementy tkankowe, w płucach dzieci stwierdza się zasadnicze różnice zależne od wieku. I tak np. w tkance śródmiąższowej (zwanej też podporową lub zrębową) niemowlęcia brak jest włókien elastycznych i mięśniowych. Dopiero w wieku szkolnym wzmacnia się aparat sprężysty płuca. Różna jest również liczba gruczołów śluzowych, elementów chrzęstnych i limfatycznych.

Odrębności anatomiczne i fizjologiczne

Drogi oddechowe małego dziecka (krtań, tchawica, oskrzela) są krótkie, krtań leży bliżej jamy nosowo-gardłowej. Sprzyja to szerzeniu się procesów zapalnych, które mogą łatwo przechodzić z jamy nosowej i gardła na krtań i tchawicę oraz oskrzela i płuca. Proces zapalny łatwo przechodzi też na ucho środkowe, ponieważ u niemowląt krótka i szeroka trąbka słuchowa leży prawie poziomo. Wąskość dróg oddechowych sprzyja występowaniu objawów utrudnionego oddychania, gdyż nawet niewielki stan zapalny błony śluzowej dróg oddechowych może powodować znaczne zwężenie lub nawet całkowite zamknięcie światła tchawicy czy oskrzeli.

Odruch kaszlowy u niemowląt jest stosunkowo słaby, a siła wykrztuśna kaszlu niewielka i nawet nieznaczna ilość wydzieliny w drogach oddechowych może całkowicie zaczopować oskrzela, co spowoduje dostrzegalne objawy chorobowe.

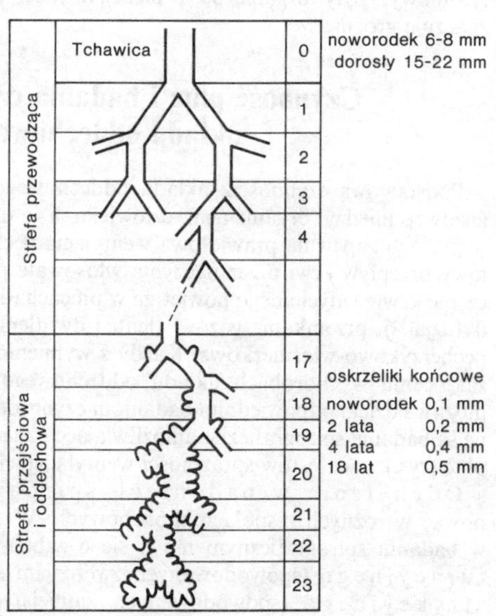

Schemat podziału oskrzeli i oskrzelików na poszczególne generacje

Szkielet chrzęstny krtani, tchawicy i oskrzeli jest wiotki i bardzo podatny na ucisk z zewnątrz. Nawet niewielkie zmiany ciśnienia w klatce piersiowej, np. kaszel, mogą prowadzić do zaburzeń upowietrznienia płuc w postaci ostrego rozdęcia lub niedodmy.

Błona śluzowa dróg oddechowych małego dziecka ma niedostatecznie wykształcony aparat rzęskowy,

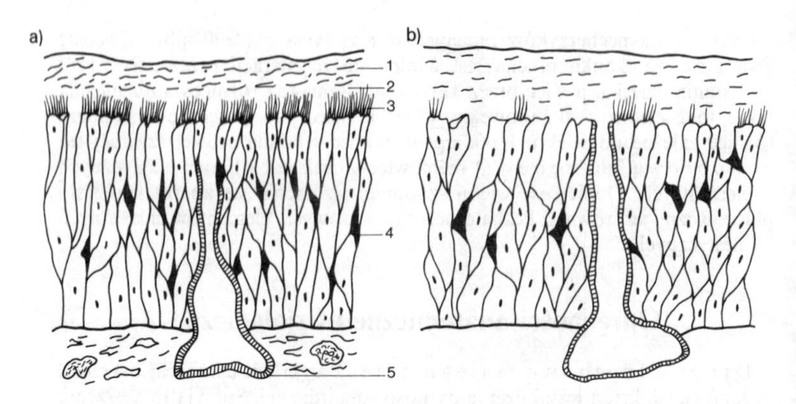

Nabłonek rzęskowy przed zakażeniem wirusowym (a) i po zakażeniu (b): 1 – warstwa śluzowa, 2 – warstwa surowicza, 3 – rzęski, 4 – komórki kubkowe, 5 – gruczoł śluzowy

który transportuje śluz w tych drogach. Przesuwanie się ochronnej warstwy śluzu w drogach oddechowych małego dziecka jest znacznie wolniejsze niż u ludzi dorosłych, dlatego wszelkie czynniki szkodliwe przedostające się do dróg oddechowych dziecka, takie jak zanieczyszczenia atmosferyczne, dym tytoniowy, pyły organiczne i nieorganiczne, różne alergeny, wirusy, są znacznie groźniejsze.

Czynność płuc i badania czynnościowe układu oddechowego

Podstawową czynnością układu oddechowego jest zapewnienie wymiany gazowej między organizmem człowieka a otoczeniem. Wymianę gazową w płucach zapewnia prawidłowa wentylacja pęcherzyków płucnych, prawidłowy przepływ krwi przez naczynia włosowate płuc, równomierne rozmieszczenie krwi i wdychanego powietrza w płucach (dystrybucja) oraz prawidłowa dyfuzja, tj. przenikanie gazów: tlenu i dwutlenku węgla poprzez przegrodę pęcherzykowo-włośniczkową. Każdy z wymienionych procesów może ulegać zakłóceniu w chorobach układu oddechowego. Ocena tych zaburzeń jest możliwa dzięki odpowiednim badaniom czynnościowym. Szczególnie przydatne są badania spirograficzne umożliwiające oznaczenie objętości i pojemności płuc (rys.) oraz testów sprawności wentylacyjnej płuc.

O d c h y l e n i a w b a d a n i a c h s p i r o g r a f i c z n y c h mogą występować w różnych zespołach chorobowych. W zależności od rodzaju zmian w badaniu spirograficznym mówi się o zaburzeniach wentylacji typu o b t u r a c y j n e g o (spowodowanych zwężeniem światła oskrzelowego) i r e s t r y k c y j n e g o (spowodowanych zmniejszeniem pojemności życiowej płuc). Przyczyną o b t u r a c y j n e g o u p o ś l e d z e n i a sprawności wen-

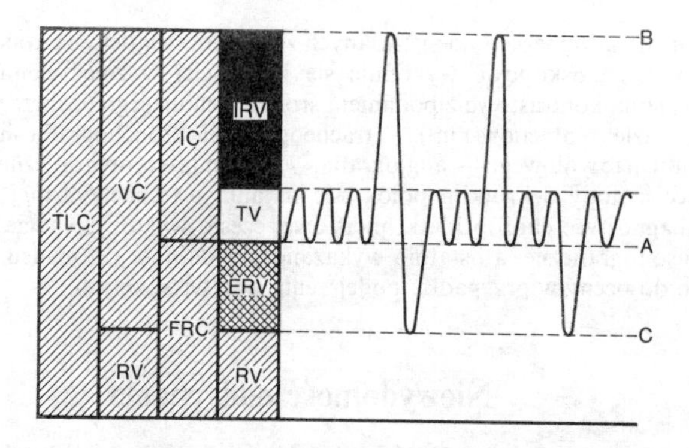

Objętość i pojemność płuc (wg Comroego): A – spoczynkowe ustawienie wydechowe, B – maksymalne ustawienie wdechowe, C – maksymalne ustawienie wydechowe, TV – objętość oddechowa, IRV – objętość zapasowa wdechowa, ERV – objętość zapasowa wydechowa, RV – objętość zalegająca, IC – pojemność wdechowa, FRC – czynnościowa pojemność zalegająca, VC – pojemność życiowa, TLC – całkowita pojemność płuc

tylacyjnej płuc jest najczęściej rozlane zwężenie oskrzeli, np. stan zapalny błony śluzowej oskrzeli, jej obrzęk, nacieczenie zapalne i nagromadzenie wydzieliny w świetle oskrzeli, wreszcie skurcz mięśni gładkich oskrzeli. Zaburzenia restrykcyjne występują w przypadkach ograniczenia rozszerzalności oddechowej płuc lub zmniejszenia ilości tkanki płucnej, np. w zapaleniu płuc, po operacyjnym usunięciu tkanki płucnej, w wysiękowym zapaleniu opłucnej itp.

Badaniem niezwykle przydatnym w ocenie wydolności układu oddechowego jest badanie gazometryczne, pozwalające na oznaczenie ciśnienia parcjalnego tlenu (P_{O_2}) i dwutlenku węgla (P_{CO_2}) we krwi tętniczej:

norma P_{O_2} = 80 mm Hg (10,66 kPa), P_{CO_2} = 40 mm Hg (5,32 kPa).

Badania diagnostyczne w chorobach układu oddechowego

We wszystkich nawracających i przewlekłych chorobach układu oddechowego skuteczne leczenie można zastosować tylko po dokładnym ustaleniu rozpoznania. Stosuje się w tym celu wiele badań, m.in.: 1) badania mikrobiologiczne, 2) badania serologiczne, 3) badania immunologiczne, 4) badania radiologiczne: zdjęcia przeglądowe klatki piersiowej w pozycji przednio-tylnej i bocznej, zdjęcia warstwowe (tomograficzne) przy zastosowaniu tomografii konwencjonalnej lub komputerowej, 5) badania endoskopowe: bronchoskopia, czyli oglądanie drzewa oskrzelowego od wewnątrz za pomocą bronchoskopu (sztywna rura z odpowiednim oświetleniem) lub bronchofiberoskopu (elastyczne urządzenie z włókien szklanych z zimnym światłem na końcu); u dzieci badania endoskopowe wykonuje się najczęściej w znieczuleniu ogólnym, 6) badania kontrastowe z podaniem środka cieniującego (dobrze widocznego w obrazie rentgenowskim) – tracheografia i bronchografia lub badania układu naczyniowego – angiografia, 7) badania scyntygraficzne wykorzystujące izotopy o krótkim półokresie trwania – technet 99 m i ind 133 m. W diagnostyce chorób klatki piersiowej często wykorzystywane są badania ultrasonograficzne, a ostatnio wykazano przydatność rezonansu magnetycznego do oceny w przypadku podejrzenia wad wrodzonych.

Niewydolność oddychania

Przyczyną niewydolności oddychania może być każda choroba płuc lub oskrzeli, zakłócająca prawidłową wymianę gazową w płucach. U dzieci występuje najczęściej ostra niewydolność oddychania, rzadko niewydolność przewlekła. Do ostrej niewydolności oddychania prowadzą zapalenia płuc i zapalenia oskrzeli zwężające ich światło. Może ona wystąpić również w czasie napadu astmy oskrzelowej.

Niewydolność oddechową rozpoznaje się, gdy obniża się wyraźnie ciśnienie parcjalne tlenu we krwi tętniczej poniżej 60 mm Hg (hipoksemia) oraz wzrasta ciśnienie parcjalne dwutlenku węgla powyżej 50 mm Hg (hiperkapnia). Niewydolności oddechowej z reguły towarzyszy kwasica, wyrażająca się obniżeniem stężenia we krwi jonów wodorowych pH (norma ok. 7,4).

Zaburzenia oddechowe wcześniaków

Wcześniaki mają znacznie gorsze warunki wymiany gazowej w płucach niż noworodki donoszone. Zaburzenia oddychania występują tym łatwiej, im mniejsza jest masa urodzeniowa. U większości wcześniaków tzw. okresowy rytm oddychania zależy od niecałkowitej dojrzałości układu nerwowego. Rytm taki może utrzymywać się kilka tygodni po urodzeniu. Jednak długotrwałe bezdechy nawet u wcześniaka nasuwają podejrzenie zmian w układzie oddechowym lub ośrodkowym układzie nerwowym.

Zespół samoistnych zaburzeń oddechowych noworodków, czyli **zespół błon szklistych (hialinowych),** występuje najczęściej u wcześniaków urodzonych z masą ciała poniżej 1500 g. Trudności w oddychaniu ujawniają się w pierwszych godzinach życia. Narasta duszność, sinica, pojawiają się długie okresy bezdechów. Za przyczynę choroby uważa się brak w płucach tych dzieci substancji powierzchniowo czynnej (surfaktantu), nazywanej również substancją przeciwniedodmową, zapewniającej pęcherzykom płucnym stałe napięcie powierzchniowe i przeciwdziałającej wystąpieniu niedodmy.

W zespole błon szklistych nie dochodzi do rozprężenia płuca noworodka. Badanie radiologiczne wykazuje pełny brak powietrzności. Rokowanie jest złe. Dotychczas nie ma w pełni skutecznego, przyczynowego leczenia zespołu samoistnych zaburzeń oddychania. Zanotowano jednak znaczną poprawę wyników leczenia dzięki prawidłowej opiece nad kobietą ciężarną i odpowiednim przygotowaniem płodu do podjęcia prawidłowej akcji oddechowej. Kortykosterydy podawane 2–3 doby przed spodziewanym porodem lub stosowany dożylnie ambroksol – leki przyspieszające wytwarzanie surfaktantu – zmniejszają ryzyko wystąpienia zespołu samoistnych zaburzeń oddechowych u noworodka. Podany do dróg oddechowych noworodka bezpośrednio po urodzeniu surfaktant zwierzęcy (Alveofact) lub syntetyczny (Exosurf) „zastępuje" na pewien czas brakujący surfaktant naturalny i umożliwia rozprężenie płuc.

Następstwem leczenia zespołu zaburzeń oddechowych noworodków może być dysplazja oskrzelowo-płucna. Jest to zespół jatrogenny występujący u wcześniaków leczonych za pomocą sztucznej wentylacji dłużej niż 24 godziny. Charakteryzuje się utrzymywaniem tlenozależności ponad 4 tygodnie, dusznością, słabym łaknieniem dziecka, brakiem przybytku masy ciała, typowymi zmianami w obrazie rentgenowskim klatki piersiowej i zmianami osłuchowymi płuc. Objawy mogą utrzymywać się od 3 miesięcy do 3 lat, najcięższe prowadzą do zgonu. Istnieje podobieństwo z zespołem Mikity–Wilsona.

Zespół Mikity–Wilsona jest to choroba spotykana u wcześniaków urodzonych przed 30 tygodniem ciąży. Przyczyna choroby nie jest wyjaśniona, najbardziej uzasadniona wydaje się teoria o niedojrzałości płuca. Objawy w postaci narastającej duszności, sinicy i okresowych bezdechów pojawiają się w kilka dni po urodzeniu i nasilają się stopniowo. Wyraźnie zmniejszają się przy oddychaniu tlenem. Objawy mogą się cofać samoistnie w miarę dojrzewania układu oddechowego w ciągu 3–6 miesięcy, w większości jednak przypadków nasilają się i prowadzą do zgonu dziecka.

Niedodma płuc jest to brak powietrzności płuca lub odcinka płuca, będący najczęściej spotykanym odchyleniem od normy w okresie noworodkowym. Każde zaburzenie oddychania u noworodka może prowadzić do niedodmy.

Odma opłucnej występuje u ok. 1–2% noworodków, częściej u wcześniaków. Powstaje wówczas, gdy pierwszy wdech powoduje pęknięcie niektórych przestrzeni powietrznych i przedostanie się powietrza do jamy opłucnej i śródpiersia. Często jest bardzo niewielka, nie daje uchwytnych objawów chorobowych i ulega samoistnie wchłonięciu.

Zespół aspiracji powstaje, gdy do dróg oddechowych noworodka dostaje się duża ilość wód płodowych. Przy niezbyt obfitej aspiracji noworodek może przeżyć, ale w wyniku zachłyśnięcia się zakażonymi wodami płodowymi lub smółką rozwija się zachłystowe zapalenie płuc.

Ostre zakażenia górnych dróg oddechowych

Ostre zakażenia górnych dróg oddechowych są najczęstszymi chorobami układu oddechowego u dzieci. Należą tu ostre zakaźne zapalenia: nosa, gardła, zatok przynosowych, krtani i tchawicy. Najczęstszą przyczyną są zakażenia spowodowane przez wirusy z grupy pikornawirusów – rynowirusy. Znanych jest ok. 100 ich typów serologicznych. Przebycie zakażenia jednym z nich nie chroni przed zakażeniami innych i dlatego możliwe są wielokrotnie powtarzające się zakażenia w ciągu roku. Nasilenie liczby zachorowań obserwuje się jesienią i zimą. Bakterie rzadko są pierwotną przyczyną zakażenia, natomiast często powodują zakażenia wtórne (nadkażenia) – po zakażeniu wirusowym.

Zapalenie nosa i gardła objawia się wysychaniem błon śluzowych, kichaniem, bólem gardła, głowy, często kaszlem i ogólnym złym samopoczuciem. Często występuje również zapalenie spojówek. Przeważnie choroba przebiega tylko ze stanami podgorączkowymi. Śluzówka gardła jest żywoczerwona, drożność nosa upośledzona, w nosie pojawia się wydzielina surowicza lub surowiczo-śluzowa. Często, szczególnie u dzieci starszych, występuje opryszczka na wargach. Objawy nasilają się z reguły w pomieszczeniach zbyt ogrzanych i suchych. Częstym powikłaniem ostrego zapalenia nosogardła u niemowląt jest zapalenie ucha środkowego, a u dzieci starszych zapalenie zatok przynosowych.

Leczenie polega na stosowaniu niewielkich dawek salicylanów, preparatów wapniowych, witaminy C. Konieczne jest odpowiednie nawilżenie powietrza w pomieszczeniu, gdzie przebywa chore dziecko. W przypadkach przewlekania się choroby czasami stosowany jest antybiotyk. Przy podejrzeniu powikłań ze strony ucha środkowego konieczne jest badanie laryngologiczne.

Zapobieganie polega na chronieniu dziecka przed stycznością z chorymi na zakażenia wirusowe, zwłaszcza w okresach nasilonych zachorowań, oraz nieprzegrzewaniu dziecka i pomieszczeń, w których ono przebywa.

Ostre zapalenie zatok przynosowych może towarzyszyć każdemu zakażeniu nosa i gardła. Jeśli nie dołączy się wtórne zakażenie (nadkażenie) bakteryjne, choroba mija w ciągu kilku dni, podobnie jak nieżyt nosa.

Objawem zapalenia zatok jest uczucie pełności w okolicy zatok szczękowych, ból głowy, zwłaszcza w okolicy czołowej, obrzęk w okolicy oczu, trudności w oczyszczaniu nosa z powodu obrzęku błony śluzowej. Często u dzieci starszych występuje uczucie spływania wydzieliny po tylnej ścianie gardła.

Leczenie jest na ogół objawowe, podobnie jak w nieżycie nosa. Stosowane są salicylany, witaminy, preparaty wapniowe, leki przeciwalergiczne, leżenie w łóżku przez kilka dni. W przypadku przewlekania się zmian i pojawienia się wydzieliny ropnej konieczne może być leczenie antybiotykami, a często punkcja zatok wykonana przez laryngologa.

Ostre zapalenie krtani jest najczęściej spowodowane przez wirusy, rzadziej przez bakterie (np. przez *Haemophilus influenzae*). U małego dziecka każdy, nawet niewielki stan zapalny w obrębie krtani prowadzi do zwężenia jej światła, często z obrzękiem strun głosowych, co objawia się chrypką lub nawet pełnym bezgłosem. Charakterystycznym objawem zapalenia (lub niezapalnego obrzęku krtani, np. alergicznego) jest suchy, „szczekający" kaszel, a w miarę nasilania się objawów duszność krtaniowa, ze znacznym wydłużeniem wdechu i wyraźnie słyszalnym świstem krtaniowym w czasie wciągania powietrza. Wyraźne zwężenie krtani, tzw. podgłośniowe, może prowadzić do wystąpienia niepokoju, sinicy, zaburzeń świadomości, a nawet zgonu dziecka. Czynnikami usposabiającymi do podgłośniowego zapalenia krtani u dziecka są krzywica i alergia.

Dziecko z objawami krtaniowymi powinno być natychmiast obejrzane przez lekarza. W leczeniu stosuje się glikokortykosteroidy, czasami antybiotyki, a w przypadkach cięższych konieczne jest umieszczenie dziecka w szpitalu, gdyż mogą być konieczne zabiegi udrażniające krtań, tzw. intubacja.

Włóknikowe zapalenie krtani, tchawicy i oskrzeli spowodowane jest zakażeniem wirusowym. Najczęściej chorują dzieci między 2–5 r. życia. Choroba występuje głównie w okresie jesienno-zimowym.

Przebieg choroby może być łagodny, z niewielkimi stanami podgorączkowymi, chrypką i suchym kaszlem stopniowo przechodzącym w kaszel wilgotny z dusznością krtaniową o różnym nasileniu. W niektórych jednak przypadkach objawy chorobowe mogą się gwałtownie nasilać w ciągu kilku godzin i rozwija się postać złośliwa o dramatycznym przebiegu z wysoką gorączką, olbrzymią dusznością i objawami niedrożności krtani i tchawicy. Konieczne jest wtedy natychmiastowe umieszczenie dziecka w szpitalu, nawet na oddziale intensywnej opieki medycznej, gdyż istnieje zagrożenie życia. Niezbędne jest wprowadzenie rurki udrożniającej krtań i kontrolowany sztuczny oddech, a czasami tracheostomia, czyli nacięcie przedniej ściany tchawicy przez powłoki i wprowadzenie odpowiedniej rurki do tchawicy z ominięciem okolicy krtani.

W leczeniu stosowane są antybiotyki (łatwo o nadkażenia bakteryjne), glikokortykosteroidy, inhalacje, leki ułatwiające odkrztuszanie.

Zakażenia dolnych dróg oddechowych

Zapalenie oskrzeli jest to stan zapalny błony śluzowej drzewa oskrzelowego, najczęściej poprzedzony nieżytem nosogardła. Przyczyną ostrego zapalenia oskrzeli z reguły są zakażenia wirusowe. Zakażenia bakteryjne dołączają się jako nadkażenia. Do nadkażenia bakteryjnego dochodzi najczęściej u dzieci z istniejącymi już uprzednio zmianami w śluzówce oskrzeli, np. u dzieci alergicznych, w przypadkach szybko po sobie następujących zakażeń wirusowych.

Głównym objawem jest kaszel, niekiedy bardzo męczący, występujący napadowo, początkowo suchy, później wilgotny. Czasami kaszel może prowokować wymioty. U niemowląt mogą dominować objawy ogólne:

gorączka, zmiana zachowania dziecka, utrata łaknienia, niepokój. W niektórych przypadkach może wystąpić duszność z wyraźnym utrudnieniem wydechu spowodowana zwężeniem światła oskrzeli, czyli obturacją. Obturacja spowodowana jest przez obrzęk i przekrwienie błony śluzowej, nagromadzenie w oskrzelach wydzieliny, często i kurczem oskrzeli. Mówi się wtedy o obturacyjnym zapaleniu oskrzeli.

Leczenie ostrego zapalenia oskrzeli jest przede wszystkim objawowe. Polega na nawilżaniu powietrza, obfitym pojeniu dziecka, podawaniu leków rozrzedzających wydzielinę w oskrzelach i ułatwiających wykrztuszanie, salicylanów, preparatów wapniowych, leków likwidujących skurcz mięśniówki oskrzeli, leków przeciwalergicznych. Czasami w ciężkich lub przewlekających się stanach chorobowych stosowany jest antybiotyk.

Zapalenie oskrzelików jest to ostra choroba zakaźna, występująca u najmłodszych dzieci między 4–24 miesiącem życia. Czynnikiem wywołującym są wirusy, przede wszystkim tzw. wirus syncytialny (RSV). Choroba występuje na ogół epidemicznie późną jesienią i wczesną wiosną. Przebieg jej może być bezgorączkowy. Wśród objawów chorobowych dominuje duszność, szybko nasilające się znaczne przyspieszenie oddechu, utrudnienie wydechu, często sinica. W przypadkach łagodnych objawy te po 3–4 dniach powoli ustępują, w cięższych – szybko mogą narastać objawy niewydolności oddychania mogące prowadzić nawet do zgonu. Rentgen klatki piersiowej w takich przypadkach z reguły wykazuje bardzo znaczne rozdęcie płuc, czasami z odcinkowymi niedodmami i wzmożeniem rysunku śródmiąższowego płuc. Odróżnienie zapalenia płuc i zapalenia oskrzelików jest często niemożliwe.

Leczenie powinno być prowadzone w szpitalu. Prawie zawsze konieczne jest podawanie tlenu. Ważne jest utrzymanie równowagi wodno-elektrolitowej oraz drożności dróg oddechowych. Stosowane są inhalacje, a w niektórych przypadkach ochronnie antybiotyki (obawa przed nadkażeniem bakteryjnym).

Zapalenia płuc

Proces zapalny w płucach może dotyczyć tkanki miąższowej, tzn. pęcherzyków płucnych, oraz tkanki śródmiąższowej (podporowej) stanowiącej dla nich zrąb. Jeden ze stosowanych obecnie podziałów zapaleń płuc uwzględnia stopień zajęcia poszczególnych elementów tkanki płucnej. Wyróżnia się więc zapalenia płuc z przewagą zmian śródmiąższowych i z przewagą zmian miąższowych. Stosuje się również podział zapaleń płuc w zależności od czynnika wywołującego – zapalenie płuc wirusowe, bakteryjne, zachłystowe; podział uwzględniający ostrość procesu – zapalenie płuc ostre i przewlekłe; podział ze względu na obszar zajęty procesem chorobowym – zapalenie płuc jedno- lub wieloogniskowe.

Najczęściej zmiany chorobowe powstają wskutek wtargnięcia drobnoustroju przez drogi oddechowe, choć możliwy jest krwiopochodny mechanizm.

Obecnie uważa się, że czynnikiem wywołującym zapalenia płuc u dzieci mogą być w równym stopniu wirusy i bakterie. Nierzadko przyczyną zapalenia płuc jest *Mycoplasma pneumoniae* – drobnoustrój nie należący do żadnej z wymienionych grup, rzadziej powodują je chorobotwórcze pierwotniaki – *Pneumocystis carini* lub drożdżaki (*Candida albicans*) czy grzyby (*Aspergillus fumigatus*).

Inne rodzaje drobnoustrojów, jak np. bakterie Gram-ujemne – *Haemophilus influenzae, Klebsiella pneumoniae, Pseudomonas aeruginosa* itp. rzadziej powodują zmiany zapalne w płucach. Na podstawie objawów i przebiegu choroby bardzo trudno jest ustalić czynnik wywołujący. W tym celu przeprowadzane są badania mikrobiologiczne materiału pobranego z dostępnych ognisk chorobowych i badania serologiczne. Nawet przy bardzo dokładnych badaniach czynnik wywołujący zmiany zapalne w płucach ustala się w ok. 30–40% przypadków.

Wirusowe zapalenia płuc przebiegają na ogół z niewielkimi stanami podgorączkowymi, męczącym kaszlem, objawami nieżytowymi ze strony górnych dróg oddechowych. Opukiwaniem i osłuchiwaniem często nie stwierdza się zmian w płucach i dopiero rentgen klatki piersiowej pozwala ustalić rozpoznanie.

Zapalenie płuc pneumokokowe. Jednoogniskowe zapalenie płuc zwane jest inaczej krupowym zapaleniem płuc. Początek choroby jest nagły, z wysoką gorączką, dreszczami, kaszlem, bólem w klatce piersiowej przy oddychaniu. Oddech jest krótki, płytki, występuje wyraźna duszność. Często obserwuje się silne bóle brzucha. Ten typ zapalenia płuc zdarza się u dzieci powyżej 2 r. życia. U dzieci młodszych zakażenie pneumokokowe przebiega jako wieloogniskowe zapalenie płuc i objawy nie są tak typowe.

Zapalenie płuc gronkowcowe występuje przede wszystkim u niemowląt i dzieci najmłodszych. Jest to jedno z najcięższych zakażeń układu oddechowego. Na ogół poprzedzone bywa okresem zmian nieżytowych w górnych drogach oddechowych. Uważa się, że zakażenia wirusowe torują drogę gronkowcom. Często na skórze dzieci lub opiekunów można znaleźć ślady po ropniach skóry.

Przebieg choroby jest z reguły ciężki, z wysoką gorączką. Stan dziecka budzi niepokój, gdyż ewolucja zmian w płucach może być bardzo szybka. Typowe dla zakażenia gronkowcowego jest tworzenie się ropni płuc i pęcherzy rozedmowych, które mogą pękać i powodować powstanie odmy opłucnej.

Ponieważ w większości przypadków gronkowcowemu zapaleniu płuc towarzyszy ropne zapalenie opłucnej, powstaje konieczność interwencji chirurgicznej. Drenaż opłucnej zapewnia opróżnienie jamy opłucnej z nagromadzonego tam płynu i powietrza. Nawet wcześnie rozpoczęte leczenie przeciwgronkowcowe nie jest często w stanie zapobiec rozwojowi zmian typowych dla tego zakażenia.

Rokowanie jest tym poważniejsze, im młodsze jest dziecko.

Leczenie trwa najczęściej 8–10 tygodni.

Zapalenie płuc mikoplazmowe występuje często epidemicznie. Nierzadkie są zachorowania kilku osób w rodzinie. Poza okresami epidemicznymi, powtarzającymi się mniej więcej co 3–4 lata, *Mycoplasma pneumoniae* stosunkowo często powoduje zapalenia płuc u dzieci powyżej 2 r. życia. Przebieg choroby może być bardzo różny. Jednym z bardziej charakterystycznych objawów jest bardzo męczący kaszel. Potwierdzeniem rozpoznania jest wykrycie w surowicy krwi dziecka przeciwciał skierowanych przeciw temu drobnoustrojowi.

Pneumocystozowe zapalenie płuc wywołane jest przez pierwotniaka *Pneumocystis carini*. Drobnoustrój ten atakuje przede wszystkim najmłodsze niemowlęta, zwłaszcza wcześniaki oraz dzieci ze zmniejszoną odpornością, np. z wrodzonym lub nabytym zaburzeniem odporności. Zakażenie następuje drogą kropelkową i groźne jest szczególnie w oddziałach zamkniętych.

Zachłystowe zapalenie płuc powstaje na skutek dostania się do oskrzelików i pęcherzyków płucnych z zewnątrz jakichś substancji płynnych lub stałych, np. wód płodowych u noworodka, pokarmu lub leków podawanych doustnie u niemowląt, kropli oleistych stosowanych do nosa, treści żołądkowej w czasie wymiotów.

Przebieg choroby zależy od ilości i rodzaju zaaspirowanej treści. Ciężko przebiegają zapalenia płuc spowodowane przedostaniem się do pęcherzyków treści żołądkowej, gdyż oprócz zakażenia dochodzi do znacznego zniszczenia tkanki płucnej przez enzymy trawienne. Do zachłystywania usposabiają takie czynniki, jak np. niektóre wady rozwojowe (rozszczep podniebienia, przetoka oskrzelowo-przełykowa), osłabienie odruchu kaszlowego, nieumiejętne karmienie i podawanie leków niemowlętom.

Objawy i rozpoznanie zapaleń płuc. Niezależnie od przyczyny, zapalenie płuc może przebiegać z wysoką gorączką lub tylko z niewielkimi stanami podgorączkowymi. Oddech jest z reguły przyspieszony, występuje duszność, czasami ból w klatce piersiowej przy oddychaniu. W wielu przypadkach rozpoznanie zapalenia płuc jest możliwe na podstawie badania chorego opukiwaniem i osłuchiwaniem. Często jednak dla potwierdzenia rozpoznania konieczne jest badanie rentgenowskie. Pozwala ono ustalić rozległość zmian i ich charakter. Zapalenia płuc o lżejszym przebiegu, zwłaszcza u dzieci starszych, mogą być leczone w domu. Gdy pojawiają się objawy niewydolności oddychania i krążenia, tj. sinica, znaczne przyspieszenie oddechu i tętna, powiększenie wątroby, konieczne jest leczenie szpitalne. Zapalenie płuc u niemowląt powinno być leczone w szpitalu.

Leczenie zapaleń płuc jest przyczynowe i objawowe. Leczenie przyczynowe polega na podawaniu antybiotyków w przypadkach zapaleń płuc bakteryjnych czy mikoplazmowych (penicylina, erytromycyna, cefalosporyna, linkomycyna i in.) oraz leków przeciwgrzybiczych, jeśli czynnikiem chorobotwórczym są grzyby.

Leczenie objawowe jest niezwykle istotne. Podstawowym jego celem jest poprawa wentylacji płuc, a więc zmniejszenie niedotlenienia. Wyższe ułożenie dziecka z lekkim odgięciem głowy ku tyłowi, lekko zawiązane pieluszki czy luźna piżamka, nieprzegrzany, odpowiednio nawilżony pokój (elektryczny nawilżacz) ułatwiają oddychanie. Dziecko należy poić często, aby nie dopuścić do wysuszenia dróg oddechowych. Jedzenie podawać mu w niewielkich ilościach, nie zmuszać do jedzenia. Dbać o codzienne wypróżnienia, aby wypełniony nadmiernie żołądek i jelita z dużą zawartością treści pokarmowej i gazów nie ograniczały ruchomości przepony. Czasami wskazane są leki uspokajające, wykrztuśne i nasercowe. W cięższych przypadkach dzieci leczone w szpitalu poddawane są tlenoterapii i inhalacjom ze środków rozrzedzających wydzielinę (leki mukolityczne).

W okresie rekonwalescencji dziecko powinno prowadzić oszczędzający tryb życia, należy chronić je przed dodatkowym zakażeniem i podawać dostateczną ilość witamin, gdyż w okresie choroby zapotrzebowanie na nie wzrasta.

Ropień płuc

Ropień płuc może być powikłaniem każdego bakteryjnego zapalenia płuc. W zakażeniach gronkowcowych lub spowodowanych przez Gram--ujemne pałeczki (np. *Klebsiella pneumoniae*) tworzenie się ropni płuc należy do typowego przebiegu choroby. Przyczyną ropnia płuc u dzieci może być również ciało obce, które niezauważone przedostaje się do dróg oddechowych. Ropnie płuc bywają pojedyncze lub mnogie.

Od czasu wprowadzenia antybiotyków powikłania zapaleń płuc w postaci ropnia zdarzają się rzadko. Ropień można podejrzewać, jeżeli u dziecka leczonego z powodu zapalenia płuc ponownie pojawiają się stany gorączkowe i kaszel, często z odpluwaniem ropnej wydzieliny. Potwierdzenie rozpoznania umożliwia rentgen klatki piersiowej.

Leczenie ropnia płuc zawsze powinno odbywać się w szpitalu. Konieczne są: długotrwałe stosowanie antybiotyków, drenaż ułożeniowy (zob. rys. na s. 718 i 719), inhalacje z leków mukolitycznych (rozrzedzających wydzielinę), leki ułatwiające wykrztuszanie. Jeśli leczenie zachowawcze nie jest skuteczne, zmieniony odcinek płuca jest usuwany operacyjnie.

Zapalenie opłucnej

Zapalenie opłucnej może towarzyszyć zapaleniom płuc o różnej przyczynie, może być wywołane przez prątek gruźlicy lub występować w przebiegu chorób układowych, takich jak np. kolagenozy (zob. Choroby reumatyczne, s. 882). Rozróżnia się trzy typy zapalenia opłucnej: suche, surowiczo-włóknikowe i ropne.

Suche zapalenie opłucnej objawia się silnym bólem w klatce piersiowej w czasie oddychania i kaszlu. Gromadzenie się wysięku w jamie opłucnowej usuwa uczucie bólu. Niewielka ilość wysięku może nie dawać żadnych uchwytnych objawów, przy większej ilości pojawiają się trudności w oddychaniu spowodowane uciśnięciem płuca. Ropne zapalenie opłucnej jest z reguły procesem wtórnym w przebiegu bakteryjnego zapalenia płuc. Zapalenie surowicze może wystąpić w przebiegu gruźlicy pierwotnej, zakażeń wirusowych i kolagenoz. Objawy zależą od czynnika etiologicznego i ilości płynu w opłucnej. Rozpoznanie ustala się na podstawie zdjęcia rentgenowskiego i badania ultrasonograficznego (USG).

Leczenie zapalenia opłucnej powinno być prowadzone w szpitalu, gdyż bardzo ważne jest ustalenie czynnika wywołującego. W przypadkach wysięku w opłucnej wykonywane jest nakłucie jamy opłucnej w celach diagnostycznych. Czasami konieczne jest wielokrotne usuwanie płynu drogą punkcji opłucnej. W przypadku wysięku ropnego konieczny jest drenaż ssący opłucnej. W zależności od czynnika powodującego zmiany w opłucnej stosowane są odpowiednie antybiotyki; w przypadku podejrzenia gruźlicy – leki przeciwprątkowe.

Nawracające i przewlekłe choroby układu oddechowego

Zespół zatokowo-oskrzelowy jest to zapalenie zatok przynosowych, najczęściej ropne, oraz towarzyszący odczyn ze strony układu chłonnego gardła, śródpiersia, tkanki okołooskrzelowej, a nawet tkanki płucnej. Typowym objawem jest kaszel pojawiający się w ok. 2 godz. po zaśnięciu dziecka oraz nad ranem. W czasie dnia kaszel pojawia się po wysiłku lub przy zmianie temperatury otoczenia. Kaszel jest suchy, męczący, często prowadzi do wymiotów. Bardzo często przy badaniu osłuchowym lekarz nie stwierdza żadnych zmian w płucach. W gardle tylną ścianą spływa wydzielina śluzowa lub śluzowo-ropna, często występuje powiększenie migdałków i węzłów chłonnych podszczękowych. Choroba występuje sezonowo w okresie jesieni i zimy i ustępuje w miesiącach ciepłych. Najczęściej atakuje dzieci w żłobkach, przedszkolach oraz mieszkające w złych warunkach, np. w zbytnio zagęszczonych mieszkaniach.

Leczenie. W ostrym okresie choroby stosowane są antybiotyki, salicylany, preparaty wapnia. Później dobre wyniki daje podanie leków przeciwalergicznych. Czasami poprawa następuje po zastosowaniu szczepionek bakteryjnych (np. polivaccinum). Najlepsze wyniki daje zmiana klimatu, odebranie dziecka ze żłobka lub przedszkola, unikanie w miesiącach jesienno-zimowych dużych skupisk dziecięcych, dodatkowych zakażeń wirusowych i zapewnienie dziecku dużo świeżego powietrza w nieprzegrzanym mieszkaniu.

Przewlekłe zapalenie oskrzeli u dzieci występuje rzadko, częściej jest to proces nawracający. Przewlekłe zapalenie oskrzeli lekarz stwierdza wówczas, gdy wilgotny kaszel, rzadko z odpluwaniem (dzieci połykają wydzielinę) utrzymuje się kilka miesięcy i wszystkie znane przyczyny przewlekania się zmian w oskrzelach, np. wady wrodzone, ciało obce, rozstrzenie oskrzeli, mukowiscydoza itp., wykluczono. Kaszel występopuje przede wszystkim w ciągu dnia. Liczne objawy osłuchowe w płucach są związane z zaleganiem wydzieliny w oskrzelach i zmianami zapalnymi w błonie śluzowej.

Leczenie jest długie i powinno być oparte na dokładnych badaniach mikrobiologicznych. Stosowane są odpowiednie antybiotyki, leki wykrztuśne, mukolityczne (rozrzedzające wydzielinę), inhalacje. Wskazany jest drenaż oskrzeli (zob. Choroby wewnętrzne, s. 718–719). Poprawę może dać leczenie klimatyczne. Bardzo ważna jest ochrona takiego dziecka przed dodatkowymi nadkażeniami wirusowymi.

Rozstrzenie oskrzeli jest to stan chorobowy spowodowany trwałym poszerzeniem światła drobnych i średnich oskrzeli oraz zniszczeniem struktury ich ścian. Przy mniejszym zaawansowaniu zmian mówi się o zniekształcającym zapaleniu oskrzeli.

Rozstrzenia oskrzeli mogą powstać: po zapaleniu płuc (ostatnio uważa się, że szczególną rolę w powstawaniu rozstrzeni odgrywają wirusy), w wyniku zalegania w drogach oddechowych ciała obcego, w miejscu długo utrzymującej się niedodmy gruźliczej, po ropniu płuca. Pewną rolę w powstawaniu rozstrzeni oskrzeli odgrywają przypuszczalnie właściwości osobnicze.

Leczenie rozstrzeni może być zachowawcze i operacyjne. W przypadkach rozstrzeni spowodowanych znanym czynnikiem, np. po ropniu płuca, po gruźlicy itp. – operacyjne usunięcie zmienionego odcinka płuca daje radykalne wyleczenie. Natomiast w przypadkach rozstrzeni rozległych lub obustronnych o niezbyt jasnej przyczynie konieczne jest długotrwałe leczenie zachowawcze, polegające przede wszystkim na bardzo starannym drenażu oskrzeli (zob. Choroby wewnętrzne, s. 718–719), żeby zapobiec zaleganiu w nich wydzieliny. Stosowane są leki wykrztuśne, mukolityczne (rozrzedzające wydzielinę), inhalacje, okresowo antybiotyki. Niekiedy leczenie zachowawcze prowadzone starannie przez kilka lat może doprowadzić do cofnięcia się zmian chorobowych.

Mukowiscydoza, czyli **zwłóknienie torbielowate,** jest to wieloukładowa choroba przekazywana dziedzicznie jako cecha recesywna nie związana z płcią. Podstawowe zaburzenia dotyczą czynności gruczołów wydzielania zewnętrznego: trzustki, gruczołów ślinowych, potowych i śluzowych w przewodzie pokarmowym i układzie oddechowym.

Obraz choroby zależy od gromadzenia się gęstej, lepkiej wydzieliny w wymienionych gruczołach, zatykaniu ich i wtórnym zakażeniu. Istnieje kilka postaci klinicznych mukowiscydozy; może ona objawiać się już w okresie noworodkowym, prowadząc do tzw. niedrożności smółkowej jelit. Najczęściej spotyka się postać płucną lub mieszaną z objawami ze strony układu oddechowego i przewodu pokarmowego. Ciężkie postacie mukowiscydozy oskrzelowo-płucnej występują u dzieci, które otrzymały tę cechę od obojga rodziców. U dzieci, które odziedziczyły tę cechę od jednego rodzica, może wystąpić poronna postać choroby. W ciężkich postaciach choroby objawy niewydolności oddechowo-krążeniowej pojawiają się już w pierwszym roku życia i w ciągu 1–2 lat, a czasami kilku miesięcy, doprowadzają do zgonu dziecka. W nieco lżejszych postaciach, u dzieci z wcześnie ustalonym rozpoznaniem i prawidłowo leczonych, okres przeżycia może wynosić kilka do kilkunastu lat. W najlżejszych przypadkach może to być jedynie skłonność do nawracania zakażeń układu oddechowego.

Chorzy z mukowiscydozą mają szczególną skłonność do zakażeń gronkowcem złocistym i pałeczką ropy błękitnej. Łatwo też powstają u nich rozstrzenie oskrzeli.

R o z p o z n a n i e choroby opiera się na badaniu stężenia chloru w pocie. Prawidłowe stężenie tego pierwiastka nie przekracza 60 mEq/l. Poziom sodu i potasu można oznaczać również w paznokciach i włosach. W przypadkach towarzyszących zmian w przewodzie pokarmowym stwierdzać można brak lub obniżenie zawartości enzymów trawiennych w treści dwunastniczej i w kale.

L e c z e n i e mukowiscydozy polega na ochronie przed zakażeniami, a w przypadkach pojawienia się cech nadkażenia bakteryjnego – szybkim leczeniu antybiotykami. Konieczne jest wykonanie kilka razy w ciągu dnia drenażu oskrzeli (zob. Choroby wewnętrzne, s. 718–719), w celu zapobieżenia zaleganiu wydzieliny, stosowanie inhalacji ze środków rozrzedzających wydzielinę oraz doustne podawanie takich leków. Przy wystąpieniu nawet niewielkich objawów ze strony układu krążenia konieczne jest przewlekłe podawanie glikozydów nasercowych.

Wady wrodzone układu oddechowego

Rodzaj w a d y w r o d z o n e j zależy od tego, w jakim okresie rozwojowym płodu zadziałał czynnik szkodliwy. W najwcześniejszym okresie rozwojowym powstają wady tchawicy, np. uchyłek tchawicy lub przetoka tchawiczo-przełykowa. W późniejszym okresie może wystąpić zatrzymanie rozwoju oskrzeli, zmniejszenie liczby oskrzeli, naczyń płucnych lub pęcherzyków. Odpowiednio do tego występuje b r a k p ł u c a, czyli a g e n e z j a, lub n i e d o r o z w ó j, tj. h i p o p l a z j a p ł a t a lub p ł u c a. Do dość częstych wad wrodzonych należą także t o r b i e l e o s k r z e l o p o c h o d n e oraz t o r b i e l e p ł u c n e.

Wszystkie wymienione wady układu oddechowego mogą powodować nawracanie i przewlekanie się zmian chorobowych w tym układzie. Również wady ścian klatki piersiowej i przepony (przepukliny przeponowe, wiotkość przepony) oraz wady dużych naczyń w klatce piersiowej (tętnicy płucnej czy aorty) są częstą przyczyną utrzymującej się u dziecka duszności i świszczącego oddechu.

R o z p o z n a n i e w a d y rozwojowej układu oddechowego czy naczyń krwionośnych w klatce piersiowej ustala się na podstawie wielu badań radiologicznych i czynnościowych układu oddechowego. Jedynym skutecznym leczeniem większości stwierdzonych wad jest l e c z e n i e o p e r a c y j n e.

Rzadkie zespoły chorobowe

Sarkoidoza. Jest to c h o r o b a u k ł a d o w a o nie wyjaśnionej etiologii. Jej cechą charakterystyczną jest tworzenie się ziarniny w różnych narządach, najczęściej w węzłach chłonnych, płucach, skórze, rzadziej w oczach, w wątrobie, śledzionie, kościach.

Objawy chorobowe zależą od lokalizacji zmian. W układzie oddechowym proces chorobowy może długo nie dawać żadnych objawów, a podejrzenie choroby nasuwa przypadkowo wykonane zdjęcie rentgenowskie. W pierwszym okresie choroby ulegają powiększeniu węzły chłonne śródpiersia, później pojawiają się w płucach zmiany siateczkowo-grudkowe. Zmiany chorobowe mogą się samoistnie cofnąć, ale w niektórych przypadkach może dojść do włóknienia i postępującej niewydolności oddychania.

Rozpoznanie ustala się zazwyczaj na podstawie ujemnego odczynu tuberkulinowego i badania histologicznego materiału pobranego z węzła chłonnego. Leczenie przyczynowe nie jest znane. Powszechnie stosowane jest leczenie glikokortykosteroidami.

Histiocytoza X, czyli **siatkowico-śródbłonkowica.** Jest to grupa chorób charakteryzująca się nadmiernym, atypowym rozrostem elementów układu siateczkowo-śródbłonkowego. Przyczyna choroby nie jest znana. Klinicznie rozróżnia się postacie łagodne i ciężkie.

Do najczęściej spotykanych objawów należą: utrata łaknienia, chudnięcie, gorączka, zmiany grudkowo-guzkowe na skórze, powiększenie węzłów chłonnych i narastająca duszność z sinicą. Zdjęcie rentgenowskie klatki piersiowej wykazuje zmiany spowodowane rozrostem nieprawidłowej ziarniny w płucach.

Rozpoznanie ustala się na podstawie badania histologicznego wycinka skóry lub węzła chłonnego. Rokowanie jest na ogół złe.

Leczenie przyczynowe nie jest znane. Stosowane są hormony kory nadnerczy (glikokortykosteroidy) i leki immunosupresyjne.

Hemosyderoza płuc samoistna. Choroba o nieznanej przyczynie, polegająca na odkładaniu się w tkance płucnej złogów hemosyderyny, czyli białka wiążącego żelazo krwinek w trwały związek.

Objawy hemosyderozy samoistnej występują nagle – jest to ostry napad duszności z krwiopluciem, niedokrwistością i zmianami w obrazie rentgenowskim płuc. Może wystąpić żółtaczka, powiększenie wątroby i śledziony. Ostry napad mija po 3–4 dniach, aby powtórzyć się po kilku tygodniach lub miesiącach. Czasami początek choroby może być skryty i dopiero postępująca niedokrwistość i zmiany w płucach nasuwają właściwe podejrzenie. Rokowanie jest niepewne, choroba może prowadzić do zwłóknienia płuc.

Leczenie przyczynowe nie jest znane. Czasem dobre wyniki dają hormony kory nadnerczy.

Zmiany w płucach w chorobach układowych. Mogą to być zmiany wysiękowe w opłucnej lub tylko zgrubienie opłucnej, np. w kolagenozach. Rozsiane zmiany śródmiąższowe spotyka się w kolagenozach, białaczkach, chłoniakach, ziarnicy złośliwej. Mogą one prowadzić do zwłóknienia płuc.

Zwłóknienie płuc. Włóknienie płuc jest odpowiedzią tkanki płucnej na wiele różnych czynników. Uważa się, że u podłoża procesu włóknienia leżą zaburzenia syntezy i degradacji kolagenu w płucach. Powstający nieprawidłowy kolagen zajmuje miejsce tkanki płucnej. Proces zapoczątkowany jest nieprawidłową reakcją immunologiczną w płucach, spowodowaną zadziałaniem czynnika szkodliwego. Dotychczas poznano ok. 150 różnych czynników wywołujących, tj. mogących prowadzić do włóknienia płuc, jednak ustalenie czynnika odpowiedzialnego w poszczególnych przypadkach jest niezwykle trudne. Wszystkie zakażenia wirusowe, bakteryjne, grzybicze i pierwotniakowe, wiele leków, pyły organiczne i nieorganiczne, promienie rentgenowskie i wiele innych czynników mogą powodować włóknienie tkanki płucnej.

Oprócz czynnika wywołującego w procesie włóknienia odgrywają rolę również osobnicze właściwości oddziaływania na bodźce szkodliwe. Niezależnie od etiologii postępujące włóknienie prowadzi zawsze do niewydolności oddechowej: niedotlenienia, czyli hipoksemii, narastania poziomu dwutlenku węgla w organizmie, czyli hiperkapnii, oraz do kwasicy.

U dzieci wyróżnia się dwa typy zwłóknień: zwłóknienie odoskrzelowe i zwłóknienie z przewagą zmian w przegrodach międzypęcherzykowych. Zwłóknienie odoskrzelowe jest spowodowane nawracającymi zakażeniami oskrzelowo-płucnymi i rozstrzeniami oskrzeli. Ten typ zwłóknienia występuje np. w mukowiscydozie. Zwłóknienie z przewagą zmian w przegrodach międzypęcherzykowych jest najczęściej wynikiem działania nieznanego czynnika i bywa następstwem tzw. zwłókniającego lub alergicznego zapalenia pęcherzyków płucnych, zakażeń mikoplazmowych; występuje też w kolagenozach i innych chorobach układowych, po lekach itp.

Objawy zwłóknienia narastają stopniowo. Dziecko łatwo się męczy, pojawia się suchy kaszel, sinica – początkowo tylko po wysiłku, wreszcie wyraźne objawy niewydolności oddychania i krążenia.

Rokowanie zawsze jest bardzo poważne, gdyż tylko wyjątkowo po ustaleniu czynnika wywołującego można zastosować leczenie przyczynowe, a przede wszystkim usunąć z otoczenia dziecka czynnik wywołujący, np. pył organiczny, lek itp. W innych przypadkach stosuje się leczenie immunosupresyjne – hormony kory nadnerczy, imuran, endoksan. Leczenie rozpoczęte w stosunkowo wczesnym okresie choroby czasami daje korzystne wyniki. Gdy dominują objawy zakażenia układu oddechowego, konieczne jest wielomiesięczne leczenie antybiotykami. Objawy ze strony układu krążenia wymagają stałego leczenia glikozydami nasercowymi.

Zachłyśnięcie jest to przedostanie się ciała obcego do dróg oddechowych. U dzieci zdarza się dość często, ponieważ biorą one do ust wszystkie przedmioty, którymi się bawią, np. guziki, koraliki, pionki do gry itp., a także groch, fasolę, orzechy, kłosy zbóż czy trawy. W chwili „wtargnięcia" ciała obcego do krtani występuje napad kaszlu, dławienie się, często sinica. Jeżeli ciało obce przesunie się do niższych odcinków dróg oddechowych, przez kilka dni, a nawet tygodni może nie dawać objawów chorobowych i dopiero po pewnym czasie objawia się jako zapalenie płuc. Ponieważ bardzo często moment zachłyśnięcia się dziecka jest przez rodziców niezauważony, ustalenie rozpoznania jest bardzo trudne. Większość ciał obcych nie daje kontrastującego cienia w obrazie rentgenowskim. Krwawienie z dróg oddechowych u dziecka nasuwa podejrzenie ciała obcego w drogach oddechowych.

W każdym przypadku podejrzenia ciała obcego w drogach oddechowych wykonywana jest bronchoskopia, czasami nawet kilkakrotnie. Może być konieczny zabieg operacyjny.

Zaburzenia powietrzności płuc

U dzieci zaburzenia tego typu występują często. Może to być zmniejszenie upowietrznienia – niedodma lub nadmierne upowietrznienie – rozdęcie lub rozedma.

Niedodma powstaje na skutek niedrożności oskrzeli. Występuje często u dzieci, zwłaszcza u niemowląt i małych dzieci. Bardzo wąskie oskrzela, wiotkie ich ściany oraz łatwość obrzęku błony śluzowej powodują, że prawie każdy proces zapalny w oskrzelach, np. zapalenie oskrzeli, lub w ich otoczeniu, np. gruźlica węzłów chłonnych tchawiczo-oskrzelowych, powoduje zwężenie i zamknięcie światła oskrzela i w zaopatrywanym przez to oskrzele odcinku płuca powstaje niedodma. Na ogół niedodma cofa się, gdy zostaje usunięta przyczyna niedrożności oskrzela. Jeżeli nastąpi wtórne zakażenie, może dojść do marskości (zwłóknienia) niedodmowego odcinka.

Leczenie jest przyczynowe.

Rozdęcie płuc powstaje wtedy, gdy zwężenie światła oskrzela nie jest całkowite i w czasie wdechu powietrze przedostaje się do pęcherzyków płucnych, a w czasie wydechu zostaje tam zatrzymane. Jest to tzw. mechanizm zastawkowy (wentylowy). Może wystąpić w różnych stanach chorobowych. Najczęściej spotykany jest u niemowląt i małych dzieci, ponieważ anatomiczne i fizjologiczne właściwości dróg oddechowych w tym okresie usposabiają do tego typu zmian.

Przyczyną rozdęcia wentylowego może być np. ciało obce w oskrzelu, ziarnina gruźlicza, zalegająca wydzielina, skurcz oskrzela, ucisk na oskrzele z zewnątrz.

Rozdęcie może być odcinkowe lub dotyczyć całego płuca. Narastające rozdęcie może prowadzić do przerwania ścian pęcherzyków płucnych i powstania odmy płucnej lub śródmiąższowej. W tkance śródmiąższowej powietrze tworzy pęcherze, a następnie wędruje do śródpiersia i pod skórę.

Odma opłucna powstaje najczęściej w przebiegu gronkowcowego zapalenia płuc, jako powikłanie ostrego rozdęcia wentylowego, lub może powstać samoistnie. Nagle występująca odma opłucna czy śródpiersiowa wymaga interwencji – nakłucia i odessania powietrza.

Rozedma jest to nadmierne poszerzenie końcowych przestrzeni powietrznych, tzn. pęcherzyków płucnych, z anatomicznym uszkodzeniem ich ścian. U dzieci stan taki zdarza się niezwykle rzadko, najczęściej jako wada wrodzona – wrodzona rozedma płatowa. Rzadko dochodzi do powstania rozedmy u dzieci w przebiegu innych chorób. Rozedma zdarza się w ciężkich, wiele lat trwających przypadkach astmy oskrzelowej lub w zwłóknieniach płuc.

Gruźlica u dzieci, zob. Choroby zakaźne, s. 948.

IX. CHOROBY ALERGICZNE U DZIECI

Co to jest alergia?

Termin alergia pochodzi od gr. słów *allos* – inny i *ergon* – działanie i oznacza zmienioną odczynowość organizmu. Ludzie z alergią reagują objawami choroby na różne, powszechnie spotykane w środowisku substancje i czynniki, które u zdrowych nie wywołują żadnej reakcji. Substancje te nazywane są alergenami.

Biorąc pod uwagę drogę wnikania alergenów do organizmu, dzieli się je na: a) alergeny pokarmowe (mleko, jaja, mięso, ryby, owoce cytrusowe, czekolada i in.), b) alergeny wziewne (kurz, roztocze, sierść zwierząt, pyłki roślin, grzyby pleśniowe, pióra) oraz c) alergeny iniekcyjne (niektóre leki, jady owadów). Sposób dostania się alergenu do organizmu wpływa na szybkość i nasilenie reakcji. Leki podane pozajelitowo łatwiej wywołują u osób uczulonych groźne objawy, np. wstrząs anafilaktyczny, niż leki podane doustnie, chociaż ta druga droga nie wyłącza możliwości wystąpienia wstrząsu. Istnieją ponadto alergeny kontaktowe (nikiel, chrom, formalina, barwniki, środki piorące, kosmetyki i in.), które mogą wywołać tzw. wyprysk kontaktowy, częściej występujący u dorosłych niż u dzieci.

Drobnoustroje, podobnie jak leki, mogą dostawać się do organizmu każdą z wymienionych dróg. Części składowe drobnoustrojów mogą być alergenami.

W pierwszym okresie życia dziecka najczęstszymi alergenami są pokarmy. U niemowląt żywionych sztucznie łatwo rozwija się nadwrażliwość na mleko krowie, które jako gatunkowo obce zawiera takie alergeny, jak laktoalbumina, laktoglobulina czy kazeina. Alergeny wziewne mają coraz większe znaczenie w miarę wzrostu dziecka.

Wnikanie alergenów do organizmu stanowi bodziec dla układu immunologicznego do wytwarzania przeciwciał czynnych w reakcjach alergicznych. Są to reaginy należące do klasy immunoglobulin IgE. W surowicy krwi jest ich mało, mają bowiem powinowactwo do komórek, czyli są cytofilne. Lokalizują się w tkankach, na powierzchni komórek tucznych (mastocytów), gdzie znajdują się odpowiednie dla IgE miejsca uchwytu zwane receptorami.

Alergia jest stanem nabytej, swoistej, zmienionej odczynowości organizmu, powstającym w wyniku działania alergenów. W rozdziale tym termin „alergia" używany jest w znaczeniu nadwrażliwość (tak też rozumiany jest potocznie), oznacza zjawisko niekorzystne dla organizmu, związane z chorobami wynikającymi z alergizacji. Alergia może mieć również znaczenie pozytywne. Alergia, która wytwarza się po wprowadzeniu niektórych drobnoustrojów, oznacza, że organizm lepiej potrafi zmobilizować obronę immunologiczną przy wtórnym kontakcie z tym samym drobnoustrojem. Alergia np. po szczepieniu BCG jest synonimem wytworzonej o d p o r n o ś c i przeciw prątkowi gruźlicy. Zob. też Patologia, s. 311.

Atopia i choroby atopowe

Choroby alergiczne często występują rodzinnie. Niektóre z nich są przekazywane genetycznie w postaci tzw. s k a z y a t o p o w e j, choć dokładny mechanizm dziedziczenia nie został dotąd poznany. S k a z a a t o p o w a, czyli a t o p i a, jest wrodzoną, osobniczą skłonnością do zachorowania na choroby alergiczne tzw. atopowe. Zalicza się do nich: astmę oskrzelową, alergiczny nieżyt błony śluzowej nosa, gorączkę sienną, wyprysk atopowy skóry, niektóre postacie pokrzywki i nadwrażliwość na pokarmy.

Liczne badania wykazały, że jeśli choroby atopowe występują u obojga rodziców, to 60–70% ich dzieci ma objawy alergiczne. Jeżeli tylko jedno z rodziców jest chore, odsetek dzieci z alergią zmniejsza się do ok. 40%, a w rodzinach nie obciążonych skazą atopową na choroby alergiczne może zachorować 12–15% dzieci. Rodzice przekazują dzieciom nie określoną chorobę atopową, ale zwiększoną podatność na zachorowanie na którąkolwiek z nich. Na przykład matka lub ojciec chorujący na astmę atopową mogą mieć dziecko ze zmianami skórnymi lub alergią pokarmową.

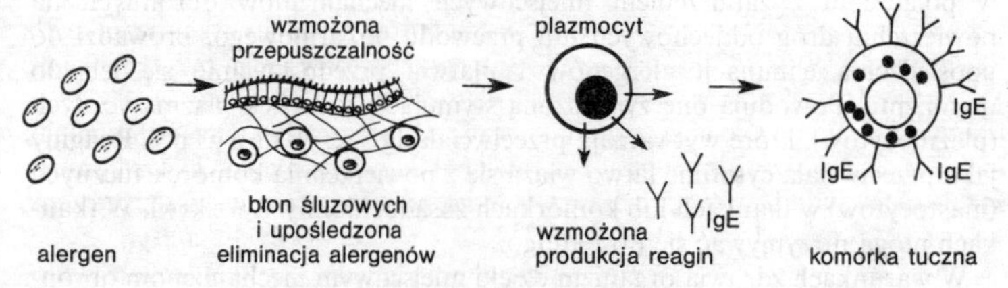

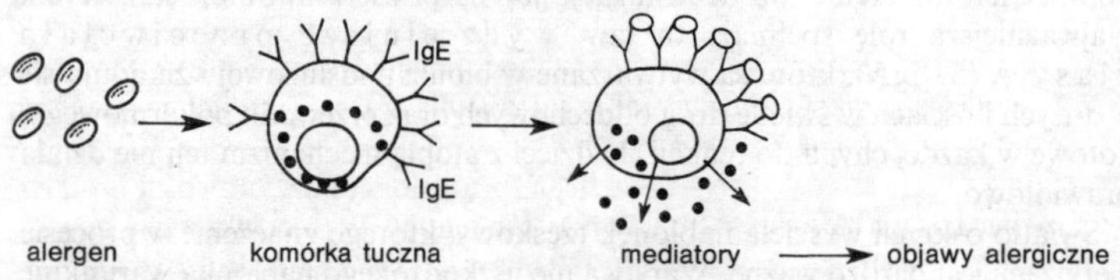

Przebieg uczulenia i reakcji anafilaktycznej u dziecka

O b j a w y choroby atopowej mogą się zmieniać w ciągu życia danej osoby. Na przykład często występuje wyprysk atopowy w okresie niemowlęcym, u tego samego dziecka w wieku 3–4 lat pojawiają się napady astmy, a ok.

10–12 r. życia katar sienny. Objawy alergii wielonarządowej występują u ok. 50% dzieci ze skazą atopową.

Zmienne występowanie chorób atopowych i ich kojarzenie są możliwe, gdyż wywołują je te same alergeny, a mechanizmy powstawania choroby są bardzo podobne dla całej grupy. Alergeny wziewne najczęściej wywołują astmę lub nieżyt nosa, ale mogą być też powodem alergii skóry. Alergeny pokarmowe mogą wywoływać nawracające napady astmy, zmiany skórne i alergię w przewodzie pokarmowym.

Atopia występuje u osób z następującymi właściwościami organizmu: 1) zdolnością do nadprodukcji reagin (immunoglobulin IgE), 2) zwiększoną przepuszczalnością błon śluzowych, 3) zaburzeniami niektórych mechanizmów odpornościowych, 4) zaburzeniami funkcji autonomicznego układu nerwowego.

Nadprodukcja reagin (IgE) w stanach atopowych jest spowodowana wadliwym działaniem tzw. mechanizmu regulacyjnego. W warunkach normalnych w organizmie istnieje bowiem regulacja wytwarzania wszystkich klas przeciwciał, w tym również IgE. Komórki układu immunologicznego – limfocyty T pomocnicze (T_H) lub limfocyty T supresyjne (T_S) zwiększają lub hamują wytwarzanie odpowiednich immunoglobulin, utrzymując ich poziom zależnie od potrzeb organizmu. W stanach atopowych ten mechanizm prawdopodobnie ulega zaburzeniom w postaci hipofunkcji T_S (zob. Procesy odpornościowe, Odporność, s. 1160 oraz Zaburzenia odporności, s. 1168).

Zwiększona przepuszczalność błon śluzowych u ludzi z atopią, w połączeniu z zaburzeniem miejscowych mechanizmów obronnych na powierzchni dróg oddechowych lub przewodu pokarmowego, prowadzi do upośledzenia eliminacji alergenów i ułatwia przedostawanie się ich do organizmu. Powodują one zwiększoną stymulację komórek plazmatycznych (plazmocytów), które wytwarzają przeciwciała IgE, czyli reaginy. Reaginy jako przeciwciała cytofilne łatwo wiążą się z powierzchnią komórek tucznych (mastocytów) w tkankach lub komórkach zasadochłonnych we krwi. W tkankach mogą utrzymywać się dość długo.

W warunkach zdrowia organizm dzięki miejscowym mechanizmom obronnym (odporność miejscowa, zob. s. 1164) zmniejsza dopływ alergenów poprzez ich niszczenie lub neutralizację już na powierzchni błon śluzowych. Najważniejszą rolę spełniają tu tzw. wydzielnicze przeciwciała klasy A (S–IgA), które są wytwarzane w błonie podśluzowej i znajdują się w dużych ilościach w świetle dróg oddechowych oraz przewodu pokarmowego, gotowe w każdej chwili do reakcji. U dzieci z atopią mechanizm ten nie działa prawidłowo.

Światło oskrzeli wyściela nabłonek rzęskowy, którego znaczenie w procesie alergizacji jest bardzo ważne. Warstwa nie uszkodzonego nabłonka warunkuje prawidłowe oczyszczanie drzewa oskrzelowego dzięki pracy rzęsek. Ścisłe połączenia między komórkami nabłonka utrudniają wnikanie alergenów poprzez błonę śluzową (rys.).

Uszkodzenie nabłonka np. przez zakażenie powoduje, że alergeny łatwiej mogą wnikać do organizmu, a receptory czuciowe nerwu błędnego mogą być łatwiej drażnione. Takie uszkodzenie sprzyja degranulacji komórek tucznych znajdujących się pod nabłonkiem i w świetle oskrzela. Czynniki chemotaktyczne powodują napływ komórek do ogniska alergizacji (eozynofilów i neutrofilów).

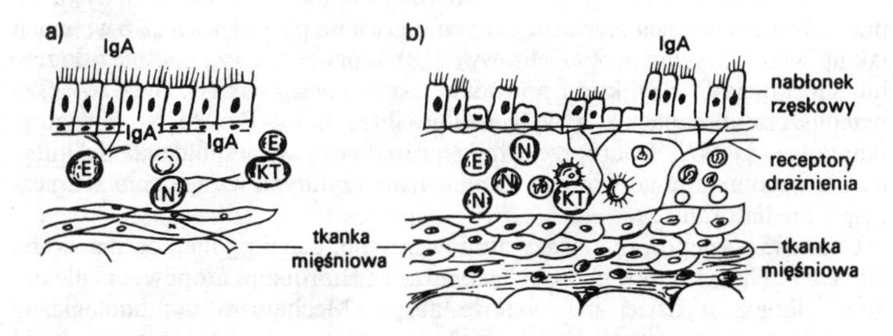

Powierzchnia błony śluzowej układu oddechowego: a) w zdrowiu, b) po zakażeniu; IgA – przeciwciała wydzielnicze klasy A, E – eozynofile (granulocyty kwasochłonne), N – neutrofile (granulocyty obojętnochłonne), KT – komórki tuczne

U p o ś l e d z e n i e c z y n n o ś c i a u t o n o m i c z n e g o u k ł a d u n e r w o w e g o wynika z tzw. b l o k a d y a d r e n e r g i c z n e j. W błonie komórkowej komórek istnieją receptory, przez które różne bodźce mogą pobudzać autonomiczny układ nerwowy: dla jego części współczulnej (adrenergicznej) – receptory alfa (α) i beta (β), a dla części przywspółczulnej (cholinergicznej) – receptory cholinergiczne (gamma γ). Równowaga pomiędzy napięciem tych receptorów warunkuje stan zdrowia (rys.). Zaburzenie tej równowagi,

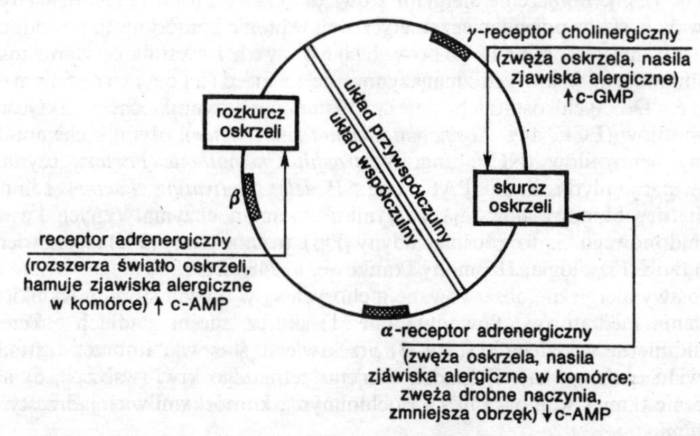

Wpływ regulacji autonomicznego (wegetatywnego) układu nerwowego na szerokość światła oskrzeli oraz na nasilanie lub hamowanie procesów alergicznych w komórce poprzez wzrost lub spadek (↑↓) poziomu c-AMP (cykliczny adenozynomonofosforan) lub c-GMP (cykliczny guanozynomonofosforan)

polegające na upośledzeniu funkcji receptorów beta, prowadzi do nadwrażliwości na bodźce w różnych narządach, np. do nadwrażliwości oskrzeli w astmie. Blokada receptorów beta przez niektóre wirusy, endotoksyny bakterii lub inne czynniki powoduje nasilenie zjawisk alergicznych.

Przekazywanie bodźców przez autonomiczny układ nerwowy odbywa się przy udziale substancji przekaźnikowych – neuroprzekaźników, takich jak np. wazoaktywny peptyd jelitowy (VIP), który rozkurcza mięśnie oskrzeli, lub substancja P (SP), która powoduje skurcz mięśni oskrzeli oraz zwiększa przepuszczalność naczyń i wytwarzanie śluzu (zob. Fizjologia, Hormony tkankowe, s. 247). Neuroprzekaźniki pośredniczą we współdziałaniu autonomicznego układu nerwowego z komórkami czynnymi w zapaleniu alergicznym i mediatorami.

Częstość występowania skazy atopowej w populacji ogólnej ocenia się na 20–25%. Nie wszystkie choroby alergiczne są chorobami atopowymi, ale ok. 80% alergoz u dzieci ma podłoże atopii. Mechanizm immunologiczny prowadzący do powstania i rozwoju chorób atopowych nosi nazwę reakcji typu I, reakcji anafilaktycznej lub reakcji natychmiastowej albo bezpośredniej. Choroby atopowe są wyrazem anafilaksji miejscowej, narządowej. Do zjawisk anafilaksji uogólnionej należy wstrząs anafilaktyczny (zob. s. 1243).

Reakcja anafilaktyczna, natychmiastowa, bezpośrednia

Do reakcji anafilaktycznej dochodzi przy powtórnym kontakcie z alergenem. W organizmie istnieją już na powierzchni komórek tucznych (mastocytów) skierowane przeciw temu alergenowi reaginy (immunoglobuliny IgE) (rys. a na s. 1235). Połączenie alergenu z dwiema cząsteczkami przeciwciała IgE wyzwala kaskadę przemian enzymatycznych w błonie komórkowej, powodując powstawanie tzw. mediatorów błonowych i uwalnianie ziarnistości lizosomalnych, w których zmagazynowane są mediatory preformowane. Do tych ostatnich należą: histamina, czynnik chemotaktyczny eozynofilów (ECF, ang. *Eosinophil Chemotactic Factor*), czynnik chemotaktyczny neutrofilów (NCF, ang. *Neutrophil Chemotactic Factor*), czynnik aktywujący płytki krwi (PAF, ang. *Platelet Activating Factor*) i inne. Mediatory błonowe powstają w wyniku przemian enzymatycznych kwasu arachidonowego. Są to: prostaglandyny (PG), tromboksany (TX) i leukotrieny (LT) (zob. Fizjologia, Hormony tkankowe, s. 248–249).

Objawy alergiczne obserwowane u chorych są w dużym stopniu wynikiem działania mediatorów. Powodują one: 1) skurcz mięśni gładkich oskrzeli, 2) nadmierne wydzielanie śluzu, 3) przekrwienie śluzówki i obrzęk (astma), 4) świąd (pokrzywka), 5) spadek ciśnienia tętniczego krwi (wstrząs), 6) nacieczenie tkanek komórkami kwasochłonnymi, komórkami wielojądrzastymi i innymi.

W ostatnich latach wyodrębniono dwie fazy reakcji anafilaktycznej zależnej od IgE. Pierwsza faza (IAR, ang. *Immediate Alergic Reaction*) występuje w parę minut po kontakcie z alergenem i zależy głównie od histaminy. Druga faza, zwana późną (LAR, ang. *Late Alergic Reaction*), rozpoczyna się po 4–6 godz., trwa dłużej; trudniej stan ten leczyć i zapobiegać jego wystąpieniu. W LAR ważną rolę odgrywają komórki zapalne (neutrofile, eozynofile i in.). Niektórzy chorzy reagują na alergen dwufazowo. Komórkom kwasochłonnym przypisuje się obecnie znacznie większą rolę niż poprzednio. Wykazano, że wyzwalają one substancje uszkadzające komórki nabłonka rzęskowego, ułatwiając powstanie odczynu zapalnego i nadreaktywności oskrzeli (zwiększona wrażliwość błony śluzowej na różne bodźce) w astmie.

Uwalnianie ziarnistości z komórki tucznej pod wpływem połączenia alergenu z przeciwciałem na jej powierzchni (degranulacja) nie jest jedynym mechanizmem wyzwalającym mediatory. Podobny efekt może być wynikiem pobudzenia receptorów drażnienia („irritant receptors") znajdujących się w błonie śluzowej oskrzeli. Bodźce te zostają przekazane przez dośrodkowe włókna nerwu błędnego do ośrodkowego układu nerwowego, skąd włóknami odśrodkowymi przekazują pobudzenie do mięśni gładkich oskrzeli. Jest to tzw. mechanizm odruchowy nerwu błędnego. W taki sposób mogą wywoływać lub nasilać objawy alergiczne zmiany temperatury, wilgotności, ciśnienia powietrza, zanieczyszczenia powietrza (np. SO, NO i inne), a zatem nie alergeny, lecz czynniki nieswoiste. Istnieją jeszcze inne mechanizmy uwalniania mediatorów z komórki tucznej. Leczenie alergii i jego skuteczność zależą od właściwego rozpoznania tych mechanizmów.

Astma atopowa

Astma atopowa jest najczęstszą postacią astmy u dzieci (ok. 80%). Może występować już u niemowląt. W 60–70% przypadków rozpoczyna się przed 6 r. życia. W pierwszych latach życia dzieci jest częstsza u chłopców, po okresie dojrzewania – u dziewcząt. Dzieci, które w niemowlęctwie przebyły wirusowe zakażenia układu oddechowego lub tzw. obturacyjne zapalenie oskrzeli (zob. s. 1224), częściej zapadają na astmę. Astma charakteryzuje się napadowym, odwracalnym, rozlanym zwężeniem światła oskrzeli z towarzyszącą dusznością wydechową, kaszlem, licznymi furczeniami i świstami wysłuchiwanymi w klatce piersiowej. Zwężenie oskrzeli zależy od skurczu mięśni gładkich oskrzeli, obrzęku śluzówki, obfitej, gęstej wydzieliny wypełniającej światło oskrzeli i nacieczenia komórkami zapalnymi błony śluzowej. Zakażenia nsilają znacznie ten odczyn. Podłożem tych zaburzeń jest nadmierna wrażliwość oskrzeli na różne bodźce, tzw. nadreaktywność oskrzeli. Wzmagają ją zakażenia i różne czynniki drażniące, jak zanieczyszczenia powietrza, dym tytoniowy i inne.

Typowy napad astmy występuje nagle, często w nocy, może być poprzedzony kaszlem lub wodnistym katarem, u dzieci często zakażeniem górnych dróg oddechowych. Duszności towarzyszy wyraźnie utrudniony wydech, kaszel, odpluwanie lepkiej wydzieliny. Dziecko przyjmuje pozycję siedzącą, unosi ramiona, uruchamia pomocnicze mięśnie oddechowe (porusza skrzydełkami nosa, wciąga międzyżebrza i dołki nadobojczykowe), poci się, często jest niespokojne. Odkrztuszenie wydzieliny lub podanie leków rozkurczowych łagodzi objawy. W cięższych przypadkach na twarzy i obwodowych częściach kończyn pojawia się sinica, utrzymuje się duszność i męczący kaszel. Bardzo ciężkie napady astmy ze znaczną obturacją, tj. zwężeniem światła oskrzeli mogą prowadzić do takiego upośledzenia przepływu powietrza przez oskrzela, że gwałtownie zmniejsza się utlenowanie krwi w płucach, narasta sinica, dochodzi do groźnych zaburzeń biochemicznych we krwi, nasilonej duszności, czasem nawet do utraty świadomości wynikającej z niedotlenienia mózgu. Jest to zagrażający życiu stan astmatyczny, wymagający natychmiastowego leczenia w szpitalu.

Podstawą rozpoznania astmy atopowej jest charakterystyczny obraz kliniczny choroby (typowe napady i okresy poprawy), wywiad rodzinny potwierdzający występowanie chorób alergicznych wśród krewnych, dodatnie testy skórne punktowe z alergenami wziewnymi lub pokarmowymi (po 15 min zaczerwienienie i bąbel), podwyższony poziom przeciwciał IgE, wzrost eozynofilii we krwi (powyżej 5%) i tkankach. U dzieci starszych (po 7–8 r. życia) pomocne w rozpoznawaniu są badania czynnościowe układu oddechowego, próby prowokacyjne z podejrzanymi alergenami lub histaminą. Przy współistniejących często u dzieci ogniskach zakażenia (np. zapalenie zatok, nawracające anginy, ropny katar) konieczne są posiewy z tych ognisk w celu ustalenia rodzaju bakterii i ich wrażliwości na antybiotyki.

Leczenie napadu duszności polega na podawaniu leków rozkurczowych (np. eufilina lub salbutamol), rozrzedzających wydzielinę i wykrztuśnych (np. flegamina), dostatecznym nawodnieniu dziecka (podawanie picia) i nawilżaniu powietrza, którym oddycha, wietrzeniu. W razie zakażenia stosowane są ponadto salicylany lub antybiotyki. W okresach międzynapadowych należy starać się usunąć przypuszczalne alergeny z otoczenia dziecka, systematycznie prowadzić gimnastykę oddechową z odpowiednim zestawem ćwiczeń poprawiających czynność układu oddechowego i ułatwiających oddychanie w czasie napadu. Okresowo wskazane jest leczenie klimatyczne. Jeżeli napady duszności powtarzają się częściej niż raz na miesiąc, podawane są leki zapobiegające napadom (Intal, Zaditen).

Leczenie stanu astmatycznego wymaga podania tlenu, steroidów nadnerczowych, leków rozkurczowych i rozrzedzających śluz (w formie iniekcyjnej), regulacji gospodarki kwasowo-zasadowej, a czasem nawet kontrolowanego oddechu.

Atopowe zapalenie skóry

Atopowe zapalenie skóry (AZS) u niemowląt i małych dzieci występuje pod postacią wyprysku atopowego; u dzieci starszych określane jest jako świerzbiączka.

Wyprysk dziecięcy pojawia się najczęściej ok. 3 miesiąca życia w postaci charakterystycznych zmian na policzkach, z zaczerwienieniem, obrzękiem, sączeniem (policzki „lakierowane”). Zmiany – polegające na tworzeniu się w naskórku zmian grudkowo-pęcherzykowych sączących – mogą obejmować również skórę owłosioną głowy, szyi oraz zgięcia kończyn i fałdy skóry. Płyn surowiczy zasycha w strupy, po odpadnięciu których dochodzi do złuszczania naskórka. Zmianom towarzyszy uporczywy świąd. Liczne zadrapania usposabiają do zakażeń skóry.

Jeśli proces chorobowy wielokrotnie obejmuje te same miejsca skóry, może prowadzić do zliszajowacenia, zgrubienia i przebarwień. Chorobie mogą towarzyszyć komórkowe zaburzenia immunologiczne.

Przyczyną wyprysku jest naczęściej uczulenie na pokarmy, ale mogą go powodować i inne alergeny. Różne czynniki drażniące (detergenty, środki piorące, kosmetyki) sprzyjają występowaniu zmian i nasilają je. Jest to związane z defektem ektodermalnym stwierdzanym u ludzi z atopowym zapaleniem skóry. Morfologicznym wyrazem defektu ektodermalnego jest suchość skóry, słabo wyrażona „rybia łuska".

Leczenie polega na stosowaniu odpowiedniej diety, usuwaniu alergenów z otoczenia, miejscowym stosowaniu łagodzących maści. Atopowe zapalenie skóry ustępuje na ogół ok. 2 r. życia lub utrzymuje się pod postacią świerzbiączki. Nazwa pochodzi od głównego objawu – znacznego świądu skóry.

Świerzbiączka, często nazywana „astmą skóry", ma wszystkie cechy chorób atopowych. Istota zmian jest taka sama jak w wyprysku, ale lokalizują się one głównie w zgięciach kończyn, na powierzchni rąk, mniej sączą, więcej jest elementów grudkowych, mniej pęcherzyków, powodują większy świąd. Choroba przebiega z okresami spokoju i zaostrzeń. Znacznie trudniejsza niż w wyprysku jest identyfikacja czynników alergizujących. Często główną rolę odgrywają czynniki psychogenne. Świerzbiączka często towarzyszy astmie.

Leczenie jak wyprysku, poza tym stosowane są leki antyhistaminowe i uspokajające. W przypadkach dodatkowych zakażeń bakteryjnych konieczne jest czasem stosowanie antybiotyków. Chorych należy chronić przed czynnikami drażniącymi.

Alergiczny nieżyt nosa

Alergiczny nieżyt występuje pod dwiema postaciami: jako gorączka sienna – daje objawy sezonowe w okresie pylenia roślin i jako alergiczny nieżyt nosa niesezonowy, z objawami utrzymującymi się w ciągu całego roku.

Gorączka sienna, czyli **nieżyt pyłkowy, pyłkowica** występuje sezonowo w okresie kwitnienia traw, drzew, krzewów, chwastów. W centralnej części Polski objawy pyłkowicy są głównie związane z okresem pylenia traw, od końca maja do połowy lipca.

Objawy. Uporczywemu, wodnistemu katarowi nosa towarzyszy napadowe kichanie, uczucie zatkania nosa (obrzęk śluzówki), bóle głowy. Często dołącza się łzawienie, obrzęk i zaczerwienienie spojówek, światłowstręt, a czasami objawy astmy, ale dopiero po dłuższym czasie trwania choroby. Na skórze po kontakcie z trawą występuje niekiedy odczyn bąblowy.

Gorączka sienna występuje często rodzinnie i przede wszystkim u ludzi młodych. U dzieci do 2–3 r. życia pojawia się rzadko, chociaż czasem można już u nich stwierdzić dodatnie testy skórne na pyłki. U niemowląt i małych dzieci pyłkowica może się objawiać zaburzeniami ze strony przewodu pokarmowego (biegunka, bóle brzucha) lub zmianami skórnymi (pokrzywka).

Leczenie w czasie pylenia polega na podawaniu środków antyhistaminowych miejscowo (krople) i ogólnie, leków obkurczających naczynia błony śluzowej nosa (odpowiednie krople do nosa, np. betadrin, xylomethasolinum, thymazen), czasem na miejscowym stosowaniu kropli kortykosteroidowych. W niektórych przypadkach przez cały okres pylenia stosowane są leki zmniejszające nadwrażliwość błony śluzowej na pyłki (intal w proszku lub w postaci aerozolu – Lomusol). U dzieci starszych przed okresem pylenia wskazane jest odczulanie alergenami pyłków w postaci odpowiedniej szczepionki.

Alergiczny nieżyt nosa niesezonowy przebiega podobnie jak gorączka sienna, ale objawy utrzymują się w ciągu całego roku, gdyż alergeny, które go wywołują, działają ciągle. Są to przeważnie alergeny wziewne, takie jak roztocze kurzu domowego, sierść zwierząt domowych, pierze, zarodniki pleśni.

Leczenie opiera się głównie na eliminacji alergenów i stosowaniu leków objawowych, jak w gorączce siennej. Odczulanie wchodzi w rachubę tylko przy uczuleniu na roztocze kurzu domowego, którego nie można całkowicie wyeliminować z otoczenia.

Pokrzywka i obrzęk naczynioruchowy

Pokrzywka i obrzęk naczynioruchowy są to dwie różne postacie tej samej choroby. Bąblowo-rumieniowe wykwity w ostrej pokrzywce obejmują skórę i błony śluzowe, obrzęk naczynioruchowy – tkankę podskórną i śluzówki. Występują pod wpływem różnych alergenów, głównie pokarmowych, rzadziej wziewnych, w zakażeniach pasożytami, po ukąszeniach owadów. Mechanizmy immunologiczne i działanie mediatorów (głównie histaminy) są przeważnie takie same, jak w innych chorobach atopowych. Istnieje jednak wiele odmian pokrzywki, zwłaszcza przewlekłej, niezależnej od mechanizmów immunologicznych, a niektóre postacie obrzęku naczynioruchowego są wrodzonym defektem enzymatycznym (brak inhibitora C_3).

Objawy choroby mogą mieć rozmaite nasilenie, od łagodnych postaci z pojedynczymi wykwitami do zlewnej girlandowej wysypki bąblowej w skórze z zajęciem błon śluzowych. Obrzęk naczynioruchowy może towarzyszyć pokrzywce lub stanowić jedyny objaw choroby. Bywa niebezpieczny w przypadkach znacznego uczulenia na pokarmy lub po ukąszeniu owadów, jeżeli występuje pod postacią obrzęku Quinkego, obejmując twarz, błonę śluzową jamy ustnej i górnych dróg oddechowych. Niebezpieczeństwo dla życia wynika z szybko rozwijającego się obrzęku krtani.

Leczenie. W pokrzywce leczniczo stosowane są preparaty przeciwhistaminowe, uszczelniające naczynia (wapno, rutinoscorbin) i środki uspokajające, gdyż udział czynników psychicznych w występowaniu pokrzywki jest znaczny. W ciężkich przypadkach istnieje konieczność podania kortykosteroidów. W narastającym obrzęku krtani konieczne jest niezwłoczne podanie kortykosteroidów dożylnie lub (i) adrenaliny, leków przeciwhistaminowych.

Wstrząs anafilaktyczny

Wstrząs anafilaktyczny jest najgroźniejszą postacią alergii. Występuje natychmiast lub po kilkunastu minutach od podania alergenu. Im szybciej pojawiają się objawy, tym gorzej rokują. Ciężki wstrząs charakteryzuje się spadkiem ciśnienia, objawami zapaści, bladością, dusznością, czasem wymiotami, biegunką, pokrzywką. Może wystąpić zatrzymanie czynności serca, bezdech, sinica, drgawki i śmierć. W postaciach łagodniejszych objawia się niepokojem, świądem, złym samopoczuciem, potami, przyspieszeniem czynności serca, pokrzywką, bólem głowy, brzucha. Objawy wstrząsu występują najczęściej po lekach, ukłuciu przez owady, po wstrzyknięciu preparatów gamma-globuliny, po niektórych pokarmach (np. mleko, białko). Nasilenie objawów zależy od dawki i drogi wprowadzenia substancji uczulającej. Najbardziej niebezpieczne jest wprowadzenie alergenu drogą iniekcyjną (przez wstrzyknięcie). Wstrząs anafilaktyczny wymaga natychmiastowej pomocy lekarskiej. Zob. też Patologia, Wstrząs, s. 342.

Nieatopowe choroby alergiczne

Mechanizmem immunologicznym nieatopowych chorób alergicznych może być reakcja typu III, zwana też reakcją kompleksów immunologicznych antygen – przeciwciało + komplement (zob. Patologia, s. 312). W toku reakcji alergeny łączą się z przeciwciałami IgG tworząc kompleksy, które przyłączają dopełniacz (komplement). Dalej proces przebiega wielokierunkowo i prowadzi do: uwalniania histaminy z komórki tucznej, wzmożonej przepuszczalności naczyń, uwalniania enzymów proteolitycznych, tworzenia mikrozakrzepów w drobnych naczyniach, a w końcowej fazie do uszkodzenia tkanki.

Alergiczne zapalenie pęcherzyków płucnych

Choroba rozwija się według wymienionych mechanizmów i jest wyrazem miejscowej reakcji przebiegającej w płucach. Alergenami są promieniowce, pleśnie, białka zwierzęce. Alergeny dostają się do dróg oddechowych wraz z różnymi pyłami organicznymi, np. z pyłem ze spleśniałego siana, słomy, kompostu, z pieczarkami, z pyłem powstającym przy mechanicznej obróbce drewna itp. Alergiczne zapalenie pęcherzyków płucnych obejmuje więc całą grupę chorób o podobnym przebiegu i podobnych objawach, które występują w 6 – 8 godz. od kontaktu z alergenem. Jest to kaszel, duszność, czasem podwyższona temperatura ciała, uczucie ogólnego osłabienia.

Alergiczne zapalenie pęcherzyków płucnych występuje częściej u dorosłych niż u dzieci, ponieważ dorośli częściej mają stały kontakt z alergenem. Na przykład u młynarzy, piekarzy, rolników, drwali, robotników fabryk włókienniczych stanowi chorobę zawodową. Może również wystąpić u osób hodujących ptaki, niezależnie od wieku, zarówno u osób dorosłych, jak i u dzieci. Alergenem jest w tym przypadku pył z zeschniętych odchodów ptasich zawierający białka ptasie. Przedłużający się kontakt z alergenem powoduje znaczną produkcję przeciwciał IgG. W tkankach odkładają się wytworzone kompleksy (w przegrodach pęcherzyków płucnych, w ścianie drobnych naczyń), z czasem prowadząc do zwłóknienia tkanki płucnej i niewydolności oddychania, jeśli choroba nie zostanie rozpoznana w porę i leczona.

Leczenie polega głównie na usunięciu alergenów, w niektórych przypadkach konieczne jest podawanie glikokortykosteroidów.

Choroba posurowicza

Choroba posurowicza jest ogólnoustrojowym odczynem na pozajelitowo podaną obcogatunkową surowicę (np. surowicę końską przeciwbłoniczą czy przeciwtężcową) oraz na niektóre leki. Krążące kompleksy immunologiczne uszkadzają naczynia, prowadzą do miejscowych zmian zapalnych. W 7–15 dni od podania alergenu pojawia się gorączka, pokrzywka, obrzęk stawów, bóle mięśniowe, a często również powiększenie węzłów chłonnych i bóle brzucha.

Leczenie polega na podawaniu leków przeciwhistaminowych, uszczelniających naczynia. Czasem konieczne jest stosowanie kortykosteroidów.

Wyprysk kontaktowy

Wyprysk kontaktowy jest to uczulenie skóry na bezpośredni kontakt z alergenem. Reakcja immunologiczna, wg której powstają wymienione zmiany, nosi nazwę reakcji komórkowej, opóźnionej (*delayed*) lub reakcji typu IV. Główną rolę odgrywają tu nie przeciwciała, jak w poprzednich reakcjach (typu I, II, III), lecz uczulone limfocyty, które po kontakcie z alergenem uwalniają wiele substancji chemicznych, zwanych limfokinami. Są one mediatorami w tym typie reakcji, prowadzącymi do wystąpienia zmian.

Wyprysk kontaktowy jest przede wszystkim chorobą ludzi dorosłych, często zawodową (robotnicy pracujący przy barwieniu tkanin, wyprawianiu skór, produkcji kosmetyków i środków czystości, leków, pielęgniarki). Poprzez kontakt mogą się również uczulać dzieci, np. na formalinę używaną przy produkcji tkanin ubraniowych – dziecko uczula się przez ubranie własne lub osób dorosłych, które noszą dziecko na rękach. Powtarzany kontakt z tkaniną zawierającą ślady formaliny „wystarcza" do uczulenia zwłaszcza wówczas, gdy na skórę dziecka działają wcześniej czynniki chemiczne, mechaniczne lub termiczne (np. pocenie nasila zmiany kontaktowe). Wyprysk kontaktowy mogą wywoływać guziki metalowe, zamki błyskawiczne, oprawki okularów, niklowe zegarki (nikiel), nożyczki, atrament, farby, papier gazetowy (chrom), zabawki gumowe i wiele innych. Wyprysk kontaktowy nie jest chorobą atopową, ale skaza atopowa ułatwia jego wystąpienie.

Astma aspirynopochodna

Astma powstająca pod wpływem zażywania aspiryny ma zupełnie inny mechanizm. Jest spowodowana defektem enzymatycznym, polegającym na zahamowaniu przez aspirynę działania enzymu cyklooksygenazy katalizującej przemiany kwasu arachidonowego do prostaglandyn (PGE_1) i prostacykliny (PGI_2), które stabilizują komórki tuczne i hamują ich degranulację. Zablokowanie przez aspirynę tego kierunku przemian zmienia metabolizm kwasu arachidonowego (rys.), w wyniku czego powstają l e u k o t r i e n y (LT), grupa mediatorów procesów alergicznych i zapalnych prowadząca m.in. do przedłużonego skurczu oskrzeli.

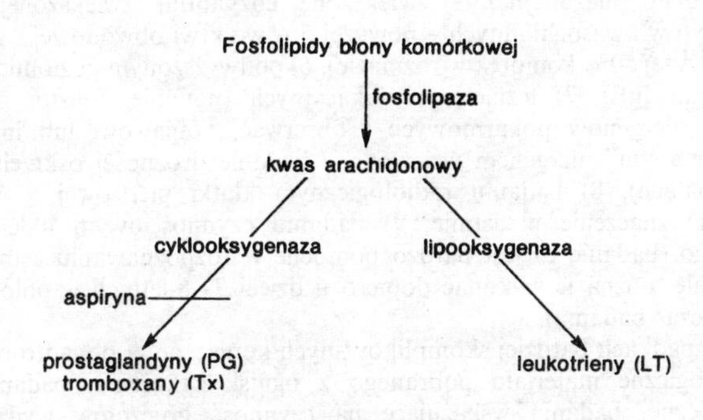

Kierunki przemian kwasu arachidonowego

Astma aspirynopochodna może występować również po innych lekach, takich jak np. indometacyna, pyralgina, brufen czy piramidon. Jest to właściwie n i e u c z u l e n i e, lecz ilościowa n i e p r a w i d ł o w a r e a k c j a n a o k r e ś l o n y l e k. Występuje u 2–6% dzieci z astmą. Często kojarzy się z nieprawidłową odpowiedzią na t a r t r a z y n ę, tj. barwnik używany do barwienia środków spożywczych, napojów gazowanych, otoczki drażetek z lekami, znajduje się też w wielu owocach i jarzynach o intensywnym zabarwieniu (śliwki, pomarańcze, truskawki, buraki i inne). W tej sytuacji eliminacja czynników szkodliwych jest bardzo trudna. Astma „aspirynowa" kojarzy się często z polipowatością śluzówki nosa, przewlekłym nieżytem nosa i zapaleniem zatok.

O b j a w y występują bezpośrednio lub w 2–3 godz. po przyjęciu leku. Są to: duszność, uczucie zatkania nosa, mogą zdarzyć się nudności, wymioty, pokrzywka. Testy skórne przy użyciu różnych alergenów są na ogół ujemne.

R o z p o z n a n i e opiera się na dodatnich testach prowokacyjnych z aspiryną lub tartrazyną oraz rodzinnej skłonności do nietolerancji aspiryny.

L e c z e n i e opiera sie przede wszystkim na eliminacji leków wywołujących objawy uczulenia i pokarmów szkodliwych. Ostatnio prowadzone są próby odczulania małymi dawkami aspiryny (polopiryny).

Rozpoznawanie chorób alergicznych

Rozpoznawanie chorób alergicznych opiera się na: 1) wywiadzie rodzinnym (60–70% dzieci z alergią ma krewnych z chorobami alergicznymi) i osobniczym dotyczącym danego dziecka (objawy alergiczne ze strony różnych narządów występujące wcześniej), 2) wynikach badania lekarskiego, 3) przebiegu choroby, 4) dodatnich testach skórnych z alergenami (najczęściej wykonywane są testy punktowe, rzadziej śródskórne, u dzieci poniżej 3 lat testy są mało miarodajne), 5) zwiększonej eozynofilii (zwiększonej liczby granulocytów kwasochłonnych – powyżej 5% we krwi obwodowej i w tkankach, powyżej 50% komórek w rozmazie), 6) podwyższonym poziomie reagin (przeciwciał IgE), 7) testach prowokacyjnych (podanie doustne „podejrzanych" alergenów pokarmowych i obserwacja objawów, lub inhalacja z „podejrzanym" alergenem wziewnym i badanie drożności oskrzeli przed i po inhalacji), 8) badaniu radiologicznym klatki piersiowej, które ma szczególne znaczenie w astmie, 9) badaniu czynnościowym układu oddechowego (badanie to jest bardzo pomocne w rozpoznawaniu astmy i jej postaci, ale można je wykonać dopiero u dzieci 7–8-letnich współpracujących podczas badania).

W przypadkach bardziej skomplikowanych konieczne są ponadto badania bakteriologiczne materiału pobranego z ognisk zakażenia, badania immunologiczne, badania wskazujące na czynność gruczołów wydzielania wewnętrznego (np. nadnerczy) i inne.

Profilaktyka i leczenie chorób alergicznych u dzieci

Zapobieganie chorobom alergicznym

Zapobieganie rozwojowi chorób alergicznych u dzieci można ująć w następujące punkty:

1) Każde niemowlę powinno być karmione piersią przynajmniej do 6 miesiąca życia. U dzieci z rodzin obciążonych skazą atopową jest to szczególnie ważne. Jeżeli z istotnych powodów matka takiego dziecka nie może karmić piersią, powinna używać pokarmu z laktarium lub mieszanek

bezmlecznych (Prosobee, Nutramigen), nie dokarmiać dziecka mlekiem krowim, unikać wczesnego wprowadzania takich pokarmów, jak białko jaja, ryby, orzechy, soki z owoców cytrusowych. Nowe pokarmy powinny być wprowadzane pojedynczo, najlepiej gotowane, bo zmniejsza to ich właściwości alergizujące.

2) Kobiety w ciąży, które mają już dziecko z alergią, powinny stosować w miarę możliwości dietę pozbawioną alergenów.

3) Niemowlęta powinny być chronione przed kontaktem z alergenami. Należy zlikwidować pościel z pierza, materace z włosia i trawy morskiej, maty słomiane, usunąć z domu zwierzęta, skóry zwierzęce, pyłochłonne dywany, utrzymywać mieszkania w czystości, chronić dziecko przed ukąszeniami insektów i innych owadów.

4) W pomieszczeniach, gdzie przebywa dziecko, nie należy palić tytoniu. Dym tytoniowy alergizuje i zmniejsza odporność dróg oddechowych.

5) Konieczna jest ochrona dziecka przed zakażeniami. Dziecko nie powinno stykać się z osobami chorymi, nie powinno być wychowywane w żłobku, w przypadku zachorowania powinno być dokładnie leczone. W razie zakażenia pasożytami jelitowymi, powinna być przeleczona cała rodzina.

6) Należy unikać podawania dziecku leków, po których często występują objawy alergiczne, zwłaszcza podawanych w postaci zastrzyków.

7) Wczesne leczenie pierwszych objawów uczulenia zapobiega rozwojowi pełnoobjawowej alergii.

Leczenie chorób alergicznych

Leczenie chorób alergicznych polega przede wszystkim na eliminacji alergenów. Jest to możliwe przy uczuleniach na pokarmy, sierść zwierząt, leki. W przypadku jednak uczulenia na roztocze kurzu domowego, pyłek roślin, czyli alergenów, których nie sposób usunąć z otoczenia dziecka, można stosować odczulanie, czyli hiposensybilizację.

Odczulanie polega na stopniowym wprowadzaniu coraz to większych dawek alergenu do organizmu. Organizm w odpowiedzi wytwarza tzw. przeciwciała blokujące, które na powierzchni alergenu zajmują miejsca uchwytu dla przeciwciał IgE, czyli reagin, i blokują w ten sposób odczyn alergiczny. Nie jest to jedyny mechanizm odczulania. Dzieci poniżej 5 r. życia nie powinny być leczone tą metodą.

Leki przeciwalergiczne: Intal i Zaditen mają właściwości stabilizujące komórki tuczne, czyli mastocyty. Zapobiegając degranulacji mastocytów, tj. uwalnianiu z komórki ziarnistości zawierających różne substancje chemiczne zwane mediatorami reakcji alergicznej, zmniejszają nasilenie zjawisk alergicznych.

Intal stosowany jest w astmie w postaci proszku do wziewania. Może być też podawany w katarze siennym na błonę śluzową nosa (Lomusol) lub do oczu (Opticron) albo w alergii pokarmowej doustnie (Nalcrom). Działa głównie miejscowo.

Właściwości Zaditenu są podobne, ale lek ten podany doustnie działa ogólnie. Nie można go stosować z lekami przeciwhistaminowymi. Intal i Zaditen stosuje się przewlekle; oba są najbardziej skuteczne w chorobach atopowych, ale stosuje się je również w astmie aspirynopochodnej i powysiłkowej. Podawane systematycznie zapobiegają występowaniu objawów alergicznych lub zmniejszają ich częstość, ale w napadzie astmy nie mają większego znaczenia.

Leki antyhistaminowe (przeciwhistaminowe) nie są skuteczne w napadzie astmy, ale stosuje się je w pokrzywce, obrzęku Quinkego, alergii pokarmowej, alergicznym nieżycie nosa.

Leki rozkurczające oskrzela są najskuteczniejsze podczas napadu astmy. Należą tu: 1) leki działające na receptory beta-adrenergiczne, 2) pochodne metyloksantyn, 3) leki blokujące receptory cholinergiczne. Poza wpływem na oskrzela, mogą one działać pobudzająco, przyspieszać czynność serca, zwiększać ciśnienie krwi, zwiększać ilość wydalanego moczu, zagęszczać śluz w oskrzelach. Należy je stosować ostrożnie, zgodnie z zaleceniami lekarza. Przedawkowane mogą powodować groźne dla życia objawy. Stosowane są również w przewlekłym leczeniu astmy.

Leki wykrztuśne rozrzedzające śluz ułatwiając wykrztuszanie śluzu wpływają na udrożnienie oskrzeli. Konieczne jest jednoczesne nawilżanie powietrza w pomieszczeniu, gdzie znajduje się dziecko oraz podawanie do picia dużej ilości płynów.

Hormony kory nadnerczy, czyli kortykosteroidy, w chorobach alergicznych u dzieci są stosowane rzadko ze względu na możliwość wystąpienia objawów niepożądanych, które w organizmie rosnącym mogą być bardziej szkodliwe niż u dorosłych. Wskazaniem bezwzględnym do podania kortykosteroidów (dożylnie hydrokortyzonu) jest stan astmatyczny, wstrząs anafilaktyczny, obrzęk Quinkego z zajęciem krtani. Czasami kortykosteroidy są stosowane w ciężkich lub przewlekających się napadach astmy albo w bardzo nasilonych zmianach skórnych (w postaci maści steroidowych zewnętrznie). Kortykosteroidy mogą być podawane doustnie, w inhalacji, w kroplach do oczu i nosa (1% roztwór hydrokortyzonu).

W ostatnich latach częściej niż poprzednio stosuje się steroidy wziewne (Becotide, Pulmicort, Beklofort), gdyż podana w ten sposób działająca dawka jest znacznie mniejsza niż dawka doustna, daje mniej objawów niepożądanych. Wziewną postać leków stosuje się również w przewlekłym leczeniu np. salbutamolem.

Leki przeciwzapalne i antybiotyki są stosowane w przypadku rozwoju procesu zapalnego, który zawsze nasila objawy alergiczne. Podawanie antybiotyku może być konieczne przy długotrwałym leczeniu kortykosteroidami, które obniżają odporność organizmu, choć skutecznie na ogół hamują proces alergiczny.

Leczenie klimatyczne, usprawniające jest ważnym elementem terapii chorób alergicznych. Powinno być stosowane indywidualnie, zależnie od potrzeb i reakcji chorego.

X. CHOROBY UKŁADU KRĄŻENIA U DZIECI

Wrodzone wady serca

Pojęciem wrodzonych wad serca określa się nieprawidłowości budowy struktur serca, zastawek przedsionkowo-komorowych, zastawek tętniczych oraz nieprawidłowości w położeniu i przebiegu wielkich pni tętniczych w stosunku do serca.

Przyczyny powstawania wrodzonych wad serca

Około 1% dzieci rodzi się z wadami wrodzonymi serca i w większości przypadków nie udaje się ustalić ich przyczyny. „Odpowiedzialne" za powstawanie wad wrodzonych serca mogą być różne czynniki szkodliwe, działające na płód w pierwszych tygodniach ciąży, m.in. zachorowanie matki w tym czasie na różyczkę, rzadziej na inne choroby wirusowe. Niekorzystny wpływ mogą mieć również: nieprawidłowe odżywianie ciężarnej powodujące niedobory pewnych składników pokarmowych, toksyczne działanie różnych środków chemicznych, w tym niektórych leków, energia promienista, np. naświetlanie promieniami rentgenowskimi.

Wrodzone wady serca częściej powstają u dzieci rodziców spokrewnionych. Obserwuje się również rodzinne występowanie tych chorób.

Charakterystyczne objawy wrodzonych wad serca

Wrodzone wady serca mogą nie powodować żadnych objawów i wykrywa się je podczas przypadkowego badania lekarskiego. U niektórych dzieci występuje uwypuklenie klatki piersiowej w okolicy serca do przodu – tzw. garb sercowy. U innych w okolicy przedsercowej i naczyń szyjnych można zaobserwować nadmierne nieprawidłowe tętnienie. Niekiedy po przyłożeniu ręki do klatki piersiowej wyczuwa się drżenie określane kocim mrukiem.

Sinica występuje w tych wadach serca, w których na skutek nieprawidłowych połączeń następuje mieszanie się krwi żylnej (pozbawionej tlenu, ciemnej) z krwią tętniczą (utlenowaną, jasną). Sinica może pojawić się bezpośrednio po urodzeniu lub w pierwszych miesiącach czy latach życia. Może występować tylko przy wysiłku (u niemowląt w czasie płaczu), ale również i w spoczynku. Stopień nasilenia sinicy może być bardzo różny, od niewielkiej, dotyczącej tylko warg i końca palców, do uogólnionej bardzo znacznej obejmującej całe ciało. U dzieci z sinicą często rozwija się zgrubienie paliczków palców rąk i nóg, tzw. palce pałeczkowate, a paznokcie mają kształt wypukłych szkiełek zegarkowych. Badanie krwi wykazuje jej zagęszczenie, podwyższoną liczbę krwinek czerwonych oraz podwyższony poziom hemoglobiny.

Niektóre dzieci z siniczymi wadami wrodzonymi serca źle tolerują wysiłek fizyczny i chętnie odpoczywają w pozycji kucznej – objaw kucania – lub w pozycji kolankowo-łokciowej. Czasami nawet przejście krótkiej odległości powoduje występowanie duszności i narastanie sinicy.

W następstwie gorszego utlenowania tkanek może występować niedobór masy ciała i wzrostu u dzieci z wrodzonymi wadami serca, a u niemowląt z ciężkimi wadami – opóźniony rozwój ruchowy.

Metody rozpoznawania chorób układu krążenia u dzieci

Rozpoznawanie chorób układu krążenia u dzieci, podobnie i jak u dorosłych, opiera się przede wszystkim na zebraniu wywiadu i badaniu lekarskim oraz na wykonaniu wielu badań specjalistycznych, takich jak: badanie radiologiczne klatki piersiowej, badanie elektrokardiograficzne (EKG), polikardiograficzne, echokardiograficzne i dopplerowskie, angiografia izotopowa, cewnikowanie serca i badanie angiokardiograficzne. Wszystkie te badania są opisane w podrozdziale „Metody badania układu krążenia" zamieszczonym w dziale „Choroby wewnętrzne", s. 633.

Rozpoznanie wady wrodzonej serca i innych zmian w układzie krążenia jest możliwe już w życiu płodowym za pomocą badania echokardiograficznego i dopplerowskiego.

Wywiad polega na zebraniu przez lekarza dokładnych danych dotyczących: przebiegu ciąży i porodu u matki dziecka oraz rozwoju i stanu dziecka w okresie noworodkowym i niemowlęcym. Duże znaczenie ma ustalenie, czy dziecko często przechodziło przeziębienia, zapalenia płuc i oskrzeli oraz czy ma okresową duszność, obrzęki, napady utraty przytomności, bicia serca lub niemiarowej czynności serca.

Badanie lekarskie obejmuje: oglądanie dziecka (ocena fizycznego rozwoju, zabarwienia skóry, wykrycie ewentualnych zniekształceń klatki piersiowej, nieprawidłowego tętnienia), obmacywanie okolicy serca i tętna na kończynach dolnych i górnych, opukiwanie i osłuchiwanie. Osłuchiwanie pozwala lekarzowi stwierdzić, czy czynność serca jest miarowa, czy tony serca są prawidłowe, czy występują szmery w sercu. Pomiar ciśnienia tętniczego krwi uzupełnia całość lekarskiego badania kardiologicznego. Dokładne rozpoznanie chorób układu krążenia, a zwłaszcza wykrycie i ocena wad serca pozwala je kwalifikować do leczenia operacyjnego.

Wrodzone wady serca bez sinicy

Przetrwały przewód tętniczy Botalla. Przewód tętniczy Botalla jest to naczynie krwionośne, które odgrywa ważną rolę w życiu płodowym i w warunkach prawidłowych ulega zamknięciu w ciągu pierwszych dni lub tygodni życia dziecka. Stanowi on połączenie między tętnicą płucną a tętnicą główną, czyli aortą. Ponieważ ciśnienie w aorcie znacznie przewyższa ciśnienie w tętnicy płucnej, jeżeli przewód tętniczy jest drożny, część krwi z aorty przepływa do tętnicy płucnej. Nadmierna ilość krwi napływającej do płuc sprzyja występowaniu w nich nawracających zmian zapalnych i może spowodować uszkodzenie naczyń tętniczych płuc, zwane nadciśnieniem płucnym.

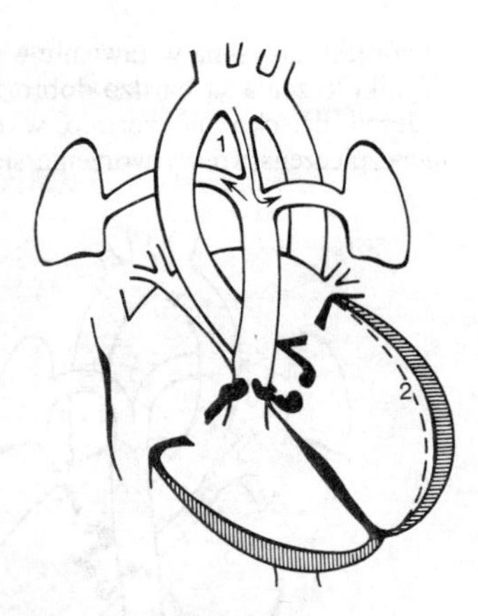

Przetrwały przewód tętniczy Botalla: 1 – przetrwały przewód tętniczy, 2 – powiększenie i przerost lewej komory

Zaburzenia w krążeniu zależą od szerokości przetrwałego przewodu tętniczego i ilości przepływającej przez niego krwi. Szeroki przewód tętniczy już w wieku niemowlęcym może spowodować objawy niewydolności krążenia. Wąski przewód w niektórych przypadkach poza typowym szmerem w sercu może nie dawać innych objawów.

Wadę tę, jeżeli nie towarzyszą jej inne nieprawidłowości serca i dużych pni naczyniowych, można rozpoznać bez cewnikowania serca i badania angiokardiograficznego na podstawie badania echokardiograficznego i dopplerowskiego.

Leczenie przetrwałego przewodu tętniczego jest wyłącznie operacyjne. Polega na podwiązaniu przewodu. Całkowite wyleczenie uzyskuje się nawet u najmłodszych dzieci.

Ubytek w przegrodzie międzykomorowej. Przegroda międzykomorowa składa się z dwóch części: górnej błoniastej i dolnej mięśniowej.

Ubytek w dolnej, grubej, mięśniowej części przegrody międzykomorowej, jeżeli nie jest duży, może – poza szmerem – nie powodować innych objawów i ulec samoistnemu zamknięciu.

Ubytek w górnej, błoniastej części przegrody międzykomorowej, zwłaszcza duży, powoduje zaburzenia w krążeniu krwi. W czasie skurczu część krwi z lewej komory przepływa pod wysokim ciśnieniem przez ubytek do komory prawej, a następnie do płuc. W wadzie tej istnieje skłonność do zmian zapalnych w płucach i rozwoju nadciśnienia płucnego.

Czasami u dzieci z ubytkiem przegrody międzykomorowej rozwija się znaczny przerost mięśnia prawej komory poniżej zastawek tętnicy płucnej. Utrudnia to odpływ krwi z prawej komory, powoduje wzrost ciśnienia w prawej komorze i „odwraca" kierunek przecieku przez ubytek międzykomorowy – krew płynie z prawej do lewej komory. Wada serca początkowo bez sinicy staje się wadą siniczną.

Leczenie ubytku przegrody międzykomorowej jest operacyjne. Przeprowadza się je na otwartym sercu, po podłączeniu do krążenia pozaustrojowego. Operacja polega na zaszyciu brzegów otworu lub – jeżeli otwór jest duży – na wstawieniu w miejsce ubytku łaty z tworzywa sztucznego. Wyniki leczenia są bardzo dobre.

Jeżeli dziecko nie zostało w odpowiednim czasie zoperowane, istnieje niebezpieczeństwo wytworzenia się wtórnych zmian w naczyniach płucnych,

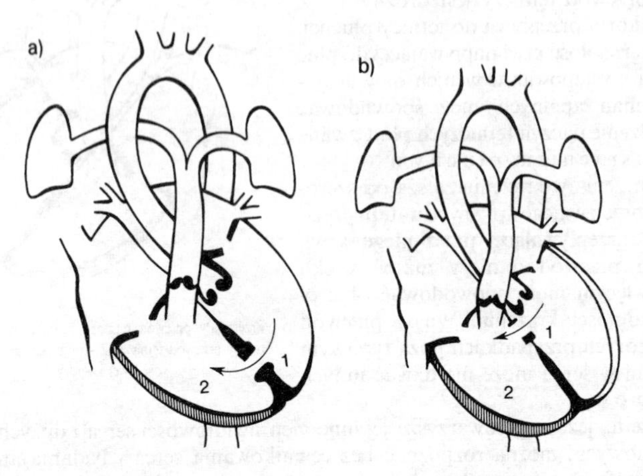

Ubytek w przegrodzie międzykomorowej: a) niski (1), b) wysoki (1), 2 – przerost prawej komory w obu przypadkach

spowodowanych zwiększonym przepływem krwi. Następuje znaczny wzrost ciśnienia w tętnicy płucnej (nadciśnienie płucne) i w prawej komorze oraz odwrócenie przecieku krwi przez ubytek – krew z prawej komory będzie przepływała do komory lewej i występuje sinica. Leczenie operacyjne nie jest już możliwe.

Jeśli ciężkie zaburzenia w krążeniu krwi oraz nawracające zapalenia płuc i objawy niewydolności krążenia występują już w wieku niemowlęcym, u takich dzieci wykonuje się niekiedy zabieg operacyjny, który prowadzi do zmniejszenia przepływu krwi przez płuca. Zabieg ten polega na założeniu opaski na tętnicę płucną (b a n d i n g t ę t n i c y p ł u c n e j), wskutek czego zmniejsza się ilość dopływającej krwi do płuc. Właściwe leczenie operacyjne wykonuje się w późniejszym okresie życia – ubytek w przegrodzie międzykomorowej zostaje zaszyty, a uprzednio założona opaska na tętnicę płucną – zdjęta. Obecnie nawet u najmłodszych dzieci (niemowląt) bardzo rzadko stosuje się banding tętnicy płucnej, lecz chirurgicznie zamyka się ubytek.

Ubytek w przegrodzie międzyprzedsionkowej. W wadzie tej o b j a w y zależą od umiejscowienia i wielkości ubytku. Jeżeli u b y t e k jest mały w g ó r n e j, w y s o k i e j c z ę ś c i p r z e g r o d y międzyprzedsionkowej, może nie powodować żadnych objawów. Jeżeli otwór jest duży, krew utlenowana z lewego przedsionka przepływa do prawego przedsionka, następnie do prawej komory i do płuc, które otrzymują nadmierną ilość krwi. Ponieważ krew do prawego przedsionka napływa pod stosunkowo niskim ciśnieniem istniejącym w lewym przedsionku, wada ta rzadko powoduje zaburzenia we wczesnym dzieciństwie. Na ogół pierwsze jej objawy występują w wieku przedszkolnym i szkolnym. Stosunkowo rzadko dochodzi do rozwoju nadciśnienia płucnego w okresie dziecięcym. Jednak około trzeciej dekady życia u 30% chorych nie operowanych może rozwinąć się nadciśnienie płucne uniemożliwiające korekcję wady. Często dzieci z tą wadą mają charakterystyczną bardzo smukłą budowę ciała, niedobór masy ciała oraz skłonność do zakażeń dróg oddechowych.

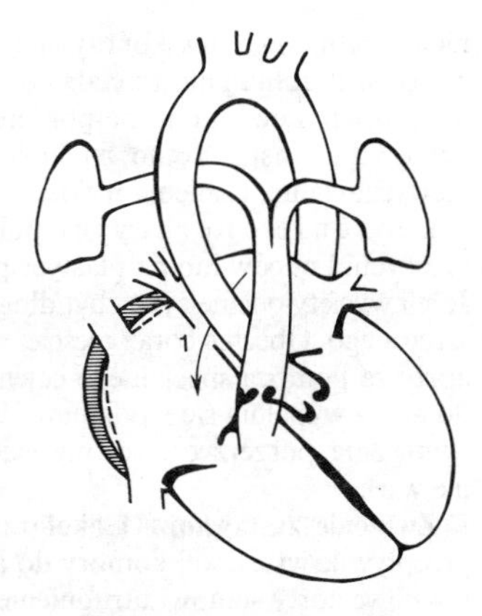

Ubytek w przegrodzie międzyprzedsionkowej (1)

Jeżeli u b y t e k znajduje się w d o l n e j, n i s k i e j c z ę ś c i p r z e g r o d y międzyprzedsionkowej, współistnieją wtedy: nieprawidłowość w budowie płatka zastawki dwudzielnej powodująca jej niedomykalność, ubytek w przegrodzie międzykomorowej lub nieprawidłowość w budowie zastawki trójdzielnej. Taka postać wady nosi nazwę w s p ó l n e g o p r z e t r w a ł e g o k a n a ł u p r z e d s i o n k o w o - k o m o r o w e g o.

L e c z e n i e o p e r a c y j n e wykonuje się na otwartym sercu z zastosowaniem krążenia pozaustrojowego. Zabieg polega na zeszyciu brzegów otworu lub – jeżeli ubytek jest duży – na wstawieniu łaty z tworzywa sztucznego. Leczenie kanału przedsionkowo-komorowego polega na zaszyciu ubytków oraz na plastyce lub wymianie zastawki dwudzielnej albo trójdzielnej. Wyniki leczenia są bardzo dobre.

Koarktacja aorty, czyli **zwężenie cieśni aorty**. Jest to nieprawidłowość polegająca na przewężeniu tętnicy głównej (aorty) w miejscu, w którym zatacza ona łuk. Przewężenie to może być na różnej długości. Ciężkość wady zależy od stopnia zwężenia, jego umiejscowienia i ewentualnego współistnienia innych wad. Wadzie tej często towarzyszą: przetrwały przewód tętniczy Botalla, ubytek przegrody międzykomorowej, sprężyste zwłóknienie wsierdzia, nieprawidłowości w budowie zastawki dwudzielnej i zastawki tętnicy głównej.

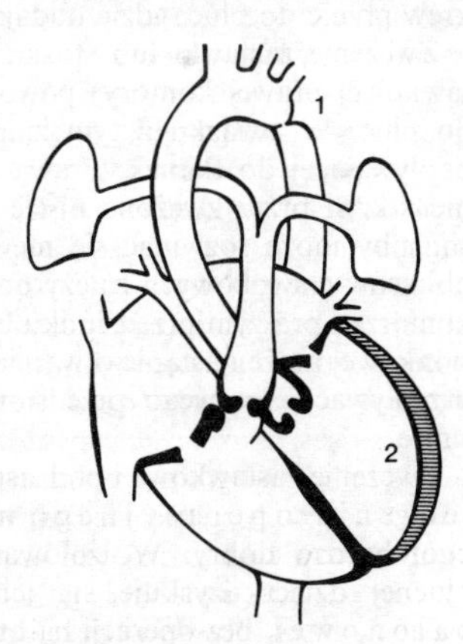

Koarktacja aorty: 1 – zwężenie aorty, 2 – przerost lewej komory

Górna część ciała ukrwiona przez aortę przed zwężeniem otrzymuje wystarczającą lub nadmierną ilość krwi. Pomiary ciśnienia tętniczego na kończynach górnych mogą wykazywać nadciśnienie. Natomiast dolna połowa ciała – poniżej zwężenia – otrzymuje niedostateczną ilość krwi. Lewa komora pokonując opór zwężenia wykonuje nadmierną pracę i przerasta. Tętno na kończynach dolnych jest słabe lub całkowicie niewyczuwalne, ciśnienie niskie.

Leczenie operacyjne polega na wycięciu zwężonego odcinka aorty i zeszyciu końców lub na plastyce przy użyciu tętnicy podobojczykowej lewej. Jeżeli wycięty odcinek jest zbyt długi, wszywa się wstawkę (protezę) z tworzywa sztucznego. Obecnie coraz częściej jest możliwe poszerzenie zwężonego odcinka aorty za pomocą specjalnego cewnika z balonikiem, który po wprowadzeniu do aorty wypełnia się środkiem cieniującym. Powtarzając ten manewr można skutecznie poszerzyć zwężony odcinek aorty (angioplastyka balonowa).

Zwężenie zastawkowe i okołozastawkowe aorty. Zastawka aorty reguluje przepływ krwi z lewej komory do aorty. Zwężenie zastawkowe lub okołozastawkowe aorty stanowi utrudnienie w tłoczeniu krwi z serca. Tkanki i narządy otrzymują zbyt małą ilość krwi, a lewa komora jest nadmiernie obciążona pracą. Szczególnie niebezpieczne jest niedokrwienie mózgu i naczyń wieńcowych.

Leczenie operacyjne zależy od stopnia zwężenia i objawów choroby. Zabieg przeprowadza się na otwartym sercu, w krążeniu pozaustrojowym, niekiedy konieczna jest wymiana zastawki. W niektórych przypadkach izolowanego zwężenia płatków zastawki aortalnej skuteczna jest walwuloplastyka balonowa (zasada poszerzenia zastawki aorty taka jak w angioplastyce balonowej, zob. wyżej).

Zwężenie zastawki tętnicy płucnej. Zastawka tętnicy płucnej reguluje przepływ krwi żylnej z prawej komory do tętnicy płucnej. Tętnicą płucną krew płynie do płuc, gdzie oddaje dwutlenek węgla i pobiera tlen.

Zwężenie zastawki lub stożka tętnicy płucnej (mięśniowej części podzastawkowej prawej komory) powoduje zmniejszenie ilości krwi dopływającej do płuc. W związku z tym zmniejsza się również ilość krwi utlenowanej napływającej do tkanek. Prawa komora jest nadmiernie obciążona tłoczeniem krwi przez zwężone ujście i przerasta. W zaawansowanych okresach choroby może rozwinąć się niewydolność prawej komory serca. Nasilenie objawów chorobowych zależy od stopnia zwężenia. Gdy ciśnienie w prawej komorze i prawym przedsionku bardzo wzrasta, w przegrodzie międzyprzedsionkowej może nastąpić otwarcie otworu owalnego, przez który krew będzie przepływać z prawego przedsionka do lewego i w konsekwencji wystąpi sinica.

Zwężenie zastawkowe i podzastawkowe tętnicy płucnej jest wskazaniem do leczenia operacyjnego na otwartym sercu. Wynik operacji jest na ogół bardzo dobry. W izolowanym zwężeniu wyłącznie zastawki tętnicy płucnej dzieci uzyskuje się jej poszerzenie metodą angioplastyki balonowej, bez operacji na otwartym sercu.

Wrodzone wady serca z sinicą

Zespół Fallota lub **tetralogia Fallota** jest to złożona, s i n i c z a w a d a serca wrodzona, na którą składają się: 1) zwężenie tętnicy płucnej, które może dotyczyć zastawki, części podzastawkowej prawej komory (tzw. stożka) oraz rozgałęzień tętnicy płucnej, 2) ubytek w górnej błoniastej części przegrody międzykomorowej, 3) przesunięcie na prawo aorty, tak że jej ujście znajduje się ponad ubytkiem przegrody międzykomorowej i otrzymuje ona krew z prawej i lewej komory, 4) przerost prawej komory. Ponadto może współistnieć ubytek w przegrodzie międzyprzedsionkowej.

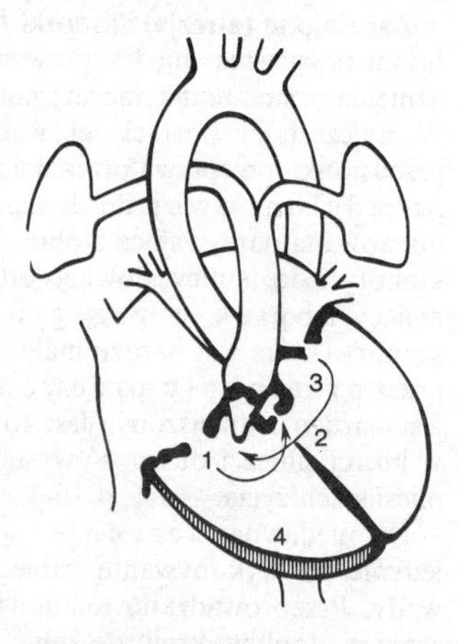

Zespół Fallota: 1 – zwężenie ujścia tętnicy płucnej (zastawki i stożka), 2 – wysoki ubytek w przegrodzie międzykomorowej, 3 – przesunięcie w prawo tętnicy głównej (aorty), 4 – przerost prawej komory

Zaburzenia w krążeniu krwi są następstwem złożonych nieprawidłowości anatomicznych. Przeszkoda w postaci zwężenia tętnicy płucnej powoduje, że krew „przepycha się" przez zwężone ujście do tętnicy płucnej i do płuc, wzrasta ciśnienie w prawej komorze. Przez płuca płynie mała ilość krwi (proporcjonalnie do stopnia i liczby zwężeń). Pozostała ilość krwi z prawej komory płynie przez ubytek przegrody międzykomorowej do komory lewej lub bezpośrednio do aorty. W związku z tym aorta zawiera krew mieszaną tętniczo-żylną. Następstwem jest sinica, palce pałeczkowate oraz zagęszczenie krwi spowodowane nadmiernym wytwarzaniem krwinek czerwonych przez pobudzony niedotlenieniem krwi szpik kostny. Niektóre dzieci z zespołem Fallota miewają tzw. n a p a d y h i p o k s e m i c z n e, czyli nagle występujące objawy w postaci nasilenia sinicy lub bladości, utraty przytomności, znacznego niepokoju, spowodowane ciężkim niedotlenieniem.

L e c z e n i e zespołu Fallota jest operacyjne. Najdawniej stosowane są tzw. z a b i e g i p a l i a t y w n e, czyli ł a g o d z ą c e o b j a w y w a d y, nie korygujące jednak istniejących nieprawidłowości anatomicznych. W zespole Fallota najistotniejszym zaburzeniem jest niedotlenienie krwi związane ze zmniejszonym jej przepływem przez płuca. Zabiegi paliatywne, polegające na wytworzeniu zespolenia tętnicy płucnej z aortą lub jej odgałęzieniem, zwiększają ilość krwi przepływającej przez płuca. Zespolenia paliatywne najczęściej wykonuje się u niemowląt ze wskazań życiowych. Zespolenie Blalock–Taussig polega na połączeniu tętnicy płucnej z tętnicą podobojczykową, zespolenie Waterstone'a – na połączeniu aorty z prawą tętnicą płucną. Operacje tego typu dają poprawę ogólnego stanu dziecka, zmniejszają sinicę, eliminują napady hipoksemiczne. W okresie roku do dwóch lat po zespoleniu paliatywnym wykonuje się całkowitą korekcję wady.

Korekcja całkowita, przeprowadzana w krążeniu pozaustrojowym na otwartym sercu, polega na usunięciu wszystkich nieprawidłowości anatomicznych, tj. zwężenia w obrębie zastawki tętnicy płucnej, w części podzastawkowej prawej komory oraz na zamknięciu ubytku przegrody międzykomorowej przy użyciu łaty z tworzywa, tak aby aorta otrzymywała krew tylko z lewej komory. Ryzyko korekcji całkowitej jest większe (wynosi 5–10%) niż zabiegów paliatywnych, niemniej obecnie coraz częściej wykonuje się ją (bez poprzedzających zabiegów paliatywnych) nawet u najmłodszych dzieci z wynikiem bardzo dobrym.

Zarośnięcie (atrezja) zastawki trójdzielnej. Wada ta polega na wrodzonym braku połączenia między prawym przedsionkiem i prawą komorą wskutek istnienia pasma tkanki łącznej zamiast płatków zastawki trójdzielnej. W najczęstszej postaci tej wady krew żylna napływająca do prawego przedsionka przepływa przez duży otwór w przegrodzie międzyprzedsionkowej do lewego przedsionka, gdzie miesza się z krwią utlenowaną napływającą z płuc. Ta mieszana krew płynie następnie do lewej komory i do tętnicy głównej (aorty). Część krwi dostaje się przez współistniejący ubytek w przegrodzie międzykomorowej do prawej komory (która jest bardzo mała i słabo rozwinięta) lub bezpośrednio do płuc przez przetrwały przewód tętniczy Botalla. Dopływ krwi do płuc jest bardzo zmniejszony. Jest to jedna z cięższych wad wrodzonych serca, w której sinica i duszność występują zaraz po urodzeniu lub w pierwszych miesiącach życia.

Do niedawna „leczenie" w zarośnięciu zastawki trójdzielnej polegało jedynie na wykonywaniu zabiegów paliatywnych, tj. łagodzących objawy wady. Przeprowadzano mianowicie zespolenia naczyniowe zwiększające dopływ krwi do płuc. Obecnie wykonywane są w niektórych przypadkach operacje umożliwiające bardziej fizjologiczny przepływ krwi przez serce i główne pnie tętnicze. Jednym z typów operacji przeprowadzonej przy zastosowaniu krążenia pozaustrojowego jest połączenie prawego przedsionka z tętnicą płucną za pomocą specjalnej wstawki, przez którą nieutlenowana krew jest bezpośrednio kierowana do płuc (operacja Fontana). Inną odmianą chirurgicznej korekcji wady jest połączenie prawego przedsionka z prawą komorą również za pomocą specjalnej wstawki umożliwiającej prawidłowy przepływ krwi do prawej komory, a następnie do tętnicy płucnej. Warunkiem wykonania takich operacji jest stosunkowo dobrze rozwinięta prawa komora.

Przełożenie wielkich pni tętniczych. Jest to ciężka sinicza wada serca wrodzona, której objawy występują już bezpośrednio po urodzeniu dziecka. Wada ta polega na nieprawidłowym odejściu dużych tętnic: tętnica główna (aorta) odchodzi z prawej komory zamiast z lewej, a tętnica płucna z lewej komory zamiast z prawej. Aorta prowadząca krew do tkanek i narządów zawiera krew żylną o małej zawartości tlenu. Krew ta po opłynięciu tkanek wraca żyłami ponownie do prawego serca. Jest to zamknięty obwód, którym płynie krew nieutlenowana. W drugim zamkniętym obwodzie płynie krew tętnicza utlenowana. Napływa ona do płuc z lewego serca i ponownie wraca do lewego serca. Życie dziecka z taką wadą jest możliwe tylko wtedy, gdy istnieją połączenia między tymi dwoma krążeniami, zapewniające mieszanie się krwi przez ubytek przegrody międzyprzedsionkowej, międzykomorowej lub przetrwały przewód tętniczy. Im to mieszanie się krwi jest większe, tym korzystniejsza jest sytuacja życiowa dziecka. Wadzie tej może towarzyszyć zwężenie tętnicy płucnej.

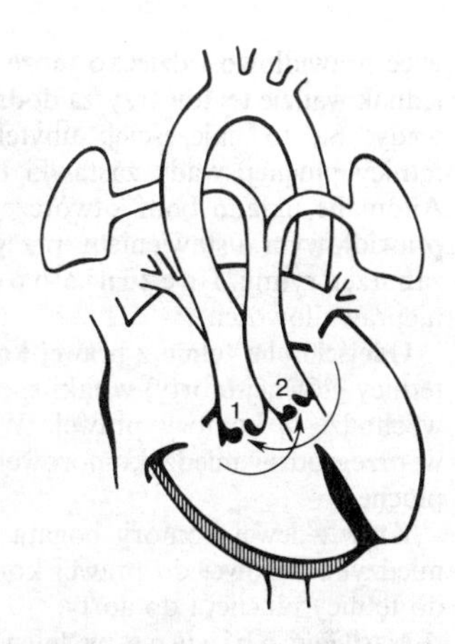

Przełożenie wielkich pni tętniczych: 1 – tętnica główna (aorta) odchodzi z prawej komory, 2 – tętnica płucna odchodzi z lewej komory

L e c z e n i e. Bezpośrednio po urodzeniu dziecka istnieje jeszcze drożny przewód tętniczy Botalla i otwór owalny między prawym i lewym przedsionkiem serca. Połączenia te mogą w ciągu pierwszych godzin lub dni życia dziecka ulec zamknięciu. W celu utrzymania drożności przewodu tętniczego Botalla stosuje się prostaglandynę E_1 w stałym wlewie dożylnym. Umożliwia to bezpieczne dla noworodka przeprowadzenie badania echokardiograficznego potwierdzającego rozpoznanie wady i przygotowanie noworodka do zabiegu paliatywnego, umożliwiającego dalsze życie noworodka z wadą przełożenia wielkich pni tętniczych. Zabieg paliatywny polega na przerwaniu przegrody międzyprzedsionkowej w trakcie cewnikowania serca za pomocą cewnika zakończonego balonikiem (zabieg Rashkinda). Powstaje w ten sposób otwór w przegrodzie międzyprzedsionkowej, który umożliwia mieszanie się krwi tętniczej i żylnej i dziecko może żyć.

W późniejszym okresie życia (ok. 1 r.) wykonuje się korekcję wady przy zastosowaniu krążenia pozaustrojowego. Wyniki leczenia są dobre i bardzo dobre. Obecnie w niektórych ośrodkach kardiologicznych w Europie i Stanach Zjednoczonych wykonuje się korekcję całkowitą wady już w okresie noworodkowym, bez poprzedzającego zabiegu Rashkinda, polegającą na połączeniu aorty z komorą lewą, a tętnicy płucnej z komorą prawą, czyli przywróceniu prawidłowych warunków anatomicznych. Dotychczasowe wyniki tej operacji są dobre.

Poprawione przełożenie wielkich pni tętniczych. Jest to zespół, w którym przełożenie wielkich pni tętniczych jest „skorygowane" przestawieniem obu komór, przegrody międzykomorowej oraz zastawek (dwudzielnej i trójdzielnej). Krew żylna napływająca do prawego przedsionka płynie do komory położonej po stronie prawej (ale o budowie anatomicznej komory lewej z zastawką dwudzielną w ujściu przedsionkowo-komorowym) i następnie do tętnicy płucnej i do płuc. Krew z płuc płynie do lewego przedsionka, a następnie do komory położonej po stronie lewej (ale o budowie anatomicznej komory prawej z zastawką trójdzielną w ujściu przedsionkowo-komorowym), do tętnicy głównej (aorty) i tkanek organizmu. Krążenie krwi odbywa się więc prawidłowo i dziecko może nie mieć żadnych objawów. Bardzo często jednak wadzie tej towarzyszą dodatkowe anomalie, które decydują o ciężkości wady. Są to najczęściej: ubytek przegrody międzykomorowej, zwężenie tętnicy płucnej, wady zastawki trójdzielnej, prawostronne położenie serca. Anomalie układu bodźcotwórczego i przewodzącego serca, związane z nieprawidłowym ustawieniem przegród serca, są często przyczyną różnych zaburzeń rytmu. L e c z e n i e o p e r a c y j n e dotyczy tylko współistniejących nieprawidłowości.

Odejście obu tętnic z prawej komory. Wada ta polega na przemieszczeniu tętnicy głównej (aorty) w taki sposób, że zarówno tętnica płucna, jak i aorta wychodzą z komory prawej. W anomalii tej z reguły występuje ubytek w przegrodzie międzykomorowej, często współistnieje też zwężenie tętnicy płucnej.

Krew z lewej komory bogata w tlen płynie przez ubytek w przegrodzie międzykomorowej do prawej komory. Mieszana krew tętniczo-żylna płynie do tętnicy płucnej i do aorty.

Nasilenie o b j a w ó w w tej wadzie zależy głównie od współistniejącego zwężenia tętnicy płucnej.

C h i r u r g i c z n a korekcja wady wykonana z zastosowaniem krążenia pozaustrojowego daje bardzo dobre wyniki.

Wspólny pień tętniczy. Wada powstaje wtedy, gdy w życiu płodowym nie nastąpi podział wspólnego naczynia na tętnicę główną (aortę) i tętnicę płucną. Do wspólnego pnia tętniczego napływa krew zarówno z prawej, jak i z lewej komory serca. Zazwyczaj współistnieje ubytek w przegrodzie międzykomorowej. Płuca unaczynione są przez naczynia odchodzące od wspólnego pnia. W zależności od tego, w którym miejscu odchodzą tętnice płucne od wspólnego pnia, istnieją różne typy tej wady.

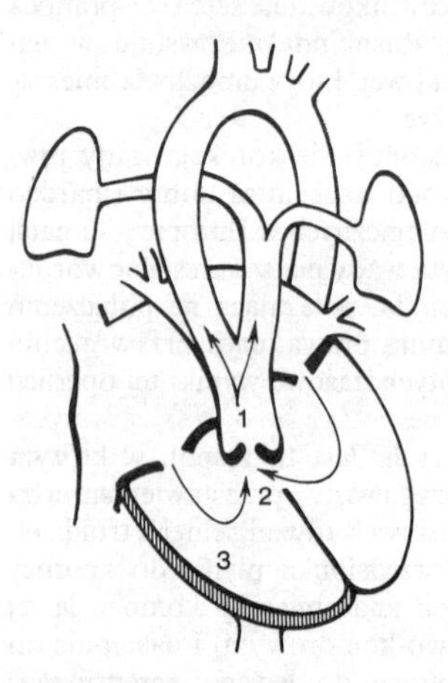

Wspólny pień tętniczy: 1 – brak podziału wspólnego naczynia na tętnicę główną i płucną, 2 – ubytek wysoki w przegrodzie międzykomorowej, 3 – przerost prawej komory

O b j a w y choroby zależą głównie od ilości krwi przepływającej przez płuca. Jeżeli ilość krwi przepływającej przez płuca jest zmniejszona, wcześnie pojawia się sinica. Jeżeli zachowana jest równowaga między krążeniem płucnym i ogólnoustrojowym, sinica na ogół jest niewielka. Jest to najkorzystniejsza dla dziecka postać wady. Jeżeli natomiast przez płuca przepływa nadmierna ilość krwi, rozwija się nadciśnienie płucne.

R o z p o z n a n i e ustala się na podstawie badania echokardiograficznego i angiograficznego uwidaczniającego odejście tętnic płucnych.

L e c z e n i e. Niekiedy wykonywane są zabiegi paliatywne, tj. łagodzące przebieg choroby. Korekta wady, możliwa do wykonania tylko w niektórych jej typach anatomicznych, jest trudna. Operacja, obarczona dużym ryzykiem, polega na połączeniu prawej komory z tętnicą płucną tzw. homograftem lub alograftem zawierającym zastawkę. Homograft jest to pobrana ze zwłok część aorty z zastawką, poddana odpowiednim zabiegom fizykochemicznym, które zapewniają jałowość i pozbawiają preparat właściwości prowadzących do powstawania przeciwciał w organizmie biorcy. Alograft jest to wstawka z tworzywa sztucznego zawierająca zastawkę zwierzęcą, również poddaną odpowiednim zabiegom fizykochemicznym.

Wspólna komora. Jest to ciężka, złożona wada serca wrodzona, polegająca na braku lub niedorozwoju przegrody międzykomorowej, co powoduje, że zamiast dwóch odrębnych komór serca – prawej i lewej – istnieje tylko jedna komora łącząca się z prawym i lewym przedsionkiem. Wspólna komora może łączyć się z przedsionkami poprzez dwie odrębne zastawki przedsionkowo-komorowe, tj. zastawkę dwudzielną i trójdzielną, lub przez jedną wspólną zastawkę przedsionkowo-komorową. Wspólna komora może mieć budowę anatomiczną komory prawej, komory lewej lub niezróżnicowaną i wtedy określa ją nazwą komory prymitywnej, tj. ukształtowanej jak w okresie zarodkowym, zanim nastąpił podział na prawą i lewą komorę serca.

Wspólna komora jest zazwyczaj siniczą wadą wrodzoną serca i objawia się wcześnie w okresie niemowlęcym. Rozpoznanie ustala się na podstawie badania echokardiograficznego.

Leczenie chirurgiczne tej wrodzonej wady serca jest podejmowane w bardzo doświadczonych ośrodkach kardiochirurgicznych. Polega ono na przedzieleniu wspólnej komory przegrodą międzykomorową z tworzywa sztucznego (tzw. septacja komór). Operacja jest możliwa do przeprowadzenia tylko wtedy, gdy istnieją dwie odrębne zastawki przedsionkowo-komorowe. W niektórych typach anatomicznych wspólnej komory wykonuje się operację Fontana (zob. s. 1256).

Nieprawidłowy spływ żył płucnych. W warunkach prawidłowych krew z płuc (bogata w tlen) napływa do lewego przedsionka czterema żyłami płucnymi (po dwie z każdego płuca), następnie przez lewą komorę i aortę płynie do tkanek. W wadzie nieprawidłowego spływu jedna lub więcej żył płucnych uchodzi zamiast do lewego do prawego przedsionka. Powoduje to, że krew napływająca z żył płucnych ponownie płynie do płuc. W rzadkich przypadkach, gdy wszystkie cztery żyły płucne uchodzą do prawego przedsionka, nieprawidłowy spływ żył płucnych jest całkowity. Wadzie tej zawsze towarzyszy ubytek w przegrodzie międzyprzedsionkowej. Żyły płucne mogą uchodzić bezpośrednio do prawego przedsionka lub mogą łączyć się we wspólny kanał uchodzący do prawego przedsionka, żyły głównej górnej, dolnej lub żył dodatkowych. W zależności od sposobu ujścia rozróżnia się kilka odmian wady.

Objawy choroby zależą od tego, ile żył płucnych uchodzi nieprawidłowo i jak łączą się one z sercem. Całkowite nieprawidłowe ujście żył płucnych jest ciężką siniczą wrodzoną wadą serca. Nieprawidłowe ujście jednej lub dwóch żył płucnych nie powoduje większych zaburzeń w krążeniu krwi.

L e c z e n i e o p e r a c y j n e większości odmian anatomicznych tej wady wrodzonej serca daje dobre wyniki.

Zespół Ebsteina. Jest to wada serca związana z zaburzeniami rozwojowymi zastawki trójdzielnej, która ulega przemieszczeniu w głąb prawej komory i zniekształceniu. Powstaje niedomykalność płatków zastawki i krew cofa się z prawej komory do prawego przedsionka, który ulega znacznemu powiększeniu. W większości przypadków istnieje ubytek w przegrodzie międzyprzedsionkowej.

Następstwem wady jest nieprawidłowy przepływ krwi z prawego przedsionka do małej prawej komory, co łącznie z niedomykalnością zastawki trójdzielnej powoduje wzrost ciśnienia w prawym przedsionku. Krew z prawego przedsionka przepływa przez zawsze współistniejący ubytek w przegrodzie międzyprzedsionkowej do lewego przedsionka – domieszka krwi żylnej do tętniczej powoduje powstawanie sinicy.

W zespole Ebsteina często występują zaburzenia rytmu serca pod postacią częstoskurczu nadkomorowego i komorowego, migotania przedsionków, bloku przedsionkowo-komorowego.

L e c z e n i e operacyjne polega na wymianie zastawki trójdzielnej.

Prawostronne położenie serca. Całkowite odwrócenie trzewi występuje u około 1 na 10 000 dzieci. W tej nieprawidłowości wszystkie narządy położone są odwrotnie – serce znajduje się po prawej stronie klatki piersiowej, wątroba po stronie lewej jamy brzusznej, żołądek po stronie prawej, pętle jelitowe również ułożone są odwrotnie. Niekiedy jedynie serce jest położone prawostronnie. Serce i duże naczynia położone po prawej stronie najczęściej stanowią tzw. „lustrzane odbicie" prawidłowego obrazu serca. Czasami serce jest tylko przesunięte do prawej połowy klatki piersiowej. Samo ułożenie serca po stronie prawej nie powoduje żadnych zaburzeń. Jednak u części dzieci z prawostronnym położeniem serca często współistnieją wrodzone wady serca pod postacią zwężenia tętnicy płucnej, tetralogii Fallota, przełożenia wielkich pni tętniczych, wspólnego pnia tętniczego, niedorozwoju komór. Objawy zależą od współistniejącej wady.

Nabyte wady serca

Nabyte wady serca w dzieciństwie lub wczesnej młodości mogą być objawem ostrego rzutu gorączki reumatycznej (zob. Choroby reumatyczne, s. 890), jak i następstwem tego procesu chorobowego. Nabyte wady serca u osób dorosłych są następstwem chorób przebytych w dzieciństwie bądź też mogą być powikłaniem innych chorób serca (np. zawału serca). Zob. też Choroby wewnętrzne, s. 673.

Niedomykalność zastawki dwudzielnej, czyli **niedomykalność mitralna**. O b j a w y niedomykalności zastawki dwudzielnej u dzieci w czasie ostrego rzutu gorączki reumatycznej są prawdopodobnie następstwem powiększenia serca. Są one przejściowe i ustępują wraz ze zmianami zapalnymi w mięśniu sercowym. Niedomykalność zastawki dwudzielnej będąca następstwem przebytego procesu zapalnego jest skutkiem trwałego uszkodzenia zastawki.

Niedomykalność zastawki dwudzielnej może być spowodowana uszkodzeniem płatków zastawki lub zbliznowaniem i skróceniem ich nici ścięgnistych albo mięśni brodawkowatych. Uszkodzenie przez proces zapalny nie pozwala na szczelne zamknięcie się płatków zastawki w czasie skurczu lewej komory, co powoduje cofanie się krwi z lewej komory do lewego przedsionka. Podczas rozkurczu – do lewej komory napływa z lewego przedsionka większa niż w warunkach prawidłowych ilość krwi, ponieważ w lewym przedsionku dodatkowo znajduje się krew, która cofnęła się z lewej komory. Ciśnienie w lewym przedsionku jest podwyższone i lewy przedsionek ulega powiększeniu. Podwyższenie ciśnienia w lewym przedsionku powoduje z kolei podwyższenie ciśnienia w żyłach płucnych i w ich najdrobniejszych rozgałęzieniach.

Leczenie jest operacyjne i polega na wykonaniu jednego z trzech rodzajów zabiegów: a) annuloplastyki, tzn. zwężenia pierścienia zastawkowego, aby płatki zastawek domykały się; b) walwuloplastyki, czyli wszycia w pierścień zastawkowy specjalnej protezy umożliwiającej prawidłową czynność płatków zastawki lub c) wymiany zastawki dwudzielnej. Zastawka dwudzielna może być wymieniona na: sztuczną zastawkę (protezę), homograft lub heterograft zastawkowy. Homograft jest to zastawka pobrana ze zwłok ludzkich, odpowiednio spreparowana i wyjałowiona. Heterograft jest to zastawka zwierzęca specjalnie spreparowana. Homografty i heterografty są najodpowiedniejsze dla rosnącego organizmu dziecięcego. Wszycie sztucznej zastawki (protezy) wymaga stałego podawania preparatów farmakologicznych obniżających krzepliwość krwi, aby zapobiec tworzeniu się zakrzepów na zastawce.

Zwężenie zastawki dwudzielnej, czyli **zwężenie lewego ujścia żylnego**, u dzieci jest najczęściej spowodowane licznymi nawrotami gorączki reumatycznej. Proces chorobowy prowadzi do zrostów płatów zastawki oraz skrócenia nici ścięgnistych, włóknistego zgrubienia zastawki i odkładania złogów wapnia. Zastawka często ma kształt wąskiego lejka. Takie zmiany anatomiczne utrudniają odpływ krwi z lewego przedsionka, wobec czego ciśnienie w lewym przedsionku wzrasta i ulega on powiększeniu. Podwyższenie ciśnienia w lewym przedsionku powoduje podwyższenie ciśnienia w żyłach płucnych i rozwój nadciśnienia płucnego. W znacznym zwężeniu zastawki dwudzielnej często występuje niewydolność krążenia oraz zaburzenie rytmu w postaci trzepotania i migotania przedsionków.

W większości przypadków konieczne jest leczenie operacyjne. Dawniej polegało ono na tzw. komisurotomii, czyli przecięciu zrostów płatków zastawek. Obecnie, dzięki zastosowaniu krążenia pozaustrojowego, zabieg ten jest wykonywany bardziej precyzyjnie, a ponadto w razie potrzeby zastawka dwudzielna może być wymieniona. U niektórych chorych zwężenie zastawki dwudzielnej może być usunięte zabiegiem walwuloplastyki balonowej.

Niedomykalność zastawki tętnicy głównej (aorty). Wada ta jest najczęściej następstwem gorączki reumatycznej i polega na zgrubieniu, a przede wszystkim skróceniu szerokości i długości poszczególnych płatków zastawki. Skrócenie płatków zastawki na długość sprawia, że wada ta uwidacznia się w postaci trójkątnego ubytku w środku zastawki.

W niedomykalności zastawki aortalnej część krwi wyrzucanej w czasie skurczu lewej komory do aorty cofa się w czasie rozkurczu do tejże komory. Cofanie się krwi z aorty do lewej komory jest przyczyną powstawania szmeru.

Objawy uszkodzenia zastawki aortalnej zazwyczaj pojawiają się w 6–7 lat po ostrym rzucie choroby. Nawet znaczna niedomykalność zastawki tętnicy głównej w okresie dzieciństwa może nie powodować zbytnich dolegliwości u dziecka.

Leczenie chirurgiczne polega na wymianie zastawki na sztuczną protezę, homograft lub heterograft (zob. wyżej).

Zwężenie lewego ujścia tętniczego, czyli **zwężenie zastawki tętnicy głównej (aorty).** Wada ta zależy od różnych zmian anatomicznych, które w konsekwencji uniemożliwiają swobodne poruszanie się płatków zastawki podczas cyklu pracy serca. Zwężenie zastawki tętnicy głównej może być następstwem zwapnień powodujących usztywnienie płatków zastawki. W znacznym zwężeniu wyrzut krwi z lewej komory do aorty przebiega wolniej. Utrudnienie odpływu krwi i wzrost ciśnienia w lewej komorze powoduje jej poszerzenie i przerost. Może występować niedostateczne zaopatrzenie w krew ważnych dla życia narządów, ponieważ mniejsza ilość krwi dopływa do aorty i jej rozgałęzień. Objawy choroby często występują dopiero w życiu dorosłym (ok. 40 r. życia).

Leczenie chirurgiczne w ciężkich postaciach zwężenia zastawki aortalnej polega na wymianie zastawki.

Powikłania wrodzonych i nabytych wad serca

Niewydolność krążenia

Niewydolność krążenia jest to niedostateczny rzut serca (ilość krwi wypływająca z serca na obwód podczas jednego skurczu) dla potrzeb organizmu. W jej powstaniu biorą udział cztery czynniki:

1) zwiększone obciążenie wstępne, tj. zwiększony napływ krwi do serca;
2) zwiększone obciążenie następcze, tj. pokonywanie przez serce zwiększonego oporu naczyniowego;
3) upośledzenie kurczliwości mięśnia sercowego;
4) zaburzenie przewodzenia bodźców w sercu.

Niewydolność krążenia u dzieci starszych może dotyczyć prawej komory (niewydolność prawokomorowa), lewej komory (niewydolność lewokomorowa) lub – najczęściej – obu komór.

Niewydolność lewokomorowa jest przeważnie spowodowana wadami serca: zwężeniem zastawki tętnicy głównej, przetrwałym przewodem tętniczym Botalla, wadami zastawki dwudzielnej lub pierwotną kardiomiopatią (zob. s. 1272). Jednym z wcześniejszych objawów jest duszność występująca po wysiłku. Charakterystyczna jest napadowa duszność nocna występująca po 1–2 godz. po zaśnięciu. Przyczyną jej jest przemieszczanie się krwi z kończyn dolnych do płuc w pozycji leżącej. Często napadom duszności towarzyszy stan skurczowy oskrzeli, rzężenie w płucach, kaszel, czasami krwioplucie. Może wystąpić obrzęk płuc.

Niewydolność prawokomorowa jest spowodowana nadmiernym obciążeniem pracą prawej komory, często w następstwie niewydolności lewokomorowej. Objawami są: poszerzenie i nadmierne wypełnienie krwią naczyń żylnych, szczególnie szyi, obrzęki, najczęściej na nogach i twarzy związane z zatrzymaniem wody, powiększenie wątroby. Gdy znaczna ilość wody ulega zatrzymaniu, może gromadzić się tworząc tzw. przesięki w opłucnej, otrzewnej (płyn w jamie brzusznej – wodobrzusze) oraz w osierdziu.

Niewydolność krążenia u noworodków i niemowląt jest to zawsze niewydolność obu komór serca, niekiedy trudno wykrywalna, mogąca nasuwać podejrzenie chorób innych narządów. Niewydolność krążenia u noworodków i niemowląt mogą powodować: wrodzone wady serca (najczęściej przełożenie wielkich pni tętniczych, koarktacja aorty, szeroki przewód tętniczy Botalla), zapalenie mięśnia sercowego, pierwotne kardiomiopatie, uogólnione zakażenie, zaburzenia rytmu serca (wrodzony blok serca, częstoskurcz napadowy).

Jednym z wcześniejszych objawów jest duszność (przyspieszenie liczby oddechów) występująca również w spokoju i w czasie snu. Przy znacznie nasilonej duszności występuje charakterystyczne poruszanie skrzydełkami nosa i wciąganie dołka szyjnego. Duszności towarzyszy przyspieszenie czynności serca. Czynność serca przekraczająca 180 na min może nasuwać podejrzenie częstoskurczu napadowego. Mogą pojawić się obrzęki na twarzy, dłoniach, stopach – dziecko pozornie sprawia wrażenie dobrze odżywionego, „pulchnego". Często występuje nadmierne pocenie się. Charakterystyczne są również trudności w ssaniu.

Leczenie niewydolności krążenia u dzieci wymaga umieszczenia dziecka w szpitalu. Polega ono na leżeniu w łóżku, stosowaniu leków nasercowych, moczopędnych, tlenu, w niektórych przypadkach leków rozszerzających naczynia krwionośne. Noworodki i niemowlęta karmi się często, w małych ilościach, czasem przez sondę. Niekiedy muszą być umieszczone w cieplarce ze stałym dopływem tlenu.

Nadciśnienie tętnicze płucne

Nadciśnienie tętnicze płucne jest groźnym powikłaniem wad wrodzonych serca z przeciekiem krwi z lewego do prawego serca, powodującym zwiększony napływ krwi do tętnicy płucnej i jej rozgałęzień. W warunkach prawidłowych tętnica płucna i jej rozgałęzienia są przystosowane do pomieszczenia tej ilości krwi, która do nich napływa. Zwiększenie objętości krwi napływającej do tętnic i tętniczek płucnych powoduje w rozgałęzieniach tętnic płucnych zmiany anatomiczne, które mogą być nieodwracalne. Rozwój tętniczego nadciśnienia płucnego w wadach wrodzonych serca z przepływem krwi z lewa na prawo jest procesem wielofazowym.

W fazie I istnieje tylko zwiększony przepływ krwi przez płuca. Rozgałęzienia tętnicy płucnej są w stanie pomieścić tą zwiększoną ilość krwi, ponieważ ulegają rozciągnięciu. Pojemność tętnicy płucnej i jej najdrobniejszych rozgałęzień jest jeszcze bardzo duża.

W fazie II zwiększona ilość krwi przepływająca przez rozgałęzienia tętnicy płucnej powoduje, wskutek mechanicznego drażnienia, uszkodzenie wewnętrznej i środkowej warstwy ściany tętniczek, wobec czego stają się one grubsze, mniej elastyczne i ciśnienie wewnątrznaczyniowe w rozgałęzieniach tętnicy płucnej ulega podwyższeniu. Stan taki nazywa się nadciśnieniem płucnym przepływowym, tzn. zależnym od zwiększonego przepływu krwi przez płuca.

W fazie III następuje dalsze uszkodzenie rozgałęzień tętnicy płucnej. Powoduje to zwężenie światła naczyń wskutek rozplemu komórek błony wewnętrznej, wobec czego ciśnienie w tętniczkach płucnych jeszcze bardziej wzrasta, są one już nieelastyczne, sztywne, pojemność znacznie się zmniejsza. Przepływ krwi przez płuca ulega znacznemu zmniejszeniu, a ciśnienie w tętnicy płucnej stale wzrasta. Prawa komora serca, aby toczyć krew do płuc, musi pokonać opór dużego ciśnienia w tętnicy płucnej i jej rozgałęzieniach. Stan taki odpowiada nadciśnieniu płucnemu zaporowemu, ponieważ duże ciśnienie i zwężone tętnice płucne stanowią zaporę dla krwi napływającej z prawej komory do tętnicy płucnej.

Dokładne ustalenie fazy nadciśnienia płucnego jest możliwe tylko w czasie cewnikowania serca; mierzy się wówczas ciśnienie w prawej komorze, w tętnicy płucnej i w jej rozgałęzieniach. W fazie I i II możliwa jest korekta chirurgiczna wady serca. Kiedy jednak ciśnienie w prawej komorze jest wyższe niż w komorze lewej, kierunek przepływu krwi odwraca się i powstaje sinica wskutek domieszki krwi żylnej do krwi tętniczej. W fazie III nie przeprowadza się już leczenia chirurgicznego lub jedynie w niektórych przypadkach, ale wówczas ryzyko jest bardzo duże. W razie wątpliwości co do zaawansowania nadciśnienia płucnego, przed ostateczną decyzją o leczeniu chirurgicznym pobierany jest wycinek płuca do badania mikroskopowego, co umożliwia precyzyjną i wiarygodną ocenę stopnia zmian w naczyniach płucnych.

Nadciśnienie płucne może występować bez wady serca jako nadciśnienie pierwotne. Jest ono skutkiem wrodzonych zmian anatomicznych w drobnych rozgałęzieniach tętnicy płucnej przetrwałych z okresu życia płodowego. Zmiany te nie cofnęły się po okresie noworodkowym lub niemowlęcym, jak to się dzieje u zdrowych dzieci. U niektórych dzieci z pierwotnym nadciśnieniem płucnym podejmuje się próby leczenia farmakologicznego lekami rozszerzającymi naczynia krwionośne.

Bakteryjne zapalenie wsierdzia

Bakteryjne zapalenie wsierdzia jest to poważne powikłanie zarówno wrodzonych, jak i nabytych wad serca. W chorobie tej występują zmiany zapalne w wyściółce serca – we wsierdziu, na zastawkach, a czasem w obrębie ścian tętnic. Typową zmianą są wyrośla brodawkowate składające się z bakterii, skrzeplin, włóknika oraz z krwi. W obrębie ich następuje rozplem komórek i nowotworzenie naczyń. Wyrośla brodawkowate są bardzo kruche. Ich cząsteczki uniesione prądem krwi mogą być przyczyną zatorów, tj. zaczopowania naczynia krwionośnego w różnych narządach i skórze.

Przyczyną podostrego bakteryjnego zapalenia wsierdzia są drobnoustroje, które dostają się do krwioobiegu z różnych ognisk zakażenia, takich jak np. ropnie okołozębowe czy zmiany w migdałach podniebnych. U dzieci z wadami serca szczególnie ważne jest leczenie wszelkich tzw. ognisk zakażenia. Do przejściowego wysiewu bakterii do krwi dochodzi często w czasie nawet drobnych zabiegów, takich jak usunięcie zęba, nacięcie ropnia. Również po zabiegach operacyjnych układu moczowego, jamy brzusznej może wystąpić przejściowa bakteriemia (krążenie bakterii w krwi). Przyczyną bakteryjnego zapalenia wsierdzia mogą być także zabiegi operacyjne na sercu, z tego względu zawsze zapobiegawczo podaje się antybiotyki. U dzieci z wrodzonymi i nabytymi wadami serca zapadających na częste zakażenia dróg oddechowych stosuje się profilaktycznie penicylinę.

Zapalenie wsierdzia mogą wywołać różne bakterie. Najczęściej są to: paciorkowiec zieleniący (występujący często w gardle zdrowych dzieci), paciorkowiec kałowy (enterokok) znajdujący się w jelitach osób zdrowych oraz gronkowiec złocisty, który występuje nawet na zdrowej skórze i jest najczęstszą przyczyną ropni. Ponadto zapalenie wsierdzia mogą wywoływać inne drobnoustroje, m.in. także niektóre grzyby.

Objawy. Początek choroby jest na ogół podstępny. Może występować złe samopoczucie, bladość, łatwe męczenie się, utrata apetytu, chudnięcie. Bardzo charakterystyczne są stany gorączkowe występujące bez widocznej przyczyny. Z posiewów krwi pobranej kilkakrotnie w ciągu doby udaje się na ogół wyhodować bakterie, co stanowi potwierdzenie rozpoznania. W niektórych przypadkach wyrośla bakteryjne widoczne są w badaniu echokardiograficznym.

Wykonanie antybiogramu (badanie wrażliwości bakterii na antybiotyki) umożliwia stosowanie odpowiedniego leczenia, które jest długotrwałe i musi być prowadzone w szpitalu.

U dzieci z bakteryjnym zapaleniem wsierdzia nie są wykonywane żadne zabiegi operacyjne. Jedynie w wyjątkowych przypadkach, kiedy ogniskiem zapalenia wsierdzia jest uszkodzona, zakażona zastawka, wykonuje się – mimo toczącego się procesu zapalnego – zabieg operacyjny wymiany zastawki.

Napady hipoksemiczne

Napady hipoksemiczne występują w siniczych wadach wrodzonych serca ze zwężeniem tętnicy płucnej. Szczególnie częste są w zespole Fallota, przełożeniu wielkich pni tętniczych ze zwężeniem tętnicy płucnej i zarośnięciu (atrezji) zastawki trójdzielnej. Występują u dzieci w różnym wieku, najczęściej jednak między 6 – 18 miesiącem życia.

P r z y c z y n ą napadu jest nagłe zmniejszenie przepływu krwi przez płuca, wywołane prawdopodobnie skurczem stożka tętnicy płucnej. Zmniejszenie przepływu krwi przez płuca gwałtownie obniża zawartość tlenu we krwi tętniczej i następuje nagłe n i e d o t l e n i e n i e m ó z g u. Napad może nastąpić po wysiłku fizycznym, takim jak karmienie, przewijanie, oddanie stolca, lub po pobudzeniu psychicznym. Niekiedy napad występuje bez uchwytnej przyczyny, np. po rannym przebudzeniu.

O b j a w y. Napad najczęściej zaczyna się niepokojem dziecka (płacz, krzyk), nasileniem sinicy lub wystąpieniem bladości i duszności, następnie może dojść do utraty przytomności, drgawek lub zwiotczenia mięśni. W trakcie napadu mogą występować różnego rodzaju zaburzenia rytmu serca aż do zatrzymania krążenia. Częstość występowania napadów jest różna, od sporadycznych do wielokrotnych w ciągu dnia.

P o s t ę p o w a n i e. Dziecko w stanie napadu należy położyć na wznak ze zgiętymi i przywiedzionymi do klatki piersiowej kolanami, zapewnić dopływ świeżego powietrza oraz niezwłocznie wezwać lekarza.

L e c z e n i e. Dziecko z napadami hipoksemicznymi bezwzględnie wymaga umieszczenia w szpitalu w oddziale kardiologicznym, w celu przeprowadzenia badań diagnostycznych i ustalenia typu wady wrodzonej serca. Ponieważ napady hipoksemiczne stanowią zagrożenie życia, konieczne jest leczenie operacyjne. W niektórych przypadkach do czasu wykonania zabiegu operacyjnego stosowane jest leczenie farmakologiczne, nie zawsze jednak skuteczne.

Powikłania neurologiczne

Porażenie połowicze, czyli porażenie kończyn górnej i dolnej po jednej stronie ciała (prawej lub lewej), z towarzyszącym często porażeniem mięśni twarzy po stronie przeciwnej, może wystąpić jako p o w i k ł a n i e wady siniczej serca.

P r z y c z y n ą porażenia może być z a k r z e p lub z a t o r jednej z tętnic mózgowych lub znaczne niedotlenienie mózgu. U dzieci z siniczymi wadami serca zagęszczenie krwi i zwiększona jej lepkość sprzyjają powstawaniu zakrzepów w obrębie naczyń krwionośnych. Zmiany zakrzepowe w obrębie prawej lub lewej tętnicy środkowej mózgu powodują porażenie połowicze po stronie przeciwnej. Objawy są podobne, gdy powstaje zator jednej z tętnic mózgu, tj. zaczopowanie naczynia przyniesioną z prądem krwi skrzepliną. Niedotlenienie mózgu jest najczęściej następstwem napadów hipoksemicznych i niekiedy po ustąpieniu napadu stwierdza się porażenie połowicze.

Ze względu na niebezpieczeństwo powikłań neurologicznych u dzieci z siniczymi wadami serca, konieczne jest zapewnienie dzieciom odpowiedniej ilości płynów, zwłaszcza w czasie upałów i podwyższonej temperatury ciała, kiedy zapotrzebowanie na płyny wzrasta. Ważne jest też zapobieganie napadom hipoksemicznym farmakologiczne i podjęcie decyzji o chirurgicznym leczeniu wady serca.

O b j a w y. Porażenie połowicze na ogół pojawia się nagle, bez wstępnych objawów, czasami rozwija się stopniowo. Na początku występuje niewielka asymetria twarzy, opadanie kącika ust, dziecko porusza gorzej ręką lub nogą. Potem objawy nasilają się, dziecko nie może wykonywać ruchów porażoną połową ciała.

Leczenie porażenia połowiczego jest wyłącznie szpitalne. Polega na stosowaniu leków przeciwzakrzepowych i przeciw obrzękowi mózgu, profilaktycznym podawaniu antybiotyków, ćwiczeniach rehabilitacyjnych. Niekiedy porażenie cofa się całkowicie, czasami jednak nie udaje się uzyskać poprawy.

Zaburzenia rytmu serca

Częstoskurcz napadowy

Częstoskurcz napadowy jest to nagłe przyspieszenie czynności serca w granicach od 180 do 300 na minutę, wywołane pobudzeniami pozazatokowymi, tzn. wychodzącymi spoza węzła zatokowego, od którego zależy miarowy rytm serca. Ośrodek, w którym powstają nieprawidłowe bodźce, może mieścić się w przedsionku, w węźle przedsionkowo-komorowym lub w komorze. W zależności od miejsca powstawania pobudzenia rozróżnia się częstoskurcz nadkomorowy (pobudzenie z przedsionka lub węzła przedsionkowo-komorowego) i częstoskurcz komorowy (pobudzenie powstaje w komorze). Badanie elektrokardiograficzne umożliwia odróżnienie typu częstoskurczu. Nie zawsze udaje się ustalić przyczynę występowania napadów częstoskurczu. Mogą to być czynniki emocjonalne, wahania temperatury ciała, zakażenia, wady wrodzone serca (zespół Ebsteina, wady zastawki dwudzielnej, wspólny przetrwały kanał przedsionkowo-komorowy), kardiomiopatie, zapalenie mięśnia sercowego.

Częstoskurcz można już rozpoznać u płodu. Przedłużający się częstoskurcz u płodu jest przyczyną niewydolności krążenia objawiającej się uogólnionym obrzękiem płodu. Podawanie kobiecie ciężarnej leków umiarowiających w wielu przypadkach przywraca rytm zatokowy, co zapobiega porodowi przedwczesnemu i obumarciu płodu.

Częstoskurcz napadowy nadkomorowy. Ten typ częstoskurczu występuje stosunkowo często, zarówno u dzieci ze zdrowym sercem, jak i u dzieci z chorobami układu krążenia. Szczególnie niebezpieczny jest częstoskurcz u niemowląt, u których początek napadu jest na ogół niezauważalny i szybko występują objawy niewydolności krążenia. O rozpoznaniu decyduje badanie elektrokardiologiczne.

U dzieci starszych początek napadu jest stosunkowo łatwy do zauważenia. Dziecko jest blade, niespokojne, skarży się na uczucie kołatania serca. Charakterystyczne jest szybkie tętnienie naczyń szyjnych. Tętno jest bardzo szybkie i nie daje się policzyć.

Leczenie polega na stosowaniu leków uspokajających, odruchowym drażnieniu nerwu błędnego zwalniającego czynność serca, stosowaniu leków nasercowych i umiarowiających. W niektórych przypadkach napad może być przerwany elektrostymulacją lewego przedsionka.

Istnieje kilka odruchów, za pomocą których można pobudzić nerw błędny.

Najprostsze z nich to: wywołanie odruchów wymiotnych przez podrażnienie tylnej ściany gardła oraz tzw. odruch Valsalvy, polegający na nabraniu powietrza do płuc i następnie nadymaniu się „bez wydechu". Oba te odruchy można wywołać w warunkach domowych. Jeżeli odruchy te są nieskuteczne, konieczne jest leczenie farmakologiczne. W wyjątkowych przypadkach mogą istnieć wskazania do tzw. kardiowersji elektrycznej, tj. przywrócenia prawidłowego rytmu serca przez zastosowanie elektrycznego prądu stałego.

Dziecko może mieć tylko jeden napad częstoskurczu w życiu, przeważnie jednak napady powtarzają się z różną częstotliwością. Po wystąpieniu napadu częstoskurczu po raz pierwszy dziecko powinno być umieszczone w szpitalu w oddziale kardiologicznym w celu ustalenia typu częstoskurczu, doboru najskuteczniejszego leku przywracającego miarowy rytm serca oraz ustalenia postępowania profilaktycznego. Przedłużający się napad częstoskurczu, nie ustępujący pomimo podawania leków zleconych do stosowania w domu, stanowi również wskazanie do leczenia szpitalnego, ze względu na możliwość wystąpienia objawów niewydolności krążenia.

Częstoskurcz komorowy występuje u dzieci rzadko. Na ogół przyczyną jest uszkodzenie serca (wady wrodzone, choroby mięśnia sercowego), zatrucie glikozydami nasercowymi, operacje kardiochirurgiczne. Częstoskurcz komorowy nigdy nie występuje u dzieci ze zdrowym układem krążenia. Przebieg napadu jest podobny do częstoskurczu nadkomorowego. O rozpoznaniu decyduje badanie elektrokardiograficzne.

Poza leczeniem mającym na celu przerwanie napadu częstoskurczu, konieczne jest rozpoznanie choroby serca i zastosowanie odpowiedniego leczenia. Odruchy powodujące drażnienie nerwu błędnego w tej postaci częstoskurczu są na ogół nieskuteczne. Czasami napad częstoskurczu komorowego przerywa silne uderzenie pięścią w klatkę piersiową.

Migotanie i trzepotanie przedsionków

Migotanie przedsionków są to bardzo szybkie, nieregularne pobudzenia przedsionków, powodujące nieskuteczne ich skurcze o częstości od 400 do 600 na minutę i zwykle nieregularną czynność komór. Bardzo szybka czynność przedsionków sprawia, że tylko pewna liczba bodźców dochodzi do komór i wywołuje ich pobudzenie; czynność komór jest nieregularna i na ogół częstość ich skurczów wynosi od 100 do 140 na minutę. Zaburzenia krążenia krwi w tym typie niemiarowości, powodującym niedostateczny dopływ krwi do komór, zmniejszają ilość krwi „wyrzucanej" przez serce na obwód. Rozpoznanie opiera się na podstawie określonych zmian w zapisie elektrokardiograficznym.

Migotanie przedsionków może występować w każdym wieku. Najczęstszą przyczyną są wrodzone i nabyte wady zastawki dwudzielnej oraz pierwotne i wtórne kardiomiopatie. Migotanie przedsionków może być napadowe lub utrwalone. W napadowym migotaniu przedsionków chorzy skarżą się na uczucie bicia serca, czasami bóle w okolicy serca, niepokój, osłabienie.

Niekiedy może występować omdlenie. Jeżeli czynność komór jest bardzo szybka przez dłuższy okres, może rozwinąć się niewydolność krążenia. Utrwalone migotanie przedsionków jest na ogół lepiej tolerowane. Powikłaniem migotania przedsionków może być niewydolność krążenia oraz powstawanie zakrzepów w lewym przedsionku wskutek zalegania w nim krwi. Urwanie się cząsteczek zakrzepu i przeniesienie ich z prądem krwi może powodować zatory drobnych tętnic w różnych narządach.

Konieczne jest leczenie szpitalne. Polega ono na podawaniu leków antyarytmicznych oraz czasami leków przeciwzakrzepowych. Niekiedy stosuje się kardiowersję elektryczną.

Trzepotanie przedsionków charakteryzuje się szybką, ale miarową czynnością przedsionków o częstości od 220 do 350 na minutę. Najczęściej co drugi skurcz dochodzi do komór, ich czynność jest więc miarowa.

Trzepotanie przedsionków, podobnie jak migotanie, występuje najczęściej w nabytych wadach serca, niekiedy w pierwotnych i wtórnych kardiomiopatiach. Rozpoznanie ustala się na podstawie zapisu elektrokardiograficznego.

Leczenie trzepotania przedsionków jest podobne do leczenia migotania przedsionków.

Blok przedsionkowo-komorowy

Blok przedsionkowo-komorowy, czyli blok serca, jest to zaburzenie przewodzenia bodźców w układzie przewodzącym serca. Utrudnienie lub przerwanie przewodzenia bodźców najczęściej występuje w obrębie węzła przedsionkowo-komorowego.

Blok przedsionkowo-komorowy może być częściowy lub całkowity (zupełny).

Blok częściowy I stopnia polega na wydłużeniu przewodzenia bodźców z przedsionków do komór. Po każdym skurczu przedsionka następuje skurcz komory, ale po nieco dłuższym czasie.

Blok częściowy II stopnia polega na tym, że nie każdy bodziec z przedsionków dochodzi do komór, w związku z czym czasami po skurczu przedsionków nie następuje skurcz komór.

W bloku I i II stopnia na ogół nie ma żadnych dolegliwości. Rozpoznanie ustala się na podstawie zapisu elektrokardiograficznego.

Blok całkowity, czyli blok III stopnia powstaje wtedy, gdy bodźce z przedsionków nie dochodzą do komór wskutek przerwania przewodzenia w węźle przedsionkowo-komorowym. Przedsionki kurczą się pod wpływem bodźców powstających w węźle zatokowym, komory kurczą się pod wpływem bodźców powstających poniżej miejsca przerwania przewodzenia. Ponieważ bodźce powstające w komorach mają mniejszą częstotliwość, czynność komór jest wolniejsza niż czynność przedsionków. Żaden bodziec z przedsionków nie powoduje pobudzenia komór.

Blok serca może być wrodzony lub nabyty, stały lub przemijający. Bloki nabyte mogą być następstwem różnych zakażeń, zabiegów operacyjnych na sercu. Przemijające bloki nabyte mogą powstawać pod wpływem różnych leków (np. glikozydów nasercowych). Bloki wrodzone można rozpoznawać już u płodu. Powstają one w następstwie wrodzonych nieprawidłowości układu przewodzącego serca. Do grupy bloków wrodzonych zalicza się również blok w przebiegu niektórych wad wrodzonych serca.

Część dzieci z całkowitym blokiem przedsionkowo-komorowym czuje się bardzo dobrze i poza zwolnieniem czynności serca w granicach 50 – 60 na minutę nie występują u nich inne objawy. Niektóre dzieci z czynnością komór poniżej 50 na minutę mogą wykazywać gorszą tolerancję wysiłków fizycznych. Niemowlęta na ogół gorzej znoszą całkowity blok serca i mogą u nich występować objawy niewydolności krążenia.

Dziecko z całkowitym blokiem serca powinno być pod systematyczną kontrolą kardiologiczną. Wynik 24-godzinnego ambulatoryjnego monitorowania zapisu EKG metodą Holtera decyduje o wyborze metody leczenia. U dzieci, u których tą metodą zarejestrowano znaczne zwalnianie się rytmu serca, podejmuje się próbę stosowania leków przyspieszających czynność serca. Jeśli czynność serca zwalnia się tak, że przerwy pomiędzy skurczami serca wynoszą 3 lub więcej sekund i występują napady utraty przytomności związane z niedotlenieniem mózgu (zespół MAS), istnieją wskazania do wszczepienia rozrusznika serca.

Zespół Morgagniego – Adamsa – Stokesa (zespół MAS)

Zespół MAS jest to ostre niedokrwienie mózgu w następstwie zbyt wolnej lub bardzo szybkiej czynności serca z zatrzymaniem krążenia. Zespół ten najczęściej występuje w całkowitym bloku przedsionkowo-komorowym (bloku III stopnia - zob. wyżej), czasem w przebiegu częstoskurczu komorowego i innych niemiarowości.

Przed napadem dzieci starsze uskarżają się niekiedy na bóle i zawroty głowy, czasem bóle brzucha. Często występuje uczucie nieuzasadnionego lęku, „zapadania się w przepaść". Napad charakteryzuje się zblednięciem, sinicą, utratą przytomności, zaburzeniami oddychania, czasami drgawkami. Tętno jest bardzo wolne lub niewyczuwalne. Po przyłożeniu ręki w okolicę serca niewyczuwalne jest bicie serca. W ciężkich napadach MAS może dojść do objawów śmierci klinicznej - zatrzymania krążenia i oddychania.

Pierwsza pomoc polega na płaskim ułożeniu dziecka na twardym podłożu i rytmicznym, silnym uderzaniu ręką w klatkę piersiową w okolicy serca. W ciężkich napadach konieczne jest stosowanie masażu serca i sztucznego oddychania metodą usta – usta aż do momentu przybycia lekarza (zob. Pierwsza pomoc, s. 2126).

U dzieci z całkowitym blokiem przedsionkowo-komorowym napady MAS stanowią wskazanie do wszczepienia stymulatora (rozrusznika serca). Stymulator wysyła bodźce elektryczne w określonym odstępie czasu (np. 70, 90 na minutę, u dzieci młodszych częściej), pod wpływem których następuje skurcz komór. Co kilka lat stymulator musi być wymieniany z powodu wyczerpywania się źródła energii.

Dodatkowe skurcze serca

Dodatkowe skurcze serca występują wskutek pewnych zaburzeń w wytwarzaniu bodźców. Skurcze dodatkowe mogą powstawać w przedsionku, komorze lub w węźle przedsionkowo-komorowym, stąd ich podział na przedsionkowe, komorowe i węzłowe.

Przyczyny powstawania skurczów dodatkowych są nieznane. Mogą być one następstwem różnych zakażeń, szczególnie paciorkowcowych, i stanów poinfekcyjnych powodujących uszkodzenie mięśnia sercowego, reakcji odruchowych z przewodu pokarmowego (np. w chorobach przewodu pokarmowego), silnych wzruszeń psychicznych, stosowania niektórych leków, znacznego wysiłku fizycznego, zwłaszcza u osób z uszkodzonym sercem, nagłego wzrostu ciśnienia tętniczego krwi, po stosowaniu niektórych leków (np. glikozydów nasercowych).

Częstość występowania skurczów dodatkowych u dzieci nie jest znana. Mogą one występować niezależnie od wieku dziecka, nawet u noworodków.

Objawy. Niektóre dzieci ze skurczami dodatkowymi mogą odczuwać pewne dolegliwości w postaci nieregularnego bicia serca, kołatania lub kłucia w jego okolicy. Objawy te najczęściej występują w spoczynku, kiedy czynność serca jest wolniejsza. Niekiedy skurczom dodatkowym może towarzyszyć kaszel. Skurcze dodatkowe mogą być pojedyncze lub mnogie w postaci serii (salw). Badanie tętna wykazuje okresowe wypadanie pojedynczych uderzeń serca.

Skurcze dodatkowe mogą być pierwszym objawem uszkodzenia mięśnia sercowego u dziecka pozornie zdrowego, dlatego konieczna jest okresowa kontrola kardiologiczna. Decydujące znaczenie rozpoznawcze oraz informujące, czy istnieje konieczność stosowania leczenia farmakologicznego, ma wynik 24-godzinnego monitorowania zapisu EKG metodą Holtera.

Inne choroby serca u dzieci

Zapalenie mięśnia sercowego

Zapalenie mięśnia sercowego jest nabytą, ostrą lub przewlekłą chorobą mogącą wystąpić w każdym okresie życia dziecka. W zależności od przyczyny wywołującej, wyróżnia się trzy zasadnicze grupy tej choroby: 1) zapalenie mięśnia sercowego spowodowane przez wirusy, bakterie, grzyby lub pasożyty, 2) zapalenie mięśnia sercowego w przebiegu innych chorób, 3) zapalenie mięśnia sercowego tzw. samoistne, izolowane, z nieznanej przyczyny.

U noworodków najczęstszą przyczyną zapalenia mięśnia sercowego, występującego nawet epidemicznie, są wirusy lub uogólnione zakażenia bakteryjne. Zakażenie może nastąpić nawet przez łożysko, jeszcze przed urodzeniem dziecka. Chorobę mogą wywołać różne wirusy, a spośród bakterii – bakterie zapalenia płuc, zapalenia opon mózgowo-rdzeniowych, pałeczki duru. Rzadkie są zakażenia grzybicze powodujące ropne zapalenie mięśnia sercowego. Z zakażeń pasożytniczych w naszym klimacie zapalenie mięśnia sercowego może wywołać toksoplazmoza.

Przebieg choroby może być bardzo różny. Może ona nie dawać żadnych objawów lub objawy mogą być bardzo gwałtowne, prowadzące nawet do zgonu. Istotne znaczenie ma także wiek dziecka.

Objawy. Zapalenie mięśnia sercowego może przebiegać z gorączką, osłabieniem, bólami i biciem serca, z różnego rodzaju niemiarowościami. U noworodków występują trudności w ssaniu, spadek masy ciała, przyspieszony oddech, senność, szybko nasilająca się niewydolność krążenia. Zazwyczaj chorobę poprzedza banalne zakażenie dróg oddechowych. Niewydolność krążenia często jest spowodowana nagłym, znacznym powiększeniem serca wskutek toczącego się procesu zapalnego lub zaburzeniami rytmu serca.

Leczenie zapalenia mięśnia sercowego jest szpitalne. Polega na stosowaniu leków nasercowych, antyarytmicznych (gdy współistnieją niemiarowości), przeciwzapalnych (hormony kory nadnerczy) i chemioterapeutyków.

Następstwem zapalenia mięśnia sercowego może być postępujące uszkodzenie mięśnia powodujące echokardiograficzne lub (i) kliniczne objawy kardiomiopatii.

Kardiomiopatie

Kardiomiopatie są to choroby mięśnia sercowego. Najczęściej dotyczą mięśnia lewej komory serca, mogą jednak występować również w komorze prawej i przegrodzie międzykomorowej. Wyróżnia się kardiomiopatie: przerostową, zaporową i zastoinową.

Kardiomiopatia przerostowa polega na bardzo znacznym przeroście mięśnia komory na grubość i małej jamie komory. Odmianą kardiomiopatii przerostowej jest kardiomiopatia zaporowa, gdy wybitnie przerasta mięsień poniżej ujścia aorty w drodze odpływu lewej komory. Powstaje zwężenie, które znacznie utrudnia odpływ krwi z lewej komory i powoduje jeszcze większy jej przerost. W kardiomiopatii zastoinowej mięsień komory jest bardzo cienki i jak gdyby rozciągnięty; jama lewej komory jest bardzo duża, skurcz jest słaby i mało skuteczny.

Objawy kardiomiopatii u niemowląt i małych dzieci są bardzo niecharakterystyczne i, niezależnie od typu choroby, mogą wystąpić już w okresie noworodkowym pod postacią ciężkiej niewydolności krążenia. U dzieci starszych choroba może przebiegać bezobjawowo i być wykryta podczas przypadkowego badania elektrokardiograficznego lub radiologicznego klatki piersiowej.

W rozpoznaniu najbardziej przydatne jest badanie echokardiograficzne, które umożliwia ustalenie typu kardiomiopatii.

Kardiomiopatie są chorobą nieuleczalną. Środki farmakologiczne łagodzą objawy niewydolności krążenia. Niektóre leki zmniejszają przerost mięśnia poniżej ujścia drogi odpływu lewej komory. Często współistniejące zaburzenia rytmu serca trudno poddają się leczeniu. Próby chirurgicznego wycięcia części mięśnia drogi odpływu lewej komory okazały się nieskuteczne. W niektórych przypadkach wskazana jest transplantacja serca, którą wykonuje się również u dzieci.

Sprężyste zwłóknienie wsierdzia jest szczególną odmianą kardiomiopatii. Polega na wrodzonej lub nabytej nieprawidłowości w budowie wsierdzia, które ulega zgrubieniu wskutek nadmiernego rozrostu nieprawidłowej tkanki sprężysto-włóknistej. Wewnątrz serca powstaje jakby pancerz utrudniający pracę serca.

Sprężyste zwłóknienie wsierdzia może być pierwotne i wtórne, występujące w pewnych typach wad wrodzonych serca (np. w koarktacji aorty, wrodzonych wadach zastawki dwudzielnej i aortalnej). Zarówno w pierwotnym, jak i wtórnym sprężystym zwłóknieniu wsierdzia zmiany występują w obrębie lewej komory i lewego przedsionka.

Objawy choroby ujawniają się najczęściej w pierwszym półroczu życia dziecka. Choroba objawia się przyspieszeniem oddechów, bladością, rzężeniem w płucach, przyspieszeniem tętna, niewydolnością krążenia.

Leczenie. Dzieci z podejrzeniem sprężystego zwłóknienia wsierdzia bezwzględnie wymagają pobytu w szpitalu w celu przeprowadzenia badań diagnostycznych (przede wszystkim echokardiograficznego) i podjęcia próby leczenia (leki nasercowe, hormony kory nadnerczy). Leczenie zmniejsza objawy niewydolności krążenia i daje poprawę ogólnego stanu dziecka. Jest to jednak poprawa krótkotrwała i stosunkowo szybko objawy choroby nawracają. Nie ma innej możliwości leczenia chirurgicznego poza transplantacją serca.

Niewinne szmery serca u dzieci

Szmer w sercu nie zawsze jest objawem choroby serca. W medycynie szmery serca dzieli się na dwie grupy. Jedną z nich stanowią tzw. szmery organiczne, które zawsze wskazują na istnienie choroby serca. Drugą grupę, równie liczną, a nawet może liczniejszą, stanowią „szmery niewinne", „przygodne", „nie mające znaczenia".

Często wyłącznie na podstawie osłuchiwania serca lekarz może ustalić, czy szmer jest niewinny, czy zależny od choroby serca. Czasami, aby wykluczyć chorobę serca, konieczne są badania dodatkowe, takie jak EKG, echokardiografia, rentgen klatki piersiowej.

Szmery przygodne, niewinne – w przeciwieństwie do szmerów zależnych od wady serca, zwłaszcza wrodzonej – pojawiają się w różnych okresach życia dziecka całkowicie zdrowego. Często występują u dzieci o stosunkowo wąskiej klatce piersiowej i niejednokrotnie utrzymują się aż do okresu pokwitania. Szmery przygodne mogą wystąpić również w przebiegu różnych chorób przebiegających z gorączką i po ustąpieniu gorączki znikają. Mogą też współistnieć z niedokrwistością i także ustępują po wyleczeniu.

Szmer jest zjawiskiem akustycznym związanym z przepływem krwi w sercu i naczyniach. W zupełnie prawidłowo zbudowanym sercu mogą powstawać warunki sprzyjające występowaniu prądów i wirów krwi odbieranych przez ucho ludzkie w postaci szmeru.

U małych dzieci, częściej u chłopców, występuje tzw. buczenie żylne. Jest to szmer stwierdzany w górnej części klatki piersiowej w okolicy prawego obojczyka, spowodowany przepływem krwi przez naczynia żylne szyi. Szmer ten zależy od ustawienia głowy.

U dziewczynek przed okresem dojrzewania płciowego często pojawiają się tzw. szmery tętnicy płucnej. Są one spowodowane takim położeniem prawidłowej tętnicy płucnej w stosunku do klatki piersiowej, że w zależności od fazy oddechowej (wdech lub wydech) powstają lub znikają wiry krwi oceniane jako szmer.

U niektórych dzieci przyczyną powstawania szmeru jest wypadanie płatka zastawki dwudzielnej do lewego przedsionka w czasie skurczu lewej komory (tzw. prolaps zastawki dwudzielnej). Jest to nieprawidłowa czynność zastawki, na ogół nie powodująca większych zaburzeń, której jednak mogą towarzyszyć zaburzenia rytmu serca lub omdlenia. Przyczyną szmeru w sercu może też być dodatkowe pasmo łącznotkankowe w lewej komorze, tzw. struna. Rozpoznanie opiera się na badaniu echokardiograficznym.

Szmery niewinne występują stosunkowo często. Ulegają one zmianie w zależności od wieku dziecka, pozycji ciała i mogą utrzymywać się przez różnie długi okres. Badanie echokardiograficzne umożliwia potwierdzenie rozpoznania szmeru niewinnego, przez wykluczenie patologicznych zmian w sercu.

Bardzo częstym błędem popełnianym w stosunku do dzieci z niewinnymi szmerami serca jest zwalnianie ich z ćwiczeń fizycznych. Dzieci z płaską klatką piersiową powinny szczególnie intensywnie gimnastykować się, pływać, używać ruchu na świeżym powietrzu, ponieważ tylko takie postępowanie może zapewnić prawidłowy rozwój klatki piersiowej, a w konsekwencji ustąpienie szmeru w sercu.

Dziecko z niewinnym szmerem serca powinno być raz do roku zbadane przez kardiologa dziecięcego. Zbyt częste wizyty w poradni kardiologicznej mogą stworzyć u zdrowego dziecka niepotrzebne pozory lub poczucie „chorego na serce".

XI. CHOROBY KRWI I UKŁADU KRWIOTWÓRCZEGO U DZIECI

Miejscem powstawania komórek krwi po okresie życia płodowego jest szpik kostny. We wczesnym okresie życia płodowego, kiedy jeszcze nie ma szpiku, komórki krwi wytwarzane są w tzw. wysepkach krwiotwórczych pęcherzyka żółtkowego. Od ok. 2 miesiąca życia płodowego narządem wytwarzającym komórki krwi staje się wątroba, a od 5 miesiąca (jednocześnie z rozwojem krążenia łożyskowego) rozwija się szpik kostny i zaczyna przejmować funkcję krwiotworzenia. Równocześnie z rozwojem szpiku wzrasta aktywność krwiotwórcza w śledzionie, węzłach chłonnych i grasicy.

Po urodzeniu czynność krwiotwórcza w innych narządach, poza szpikiem, zanika. U dzieci w pierwszych latach życia wszystkie kości zawierają czerwony, aktywny szpik wytwarzający komórki krwi. Między 10 a 14 r. życia wykształca się tłuszczowy szpik, który stopniowo wypełnia kości długie. W 19 r. życia, podobnie jak u osób dorosłych, czynny szpik znajduje się jedynie w kręgach, żebrach, mostku, kościach czaszki, w częściach bliższych kości udowej i ramiennej oraz w częściach brzeżnych miednicy. Pozostałą dużą przestrzeń wypełniają komórki tłuszczowe szpiku, „gotowe" w każdej chwili do przeistoczenia się w aktywny, czerwony szpik. U małych dzieci nie ma tej „rezerwy przestrzeni", toteż w przypadku dużego zapotrzebowania czynność krwiotworzenia (hemopoezy) łatwo przejmują dodatkowe ogniska w tych narządach, które w życiu płodowym pełniły funkcję krwiotwórczą (wątroba, śledziona). Na prawidłowe utkanie szpikowe składają się komórki układu czerwonokrwinkowego, białokrwinkowego i płytkotwórczego. Ponadto w szpiku znajdują się grudki chłonne (wytwarzające limfocyty) oraz układ siateczkowo-śródbłonkowy.

Powstawanie komórek krwi, zob. Choroby wewnętrzne, s. 840.

Metody badania krwi i szpiku

Najprostszym badaniem pozwalającym ocenić wartości krwi obwodowej jest tzw. morfologia krwi. Badaniem tym określa się: poziom hematokrytu (Ht), poziom hemoglobiny (Hb), liczbę krwinek czerwonych, krwinek białych. Wykonuje się także rozmaz krwi obwodowej, w którym ocenia się odsetek i charakter morfologiczny poszczególnych krwinek białych, a także wygląd, wielkość, kształt i stopień wypełnienia hemoglobiną krwinek czerwonych, co ma istotne znaczenie dla oceny rodzaju niedokrwistości.

We krwi obwodowej można także oznaczyć liczbę retikulocytów, które określają stopień aktywności układu czerwonokrwinkowego, oraz liczbę płytek, co ma znaczenie przy rozpoznawaniu skaz krwotocznych. W celu dokładniejszej diagnozy wykonywane są także badania szpiku kostnego. Szpik u niemowląt pobiera się z części przynasadowej kości podudzia, u dzieci większych i u dorosłych z kości miednicy lub mostka.

Fizjologiczne wahania w obrazie morfologicznym krwi u dzieci

Prawidłowe wartości krwi obwodowej i obraz szpiku kostnego zmieniają się w zależności od okresu rozwojowego dziecka. Największe wahania w wartościach krwi występują w okresie noworodkowym i wczesnoniemowlęcym. Zjawiska te kształtuje wiele procesów związanych z porodem i z przystosowaniem do życia zewnątrzłonowego. Po urodzeniu następuje zmiana łożyskowego krążenia krwi na krążenie płucne, co zwiększa stopień utleniania organizmu noworodka. Występują także zmiany w ilości krwi krążącej, związane z utratą płynów i zagęszczeniem krwi.

Morfologia krwi noworodka jest następująca:

poziom hemoglobiny – 16–18 g%,
hematokryt – 51–56%,
krwinki czerwone – 5–6 mln w mm^3,
krwinki białe średnio – 13 000 w mm^3.

W rozmazie krwi obwodowej u niektórych zdrowych noworodków występują młodsze formy krwinek białych.

Czas przeżycia krwinek czerwonych, który normalnie wynosi 120 dni, u noworodków jest skrócony i wynosi od 45 do 80 dni.

Od 2 tygodnia życia poziom hemoglobiny systematycznie się obniża. Najniższe wartości występują między 2 i 3 miesiącem życia, przy czym u dzieci donoszonych może wynosić nawet 10 g%, a u wcześniaków 8 g%. Wartości te uznawane są za dolną granicę normy pod koniec pierwszego kwartału życia.

Po 3 miesiącach życia następuje powolny wzrost wytwarzania krwinek czerwonych, któremu nie towarzyszy jednak wyraźny wzrost poziomu hemoglobiny. Wiąże się to z wyczerpywaniem rezerw żelaza. Wyczerpanie zapasów żelaza występuje ok. 5–6 miesiąca życia i niedobór jego (utajony) trwa do ok. 2 r. życia. Niedobór żelaza w okresie niemowlęcym spowodowany jest dużym zapotrzebowaniem wynikającym z szybkiego rozwoju i wzrostu masy ciała. Mimo niedoboru żelaza poziom hemoglobiny pod koniec pierwszego roku życia nieco wzrasta i wynosi średnio 11,5 g%, a liczba krwinek czerwonych ok. 3,8 mln w mm^3.

Po pierwszym roku życia występuje tendencja wzrostowa poziomu hemoglobiny, hematokrytu i liczby krwinek czerwonych. U niemowląt i małych dzieci nie występują różnice w wartościach składników krwi w zależności od płci. Do okresu dojrzewania płciowego, zarówno u dziewcząt, jak i u chłopców średni poziom hemoglobiny wynosi ok. 14 g%, a 11,5 g% uważany jest za dolną granicę normy. W okresie pokwitania zaznaczają się pewne „płciowe" różnice w wartościach hemoglobiny i liczbie krwinek czerwonych. U chłopców poziom hemoglobiny wzrasta do 15,5 g%, a liczba krwinek czerwonych do 5,4 mln w mm^3. U dziewcząt poziom hemoglobiny wynosi 13,5 g%, a liczba erytrocytów 4,0–4,5 mln w mm^3.

Liczba krwinek białych (leukocytów) pod koniec pierwszego tygodnia życia wynosi ok. 12 000 mm^3. Po tym okresie liczba ta ulega powolnemu obniżeniu. Pod względem jakościowym w krwi obwodowej niemowląt przeważają limfocyty, które stanowią zazwyczaj powyżej 60% komórek.

Około 4 r. życia liczba leukocytów wynosi 8000–10 000, a między 6 a 14 r. życia obniża się do 7 000 w mm^3. Następują też istotne zmiany jakościowe dotyczące krwinek białych, polegające na obniżaniu się liczby limfocytów i postępującym wzrastaniu liczby granulocytów. Po 4 r. życia granulocyty przeważają nieznacznie nad limfocytami, w ciągu dalszych lat przewaga ta utrwala się.

Krew a czynniki krwiotwórcze

Prawidłowa czynność układu krwiotwórczego zależy w dużej mierze od zaopatrzenia organizmu w czynniki krwiotwórcze hemopoezy, do których w pierwszej kolejności zalicza się żelazo, kwas foliowy i witaminę B_{12}.

Żelazo. Płód zaopatrywany jest w żelazo przez krew matki. Transport odbywa się jednokierunkowo od matki do płodu. Zapasy żelaza gromadzone są przez płód w ostatnich 3 miesiącach życia wewnątrzmacicznego. Dzieci urodzone przedwcześnie mają zatem mniejszy zapas żelaza. Niedobory żelaza mają także noworodki, których matki w okresie ciąży przechodziły ciężką niedokrwistość powodującą zmniejszenie ilości przekazywanego żelaza; u dzieci tych w okresie niemowlęcym rozwija się niedokrwistość z niedoboru żelaza.

Po urodzeniu w ciągu pierwszych 2 miesięcy życia dziecka obniża się poziom hemoglobiny, wzrastają natomiast zapasy żelaza tkankowego. Po 2 miesiącach życia, kiedy wzrasta czynność krwiotwórcza szpiku i rośnie zapotrzebowanie na żelazo, zapasy te stanowią główne źródło dla krwinek czerwonych.

Niedobory żelaza są najczęstszą przyczyną niedokrwistości u dzieci w wieku między 6 miesiącem a 2–3 r. życia. Jest to okres, w którym zasoby żelaza zostały wyczerpane, a zapotrzebowanie w związku ze wzrostem masy ciała jest znaczne. Dzienne zapotrzebowanie na żelazo w ciągu pierwszego półrocza życia dziecka wynosi 5 mg, w drugim półroczu – 9 mg, a w 2 r. życia – ok. 5 mg. Aby pokryć to zapotrzebowanie, podaż żelaza w pokarmach powinna wynosić ok. 8 mg. Ponieważ zwyczajna dieta niemowlęcia, ze względu na małą zawartość żelaza w mleku, przypuszczalnie nie zapewnia tej ilości, zaleca się mieszanki wzbogacone w żelazo.

W szczególnie niekorzystnej sytuacji, jeśli chodzi o zasoby żelaza, znajdują się wcześniaki, u których zapasy żelaza proporcjonalnie do masy ciała są mniejsze, a wyczerpanie rezerw następuje szybciej. Wszystkie wcześniaki powinny być poddane profilaktycznemu leczeniu żelazem.

Kwas foliowy. Dziecko rodzi się z wysokim poziomem kwasu foliowego we krwi, przekraczającym znacznie wartości stwierdzane u matki. Poziom ten utrzymuje się przez cały okres noworodkowy, po czym wyraźnie się obniża. Niedobory kwasu foliowego u matki, ciąże mnogie i ciąże bliźniacze wpływają niekorzystnie na rezerwy kwasu foliowego u noworodków.

Zapotrzebowanie dzienne na kwas foliowy u niemowląt i małych dzieci wynosi ok. 20–50 μg. Duże zapotrzebowanie w tym okresie życia związane jest z szybkim wzrostem masy ciała, zwiększaniem ilości krwi krążącej i wzmożeniem czynności krwiotwórczej. Zwiększone zapotrzebowanie na kwas foliowy często nie znajduje pokrycia w pożywieniu, ze względu na mało urozmaiconą dietę, z natury rzeczy dość bogatą w mleko, które zawiera stosunkowo mało kwasu foliowego.

Zawartość kwasu foliowego w pokarmach zależy w dużej mierze od metod przygotowywania pożywienia. Długie gotowanie produktów w dużej ilości wody niszczy kwas foliowy. Również gotowanie mleka „zabija" kwas foliowy, co niewątpliwie zwiększa zapotrzebowanie na tę witaminę u niemowląt karmionych sztucznie, w stosunku do dzieci karmionych piersią.

Na niedobory kwasu foliowego szczególnie narażone są wcześniaki. Przyczyną niedoboru tej witaminy u dzieci jest nie tylko mniejszy zapas i szybsze jego wyczerpanie, ale także zwiększone zapotrzebowanie, niedostateczna podaż w pokarmach oraz niedojrzałość przewodu pokarmowego i wątroby upośledzająca przemianę i wchłanianie tego związku.

Z przemiany kwasu foliowego w organizmie dziecka wynika, że niemowlęta znajdują się na granicy niedoboru tej witaminy. Wszelkie niepożądane zaburzenia, jak gorsze łaknienie, choroby zakaźne prowadzą do zachwiania niepewnego bilansu kwasu foliowego w tym okresie życia.

Witamina B_{12}. Witamina ta w okresie życia płodowego magazynowana jest w wątrobie. Niedobory witaminy B_{12} u dzieci występują rzadko, gdyż mleko, zarówno kobiece jak i krowie, zawiera spore ilości tej witaminy. Niedobory zdarzają się niekiedy u wcześniaków oraz u dzieci matek, które cierpią na niedobory tej witaminy z powodu zaburzeń wchłaniania, niedokrwistości Addisona–Biermera (dawniej anemia złośliwa) lub ścisłego wegetarianizmu.

Niedokrwistość

N i e d o k r w i s t o ś ć lub a n e m i a jest to stan chorobowy, w którym następuje obniżenie poziomu hemoglobiny i krwinek czerwonych w porównaniu z normami przyjętymi dla określonego wieku rozwojowego. Przyczyny i rodzaje niedokrwistości, zob. Choroby wewnętrzne, s. 843.

Niedokrwistość należy do najczęstszych chorób krwi u dzieci. O b j a w y zależą od stopnia rozwoju choroby, szybkości jej narastania, chorób towarzyszących oraz od możliwości przystosowawczych organizmu. Nierzadko dzieci z bardzo niskim poziomem hemoglobiny, nawet wynoszącym 5 g%, zachowują zadziwiająco dobrą sprawność fizyczną i nie wykazują zmęczenia. Bladość skóry – objaw podstawowy – nie zawsze jest dowodem niedokrwistości u dzieci. Często też dzieci z niedokrwistością, przebywające dużo na świeżym powietrzu mają normalny kolor skóry lub są opalone.

U starszych dzieci objawem anemii jest łatwe męczenie się, bóle i zawroty głowy, uczucie senności, upośledzona koncentracja i dolegliwości sercowe.

Niedokrwistości pokrwotoczne

N i e d o k r w i s t o ś c i p o k r w o t o c z n e rozwijają się u dzieci – podobnie jak u dorosłych – na skutek ostrej lub przewlekłej utraty krwi. U dzieci do najczęstszych przyczyn niedokrwistości ostrych należą: krwotoki zewnętrzne lub wewnętrzne po urazach mechanicznych, krwawienia w przebiegu skaz krwotocznych (małopłytkowości, hemofilii), krwawienia z przewodu pokarmowego spowodowane owrzodzeniem żołądka, jelit lub żylakami przełyku. U noworodków przyczyną ostrej niedokrwistości może być uszkodzenie łożyska i naczyń pępowinowych, krwawienie do ośrodkowego układu nerwowego, a także skaza krwotoczna związana z niedoborem czynników osoczowych układu krzepnięcia.

Objawem ostrej utraty krwi jest obniżenie ciśnienia krwi, przyspieszenie akcji serca, bladość, niepokój, uczucie zimna, senność, a nawet utrata przytomności i drgawki. Każde ostre krwawienie musi być leczone w szpitalu.

Przyczyną niedokrwistości przewlekłych są tzw. krwawienia utajone, niezauważalne, kiedy chory traci niewielką ilość krwi, lecz w ciągu dłuższego okresu. Są to krwawienia przewlekłe, głównie z przewodu pokarmowego, wykrywa się je badając kał na krew utajoną. Powolna utrata nawet niewielkiej ilości krwi, lecz trwająca dłuższy czas, zawsze prowadzi do niedokrwistości z niedoboru żelaza.

Niedokrwistość z niedoboru żelaza

Niedokrwistość z niedoboru żelaza należy do najczęstszych anemii u dzieci – ok. 30–40% dzieci do 2 r. życia choruje na tę postać niedokrwistości. W krajach zaniedbanych, o niskiej kulturze żywienia, odsetek dzieci cierpiących na niedobór żelaza jest znacznie wyższy. Niedokrwistość z niedoboru żelaza jest chorobą ogólnoustrojową, charakteryzującą się zmniejszeniem syntezy hemoglobiny i enzymów zawierających żelazo, co powoduje zahamowanie wytwarzania i dojrzewania krwinek czerwonych.

Przyczyną niedokrwistości z niedoboru żelaza u dzieci mogą być:

1) mniejsze zapasy żelaza z okresu życia płodowego; dotyczy to zwłaszcza wcześniaków, bliźniąt, dzieci z ciąż mnogich oraz tych noworodków, które narażone były na utratę krwi, np. na skutek zbyt wczesnego podwiązania pępowiny (pozbawia to dziecko ok. 50–100 ml krwi pępowinowej);

2) niedoborowa dieta, czyli niedostateczna zawartość żelaza w pokarmach, zwłaszcza nadmiar mleka ubogiego w żelazo, niepodawanie jarzyn, mięsa, jaj, soków owocowych;

3) zaburzenia wchłaniania z przewodu pokarmowego, które mogą być spowodowane ostrymi i nawracającymi biegunkami, biegunkami przewlekłymi, a także wrodzonymi wadami przewodu pokarmowego (którym mogą towarzyszyć krwawienia), powodującymi gorsze przyswajanie żelaza;

4) nadmierne straty żelaza spowodowane ostrym lub przewlekłym krwawieniem a także nawracającymi krwotokami z nosa i nadmiernym krwawieniem miesiączkowym u dziewcząt;

5) zwiększone zapotrzebowanie na żelazo, zwłaszcza u wcześniaków i niemowląt szybko przybywających na wadze, oraz podczas tzw. „skoku wzrostowego" w okresie pokwitania.

Do **objawów** niedokrwistości z niedoboru żelaza należą: bladość skóry i błon śluzowych, brak łaknienia, zahamowanie przyrostu masy ciała i wzrostu, złe samopoczucie, zmniejszenie ruchliwości dziecka, nadmierna senność, rozdrażnienie. U dzieci starszych ponadto bóle i zawroty głowy, uczucie zmęczenia i senności, bicie i kołatanie serca. W przypadkach większych niedoborów występują nadżerki w kącikach ust, zanikają brodawki językowe, uszkodzeniu ulegają kosmki jelitowe, co z kolei powoduje biegunki i zaburzenia wchłaniania.

Badanie morfologiczne krwi wykazuje obniżenie poziomu hemoglobiny poniżej 10 g%, a w cięższych stanach niedoboru żelaza – nawet poniżej 6 g%. Krwinki czerwone są słabo wypełnione hemoglobiną i ogólna ich liczba jest przeważnie obniżona. Również poziom żelaza w surowicy krwi jest niski.

Leczenie. Ponieważ rozwój niedokrwistości z niedoboru żelaza u dzieci jest poprzedzony okresem wyczerpania zapasów tego pierwiastka w magazynach tkankowych, zasadnicze znaczenie ma tzw. postępowanie profilaktyczne, czyli zapobieganie. Leczeniem profilaktycznym powinny być objęte wszystkie dzieci przedwcześnie urodzone, dzieci z ciąż mnogich, z obniżonym poziomem hemoglobiny w okresie noworodkowym, dzieci narażone na straty krwi w okresie okołoporodowym i dzieci matek, które w okresie ciąży miały znaczną niedokrwistość. Wskazania do profilaktyki dotyczą także dzieci z nawracającymi zakażeniami układu oddechowego i pokarmowego, w okresie szybkiego wzrostu, dziewcząt w okresie pokwitania obficie i nieregularnie miesiączkujących, dzieci z upośledzonym łaknieniem szczególnie niechętnie jedzących mięso, jarzyny i owoce oraz dzieci ze skłonnością do krwawień.

Wcześniaki od 2 miesiąca życia powinny zapobiegawczo otrzymywać preparaty żelaza doustnie w dawce 2 mg na kg masy ciała dziennie, przez okres pierwszego roku.

Leczenie istniejącej niedokrwistości polega na stosowaniu preparatów żelaza doustnie lub domięśniowo, ściśle pod kontrolą lekarza. Leczenie doustne trwa co najmniej 6–8 tygodni. W trakcie leczenia stolce są ciemne, występuje także czarne zabarwienie zębów, jest to jednak objaw przejściowy. Bardzo ważne jest stosowanie właściwej diety – ograniczenie mleka i jego przetworów, mąki, kasz, a podawanie mięsa, jarzyn, owoców, żółtka.

Niedokrwistości z niedoboru kwasu foliowego

Nazwa „kwas foliowy" pochodzi od słowa łac. *folium* – liść, najbogatsze w tę witaminę są bowiem zielone rośliny liściaste. Zawierają ją także grzyby, drożdże, wątroba, kiełki zbóż. Około 80% kwasu foliowego ginie przy konserwowaniu i gotowaniu produktów żywnościowych, jedynie zamrażanie chroni przed utratą tej witaminy.

Kwas foliowy i witamina B_{12} są nieodzowne do prawidłowej syntezy kwasów nukleinowych w różnych komórkach organizmu, a przede wszystkim w komórkach szpiku. Niedobory tych witamin upośledzają rozwój i dojrzewanie krwinek czerwonych, a częściowo także krwinek białych i płytek krwi, co prowadzi do wystąpienia szczególnej postaci anemii, zwanej niedokrwistością megaloblastyczną.

Przyczyną niedoborów kwasu foliowego u dzieci jest najczęściej nieprawidłowe odżywianie (podawanie zbyt dużych ilości mleka), wcześniactwo, zakażenia, zaburzenia wchłaniania, nadmierny rozpad krwinek czerwonych, przewlekłe stosowanie środków przeciwdrgawkowych.

Objawy. Niedokrwistość megaloblastyczną z niedoboru kwasu foliowego charakteryzuje powolne narastanie bladości skóry, powiększenie wątroby i śledziony, objawy skazy krwotocznej (wybroczyny), zaburzenia i zahamowania rozwoju psychicznego i fizycznego. Stopień niedokrwistości może być mierny lub znaczny. W ciężkich przypadkach poziom hemoglobiny spada do ok. 5 g%, a liczba krwinek czerwonych może się wahać w granicach od 1 do 2,5 mln w mm^3. Liczba krwinek białych i płytek bywa najczęściej obniżona.

Leczenie. Ciężkie niedokrwistości z niedoboru kwasu foliowego wymagają leczenia szpitalnego. W mniej nasilonych stanach leczenie polega na doustnym stosowaniu kwasu foliowego, w połączeniu z witaminą B comp. i witaminą C, która poprawia przyswajanie kwasu foliowego. Zapobiegawczo należy podawać kwas foliowy wszystkim wcześniakom od 2 r. życia, dzieciom, które często przechodzą infekcje, oraz dzieciom z zaburzeniami wchłaniania, a także kobietom w okresie ciąży.

Niedokrwistość aplastyczna

Jest to rodzaj anemii związanej z zanikiem układu krwiotwórczego. Zanik ten może dotyczyć wybiórczo układu czerwonokrwinkowego – niedokrwistość hipoplastyczna – lub może obejmować wszystkie układy utkania szpikowego – niedokrwistość aplastyczna. Choroba ta została dokładnie opisana w dziale: Choroby wewnętrzne, s. 848.

Przyczyną stanów zaniku układu krwiotwórczego u dzieci mogą być przebyte choroby zakaźne, zwłaszcza żółtaczka zakaźna, różyczka i odra. Przyczyna niedokrwistości hipoplastycznej wrodzonej nie jest znana. Choroba ujawnia się już w okresie noworodkowym lub w pierwszych tygodniach życia w postaci niedokrwistości.

Objawy. Niedokrwistość aplastyczną cechuje powoli narastająca bladość skóry, łatwe męczenie się, osłabienie, występowanie skazy krwotocznej w postaci wybroczyn, wylewów krwawych, krwawień z błon śluzowych jamy ustnej, z nosa i przewodu pokarmowego. Badanie krwi wykazuje obniżenie poziomu hemoglobiny, liczby krwinek czerwonych, krwinek białych, obniżenie liczby płytek krwi oraz obniżenie lub całkowity brak retikulocytów. W szpiku występują objawy zaniku wszystkich elementów komórkowych.

Przebieg choroby jest bardzo ciężki i kończy się często śmiercią, głównie z powodu trudnych do leczenia krwawień lub dołączających się zakażeń.

Próby leczenia polegają na stosowaniu glikokortykoidów, anapolonu, surowicy antylimfocytarnej, cyklosporyny, przetoczeń krwi i płytek. Leczeniem z wyboru dającym szansę wyleczenia jest przeszczep szpiku od zgodnego pod względem HLA rodzeństwa; powinien być dokonany jak najwcześniej przed licznymi przetoczeniami krwi, które zwykle otrzymują chorzy.

Niedokrwistości hemolityczne

Niedokrwistości hemolityczne stanowią dużą grupę chorób, których cechą wspólną jest skrócenie czasu przeżycia krwinek czerwonych, niekiedy do kilku dni, podczas gdy zdrowa krwinka czerwona w prawidłowym krążeniu żyje 100–120 dni. Zwiększone niszczenie krwinek czerwonych jest wyrównywane przez intensywną pracę szpiku, jeśli jednak czas życia krwinki czerwonej jest krótszy niż 30 dni, dochodzi do zachwiania równowagi między nasileniem niszczenia a wytwarzania i rozwija się niedokrwistość. U niemowląt i małych dzieci możliwości kompensacyjne szpiku są mniejsze ze względu na brak puli rezerwowej i dołączające się często stany niedoboru kwasu foliowego.

Przyczyną niedokrwistości hemolitycznych, spowodowanych wzmożonym niszczeniem, czyli hemolizą krwinek czerwonych, może być nieprawidłowa budowa tych krwinek (czynniki wewnątrzkrwinkowe – dziedziczne, wrodzone, takie jak wady budowy błony komórkowej krwinki, brak jednego z enzymów, wady w budowie hemoglobiny) lub działanie szkodliwych czynników zewnętrznych (tzn. pozakrwinkowych, do których należą: przeciwciała, czynniki zakaźne, toksyczne, fizyczne, chemiczne oraz uszkodzenie ścian naczyń krwionośnych).

Sferocytoza wrodzona jest najczęściej spotykaną postacią niedokrwistości hemolitycznej w naszym kraju. Jest to choroba rodzinna, przekazywana zwykle przez jednego z rodziców. Niekiedy można ją prześledzić u przedstawicieli kilku pokoleń (tablica 22 b). Choroba spowodowana jest nieprawidłową budową błony komórkowej krwinki czerwonej, co powoduje zwiększoną przepuszczalność i kulisty kształt erytrocytów, zwanych w tej chorobie sferocytami. Sferocyty w czasie przepływu przez sieć naczyń śledziony ulegają uszkodzeniu i hemolizie.

Objawami podstawowymi sferocytozy wrodzonej są: niedokrwistość hemolityczna, żółtaczka i powiększenie śledziony. Choroba może być groźna, jeśli ujawnia się w okresie noworodkowym. Nierozpoznana bowiem i nie leczona prawidłowo może powodować trwałe uszkodzenie mózgu wysokim poziomem bilirubiny.

Metodą z wyboru w leczeniu sferocytozy jest usunięcie śledziony. Zabieg ten nie usuwa defektu erytrocytów, eliminuje jednak narząd wychwytujący i niszczący sferocyty. Po zabiegu ustępuje niedokrwistość i żółtaczka, normalizuje się czas przeżycia sferocytów.

Niedokrwistości immunohemolityczne są spowodowane działaniem przeciwciał skierowanych przeciw własnym krwinkom czerwonym organizmu. Przeciwciała te mogą powstawać w przebiegu chorób bakteryjnych, wirusowych, niekiedy pod wpływem działania leków (antybiotyków, środków przeciwbólowych, przeciwdrgawkowych), mogą też towarzyszyć nowotworom złośliwym i zespołom rozrostowo-zapalnym. Szczególną postacią niedokrwistości hemolitycznej spowodowanej przeciwciałami jest konflikt serologiczny między matką a płodem w wyniku niezgodności czynnika Rh lub grup głównych AB0 (zob. Konflikt matczyno-płodowy, s. 1136).

Objawem ostrej postaci niedokrwistości immunohemolitycznej jest zwykle szybko następująca anemia i żółtaczka. Mogą im towarzyszyć objawy ogólne, takie jak wymioty, bóle brzucha i głowy, skaza krwotoczna, a nawet drgawki. Choroba wymaga natychmiastowego leczenia szpitalnego. Zob. też Choroby wewnętrzne, s. 858.

Białaczki

Białaczka należy do najczęstszych chorób nowotworowych u dzieci. Wieloletnie badania nad tą chorobą nie doprowadziły do wyjaśnienia jej przyczyn, pozwoliły jednak poznać jej przebieg, metody rozpoznawania oraz opracować takie metody leczenia, które dają nadzieję długiego przeżycia, a także całkowitego wyleczenia.

Białaczka cechuje się rozrostem niedojrzałych i nieprawidłowych leukocytów, które naciekają szpik i inne narządy oraz tkanki, prowadząc do uszkodzenia i zaniku prawidłowego utkania. Rozwojowi tej choroby sprzyjają następujące czynniki: promieniowanie jonizujące, wirusy rakotwórcze, niektóre związki chemiczne, wpływy środowiska, predyspozycja genetyczna oraz czynniki hormonalne, immunologiczne i inne.

Białaczki mogą występować u dzieci w różnym wieku, także u noworodków i młodych niemowląt, przeważnie jednak atakują dzieci między 2 a 7 r. życia, częściej chłopców niż dziewczynki (stosunek ten wynosi jak 3:2).

U dzieci wyodrębnia się trzy główne grupy białaczek: 1) ostre białaczki limfoblastyczne, 2) ostre białaczki nielimfoblastyczne (szpikowe) oraz 3) przewlekłe białaczki szpikowe. Ostre białaczki limfoblastyczne stanowią ok. 85%, ostre białaczki nielimfoblastyczne (szpikowe) – 10–12%, przewlekłe białaczki szpikowe ok. 3–4% ogółu białaczek.

Białaczki ostre

Objawy. Ostre białaczki ujawniają się zwykle wówczas, gdy w układzie krwiotwórczym dochodzi do rozrostu komórek białaczkowych i zaniku prawidłowego utkania oraz gdy nacieki białaczkowe umiejscowią się w tkankach i narządach poza szpikiem. Choroby te na ogół nie zaczynają się ostro i pierwsze objawy mogą być nie dostrzeżone przez dłuższy czas. Dopiero gorączka, bladość powłok i wybroczyny na skórze dziecka skłaniają rodziców do udania się po poradę lekarską. Objawom tym często towarzyszy łatwe męczenie się dziecka, upośledzone łaknienie, zmiana usposobienia, bóle brzucha, bóle kostno-stawowe. Tylko w wyjątkowo rzadkich przypadkach choroba ma początek ostry z wysoką gorączką, anginą, bólami kości i zmianami martwiczymi na błonach śluzowych. Taki początek może nasuwać podejrzenie ostrej choroby zakaźnej lub infekcji.

Bladość skóry i błon śluzowych w białaczce jest związana

z zanikiem układu czerwonokrwinkowego w szpiku i niedokrwistością krwi obwodowej.

Gorączka występuje w ponad 90% przypadków i u wielu dzieci nie daje się wytłumaczyć współistniejącym zakażeniem. Nie ustępuje pod wpływem leczenia antybiotykami, a w trakcie stosowania leków cytostatycznych (przeciwnowotworowych) ustępuje zazwyczaj nie później niż po trzech dniach.

Skaza krwotoczna spowodowana obniżeniem liczby płytek objawia się przeważnie wybroczynami i wylewami krwawymi na skórze. Przy bardzo małej liczbie płytek dochodzi do krwawień z nosa, z błon śluzowych lub z przewodu pokarmowego. Czasami wybroczyny występują na dnie oka, nierzadko w spojówkach. Krwawienia do ośrodkowego układu nerwowego w pierwszym rzucie choroby obecnie zdarzają się rzadko, co jest związane ze znacznie lepszą i wcześniejszą diagnostyką choroby i wczesnym rozpoczęciem leczenia.

Powiększenie wątroby i śledziony występuje w ok. 65–70% przypadków (tablica 23 a). Powiększeniu ulegają też (do 2–4 cm) węzły chłonne podżuchwowe, szyjne, pachowe i pachwinowe. Nie są one bolesne i nie zrastają się. Powiększenie wątroby, śledziony i węzłów chłonnych to najbardziej typowe objawy ostrych białaczek.

W ostrych białaczkach nielimfoblastycznych – mielomonocytoidalnych u małych dzieci występują często nietypowe plamisto-grudkowe wysypki na tułowiu i kończynach, oceniane często jako alergiczne.

Bóle kostno-stawowe występują w ok. 40% u dzieci z ostrą białaczką. Czasami dolegliwości te przyczyniają się do mylnego rozpoznania gorączki reumatycznej lub reumatoidalnego zapalenia stawów (tablica 23 b). Dolegliwości kostno-stawowe są spowodowane naciekami białaczkowymi, które umiejscawiają się najczęściej w częściach przynasadowych kości długich, co na zdjęciu radiologicznym ujawnia się jako strefa rozrzedzeń w przynasadach, głównie kości strzałkowej goleni i kości udowej.

Rentgen płuc nie wykazuje zmian charakterystycznych dla białaczki poza obrzmieniem węzłów chłonnych śródpiersiowych i niekiedy guzem grasicy. Zmiany w śródpiersiu świadczą o pozaszpikowej lokalizacji białaczki i przeważnie źle rokują.

Występujący w każdym przypadku ostrej białaczki brak granulocytów jest często przyczyną dołączających się zakażeń już w czasie pierwszego rzutu choroby. Przy braku obrony powierzchnia skóry, błony śluzowej jamy ustnej, przewodu pokarmowego i układu oddechowego łatwo jest atakowana przez zazwyczaj saprofityczne bakterie. Zakażenie takie często przeradza się w uogólnioną posocznicę.

Szczególnie łatwo ulegają zakażeniu błony śluzowe jamy ustnej. Obrzęk i rozpulchnienie dziąseł, miejscami pozbawionych nabłonka, a czasem owrzodzenia powodują przykry zapach z ust. Stan zapalny jamy ustnej lub nosa jest często przyczyną niepokoju dziecka i uporczywego skubania warg i nosa, co z kolei pogłębia uszkodzenie błon śluzowych, a w przypadku małopłytkowości stwarza niebezpieczeństwo krwawień.

Każde drobne nawet uszkodzenie naskórka, np. nakłucie opuszki palca przy pobieraniu krwi lub zastrzyk domięśniowy może być miejscem wtargnięcia bakterii i początkiem stanu ropnego.

Niektóre dzieci skarżą się na bóle brzucha spowodowane powiększeniem węzłów chłonnych krezkowych lub naciekami białaczkowymi w świetle jelit. Czasem występują trudności w oddawaniu stolca związane z zapaleniem odbytu lub naciekami białaczkowymi w tej okolicy.

Zmiany białaczkowe w ośrodkowym układzie nerwowym, które mogą występować już w pierwszym rzucie choroby, objawiają się bólem głowy, nudnościami, wymiotami. Niekiedy pojawia się porażenie nerwów czaszkowych, zwłaszcza nerwu twarzowego, często występują zmiany na dnie oka (zatarcie tarczy nerwu wzrokowego) oraz zmiany w płynie mózgowo-rdzeniowym.

Niedokrwistość jest objawem niemal stałym, występuje w ponad 90% przypadków. Poziom hemoglobiny (Hb) jest niski u większości dzieci i waha się od 8 do 5 g%. Liczba krwinek czerwonych jest obniżona proporcjonalnie do poziomu hemoglobiny i u większości dzieci wynosi 2–3 mln/mm^3. Liczba płytek krwi u ok. 90% chorych spada do wartości mniejszych niż 100 000 w mm^3, a u ponad połowy chorych nawet do wartości mniejszych niż 50 000. Liczba krwinek białych jest zmienna. Obserwuje się małe wartości leukocytów, nawet poniżej 1000 w mm^3 (leukopenie), i bardzo duże – powyżej 100 000 w mm^3 – leukocytozy.

Rozpoznanie ostrej białaczki opiera się na badaniu szpiku kostnego. W pełnym rozwoju choroby szpik wykazuje charakterystyczne zmiany w postaci rozrostu jednorodnych, niedojrzałych komórek blastycznych, które stanowią zwykle 70–100% komórek. Dochodzi przy tym do wyparcia prawidłowego utkania, tj. układu czerwonokrwinkowego, granulocytowego i płytkotwórczego. W typowych przypadkach szpik przedstawia obraz monotonii komórkowej, tj. jednorodnego rozplemu limfoblastów (tablica 23 c).

U chorych z ostrymi białaczkami nielimfoblastycznymi (szpikowymi) większość komórek w szpiku stanowią – w zależności od charakteru rozplemu – mieloblasty, promielocyty lub formy mielomonocytoidalne.

Leczenie. Współczesne leczenie białaczek polega na wyborze odpowiedniego schematu leczenia, uzupełnieniu brakujących elementów krwi, korygowaniu odporności organizmu, zwalczaniu powikłań oraz na stosowaniu odpowiedniej psychoterapii obejmującej chorego i jego rodzinę.

Schemat leczenia obejmuje cykliczne podawanie wybranych leków cytostatycznych i glikokortykosteroidów. W zakres leczenia wchodzi także zapobieganie białaczce ośrodkowego układu nerwowego, polegające na leczeniu dokanałowym i napromieniowaniu czaszki. Leczenie odbywa się w specjalistycznych ośrodkach akademickich.

Przy wyborze leczenia dużą wagę przywiązuje się do klasyfikacji białaczek, opierającej się nie tylko na badaniach morfologicznych, ale także na ocenie immunologicznej (fenotyp komórkowy), wskaźnikach cytogenetycznych, klinicznych oraz na próbach wrażliwości na leczenie. Leczenie chemiczne (cytostatyki) bowiem powoduje wiele powikłań w postaci zaburzeń odporności, braku limfocytów, dołączania się zakażeń bakteryjnych, wirusowych, grzybiczych, co wydłuża proces leczenia, a nierzadko stanowi bezpośrednie zagrożenie życia. Toteż obok leczenia niszczącego komórki białaczkowe niezmiernie ważne jest stosowanie leczenia wspomagającego i substytucyjnego (preparaty krwi, antybiotyki, leki przeciwgrzybicze, i poprawiające odporność – immunoglobuliny).

W ostatnich latach wprowadzono także czynniki stymulujące wzrost kolonii granulocytów – GCSF. Powyższe środki pozwalają przetrwać ciężki okres powikłań polekowych.

Schematy leczenia białaczek są opracowywane przez ośrodki specjalistyczne hematologiczno-onkologiczne w różnych krajach. Zespoły badawcze w tych ośrodkach korzystają w swej pracy z najnowszych badań naukowych i z własnych obserwacji, co pozwala korygować i doskonalić programy leczenia. Również w naszym kraju z inicjatywy ośrodka krakowskiego utworzono w 1974 r. Polską Grupę Pediatryczną do Spraw Leczenia Ostrej Białaczki i Innych Chorób Nowotworowych Układu Krwiotwórczego, złożoną z przedstawicieli różnych ośrodków hematologiczno – onkologicznych. Program badań tej Grupy realizowany jest w ramach prac Komitetu Badań Naukowych (KBN).

Rokowanie. Intensywne i konsekwentne leczenie wpłynęło wyraźnie na poprawę rokowania w ostrej białaczce limfoblastycznej, wyrażającą się nie tylko przedłużaniem życia, lecz także możliwością całkowitego wyleczenia. Badania statystyczne wykazują, że dzieci, u których cofnęły się objawy chorobowe, czyli wystąpiła remisja, żyją obecnie przeciętnie ok. 5 lat, a ponad 50% tych chorych ma szansę wyleczenia. Wyleczenie z ostrej białaczki limfoblastycznej osiąga się obecnie u ok. 70% chorych.

Zmienił się także sposób życia chorych na białaczkę. Dawniej z powodu częstych zaostrzeń choroby dzieci te spędzały większość swojego krótkiego życia w szpitalu. Obecnie po wejściu w remisję przebywają w domu. Leczenie podtrzymujące remisję (reindukcje) odbywa się ambulatoryjnie i trwa ok. 2 lat. Po zakończeniu leczenia dzieci zgłaszają się do okresowej kontroli ogólnej i hematologicznej, prowadzą przy tym normalny tryb życia i tak jak ich rówieśnicy chodzą do przedszkola lub szkoły, bawią się, wyjeżdżają na wczasy, cieszą się życiem.

Znacznie gorsze wyniki leczenia uzyskuje się u chorych na ostre białaczki szpikowe. U chorych tych zazwyczaj trudno osiągnąć dłuższą remisję. Rokowanie jest na ogół niepomyślne. Zob. też Choroby wewnętrzne, s. 855.

Przewlekła białaczka szpikowa

Choroba ta występuje przeważnie u dzieci starszych w okresie dojrzewania płciowego i obraz jej oraz przebieg nie różni się zasadniczo od przewlekłej białaczki szpikowej u dorosłych. Początek jest skryty i powolny, występuje ogólne osłabienie, pocenie się i chudnięcie. Zasadniczym objawem jest narastające powiększenie śledziony, która dochodzi do olbrzymich rozmiarów, zajmując niejednokrotnie większą część jamy brzusznej. Wątroba bywa powiększona, lecz w mniejszym stopniu. Powiększenie węzłów chłonnych jest nieznaczne lub nie występuje w ogóle. Niekiedy dołączają się bóle kończyn, u chłopców dochodzi czasem do bolesnych wzwodów prącia.

W krwi obwodowej wyraźnie zwiększa się liczba krwinek białych, zwykle powyżej 50 000 w 1 mm^3, a w początkowym okresie choroby także liczba płytek krwi. Rozmazy krwi wykazują obecność granulocytów w różnych fazach rozwoju, z przewagą mielocytów i metamielocytów, które stanowią ok. 50% krwinek białych. Liczba mieloblastów nie przekracza zwykle 10%. Występuje także wzrost granulocytów kwasochłonnych i zasadochłonnych. Leczenie tej postaci białaczki polega na stosowaniu odpowiednich chemioterapeutyków.

Przewlekła białaczka szpikowa może kończyć się tzw. przełomem blastycznym, tj. przejściem w ostrą białaczkę mieloblastyczną, która nie reaguje na żadne leczenie i stanowi końcowy etap choroby. Jedynym ratunkiem jest przeszczep szpiku.

Chłoniaki złośliwe

Chłoniaki złośliwe obejmują dwie podstawowe choroby: ziarnicę złośliwą i nieziarnicze chłoniaki złośliwe, różniące się objawami, przebiegiem, a przede wszystkim wrażliwością na leczenie i rokowaniem. Chłoniaki złośliwe stanowią istotny problem, ponieważ po białaczkach i guzach ośrodkowego układu nerwowego właśnie te nowotwory układu limfatycznego u dzieci znajdują się na trzecim miejscu pod względem częstości występowania.

Chłoniaki są chorobami rozrostowymi tkanki limfoidalnej, do której zalicza się grasicę oraz obwodowy układ chłonny, tj. węzły chłonne, śledzionę, aparat chłonny przewodu pokarmowego i układu oddechowego, układ siateczkowo-śródbłonkowy różnych narządów i szpiku.

Tkanka limfoidalna bierze udział w procesach odpornościowych, dlatego też nowotwory układu chłonnego określa się też nazwą nowotworów układu odpornościowego.

Ziarnica złośliwa

Ziarnica złośliwa – choroba Hodgkina – należy do najłagodniejszych chorób nowotworowych u dzieci, rzadko pojawia się przed 4 r. życia. Częściej występuje u chłopców.

Objawy. We wczesnym okresie choroby zmiany występują przeważnie w węzłach szyjnych, które ulegają powiększeniu, podobnie jak przy zakażeniach jamy ustnej lub gardła. Najczęściej atakowane są węzły w dolnym odcinku szyi. W dalszym etapie choroby liczba zajętych niebolesnych węzłów stopniowo zwiększa się, rosną też ich rozmiary. Węzły stopniowo stają się coraz twardsze, zrastają się ze sobą i tworzą pakiety. Zmiany na szyi często występują jednostronnie (tablica 22 d), a przy zmianach obustronnych z reguły są niesymetryczne. Węzły chłonne na szyi w ziarnicy złośliwej ulegają powiększeniu u ok. 90% dzieci, rzadziej zajęte bywają węzły pachowe i pachwinowe. Szczególnie charakterystyczne jest powiększenie węzłów nadobojczykowych, łączące się często z powiększeniem węzłów śródpiersia. U części dzieci chorobie towarzyszą objawy ogólne: spadek masy ciała, poty nasilające się nocą, gorączka oraz świąd skóry. Może wystąpić narastające powiększenie śledziony i wątroby.

Rozpoznanie choroby opiera się przede wszystkim na wykonaniu tzw. biopsji, czyli chirurgicznym pobraniu tkanki węzła chłonnego i wykonaniu badań histopatologicznych. Stwierdzenie obecności komórek Reeda–Sternberga i Hodgkina potwierdza rozpoznanie.

Leczenie polega na stosowaniu odpowiednich leków cytostatycznych oraz radioterapii. Leczenie prowadzone jest w ośrodkach specjalistycznych.

Rokowanie zależy od stopnia zaawansowania choroby, od występowania objawów ogólnych oraz od wieku chorego. Wcześnie wdrożone i konsekwentnie prowadzone leczenie w ziarnicy niezaawansowanej daje ponad 90% wyleczeń, a w ziarnicy już rozsianej coraz częściej prowadzi do wieloletnich remisji. Bezobjawowe okresy utrzymujące się 4–5 lat dają dużą nadzieję na wyleczenie.

Nieziarnicze chłoniaki złośliwe

Nieziarnicze chłoniaki złośliwe – non Hodgkin's Lymphoma – stanowią ok. 5–10% wszystkich chorób nowotworowych u dzieci. Występują u dzieci w każdym wieku, począwszy od okresu niemowlęcego, częściej u chłopców. Cechą charakterystyczną tej grupy chorób jest tendencja do wczesnego uogólniania oraz częste przerzuty do układu krwiotwórczego.

Objawy nieziarniczych chłoniaków złośliwych są bardzo różnorodne i zależą od umiejscowienia i stopnia zaawansowania nowotworu, który może pojawiać się w każdym miejscu, gdzie występuje utkanie chłonne. Ekspansywny wzrost komórek nowotworowych niszczy prawidłowe utkanie węzła chłonnego i nacieka otaczające komórki, dając także odległe przerzuty. Nowotwór może być ograniczony do jednej grupy węzłów, ich najbliższej okolicy lub może być uogólniony.

Pierwotnym umiejscowieniem guza mogą być oczy (gałki oczne, oczodół), skóra, migdałki podniebienne, układ chłonny jamy nosowo-gardłowej, grasica. Nacieki w ośrodkowym układzie nerwowym nie występują w początkowym okresie choroby. U ok. 20–30% chorych nowotwór umiejscawia się w węzłach obwodowych, zwłaszcza szyjnych. Obrzmieniu ulegają zwykle grupy węzłów chłonnych po jednej stronie szyi. Są one niebolesne i przeważnie dość twarde. Powiększeniu węzłów chłonnych mogą towarzyszyć stany podgorączkowe, gorsze łaknienie, lecz w początkowym okresie stan ogólny nie ulega wyraźnemu pogorszeniu. Z tego powodu choroba jest często mylnie rozpoznawana jako zapalenie przyusznicy, czyli świnka, lub zapalenie węzłów chłonnych (tablica 22 e).

Nowotwór umiejscowiony w śródpiersiu przednim powoduje często wystąpienie wolnego płynu w jamach opłucnej. Występuje wówczas duszność, kaszel, bóle w klatce piersiowej, a niekiedy na skutek ucisku – sinica, obrzęk twarzy, poszerzenie powierzchniowych naczyń żylnych.

U ok. 30–40% chorych miejscem pierwotnego rozwoju nowotworu jest jama brzuszna. Nowotwór atakuje węzły krezki, okolicę kątniczo-okrężniczą, węzły chłonne pozaotrzewnowe. Występują bóle brzucha, nudności, wymioty, mogą wystąpić zaburzenia wchłaniania, luźne stolce, a czasem niedrożność. W miarę rozwoju choroby dochodzi do naciekania wątroby, śledziony, kości, mózgu i rdzenia kręgowego. Przerzuty do ośrodkowego układu nerwowego mogą prowadzić do porażenia nerwów czaszkowych, zaburzeń widzenia, zmian w płynie mózgowo-rdzeniowym, objawów poprzecznego porażenia rdzenia i innych.

Rozpoznanie nieziarniczych chłoniaków złośliwych opiera się głównie na badaniu histopatologicznym guza lub węzłów chłonnych pobranych w czasie zabiegu operacyjnego. W niektórych przypadkach rozpoznanie jest możliwe na podstawie badania krwi i szpiku, płynu z opłucnej lub punktatu węzła chłonnego.

Leczenie nowotworu zależy od stopnia zaawansowania i pierwotnej lokalizacji guza. Jeśli guz umiejscowiony jest w jamie brzusznej, stosuje się leczenie chirurgiczne oraz napromienianie i chemioterapię. Najlepiej rokują guzy izolowane. Całkowite ich usunięcie chirurgiczne i chemioterapia daje wyleczenie w 70–80% przypadków. Jeśli nowotwór jest rozsiany i nie nadający się do radykalnego usunięcia, rokowanie jest gorsze, ale nie beznadziejne. Leczenie prowadzone jest w ośrodkach specjalistycznych.

Intensywne leczenie wieloma cytostatykami połączone z radioterapią prowadzi do obniżenia odporności organizmu i do powikłań w formie zakażeń bakteryjnych, wirusowych lub grzybiczych. W celu zapobieżenia zakażeniom dzieci są izolowane, a przy najmniejszych nawet objawach zakażenia otrzymują antybiotyki.

Histiocytoza X

Nazwą h i s t i o c y t o z a X określa się wiele chorób rozrostowych układu krwiotwórczego i limfatycznego o nieznanej przyczynie, cechujących się rozrostem histiocytów (komórki należące do układu siateczkowo-śródbłonkowego) i naciekaniem różnych narządów. Nacieki mogą być zlokalizowane lub rozsiane.

U m a ł y c h n i e m o w l ą t przebieg choroby jest ostry z objawami uogólnionymi w postaci wysypki guzkowo-krwotocznej zlokalizowanej głównie na tułowiu, z powiększeniem węzłów chłonnych, wątroby i śledziony, z naciekami histiocytarnymi w płucach, a także z ogniskami rozrzedzeń w kościach.

R o z p o z n a n i e choroby ustala się na podstawie stwierdzenia histiocytów, najczęściej w zeskrobinach ze skóry lub w tkance pobranej metodą biopsji z węzła chłonnego, oraz na podstawie przebiegu choroby i badań radiologicznych.

Leczenie ostrej histiocytozy polega na stosowaniu leków cytostatycznych. U większych dzieci histiocytoza X atakuje zazwyczaj kości. Zmiany umiejscowione są w kościach długich, w żebrach, w kręgosłupie i w miednicy. Występują one u młodzieży i małych dzieci, rzadziej u niemowląt. Rozwijają się niepostrzeżenie, nie dając żadnych objawów i zdarza się, że są wykrywane przypadkowo. Gdy ognisko powiększa się, mogą występować bóle i stany gorączkowe. Punktem wyjścia zmian jest zwykle szpik, w którym rozrastające się komórki siateczki niszczą tkankę kostną.

Przebieg histiocytozy w postaci kostnej jest przewlekły i rokowanie zazwyczaj dobre. W leczeniu stosuje się radioterapię, rzadziej chemioterapię.

XII. SKAZY KRWOTOCZNE U DZIECI

W warunkach prawidłowych uszkodzenie naczynia krwionośnego wywołuje cały łańcuch reakcji mających na celu szybkie zahamowanie krwawienia. Mechanizm ten nazywany jest hemostazą i jego sprawne działanie zależy od osoczowych i płytkowych czynników krzepnięcia, jak również od stanu ściany naczyniowej. Toteż zaburzenia osoczowych i płytkowych czynników krzepnięcia oraz uszkodzenia ściany naczyniowej prowadzą do powstania skaz krwotocznych.

Do najczęstszych skaz krwotocznych u dzieci należą małopłytkowości spowodowane całkowitym brakiem lub, częściej, zmniejszeniem liczby płytek krwi. Wyjątkowo rzadko mogą występować skazy krwotoczne spowodowane zaburzeniami czynności płytek krwi przy prawidłowej ich liczbie lub nawet nadpłytkowości.

Drugą grupę skaz krwotocznych stanowią skazy powstałe na skutek

Skazy krwotoczne uwarunkowane wrodzonymi niedoborami osoczowych czynników krzepnięcia

Czynnik	Synonim	Nazwa skazy
I	fibrynogen	A lub hipofibrynogenemia
II	protrombina	hipoprotrombinemia
III	tromboplastyna tkankowa	nie obserwuje się skazy
IV	wapń	nie obserwuje się skazy
V	proakceleryna	
VI	akceleryna	hipoakcelerynemia
VII	prokonwertyna	hipoprokonwertynemia
VIII	globulina antyhemofilowa (AHG)	hemofilia A
IX	czynnik Christmasa	hemofilia B
X	czynnik Stuarta	hipostuartemia
XI	plasma tromboplastin antecedent	hemofilia C
XII	czynnik Hagemana	defekt Hagemana
XIII	czynnik stabilizujący skrzep	wrodzony niedobór czynnika XIII

niedoborów osoczowych czynników krzepnięcia. Istnieje 13 dotychczas zbadanych osoczowych czynników krzepnięcia (tabela na s. 1290). Większość z nich jest białkami syntetyzowanymi w wątrobie. Do najbardziej znanych skaz spowodowanych niedoborem osoczowych czynników krzepnięcia należą wrodzone, genetycznie uwarunkowane takie choroby, jak hemofilia A (niedobór czynnika VIII) i hemofilia B (niedobór czynnika IX) oraz choroba Willebranda. U noworodków do krwawień może prowadzić nierzadko występujący niedobór II, VII, IX i X czynników krzepnięcia w związku z ich niedostatecznym wytwarzaniem w wątrobie oraz niedostateczną produkcją witaminy K w przewodzie pokarmowym.

Trzecią grupę skaz krwotocznych stanowią naczyniowe skazy krwotoczne, spośród których dość często występuje zespół Schoenleina – Henocha, czyli plamica alergiczna.

Skazy małopłytkowe

Nabyte skazy małopłytkowe

Małopłytkowość samoistna. Ostra małopłytkowość samoistna jest najczęstszą formą małopłytkowości u dzieci. Istotą choroby jest niedobór krwinek płytkowych we krwi obwodowej – przy prawidłowym lub zwiększonym ich wytwarzaniu w szpiku – powodujący występowanie krwawień do skóry, śluzówek i narządów wewnętrznych.

Przyczyną choroby w ok. 50% przypadków jest przebycie zakażenia wirusowego górnych dróg oddechowych, odry, różyczki i innych chorób wirusowych. Nasilenie zachorowań na małopłytkowość przypada na okres jesienno-zimowy, równolegle ze wzrostem zachorowań dzieci na zakażenia górnych dróg oddechowych pochodzenia wirusowego. W przebiegu wymienionych zakażeń lub przy innych nie zawsze uchwytnych czynnikach szkodliwych dochodzi do zaburzenia procesów odpornościowych i powstawania przeciwciał powodujących niszczenie krwinek płytkowych. Czas przeżycia płytek, mierzony metodą izotopową, ulega znacznemu, nawet 10-krotnemu skróceniu. Mimo wzmożonego wytwarzania płytek krwi przez megakariocyty szpiku rozwija się małopłytkowość i skaza krwotoczna.

Objawy. Przebieg choroby jest najczęściej ostry. Na śluzówkach jamy ustnej i w skórze powstają drobne, punkcikowate wynaczynienia, zwane wybroczynami, oraz rozleglejsze podbiegnięcia i wylewy krwawe mogące obejmować i tkankę podskórną (tablica 24 a, b). Szczególnie częste są krwawienia z nosa, niekiedy bardzo uporczywe. Objawy krwotoczne mogą dotyczyć wszystkich narządów wewnętrznych. Najgroźniejsze są wylewy śródczaszkowe, które stanowią bezpośrednie zagrożenie życia lub mogą powodować nieodwracalne następstwa. Powikłanie to występuje rzadko, w ok. 1% przypadków.

W małopłytkowości drobne wybroczyny powstają samoistnie, ponieważ przy niedoborze krwinek płytkowych dochodzi do upośledzenia ciągłości ściany naczyniowej i przechodzenia krwinek poza naczynia. Każdy uraz grozi wystąpieniem krwawienia lub wytworzeniem krwiaków, którychkonsekwencje zależą od lokalizacji. Niebezpieczne są wylewy do siatkówki oka zaburzające widzenie.

Najbardziej burzliwe krwawienia występują w ciągu pierwszych kilku lub kilkunastu dni choroby, potem ich nasilenie się zmniejsza. W ostrym okresie liczba płytek krwi jest zwykle niższa niż 30 000 w mm^3 (30×10^9/l), niekiedy w badanych preparatach są tylko pojedyncze płytki lub stwierdza się całkowity ich brak.

Leczenie ostrej małopłytkowości odbywa się zwykle w szpitalu. Dziecko musi pozostawać w łóżku. W celu zmniejszenia nasilenia skazy podawane są glikokortykosteroidy. Kuracja hormonalna trwa 3–6 tygodni. W ciągu ostatnich lat wprowadzono do leczenia samoistnych małopłytkowości preparaty immunoglobulin podawane dożylnie w pięciodniowej kuracji. Jakkolwiek uzyskana poprawa może być tylko przejściowa, to postępowanie to jest niezwykle cenne w razie konieczności uzyskania szybkiego wzrostu liczby płytek, np. przed zabiegiem operacyjnym, porodem, a także w małopłytkowościach noworodków. W przypadkach krwawień z nosa stosowane są miejscowe tamponady specjalną gąbką, zwaną spongostanem, nasyconą trombiną. W razie powstania niedokrwistości po obfitych krwotokach czasami przetaczana jest masa krwinek czerwonych. W najcięższych przypadkach stosowana jest w okresach krwawień masa płytkowa, nie pozbawiona jednak działań niepożądanych, ponieważ może wywołać uczulenie na podane płytki krwi i nasilić małopłytkowość. Działanie koncentratu płytkowego jest krótkotrwałe i utrzymuje się 1–2 dni.

W ogromnej większości przypadków po ostrym okresie choroby następuje wyleczenie. Jedynie u ok. 5–10% chorych choroba może przechodzić w postać przewlekłą lub nawrotową.

Małopłytkowość samoistna przewlekła występuje wówczas, gdy objawy choroby utrzymują się dłużej niż 12 miesięcy. Nasilenie objawów skazy jest mniejsze, każdy uraz jest jednak bardzo niebezpieczny i dziecko wymaga indywidualnej opieki. Nie może uczęszczać do żłobka, ani przedszkola, a jeżeli chodzi do szkoły, musi być otoczone szczególną opieką, np. pozostawać w czasie przerw lekcyjnych w klasie lub być brane do pokoju nauczycielskiego; powinno być zwolnione z gimnastyki. Należy dziecko chronić przed zakażeniem górnych dróg oddechowych, gdyż sprzyjają one nasileniu objawów krwotocznych lub wystąpieniu nawrotu.

Leczenie. W drugim roku choroby rozpatrywane są wskazania do usunięcia śledziony. Ponieważ śledziona u małych dzieci odgrywa ważną rolę w zjawiskach odporności, nie powinna być usuwana przed ukończeniem 4 r. życia. Leczenie zachowawcze polega na okresowym podawaniu glikokortykosteroidów w razie znacznego nasilenia skazy krwotocznej. Długotrwałe podawanie glikokortykosteroidów, nawet w małych dawkach, nie jest wskazane ze względu na objawy niepożądane, m.in. znaczną otyłość. Stosowane są również dożylne preparaty immunoglobulin w ciągu 5 kolejnych dni, a następnie co miesiąc w jednorazowych dawkach podtrzymujących.

Usunięcie śledziony, czyli splenektomia, daje dobre wyniki prowadząc w ponad 80% przypadków do całkowitego wyleczenia lub ustąpienia objawów krwotocznych i znacznego wzrostu liczby płytek krwi. Jeśli usunięcie śledziony jest nieskuteczne, stosowane jest leczenie immunosupresyjne, aczkolwiek nie zawsze z pełnym efektem.

Małopłytkowość u noworodków może być wywołana przez przeciwciała przeciwpłytkowe, które przeszły przez łożysko od matki chorej na samoistną małopłytkowość lub noszącej te przeciwciała po przebytej chorobie.

Mechanizm małopłytkowości u noworodków może być także odmienny i przypominać patomechanizm choroby hemolitycznej noworodków, powstającej np. na skutek niezgodności w układzie Rh między matką i ojcem. Ojciec może mieć antygen płytkowy, którego nie posiada matka. Matka wytwarza przeciwciała przeciwko temu antygenowi, jeżeli dziecko odziedziczy antygeny płytkowe ojca; płytki krwi dziecka mogą być niszczone przez przeciwciała wytwarzane przez matkę i przechodzące przez łożysko. Ten typ małopłytkowości noworodków występuje rzadko – 1:5000 urodzeń.

Małopłytkowość wywołana przez przechodzące przez łożysko przeciwciała może powstać również u noworodków, których matki zostały poprzednio uczulone przez przetoczenie krwi.

Objawy skazy krwotocznej u noworodków mogą wykazywać znaczne różnice nasilenia. W leczeniu stosuje się zwykle hormony nadnerczy doustnie i dożylnie oraz specyficzną immunoglobulinę. Specyficzne immunoglobuliny powinny być również podane przed porodem kobietom, u których wykryto przeciwciała przeciwko płytkom płodu. W razie ciężkich zagrażających życiu krwotoków stosuje się przetoczenia masy płytkowej, a nawet wymienne przetoczenia krwi.

Wrodzone skazy małopłytkowe

Wrodzona niewydolność układu płytkotwórczego jest rzadką chorobą ujawniającą się w postaci małopłytkowości już u noworodków. Może kojarzyć się z wadami wrodzonymi kośćca, np. z brakiem kości promieniowych, z zaburzeniami chromosomalnymi i innymi wadami wrodzonymi. Rokowanie jest bardzo poważne, zwłaszcza groźne są objawy skazy krwotocznej w pierwszym roku życia dziecka.

Choroba Fankoniego. Jest to niewydolność całego układu krwiotwórczego, dotycząca nie tylko megakariocytów tworzących płytki krwi, ale również układu czerwonokrwinkowego i białokrwinkowego. Występować mogą również inne wady wrodzone kośćca, układu moczowego, serca oraz zaburzenia chromosomalne.

Choroba przebiega z małopłytkowością, ale jej objawy ujawniają się dopiero w kilka lat po urodzeniu, następnie dołącza się niedokrwistość i obniżona liczba krwinek białych. Rokowanie bardzo poważne.

Zespół Wiscotta – Aldricha. Jest to choroba genetycznie uwarunkowana występująca u chłopców. Typ dziedziczenia jest analogiczny do dziedziczenia hemofilii (zob. niżej). Choroba charakteryzuje się małopłytkowością, alergicznymi zmianami skóry i nawracającymi zakażeniami górnych dróg oddechowych oraz dołączającymi się ropnymi zakażeniami skóry.

Małopłytkowość i skaza krwotoczna są wywołane zarówno skróceniem czasu przeżycia krwinek płytkowych spowodowanym ich defektem, jak i zaburzeniami wytwarzania. Nawracające zakażenia w postaci ropnego zapalenia ucha środkowego, zapaleń gardła, oskrzeli i płuc oraz dołączające się ropne zakażenia skórne są wywołane obniżeniem odporności humoralnej i komórkowej dziecka.

Leczenie hormonami kory nadnerczy, jakkolwiek zmniejsza nasilenie krwawień i alergicznych zmian skórnych, to jednak zwiększa tendencję do zakażeń. Dzieci te są często poddawane kuracjom antybiotykami, szybko występują u nich trudno odwracalne zaburzenia w odżywianiu, prawie stale przebywają w szpitalu i większość ich ginie w pierwszym roku życia. W razie istnienia zgodnego dawcy, który najczęściej rekrutuje się spośród rodzeństwa, wykonywane są przeszczepy szpiku.

Rodzice posiadający dziecko z zespołem Wiscotta-Aldricha powinni zasięgnąć porady w poradni genetycznej co do możliwości określenia płci dziecka przy następnej ciąży. W przypadku stwierdzenia płodu żeńskiego nie ma ryzyka choroby, jakie istnieje u dziecka płci męskiej.

Osoczowe skazy krwotoczne

Wrodzone osoczowe skazy krwotoczne

Hemofilia A. Istotą choroby jest defekt w wytwarzaniu VIII czynnika krzepnięcia, zwanego globuliną antyhemofilową (AHG) lub przeciwhemofilową. U osób zdrowych poziom AHG waha się od 60-180% normy. W hemofilii A o ciężkim przebiegu poziom AHG wynosi poniżej 1% normy, w średnio ciężkiej postaci choroby waha się od 1-5%, a w łagodnej hemofilii od 5-30% normy.

Choroba dziedziczy się w sposób recesywny związany z płcią, tzn. że chorują mężczyźni, a kobiety przenoszą chorobę z pokolenia na pokolenie. I tak np. mężczyzna chory na hemofilię będzie miał ze zdrową kobietą zdrowych synów, ale wszystkie córki będą nosicielkami choroby. Istnieje prawdopodobieństwo, że kobieta będąca nosicielką będzie miała ze zdrowym mężczyzną 50% chorych synów oraz 50% córek będących nosicielkami choroby.

Hemofilia A stanowi ok. 80% wszystkich wrodzonych skaz krwotocznych, a częstość jej występowania wynosi od 1:11 000 do 1:16 000 mieszkańców. W Polsce żyje ok. 3000 osób chorych na hemofilię, z tego połowę stanowią dzieci.

Objawy. W hemofilii o ciężkim przebiegu objawy choroby ujawniają się zwykle we wczesnym dzieciństwie. Uwagę otoczenia zwraca wówczas łatwe *siniaczenie się* dziecka zaczynającego chodzić. Po większych urazach mogą powstawać rozległe wylewy krwawe w tkance podskórnej i mięśniach.

Bardzo charakterystycznym objawem są *wylewy krwi do stawów*. Powiększa się wtedy objętość stawu, jest on tkliwy, występuje ograniczenie ruchomości. Powtarzające się wylewy do stawów nie leczone prawidłowo mogą prowadzić do znacznych deformacji kończyny (tablica 24 c) i trwałego kalectwa na skutek nie tylko pierwotnych zmian w stawie, ale i szybko postępującego zanikania mięśni w wyniku ograniczenia ruchomości kończyny. Szczególnie częste są wylewy do dużych stawów: kolanowych, łokciowych i skokowych. Równie groźne są masywne *wylewy do mięśni*, gdyż wynaczyniona krew może uciskać pnie nerwowe i tętnicze oraz stać się przyczyną trwałych porażeń, niedokrwienia i martwicy tkanek. Wylew do mięśnia biodrowo-lędźwiowego może wywołać znaczną bolesność i jeżeli wystąpi po stronie prawej, może dawać objawy podobne do ostrego zapalenia wyrostka robaczkowego.

Typowym objawem hemofilii jest również często występujące *krwawienie z nosa*. Jeśli krew wypływa na zewnątrz przez przewody nosowe, objaw ten jest widoczny. Jeżeli jednak krew spływa z nosa po tylnej ścianie gardła i dziecko ją połyka, takie krwawienie może ujść uwadze otoczenia. Dopiero niedokrwistość powstająca wskutek długotrwałej utraty krwi oraz czarne zabarwienie stolca charakterystyczne dla krwawień z górnych odcinków przewodu pokarmowego i krwawień z nosa mogą być pierwszym uchwytnym objawem skazy krwotocznej. Krwawienie może także występować przy przygryzieniu śluzówki jamy ustnej, skaleczeniu języka lub wargi, rzadziej przy wyrzynaniu się zębów mlecznych. Masywne krwawienie z języka lub dna jamy ustnej może powodować groźną dla życia ostrą niedrożność górnych dróg oddechowych.

Dość częstym i trudnym do opanowania objawem hemofilii jest *krwiomocz*. Rzadsze są *krwawienia z przewodu pokarmowego*. Najgroźniejsze w następstwach są *krwawienia do ośrodkowego układu nerwowego* występujące zwykle po urazie głowy. Mogą one stanowić bezpośrednie zagrożenie życia, a po opanowaniu krwawienia - prowadzić do wystąpienia padaczki oraz do upośledzenia rozwoju umysłowego.

Do najbardziej burzliwych krwawień u hemofilików należą te, które powstają w przebiegu wykonywanych bez odpowiedniego przygotowania zabiegów operacyjnych lub ekstrakcji zębów.

W miarę upływu lat nasilenia objawów krwotocznych często zmniejszają się, co wiąże się ze spokojniejszym trybem życia osób dorosłych i mniejszym ich narażeniem na urazy.

Rozpoznanie hemofilii A ustala się na podstawie wywiadu rodzinnego (stopień niedoboru globuliny antyhemofilowej i związane z nim nasilenie objawów krwotocznych są u członków tej samej rodziny zwykle podobne), charakterystycznego przebiegu choroby oraz badań układu krzepnięcia.

Wydłużenie czasu krzepnięcia krwi oraz obniżenie poziomu VIII czynnika krzepnięcia, czyli globuliny antyhemofilowej – są decydujące.

Leczenie. W razie wystąpienia krwawień przetaczane są preparaty krwiopochodne zawierające czynnik VIII. Do niedawna podstawowym preparatem w leczeniu krwawień u chorych na hemofilię A w Polsce był wytwarzany w kraju krioprecypitat, uzyskiwany ze świeżego osocza przez szybkie zamrożenie, a następnie powolne odmrażanie. W ciągu ostatnich lat zwiększyła się w Polsce dostępność zagranicznych, wysoko oczyszczonych koncentratów czynnika VIII, zwłaszcza takich jak Hemofil M amerykańskiej firmy Baxter, Kryobulin TJM 3 austriackiej firmy Immuno. W terapii dotychczas nieleczonych przypadków hemofilii dysponujemy preparatem Profilate SD – niemiecko-amerykańskiej firmy ALPHA-Therapeutic.

W celu zapobiegania przenoszeniu krwiopochodnych zakażeń wirusowych, poza staranną selekcją dawców, preparaty te są poddawane procesom technologicznym mającym na celu unieczynnienie wirusów, takich jak wirusy zapalenia wątroby czy wirus HIV, mogących znajdować się w osoczu. Preparaty te, w przeciwieństwie do krioprecypitatu, nie wymagają przechowywania w stanie zamrożonym, mogą być przechowywane w domowych lodówkach i nadają się do przetoczenia w warunkach domowych przez odpowiednio przeszkoloną rodzinę dziecka lub samego pacjenta. W Polsce metoda leczenia domowego, jakkolwiek zaczyna być wprowadzana, nie jest jeszcze powszechna zarówno ze względu na ciągle jeszcze niedostateczne zaopatrzenie w koncentraty czynników krzepnięcia, jak i problemy organizacyjne. W większości przypadków dzieci są przywożone do szpitala, nie zawsze zlokalizowanego blisko miejsca zamieszkania i jeśli leczenie można ograniczyć do jednego przetoczenia preparatu krwiopochodnego, po takim zabiegu są wypisywane do domu. Jeżeli krwawienie trwało dłużej, a zwłaszcza gdy dotyczyło narządów wewnętrznych lub ośrodkowego układu nerwowego, dziecko musi pozostać w szpitalu na dłuższe leczenie.

Przetaczanie preparatów czynnika VIII podnosi jego poziom we krwi chorego. W zależności od umiejscowienia wylewu staramy się podnieść poziom brakującego czynnika krzepnięcia do 30–50% normy, a w krwawieniach zagrażających życiu chorego lub podczas zabiegów chirurgicznych do 50–100% normy.

Bardziej skomplikowana jest terapia chorych, którzy wytworzyli przeciwciała przeciwko czynnikowi VIII. Rutynowe leczenie preparatami zawierającymi ten czynnik nie jest tu skuteczne, stosowane są w takich przypadkach preparaty zawierające czynnik VIII pochodzenia zwierzęcego, aktywowane preparaty zespołu protrombiny, długotrwałe, bardzo kosztowne metody odczulania pacjentów.

W razie powtarzających się krwawień do jednego stawu kolanowego wykonywany jest, pod osłoną preparatów krwiopochodnych, zabieg operacyjny zwany synowektomią. Usunięcie bogato unaczynionej błony maziowej z tego stawu, jakkolwiek w większości przypadków zapobiega nawrotom krwawień, to jednak nie usprawnia kończyny. Operacyjna synowektomia może być zastąpiona przez dostawowe podanie pierwiastków radioaktywnych w celu zniszczenia łatwo krwawiącej błony maziowej stawu; najczęściej stosuje się złoto (^{198}Au), ren (^{186}Re) oraz najbardziej polecany itr (^{90}Y).

W najcięższych postaciach hemofilii A stosowane są profilaktyczne przetoczenia koncentratów czynnika VIII co drugi dzień zwłaszcza w okresach zwiększonej aktywności ruchowej dziecka. Postępowanie to, w wybranych przypadkach pozwala najciężej chorym na prowadzenie normalnego trybu życia, chroni przed ciężkimi krwawieniami i ich konsekwencjami.

U dzieci z łagodną hemofilią podawanie preparatów zawierających czynnik VIII krzepnięcia można zastąpić hormonem antydiuretycznym. Podawany donosowo, doustnie, a najskuteczniej dożylnie, powoduje on wzrost poziomu czynnika VIII, który może być wystarczający do zahamowania większości krwawień.

Do hamowania miejscowego krwawień, np. po skaleczeniach, po ekstrakcji zęba, krwawień z nosa czy śluzówki jamy ustnej, używany jest – podobnie jak w przypadkach małopłytkowości – spongostan nasycony trombiną. Ostatnio wchodzą do użycia specjalne kleje tkankowe, jak np. dostępny w Polsce Tissue-col firmy Immuno, czy Beriplast firmy Behring, szczególnie cenny przy zapewnieniu hemostazy miejscowej po zabiegach stomatologicznych. Zawarte w nich czynniki krzepnięcia łączą się bezpośrednio przed podaniem i utworzony sztucznie skrzep zamyka krwawiące naczynie prowadząc do zahamowania krwawienia. U wszystkich chorych na hemofilię istnieją bezwzględne przeciwwskazania do stosowania kwasu acetylosalicylowego (np. polopiryna).

Z a p o b i e g a n i e krwawieniom u dziecka z hemofilią odgrywa podstawową rolę. Rodzice muszą do maksimum ograniczyć możliwość urazów u dziecka. Ubranie małym dzieciom podszywa się gąbką plastikową w okolicy łokci i kolan, wykonuje delikatne kaski ochronne w celu amortyzowania siły ewentualnych uderzeń głową.

Szczepienia w poradni D lub w szkole powinny być wykonywane ze szczególną ostrożnością, przy użyciu cienkiej igły, tak aby nie spowodować krwawienia. Po zabiegu należy zastosować miejscowo chłodny okład.

Wszystkie dzieci chore na hemofilię powinny być poza obowiązkowymi szczepieniami, zawartymi w „kalendarzu szczepień”, szczepione przeciwko zakażeniu wirusem zapalenia wątroby typu B (HBV). Zakażenie HBV jest przenoszone przez krew i dlatego dzieci chore na hemofilię jako biorcy preparatów krwi są szczególnie narażone na to zakażenie i powinny być szczepione zaraz po ustaleniu rozpoznania. Szeroko dostępna w Polsce szczepionka Engerix B zabezpiecza przed zakażeniem na 5 lat. U dzieci chorych na hemofilię należy ją podawać nie domięśniowo, jak jest w instrukcji, ale podskórnie w dawce 10 μg dzieciom poniżej 10 lat oraz 20 μg – dzieciom starszym. Podstawowe szczepienie składa się z trzech dawek: miesiąc po pierwszym szczepieniu podawana jest druga dawka, a trzecia sześć miesięcy po pierwszej. Szczepienie przypominające składa się z jednej dawki.

Dzieci chore na hemofilię są rejestrowane w o ś r o d k u s p e c j a l i stycznym, gdzie otrzymują specjalną książeczkę hemofilika z wpisaną grupą krwi. Do książeczki tej są wpisane wszystkie przetoczenia preparatów krwiopochodnych, często wykonywane ambulatoryjnie. W ośrodku specjalistycznym prowadzone jest także poradnictwo wyboru odpowiedniej szkoły i zawodu. Dzieci z wylewami dostawowymi poddawane są rehabilitacji zapobiegającej usztywnieniom i przykurczom prowadzącym do trwałego kalectwa. Powinny być zachęcane do uprawiania sportów nie grożących urazem (pływanie, lekkie ćwiczenia gimnastyczne, jogging); należy rozwijać u tych dzieci zamiłowanie do rysunków, muzyki, lektury, aby ograniczyć nadmierną aktywność ruchową.

Hemofilia B. Istotą choroby jest niedobór IX czynnika krzepnięcia, zwanego również od nazwiska chorego czynnikiem Christmasa. Sposób dziedziczenia i objawy choroby są takie same, jak w hemofilii A (zob. wyżej). Odróżnić te dwie jednostki chorobowe można jedynie na podstawie ustalenia poziomu czynników krzepnięcia. Hemofilia B stanowi ok. 8% wrodzonych osoczowych skaz krwotocznych i jest obok hemofilii A i choroby von Willebranda najczęstszą chorobą w tej grupie.

Leczenie hemofilii B w czasie krwawień polega na stosowaniu preparatów czynnika IX, a w ostateczności, w razie ich braku, świeżego lub mrożonego osocza. Przetoczenia wykonywane są raz dziennie lub co drugi dzień, ze względu na dłuższy czas półtrwania czynnika IX w porównaniu z czynnikiem VIII. Przeciwwskazane jest, podobnie jak w hemofilii A, podawanie kwasu acetylosalicylowego (np. polopiryny), który nasila krwawienie.

Choroba von Willebranda, zwana też **angiohemofilią** lub **hemofilią naczyniową**, jest częstą wrodzoną osoczową skazą krwotoczną. Przypadki o najlżejszym przebiegu nie są diagnozowane i dlatego wg częstości rozpoznania znajduje się ona na następnej pozycji po hemofilii A, a wg niektórych również po hemofilii B.

Na chorobę von Willebranda, w odróżnieniu od hemofilii A i B, chorują również kobiety. Dziedziczy się ona w sposób dominujący nie związany z płcią.

W okresie, kiedy mechanizm krzepnięcia nie był jeszcze dobrze poznany, sądzono, że przyczyną tej skazy krwotocznej jest defekt ściany naczyniowej i dlatego chorobę von Willebranda nazywano hemofilią naczyniową. Obecnie wiadomo, że przyczyną tej skazy krwotocznej jest niedobór osoczowego czynnika powodującego w procesie krzepnięcia zlepianie się płytek, nazwanego czynnikiem von Willebranda, oraz zaburzenie składu jakościowego czynnika VIII, czyli globuliny antyhemofilowej, której poziom jest tylko nieznacznie obniżony. W chorobie von Willebranda zmniejszona jest mianowicie ilość antygenu czynnika VIII – tej jego podjednostki, której syntezę warunkuje gen nie związany z płcią. Powstająca skaza krwotoczna cechuje się obniżeniem poziomu czynnika VIII, zaburzeniem czynności płytek krwi oraz wydłużeniem czasu krwawienia, które nasila się pod wpływem kwasu acetylosalicylowego (np. polopiryny).

Krwawienia w chorobie von Willebranda mogą się ujawniać, podobnie jak w hemofilii A i B, już we wczesnym okresie życia i mogą mieć podobną lokalizację. Jedynie krwawienia do stawów i głębokie krwiaki, charakterystyczne dla hemofilii A i B, w chorobie von Willebranda występują rzadko. Ciężkość przebiegu choroby znacznie się waha w poszczególnych przypadkach.

Leczenie. Większość preparatów stosowanych w leczeniu hemofilii A zawiera czynnik von Willebranda i nadaje się do leczenia chorych z tym niedoborem, np. Kryobulin firmy Immuno; niektóre z nich są szczególnie polecane, jak Haemate firmy Behring.

Wrodzone skazy krwotoczne wywołane niedoborami innych czynników krzepnięcia niż czynniki VIII i IX występują sporadycznie i przebieg ich jest zwykle znacznie łagodniejszy niż hemofilii i choroby von Willebranda.

Nabyte osoczowe skazy krwotoczne

Choroby krwotoczne noworodków lub **czarna choroba noworodków**. Choroba ta jest spowodowana niedoborami czynników krzepnięcia we krwi noworodków. W warunkach prawidłowych poziom osoczowych czynników krzepnięcia u noworodków jest niższy niż u starszych dzieci i dorosłych. Witamina K biorąca udział w procesie krzepnięcia wytwarzana jest normalnie przez bakterie jelitowe, których może „zabraknąć" w „jałowym" przewodzie pokarmowym noworodka. Wytwarzanie osoczowych czynników krzepnięcia przez niedojrzałą enzymatycznie wątrobę może być także niedostateczne. W niektórych przypadkach znaczniejsze nasilenie tych niedoborów może doprowadzić do ujawnienia się skazy krwotocznej w postaci plamicy skórnej, krwawień do przewodu pokarmowego powodujących czarne zabarwienie stolców, a nawet wylewu śródczaszkowego. Podawanie witaminy K oraz przetoczenia świeżego lub mrożonego osocza, zawierającego brakujące czynniki krzepnięcia, powodują ustąpienie objawów skazy krwotocznej.

Skaza krwotoczna w przebiegu chorób wątroby jest spowodowana niewydolnością komórek wątroby, które wytwarzają osoczowe czynniki krzepnięcia.

Uogólnione zakażenia, niekiedy z powstawaniem zakrzepów wewnątrz naczyń krwionośnych (wykrzepianie wewnątrznaczyniowe) mogą powodować wystąpienie skazy krwotocznej na skutek zużycia w procesie wewnątrznaczyniowego krzepnięcia zarówno osoczowych czynników krzepnięcia, jak i płytek krwi.

Naczyniowe skazy krwotoczne

Plamica alergiczna lub **zespół Schoenleina – Henocha**. Istotą choroby jest plamica skórna (krwotoczne wykwity), której mogą towarzyszyć bóle brzucha i krwawienia z przewodu pokarmowego oraz zmiany w moczu. Zespół chorobowy jest wywołany odczynem uczuleniowo-zapalnym drobnych naczyń krwionośnych, powodującym wzmożoną ich przepuszczalność. Często występuje po 2–3 tygodniach po ostrym zapaleniu gardła lub anginie. Niekiedy czynnikiem przyczynowym może być nadwrażliwość na leki lub niektóre pokarmy, jak np. mleko, ryby, kraby itp. Plamica alergiczna może również wystąpić w przebiegu istniejących przewlekłych zakażeń i lambliozy (zob. Choroby zakaźne, s. 988).

Objawy choroby zależą od umiejscowienia zmian naczyniowych. Jeżeli zajęte są tylko naczynia skórne, występuje plamica skórna, jeśli ściany jelita i krezki – występują objawy brzuszne, w przypadku zajęcia kłębuszków nerkowych występują zmiany w moczu. Zmiany skórne mają postać wykwitów plamistogrudkowych różnej wielkości i o różnym nasileniu zabarwienia, od żywoczerwonych do sinych. W początkowym okresie mogą one przypominać pokrzywkę. Współistnieją wtedy zwykle z obrzękami stawów, które mogą być bolesne.

Plamica alergiczna występuje zwykle na kończynach dolnych, najczęściej na stopach i w okolicach stawów skokowych, na podudziach i udach oraz na pośladkach, rzadziej na kończynach górnych (tablica 24 d). Ta typowa lokalizacja wykwitów ułatwia ich różnicowanie z innymi plamicami krwotocznymi, które występują np. w przebiegu ciężkich uogólnionych zakażeń i mogą obejmować wszystkie partie skóry.

Objawy skórne mogą kojarzyć się z dolegliwościami brzusznymi. Bóle są zwykle rozlane i dotyczą całej jamy brzusznej. Mogą im towarzyszyć wymioty oraz stolce z domieszką krwi. Rozpoznanie choroby jest trudne, jeśli występują tylko bóle brzucha, bez charakterystycznych zmian skórnych. Dzieci niekiedy są poddawane operacji z błędnym rozpoznaniem ostrego zapalenia wyrostka robaczkowego lub innej ostrej choroby jamy brzusznej.

Pomocne w rozpoznaniu może być wykrycie zmian w moczu, a mianowicie obecność krwinek czerwonych, białka lub wałeczków.

U poszczególnych chorych objawy ze strony skóry, przewodu pokarmowego i nerek mają różne nasilenie. Choroba ta przebiega przeważnie w formie rzutów. Zwykle szybciej ustępują zmiany stawowe i bóle brzucha, plamica skórna może utrzymywać się kilkanaście dni lub kilka tygodni, a w przewlekłych przypadkach rzuty jej mogą powtarzać się w ciągu kilku miesięcy, a nawet lat. Jeżeli występują zmiany w nerkach, mogą być one uporczywe i prowadzić nawet do niewydolności nerek.

Rokowanie jest dobre, jeżeli nie występują przewlekłe zmiany w nerkach.

Leczenie polegające na stosowaniu leków uszczelniających naczynia krwionośne, takich jak preparaty wapnia i podobne, nie ma większego wpływu na przebieg choroby. W niektórych ciężkich przypadkach plamicy alergicznej mogą być stosowane glikokortykosteroidy.

Zapobieganie polega na leczeniu antybiotykami ropnych angin i przewlekłych ognisk zapalnych, jak również unikaniu przez osoby wrażliwe czynników uczulających.

Gnilec, czyli **szkorbut** lub **choroba Moller–Barlowa**, spowodowany niedoborem witaminy C, należy również do naczyniowych skaz krwotocznych.

XIII. CHOROBY UKŁADU MOCZOWEGO U DZIECI

Odrębności budowy i czynności nerek u dziecka

Objawy, przebieg i leczenie chorób układu moczowego u dzieci różnią się w znacznym stopniu od problemów, jakimi zajmuje się internista nefrolog. Różnice te są tym większe, im młodsze jest dziecko. Około 7–10 tygodnia życia płód zaczyna oddawać mocz do wód płodowych. Od czwartego miesiąca ciąży mocz płodu jest głównym źródłem płynu owodniowego. Niedostateczne wydalanie moczu lub jego brak powoduje małowodzie z konsekwencjami powstawania rozwojowych wad budowy ciała dziecka. Nadmierne wydalanie moczu przez płód prowadzi do wielowodzia. Wada dróg moczowych płodu stanowiąca przeszkodę w przepływie moczu powoduje poszerzenie dróg moczowych nad przeszkodą.

W dwóch pierwszych dobach życia noworodek oddaje bardzo niewiele moczu, ponieważ w tym czasie traci dużo wody drogą oddechową i parowania przez skórę. Niektóre noworodki w pierwszej dobie nie oddają moczu w ogóle. Brak moczu po dwóch dniach życia lub ustanie oddawania moczu jest objawem świadczącym o poważnym zaburzeniu czynności nerek. O nieprawidłowościach w obrębie cewki moczowej może świadczyć oddawanie moczu przez dziecko z wysiłkiem, napinaniem się i płaczem. Na ogół w pierwszych dwóch dniach życia dziecko oddaje mocz 2–6 razy na dobę, a w pierwszych miesiącach życia 30–40 razy na dobę. Częstość oddawania moczu zmniejsza się stopniowo. Dziecko roczne oddaje mocz przeważnie co godzinę, w 3 r. życia ok. 10 razy na dobę, a w wieku przedszkolnym i szkolnym – 6–7 razy. Między 2 i 3 r. życia dziecko zaczyna zgłaszać potrzebę oddawania moczu. Na ogół 3-letnie dziecko przestaje moczyć się w nocy, co jest związane ze zwiększającą się pojemnością pęcherza. Ilość moczu oddawanego na dobę wzrasta z wiekiem: między 3 a 10 dniem życia wynosi 100–300 ml, między 1 a 3 miesiącem 150–400 ml, między 3 a 6 miesiącem 250–500 ml, w drugim półroczu życia 300–600 ml, w 2–3 r. życia 500–600 ml, w wieku przedszkolnym 600–800 ml, w wieku szkolnym 800–1500 ml.

Mocz noworodka bywa ciemny, może zawierać białko i cukier, a zawarte w nim moczany mogą powodować jego mętność i plamienie pieluszek na różowo. Mocz niemowląt jest jasny i zawiera tylko śladowe ilości białka. W pierwszym kwartale życia niemowlę ma mniejszą niż dorośli zdolność zagęszczania moczu, z czym wiąże się mały ciężar właściwy (gęstość) moczu w tym wieku.

Nerki osiągają dojrzałość czynnościową w ciągu pierwszych 2 lat życia. Jednak również w późniejszych okresach, stosunkowo duża powierzchnia ciała, duża zawartość wody w ustroju, szybka przemiana materii, duże zapotrzebowanie kaloryczne, postępujące wzrastanie decydują o tym, że zaburzenia funkcji nerek występują u dzieci częściej niż u dorosłych.

Objawy chorób układu moczowego u dzieci

Wiele stanów chorobowych w obrębie układu moczowego przebiega u dzieci bez uchwytnych objawów lub z mało charakterystycznymi objawami zlokalizowanymi poza układem moczowym. Należą do nich: brak łaknienia, wymioty, nawracające biegunki, u noworodków i młodych niemowląt żółtaczka, brak przyrostu masy ciała i zwolnione tempo wzrastania, bóle i wzdęcia brzucha, drgawki, niedokrwistość, nadciśnienie, nie poddająca się leczeniu krzywica, nie wyjaśnione stany podgorączkowe lub gorączkowe, skłonność do odwodnienia, a u starszych dzieci wzmożone pragnienie.

Bardziej charakterystyczne objawy chorób dróg moczowych i nerek to apatia, łatwe męczenie się, zaburzony sposób oddawania moczu, jak np. ciągłe lub zbyt rzadkie oddawanie moczu, ból lub wysiłek przy oddawaniu moczu, parcie na pęcherz, popuszczanie albo bezwiedne oddawanie moczu, obrzęki, zwiększona lub zmniejszona dobowa ilość moczu w stosunku do prawidłowej dla danego wieku ilości, konieczność oddawania moczu w nocy. Ilość moczu wydalanego w ciągu dnia powinna być 2–3 razy większa niż w nocy. Jeśli nocna porcja moczu stanowi więcej niż połowę ilości oddawanej w ciągu dnia, przemawia to za przewlekłą niewydolnością nerek i stanowi wczesny jej objaw. Zmiana barwy moczu, zmętnienie lub wystąpienie przykrego, ropnego zapachu mogą również nasuwać podejrzenia choroby układu moczowego.

Wady wrodzone układu moczowego

Wady wrodzone nerek i dróg moczowych są najczęstszą postacią wad wrodzonych. Wczesne rozpoznanie i leczenie dzieci z wadami wrodzonymi układu moczowego mają podstawowe znaczenie dla rokowania szczególnie w przypadkach ciężkich wad wrodzonych prowadzących w późniejszych okresach życia do niewydolności nerek i nadciśnienia.

Metody rozpoznawania wad układu moczowego

Milowym krokiem w zakresie wczesnego rozpoznawania wad wrodzonych stało się badanie USG w okresie ciąży. Pozwala ono na precyzyjne stwierdzenie małowodzia, które zależy najczęściej od zmniejszonej produkcji moczu przez płód w następstwie braku nerki lub zastoju moczu w drogach moczowych. Jeśli nieprawidłowości te występują przed 28–32 tygodniem ciąży, prowadzą do niedorozwoju płuc i wad w budowie płodu. Możliwość rozpoznania na podstawie USG torbieli nerek i zastoju moczu w drogach moczowych płodu zależy w dużym stopniu od sprawności aparatury. W przypadkach podejrzenia wady układu moczowego, poród powinien odbywać się w ośrodkach zapewniających kompetentną opiekę neonatologa, nefrologa dziecięcego i urologa.

Wskazania do poszukiwania wad układu moczowego

Nieprawidłowy przebieg ciąży, a szczególnie małowodzie i występowanie wrodzonych wad układu moczowego w rodzinie stanowią wskazania do poszukiwania wady układu moczowego już w życiu płodowym.

Brak diurezy (zob. s. 759) w pierwszych 2 dobach po urodzeniu i każde zaburzenie w ilości i sposobie oddawania moczu jest wskazaniem do przeprowadzenia badań układu moczowego.

Wady nerek i dróg moczowych występują częściej u dzieci z innymi wadami wrodzonymi niż w populacji ogólnej.

W części przypadków pierwsze badanie po urodzeniu wskazuje na istnienie w jamie brzusznej mas zależnych od wodonercza, znacznie powiększonych nerek, pęcherza lub olbrzymiego moczowodu. Wady kręgosłupa, rdzenia lub brak kości krzyżowej mogą wskazywać na istnienie pęcherza neurogennego.

Rozpoznanie niewydolności nerek w okresie noworodkowym utrudnia to, że w części przypadków zachowane jest oddawanie moczu. Zakażenie układu moczowego, oddawanie moczu z wysiłkiem, przerywanym strumieniem u chłopców, każe podejrzewać zastawkę cewki tylnej, a kroplowe wyciekanie moczu u dziewczynek – wadę pęcherza. U części noworodków wodonercze związane z przeszkodą w odpływie moczu ujawnia się dopiero po 2 dobach, gdy mija fizjologiczny skąpomocz.

Kolejnym badaniem diagnostycznym, po stwierdzeniu w USG poszerzenia układu moczowego, powinna być c y s t o g r a f i a m i k c y j n a. Polega ona na podaniu środka cieniującego przez cewnik do pęcherza. Zdjęcie rentgenowskie wykonuje się, gdy dziecko oddaje mocz. Dzień przed wykonaniem cystografii, w dniu badania i w dwa dni po nim dziecko musi dostawać lek zapobiegający zakażeniu układu moczowego przy cewnikowaniu i wypełnianiu pęcherza środkiem cieniującym. Mimo że przy badaniu przestrzega się zasad aseptyki, ryzyko takie istnieje. Połączenie cystografii mikcyjnej z USG pozwala wykazać obecność odpływu pęcherzowo-moczowodowego, ocenić drogi moczowe i wykazać obecność zastawki cewki tylnej. W przypadkach zakażenia układu moczowego cystografię mikcyjną należy wykonać również wtedy, gdy nie ma zmian w USG, jednak dopiero po przeprowadzonym leczeniu zakażenia.

B a d a n i a s c y n t y g r a f i c z n e z użyciem izotopów są pomocne w czynnościowej ocenie nerek. Napromieniowanie przy ich wykonywaniu jest znacznie mniejsze niż przy badaniach radiologicznych.

D o ż y l n a u r o g r a f i a, od czasu wprowadzenia do badań układu moczowego USG i scyntygrafii, powinna być wykonywana tylko przy ściśle określonych wskazaniach w celu dokładnego uwidocznienia budowy dróg moczowych przed zabiegiem operacyjnym, uwidocznienia wielkości i budowy nerek i moczowodów. Urografia w pierwszych 10 dniach życia jest nieprzydatna ze względu na niezdolność zagęszczania moczu w tym okresie. Niezbędnym warunkiem dla uzyskania czytelnej urografii jest prawidłowe przygotowanie dziecka do badania, tak aby w jelitach nie było gazów i mas kałowych. W tym celu poprzedniego wieczoru podaje się lekką, nie wzdymającą kolację, środek przeczyszczający i wykonuje lewatywę z dużej ilości wody bardzo powoli, aby nie spowodować zbyt wcześnie parcia na stolec przed dotarciem wody do wyższych odcinków jelit. Rano wykonuje się ponownie lewatywę, po której dobrze jest założyć czopek glicerynowy, aby spowodować oddanie gazów. Urografię wykonuje się na czczo. Tylko niemowlęta nie wymagają takiego przygotowania; u nich urografię wykonuje się po podaniu do wypicia dużej ilości mieszanki, gdyż na tle pełnego żołądka dobrze uwidaczniają się drogi moczowe.

Wady rozwojowe nerek i wrodzone zaburzenia mikroskopowej budowy i czynności nerki

Wrodzony brak nerek występuje bardzo rzadko i w krótkim czasie prowadzi do śmierci noworodka.

Wrodzony brak jednej nerki prowadzi zwykle do wyrównawczego przerostu istniejącej nerki. Prawidłowa jedna nerka wystarcza dla sprawnego usuwania z organizmu produktów przemiany materii i sprawnego funkcjonowania organizmu.

Nerka nadliczbowa. Jest to trzecia nerka całkowicie oddzielona od nerki leżącej obok i mająca własny, osobno wchodzący do pęcherza moczowód.

Wady położenia i kształtu nerek. Mogą powodować przemieszczenia miedniczek nerkowych i moczowodów, prowadzące do utrudnionego odpływu moczu. Sprzyja to zakażeniom układu moczowego.

Wrodzona mała nerka. Może mieć prawidłową budowę i czynność, w niektórych przypadkach towarzyszy tej wadzie zwężenie tętnicy nerkowej, co najczęściej prowadzi do nadciśnienia.

Dysplazja nerek jest wadą rozwojową, która polega na obecności torbielowatych tworów i elementów płodowych w tkance nerki. Może mieć charakter rozlany lub odcinkowy, może dotyczyć jednej lub obu nerek. Obecność nieprawidłowych struktur sprzyja zakażeniom układu moczowego. Jeśli zmiany są rozlane i obustronne, wcześnie występuje przewlekła niewydolność nerek. Dysplazji nerek często towarzyszą różne wady moczowodów, pęcherza czy cewki moczowej. Wada ta nie ma charakteru dziedzicznego.

Torbielowatość nerek cechuje się obecnością w nerkach licznych i różnej wielkości torbieli. P o s t a ć n i e m o w l ę c a charakteryzuje się powiększeniem nerek od urodzenia i szybko na ogół postępującą ich niewydolnością. Torbielowatość nerek t y p u d o r o s ł y c h zwykle ujawnia się w 10–30 r. życia krwiomoczem i powoli postępującą niewydolnością nerek. W niektórych wypadkach objawy te występują już w dzieciństwie. Postać niemowlęca dziedziczy się jako cecha recesywna, a więc nie ujawnia się u rodziców, natomiast może występować u rodzeństwa, postać dorosłych – jako cecha dominująca, a więc charakterystyczna jest obecność tej wady u jednego z rodziców.

Nerka gąbczasta cechuje się występowaniem torbielowato poszerzonych kanalików nerkowych w rdzeniu nerki. W obrębie tych tworów odkładają się często sole wapnia. Czynność nerek pozostaje na ogół prawidłowa. Ciężkim powikłaniem jest zakażenie bakteryjne.

Rodzinne kłębuszkowe zapalenie nerek, czyli **zespół Alporta**, jest chorobą dziedziczno-rodzinną. Cechuje się krwinkomoczem, postępującą zwykle od 10 r. życia niewydolnością nerek, w większości wypadków głuchotą lub zaburzeniami wzroku. Ciężej chorują chłopcy, u których schyłkowa niewydolność nerek występuje w okresie młodzieńczym lub ok. 30 r. życia. U dziewczynek choroba może objawiać się tylko krwinkomoczem. U części członków rodziny mogą nie występować objawy choroby nerek, a jedynie głuchota lub wada wzroku. Leczenie przyczynowe jest nieznane.

Rodzinna nefronoftyza charakteryzuje się niewydolnością nerek z bardzo obficie wydalanym moczem i obecnością niewielkich ilości białka. Wielomocz występuje zwykle po 3–5 r. życia. Sposób dziedziczenia nie jest jednakowy we wszystkich rodzinach. Nierzadko choroba nie ma charakteru rodzinnego. Do schyłkowej niewydolności nerek dochodzi zwykle między 10 i 20 r. życia.

Oligomeganefronia polega na zmniejszeniu wymiarów obu nerek ze zmniejszeniem liczby kłębuszków nerkowych i ich przerostem. Częściej występuje u chłopców; część z nich rodzi się z małą masą ciała. Często już w okresie niemowlęcym występują wymioty, upośledzenie łaknienia, odwodnienie, nie wyjaśnione stany gorączkowe. Wcześnie pojawia się niewydolność nerek, proces wzrastania jest opóźniony. Do schyłkowej niewydolności nerek dochodzi zwykle ok. 10 r. życia. Rozpoznanie ustala się na podstawie badania mikroskopowego nerki. Leczenie przyczynowe jest nieznane.

Wrodzony zespół nerczycowy jest chorobą rodzinną, równie często występującą u obu płci. Ujawnia się wkrótce po urodzeniu. Dzieci często rodzą się przedwcześnie; łożysko zwykle jest duże, nieprawidłowe. Choroba przeważnie występuje w Finlandii. Cechuje ją wczesny początek, obrzęki, znaczny białkomocz, postępująca niewydolność nerek, całkowita odporność na leczenie. Zgon następuje zwykle w 1–2 r. życia u dzieci nie objętych leczeniem nerkozastępczym.

Postęp w leczeniu nerkozastępczym: dializoterapia i przeszczepianie nerek doprowadził do zmiany rokowania w wielu chorobach nerek, również u dzieci z wadami wrodzonymi, prowadzącymi do schyłkowej niewydolności nerek.

Wrodzone zaburzenia czynności cewek (kanalików) nerkowych, tzw. **wrodzone tubulopatie**, polegają na tym, że przesączony w kłębuszkach mocz nie podlega prawidłowym „modyfikacjom" w cewkach (kanalikach) nerkowych. Wrodzone zaburzenia czynności cewek (kanalików) można podzielić na kilka grup.

Zaburzenia transportu przez ścianę cewek substancji, które w warunkach prawidłowych ulegają częściowej lub całkowitej resorpcji, czyli wchłanianiu zwrotnemu, a mianowicie: glukozy, wapnia, fosforu, aminokwasów. Wynikiem takiego zaburzenia jest pojawianie się w moczu substancji, które w nim normalnie nie występują, lub zwiększenie zawartości substancji prawidłowo występujących. Części tych zaburzeń towarzyszą złożone zaburzenia ze strony układu kostnego, ośrodkowego układu nerwowego, wątroby lub innych narządów. Inne prowadzą do tworzenia się złogów substancji nieprawidłowo wchłanianej w kanalikach i powstawania kamicy nerkowej (cystynuria, glicynuria).

Zaburzenia zakwaszenia moczu polegają na „niezdolności" kanalików nerkowych do usuwania z organizmu powstających w procesie przemiany materii kwasów lub na „niezdolności" do resorbowania, a więc zaoszczędzenia związków potrzebnych do neutralizacji tych kwasów. Prowadzi to do zakwaszenia organizmu, zwanego kwasicą cewkową. W zależności od postaci kwasicy cewkowej objawia się ona zaburzeniami wzrastania, krzywicą, kamicą moczową. Niektóre postacie kwasicy cewkowej idą w parze z innymi zaburzeniami czynności cewek. Większość ma charakter trwały i może być leczona tylko objawowo podawaniem środków zmniejszających stopień zakwaszenia ustroju.

Zaburzenia reakcji cewek nerkowych na działanie hormonów mogą powodować objawy zbliżone do braku lub nadmiaru danego hormonu. Brak reakcji na wydzielany przez przysadkę hormon antydiuretyczny (wazopresynę) powoduje niezdolność zagęszczania moczu, co prowadzi do wydalania bardzo dużych ilości niezagęszczonego moczu. Choroba ta zwana jest moczówką prostą nerkową, w odróżnieniu od moczówki prostej hormonalnej spowodowanej niedoborem hormonu antydiuretycznego. Leczenie jest tylko objawowe i ma na celu zapobieganie nadmiernym stratom wody z moczem i nadmiernemu stężeniu soli w płynach ustrojowych.

Pseudohipoaldosteronizm jest to brak reakcji cewek nerkowych na wydzielany przez nadnercza aldosteron. Prowadzi to do zwiększonego wydalania w moczu sodu, chloru i wody i zmniejszonego wydalania potasu, co wywołuje zaburzenia poziomu tych elektrolitów w płynach ustrojowych. Wymaga to podawania chorym w diecie dużych ilości soli i ograniczenia potraw bogatych w potas.

Pseudohiperaldosteronizm jest to wzmożona reakcja kanalików nerkowych na aldosteron, prowadząca do sytuacji odwrotnych niż w pseudohipoaldosteronizmie (zob. wyżej).

Pseudoniedoczynność przytarczyc jest to brak reakcji cewek nerkowych na hormon przytarczyc. Powoduje to niedostateczne wydalenie z moczem fosforu, podwyższenie jego poziomu we krwi i obniżenie poziomu wapnia. Prowadzi to do tężyczki (zob. Tężyczka krzywiczopochodna, s. 1339) w wyniku zwiększonej pobudliwości nerwowo-mięśniowej wskutek niedoboru wapnia. Ponadto pseudoniedoczynność przytarczyc charakteryzuje jeszcze wiele innych objawów: karłowatość, krępa budowa, otyłość, niedorozwój umysłowy i zaćma.

Wady rozwojowe dróg moczowych

Największe znaczenie kliniczne mają wady dróg moczowych powodujące upośledzony odpływ moczu, ponieważ – jeśli występują obustronnie i nie zostaną wcześnie poddane korekcji chirurgicznej – prowadzą do przewlekłej niewydolności nerek.

Częstą przyczyną **zastoinowej uropatii** (upośledzonego odpływu moczu) u dzieci jest podmiedniczkowe zwężenie moczowodu. Wymaga ono wczesnej korekcji chirurgicznej. Upośledzenie czynności nerki, zakażenie lub kamica stanowią bezwzględne wskazania do wczesnego usunięcia przeszkody w odpływie moczu. Jeżeli czynność nerki jest prawidłowa, zabieg ten można odłożyć ze względu na trudności techniczne w okresie noworodkowym.

Zwężenie przypęcherzowe moczowodu powoduje poszerzenie moczowodu i wodonercze. Wadę tę należy odróżnić od odpływu pęcherzowo-moczowodowego, ze zwężeniem moczowodu lub bez zwężenia, oraz od pierwotnego olbrzymiego moczowodu bez zwężenia. Bezwzględne wskazania do korekcji chirurgicznej są takie same, jak w przypadkach zwężenia podmiedniczkowego moczowodu. W okresie noworodkowym i wczesnoniemowlęcym, ze względu na wątpliwe wyniki operacji polegającej na usunięciu zwężenia i przeszczepieniu moczowodu do pęcherza, wyprowadza się mocz z moczowodu na skórę brzucha. Po upływie roku powinno się przeszczepić moczowód do pęcherza i zamknąć ujście moczowodu na skórę.

Zapobieganie nawrotom zakażeń poprzez podawanie leków przeciwbakteryjnych należy kontynuować co najmniej przez 6 miesięcy po zabiegu.

Pęcherz neurogenny jest to choroba układu nerwowego, przebiegająca z zaburzeniem unerwienia pęcherza. U dzieci jest najczęściej spowodowana wrodzonym uszkodzeniem rdzenia kręgowego. Przy uszkodzeniu wyższych odcinków rdzenia powstaje *pęcherz neurogenny spastyczny* (kurczliwy), przy uszkodzeniu niższych odcinków – *pęcherz neurogenny wiotki*. U dzieci z rozszczepieniem kręgosłupa (najczęstsza przyczyna uszkodzenia rdzenia) zaburzenia czynności pęcherza są zmienne: objawy podrażnienia i stan spastyczny pęcherza mogą poprzedzać jego porażenie i niedowład, czyli *atonię*. Zaleganie moczu w pęcherzu powoduje w nim wzrost ciśnienia, co często prowadzi do odpływów pęcherzowo-moczowodowych, postępującego poszerzenia moczowodów i miedniczek nerkowych oraz uszkodzenia nerek.

Najczęstszymi objawami są: nietrzymanie moczu lub ciągłe oddawanie moczu, niekiedy bóle przy oddawaniu moczu. Czasami współistnieje nietrzymanie kału, niedowłady kończyn dolnych, zniekształcenia kończyn, zaburzenia czucia.

Leczenie polega na zapobieganiu zakażeniom układu moczowego i na leczeniu częstych zazwyczaj nawrotów. Zalecane jest częste opróżnianie pęcherza za pomocą tłoczni brzusznej (poprzez parcie). Należy skoncentrować się na zapobieganiu niewydolności nerek związanej z odpływem pęcherzowo-moczowodowym i z odmiedniczkowym zapaleniem nerek. Zwiększona aktywność zwieracza cewki i obniżona kurczliwość wypieracza utrudniają całkowite opróżnianie pęcherza. Leczenie farmakologiczne jest często nieskuteczne. W takich przypadkach można zmniejszyć zaleganie moczu w pęcherzu przez częste cewnikowanie lub przetokę skórno-pęcherzową. Leczenie chirurgiczne daje dobre wyniki tylko u pacjentów z prawidłową ścianą pęcherza i prawidłowym ciśnieniem śródpęcherzowym.

Zespół suszonej śliwki (prune-belly syndrome) polega na współistnieniu braku mięśni brzucha, poszerzenia dróg moczowych i obustronnym niezstąpieniu jąder. Rokowanie zależy od rozległości dysplazji nerek. Prócz postępowania zachowawczego u niektórych dzieci bywa celowe sprowadzenie jąder do moszny.

Zdwojenie moczowodu może być jednostronne lub obustronne, całkowite z podwójnym ujściem do pęcherza (podwójny moczowód). Często występuje odpływ do dolnego podwójnego moczowodu, który rzadko ustępuje samoistnie. Częściowe zdwojenie określane jako rozszczepienie moczowodu może być traktowane jako nieszkodliwa odmiana budowy.

Ureterocele często jest związane z ujściem do pęcherza górnego podwójnego moczowodu. Jeśli nieprawidłowo położone w pęcherzu ujście moczowodu jest zwężone, następuje balonowate rozszerzenie dolnego odcinka moczowodu w postaci wpuklającej się do światła pęcherza torbieli, zwanej ureterocele. Ureterocele może wypełnić dużą część pęcherza i powodować utrudniony odpływ moczu, a następnie wodonercze górnej części podwójnego układu kielichowo-miedniczkowego. Najczęstszym powikłaniem jest zakażenie układu moczowego. Po jego opanowaniu, leczenie polega na przezcewkowej resekcji ureterocele. Po zabiegu może wystąpić odpływ pęcherzowo-moczowodowy, co stwarza konieczność operacji antyrefluksowej. Jeśli górny biegun nerki ma nieczynny lub znacznie uszkodzony miąższ, postępowaniem z wyboru jest usunięcie tego bieguna i moczowodu.

Przetrwały moczownik jest to wada rozwojowa polegająca na wytworzeniu się powrózka biegnącego na zewnątrz pęcherza do pępka. Jeśli zarośnięcie tego powrózka nie jest całkowite, z pępka wydobywa się wydzielina śluzowa lub ropna. Odcinek moczownika przy pęcherzu może ulec zwyrodnieniu nowotworowemu. Leczenie chirurgiczne polega na usunięciu moczownika.

Wady cewki moczowej

Zastawka cewki, występująca u chłopców, polega na obecności zwykle w tylnej części cewki cieniutkiego płata tkankowego, który utrudnia wydalanie moczu. Powoduje to już od okresu życia płodowego poszerzenie cewki moczowej ponad zastawką, wzrost ciśnienia w pęcherzu moczowym, uszkodzenie połączenia pęcherzowo-moczowodowego, odpływy pęcherzowo-moczowodowe, a w następstwie wzrost ciśnienia w moczowodach i miedniczkach nerkowych z poszerzeniem i wydłużeniem moczowodów i poszerzeniem miedniczek. Prowadzi to do uszkodzenia nerki już w okresie życia płodowego i sprzyja zakażeniom układu moczowego.

Objawem wady u niemowląt jest powiększony pęcherz moczowy i często w jamie brzusznej guz utworzony przez powiększony moczowód i miedniczkę nerkową. Dziecko oddaje mocz z wysiłkiem, czasem z płaczem, wymiotuje, nie przybywa na wadze, jest blade. Często zwraca uwagę ustanie oddawania moczu, co następuje wskutek dołączającego się obrzęku zastawki. Na ogół wcześnie występują objawy niewydolności nerek.

Leczenie. Wprowadzenie na stałe cewnika do pęcherza umożliwia swobodny odpływ moczu, przejściowo poprawia czynność nerek i ułatwia leczenie współistniejącego zakażenia. Leczenie wady polega na operacyjnym usunięciu zastawki. W przypadku odpływów pęcherzowo-moczowodowych i poszerzenia moczowodów konieczne są dalsze etapy leczenia urologicznego.

Zwężenie ujścia zewnętrznego cewki moczowej u chłopców może być wrodzone lub nabyte. Powoduje trudności w oddawaniu moczu i sprzyja zakażeniom układu moczowego, prowadząc do zastoju moczu w pęcherzu, poszerzenia moczowodów i miedniczek.

Rozpoznanie ustala się na podstawie cystografii mikcyjnej.

Leczenie polega na poszerzeniu ujścia cewki.

U dziewczynek wada ta jest spowodowana obecnością pierścienia łącznotkankowego wokół dolnego odcinka cewki. Powoduje on zaburzenia w oddawaniu moczu, skłonność do zakażeń, wzrost ciśnienia w pęcherzu. W części przypadków występują odpływy pęcherzowo-moczowodowe.

Rozpoznanie ustala się na podstawie pomiaru ujścia zewnętrznego cewki. Cystografia mikcyjna nie pozwala na ustalenie pewnego rozpoznania.

Leczenie polega na rozszerzeniu ujścia zewnętrznego cewki przez wprowadzenie służących do tego celu coraz szerszych rozszerzaczy, aż do uzyskania odpowiedniego wymiaru ujścia. Zabieg ten trzeba czasem powtórzyć kilka razy.

Odpływ pęcherzowo-moczowodowy

W czasie oddawania moczu wzrasta ciśnienie w pęcherzu moczowym, następuje zamknięcie ujść moczowodów do pęcherza i otwarcie cewki moczowej. W warunkach prawidłowych mocz nie cofa się z pęcherza do moczowodów. Zamknięcie ujść moczowodu trwa ok. 20 s dłużej niż oddawanie moczu. Przy zaburzeniu tego mechanizmu, przy zwiększonym ciśnieniu w pęcherzu – mocz wraca z pęcherza do moczowodów, następuje odpływ pęcherzowo-moczowodowy zwany refluksem (rys.). Przy zaburzeniach znacznego stopnia mocz cofa się do moczowodu nie tylko w czasie oddawania moczu. Może odpływać do miedniczki, zalegać w niej,

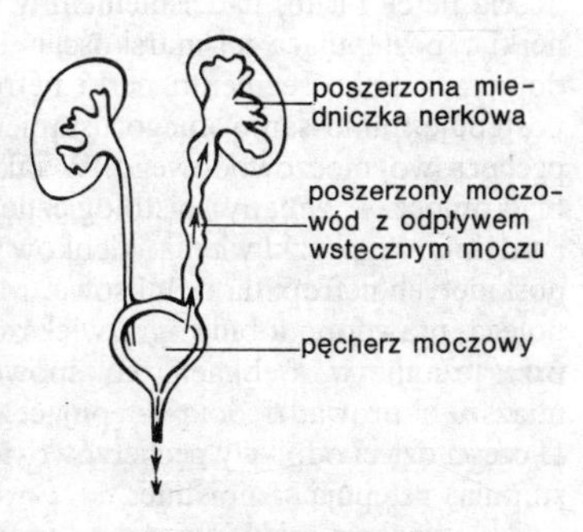

Odpływ pęcherzowo-moczowodowy

powodować jej deformację oraz poszerzenie i wydłużenie moczowodu. Po zakończeniu oddawania moczu, mocz z miedniczki i moczowodu spływa do pęcherza i zalega w nim. Jeśli dołączy się zakażenie, łatwo przenosi się ono do miedniczki, a stamtąd do nerki powodując jej uszkodzenie. Leczenie tych zakażeń układu moczowego bywa niekiedy trudne. Ciśnienie moczu w moczowodzie i miedniczce jest podwyższone, co niekorzystnie wpływa na czynność nerki. Postępujące poszerzanie i wydłużanie się moczowodu powoduje jego kręty przebieg z pozaginaniami i przewężeniami, głównie w okolicy ujścia miedniczkowo-moczowodowego. Może to błędnie sugerować zwężenie tego ujścia.

Wsteczny odpływ pęcherzowo-moczowodowy jest częstą wadą u niemowląt i dzieci w pierwszych latach życia. Częściej występuje u dziewczynek niż u chłopców. Czasami wsteczny odpływ występuje przejściowo w okresie zakażenia układu moczowego wskutek upośledzonej czynności pęcherza moczowego i ustępuje po opanowaniu zakażenia. Odpływ taki nazywa się *odpływem śródzapalnym*.

Objawy odpływu pęcherzowo-moczowodowego są w części przypadków nieuchwytne, w innych nietypowe i łatwo je przeoczyć lub nie docenić. Należą do nich nawracające zakażenia układu moczowego, zaburzenia w oddawaniu moczu, moczenie nocne, bóle brzucha lub w okolicy lędźwiowej, stany gorączkowe.

Odpływ pęcherzowo-moczowodowy w części przypadków ustępuje z wiekiem wskutek dojrzewania i poprawy działania ujścia pęcherzowego moczowodów. Skuteczne zapobieganie nawrotom zakażeń sprzyja ustąpieniu odpływu. Przy nie w pełni sprawnej czynności ujścia moczowodu do pęcherza zakażenie układu moczowego czynność tę pogarsza, powoduje wystąpienie odpływów zapalnych i opóźnia dojrzewanie ujść pęcherzowych moczowodu. Wysoki, szczególnie donerkowy odpływ pęcherzowo-moczowodowy ma podobne znaczenie dla nawrotów zakażeń układu moczowego jak inne rodzaje wad zastoinowych. Następstwem odpływu pęcherzowo-moczowodowego, szczególnie w przypadkach współistniejących zakażeń, jest *nefropatia refluksowa*, charakteryzująca się postępującą niewydolnością nerek i (lub) nadciśnieniem w wyniku zmian bliznowatych w miąższu nerki z postępującą jej marskością. U części pacjentów z jednostronną lub dotyczącą tylko segmentu nerki nefropatią refluksową niewydolność nerek postępuje mimo samoistnego ustąpienia lub chirurgicznej korekcji odpływu pęcherzowo-moczowodowego. W takich przypadkach stwierdza się znaczny białkomocz i zmiany histologiczne charakterystyczne dla ogniskowego i odcinkowego szkliwienia kłębków (kłębuszków) w obszarach nerek nie dotkniętych nefropatią refluksową. Mechanizm tej postaci zmian w kłębkach polega prawdopodobnie na zwiększonym przepływie krwi i zwiększonym przesączaniu w kłębkach, co spowodowane jest utratą części czynnego miąższu i prowadzi do postępującego przeciążenia i włóknienia kłębków. U części dzieci odpływy pęcherzowo-moczowodowe (szczególnie niewielkiego stopnia) ustępują samoistnie.

Zapobieganie zakażeniom i wczesna korekcja chirurgiczna wysokich odpływów pęcherzowo-moczowodowych ma podstawowe znaczenie dla zapobiegania niewydolności nerek. Dlatego w przypadkach zakażeń układu moczowego, zaburzeń w oddawaniu moczu i wad rozwojowych dróg moczowych w rodzinie wskazane jest wykonanie cystografii mikcyjnej. Przed jej wykonaniem trzeba się upewnić, czy posiew moczu jest jałowy i zabezpieczyć pacjenta przed wprowadzeniem zakażenia, stosując przed badaniem i kilka dni po nim lek przeciwbakteryjny, np. furagin lub kotrimoksazol (Biseptol).

Już pierwsze zakażenie układu moczowego w okresie niemowlęcym lub u chłopców w wieku przedszkolnym (a według niektórych klinicystów również u dziewczynek) jest wskazaniem do wykonania cystografii mikcyjnej. Uzasadnione jest niewykonywanie jej bezpośrednio po zakażeniu, żeby nie stwarzać niepotrzebnych problemów w przypadkach tzw. śródzapalnego odpływu pęcherzowo-moczowodowego, ujawniającego się przejściowo w okresie zakażeń u dzieci, u których istnieje tylko niewielka nieprawidłowość w obrębie ujść pęcherzowo-moczowodowych.

Leczenie odpływów pęcherzowo-moczowodowych polega na zapewnieniu prawidłowego odpływu moczu przez cewkę. Jeśli istnieje w niej przeszkoda lub zwężenie, należy je usunąć. Dziecko nie powinno przetrzymywać moczu, do czego ma skłonność. Trzeba je przyuczyć do oddawania moczu co 2–3 godz. oraz do powtórnego oddania moczu w chwilę po opróżnieniu pęcherza, co zmniejsza zaleganie moczu w pęcherzu. Ponieważ w zalegającym moczu łatwo dochodzi do rozwoju bakterii, należy zapobiegać nawrotom zakażeń. Wymaga to bardzo starannego utrzymywania czystości w okolicy ujścia zewnętrznego cewki oraz podawania dostatecznej ilości płynów do picia, co zwiększa ilość wydalanego moczu i zmniejsza jego zagęszczenie utrudniając rozwój bakterii. Rozwojowi bakterii przeciwdziała też zakwaszenie moczu poprzez podawanie do spożycia dużych dawek witaminy C oraz soków owocowych bogatych w tę witaminę, a mianowicie z czarnej porzeczki, owoców cytrusowych, żurawin. Okresowo lub stale stosowane są też leki zakwaszające mocz, a także chemioterapeutyki, natomiast w okresach nawrotów zakażeń – antybiotyki.

Jeśli odpływowi pęcherzowo-moczowodowemu towarzyszy deformacja moczowodu lub miedniczki nerkowej, jeśli wziernikowanie pęcherza wykazuje nieprawidłowości ujścia moczowodu i jeśli mimo prawidłowego leczenia nawracają zakażenia układu moczowego, leczenie powinno być operacyjne.

Po upływie 6 miesięcy do 2 lat od rozpoczęcia leczenia zachowawczego skutecznie zapobiegającego zakażeniom układu moczowego powinna być wykonana ponownie cystografia mikcyjna. Po tym okresie część odpływów pęcherzowo-moczowodowych u dzieci cofa się dzięki „dojrzewaniu" ujść moczowodów. Następuje to zwykle ok. 3 r. życia. Jeśli odpływ zmniejsza się, leczenie zachowawcze u takich dzieci powinno trwać do 12 r. życia przy bardzo ścisłej kontroli lekarza – nefrologa dziecięcego. Po tym okresie utrzymujące się odpływy muszą być leczone operacyjnie, ponieważ zbytnie przeciąganie terminu zabiegu powoduje niebezpieczeństwo uszkodzenia nerek, co zawsze prowadzi do ich postępującej niewydolności. Dużego stopnia odpływy, zwłaszcza sięgające aż do nerki, z poszerzeniem dróg moczowych, powinno się operować wcześnie.

Zakażenia układu moczowego

Zakażenie układu moczowego najczęściej wywołuje pałeczka okrężnicy, rzadziej inne bakterie Gram-ujemne, wyjątkowo Gram-dodatnie. Bakterie dostają się zwykle tzw. drogą wstępującą poprzez cewkę moczową. Zakażenie drogą zstępującą, czyli krwiopochodne, zdarza się u noworodków oraz przy posocznicy, będącej ogólnym zakażeniem organizmu z występowaniem bakterii we krwi.

Do cewki moczowej bakterie chorobotwórcze dostają się przy odczynach zapalnych w otoczeniu cewki (zapalenie sromu i pochwy, zapalenie żołędzi prącia). Wtargnięciu i rozwojowi bakterii sprzyja utrudniony odpływ i zastój moczu w dowolnym odcinku układu moczowego. Już niewielkie zaleganie moczu w pęcherzu stwarza korzystne warunki dla rozwoju zakażenia. Spowodowany przez bakterie stan zapalny pęcherza zmniejsza sprawność mechanizmu przeciwdziałającego cofaniu się moczu do moczowodu. U niektórych chorych powoduje to rozwój zapalnego odpływu pęcherzowo-moczowodowego i szerzenie się zakażenia do miedniczki nerkowej, a następnie do rdzenia nerki. U części dzieci nawracające zakażenia układu moczowego prowadzą do trwałego uszkodzenia nerki. Czasami proces zapalny postępujący od miedniczki nerkowej, zwany odmiedniczkowym zapaleniem nerek, ma charakter przewlekle postępujący i prowadzi do przewlekłej niewydolności nerek już w okresie dzieciństwa. Dzieje się tak zwykle u dzieci z wadami układu moczowego, głównie ze znacznego stopnia odpływem pęcherzowo-moczowodowym, z zastawką cewki moczowej, z pęcherzem neurogennym.

Objawy zakażenia układu moczowego u części dzieci są nietypowe, co utrudnia wczesne ustalenie rozpoznania. U niektórych niemowląt dominują objawy nie związane z układem moczowym: wymioty, brak łaknienia, bladość, gorączka, żółtaczka i czasem częste oddawanie moczu z płaczem i niepokojem. Równie często chorują niemowlęta obu płci. W późniejszych okresach życia znacznie częściej chorują dziewczynki. U dzieci w wieku szkolnym dominują przeważnie objawy ze strony pęcherza: częste, bolesne parcie na mocz i popuszczanie moczu. Jeżeli choroba przebiega z wysoką gorączką i bólami w okolicy lędźwiowej, należy podejrzewać odmiedniczkowe zapalenie nerek, tzn. zajęcie procesem bakteryjnozapalnym tkanki nerek. Taka lokalizacja zakażenia może prowadzić do powstania blizn, a w następstwie ich rozszerzania się i przeciążenia nieuszkodzonych części nerek do postępującej niewydolności. Występuje to zwłaszcza u młodszych dzieci leczonych z opóźnieniem lub nie w pełni skutecznie. U niektórych dzieci kolejne nawroty zakażenia przebiegają w różny sposób: całkowicie bez uchwytnych objawów, z zaburzeniami w oddawaniu moczu, z gorączką i bólami lub jedynie ze złym samopoczuciem i bladością.

Rozpoznanie zakażenia układu moczowego opiera się przede wszystkim na badaniu ogólnym moczu i jego posiewie. Badanie ogólne wykazuje zwykle niewielką ilość białka, leukocyty, czasem krwinki czerwone. Dużą wartość dla rozpoznania i ustalenia sposobu leczenia ma posiew moczu, uwzględniający liczbę bakterii w 1 ml moczu i ich wrażliwość na leki.

Miarodajność badania zależy od prawidłowego pobrania moczu. Bezpośrednio po dokładnym podmyciu mocz powinien być pobrany do jałowego naczynia – ze środkowego strumienia, tzn. naczynie należy podstawić pod strumień moczu dopiero po spłukaniu cewki przez pierwszą partię oddanego moczu. Naczynie (probówkę, butelkę, słoik) trzeba następnie zamknąć wyjałowionym (wygotowanym) korkiem, uważając, by nie „zabrudzić" go przez dotknięcie. Aby u niemowlęcia możliwe było prawidłowe pobranie moczu ze środkowego strumienia, dziecko należy trzymać na ręku w pozycji siedzącej z odwiedzionymi nogami, oczekując na moment, gdy zacznie oddawać mocz. Starsze dziewczynki powinny oddawać mocz w szerokim rozkroku. W celu prawidłowego pobrania moczu na posiew u młodszych dzieci należy niekiedy wykonać cewnikowanie pęcherza lub nakłucie nadłonowe.

Po pobraniu mocz trzeba jak najszybciej odnieść do laboratorium, utrzymując go w chłodzie. Liczba bakterii (bakteriuria) powyżej 10 000 (10^4) na ml przemawia za zakażeniem układu moczowego, a 100 000 (10^5) na ml i powyżej stanowi pewną podstawę rozpoznania. W przewlekłym odmiedniczkowym zapaleniu nerek również niższe wartości mogą mieć znaczenie rozpoznawcze, jeśli w kolejnych posiewach powtarza się ten sam drobnoustrój. Badanie to jest w pełni miarodajne tylko w okresie, gdy nie stosuje się leków przeciwbakteryjnych. Dlatego mocz na posiew musi być pobrany przed rozpoczęciem leczenia. U części dzieci bakteriurii nie towarzyszą zmiany w ogólnym badaniu moczu ani objawy kliniczne. Taka bezobjawowa bakteriuria może samoistnie ustąpić, mimo to u małych dzieci powinna być leczona, gdyż czasami przechodzi w pełnoobjawowe zakażenie układu moczowego. U dziewcząt w wieku szkolnym bezobjawowa bakteriuria nie wymaga leczenia.

Leczenie zakażeń układu moczowego polega na stosowaniu leków przeciwbakteryjnych, podawaniu dużych ilości płynów do picia, a w pierwszym okresie choroby na leżeniu w łóżku. Po zakończonym leczeniu powinny być wykonane USG i cystografia w celu wykrycia ewentualnych wad. Dzieci z wadą układu moczowego do czasu chirurgicznej korekcji wady powinny być leczone profilaktycznie w celu zapobiegania nawrotom zakażeń i okresowo mocz ich powinien być kontrolowany. Dzieci bez uchwytnej wady układu moczowego, ale z nawracającymi zakażeniami układu moczowego, również muszą być leczone profilaktycznie. Leczenie to polega na podawaniu dużych ilości płynów, stosowaniu dużych dawek witaminy C, przestrzeganiu higieny osobistej i stosowaniu leków przeciwbakteryjnych. Skuteczność zapobiegania powinna być sprawdzana przez okresowe ogólne badanie moczu i posiew. U starszych dzieci bez wady układu moczowego leki przeciwbakteryjne należy stosować tylko w okresie nawrotów zakażenia.

Kłębuszkowe zapalenie nerek

Kłębuszkowe zapalenie nerek może być spowodowane dwoma rodzajami reakcji immunologicznej. Po pierwsze, może być odpowiedzią organizmu na krążące w nim kompleksy złożone z antygenu i skierowanych przeciw niemu przeciwciał. (Dość dobrze poznana jest rola antygenów paciorkowcowych w ostrym kłębuszkowym zapaleniu nerek). Po drugie, może być wywołane reakcją autoagresji polegającej na powstaniu przeciwciał przeciw własnej błonie podstawnej kłębuszków nerkowych. Tylko czasami udaje się ustalić przyczynę zapoczątkowującą reakcje immunologiczne, prowadzące do uszkodzenia kłębuszków nerkowych.

Ostre kłębuszkowe zapalenie nerek jest u dzieci najczęstszą postacią kłębuszkowego zapalenia nerek. Występuje ono po 10 – 20 dniach najczęściej po przebytym zakażeniu paciorkowcowym (angina, płonica, liszajec skóry) lub innymi bakteriami albo wirusami, których antygeny powodują wytwarzanie przeciwciał. Kompleksy antygen – przeciwciało przechodząc przez kłębuszki nerkowe zapoczątkowują w nich proces zapalny.

O b j a w a m i klasycznymi ostrego kłębuszkowego zapalenia nerek są obrzęki, podwyższone ciśnienie krwi, zmniejszenie ilości wydalanego moczu (skąpomocz) lub bezmocz. W moczu występuje białko, krwinki czerwone i wałeczki. U niektórych występują tylko zmiany w moczu, a u innych choroba przebiega bardzo gwałtownie. Nagły wzrost ciśnienia krwi może powodować napady drgawkowe, czasami dołącza się niewydolność krążenia. Skąpomocz lub bezmocz może prowadzić do nagromadzenia w organizmie produktów przemiany materii i do zmian w składzie osocza, dając obraz ostrej niewydolności nerek. Niezależnie od nasilenia objawów w początkowym okresie, choroba kończy się zwykle pełnym wyzdrowieniem.

L e c z e n i e polega na leżeniu w łóżku, dopóki utrzymuje się nadciśnienie, obrzęki i białkomocz. Ponieważ może współistnieć zakażenie paciorkowcowe, stosowana jest penicylina. Dzieci z nadciśnieniem, skąpomoczem lub bezmoczem powinny być leczone w szpitalu, gdyż mogą u nich występować objawy groźne dla życia. U dzieci tych trzeba dwa razy na dobę kontrolować masę ciała, wykonywać okresowo badania krwi, głównie na poziom mocznika, sodu i potasu, stosować dietę z odpowiednim „dozowaniem" potasu, soli i białka. Podawanie płynów ogranicza się w zależności od ilości wydalanego moczu, biorąc pod uwagę masę ciała. Stosowane są silnie działające leki moczopędne. Przy nasilonych objawach ostrej niewydolności nerek (zob. s. 1319) zabiegiem ratującym życie jest dializa (zob. s. 1321). Długo utrzymujący się białkomocz, przedłużająca się niewydolność nerek – stanowią wskazanie do wykonania biopsji nerki w celu przeprowadzenia badania jej skrawka pod mikroskopem. Czasami bowiem, mimo początkowych objawów sugerujących ostre kłębuszkowe zapalenie nerek, badanie mikroskopowe wskazuje na inne postacie kłębuszkowego zapalenia nerek o gorszym rokowaniu i wymagające innego leczenia.

Inne postacie kłębuszkowego zapalenia nerek. Współczesny podział kłębuszkowych zapaleń nerek opiera się na kryteriach morfologicznych. Dla ustalenia rozpoznania konieczne jest więc w większości przypadków wykonanie biopsji nerki. Skrawek nerki do badania mikroskopowego może być pobrany za pomocą specjalnej igły lub drogą operacyjną. Wybór metody zależy od wieku i stanu dziecka.

Mimo dobrze poznanych zmian w obrazie mikroskopowym różnych postaci nieostrego kłębuszkowego zapalenia nerek, ich przyczyny w większości przypadków pozostają nieznane. Nie wiadomo też, od czego zależy wystąpienie takiej lub innej postaci morfologicznej i przebieg choroby. Większość nieostrych kłębuszkowych zapaleń nerek ma charakter postępujący i może prowadzić do przewlekłej niewydolności nerek. Okresowo lub stale występują objawy zespołu nerczycowego (zob. niżej). Podejmowane próby leczenia lekami immunosupresyjnymi i glikokortykosteroidami mają na celu osiągnięcie ustąpienia zespołu nerczycowego i zapobieżenie lub zwolnienie postępu niewydolności nerek.

Zespół nerczycowy

Zespół nerczycowy cechuje się znacznym białkomoczem, obniżeniem poziomu białka w surowicy krwi i zaburzonym stosunkiem poszczególnych jego frakcji. Szczególnie charakterystyczne jest obniżenie poziomu albumin. Albuminy są drobnocząsteczkowym białkiem, które zapewnia prawidłowe ciśnienie onkotyczne w łożysku naczyniowym. Spadek poziomu albumin i w następstwie ciśnienia onkotycznego powoduje, że płyn przemieszcza się z łożyska naczyniowego do tkanek. Powoduje to zmniejszenie ilości krwi krążącej i narastanie obrzęków, zmniejszenie ilości moczu. Ostatnio uważa się, że istotną rolę w powstawaniu obrzęków odgrywa zatrzymanie sodu przez nerki, zależne bezpośrednio od ich uszkodzenia.

Upośledzenie czynności nerek w zespole nerczycowym może zależeć od choroby podstawowej uszkadzającej nerkę, lecz u dzieci najczęściej jest następstwem zmniejszonego przepływu krwi przez nerkę w wyniku zmniejszenia objętości krwi. Ten rodzaj niewydolności nerek, określany ostrą przednerkową niewydolnością, ustępuje po przetoczeniu albumin lub roztworów innych substancji poprawiających ciśnienie onkotyczne. Przedłużająca się przednerkowa niewydolność może doprowadzić do ostrej niedokrwiennej niewydolności nerek z cechami ich anatomicznego uszkodzenia, znacznie trudniejszej do opanowania. Jej najbardziej uchwytnym objawem jest bardzo znaczne zmniejszenie ilości lub całkowite ustanie oddawania moczu. Dodatkową przyczyną skąpomoczu może być obrzęk tkanki śródmiąższowej nerki. Z obniżonym poziomem albumin w surowicy krwi wiąże się wzrost poziomu lipoprotein i cholesterolu. Zagęszczenie krwi, zaburzenia czynności płytek krwi i osoczowych czynników krzepnięcia prowadzą do wzmożonej krzepliwości krwi i stwarzają zagrożenie powstawania zakrzepów w naczyniach krwionośnych. Charakterystyczną cechą zespołu nerczycowego jest obniżona odporność wyrażająca się skłonnością do zakażeń bakteryjnych i wirusowych, które pogarszają przebieg zespołu nerczycowego, a przed erą antybiotyków były najczęstszą przyczyną zgonów. Zaburzona przemiana witaminy D w nerce i stosowane leczenie enkortonem są głównymi przyczynami upośledzonej mineralizacji kości, która może u długo chorujących na zespół nerczycowy dzieci prowadzić do złamań i zniekształceń kości.

Przyczyny. Najczęściej zespół nerczycowy u dzieci jest wywołany submikroskopowym kłębuszkowym zapaleniem nerek, zwanym dawniej nerczycą lipoidową. Nazwa „submikroskopowe" pochodzi stąd, że w zwykłym mikroskopie świetlnym zmiany w kłębuszkach nerkowych nie są widoczne lub jedynie w minimalnym stopniu. Dopiero badanie w mikroskopie elektronowym wykazuje zmiany, które są związane ze zwiększoną przepuszczalnością filtra kłębuszkowego dla białka, głównie dla drobnocząsteczkowej jego frakcji – albumin. Schemat filtra kłębuszkowego przedstawia załączony rysunek. Najistotniejszą warstwą filtra jest błona podstawna złożona z 3 warstw. Zmiany w jej strukturze i zaburzone wzajemne oddziaływanie jej ładunku elektrycznego i ładunku elektrycznego białek osocza prowadzą do tego, że staje się ona przepuszczalna dla białka, co wtórnie prowadzi do stopienia się wypustek komórek nabłonka przylegających do błony podstawnej. Im większe uszkodzenie filtra kłębuszkowego, tym większe cząsteczki białka przedostają się przez ten filtr. W submikroskopowym kłębuszkowym zapaleniu nerek w moczu pojawiają się głównie drobnocząsteczkowe albuminy. Jest to tzw. białkomocz selektywny.

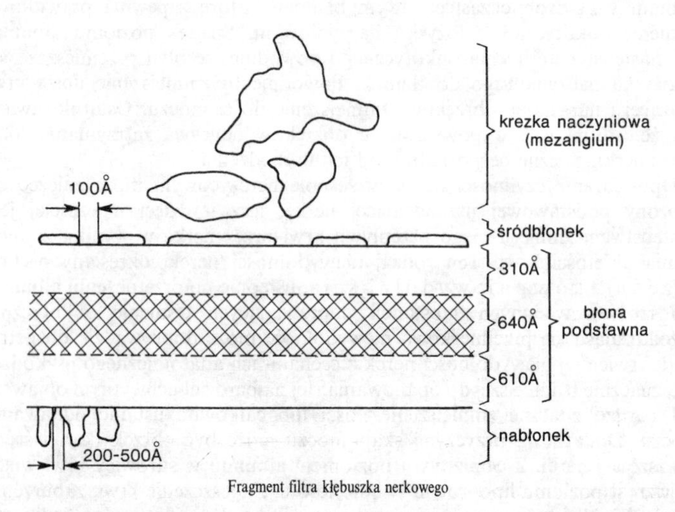

Fragment filtra kłębuszka nerkowego

Objawy. Zespół nerczycowy wywołany submikroskopowym kłębuszkowym zapaleniem nerek cechuje się obrzękami, bardzo dużym, na ogół selektywnym białkomoczem bez krwinkomoczu. Czynność nerek i ciśnienie tętnicze są prawidłowe. Jedynie w okresach znacznego obniżenia poziomu albumin i związanego z tym zmniejszenia ilości krwi krążącej może dojść do niedokrwienia nerki i związanego z tym przejściowego wzrostu ciśnienia, podwyższenia poziomu mocznika w surowicy krwi i krwinkomoczu. Rzadko – tylko przy gwałtownie narastających obrzękach i przedłużającym się znacznym zmniejszeniem ilości krwi krążącej – występuje ostra niewydolność nerek. Inne powikłania wynikają ze zmniejszonej odporności organizmu na zakażenia i skłonności do zakrzepów.

Leczenie zespołu nerczycowego spowodowanego submikroskopowym kłębuszkowym zapaleniem nerek polega na stosowaniu glikokortykosteroidów. Zwykle po 1 – 6 tygodniach białkomocz i obrzęki ustępują. Jeśli białkomocz się utrzymuje mimo leczenia glikokortykosteroidami lub powraca przy próbach przerwania leczenia oraz jeśli nawroty zespołu nerczycowego po zakończeniu leczenia są częste, wykonywana jest biopsja nerek. Badanie to wykonywane jest również u dzieci, u których wyniki badań laboratoryjnych i przebieg choroby nie są typowe dla submikroskopowego zapalenia nerek.

Glikokortykosteroidy stosuje się początkowo w codziennych podzielonych dawkach, później – po ustąpieniu białkomoczu – w jednorazowej rannej porcji co drugi dzień. Zmniejsza to niepożądane objawy związane z leczeniem: otyłość, nadmierne owłosienie, rozstępy skórne. Do innych niepożądanych objawów mogących występować w czasie leczenia należą: przecukrzenie krwi, nadciśnienie, kruchość kości, zaburzenia w składzie elektrolitów osocza. Obniżeniu poziomu potasu przeciwdziała dieta bogata w jarzyny i owoce lub chlorek potasu podawany w postaci roztworu. Ilość białka w diecie powinna być odpowiednia do wieku. Nieuzasadnione i szkodliwe jest stosowanie diety wybitnie bogatobiałkowej. W czasie leczenia glikokortykosteroidami należy ograniczać w diecie ilość soli, węglowodanów i tłuszczów. Dawki leku zmniejszane są stopniowo po 2 – 3 miesiącach leczenia. Ostatnio uważa się, że leczenie przedłużone do 5 – 6 miesięcy zmniejsza prawdopodobieństwo nawrotów. Po zakończonym leczeniu dziecko powinno nadal pozostawać pod kontrolą lekarską, gdyż choroba ma charakter nawrotowy. Nawrót często jest związany z banalnym zakażeniem. Ponieważ zakażenie bezobjawowe może być zlokalizowane w układzie moczowym, okresowo powinien być wykonywany posiew moczu.

Zespół nerczycowy występujący w przebiegu innych niż submikroskopowe kłębuszkowych zapaleniach może wymagać leczenia immunosupresyjnego.

Kamica układu moczowego

Kamica układu moczowego u dzieci powstaje rzadziej niż u dorosłych. Najczęściej ujawnia się między 6 a 12 r. życia, rzadko występuje w pierwszych latach życia. Wczesne rozpoznanie kamicy u dzieci może nastręczać trudności ze względu na niewystępowanie typowych objawów.

Powstawaniu złogów w układzie moczowym sprzyja podwyższona zawartość w moczu substancji, z których zbudowane są złogi, zastój moczu, zakażenie, które może prowadzić do powstania jądra krystalizacji, np. zbudowanego z bakterii, nabłonków lub śluzu, ograniczone podawanie płynów, co powoduje zagęszczenie moczu, a także zachwianie stabilności roztworu, jakim jest mocz. Na tę ostatnią przyczynę może się składać wiele czynników, takich jak zaburzenie właściwego stosunku poszczególnych składników moczu, zmniejszenie zawartości substancji ochronnych (koloidów) w moczu, silnie alkaliczny lub silnie kwaśny odczyn moczu.

U dzieci kamienie powstają zwykle przy współistnieniu wad wrodzonych układu moczowego, które utrudniają odpływ moczu i stwarzają warunki jego zastoju. Przeważnie są to zwężenia moczowodu, odpływy pęcherzowo-moczowodowe, pęcherz neurogenny. Częściej niż u dorosłych kamica u dzieci spowodowana jest wrodzonymi zaburzeniami metabolicznymi, prowadzącymi do zwiększonego stężenia w moczu jakiejś substancji. Mogą to być szczawiany (hiperoksaluria), wapń (hiperkalcemia samoistna i hiperkalciuria), moczany (hiperurykuria lub hiperurykemia), cystyna (cystynuria) i inne.

W zależności od składu chemicznego kamienie są przepuszczalne lub nieprzepuszczalne dla promieni rentgenowskich. Kamienie nieprzepuszczalne, czyli kontrastujące, po odpowiednim przygotowaniu chorego do badania są widoczne na zdjęciu rentgenowskim jamy brzusznej. Kamienie przepuszczalne dla promieni rentgena, nie kontrastujące, uwidaczniają się dopiero na zdjęciu po urografii. Większe kamienie można stwierdzić badaniem USG. Zbadanie kamienia po jego wydaleniu pozwala określić dokładnie skład chemiczny, co jest bardzo ważne dla ustalenia leczenia.

Objawy. Napady typowych bólów kolkowych występują jedynie u około połowy dzieci chorych na kamicę układu moczowego. U niektórych dzieci bólowi brzucha towarzyszy wzdęcie i wymioty, co może sugerować ostre zapalenie wyrostka robaczkowego lub inne ostre stany w obrębie przewodu pokarmowego. Czasami ból nie występuje wcale i jedynie w moczu są obecne krwinki czerwone, a czasem leukocyty. Leukocyty w moczu dzieci chorych na kamicę są częstym objawem i nie zawsze jest to wyrazem zakażenia układu moczowego. Zakażenie układu moczowego jest nierzadkim powikłaniem w kamicy miedniczki nerkowej. Może też pojawiać się okresowo w kamicy moczowodu, gdy powstaje zwężenie jego światła, powodując zastój moczu w miedniczce. Zamknięcie światła obu moczowodów przez kamienie może prowadzić do bezmoczu i ostrej zanerkowej niewydolności nerek. Kamienie w pęcherzu moczowym wywołują zaburzenia w oddawaniu moczu.

Leczenie kamicy nerkowej zależy od umiejscowienia kamieni, ich wielkości i składu chemicznego. Obecność dużych kamieni, rozwój wodonercza, nieskuteczność leczenia zachowawczego są wskazaniem do leczenia operacyjnego. *Leczenie zachowawcze* polega na stosowaniu leków rozkurczających, podawaniu dużej ilości płynów, zalecaniu skakania przez skakankę po gorącej kąpieli. Przy współistniejącym zakażeniu układu moczowego są stosowane leki przeciwbakteryjne. Kamienie cystynowe można rozpuścić stosując D-penicylaminę, alkalizując mocz i podając bardzo duże ilości płynów. Możliwe jest również rozkruszanie kamieni za pomocą ultradźwięków.

Zapobieganie kamicy u dzieci i zapobieganie nawrotom kamicy (po usunięciu kamieni) polega na obfitym podawaniu płynów i zmianie odczynu moczu, tak aby zwiększyć rozpuszczalność złogów.

Celowość zakwaszenia lub alkalizacji moczu zależy od składu chemicznego kamieni. Podawanie dużej ilości witaminy C lub metioniny, leków zakwaszających mocz, jest stosowane przy występowaniu w moczu złogów z fosforanu wapnia i fosforanu amonowo-magnezowego. Podawanie cytrynianu sodu, cytrolitu lub uralitu – leków alkalizujących mocz, jest wskazane w kwasicy moczanowej i cystynowej. Złogi szczawianowe wytrącają się i w kwaśnym i w alkalicznym moczu i dlatego w tym przypadku bezcelowe jest podawanie środków powodujących alkalizację lub zakwaszenie moczu.

We wszystkich rodzajach kamicy bardzo ważne jest, aby dziecko spożywało dużo płynów, aby przyuczyć je do picia wód mineralnych przy posiłkach, aby piło w szkole, przed snem i w razie przebudzenia się również w nocy.

Stosowanie diety ograniczającej ilość substancji, z których zbudowane są kamienie, jest mało skuteczne. Korzystne jest natomiast niespożywanie w nadmiarze produktów bogatych w wapń i szczawiany, takich jak mleko i jego przetwory (wapń i fosfor), szczaw, szpinak, rabarbar, czekolada, kakao (szczawiany), oraz produktów mogących być źródłem kwasu moczowego, np. wątróbka i móżdżek. Nadmierne wydalanie wapnia w moczu może zmniejszyć się po zastosowaniu diety bezsolnej. Dalsze postępowanie lecznicze zależy od wyników badań przyczyny wzmożonego wydalania wapnia w moczu. W przypadku obniżonego stosunku stężenia magnezu do wapnia stosuje się tlenek magnezu. Przy istnieniu wad układu moczowego należy zapobiegać zastojowi moczu oraz zakażeniom.

Ostra niewydolność nerek

Ostra niewydolność nerek jest stanem, który powstaje wówczas, gdy nagle ustaje lub ulega upośledzeniu prawidłowa poprzednio czynność nerek. Wydalanie moczu na ogół zmniejsza się znacznie albo ustaje, choć są od tego wyjątki. Na przykład ostra niewydolność nerek występująca w ciężkich oparzeniach może przebiegać z prawidłową, a nawet zwiększoną ilością wydalanego moczu. Ostrej niewydolności nerek zawsze towarzyszy zaburzenie składu płynów ustrojowych. Dochodzi do zatrzymania w organizmie produktów przemiany materii, nadciśnienia i obrzęków. Zagrożenie dla życia może stanowić wzrost poziomu potasu i kwasica. Przewodnienie i nadciśnienie stwarzają niebezpieczeństwo niewydolności krążenia, obrzęku płuc i przełomów nadciśnieniowych z utratą przytomności i drgawkami. Objawy te mogą stać się bezpośrednią przyczyną śmierci dziecka.

Ostra niewydolność nerek jest stanem przemijającym, po którym czynność nerek wraca do stanu normalnego lub ulega znacznej poprawie. Dlatego wyprowadzenie dziecka z okresu ostrej niewydolności nerek jest bardzo ważnym problemem leczniczym. W zależności od przyczyn doprowadzających do ostrej niewydolności nerek, można ją podzielić na postać przednerkową, nerkową i zanerkową.

Postać przednerkowa jest spowodowana zmniejszonym przepływem krwi przez nerki i wynikającą stąd upośledzoną ich czynnością bez uchwytnych zmian anatomicznych. Przyczyną tego stanu u dzieci, a zwłaszcza u niemowląt, najczęściej bywa odwodnienie w wyniku wymiotów, ciężkiej biegunki lub przegrzania, rzadziej ostre krwotoki, wstrząs septyczny, który prowadzi do zaburzeń w rozmieszczeniu krwi w łożysku naczyniowym. Podstawowym objawem przednerkowej niewydolności nerek jest zmniejszenie ilości moczu. Jeśli zaburzenia w ukrwieniu nerek nie zostaną dostatecznie szybko opanowane poprzez nawodnienie, przetoczenie krwi czy opanowanie wstrząsu, dochodzi do zmian morfologicznych w nerce powodujących przejście postaci przednerkowej w nerkową, w której rokowanie jest znacznie gorsze.

Postać nerkowa może być spowodowana różnymi przyczynami doprowadzającymi do uszkodzenia nerek.

W pierwszych tygodniach życia dziecka najczęstszą przyczyną ostrej niewydolności nerek są zaburzenia okresu okołoporodowego i wynikające z nich niedokrwienie i niedotlenienie nerki. Do innych przyczyn należą zakażenia wewnątrzmaciczne, ostre odmiedniczkowe zapalenie nerek, zmiany zakrzepowe w tętnicach lub żyłach nerkowych, działanie niektórych leków. Rozpoznanie utrudnia to, że u części noworodków z ostrą niewydolnością nerek zachowane jest oddawanie moczu. Aby w porę u noworodka rozpocząć leczenie ostrej niewydolności nerek, trzeba ją podejrzewać jeszcze przed jej wystąpieniem. W tym celu każdy noworodek w ciężkim stanie musi mieć dwukrotnie w odstępie kilku dni skontrolowany poziom kreatyniny. Uzyskany wynik trzeba oceniać krytycznie, ponieważ w pierwszych dniach życia poziom kreatyniny stwierdzony u noworodka jest odzwierciedleniem poziomu kreatyniny w krwi matki, a ponadto metoda oznaczania kreatyniny w większości laboratoriów nie eliminuje wpływu na jej poziom bilirubiny i cefalosporyn, które są grupą antybiotyków najczęściej stosowanych w okresie noworodkowym przy zakażeniach bakteryjnych i odwodnieniu. Objawia się krwinkomoczem, powiększeniem nerek, małą ilością oddawanego moczu. Noworodek jest w stanie ciężkim.

U dzieci poniżej 3 r. życia ostra niewydolność nerek może być wynikiem: 1) długo utrzymującego się odwodnienia prowadzącego do przejścia przednerkowej niewydolności nerek w ostrą niezapalną niewydolność nerek, 2) śródmiąższowego zapalenia nerek najczęściej spowodowanego działaniem niektórych antybiotyków oraz 3) zespołu hemolityczno-mocznicowego.

Zespół hemolityczno-mocznicowy może być poprzedzony zakażeniem bakteryjnym lub wirusowym, często ma nieznaną przyczynę, występuje na ogół u dobrze rozwiniętych i odżywionych dzieci. Spowodowany jest zmianami zakrzepowymi w drobnych naczyniach krwionośnych nerek. Objawia się ciężkim stanem dziecka, zmniejszeniem lub ustaniem wydalania moczu, obecnością krwinek i białka w moczu, skazą krwotoczną z krwawieniami z przewodu pokarmowego i często z krwotocznymi wykwitami na skórze, małopłytkowością i anemią hemolityczną z obecnością uszkodzonych erytrocytów. Wczesne zastosowanie dializy otrzewnowej, a u niektórych starszych dzieci plazmaferezy znacznie poprawia rokowanie i pozwala na pełny powrót do zdrowia, niekiedy nawet po kilkunastu dniach całkowitego bezmoczu.

U dzieci w wieku przedszkolnym i szkolnym najczęstszą przyczyną nerkowej postaci ostrej niewydolności nerek jest kłębuszkowe zapalenie nerek i uszkodzenie nerek różnymi toksynami, np. środkami owadobójczymi, grzybami trującymi, solami rtęci, chromu i innych metali ciężkich.

Postać zanerkowa ostrej niewydolności nerek jest spowodowana nagłym uniedrożnieniem obu moczowodów lub moczowodu jedynej czynnej nerki albo cewki moczowej. Może to wystąpić wskutek kamicy, obrzęku błony śluzowej w miejscu zwężenia moczowodów, obrzęku zastawki cewki moczowej, obecności strzępów ropy lub skrzepów krwi w drogach moczowych, ucisku z zewnątrz na moczowody albo pęcherz. Gwałtowne zamknięcie światła moczowodu może tak szybko doprowadzić do niewytwarzania moczu, że nie zawsze powstaje wodonercze.

Objawem zanerkowej niewydolności nerek jest całkowity bezmocz przy stanie dziecka na ogół nie tak ciężkim jak w postaci nerkowej ostrej niewydolności. Bezmocz u wielu chorych przerywany bywa okresowym wydalaniem moczu, po czym ponownie powraca bezmocz.

Leczenie. Ostrą niewydolność nerek przednerkową i zanerkową można czasami leczyć usunięciem przyczyny. Leczenie postaci nerkowej jest głównie objawowe i zależy od przebiegu choroby. Przy krótkotrwałym skąpomoczu wystarczy ograniczenie podawania płynów, potasu i soli w diecie. Czasami udaje się zwiększyć ilość wydalanego moczu przez stosowanie silnie działających leków moczopędnych. Nadciśnienie opanowuje się przez stosowanie leków i przeciwdziałanie przewodnieniu. Przy przedłużającym się skąpomoczu, a zwłaszcza bezmoczu, stosowana jest dializa otrzewnowa lub w niektórych przypadkach dializa zewnątrzustrojowa, czyli hemodializa za pomocą „sztucznej nerki".

Dializa otrzewnowa polega na wprowadzeniu przez powłoki do jamy brzusznej specjalnego cewnika, przez który wlewa się i wylewa płyn dializacyjny o składzie zbliżonym do prawidłowego płynu zewnątrzkomórkowego. Takie „płukanie" pozwala na usunięcie z organizmu nadmiaru wody i gromadzących się wskutek bezmoczu szkodliwych substancji. Wykorzystuje się przy tym właściwości otrzewnej jako błony półprzepuszczalnej, przez którą te substancje przechodzą z krwi do płynu dializacyjnego.

Dializa przy użyciu sztucznej nerki (hemodializa) polega na doprowadzeniu krwi z naczyń krwionośnych chorego za pomocą systemu drenów do sztucznej błony półprzepuszczalnej. Jedna powierzchnia tej błony opłukiwana jest przez krew chorego, druga przez płyn dializacyjny dostarczony przez „sztuczną nerkę". Dzięki przenikaniu wody i rozpuszczonych w niej substancji przez błonę półprzepuszczalną następuje normalizacja składu krwi i usuwanie nadmiaru wody z przewodnionego organizmu.

Zabiegi dializy otrzewnowej lub hemodializy u niektórych dzieci z ostrą niewydolnością nerek muszą być powtarzane kilka razy, aż do czasu poprawy czynności nerek.

W ostrej niewydolności nerek często po okresie bezmoczu lub skąpomoczu występuje faza wielomoczu, w której dziecko oddaje duże ilości nie zagęszczonego moczu. W tej fazie może dojść do nadmiernych strat wody, soli i potasu, dlatego muszą one być dostarczone w dostatecznej ilości. U dzieci z zespołem hemolityczno-mocznicowym po okresie bezmoczu ilość oddawanego moczu zwiększa się stopniowo i fazy wielomoczu na ogół nie obserwuje się.

Przewlekła niewydolność nerek – mocznica

Przewlekła niewydolność nerek jest wynikiem trwałego uszkodzenia nerek w stopniu, który prowadzi do zaburzenia składu płynów ustrojowych. Choroba ma charakter postępujący i w krótszym lub dłuższym czasie prowadzi do schyłkowej niewydolności nerek, tzn. do takich zaburzeń czynności wielu narządów w wyniku mocznicy, przy których następuje zgon lub konieczne jest oczyszczanie organizmu za pomocą powtarzanych dializ (zob. wyżej). W rzadkich przypadkach trwałe uszkodzenie nerek lub ich utrata następują nagle i wtedy od razu następuje schyłkowa niewydolność nerek. Tak dzieje się po usunięciu obu nerek lub jedynej czynnej nerki, np. po ciężkim urazie lub wskutek rozrostu nowotworowego. Bezpośrednio do schyłkowej niewydolności nerek może również prowadzić ostra niewydolność nerek. Tak bywa u niektórych dzieci z zespołem hemolityczno-mocznicowym (zob. wyżej) oraz z bardzo ciężkimi postaciami kłębuszkowego zapalenia nerek. Zdarza się w tych przypadkach, że po okresie bezmoczu w ostrej fazie choroby czynność nerek nie powraca już nigdy. Przeważnie jednak przewlekła niewydolność nerek postępuje powoli i w ciągu wielu lat. Prawidłowe leczenie pozwala utrzymać chore dziecko w niezłym stanie i zmniejszyć postęp niewydolności nerek.

Przyczyny. Przewlekła niewydolność nerek u dzieci jest najczęściej spowodowana różnymi postaciami kłębuszkowego zapalenia nerek. Drugą co do częstości przyczyną są wrodzone nefropatie, tzn. wrodzone zaburzenia budowy nerki, a trzecią – odmiedniczkowe zapalenie nerek. Rozwój niewydolności nerek w odmiedniczkowym zapaleniu nerek jest bardzo powolny i na ogół przewlekła niewydolność nerek zdarza się tylko u dzieci z wadami układu moczowego. Rzadszymi przyczynami przewlekłej niewydolności nerek są uszkodzenia nerek w przebiegu chorób układowych czy zaburzeń przemiany materii (np. w cukrzycy).

Mechanizm powstawania zaburzeń metabolicznych i narastania przewlekłej mocznicy jest u dzieci taki sam jak u dorosłych. Pogorszenie stanu zdrowia dzieci z przewlekłą niewydolnością nerek występuje zwykle w wieku 6–7 lat i w okresie przed pokwitaniem, gdy przyspieszenie tempa wzrostu i procesów przemiany materii stwarza dodatkowe obciążenie dla nerek. W czasie chorób gorączkowych i odwodnienia dochodzi zwykle do gwałtownego pogorszenia i zaostrzenia przewlekłej niewydolności nerek, które może być odwracalne.

Objawy przewlekłej niewydolności nerek zależą od stopnia jej zaawansowania. W I okresie względnej wydolności, gdy zachowane są w 70% struktury czynnościowe nerek, objawy ujawniają się jedynie w czasie odwodnienia, gorączki lub zwiększonego rozpadu tkanek np. po urazach.

W II okresie wyrównanej niewydolności, gdy ok. 50% tkanki nerkowej zachowuje swą czynność, zwiększa się ilość wydalanego moczu i zapotrzebowanie na płyny. W tym okresie wzrasta ilość moczu oddawanego w godzinach nocnych. U niemowląt i małych dzieci, u których wzmożone pragnienie nie reguluje dostatecznie zapotrzebowania na płyny, pojawiają się objawy odwodnienia, nie wyjaśnione wzrosty temperatury ciała, wymioty. Badania laboratoryjne wykazują nieznaczny wzrost poziomu mocznika, kreatyniny, obniżenie poziomu potasu w surowicy krwi.

W III okresie, gdy ilość czynnej tkanki nerkowej spada do 25%, występują zmiany usposobienia, łatwe męczenie się, brak łaknienia, niedokrwistość, często nadciśnienie tętnicze, zaburzenie uwapnienia kości, zwolnienie wzrastania. Stopniowo dochodzi do nasilonego zatrucia mocznicowego i schyłkowej niewydolności nerek, w której wyraźne są zaburzenia ze strony układu nerwowego, aż do śpiączki mocznicowej włącznie, i ze strony układu krążenia; mogą być one bezpośrednio przyczyną zgonu.

Leczenie przewlekłej niewydolności nerek ma na celu łagodzenie objawów, przeciwdziałanie zaburzeniom metabolicznym i opóźnianie wystąpienia postaci schyłkowej. W odpowiednim okresie choroby – przed wystąpieniem niewydolności schyłkowej – omawia się z rodzicami możliwość i sposoby leczenia dializami (zob. wyżej). Z nieuchronnie postępującego charakteru choroby muszą sobie zdawać sprawę rodzice, którzy mimo że są informowani przez lekarza, często starają się nie wierzyć w złe rokowanie. Muszą oni jednak dobrze znać przebieg choroby, aby pomóc dziecku przystosować się do odpowiedniego trybu życia, wybrać odpowiednią szkołę i w przypadkach leczenia dializami odpowiednio je do tego przygotować. Dziecko powinno mieć zapewnioną pogodną atmosferę i poczucie bezpieczeństwa – nie może odczuwać zagrożenia. Stwarza to bardzo trudną sytuację w rodzinie, którą poprawić może posiadanie innych zdrowych dzieci, dobry kontakt z lekarzem i pełna świadomość rodziców co do możliwości ratowania dziecka powtarzanymi dializami i przeszczepem nerki, gdy dojdzie do niewydolności schyłkowej.

Właściwa dieta przed okresem schyłkowej niewydolności nerek stanowi podstawę leczenia. We wczesnej fazie choroby polega ona jedynie na podawaniu dużej ilości płynów, tak aby zrównoważyć wydalanie dużej zwykle w tym okresie ilości moczu. Organizm starszych dzieci reguluje to zwykle sam uczuciem pragnienia, natomiast małe dzieci należy często poić, zwłaszcza w czasie upałów, gorączki lub przy wolnych stolcach czy wymiotach, gdy wydalanie wody poprzez parowanie skóry, oddech albo przewód pokarmowy zwiększa niebezpieczeństwo odwodnienia. Ilość płynów powinna być równa największej ilości moczu, którą dziecko może wydalić oraz ilości wody wydalanej przez organizm drogami pozanerkowymi. Przyjmuje się, że straty drogą parowania przez skórę i oddech, które są mało uchwytne i nie można ich mierzyć, wynoszą ok. 10–15 ml na kg masy ciała. Ilość ta wzrasta w okresach gorączki.

Jeśli dziecko z przewlekłą niewydolnością nerek nie ma obrzęków ani nadciśnienia, nie zachodzi potrzeba ograniczania w diecie soli. W przybliżeniu stopień zapotrzebowania na sól można określić oznaczając ilość sodu wydalanego w ciągu doby w moczu.

W okresie wielomoczu istnieje niebezpieczeństwo nadmiernych strat potasu z moczem. Aby nie dopuścić do niedoboru tego jonu ważnego dla wielu funkcji organizmu, dziecko musi otrzymywać dużą ilość jarzyn i owoców, a nawet sole potasu w postaci leku. Dopiero w zaawansowanej niewydolności nerek ogranicza się podawanie potasu.

Białka w diecie nie powinno się ograniczać poniżej zapotrzebowania dla danego wieku wzrostowego, dopóki przesączanie w kłębuszkach nie obniży się o ponad 70% w porównaniu z wartościami prawidłowymi. Informacji o wielkości przesączania kłębkowego dostarcza badanie wskaźnika oczyszczania, czyli tzw. klirens endogennej kreatyniny, a pośrednio jej poziom w surowicy krwi. W okresie gdy konieczne jest ograniczenie białka, jego ilość w diecie nie powinna być mniejsza niż 1,5 g na kg masy ciała na dobę. Najwłaściwsze są te rodzaje białka, które składają się z egzogennych aminokwasów, tzn. takich, których organizm nie może sam wytwarzać. Do najwartościowszych należy białko jaj, mleka i mięsa. Białko roślinne zawiera głównie endogenne aminokwasy, tzn. takie, jakie organizm człowieka syntetyzuje sam z azotu. W niewydolności nerek bogatym źródłem endogennego azotu jest mocznik, którego poziom we krwi i innych płynach ustrojowych wzrasta w miarę rozwoju choroby.

Dieta w przewlekłej niewydolności nerek powinna zawierać należną dla wieku wzrostowego dziecka ilość kalorii. Bardzo korzystna okazała się w zaawansowanej postaci choroby dieta ziemniaczana. Ziemniaki zawierają niewiele białka, ale mają stosunkowo dużo egzogennych aminokwasów; brakującą metioninę powinno się podawać w tabletkach. Ziemniaki mają właściwości zasadotwórcze, co jest bardzo korzystne, zawierają jednak duże ilości potasu, a to może stanowić niebezpieczeństwo w zaawansowanej niewydolności nerek, zwłaszcza u dzieci, które nie mogą już wydalać dużej ilości moczu, co grozi zatrzymywaniem potasu w organizmie. Aby temu zapobiec, wodę w trakcie gotowania ziemniaków trzeba dwukrotnie zmieniać. Takie „płukanie" ziemniaków w czasie gotowania pozbawia je dużej części potasu.

Już we wczesnych okresach przewlekłej niewydolności nerek stosuje się leczenie przeciwdziałające występowaniu zaburzeń przemiany wapnia i fosforu, które w następstwie prowadzą do zmian w układzie kostnym. Zaburzenia te polegają na: 1) niedostatecznym wydalaniu fosforu w moczu, co powoduje podwyższenie jego poziomu w surowicy krwi; 2) zakłóceniach w przemianie witaminy D do jej aktywnej postaci, prowadzących do niedoboru tej witaminy; 3) niedostatecznym wchłanianiu wapnia w przewodzie pokarmowym, powodującym obniżenie jego poziomu w surowicy krwi; 4) wtórnej nadczynności przytarczyc, prowadzącej do ich przerostu, a nawet gruczolakowatości, co powoduje destrukcję kości; 5) kwasicy sprzyjającej odwapnieniu kości i odkładaniu się soli wapnia w nieprawidłowych obszarach poza układem kostnym. Aby zapobiec rozwojowi ww. zaburzeń, już od wczesnych okresów niewydolności nerek stosowane są odpowiednie leki. Węglan wapnia zmniejsza wchłanianie fosforu w przewodzie pokarmowym, prócz tego dostarcza wapń i przeciwdziała kwasicy. Witamina D podawana w dawkach większych niż dawki przeciętne zapobiegające krzywicy, zwłaszcza u niemowląt, zapobiega jej niedoborom. W okresach bardziej zaawansowanej niewydolności nerek witaminę D zastępuje się jej aktywnym nerkowym metabolitem kalcytriolem lub związkiem o zbliżonej do niego budowie chemicznej i działaniu, 1-alfa-hydroksycholekalcyferolem.

Niedokrwistość w przewlekłej niewydolności nerek jest oporna na leczenie. Jeśli towarzyszy jej niedobór żelaza, stosowane są jego preparaty i witamina B_6. Chorzy leczeni dializami muszą otrzymywać kwas foliowy, który usuwany jest z organizmu drogą dializy, a którego niedobór przyczynia się do niedokrwistości. Główną przyczyną niedokrwistości w niewydolności nerek jest niedobór erytropoetyny. Hormon ten, normalnie wydzielany w nerkach, pobudza wytwarzanie krwinek czerwonych w szpiku kostnym. Podanie tego brakującego hormonu skutecznie leczy niedokrwistość u dzieci ze schyłkową niewydolnością nerek.

Stosowanie leków u dzieci z niewydolnością nerek jest ważnym problemem. Dzieciom tym nie powinno się podawać leków, które mogą wywierać niekorzystne działanie na nerki. Leki, które są eliminowane z organizmu głównie w moczu, muszą być stosowane w zmniejszonych dawkach, dostosowanych do stopnia niewydolności nerek. Dlatego lekarz, który zaleca jakieś leczenie u dziecka z niewydolnością nerek, musi być poinformowany o wynikach ostatnich badań funkcji nerek.

W okresie schyłkowej niewydolności nerek przedłużenie życia i przygotowanie do przeszczepienia nerki jest możliwe dzięki prowadzeniu przewlekłych dializ. Mogą to być hemodializy za pomocą sztucznej nerki wykonywane systematycznie 3 razy w tygodniu lub ciągła ambulatoryjna dializa otrzewnowa. Ta ostatnia metoda jest szczególnie przydatna u młodszych dzieci, które źle znoszą hemodializy. Ciągła ambulatoryjna dializa otrzewnowa polega na wlewaniu i wylewaniu płynu dializacyjnego przez wszczepiony chirurgicznie do jamy brzusznej specjalny cewnik. Płyn może być wymieniany w domu przez rodziców pod warunkiem, że zostali oni odpowiednio do tego przygotowani i będą znać zasady tego leczenia. Przy ciągłej ambulatoryjnej dializie otrzewnowej dziecko może prowadzić zbliżony do normalnego tryb życia i otrzymywać pełnowartościową dietę.

XIV. WRODZONE CHOROBY METABOLICZNE

Choroby metaboliczne – zwane także wrodzonymi błędami metabolizmu – są następstwem zaburzeń przemiany różnych związków chemicznych w organizmie. Aby przemiany te zachodziły, niezbędne jest działanie enzymów, spełniających rolę katalizatorów reakcji chemicznych. Enzymy są białkami zbudowanymi (podobnie jak wszystkie białka) z aminokwasów ułożonych w łańcuchy polipeptydowe. Swoistość działania enzymów zależy od szczególnego, specyficznego układu aminokwasów. Zmiany w układzie aminokwasów mogą spowodować zmniejszenie lub nawet całkowity brak aktywności enzymu. Wywołuje to zahamowanie reakcji, którą katalizuje dany enzym; z substratu (związku wchodzącego do reakcji) nie wytwarza się produkt (związek powstający w wyniku reakcji). Takie zahamowanie reakcji nosi nazwę bloku metabolicznego.

Blok metaboliczny prowadzi do różnych szkodliwych dla organizmu następstw. W zależności od wywoływanych objawów można je podzielić na trzy grupy:

1) Niewytwarzanie produktu wywołuje skutki jego niedoboru. Jeśli jest to substancja niezbędna do życia, jej brak może spowodować śmierć organizmu.

2) Wewnątrzkomórkowe nagromadzenie substratu (spichrzanie) upośledza funkcje komórek i może doprowadzić do ich śmierci.

3) Nasilenie innych reakcji przekształcania (metabolizowania) substratu. Następstwem jest znacznie zwiększone wytwarzanie związków chemicznych powstających normalnie w bardzo małych ilościach. Zakłócają one przebieg innych reakcji, wywierając toksyczne działanie na organizm.

Bezpośrednią przyczyną bloku metabolicznego jest więc niedobór aktywności enzymu, zależny od ubytku lub błędnego uszeregowania aminokwasów w cząsteczce polipeptydu. Defekty te powstają na skutek przekazania nieprawidłowej informacji genetycznej.

O specyficznym układzie aminokwasów w polipeptydzie decyduje informacja zawarta w genach, zakodowana w układzie zasad purynowych i pirymidynowych kwasu dezoksyrybonukleinowego (DNA). Jeśli układ tych zasad ulega zmianie, a więc zmienia się informacja genetyczna, to jest ona przekazywana za pośrednictwem przenośnikowego kwasu rybonukleinowego (RNA) do rybosomów w cytoplazmie, przekazując błąd dalej jako zmianę w uszeregowaniu aminokwasów w polipeptydzie. Przyczyną takich błędów w kodzie genetycznym są mutacje genowe, czyli zmiany struktury genów. Zachodzą one stale i niekiedy powodują powstawanie białka o nowych, pozytywnych właściwościach; takie mutacje są przyczyną ewolucji organizmów.

Wrodzone zaburzenia metaboliczne są więc zaburzeniami uwarunkowanymi genetycznie. Poznajemy ich coraz więcej wraz z postępem biochemii i genetyki. Na początku obecnego stulecia znano zaledwie cztery choroby metaboliczne, a dziś znane są setki. W rozpoznawaniu tych chorób osiągnięto wielkie postępy, większe niż w ich leczeniu. Mimo to istnieją choroby, które leczone są z powodzeniem, jak np. fenyloketonuria. Choroba ta nie leczona powoduje ciężkie upośledzenie umysłowe. Wcześnie rozpoznana i leczona nie zostawia śladów. Ważnym problemem staje się więc wczesne rozpoznanie, a to jest możliwe jedynie przez masowe badania przesiewowe wszystkich noworodków. Badania przesiewowe pozwalają rozpoznawać tylko niewiele chorób metabolicznych. Większość zostaje rozpoznana niestety dopiero wówczas, kiedy występują już objawy kliniczne. Nie są one charakterystyczne i ostateczne rozpoznanie musi być oparte na badaniach laboratoryjnych, nieraz bardzo skomplikowanych. Dość częstym objawem chorób metabolicznych jest upośledzenie umysłowe. Wygląd ogólny, zmiany rentgenowskie kośćca lub objawy ze strony poszczególnych narządów również mogą sugerować określoną chorobę metaboliczną.

U noworodków rozpoznanie wrodzonych błędów metabolizmu jest trudne, ponieważ mają one ograniczony repertuar reakcji na różne ciężkie zaburzenia. W tym wieku objawy kliniczne są nieswoiste: dzieci źle jedzą, są senne, nie przybywają na wadze. Wiele takich noworodków ginie bez ustalenia rozpoznania, a śmierć przypisuje się zwykle posocznicy lub wylewowi do ośrodkowego układu nerwowego.

Leczenie chorób metabolicznych jest trudne i wielokierunkowe. W niektórych chorobach polega ono na ograniczeniu dowozu substratu, czyli substancji, której przemiana jest zaburzona (w ten sposób ogranicza się wytwarzanie toksycznych produktów). W innych leczenie polega na dostarczaniu do organizmu gotowego produktu, który w wyniku bloku metabolicznego nie jest wytwarzany. W jeszcze innych próbuje się transplantacji narządów (najczęściej wątroby lub szpiku); przeszczepiona tkanka wytwarza brakujące białko. Wreszcie ostatnio czynione są próby wprowadzenia odpowiednich genów, warunkujących wytwarzanie brakujących enzymów.

Czy chorobom metabolicznym – które są uwarunkowane genetycznie – można zapobiegać? Rodzice, którzy urodzili dziecko z chorobą metaboliczną, mają zwiększone ryzyko urodzenia następnego dziecka chorego. Ponieważ większość chorób metabolicznych dziedziczona jest jako cecha recesywna, ryzyko to wynosi 25%. Obecnie możliwe jest rozpoznawanie niektórych chorób metabolicznych jeszcze przed urodzeniem dziecka (diagnostyka prenatalna). Rozpoznawanie opiera się na badaniu płynu owodniowego pobranego przez nakłucie pęcherza płodowego (amniocenteza) między 14 a 17 tygodniem ciąży. Analiza składu chemicznego płynu owodniowego pozwala wykryć substancje chemiczne, gromadzące się w danej chorobie. Ponadto oznacza się aktywność enzymów w hodowlach komórek z płynu owodniowego. Komórki te są złuszczonymi komórkami płodu i wykazują jego cechy – także ewentualne niedobory enzymów. Metoda diagnostyki prenatalnej pozwala zagwarantować urodzenie zdrowego dziecka w przypadku zagrożenia wielu chorobami metabolicznymi. Ostatnio metody biochemiczne zastępowane są metodami analizy DNA, które są bardziej pewne.

Zaburzenia metaboliczne mogą dotyczyć wszystkich substancji występujących w organizmie: aminokwasów, cukrów, tłuszczy, puryn, pirymidyn, witamin, barwników, białek i innych. Omówione tu będą tylko niektóre z nich, w trzech grupach chorób, stanowiących trzy problemy kliniczne. Pierwsza obejmuje choroby wywołujące ciężkie zaburzenia w okresie noworodkowym. Drugą grupę charakteryzuje jako główny objaw upośledzenie umysłowe. Trzecią stanowią choroby lizosomowe (spichrzeniowe).

Choroby metaboliczne wywołujące ciężkie zaburzenia u noworodków

Wiele zaburzeń metabolicznych ujawnia się już w pierwszych dniach życia dziecka. Niektóre z nich powodują ciężką kwasicę i objawy toksyczne, przypominające obraz posocznicy, czyli uogólnionego zakażenia. Do tych chorób metabolicznych zalicza się zaburzenia cyklu mocznikowego (hiperamonemia), niektóre zaburzenia metabolizmu aminokwasów (choroba syropu klonowego, tyrozynemia), kwasice organiczne (metylomalonowa, propionowa, izowalerianowa), nietolerancje cukrów (galaktozemia, fruktozemia). Obraz kliniczny tych chorób ma pewne cechy wspólne: po okresie pozornego zdrowia rozwijają się objawy zatrucia (wymioty, senność, śpiączka, niewydolność wątroby). Towarzyszą im zwykle kwasica, ketoza, hipoglikemia lub hiperamonemia.

Hiperamonemie. Przemiana aminokwasów w organizmie polega m.in. na dezaminacji, czyli odłączeniu grupy aminowej (NH_2) w postaci amoniaku (NH_3). Jest to związek toksyczny i w organizmie ulega przekształceniu w łatwo wydalany przez nerki, mało toksyczny mocznik. Przekształcenie to obejmuje szereg reakcji chemicznych zachodzących głównie w wątrobie, określanych jako cykl mocznikowy. Defekty enzymów tego cyklu prowadzą do nagromadzenia amoniaku, czyli hiperamonemii.

Objawy. Noworodki z hiperamonemią zaraz po urodzeniu wydają się zupełnie zdrowe, ale już w drugim lub trzecim dniu życia pojawia się u nich nadmierna senność, wiotkość mięśni, drżenie kończyn albo drgawki, wreszcie dzieci te przestają reagować na bodźce zewnętrzne i wpadają w śpiączkę. Oddech staje się płytki, okresowo zatrzymuje się, aż wreszcie dochodzi do całkowitego zatrzymania oddechu i dziecko ginie, jeśli nie zostanie natychmiast zapewniona drożność dróg oddechowych. Zaburzenia mózgowe są wynikiem toksycznego działania amoniaku na układ nerwowy. Jeśli dziecko z hiperamonemią nie zginie w pierwszych dniach życia, często dołącza się posocznica.

Rozpoznanie opiera się na stwierdzeniu we krwi chorych dzieci znacznie podwyższonego poziomu amoniaku oraz glutaminy. Glutamina pochodzi ze znacznie nasilonej aminacji kwasu glutaminowego, co jest objawem obrony organizmu przed hiperamonemią, polegającej na nasileniu aminacji różnych związków, czyli przyłączaniu do tych związków grup NH_2 pochodzących z amoniaku. Stwierdzenie wysokiego poziomu amoniaku i glutaminy nie pozwala jednak wykryć, którego enzymu cyklu mocznikowego dotyczy defekt. Dopiero wykazanie nagromadzenia się w organizmie jednego ze związków chemicznych cyklu mocznikowego pozwala zlokalizować defekt i tym samym określić typ hiperamonemii. Nazwy poszczególnych zaburzeń metabolicznych cyklu mocznikowego pochodzą od związków chemicznych, które ulegają nagromadzeniu w płynach ustrojowych. I tak np. w cytrulinemii, która jest następstwem defektu enzymu zwanego syntetazą kwasu argininowego, gromadzi się cytrulina, a w argininemii, powstającej z niedoboru enzymu arginazy, gromadzi się arginina itd.

Leczenie hiperamonemii u noworodków polega na transfuzjach wymiennych krwi, dializach otrzewnowych i stosowaniu diety z ograniczeniem białka. Ostatnio stosuje się także podawanie związków, które ułatwiają wydalanie nadmiaru azotu z organizmu.

Kwasica propionowa i metylomalonowa. Noworodki z kwasicą propionową lub metylomalonową wykazują zmniejszoną tolerancję aminokwasów: izoleucyny, waliny, treoniny i metioniny. Po spożyciu białka zawierającego te aminokwasy u noworodków tych występuje ciężka kwasica i objawy zatrucia. Przyczyną kwasicy propionowej jest defekt enzymu karboksylazy propionylo-koenzymu A, a kwasicy metylomalonowej niedobór enzymu mutazy metylomalonylo-koenzymu A.

Objawy obu tych kwasic są podobne: w kilka dni lub najpóźniej tygodni po urodzeniu dzieci zaczynają wymiotować, tracą łaknienie, przestają przybywać na wadze. Wyniszczenie może być tak znaczne, że dziecko roczne może wyglądać na 1–2-miesięczne. W okresie zaostrzeń, które charakteryzują te zaburzenia metaboliczne, pojawia się wiotkość mięśni oraz senność narastająca do śpiączki, która może spowodować zgon.

We krwi i moczu dzieci chorych występują ciała ketonowe (kwas acetooctowy i beta-hydroksymasłowy), ponadto we krwi dzieci z kwasicą propionową – kwas propionowy, a z kwasicą metylomalanową – zarówno kwas propionowy, jak i metylomalonowy. Właśnie nagromadzenie tych kwasów jest przyczyną ciężkiej kwasicy metabolicznej. W moczu dzieci chorych występują także związki chemiczne, nigdy nie wykrywalne u ludzi zdrowych, jak np. kwas metylocytrynowy; stwierdzenie obecności tego kwasu pozwala ustalić rozpoznanie.

Leczenie zaostrzeń obu tych kwasic polega na energicznym zwalczaniu kwasicy i nawadnianiu dziecka. Ponadto stale musi być stosowana dieta z ograniczeniem tych aminokwasów, których organizm dziecka nie toleruje. W obu kwasicach korzystne wyniki osiąga się przez podanie L-karnityny, a w kwasicy metylomalonowej – kobalaminy.

Choroby metaboliczne wywołujące upośledzenie umysłowe

Większość chorób metabolicznych może wywołać upośledzenie umysłowe. W fenyloketonurii, homocystynurii i zespole Lesch–Nyhana jest ono głównym objawem.

Fenyloketonuria jest zaburzeniem metabolizmu fenyloalaniny – aminokwasu wchodzącego w skład prawie wszystkich białek. Przyczyną jest niedobór lub brak enzymu hydroksylazy fenyloalaniny w wątrobie, wskutek czego następuje nagromadzenie fenyloalaniny, która nie może być przekształcana w tyrozynę, natomiast jest przekształcana w kwasy fenylopirogronowy, fenylomlekowy i fenylooctowy. Związki te występują u ludzi zdrowych, ale w bardzo małych ilościach, w fenyloketonurii zaś ich stężenie w płynach ustrojowych osiąga bardzo duże wartości.

Objawem głównym fenyloketonurii jest niedorozwój umysłowy spowodowany wysokim stężeniem ww. substancji. U niektórych chorych występują ponadto inne objawy uszkodzenia układu nerwowego, jak np. niedowłady, drgawki, nieprawidłowa czynność bioelektryczna mózgu, czyli nieprawidłowy elektroencefalogram (EEG). Następstwem bloku metabolicznego jest także niedobór tyrozyny i powstającego z niej barwnika skóry – melaniny, co sprawia, że większość chorych z fenyloketonurią ma jasny kolor skóry, włosy blond i niebieskie tęczówki. U niemowląt z fenyloketonurią – jeszcze zanim ujawni się niedorozwój umysłowy – występują często wymioty, nadmierna pobudliwość, zmiany wypryskowe w skórze oraz charakterystyczny „mysi” zapach potu i moczu, który zależy od obecności kwasu fenylooctowego.

Rozpoznanie fenyloketonurii opiera się na wykazaniu podwyższonego poziomu fenyloalaniny we krwi. Test ten jest podstawą badań przesiewowych, w wielu krajach – m.in. w Polsce – obejmujących wszystkie noworodki. Wczesne rozpoznanie, zanim jeszcze występują objawy kliniczne, natychmiastowe wprowadzenie leczenia dietą z małą zawartością fenyloalaniny (mieszanka Lofenalac), pozwala na prawidłowy rozwój umysłowy chorych dzieci.

Homocystynuria jest wywołana niedoborem enzymu syntetazy cystationiny w wątrobie. Enzym ten warunkuje syntezę cystationiny z homocysteiny i seryny. Brak syntetazy cystationiny powoduje podwyższenie poziomu homocysteiny w płynach tkankowych; wzrasta również poziom metioniny, z której powstaje homocysteina.

Główne objawy homocystynurii dotyczą tkanki łącznej (zmiany kostne i oczne) i tendencji do zakrzepów naczyniowych. Chorzy z homocystynurią są zwykle szczupli, wysokiego wzrostu, chodzą posuwiście z odwiedzionymi stopami („chód Charliego Chaplina”). Charakterystycznym objawem jest zwichnięcie soczewek. Upośledzenie umysłowe, które występuje u większości chorych, jest prawdopodobnie następstwem drobnych zakrzepów w naczyniach mózgowych. Zakrzepy prowadzą także do niedowładów i drgawek. Przyczyną zakrzepów jest zwiększenie zlepności płytek krwi i uszkodzenie śródbłonka naczyń, do którego przylepiają się płytki. Zmiany te są spowodowane wysokim poziomem homocysteiny we krwi. Tendencja do zakrzepów tętniczych i żylnych prowadzi do poważnych powikłań, takich jak zawał serca, zatory tętnicy płucnej lub nerkowej.

R o z p o z n a n i e homocystynurii opiera się na wynikach badania moczu na obecność aminokwasów zawierających siarkę: metioniny i homocysteiny.

L e c z e n i e polega na stosowaniu diety z małą zawartością metioniny i zwiększoną cystyny oraz na podawaniu witaminy B_6.

Zespół Lesch-Nyhana. Jest to zaburzenie metabolizmu puryn, wywołane brakiem transferazy, enzymu przekształcającego hipoksantynę i guaninę w fosforan inozyny. Enzym ten znajduje się we wszystkich komórkach, a gen kodujący go zlokalizowano w chromosomie X. Choroba występuje tylko u chłopców.

Główne o b j a w y to zaburzenia ze strony układu nerwowego, skłonność do samookaleczeń i dna moczanowa. Przez pierwszych 6-8 miesięcy życia dzieci rozwijają się prawidłowo. Często pierwszym objawem są duże ilości kryształów kwasu moczowego na pieluszce dziecka, przypominających pomarańczowy piasek. W pierwszym roku życia może wystąpić kamica nerkowa. Objawy mózgowe pojawiają się zwykle stopniowo: niemowlęta, które poprzednio siedziały i dobrze trzymały głowę, tracą te umiejętności i już nigdy ich nie zdobywają. Starsze dzieci mogą siedzieć w krześle tylko po umocowaniu tułowia. Często wykonują ruchy mimowolne, napięcie ich mięśni jest wzmożone, wykazują nieprawidłowe objawy neurologiczne. Upośledzenie umysłowe jest umiarkowane (wskaźnik inteligencji zwykle mniejszy od 50), ale część dzieci może nauczyć się mówić. Uderzająca jest w tej chorobie metabolicznej skłonność do samookaleczeń (odgryzanie warg i palców). Samookaleczenia mają charakter nawykowy, a chorzy nie robią tego świadomie i często proszą o pomoc. Nie występują przy tym zaburzenia czucia: chorzy samookaleczając się krzyczą z bólu.

Charakterystyczną cechą biochemiczną zespołu Lesch-Nyhana jest podwyższony poziom kwasu moczowego we krwi i zwiększone jego wydalanie z moczem. Prowadzi to do kamicy nerkowej i uszkodzenia nerek przez sole kwasu moczowego, co może być przyczyną ciężkiej niewydolności nerek i zgonu przed 10 r. życia. Innym następstwem zwiększonego wytwarzania kwasu moczowego są guzki dnawe i zapalenie stawów z napadami dny.

L e c z e n i e polega na obniżeniu poziomu kwasu moczowego we krwi i tym samym zmniejszaniu powikłań nerkowych, co nie wpływa na upośledzenie umysłowe i objawy neurologiczne. Postępowanie w tym zakresie ograniczone jest do uniemożliwienia samookaleczeń.

Choroby lizosomowe

L i z o s o m y są organellami komórkowymi zawierającymi silne enzymy – hydrolazy – które rozkładają zużyte struktury wewnątrzkomórkowe oraz białka wnikające do komórki drogą endocytozy – jest to tzw. trawienie wewnątrzkomórkowe. Rozkład ten odbywa się wewnątrz lizosomu, po wniknięciu do niego rozkładanej cząsteczki, a produkty rozkładu wydalane są na zewnątrz komórki, do innych lizosomów bądź do cytoplazmy. Lizosomy otoczone są błoną uniemożliwiającą przedostanie się hydrolaz do cytoplazmy, ponieważ spowodowałoby to zniszczenie komórki. Dlatego też lizosomowe hydrolazy nazywa się niekiedy „śmiercionośnym bagażem" komórek. Brak jednej z hydrolaz powoduje, że wewnątrz lizosomu gromadzi się w dużych ilościach nierozłożony związek chemiczny, zwykle o dużej cząsteczce. Przeładowane nim organelle wypełniają komórkę, upośledzając jej wszystkie funkcje, co prowadzi do powstania choroby lizosomowej. Znanych jest już kilkadziesiąt takich lizosomowych chorób metabolicznych, w których dochodzi do spichrzania tłuszczów, mukopolisacharydów, glikogenu i innych substancji. Należą tu również lipidozy i mukopolisacharydozy.

Lipidozy

Lipidozy są to choroby lizosomowe, w których dochodzi do spichrzania złożonych lipidów, takich jak gangliozydy, sfingomieliny, glukocerebrozydy i inne.

Choroba Tay-Sachsa jest spowodowana gromadzeniem się gangliozydów w lizosomach komórek układu nerwowego na skutek braku w tych organellach enzymu heksozaminidazy A, rozkładającego ten lipid. Choroba występuje wyłącznie u Żydów aszkenazyjskich. Dzieci z chorobą Tay-Sachsa wydają się rozwijać prawidłowo przez pierwsze miesiące życia, choć już wówczas można zaobserwować przeczulicę słuchową. Nasila się ona stopniowo, ale od ok. 8 miesiąca życia dziecko staje się mniej pobudliwe i wykazuje obniżone napięcie mięśniowe. Na dnie oka występuje charakterystyczna wiśniowa plamka.

Choroba Tay-Sachsa ma charakter postępujący: niemowlę traci stopniowo wszystkie nabyte poprzednio umiejętności ruchowe, przestaje reagować na bodźce z otoczenia, wreszcie ślepnie. W ostatniej fazie choroby napięcie mięśniowe jest wzmożone, występują drgawki. Śmierć następuje ok. 2 r. życia na skutek wzrostu masy mózgu zwykle ok. 50%, co jest następstwem spichrzenia gangliozydów. Leczenie jest nieznane.

Choroba Sandhoffa jest gangliozydozą bardzo podobną do choroby Tay-Sachsa, z tym że nie występuje w ogóle u Żydów i wywołana jest niedoborem dwóch enzymów: heksozaminidazy A i B.

Gangliozydoza uogólniona jest spowodowana spichrzaniem gangliozydu zarówno w komórkach układu nerwowego, jak i w komórkach innych narządów. Choroba ta jest wywołana niedoborem enzymu beta-galaktozydazy.

Choroba Gauchera jest wynikiem niedoboru enzymu glukocerebrozydazy, wskutek czego spichrzany jest lipid, zwany glukozoceramidem. Jeśli niedobór enzymu jest znaczny, rozwijają się ciężkie objawy neurologiczne prowadzące do zgonu przed ukończeniem 3 r. życia. Jeśli niedobór glukocerebrozydazy jest mniejszego stopnia, objawy choroby są łagodniejsze i dzieci mogą osiągnąć nawet wiek dojrzały.

Leukodystrofia metachromatyczna jest spowodowana spichrzaniem galaktozosulfatydu na skutek niedoboru enzymu sulfatazy arylowej A. I tu – podobnie jak w chorobie Gauchera – przebieg choroby i jej nasilenie mogą być różne, zależnie od stopnia niedoboru enzymu. Najczęściej występuje tzw. postać późnoniemowlęca, objawiająca się wiotkością mięśni, postępującymi niedowładami, drgawkami i zanikiem nerwu wzrokowego. Zgon następuje zwykle przed 10 r. życia.

Mukopolisacharydozy

Mukopolisacharydozy są to choroby wywołane spichrzaniem mukopolisacharydów – głównie siarczanu dermatanu, heparanu i keratanu. Związki te są także wydalane w dużych ilościach z moczem.

Zespół Hurler jest typową mukopolisacharydozą wywołaną niedoborem enzymu alfa-iduronidazy. U chorych dzieci początkowo nie występują żadne objawy nieprawidłowe, a te, które pojawiają się jako pierwsze – przewlekły nieżyt nosa, przepukliny pachwinowe – nie wskazują na zapowiedź ciężkiej choroby. Pod koniec pierwszego roku życia zmienia się stopniowo wygląd chorych dzieci: rysy twarzy stają się „szorstkie", głowa jest duża z uwypuklonym czołem i pogłębioną nasadą nosa. Wargi grubieją, język staje się duży, pojawia się zmętnienie rogówki, które może prowadzić do ślepoty. Rozwój umysłowy osiąga najwyższy poziom ok. 2 r. życia, a potem stopniowo staje się coraz bardziej upośledzony. Cechą charakterystyczną tej choroby są zmiany kostne, które pozwalają ją rozpoznać nawet tylko na podstawie zdjęć rentgenowskich kośćca. Wzrost jest niski, kręgosłup wygięty do przodu z garbem piersiowym lub lędźwiowym. Stawy stają się sztywne, co znacznie ogranicza poruszanie się. Dłonie są szerokie, ze szponowato ustawionymi palcami. Brzuch staje się nadmiernie uwypuklony, częściowo wskutek powiększenia wątroby i śledziony. U starszych dzieci występują powikłania sercowe, ponieważ spichrzanie mukopolisacharydów może spowodować pogrubienie zastawek serca, ich niedomykalność i niewydolność krążenia. Dziecko chore zwykle ginie z tego powodu, bądź z powodu zapalenia płuc ok. 10 r. życia.

Zespół Huntera jest mukopolisacharydozą dziedziczną jako cecha sprzężona z chromosomem X – chorują tylko chłopcy. Objawy choroby przypominają zespół Hurler, ale nie występuje tu zmętnienie rogówki.

Zespół Morquio jest mukopolisacharydozą z dominującymi zmianami kostnymi. W moczu wydalany jest w dużych ilościach siarczan keratanu.

Zespół Lamy – Maroteaux charakteryzuje się znacznym zahamowaniem wzrostu i zmętnieniem rogówki. Rozwój umysłowy dzieci chorych jest prawidłowy. W moczu występują duże ilości siarczanu dermatanu.

Leczenie mukopolisacharydoz nie jest znane, ale czynione są próby z przeszczepianiem szpiku (a tym samym przeszczepianiem genów warunkujących wytwarzanie brakujących enzymów).

XV. KRZYWICA I TĘŻYCZKA

Regulacja przemiany wapnia i fosforu

Głównym rezerwuarem wapnia (Ca) i fosforu (P) w organizmie są kości. Odpowiednie stężenie tych składników mineralnych w surowicy krwi jest jednym z istotnych czynników warunkujących prawidłowe uwapnienie kości. W diecie dziecka wapń i fosfor są zawarte głównie w mleku, serze i mięsie. Głównymi regulatorami przemiany wapnia i fosforu są: witamina D, parathormon i kalcytonina (zob. Fizjologia, s. 241).

Witamina D pochodzenia roślinnego zwana jest ergokalcyferolem lub witaminą D_2. Witamina D pochodzenia zwierzęcego nazywana jest cholekalcyferolem lub witaminą D_3. Witamina D_3 występuje obficie w tranie ryb i wielorybów oraz powstaje w skórze człowieka pod wpływem nadfioletowego promieniowania słonecznego. W Polsce preparat witaminy $A+D_3$ jest produkowany w kroplach i kapsułkach, witaminy D_3 w perełkach, w kroplach i kapsułkach. Aktywność tych preparatów jest ściśle określona. Witaminę $A+D_3$ stosuje się w zapobieganiu krzywicy w pierwszych 3 miesiącach życia. Od 4 – 5 miesiąca życia, gdy dziecko ma zapewnioną dostateczną podaż witaminy A w diecie, stosuje się witaminę D bez dodatku witaminy A. Działanie witamin D_2 i D_3 jest u człowieka takie samo.

Podana doustnie lub powstająca w skórze witamina D jest nieczynna. Podlega ona przemianom chemicznym w wątrobie, a potem w nerkach. W wyniku tych przemian powstaje w wątrobie 25-hydroksy-witamina D_3, a następnie w nerkach czynna postać witaminy D, czyli kalcytriol (1,25-dwuhydroksy-witamina D_3 = 1,25-dwuhydroksycholekalcyferol). Metabolit ten zwiększa wchłanianie wapnia w przewodzie pokarmowym i zwiększa przesunięcia wapnia i fosforu w kościach (rys.). Powstaje on w nerkach szczególnie obficie, gdy dieta jest uboga w wapń. Pozwala to na maksymalne wykorzystywanie wapnia z diety, w której jest go mało. Zapotrzebowanie na witaminę D, wapń i fosfor jest największe w okresach najintensywniejszego wzrostu. Niedobór tej witaminy w rosnącym organizmie prowadzi do krzywicy.

Parathormon jest hormonem peptydowym wydzielanym do krwi przez przytarczyce. Bodźcem zwiększającym jego wydzielanie jest spadek poziomu wapnia w surowicy krwi; wysoki poziom wapnia hamuje jego wydzielanie. Parathormon powoduje wzrost poziomu wapnia w surowicy krwi i obniżenie poziomu fosforu. Dzieje się tak poprzez uwalnianie wapnia z kości, zwiększone wchłanianie wapnia w przewodzie pokarmowym i zwiększone wydalanie fosforu w moczu. Parathormon jest niezbędny do powstawania aktywnej postaci witaminy D w nerkach.

Kalcytonina jest hormonem peptydowym wydzielanym przez tarczycę. Wzrost poziomu wapnia w surowicy krwi pobudza wydzielanie tego hormonu. W przeciwieństwie do parathormonu powoduje on odkładanie wapnia w kościach i obniża jego poziom w surowicy krwi, zmniejsza powstawanie

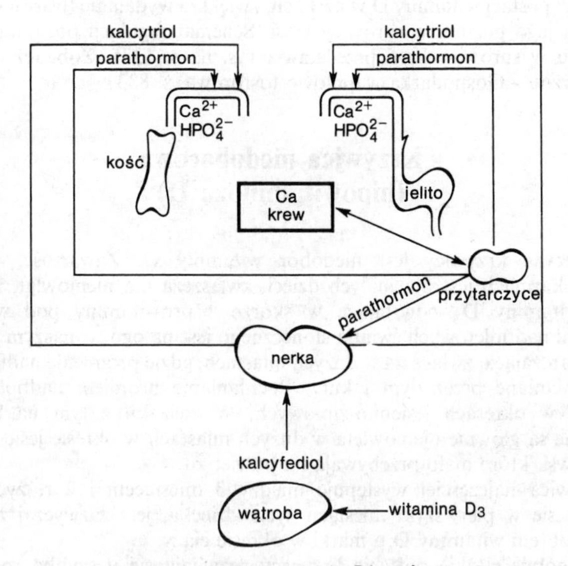

Zależność między działaniem witaminy D i parathormonu

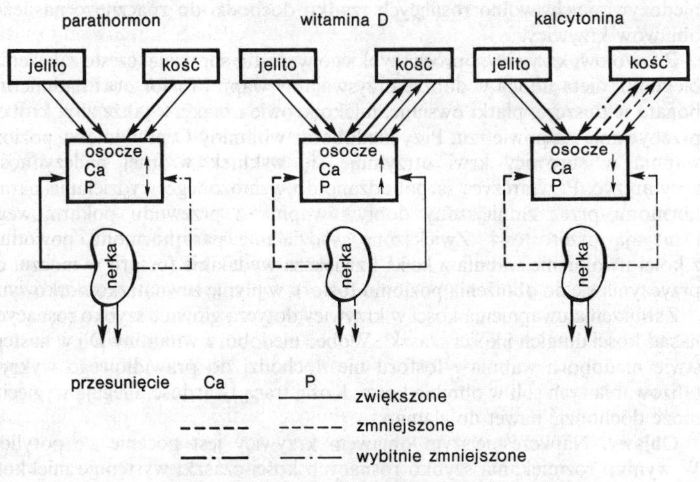

Regulatory poziomu wapnia (Ca) i fosforu (P) w surowicy krwi

aktywnej postaci witaminy D w nerkach, zwiększa wydalanie fosforu w moczu i obniża jego poziom w surowicy krwi. Schemat regulacji poziomu wapnia i fosforu w surowicy krwi przedstawia rys. na s. 1335. Zob. też Choroby wewnętrzne – Gospodarka wapniowo-fosforowa, s. 833.

Krzywica niedoborowa (hipowitaminoza D)

Przyczyną krzywicy jest niedobór witaminy D. Zawartość witaminy D w pokarmach jest dla małych dzieci, zwłaszcza dla niemowląt, za mała. Ilość witaminy D_3 powstająca w skórze z prowitaminy pod wpływem promieni nadfioletowych światła słonecznego jest na ogół w naszym klimacie niewystarczająca, zwłaszcza w dużych miastach, gdzie promienie nadfioletowe są pochłaniane przez dym i kurz. Pochłanianie promieni nadfioletowych wzrasta w okresach jesienno-zimowych. W związku z tym na krzywicę narażone są głównie niemowlęta w dużych miastach w okresie jesieni i zimy i te na wsi, które mało przebywają na powietrzu.

Krzywica najczęściej występuje między 3 miesiącem i 2 r. życia. Jeśli pojawia się w pierwszym miesiącu życia dziecka, jest zazwyczaj związana z niedoborem witaminy D u matki w okresie ciąży.

Szczególnie ciężkie postacie krzywicy rozwijają się u szybko rosnących, dobrze odżywionych niemowląt, które nie otrzymują witaminy D. Często na krzywicę chorują wcześniaki, co związane jest z szybkim rośnięciem i małymi zasobami witaminy D i wapnia z okresu życia płodowego. U dzieci niedożywionych, wolno rosnących rzadko dochodzi do znacznego nasilenia objawów krzywicy.

Rozwojowi krzywicy, oprócz szybkiego wzrostu, sprzyjają: częste zakażenia, biegunki, dieta uboga w dobrze przyswajalny wapń i fosfor oraz nadmiernie bogata w tłuszcze, płatki owsiane, mleko krowie i mąkę, a także zbyt krótkie przebywanie na powietrzu. Przy niedoborze witaminy D prawidłowy poziom wapnia w surowicy krwi utrzymuje się wskutek wtórnej nadczynności przytarczyc. Przytarczyce są pobudzane do wzmożonego wydzielania parathormonu przez zmniejszony dopływ wapnia z przewodu pokarmowego i ulegają przerostowi. Zwiększone wydzielanie parathormonu powoduje z kolei uwolnienie wapnia z kości i zwiększa wydalanie fosforu w moczu, co przyczynia się do obniżenia poziomu fosforu w płynie zewnątrzkomórkowym.

Zaburzenia uwapnienia kości w krzywicy dotyczą głównie szybko rosnących nasad kości długich i kości czaszki. Wobec niedoboru witaminy D i w następstwie niedoboru wapnia i fosforu nie dochodzi do prawidłowego wykrystalizowania tych soli w obrębie kości. Kości tracą twardość, ulegają wygięciu, może dochodzić nawet do złamań.

Objawy. Najwcześniejszym objawem krzywicy jest pocenie się potylicy. W wyniku rozmiękania szybko rosnących kości czaszki występuje miękkość potylicy, która ugina się przy uciskaniu palcami. Przebywanie niemowlęcia głównie w pozycji leżącej na plecach powoduje po pewnym czasie spłaszczenie potylicy.

Kości pokrywy czaszki stają się grubsze, w obrębie guzów czołowych i ciemieniowych następuje nagromadzenie nieprawidłowej tkanki kostnej zwanej tkanką kostnawą, co nadaje czaszce kwadratowy kształt i zwiększa jej obwód. Do zwiększenia obwodu czaszki przyczynia się też u dzieci z krzywicą zwiększona ilość płynu mózgowo-rdzeniowego, co wiąże się z zaburzeniami w krążeniu krwi, spowodowanymi brakiem prawidłowego, dostatecznie silnego działania ciśnienia ujemnego klatki piersiowej przy oddychaniu. Te same zaburzenia w krążeniu powodują u dzieci z krzywicą żłobienie rowków naczyniowych na czaszce oraz powiększenie wątroby i śledziony.

Wskutek upośledzenia uwapnienia i wzrostu kości czaszki ciemiączko jest powiększone i późno zarasta. Wyrzynanie zębów następuje z opóźnieniem, często w nieprawidłowej kolejności. Obwód klatki piersiowej jest zmniejszony. Zrównanie obwodu czaszki i klatki piersiowej następuje z opóźnieniem (normalnie w 5–7 miesiącu życia). Powstają zgrubienia na granicy kostnej i chrzęstnej części żeber, zwane różańcem krzywiczym. Pociąganie przez przeponę poddających się żeber powoduje zapadnięcie klatki piersiowej w miejscu przyczepu przepony — tzw. bruzda Harrisona. Poniżej bruzdy Harrisona łuki żebrowe są często odgięte na zewnątrz wskutek odpychania ich przez wzdęty żołądek i jelita. W późniejszych okresach zniekształcenie klatki piersiowej pogłębia się przez wciągnięcie do środka chrząstek żebrowych i wystawanie mostka do przodu – tzw. kurza klatka piersiowa.

Wygięcie ku tyłowi lędźwiowego odcinka kręgosłupa – garb krzywiczy – tworzy się w okresie siadania. W długotrwałej, nie leczonej krzywicy powstać może boczne skrzywienie kręgosłupa w wyniku zniekształcenia trzonów kręgów i upośledzonego napięcia niektórych mięśni.

W obrębie kości długich powstaje poszerzenie nasad, szczególnie w okolicy nadgarstków (bransolety krzywicze) i kostek. Gdy dziecko zaczyna chodzić, kości udowe i kości podudzia wyginają się na zewnątrz. Następstwem tego może być powstanie kolan koślawych lub szpotawych. Zniekształcenia mogą dotyczyć też szyjki kości udowej, co zaburza funkcję stawów biodrowych i prowadzi do kaczkowatego chodu.

Wiotkość mięśni charakterystyczna dla dzieci z krzywicą powoduje opóźnienie rozwoju czynności ruchowych, powiększenie brzucha i rozlewanie się jego na boki, często ze zmniejszaniem napięcia mięśni gładkich jelit, dając wzdęcia i zaparcia. Wiotkość mięśni powłok brzusznych (brzuch żabi) najwyraźniej zaznacza się u dzieci z krzywicą od drugiego półrocza życia.

Do najczęstszych późnych następstw krzywicy należy płaskostopie wytworzone wskutek wiotkości wiązadeł nie mogących utrzymać masy ciała. Niekiedy występują wady postawy i zniekształcenia klatki piersiowej. Zniekształcenie kości miednicy małej, mogące w przyszłości utrudnić porody, występuje obecnie rzadko.

Leczenie. Niedobór witaminy D jest zwykle leczony już w okresie niemowlęcym, a nawet jeśli witamina D nie jest podawana, może dojść do samoistnego wyleczenia krzywicy, gdy dziecko wychodzi z okresu niemowlęcego. Związane jest to z wychodzeniem na dłuższe spacery i słońce, z większą zawartością witaminy D w bardziej urozmaiconej diecie w okresie poniemowlęcym i ze zwolnieniem tempa wzrastania.

Leczenie krzywicy może odbywać się za pomocą tzw. przewlekłych lub uderzeniowych dawek witaminy D. P r z e w l e k ł e dawki lecznicze stosuje się przez 6–8 tygodni, a następnie podaje się d a w k i z a p o b i e g a w c z e. W bardzo ciężkich postaciach krzywicy, u dzieci z krzywicą przechodzących zakażenia, zwłaszcza krztusiec i zapalenie płuc, u dzieci, których matki nie stosują się do zalecenia codziennego podawania przewlekłych dawek witaminy D, podaje się jednorazowo d a w k ę u d e r z e n i o w ą. W razie utrzymywania się po 6 tygodniach objawów czynnej krzywicy, dawkę można powtórzyć. U dzieci z zaburzeniami wchłaniania tłuszczów, uderzeniowe dawki witaminy D podaje się domięśniowo. Po wyleczeniu krzywicy dawkami uderzeniowymi, witaminy D nie należy podawać co najmniej przez 2 miesiące, ze względu na jej magazynowanie i możliwość przedawkowania. Po tym okresie powinno się stosować dawki zapobiegawcze.

W przebiegu leczenia najszybciej spośród zmian kostnych ustępuje miękkość kości potylicy. Dla oceny wyników leczenia w niektórych przypadkach przeprowadza się kontrolne badania laboratoryjne. Utrzymywanie się cech czynnej krzywicy, mimo dwukrotnego podawania uderzeniowej dawki witaminy D, przestrzegania prawidłowej diety i pielęgnacji, może świadczyć o k r z y w i c y w i t a m i n o - D - o p o r n e j.

Zapobieganie krzywicy polega przede wszystkim na stosowaniu preparatów witaminy D. Światło słoneczne w naszym klimacie może w pełni zapobiec wystąpieniu krzywicy tylko w miesiącach letnich, u dzieci dużo przebywających na powietrzu poza obszarem dużych miast i ośrodków przemysłowych. Spacery w okresie jesienno-zimowym, bardzo wskazane, nie wystarczają jednak do zapobiegania krzywicy. Naświetlanie lampą kwarcową, która jest dobrym źródłem promieni nadfioletowych, może zapobiegać krzywicy, jednak jako uciążliwe nie ma praktycznego zastosowania.

Profilaktyczne podawanie witaminy D, doustne, rozpoczyna się w 3 tygodniu życia. Przez pierwsze dwa lata życia zapobiegawcze dawki stosuje się bez przerwy, a potem do piątego roku życia w okresach jesienno-zimowych. W okresach jesienno-zimowych dawki powinny być nieco większe niż w lecie. Większe również powinny być dawki u szybko rosnących wcześniaków, bliźniąt i dzieci urodzonych z małą masą ciała. W tych przypadkach, gdy witamina D nie będzie stosowana w przewlekłych, codziennych dawkach, należy ją podawać zapobiegawczo w dawkach uderzeniowych, raz na pół roku przez pierwsze dwa lata życia, później raz na rok, późną jesienią.

Prócz zapewnienia dziecku dużej ilości słońca i powietrza oraz systematycznego podawania witaminy D, w zapobieganiu krzywicy odgrywa rolę prawidłowe pielęgnowanie i warunki higieniczne pozwalające na uniknięcie częstych infekcji. Należy też stosować właściwą dla wieku dietę, unikając nadmiaru mleka krowiego, płatków owsianych i tłuszczów.

Tężyczka krzywiczopochodna

Tężyczka krzywiczego pochodzenia najczęściej występuje między 6 miesiącem a 2 r. życia we wczesnym okresie wiosennym, niezależnie od stopnia nasilenia objawów krzywicy. Wczesną wiosną, w początkowych okresach leczenia krzywicy małymi dawkami witaminy D, a u dziecka nie otrzymującego witaminy D pod wpływem małej ilości promieni nadfioletowych, następuje wzrost poziomu fosforu w surowicy krwi. Wzrost poziomu fosforu w surowicy może też być wynikiem obfitego dowozu fosforu w diecie, np. z mlekiem krowim. Powoduje to obniżenie stosunku wapnia do fosforu w surowicy krwi, co prowadzi do wzrostu pobudliwości nerwowo-mięśniowej. Wzmożona pobudliwość nerwowo-mięśniowa objawia się w tężyczce szeregiem nieprawidłowych odruchów, które stanowią zespół objawów tężyczki utajonej. Do objawów tężyczki utajonej mogą się dołączyć objawy tężyczki jawnej (zob. Tężyczka, s. 839).

Najczęstszym objawem tężyczki jawnej są uogólnione drgawki. Mogą one pojawiać się wielokrotnie w ciągu doby i zazwyczaj obejmują całe ciało. Drugim co do częstości objawem tężyczki jawnej są kurcze dłoni i stóp. U starszych dzieci kurcze te bywają bolesne. Jeżeli trwają dłużej, mogą prowadzić do powstania obrzęków na grzbiecie dłoni i stóp.

Trzecim objawem tężyczki jawnej jest kurcz głośni wraz z rzadko występującym kurczem oskrzeli – jest to objaw najbardziej niebezpieczny dla życia dziecka. Kurcz głośni polega na silnym kurczu mięśni krtani. Prowadzi to do znacznego zwężenia lub zamknięcia szpary głośni utrudniającego lub całkowicie uniemożliwiającego wdech. Przy utrudnionym wdechu powstaje charakterystyczne pianie, szczególnie wyraźne, gdy dziecko płacze lub jest niespokojne. Kurcz głośni występuje zwykle nagle i trwa różnie długo, dając objawy niedotlenienia: bladość, sinicę, czasami utratę przytomności. W niektórych przypadkach może prowadzić do śmierci. Kurcz oskrzeli powoduje napad duszności. Przy silnym kurczu utrudniony jest nie tylko wydech, ale i wdech, co może prowadzić do uduszenia się dziecka.

W prawidłowo leczonej tężyczce rokowanie jest na ogół dobre. Jednak w przypadku kurczu głośni, jeśli właściwa pomoc lekarska nie jest udzielona natychmiast, może nastąpić zgon w wyniku uduszenia. Tężyczka nie powoduje późniejszych następstw.

Witamino-D-oporna krzywica z hipofosforemią

Witaminooporna krzywica z hipofosforemią, zwana też moczówką fosforanową, jest chorobą rodzinną. Chłopcy dziedziczą chorobę po matce, dziewczęta, które chorują częściej i lżej od chłopców, cechę chorobotwórczą mogą otrzymać zarówno od ojca, jak i od matki.

U dzieci z obciążającym wywiadem rodzinnym chorobę można rozpoznać już w okresie niemowlęcym na podstawie niskiego poziomu fosforu w surowicy krwi i obfitego wydalania tego pierwiastka w moczu. W bardzo lekkich postaciach choroby również w późniejszych okresach życia nie występują objawy typowe dla krzywicy, tylko zmiany w badaniach laboratoryjnych.

Objawy kliniczne witaminoopornej krzywicy występują dopiero po ukończeniu pierwszego roku życia. Należą do nich niski wzrost, krępa budowa ciała, deformacje kości, zwłaszcza kończyn dolnych. W odróżnieniu od krzywicy niedoborowej, nie występuje wiotkość mięśni ani zmniejszona odporność na zakażenia.

Leczenie polega na stosowaniu czynnej postaci witaminy D – kalcytriolu – lub alfa-hydroksycholekalcyferolu (syntetyczny analog) albo dwuhydrotachysterolu (AT 10), który jest zbliżony do czynnej postaci witaminy D (objawy przedawkowania tych leków po przerwaniu ich stosowania szybko ustępują), z równoczesnym podawaniem roztworu fosforanów doustnie wielokrotnie w ciągu doby.

Krzywica rzekomoniedoborowa, czyli witamino-D-zależna

Rzekomoniedoborowa krzywica dziedziczy się jako cecha dominująca, nie związana z płcią. Objawia się trudnym do wyrównania obniżeniem poziomu wapnia i niekiedy fosforu w surowicy krwi. Objawy te występują wcześnie – już w pierwszym kwartale życia. Inne objawy są takie same, jak w ciężkiej krzywicy niedoborowej. Wzrastanie i rozwój czynności ruchowych są zwykle opóźnione. Często występują objawy tężyczki. Chorobę leczy się całkowicie po zastosowaniu fizjologicznych dawek aktywnej postaci witaminy D, co wskazuje na istotną rolę zaburzeń metabolizmu witaminy D w tej postaci krzywicy. Przerwa w leczeniu powoduje nawrót choroby.

Przedawkowanie witaminy D

Ze względu na indywidualne różnice we wrażliwości na witaminę D nie zawsze można przewidzieć dawkę toksyczną. Na ogół jest to dawka bardzo duża, wielokrotnie przewyższająca zapotrzebowanie organizmu. W warunkach prawidłowych ilość witaminy D powstającej w skórze pod wpływem promieni nadfioletowych nigdy nie wywołuje objawów jej przedawkowania. Jednym z mechanizmów obronnych jest powstający pod wpływem tych promieni barwnik w skórze.

Przedawkowanie witaminy D, prowadzące do objawów zatrucia o różnym nasileniu, występuje zwykle po stosowaniu dużych dawek lub u dzieci nadmiernie wrażliwych na działanie tej witaminy. Stosowanie dużych dawek może być następstwem pomyłki w obliczeniu właściwej ilości preparatu.

Pomyłka taka jest możliwa, gdyż różne preparaty zawierają w jednej kropli lub w jednej tabletce różne ilości witaminy D. Przedawkowanie witaminy D może być też następstwem równoczesnego podawania preparatów witaminy D, preparatów wielowitaminowych, z których część witaminę D zawiera, mleka witaminizowanego i innych witaminizowanych produktów spożywczych. Zatrucie witaminą D może również wystąpić u dzieci z którąś z postaci krzywicy witamino-D-opornej lub z przewlekłą niewydolnością nerek. U dzieci tych, u których konieczne jest stosowanie dużych dawek witaminy D, granica między dawką leczniczą i toksyczną jest wąska. Oznacza to, że uzyskując poprawę mineralizacji kości w trakcie stosowania dużych dawek witaminy D można doprowadzić do jej przedawkowania.

Zatrucie witaminą D prowadzi do utraty łaknienia, wzmożonego pragnienia, wymiotów, zaparcia, wiotkości mięśni, rozdrażnienia, zahamowania procesu wzrastania, wielomoczu z obniżoną zdolnością zagęszczania moczu, białkomoczu, ropomoczu. W ciężkich przypadkach dochodzi do nadciśnienia tętniczego i niewydolności nerek. W lżejszych przypadkach występuje tylko część objawów i narastają one w kolejności, w jakiej zostały wymienione. Badania laboratoryjne wykazują zwiększone wydalanie wapnia w moczu, a w ciężkich przypadkach podwyższenie poziomu wapnia i kreatyniny w surowicy krwi. W ciężkich przypadkach może dojść do zwapnień w nerkach i innych narządach wewnętrznych.

Leczenie polega na odstawieniu witaminy D, unikaniu słońca, stosowaniu diety niskowapniowej. W celu zmniejszenia wchłaniania wapnia w przewodzie pokarmowym stosuje się wodny roztwór siarczanu sodu, dodawany do mieszanek mlecznych, lub fosforan celulozy. Oba te związki wiążą wapń w przewodzie pokarmowym. W cięższych stanach leczenie jest szpitalne.

XVI. CHOROBY UKŁADU NERWOWEGO U DZIECI

Układ nerwowy człowieka, a zwłaszcza jego najważniejsza część ośrodkowa mieszcząca się w czaszce (zob. Anatomia, s. 55), nie tylko odpowiada za złożone czynności psychiczne i pełni rolę łącznika między światem zewnętrznym a całym organizmem, ale stanowi z nim niepodzielną całość. Wszelkie bowiem choroby i uszkodzenia ośrodkowego układu nerwowego wpływają ujemnie zarówno na stan zdrowia psychicznego, jak i fizycznego, a z kolei rozmaite choroby ogólne i zaburzenia czynności poszczególnych narządów organizmu rzutują w zasadniczy sposób na pracę ośrodkowego układu nerwowego. Ta ścisła współzależność szczególnie mocno zaznacza się u dzieci, u których stopniowe dojrzewanie kolejnych struktur ośrodkowego układu nerwowego i chwiejna jeszcze równowaga procesów biochemicznych komórek nerwowych (neuronów) warunkuje zwiększoną wrażliwość na wszelkie czynniki zewnątrz- i wewnątrzpochodne, przejawiającą się w różny sposób.

Mikrozaburzenia czynności ośrodkowego układu nerwowego

Mikrozaburzenia czynności ośrodkowego układu nerwowego (o.u.n.) należą do stosunkowo lekkich zaburzeń funkcji psychicznych dziecka. W piśmiennictwie światowym są one określane różnie, jako dziecięcy zespół psychoorganiczny, minimalne uszkodzenia mózgu, mikrouszkodzenia ośrodkowego układu nerwowego, minimalne dysfunkcje mózgowe lub małe dysfunkcje neurologiczne, lekka encefalopatia itp. Mikrozaburzenia czynności ośrodkowego układu nerwowego występują głównie u chłopców – 4 do 9 razy częściej niż u dziewcząt, przy na ogół odpowiednim do wieku rozwoju umysłowym.

Przyczyny i **patomechanizm** mikrouszkodzeń czynności o.u.n. nie są dotychczas jednoznacznie ustalone, o czym świadczy ich niejednolite nazewnictwo. Hipoteza o organicznym podłożu tych mikrouszkodzeń w wyniku patologii ciąży i porodu, przyjmowana przez większość badaczy, jest bardzo trudna do udowodnienia. Objawy neurologiczne bowiem, jak i wyniki badań elektroencefalograficznych oraz badań komputerowych mózgu nie potwierdzają tego w sposób jednoznaczny. Być może odpowiedzi należy szukać w patologii procesów biochemicznych tkanki mózgowej, a także w ostatnio wysuwanej koncepcji genetycznego uwarunkowania zaburzeń metabolizmu neurohormonów (serotoniny, dopaminy i norepinefryny).

Objawy zależą od wieku rozwojowego dziecka. Polegają one głównie na opóźnionym lub nieprawidłowym kształtowaniu się poszczególnych funkcji rozwojowych, np. mowy, przy zachowaniu rozwoju umysłowego w granicach szeroko pojętej normy. Współwystępujące zaburzenia zachowania są skutkiem wielu złożonych czynników, m.in. warunków środowiskowych. Osiowe objawy mikrozaburzeń czynności o.u.n. to zaburzenia emocjonalne i nadpobudliwość psychoruchowa.

W pierwszych 3 latach życia w większości przypadków stwierdza się niepokój ruchowy, płaczliwość, zaburzenia snu i łaknienia przy wzmożonej wrażliwości na szkodliwe czynniki zewnętrzne.

W wieku przedszkolnym objawy nabierają charakteru tzw. zespołu nadpobudliwości psychoruchowej, przejawiającego się zwiększoną ruchliwością, bezładną, mało celową aktywnością, negatywizmem, uporem, agresywnością, zmiennością zainteresowań, zaburzeniami uwagi i zmianami nastroju oraz trudnościami adaptacji do środowiska.

Rozpoznanie ustala się najczęściej dopiero wtedy, gdy dziecko rozpoczyna naukę szkolną. Wymaga ono specjalistycznych orzeczeń psychologa, pedagoga i lekarza neurologa lub psychiatry dziecięcego. Przy utrzymującym się nadal zmiennym nastroju, niepokoju ruchowym i złej koncentracji uwagi, pojawiają się bowiem specyficzne trudności w nabyciu umiejętności czytania (dysleksja) i pisania (dysgrafia, która może występować bez zaburzeń w czytaniu).

Dysleksja i dysgrafia charakteryzują się zaburzonym tempem czytania i pisania, błędami w różnicowaniu liter i sylab zbliżonych do siebie graficznie czy dźwiękowo, opuszczaniem lub dodawaniem liter i sylab zbliżonych do siebie graficznie czy dźwiękowo, opuszczaniem lub dodawaniem liter i sylab na początku, w środku czy na końcu wyrazu, agramatyzmami.

Leczenie polega na jak najwcześniejszej reedukacji (w pierwszych trzech latach nauczania podstawowego) i oddziaływaniach psychoterapeutycznych w relacji: dziecko – środowisko rodzinne – szkoła oraz – w niektórych przypadkach – na podawaniu środków farmakologicznych pod kontrolą lekarską.

Reedukacja polega na prowadzeniu z dziećmi określonych ćwiczeń z odpowiednio stopniowanymi trudnościami, np. na uczeniu dzieci odwzorowywania kształtów różnych figur geometrycznych, składania figur pociętych na kawałki – wg wskazanego wzoru, układania różnych łamigłówek, mozaik.

Upośledzenie umysłowe

Według ogólnie przyjętej definicji, jest to „funkcjonowanie intelektualne istotnie poniżej przeciętnej, powstałe w okresie rozwojowym, któremu towarzyszy obniżenie zdolności przystosowania się". W zależności od stopnia sprawności umysłowej, upośledzenie umysłowe dzieli się na dwie zasadnicze grupy: 1) lekkie upośledzenie umysłowe i 2) głębsze upośledzenie umysłowe trzystopniowe: umiarkowane, znaczne i głębokie.

Lekkie upośledzenie umysłowe jest uwarunkowane wieloma czynnikami, często nakładającymi się na siebie, np. czynnikami genetycznymi i środowiskowymi (zaniedbania wychowawcze). Objawy często dają się zauważyć dopiero wtedy, gdy dziecko rozpoczyna naukę szkolną. Obserwuje się narastające trudności w nauce, zwłaszcza w zakresie matematyki, na skutek braku zdolności do logicznego myślenia, uogólniania i wyciągania właściwych wniosków. Dobra na ogół pamięć mechaniczna i dostateczne zasoby słownictwa niejednokrotnie mylą rodziców w ocenie wydolności umysłowej dziecka, przez co stawiają mu zbyt duże wymagania, a szkoła posądza je o lenistwo.

Głębsze upośledzenie umysłowe spowodowane jest najczęściej jednym czynnikiem szkodliwym, który w 50% przypadków można ustalić dzięki postępowi badań w ostatnich dziesięcioleciach. Czynnikiem tym mogą być: defekty metaboliczne przekazywane przez „chore" geny obojga rodziców (np. fenyloketonuria) lub jednego z nich (np. stwardnienie guzowate), patologia chromosomów (zespół Downa), niektóre choroby wirusowe i bakteryjne matki w czasie ciąży, zapalenie mózgu u noworodka itp.

Objawy zaznaczają się wyraźnie już w wieku niemowlęcym. Dziecko mało interesuje się otoczeniem i zabawkami, późno zaczyna gaworzyć, bardzo wolno postępuje rozwój mowy i funkcji ruchowych. Często widoczne są też oznaki fizycznego niedorozwoju, np. małogłowie, wielkogłowie, deformacje czaszki, małżowin usznych, gałek ocznych, palców dłoni i stóp, wady rozwojowe narządów wewnętrznych wykryte badaniami lekarsko-laboratoryjnymi.

W ustaleniu stopnia upośledzenia umysłowego dziecka pomocne są psychologiczne badania testowe. Na ich podstawie określa się tzw. iloraz rozwoju (I.R.) u dzieci do 5 r. życia oraz iloraz inteligencji (I.I.) u dzieci powyżej 5 r. życia. Iloraz ten wyraża się stosunkiem liczbowym wieku umysłowego do wieku metrykalnego dziecka pomnożonym przez 100. Według skali inteligencji o średniej 100 i odchyleniu standardowym 16, przyjmuje się, że: I.I. poniżej 20 oznacza głębokie upośledzenie (dziecko nie rozwija mowy, nie chodzi i nie zgłasza potrzeb fizjologicznych); I.I. od 20 do 35 – znaczne upośledzenie (zob. wyżej); I.I. od 36 do 51 – umiarkowane upośledzenie; I.I. od 52 do 67 – upośledzenie lekkie; I.I. od 68 do 83 – pogranicze upośledzenia i normy; za normę przyjmuje się I.I. od 84 do 115.

Leczenie upośledzenia umysłowego polega na prowadzeniu od pierwszych lat życia ćwiczeń rehabilitacyjnych oraz na wychowaniu i nauczaniu dobranym do wieku dziecka i poziomu jego sprawności umysłowej i fizycznej, ustalonym na podstawie testowego badania psychologicznego. Stosuje się też często leczenie farmakologiczne, pobudzające i wzmacniające procesy ośrodkowego układu nerwowego.

Dla dzieci ze znacznym lub umiarkowanym upośledzeniem są organizowane przedszkola specjalne i szkoły życia. Dla dzieci upośledzonych w stopniu lekkim – 8-klasowe szkoły specjalne z dostosowanym programem nauczania, po skończeniu których dzieci przechodzą do 3-letnich szkół zawodowych, uczących prostych zawodów, pozwalających w przyszłości na samodzielne utrzymanie się. Rodzice, po odpowiednim przeszkoleniu przez rehabilitantów, powinni kontynuować w domu psychiczne i fizyczne usprawnienie dziecka pod kontrolą lekarsko-psychologiczną, nie przeceniając w żadnym razie możliwości dziecka. Pozostawienie dziecka upośledzonego w stopniu lekkim w normalnej szkole podstawowej, nawet przy zapewnieniu mu stałej, fachowej pomocy w nauce, naraża je nie tylko na wysiłek umysłowy ponad jego możliwości intelektualne, ale i ciągłe drwiny i szyderstwa kolegów w klasie, co z kolei może stać się przyczyną zaniżonego poczucia wartości własnej i różnego typu reakcji nerwicowych, poważnie zakłócających przystosowanie społeczne.

Mózgowe porażenie dziecięce

Mózgowe porażenie dziecięce (m.p.d.) jest to zespół zwykle nie postępujących zaburzeń czynności ruchowych, związanych z organicznym, trwałym uszkodzeniem ośrodkowego układu nerwowego, a zwłaszcza ośrodkowego neuronu ruchowego, powstałym w ciąży, w czasie porodu lub w okresie okołoporodowym. Mózgowemu porażeniu dziecięcemu towarzyszą zwykle różnego stopnia i zakresu opóźnienia rozwoju umysłowego, a niekiedy padaczka, wady słuchu lub wzroku, wady wymowy itp.

Przyczyny są różne, np. niedotlenienie mózgu dziecka w czasie życia płodowego lub podczas porodu (przedłużający się poród), wylewy krwawe śródczaszkowe spowodowane nieprawidłowym przebiegiem porodu (np. zastosowanie kleszczy, pomocy ręcznej, próżniociągu, poród pośladkowy itp.), wcześniactwo, nadmiar bilirubiny we krwi, stany zapalne mózgu itd.

Objawy zależą od umiejscowienia i rozległości uszkodzenia tkanki mózgowej, a przede wszystkim od stopnia jej rozwoju w momencie zadziałania czynników uszkadzających ośrodkowy układ nerwowy. Najczęściej są to porażenia lub niedowłady kurczowe (spastyczne), które cechują się ograniczeniem siły i ruchomości mięśni szkieletowych, z jednoczesnym wzmożeniem napięcia mięśniowego i odruchów fizjologicznych w obrębie jednej kończyny (zwykle górnej), częściej obu kończyn dolnych (choroba Little'a), albo też kończyny górnej i dolnej po jednej stronie ciała (porażenie lub niedowład połowiczy). Najcięższą postacią mózgowego porażenia dziecięcego jest porażenie lub niedowład wszystkich czterech kończyn i mięśni grzbietu (obustronne porażenie połowicze), połączone zwykle ze znacznym lub głębokim upośledzeniem umysłowym. Istnieją również mieszane postacie mózgowego porażenia, które dotyczą wielu układów ośrodkowego układu nerwowego, w tym układu pozapiramidowego, móżdżku itd.

Leczenie polega na jak najwcześniej rozpoczętych ćwiczeniach usprawniających, których rodzaj i zakres ustala poradnia neurologiczna po dokładnym przebadaniu dziecka. Ćwiczenia muszą być prowadzone codziennie w domu przez rodziców według programu podanego przez lekarza, psychologa i rehabilitanta, którzy okresowo kontrolują stan zdrowia dziecka. Tylko takie codzienne, systematyczne postępowanie lecznicze ma istotny wpływ na stopniowe zmniejszanie się kalectwa i zapobiega wtórnym zniekształceniom kostno-stawowym. Przyczynia się też do pewnego postępu czynności umysłowych dziecka, jeśli wykazuje ono objawy niedorozwoju umysłowego (rozwój umysłowy wielu dzieci z mózgowym porażeniem dziecięcym jest prawidłowy lub tylko nieco poniżej wieku metrykalnego).

Padaczka (epilepsja)

Nie jest to odrębna jednostka chorobowa, a zespół objawów chorobowych występujących przewlekle w postaci okresowo powtarzających się napadów o różnym charakterze.

Napady padaczkowe są skutkiem nadmiernych, zsynchronizowanych i nagłych wyładowań komórek nerwowych ośrodkowego układu nerwowego, dających się zarejestrować za pomocą specjalnego aparatu, zwanego elektroencefalografem, w postaci zapisu noszącego nazwę elektroencefalogramu (EEG). Wyładowania te powstają na tle zaburzeń biochemicznych, fizykochemicznych i bioelektrycznych w określonej grupie komórek mózgu (napad ma wtedy charakter ogniskowy, czyli częściowy z objawami prostymi lub złożonymi). Niekiedy wyładowania ogniskowe mogą rozprzestrzeniać się na sąsiednie partie komórek mózgu – wtedy jest to napad wtórnie uogólniony. Czasami wyładowania od razu obejmują komórki całego mózgowia – jest to napad pierwotnie uogólniony.

Przyczyny padaczki są różnorodne. Mogą to być: organiczne uszkodzenia ośrodkowego układu nerwowego w czasie życia płodowego i podczas porodu na skutek niedotlenienia lub wylewów krwawych w tkance mózgowej, następstwa blizny pourazowej przy mechanicznych urazach czaszkowo-mózgowych doznanych w różnych okresach życia dziecka, skutki przebytych chorób bakteryjnych lub wirusowych i stanów zapalnych mózgu itp. W dużym stopniu o wystąpieniu padaczki u dzieci decyduje predyspozycja, tj. genetycznie, a rzadziej rodzinnie uwarunkowana gotowość neuronów mózgu do reagowania wyładowaniami padaczkowymi na różne czynniki szkodliwe. Znaczenie ma także wiek dziecka w momencie zadziałania tych czynników, tzn. im dziecko młodsze, im bardziej niedojrzały jest ośrodkowy układ nerwowy dziecka, tym bardziej podatny jest na działania czynników szkodliwych i tym cięższe i rozleglejsze powstają uszkodzenia mózgu. W 30% przypadków nie udaje się ustalić przyczyny padaczki.

Objawy padaczki zależą od: umiejscowienia uszkodzeń tkanki mózgowej, będących źródłem wyładowań komórek nerwowych mózgu, i ich rozległości, stopnia nasilenia tych wyładowań oraz stopnia dojrzałości ośrodkowego układu nerwowego w momencie pojawienia się pierwszych napadów. Niezależnie od różnych podziałów napadów padaczkowych, schematycznie można wyróżnić u dzieci dwie ich grupy: 1) napady pojawiające się w pierwszych 4 latach życia i 2) napady występujące po 3 r. życia, obserwowane zarówno u dzieci w różnym wieku, jak i u osób dorosłych.

Napady skłonów lub napady zgięciowe, zwane zespołem Vesta, są typowe dla niemowląt i dzieci do 4 r. życia. Są to nagłe lub powolne, toniczne skurcze mięśni szyi, tułowia i kończyn, powodujące pochylenie głowy do przodu, z jednoczesnym zgięciem tułowia do przodu (jakby leżące dziecko próbowało usiąść) i wyrzuceniem kończyn górnych na boki lub przygięciem ich do klatki piersiowej. Napady te występują seryjnie – jeden po drugim, na ogół bezpośrednio po obudzeniu się dziecka, niekiedy poprzedza je krzyk, zblednięcie lub zaczerwienienie skóry twarzy, wywrócenie gałek ocznych ku górze i zaburzenia przytomności. Czasami napad polega na odrzuceniu głowy i kończyn górnych do tyłu, co powoduje upadek dziecka siedzącego (do tyłu). Napadom z reguły towarzyszy zahamowanie rozwoju psychoruchowego, a częściej istnieje ono jeszcze przed ich pojawieniem się, co świadczy o rozległym uszkodzeniu ośrodkowego układu nerwowego w okresie płodowym lub w czasie porodu i rokuje niepomyślnie, mimo stosowanego leczenia przeciwpadaczkowego. Z wiekiem napady te niekiedy ustępują; częściej przechodzą w inną formę napadów, przeważnie dużych.

Napady miokloniczno-astatyczne, określane też jako zespół Lennoxa – Gastaut, pojawiają się między 2 a 4 r. życia u dzieci na ogół rozwijających się umysłowo dobrze do czasu zachorowania. Napady te mogą mieć kilka wariantów. Mogą to być napady, w których dominują mioklonie, tj. drobne, nieregularne skurcze mięśni twarzy i kończyn górnych, albo są to o dużej intensywności szarpnięcia lub pojedyncze wstrząsy całego ciała (są to napady miokloniczne). Czasami napad przebiega w postaci częściowej lub znacznej utraty napięcia mięśniowego z powolnym lub nagłym upadkiem dziecka do przodu lub do tyłu; dziecko podnosi się samo po zakończeniu napadu i podejmuje przerwaną czynność (napady astatyczne). Najczęściej napady miokloniczne współwystępują z napadami astatycznymi.

Z czasem obok napadów miokloniczno-astatycznych pojawiają się uogólnione napady toniczno-kloniczne (napady duże – *grand mal*) lub napady nieświadomości (*absences*), czy też napady częściowe proste, jak i częściowe o objawach złożonych. W miarę trwania choroby, zaostrzającej się nawet przy banalnych infekcjach kataralnych nosa, zmienia się stopniowo zachowanie dziecka – staje się ono nadmiernie ruchliwe, pełne niepokoju, płaczliwe, rozproszone, psotne. Także jego rozwój umysłowy ulega stopniowemu zahamowaniu, stąd rokowanie, mimo systematycznego nieraz leczenia przeciwpadaczkowego, jest niepomyślne w 70% przypadków.

Napady nieświadomości (*absences*), tzw. napady małe (*petit mal*), pojawiają się u dzieci między 4 a 8 r. życia. Polegają one na krótkotrwałym znieruchomieniu i przerwie strumienia świadomości (od 2 do 30 s), bez upadku, bez drgawek, przez co długi czas mogą uchodzić uwadze otoczenia, zwłaszcza że po napadzie dziecko podejmuje przerwaną czynność i nie zasypia. Niekiedy znieruchomieniu towarzyszą: bladość lub zaczerwienienie skóry twarzy, lekkie drżenie powiek, wywrócenie gałek ocznych ku górze, wskutek czego rodzicom łatwiej zorientować się, że z dzieckiem coś się niedobrego dzieje i szybciej udają się z nim do poradni. Rokowanie jest na ogół pomyślne, gdyż u większości dzieci napady ustępują całkowicie i nie zaburzają ich rozwoju umysłowego ani nie powodują zaburzeń zachowania. Niekiedy jednak, w zależności od przyczyny powstania napadów, w okresie dojrzewania dziecka w ich miejsce lub obok nich występują napady uogólnione drgawkowe toniczno-kloniczne (napady duże), które mogą utrzymywać się przez różny okres.

Napady duże (*grand mal*) – pierwotnie uogólnione drgawki toniczno-kloniczne (uznawane przez laików za jedyne, prawdziwe objawy padaczki) pojawiają się u dzieci dopiero po 3 r. życia. Napad duży zaczyna się nagłą utratą przytomności i upadkiem, jeśli dziecko stoi. Składa się on z dwóch faz. W fazie I natychmiast po utracie przytomności występuje skurcz toniczny mięśni szkieletowych całego ciała, z wyprężeniem tułowia w łuk, z sinicą i bezdechem. Po kilku lub kilkunastu sekundach skurcz toniczny ustępuje i pojawiają się drgawki kloniczne (II faza), pienista ślina na ustach, często podbarwiona krwią na skutek przygryzienia języka, często (nie zawsze) następuje bezwiedne oddanie moczu lub kału. Cały napad duży trwa ok. 2–3 min i kończy się snem ponapadowym; po obudzeniu się dziecko nie pamięta okoliczności poprzedzających wystąpienie napadu i nie wie, że miało napad.

U młodszych dzieci obserwuje się tylko uogólnione drgawki toniczne lub tylko kloniczne.

U niektórych dzieci na 2–3 dni lub na kilka godzin przed napadem występuje niepokój, rozdrażnienie, zmiana nastroju, ból głowy itp. Są to tzw. zwiastuny zbliżającego się napadu. Bywa i tak, że przed napadem dużym może pojawić się nagły ból brzucha, umiejscowiony ból głowy, wymioty, zaburzenia widzenia, drętwienie jednej kończyny. Jest to aura przednapadowa, która niejednokrotnie ułatwia lekarzowi wykrycie umiejscowienia zmian w mózgu (ogniska padaczkorodnego), zwłaszcza jeśli rodzice dokładnie potrafią zaobserwować zachowanie dziecka przed napadem. Aura przednapadowa często też pomaga samemu dziecku, które czując, że się z nim coś dzieje, potrafi usiąść lub położyć się, zanim wystąpi napad i utrata przytomności. Niekiedy napady duże pojawiają się wyłącznie wkrótce po zaśnięciu lub przed obudzeniem się dziecka – są to napady duże przysenne.

Napady częściowe z objawami prostymi pojawiają się u dzieci po 3 r. życia, gdy warstwa kory mózgu jest względnie wykształcona. Charakter napadów ściśle zależy od umiejscowienia ogniska padaczkorodnego. Najczęściej występują napady ruchowe (napady Jacksona), przebiegające zwykle bez utraty przytomności i ograniczone do pewnej grupy mięśni, np. mięśni policzka, kącika ust czy mięśni kciuka lub kończyny górnej – mają one postać drgawek klonicznych (krótkie, rytmiczne skurcze i rozkurcze mięśni szkieletowych). Drętwienia lub mrowienia konkretnej, zawsze tej samej części ciała określane są jako napady częściowe czuciowe, a jeśli następuje skręt głowy w bok i zwrot gałek ocznych z uniesieniem kończyny górnej, zgiętej w stawie łokciowym w tę samą stronę, to jest to napad częściowy zwrotny (adwersyjny), niekiedy z towarzyszącym mu krótkotrwałym zamroczeniem.

Napady częściowe z objawami prostymi w pewnych sprzyjających okolicznościach mogą wtórnie uogólnić się na inne grupy mięśni. Jeśli dotyczy to jednej połowy ciała, występuje napad połowiczy wtórnie uogólniony; jeśli mięśni całego ciała – napad nabiera charakteru napadu dużego wtórnie uogólnionego.

Napady częściowe o objawach złożonych określane są potocznie jako „padaczka skroniowa", gdyż wyładowania dokonują się głównie w obrębie okolic skroniowych mózgu. Charakter napadów zależy nie tylko od rozległości uszkodzenia odnośnej części płata skroniowego, ale także i od wieku dziecka w momencie ich pojawienia się. U niemowląt i dzieci 1–2-letnich przeważają uogólnione drgawki kloniczne, u dzieci 3–6-letnich napady mogą mieć formę napadowych bólów brzucha lub napadów nieświadomości, w czasie których, w odróżnieniu od typowych *absences*, występuje mlaskanie, głośne przełykanie śliny, żucie czy też powtarzanie zawsze tych samych słów, sylab, zdań itp., co ułatwia lekarzowi umiejscowienie zmian w mózgu, a tym samym właściwe leczenie farmakologiczne. Między 7 a 9 r. życia pojawiają się typowe dla padaczki skroniowej zaburzenia spostrzegania (wzrokowe): mikropsje (normalne przedmioty dziecko widzi jakby z daleka i pomniejszone) lub makropsje (przedmioty wydają się dziecku olbrzymie i jakby przybliżają się), słuchowe: hipoakusje (dziecko słyszy normalne słowa wypowiadane zbyt cicho) lub hiperakusje (słowa normalnie wypowiadane wydają się dziecku mówione bardzo głośno i tuż przy uchu). W okresie przedpokwitaniowym i pokwitania napady mają postać zaburzeń psychosensorycznych złożonych – dziecko widzi postacie baśniowe, sylwetki świętych, słyszy ich rozmowę lub piosenki. W czasie napadów spostrzegania i psychosensorycznych chore dziecko nie traci przytomności, pamięta, co widziało i słyszało oraz zdaje sobie sprawę, że to wszystko jest mu obce i nie istnieje w rzeczywistości, choć budzi lęk, wstręt. Poza tymi napadami spotyka się również u dzieci napady afektywne w postaci wybuchów złości, gniewu, furii, agresji i samoagresji. Później dzieci wstydzą się takiego dla nich zupełnie niezrozumiałego zachowania i przepraszają za nie. Mogą też pojawiać się nagłe, niemotywowane napady smutku, płaczu, złego nastroju.

Inną formą napadów częściowych o objawach złożonych, często spotykaną u dzieci i młodzieży, są napady psychoruchowe. Polegają one na kilkuminutowych zaburzeniach świadomości (przymroczeniu), w czasie których chory bezwiednie wykonuje wiele prostych i zbędnych czynności, np. zwija i rozwija róg kołnierzyka lub fartucha, odpina i zapina guziki, gładzi się po włosach, przekłada przedmioty na stole itp. Czasem napady psychoruchowe mają charakter bardziej złożony, jakby przetrwałych aktów: mimo zaburzenia świadomości dziecko nadal zbornie wykonuje tę czynność, którą zaczęło przed napadem, np. gryzie, żuje i połyka bułkę, pije mleko, ściele swój tapczan itp. Wszystkie te czynności wykonywane przez dziecko są pokryte niepamięcią ponapadową, tzn. nie umie ono odtworzyć tego, co robiło w czasie napadu, w przeciwieństwie do napadowych zaburzeń spostrzegania i psychosensorycznych, które pamięta dokładniej.

W rozpoznaniu częściowej padaczki o objawach złożonych, poza bogatymi objawami klinicznymi, pomocne są badania elektroencefalograficzne (EEG), które także ułatwiają wybór leku przeciwpadaczkowego i ocenę skuteczności leczenia przy powtarzaniu tych badań co 3–6 miesięcy.

Leczenie padaczki, niezależnie od typu napadów, polega na systematycznym, długotrwałym (przeciętnie 3–5 lat) podawaniu leków przeciwpadaczkowych, ściśle według wskazań neurologa lub psychiatry dziecięcego. Nieregularne podawanie leków, samowolne zmniejszanie dawki lub nagłe ich odstawienie przez rodziców czy samo dziecko grożą nawrotem napadów albo znacznym nasileniem ich częstotliwości aż do wystąpienia stanu padaczkowego – wtedy napady występują jeden po drugim, a dziecko nie odzyskuje przytomności między napadami, co może spowodować jego śmierć, jeśli nie ma natychmiastowej pomocy lekarskiej.

W przebiegu padaczki u dzieci często pojawiają się (częściej u chłopców niż u dziewcząt – 3:1) międzynapadowe zaburzenia zachowania (niepokój ruchowy, zmiany nastroju, drażliwość, niechęć do wysiłku umysłowego, negatywizm, impulsywność itp.). Obserwuje się je głównie w padaczce częściowej o objawach złożonych jako „zespół zaburzeń zachowania płata skroniowego", a szczególnie nasilają się one wyraziście, gdy napady zostaną opanowane poprzez leczenie farmakologiczne. Leki w padaczce skroniowej stosunkowo łatwo powodują zatrzymanie wyładowań prowadzących do napadu, ale nie zmieniają reakcji układu limbicznego, wchodzącego w skład płata skroniowego, odpowiedzialnego za emocje. Obserwuje się wówczas silne zaburzenia nastroju (dysforie), wybuchy gniewu i agresji bez uzasadnionej przyczyny. Dlatego też rodzice powinni utrzymywać stały kontakt z poradnią neurologiczną lub psychiatryczną i informować lekarza o wszelkich niepokojących ich zmianach w zachowaniu leczonego dziecka nawet wtedy, gdy nie ma ono napadów padaczkowych, aby poprzez rozmowy terapeutyczne z lekarzem i psychologiem uniknąć błędów wychowawczych wobec chorego dziecka.

Napady niepadaczkowe u dzieci

Napady niepadaczkowe drgawkowe (toniczne lub kloniczne) są wyrazem sporadycznych i przejściowych zakłóceń czynności komórek mózgu z przyczyn pozamózgowych, takich jak: zakażenia ogólne (głównie wirusowe) z gorączką, zaburzenia gospodarki wapniowo-fosforowej (tężyczka), gwałtowne obniżenie się poziomu cukru we krwi (hipoglikemia), zaburzenia wodno-elektrolitowe w przebiegu biegunek, uporczywych wymiotów i chorób nerek; rzadziej przyczyną są niedobory magnezu, witaminy B_6, zatrucia środkami farmakologicznymi i chemicznymi, zespoły uciskowe i stany zapalne ośrodkowego układu nerwowego. Na ogół nie pozostawiają żadnych następstw, jeśli zostanie opanowana choroba zasadnicza leczeniem przyczynowym.

Napady niepadaczkowe drgawkowe występują głównie u dzieci młodszych (do 4 r. życia), które cechuje szczególna wrażliwość niedojrzałego jeszcze ośrodkowego układu nerwowego na wszelkie ujemne czynniki zewnątrz- i wewnątrzpochodne, pogłębiona genetycznie uwarunkowanym niższym progiem pobudliwości nerwowej, odmiennym metabolizmem procesów biochemicznych i niedojrzałością wielu układów enzymatycznych.

Drgawki gorączkowe. Należą one do najczęstszych napadów drgawkowych niepadaczkowych u dzieci. Pojawiają się między 6 miesiącem a 4 r. życia, częściej u chłopców niż u dziewcząt, przy szybko narastającej gorączce (do 39–40°C) lub przy jej gwałtownym spadku w przebiegu rozmaitych zakażeń ogólnych (głównie wirusowych). Drgawki gorączkowe mają charakter uogólnionych, symetrycznych, krótkotrwałych drgawek klonicznych w obrębie mięśni twarzy i kończyn. Na ogół nie pozostawiają żadnych śladów (zapis EEG w kilka dni po ich ustąpieniu jest prawidłowy, w przeciwieństwie do drgawek padaczkowych), nie wymagają leczenia poza doraźnym podaniem leków przeciwdrgawkowych dla ich opanowania.

Jeśli drgawki gorączkowe nawracają powyżej 5 r. życia dziecka, powtarzają się wielokrotnie (więcej niż 3 razy), pojawiają się przy niezbyt wysokiej gorączce (do 38°C) lub przy zakażeniach bez gorączki, trwają dłużej, są jednostronne lub po ich ustąpieniu występuje niedowład połowiczy, należy podejrzewać organiczne mózgowe ich przyczyny. Dlatego też w każdym przypadku wystąpienia drgawek u małego dziecka należy natychmiast zwrócić się do lekarza, gdyż niezbędne jest, najlepiej w warunkach szpitalnych, przeprowadzenie odpowiednich badań diagnostycznych, umożliwiających ustalenie przyczyny tych drgawek oraz szybkie podjęcie właściwego ich leczenia.

Zapalenia opon mózgowo-rdzeniowych i mózgu

Są to ostre choroby zakaźne ośrodkowego układu nerwowego, powodujące stan zapalny w obrębie opon i naczyń mózgowo-rdzeniowych oraz mózgu.

Przyczyną najczęściej są bakterie – meningokoki lub pneumokoki, rzadziej prątki gruźlicy i wirusy, a jeszcze rzadziej inne drobnoustroje, np. pałeczka ropy błękitnej, pałeczka odmieńca, pałeczka okrężnicy oraz grzyby.

Objawy. Bakteryjne zapalenie opon mózgowo-rdzeniowych zaczyna się zwykle ostro, tzn. wysoką gorączką, wymiotami i drgawkami, silnym niepokojem ruchowym, drżeniem rąk i przeczulicą całego ciała. Jedynie przy gruźliczym zapaleniu opon początek bywa skryty – bez wysokiej gorączki i drgawek, natomiast obserwuje się ogólnie złe samopoczucie, brak łaknienia, zaparcia, stany podgorączkowe, które wyprzedzają na kilka tygodni bardziej typowe objawy, takie jak: wymioty, drgawki, senność, wzmożone napięcie mięśni, powodujące układanie się dziecka na boku z odchyloną ku tyłowi głową.

Rozpoznanie opiera się na badaniu lekarskim i stwierdzeniu tzw. *zespołu oponowego* (sztywność mięśni karku, objaw Kerniga, Brudzińskiego i Flataua, a u niemowląt – napięte, pulsujące ciemiączko) oraz na wynikach badania płynu mózgowo-rdzeniowego, pobranego przez nakłucie lędźwiowe.

Leczenie zapalenia opon mózgowo-rdzeniowych jest zawsze szpitalne. Zbyt późne zgłoszenie się z dzieckiem do lekarza i późno rozpoczęte leczenie znacznie pogarszają rokowanie, które zawsze jest poważne, mimo wprowadzenia nowych metod leczniczych. W zależności bowiem od rodzaju zakażenia, dynamiki i czasu trwania procesu chorobowego oraz wieku dziecka w momencie zachorowania, przebyte zapalenie opon mózgowo-rdzeniowych może pozostawić szereg *objawów trwałego uszkodzenia mózgu*, takich jak: zahamowanie rozwoju umysłowego, niedowład kończyn, *afazję sensoryczną* (upośledzenie lub zniesienie zdolności rozumienia mowy u dziecka nieupośledzonego umysłowo i słyszącego dobrze, tzn. dziecko nie pojmuje sensu pytań i znaczenia słów, jakby słuchało obcego, nie znanego sobie języka) lub *afazję ruchową* (upośledzenie lub zniesienie zdolności mówienia u dziecka nieupośledzonego umysłowo, które przed chorobą mówiło poprawnie), wodogłowie, padaczkę, a nawet zgon.

Zaburzenia emocjonalne i przystosowawcze u małych dzieci

Zaburzenia emocjonalne i przystosowawcze są to bezpośrednie i na ogół przemijające reakcje sytuacyjne u niemowląt i u dzieci do 5 r. życia, występujące w odpowiedzi na niekorzystne warunki środowiskowe.

Zaburzenia emocjonalne. Przyczyną ich jest z reguły zła atmosfera domu, która nie zapewnia dziecku spokoju i poczucia bezpieczeństwa, a także nadmiernie lękowa i zbyt opiekuńcza lub odrzucająca emocjonalnie postawa matki.

Objawy. Zaburzenia emocjonalne u dzieci do 5 r. życia przejawiają się głównie zwiększoną reaktywnością układu wegetatywnego, a niekiedy nawet i zakłóceniami pracy poszczególnych narządów. U dzieci zdrowych fizycznie i rozwiniętych dobrze umysłowo stwierdza się brak apetytu, wymioty, biegunki, zaparcia, zaburzenia snu (trudne i długie zasypianie, powierzchowny, krótki lub przerywany sen), lęki i krzyki nocne itp. Do tych objawów dołączają się rozmaite reakcje emocjonalne, jak płaczliwość, napady lęku w dzień, z niepokojem ruchowym, płaczem, zblednięciem skóry twarzy, rozszerzeniem źrenic, przyspieszoną akcją serca, popuszczaniem moczu lub kału itp. Mogą też pojawić się napady złości i agresji, najczęściej połączone z krzykiem, tupaniem, pluciem, próbą podrapania lub bicia rodziców czy samego siebie, uderzaniem głową o ścianę lub podłogę – w odpowiedzi np. na zakazy. U niemowląt i 2-, 3-letnich dzieci występuje także zanoszenie się (napady afektywnego bezdechu) pod wpływem błahego bodźca zewnętrznego: przy nasilonym płaczu dziecka dochodzi do przedłużonego wdechu z charakterystycznym tzw. pianiem. Na szczycie wdechu dochodzi zwykle do zatrzymania oddechu z sinicą, a nawet z drgawkami mięśni twarzy.

Leczenie. Zaburzenia emocjonalne ustępują zwykle bez leczenia, jeśli rodzice względnie szybko skontaktują się z lekarzem i uregulują swe wzajemne układy domowe, do czego niekiedy potrzebna jest pomoc poradni rodzinnej. W przeciwnym razie emocjonalne, proste reakcje dziecka ulegają wzmocnieniu i z czasem mogą stać się zalążkiem reakcji nerwicowych i nerwic.

Zaburzenia przystosowawcze są spowodowane najczęściej sytuacją urazową, np. nagłą rozłąką z matką i zmianą środowiska, jak oddanie dziecka do żłobka (zwłaszcza tygodniowego), do przedszkola lub szpitala, do Domu Dziecka itp.

Objawy. U dzieci pozbawionych nagle opieki matki może wystąpić tzw. „zespół rozłąki" (choroba sieroca), w którym wyróżnia się 3 fazy, zależne od czasu trwania rozłąki. I faza – protestu – dziecko szuka matki, jest pełne niepokoju i nieustannego płaczu. Faza II – rozpaczy – narasta apatia bądź pobudzenie psychoruchowe, niechęć do nawiązywania kontaktów społecznych, zaburzenia snu i łaknienia, odrzucanie podawanych mu zabawek. W fazie III następuje rezygnacja, zobojętnienie, pojawiają się cechy autystyczne – formy samozaspokojenia w postaci ssania palca, monotonnego kiwania się na boki lub do przodu, masturbacji, izolacji od otoczenia, braku zainteresowania czymkolwiek przy braku płaczu i braku kontaktu słownego.

Przy objawach „zespołu rozłąki" dziecko powinno jak najszybciej (już w I fazie) wrócić pod opiekę matki lub przynajmniej widywać ją często, jeśli np. przebywa dłużej w szpitalu. W sytuacjach, gdy powrót matki jest z różnych względów niemożliwy, dzieckiem powinna opiekować się inna, znana mu osoba, która potrafi zastąpić matkę, gdyż narastające objawy „zespołu rozłąki", zwłaszcza fazy III, stają się już nieodwracalne.

Zaburzenia nerwicowe

Zaburzenia nerwicowe są to różnego stopnia i o różnych objawach klinicznych zaburzenia emocjonalne, nie mające podłoża organicznego, choć wielu badaczy uważa, że u dzieci podłożem ich mogą być mikrozaburzenia czynności ośrodkowego układu nerwowego (zob. s. 1342). Uwarunkowane są wieloma czynnikami, a głównie czynnikami biologicznymi, psychologicznymi i społeczno-kulturowymi.

Wśród czynników biologicznych bierze się pod uwagę nie tylko stan ośrodkowego układu nerwowego, układu autonomicznego i hormonalnego, ogólne zdrowie fizyczne, fazę rozwoju dziecka, ale i czynniki konstytucjonalne, tzn. dziedziczne i wrodzone cechy temperamentalne – w tym stopień reaktywności i aktywności dziecka – które decydują o jego zachowaniu, zwłaszcza w sytuacjach trudnych, a jednocześnie wpływają na rozwój i funkcjonowanie cech osobowości.

We wczesnym dzieciństwie dominują popędy i emocje, które – w zależności od warunków społeczno-kulturowych dziecka – zostają stopniowo podporządkowane wyższym strukturom poznawczym (wzrasta poczucie tożsamości, własnej wartości, zdolność samooceny i kontroli swego postępowania, jak i krytyczny osąd otoczenia).

Przy nieprawidłowej socjalizacji, spowodowanej zwykle złymi układami w domu rodzinnym i zaburzonymi związkami uczuciowymi między poszczególnymi członkami rodziny, będącej pierwszym modelem grupy społecznej, dziecko nie ma często od wczesnych lat życia poczucia bezpieczeństwa oraz warunków do prawidłowego rozwoju emocjonalnego. W jego zachowaniu utrzymuje się wówczas przewaga pierwotnych popędów i emocji przy stosunkowo słabym postępie rozwoju wyższych struktur poznawczych, co określane jest przez niektórych autorów jako „niedojrzałość emocjonalna" dziecka. Na tle tej niedojrzałości emocjonalnej łatwo dochodzi do kształtowania się nieprawidłowych cech osobowości dziecka, a powtarzające się sytuacje zakłócenia i zagrożenia (stresy), pamięć przykrych doświadczeń z wczesnego dzieciństwa, zwłaszcza w wypadku małej odporności wrodzonej na stresy, mogą wywołać ujemne zmiany w funkcjonowaniu dziecka w postaci reakcji nerwicowych.

Objawy reakcji nerwicowych są bardzo różne i w dużym stopniu zależą od typu układu nerwowego, cech temperamentalnych oraz cech osobowości, a także od wieku dziecka. Występują głównie u dzieci młodszych i są zwykle przejawem ich negatywnych uczuć (lęku, gniewu, złości, zazdrości, buntu itp.) oraz nieuświadomionych mechanizmów obronnych prowadzących do zmniejszenia napięcia emocjonalnego. Mają one charakter głównie monosymptomatyczny, tzn. dotyczą czynności jednego z podstawowych układów, np. układu moczowego (mimowolne moczenie nocne, a rzadziej popuszczanie moczu w ciągu dnia u dzieci, które już dobrze miały opanowane nawyki czystości) lub układu pokarmowego (obżarstwo z otyłością, mimowolne popuszczanie kału do majtek, bóle brzucha niezależne od spożywanych pokarmów, nawykowe wymioty).

Bardzo często reakcje nerwicowe pojawiają się w postaci zaburzeń układu ruchu, do których zaliczają się tiki (ruchy mimowolne w obrębie mięśni twarzy, szyi, kończyn) oraz jąkanie (wielokrotne powtarzanie pierwszej samogłoski lub sylaby wyrazu – a-a-aparat, ma-ma-mamusia albo trudności w wymawianiu słów zaczynających się od spółgłosek b d g m p s t). Rzadziej reakcje nerwicowe przybierają formę mutyzmu, ujawniającego się w postaci całkowitego milczenia i nieodzywania się (mutyzm całkowity) lub wybiórczego (mutyzm częściowy), chociaż narządy mowy są nieuszkodzone i poprzednio dziecko wypowiadało się łatwo.

Reakcje nerwicowe u dzieci są na ogół przemijające, jeśli zapewni się dziecku właściwą atmosferę domową, warunkującą jego poczucie bezpieczeństwa i jeśli zostanie ono zaakceptowane takie, jakie jest. Wymaga to niejednokrotnie pomocy ze strony psychologów w poradni rodzinnej.

Jeśli sytuacja rodzinna i warunki społeczno-kulturowe dziecka nie ulegają zmianie, reakcje nerwicowe ulegają wzmocnieniu ze stopniowym rozwojem specyficznych, neurotycznych cech osobowości, które w istotny sposób mogą zaburzać społeczne funkcjonowanie dziecka w domu i poza domem. Dziecko coraz częściej porównuje siebie z innymi dziećmi na swoją niekorzyść (egocentryzm nerwicowy), ma coraz większe poczucie mniejszej wartości własnej, nie wierzy w swoje siły i możliwości przy nadmiernie rozwiniętych potrzebach i braku umiejętności dawania, nie ufa osobom dorosłym spostrzeganym przez siebie jako osoby zagrażające mu, stroni od rówieśników, a jeśli z kimś nawiąże kontakty – żąda wyłączności uczuć przy dążeniu do dominacji lub uzależnienia się, staje się też coraz mniej odporne na sytuacje trudne i stresy, które budzą w nim niepokój i lęk (osiowy objaw każdej postaci nerwicy).

Objawy nerwicowe ujawniają się przede wszystkim u dzieci w wieku szkolnym, a zwłaszcza w okresie pokwitania, kiedy to wzrastają wymagania społeczne, jakie dziecku stawia środowisko szkolne i rodzinne, a także gdy pojawiają się osobiste problemy dorastającego dziecka w dążeniu do osiągnięcia dorosłości.

Nerwice dzieci i młodzieży mają, podobnie jak reakcje nerwicowe, różne postacie. Na ogół tworzą pewne, mniej lub bardziej zwarte zespoły, przypominające nerwice u osób dorosłych. Niektóre z nich szczególnie często występują u młodzieży, np. nerwica lękowa, fobia szkolna, nerwica histeryczna, nerwica natręctw, depresyjna i hipochondryczna.

Nerwica lękowa – dominują w niej niepokój i lęk, których źródeł dziecko nie potrafi określić. *Objawia się* stałym niepokojem i uczuciem stałego zagrożenia z obawą i oczekiwaniem na najgorsze wydarzenia, co utrudnia dziecku w szkole koncentrację uwagi, logiczne myślenie i przypominanie wyuczonych dobrze wiadomości („pustka w głowie" przy wezwaniu do odpowiedzi). Tym przykrym odczuciom towarzyszą różne dolegliwości (np. bóle brzucha, głowy), zaburzenia snu (trudności w zasypianiu, krótki, powierzchowny sen z wczesnym budzeniem się, koszmary senne), brak łaknienia lub okresowo nadmierny apetyt, bóle brzucha i biegunki, parcie na mocz, gwałtowne bóle w klatce piersiowej w okolicy serca, przyśpieszenie akcji serca, skurcze dodatkowe, uczucie duszności itp.

Niekiedy lęk i przykre napięcie emocjonalne przybierają formę *fobii*, tzn. pojawiają się tylko w określonych sytuacjach lub dotyczą pewnych przedmiotów, zwierząt itp. U dzieci w *starszym wieku szkolnym* najczęściej obserwuje się *fobię szkolną*, polegającą na silnym uczuciu lęku odczuwanym na terenie szkoły lub nawet na samą myśl o pójściu do niej, prowadzącą do unikania, a nawet całkowitej odmowy uczęszczania na zajęcia szkolne, uzasadnianej przez dziecko mało przekonywającymi argumentami. Fobia ta ma *charakter przewlekły* i rozwija się stopniowo na tle nieprawidłowej sytuacji w domu rodzinnym (matka nadopiekuńcza, ojciec bierny, dziecko niedojrzałe emocjonalnie, mało samodzielne, z neurotycznymi cechami osobowości, silnie związane z domem, w którym czuje się bezpieczniej niż w szkole), w odróżnieniu od *fobii ostrej*, pojawiającej się u dzieci w *młodszym wieku szkolnym* pod wpływem silnego wstrząsu psychicznego w klasie (np. ośmieszenie wypowiedzi lub wypracowania dziecka przez nauczyciela w obecności kolegów) i ustępującej szybko, gdy sytuacja w szkole ulegnie poprawie. Dziecko powinno nadal uczęszczać do szkoły.

Zasadniczymi objawami *przewlekłej fobii szkolnej*, na skutek których dorastające dziecko może opuścić zajęcia szkolne za zgodą rodziców, są zaburzenia somatowegetatywne, np. bóle brzucha, wymioty, zawroty głowy itp., występujące zwykle przed pójściem do szkoły i natychmiast ustępujące, gdy uczeń może pozostać w domu. Badania lekarskie, jakie z reguły przeprowadzają dzieciom zaniepokojeni rodzice, aby wyjaśnić przyczynę powtarzających się objawów chorobowych, nie wykazują żadnych chorób w organizmie dziecka uzasadniających te objawy. Zmuszanie dziecka do pójścia do szkoły powoduje tak znaczne nasilenie objawów chorobowych, że zostaje ono odesłane do domu jako ciężko chore lub jest posądzane o symulację, co jeszcze bardziej pogłębia objawy tej postaci nerwicy lękowej.

Rokowanie w nerwicy lękowej na ogół jest dobre, gdyż objawy lęku stopniowo ustępują, chociaż mogą występować okresowe ich nawroty pod wpływem sytuacji trudnych. W przewlekłej fobii szkolnej rokowanie jest niepewne ze względu na nieprawidłową socjalizację dziecka od wczesnego dzieciństwa. Powrót do zajęć szkolnych jest wynikiem pomyślnego działania psychoterapeutycznego w poradni rodzinnej, a nie podstawowym warunkiem, jak w postaci fobii ostrej u młodszych dzieci.

Nerwica histeryczna (pitiatyczna, dysocjacyjna) występuje u tej dorastającej młodzieży, którą cechuje wrodzona duża reaktywność i słaba odporność na stresy oraz przewaga struktur popędowo-emocjonalnych przy niedojrzałości wyższych struktur poznawczych. Spowodowane jest to wadliwą socjalizacją dziecka od wczesnego dzieciństwa i specyficznymi cechami osobowości.

Nerwicę histeryczną określa wielu autorów jako nerwicę konwersyjną, tj. taką, w której lęk (osiowy objaw każdej nerwicy) zostaje przekształcony (ulega konwersji) w zaburzenia somatyczne lub rzekomo neurologiczne, wskutek czego dochodzi do redukcji lęku i towarzyszącego mu przykrego napięcia emocjonalnego. Jednakże w nerwicy histerycznej nie wszystkie objawy mają charakter konwersji, toteż nie w każdym przypadku można używać zamiennie terminu histeria i konwersja, zwłaszcza że pojęcie histerii w języku popularnym ma znaczenie pejoratywne (o histeryku mówi się lekceważąco i pogardliwie). Dlatego też zręczniej jest posługiwać się określeniem nerwica pitiatyczna lub wg klasyfikacji amerykańskiej – nerwica dysocjacyjna.

Nerwica pitiatyczna wyzwalana jest przez sytuacje trudne, deprywacje potrzeb psychicznych dziecka (potrzeby miłości, akceptacji, czułości) z zaniedbaniem wychowawczym, nadopiekuńczą postawą matki oraz stawianiem dziecku zbyt wysokich wymagań w stosunku do jego możliwości i uzdolnień.

Objawy kliniczne są bardzo bogate i zmienne w swym przebiegu. Są to omdlenia, napady drgawkowe imitujące napady padaczkowe, niedowłady jednej kończyny lub porażenie połowicze, niemożność stania bez oparcia (astazja) i chodzenia (abazja), skurcz palców dominującej ręki utrudniający pisanie i odrabianie lekcji, kurcze przełyku (globus histericus) uniemożliwiające przełykanie pokarmów, częste skargi na bóle i zawroty głowy, nudności, bóle brzucha, bóle w okolicy serca, duszność. Wszystkim wymienionym objawom może towarzyszyć obniżony nastrój i myśli samobójcze (zespół pitiatyczno-depresyjny).

Objawy nerwicy pitiatycznej są często lekceważone przez otoczenie i niesłusznie traktowane jako symulacja, gdyż dziecko nerwicowe zupełnie nieświadomie przejawia różne objawy chorobowe i głęboko w nie wierzy, podczas gdy symulant celowo i świadomie wprowadza otoczenie w błąd dla z góry zamierzonych korzyści. Choroba daje jednak dziecku wiele korzyści. Dzięki objawom chorobowym w sposób nieświadomy redukuje ono deprywację potrzeb, niweluje poczucie mniejszej wartości i może usprawiedliwić wszystkie swe porażki życiowe i trudności w nauce tym, że jest chore. Ponadto z reguły zostaje otoczone większą troskliwością rodziców, jest zwalniane z obowiązków domowych, otrzymuje lepsze stopnie w szkole niż na nie zasługuje i długi czas może być przedmiotem troski nauczycieli i kolegów w klasie.

Rokowanie w nerwicy pitiatycznej jest niepewne, bo z trudem nerwica ta poddaje się psychoterapii, a skuteczność leczenia w dużej mierze zależy od układów rodzinnych i włączenia w ćwiczenia terapeutyczne rodziców w celu zmiany ich nastawienia do dziecka.

Nerwica natręctw należy do najcięższych zaburzeń nerwicowych u dzieci i młodzieży. Źródłem jej jest środowisko rodzinne, brak ciepła, serdeczności i spontaniczności rodziców w okazywaniu uczuć, a szczególnie często skrajnie rygorystyczne wymagania oschłej matki, przeciw którym dziecko wewnętrznie buntuje się, choć kochając ją stara się uczynić zadość jej wymaganiom.

Objawy. Dziecko nękane jest stale nawracającymi myślami (obsesjami) o przykrej treści niezgodnej z moralnymi i etycznymi uczuciami, np. myśli o uśmierceniu osoby bliskiej, ma myśli bluźniercze, często o treści seksualnej. Myśli te współwystępują z różnymi czynnościami natrętnymi, często bezsensownymi, mającymi na celu rozładowanie lęku i napięcia emocjonalnego wynikających z natrętnych myśli. Dziecko przy tym zdaje sobie sprawę, że jego myślowe natręctwa są absurdalne, a przymusowe czynności – bezsensowne i bezcelowe, ale im większe czyni wysiłki, aby je pokonać, tym bardziej i uporczywiej one wracają, wyzwalając coraz większy lęk i niepokój. Okresy względnego spokoju wewnętrznego stają się coraz krótsze, dziecko nie jest w stanie czymkolwiek się zająć, nie może skupić się nad lekcjami i zadawaną pracą w domu, coraz częściej ma uczucie przygnębienia i osobistej klęski.

Rokowanie jest niepewne. W dużej mierze zależy ono od cech osobowości dziecka, u którego dominują wyższe struktury poznawcze, świadczące o wysokim stopniu samokontroli swych uczuć i emocji, małej samoakceptacji z dużą dozą autoagresji i lękiem przed ujawnieniem przed otoczeniem nie tylko swych uczuć negatywnych, ale i pozytywnych, czego zresztą nauczono je w domu rodzinnym.

Leczenie polega na długiej psychoterapii, której celem jest nauczenie dziecka akceptacji samego siebie i umiejętności okazywania uczuć tak złych, jak i pozytywnych.

Leczenie nerwic. Podstawą leczenia nerwic są różne formy psychoterapii, czyli świadomego, planowanego i systematycznego oddziaływania za pomocą środków psychologicznych – werbalnych i niewerbalnych, dostosowanych do wieku dziecka i występujących objawów. Celem psychoterapii jest zmniejszenie niepokoju i redukcja lęku dziecka, osłabienie poczucia krzywdy i winy oraz uodpornienie go na stresy życia codziennego i nauczenie właściwego radzenia sobie w sytuacjach trudnych.

Aby leczenie przyniosło skutek u dzieci młodszych, często psychoterapią należy objąć całą rodzinę. U dzieci starszych sama psychoterapia rodzinna nie zawsze daje efekty, zwłaszcza gdy jedno lub oboje rodzice mają poważne zaburzenia osobowości, wymagające odpowiedniej terapii indywidualnej.

Leczenie farmakologiczne powinno być stosowane pomocniczo. Same leki bez psychoterapii dziecka i jego rodziny znoszą czasowo tylko pewne objawy somatyczne czy somatowegetatywne, a nie usuwają ich przyczyn, do których dociera psychoterapeuta. Nie usuwając przyczyn – nie dają zatem trwałego efektu, niepotrzebnie też umacniają rodziców i samo dziecko w przekonaniu, że podstawowym źródłem jego choroby są czynniki fizyczne a nie psychologiczne (zaburzenia emocjonalne).

Zaburzenia psychosomatyczne

Są to zaburzenia fizjologicznych czynności narządów, lub nawet ich poważne choroby, uwarunkowane wieloma czynnikami, wśród których niepoślednią rolę odgrywają czynniki psychogenne.

Przyczyny. O rozwoju choroby psychosomatycznej u dzieci, poza niewłaściwymi warunkami środowiska domowego, decydują specyficzne cechy osobowości dzieci, które usposabiają do szczególnego przeżywania każdej sytuacji konfliktowej, wynikającej z braku umiejętności wzajemnego porozumienia się w rodzinie. Powoduje to przewlekłe stany napięć emocjonalnych z uczuciem niepokoju i lęku, wyzwalające z czasem objawy chorobowe w tych narządach organizmu, których wrażliwość na bodźce emocjonalne jest konstytucjonalnie uwarunkowana. Dzieci z chorobą psychosomatyczną różnią się od dzieci nerwicowych tym, że skarżą się jedynie na różne dolegliwości ze strony narządów, pomijając całkowicie doznania psychiczne, które uważają za naturalny skutek swych dolegliwości, a nie za ich przyczynę.

Objawy chorób psychosomatycznych są bardzo różne i zależą od narządu, który na czynniki emocjonalne odpowiada zaburzeniami czynności. Istnieje wiele zespołów chorób psychosomatycznych, jak np. astma oskrzelowa, choroba wrzodowa żołądka i dwunastnicy, wrzodziejące zapalenie jelita grubego, nadciśnienie młodzieńcze – są one opisane w innych miejscach – a także naczynioruchowe bóle głowy oraz migreny.

Zaburzenia w odżywianiu

Zaburzenia w odżywianiu zostały wydzielone w osobną grupę zaburzeń na podstawie tezy, że w pewnych przypadkach, szczególnie u dziewcząt (8:1), w okresie pokwitania, jedzenie, waga, sylwetka i wymiary ciała stają się obsesyjnym centrum niezaspokojonych potrzeb psychicznych. Do tych zaburzeń zalicza się przede wszystkim jadłowstręt psychiczny (anoreksję nerwową), napady wzmożonego apetytu, tzw. wilczy głód (bulimię), i wewnętrzny przymus nadmiernego jedzenia (kompulsywne objadanie się).

Jadłowstręt psychiczny – anoreksja nerwowa jest złożoną jednostką chorobową, w której czynniki biologiczne splatają się z czynnikami psychologicznymi. W przebiegu tej choroby wyróżnia się 3 fazy: 1) świadoma walka z głodem, a szczególnie ograniczanie tłuszczów i węglowodanów, przy dobrym apetycie i dobrym stanie ogólnym, spowodowane nietolerowaniem wizerunku własnego ciała i sylwetki (wierzy, że jest gruba, choć wcale może nie mieć nadwagi); 2) głód jest coraz słabiej odczuwany, a postępujące wychudzenie daje poczucie władzy nad sobą i otoczeniem, uczucie lekkości i sprawia zadowolenie, choć w miarę spadku ciężaru ciała pojawia się lęk, czy nie je za dużo. Dlatego głodowanie zostaje wzmocnione zarówno psychologicznie, jak i fizjologicznie (za pomocą środków przeczyszczających, pigułek dietetycznych obok intensywnych ćwiczeń fizycznych); 3) całkowita utrata apetytu i uczucia głodu, tj. wystąpienie prawdziwego jadłowstrętu psychicznego przy znacznym spadku ciężaru ciała i braku poczucia choroby, a w miejsce początkowego zadowolenia, jako efekt niedożywienia, pojawia się depresja, niepokój i przerażenie, czy nie utraci swej niezależności i poczucia własnej wartości wypracowanych długotrwałą głodówką.

Przy każdej długotrwałej i wyniszczającej głodówce wraz ze znaczną utratą masy ciała pojawiają się powikłania fizyczne, wśród których poza zmianami skórnymi (skóra staje się sucha, szorstka, łuszcząca się) do najpoważniejszych należą: zmniejszenie wydolności serca na skutek zwiotczenia lewej komory, obniżenie ciśnienia tętniczego krwi oraz zwolnienie tętna; obniżenie poziomu cukru we krwi (hipoglikemia) w wyniku ubytku glikogenu i zapasów tłuszczów w organizmie; obniżenie ciepłoty ciała (hipotermia) z ciągłym uczuciem zimna i dreszczami; zatrzymanie miesiączkowania, któremu towarzyszy niedobór estrogenów i progesteronu, co powoduje zrzeszotowienie kości i zwiększa ryzyko złamań; zaburzenia pracy nerek w postaci odwodnienia i trudności koncentracji moczu, co daje zwiększone pragnienie; zaburzenia pracy układu pokarmowego, objawiające się zaparciami, a przy stosowaniu środków przeczyszczających – biegunkami, zwiększającymi jeszcze bardziej odwodnienie i zaburzenia elektrolitowe (ubytek sodu, potasu i magnezu).

Wyniszczająca głodówka wypacza również psychikę młodego człowieka, powodując stany rozdrażnienia albo apatię, zaprzeczanie chorobie i brak zgody na leczenie.

Istnieje wiele hipotez dążących do wyjaśnienia przyczyn jadłowstrętu. Najwięcej zwolenników ma pogląd, że podłożem tej choroby są zaburzenia emocjonalne, a przyczyną tych zaburzeń nieprawidłowe układy rodzinne. Według Minuchina rodziny anorektyków cechują 3 zasadnicze cechy: uwikłanie, nadopiekuńczość i sztywność, tzn. wszyscy członkowie rodziny wzajemnie troszczą się o innych członków rodziny, a nie o siebie, unikają jawnych konfliktów, wobec których są całkowicie bezradni. Nie umieją też rozwiązywać swych poblemów, jak i otwarcie ze sobą rozmawiać. Dziecko zatem nie ma możliwości usamodzielnienia się, jest niedojrzałe emocjonalnie, często miewa ograniczone zainteresowania, małą odporność na stresy i niepowodzenia szkolne, zwłaszcza że stawia sobie bardzo wysokie wymagania, jeśli chodzi o naukę i stopnie, bo na ogół cechuje je perfekcjonizm.

Leczenie polega na izolacji chorego od środowiska rodzinnego i umieszczeniu na oddziale psychosomatycznym lub psychiatrii młodzieżowej. Obok podawania bogato energetycznej diety (nieraz karmienie musi się odbywać przez sondę), równolegle prowadzona jest psychoterapia mająca doprowadzić do współpracy chorego w zwalczaniu jadłowstrętu i uświadomieniu mu przyczyn tego zaburzenia. Konieczna jest przy tym wnikliwa ocena sytuacji rodzinnej dziecka i wzajemnych relacji między nim a rodzicami, którzy z reguły wymagają również odpowiedniego oddziaływania psychoterapeutycznego.

Rokowanie: trudno jednoznacznie określić stopień skuteczności leczenia. Niektórzy badacze oceniają, że u 15–20% chorych anoreksja powoduje trwałe zmiany w organizmie, jeśli nie zostanie rozpoznana w pierwszych miesiącach i przechodzi w postać chroniczną. Im wcześniej zostanie rozpoznana i im szybciej rozpocznie się właściwe leczenie, tj. połączone z psychoterapią indywidualną i rodzinną, tym łatwiejsze jest wyrównanie jej biologicznych i psychicznych skutków.

Chorego zaniedbanego, z anoreksją chroniczną, trwającą kilka lat, niewłaściwie lub wcale nieleczoną, czy też nie rozpoznaną w odpowiednim czasie, może nie udać się uratować. Ocenia się, że stopień śmiertelności – na skutek powikłań zdrowotnych – należy tu do najwyższych wśród zaburzeń psychicznych. Według niektórych badaczy śmiertelność w wyniku skrajnego wyniszczenia organizmu waha się od 5 do 18%, a około 2–5% chorych z chroniczną anoreksją popełnia samobójstwa na skutek narastającej depresji.

Wzmożone łaknienie – „wilczy głód" – bulimia jest to zespół chorobowy dotyczący zaburzeń w przyjmowaniu pokarmów i nierozerwalnie związany z konfliktami wewnętrznymi, jakie trapią dorastającą młodzież. Występuje znacznie częściej u dziewcząt niż u chłopców (9:1).

Podobnie jak w anoreksji, problemy psychologiczne splatają się z elementami fizjologicznymi. Istotą tego zespołu chorobowego jest okresowe, występujące co najmniej dwa razy w tygodniu przez nie mniej niż 3 miesiące, zjadanie wielkiej ilości pożywienia w krótkim czasie, przy nadmiernej koncentracji na jedzeniu i braku jakiejkolwiek kontroli. Objadaniu się towarzyszą różne rytuały, niepokój wywołany obżarstwem, poczucie wstydu i winy, a często także przygnębienie z myślami samobójczymi.

Chore dziewczęta swoje napadowe objadanie się utrzymują w tajemnicy i z reguły jedzą w ukryciu, głównie słodycze i pokarmy wysokokaloryczne o konsystencji ułatwiającej szybkie ich połykanie. Starają się przy tym przeciwdziałać tuczącym efektom nadmiernego spożycia pokarmów różnymi sposobami. Najczęściej stosują środki przeczyszczające i moczopędne, a także leki hamujące apetyt (głównie z grupy amfetaminy). Ich wysiłki są jednak znikome, wobec czego pozbywają się zjedzonego pokarmu prowokując wymioty natychmiast po obżarstwie. Z czasem dochodzi do odruchowych – już nie prowokowanych – wymiotów po każdym posiłku, co w miarę upływu czasu powoduje wiele zaburzeń biochemicznych z objawami zasadowicy metabolicznej (utrata kwasu solnego, obniżenie poziomu potasu, magnezu, fosforu), a także obniżenie poziomu cukru (hipoglikemia) i cholesterolu we krwi (hipocholesterolemia).

Następstwem długotrwałej bulimii i związanych z nią zaburzeń metabolicznych są rozmaite objawy somatyczne. Należą do nich obrzęki uogólnione lub miejscowe (głównie kończyn dolnych), nadżerki i przebarwienie szkliwa zębowego oraz stan zapalny dziąseł (skutek działania kwasu solnego przy wymiotach), obniżenie napięcia mięśniowego, bolesne kurcze łydek, osłabienie odruchów mięśniowych, brzęczenie w uszach, zaburzenia rytmu serca, obniżenie tętniczego ciśnienia krwi, duszność, omdlenia, a także postępujące uszkodzenie nerek, które – niezdolne do koncentracji moczu – są podatne na tworzenie się kamicy nerkowej.

Zdaniem większości badaczy podłożem bulimii są długotrwałe trudności emocjonalne, na które nakładają się codzienne wydarzenia stresowe w rodzinie i nieadekwatne relacje w grupie rówieśniczej, uwarunkowane częściowo specyficznymi cechami osobowości chorych dziewcząt. Charakteryzuje je niska samoocena, słaba odporność na stresy, impulsywność, zmienność nastrojów, skłonność do depresji, bezradność, uczucie osamotnienia, a często rozpaczy i beznadziejności. Według koncepcji psychoanalitycznej zachowanie bulimiczne chorych dziewcząt służy obniżeniu napięcia i w pewnym sensie regulacji życia emocjonalnego, zwłaszcza w środowisku rodzinnym. Rodziny bulimiczek różnią się od rodzin anorektyczek. Przede wszystkim są mniej spójne, chaotyczne, a rodzice mniej zaangażowani uczuciowo, często jawnie skłóceni ze sobą i tym samym mało zainteresowani chorym dzieckiem. Związek matka – córka, który w przeciętnej rodzinie jest zawsze bliski, w tych rodzinach często staje się wrogi. Matki bulimiczek, to na ogół kobiety agresywne, dominujące, surowe, wymagające i kontrolujące, skłonne do depresji i odległe emocjonalnie od swych córek. Ojcowie natomiast w takich rodzinach są z reguły nerwowi, impulsywni, bez kontaktu uczuciowego z chorą córką.

R o z p o z n a n i e bulimii ustala się na podstawie następujących kryteriów: powtarzające się co najmniej dwa razy w tygodniu i nie mniej niż przez trzy miesiące potajemne zjadanie dużej ilości pokarmów; brak kontroli nad sobą i tym, co się zjada; stosowanie bezpośrednio po objedzeniu się środków przeczyszczających i prowokowanie wymiotów, zażywanie leków hamujących apetyt i uprawianie intensywnych ćwiczeń fizycznych.

L e c z e n i e, podobnie jak u anorektyków, polega na izolacji chorego od środowiska rodzinnego, uregulowaniu jadłospisu z ograniczeniem głównie tłuszczów i węglowodanów, a przede wszystkim na prowadzeniu długotrwałej terapii, nie tylko pacjenta, ale i całej rodziny, a szczególnie dążeniu do zmiany układów między rodzicami oraz między matką i córką, co nie zawsze łatwo uzyskać. W przypadkach skłonności do depresji i okresowych zmian nastroju psychoterapię pacjenta wspomaga się środkami farmakologicznymi, stosując głównie leki przeciwdepresyjne, które nie leczą bulimii, ale zmniejszają intensywność jej objawów, zmniejszają liczbę nawrotów i podatność na zachowanie bulimiczne.

R o k o w a n i e, podobnie jak w anoreksji, jest tym lepsze, im wcześniej postawi się właściwe rozpoznanie i rozpocznie odpowiednie postępowanie lecznicze. Przy chronicznej bulimii, trwającej co najmniej 2 lata, leczenie jest skuteczne tylko u 25% chorych. A bywa i tak, że osoba wyleczona powraca do swych nawyków objadania się pod wpływem sytuacji stresowych.

Wewnętrzny przymus nadmiernego jedzenia polega na przymusowym objadaniu się. U podstaw tego zjawiska leżą problemy psychologiczne, a ciężar ciała znacznie przewyższający normę, jak i sylwetka oraz sposób odżywiania się są centrum zainteresowań danej osoby, podobnie jak w anoreksji czy bulimii. Występuje głównie u dziewcząt, znacznie rzadziej u chłopców (9:1), chociaż ostatnio i u nich stwierdza się narastanie tego zjawiska.

Od bulimików osoby z przymusowym objadaniem się różnią się znaczną nadwagą (w bulimii waga jest bliska normy), nie używają środków przeczyszczających i nie pozbywają się spożytego pokarmu poprzez prowokowanie wymiotów bezpośrednio po jedzeniu, natomiast, podobnie jak w bulimii, stosują różne, wymyślne diety, które z reguły nie skutkują, bo nie rozwiązują ich problemów psychologicznych.

U podłoża przymusowego objadania się bowiem leżą nie zrealizowane pragnienia i brak radzenia sobie z trudnościami życia codziennego i sytuacjami stresowymi. Jest to skutek wadliwego wychowania dziecka w rodzinach, w których jedzenie bywa nierozwiązalnie połączone z uczuciami i jest dobre na każde zmartwienie, koi cierpienie i ból, bo zawsze jest pod ręką, lub w których do jedzenia przywiązuje się nadmierną wagę.

Brak efektów opanowania wewnętrznego przymusu objadania się z reguły wywołuje upokorzenie, uczucie wstydu i porażki, a także depresję, na co reakcją jest objadanie się.

Leczenie, podobnie jak w bulimii i w anoreksji, polega na izolacji od środowiska (młodzieżowy oddział psychiatryczny lub sanatorium neuropsychiatryczne), uregulowaniu jadłospisu oraz psychoterapii pacjenta i jego rodziny, mającej na celu uświadomienie im, w jaki sposób jedzenie stało się mechanizmem obronnym w trudnych sytuacjach życiowych pacjenta.

Rokowanie jest dobre, jeśli osoba dotknięta wewnętrznym przymusem jedzenia uświadomi sobie, że jej postępowanie nie jest prawidłowe, a rodzina zrozumie psychiczne podłoże choroby i przestanie traktować ją jak leniwego żarłoka, nie mającego silnej woli, ale poprzez dietę, sport i obozy dla osób z nadwagą pomoże jej pozbyć się nawyków objadania.

Naczynioruchowe, tj. napięciowe, zwykłe bóle głowy u dzieci i młodzieży pojawiają się przeważnie po emocjach, przemęczeniu nauką, przy braku snu, a u dziewcząt przed lub w czasie miesiączki, zmianach atmosferycznych. Są niezbyt silne, tępe, obejmują całą głowę, rzadziej lokalizują się w skroniach lub w potylicy, trwają cały dzień lub kilka dni i na ogół nie utrudniają dziecku nauki i codziennych zajęć. Wyraźnie nasilają się przy kaszlu, parciu na stolec, schylaniu się.

Migrena. Są to napadowe, nawracające bóle głowy o rozmaitym nasileniu, czasie trwania i różnej częstości występowania. Pojawiają się zwykle w okresie dojrzewania, rzadziej u młodszych dzieci, trzykrotnie częściej u dziewcząt niż u chłopców.

Wielu współczesnych badaczy uważa, że obok czynników psychicznych (stresy i stany napięć emocjonalnych) o napadach migreny decydują cechy osobowości chorego, a także konstytucjonalnie uwarunkowana niestabilność mózgowych ośrodków regulacyjnych wzgórzowo-podwzgórzowych, tworu siatkowatego i układu limbicznego. Ostatnio wspomina się również o blokach metabolicznych w zakresie polipeptydów i amin biogennych, dziedziczonych recesywnie lub w sposób dominujący.

Stwierdzono, że napady migreny mogą wywoływać nie tylko czynniki psychiczne, ale także czynniki zewnątrz- i wewnątrzpochodne, jak zmiany atmosferyczne, miesiączka, nadmiernie długi sen lub niedobory snu, spożywanie niektórych pokarmów, np. czekolady, kakao, owoców cytrusowych, jaj, mleka i twarogu, tłustych potraw.

Najczęstszą postacią migreny u dzieci jest migrena zwykła. W napadach można wyróżnić 3 fazy: W fazie I (tzw. okres zwiastunów) dominuje drażliwość, obniżony nastrój i niepokój, w fazie II pojawia się ból głowy, który narasta gwałtownie lub stopniowo i najczęściej jednostronnie (skroń, oczodół, rzadziej potylica); ból ten jest silny, pulsujący, rwący lub świdrujący, nie pozwala dziecku na naukę i skupienie się. W fazie III chore dziecko, zmęczone bólem i często towarzyszącymi mu wymiotami, zasypia, po czym budzi się na ogół z dobrym samopoczuciem, choć czasami może jeszcze przez kilka dni odczuwać tępe, rozlane bóle, jak przy zwykłym, naczynioruchowym bólu głowy.

Leczenie bólów głowy, zarówno naczynioruchowych, zwykłych, jak i migreny, nie jest proste i zawsze powinno być poprzedzone wnikliwym badaniem neurologicznym i badaniami pomocniczymi. Rodzaj stosowanego leku zależy od czynników wywołujących bóle głowy. Wybór leku, ustalenie jego dawki, wskazania dotyczące trybu życia dziecka, zmiany tego trybu, diety należą do lekarza i powinny być ściśle przestrzegane.

Zaburzenia zachowania

Zaburzenia zachowania oznaczają wszelkie niepsychotyczne formy zachowań dzieci i młodzieży, naruszające ogólnie obowiązujące normy zachowania społecznego, niezależnie od tego, czy powodują konflikty z prawem, czy nie. Występują dziewięciokrotnie częściej u chłopców niż u dziewcząt. Rozwój umysłowy na ogół waha się w granicach normy, choć zdarzają się przypadki z wysokim ilorazem inteligencji, jak i z ilorazem poniżej normy.

W ocenie jakości zaburzeń zachowania bierze się pod uwagę 2 kryteria: stopień socjalizacji i stopień agresywności. Na tej podstawie wyróżnia się 4 cechy zachowania: uspołeczniony – nieuspołeczniony – agresywny – nieagresywny oraz różne kombinacje tych cech. Najlepiej rokuje typ nieagresywny, zdolny do kontaktów społecznych.

Wielu badaczy wyodrębnia 3 zespoły zaburzeń zachowania o różnym stopniu zagrożenia społecznego: 1) zespół niestabilności ze skłonnościami depresyjnymi, unikaniem kontaktów społecznych, z tendencjami do wycofywania się; stanowi on na ogół niewielkie zagrożenie społeczne; 2) zespół zachowania aspołecznego, cechującego się niechęcią do nauki i unikaniem wszelkiej pracy, wagarowaniem, skłonnościami do włóczęgostwa, nadużywaniem alkoholu, konfliktowością, ucieczkami z domu; stanowi on średni stopień zagrożenia społecznego; 3) zespół przestępczości z dużym poziomem agresji, brakiem empatii i tendencjami do znęcania się nad słabszymi, skłonnościami do kłamstw, kradzieży, rozbojów, włamań, napaści, podpalania i wandalizmu oraz manipulowania innymi ludźmi dla własnych korzyści.

Przyczyny zaburzeń zachowania są różne i na ogół wieloczynnikowe, wśród których istotną rolę odgrywają warunki środowiskowe (rodzina, grupy rówieśnicze); cechy osobowości; organiczne uszkodzenie mózgu, np. przy porodzie lub w następstwie urazu głowy we wczesnym dzieciństwie; predyspozycje genetyczne – najmniej uchwytne i poznane.

Jeśli chodzi o rodzinę, to najwięcej przyczynia się do zaburzeń zachowania dziecka tzw. wychowanie wahadłowe, charakteryzujące się ciągłymi przejściami od dyktatorskiego postępowania, z karami fizycznymi i maltretowaniem psychicznym dziecka od wczesnego dzieciństwa przez jedno lub oboje rodziców, do skrajnej pobłażliwości, przy zwykle słabym emocjonalnym stosunku do dziecka, zaniedbywaniem jego psychicznych i fizycznych potrzeb. Nie bez znaczenia jest również złe pożycie rodziców, nadużywanie alkoholu, choroby psychiczne, zła sytuacja materialna rodziny itp.

Zaburzenia zachowania mogą pojawiać się również przy wczesnodziecięcym organicznym uszkodzeniu mózgu, określanym jako mikrouszkodzenia czynności ośrodkowego układu nerwowego, cechujące się zaburzeniami emocjonalnymi i nadpobudliwością psychoruchową, nadmiernym rozproszeniem uwagi itp. (zob. s. 1342).

Współczesne badania wykazują, że niektóre dzieci szczególnie łatwo poddają się ujemnym wpływom rówieśniczego, demoralizującego środowiska, stąd przypuszcza się, że mogą to być uwarunkowania genetyczne, jeśli wykluczy się organiczne wczesnodziecięce uszkodzenie mózgu, a ich środowisko rodzinne jest poprawne z punktu widzenia norm etycznych. Niektórzy psychiatrzy wyrażają pogląd, że w przypadkach zespołów lekkich zaburzeń zachowania decydującą rolę odgrywają czynniki środowiskowe (rodzina i grupy rówieśnicze), natomiast czynniki genetyczne mają znaczenie w zespołach przestępczości, przejawiających się m.in. gwałtami, aktami wandalizmu i niszczycielstwa, a nawet zabójstwami.

Zachowania aspołeczne (o skłonnościach przestępczych) należy odróżnić od zachowań występujących w psychozach schizofrenicznych (hebefrenii), a także w depresji endogennej, które we wczesnym okresie mogą przebiegać z agresją, okrucieństwem w stosunku do zwierząt, pobudzeniem psychoruchowym, ucieczkami z domu, wagarami i konfliktami z prawem. W tych przypadkach konieczna jest obserwacja szpitalna dziecka.

Leczenie zaburzeń zachowania zawsze powinno być poprzedzone szczegółową oceną sytuacji rodzinnej dziecka, jak i jego badaniem psychologicznym, określającym rozwój umysłowy i cechy osobowości. Konieczne są również badania pomocnicze w celu wykluczenia lub potwierdzenia organicznego tła zaburzeń zachowania (rentgen czaszki, badanie elektroencefalograficzne mózgu, tomografia mózgowa itp.). Istotna jest również sytuacja szkolna dziecka, jego postępy w nauce, regularność chodzenia na lekcje, kontakty z rówieśnikami w klasie i poza domem.

Skuteczność łagodzenia lub zniwelowania zaburzeń zachowania w dużym stopniu zależy od dokładnej oceny dziecka i środowiska, w którym ono żyje. Niekiedy wystarczają konsekwentne zmiany w postępowaniu wychowawczym rodziców, czasem konieczna jest zmiana szkoły, a niekiedy psychoterapia całej rodziny i dziecka, łącznie z farmakoterapią. W skrajnych przypadkach, tj. u dzieci przejawiających cechy aspołeczne, stosowane są działania resocjalizacyjne (umieszczenie w zakładzie wychowawczym lub w zakładzie poprawczym).

Psychozy i zaburzenia psychotyczne

Psychozy i zaburzenia psychotyczne jest to grupa poważnych chorób psychicznych, charakteryzujących się zaburzeniami funkcji poznawczych, głównie spostrzegania i myślenia (omamy, urojenia, rozkojarzenia) oraz zaburzeniami emocjonalno-motywacyjnymi (depresja, mania, autyzm), a często również zaburzeniami świadomości, które w znaczący sposób utrudniają choremu prawidłowe funkcjonowanie społeczne.

Wyróżnia się dwie grupy psychoz: 1) psychozy endogenne, obejmujące schizofrenię i psychozy afektywne, oraz 2) psychozy egzogenne spowodowane różnymi czynnikami zewnątrzpochodnymi.

Psychozy endogenne

Przyczyny tych chorób, jak dotąd, nie są ustalone. Nie wykryto bowiem jeszcze określonego podłoża somatyczno-biologicznego ani też nie udowodniono, że są one wywoływane wyłącznie czynnikami psychogennymi. Coraz częściej uważa się je za przejaw zmniejszonej biologicznej wydolności mózgu, uwarunkowanej najprawdopodobniej defektem o podłożu genetycznym.

Schizofrenia. Objawy tej choroby zależą w dużej mierze od wieku chorego, w jakim pojawia się choroba. W wieku przedszkolnym dominuje stopniowo narastająca obojętność uczuciowa (tzw. chłód uczuciowy) i izolacja od otoczenia oraz równoczesne zmniejszanie się zainteresowania zdarzeniami zachodzącymi w otoczeniu dziecka. Pojawiają się też zaburzenia mowy o różnym charakterze, np. tworzenie własnych, dziwacznych słów (neologizmów), powtarzanie pytań (echolalia), powtarzanie tych samych słów i zdań na różne pytania (perseweracje), mówienie o sobie w drugiej osobie itp. Do zaburzeń tych mogą dołączyć się stereotypie ruchowe, tj. podskakiwanie, chodzenie na palcach, trzepotanie rękami. Rozwój umysłowy dziecka zwykle ulega zahamowaniu lub nawet regresji, tak że trudno odróżnić je od dzieci upośledzonych umysłowo, gdy choroba trwa dłużej.

W wieku szkolnym coraz wyraźniej uwidacznia się chłód uczuciowy, nawet w stosunku do najbliższych osób, izolowanie się od kontaktów z rówieśnikami i zamykanie się we własnym, często urojonym świecie (autyzm), interesowanie się problematyką oderwaną od rzeczywistości itd. Na tle tych objawów, pogłębiających się stopniowo, pojawiają się okresowo zaostrzenia psychotyczne w postaci zespołu paranoidalnego – dominują w nim urojenia, tj. fałszywe sądy o treści prześladowczej lub wielkościowej, nie poddające się korekcie mimo rzeczowych argumentów i przekonywania, a także omamy, głównie wzrokowe i słuchowe (doznania zmysłowe powstające bez żadnego bodźca, połączone z głębokim przekonaniem o realnym ich istnieniu). Zaostrzenia mogą mieć też charakter zahamowania ruchowego (katatonia hipokinetyczna) lub silnego pobudzenia psychoruchowego (katatonia hiperkinetyczna), a także mogą przybierać postać błazeńskiego zachowania z dziwacznymi wybuchami śmiechu lub agresji, wulgarnymi wyzwiskami (hebefrenia).

Leczenie schizofrenii u dzieci, podobnie jak u dorosłych, polega głównie na stosowaniu odpowiednich leków. Wyniki psychoterapii są jak dotąd, nietrwałe. Stosowane leki należą do grupy tzw. neuroleptyków, które mają wybiórczy wpływ na procesy psychiczne, działając antypsychotycznie (znoszą omamy i urojenia) i uspokajająco (znoszą stany pobudzenia psychoruchowego). O rodzaju leków i ich dawkach decyduje wyłącznie psychiatra dziecięcy, pod opieką którego dziecko powinno być od momentu pojawienia się pierwszych objawów choroby. Wyniki leczenia w dużej mierze zależą od osobowości dziecka przed chorobą oraz od wieku, w jakim dziecko zachorowało. Im później pojawią się objawy schizofrenii, tym łatwiej następuje remisja, czyli ustąpienie objawów chorobowych i powrót do normalnego życia. W przypadkach wczesnej schizofrenii 40–60% dzieci nie wykazuje poprawy stanu psychicznego, a nawet następuje u nich wyraźne pogarszanie funkcjonowania i przystosowania społecznego.

Psychoza afektywna lub **maniakalno-depresyjna** albo **cyklofrenia** charakteryzuje się dwufazowością, tj. naprzemiennym występowaniem stanów depresji i manii z rozmaicie długą przerwą (remisją) między nimi. U dzieci w początkowym okresie choroby może być tylko jedna faza (częściej stan depresyjny). W fazie depresyjnej góruje zły nastrój, niepokój ruchowy, lęk i myśli samobójcze, nie ma natomiast spowolnienia ruchowego i głębokiego poczucia winy, jakie cechują depresję u dorosłych. W fazie maniakalnej występuje wzmożony napęd, nieuzasadniony optymizm (euforia), nadmierne gadulstwo i gonitwa myśli ze znaczną przerzutnością uwagi, brakiem snu i niechęcią do jedzenia.

Leczenie psychozy afektywnej polega na podawaniu odpowiednich dla danej fazy leków, ściśle dawkowanych wg zalecenia przez psychiatrę zajmującego się młodzieżą (psychozy afektywne bowiem pojawiają się dopiero w okresie dorastania), pod którego opieką chory powinien być stale, nawet w okresach remisji, czyli niewystępowania objawów choroby. Rokowanie jest bardzo ostrożne, bo okresy remisji mogą być coraz krótsze, a fazy depresji i manii – coraz dłuższe.

Psychozy egzogenne

Psychozy egzogenne powstają w wyniku chorób infekcyjnych ogólnych i wewnątrzczaszkowych, urazów mechanicznych czaszki, zatruć chemikaliami, grzybami, w przebiegu ciężkich chorób somatycznych (np. białaczki), u chorych na padaczkę itp. Cechuje je ostry przebieg. Występują zwykle zaburzenia świadomości w postaci zespołu majaczeniowego lub zespołu splątaniowego.

Zespół majaczeniowy rozwija się stopniowo i na ogół jego objawy wykazują wahania dobowe: wybitnie nasila się pod wieczór i nocą niepokój i lęk, które słabną nad ranem i w południe. Na tle narastającego niepokoju i zmiennego nastroju pojawiają się przy tym iluzje i omamy wzrokowe o przerażającej treści. Kontakt z dzieckiem jest zachowany, odpowiada ono poprawnie na pytania, jak się nazywa, gdzie mieszka i ile ma lat, natomiast nie umie odpowiedzieć, gdzie jest, nie poznaje osób bliskich, nie orientuje się w czasie. Zespół majaczeniowy zwykle ustępuje wraz ze spadkiem gorączki i poprawy stanu ogólnego dziecka.

Zespół splątaniowy również rozwija się stopniowo, stanowi jednak znacznie cięższe powikłanie chorób zakaźnych i somatycznych u dzieci niż zespół majaczeniowy. Zespół splątaniowy cechuje ogólnie złe samopoczucie, bezsenność, podniecenie, zaburzenie toku myślenia z gonitwą myślową i zupełnym porwaniem wątku myślowego, brak orientacji co do miejsca i czasu z częściowo zachowaną orientacją w ocenie sytuacji i własnej osoby, silne pobudzenie ruchowe z bezładnym rzucaniem się po łóżku. Do objawów tych często dołączają się iluzje i omamy, lęk, a czasami stany osłupieniowe (katatoniczne). Stany splątaniowe mogą trwać wiele dni i tygodni, przekraczając trwanie samego zakażenia czy choroby somatycznej.

Leczenie psychoz egzogennych polega na stosowaniu leków z grupy neuroleptyków, tzn. działających wybiórczo na procesy psychiczne, np. znoszących objawy psychotyczne (omamy, urojenia), a także niepokój i pobudzenie ruchowe.

XVII. OSTRE ZATRUCIA U DZIECI

Wiadomości ogólne

Przyczyny zatruć u dzieci

Nieszczęśliwe wypadki w dobie obecnej powodują prawie 20% wszystkich zgonów dzieci. Znaczną część przyczyn tych zgonów stanowią zatrucia. Zatrucia u dzieci są zazwyczaj przypadkowe i najczęściej zdarzają się w wieku 2–5 lat. Dzieci w tym wieku wykazują już znaczną sprawność ruchową, ale jeszcze nie umieją przewidzieć skutków swojej aktywności. Padają ofiarą własnych poszukiwań i biorąc wszystko do ust, poznają w ten sposób otaczający świat. Świat ten jest pełen niebezpieczeństw, gdyż dzieci wychowują się w otoczeniu, w którym znajdują się różne substancje chemiczne w postaci kosmetyków, używek, środków do prania i czyszczenia, leków, środków przeciwko owadom i gryzoniom itp.

Nieznajomość tych faktów, zwykłe roztargnienie oraz niedostateczny nadzór ze strony rodziców i opiekunów powodują, że czujność ich w pewnych sytuacjach staje się niedostateczna i wystarcza chwila nieuwagi, aby dziecko wyszukało i spożyło substancję trującą.

Rodzaje zatruć

Zatrucia dzieci są zwykle przypadkowe, ale zdarza się, że dziecko ulega zatruciu wskutek podania mu omyłkowo przez osobę dorosłą niewłaściwego leku lub innej trucizny. Są to tzw. zatrucia jatrogenne. U starszych dzieci zatrucia mogą być zamierzone, w następstwie prób samobójczych, które są wynikiem nadmiernej reakcji na bodźce przerastające możliwości adaptacyjne dziecka. U młodzieży zatrucia są nierzadko wynikiem toksykomanii.

Eliminacja trucizn u noworodków i niemowląt

Większość przypadkowych zatruć u dzieci następuje w wyniku wprowadzenia do organizmu trucizny drogą przewodu pokarmowego. W zależności od rodzaju i dawki trucizny, wchłanianie odbywa się w różnych jego odcinkach. Na szybkość wchłaniania wpływa wiele czynników.

Głównym narządem, w którym zachodzi większość odtruwających procesów, jest wątroba, a najważniejszą drogą usuwania większości trucizn i produktów ich przemiany z ustroju jest wydalanie z moczem. Procesy odtruwania i wydalania substancji trujących u noworodków i małych niemowląt są mniej sprawne niż u osób dorosłych, gdyż wątroba ze względu na niedojrzałość procesów enzymatycznych ma mniejsze zdolności odtruwające. Duża przepuszczalność bariery krew-mózg ułatwia przenikanie trucizn egzogennych do ośrodkowego układu nerwowego, który u małych dzieci jest bardziej wrażliwy na działanie czynników toksycznych. Niedojrzałość czynnościowa nerek sprawia, że również wydalanie substancji trujących u noworodków i niemowląt jest wolniejsze niż u starszych dzieci i osób dorosłych.

Rola informacji w rozpoznawaniu i leczeniu zatruć

Lekarz powiadomiony o zatruciu dziecka, znając tylko nazwę fabryczną preparatu nie zawsze jest w stanie ustalić rodzaj środka toksycznego. W tych wypadkach musi zwracać się do ośrodków informacji toksykologicznej telefonicznie. Ośrodki takie, mieszczące się w Łodzi, Warszawie i w większych miastach wojewódzkich, udzielają informacji z zakresu diagnostyki i leczenia zatruć.

Lekarz udzielający pomocy zatrutemu dziecku zwykle zadaje rodzicom lub opiekunom szereg pytań. Muszą oni być przygotowani na udzielenie informacji, co połknęło dziecko, w jakiej ilości, kiedy, ile czasu upłynęło od zatrucia, jakie wystąpiły objawy, czy dziecko przed zatruciem nie było chore i jakie leki przyjmowało. Od dokładnych informacji udzielonych przez rodziców zależy szybkie ustalenie rozpoznania.

W razie braku dokładnych danych o zatruciu ważne jest rozważenie wydarzeń poprzedzających zatrucie, poszukanie opakowania produktu, którym bawiło się dziecko i ponowne skontaktowanie się z lekarzem w celu przekazania mu dodatkowych informacji.

Zasady postępowania w ostrych zatruciach u dzieci

Pierwsza pomoc. Podstawową czynnością w udzielaniu pierwszej pomocy w zatruciach u dzieci jest usunięcie nie wchłoniętej jeszcze trucizny z organizmu. Przy kontakcie trucizny ze skórą lub oczami wskazane jest obfite przemywanie wodą, przy zatruciu wziewnym (wchłonięciu trujących gazów) wyniesienie dziecka z zatrutego otoczenia, zapewnienie mu dostatecznego dopływu świeżego powietrza, a w razie zatrzymania oddechu – stosowanie sztucznego oddychania. W zatruciach drogą doustną, jeśli trucizna znajduje się jeszcze w jamie ustnej, należy natychmiast usunąć ją palcem, a po połknięciu spowodować wymioty poprzez podrażnienie tylnej ściany gardła palcem, łyżką lub szpatułką. Często środkiem z wyboru jest podanie syropu wymiotnicy (można go podać w domu po uprzednim uzgodnieniu z lekarzem).

Zatrute dziecko może wymiotować samo. Należy wówczas ułożyć je na boku, głową w dół, najlepiej na kolanach siedzącej osoby dorosłej, aby uniknąć przedostania się wymiocin do dróg oddechowych.

Wymiotów nie wolno prowokować u dzieci nieprzytomnych i w stanie drgawkowym oraz u dzieci, które połknęły rozpuszczalniki organiczne (benzynę, naftę, terpentynę), ługi i kwasy żrące oraz związki powierzchniowo czynne, pieniące się.

Dzieciom zatrutym drogą doustną nie powinno podawać się mleka! Mleko może zwiększyć wchłanianie trucizny w przypadkach zatruć truciznami dobrze rozpuszczającymi się w tłuszczach: rozpuszczalnikami organicznymi (benzyną, naftą, terpentyną), środkami przeciwko molom (naftaliną, dwuchlorobenzenem), środkami owadobójczymi (insektycydami). Bezpiecznym i efektywnym środkiem wiążącym większość trucizn i zapobiegającym ich wchłanianiu jest aktywowany węgiel drzewny. Powinien być podany w postaci rozcieńczonej wodą papki: 1–2 łyżki stołowe w przypadku małego dziecka, 2–4 – w przypadku dziecka starszego.

Prawidłowy transport zatrutego dziecka. W każdym przypadku utraty przytomności przez dziecko lub zaburzeń jego świadomości należy podejrzewać zatrucie. Po zapewnieniu drożności dróg oddechowych (usunięcie śluzu z jamy ustnej i gardła) dziecko należy przetransportować do szpitala.

Transport powinien odbywać się w pozycji bezpiecznej, zapobiegającej zachłyśnięciu w następstwie wymiotów i uduszeniu przy zapadaniu się języka, najlepiej w ułożeniu na boku, na kolanach siedzącej osoby dorosłej.

Zabezpieczenie materiału do badań lekarskich. Zabierając zatrute dziecko z miejsca wypadku należy usiłować znaleźć to, co przypuszczalnie mogło ono przyjąć. Ponadto należy zabezpieczyć i zabrać ze sobą w naczyniach jego wymiociny, mocz i kał do badań mających na celu wykrycie trucizny.

Dotyczy to zwłaszcza tych wypadków, gdy dziecko uległo zatruciu nieznaną substancją.

Dalsze sposoby eliminacji trucizn z organizmu. Zatrute dzieci leczy się w warunkach szpitalnych, podobnie jak zatrute osoby dorosłe.

L e c z e n i e p o d t r z y m u j ą c e podstawowe czynności życiowe organizmu jest najważniejszym sposobem leczenia ciężkich, ostrych zatruć u dzieci. Ta metoda leczenia nazywa się i n t e n s y w n ą t e r a p i ą z a c h o w a w c z ą.

L e c z e n i e p r z y c z y n o w e, podobnie jak u dorosłych, polega na: 1) usunięciu trucizny nie wchłoniętej, 2) przeprowadzeniu, nawet po wymiotach, płukania żołądka, 3) oczyszczeniu dolnego odcinka przewodu pokarmowego za pomocą lewatywy lub, o ile nie ma przeciwwskazań, środków przeczyszczających. Do leczenia przyczynowego należy również postępowanie mające na celu przemianę trucizny w związki niewchłanialne lub mniej wchłanialne albo jej związanie (podanie węgla aktywowanego mającego właściwości adsorpcyjne). W dobrze wyposażonych szpitalach istnieją możliwości (jeśli jest to wskazane) zastosowania swoistych odtrutek. Działanie ich polega na zamianie czynnika toksycznego w postać nietoksyczną lub mniej toksyczną wydalaną z organizmu.

Wszystkie te sposoby eliminacji trucizn z organizmu noszą nazwę l e c z e n i a p i e r w o t n e g o.

L e c z e n i e w t ó r n e obejmuje metody polegające na przyspieszeniu eliminacji już wchłoniętej trucizny, takie jak stosowanie leków moczopędnych i dużych ilości płynów drogą dożylną (wymuszona diureza), dializa otrzewnowa, hemodializa, plazmafereza, hemoperfuzja.

Zatrucia lekami

Zatrucia środkami uspokajającymi i nasennymi

Pochodne benzodiazepiny. Leki te są często stosowane u dorosłych w leczeniu nerwic, stanów nadmiernego napięcia i stanów lękowych, w leczeniu bólów i kurczów mięśniowych. Stąd obecność ich w domach i zwiększona możliwość zatruć u dzieci.

Najczęściej używanymi lekami tej grupy są: Diazepam (Relanium, Valium), chlordiazepoksyd (Elenium, Librium), Oksazepam, Nitrazepam (Mogadon). Związki te działają depresyjnie na ośrodkowy układ nerwowy, wchłaniają się wolno z przewodu pokarmowego, ulegają przemianom w wątrobie i wydalane są z moczem w postaci metabolitów (przetworzonej).

O b j a w y z a t r u c i a: senność, zaburzenia równowagi i obniżenie napięcia mięśniowego, przyspieszenie akcji serca, spadek ciśnienia tętniczego krwi. W ciężkich zatruciach mogą wystąpić drgawki i utrata świadomości.

W razie podejrzenia zatrucia wykonuje się badanie moczu na obecność pochodnych benzodiazepiny.

P i e r w s z a p o m o c polega na wywołaniu wymiotów i płukaniu żołądka.

Leczenie szpitalne to przede wszystkim intensywna terapia zachowawcza. Nie mają tu zastosowania leki moczopędne ani dializa.

Pochodne fenotiazyny. Są to leki neuroleptyczne działające uspokajająco, a nie wywołujące senności. Należą do nich m.in. chloropromazyna (fenaktil), tiorydazyna, flufenazyna. Preparaty te, różniące się między sobą siłą działania i wartością leczniczą, dają podobne objawy zatrucia. Podobnie jak benzodiazepiny ulegają przemianom w wątrobie i wydalane są z moczem w postaci metabolitów, czyli związków już przetworzonych w organizmie.

Objawy zatrucia: pobudzenie, nudności, wysuszenie błon śluzowych, przyspieszenie tętna, obniżenie ciśnienia tętniczego, spadek temperatury ciała. W ciężkich zatruciach mogą pojawić się zaburzenia świadomości, sinica, kurcze mięśniowe, drgawki. Może dojść do ciężkiego uszkodzenia wątroby i układu krwiotwórczego.

Pierwsza pomoc polega na wywołaniu wymiotów.

Leczenie szpitalne to intensywna terapia zachowawcza.

Trójcykliczne środki antydepresyjne. Są lekami szeroko stosowanymi, zwłaszcza w leczeniu stanów depresyjnych. Najbardziej znanymi w kraju z tej grupy leków są: imipramina (Tofranil), amitryptylina (Saroten) i doksepina (Sinequan). Zatrucia tymi lekami są bardzo niebezpieczne i spożycie nieumyślne kilkunastu tabletek może doprowadzić do zgonu.

Objawy zatrucia: początkowo pobudzenie, następnie senność, śpiączka, spadek ciśnienia tętniczego krwi, drgawki, zaburzenia rytmu serca, zaburzenia czynności oddechowej, bezmocz (ustanie oddawania moczu).

Pierwsza pomoc polega na zapewnieniu drożności dróg oddechowych, na wywołaniu wymiotów (tylko u przytomnych dzieci) i najszybszym transporcie w pozycji bezpiecznej do szpitala.

Barbiturany. Najczęściej stosowanym lekiem z tej grupy jest fenobarbital (luminal), działający przeciwdrgawkowo i nasennie.

Objawy zatrucia: senność lub głębokie uśpienie, zwężenie źrenic, zmniejszone napięcie mięśniowe.

Pierwsza pomoc – u przytomnego dziecka polega na wywołaniu wymiotów, szybkim przewiezieniu do szpitala, zabraniu ze sobą moczu dziecka na badanie laboratoryjne na obecność barbituranów; u nieprzytomnego dziecka nie prowokuje się wymiotów, konieczny przewóz do szpitala w pozycji bezpiecznej.

Zatrucia środkami przeciwgorączkowymi i przeciwbólowymi

Większość tych leków jest w powszechnym użyciu i bywa dostępna bez recepty i poza aptekami. Zazwyczaj w apteczce domowej znajdują się salicylany (polopiryna, asprocol, calcipiryna, analgan) oraz pochodne pyrazalonu (piramidon, pyralgina, butapirazol).

Zatrucia salicylanami u dzieci spowodowane są najczęściej przypadkowym spożyciem polopiryny lub proszków przeciwbólowych zawierających polopirynę. U niemowląt zatrucia mogą wystąpić przy stosowaniu maści salicylowej wchłanianej przez skórę i błony śluzowe. Zdarzają się też zatrucia spowodowane bezkrytycznym podawaniem dziecku dużych dawek polopiryny w celu obniżenia gorączki.

Zatrucia salicylanami prowadzą do zakłócenia równowagi kwasowo-zasadowej (zob. Fizjologia, s. 142) i wystąpienia zasadowicy oddechowej z nadmierną wentylacją płuc, później kwasicy metabolicznej wskutek zaburzenia przemiany węglowodanowej i zwiększenia produkcji ciał ketonowych. W ciężkich zatruciach przyspieszenie przemian komórkowych powoduje nadmierny wzrost temperatury ciała. Wskutek drażniącego działania miejscowego i zaburzeń krzepnięcia krwi mogą wystąpić krwawienia z jamy ustnej, przełyku i żołądka.

O b j a w y z a t r u c i a zależą od przyjętej dawki i czasu trwania zatrucia. U małych dzieci występują najczęściej zaburzenia oddychania (przyspieszenie i pogłębienie oddechu), nudności, wymioty, bóle brzucha, biegunka, krwawienia z przewodu pokarmowego, gorączka; w ciężkich zatruciach drgawki, utrata świadomości.

Toksyczność salicylanów

Dawka (mg/kg masy ciała)	Ciężkość zatrucia	Objawy zatrucia
poniżej 150	lekkie	podrażnienie błony śluzowej żołądka, wzmożone oddychanie, wzrost temperatury ciała
150 – 200	średnio ciężkie	kwasica, senność
200 – 400	ciężkie	utrata świadomości, drgawki
450 – 500	śmiertelne	obrzęk płuc, uszkodzenie wątroby i nerek, krwawienia

P i e r w s z a p o m o c: spowodowanie wymiotów, obfite pojenie, szybki transport do szpitala.

L e c z e n i e s z p i t a l n e polega zawsze na płukaniu żołądka, niezależnie od czasu, jaki upłynął od zatrucia (salicylany długo zalegają w żołądku). W l e k k i c h z a t r u c i a c h podaje się duże ilości płynów (z alkalizacją i uzupełnieniem niedoboru potasu), co wystarcza zazwyczaj do usunięcia trucizny wraz z moczem, w c i ę ż k i c h z a t r u c i a c h stosuje się metody szybkiej eliminacji trucizny z organizmu. Metodą z wyboru jest wymuszona diureza, dializa otrzewnowa, hemodializa.

Zatrucie pochodnymi pyrazolonu (zob. wyżej) może wywołać różnego stopnia objawy, od zmian skórnych do wstrząsu anafilaktycznego. Może wystąpić też uszkodzenie wątroby, nerek, układu białokrwinkowego i płytkotwórczego w szpiku kostnym.

O b j a w y z a t r u c i a: nudności, wymioty, duszność, zaburzenia świadomości, drgawki, spadek ciśnienia tętniczego krwi, zaburzenia rytmu serca.

Pierwsza pomoc: wywołanie wymiotów i szybki transport do szpitala.

Leczenie w szpitalu to intensywna terapia zachowawcza. Diureza forsowna i dializa są nieskuteczne.

Paracetamol (Acetaminofen, Apap, Panadol, Tylenol, Tempra). Zajmuje pozycję polopiryny jako lek przeciwgorączkowy i przeciwbólowy. Przy przedawkowaniu może nastąpić poważne, zagrażające życiu uszkodzenie wątroby. Ciężkie zatrucia u dzieci obserwowano po spożyciu tego leku w ilości ponad 100 mg/kg masy ciała.

Pierwsza pomoc polega na spowodowaniu wymiotów i szybkim transporcie do szpitala. Podawanie węgla aktywowanego nie jest zalecane, gdyż węgiel wiąże i unieczynnia odtrutkę na paracetamol.

Leczenie szpitalne polega na stosowaniu swoistej odtrutki, kontroli czynności wątroby i intensywnej terapii zachowawczej.

Niesteroidowe środki przeciwbólowe i przeciwzapalne. Należą tu: Indometacyna (Metindol), Piroksykam, Ibuprofen (Brufen), diklofenal (Voltaren).

Objawy zatrucia jak przy przedawkowaniu salicylanów i pochodnych pyrazonolu. Mogą też występować zaburzenia widzenia.

Pierwsza pomoc polega na spowodowaniu wymiotów.

Leczenie szpitalne – intensywna terapia zachowawcza.

Zatrucie preparatami przeciwhistaminowymi

Leki tej grupy zmniejszają wyzwalanie się w organizmie histaminy. Stosowane są w leczeniu uczuleń, katarów i kurczowych nieżytów oskrzeli na tle alergicznym, a także w chorobie morskiej i lotniczej. Należą tutaj: difergan, fenazolina, Thenalidin Calcium, Tavegyl – Clemastinum, awiomarina.

Objawy zatrucia występują dwufazowo: po okresie zmęczenia i senności w pierwszej fazie objawy są podobne do zatrucia atropiną (zob. s. 1381) i polegają na pobudzeniu ośrodkowego układu nerwowego, w drugiej fazie następuje hamowanie ośrodkowego układu nerwowego, tj. utrata świadomości, drgawki, drżenie mięśniowe, upośledzenie czynności oddychania i krążenia.

Pierwsza pomoc: wywołanie wymiotów, obfite pojenie, zasięgnięcie porady lekarskiej.

Zatrucia narkotycznymi lekami przeciwbólowymi

Do leków tej grupy należą pochodne morfiny (kodeina) i syntetyczne leki przeciwbólowe (Dolantyna, Fortral, Fentanyl). Środki te działają depresyjnie na ośrodkowy układ nerwowy i ośrodek oddechowy. Przenikają przez łożysko i przechodzą do pokarmu matek karmiących. Zatrucia nimi mogą występować u noworodków, matek nadużywających tych leków i niemowląt karmionych piersią.

Objawy zatrucia: początkowo niepokój, później senność, zaburzenia oddychania, zapaść, częste powikłania w postaci zapalenia płuc.

P i e r w s z a p o m o c: przerwanie przyjmowania leku, opróżnienie żołądka, szybki transport do szpitala, w czasie transportu zabezpieczenie czynności oddychania i krążenia.

L e c z e n i e s z p i t a l n e – to intensywna terapia zachowawcza i stosowanie swoistych odtrutek.

Zatrucia witaminą D

Wobec nasycenia rynku preparatami witaminowymi i możliwości podawania witaminy D z różnych źródeł, zatrucia u dzieci występują najczęściej wskutek stosowania nadmiernych ilości preparatu w celach leczniczych; rzadziej zdarzają się zatrucia przypadkowe.

O b j a w y z a t r u c i a mogą być niecharakterystyczne: brak łaknienia, nudności, zaparcia, wymioty, niepokój, pragnienie. W moczu pojawia się białko, krwinki czerwone i białe, wzmożone wydalanie wapnia. W c i ę ż k i c h z a t r u c i a c h występują rozsiane zwapnienia w narządach wewnętrznych, głównie w nerkach, widoczne w badaniu radiologicznym.

P i e r w s z a p o m o c: przerwanie podawania leku, obfite pojenie, dieta uboga w wapń, a więc w mleko i jego przetwory, skontaktowanie się z lekarzem domowym, wykonanie badań laboratoryjnych krwi i moczu, które poinformują lekarza o stanie gospodarki wapniowo-fosforanowej ustroju. M o ż e b y ć k o n i e c z n e l e c z e n i e s z p i t a l n e.

Zatrucia preparatami żelaza

Zatrucia żelazem zdarzają się przeważnie wskutek połknięcia tabletek lub drażetek zawierających sole żelaza. Są one nieprzenikliwe dla promieni rentgenowskich i widoczne na zdjęciu radiologicznym przewodu pokarmowego. Dawka 2–4 g dla dzieci jest dawką śmiertelną.

Mechanizm toksycznego działania soli żelaza polega na blokowaniu działania ważnych dla życia enzymów. Metaliczne żelazo nie jest trujące.

O b j a w y z a t r u c i a występują już po 1/2–2 godz. po spożyciu. Są to wymioty i biegunka z domieszką krwi. Po okresie pozornej poprawy w ciężkich zatruciach dochodzi do wstrząsu, kwasicy, utraty przytomności, drgawek. Późnym powikłaniem po zatruciu solami żelaza mogą być zwężenia i zbliznowacenia błony śluzowej przewodu pokarmowego.

P i e r w s z a p o m o c polega na spowodowaniu wymiotów i podaniu wodnego roztworu sody oczyszczonej łyżeczkami, co zmniejsza wchłanianie żelaza i ma działanie osłaniające błonę śluzową przewodu pokarmowego. Konieczny jest szybki transport do szpitala.

L e c z e n i e s z p i t a l n e zależy od stanu dziecka i ilości przyjętego leku. Polega na zwalczaniu wstrząsu, uzupełnieniu strat wody i elektrolitów. W ciężkich przypadkach stosuje się swoiście działającą odtrutkę i środki ułatwiające wydalenie żelaza w formie związanej.

Zatrucia środkami gospodarstwa domowego

Benzyna, nafta, rozpuszczalniki organiczne. Zatrucia są możliwe drogą doustną, poprzez skórę oraz drogą wziewną. U małych dzieci szczególnie niebezpieczne są zatrucia doustne, ponieważ grożą zapaleniem płuc.

Objawy zatrucia: niepokój, sinica, zaburzenia oddychania, wymioty, przyspieszenie akcji serca, drgawki.

Pierwsza pomoc: w zatruciu doustnym zabronione wywoływanie wymiotów ze względu na możliwość aspiracji (wziewanie do dróg oddechowych), zabronione podawanie mleka, tłuszczów (wzmożona resorpcja). Można podać olej parafinowy, który jest niewchłanialny. Szybki transport do szpitala.

Leczenie szpitalne – intensywna terapia zachowawcza, a w zapaleniu płuc – antybiotyki.

Kwas borowy, boran sodowy lub **boraks**. W 5% rozcieńczeniu jest używany do odkażania oraz jako dodatek do zasypek, w większym stężeniu jest stosowany jako środek owadobójczy. Dawka śmiertelna wynosi ok. 0,1–0,5 g na kg masy ciała. W zatruciach działa uszkadzająco na ośrodkowy i obwodowy układ nerwowy, w ciężkich zatruciach może wystąpić uszkodzenie wątroby i nerek. Zatrucia są możliwe drogą doustną oraz poprzez błony śluzowe i skórę (roztwory, maści, pudry).

Objawy zatrucia: wymioty, biegunka, wysypki skórne, zapaść, podwyższenie temperatury ciała.

Pierwsza pomoc: w zatruciu doustnym polega na spowodowaniu wymiotów; podawanie węgla leczniczego jest nieskuteczne; w zatruciach przez skórę: obfite zmywanie bieżącą wodą.

Leczenie szpitalne polega na zwalczaniu kwasicy i zapaści, opanowaniu drgawek, w ciężkich zatruciach stosuje się dializy.

Chromiany, dwuchromian potasu. Jest to żółtopomarańczowy proszek lub płyn używany w przemyśle mleczarskim do konserwacji próbek mleka poddawanych badaniom na zawartość tłuszczu, ponadto jest stosowany w fotografice, do garbowania skór, niekiedy jako składnik farb plakatowych. Związek o dużej toksyczności, dawka śmiertelna wynosi 0,5–1,0 g. Obok działania żrącego, toksyczność dwuchromianu potasu związana jest z jego właściwościami utleniającymi. Wchłania się łatwo z przewodu pokarmowego i gromadzi się w nerkach, wątrobie, szpiku kostnym, płucach i mózgu.

Objawy zatrucia: wymioty, biegunka, krwawienie z przewodu pokarmowego, zaburzenia krążenia. U dzieci, które przeżyły wstępną fazę zatrucia, rozwija się ostra niewydolność nerek, toksyczne uszkodzenie wątroby, obrzęk mózgu.

Pierwsza pomoc polega na usunięciu trucizny drogą wymiotów i szybkim transporcie do szpitala.

Leczenie szpitalne – intensywna opieka zachowawcza, jak najwcześniejsza dializa przed wystąpieniem objawów toksycznych.

Fenol, lizol, krezol. Związki te stosuje się w roztworach wodnych jako środki odkażające. Wchłaniają się przez skórę, drogi oddechowe, przewód pokarmowy. Działają silnie żrąco, po wchłonięciu uszkadzają nerki i wątrobę, wywołują hemolizę krwinek.

Objawy zatrucia: oparzenia jamy ustnej i przełyku, nudności, wymioty, bóle brzucha, krwawienie z przewodu pokarmowego, możliwość perforacji przełyku lub żołądka. W zetknięciu ze skórą mogą powstać głębokie uszkodzenia, tzw. zgorzel fenolowa. Po wchłonięciu przez drogi oddechowe występują zaburzenia oddychania, porażenie ośrodka oddechowego. Powikłania nerkowe i wątrobowe to skąpomocz, bezmocz, żółtaczka.

Pierwsza pomoc: przy kontakcie ze skórą – obfite zmywanie wodą z mydłem, przy zatruciu doustnym zabronione prowokowanie wymiotów, wskazane podanie do wypicia zawiesiny białek jaj kurzych. W każdej postaci zatrucia tymi związkami konieczny jest szybki transport do szpitala.

Leczenie szpitalne to intensywna terapia zachowawcza i dializa.

Naftalen (naftalina) i para-dwuchlorobenzen (pochodne benzenu). Środki te są używane przeciwko molom (gałki przeciwmolowe) oraz do odkażania i odwaniania urządzeń i pomieszczeń sanitarnych. Łatwo wchłaniają się przez skórę i drogą wziewną. Są dobrze rozpuszczalne w tłuszczach, prawie nierozpuszczalne w wodzie.

Na niebezpieczeństwo zatrucia narażone są noworodki i niemowlęta, których bielizna przechowywana jest razem z ubraniem nasyconym naftaliną. Cienkość skóry małych dzieci oraz jej natłuszczanie kremami lub oliwką ułatwia wchłanianie trucizny, dobrze rozpuszczalnej w tłuszczach. Równie niebezpieczne jest zatrucie doustne naftaliną (dzieci gałki przeciwmolowe mogą zjadać jako cukierki). Produkty przemiany naftalenu mogą być przyczyną methemoglobinemii, ciężkiej niedokrwistości hemolitycznej i ostrej niewydolności nerek.

Objawy zatrucia: nudności, wymioty, biegunka, żółtaczka, krwiomocz, skąpomocz. W ciężkich zatruciach może wystąpić sinica, pobudzenie, śpiączka i drgawki.

Pierwsza pomoc: przy zatruciu doustnym nie wolno podawać mleka!, należy wywołać wymioty. Trzeba wezwać lekarza; może być konieczny szybki transport do szpitala.

Leczenie szpitalne to przede wszystkim intensywna terapia zachowawcza.

Zatrucia substancjami żrącymi, zob. Zatrucia, s. 2096.

Zatrucia pestycydami, zob. Zatrucia, s. 2094.

Zatrucia związkami methemoglobinotwórczymi – azotynami, azotanami, aniliną. Zatrucie azotynami u niemowląt spowodowane jest najczęściej stosowaniem zanieczyszczonej wody studziennej do sporządzania mieszanek mlecznych lub podawaniem dziecku warzyw i owoców zanieczyszczonych związkami azotowymi (marchew). Azotany pod wpływem bakterii Gram-ujemnych żyjących w przewodzie pokarmowym na drodze redukcji przechodzą w trujące azotyny. Azotyny powodują przejście hemoglobiny w methemoglobinę, która nie ma zdolności przenoszenia tlenu. Methemoglobinemia może być również następstwem zatrucia pochodnymi aniliny (tusz do znaczenia bielizny, ołówki „chemiczne").

Objawy zatrucia. Jeśli więcej niż 15% hemoglobiny ulegnie przemianie w methemoglobinę – występuje sinica. Objawy niedotlenienia występują przy poziomie methemoglobiny ok. 20–40%.

Pierwsza pomoc. Należy jak najszybciej usunąć truciznę z przewodu pokarmowego przez spowodowanie wymiotów, a przy kontakcie skórnym – zmywając skórę dokładnie bieżącą wodą. W razie wystąpienia sinicy należy koniecznie przewieźć dziecko do szpitala.

Leczenie szpitalne polega na stosowaniu związków utleniających, zazwyczaj błękitu metylenowego, witaminy C, w ciężkich stanach – na wymiennej transfuzji krwi.

Zatrucia związkami rtęci. Połknięcie rtęci metalicznej nie powoduje zatrucia, nie wchłania się ona bowiem z przewodu pokarmowego. Zatrucia są spowodowane przede wszystkim sublimatem, czyli chlorkiem rtęci, używanym jako środek odkażający. Możliwe są również zatrucia organicznymi związkami rtęci przez spożycie ziarna zawierającego na swej powierzchni zaprawę nasienną lub, przy osobniczej wrażliwości, merkurochromem używanym do odkażania skóry. Związki rtęci mogą wchłaniać się przez skórę, drogi oddechowe, przewód pokarmowy.

Objawy zatrucia: przy połknięciu występuje oparzenie jamy ustnej i przełyku, ślinotok, wymioty, biegunka. Objawy te mogą prowadzić do znacznego odwodnienia i zapaści. W dalszym przebiegu może wystąpić skąpomocz i bezmocz, jako wyraz ostrej niewydolności nerek.

Pierwsza pomoc polega na podaniu do wypicia zawiesiny białka kurzego i szybkim przewiezieniu do szpitala.

Leczenie szpitalne polega na szybkim zastosowaniu dializy, co może zapobiec powstaniu ostrej niewydolności nerek.

Zatrucia tlenkiem węgla

W zatruciach tlenkiem węgla u dzieci objawy, udzielanie pierwszej pomocy i leczenie są takie same jak u dorosłych – zob. Zatrucia, s. 2087.

Zatrucia kosmetykami, artykułami toaletowymi i detergentami

Niebezpieczne są: kosmetyki zawierające alkohol etylowy, zmywacze lakieru do paznokci, talk oraz pudry zawierające talk (po wchłonięciu do układu oddechowego mogą u niemowląt spowodować spastyczne zapalenie oskrzeli). Toksyczność kosmetyków i środków pokrewnych, zob. tabela s. 1378.

Toksyczność kosmetyków i środków pokrewnych

znaczna:	mała:
płyn do trwałej ondulacji zmywacz lakieru do paznokci	dezodoranty sole do kąpieli
umiarkowana:	związki praktycznie nietoksyczne:
lakier do paznokci farby do włosów zawierające metale płyn do kąpieli szampon do włosów płyn na wzmocnienie włosów	płynne kosmetyki roślinne roślinne farby do włosów kremy do rąk i twarzy szminka do ust

Zawartość alkoholu etylowego w najczęściej używanych kosmetykach:
perfumy 75–90% obj.
woda kolońska 60–80% obj.
woda do włosów 40–70% obj.
woda po goleniu 50% obj.

Wypicie alkoholu etylowego w ilości 1 ml na kg masy ciała u małego dziecka prowadzi do głębokich zaburzeń świadomości. Przy zawartości alkoholu we krwi 1,5–2‰ może wystąpić kwasica metaboliczna, hipoglikemia, zaburzenia oddychania, drgawki.

Pierwsza pomoc polega na wywołaniu wymiotów oraz na szybkim przewiezieniu dziecka do szpitala.

Leczenie szpitalne to intensywna opieka zachowawcza, a w ciężkich stanach – dializa.

Zmywacze lakieru do paznokci zwykle zawierają alifatyczne pochodne kwasu octowego lub toluenu. Związki te mogą powodować drgawki oraz być przyczyną zachłystowego zapalenia płuc.

Mydła są solami kwasów tłuszczowych; niekiedy zawierają również detergenty. Połknięte mogą wywołać wymioty i biegunkę. Są na ogół nietoksyczne.

Pierwsza pomoc polega na obfitym pojeniu dziecka.

Detergenty. Działanie ich polega na zmianie napięcia powierzchniowego. W sprzedaży znajdują się produkty płynne, sproszkowane i w granulkach. Składają się one z różnych syntetycznych związków organicznych używanych jako środki do prania i zmywania naczyń. Łatwo się pienią. W wielu gotowych produktach znajdują się środki przeciwbakteryjne i wybielające oraz enzymy. Stężenia ich nie są jednak toksyczne. W zależności od działania toksycznego detergenty można podzielić na 3 rodzaje: detergenty anionowe, kationowe i niejonowe.

Detergenty anionowe – płyny do mycia, szampony i proszki mydlane – zawierają również środki zmiękczające wodę, takie jak fosforan, węglan i krzemian sodowy. Połknięte wywołują podrażnienie gardła i przełyku.

Detergenty kationowe – sterinol i zefirol używane do odkażania skóry, sprzętów i bielizny. Połknięte wywołują wymioty, podrażnienie przełyku, mogą spowodować zapaść. Dawkę śmiertelną ocenia się na 1 g na 1 m^2 powierzchni ciała.

Pierwsza pomoc: nie wywołuje się wymiotów, a przed płukaniem żołądka stosuje się środki zapobiegające tworzeniu się piany. Wskazany jest szybki transport do szpitala. W szpitalu – intensywna opieka zachowawcza.

Detergenty niejonowe – drażnią miejscowo skórę, po połknięciu są praktycznie nietoksyczne.

Nie wchłonięty detergent kationowy jest neutralizowany zwykłym mydłem.

Zatrucia grzybami

Grzyby są ciężkostrawne tak dalece, że nawet po zjedzeniu grzybów jadalnych mogą wystąpić u dzieci bóle brzucha, wymioty i biegunka. Niektóre grzyby, mimo że nie są trujące, mogą wywołać podobne objawy, ponieważ zawierają drażniące substancje żywicopodobne odporne na gotowanie. Do grzybów tych należą: wieruszki, gąski, mleczaje, gołąbki, tęgoskór pospolity.

Zatrucie grzybami trującymi w początkowym okresie daje podobne objawy, ale wkrótce dołączają się do nich inne groźne dla życia następstwa. Pewne znaczenie praktyczne może mieć podział zatruć według czasu, jaki upłynął od spożycia grzybów do wystąpienia objawów chorobowych. Według tego podziału wyróżnia się zatrucia o krótkim okresie utajenia (do 4 godz.) oraz zatrucia o długim okresie utajenia (do 48 godz.). Równoczesne spożycie kilku rodzajów grzybów może jednak ten podział zaburzyć. W każdym przypadku podejrzenia zatrucia grzybami razem z dzieckiem należy przywieźć do szpitala resztki spożytych grzybów, a także wymiociny i kał do badania. Wynik badania mikroskopowego, wykonanego zwykle w stacji sanitarno-epidemiologicznej, jest najbardziej miarodajną wskazówką diagnostyczną, jakimi grzybami nastąpiło zatrucie. Potwierdzenie zatrucia muchomorem sromotnikowym lub jego odmianami stanowi wskazanie do wdrożenia intensywnego leczenia. Zob. też Zatrucia, s. 2091.

Zatrucia o krótkim okresie utajenia

Grzyby dające zatrucia o krótkim okresie utajenia zawierają alkaloid muskarynę lub alkaloid o właściwościach podobnych do atropiny. Do grzybów zawierających alkaloid muskarynę należą: surojadka, bedłka, strzępiak czerwony i ceglasty, krowiak podwinięty, czyli olszówka lub świnka. Alkaloid o właściwościach podobnych do działania atropiny zawierają muchomory czerwony i plamisty.

Zatrucia olszówkami. Substancje toksyczne zawarte w tych grzybach są rozpuszczalne w gorącej wodzie, dlatego też olszówki po kilkakrotnym obgotowaniu i odlaniu wywaru tracą częściowo swoje właściwości toksyczne. Większość zatruć tymi grzybami występuje mimo obgotowywania i odlewania wywaru. Zatrucie objawia się pobudzeniem, zwężeniem źrenic, ślinotokiem, potami, wymiotami i biegunką.

Zatrucia muchomorem czerwonym i plamistym są spowodowane przez zawarte w nich alkaloidy podobne do atropiny. Występują objawy pobudzenia ruchowego, zaburzenia równowagi, omamy wzrokowe i słuchowe. W przeciwieństwie do zatrucia grzybami zawierającymi muskarynę występuje tu wyraźne rozszerzenie źrenic.

Pierwsza pomoc w zatruciach grzybami zawierającymi muskarynę i alkaloid podobny do atropiny polega na usunięciu ich z przewodu pokarmowego, tj. na wywołaniu wymiotów, wykonaniu wlewu przeczyszczającego i przewiezieniu dziecka do szpitala.

Leczenie szpitalne. W celu zwalczania objawów pobudzenia stosowane są środki uspokajające.

Zatrucia o długim okresie utajenia

Najbardziej niebezpieczne i zagrażające życiu dziecka są **zatrucia muchomorami: sromotnikowym, jadowitym, wiosennym, cytrynowym, piestrzenicą kasztanowatą, zasłoniakiem rudym**. Zawarte w tych grzybach toksyny uszkadzają komórki ważnych dla życia narządów, głównie wątroby, nerek, mięśnia sercowego i tkanki mózgowej.

Objawy zatrucia mogą wystąpić późno, zazwyczaj po 12–24 godz. od spożycia. Są to: bóle brzucha, nudności, wymioty, biegunka. W ciągu kilku dni, często po okresie pozornej poprawy, występuje żółtaczka, następuje dramatyczne pogorszenie stanu chorego, stopniowo narastają i pogłębiają się zaburzenia świadomości, dochodzi do całkowitej niewydolności wątroby i zejścia śmiertelnego.

Pierwsza pomoc. Przy podejrzeniu zatrucia muchomorem sromotnikowym lub jego odmianami należy jak najszybciej usunąć grzyby z przewodu pokarmowego wywołując wymioty i wykonując wlew przeczyszczający oraz jak najszybciej przewieźć dziecko do szpitala.

Leczenie szpitalne. Najistotniejsze znaczenie ma usunięcie toksyny muchomora sromotnikowego z przewodu pokarmowego poprzez płukanie żołądka i oczyszczenie dolnego odcinka przewodu pokarmowego (nawet po kilku dobach po spożyciu grzybów), poza tym stosowane jest leczenie umożliwiające opanowanie odwodnienia i zaburzeń elektrolitowych oraz podawane są leki ochraniające miąższ wątroby. W wypadku wystąpienia śpiączki wątrobowej prowadzone są działania usuwające substancje zaburzające czynność ośrodkowego układu nerwowego, co umożliwia dziecku przeżycie okresu potrzebnego do regeneracji uszkodzonych komórek wątroby. W pierwszym okresie po zatruciu muchomorem sromotnikowym w celu usunięcia toksyny stosowana bywa dializa, hemoperfuzja, plazmafereza. Z upływem czasu od zatrucia metody te nie są skuteczne ze względu na szybkość wiązania się toksyny z tkankami.

Zatrucia innymi roślinami trującymi

Wiele roślin dziko rosnących, jak również hodowanych w parkach i ozdabiających pomieszczenia recepcyjne, ma działanie trujące i spożycie nawet małych cząstek tych roślin może wywołać u dzieci zatrucia.

Szalej jadowity rośnie nad brzegami stawów i rzeczek, na podmokłych łąkach. Łatwo pomylić go z pietruszką lub selerem a jego kłącza – z kłączami tataraku. Zatrucie następuje po zjedzeniu łodyg, kłączy, liści lub po trzymaniu w ustach sporządzonych z łodyg piszczałek i dmuchawek. Sok rośliny zawiera alkaloid cykutoksynę, która działa pobudzająco na ośrodkowy układ nerwowy. Dawka śmiertelna wynosi ok. 1 cm kłącza. Objawy zatrucia występują w kilka minut po zjedzeniu rośliny. Są to: ślinotok, bóle brzucha, wymioty, biegunka, drgawki, niewydolność oddechowa.

Pierwsza pomoc polega na wywołaniu wymiotów i szybkim transporcie dziecka do szpitala. Wykrycie kłączy szaleja z charakterystycznymi komorami powietrznymi w badaniu mikroskopowym treści żołądkowej pozwala na ustalenie rozpoznania.

Pokrzyk – wilcza jagoda (wilcza lub psia wiśnia), lulek czarny, bieluń dziędzierzawa (diabelskie ziele, dendera). Zatrucia występują wskutek zjedzenia jagód pokrzyku (podobnych do czereśni), nasion lulka (podobnych do nasion maku), nasion bielunia zawartych w owocu podobnym z kształtu i kolców do niedojrzałych kasztanów. Rośliny te zawierają toksyczne alkaloidy tropinowe – atropinę i skopolaminę. Oba te alkaloidy działają na korę mózgową: atropina pobudzająco, skopolamina hamująco, oraz na nerwowy układ przywspółczulny – porażająco.

Zatrucie atropiną i skopolaminą może też wystąpić po przedawkowaniu zawierających je leków. Atropina jako lek stosowana jest w skurczach mięśni gładkich przewodu pokarmowego oraz w okulistyce w postaci kropli do oczu. Do syntetycznych preparatów o działaniu alkaloidów tropinowych należą: wegantalgin, spasmofen, scopolan, parkopan.

Objawy zatrucia to zaczerwienienie twarzy, suchość błon śluzowych, nadmierne ucieplenie skóry, przyspieszenie tętna, rozszerzenie źrenic, niepokój, podniecenie, niemożność oddania moczu. W ciężkich zatruciach mogą wystąpić drgawki, zaburzenia oddychania i krążenia.

Pierwsza pomoc polega na wywołaniu wymiotów i szybkim transporcie do szpitala.

Leczenie szpitalne polega na intensywnej terapii zachowawczej.

Śnieguliczka biała. Ten północnoamerykański krzew jest pospolity w parkach i ogrodach. Kwitnie od czerwca do września różowo, owoce ma najpierw zielone, a po dojrzeniu białe, pękające z trzaskiem przy naciśnięciu. Zawarte w nich alkaloidy wywołują podrażnienie błon śluzowych przewodu pokarmowego, powodując nudności, wymioty, biegunkę, niekiedy majaczenie.

Difenbachia. Są to rośliny rosnące dziko w lasach tropikalnych Ameryki Południowej. Hodowane są sztucznie jako ozdobne rośliny doniczkowe zdobiące pomieszczenia recepcyjne i mieszkalne. Wyrastające z grubej łodygi ciemnozielone liście dekoracyjne mają nieregularne jaśniejsze smugi lub żyłki. Ugryzienie lub żucie liści wywołuje pieczenie, obrzęk błon śluzowych jamy ustnej i gardła; może być niebezpieczne dla małych dzieci.

Wilczomlecz żywiconośny – przypominający krzaczasty kaktus i **wilczomlecz piękny (poinsecja nadobna, gwiazda betlejemska).** Połknięcie soku tych roślin wywołuje podrażnienie błon śluzowych jamy ustnej, wymioty, biegunkę, niekiedy majaczenie.

Filodendron. Dekoracyjna roślina liściasta hodowana w donicach, w wielu odmianach. Łodyga i liście zawierają ostre, drażniące substancje.

Tuje. Rośliny te, rosnące jako drzewa lub krzewy ozdobne, są wiecznie zielone. Mają trujące liście, gałęzie i szyszki, zawierają terpenowe olejki eteryczne.

Cisy. Krzewy lub drzewa szpilkowe, wiecznie zielone, zawierają toksyczne alkaloidy, działające na układ krążenia. Trujące są wszystkie części rośliny, oprócz czerwonej osłonki nasion.

Objawami zatrucia są: bóle brzucha, wymioty, biegunka, zaburzenia czynności układów krążenia i oddychania, spadek ciśnienia tętniczego krwi.

Pierwsza pomoc w zatruciach: śnieguliczką, difenbachią, wilczomleczem, filodendronem, tują, cisem – polega na spowodowaniu opróżnienia przewodu pokarmowego (wymioty, lewatywa), obfitym napojeniu dziecka. Jeśli występuje obrzęk błon śluzowych jamy ustnej i gardła, zaburzenia oddychania i krążenia – konieczne jest szybkie przewiezienie dziecka do Stacji Pogotowia Ratunkowego lub do szpitala.

Oleander. Jest to krzew ozdobny zwykle hodowany w donicach. W liściach, kwiatach i owocach występuje glikozyd pokrewny glikozydom nasercowym (oleandryna). Zatrucie następuje wskutek żucia lub zjedzenia liści, kwiatów lub gałązek.

Objawy zatrucia: nudności, bóle brzucha, biegunka, niekiedy krwinkomocz, zaburzenia rytmu serca, zwolnienie akcji serca, może wystąpić sinica, duszność, drgawki.

Pierwsza pomoc polega na wywołaniu wymiotów i skontaktowaniu się z lekarzem przy wystąpieniu objawów innych niż biegunka.

Zatrucia toksynami pochodzenia zwierzęcego

Użądlenie przez pszczoły, osy, trzmiele, szerszenie

Pojedyncze użądlenia owadów nie są niebezpieczne, jeśli nie dotyczą bezpośrednio naczynia krwionośnego, dają jednak odczyny o typie uczuleniowym – z obrzękiem, zaczerwienieniem i świądem skóry. Groźne dla małych dzieci są liczne użądlenia, zwłaszcza bezpośrednio w pobliżu naczynia krwionośnego, wówczas może dojść do wstrząsu i obrzęku płuc.

Pierwsza pomoc: miejsce ukłucia należy przemyć wodnym roztworem nadmanganianu potasu, położyć wilgotny, chłodny okład lub bańkę ssącą, w przypadku licznych ukąszeń konieczna jest szybka interwencja lekarska.

Ukąszenie przez żmije

W Polsce jadowita jest jedynie żmija zygzakowata. Ukąszenie przez nią jest groźne. Szczególnie niebezpieczne jest ukąszenie w głowę, klatkę piersiową, bezpośrednio w naczynie krwionośne. Jad szerzy się w organizmie drogami limfatycznymi, działa przede wszystkim na układ krążenia i na układ krzepnięcia, wywołując objawy wstrząsu i skazy krwotocznej.

Ukąszenie stanowią dwa symetryczne wkłucia w odległości 0,5 – 1 cm. Po ukąszeniu odczuwalny jest silny ból, występuje obrzęk wokół ukąszenia, pojawiają się wybroczyny na skórze, bolesny odczyn okolicznych węzłów chłonnych, bóle głowy, spadek ciśnienia tętniczego krwi.

Pierwsza pomoc polega na unieruchomieniu kończyny, założeniu opaski uciskowej (na okres 1 godz.) powyżej miejsca ukąszenia, zaciśniętej tak, aby tętno było wyczuwalne poniżej miejsca ucisku oraz jak najszybszym transporcie do najbliższego szpitala!

Leczenie w szpitalu polega na wstrzyknięciu antytoksyny jadu żmii oraz na przeciwdziałaniu wstrząsowi i leczeniu wtórnych zakażeń.

Zapobieganie zatruciom u dzieci

Osoby dorosłe nie powinny mieć nadmiernego zaufania do nieszkodliwości leków. Przyczyną największej liczby zatruć u dzieci są leki nabywane bez recepty lub otrzymywane z darów. Przede wszystkim nie należy fałszywie nazywać podawanych dzieciom leków „witaminkami" lub „cukierkami". Nie wolno leków trzymać w miejscach łatwo dostępnych dla dzieci, nie należy przyjmować leków w obecności dzieci.

Nie należy pozostawiać dzieci bez opieki, w kuchni występuje bowiem zagrożenie gazem, w łazience – środkami do prania, w garażu – chemikaliami, w otwartej przestrzeni – roślinami trującymi.

Leki i środki chemiczne używane w gospodarstwie domowym należy przechowywać jedynie w oryginalnych opakowaniach i w miejscach niedostępnych dla dzieci.

XVIII. WYBRANE ZAGADNIENIA Z PEDIATRII SPOŁECZNEJ

Biologiczne uwarunkowanie więzi między rodzicami a dzieckiem

Aktywność rodzicielska

Reprodukcja, czyli rozmnażanie, jest motorem świata istot żyjących. Można w niej wyróżnić dwie fazy: seksualną i rodzicielską. W naturalnej selekcji w procesie ewolucji wygrywają te organizmy, które mają zestawy genów najlepiej przystosowane do utrzymania się jednostki przy życiu i do rozmnażania oraz stosują najlepsze postępowanie mające na celu pozostawienie po sobie jak największej liczby potomstwa.

Celem aktywności rodzicielskiej jest staranne pielęgnowanie, utrzymanie przy życiu i wychowanie każdego dziecka z małej stosunkowo liczby potomków. Rodzicielskie zachowanie się zwierząt, a także ludzi, jest zaprogramowane w formie schematów zachowania, znanych jako instynkty i popędy, w genach dziedziczonych po przodkach. W miarę zwiększania się stopnia złożoności organizmu następuje wydłużenie się programu genetycznego, zwłaszcza jego tzw. części otwartej. Część otwarta – szczególnie duża u człowieka – pozostawia swobodę odpowiedzi na bodziec przychodzący z otoczenia, określając jedynie możliwości i ramy tej odpowiedzi. Może to tłumaczyć różnice w aktywności rodzicielskiej w poszczególnych rodzinach, w odmiennych postawach rodzicielskich nawet w stosunku do poszczególnych dzieci w tej samej rodzinie.

Na fazę rodzicielską reprodukcji składa się przygotowanie miejsca dla potomstwa (np. gniazda u zwierząt), karmienie go, opieka nad nim oraz wychowanie. W tej fazie dużą rolę odgrywa hormon przysadkowy – prolaktyna. U niektórych gatunków ptaków jest ona czynnikiem wyzwalającym rodzicielskie zachowanie. U kobiet bezpośrednio po porodzie poziom prolaktyny jest wysoki i wzrasta po każdym przystawieniu dziecka do piersi, co ma decydujące znaczenie dla rozwoju i podtrzymania laktacji, a także przypuszczalnie dodatnio wpływa na rozwój aktywności macierzyńskiej.

Istnieje wyraźna korelacja między czasem trwania fazy rodzicielskiej, jej nasileniem i treścią a stopniem niedołęstwa potomstwa i okresem potrzebnym do osiągnięcia dojrzałości i samodzielności. W czasie wzrostu i dojrzewania zmniejsza się uzależnienie młodego osobnika od rodziców. U człowieka, istoty społecznej, trwa ono jednak stosunkowo długo w porównaniu z innymi gatunkami. Poza biologiczną zależnością, tak uchwytną szczególnie w okresie niemowlęcym, do społecznego rozwoju człowieka niezbędne jest długotrwałe oparcie w rodzinie, następnie i w innych grupach społecznych.

Opiekuńcza postawa rodzicielska wobec dziecka, istoty niezdolnej do samodzielnego życia, zależnej przez długie lata od dorosłych, ma zasadnicze znaczenie dla utrzymania go przy życiu i dla prawidłowego przebiegu jego rozwoju fizycznego i psychoemocjonalnego.

Gdy kilkadziesiąt tysięcy lat temu zakończyła się ewolucja gatunku ludzkiego, w ciągu dalszych tysięcy lat istnienia istoty ludzkiej na ziemi doskonaliły się mechanizmy biologiczne i społeczne najbardziej przydatne do zaspokojenia potrzeb dziecka. Geny tych rodziców, u których występowały cechy zapewniające lepsze biologiczne przygotowanie matki do funkcji rodzicielskich oraz wytwarzanie pokarmu lepiej zaspokajającego potrzeby noworodka i niemowlęcia, stawały się coraz powszechniejsze, „uprzywilejowane" przez naturalną selekcję. W surowych, naturalnych warunkach bytowania te dzieci miały większą szansę utrzymania się przy życiu, których rodzice bardziej o nie dbali, lepiej je odżywiali, skuteczniej chronili przed czyhającymi zewsząd niebezpieczeństwami.

U człowieka, istoty społecznej, objawy wrodzonej aktywności rodzicielskiej ulegają modulacji, a nawet mogą ulec całkowitemu zahamowaniu pod wpływem nakazów czy zakazów lub metod wychowania obowiązujących w danym kręgu kulturowym. Populacje, które rozwinęły system obyczajów, norm społecznych bardziej odpowiadający potrzebom dzieci, miały większe szanse na rozwój i przetrwanie, nawet w bardzo nie sprzyjających warunkach środowiskowych. Optymalną dla rozwoju dzieci jednostką społeczną było ukształtowanie się modelu rodziny. Stabilizowały ją w różny sposób prawa i obyczaje panujące w danej grupie społecznej.

Bardzo trudno jest ocenić wpływ wszystkich czynników, od których zależy rozwój indywidualnej postawy rodzicielskiej. Kształtowanie się stosunku matki i ojca do własnego dziecka zależy od działania wielu czynników, takich jak: sygnały wysyłane przez dziecko, genetyczny program, własne przeżycia w rodzinie, stosunki i więź uczuciowa między małżonkami, przeżycia i doświadczenia związane z poprzednimi ciążami i starszymi dziećmi, obyczaje panujące w danym społeczeństwie. Przypuszczalnie bardzo istotne znaczenie mają przeżycia z własnego najwcześniejszego dzieciństwa oraz oddziaływanie wychowawcze własnych rodziców.

Każdy gatunek ma swoje własne charakterystyczne *bodźce wyzwalające* realizację wrodzonego programu aktywności rodzicielskiej – *tylko do danego dziecka*. Również u człowieka działają swoiste „wyzwalacze" tego wrodzonego programu. Z wielu obserwacji i badań wynika, że podstawowe znaczenie dla wyzwolenia miłości macierzyńskiej oraz zapoczątkowania procesu laktacji ma bliski, cielesny kontakt matki z noworodkiem już w pierwszych 15–20 minutach po porodzie i następnie w pierwszej dobie po urodzeniu dziecka. Położnice różnych ras, o różnym pochodzeniu społecznym i kulturowym, w podobny sposób dotykają swe nowo narodzone dzieci. Wykazują one bardzo duże zainteresowanie noworodkiem, zwłaszcza w pierwszych 15–20 min po porodzie. Szukają kontaktu wzrokowego, oko w oko, ustawiają dziecko twarzą na wprost swojej, często proszą: otwórz oczka. Przypuszczalnie ten wzrokowy kontakt „oko w oko" jest swoistym sygnałem wyzwalającym u kobiety macierzyński, opiekuńczy instynkt.

Od pierwszych minut i godzin życia dziecka między nim i matką nawiązuje się stałe, zsynchronizowane wzajemne oddziaływanie. Również między ojcem a nowo narodzonym potomkiem zachodzą procesy wzajemnego oddziaływania. Ojcowie pozostawieni sam na sam ze swymi nowo narodzonymi dziećmi zachowują się podobnie jak matki, dążą do kontaktu „oko w oko" z dzieckiem, dotykają go, noszą. Ojcowie dłużej obcujący ze swymi dziećmi w pierwszych trzech dniach ich życia okazują następnie głębsze i trwalsze uczucia ojcowskie.

Czy istnieje u człowieka okres specjalnej wrażliwości, opisany u zwierząt jako tzw. okres krytyczny, w którym u rodziców swoiste bodźce „wyzwalające" łatwo powodują ujawnienie się fazy aktywności rodzicielskiej? Na pytanie to nie znaleziono dotąd jednoznacznej odpowiedzi, gdyż złożoność i zróżnicowanie kulturowe społecznych i psychoemocjonalnych reakcji człowieka są znaczne. Wiele dowodów wskazuje na to, że bezpośredni kontakt matki ze swym nowo narodzonym dzieckiem w pierwszych 16 godz. po porodzie ma istotne znaczenie dla wzbudzenia i rozwoju uczucia miłości macierzyńskiej, że jest to okres zwiększonej, specjalnej gotowości do odpowiedzi hormonalnej i emocjonalnej na kontakt z dzieckiem, obejmujący doznania wzrokowe i dotykowe, na drażnienie brodawek sutkowych przez ssanie.

Charakterystyczną cechą procesu powstawania miłości rodzicielskiej i więzi matki czy ojca z własnym nowo narodzonym dzieckiem jest to, że dotyczy on wyłącznie danego dziecka.

Znaczenie karmienia piersią

Karmienie piersią, podstawowy element aktywności macierzyńskiej, prowadzi nie tylko do zaspokojenia głodu niemowlęcia, ale stanowi również częsty, rytmicznie powtarzający się cielesny kontakt matki z dzieckiem. Według wielu badaczy ma on bardzo duże znaczenie dla wzmocnienia wzajemnej uczuciowej więzi z matką i dla pobudzenia dojrzewania emocjonalnego dziecka.

Zjawisko zanikania karmienia naturalnego, czyli piersią, występujące współcześnie w krajach o wysokiej cywilizacji, niektórzy uważają za najważniejszą zmianę w zachowaniu się człowieka.

Wzbudzenie aktywności macierzyńskiej i jej umacnianie może nie przebiegać prawidłowo, gdy noworodek nie reaguje na kontakt z matką, gdyż jest bardzo słaby, np. jest wcześniakiem, urodził się z wadami wrodzonymi czy „uległ uszkodzeniu" podczas porodu. Dzieci takie przeważnie wymagają specjalnego, długotrwałego leczenia w szpitalu, przebywają w cieplarkach. Nie mają one żadnego albo prawie żadnego kontaktu z rodzicami. Gdy po kilkutygodniowym, a nierzadko wielomiesięcznym pobycie w szpitalu dziecko zostaje wypisane do domu w dobrym stanie, często nie znajduje tam opieki, pełnej miłości i życzliwości, nie wyzwala aktywności rodzicielskiej. Nierzadko rodzice przynoszą dziecko z powrotem do szpitala po kilku dniach, bo jest: „źle wyleczone", gdyż wykazuje niepokój, nie chce jeść, płacze, nie śpi, wymiotuje – są to wszystko objawy lęku i uczucia zagrożenia odczuwane przez dziecko w nowym środowisku.

Naturalna, prawidłowa aktywność i miłość rodzicielska nie rozwija się automatycznie. Postawa rodzicielska może ulegać różnym zaburzeniom. Obok prawidłowej postawy rodzicielskiej wyróżniane są: postawa odtrącająca lub unikająca, charakteryzujące się nadmiernym dystansem uczuciowym, nie akceptowaniem dziecka, ograniczeniem kontaktów z dzieckiem, oraz autorytarna, sztywna postawa nadmiernie wymagająca, lub postawa lękowa nadmiernie chroniąca – postawy nie liczące się z możliwościami rozwojowymi dziecka; może występować również postawa ambiwalentna. Krańcowym objawem braku aktywności rodzicielskiej jest niechęć do pielęgnowania niemowlęcia, a nawet jego bicie. U dziecka rozwijają się wtedy objawy choroby sierocej (zob. s. 1389).

Prawidłową aktywność rodzicielską dziecko może wzbudzić w stałej, niespokrewnionej opiekunce, rodzicach zastępczych, np. adopcyjnych.

Więź dziecka z rodzicami

Dziecko przychodzi na świat niezdolne do samodzielnego życia. Jego dalsze życie, wzrost i rozwój zależą od tego, czy opiekujące się nim osoby dorosłe, zwykle rodzice, zwłaszcza matka, zaspokoją w pełni jego potrzeby, ochronią przed niebezpieczeństwem, przed wszelkimi niekorzystnymi czynnikami otaczającego świata, otoczą miłością.

Mózg noworodka jest już tak rozwinięty, że dziecko dysponuje, wprawdzie ograniczonym, lecz skutecznym zestawem sygnałów, takich jak: uśmiech, krzyk, kontakt „oko w oko", oraz zestawem funkcji zachowawczych, jak ssanie, przywieranie, które podtrzymują czy przywracają fizyczny kontakt z opiekunką oraz są dostateczne do wzbudzenia aktywności rodzicielskiej i nawiązania kontaktu społecznego.

W oddziaływaniu matka – noworodek, a następnie niemowlę, dziecko nie jest stroną bierną. Wyzwala ono i inicjuje poszczególne formy aktywności opiekuńczej u matki. Od pierwszych minut i godzin życia nawiązuje się między matką i jej dzieckiem stałe, zsynchronizowane wzajemne oddziaływanie. Ruchy noworodka wykazują pewną koordynację z melodią i rytmem mowy rodziców, z jej przerwami, akcentami, a nie przejawiają takiej koordynacji z innymi powtarzającymi się dźwiękami w otoczeniu. Noworodek przynosi na świat już pewne informacje z doznań dźwiękowych w okresie życia wewnątrzłonowego, kiedy słyszał stale tony serca matki oraz dźwięk jej mowy. Koordynacja motorycznego zachowania się noworodka z rytmem i strukturą mowy matki wskazuje, że już we wczesnych etapach rozwoju człowiek włącza się w złożony system socjobiologiczny oddziaływań swej rodziny, swego społeczeństwa. Te wcześnie torowane drogi reakcji w układzie nerwowym są biologiczną podstawą późniejszego rozwoju mowy i kontaktów społecznych.

Matka „zapewnia" dziecku optymalny dla niego pokarm oraz stały fizyczny kontakt, który daje mu pełnię poczucia bezpieczeństwa. Tę więź charakteryzuje bardzo silna miłość macierzyńska oraz szybko powstające przywiązanie dziecka do matki.

W pierwszych tygodniach życia głównym źródłem informacji dziecka o otoczeniu, o matce, są prawdopodobnie przede wszystkim jego doznania węchowe, dotykowe i statyczne. W miarę dojrzewania narządów zmysłów i ośrodkowego układu nerwowego dołączają się kolejno do sposobu rozpoznawania matki doznania czuciowe, słuchowe i wzrokowe. Okresy kontaktu związane z karmieniem, przewijaniem, wzajemne oddziaływanie niemowlęcia i matki powtarzają się rytmicznie w ciągu doby zgodnie z kształtującym się już w 2–3 miesiącu życia rytmem snu i czuwania. Podstawowe znaczenie ma ciągłość więzi tylko z jedną osobą.

Najbliższe środowisko – najczęściej rodzina – pielęgnując niemowlę przekazuje mu obraz świata, społeczeństwa, do którego musi się ono przystosować, kształtuje swoimi działaniami jego pierwsze odruchy i reakcje. Pierwsze miesiące życia stanowią krytyczny okres dojrzewania budowy i czynności tych części mózgu, które będą sterować zachowaniem się dziecka, następnie osoby dojrzałej, przystosowaniem się do aktualnego środowiska zewnętrznego, rodzinnego, społecznego. Bodźce napływające ze świata zewnętrznego mają szczególne znaczenie dla rozwoju mózgu według programu genetycznego z dostosowaniem się do środowiska zewnętrznego, dla ukształtowania się psychoemocjonalnego typu jednostki i schematu jego społecznych kontaktów.

Zaburzenia wzajemnej więzi rodzice – dziecko

Aby wykazać rolę, jaką dla całokształtu rozwoju człowieka odgrywa wzajemne oddziaływanie uczuciowe i społeczne między matką i dzieckiem już w okresie niemowlęcym, przeprowadzono wiele doświadczeń na zwierzętach, w tym na małpach, oraz poddano analizie i wnikliwej długofalowej obserwacji różne grupy matek i dzieci od urodzenia.

Badania wykonane na małpach wykazały, że długotrwałe izolowanie dziecka małpiego w okresie niemowlęcym czyni zwierzę niezdolnym do kontaktów społecznych w okresie życia dojrzałego. Natomiast częściowe izolowanie, kontakt z inną odizolowaną małpą, a nawet zastosowanie „zastępczych matek" może zapobiec wystąpieniu późnych nieprawidłowości zachowania społecznego lub zmniejszyć je. Stopień izolacji społecznej w okresie niemowlęcym może zatem wiązać się ze stopniem zaburzeń zachowania w okresie dojrzałości, jednakże nie można tych wniosków przenieść wprost na człowieka.

Z doświadczeń na innych młodych zwierzętach wynika, że występują różnice w budowie i biochemii mózgu zwierząt wychowywanych przez matki oraz oddzielonych od rodziców, wychowywanych w środowisku bogatym lub ubogim w bodźce. Na przykład szczury z rodzinnego „wzbogaconego" środowiska lepiej wykonują testy, szybciej się uczą w próbie labiryntowej, mają grubszą warstwę kory mózgu.

Na podstawie licznych obserwacji, zwłaszcza rozwoju dzieci w zakładach opiekuńczych, a więc pozbawionych opieki indywidualnej, w latach pięćdziesiątych wysunięto pogląd, że brak jednej, dorosłej osoby emocjonalnie zaangażowanej, stale opiekującej się niemowlęciem w pierwszym roku życia, prowadzi do zaburzeń psychoemocjonalnych i kontaktów społecznych w późniejszym życiu. Przyczyną tych zaburzeń jest niedostatek społecznej więzi, brak odpowiednich bodźców w krytycznym okresie rozwoju mózgu. Pogląd ten był przedmiotem żywej dyskusji. Po kontrolowanych obserwacjach dzieci wychowywanych w „dobrych" zakładach opiekuńczych stwierdzono, że późne objawy zaburzeń zachowania się człowieka są bardzo różne i zależą od odmiennych warunków wychowania społecznego, a także od stopnia i rodzaju zaburzeń powiązania: matka – dziecko oraz indywidualnych cech danej jednostki.

Zaburzenia występujące u niemowląt i dzieci wskutek braku lub niedostatecznej opieki indywidualnej są znane pod nazwami: choroba sieroca, zespół rozłąki, zespół deprywacji, choroba szpitalna. Zob. też Zaburzenia emocjonalne i przystosowawcze u małych dzieci, s. 1352.

Choroba sieroca. Objawy choroby sierocej są zróżnicowane i zależą od wieku dziecka, okresu trwania izolacji społecznej, środowiska wychowującego i wielu innych czynników. Choroba sieroca może przebiegać pod rozmaitymi postaciami. W najcięższych przypadkach dochodzi do wyniszczenia fizycznego i upośledzenia umysłowego. W innych przypadkach skutki osierocenia mogą ograniczać się do sfery psychicznej i uczuciowej.

Po długotrwałej izolacji społecznej, tj. braku lub niedostatku opieki rodziców albo opieki indywidualnej, najczęściej występują zaburzenia zachowania: apatia lub nadpobudliwość, autyzm, niekiedy brak dystansu, „lepkość", stereotypowe ruchy, jak kiwanie się, samouszkodzenia w postaci bicia głową o podłogę, ścianę, wyrywanie sobie włosów, obgryzanie paznokci, brak łaknienia lub obżarstwo, wymioty, moczenie nocne.

Niedorozwój emocjonalny może ujawnić późno swe niebezpieczne skutki. W wieku szkolnym mogą występować trudności w nauce, agresywność, konflikty z rówieśnikami i nauczycielami, skłonność do włóczęgostwa. W okresie młodzieńczym ujawnić się to może w postaci skłonności do przestępstw, niezdolności do włączania się w życie społeczeństwa, podjęcia sumiennej pracy, nawiązywania trwałych związków uczuciowych, stworzenia dobrej rodziny.

Wzrost częstości występowania wymienionych, bardzo trudnych do leczenia zaburzeń psychoemocjonalnych u dzieci i młodzieży w krajach o najbardziej rozwiniętej cywilizacji nakazuje przesunięcie punktu ciężkości działania na zapobieganie chorobie sierocej.

Problem, czy skutki wczesnej izolacji społecznej człowieka są odwracalne, nie jest dotąd rozstrzygnięty. Mobilizowane są jednak wszelkie siły społeczne, aby umocnić rodzinę, aby zapewnić każdemu dziecku możliwość wychowania się w kochającej je rodzinie.

Z poznania niektórych ogniw wrodzonych mechanizmów, które wyzwalają i wzmacniają aktywność rodzicielską, zostały wyciągnięte wnioski praktyczne. W wielu klinikach położniczych noworodki od chwili urodzenia pozostają na salach matek. Na niektórych oddziałach położniczych umożliwiono również ojcom kontakt z ich nowo narodzonymi dziećmi. W niektórych klinikach podjęto już próby włączenia rodziców do procesów leczenia i pielęgnowania nawet na oddziałach intensywnej terapii dzieci chorych już od okresu noworodkowego.

Zapobieganie chorobie sierocej i jej leczenie polega przede wszystkim na rozwijaniu różnych form zastępczego środowiska rodzinnego, a mianowicie adopcji, zwłaszcza wczesnej, rodzin zastępczych i rodzinnych domów dziecka dla dzieci pozbawionych opieki rodzicielskiej.

Potrzeba organizowania rodzin zastępczych i rodzinnych domów dziecka dla dzieci pozbawionych opieki rodzicielskiej własnych rodziców została doceniona i w naszym kraju. Istnieją ustawy określające zasady powoływania i finansowania ze skarbu państwa zarówno rodzin zastępczych, jak i rodzinnych domów dziecka. W organizowaniu ich biorą udział różne placówki podlegające resortom oświaty, zdrowia i sprawiedliwości. Stanowi to również jeden z głównych nurtów działalności Towarzystwa Przyjaciół Dzieci. Celem, który przyświeca tym działaniom, jest zapewnienie każdemu dziecku w naszym kraju możliwości indywidualnego wychowania w rodzinie, jeśli nie własnej, to w odpowiedniej zastępczej.

XIX. ORGANIZACJA OCHRONY ZDROWIA DZIECKA I MACIERZYŃSTWA

Mierniki stanu zdrowia populacji

Do uzyskania stałej poprawy stanu zdrowia kobiet w okresie rozrodczym oraz dzieci i młodzieży – czyli tzw. populacji w wieku rozwojowym – niezbędna jest umiejętność dokonywania prawidłowej oceny aktualnego stanu zdrowia tych grup ludności. Szczególnie ważna jest znajomość zasad czuwania nad niektórymi zjawiskami i problemami zdrowotnymi wymienionej populacji, jak też właściwe prognozowanie tendencji i możliwości postępu w przyszłości, zwłaszcza w aspekcie stale zmieniających się warunków życia i występujących zagrożeń ekologicznych. Do prowadzenia tego typu systematycznych analiz i ocen zobowiązani są organizatorzy ochrony zdrowia, zwłaszcza szczebla wojewódzkiego i centralnego.

Stan zdrowia w społeczeństwie określa się za pomocą tzw. mierników zdrowia, pozytywnych i negatywnych, specyficznych dla dzieci i młodzieży. Do mierników pozytywnych zalicza się ocenę rozwoju fizycznego i psychicznego, ogólną sprawność ruchową oraz niektóre wskaźniki stanu zdrowia, uzyskiwane m.in. w systemie powszechnych badań okresowych, tzw. bilansów zdrowia. Do mierników negatywnych natomiast głównie umieralność i chorobowość.

Stan zdrowia dzieci i młodzieży

Wyniki badań rozwoju somatycznego dzieci w Polsce, dokonywanych w ostatnich dziesięcioleciach, wskazują na utrzymywanie się zmian wyrażających się zwiększaniem wymiarów ciała i wcześniejszym dojrzewaniem fizycznym, ale wyraźnie zróżnicowanych środowiskowo na niekorzyść wsi. Zjawiskom tym nie towarzyszy jednak poprawa sprawności i wydolności fizycznej dzieci i młodzieży. U dziewcząt z dużych miast stwierdza się wręcz pogarszanie tych parametrów. Główne przyczyny tego niepokojącego zjawiska upatruje się w niskim poziomie aktywności ruchowej dzieci. Wskazuje to na pilną konieczność zmiany systemu wychowania fizycznego w szkole.

Ogólne wyniki masowych badań lekarskich, zwanych bilansami zdrowia (zob. s. 1402), wskazują na znaczny w populacji rozwojowej odsetek (ok. 40%, pomijając próchnicę zębów) dzieci z różnorodnymi zaburzeniami rozwoju lub zdrowia. Większość z tych odchyleń może zostać w okresie rozwojowym wyrównana całkowicie (np. w wadach refrakcji przez dobór szkieł optycznych) lub w znacznym stopniu. Wymaga to jednak różnorodnych rodzajów korekcji (np. logopedycznej, ortopedycznej, ruchowej) i reedukacji.

Najczęstszym odchyleniem od stanu pełnego zdrowia są u dzieci i młodzieży zaburzenia narządu żucia. Próchnica zębów występuje częściej u dzieci ze wsi we wszystkich grupach wieku. Próchnicę zaawansowaną stwierdzano przed 1989 r. u 20–34% uczniów roczników bilansowanych, tj. w wieku 6, 10, 14 i 18 lat.

Do innych częstych zaburzeń w rozwoju populacji dzieci szkolnych należą:
- zaburzenia rozwoju psychospołecznego (ok. 5–14% uczniów), występujące częściej u chłopców zarówno na wsi, jak i w miastach;
- wady i zaburzenia narządu wzroku (ok. 8–21% uczniów);
- zaburzenia statyki ciała (ok. 9% uczniów);
- zaburzenia rozwoju somatycznego (ok. 4–11%), w tym najczęściej otyłość zwiększająca się z wiekiem, zwłaszcza u dziewcząt;
- zaburzenia mowy (ok. 9% u dzieci 6-letnich, w starszych rocznikach zmniejsza się do 1%).

Umieralność niemowląt

Jednym z najważniejszych ogólnych mierników stanu zdrowia społeczeństwa jest umieralność niemowląt. Współczynniki umieralności niemowląt, obliczane statystycznie zunifikowaną metodą określoną przez Światową Organizację Zdrowia (WHO), umożliwiają porównania w skali międzynarodowej.

Umieralność niemowląt nie jest jednakowa we wszystkich okresach wieku niemowlęcego. Największa jest umieralność niemowląt najmłodszych Z wiekiem częstość zgonów dzieci zmniejsza się.

Ogólnie, umieralność niemowląt dzieli się na wczesną (0–28 dni życia) i późną (1–11 miesiąc życia). Dotychczas w Polsce nastąpił

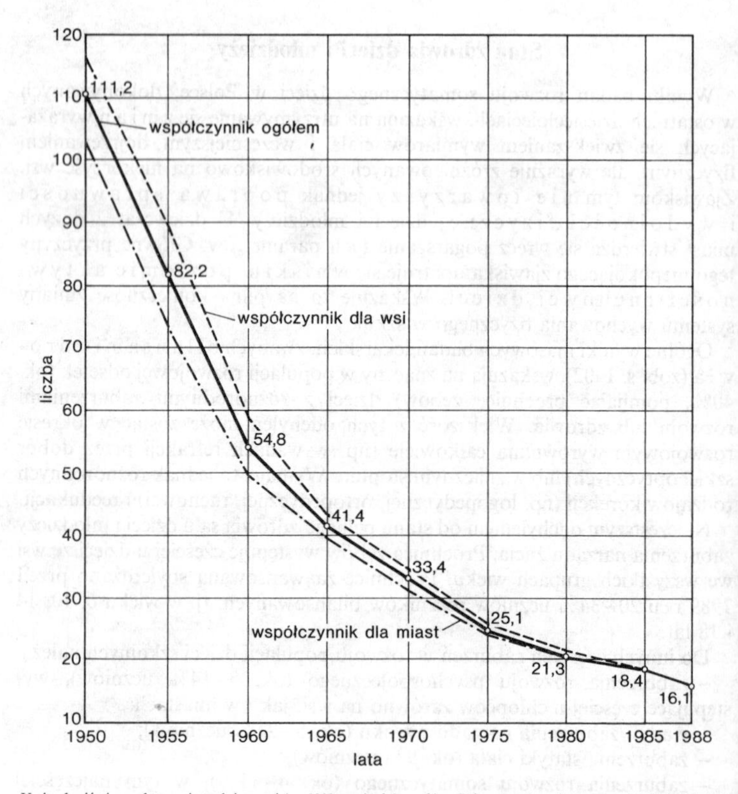

Umieralność niemowląt w miastach i na wsi (na 1000 urodzeń żywych) w Polsce (wg danych Instytutu Matki i Dziecka)

stosunkowo szybki spadek umieralności późnej. W latach 1960–1975 obniżała się ona dwukrotnie szybciej niż umieralność wczesna. W latach 1975–1987 sytuacja ta nadal kształtowała się na korzyść umieralności późnej. Jednocześnie zmniejszała się systematycznie i umieralność wczesna, ale w znacznie mniejszym stopniu, gdyż zależnym głównie od endogennych przyczyn zgonów, obejmujących stany chorobowe płodów i noworodków powstające w okresie okołoporodowym (w tym uraz porodowy i zespół zaburzeń oddychania) oraz wady wrodzone. Umieralność z przyczyn egzogennych, m.in. z powodu biegunek o etiologii zakaźnej i zapalenia płuc, w tym czasie znacznie się zmniejszyła.

Pomimo istotnego zmniejszenia się w Polsce corocznej liczby zgonów niemowląt (z ok. 82 000 w 1950 r. do ok. 9500 w 1988 r.), zwłaszcza w wieku 1–11 miesięcy życia, jak i współczynników umieralności niemowląt (ze 119,8‰ w 1946 r. do 16,1‰ w 1988 r.) – porównanie z danymi przodujących krajów europejskich wypada dla naszego kraju niekorzystnie. Na wielkość współczynników największy wpływ mają zgony noworodków niedonoszonych i o małej masie urodzeniowej (tj. poniżej 2500 g), zwanych łącznie wcześniakami.

Współczynniki umieralności niemowląt w grupach wieku (na 1000 urodzeń żywych) w Polsce (wg roczników demograficznych GUS)

Lata	Wiek (dni)				1-11 miesięcy
	0	1-6	7-29	0-29	
1965	6,6	7,3	7,1	21,0	20,5
1970	7,1	7,3	5,6	20,0	13,4
1975	4,9	7,2	4,0	16,1	8,9
1980	4,3	6,2	3,0	13,5	7,8
1985	4,1	6,3	2,7	13,1	5,3
1987	3,6	6,4	2,6	12,6	4,8

Umieralność wczesna niemowląt w 11 krajach europejskich* (wg współczynnika na 1000 urodzeń żywych)

Kraj	Rok	Wysokość współczynnika
1. Francja	1978	4,8**
2. Szwecja	1980	4,9
3. Norwegia	1980	5,1
4. RFN	1980	7,8
5. Austria	1980	9,3
6. Bułgaria	1980	10,4
7. Rumunia	1980	11,2
8. **Polska**	1980	13,3
9. Grecja	1979	14,5
10. Jugosławia	1979	16,6
11. Węgry	1980	17,8

Umieralność późna niemowląt w 11 krajach europejskich* (wg współczynnika na 1000 urodzeń żywych)

Kraj	Rok	Wysokość współczynnika
1. Szwecja	1980	2,0
2. Norwegia	1980	3,0
3. Francja	1979	4,0
4. Grecja	1979	4,3
5. RFN	1980	4,8
6. Austria	1980	5,1
7. Węgry	1980	5,3
8. **Polska**	1980	8,9
9. Bułgaria	1980	9,9
10. Jugosławia	1979	16,2
11. Rumunia	1980	18,2

* wg World Health Statistics Annual 1982
** Część wczesnych zgonów (do ok. 3 dni) nie uwzględniona w rejestracji

W Polsce odsetek noworodków żywo urodzonych z małą masą urodzeniową kształtuje się w ostatnich latach średnio na poziomie ok. 7,5-8,0% wszystkich urodzeń żywych. Natomiast zgony takich niemowląt stanowią ok. 2/3 wszystkich zgonów w pierwszym miesiącu życia (umieralność wczesna niemowląt). Problem wcześniactwa, jego przyczyn i skutków staje się jednym z najważniejszych problemów medycyny wieku rozwojowego.

Dzięki postępowi medycyny obecnie udaje się utrzymać przy życiu dzieci urodzone z małą, a nawet z bardzo małą masą ciała, podobnie jak i dzieci z ciężkimi wadami rozwojowymi. Stwarza to w okresie późniejszym konieczność organizowania dla tych dzieci specjalnej opieki, zapewnienia im należytego leczenia, rehabilitacji, nauki itd.

Umieralność okołoporodowa płodów i noworodków

Terminem umieralność okołoporodowa określa się łącznie późne zgony płodów (powyżej 28 tygodnia trwania ciąży) oraz zgony noworodków w pierwszym tygodniu życia. Wyróżnia się umieralność przedporodową i śródporodową (tzw. martwe urodzenia) oraz poporodową.

Współczynniki umieralności okołoporodowej analizowane w szpitalach wykazują tendencję zniżkową (także biorąc pod uwagę zgony poporodowe, tj. od 0–6 dnia życia), ale o znacznie mniejszym tempie spadku niż umieralność niemowląt (rys.). Dotychczas ok. 60% zgonów okołoporodowych przypada na pierwszy tydzień życia. Główną przyczyną umieralności około-

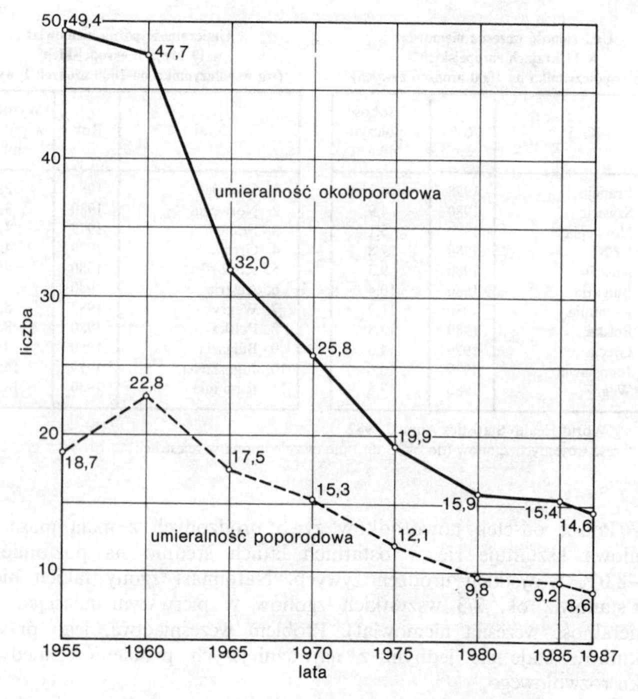

Umieralność noworodków okołoporodowa (od 1001 g masy ciała) i poporodowa od 0 do 6 dnia życia (na 1000 urodzeń) w Polsce (wg danych Ministerstwa Zdrowia i Opieki Społecznej)

Umieralność okołoporodowa od 1001 g w Polsce (na 1000 urodzeń żywych i martwych) (wg danych Ministerstwa Zdrowia i Opieki Społecznej)

Lata	Umieralność okołoporodowa	W tym		
		przedporodowa	śródporodowa	poporodowa
1970	26,8	8,2	2,3	16,3
1980	15,9	5,3	0,8	9,8
1982	16,6	5,4	0,8	10,4
1985	15,4	5,4	0,8	9,2
1987	14,8	5,4	0,8	8,6

porodowej (od 600 g urodzeniowej masy ciała) jest przede wszystkim skrócony okres trwania ciąży oraz niedotlenienie związane z zaburzeniami oddychania.

Umieralność w wieku 1–19 lat

Umieralność dzieci po ukończeniu 1 r. życia jest znacznie mniejsza niż w starszych grupach wiekowych ludności. Najniższe z całego okresu życia człowieka są współczynniki zgonów dzieci w grupie wieku 10–14 lat – nawet dwukrotnie niższe niż np. w grupie wieku 1–4 lata lub 15–19 lat życia. W latach 1960–1980 zaznaczyła się wyraźnie tendencja do systematycznego obniżania się liczby zgonów w wieku rozwojowym, przy utrzymywaniu się różnicy na niekorzyść wsi. W okresie tym zmniejszały się systematycznie współczynniki zgonów dzieci i młodzieży we wszystkich grupach wiekowych. Należą one jednak nadal do najwyższych w Europie, a tempo ich obniżania się w Polsce w latach 1979–1980 było wolniejsze niż w innych krajach europejskich.

Zgony dzieci wg wieku (w liczbach bezwzględnych) w Polsce (wg roczników statystycznych i demograficznych GUS)

Lata	Ogółem zgony w tys.	W tym				
		niemowlęta	dzieci w wieku lat			
			1–4	5–9	10–14	15–19
1960	224,2	37 539	4765	1930	1378	1686
1965	232,4	22 796	2916	1577	1291	1948
1970	266,8	18 112	2136	1243	1324	2474
1975	296,9	16 001	2065	1081	978	2469
1980	350,2	14 736	2051	1145	809	1962
1982	334,9	14 188	1793	1220	862	1849
1985	381,5	12 523	1761	974	826	1565
1987	378,4	10 601	1594	886	769	1577

Głównymi przyczynami zgonów dzieci w wieku 1–4 lat są kolejno: wypadki (zwłaszcza wypadki drogowe i utonięcia), zatrucia i urazy, choroby układu oddechowego (przede wszystkim zapalenie płuc), nowotwory (w tym białaczki), choroby układu nerwowego i narządów zmysłów (zwłaszcza zapalenie mózgu i zapalenie opon mózgowych). Tylko u dzieci w 2 r. życia kolejność jest nieco inna. Na pierwszym miejscu znajdują się tu jeszcze choroby układu oddechowego, następnie wypadki, zatrucia i urazy oraz wady wrodzone.

Głównymi przyczynami zgonów dzieci w wieku 5–9 lat i 10–14 lat są: wypadki, zatrucia i urazy, choroby nowotworowe, choroby układu nerwowego i narządów zmysłów. U młodzieży w wieku 15–19 lat po wypadkach, zatruciach i urazach oraz chorobach nowotworowych kolejną przyczyną zgonów stają się choroby układu krążenia.

W umieralności dzieci i młodzieży w całym okresie szkolnym wypadki, urazy i zatrucia mają szczególne znaczenie. Stanowią one ponad 40% przyczyn zgonów w grupie wiekowej 5–14 lat i aż 61% wśród młodzieży 15–19-letniej. W latach 1970–1980 stwierdzono nawet wyraźny wzrost liczby zgonów w grupie wiekowej 15–19 lat, zwłaszcza na wsi. W strukturze przyczyn zgonów dzieci i młodzieży w wieku szkolnym na drugie miejsce wysunęły się nowotwory (11–20% ogółu zgonów w tym wieku).

Chorobowość

W zachorowalności dzieci i młodzieży obok wypadków i urazów (prowadzących często do trwałego kalectwa) przeważają choroby układu oddechowego. W wieku niemowlęcym, dziecięcym i młodzieńczym ma swój początek znaczna część stanów niepełnosprawności i inwalidztwa. Ich przyczynami wyjściowymi są wady rozwojowe, często uwarunkowane genetycznie, uszkodzenia okołoporodowe oraz wypadki i urazy.

Zachorowalność na choroby zwane ostrymi chorobami zakaźnymi wieku dziecięcego, przeciw którym prowadzi się szczepienia ochronne, wybitnie zmniejszyła się (nawet w ostatnich latach).

Najpoważniejszym problemem epidemiologicznym jest nadal wirusowe zapalenie wątroby. Zachorowalność wywołana szerzącym się drogą pokarmową wirusem A (ok. 79% zachorowań) jest największa w wieku szkolnym (zwłaszcza w grupie 10–14 lat). Sprzyjają jej niedostateczne warunki higieniczno-sanitarne w większości szkół w Polsce.

Gruźlica, pomimo niewątpliwych sukcesów w jej zwalczaniu, zwłaszcza wśród dzieci, stanowić może nadal wysokie ryzyko zachorowania przy zaniedbaniach profilaktycznych lub dotyczących szczepień ochronnych albo badań osób dorosłych sprawujących opiekę nad zespołami dziecięcymi lub nauczającymi takie zespoły.

Medycyna wieku rozwojowego

Medycyna wieku rozwojowego łączy ochronę macierzyństwa i zdrowia kobiet z interdyscyplinarną ochroną rozwoju i zdrowia dzieci oraz młodzieży, w różnych aspektach medycznych i społecznych. Zakłada zwłaszcza kompleksową opiekę zdrowotną nad populacją w wieku rozwojowym: „od poczęcia do poczęcia”. Uważa się za niezbędne zapewnienie nadzoru medycznego: nad zdrowiem przyszłych matek już od najwcześniejszego okresu ciąży, nad przebiegiem porodu oraz nad zdrowiem noworodków, niemowląt, dzieci oraz młodzieży – do czasu uzyskania przez nich pełnej dojrzałości fizycznej (w wieku ok. 18 lat) – a także nad zdrowiem rodziny.

Medycyna wieku rozwojowego podkreśla uzależnienie sytuacji zdrowotnej populacji w wieku rozwojowym od warunków ekonomiczno-społecznych i ekologicznych i od świadomego udziału zarówno całego społeczeństwa, jak i indywidualnych osób w ochronie najmłodszych grup ludności przed współczesnymi zagrożeniami.

Podstawowa opieka zdrowotna

Organizacja podstawowej opieki zdrowotnej nad dzieckiem jest w Polsce zróżnicowana i zależy od miejsca zamieszkania dziecka (miasto, wieś) oraz od środowiska, w którym ono przebywa lub uczy się (rodzina, zakład nauczania i wychowania). Polska jest podzielona na obwody profilaktyczno-lecznicze związane z podziałem administracyjnym kraju. Podstawową opiekę zdrowotną w zdrowiu i chorobie (profilaktyczną i leczniczą) sprawuje rejonowa służba zdrowia w miastach oraz ośrodki zdrowia na wsi.

W miastach podstawową opiekę lekarską nad dziećmi zapewniają lekarze pediatrzy w poradniach dla dzieci, a nad kobietami – lekarze ginekolodzy rejonowych lub zakładowych poradni dla kobiet („K”).

Na wsi opiekę zdrowotną nad dziećmi i nad kobietami sprawuje lekarz ogólny wiejskiego (gminnego) ośrodka zdrowia, przeszkolony w tzw. minimum pediatrycznym i położniczym. W miejscowościach będących siedzibą urzędu gminnego dąży się, aby w ośrodku zdrowia obok lekarza ogólnego pracował lekarz pediatra ewentualnie i ginekolog, którzy organizują odrębne poradnie dla dzieci oraz dla kobiet.

Wiejski (gminny) ośrodek zdrowia zajmuje się nie tylko leczeniem chorych dzieci i działalnością profilaktyczną dla niemowląt, ale prowadzi również szczepienia ochronne, badania przesiewowe i bilanse zdrowia, sprawuje czynną opiekę nad dziećmi zakwalifikowanymi do grup dyspanseryjnych oraz prowadzi wielostronną działalność oświatowo-zdrowotną. Wiejski ośrodek zdrowia współpracuje z najbliżej położoną przychodnią miejską i ze szpitalem, do których kierowane są dzieci wymagające specjalistycznych porad lekarskich i badań diagnostycznych.

Lekarze i pielęgniarki wiejskiego (gminnego) ośrodka zdrowia sprawują również nadzór zdrowotny nad uczniami szkół podstawowych i innych zakładów nauczania i wychowania, znajdujących się na terenie działalności ośrodka. Położna ośrodka nadzoruje profilaktycznie kobiety w ciąży (poradnia „C”).

Poradnie dla dzieci w miastach działają na obszarach zamieszkałych przez ok. 3–10 tysięcy mieszkańców (ok. 1000–1500 dzieci w rejonie). Poradnie te obejmują swoją opieką profilaktyczną i leczniczą wszystkie dzieci oraz prowadzą działalność oświatowo-zdrowotną dla rodziców, dotyczącą przede wszystkim prawidłowego żywienia, zasad higieny, zapobiegania chorobom, pielęgnowania niemowląt itd.

Zasadą pracy poradni jest jak najwcześniejsze objęcie opieką zdrowotną każdego noworodka oraz nadzór nad rozwojem i stanem zdrowia indywidualnego dziecka zarówno w zdrowiu, jak i podczas choroby – przez tego samego lekarza. Opieka profilaktyczna polega na: kontrolowaniu rozwoju dziecka, wczesnym rozpoznaniu ewentualnych wad i zaburzeń rozwojowych a także innych odchyleń stanu zdrowia, na zapobieganiu chorobom infekcyjnym i niedoborowym, wykonywaniu szczepień ochronnych itp. Opieka nad niemowlętami sprawowana jest systemem opieki patronażowej, która polega na okresowych badaniach lekarskich oraz na nadzorowaniu środowiska domowego przez pielęgniarki i lekarza. Dzieciom obłożnie chorym, gorączkującym lub podejrzanym o chorobę zakaźną – porady i zabiegi lecznicze udzielane są w domu.

Opieka zdrowotna nad dzieckiem w środowisku szkolnym

W przedszkolach, szkołach podstawowych i innych zakładach nauczania i wychowania opieka profilaktyczna nad dziećmi jest organizowana według specjalnego programu medycyny szkolnej. Ogólny nadzór sanitarny w zakresie higieny szkolnej nad obiektami i warunkami nauczania sprawują terenowe placówki państwowej inspekcji sanitarnej (rejonowe stacje sanitarno-epidemiologiczne).

Bezpośrednio w szkołach zatrudniane są pielęgniarki i higienistki szkolne.

Opiekę nad dziećmi i młodzieżą w innych zakładach nauczania i wychowania sprawują głównie lekarze rejonowi.

Opieka zdrowotna na poziomie wojewódzkim

W miastach wojewódzkich działają wojewódzkie specjalistyczne zespoły opieki zdrowotnej nad matką i dzieckiem (lub nad kobietami, dziećmi i młodzieżą). Zespoły te integrują wszystkie placówki społecznej służby zdrowia stopnia wojewódzkiego zajmujące się medycyną rozwojową, zarówno otwarte (poradnie), jak i zamknięte (szpitale). W województwach o nielicznych placówkach specjalistycznych szczebla wojewódzkiego dla kobiet, dzieci i młodzieży, zwłaszcza gdy nie istnieją placówki opieki zamkniętej, zamiast ww. „zespołu” działa wojewódzka przychodnia matki i dziecka.

Wojewódzkie przychodnie (zespoły) matki i dziecka prowadzą przede wszystkim działalność metodyczno-organizacyjną i nadzorują fachową działalność placówek społecznej służby zdrowia w województwie, a także uczestniczą w nadzorze specjalistycznym i dokształcaniu pracowników pionu matki i dziecka, integrują działalność szpitalną, sanatoryjną i ambulatoryjną, organizują i udzielają świadczeń specjalistycznych i konsultacyjnych, analizują istniejący stan opieki zdrowotnej oraz programują rozwój świadczeń w przyszłości.

Opieka zdrowotna na poziomie centralnym

Na poziomie centralnym opiekę zdrowotną nad dziećmi, kobietami i młodzieżą sprawuje Instytut Matki i Dziecka powołany w 1948 r. Instytut prowadzi i koordynuje badania naukowe, prowadzi wysoko specjalistyczną działalność leczniczą i konsultacyjną oraz działalność metodyczną i organizacyjną w zakresie medycyny wieku rozwojowego itd. Przy Instytucie działają krajowe zespoły specjalistyczne w dziedzinie: pediatrii i medycyny szkolnej, położnictwa i ginekologii oraz chirurgii dziecięcej. Ponadto Instytut Matki i Dziecka, będący instytutem resortowym, jest ekspertem w dziedzinie spraw związanych ze zdrowiem matki, dziecka i młodzieży oraz dokonuje wiele opracowań dla potrzeb Ministerstwa Zdrowia i Opieki Społecznej i innych instytucji centralnych.

Kliniki pediatrii, położnictwa i ginekologii akademii medycznych

W systemie ochrony zdrowia matki, dziecka i młodzieży bardzo ważną rolę odgrywają kliniki pediatrii oraz położnictwa i ginekologii akademii medycznych, a także kliniki chirurgii i ortopedii dziecięcej oraz inne. W niektórych akademiach medycznych działają instytuty pediatrii oraz instytuty położnictwa i ginekologii, utworzone w wyniku integracji klinik pediatrycznych lub położniczo-ginekologicznych.

Głównym zadaniem klinik jest nauczanie studentów, prowadzenie badań naukowych, sprawowanie nadzoru specjalistycznego nad wyznaczonym regionem, a także przejmowanie do leczenia najtrudniejszych „przypadków chorobowych", zwłaszcza z otaczającego regionu. Wysoko kwalifikowana kadra klinik konsultuje również lub udziela wąskospecjalistycznych porad chorym skierowanym przez placówki niższego szczebla, które mają trudności z ustaleniem diagnozy i leczeniem tych chorych. Kliniki odgrywają dużą rolę w specjalizowaniu pediatrów, położników-ginekologów, chirurgów dziecięcych, a także w szkoleniu podyplomowym lekarzy.

Opieka zdrowotna w szpitalach

Stacjonarną opiekę zdrowotną nad kobietami i populacją w wieku rozwojowym sprawują szpitale terenowe, szpitale wojewódzkie, kliniki pediatrii, położnictwa i ginekologii akademii medycznych (lub instytuty pediatrii oraz instytuty położnictwa i ginekologii akademii medycznych), Instytut Matki i Dziecka, a także Centrum Zdrowia Dziecka i Centrum Zdrowia Matki – Polki.

Oddziały szpitalne dla dzieci chorych oraz oddziały dla położnic i noworodków należą do podstawowych i powinny znajdować się w każdym terenowym szpitalu.

Liczba łóżek szpitalnych specjalistycznych dla dzieci oraz łóżek położniczo-ginekologicznych jakkolwiek stale wzrasta – jest nadal niewystarczająca. Braki dotyczą zwłaszcza łóżek położniczo-ginekologicznych (głównie w okresach wyżu demograficznego). Dla dzieci za mało jest łóżek „specjalistycznych, konsultacyjnych i klinicznych", czyli w tzw. szpitalach referencyjnych, znajdujących się zazwyczaj w wielkich miastach.

W Polsce preferuje się hospitalizację porodów, czyli odbywanie ich w szpitalu. Gwarantuje to większe bezpieczeństwo rodzącym, zwłaszcza pierworódkom i wieloródkom od czwartego porodu (zmniejszają się współczynniki umieralności matek). Jak wykazują doświadczenia innych krajów, porody tzw. domowe, nawet z dobrą pomocą lekarską, ale w oddaleniu od szpitala, mogą zwiększać liczbę dzieci z zaburzeniami rozwoju, związanymi z uszkodzeniami i mikrourazami powstającymi podczas porodu.

W szpitalu opiekę nad noworodkiem i wcześniakiem sprawuje lekarz pediatra, wysoko specjalizowany w fizjologii i ocenie ewentualnej patologii tego okresu życia, asystujący przy porodzie, a następnie oceniający rozwój noworodka, aż do momentu opuszczenia szpitala. Liczba łóżek dla noworodków w szpitalu w zasadzie przewyższa o 15 – 20% liczbę łóżek położniczych.

Noworodki urodzone w szpitalu powinny przebywać we wspólnym pomieszczeniu z matką (tzw. „system rooming in", redukujący m.in. wczesne kontakty noworodka z zakażonym otoczeniem, a zwielokrotniający kontakt z matką). W razie niemożności takiego rozwiązania zaleca się jednoczasowe, naprzemienne zapełnianie i zwalnianie sal dla noworodków i równolegle dla położnic (tzw. system „kohorty"), w celu umożliwienia systematycznego czyszczenia i wietrzenia pomieszczeń przed każdorazowym zapełnieniem. Najtrudniejszym bowiem obecnie problemem związanym z hospitalizacją porodów stały się zakażenia szpitalne noworodków. Szpital bywa źródłem, rezerwuarem i rozsadnikiem zakażeń, grożących przede wszystkim nowo urodzonym dzieciom, zwłaszcza wcześniakom, często śmiertelnymi skutkami.

Zakażenia szpitalne towarzyszą przepełnieniu oddziału położniczego, brakom personelu, awariom sieci wodociągowej, kanalizacyjnej, złej organizacji prania i obiegu bielizny itp. Podstawą zapobiegania zakażeniom i ich zwalczania jest rygorystyczne przestrzeganie przepisów sanitarnych, używanie sprzętu jednorazowego użytku, ręczników papierowych do rąk, ochraniaczy na obuwie, coroczne malowanie oddziałów, stosowanie odpowiednich środków odkażających bezpiecznych dla noworodków itd.

Hospitalizacja dzieci chorych, zwłaszcza najmłodszych, wymaga odpowiedniego przygotowania szpitala. Dotyczy to m.in.:

1) zapewnienia podstawowego bezpieczeństwa (np. zabezpieczenie okien, balkonów, tarasów, schodów, przeszklenia ścian działowych);
2) odpowiedniego żywienia (umożliwienie karmienia piersią, kuchnia mleczna i dietetyczna wg wieku);
3) zapewnienia wystarczającej opieki pielęgniarskiej;
4) aparatury, sprzętu i wyposażenia dostosowanego do wymiarów antropometrycznych i fizjologii dzieci w różnym wieku;
5) stosowania specjalnych metod diagnostycznych;
6) nasilenia zapobiegania zakażeniom szpitalnym (filtry, izolatki, reżim, sanitarny, środki odkażające, sprzęt jednorazowego użytku itd.);
7) zorganizowania dodatkowych zajęć (w tym szkoła szpitalna i in.).

Ochrona prawna zdrowia kobiety i macierzyństwa

Zgodnie z konstytucją, kobieta polska ma równe prawa z mężczyzną we wszystkich dziedzinach życia. Dzieci urodzone poza małżeństwem mają te same prawa co urodzone w małżeństwie. Państwo gwarantuje opiekę nad matką i dzieckiem oraz ochronę kobiety ciężarnej, zapewnia płatny urlop macierzyński, 3-letni urlop wychowawczy z płatnym zasiłkiem, zasiłki wychowawcze dla matek małych dzieci itd.

Troska o zdrowie kobiety–matki zaczyna się jeszcze przed okresem macierzyństwa. Istnieją przepisy, okresowo uaktualniane, które zabraniają w ogóle zatrudniania kobiet przy pracach uciążliwych lub szkodliwych dla zdrowia.

Zgodnie z przepisami prawnymi zakłady pracy nie mogą odmówić zatrudnienia kobiety z powodu ciąży – istnieje zakaz badań ginekologicznych przed przyjęciem do pracy. Zakład pracy, na wniosek kobiety lub lekarza, musi przenieść ciężarną do lżejszej pracy (nie może to spowodować obniżki jej zarobków). Nie może też wypowiedzieć ani rozwiązać umowy o pracę z ciężarną.

Płatny urlop macierzyński przysługuje każdej pracującej kobiecie w wymiarze 16 tygodni przy pierwszym porodzie i 18 tygodni przy każdym następnym. Nie wolno w tym czasie kobiety zatrudniać, nawet za jej zgodą, ani rozwiązać z nią umowy o pracę. Kobiecie po wykorzystaniu urlopu macierzyńskiego przysługuje 3-letni urlop wychowawczy z płatnym zasiłkiem i z zachowaniem wszystkich praw pracowniczych.

Każda kobieta pracująca zawodowo po urodzeniu dziecka otrzymuje jednorazowy zasiłek z tytułu urodzenia dziecka. Do ukończenia przez dziecko jednego roku życia kobieta nie może być zatrudniana dodatkowo, w nocy i przy pracach ciężkich.

Kobieta karmiąca dziecko piersią ma prawo do przerwy w czasie pracy oraz do otrzymania zasiłku. Każda pracująca matka ma prawo do osobistego opiekowania się chorym dzieckiem do lat 14 (płatne zwolnienie do 60 dni w roku) oraz do 2 dni wolnych w roku na opiekę nad zdrowym dzieckiem. Wprowadzono też zasiłek dla rodziców dzieci kalekich do lat 16.

Bilanse zdrowia i poradnictwo czynne

Planowa, kompleksowa i ciągła opieka nad dziećmi od urodzenia do 18 r. życia jest oparta na systemie badań przesiewowych i bilansów zdrowia, połączonym z czynnym poradnictwem w określonych grupach dyspanseryjnych.

Bilanse zdrowia są to powszechne, kompleksowe badania lekarskie, mające na celu ocenę rozwoju oraz stanu zdrowia noworodków i dzieci 2-, 4-, 6- i 10-letnich, a także młodzieży 14- i 18-letniej. Każdy bilans zdrowia ma specyfikę związaną z odrębnościami rozwoju i potrzebami danej grupy wieku i pozwala zaprogramować formy opieki leczniczej i innych działań korekcyjno-kompensacyjnych, wynikających z ewentualnie stwierdzonych zaburzeń. Wnioski z bilansów zdrowia są podstawą nie tylko do indywidualnego programu opieki zdrowotnej, lecz także do objęcia czynnym poradnictwem dzieci zakwalifikowanych do grup dyspanseryjnych. Ponadto są podstawą do orzeczeń dla potrzeb ucznia, szkoły, pomocy społecznej itd.

Poradnictwo czynne obejmuje ciągłą opieką zdrowotną dzieci: z wadami i zaburzeniami wrodzonymi lub nabytymi, przewlekle chore, obciążone ryzykiem zachorowania większym niż przeciętne. Poradnictwem czynnym kieruje lekarz pediatra w poradni dla dzieci lub lekarz ośrodka zdrowia na wsi, albo lekarz poradni szkolnej, przychodni przyzakładowej itd. Poradnictwem czynnym objęte są dzieci zakwalifikowane do następujących grup dyspanseryjnych:

- grupa I – ryzyko okołoporodowe;
- grupa II – wady wrodzone;
- grupa III – przewlekłe zaburzenia odżywiania i stany niedoborowe;
- grupa IV – zaburzenia w rozwoju somatycznym i psychicznym, trwałe uszkodzenia ośrodkowego układu nerwowego;
- grupa V – wady i choroby narządu wzroku;
- grupa VI – przewlekłe choroby nosogardzieli i uszu, zaburzenia słuchu i mowy;
- grupa VII – przewlekłe choroby układu oddechowego;
- grupa VIII – choroby i zaburzenia układu krążenia, choroba reumatyczna;

grupa IX – przewlekłe choroby układu moczowego;
grupa X – trwałe uszkodzenia narządu ruchu i statyki ciała;
grupa XI – inne choroby przewlekłe wymagające czynnego poradnictwa.

Dzieci zakwalifikowane do I, II i III grupy po ukończeniu 2 r. życia mogą być przeniesione do innej grupy.

CHIRURGIA

I. WSTĘP

Chirurgia to „jeden z najstarszych działów medycyny, w którym podstawowym sposobem leczenia jest zabieg operacyjny, też postępowanie za pomocą nie uzbrojonych rąk, np. nastawianie złamanej lub zwichniętej kończyny". Nie jest to doskonała definicja, budzić może wiele zastrzeżeń, jest jednak sformułowaniem niezbędnym dla celów formalnych.

Pełne zrozumienie chirurgii, szczególnie jej miejsca w „sztuce leczenia", wymaga mocnego osadzenia w szeroko pojętej historii. Ponieważ obszerny traktat nie mieści się w ramach tego opracowania, a suchy wywód sprowadzony do dat i faktów nie oddaje istotnej warstwy filozoficznej, mowa będzie tylko o chirurgii dzisiejszej, tej, której osiągnięcia zaskakują nawet uznanych profesjonalistów. To zresztą jedna z charakteryzujących ją od dawna cech. Drugą cechą chirurgii, bliższą dnia dzisiejszego, jest coraz dalej idące zróżnicowanie, określane zwykle jako wąska specjalizacja. Ta druga cecha sprawia, że czytelnik zetknie się z problemami leczenia chirurgicznego także w innych działach tej encyklopedii.

Dynamiczny rozwój chirurgii, tak spektakularny na przestrzeni ostatnich lat, stał się możliwy dzięki wielkiemu postępowi nauki, stanowi wszakże zarazem istotny dowód jej niedoskonałości. Brzmi to na pozór paradoksalnie, jeżeli nie uświadomimy sobie, że leczenie chirurgiczne uwalnia od dolegliwości, ratuje życie, ale usuwa jedynie skutki choroby a nie jej przyczyny. Taka też jest rola chirurgii we współczesnej medycynie. Chirurgia w odczuciu człowieka chorego zawsze budziła strach, ale dawała też iskrę nadziei. Dzisiaj stwarza znacznie więcej nadziei niż lęku. Nie eliminuje go jednak całkowicie. Nie zagłębiając się w psychologicznie umotywowane aspekty tego zagadnienia należy podkreślić, że ma ono istotne znaczenie. Warunkiem skuteczności leczenia chirurgicznego jest bowiem przeprowadzenie go w określonym etapie procesu chorobowego.

Podstawowe określenia chirurgiczne

Operacja jest to określone, świadome działanie połączone z zamierzonym przecięciem tkanek czy otwarciem jam ciała w celu usunięcia chorych narządów, ich fragmentów czy tkanek, opróżnienia nagromadzonych w wyniku procesu patologicznego płynów lub wreszcie rekonstrukcji zmian anatomicznych. Pojęcie „operacja" bywa niekiedy zastępowane słowami „zabieg" lub „zabieg operacyjny". Są to w zasadzie synonimy i nie wyrażają stopnia rozległości operacji ani wielkości ryzyka. Używanie słowa „zabieg" na określenie operacji „błahej" jest błędne. Dość powszechne określanie operacji wyrostka robaczkowego jako „zabiegu kosmetycznego" jest całkowitym nieporozumieniem. O zabiegu kosmetycznym można mówić jedynie w chirurgii odtwórczej, czyli plastycznej, kiedy działanie chirurga ma na celu uzyskanie efektu estetycznego. Każda operacja, począwszy od usunięcia płytki paznokciowej, a na przeszczepie serca skończywszy, kryje w sobie pewne ryzyko określane językiem statystyki. Ryzyko jest zawsze możliwe do przyjęcia, jeżeli pozostaje w zgodzie ze starą zasadą w medycynie: *primum non nocere*, co oznacza „przede wszystkim nie szkodzić". Zawarty w tej zasadzie sens to wyważenie ryzyka związanego z operacją tak, aby nie przekraczało spodziewanych korzyści lub skutków odstąpienia od leczenia operacyjnego i zastosowania innych metod leczenia.

Operacja może być przeprowadzona ze wskazań bezwzględnych lub względnych. O wskazaniach bezwzględnych mówi się wówczas, gdy zaniechanie leczenia operacyjnego grozi ciężkim niebezpieczeństwem, a nawet śmiercią chorego; nie ma alternatywy innego postępowania w celu ratowania życia. O wskazaniach względnych do operacji mówi się natomiast wtedy, gdy pewien efekt leczniczy można osiągnąć stosując leczenie zachowawcze, a zabieg operacyjny zalecany bywa jako metoda, po której można się spodziewać co najmniej równorzędnego lub lepszego wyniku. Wskazaniem względnym do operacji mogą też być uwarunkowania zawodowe, społeczne lub osobnicze chorego.

Operacja łagodząca, zwana też **paliatywną**, jest to zabieg mający na celu jedynie zmniejszenie cierpień chorego, zapewnienie większego komfortu przeżycia, nie usuwający jednak źródła choroby i nie dający szansy całkowitego wyleczenia.

Operacja radykalna, czyli **doszczętna**, stwarzająca szanse całkowitego powrotu do zdrowia jest pojęciem przeciwstawnym do operacji paliatywnej. Oba te rodzaje operacji są szczególnie często stosowane w leczeniu chorób nowotworowych.

Operacja w „trybie nagłym" oznacza zabieg operacyjny, którego odroczenie w czasie może grozić poważnymi konsekwencjami, a nawet utratą życia przez chorego. Pojęcie czasu liczone jest w tych przypadkach najwyżej w godzinach, a zdarzają się sytuacje, kiedy strata nawet kilkunastu minut może być decydująca. Operacje tego typu przeprowadzane są np. przy groźnych urazach, w zatorach naczyń obwodowych, ostrych chorobach zapalnych narządów jamy brzusznej.

Operacja w czasie zaplanowanym to taka, gdzie czynnik czasu nie odgrywa decydującej roli lub bywa liczony w przedziałach czasowych tygodni, nawet miesięcy.

Operacja odroczona nie oznacza, jak można by przypuszczać, odroczenia terminu wykonania danej operacji. Jest to przeważnie drugi etap zabiegu operacyjnego o charakterze radykalnym.

Operacja zwiadowcza polega na otwarciu jamy ciała w celu ustalenia ostatecznego rozpoznania, którego nie można było definitywnie sprecyzować przy zastosowaniu jakichkolwiek innych metod diagnostycznych.

Powikłania pooperacyjne jest to zespół objawów lub dolegliwości miejscowych albo ogólnych, związanych przyczynowo z postępowaniem operacyjnym w ogóle bądź przeprowadzeniem zabiegu określonego typu czy rodzaju. Powikłania pooperacyjne mogą być krótkotrwałe, przejściowe lub mogą mieć charakter stałego, swoistego „kalectwa", wymagającego dalszego postępowania leczniczego. Można je niekiedy przewidzieć i wtedy chory bywa uprzedzony o takiej możliwości.

II. PODSTAWOWE WIADOMOŚCI O ZNIECZULENIU I INTENSYWNEJ TERAPII MEDYCZNEJ

Postępowanie mające na celu zniesienie świadomości człowieka i w konsekwencji wprowadzenie go w głęboki sen, w bezbolesność wraz ze zniesieniem odruchów w odpowiedzi na stosowane bodźce jest określane mianem a n e s t e z j i lub z n i e c z u l e n i a o g ó l n e g o. Innym terminem, który oznacza to samo i był powszechnie używany dawniej, jest narkoza.

Dział medycyny i zarazem specjalność zajmująca się taką działalnością nosi nazwę a n e s t e z j o l o g i i, a lekarze – specjaliści z tej dziedziny – nazywani są a n e s t e z j o l o g a m i.

Wprowadzenie znieczulenia uwolniło operowanych od straszliwych bólów i jednocześnie przyczyniło się do rozwoju wielu działów nowoczesnej chirurgii i całej medycyny. Dzięki znieczuleniu, aseptyce i antyseptyce chirurgia poczyniła większe postępy w czasie jednego stulecia niż uprzednio w czasie tysiąclecia. Odkrycia narkozy dokonał W.T.G. Morton, który 16 października 1846 r. przeprowadził pokaz ogólnego znieczulenia eterem dwuetylowym. Dalszy rozwój anestezji przebiegał nierównomiernie, z długimi okresami stagnacji. Dopiero lata dwudzieste i trzydzieste naszego stulecia przyniosły prawdziwy postęp w tej dziedzinie wiedzy.

W Polsce anestezjologia rozwinęła się i została wyodrębniona jako niezależna specjalność w latach pięćdziesiątych. To dosyć późno w odniesieniu do historii i dziejów anestezjologii na świecie, a zwłaszcza w Stanach Zjednoczonych i w Anglii, gdzie już kilkadziesiąt lat wcześniej wprowadzono wykłady z tej dziedziny. Pierwsze oddziały anestezjologii w tych krajach utworzono jednak dopiero w roku 1940 i tym samym zaakceptowano ją jako specjalność. Również w tym okresie po raz pierwszy pojawiło się określenie „nowoczesnej anestezjologii", które miało oznaczać zapoczątkowanie etapu rozwoju opartego na nowych metodach i środkach anestetycznych, wprowadzonych właśnie do użycia.

W miarę upływających lat ta stosunkowo nowa specjalność nabierała coraz większego znaczenia. Obecnie „przerosła" już swoje tradycyjne określenia i przestała być tylko nauką o znieczuleniu ogólnym i miejscowym. Chociaż nadal podstawowym zajęciem lekarza anestezjologa jest znieczulenie chorych do zabiegów operacyjnych, to jednak zakres działalności klinicznej i wiedzy teoretycznej uległ znacznemu rozszerzeniu.

Obecnie anestezjologia zajmuje się następującymi zagadnieniami:

1) przygotowaniem chorych do operacji, znieczuleniem oraz prowadzeniem w okresie pooperacyjnym;

2) znieczuleniem i zniesieniem bólu w położnictwie;

3) diagnostyką i leczeniem różnych stanów związanych z uporczywymi dolegliwościami bólowymi;

4) reanimacją;

5) intensywną terapią medyczną i leczeniem;

6) leczeniem chorych nieprzytomnych, chorych z niewydolnością oddechową i we wstrząsie.

Dzięki rozwojowi anestezjologii, chirurgii, kardiologii i farmakologii uległy zmianie poglądy na temat ryzyka związanego z operacją i znieczuleniem ogólnym. Do niedawna zabiegi operacyjne u ludzi w wieku podeszłym wykonywano tylko ze wskazań życiowych, a operacje planowe – tylko do 50 r. życia. Obecnie podeszły wiek nie stanowi przeciwwskazania do operacji, a zakres samych zabiegów operacyjnych jest praktycznie nieograniczony. Ryzyko związane z operacją istnieje wprawdzie nadal, ale przyczyną jest nie tyle znieczulenie ogólne, co powikłania w okresie pooperacyjnym.

Anestezja, czyli znieczulenie ogólne

Na podstawie dotychczasowych badań uważa się, że znieczulenie ogólne, czyli anestezja, a tym samym działanie środków znieczulających, czyli anestetycznych, polega na odwracalnym hamowaniu przekaźnictwa bodźców i osłabieniu tzw. aktywacji siatkowo-korowej. W miarę wprowadzania do organizmu środków anestetycznych, które wnikają z krwią do mózgu, dochodzi do głębokich zmian w stanie świadomości, w oddziaływaniu na bodźce oraz w odruchowych czynnościach somatycznych i trzewnych. Wszystko to składa się na kliniczne objawy znieczulenia ogólnego. Nowoczesna koncepcja znieczulenia określa, że składa się ono z trzech elementów: utraty świadomości (*hypnosis*), zmniejszenia czucia bólu (*analgesia*) i zwiotczenia mięśni (*relaxatio*). Stan taki uzyskiwano dawniej za pomocą tylko jednego z wziewnych środków anestetycznych, np. eteru lub chloroformu. Tego rodzaju postępowanie okazało się niebezpieczne ze względu na konieczność podawania wysokich stężeń leku. Obecnie dąży się do osiągnięcia znieczulenia za pomocą różnych środków, z których każdy powoduje wystąpienie tylko jednego z trzech wymienionych elementów. W ten sposób można osiągnąć równowagę, zapewniając różny stopień analgezji i zwiotczenia mięśni przy płytkiej utracie świadomości. Pozwala to na uniknięcie zaburzeń metabolicznych, narządowych i układowych, powodowanych głębokim znieczuleniem ogólnym.

Po odpowiednim fizycznym i psychicznym przygotowaniu chorego przed właściwym znieczuleniem ogólnym stosuje się tzw. w p r o w a d z e n i e. Polega ono na dożylnym wstrzyknięciu leków nasennych i zwiotczających mięśnie lub na podawaniu do wdychania gazów i par płynów anestetycznych. Następnie, w zależności od rodzaju zabiegu operacyjnego, w celu zapewnienia drożności dróg oddechowych wprowadza się do tchawicy przez nos lub usta rurkę z tworzywa sztucznego (intubacja dotchawicza) i kontynuuje znieczulenie. W ostatnich latach zamiast lotnych płynów – halotanu, eteru i innych – stosuje się środki analgetyczne dożylnie. Pogłębienie i wzmocnienie płytkiego znieczulenia podtlenkiem azotu przez silne środki analgetyczne jest metodą względnie bezpieczną. W tym celu najczęściej i najchętniej stosowane są środki neuroleptanalgetyczne: fentanyl i droperidol. Pierwszy jest bardzo silnym środkiem przeciwbólowym, drugi zaś neuroleptykiem, tzn. powoduje psychiczne zobojętnienie bez utraty świadomości.

Obecnie anestezjologia dysponuje dużą liczbą leków nasennych i przeciwbólowych, co świadczy o braku środka idealnego. Jak dotąd nie udało się uzyskać środka anestetycznego spełniającego wszystkie wymagania. Wymagania te sprowadzają się zaś do uzyskania preparatu nietoksycznego, działającego wybiórczo, którego działanie byłoby łatwo odwracalne.

Znieczulenie przewodowe, czyli regionalne

Odwracalne i kontrolowane zahamowanie przewodnictwa bodźców w obrębie nerwów obwodowych, wywołane za pomocą środków znieczulających miejscowo, nosi nazwę z n i e c z u l e n i a p r z e w o d o w e g o lub r e g i o n a l n e g o. W zależności od miejsca wstrzyknięcia środka znieczulającego oraz obszaru przerwania przewodnictwa nerwowego, znieczulenie przewodowe można podzielić na: 1) nasiękowe, 2) odcinkowe, 3) pni, zwojów i splotów nerwowych, 4) zewnątrzoponowe, 5) podpajęczynówkowe.

Z n i e c z u l e n i e n a s i ę k o w e uzyskuje się wstrzykując środek miejscowo znieczulający w miejsce i okolice planowanego cięcia chirurgicznego: osiąga się w ten sposób zablokowanie zakończeń nerwowych. Taki sam wynik daje rozpylenie środka miejscowo znieczulającego a błonę śluzową, jeśli środek posiada właściwości przenikania przez błonę i wywoływania znieczulenia powierzchniowego.

Z n i e c z u l e n i e o d c i n k o w e, albo inaczej t e r y t o r i a l n e, polega na przerwaniu przewodnictwa w drobnych włóknach nerwowych, które przebiegają na drodze wstrzyknięcia środka znieczulającego.

Znieczulenie pni nerwowych, zwojów i splotów polega na podaniu środka znieczulającego bezpośrednio w miejsce, gdzie znajdują się te struktury. Pozwala to na przejściowe wyłączenie przewodnictwa w tych strukturach nerwowych, a tym samym na uzyskanie bezbolesności w całej okolicy zaopatrywanej przez zablokowane nerwy.

Znieczulenie zewnątrzoponowe i podpajęczynówkowe określane bywa również mianem znieczulenia lędźwiowego ze względu na okolicę, gdzie wstrzykiwany jest środek. W następstwie znieczulenia zewnątrzoponowego dochodzi do blokowania korzeni nerwowych po ich wyjściu poza oponę twardą. Natomiast znieczulenie podpajęczynówkowe powoduje poprzeczną blokadę rdzenia kręgowego.

Znieczulenie zewnątrzoponowe i podpajęczynówkowe znajduje zastosowanie w wielu specjalnościach zabiegowych, zwłaszcza w chirurgii ogólnej, urologii, ortopedii, ginekologii i położnictwie. Znieczulenie tego rodzaju polecane jest do zabiegów operacyjnych wykonywanych na narządach położonych w podbrzuszu, w operacjach przepuklin, żylaków kończyn dolnych, a także niekiedy do operacji na narządach nadbrzusza i klatki piersiowej. Znieczulenie zewnątrzoponowe i podpajęczynówkowe, chociaż nie pozbawione pewnych wad, ma wiele zalet w porównaniu ze znieczuleniem ogólnym. Kiedy nie ma przeciwwskazań do wykonania znieczulenia lędźwiowego, jest ono stosowane zwłaszcza u ludzi w podeszłym wieku, z dodatkowymi chorobami układu krążenia, oddychania i zaburzeniami metabolicznymi, u chorych otyłych, w chorobach nerek i wątroby. Pozwala bowiem uzyskać analgezję przy użyciu jednego środka zamiast wielu leków działających silnie na układy i narządy, używanych przy znieczuleniu ogólnym.

Powszechne stosowanie znieczulenia przewodowego w chirurgii i innych specjalnościach zabiegowych wiąże się z dużym postępem, jakiego dokonano w tej dziedzinie. Wprowadzono nowe środki o długim, wielogodzinnym działaniu i niskiej toksyczności, ulepszone i rozszerzone metody znieczulenia, a także zmodyfikowano i zmodernizowano sprzęt używany do tego rodzaju zabiegów. Wszystko to sprawiło, że znieczulenie przewodowe stanowi 30–35% wszystkich znieczuleń prowadzonych w salach operacyjnych i zabiegowych.

Anestezja i analgezja w położnictwie

Problem łagodzenia bólu związanego z porodem jest dość złożony. Obecnie istnieją dwa zasadnicze rodzaje postępowania anestezjologicznego podczas porodu.

Według jednego w pierwszym okresie porodu podaje się środki przeciwbólowe, a w drugim okresie natomiast podtlenek azotu wywołujący płytkie, krótkotrwałe uśpienie bez zwiotczenia mięśni, ewentualnie z innymi wziewnymi środkami znieczulającymi.

Drugi rodzaj postępowania zakłada wykonanie znieczulenia przewodowego, czyli wstrzyknięcie do przestrzeni zewnątrzoponowej rdzenia kręgowego długo działającego środka znieczulającego. Udoskonalenie tej metody polega na wprowadzeniu cewnika do przestrzeni zewnątrzoponowej, przez który w miarę potrzeby podawane są dodatkowe dawki środka znieczulającego – tzw. znieczulenie zewnątrzoponowe ciągłe. Chociaż w położnictwie nie ma bezwzględnych wskazań do stosowania znieczulenia zewnątrzoponowego, to jednak ten rodzaj znieczulenia rodzącej jest najdogodniejszy dla matki i płodu. Zapewnia on rodzącej bezbolesność i zachowanie dobrego samopoczucia, jest nietoksyczny dla płodu i szczególnie wskazany u kobiet z dodatkowymi chorobami i powikłaniami położniczymi.

Zwalczanie przewlekłego bólu

Problem leczenia uporczywych dolegliwości bólowych, których tłem są zmiany zwyrodnieniowe lub też zmiany w samych nerwach, pojawił się w medycynie stosunkowo niedawno. Badania w tym kierunku rozwijają się bardzo dynamicznie, na co składa się kilka przyczyn: wzrastająca liczba ludzi w podeszłym wieku, postępy klasycznej medycyny przedłużającej życie nawet ciężko chorym, wzrastająca świadomość społeczna, jak również rosnąca liczba anestezjologów.

W zwalczaniu przewlekłego bólu stosowane są trzy rodzaje metod leczniczych: fizykoterapeutyczne, psychologiczne i farmakologiczne, przy czym z metod tych korzysta się właśnie w takiej kolejności.

Metody fizykoterapeutyczne obejmują elektrostymulację przezskórną lub za pośrednictwem elektrod igłowych, galwanoterapię, jonoforezę, akupunkturę w jej klasycznej postaci oraz wiele innych.

Metody psychologiczne rozwijające się bardzo dynamicznie, korzystają m.in. z dawno zarzuconych technik, takich jak hipnoza czy hipnorelaksacja.

Warunkiem skuteczności leczenia przewlekłego bólu jest kojarzenie wielu metod, zależnie od osobowości chorego, charakteru jego dolegliwości oraz doświadczenia specjalisty – doloroga (dział medycyny zajmujący się zwalczaniem przewlekłego bólu proponuje się nazwać dolorogią).

Wielokierunkowe i różnorodne leczenie jest prowadzone w specjalnych ośrodkach, współpracujących z wieloma specjalnościami, takimi jak neurologia, psychiatria, neurochirurgia itp.

Resuscytacja krążeniowo-oddechowa

W Polsce używa się trzech terminów na określenie zabiegów wykonywanych u człowieka znajdującego się w stanie śmierci klinicznej, a mianowicie: reanimacja, resuscytacja i ożywianie. Terminy te mogą być używane wymiennie, chociaż wielu autorów rezerwuje określenie reanimacja – zgodnie z łacińskim źródłosłowem – dla przypadków, w których powróciła czynność ośrodkowego układu nerwowego. Zabiegi resuscytacyjne podejmowane są w okresie zaniku lub zatrzymania podstawowych czynności organizmu, które decydują o życiu. Ograniczenie lub nagłe zahamowanie czynności oddechowej, układu sercowo-naczyniowego czy też ośrodkowego układu nerwowego może być punktem wyjścia dla procesu umierania. Celem zabiegów resuscytacyjnych jest powstrzymanie tego procesu, wytworzenie funkcji zastępczych podstawowych układów, a następnie przywrócenie ich czynności spontanicznej, aby zapewnić odpowiedni przepływ krwi warunkujący świadomość.

Postępowanie resuscytacyjne podejmowane w stanie bezpośredniego zagrożenia życia lub w stanie śmierci klinicznej polega w pierwszym etapie na: udrożnieniu dróg oddechowych, sztucznej wentylacji płuc, czyli zastosowaniu sztucznego oddychania, przywróceniu krążenia krwi za pomocą pośredniego masażu serca.

Zabiegi resuscytacyjne powinny być podjęte natychmiast po rozpoznaniu zatrzymania oddychania i krążenia i kontynuowane do czasu przybycia pomocy specjalistycznej. Sposób ich wykonania zob. Pierwsza pomoc s. 2125.

Intensywna terapia medyczna

Intensywne leczenie chorych z zaburzeniami zagrażającymi życiu jest ściśle związane z rozwojem i postępem resuscytacji. W miarę jak metodyka resuscytacji oddechowo-krążeniowej okazywała się skuteczna, czyli w latach pięćdziesiątych i sześćdziesiątych, zaistniała konieczność wspomagania i kontrolowania podstawowych czynności życiowych u chorych wyprowadzonych ze stanu śmierci klinicznej. Wymagało to utworzenia wydzielonych oddziałów, specjalnie przygotowanych kadrowo i pod względem wyposażenia.

Wprowadzanie nowych metod leczenia, wykorzystanie zdobyczy technicznych pozwoliło na zastosowanie nowego sprzętu oraz aparatury kontrolującej i wspomagającej podstawowe czynności układów i narządów. W konsekwencji doprowadziło to do tworzenia oddziałów intensywnego leczenia w ramach różnych specjalności zabiegowych i niezabiegowych. Tendencja taka istnieje nadal i ma wielu zwolenników, czego dowodem są wyspecjalizowane oddziały intensywnej terapii kardiologicznej czy neurologicznej, służące leczeniu niewydolności oddechowej, urazów i wielonarządowych uszkodzeń, niewydolności nerek lub wstrząsu. Organizowanie niewielkich, wysoce wyspecjalizowanych oddziałów jest przedsięwzięciem kosztownym i mogą sobie na nie pozwolić tylko niektóre ośrodki. Ze względów ekonomicznych korzystniejsze są wieloprofilowe oddziały intensywnego leczenia, przeznaczone dla chorych z ciężkimi zaburzeniami układowymi i narządowymi, wymagających leczenia przez specjalistów z wielu dziedzin medycyny. Wielkość oddziału, jego ewentualne ukierunkowanie, podyktowane jest wymogami i możliwościami szpitala macierzystego. Ogólna liczba łóżek nie powinna przekraczać 10 – 12, zwykle stanowi ona 1 – 2% wszystkich łóżek szpitalnych. Przyjmuje się, że liczba łóżek intensywnej terapii medycznej powinna być podyktowana wielkością populacji, której ma służyć macierzysty szpital, nie zaś wielkością tego szpitala.

Wielokierunkowe i skuteczne postępowanie resuscytacyjne, a także długotrwałe leczenie chorych z zagrożeniem życia wymagało wprowadzenia do intensywnej terapii wielu nowych aparatów medycznych i urządzeń monitorujących. Do potrzeb tej grupy chorych dostosowano również architekturę oddziałów i przyjęto odrębną organizację pracy.

W pojęciu intensywnego leczenia mieszczą się trzy istotne elementy: intensywne leczenie, intensywny nadzór medyczny i intensywna opieka pielęgnacyjna. Stopień „udziału" poszczególnych elementów zależy od stanu chorego, rodzaju choroby i okresu leczenia.

Intensywnym leczeniem powinni być właściwie objęci wszyscy chorzy, którzy znajdują się w stanie zagrożenia życia z powodu zakłócenia podstawowych czynności organizmu, takich jak: krążenie, oddychanie i zachwianie procesów metabolicznych. Ustalenie dokładnych wskazań w celu właściwego kwalifikowania chorych do intensywnego leczenia i odpowiedniego postępowania doraźnego bywa trudne i zwykle sprowadza się do indywidualnej oceny każdego chorego. Najczęściej są leczeni chorzy w stanie wstrząsu wywołanego różnymi przyczynami. Wskazaniem do zastosowania specjalnego, wielokierunkowego leczenia i opieki bywają przede wszystkim ostre zaburzenia krążenia i oddychania w następstwie chorób wewnętrznych i chirurgicznych, zatrucia oraz liczne obrażenia wielonarządowe.

Ciągła obserwacja chorych i nadzór za pomocą urządzeń monitorujących pozwalają często określić stopień zagrożenia życia, ukierunkować intensywne leczenie. Przedmiotem obserwacji i nadzoru są najczęściej: stan świadomości chorego, wygląd jego skóry i błon śluzowych, stan opatrunków i drenów, wydalanie moczu, drożność dróg oddechowych i czynności oddechowe, praca serca i stan układu krążenia. Ponieważ o powodzeniu prowadzonego leczenia decyduje właściwa pielęgnacja chorych, szczególne znaczenie dla bezpieczeństwa chorych na oddziałach intensywnego leczenia ma działalność odpowiednio pod względem fachowym wyszkolonego personelu pielęgniarskiego.

Oddział intensywnego leczenia stanowi wydzieloną, specjalnie wyposażoną technicznie strefę szpitala, w której istnieją możliwości stosowania różnych metod leczniczych, niemożliwych do wykonania w innych oddziałach szpitala.

III. ZAKAŻENIA CHIRURGICZNE

Zakażenie jest to proces chorobowy spowodowany wtargnięciem do tkanek lub narządów organizmu drobnoustrojów chorobotwórczych, a następnie ich intensywnym rozmnażaniem się. Każda choroba zakaźna w takim ujęciu jest konsekwencją bakteryjnego, grzybiczego lub wirusowego zakażenia. Jako „zakażenia chirurgiczne" omówione zostaną tutaj nieswoiste zakażenia bakteryjne, których leczenie wchodzi w zakres specjalności zabiegowych.

Powstawanie zakażeń

Nie każde wniknięcie bakterii prowadzi do wystąpienia objawów zakażenia. Wynika to z działania mechanizmów obronnych organizmu likwidujących niebezpieczne bakterie lub nie dopuszczających do ich dalszego rozwoju. Zakażenie chirurgiczne, w którego konsekwencji rozwijają się objawy wskazujące na powstanie miejscowego lub uogólnionego zespołu chorobowego, zależy od wielu czynników, m.in. od: 1) miejscowego stanu tkanek stwarzającego podatność na zakażenie, 2) ogólnego stanu organizmu w chwili wtargnięcia bakterii, 3) liczby, różnorodności i zjadliwości drobnoustrojów.

Miejscowa odporność tkanek na zakażenie w dużym stopniu jest uwarunkowana ich właściwościami biologicznymi. Znaczną odporność mają błony surowicze, np. otrzewna, mniejszą tkanka łączna, bardzo małą zaś tkanka tłuszczowa. Podatność miejscowa na zakażenie wyraźnie wzrasta w niedokrwieniu oraz przy nadmiernym przegrzaniu, oziębieniu lub wysychaniu. To ostatnie dotyczy błon śluzowych mających kontakt ze światem zewnętrznym, np. błony śluzowej jamy ustnej, jamy nosowej i gardzieli. Jama ustna i okolica odbytu są szczególnie odporne na zakażenie.

Bardzo istotną rolę w rozwoju zakażenia odgrywa tzw. „zamknięta przestrzeń", która może się wytworzyć w następstwie urazów tkanek lub zaczopowania naturalnego przewodu odprowadzającego produkty wytwarzane lub wydzielane przez poszczególne tkanki albo narządy. Urazy powodują powstawanie ognisk wypełnionych martwymi komórkami i skrzepami krwi, które stanowią doskonałą pożywkę dla drobnoustrojów. W wyniku jednoczesnego uszkodzenia naczyń krwionośnych ukrwienie tych ognisk jest niedostateczne, co dodatkowo przyczynia się do rozwoju bakterii.

Pojęcie urazu, zwykle kojarzone z rozległymi obrażeniami powstałymi w wyniku nieszczęśliwego wypadku, w ujęciu lekarskim jest bardzo szerokie. Każde otarcie naskórka, każde drobne skaleczenie, a nawet niewielkie stłuczenie jest urazem i powoduje – czasem niewidoczne gołym okiem – uszkodzenie zewnętrznych warstw skóry, a więc przerwanie naturalnej bariery ochronnej. Uszkodzenia takie stanowią wystarczająco, wbrew pozorom, szerokie wrota dla wtargnięcia licznych, często złośliwych i niebezpiecznych bakterii. Oczywiście, ciężki, rozległy uraz – zwłaszcza połączony z obecnością w ranie ciał obcych, np. strzępków ubrania, odłamków drewna, grudek ziemi itp., na których powierzchni „dodatkowo" znajdują się bakterie – stwarza o wiele większe niebezpieczeństwo zakażenia, a i „przestrzeń zamknięta" w tkankach jest znacznie większa. Potencjalne niebezpieczeństwo zakażeń wtedy znacznie wzrasta, ale są to jedynie różnice ilościowe. Rolę ciała obcego mogą też odgrywać niewłaściwie stosowane leki, np. różnego rodzaju zasypki czy maści nakładane na ranę. Środki te, zbijając się w mikroskopijne grudki, wywierają niekiedy skutek wręcz odwrotny od zamierzonego – podtrzymują zakażenie.

Zastój wydzieliny w drogach odprowadzających różnych narządów powoduje również powstawanie „zamkniętej przestrzeni" i przyczynia się do rozwoju zakażeń. Na przykład zaczopowanie kamieniem przewodu ślinianki przyusznej powoduje zakażenie ślinianki, a zatkanie kamieniem przewodu żółciowego – zakażenie dróg żółciowych.

Ogólny stan organizmu. Istotny jego wpływ na możliwość powstania zakażenia wynika z tego, że rozwój zakażenia stanowi pewnego rodzaju wypadkową miedzy niszczącym działaniem mnożących się bakterii czy produktów ich rozpadu a zwalczającymi go naturalnymi mechanizmami obronnymi organizmu. Jeśli siły obronne są z jakiś powodów upośledzone, zakażenie rozwija się łatwiej. Na przykład w chorobie nowotworowej, gdy odczyny immunologiczne nastawione są na walkę z rakiem, nie „mają" często wystarczającej rezerwy sił do obrony przed zakażeniem. W organizmie skrajnie wyniszczonym nowotworem siły obronne przestają w ogóle spełniać swoją rolę. Wszelkie choroby przewlekłe, osłabiające w znacznym stopniu czynność całego organizmu lub narządów „biorących" udział w zwalczaniu zakażenia, prowadzą do większej podatności na zakażenie. Do chorób takich należą m.in. ciężka niedokrwistość, cukrzyca, marskość wątroby, żółtaczka. Również zły stan psychiczny, alkoholizm i niedożywienie zwiększają skłonność do zakażeń. Istotne znaczenie ma także pewna grupa leków, zwłaszcza przyjmowanych stale, których działanie „celowo" zmniejsza odczynowość organizmu (kortykosteroidy). Duży wpływ ma także właściwa higiena osobista, nie doceniany wciąż czynnik zapobiegający powstawaniu zakażeń, w tym odpowiedni ubiór chroniący zarówno przed przegrzaniem, jak i oziębieniem.

Drobnoustroje występujące w środowisku człowieka mogą w większości wywoływać zakażenia. Nawet te mikroorganizmy, które są z natury nieszkodliwe, w sprzyjających warunkach mogą nabyć cech złośliwości.

Ciężkość zakażeń zależy nie tylko od ilości bakterii, które wtargnęły do tkanek lub narządów organizmu. Zależność ilościowa istnieje, ale nie mniej istotna bywa jadowitość bakterii oraz ich różnorodność. Do bakterii najczęściej wywołujących zakażenia należą gronkowce i paciorkowce. Niebezpieczne są zakażenia spowodowane różnorodną florą bakteryjną, jak to się dzieje w większości urazów, ponieważ istnieje możliwość wzajemnego „pobudzającego" oddziaływania na siebie rozmaitych drobnoustrojów. Niektóre z nich rozmnażając się wpływają pobudzająco na rozwój innych, czego klasycznym przykładem jest burzliwy rozwój laseczki tężca właśnie w takich warunkach. Bardzo niebezpieczne są też zakażenia szczepami bakteryjnymi hodowanymi w warunkach laboratoryjnych lub takimi, które przechodzą sterowany cykl rozwojowy w pracowniach doświadczalnych. Nakazuje to stosowanie specjalnych środków ostrożności przez personel placówek zajmujących się tymi zagadnieniami. Szczególną zjadliwością mogą też charakteryzować się bakterie, które – jak to określa się w języku fachowym – przeszły „pasaż" przez innego osobnika. Właśnie z tego względu osoby stykające się z chorymi leczonymi z powodu banalnych na pozór zakażeń, takich jak np. czyrak czy drobny ropień, powinny skrupulatnie przestrzegać higieny osobistej.

Drogi szerzenia się zakażeń

Sposób szerzenia się zakażeń zależy w dużym stopniu od produktów przemiany materii wytwarzanych przez drobnoustroje. Te drobnoustroje, które wytwarzają enzymy rozpuszczające mechaniczną zaporę tkankową, jak np. paciorkowce, wywołują zapalenia rozprzestrzeniające się w tkance podskórnej i w skórze. Jeśli drobnoustroje przedostaną się do powierzchownych naczyń chłonnych, uwidacznia się to w postaci podłużnych czerwonych pasm, przebiegających od miejsca zranienia w kierunku najbliższej grupy węzłów chłonnych. Zapaleniu wezłów chłonnych towarzyszy zwykle ich obrzęk, stwardnienie i bolesność.

Przedostanie się bakterii do naczyń krwionośnych może doprowadzić do ropnicy lub posocznicy.

Ropnica jest to obecność we krwi mikroskopijnych czopów bakterii ropotwórczych, które płynąc z jej prądem zatykają maleńkie tętniczki, tworząc ropnie przerzutowe w różnych narządach, np. w mózgu, wątrobie, w nerkach.

Posocznica (*sepsis*) jest to zespół objawów chorobowych wywołanych obecnością drobnoustrojów lub ich toksyn we krwi krążącej. W posocznicy nie tylko istnieje stały dopływ bakterii do krwiobiegu, ale drobnoustroje te również rozmnażają się we krwi krążącej. Często dochodzi też do powstania czopów bakteryjnych i ropni przerzutowych, czyli do tzw. posocznico – ropnicy. Przebieg posocznicy może mieć różne postacie. Najgroźniejsza jest tzw. postać ostra, przechodząca we wstrząs septyczny kończący się często zgonem.

Miejscowy odczyn tkanek na zakażenie

Następstwem zakażenia jest uszkodzenie komórek i tkanek przez rozmnażające się drobnoustroje. Do zakażonych tkanek przedostaje się chłonka, osocze i krwinki białe, które biorą udział w zwalczaniu drobnoustrojów i ich jadów oraz w oczyszczaniu ogniska z obumarłych komórek i bakterii. W wyniku gromadzenia się wysięku, krwinek, martwych komórek powstaje tzw. naciek zapalny.

Objawem miejscowego odczynu zapalnego jest ocieplenie i zaczerwienienie spowodowane zwiększonym przepływem krwi oraz ból, obrzęk i upośledzenie czynności zakażonych tkanek. Miejscowy odczyn zapalny może się kończyć naciekiem, po czym następuje proces odnowy – cofania się zapalenia. Jeśli nasilenie zakażenia jest znaczne, dochodzi do postępującego obumierania tkanek i powstania ropnia lub ropowicy. Ropień tworzy się wtedy, gdy wokół ogniska zapalnego powstanie bariera ochronna zbudowana z komórek, naczyń krwionośnych, kolagenu i okolicznych tkanek. W przeciwnym razie zakażenie szerzy się na okoliczne tkanki i dochodzi do ropowicy, tj. ostrego ropnego zapalenia tkanki łącznej.

Ogólny odczyn organizmu na zakażenie

Ogólny odczyn na zakażenie jest wywołany wchłanianiem toksyn bakteryjnych oraz przenikaniem bakterii do krwiobiegu. Toksyny i bakterie oddziałując na przemianę materii powodują dreszcze, gorączkę, przyspieszenie tętna i oddechu, a niekiedy nudności i wymioty. Nasilenie odczynu zależy od odporności organizmu oraz od właściwości bakterii wywołujących zakażenie. W ciężkich zakażeniach przy małej odporności dochodzi do wstrząsu septycznego i wówczas do wymienionych wyżej objawów dołączają się drgawki, stany podniecenia lub apatii, utrata świadomości, spadek ciśnienia tętniczego krwi.

Rozpoznawanie zakażeń chirurgicznych

Rozpoznanie powierzchownych ognisk zakażenia jest stosunkowo łatwe, ponieważ towarzyszą im zawsze objawy, takie jak ból, zaczerwienienie i obrzęk.

Rozpoznawanie zakażeń w zamkniętych i niedostępnych zwykłym badaniem przestrzeniach może nie być proste, gdyż dają one różnorakie objawy, z których najważniejsze znaczenie ma ból. Gdy proces chorobowy rozwija się, pojawiają się dreszcze, gorączka, przyspieszenie tętna, ogólne złe samopoczucie i inne objawy.

W rozpoznawaniu zakażeń bardzo duże znaczenie mają badania pomocnicze: posiewy, badania krwi oraz badania radiologiczne.

Posiewy polegają na wyhodowaniu poza organizmem i określeniu rodzaju bakterii oraz ich wrażliwości na antybiotyki; materiał do badania pobiera się z miejsca zakażenia lub stanowi go krew uzyskana przez nakłucie żyły.

Badanie krwi pozwala obliczyć liczbę krwinek białych, która wzrasta w stanach zapalnych, oraz oznaczyć szybkość opadania krwinek czerwonych (OB).

Badania radiologiczne ułatwiają zlokalizowanie ogniska zakażenia.

Uzupełnieniem diagnostyki zakażeń stały się ostatnio badania scyntygraficzne, ultrasonograficzne oraz tomografia komputerowa (zob. Diagnostyka wizualizacyjna, s. 593), które mają szczególnie duże znaczenie w rozpoznawaniu i umiejscawianiu zakażeń w tkankach i narządach głęboko leżących, np. w mózgu, wątrobie, śledzionie i innych.

Ropne zapalenie tkanek miękkich

Do najczęstszych zakażeń ropnych wywoływanych przez gronkowce należą: czyrak, czyrak gromadny, ropne zapalenie gruczołów potowych dołu pachowego, zanokcica i zastrzał, które omówiono w „Chirurgii ambulatoryjnej” (zob. s. 1431), oraz ropnie i ropowice.

Ropień jest to ograniczone zbiorowisko ropy i częściowo lub całkowicie zniszczonych tkanek. Wywołują go różnorakie bakterie, najczęściej gronkowce. Powstaje w miejscach uszkodzenia tkanek, np. w krwiakach lub wygasłym uprzednio ognisku zakażenia.

Ropnie powłok dają objawy miejscowe: ból, zaczerwienienie, ocieplenie tkanki, miękkie uwypuklenie, twardniejące w częściach obwodowych. Jeśli jama ropnia zawiera dużo ropy – charakterystyczny jest objaw chełbotania. Skóra nad ropniem jest początkowo zaczerwieniona, później bieleje, staje się cienka, napięta, błyszcząca. Czasami dochodzi do samoistnego przebicia ropnia przez skórę na zewnątrz, co prowadzi do korzystnego opróżnienia jego zawartości. Niebezpiecznym powikłaniem jest przebicie ropnia do tkanek leżących głębiej, gdzie proces zapalny może rozwijać się dalej, z wszystkimi wynikającymi z tego następstwami.

Ropnie w głębszych warstwach mięśni lub w jamach ciała, np. ropnie podprzeponowe, ropnie płuca czy mózgu, są trudniejsze do rozpoznania. O rozpoznaniu decydują zwykle objawy ogólne (gorączka, dreszcze i in.), „nakazujące" wykonanie nakłucia zwiadowczego lub badania radiologicznego.

Leczenie. Najprostszym a zarazem najskuteczniejszym sposobem leczenia ropni jest ich nacięcie i sączkowanie. Otwarcie ropnia usuwa zalegającą ropę i martwicze tkanki, zmniejsza działanie jadów bakteryjnych, zapobiega szerzeniu się zakażenia oraz przeciwdziała dalszym powikłaniom. Leczeniem wspomagającym może być w uzasadnionych przypadkach podawanie antybiotyków.

Rozlane zapalenie podskórnej tkanki łącznej występuje najczęściej w obrębie kończyn. Wrotami zakażenia są zwykle: skaleczenia, owrzodzenie skóry, niewielkie zranienie, a nawet zwykłe otarcie naskórka.

Objawem choroby jest zaczerwienienie i obrzęk kończyny. Często występuje też zapalenie naczyń chłonnych w postaci czerwonej, ocieplonej i bolesnej smugi szerokości 4 – 5 mm, która przebiega wzdłuż naczyń chłonnych od miejsca zakażenia do okolicznych węzłów chłonnych. Węzły powiększają się, stają się bolesne, czasami ulegają zropieniu. Do stałych objawów należy podwyższona temperatura ciała.

Leczenie polega na unieruchomieniu i uniesieniu chorej kończyny, stosowaniu ciepłych wysychających okładów na całą kończynę oraz antybiotyków.

Ropowica tkanki podskórnej jest to ostre, postępujące zapalenie tej tkanki, wywołane najczęściej przez paciorkowce. Występuje przeważnie w obrębie kończyn. Objawia się znacznym zaczerwieniem, obrzękiem skóry i tkanki podskórnej, zajęciem układu chłonnego oraz ciężkim ogólnym zakażeniem organizmu. Czasami powstają ogniska martwicy skóry. Często dochodzi do posocznicy i ropni przerzutowych.

Leczenie polega na wykonaniu szeregu nacięć i sączkowaniu ran, unieruchomieniu kończyny oraz podawaniu odpowiednich antybiotyków.

Zakażenie rany operacyjnej może być wynikiem przeprowadzonego zabiegu bądź też wewnętrznej infekcji szpitalnej. Źródłem zakażenia mogą więc być drobnoustroje znajdujące się w operowanym narządzie, np. w żołądku, oskrzelach, drogach żółciowych lub naturalna flora bakteryjna jelita. Częściej rozwijają się zakażenia rany po operacjach wykonywanych w „trybie nagłym", takich jak otwarcie ropnia okołowyrostkowego czy podprzeponowego. Innym źródłem zakażenia bywają osobiste przedmioty chorego, nieprzestrzeganie przez niego higieny, postępowanie wbrew zaleceniom lekarskim, jak np. odwiedzanie po operacji sal „ropnych", a również niewłaściwe, sprzeczne z zarządzeniami zachowanie się osób odwiedzających (np. siadanie na łóżku chorego). Chory w okresie pooperacyjnym, zwłaszcza po ciężkich, rozległych zabiegach, jest szczególnie podatny na zakażenie na skutek osłabienia sił obronnych organizmu, a osoby odwiedzające są po prostu nosicielami bakterii, które mogą stać się przyczyną poważnych powikłań.

L e c z e n i e zakażeń rany operacyjnej jest takie samo jak wszystkich zakażeń chirurgicznych i polega m.in. na otwarciu rany i jej sączkowaniu.

Zakażenia beztlenowcami

Zakażenia beztlenowcami są powodowane przez bakterie rozwijające się w środowisku pozbawionym tlenu. Spośród licznych gatunków bakterii beztlenowych chorobotwórcze właściwości w organizmie ludzkim wykazuje kilka. Drobnoustroje te mogą być przyczyną wielu chorób, sposród których najbardziej niebezpieczne są dwie: zgorzel gazowa i tężec.

Zgorzel gazowa. Laseczki beztlenowe powodujące zgorzel gazową występują w glebie oraz mogą znajdować się w przewodzie pokarmowym człowieka i zwierząt. Formy wegetatywne, a także zarodniki, nie przenikają przez nieuszkodzoną skórę i błony śluzowe. Do tkanek mogą jedynie dostać się poprzez rany zanieczyszczone ziemią, strzępami ubrania oraz wydalinami ludzi czy zwierząt. Szczególnie łatwo mogą ulec zakażeniu laseczkami rany z rozległymi uszkodzeniami mięśni i naczyń krwionośnych, zwłaszcza rany szarpane i miażdżone odniesione w wypadkach komunikacyjnych. Zgorzel gazowa może rozwinąć się również w niewielkich ranach ciętych i drążących.

Chorobotwórczość laseczek zgorzeli jest związana ze zdolnością wytwarzania przez nie e g z o t o k s y n. Egzotoksyny są jadami wydalanymi do środowiska przez żywe laseczki. Jady przynikając do tkanek niszczą komórki oraz uszkadzają mikrokrążenie. Przyczyniają się w ten sposób do dalszego szerzenia zakażenia, które szybko może przybrać bardzo znaczne rozmiary. W zaawansowanym zakażeniu toksyny przenikają do krwi i wywołują liczne objawy ogólne.

O b j a w y. Po przedostaniu się laseczek do rany okres wylęgania choroby waha się od kilku godzin do 4–5 dni, czasem jednak może ulec znacznemu wydłużeniu. W ciągu krótkiego czasu w okolicy rany pojawia się obrzęk, zaczerwienienie, w tkankach otaczających stwierdzone dotykiem charakterystyczne trzeszczenie. Dookoła występują pęcherze wypełnione posokowatym płynem (wysiękiem ropnym o odrażającym zapachu gnilnym) i gazem.

Szybko narastają objawy ogólne: przyspieszenie tętna i oddechu, spadek ciśnienia krwi, zamroczenie, czasami utrata świadomości. Przebieg choroby jest szybki, często kończy się tragicznie. W warunkach pokojowych, mimo dużego rozprzestrzenienia laseczek beztlenowych w powierzchownych warstwach gleby, do zgorzeli gazowej w wyniku zranień dochodzi bardzo rzadko.

Leczenie polega na chirurgicznym opracowaniu rany, które polega na wycięciu tkanek martwych i odświeżeniu brzegów, stosowaniu dużych dawek antybiotyków i zwalczaniu wstrząsu. W ciężkich przypadkach przy rozległym uszkodzeniu kończyny i gwałtownie postępującym zakażeniu – ratowanie życia chorego może wymagać odjęcia kończyny.

Zapobieganie polega na natychmiastowym zgłoszeniu się do chirurga z każdą zanieczyszczoną raną. Szczególnie niebezpieczne są rany miażdżone, jak również rany zanieczyszczone ziemią i rany, w których znajduje się ciało obce, zwłaszcza pochodzenia organicznego. Im wcześniej rana zostanie oczyszczona z martwiczych tkanek i usunięte ciało obce, tym mniejsze niebezpieczeństwo zgorzeli gazowej.

Tężec jest to ostre zakażenie przyranne i ogólne zatrucie organizmu spowodowane przez beztlenową bakterię zwaną laseczką tężca. Zatrucie jest wywołane przez jady (toksyny) bakteryjne, które przedostają się do krwi, chłonki oraz wzdłuż osłonek nerwowych do rdzenia kręgowego, gdzie uszkadzają komórki nerwowe, co prowadzi do wzmożonego napięcia mięśniowego i wystąpienia napadów bolesnych kurczów mięśni.

Do zakażenia laseczkami tężca dochodzi najczęściej na skutek zanieczyszczenia rany ziemią lub odchodami. Okres wylęgania choroby waha się od 1 do 60 dni, średnio wynosi 8 dni. Im krótszy jest okres wylęgania, tym mniej pomyślne rokowanie. Toksemia tężcowa rozwijająca się w wyniku zakażenia ran głowy, szyi lub tułowia ma bardziej burzliwy przebieg niż przy zakażeniach ran kończyn. Tężec jest problemem społecznym w krajach o niskiej stopie życiowej i o niewyrobionych nawykach higienicznych. W Polsce nie stanowi zagadnienia epidemiologicznego.

Objawy. W ok. 30% przypadków zakażeń pełny obraz kliniczny poprzedzają „zwiastuny” w postaci uczucia drętwienia i mrowienia w mięśniach żuchwy, ból głowy, niepokój psychiczny i zaburzenia świadomości. Później pojawia się ograniczenie ruchomości żuchwy wskutek skurczu mięśni żwaczy (szczękościsk) oraz skurczu mięśni mimicznych powodujących wykrzywienie rysów twarzy w bardzo znamienny obraz tzw. „śmiechu sardonicznego”. Do wczesnych objawów należy również wzmożone napięcie mięśni gardła utrudniające połykanie. Skurcz mięśni grzbietu wywołuje łukowate wygięcie tułowia w tzw. łuk tężcowy. Stopniowo ulegają zajęciu dalsze mięśnie, a skurcze stają się coraz częstsze. Występują zlewne poty. Śmiertelność w tężcu objawowym wynosi 50%. Jeśli uda się utrzymać chorego przy życiu przez 4 – 5 dni, rokowanie poprawia się znacznie. W tężcu późnym, gdy od zranienia upłynęło 30 – 60 dni, rokowanie jest pomyślne.

Leczenie tężca polega na: a) wstrzyknięciu surowicy przeciwtężcowej zobojętniającej toksynę tężcową, b) nacięciu i dokładnym oczyszczeniu rany, c) stosowaniu środków zapobiegających wystąpieniu skurczu tężcowego i powodujących zmniejszenie napięcia mięśni, d) stosowaniu postępowania ułatwiającego oddychanie, e) podawaniu antybiotyków.

Zapobieganie. Zasady obowiązującej profilaktyki przeciwtężcowej polegają na obowiązkowym i powszechnym stosowaniu szczepień ochronnych u dzieci i młodzieży.

Aseptyka i antyseptyka

Pojęcie aseptyka określa zasady postępowania mające na celu niedopuszczenie do zakażenia rany drobnoustrojami. Sprowadza się to do unikania styczności z zakażonym środowiskiem, stosowania mechanicznych sposobów „uwalniania": narzędzi, materiału opatrunkowego, bielizny operacyjnej i innych przedmiotów używanych przy jakimkolwiek zabiegu, badaniu diagnostycznym, opatrywaniu rany – od wszelkich wirusów, bakterii i ich form zarodnikowych. Aby zmniejszyć ryzyko zakażenia, chirurg i towarzyszący mu personel medyczny przed przystąpieniem do operacji czy pewnych rodzajów badań diagnostycznych, po odkażeniu rąk dodatkowo zabezpieczają je wyjałowionymi rękawicami gumowymi, zakładają wyjałowioną odzież ochronną (fartuchy operacyjne) i buty, a na usta i nos – specjalne maski operacyjne zatrzymujące jak filtr wszelkie bakterie, które mogą znajdować się w prądzie wydychanego powietrza. W urządzeniach klimatyzacyjnych sal operacyjnych oraz pomieszczeń chorych specjalnie podatnych na zakażenie (np. po przeszczepieniu narządów) stosowane są filtry przeciwbakteryjne.

Do wyjałowienia przedmiotów mających jakikolwiek kontakt z raną stosuje się czynniki fizyczne, takie jak wysoka temperatura połączona z podwyższonym ciśnieniem oraz energia promienista niejonizująca i jonizująca. Do odkażania narzędzi i instrumentów, których nie można poddawać wyjaławianiu, oraz do oczyszczania tzw. pola operacyjnego, tzn. skóry i głębiej położonych tkanek chorego, stosowane są środki chemiczne o działaniu bakteriobójczym, zwane środkami odkażającymi. Postępowanie mające na celu zapobieganie zakażeniom przez niszczenie lub zahamowanie rozwoju wywołujących je drobnoustrojów, głównie za pomocą środków chemicznych, nosi nazwę antyseptyki.

Środki odkażające stosowane zewnętrznie, poza właściwościami bakteriobójczymi o możliwie szerokim zakresie działania, muszą się charakteryzować obojętnością w stosunku do niebakteryjnych struktur biologicznych. Nie mogą niszczyć ani drażnić tkanki, ani też wchodzić z nią w szkodliwe połączenia chemiczne. Tak zwane odkażanie „biologiczne", polegające na zniszczeniu lub ograniczeniu szkodliwości flory bakteryjnej znajdującej się w warunkach fizjologicznych wewnątrz narządów, które w czasie operacji muszą być czasowo otwarte, polega na wprowadzeniu do pola operacyjnego odpowiednio dobranych leków. Zapobiega to zakażeniom śródoperacyjnym (lub je ogranicza), których źródłem są „własne" bakterie chorego uwolnione do tkanek otaczających w czasie operacji z naturalnego miejsca ich obecności, np. z jelita grubego.

Zakażenia szpitalne

Mimo ciągłego doskonalenia zasad aseptyki i antyseptyki, stanowiących o sukcesach współczesnej chirurgii, nadal występuje stare w gruncie rzeczy zjawisko, ale w specyficznej uwspółcześnionej postaci tzw. zakażeń szpitalnych. Choroba rozwija się w czasie pobytu chorego w zakładzie leczniczym i jest wywołana przez drobnoustroje wchodzące w skład normalnej mikroflory człowieka lub występujące w środowisku szpitalnym. Źródłem zakażenia mogą być bakterie, które chory „przyniósł" ze sobą do szpitala (uaktywnić się mogą na skutek pogorszenia się ogólnego stanu chorego lub stosowanego leczenia choroby zasadniczej), albo z którymi zetknął się w szpitalu (pochodzą od innych chorych lub personelu będącego nosicielami). Chory poddany operacji jest na taki rodzaj zakażenia bardziej narażony, zwłaszcza przy uodpornieniu się „szpitalnych" szczepów bakteryjnych na rutynowo stosowane na danym oddziale antybiotyki. Zsumowanie tych dwóch czynników stwarza specyficzny rodzaj zagrożenia. Dzięki wprowadzaniu nowych rodzajów antybiotyków, doskonaleniu aseptyki i ścisłej współpracy chirurgów z bakteriologami następuje stopniowe zmniejszanie częstości występowania zakażeń wewnątrzszpitalnych.

IV. OPARZENIA I INNE URAZY TERMICZNE

Oparzenia

Zależnie od czynnika uszkadzającego oparzenia dzieli się na: cieplne, chemiczne, elektryczne, popromienne.

Oparzenia cieplne. Najczęstsze są oparzenia wodą, parą wodną, ogniem, tłuszczem, rozpalonym metalem, gorącym gazem.

Oparzenia wywołują zmiany miejscowe w tkankach poddanych bezpośredniemu działaniu wysokiej temperatury oraz nie mniej istotne zmiany ogólne w organizmie.

Zmiany miejscowe to: zaczerwienienie, obrzęk i (lub) martwica tkanek. Zależnie od nasilenia objawów wyróżnia się cztery stopnie oparzenia.

Oparzenie I° – objawem jest zaczerwienienie skóry (rumień) i obrzęk. Chory skarży się na uczucie pieczenia. Przeważnie w ciągu kilku dni następuje złuszczenie naskórka i zwykle po tygodniu skóra jest zagojona. Czasami pozostają przebarwienia.

O p a r z e n i a II°a – na zaczerwienionej i obrzękniętej skórze pojawiają się pęcherze wypełnione jasnożółtawym płynem. Bóle są znaczne. Gojenie polega na oddzieleniu się tkanek uszkodzonych i narastaniu ziarniny, a następnie młodego naskórka. Okres gojenia trwa 3–5 tygodni, czasami dłużej.

O p a r z e n i e II°b – zniszczone są warstwy rozrodcze skóry, tzw. „stratum germinatinum". Oparzenie to pozostawia blizny.

O p a r z e n i e III° – cechuje się martwicą całej grubości skóry. Jest niebolesne, ponieważ zostają zniszczone receptory bólowe. W miarę upływu czasu martwiczo zmieniona skóra wysycha i powstaje strup. Później następuje oddzielenie się części obumarłych i wytwarzają się blizny. Przy bardziej rozległych oparzeniach, po oddzieleniu się tkanek martwiczych nie następuje gojenie się samoistne. W takich przypadkach niezbędne są przeszczepy skóry pobranej z innych okolic ciała. Im wcześniej operacja jest wykonana, tym krótszy jest okres powrotu do zdrowia.

O p a r z e n i e IV° – występuje martwica wszystkich warstw skóry i uszkodzenie tkanek głębiej położonych – ścięgien, kości, narządów wewnętrznych. Najczęściej jest to zwęglenie tkanek. Samoistne oddzielenie się tkanek trwa wiele tygodni.

W zależności od głębokości i rozległości oparzenia rozróżnia się:

o p a r z e n i a l e k k i e – oparzenia I° i II° o powierzchni nie przekraczającej 15% powierzchni ciała (u dzieci i osób starszych 10%) lub oparzenia III° do 5% powierzchni;

o p a r z e n i a ś r e d n i e – oparzenia I° i II° o powierzchni od 15 do 30% powierzchni ciała lub III° od 5 do 15% powierzchni;

o p a r z e n i a c i ę ż k i e – oparzenia I° i II° o powierzchni powyżej 30% powierzchni ciała lub III° powyżej 15% powierzchni ciała.

Procent powierzchni oparzonej chirurg oblicza za pomocą odpowiednich schematów. Stosunkowo prostym sposobem jest obliczanie w stosunku do powierzchni dłoni chorego, uznanej za 1% powierzchni ciała.

P r z e b i e g c h o r o b y oparzeniowej i śmiertelność zależą od rozległości i głębokości oparzenia, wieku chorego, uprzedniego stanu jego zdrowia. U dzieci poniżej 2 r. życia i osób starszych powyżej 60 r. życia śmiertelność jest większa przy każdej rozległości oparzenia. U dzieci jest to prawdopodobnie związane z większą wrażliwością na zakażenia, a u osób starszych z istnieniem innych obciążeń, np. chorób układu krążenia, cukrzycy itp.

Zmiany ogólne zależą od rozwiniętego wstrząsu. W s t r z ą s o p a r z e n i o w y jest spowodowany gwałtownie zwiększoną przepuszczalnością naczyń włosowatych i przemieszczaniem się osocza krwi z łożyska naczyniowego do tkanek oparzonych. Część osocza gromadzi się w tkankach powodując obrzęk. Część wydostaje się na zewnątrz przez pozbawione naskórka powłoki. W wyniku utraty osocza następuje zmniejszenie ilości krwi krążącej, niedotlenienie tkanek, upośledzenie krążenia krwi w wątrobie i nerkach, zmniejszenie czynników obronnych organizmu, zwiększenie podatności na zakażenia.

Po wyprowadzeniu chorego ze wstrząsu następuje d r u g i o k r e s c h o r o b y o p a r z e n i o w e j. Chory gorączkuje, chudnie, nie ma apetytu, pojawia się niedokrwistość oraz zaburzenia w czynności narządów wewnętrznych. Zwykle dołącza się zakażenie i ropienie ran oparzeniowych.

W późniejszym okresie, jeśli właściwe leczenie nie doprowadzi do zagojenia ran, dochodzi do postępującego wyniszczenia, uporczywej niedokrwistości i narastających zaburzeń czynności narządów wewnętrznych. Zaburzenia te mogą prowadzić do śmierci.

Leczenie. W lekkich oparzeniach należy zmyć chłodną wodą miejsce oparzone i nałożyć opatrunek z jałowej gazy. Pęcherzy nie należy nacinać ani przebijać. Nawet przy niewielkich oparzeniach twarzy, rąk, stóp i krocza należy zgłosić się do chirurga.

Leczenie ciężkich oparzeń odbywa się w szpitalu i rozpoczyna się od wyprowadzenia chorego ze wstrząsu. W tym celu przetacza się duże ilości płynów (krew, plazmę, albuminy, elektrolity, dekstran), podaje się tlen do oddychania oraz leki przeciwbólowe i wzmacniające czynność serca. Czasami zachodzi konieczność wprowadzenia rurki do dróg oddechowych (tchawicy), co zapewnia ich drożność i ułatwia prowadzenie oddechu kontrolowanego. Jednocześnie podaje się leki chroniące przed rozwojem zakażenia.

Po wyprowadzeniu ze wstrząsu chory niekiedy przez wiele tygodni musi otrzymywać plazmę, krew, preparaty białkowe i inne leki, zwłaszcza antybiotyki. Dopóki oparzone powierzchnie nie zostaną całkowicie pokryte naskórkiem, niebezpieczeństwo zakażenia stale istnieje i jest wprost proporcjonalne do rozległości oparzenia.

Rany oparzeniowe można leczyć jedną z trzech metod: 1) tzw. metodą leczenia otwartego bez opatrunków, stosowaną przeważnie w leczeniu oparzeń twarzy, 2) za pomocą różnorodnych opatrunków lub 3) tzw. pierwotnym wycięciem ran. Po odpowiednim okresie leczenia wykonuje się operacje, przyspieszając oddzielenie się martwiczych tkanek, przeszczepy skórne i inne zabiegi plastyczne.

Przeszczepy skórne stosuje się w celu pokrycia ran oparzeniowych, aby przyspieszyć ich gojenie, zapobiec przykurczom i skrócić okres rekonwalescencji. Przeszczepy skórne zmniejszają możliwość zakażenia i ochraniają organizm przed utratą płynów z otwartych ran. Przeszczepy te składają się z powierzchownej warstwy skóry i części warstw głębszych. Przeszczep położony na powierzchni oparzonej wgaja się jak normalna skóra. Przeszczepy można pobierać z każdej niemal, nie oparzonej powierzchni ciała. Miejsca po ich pobraniu regenerują się bez powstawania blizny (zob. Chirurgia plastyczna, s. 1558).

W leczeniu oparzeń ważną rolę spełnia wczesna rehabilitacja, tj. leczenie usprawniające. Poza rehabilitacją oddechową (głębokie oddychanie, odkrztuszanie, odkasływanie itp.), stosowana jest rehabilitacja ruchowa mająca na celu zapobieganie odleżynom i powikłaniom zakrzepowym. Chory powinien jak najwięcej ruszać się w łóżku, często zmieniać pozycje, siadać i w miarę możności wstawać z łóżka. Zawsze musi przestrzegać zalecenia chirurga i specjalisty od rehabilitacji. Wczesne rozpoczęcie miejscowego działania usprawniającego zapobiega przykurczom i szpecącym bliznom oraz przywraca w maksymalnym stopniu czynności oparzonej okolicy ciała.

Leczenie ciężkich oparzeń – nawet w wysoko wyspecjalizowanym szpitalu, przy fachowej, troskliwej opiece ze strony lekarzy, pielęgniarek i specjalistów od rehabilitacji – może trwać bardzo długo, nawet kilkanaście miesięcy. Niekiedy konieczne są wielokrotne pobyty w różnych szpitalach w celu wykonywania kolejnych operacji plastycznych.

Długotrwałe leczenie, groźba oszpecenia i kalectwa, problemy powrotu do życia rodzinnego i zawodowego – mogą prowadzić do stanów depresyjnych u chorych. Uniknąć tego może chory ściśle współpracując z lekarzem oraz spełniając wszystkie jego zalecenia i informując go o swych problemach. Duże znaczenie ma uwierzenie w pomyślne zakończenie się choroby i powrót do życia rodzinnego i zawodowego. W rehabilitacji psychicznej chorego bardzo dużą rolę może odegrać najbliższa rodzina.

Oparzenia chemiczne są następstwem działania na żywą tkankę stężonych kwasów i zasad (ługów) oraz soli niektórych metali ciężkich. Osobną grupę stanowią oparzenia środkami chemicznymi stosowanymi w czasie wojny.

Głębokość uszkodzeń zależy od rodzaju substancji, jej stężenia i temperatury oraz czasu działania. Wydzielanie gorąca przy oparzeniach chemicznych (egzotermicznych) ma dodatkowe działanie niszczące. Podobnie jak w oparzeniach cieplnych, odróżnia się kilka stopni uszkodzeń (rumień, pęcherze, martwica). Niektóre substancje chemiczne (fenole, sole rtęci) mogą wchłaniać się powodując dodatkowo zatrucie ogólne.

Oparzenia kwasami to najczęściej oparzenia kwasem siarkowym i solnym, rzadziej azotowym, fosforowym, octowym lub karbolowym. Wskutek działania kwasów na skórę powstaje suchy strup spowodowany koagulacją (ścięciem) białka.

Oparzenia ługami (zasadami) są najczęściej spowodowane ługiem sodowym (soda kaustyczna), potasowym lub wapnem niegaszonym. Ponieważ przy oparzeniach tych następuje rozpuszczenie białek, zwykle powstaje głębokie uszkodzenie tkanek. Strup jest przeważnie miękki i wilgotny.

Pierwsza pomoc przy oparzeniach chemicznych polega na natychmiastowym zmyciu substancji szkodliwej za pomocą silnego strumienia chłodnej wody – z wyjątkiem oparzeń wapnem niegaszonym i następnie zastosowaniu środków neutralizujących. Dla kwasów są to słabe roztwory zasadowe, np. 3% roztwór sody oczyszczonej (wodorowęglan sodowy), a dla zasad słabe roztwory kwasów, np. 3% roztwór kwasu bornego.

Oparzenia elektryczne są wynikiem bezpośredniego działania prądu w czasie jego przepływu przez tkanki lub też powstałej przy tym wysokiej temperatury (oparzenie elektrotermiczne). Oparzenia elektryczne są rozległe i głębokie. Powstają w miejscu „wtargnięcia", „przejścia" i „wyjścia" prądu.

W tkankach leżących na drodze przepływu prądu obrażenia są tym większe, im dana tkanka obdarzona jest lepszym przewodnictwem elektrycznym. Największe zniszczenia powstają w naczyniach krwionośnych i mięśniach.

Przejście prądu wysokiego napięcia przez ciało powoduje ciężkie objawy ogólne, określane jako wstrząs elektryczny. Często dochodzi do utraty przytomności, czasem do zatrzymania czynności serca i czynności oddechowej.

Po uwolnieniu ofiary od działania prądu należy – w razie potrzeby – zastosować sztuczne oddychanie i masaż serca pośredni (zob. Pierwsza pomoc, s. 2127). Dalsze leczenie jest takie jak w oparzeniach cieplnych (zob. wyżej).

Udar cieplny

Udar cieplny jest to znaczne przegrzanie organizmu przy niedostatecznym oddawaniu ciepła. U ludzi młodych zwykle jest wywołany dużym wysiłkiem fizycznym w upalne dni, zwłaszcza w przegrzanych pomieszczeniach. U osób starszych nie pracujących fizycznie może wystąpić wówczas, gdy temperatura otoczenia przekracza 32°C, a wilgotność 70%.

Objawem udaru cieplnego jest przede wszystkim śpiączka. Często poprzedza ją agresywna postawa lub otępienie, a nawet utrata świadomości. Później mogą wystąpić drgawki. Skóra jest sucha i gorąca, temperatura ciała znacznie podwyższona, do 40°C i wiecej. Czynność serca szybka – od 140 do 170 uderzeń na minutę. Częstość oddechów może przyspieszyć się do 60 na min. Udar cieplny może doprowadzić do uszkodzenia mózgu, nerek, płuc i innych narządów.

Leczenie polega na szybkim ochłodzeniu chorego, najlepiej za pomocą wilgotnych ręczników, worków z lodem i wentylatorów. W szpitalu po oziębieniu i nawodnieniu chorego dalsze leczenie jest uwarunkowane rozległością uszkodzenia poszczególnych narządów.

Zapobieganie polega na unikaniu ciężkiej pracy fizycznej w upalne dni, zwłaszcza w południe. Dotyczy to przeważnie osób nie przyzwyczajonych do dużych wysiłków fizycznych. Osoby starsze powinny unikać dłuższego przebywania w temperaturze przekraczającej 30°C.

Odmrożenia

Odmrożenia są to uszkodzenia tkanek spowodowane działaniem niskiej temperatury powietrza. Na stopień uszkodzenia tkanek wpływ mają – poza niską temperaturą otoczenia – inne czynniki, a mianowicie:

1) wilgoć na powierzchni skóry lub przemoczony ubiór (możliwość oziębienia ciała mokrego jest 25 razy większa niż wtedy, gdy powierzchnia skóry jest sucha);

2) ruch powietrza (przy wietrze wiejącym z prędkością 140 km/godz. odmrożenia występują 25 razy szybciej niż w powietrzu spokojnym);

3) czas działania zimna na ciało;

4) różne właściwości osobnicze – brak aklimatyzacji, wiek dziecięcy lub starczy, zły ogólny stan zdrowia, choroby naczyń obwodowych, urazy mechaniczne, ucisk przez ciasne części ubioru, bandaże, opatrunek gipsowy,

stan po zażyciu alkoholu, palenie tytoniu, przymusowy bezruch, porażenie nerwowe, uprzednio przebyte odmrożenia.

Zależnie od nasilenia objawów wyróżnia się trzy stopnie odmrożeń.

Odmrożenia I° – powierzchowne powstają po krótkotrwałym działaniu niskiej temperatury. Przeważnie dotyczą palucha, ucha, jednego lub kilku palców ręki, rzadziej brody, czubka nosa, policzków. Początkowo pojawia się ból o charakterze kłującym i szczypiącym. Szybko jednak następuje znieczulenie. Skóra staje się blada, twarda i zdrętwiała. Jeżeli szybko przystąpi się do ogrzewania, zjawia się zaczerwienienie i uczucie piekącego bólu. Zmiany te ustępują bez śladu, niekiedy pozostaje łuszczenie się naskórka.

Odmrożenia II° dotyczą stóp i rąk, a zwłaszcza obwodowych paliczków palców. Palce są blade lub woskowobiałe, sztywne, twarde jak z drewna. Po odtajaniu skóra staje się czerwona, obrzękła, na powierzchni grzbietowej palców powstają duże pęcherze wypełnione surowiczym płynem. Po 4–10 dniach płyn w pęcherzach ulega wchłonięciu i pozostaje gruby, czarny strup, dający wrażenie głębokiej martwicy. Po 3–4 tygodniach kończy się proces samoistnej demarkacji, czyli oddzielania się martwej tkanki, strup oddziela się odsłaniając młody, delikatny naskórek, bardzo wrażliwy na zmiany temperatury. Razem ze strupem może oddzielić się paznokieć, który zwykle odrasta.

Odmrożenie III° – głębokie. Skóra przyjmuje zabarwienie sinawopurpurowe lub plamisto-sinawe. Pęcherze mogą zjawić się dopiero po upływie wielu dni. Zwykle są wypełnione krwistym płynem. Początkowo chory nie odczuwa bólu. Później ból ma charakter pulsujący, rwący, piekący i utrzymuje się przez wiele miesięcy. Jeszcze przed odtajaniem chory może chodzić, mając zamrożone „na kość" stopy, a zamrożonymi „jak kamień" rękami chwytać różne przedmioty. Miejsca odmrożone pokrywają się twardym, czarnym strupem, który ostatecznie oddziela się. Trwała utrata tkanek jest niemal nie do uniknięcia, ale często bywa niespodziewanie mała i praktycznie można mówić o pełnym wyleczeniu.

Leczenie. W powierzchownym odmrożeniu wystarczy ogrzanie przemarzniętej skóry (uszu, nosa, brody) za pomocą własnej ciepłej ręki lub przyłożenie przemarzniętej ręki do prawidłowo ocieplonej skóry (np. brzucha). Przy niewielkim odmrożeniu kończyn wystarczy ciepła kąpiel kończyny lub całego ciała.

Przy głębszych i bardziej rozległych odmrożeniach należy chorego jak najszybciej (jeszcze przed ogrzaniem) przewieźć do szpitala. Leczenie w szpitalu polega na ogrzaniu odmrożonej części ciała, przeważnie przez umieszczenie w wodzie o temperaturze 40–42°C. W czasie ogrzewania chory otrzymuje leki przeciwbólowe, ciepłe pokarmy i płyny o dużej wartości energetycznej. Po odtajeniu – zależnie od potrzeby – podaje się surowice i szczepionkę przeciwtężcową oraz antybiotyki. Niektórzy chirurdzy na odmrożone okolice nakładają różnorodne maści. Inni stosują kąpiele wodne lub leczenie otwarte.

Przy postępowaniu doraźnym nie wolno rozcierać części odmrożonych i podawać alkoholu, gdyż grozi to dodatkowymi powikłaniami miejscowymi i ogólnymi.

Oziębienie ogólne – hipotermia

Przypadkowa hipotermia – w przeciwieństwie do celowo stosowanej w czasie znieczulenia ogólnego – jest niekontrolowanym obniżeniem temperatury ciała poniżej 35°C i powstaje w wyniku działania chłodu. Człowiek świadomie i jego organizm „nieświadomie" uruchamiają mechanizmy obronne przed oziębieniem, polegające na wzmożonej produkcji ciepła (człowiek wzmaga pracę mięśni poprzez tupanie i uderzanie rękami, organizm „wykonuje" gwałtowne drgania włókienkowe wszystkich mięśni szkieletowych, tzw. dreszcze) i równoczesnym ograniczeniu utraty ciepła (człowiek szuka schronienia i okrycia, „kurczy się" w celu zmniejszenia powierzchni ciała stykającej się z powietrzem, organizm zmniejsza dopływ krwi do skóry i tkanek mniej istotnych dla zachowania życia). Jeżeli pomimo uruchomienia wszystkich mechanizmów obronnych utrzymuje się ujemny bilans cieplny, dochodzi do stopniowego obniżenia temperatury krwi, a tym samym całego organizmu. Rozwija się stan hipotermii.

Do utraty ciepła przez organizm przyczynia się: spożyty uprzednio alkohol (rozszerzenie naczyń skórnych), wyczerpanie po nadmiernych wysiłkach, niskie ciśnienie cząstkowe tlenu na dużych wysokościach, silny, przenikający wiatr, brak pokarmów i napojów wysokoenergetycznych, brak snu. Hipotermia zdarza się znacznie rzadziej niż odmrożenie. Bardziej podatni są starcy, dzieci oraz ludzie w złym stanie zdrowia.

Objawy. Człowiek zagrożony hipotermią jest wyraźnie osłabiony, blady, początkowo niespokojny, później apatyczny. Czasem występują kurcze mięśni, utrata czucia w nogach, porażenia ruchowe i drgawki. W miarę spadku temperatury krwi następuje: zwolnienie tętna, spadek ciśnienia krwi, zmniejszenie liczby oddechów. Utratę przytomności poprzedzają zaburzenia świadomości i halucynacje. Niewydolność sercowo-oddechowa może wystąpić nawet przy temperaturze ciała wyższej niż 31,1°C.

Leczenie. Szybkie ogrzewanie w kąpieli o temperaturze 40–45°C przywraca stan przytomności. Jednakże szybko uwalniające się przy tym nagromadzone wcześniej kwaśne produkty przemiany materii mogą być groźne dla życia. Dlatego bezpieczniejsze jest, zwłaszcza u osób starszych, stosowanie powolnego ogrzewania za pomocą ciepłych kołder. Dalsze postępowanie lecznicze zależy od stanu chorego. Przeważnie konieczne jest leczenie szpitalne.

Zapobieganie. Dla wypraw wysokogórskich ustalono wiele przepisów skutecznie zapobiegających hipotermii i odmrożeniom. Te same zasady dotyczą ludzi narażonych na działanie niskich temperatur. Obowiązuje dokładne zaplanowanie marszruty, dobra znajomość terenu i prognoz meteorologicznych. Pożądana jest uprzednia aklimatyzacja. Nie wolno używać alkoholu, zabrania się palenia tytoniu. Ubiór powinien być wielowarstwowy, luźny, suchy, najlepiej z wełny lub puchu, ciemnego koloru. Samotne wychodzenie w góry jest zakazane.

V. WSTRZĄS

Wstrząs jest to ostry zespół zaburzeń ogólnoustrojowych powstały z niedotlenienia tkanek wskutek niedostatecznego w nich przepływu krwi. Wstrząs towarzyszy wielu ciężkim chorobom, np. urazom, krwotokom, oparzeniom, chorobom serca. Istotą wstrząsu jest ostre zaburzenie krążenia, prowadzące do zaburzenia równowagi między pojemnością łożyska naczyniowego a objętością krwi krążącej. Zaburzenie to może nastąpić w wyniku upośledzenia czynności serca, krwionośnych naczyń obwodowych determinujących wielkość oporu lub zmiany objętości krwi krążącej. Spośród kilku rodzajów wstrząsu w chirurgii najczęściej jest spotykany wstrząs oligowolemiczny i jego odmiana – wstrząs septyczny. Zob. też Patologia, s. 342.

Wstrząs oligowolemiczny

Wstrząs oligowolemiczny, zwany też hipowolemicznym, jest następstwem zmniejszenia objętości krwi krążącej w wyniku utraty pełnej krwi, osocza lub wody ustrojowej i elektrolitów. Zależnie od przyczyny wywołującej niedobór krwi, wstrząs ten nosi różne nazwy: krwotoczny (po krwotoku zewnętrznym lub wewnętrznym), urazowy (po obrażeniach tkanek z utratą krwi krążącej i osocza), oparzeniowy (z utratą osocza). Wstrząsami oligowolemicznymi są również: wstrząs w ostrej niedrożności jelit, wstrząs w ostrym zapaleniu trzustki oraz wstrząs septyczny wywołany zakażeniem (np. rozległą ropowicą tkanek lub zapaleniem otrzewnej). We wstrząsie septycznym wtórny niedobór krwi krążącej jest spowodowany jej przemieszczeniem do mikrokrążenia uszkodzonego przez drobnoustroje i ich jady (toksyny).

W następstwie zmniejszenia objętości krwi krążącej uruchomione zostają mechanizmy obronne organizmu. Pierwszą reakcją jest odruchowy skurcz naczyń: skórnych, tkanki podskórnej, mięśni szkieletowych i krążenia trzewnego. Jedynie tętnice wieńcowe i mózgowe nie ulegają obkurczeniu. Dzięki skurczowi naczyń krew przemieszcza się z obwodu, zapewniając dostateczny przepływ przez naczynia wieńcowe serca i naczynia mózgu, a więc przez narządy najbardziej wrażliwe na niedokrwienie. Jednocześnie wskutek złożonych odruchów następuje zwiększenie siły i częstości skurczów serca oraz wzmożone przemieszczenie płynów tkankowych do układu naczyniowego, co powoduje zwiększenie objętości krwi krążącej.

Jeżeli wstrząs się przedłuża i pogłębia, dochodzi do dalszego narastającego niedotlenienia organizmu. Upośledzenie dostawy tlenu prowadzi do wzrostu ilości kwasu mlekowego, który zakwasza organizm. Wrażliwe na zakwaszenie naczynia włosowate ulegają rozszerzeniu i krew przemieszcza się do nich, co objawia się dalszym obniżeniem ciśnienia tętniczego. We krwi zalegającej we włośniczkach zachodzą przemiany: wzrasta jej lepkość, krwinki czerwone zlepiają się, a płytki krwi gromadzą się na uszkodzonych przez niedotlenienie ściankach włośniczek. Zmiany te prowadzą do dwóch przeciwstawnych zjawisk: do skrzepów wewnątrznaczyniowych i do wyczerpania czynników powodujących krzepnięcie. Następstwem tych procesów jest zatkanie światła naczyń włosowatych, uszkodzenie mikrokrążenia i obumieranie komórek oraz skaza krwotoczna objawiająca się niekiedy obfitym krwawieniem, np. do przewodu pokarmowego.

Narastający wstrząs powoduje powstawanie bardzo istotnych zmian w poszczególnych narządach i układach. Niedotlenienie wątroby obniża czynność układu siateczkowo-śródbłonkowego, co ma bardzo duży wpływ na obniżenie odporności organizmu. Niedokrwienie nerek objawia się zmniejszeniem wytwarzania i wydalania moczu, co prowadzi do bezmoczu. W naczyniach krwionośnych płuc powstają zakrzepy, co znacznie upośledza wymianę gazową. Niedotlenienie błony śluzowej jelit ułatwia przechodzenie drobnoustrojów i ich toksyn do krwi, co może doprowadzić do ogólnego zakażenia organizmu. Zdrowe serce zachowuje przez dłuższy czas swą sprawność, ale u ludzi z chorobą wieńcową spadek ciśnienia krwi może doprowadzić do zawału. Ośrodkowy układ nerwowy jest chroniony w początkowym okresie wstrząsu, później jednak – w miarę narastania niedotlenienia – pojawiają się objawy podrażnienia kory mózgowej.

W zależności od ilości utraconej krwi wyróżnia się trzy rodzaje wstrząsu oligowolemicznego: wstrząs niezbyt ciężki, wstrząs średnio ciężki i wstrząs bardzo ciężki. U osób starszych, z miażdżycowymi zmianami tętnic, u osób wyniszczonych oraz u ludzi niedożywionych lub cierpiących na różne przewlekłe choroby, utrata nawet niewielkiej ilości krwi – 10–20% objętości krwi krążącej – może doprowadzić do średnio ciężkiego albo bardzo ciężkiego wstrząsu.

Wstrząs niezbyt ciężki występuje przy utracie 10–20% krwi krążącej, czyli 800–1500 ml krwi (w warunkach prawidłowych objętość krwi krążącej stanowi ok. 8% masy ciała, co przeciętnie u osoby dorosłej wynosi 6–8 l). Utrata takiej ilości krwi powoduje zmniejszenie przepływu krwi przez narządy o mniejszym znaczeniu dla życia (skóra, tkanka tłuszczowa, mięśnie szkieletowe). Chory jest blady, a jego skóra staje się wilgotna i zimna. Objawy te występują początkowo na kończynach, a później obejmują również tułów. Chory skarży się na uczucie zimna, pragnienia i suchości w jamie ustnej oraz osłabienie siły mięśniowej. Tętno bywa przyspieszone. Zmniejszeniu ulega objętość wydalanego moczu.

Wstrząs średnio ciężki spowodowany jest utratą 20–40% objętości krwi krążącej. Następuje zmniejszenie przepływu krwi przez narządy ważne dla życia, takie jak wątroba i nerki. Do objawów takich, jakie występują przy wstrząsie niezbyt ciężkim, dołącza się skąpomocz lub bezmocz, wyraźne obniżenie ciśnienia tętniczego i przyspieszenie tętna oraz oddechów. Skóra staje się sinawa. Naczynia żylne są zapadnięte.

Wstrząs bardzo ciężki pojawia się, gdy utrata krwi krążącej przekracza 40%. Taki ubytek krwi powoduje, że utlenowanie dwóch najważniejszych dla życia narządów, tzn. serca i mózgu, jest upośledzone. Chory staje się niespokojny i podniecony. Później, w miarę pogarszania się czynności mózgu, występuje apatia i śpiączka. Pojawiają się zaburzenia czynności serca oraz objawy niedotlenienia jego mięśnia.

Leczenie wstrząsu polega na: uzupełnieniu niedoborów krwi, zapewnieniu drożności dróg oddechowych, poprawieniu czynności serca oraz wyrównaniu zaburzeń w mikrokrążeniu.

Uzupełnienie krwi krążącej powinno być dokonane możliwe szybko i w dostatecznej ilości. W leczeniu wstrząsu oligowolemicznego są stosowane roztwory krwi (krew pełna, osocze, albuminy, leki osoczozastępcze) lub roztwory elektrolitów. Dobór podawanych płynów zależy w głównej mierze od przyczyny, która spowodowała nagłe zmniejszenie ilości krwi krążącej. W przypadku krwotoku, zanim przygotowana będzie właściwa serologicznie krew, podaje się dekstran lub inne środki krwiozastępcze. Krew może być przetoczona po wykonaniu badań określających zgodność grupową, tj. po wykonaniu próby krzyżowej. Jeżeli przyczyną wstrząsu było zmniejszenie ilości płynu międzykomórkowego, co obserwuje się np. we wstrząsie wywołanym ostrą niedrożnością jelit lub zapaleniem otrzewnej, deficyt osocza wyrównywany jest podawaniem dekstranu, osocza lub roztworów albumin, a następnie deficyt płynu międzykomórkowego przez podanie roztworów elektrolitów. W ciężkich stanach wstrząsowych ilości podawanych płynów mogą dochodzić do kilku litrów.

Utrzymanie drożności dróg oddechowych w leczeniu wstrząsu jest czynnością bardzo ważną. Zależnie od nasilenia zaburzeń oddechowych podawany jest tlen cewnikiem założonym przez nos lub przez rurkę dotchawiczą. W celu uzyskania poprawy pracy mięśnia sercowego stosuje się glikozydy nasercowe, a w celu zmniejszenia lepkości krwi – dekstran niskocząsteczkowy, co zapobiega powstawaniu zlepów krwinek czerwonych i płytek krwi. Przetaczanie płynów zasadowych zwalcza postępujące zakwaszenie organizmu, a podawanie antybiotyków – bakterie, które wraz ze swymi toksynami odgrywają dużą rolę w przebiegu, a niekiedy i powstawaniu wstrząsu. Szczególnie duże znaczenie w zwalczaniu wstrząsu septycznego mają antybiotyki. Leczeniem uzupełniającym jest zapewnienie choremu spokoju oraz zniesienie bólu przez odpowiednie ułożenie i podawanie leków przeciwbólowych.

Leczenie wstrząsu może być prowadzone jedynie w warunkach szpitalnych. Dlatego też wczesne dostrzeżenie jego objawów może przyczynić się do szybszego przewiezienia chorego do szpitala i możliwie szybkiego rozpoczęcia leczenia.

VI. CHIRURGIA AMBULATORYJNA

Rany

Rana jest to przerwanie ciągłości tkanek na skutek ich mechanicznego obrażenia. Mianem tym określa się niekiedy również miejscowe zmiany po urazach termicznych i chemicznych.

Proces gojenia się ran polega na odrastaniu tkanki właściwej dla danego narządu lub zastąpieniu ubytku tkanką łączną, bliznowatą. Gojeniu towarzyszy miejscowy proces zapalny o bardzo różnym natężeniu. Uważa się, że jest to reakcja biologiczna organizmu na uszkodzenie tkanek.

Rodzaje ran

Rany cięte – rany o gładkich brzegach, zadane ostrym narzędziem.

Rany tłuczone – mniejsze lub większe stłuczenia skóry i tkanek pod nią leżących, z przerwaniem ciągłości skóry lub nie. Często może wytwarzać się pourazowy krwiak pod stłuczoną skórą.

Rany kąsane – rany zadane zębami ludzi lub zwierząt.

Rany zatrute – rany po ukąszeniu przez zwierzęta jadowite.

Rany kłute – rany cięte zadane przedmiotem ostrym, długim, który przenika na różną głębokość, uszkadzając niekiedy narządy wewnętrzne. Rany kłute bywają bardzo niebezpieczne, zwłaszcza jeśli znajdują się w przebiegu dużych naczyń, dotyczą brzucha, klatki piersiowej i serca.

Rany postrzałowe – rodzaj ran ściśle związany z rodzajem pocisku. Przeważnie istnieje miejsce wlotu, kanał rany i miejsce wylotu. Spotykane przeważnie podczas działań wojennych. W okresie pokoju najczęściej zdarzają się w zranieniach bronią myśliwską.

Rany powstałe z podmuchu – ten typ uszkodzenia niezupełnie odpowiada definicji rany, ponieważ wysokie ciśnienie, w którym znajduje się człowiek, najczęściej wywołuje rozerwanie pęcherzyków płucnych, a nawet płuca.

Otarcie naskórka – zdarcie naskórka na różnym obszarze, najczęściej w następstwie stycznego zderzenia z szorstką powierzchnią dróg. Tego rodzaju uszkodzenie przeważnie jest zakażone.

Ponadto rany dzieli się na: powierzchowne i głębokie, proste i powikłane uszkodzeniem narządów i tkanek leżących głęboko. Bywają również rany płatowe, w których płat skórny utrzymuje się na szypule z tkanek nie uszkodzonych. Rany dzieli się na „świeże" i „zaniedbane". Do ran zaniedbanych zalicza się rany powstałe przed 8 godz. (wg niektórych przed 12 godz.). Rana „zaniedbana" jest zakażona bakteriami chorobotwórczymi.

Jeśli rana obficie krwawi, może istnieć uszkodzenie żyły lub tętnicy. Wytryskiwanie krwi z rany świadczy o uszkodzeniu tętnicy.

Gojenie się ran. Wyróżnia się 3 rodzaje gojenia się ran: przez rychłozrost, ziarninowanie lub pod strupem. Gojenie się przez rychłozrost przebiega bez powikłań i w ciągu krótkiego czasu. Gojenie się przez ziarninowanie, polega na wypełnianiu rany tkanką łączną, tzw. ziarniną, na którą napełza naskórek.

W procesie gojenia się ran wyróżnia się 3 okresy: 1) kres destrukcji, w którym zniszczona tkanka ulega powolnemu obumarciu, 2) okres demarkacji (oddzielania), w którym staje się widoczna granica między tkanką zdrową i chorą i ostatecznie oddziela się martwa tkanka oraz 3) okres regeneracji, tzw. odrostu zniszczonej tkanki lub zastąpienia jej tkanką łączną bliznowatą.

Na gojenie się rany mają wpływ różne czynniki miejscowe i ogólnoustrojowe. Do ujemnych czynników miejscowych zalicza się zakażenie rany, które wywołuje ropienie. Do ujemnych czynników ogólnych należą: wyniszczenie organizmu, choroby przemiany materii (cukrzyca), awitaminoza, choroba krwi, naświetlanie promieniami X oraz przyjmowanie niektórych leków, np. cytostatyków (leki przeciwnowotworowe).

Ogólne zasady postępowania w zranieniach

Każdą ranę należy spłukać przegotowaną wodą lub wodą utlenioną i – jeśli jest to mała, płytka rana – zalać jodyną. W ranach nieco większych jodyną przeciera się otaczającą skórę. W obu przypadkach nakłada się potem na ranę opatrunek z jałowej gazy. Jeśli z rany obficie wypływa krew, należy ranę natychmiast uszczelnić, nakładając na nią warstwę jałowej gazy w postaci tzw. „peloty" (wałka) i za pomocą opaski gazowej lub lepiej elastycznej wywołując ucisk – przybandażować. W wielu zranieniach natychmiastowe uszczelnienie rany opatrunkiem uciskowym może mieć znaczenie decydujące o życiu chorego. Po każdym zranieniu należy udać się do chirurga.

Bardzo niebezpieczne są rany kłute. Chorzy z raną kłutą w każdym przypadku – po zaopatrzeniu prowizorycznym – powinni być bezzwłocznie przewiezieni do szpitala na dyżurny oddział chirurgiczny.

W ambulatorium lub w szpitalu chirurg po zbadaniu chorego i dokładnym obejrzeniu rany ustala sposób leczenia oraz celowość lub nawet konieczność zastosowania odpowiedniej szczepionki albo surowicy, np. przeciw tężcowi.

Szczepionki są to preparaty biologiczne zawierające drobnoustroje lub ich przetwory. Po wstrzyknięciu powodują one wytworzenie w organizmie człowieka tzw. odporności swoistej, skierowanej przeciw antygenom w składzie szczepionki, lub odporności nieswoistej, polegającej na uczynnieniu sił obronnych organizmu (zob. Patologia, Odporność organizmu, s. 306).

Szczepionka przeciwtężcowa jest toksyną niezjadliwą, która powoduje intensywne i długotrwałe wytwarzanie przeciwciał w organizmie człowieka przeciw drobnoustrojom tężca. Każdy chory, któremu wstrzyknięto pierwszą dawkę szczepionki przeciwtężcowej (1 ml), powinien zgłosić się do tej samej przychodni po upływie 4–6 tygodni w celu wstrzyknięcia dawki następnej (1 ml) i po dalszych 6–12 miesiącach na wstrzyknięcie dawki trzeciej. W ten sposób uzyskuje się uodpornienie na dalsze 3–4 lata. Jeśli po tym okresie zostanie zastosowana tzw. dawka przypominająca (1 ml), czynne uodpornienie można uzyskać na dalsze 4 lata.

Surowica przeciwtężcowa jest to preparat zawierający gotowe przeciwciała. Jest ona stosowana u ludzi leczniczo i zapobiegawczo. Surowica przeciwtężcowa otrzymywana jest z krwi koni lub bydła po uodpornieniu wzrastającymi dawkami szczepionki (anatoksyny) lub toksyny tężcowej.

Surowica przeciwtężcowa stosowana jest w każdym przypadku uszkodzenia ciała, jeśli zachodzi podejrzenie zakażenia zarodnikami tężca – kiedy rana została zanieczyszczona ziemią, nawozem, gdy do tkanki wniknęły ciała obce w rozległych stłuczeniach z wylewami podskórnymi, w zadrapaniach lub w większych ranach zadanych przez zwierzęta oraz w innych uszkodzeniach.

Surowica przeciwtężcowa powinna być podana możliwie najwcześniej, zawsze przed upływem 24 godz., licząc od chwili zranienia.

Decyzję o zastosowaniu szczepionki tężcowej lub surowicy przeciwtężcowej podejmuje zawsze lekarz.

Ostre zakażenia chirurgiczne

Czyrak jest to bolesny, guzowaty naciek zapalny w otoczeniu mieszka włosa. Stanowi częstą chorobę skóry – ok. 5% wszystkich ropnych zmian ręki.

Przyczyną tworzenia się czyraka są bakterie ropotwórcze, najczęściej gronkowce, zwłaszcza gronkowce złociste, wnikające głęboko do gruczołów łojowych lub ujść gruczołów potowych. Dzieje się tak w następstwie drobnych urazów mechanicznych uszkadzających naskórek (np. tarcie bielizny, ubrania, drapanie lub maceracja naskórka pod wpływem potu).

Drobnoustroje łatwiej rozwijają się u osób otyłych, wyniszczonych, nadużywających alkoholu, u chorujących na cukrzycę, na nerki i inne choroby wyniszczające.

Do zakażenia bakteriami dochodzi przez kontakt z osobą chorą lub z zakażonymi przedmiotami, a najczęściej z ognisk we własnym organizmie, po przedostaniu się bakterii w inne okolice skóry.

Objawy. W otoczeniu mieszka włosowego pojawia się uwypuklenie skóry ze sterczącym w środku włosem. Uwypuklenie jest twarde, czerwone i powoduje piekący ból. Jeśli czyrak powstaje w części ciała, w której jest dużo luźnej tkanki podskórnej, szybko tworzy się rozległe nacieczenie zapalne. Na szczycie uwypuklenia pojawia się krosta, w której tkwi włos. Po pęknięciu krosty wypływa ropa, a po pewnym czasie uwalnia się z tkanki otaczającej czop martwiczy. Jest to początek gojenia się czyraka. Powstały krater wypełnia się powoli ziarniną, a następnie przekształca w bliznę.

Niekiedy bolesny naciek zapalny przebiega łagodniej, bez wytworzenia się ropnia i czopu martwiczego. Naciek ulega wessaniu lub cofa się samoistnie pod wpływem wcześnie rozpoczętego leczenia. Czasem wyrwanie włosa i „przypalenie" jodyną przerywa chorobę.

Jeśli czyrak znajduje się w obrębie kończyny, mogą pojawić się bolesne guzki w pachwinie lub w dole pachowym, będące powiększonymi węzłami chłonnymi. Mogą wystąpić pasmowate zaczerwienienia skóry, będące objawem zapalenia naczyń chłonnych. Choroba wywołuje dokuczliwe bóle i może spowodować groźne powikłania. Szczególnie niebezpieczne są czyraki znajdujące się na twarzy.

Leczenie. We wczesnym okresie stosowane są okłady, a po uformowaniu nacieku zapalnego, a później czopu martwiczego – operacyjne nacięcie.

Czyrak gromadny powstaje w następstwie wytworzenia się kilku czyraków w bezpośrednim sąsiedztwie i połączenia się kilku czopów martwiczych.

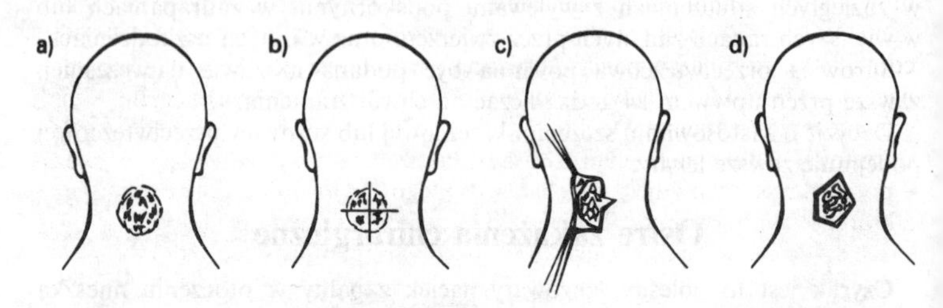

Czyrak gromadny karku w okresie nacieku (a) z licznymi przetokami. „Krzyżowe" nacięcie nacieku (b), wycięcie martwiczych tkanek i usunięcie ropy (c), wyłożenie rany jałową gazą nasyconą etakrydyną (Rivanol) (d)

Czyrak gromadny częściej występuje u mężczyzn i u osób starszych lub chorych na cukrzycę. Jest to choroba ciężka. Przebiega z wysoką temperaturą ciała, a nawet z objawami zakażenia uogólnionego. W pewnych przypadkach wskazane jest leczenie szpitalne na oddziale chirurgicznym.

Ropnie dołu pachowego powstają wskutek zakażenia gruczołów potowych przez gronkowce, głównie przez gronkowiec złocisty. Bakterie wnikają i rozmnażają się w gruczołach potowych w następstwie nadmiernej potliwości lub drobnych urazów mechanicznych skóry np. po wygalaniu lub stosowaniu dezodorantów. Ropnie takie mogą także występować w okolicy przyodbytniczej, w skórze moszny, warg sromowych, na wzgórku łonowym i w okolicy brodawek piersiowych – tam, gdzie znajdują się gruczoły potowe.

Objawy. W dole pachowym pojawiają się pod skórą ruchome guzki, początkowo niebolesne, które bardzo szybko powiększają się, zrastają ze skórą, uwypuklają ją, rozciągają i nadają jej zabarwienie sinoczerwone. Po krótkim czasie guzki miękną. Przy dotyku wyczuwa się chełbotanie płynu wewnątrz guzka. Po kilku dalszych dniach dochodzi do samoistnego przebicia ropnej zawartości.

Rozwój ropnia i jego gojenie są szybkie. W miejscu przebitego ropnia pozostaje dłużej utrzymujący się naciek. Jeśli zakażenie zostanie przeniesione do okolicznych gruczołów potowych, choroba może trwać długo. Niekiedy dochodzi do przeniesienia zakażenia do drugiego dołu pachowego przez ręce chorego.

Leczenie polega na nacięciu poszczególnych ognisk ropnych i sączkowaniu ich oraz na unieruchomieniu kończyny na „temblaku".

Zapobieganie polega przede wszystkim na przestrzeganiu higieny osobistej, zachowaniu czystości i leczeniu chorób usposabiających do tworzenia się ropni pachowych.

Zastrzał jest to ostry proces zapalny rozwijający się po stronie dłoniowej palców ręki. Zastrzały stanowią 74–90% wszystkich zmian ropnych ręki. Zależnie od głębokości toczącego się procesu zapalnego wyróżnia się zastrzały: podnaskórkowe, śródskórne, podskórne, ścięgnowe, kostne, stawowe i głębokich przestrzeni powięziowych dłoni.

Zastrzał podnaskórkowy opuszki palca powstaje po powierzchniowym skaleczeniu palca. Zakażenie rozwija się pod zrogowaciałym naskórkiem. Jest to mały pęcherz wypełniony ropnym płynem, który może zajmować coraz większy obszar palca. Zmianom tym może towarzyszyć zapalenie naczyń chłonnych, objawiające się smugowatym zaczerwienieniem skóry, głównie przedramienia. Dochodzi także do bolesnego powiększenia węzłów chłonnych w dole pachowym. Czasami zakażenie szerzy się w głąb i wówczas – po chirurgicznym zdjęciu pęcherza ropnego – widać mały otwór w skórze, z którego wypływa ropa. Ropień taki nosi nazwę ropnia spinkowego.

Leczenie polega na nacięciu i sączkowaniu zbiorowiska ropy.

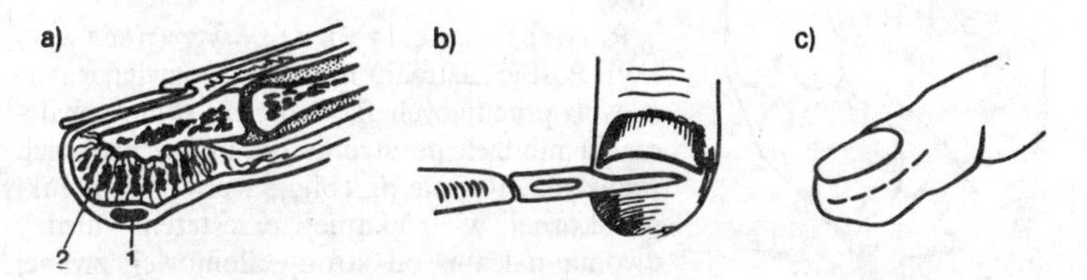

Zastrzał opuszki palca (a): 1 – zastrzał podnaskórkowy – zbiorowisko ropy dobrze odgraniczone; 2 – zastrzał kostny – rozległe zbiorowisko ropy w głębokich tkankach opuszki; b) nacięcie zastrzału opuszki palca w postaci „żabiego pyszczka", tuż pod paznokciem; c) nacięcie zastrzału opuszki palce z boku, od strony zewnętrznej

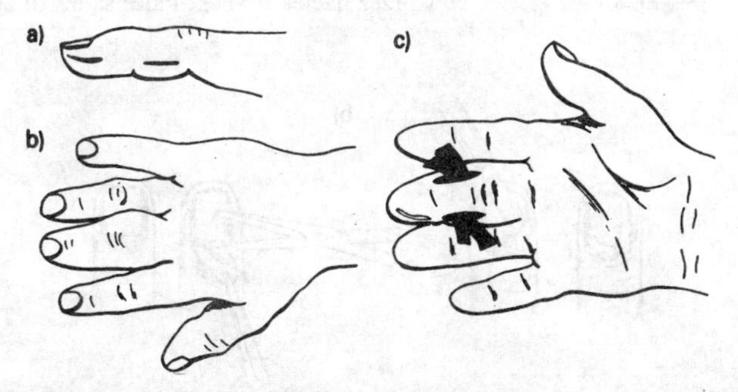

Zastrzał ścięgnowy pierwszego i drugiego paliczka palca trzeciego: (a) nacięcie zbiorowisk ropy, (b) widoczne zniekształcenie, (c) pod „mostkiem" skórnym przeprowadzono paski gumy

Z a s t r z a ł k o s t n y o p u s z k i p a l c a. Jest to najczęstsza postać zastrzału, wywołanego zazwyczaj przez gronkowce. Tworzące się zakażenie w obrębie opuszki wywołuje wzrastające ciśnienie i obumarcie tkanki podskórnej. Drobnoustroje wnikają drogą skaleczenia i w ciągu 1 – 2 dni pojawia się ból palca. Zwykle trzecia noc jest bezsenna i to zmusza do zwrócenia się o poradę do lekarza.

W zaniedbanych przypadkach dalszy rozwój zastrzału prowadzi do wytworzenia rozległej martwicy opuszki palca. Przebijająca się ropa wypływa przez wąską przetokę wraz z kostnymi martwiakami. L e c z e n i e w takich przypadkach jest trudne.

Z a s t r z a ł ś c i ę g n o w y p i e r w s z e g o i d r u g i e g o p a l i c z k a p a l c a. Ten rodzaj zastrzału przyjmuje na ogół postać ropnia. Palec chory jest w ustawieniu zgięciowym, a prostowanie wywołuje ostry ból. Jeśli tworzy się ropień drugiego paliczka, to najczęściej przebija się w skórnej bruździe między 2 i 3 paliczkiem.

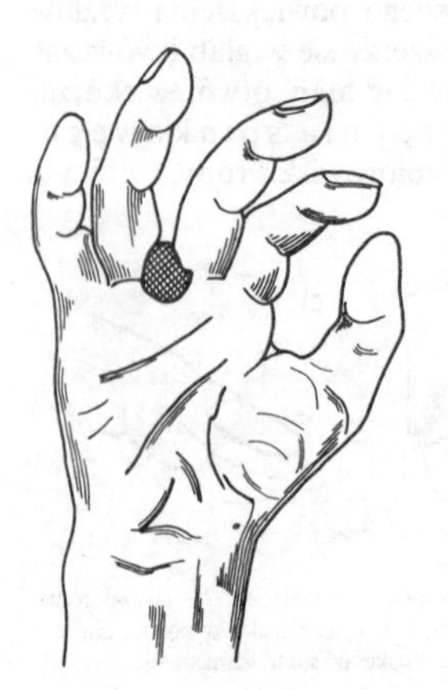
Ropień „płetwowy" u podstawy dwu sąsiednich palców

L e c z e n i e polega na otwarciu ropni poprzez przetokę, a jeśli nie ma przetoki, na wykonaniu bocznych nacięć i założeniu sączków.

R o p i e ń m i ę d z y p a l c o w y (p ł e t w o w y). Postać zastrzału nierzadko rozwijająca się u osób pracujących fizycznie na skutek skaleczenia modzeli po stronie dłoniowej ręki i ich zakażenia. Ropnie przebijają się w głąb tkanki podskórnej w trójkątnej przestrzeni między dwoma palcami od strony dłoniowej, zwanej przestrzenią p ł e t w o w ą. Ropień może szerzyć się na okoliczne tkanki.

O b j a w e m charakterystycznym dla ropnia płetwowego jest rozstawienie sąsiadujących palców przez naciek tkanek. Palce są lekko zgięte.

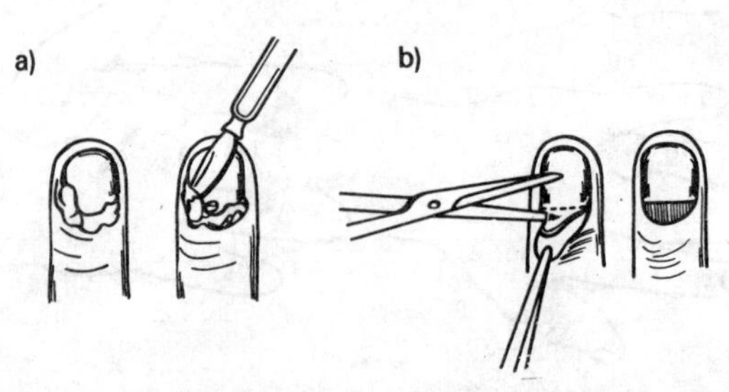

Zanokcica – nacięcie zbiorowiska ropy zebranego w tzw. wale okołopaznokciowym (a). W przypadku przeniknięcia ropy pod płytkę paznokcia, zostaje wycięta jego podstawa (b)

Leczenie polega na nacięciu ropnia i wysączkowaniu.

Zanokcica jest to zapalenie tkanek otaczających paznokieć, tworzących tzw. „wał" okołopaznokciowy. Zanokcica przybiera najczęściej postać ropnia podnaskórkowego. Jest to choroba dość często spotykana, zwłaszcza u cukierników, piekarzy i u piwowarów. Nierzadko jest powikłaniem zabiegów kosmetycznych.

Drobnoustroje wnikają w głąb wału paznokciowego, czasami kilku palców. Zakażenie szerzy się szybko i w ciągu doby może zająć cały wał paznokciowy. Dolegliwości bólowe są znaczne. Zebrana pod ciśnieniem ropa łatwo wnika pod płytkę paznokcia. Opuszczenie ręki wywołuje w palcu tętniący ból. We wczesnym okresie dolegliwości mogą być minimalne.

Leczenie. Na początku choroby stosuje się moczenie palca w roztworze sody lub w mydlinach. Miejscowe stosowanie różnych maści jest niecelowe. Właściwe leczenie polega na otwarciu ropnia. Jeśli ropa zbiera się pod płytką paznokcia, paznokieć wycina się częściowo lub zdejmuje się go w całości.

Zapalenie naczyń i węzłów chłonnych. Zakażenie szerzy się z miejsca wniknięcia drobnoustrojów (najczęściej paciorkowców i gronkowców) przez naczynia chłonne do węzłów chłonnych, które ulegają powiększeniu. Naczynia chłonne ulegają obrzmieniu, ściany ich grubieją, rozwija się zapalenie otaczającej tkanki. W zapaleniu powierzchownych naczyń chłonnych skóra nad nimi przybiera różowe zabarwienie, powstają smugi od ogniska zakażenia w kierunku węzłów chłonnych. Głębiej położone naczynia chłonne tworzą nierówne sznury, twarde i bolesne. Zapalenie naczyń chłonnych może przebiegać z dreszczami, podwyższoną temperaturą ciała i czasami jako uogólniona choroba zakaźna. Węzły chłonne mogą rozmiękać i tworzyć ropne ogniska z objawami chełbotania.

Leczenie. Podstawą leczenia jest odnalezienie pierwotnego ogniska wniknięcia drobnoustrojow i wyleczenie go. Miejscowo na powiększone węzły chłonne stosuje się wilgotne okłady, np. z płynu Burowa, lub maści. Jeśli w węźle chłonnym występuje chełbotanie, ognisko nacina się, opróżnia z ropy i wprowadza sączki. Poza tym stosuje się antybiotyki i unieruchomienie, np. ręki na „temblaku".

Leczenie zapalenia naczyń chłonnych jest podobne jak zapalenia węzłów chłonnych. W cięższych postaciach leczenie powinno odbyć się w szpitalu, ponieważ może być konieczne badanie bakteriologiczne i przetoczenie krwi.

Różyca świńska jest to ostre zakażenie skóry wywołane przez bakterie zwane pałeczką różycy świńskiej (maczugowiec różycy), które wnikają przez drobne rany skóry, głównie palców rąk. Choroba występuje przede wszystkim u osób mających styczność z mięsem i rybami oraz z wyrobami z nich, także u gospodyń domowych.

W kilka dni po wniknięciu bakterii występuje zaczerwienienie palca, mogące rozszerzyć się nawet na całe przedramię. Palec przybiera sinoczerwone zabarwienie, skóra jest lekko obrzmiała. Zakażenie szerzy się śródskórnie i bardzo wolno. Niekiedy ulegają powiększeniu węzły chłonne dołów pachowych. Zakażenie cofa się powoli, choroba trwa 10–20 dni i nie wywołuje objawów ogólnych.

Leczenie. Co do leczenia opinie są podzielone, gdyż część lekarzy uważa, że różyca świńska nie leczona i leczona trwa jednakowo długo. Wobec jednak możliwości wystąpienia powikłań w postaci szerzenia się zakażenia na stawy ręki oraz nawrotów choroby stosowana jest chemioterapia, a także surowica przeciw różycy we wstrzyknięciach domięśniowych i wokół miejsca zakażenia. Jeżeli po 2–3 dniach nie nastąpi poprawa, wstrzyknięcia surowicy są powtarzane w tej samej dawce, tj. 10 ml.

W leczeniu surowicą obowiązuje wykonanie próby na wrażliwość na białko wstrzykiwane.

Róża jest ostrym stanem zapalnym skóry i tkanki podskórnej – wywołanym najczęściej przez paciorkowce, które rozmnażając się powodują ciężkie objawy ogólne jak każda choroba zakaźna. Choroba może być wywołana także przez gronkowce i pneumokoki. Drobnoustroje przenikają w głąb skóry przez różne uszkodzenia skóry i tkanki podskórnej. Zmiany zajmują na ogół skórę twarzy, chociaż mogą również występować na kończynach.

Objawy. Początek choroby jest nagły. Skóra w miejscu wniknięcia drobnoustrojów staje się żywoczerwona, obrzęknięta, ciastowata. Okoliczne węzły chłonne są powiększone, często bolesne. Występują bóle głowy, uczucie rozbicia, dreszcze i gorączka do 40°C. Po upływie 10–14 dni objawy ustępują, aczkolwiek mogą być nawroty, zaostrzenia. Mogą pojawić się powikłania: zamroczenie i objawy oponowe, zaburzenia krążenia, zapalenie nerek, zakrzepowe zapalenie żył itd.

Leczenie polega na podawaniu odpowiednich chemioterapetyków.

Torbiele, wyrośla, guzy

Kaszak jest torbielą powstałą wskutek zatrzymania wydzieliny gruczołu łojowego, przypuszczalnie na skutek wrodzonych nieprawidłowości budowy mieszków włosowych, do których uchodzą przewody gruczołów łojowych, lub samych gruczołów.

Kaszaki mogą występować pojedynczo lub jako liczne guzy. Najczęściej usadawiają się w owłosionej skórze głowy, ale mogą też występować na całym ciele. Są to guzy kuliste o twardej spoistości, trwale zrośnięte ze skórą. Czasami osiągają pokaźne rozmiary, chociaż średnica ich nie przekracza 5–6 cm. Kaszaki usadowione na głowie mogą powodować ubytki kostne wskutek ucisku, nie uszkadzają jednak włosów.

Kaszaki mają grubościenną torebkę, ktora bywa mocno zrośnięta z otoczeniem, zwłaszcza na twarzy. W owłosionej skórze głowy są nieznacznie ruchome. Kaszaki mogą ulec zropieniu, szczególnie te, które są umiejscowione na twarzy.

Leczenie kaszaków jest chirurgiczne i polega na wycięciu ich z całą torebką. W przypadku zropienia kaszak musi być przecięty i opróżniony ze zropiałej zawartości. Usunięty może być dopiero po wyleczeniu zakażenia.

Tłuszczaki są to guzy rozmaitej wielkości i kształtu, niebolesne, przesuwalne, zbudowane z tkanki tłuszczowej i otoczone torebką łącznotkankową. Należą do grupy nowotworów łagodnych. Mogą występować pojedynczo oraz licznie. Nie leczone mogą rozrastać się do wielkich rozmiarów. Dotychczas nie ustalono przyczyny ich powstawania.

Leczenie polega na wycięciu chirurgicznym.

Włókniaki są to nowotwory łagodne zbudowane z tkanki łącznej, o znacznej spoistości chrząstkowatej. Są dobrze odgraniczone od otoczenia, występują w skórze lub w górnych warstwach tkanki podskórnej. Na ogół są drobne i rzadko osiągają wielkość kilku centymetrów. Umiejscawiają się głównie na kończynach, najrzadziej na twarzy jako guzek pojedynczy. Nierzadko występują jako guzki rozsiane w wielu okolicach ciała.

Jeżeli są umiejscowione w okolicy narażonej na ucisk, mogą powodować bóle. Poza tym nie wywołują dolegliwości.

Leczenie jest chirurgiczne i polega na ich wycięciu.

Torbiel galaretowata, zwana **martwą kostką** lub **ganglionem**. Jest to guzek powstający w pobliżu stawów i w pochewkach ścięgnistych, najczęściej na grzbiecie ręki. Zawiera galaretowatą masę, która powstaje z uwypuklenia się błony maziowej torebki stawu lub pochewki ścięgna. Może być różnych wielkości, czasami przesuwalna pod skórą bądź płaska, twarda i niebolesna.

Leczenie może być zachowawcze lub operacyjne.

Leczenie zachowawcze – nie zapobiegające nawrotom – polega na zgnieceniu torbieli, leczenie chirurgiczne – na wycięciu.

Bliznowiec jest to niezłośliwy guz łącznotkankowy, włóknisty, występujący w miejscu przebytego zranienia, w bliźnie pooperacyjnej lub po oparzeniu. Pewną rolę w jego powstawaniu odgrywa ustrojowa skłonność, za czym przemawiają nawroty bliznowca po wycięciu, a także pojawienie się go równocześnie w innym miejscu.

Bliznowce występują częściej u kobiet ze skórą jasną, łojotokową. Są to guzy skórne różnej wielkości i kształtu, zwykle rozwidlone lub palczaste o twardej spoistości i gładkiej powierzchni. Rozwijają się powoli. Najczęściej niebolesne, mogą być wrażliwe na zimno, dotyk i ucisk. Rozróżnienie ich od tzw. przerosłej blizny nie sprawia większych trudności, ponieważ przerosła blizna w przeciwieństwie do bliznowca nie przekracza granic gojenia ubytku skóry i tkanki podskórnej.

Leczenie chirurgiczne jest wskazane przy utrudnionych ruchach zginania kończyny oraz ze względów kosmetycznych. Bliznowce po wycięciu nawracają, natomiast wycięte przerosłe blizny – nie. Korzystne wyniki daje również leczenie promieniami X (naświetlania).

Brodawka zwyczajna jest tworem powstałym w następstwie zgrubienia i nadmiernego rogowacenia naskórka oraz wydłużenia brodawek skóry właściwej. Przyczyną rozwoju jest zakażenie wirusowe.

Brodawki umiejscawiają się najczęściej po stronie grzbietowej ręki, w otoczeniu paznokci, na owłosionej skórze twarzy i na stopie. Zwykle występują licznie. Czasami tworzą „smugi" w następstwie przenoszenia zarazka podczas drapania. Powierzchnia brodawek jest nierówna, podzielona głębokimi bruzdami. Zazwyczaj są one niebolesne.

Leczenie polega na wyłyżeczkowaniu ostrą łyżeczką po znieczuleniu powierzchownym. Stosuje się także przyżeganie różnymi kwasami lub diatermokoagulacją.

Róg skórny jest to twarda, rogowata wyrośl naskórka, występująca przeważnie na palcach.

L e c z e n i e polega na wycięciu wyrośli w znieczuleniu miejscowym.

Wrastający paznokieć

Przyczyną wrastania płytki paznokciowej w części miękkie, często z odczynem zapalnym, jest przeważnie nieprawidłowe obcinanie paznokci (wycinanie kątów płytki paznokciowej) oraz noszenie ciasnego obuwia. Wskutek miejscowego zapalenia tkanek i ropienia w obrębie wału paznokcia tworzy się ziarnina łatwo krwawiąca, przerastająca na płytkę paznokcia. Zmiany dotyczą najczęściej palucha stopy, czasami obu stóp.

L e c z e n i e. Radykalnym zabiegiem jest zdjęcie płytki paznokcia i wycięcie macierzy. Ten sposób postępowania nie zapobiega jednak ponownemu wrastaniu paznokcia. Zabiegiem, który daje większy odsetek wyleczeń, jest wykonywane w warunkach ambulatoryjnych wycięcie klinowe brzegu płytki paznokcia wraz z macierzą i wałem paznokcia, w którym wyrosła ziarnina, i zeszycie rany. Przed zabiegiem, zgodnie z zaleceniem chirurga, należy przez kilka dni stosować miejscowo rozcieńczony alkohol w postaci przymoczków oraz moczenie w mydlinach. W części wyciętej nie obserwuje się odrostu paznokcia.

Z a p o b i e g a n i e polega na noszeniu wygodnego obuwia i obcinaniu paznokci poprzecznie do ich płytki, bez głębokiego wycinania brzegów. Moczenie stóp w mydlinach oraz skracanie paznokci za pomocą spiłowania pilniczkiem nadaje prawidłowy kierunek wzrostu płytki paznokcia.

Ciała obce w tkankach

Usunięcie ciał obcych, które dostały się pod skórę w różnych okolicznościach, stanowi bardzo trudny problem, zwłaszcza gdy nie można ich umiejscowić nawet za pomocą promieni rentgenowskich.

Bardzo niebezpieczne są ciała obce o dużej aktywności chemicznej, np. grafit ołówka kopiowego, smary, oleje, „igły” cukru. Ciała obce w tkankach wywołują trudne do opanowania zakażenia miejscowe, a czasami ogólne.

W przypadku wniknięcia grafitu ołówka kopiowego zabieg operacyjny musi być rozszerzony i polega na wycięciu nasyconych barwnikiem tkanek.

Gojenie się ran po wniknięciu grafitu, a także po wniknięciu do tkanek cukru, trwa przeważnie bardzo długo. Wynik leczenia jest tym lepszy, im wcześniej chory zgłosi się do lekarza.

Po usunięciu ciała obcego stosuje się przeważnie antybiotyki oraz unieruchomienie na kilka dni, jeśli zmiana dotyczy kończyny.

W każdym przypadku wniknięcia do tkanek ciała obcego lekarz decyduje, czy należy wstrzyknąć zapobiegawczo szczepionkę przeciwtężcową lub surowicę przeciwtężcową.

Zadzierzgnięcie pierścionka

W razie obrzęku palca spowodowanego zakażeniem lub inną przyczyną jednym ze sposobów zdjęcia pierścionka lub obrączki z palca może być ich przecięcie. Przecięcie wykonuje się po wprowadzeniu pod obrączkę sondy rowkowej lub paska cienkiej blaszki, która osłania skórę przed zranieniem.

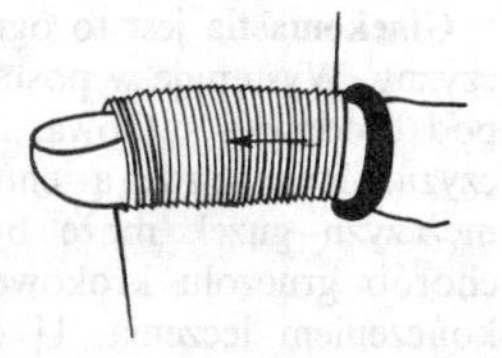

Zadzierzgnięty pierścionek na palcu. Zdjęcie pierścionka za pomocą tzw. metody „nitkowej”. Odwijanie nitki w kierunku obwodowym palca i jednoczesne zsuwanie pierścionka.

Prostym, znanym od wielu lat sposobem zdjęcia obrączki z obrzękniętego palca jest tzw. metoda „nitkowa”. Na palec nawija się grubą nić od obwodu w kierunku pierścionka, a następnie nić powoli odwija się w odwrotnym kierunku jednocześnie przesuwając pierścionek ku obwodowi.

VII. CHOROBY SUTKA

W przypadku pojawienia się jakichkolwiek niepokojących objawów czy dolegliwości w obrębie gruczołu piersiowego należy koniecznie zwrócić się do lekarza. Dotyczy to zarówno zmian skórnych, wyprysków, powiększenia sutka, jak i innych nawet nieznacznych dolegliwości. Zmiany w sutku w postaci wyczuwalnej przez chorego (guzek, zgrubienie) lub odczuwalne dolegliwości bólowe mogą być objawem zmian zwyrodnieniowych, zaburzeń hormonalnych albo następstwem zmian zapalnych czy pourazowych.

Zmiany zapalne sutka. Mogą one rozwinąć się w toku każdego zakażenia, ale szczególnie często powstają w okresie karmienia piersią. Zespół objawów jest dość charakterystyczny. Nagle powstaje bolesne zgrubienie z zaczerwienioną nad nim skórą lub w przypadku głębokiej lokalizacji – pojawia się dokuczliwy ból całej piersi. Towarzyszy mu przeważnie podniesiona temperatura ciała, niekiedy dreszcze, powiększenie węzłów chłonnych okolicy pachy. Nie leczony naciek może ulec zropieniu i szerzyć się na otoczenie. Czynnikiem usposabiającym jest zaleganie zakażonego pokarmu, stanowiącego doskonałą bakteryjną pożywkę w typowej „przestrzeni zamkniętej".

Ropień powstający poza okresem karmienia może być spowodowany jakimkolwiek banalnym nawet zakażeniem. Czasami zapalenie sutka nie ma wyraźnie nagłego początku, ciągnie się przez wiele dni bez skłonności do zaostrzenia lub samoistnego ustępowania, a także bez istotnych dolegliwości bólowych.

Leczenie. W początkowym, wczesnym okresie zakażenia skuteczne bywa podawanie antybiotyków. W późniejszym – niezbędna jest interwencja chirurgiczna, tj. otwarcie ropnia, opróżnienie jego zawartości i sączkowanie rany.

Zapobieganie polega na pielęgnowaniu piersi w okresie karmienia.

Ginekomastia jest to ogniskowy rozrost tkanki gruczołowej sutka u mężczyzny. Występuje w postaci bolesnego guzka, umiejscowionego przeważnie pod brodawką sutkową. Pojawia się u młodzieńców lub u starszych mężczyzn. Przyczyną choroby są zaburzenia hormonalne. U starszych mężczyzn guzek może być ubocznym wynikiem hormonalnego leczenia chorób gruczołu krokowego i w takich przypadkach znika wraz z zakończeniem leczenia. U dzieci i młodzieży guzek znika samoistnie, bez leczenia, często wraz z zakończeniem okresu rozwoju płciowego. Każdy chory, u którego występuje guzek, powinien znajdować się pod kontrolą lekarza. W uzasadnionych sytuacjach, budzących jakiekolwiek wątpliwości, guzek jest usuwany operacyjnie.

Nowotwory sutka, zob. Choroby nowotworowe, s. 2053.

VIII. CHIRURGIA NARZĄDÓW KLATKI PIERSIOWEJ

Specyficzne warunki anatomiczne, a przede wszystkim czynnościowe narządów leżących wewnątrz klatki piersiowej sprawiły, że długo były one poza zasięgiem chirurgii. Dopiero rozwój nowoczesnej anestezjologii pozwolił na otwarcie klatki piersiowej i chirurgiczny dostęp przede wszystkim do płuc i serca, nie przekraczający obecnie ryzyka operacji dokonywanych w obrębie jamy brzusznej.

Choroby opłucnej

Wnętrze jamy opłucnej wyścielone jest cienką błoną surowiczą, zwaną opłucną. Dzieli się ją na opłucną ścienną, pokrywającą struktury ograniczające przestrzeń jamy, oraz opłucną płucną, pokrywającą delikatną błoną całą zewnętrzną powierzchnię płuca. Wewnątrz jamy opłucnej panują charakterystyczne warunki ciśnienia uzależnione od ruchów oddechowych płuca. Mogą one ulec zaburzeniu w sytuacji, kiedy do wnętrza klatki piersiowej przeniknie zawarte w pęcherzykach płucnych powietrze. Stan taki nazywany jest odmą samoistną, w odróżnieniu od odmy sztucznej, która stanowiła w dawno już minionym okresie jeden z elementów leczenia gruźlicy płuc i polegała na wprowadzeniu do jamy opłucnej określonej objętości powietrza atmosferycznego, co powodowało ucisk jamy gruźliczej ułatwiający jej zamknięcie.

Odma samoistna powstaje w wyniku pęknięcia nadmiernie rozdętych pęcherzyków płucnych. Zmiany takie często towarzyszą specjalnej postaci rozedmy płuc, w wyniku której tworzą się torbielowate twory, określane jako powietrzne pęcherze rozedmowe. Podobne zmiany wrodzone noszą nazwę torbielowatości płuc.

Pęcherz lub torbiel jest zespołem pojedynczych pęcherzyków płucnych połączonych ze sobą, wypełniających się powietrzem zgodnie z ruchami oddechowymi, a więc mającym łączność z drzewem oskrzelowym. Nadmierne ścienienie jego ściany przy wzroście ciśnienia wewnętrznego, spowodowanego np. kaszlem, może spowodować nagłe pęknięcie pęcherza. Do jamy opłucnej przy każdym wdechu przedostaje się powietrze, które nie ma „ujścia" na zewnątrz. Prowadzi to do stopniowego narastania dodatniego ciśnienia w jamie opłucnej, do ucisku całego płuca, zmniejszenia jego objętości oddechowej, a nawet całkowitego „spadnięcia", czyli całkowitej bezpowietrzności, tj. zupełnego wyłączenia z czynności oddechowej.

Objawem odmy samoistnej, powstającej nagle, bez uchwytnych dla chorego przyczyn, jest ostry ból w okolicy klatki piersiowej (z reguły po stronie powstającej odmy) promieniujący często do barku lub okolicy szyi. Niekiedy pojawia się suchy, męczący kaszel i zależnie od stopnia upośledzenia powietrzności płuca narastająca duszność.

Leczenie powinno być rozpoczęte możliwie wcześnie. Polega ono na założeniu do jamy opłucnej drenu połączonego z zewnętrznym urządzeniem ssącym, co pozwala na stałe, czynne odprowadzanie gromadzącego się w jamie opłucnej powietrza na zewnątrz. Przywrócone prawidłowe ciśnienie wewnętrzne upowietrznia płuco, czyli „rozpręża je".

Proces gojenia się pękniętego pęcherza rozedmy polega na „przyklejeniu" się jego do opłucnej ściennej. W ten sposób zostaje zlikwidowany przeciek powietrza i dren może być usunięty. Przy istnieniu licznych powietrznych pęcherzy rozedmowych odma ma tendencje do nawrotów spowodowanych pękaniem ściany innych pęcherzy rozedmowych. W takich przypadkach może być podjęte leczenie operacyjne, polegające na otwarciu klatki piersiowej, wycięciu lub tylko zaszyciu istniejących pęcherzy rozedmowych, oraz na mechanicznym podrażnieniu opłucnej ściennej. Podrażnienie takie jest wykonywane w celu pobudzenia opłucnej do wytworzenia stałych, mocnych zrostów z całą powierzchnią przylegającego do niej płuca. Zabieg kończy się założeniem drenów do jamy opłucnej i podłączeniem ich do urządzenia ssącego. Dreny usuwa się zwykle po kilku dniach.

Powikłaniem odmy samoistnej jest z reguły odczyn zapalny opłucnej spowodowany przedostawaniem się do wnętrza klatki piersiowej bakterii wnikających wraz z wdychanym powietrzem atmosferycznym. Odczyn ten ma zwykle tzw. postać wysiękową, polegającą na gromadzeniu się płynu białkowego w jamie opłucnej. Jeśli płyn wysiękowy ulegnie zropieniu, rozwija się ropniak opłucnej. Aby temu zapobiec, w leczeniu odmy samoistnej jako leczenie uzupełniające stosowane jest zawsze podawanie antybiotyków.

Ropniak opłucnej jest to nagromadzenie ropnej treści w jamie opłucnej. Powstaje jako powikłanie wysiękowego zapalenia opłucnej, bądź też na skutek przejścia ropnego procesu z płuca na opłucną (ropień płuca). Niekiedy ropniak opłucnej towarzyszy operacjom połączonym z otwarciem klatki piersiowej, przede wszystkim zaś wycięciu tkanki płuca.

Ropniak opłucnej może występować w postaci ostrej lub przewlekłej. Postać ostra jest przeważnie leczona zachowawczo. Interwencja chirurgiczna ogranicza się jedynie do usunięcia ropnej zawartości z jamy opłucnej za pomocą punkcji, a niekiedy do założenia drenażu ssącego.

Postać przewlekła ropniaka opłucnej rozwija się na skutek nieskutecznego, opóźnionego lub niewłaściwego leczenia ropniaka ostrego. Na opłucnej płucnej tworzy się gruby, sztywny „kożuch", wytrąconego z ropy włóknika, który ogranicza ruchomość płuca, powoduje zmniejszenie jego zdolności wentylacyjnych, upośledza zatem wymianę gazową. Niezależnie od zmian miejscowych, przewlekły, rozległy proces ropny stwarza niebezpieczeństwo powikłań ogólnoustrojowych, prowadzi do zaburzenia czynności i uszkodzenia narządów odległych (nerki, wątroba), grozi rozwojem posocznicy.

Leczenie zachowawcze ropniaka opłucnej, polegające na podawaniu antybiotyków, jest zwykle nieskuteczne, a sam drenaż jamy opłucnej – niewystarczający. Właściwości zlepne opłucnej prowadzą do tworzenia się ograniczonych, wielokomorowych zbiorników ropy, a miejscowe procesy obronne dają w wyniku znaczny przerost opłucnej, której grubość wzrasta do stopnia upośledzającego jej elastyczną strukturę. Jedyną szansą wyleczenia jest w takiej sytuacji leczenie operacyjne. Polega ono na tzw. odłuszczeniu płuca, tzn. usunięciu zgrubiałej opłucnej płucnej i tym samym uwolnieniu płuca z krępującego jego ruchy pancerza i na odtworzeniu warunków zapewniających właściwą wentylację oraz przywróceniu prawidłowej wymiany gazowej. Jednocześnie usuwana jest gruba opłucna ścienna wraz z wielokomorowymi ogniskami ropnymi. Postępowanie rehabilitacyjne po operacji polega na specjalnych ćwiczeniach oddechowych nie tylko zapobiegających powikłaniom pooperacyjnym, ale także „gimnastykujących" płuco, co ułatwia odtworzenie upośledzonej jego elastyczności.

Ropniak swoisty, specyficzna postać ropniaka opłucnej, powstaje w przebiegu gruźlicy. Zasady jego leczenia – jeśli zawodzą leki przeciwprątkowe – są takie jak przewlekłego ropniaka.

Choroby płuc

Ropień płuca jest to miejscowe, ograniczone zbiorowisko ropy zlokalizowane w miąższu płucnym. Powstaje jako powikłanie specjalnej postaci zapalenia płuc, a często jako skutek wniknięcia ciała obcego, co może się zdarzyć w czasie przypadkowego zachłyśnięcia się pokarmem lub wymiocinami u ludzi nieprzytomnych albo pozostających w stanie upojenia alkoholowego.

Choroba przebiega z objawami zapalenia płuc i może być leczona zachowawczo. Jeśli ten rodzaj leczenia nie daje rezultatów, niezbędne jest postępowanie chirurgiczne. Operacja polega na wycięciu części płuca, w której ropień jest zlokalizowany, w granicach tzw. anatomicznego podziału. Oznacza to, że wycięcie ograniczać się może do pojedynczego płata lub nawet jego segmentarnej części. Niepodjęcie w porę leczenia chirurgicznego, przy nieskuteczności leczenia zachowawczego, grozi przebiciem ropnia do jamy opłucnej i powikłaniami nie tylko w postaci ropniaka opłucnej, ale bardzo poważnymi zmianami ogólnoustrojowymi.

Rozstrzenie oskrzeli są to zwiotczenia i znaczne rozszerzenia obwodowych odcinków drzewa oskrzelowego. Postępujące cienienie ściany rozstrzeni prowadzi do zaniku elementów mięśniowych, a tym samym do upośledzenia czynności skurczowo-rozkurczowych. Jeśli dołączają się powikłania zapalne, upośledzenie czynności oskrzeli pogłębia się.

Przyczyną choroby są powtarzające się zmiany zapalne miąższu płuca, głównie te, które prowadzą do upośledzenia jego powietrzności. Istnieje też specjalna wrodzona postać rozstrzeni oskrzeli.

Głównym objawem choroby jest odkrztuszanie ropnej, często cuchnącej obfitej plwociny. Ostateczne rozpoznanie stopnia zaawansowania i lokalizacji rozstrzeni jest możliwe dzięki specjalnym rodzajom badania radiologicznego z użyciem środka cieniującego, który uwidacznia zakres i charakter zmian w drzewie oskrzelowym.

Powikłaniem rozstrzeni oskrzelowych może być obfite krwioplucie. Źródłem krwawienia jest zazwyczaj większa tętniczka oskrzelowa, której ściany zostały uszkodzone przez przewlekły proces zapalny.

Leczenie. Wczesne, prawidłowo prowadzone leczenie stanów zapalnych płuca nie tylko zapobiega powstawaniu rozstrzeni, ale znacznie łagodzi ich objawy. Podjęcie leczenia operacyjnego jest uzależnione od lokalizacji i zaawansowania procesu chorobowego oraz towarzyszących mu powikłań (częste zapalenia płuc, krwawienia). Operacja polega na wycięciu części płuca, w której są zmiany rozstrzeniowe. Często ogranicza się ona do pojedynczego segmentu płuca lub kilku jego segmentów. Rozległe, obustronne zmiany rozstrzeniowe wykluczają możliwości leczenia operacyjnego.

Gruźlica płuc. Wraz z rozwojem produkcji skutecznych leków przeciwprątkowych, tworzeniem coraz to nowych ich zestawów i kombinacji, udział leczenia operacyjnego w leczeniu gruźlicy płuc bardzo się zmniejszył. Obecnie gruźlicę leczy się w zasadzie zachowawczo (zob. Choroby zakaźne, s. 946). Leczenie chirurgiczne podejmowane jest wówczas, gdy tkanka płuca zostanie zniszczona przez swoiste zapalenie gruźlicze, lub gdy na skutek specjalnej postaci procesu gojenia zajdą nieodwracalne zmiany anatomiczne, np. gdy rozwiną się rozstrzenie oskrzelowe albo powstanie tzw. gruźliczak, czyli guzek wielkości 10–20-złotowej monety, wypełniony masami serowatymi. Operacja polega na wycięciu zniszczonego fragmentu płuca. Zawsze leczeniem uzupełniającym jest leczenie zachowawcze.

Rak płuca, zob. Choroby nowotworowe, s. 2049. Chirurgiczne leczenie raka płuca jest właściwie jedynym i skutecznym sposobem leczenia tej choroby. Polega ono na usunięciu całego płuca lub jego części objętych procesem nowotworowym, wraz z okolicznymi węzłami chłonnymi, a niekiedy nawet z opłucną ścienną lub częścią struktur ściany klatki piersiowej. Ponieważ dolegliwości chorego na raka płuca, zwłaszcza w początkowym okresie choroby, są nikłe i nie związane z wyobrażeniem nowotworu, propozycja „ciężkiego" zabiegu operacyjnego w porównaniu z możliwymi do tolerowania objawami wzbudza swoisty sprzeciw. Jest to odruch z psychologicznego punktu widzenia zrozumiały, ale w miarę upływu czasu sytuacja pogarsza się. Narastają dolegliwości związane z postępem choroby lub z wystąpieniem przerzutów i stan chorego i choroby staje się taki, że leczenie operacyjne nie może już być brane pod uwagę – jest po prostu spóźnione. Zdarza się również i tak, że chory, który nie wyraził zgody na operację, poddany zostaje innym, ale nie alternatywnym metodom leczenia. Kiedy w końcu decyduje się na operację, nie może już być ona podjęta z powodu zastosowanego wcześniej z konieczności sposobu leczenia wykluczającego interwencję chirurgiczną.

Wiek „kalendarzowy" w ryzyku operacyjnym nie odgrywa decydującej roli, bardziej istotny jest wiek „biologiczny" wyrażony podstawową sprawnością fizyczną wyliczaną wg specjalnej skali. Problem ten jest ważny, gdyż choroby nowotworowe często występują w 50–70 latach życia.

Niekiedy z leczeniem operacyjnym konieczne jest stosowanie skojarzonego leczenia pooperacyjnego za pomocą promieniowania jonizującego.

Większość chorych po operacyjnym leczeniu raka płuca wraca do normalnego trybu życia, tzn. takiego, jaki prowadzili przed operacją, czasami z niewielkimi ograniczeniami wysiłków. Jeśli zabieg był wykonany we wczesnym okresie zaawansowania – oczywiście określonego typu – trwałe wyleczenia sięgają 30%. Co trzeci chory ma szanse pełnego powrotu do zdrowia, u pozostałych następuje poprawa lub wyraźne przedłużenie życia. Inne chemiczne i fizyczne metody leczenia dają szanse nieporównywalnie mniejsze. Wskazania do operacji są określane jako bezwzględne, gdy istnieją szanse jej radykalnego wykonania. Okres oczekiwania czy podejmowania decyzji w takich przypadkach nie powinien liczyć więcej niż kilka tygodni.

Choroby przełyku

Rak przełyku, zob. Choroby nowotworowe, s. 2042. Leczenie chirurgiczne raka przełyku polega na radykalnym usunięciu guza nowotworowego wraz z częścią przełyku, a także zmienionych węzłów chłonnych, oraz na odtworzeniu ciągłości przewodu pokarmowego. Operacja jest poważna, ponieważ poddawani jej chorzy przeważnie są niedożywieni i wyniszczeni wskutek długotrwałego niekiedy utrudnienia w przyjmowaniu pokarmów.

Jeśli choroba jest zaawansowana w stopniu, w którym przeprowadzenie radykalnego zabiegu staje się niemożliwe, operacja polega na wykonaniu zespolenia żołądka z przełykiem powyżej guza nowotworowego, stwarzając tym samym drogę omijającą miejsce zwężenia utrudniające przełykanie. U osób starszych, w bardzo złym stanie ogólnym może być wykonana operacja łagodząca – paliatywna – umożliwiająca przyjmowanie pokarmów półstałych. Polega ona na wprowadzeniu przez jamę ustną sztywnej rurki, sforsowaniu nią miejsca zwężenia przełyku i doprowadzeniu jej do żołądka. Operacja taka, nie wymagająca otwarcia jamy brzusznej, pozwala uniknąć śmierci głodowej.

Skurcz wpustu. W tej jednostce chorobowej, o niezbyt jasnej przyczynie powstawania, istota dolegliwości polega na tzw. dysfagii, tj. czasowej, powtarzającej się lub długotrwałej niemożności połykania pokarmów. Występuje ona wskutek nagłego kurczu mięśni wpustu żołądka, co całkowicie zamyka światło wpustu. Kurczowi towarzyszą bóle zlokalizowane za mostkiem, przypominające niekiedy dolegliwości charakterystyczne dla choroby wieńcowej serca.

Leczenie operacyjne polega na przecięciu podłużnym warstwy mięśniowej przełyku na przestrzeni 6 – 8 cm ku górze od przywpustowej części żołądka. Jeżeli współistnieje przepuklina przeponowa, towarzysząca niekiedy chorobie skurczowej, wykonywany jest również zabieg odprowadzający tę przepuklinę.

Inne choroby przełyku. Do chorób przełyku, które są również leczone metodami chirurgicznymi, należą: oparzenia, samoistne pęknięcia, powikłania związane z połkniętym ciałem obcym oraz uchyłki.

Chemiczne oparzenia przełyku bezpośrednio po zadziałaniu środka szkodliwego nie wymagają w zasadzie interwencji chirurgicznej. W okresie gojenia powstać mogą jednak w obrębie przełyku zmiany bliznowate, które znacznie upośledzają jego drożność lub wręcz zamykają go. Gdy stopień zbliznowacenia ogranicza możliwość przełykania pokarmów, a próby rozszerzenia przełyku za pomocą specjalnych instrumentów wprowadzanych przez jamę ustną nie przynoszą wyniku, wykonuje się zabieg operacyjny. Istnieją liczne rodzaje tego typu operacji odtwórczych.

Całkowite zarośnięcie światła przełyku stwarza konieczność wykonania przetoki żołądkowo-skórnej umożliwiającej podawanie tą drogą pokarmów i dopiero po doprowadzeniu chorego do stanu zezwalającego na wykonanie operacji, przeprowadzany jest jeden z zabiegów, takich jak w drożności jedynie upośledzonej.

Samoistne pęknięcie przełyku zdarza się rzadko i występuje przeważnie w czasie gwałtownych obfitych wymiotów. Przerwanie ciągłości ściany stanowi ciężkie zagrożenie życia, ponieważ prowadzi nieuchronnie do zakażenia śródpiersia, jam opłucnej i otrzewnej, a czasami do gwałtownie narastającej odmy samoistnej (zob. s. 1443).

Objawem pęknięcia przełyku jest ostry gwałtowny ból w klatce piersiowej, zlokalizowany w zależności od miejsca pęknięcia w dolnych lub górnych jej okolicach. Towarzyszyć mu może zespół wstrząsu albo w przypadku powstania odmy – narastająca duszność. Rozpoznanie ustala się w warunkach szpitalnych badaniem radiologicznym.

Leczenie. W samoistnym pęknięciu przełyku jest bezwzględnie przeprowadzony drenaż jam opłucnej i śródpiersia. Proste zeszycie ściany przełyku jest wykonywane jako podstawowy zabieg operacyjny. Im szybciej jest on wykonany, tym większa szansa na uratowanie życia. Zawsze podawane są antybiotyki, ponieważ uszkodzeniom przełyku drążącym do śródpiersia towarzyszy zakażenie.

Ciała obce w przełyku. Przypadkowo połknięte ciało obce, które ze względu na swe rozmiary lub kształt utkwi w anatomicznych przewężeniach przełyku, nie wymaga operacji. Może być usunięte przez specjalny wziernik wprowadzony od strony jamy ustnej. Kiedy jednak w ścianie przełyku utkwi ostry fragment, np. kości, i zostanie w niej zaklinowany, usunięcie go może być niemożliwe. W grę wówczas wchodzi postępowanie operacyjne.

Uchyłki przełyku. Uchyłki są to wrodzone lub nabyte workowate lub w formie kieszeni wypuklenia ściany danego narządu jamistego. W przełyku występują przeważnie w części szyjnej, na przejściu gardzieli w przełyk. Mogą sprawiać duże dolegliwości, ponieważ nie tylko utrudniają przełykanie, ale i są miejscem zalegania pokarmu. Mogą być leczone jedynie operacyjnie. Zabieg operacyjny polega na wycięciu uchyłka i zeszyciu pozostającego po nim ubytku ściany przełyku.

IX. CHIRURGIA SERCA

Chirurgia serca jest najmłodszą, cechującą się najbardziej dynamicznym rozwojem dziedziną chirurgii. Dokonanie trudnej, precyzyjnej naprawy zastawek czy innych struktur leżących wewnątrz serca wymaga wyłączenia jego, niezbędnej do życia, nieprzerwanej pracy. Ten właśnie problem stanowił przez lata zasadniczą barierę, której przekroczenie wydawało się niemożliwością. Nie zmieniały tego faktu coraz śmielej przeprowadzane operacje nie wymagające „otwierania" jam serca lub tzw. zabiegi wykonywane „na ślepo", tzn. bez bezpośredniego udziału wzroku operatora. Dopiero skonstruowanie aparatu do „krążenia pozaustrojowego", zwanego potocznie sztucznym płuco-sercem, dokonało zasadniczego w tej dziedzinie przełomu. Od czasu, gdy zastosowano je po raz pierwszy z wynikiem pomyślnym, upłynęło ok. 40 lat. Metoda krążenia pozaustrojowego stanowi integralną część współczesnej chirurgii serca.

Krążenie pozaustrojowe

Aparat do krążenia pozaustrojowego przejmuje funkcję serca w czasie przeprowadzania na nim operacji. Jak wskazuje nazwa tego urządzenia – sztuczne płuco-serce – składa się ono z dwóch zasadniczo różnych elementów, z których jeden przejmuje rolę płuc, a drugi rolę serca operowanego chorego.

Sztuczne płuco jest utleniaczem, czyli oksygenatorem. Sztuczne serce to specjalny model pompy, której działanie różni się jednak od „naturalnej pompy" jaką stanowi serce. Podstawowa rola „krążenia pozaustrojowego" polega zatem na utlenowaniu krwi żylnej spływającej z żył osoby operowanej do aparatu i na tłoczeniu krwi bogatej w tlen do jej układu tętniczego. W ten sposób wszystkie narządy i tkanki organizmu zaopatrywane są w utlenowaną krew tętniczą bez udziału naturalnej pompy, jaką w warunkach fizjologicznych stanowi serce. Znane są obecnie rozmaite, wciąż doskonalone typy utleniaczy i pomp sztucznego płuco-serca. Najszerzej stosowane są niżej opisane typy, które można określić jako „standardowe".

Utleniacz, przeznaczony do utlenowania krwi żylnej, jest to wykonany ze sztucznego tworzywa „worek" jednorazowego użytku (może być użyty tylko do jednej operacji), składający się z dwóch przedziałów o różnym przeznaczeniu. Pierwszy to mająca kształt wąskiego rękawa tzw. kolumna spieniająca. Krew żylna chorego spływa pod wpływem własnego ciężaru poprzez system drenów do podstawy kolumny, do której innym łącznikiem dostarczany jest tlen bądź mieszanina tlenu z niewielkim dodatkiem dwutlenku węgla. Prąd gazu przepływającego przez słup krwi powoduje jej spienienie (tworzą się liczne „banieczki") i przemieszcza tę gazowo-płynną mieszaninę do dalszych części utleniacza. Drugi przedział utleniacza „odpienia" tę mieszaninę i zamienia ją na krew pozbawioną pęcherzyków gazu, ale utlenowaną. Uzyskuje się to poprzez przesączanie krwi przez urządzenie składające się z nici lub wiórków sztucznego tworzywa, nasyconych silikonem. Ponadto wykorzystane jest zjawisko fizyczne ucieczki pęcherzyków gazu na powierzchnię płynu przy przechodzeniu ślimakowato-krętą drogą. Na końcu tej części utleniacza znajduje się specjalny mikrofiltr, który zatrzymuje najdrobniejsze „niezauważalne" pęcherzyki gazu. Po jego przejściu krew, wolna już od pęcherzyków gazu, gromadzi się w zbiorniku, z którego pompowana jest do aorty lub do bardziej obwodowo położonej dużej tętnicy (udowej). Zadanie to spełnia urządzenie pompujące, tzw. sztuczne serce.

Sztuczne serce, model obecnie najczęściej stosowany, jest pompą obrotową typu rolkowego (De Bakuja). W przestrzeni między jej sztywną, kołnierzowatą obudową a obracającymi się na jednym lub dwóch sztywnych ramionach rolkami (odpowiednio dwiema lub czterema, po jednej na każdym obwodowym odcinku ramienia) znajduje się elastyczny dren z gumy silikonowej lub innego sztucznego tworzywa. Każdy obrót ramienia pompy powoduje kolejny ucisk rolki na dren i „przepychanie" jego zawartości w pożądanym kierunku. Obroty pompy są precyzyjnie regulowane, co pozwala przepompowywać w ciągu minuty żądaną objętość krwi. W zasadzie powinna być ona równa tej ilości, która w ciągu minuty spływa z żył chorego do utleniacza.

Przedstawiony model sztucznego płuco-serca jest bardzo uproszczony. Stopień utlenowania krwi i wielkość wymuszonego jej przepływu są sterowane i zmieniane w razie potrzeby. Czynności te mogą być wykonywane ręcznie bądź też są w pełni lub częściowo zautomatyzowane. Cały aparat wyposażony jest też w urządzenia dodatkowe, np. w wymiennik cieplny pozwalający na utrzymanie dowolnej temperatury krwi, a tym samym na obniżenie (hipotermia) lub podwyższanie temperatury ciała chorego.

Podłączenie krążenia pozaustrojowego stanowi integralną część zabiegu operacyjnego przeprowadzanego na sercu. Utleniacz zostaje podłączony do dużych naczyń żylnych, co zapewnia swobodny spływ pozbawionej tlenu krwi do kolumny spieniającej. Uzyskuje się to poprzez założenie do górnej i dolnej żyły głównej, które kończą swój bieg w prawym przedsionku serca, odpowiedniej grubości drenów połączonych rurkami plastykowymi z utleniaczem. Wprowadza się je przez naciętą ścianę przedsionka i „uszczelnia" przestrzeń między ścianą żyły a wypełniającym jej światło drenem specjalnym zaciskiem. Powoduje to, że cała krew żylna napływająca w warunkach normalnych do serca odprowadzona zostaje na zewnątrz (do utleniacza), a wnętrze serca pozostaje puste. Rura zamontowana w pompie tętniczej połączona jest z jednej strony ze zbiornikiem krwi w końcowym przedziale utleniacza, z drugiej dołączona do drenu zakończonego specjalną kaniulą, przystosowaną do wprowadzenia przez nacięcie w ścianie do światła aorty lub tętnicy.

Sztuczne obniżenie temperatury ciała chorego, czyli hipotermia, stosowane niekiedy w czasie operacji serca, zmniejsza podstawową przemianę materii, czyli zapotrzebowanie tkanek i narządów na tlen. Sztuczne obniżenie temperatury może dotyczyć całego organizmu albo tylko mięśnia sercowego. Postępowanie takie ma istotne znaczenie wówczas, kiedy niezbędne jest zamknięcie, przy użyciu specjalnego narzędzia, aorty tuż nad jej zastawkami, co „odcina" dopływ krwi do mięśnia sercowego, a tym samym pozbawia jego komórki źródła energii, czyli tlenu. Ochrona mięśnia sercowego narażonego w czasie operacji na niedotlenienie może też polegać na chwilowym, kontrolowanym zatrzymaniu pracy serca poprzez podanie specjalnych środków chemicznych i równoczesne znaczne obniżenie temperatury („kardioplegia"). Postępowanie takie jest stosowane przy zabiegach operacyjnych wymagających rozcięcia aorty tuż nad zastawkami, co stwarza konieczność „zakleszczenia" jej części obwodowej w celu uniknięcia obfitego krwotoku uniemożliwiającego przeprowadzenie operacji.

Aparat do krążenia pozaustrojowego przed rozpoczęciem operacji wypełnia się 5% roztworem glukozy, niekiedy z dodatkiem innych składników. W określonych przypadkach do wypełnienia aparatu częściowo używa się zgodnej grupowo krwi. Niezależnie od tego do operacji zawsze jest przygotowana większa ilość krwi służącej do uzupełnienia jej ubytków w czasie trwania zabiegu. Utrata krwi w operacjach z zastosowaniem krążenia pozaustrojowego jest znaczna między innymi dlatego, że przed uruchomieniem sztucznego płuco-serca naturalna krzepliwość krwi operowanego musi być na czas operacji zniesiona. Dokonuje się tego przez podawanie odpowiednich dawek heparyny, której działanie neutralizuje się po zakończeniu operacji za pomocą innych środków farmakologicznych. Konieczność zniesienia naturalnej krzepliwości krwi jest związana z zapobieganiem tworzenia się skrzepów we krwi przechodzącej przez utleniacz, pompę i system rur łączących. Powstawanie skrzepów groziłoby tragicznymi zaburzeniami ogólnoustrojowymi.

Aparatura do krążenia pozaustrojowego jest stale doskonalona. Próbuje się konstruować utleniacze zbliżone działaniem do naturalnej dyfuzji gazów, jaka zachodzi w pęcherzykach płucnych. Próbuje się też uzyskać rytmiczną, przerywaną pracę pompy. Krążenie pozaustrojowe, jakkolwiek dalekie jeszcze od doskonałości cechującej proces oddychania i krążenia ludzkiego organizmu, pozwala na bezpieczne przerwanie naturalnego krążenia u operowanego człowieka na okres niezbędny do dokonania najbardziej nawet skomplikowanej operacji serca.

Chirurgiczne leczenie wad serca

Wady serca, przyczyny ich powstawania, zespół objawów, diagnostyka, leczenie zachowawcze zob. Pediatria, s. 1249, oraz Choroby wewnętrzne, s. 672. Leczenie chirurgiczne podejmowane jest jedynie w wymagających tego przypadkach.

Wrodzone wady serca

Nieprawidłowości anatomiczne w układzie krążenia, powstałe w trakcie rozwoju płodowego, przybierają w dalszym życiu charakter zmian ostatecznych, nieodwracalnych. Losy narodzonego dziecka zależą zatem od stopnia zaburzeń hemodynamicznych, czyli od skutków wynikających z nieprawidłowego obiegu krwi w czasie poszczególnych etapów pracy serca. Każda postać leczenia zachowawczego, polegającego na podawaniu doraźnie skutecznych leków, jest postępowaniem łagodzącym objawy, a nie usuwającym źródła choroby. Prawidłowe stosunki anatomiczne mogą być zrekonstruowane jedynie na drodze leczenia operacyjnego. Poza tak pojętym *leczeniem radykalnym*, definitywnym, istnieją też sposoby postępowania zabiegowego prowadzące do złagodzenia objawów bądź odroczenia operacji definitywnej. Są to typowe *operacje łagodzące – paliatywne*.

Bardzo ważną sprawą, zawsze indywidualną, jest ustalenie optymalnego czasu przeprowadzenia operacji, co zapewnia najmniejsze ryzyko dla chorego i gwarantuje najlepsze wyniki leczenia. Zbyt wczesne przeprowadzenie niektórych operacji stwarza nadmierne ryzyko i prowadzi niekiedy do przeprowadzania ich w dwóch etapach. Również odkładanie terminu operacji jest niebezpieczne, może bowiem prowadzić do nieodwracalnych, utrwalonych zmian w innych niż serce narządach (płuca) lub w samym nadmiernie obciążonym mięśniu sercowym.

Ubytek w przegrodzie międzyprzedsionkowej. Operację przeprowadza się z zastosowaniem krążenia pozaustrojowego. Najczęściej polega ona na zamknięciu ubytku zwykłymi szwami i tym samym usunięciu nieprawidłowego połączenia między przedsionkiem prawym i lewym. W nielicznych przypadkach konieczne jest wszycie w miejsce ubytku łaty z tworzywa sztucznego. Operacja wykonana we właściwym czasie daje zupełne wyleczenie, przy małym ryzyku samego zabiegu operacyjnego.

Ubytek w przegrodzie międzykomorowej. Operację wykonuje się z zastosowaniem krążenia pozaustrojowego. U niektórych chorych ubytek daje się zamknąć przez zwykłe zeszycie, przeważnie jednak konieczne jest wszycie łaty z tworzywa sztucznego. Niebezpieczeństwo powikłań pooperacyjnych polega na wystąpieniu zaburzeń przewodnictwa, wymagających nawet zastosowania sztucznego rozrusznika serca. Operacja wykonana we właściwym czasie daje pełne wyleczenie.

Zwężenie zastawek tętnicy płucnej. Operacja, wykonywana dawniej metodą „ślepą" (zob. niżej), dziś z reguły prowadzona jest pod kontrolą wzroku, a więc z użyciem sztucznego płuco-serca. Miejsce zwężenia zastawek zostaje rozcięte. Jeżeli istnieje tzw. zwężenie podzastawkowe, zostaje wycięta przerosła zapora mięśniowa. Wyniki operacji są dobre, przy stosunkowo małym niebezpieczeństwie samej operacji.

Zespół Fallota lub **tetralogia Fallota**. Jest to złożona wada sinicza serca. Operacja radykalna przeprowadzana jest z zastosowaniem krążenia pozaustrojowego. Polega ona na zamknięciu ubytku w przegrodzie międzykomórkowej i poszerzeniu zwężonego ujścia tętnicy płucnej. Jeśli operacja radykalna nie jest możliwa do wykonania, przeprowadza się zabieg łagodzący bez użycia sztucznego krążenia. Polega on na wykonaniu sztucznego połączenia (zespolenia) między aortą lub odchodzącą od niej tętnicą podobojczykową i tętnicą płucną. Prowadzi to do lepszego utlenowania krwi tętniczej przez „dodatkowe przepuszczanie" jej przez krążenie płucne.

Operację łagodzącą stosuje się niekiedy jako wstępny etap przed odłożoną operacją radykalną. Wyniki leczenia radykalnego są dobre, ale ryzyko operacyjne większe niż w innych wadach.

Przetrwały przewód tętniczy Botalla. To nieprawidłowe połączenie, w postaci krótkiego o rozmaitej grubości naczynia łączącego aortę z tętnicą płucną, podwiązuje się lub zamyka szwami bezpośrednimi albo po przecięciu zszywa się oddzielnie ubytki w ścianie aorty i tętnicy płucnej. Operacja nie wymaga zastosowania sztucznego krążenia, wyniki jej są dobre, a ryzyko niewielkie.

Koarktacja aorty, czyli **zwężenie cieśni aorty**. Operacja jest przeprowadzana bez krążenia pozaustrojowego. Polega na wycięciu zwężonego odcinka aorty (w jej części zstępującej) i zespoleniu wolnych brzegów. Często konieczne jest wszycie krótkiej protezy z tworzywa sztucznego, ponieważ długość wyciętego odcinka aorty nie pozwala na proste odtworzenie jej ciągłości. Czasami zwężenie nie wymaga wycięcia, a jedynie poszerzenia. Uzyskuje się to bądź przez podłużne przecięcie i następnie poprzeczne zeszycie, bądź też naszycie

„łaty” rozszerzającej zwężenie. Rozmaitość rozwiązań technicznych wynika z różnorakości zmian zwężających, od wąskich, długich odcinków do krótkiej jak gdyby „przepony”. Wyniki operacji są dobre, a ryzyko nieznaczne pod warunkiem przeprowadzenia zabiegu w odpowiednim wieku.

Nabyte wady serca

W a d y z a s t a w e k s e r c a, tj. zastawki dwudzielnej (mitralnej), aortalnej i trójdzielnej, mogą występować w postaci zwężenia, niedomykalności lub równocześnie zwężenia i niedomykalności (tablica 25a i b). W przypadku n i e d o m y k a l n o ś c i zastawek krew w czasie skurczu serca nie zostaje w całości przemieszczona do dużych naczyń tętniczych czy komór, ponieważ pewna jej część „cofa” się przed niezamkniętą całkowicie zastawkę. Przy z w ę ż e n i u powstają nadmierne opory na drodze naturalnego przepływu krwi wewnątrz jam serca. Postać m i e s z a n a to połączenie obu tych zjawisk. Wszystko to powoduje powstanie zespołu zaburzeń krążenia, które prowadzić mogą do stanu znanego jako n i e w y d o l n o ś ć s e r c a. Następuje on po trudnym do ścisłego ustalenia czasie, zależnym od wielu czynników, wtedy, kiedy rezerwa siły mięśnia sercowego ulega wyczerpaniu. Stan ten można poprawić stosowaniem wielu leków, ale zakres ich skutecznego działania jest ograniczony. Poza tym leczenie zachowawcze nie likwiduje przyczyny niewydolności (wady zastawki), a tylko łagodzi lub usuwa doraźne jej skutki.

L e c z e n i e o p e r a c y j n e brane jest pod uwagę wówczas, gdy charakter wady i stopień jej zaawansowania nie tylko ogranicza w sposób istotny prowadzenie normalnego trybu życia, ale rokuje dalszy postępujący rozwój choroby z nieuchronnym jego zakończeniem. Ustalenie właściwego terminu chirurgicznego leczenia wady zastawkowej jest niezwykle istotne.

Komisurotomia zastawki dwudzielnej. W przypadkach tzw. „czystego zwężenia zastawki dwudzielnej”, tzn. bez współistnienia dodatkowo jej niedomykalności, istnieje możliwość wykonania zabiegu metodą „ślepą”. Zastawka dwudzielna składa się z dwóch płatków, których obwodowe miejsca styku zwane są spoidłami (*commissura*). W wyniku procesu patologicznego następuje swoisty „zrost” wolnych brzegów zastawek obwodowo od spoideł. Rozerwanie tego zrostu odtworzyć może prawidłowe stosunki anatomiczne i rozszerzyć do granic fizjologicznych powierzchnię otwartej zastawki.

Metoda „ślepa” zabiegu wynika z faktu wykonania go bez kontroli wzroku. Dotyczy to jedynie samego manewru rozerwania, który może być wykonany palcem lub specjalnym narzędziem. Palec wprowadza chirurg przez przecięte tzw. „uszko” lewego przedsionka. Specjalnie założony szew okrężny uszczelnia przestrzeń między wprowadzonym palcem a przeciętą ścianą przedsionka, co zapobiega krwawieniu. Charakter, wielkość zrostu zastawki i stopień jego rozerwania lekarz określa przy użyciu zmysłu „dotyku”, a nie wzroku. Jeśli lekarz stwierdza, że elastyczność czy twardość zrostu jest przeszkodą nie do pokonania dla palca, w szczelinę zwężonej zastawki wprowadza przez przedsionek (a więc tą samą drogą, co palec) lub przez maleńkie nacięcie lewej komory specjalny instrument zwany rozwieraczem, za pomocą którego rozrywa zrośnięte płatki zastawki. Po wyjęciu narzędzia i sprawdzeniu palcem wyniku operacji zeszywa rozcięte uszko lub ścianę komory. Cała operacja przeprowadzana jest na bijącym sercu i przy delikatnym postępowaniu nie powoduje zaburzeń jego pracy (tablica 25 c, d).

Metoda ślepa jest stosowana tylko w specjalnie dobranych przypadkach i to jedynie na zastawce dwudzielnej. Nie znajduje ona zastosowania w zwężeniu zastawki aortalnej czy trójdzielnej. Znaczniejsze zniszczenie płatków zastawki (zwapnienia, zbliznowacenia) czy współistniejąca ze zwężeniem niedomykalność wymaga przeprowadzenia operacji pod kontrolą wzroku, a więc z zastosowaniem krążenia pozaustrojowego. Polega ona (często w przypadku zastawki dwudzielnej, a z reguły w zastawce aortalnej) na wycięciu zniszczonej zastawki i zastąpieniu jej protezą.

Sztuczne zastawki serca

Sztuczne zastawki serca stanowią specyficzny rodzaj protezy przejmującej podstawowe funkcje zastawki naturalnej. Można by dzielić je według anatomicznego przeznaczenia (zastawka aortalna, dwudzielna, trójdzielna), właściwszy jest jednak podział uwzględniający zasadnicze różnice konstrukcyjne, ze szczególnym uwzględnieniem materiału, z którego są budowane. Każda sztuczna zastawka bowiem, niezależnie od typu modelu czy innej charakterystyki, spełnić ma funkcje elementów odtwarzających prawidłowe – pod względem hemodynamicznym – warunki przepływu krwi. Ogólnie, wszystkie zastawki można podzielić na dwie grupy: zastawki mechaniczne – całkowicie zbudowane z metalu i tworzyw sztucznych – oraz zastawki biologiczne, budowane z elementów tkanek ludzkich lub zwierzęcych (tablica 26).

Zastawki mechaniczne zbudowane z metalu i tworzyw sztucznych. Każda zastawka, niezależnie od modelu, składa się z części ruchomej oraz statycznej, która stanowi swoistego rodzaju „pomieszczenie” dla ruchomego zaworu. Koszyczek u swojej podstawy posiada kołnierzowaty pierścień obszyty tkaniną syntetyczną.

Część ruchoma zastawki, zwana zaworem, poruszająca się pod naporem krwi, otwiera przepływ umożliwiając wypełnienie się komór, a następnie zamyka go nie dopuszczając do cofania się krwi w czasie skurczu serca. Zawór, w kształcie kulki lub dysku, zbudowany jest z materiału poddającego się swobodnie prądowi krwi i nie stwarzającego zbyt dużego oporu. Może to być guma silikonowa, nierdzewny stop metali, grafit, silastik i wiele innych lekkich i wytrzymałych materiałów. Koszyczek jest zbudowany z reguły z metalu. Sylwetka całej zastawki jest wyraźnie spłaszczona, jeśli zawór ma kształt dysku, lub wyższa, jeśli zawór stanowi kulka. Ramiona tworzące koszyczek mogą być w swojej części obwodowej złączone lub częściowo rozwarte. Niekiedy ramiona te obszyte są materiałem syntetycznym. Przeciwdziała to – w pewnym stopniu – powstawaniu w obrębie zastawki drobnych skrzepów. Każdy nowy typ zastawki przed zastosowaniem przechodzi modelowe badania na specjalnym aparacie.

Praca ciągła protezy zastawkowej obliczona jest na 50 milionów uderzeń w ciągu jednego roku. Jeżeli tę liczbę pomnożyć tylko przez 10, otrzymamy 500 milionów pojedynczych cykli prac zastawki, z których każdy składa się z dwóch faz – otwarcia i zamknięcia zaworu. Wytrzymałość materiałów, z których budowane są elementy zastawki, powinna przynajmniej trzykrotnie przewyższać takie obciążenie. Każde uszkodzenie protezy, już po wszyciu jej w serce, może grozić śmiertelnym niebezpieczeństwem. Nie zawsze bowiem istnieje czas na wymianę uszkodzonej protezy na nową.

Zastawki mają bardzo małe wymiary i muszą być zbudowane z materiałów minimalizujących ich ciężar. Ponieważ zawsze istnieje niebezpieczeństwo powstawania w ich obrębie drobnych skrzeplin krwi, niezależnie od konieczności przyjmowania przez „biorcę" zastawki leków zmniejszających krzepliwość, do budowy zastawek muszą być używane materiały maksymalnie zmniejszające to niebezpieczeństwo. Wszystkie użyte materiały muszą być również „obojętne" dla organizmu, tzn. nie mogą wchodzić w żadne reakcje fizyczne i chemiczne z kwasami, zasadami, tłuszczami i innymi substancjami krążącymi we krwi.

Zastawki biologiczne. Zastawki mechaniczne są wciąż doskonalone, powstają coraz to nowe typy i modele, stosowane są nowe rozwiązania konstrukcyjne i materiałowe. Napawa to z jednej strony uzasadnionym optymizmem, z drugiej jednak dowodzi, że sztuczna zastawka jest wciąż jeszcze daleka od doskonałości jej naturalnego wzorca. Podejmowane są próby rozwiązań odmiennych, a mianowicie konstrukcji zastawek z materiałów biologicznych. Rozróżnia się trzy rodzaje takich zastawek – przeszczepów:

1) zastawki wykonane z własnej tkanki chorego – są to p r z e s z c z e p y a u t o g e n i c z n e (a u t o g e n n e);

2) zastawki wykonane z tkanek innych osobników tego samego gatunku – są to p r z e s z c z e p y a l o g e n i c z n e (a l o g e n n e);

3) zastawki transplantowane od osobników innych gatunków – są to p r z e s z c z e p y h e t e r o g e n i c z n e (h e t e r o g e n n e).

Zastawki dwóch pierwszych rodzajów – używane jeszcze przed kilku laty dość powszechnie – dziś praktycznie nie są stosowane. Natomiast przeszczepy z a s t a w e k o d z w i e r z ę c y c h budzą nie tylko coraz większe zainteresowanie, ale znajdują się w coraz powszechniejszym użyciu. Stało się tak dzięki zastosowaniu specjalnej metody ich utrwalania przy użyciu środka chemicznego zwanego glutaraldehydem. Nie jest to nowy, specjalnie do tych celów zsyntetyzowany preparat, ale związek od dawna używany w garbarstwie. Francuski uczony, który pierwszy zastosował tę dosłownie przełomową metodę konserwacji i utrwalania zastawek biologicznych, miał nie tylko wiedzę, ale także bujną wyobraźnię.

Zastawki odzwierzęce produkuje się obecnie systemem fabrycznym. Pobiera się je od specjalnie hodowanych świń, a niekiedy i owiec. System hodowli tych zwierząt, ich odżywiania, treningu fizycznego oraz testowania przydatności zastawek stanowi ścisłą tajemnicę handlową producentów. Pobrane od zwierząt płytki zastawek osadzane są na sztucznym obramowaniu w postaci sztywnego lub elastycznego pierścienia. Istotnym elementem jest tu pewne naśladownictwo anatomiczne zastawki naturalnej, od której w tak zasadniczy sposób różni się zastawka mechaniczna. Z tego punktu widzenia przewaga protez biologicznych nie podlega dyskusji. Tworzenie się w ich obrębie skrzeplin należy do rzadkości, co pozwala na rezygnowanie z podawania leków zmniejszających krzepliwość krwi, uciążliwego dla chorych, ale niezbędnego przy protezach mechanicznych. Ujemną stroną protez biologicznych jest jednak to, że w miarę upływu czasu mogą one podlegać zmianom degeneracyjnym, w wyniku których stają się z biegiem lat niewydolne. Przyczyny tego zjawiska, nie występującego zbyt często, nie są dokładnie znane. Wiadomo tylko, że proces niszczenia zdarza się częściej u dzieci i u kobiet ciężarnych. Zwyrodnienie płatków bioprotezy jest wprawdzie powolne, daje się wykryć we wczesnym okresie, a tym samym istnieje czas na ponowną wymianę protezy, ale każda kolejna tego typu operacja obciążona jest zwiększonym ryzykiem. W tym tkwi jeszcze dziś słabość protezy biologicznej w porównaniu z zastawką mechaniczną.

Konstrukcja rozmaitych rodzajów sztucznych zastawek, ich wybór dla konkretnego chorego, sam zabieg operacyjny wszczepienia protezy w miejsce wyciętej zastawki jest problemem bardzo złożonym. Ten typ leczenia operacyjnego stanowi jednak zasadniczy postęp w leczeniu nabytych, zastawkowych wad serca. W miarę doskonalenia techniki ryzyko operacji ulega znacznemu zmniejszeniu, wyniki są coraz lepsze. Zabiegi operacyjne tego rodzaju pozwalają na znaczne przedłużenie życia i nieporównywalnie lepszą jego jakość, czego nie jest w stanie zapewnić leczenie farmakologiczne. Oczywiście wszelkie zastawki sztuczne są dalekie od doskonałości zastawki naturalnej. Dlatego też są ponownie podejmowane, ongiś zarzucone, próby dokonywania naprawy własnej zastawki niedomykalnej. Dotyczy to przede wszystkim zastawki dwudzielnej. Operacje takie, zwane „naprawą plastyczną”, polegają na przywróceniu funkcjonalnej sprawności „reperowanej” w różny sposób zastawce. Naprawa zależy od stopnia zniszczenia struktur zastawki. Zastosowane w tej dziedzinie nowe techniki i rozwiązania mogą budzić pewien umiarkowany optymizm (tablica 27).

Chirurgiczne leczenie choroby wieńcowej

Przyczyną powstawania choroby wieńcowej serca (zob. Choroby wewnętrzne, s. 646) są najczęściej zmiany miażdżycowe w naczyniach wieńcowych utrudniające przepływ krwi. Zmiany te zlokalizowane są przede wszystkim w tętnicach serca i zwężają ich światło na krótkim, ograniczonym odcinku. Rozwój chirurgii naczyniowej i wynikające z niego doświadczenia oraz opanowanie techniki operacji serca przyniosły opracowanie nowej metody chirurgicznego leczenia choroby wieńcowej serca. Obecnie zabieg ten stanowi najczęściej wykonywaną operację kardiochirurgiczną na świecie. Operacja taka nazywa się „pomostem aortalno-wieńcowym” lub „pomostem omijającym”. Wyjaśnienie nazewnictwa tłumaczy równocześnie zasadę operacji. „Pomost omijający” to sztucznie stworzona droga „omijająca” przeszkodę utrudniającą przepływ krwi, którą w tym przypadku jest miażdżycowe zwężenie światła tętnicy wieńcowej. Jeżeli taka przeszkoda zostanie ominięta, to właściwa ilość krwi zostanie doprowadzona do niedokrwionych komórek mięśnia sercowego. „Pomost aortalno-wieńcowy” to nowa droga stworzona między aortą a tętnicą wieńcową poniżej miażdżycowej zapory zwężającej światło naczynia.

Materiałem służącym do utworzenia nowej drogi przepływu krwi jest odpowiednio dobrany odcinek własnej żyły chorego, pobrany z kończyn dolnych. Wolny odcinek żyły wszczepiony jest jak gdyby do światła aorty (w chirurgii nazywa się to zespoleniem „koniec do boku”), a drugi jej koniec zespolony z tętnicą wieńcową, poniżej (obwodowo) od miejsca przeszkody zwężającej jej światło. W ten sposób odtwarza się właściwy ilościowo dopływ krwi do obszarów mięśnia sercowego niedostatecznie w nią zaopatrywanych. Pomostów takich zakłada się w ciągu jednej operacji tyle, ile w uprzednio przeprowadzonych badaniach radiologicznych stwierdzono zapór zwężających światło tętnicy. Dużych pni tętnic wieńcowych jest kilka. Stwierdzenie zapory w dwóch, trzech, a nawet czterech tętnicach określa konieczność założenia takiej samej liczby pomostów. Każdy z nich zakładany jest oddzielnie według podanej techniki. Ponad 80% operowanych uwolnionych zostaje całkowicie od ciężkich niekiedy dolegliwości bólowych (*angina pectoris*) i może prowadzić normalne życie nie ograniczone wysiłkiem. Pozostali w znacznej części stwierdzają zmniejszenie dolegliwości bądź częstotliwości ich występowania.

Podane zasady operacji sprawiać mogą wrażenie, że jest to zabieg prosty. Tymczasem operacja wymaga zastosowania krążenia pozaustrojowego, a technika zespoleń jest trudna, gdyż dotyczy naczyń, których przekrój wynosi zaledwie kilka milimetrów, a wynik w znacznej mierze zależy od precyzji operującego. Mimo to ryzyko operacji w ośrodkach dysponujących doświadczeniem jest bardzo niewielkie.

Przedmiotem działalności chirurgicznej mogą też być powikłania powstałe w wyniku przebytego zawału mięśnia sercowego. Wymienić tu można: rozwój ostrej niedomykalności zastawki dwudzielnej, którą należy wymienić na sztuczną protezę; pęknięcie przegrody międzykomorowej serca, co wymaga zamknięcia ubytku; powstanie tętniaka komory, którego trzeba wyciąć i odtworzyć ciągłość ściany komory.

Powikłania te nie należą do zbyt częstych, mimo to bez interwencji chirurgicznej kończyłyby się zwykle niepomyślnie. Dziś dotknięty nimi chory ma szanse powrotu do zdrowia.

Rola chirurgii w chorobie niedokrwiennej serca jest bardzo istotna, nie oznacza to wszakże, iż miażdżycę naczyń wieńcowych można opanować metodami chirurgicznymi. Póki jednak nie nauczymy się zapobiegać jej lub leczyć jej skutków, operacja będzie jedynie postępowaniem łagodzącym.

X. CHIRURGIA NARZĄDÓW JAMY BRZUSZNEJ

Choroby otrzewnej

Otrzewna jest cienką, mocną, przezroczystą błoną surowiczą wyściełającą jamę brzuszną (otrzewna ścienna) i pokrywającą prawie wszystkie narządy w niej leżące (otrzewna trzewna). Powierzchnia otrzewnej jest prawie równa powierzchni całego ciała. Choroby toczące się w otrzewnej wywierają zatem duży wpływ na cały organizm.

Otrzewna ma szczególne właściwości i zdolności, a mianowicie:

1) szybkiego wchłaniania płynów; w ciągu godziny może wchłonąć ilość równą 8% masy ciała;

2) wydzielania płynu zwanego wysiękiem lub przesiękiem; w różnych stanach chorobowych może w ciągu 12 godz. przesączyć do jamy otrzewnej kilka jego litrów;

3) tworzenia zlepów i zrostów; ta właściwość umożliwia izolowanie ognisk ropnych od reszty otrzewnej;

4) właściwości bakteriobójcze; żaden inny narząd nie jest tak odporny na zakażenie, jak otrzewna.

Zapalenie otrzewnej

Zapalenie otrzewnej to groźny proces chorobowy powstający głównie w wyniku zakażenia drobnoustrojami chorobotwórczymi, rzadziej w następstwie działania czynników chemicznych. Bakterie przedostają się do jamy otrzewnej przeważnie przez ścianę leżącego wewnątrz niej narządu, rzadziej przez rany powłok, w tym również przez rany operacyjne. Ok. 40% przypadków zapalenia otrzewnej powstaje w wyniku ostrego zapalenia wyrostka robaczkowego, ok. 20% wskutek przedziurawienia wrzodu żołądka lub dwunastnicy i ok. 20% w następstwie innych zakażeń. Czasami zakażenie otrzewnej spowodowane jest bakteriami przenikającymi z krwiobiegu (w przebiegu posocznicy) lub układu chłonnego. U kobiet źródłem zakażenia może być zapalenie ropne narządów rodnych (np. jajników czy jajowodów).

Czynnikami chemicznymi wywołującymi zapalenie otrzewnej są: a) krew gromadząca się w jamie otrzewnej w wyniku krwotoku wewnętrznego; b) treść żołądkowa przedostająca się po pęknięciu wrzodu żołądka lub dwunastnicy; c) żółć wylewająca się z przedziurawionego pęcherzyka żółciowego; d) mocz przedostający się po pęknięciu pęcherza. W chemicznym zapaleniu otrzewnej prawie zawsze dochodzi do zakażenia drobnoustrojami, które przedostają się do jamy otrzewnej bezpośrednio lub drogą krwi.

Na zakażenie otrzewna reaguje przekrwieniem, obrzękiem i wydzielaniem dużej ilości płynu, który zawiera substancje mineralne i białka. Następstwem tego jest odwodnienie organizmu, zaburzenia poziomu elektrolitów i niekiedy wstrząs (zob. s. 1428). W miarę mnożenia się drobnoustrojów płyn nagromadzony w jamie otrzewnej przekształca się w ropę. Zakażenie otrzewnej doprowadza do zahamowania ruchów perystaltycznych jelit, co prowadzi do ich niedrożności porażennej (zob. s. 1463). Zależnie od rozległości procesu chorobowego wyróżnia się zapalenie otrzewnej rozlane i ograniczone.

Rozlane zapalenie otrzewnej ma zazwyczaj przebieg burzliwy. Objawem są silne bóle brzucha, nudności, wymioty, zatrzymanie gazów i stolca. Chory leży nieruchomo, gdyż najmniejsze nawet poruszenie gwałtownie wzmaga ból. Powłoki brzucha są silnie napięte, nawet ich najdelikatniejsze dotknięcie wzmaga dolegliwości bólowe. Uciśnięcie powłok brzucha nad ogniskiem zapalnym powoduje oprócz bólu tzw. obronę mięśniową, a zwolnienie ucisku – bardzo ostry ból, powodujący żywą reakcję chorego. Jest to tzw. objaw otrzewnowy Blumberga. Z upływem czasu twarz staje się blada, o zaostrzonych rysach, pozornie wydłużonym nosie, zapadłych policzkach i wpadniętych oczach, często pokryta lepkim, zimnym potem. Język jest suchy, pokryty szarożółtawym nalotem.

Jeśli leczenie nie jest natychmiast podjęte, występują objawy wstrząsu; dochodzi do całkowitego porażenia jelit i znacznego wzdęcia brzucha, spadku ciśnienia tętniczego krwi, ogólnego zatrucia wchłanianymi z jamy otrzewnej toksynami wreszcie do niewydolności oddechowej, nerkowej i sercowej.

Leczenie rozlanego zapalenia otrzewnej jest prawie zawsze chirurgiczne. Celem operacji jest usunięcie przyczyny choroby oraz stworzenie warunków dla swobodnego odpływu gromadzących się w jamie otrzewnej płynów. Operacja polega z reguły na usunięciu zapalnie zmienionego wyrostka robaczkowego lub pęcherzyka żółciowego, zeszyciu przedziurawionego wrzodu żołądka lub dwunastnicy czy wycięciu zgorzelinowo zmienionego jelita. Wcześnie przeprowadzona operacja z podawaniem antybiotyków daje największe szanse wyleczenia.

Leczenie zachowawcze ma zastosowanie tylko wtedy, gdy przyczyny zakażenia nie można usunąć. U osób wyniszczonych i w podeszłym wieku stan chorego może być tak ciężki, że sam zabieg operacyjny grozi utratą życia. W takich przypadkach leczenie polega na podawaniu antybiotyków, krwi, płynów zawierających elektrolity oraz leków przeciwbólowych. Zwykle do jelita lub żołądka wprowadza się zgłębnik umożliwiający odsysanie zalegającej treści, a do odbytnicy rurkę ułatwiającą odchodzenie gazów.

Ograniczone zapalenie otrzewnej. Miejscowe zapalenie otrzewnej powstaje w najbliższym otoczeniu toczącego się procesu zapalnego lub miejsca przedziurawienia narządu leżącego wewnątrz jamy brzusznej. Może ono być okresem przejściowym, poprzedzającym rozlane zapalenie otrzewnej. Jeżeli „złośliwość" zakażenia jest niezbyt wielka, a odporność organizmu duża, dochodzi do trwałego odgraniczenia ogniska zapalnego przez zlepy i zrosty z siecią, jelitami i sąsiednimi narządami. Powstaje wówczas odgraniczony naciek zapalny. Naciek taki może zostać stopniowo wchłonięty, pozostawiając zrosty, lub może ulec zropieniu, tworząc ropień śródotrzewnowy. Zejściem ropnia może być jego wessanie, czyli samoistne wyleczenie, albo przebicie się np. do światła jelita. Jeśli bariera ograniczająca ropień ulegnie zniszczeniu i ropa przedostanie się do wolnej jamy otrzewnej, dochodzi do rozlanego zapalenia otrzewnej.

Objawy ograniczonego zapalenia otrzewnej zależą w dużym stopniu od umiejscowienia ogniska zakażenia. Gdy znajduje się ono głęboko w jamie brzusznej, objawy są mało wyraźne. Przeważnie chory skarży się na zlokalizowany ból w jamie brzusznej. Lekarz przy obmacywaniu brzucha zwykle wyczuwa opór żywo bolesny przy dotyku.

Leczenie zależy od stopnia zaawansowania procesu i wywołujących go przyczyn. W początkowym okresie operacyjne usunięcie przyczyny, tj. wyrostka robaczkowego czy pęcherzyka żółciowego, jest metodą właściwą. Przy wyraźnie ograniczonym nacieku stosuje się leczenie zachowawcze.

Do typowych postaci ograniczonego ropnego zapalenia otrzewnej należą ropnie podprzeponowe, ropnie umiejscowione w zachyłku miedniczym otrzewnej (ropnie jamy Douglasa) i ropnie międzypętlowe.

Ropień podprzeponowy powstaje częściej po stronie prawej. Przeważnie jest następstwem zapalenia wyrostka robaczkowego albo przedziurawienia wrzodu żołądka lub dwunastnicy. U chorych po operacji brzusznej rozwija się zazwyczaj między 10 a 21 dniem po zabiegu.

Objawy. Czasami ropień przebiega skrycie lub towarzyszy mu ból samoistny, umiejscowiony w nadbrzuszu i w dolnych częściach klatki piersiowej, niekiedy promieniujący do barku. Zwykle występuje bolesność przy ucisku w okolicy dolnych żeber. Stan ogólny chorego (gorączka, dreszcze) oraz badania pomocnicze krwi (wysoka leukocytoza) wskazują na toczący się proces zapalny.

Leczenie. W początkowym okresie, gdy brak jest pewnych objawów i nie można jeszcze zlokalizować ropnia, leczenie polega na podawaniu antybiotyków. Gdy rozpoznanie jest pewne, konieczna jest operacja polegająca na otwarciu i opróżnieniu ropnia oraz pozostawieniu w jego jamie gumowych drenów. Po kilku lub kilkunastu dniach ropień opróżnia się całkowicie. Po usunięciu drenów następuje zagojenie rany i wyleczenie.

Ropień zatokowy zagłębienia odbytniczo-macicznego lub odbytniczo-pęcherzykowego, czyli jamy Douglasa, jest drugim z kolei najczęstszym ropniem jamy otrzewnej. Przeważnie jest następstwem zapalenia wyrostka robaczkowego lub ostrych stanów zapalnych narządu rodnego u kobiet. U mężczyzn ropień umiejscawia się między odbytnicą a pęcherzem, u kobiet miedzy odbytnicą a macicą i pochwą.

Objawy. Początkowo występuje gorączka, brak łaknienia, uczucie rozpierania i ciężaru w podbrzuszu. Później pojawia się biegunka, parcie na stolec, przy czym stolce bywają obficie pokryte śluzem. Rozpoznanie ustala lekarz po badaniu palcem przez odbytnicę.

Leczenie polega na otwarciu i drenażu ropnia. U mężczyzn otwiera się ropień przez odbytnicę, u kobiet – częściej przez pochwę.

Zrosty wewnątrzotrzewnowe

Zrosty wewnątrzotrzewnowe są następstwem operacji brzusznych lub zapalenia otrzewnej. Mogą powstawać po operacjach, w czasie których nie stwierdzono zapalenia otrzewnej, a także u chorych, którzy je przebyli, a nie byli operowani. Dzięki zdolności otrzewnej do tworzenia zlepów i ewentualnie zrostów, proces zapalny przebiegający w jamie brzusznej może zostać ograniczony. Przeważnie w miarę postępowania procesu gojenia zlepy zmniejszają się i znikają, tak że badanie jamy brzusznej po dłuższym czasie od wyzdrowienia może nie wykazywać nawet śladu przebytego zakażenia. Czasem jednak powstają trwałe zrosty łączące na stałe narządy objęte procesem zapalnym. Nawet wiele lat po zapaleniu otrzewnej zrosty mogą powodować niedrożność jelit, zaciskając ich światło. Szczególnie podatne na tworzenie się zrostów pooperacyjnych są niskie i otyłe kobiety.

Zrosty wewnątrzotrzewnowe mogą nie dawać żadnych objawów. Bardzo rzadko rozległe, liczne zrosty mogą powodować bóle brzucha, zależne niekiedy od pozycji ciała. Większość zrostów wewnątrzotrzewnych przebiega bezobjawowo, a pierwszym dowodem ich istnienia jest pojawienie się niedrożności jelit (zob. niżej).

Leczenie głównie operacyjne.

Zapobieganie tworzeniu się zrostów po operacji to spełnianie zaleceń chirurga: poruszanie się w łóżku, wczesne siadanie, wstawanie oraz przeprowadzanie wskazanej rehabilitacji.

Niedrożność jelit

Niedrożność jelit jest to stan chorobowy, w którym treść jelitowa nie może przemieszczać się przez światło jelita w kierunku obwodowym. Niedrożność może wystąpić albo wskutek przeszkody mechanicznej (niedrożność mechaniczna), albo w następstwie całkowitego ustania ruchów robaczkowych jelit (niedrożność porażenna, czynnościowa).

Niedrożność jelit mechaniczna

Przyczyną niedrożności mechanicznej może być uciśnięcie jelita z zewnątrz lub zatkanie jego światła od wewnątrz. Przy uciśnięciu z zewnątrz przeważnie dochodzi do jednoczesnego zaciśnięcia naczyń zaopatrujących jelito w krew – jest to tzw. niedrożność z zadzierzgnięcia (strangulacyjna). Ten rodzaj niedrożności dotyczy przeważnie jelita cienkiego. Niedrożność z zatkania, zwana obturacyjną, zdarza się znacznie rzadziej i dotyczy przeważnie jelita grubego.

Najczęstszą przyczyną niedrożności mechanicznej jelit są zrosty wewnątrzotrzewnowe (rys. na s. 1462). Drugą co do częstości przyczyną jest uwięźnięcie przepuklin. Rzadziej niedrożność bywa spowodowana wgłobieniem jelita (zob. Chirurgia wieku rozwojowego, s. 1664), jego skręceniem lub stanem zapalnym, albo ciałem obcym (połknięte przedmioty, zbite kłęby glist), kamieniem żółciowym, który przedostał się do jelita przez przetokę pęcherzykowo-jelitową, nowotworem, zbitymi masami kałowymi. Najczęstszą przyczyną niedrożności u dzieci jest wgłobienie jelita, w wieku dojrzałym – zrosty, w wieku podeszłym – nowotwory jelita grubego.

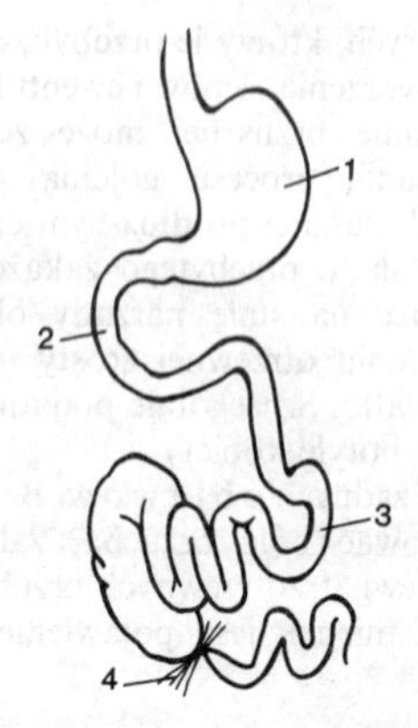

Niedrożność mechaniczna jelita cienkiego spowodowana zrostami. Powyżej miejsca zaciśnięcia jelito rozdęte, poniżej zapadnięte; 1 – żołądek, 2 – dwunastnica, 3 – jelito cienkie, 4 – zrosty

Następstwa niedrożności mechanicznej jelit

Znaczne odwodnienie chorego. Utrata płynów i elektrolitów występuje wskutek wymiotów, gromadzenia się soków trawiennych w jelitach i płynu przesiękowego w wolnej jamie otrzewnej. Prowadzi to do znacznego zmniejszenia objętości krwi krążącej, czego następstwem – przy dłużej trwającej niedrożności – może być wstrząs oligowolemiczny (zob. s. 1428).

Zaburzenia w ukrwieniu ściany jelita. Może to być wynikiem rozdęcia jelita przez gromadzące się w nim gazy i płyny, obrzęku jego ściany i działania na nią jadów powstających w świetle jelita pod wpływem flory bakteryjnej. W niedrożności z zadzierzgnięcia niedokrwienie jest następstwem zaciśnięcia naczyń krwionośnych przez wrota przepuklinowe. W wyniku niedokrwienia ściana jelita staje się przepuszczalna dla bakterii i ich jadów oraz dla nagromadzonego w jelicie płynu.

Zwiększenie aktywności flory bakteryjnej. Powoduje to przenikanie drobnoustrojów oraz ich jadów zarówno do jamy otrzewnej, jak i do krwi krążącej. W takiej sytuacji łatwo dochodzi do rozlanego zapalenia otrzewnej oraz uogólnionego zakażenia prowadzącego do wstrząsu septycznego.

Objawy niedrożności mechanicznej jelit są różne, w zależności od stopnia zaciśnięcia lub zatkania jelita oraz umiejscowienia przeszkody. Niedrożność w górnych odcinkach jelit wywołuje objawy ostrzejsze i występujące wcześniej niż przy tym samym typie niedrożności w dolnym odcinku jelita.

Klasyczny zespół objawów to: ból, zatrzymanie gazów i stolca, wzdęcie brzucha oraz wymioty. W miarę upływu czasu występują objawy zapalenia otrzewnej. Ból spowodowany jest wzmożoną perystaltyką jelit ponad niedrożnością, co stanowi próbę „przepchnięcia" zawartości jelita poza przeszkodę. Po fali ostrego bólu przychodzi jego złagodzenie, a nawet ustanie, poprzedzające nową falę bólu. Częstość i nasilenie napadów bólów wzrasta i wreszcie, gdy pojawia się zapalenie otrzewnej – ból staje się ciągły, a wzmożona aktywność ruchowa jelit ustaje. W niedrożności z zadzierzgnięcia ból bywa nagły, nie zawsze ma charakter falowy i mogą towarzyszyć mu objawy wstrząsu.

Zatrzymanie oddawania gazów i stolca występuje prawie zawsze. Przy niezupełnym zamknięciu światła jelita możliwe jest przechodzenie gazów, a chory oddaje czasami stolec pochodzący z dolnego odcinka jelita, poniżej przeszkody.

Wzdęcie brzucha jest tym większe, im niżej umiejscowiona jest przeszkoda. Największe wzdęcie występuje u chorych z niedrożnością jelita grubego.

Wymioty mogą być bardzo częste, obfite, niekiedy o charakterze chlustającym, wydzielają niemiłą woń (wymioty kałowe). Wymioty te są spowodowane perystaltyką zwrotną, która powoduje przesuwanie zawartości jelit do żołądka, skąd jest usuwana poprzez działanie odruchów wymiotnych. Na ogół wymioty występują tym wcześniej, im wyżej znajduje się miejsce niedrożności. W niedrożności jelita grubego wymioty mogą występować dopiero w późniejszym okresie choroby.

Rozpoznanie niedrożności mechanicznej jelit jest w zasadzie równoznaczne ze wskazaniem do operacji. Celem operacji jest usunięcie przyczyny oraz stworzenie odpływu dla mas kałowych i gazów.

Leczenie. Przed operacją sprowadza się ono do odsysania treści z żołądka i wyrównywania niedoborów płynów i elektrolitów za pomocą dożylnych wlewów (kroplówek). Postępowanie operacyjne jest różne w zależności od przyczyny i umiejscowienia niedrożności (jelito cienkie lub grube).

W niedrożnościach jelita cienkiego operacja jest zwykle jednoczasowa, tzn. w czasie jednej operacji jest usuwana przyczyna niedrożności i stwarzane warunki do przesuwania się treści pokarmowej; przecinane są zrosty powodujące niedrożność, usuwane ciała obce zatykające jelito, a jelito uwięźnięte we wrotach przepuklinowych odprowadzane do jamy brzusznej. Czasami jest konieczne wycięcia martwiczo zmienionej pętli jelita.

W niedrożności jelita grubego, powodowanej najczęściej przez guz nowotworowy, operacja jest zwykle dwuczasowa. W czasie pierwszej operacji zakładana jest przetoka kałowa powyżej przeszkody lub wykonywane zespolenie omijające, tzn. jelito cienkie zostaje zespolone z grubym za przeszkodą. Celem tej operacji jest odprowadzenie gazów i mas kałowych. Po pewnym czasie, gdy stan ogólny chorego ulegnie poprawie, wykonywana jest druga operacja, której celem jest usunięcie guza. Przetoka kałowa jest często zamykana dopiero w czasie trzeciej operacji.

Niedrożność jelit czynnościowa

Przyczyną niedrożności czynnościowej, czyli porażennej, są zaburzenia ogólnoustrojowe, w wyniku których perystaltyka jelit ulega zahamowaniu lub znacznemu zwolnieniu. Porażenna niedrożność jelit może być powikłaniem zapalenia otrzewnej, zapalenia płuc, zaburzeń w ukrwieniu jelit, niektórych ciężkich chorób ogólnych, np. mocznicy, cukrzycy. Zdarza się również po nadużyciach niektórych narkotyków, uszkodzeniu rdzenia kręgowego, znieczuleniu lędźwiowym, jako reakcja na ból. Występuje po prawie wszystkich operacjach wykonywanych na narządach jamy brzusznej. Pooperacyjna niedrożność porażenna trwa przeważnie 2–3 dni i ustępuje samoistnie albo pod wpływem leczenia. Jeżeli jednak przyczyną jest zapalenie otrzewnej, wówczas niedrożność nie ma skłonności do ustępowania i najczęściej rozwija się równolegle ze zmianami zapalnymi w otrzewnej.

Następstwa zahamowania czynności jelit są podobne do spowodowanych mechaniczną niedrożnością (zob. s. 1462).

Objawy niedrożności porażennej są podobne do objawów niedrożności mechanicznej, jednak ich nasilenie oraz szybkość narastania są wyraźnie mniejsze. Zatrzymanie stolca i gazów, wzdęcie i wymioty występują prawie zawsze. Bóle pojawiają się przeważnie w drugiej lub trzeciej dobie, nie mają charakteru napadowego, są ciągłe i przeważnie spowodowane zasadniczą sprawą chorobową, np. zapaleniem otrzewnej. Dla chirurga najważniejszym objawem decydującym o rozpoznaniu porażennej niedrożności jelit jest całkowity brak perystaltyki jelit, wyrażający się całkowitą „ciszą" w brzuchu.

Leczenie niedrożności porażennej powstałej w wyniku zapalenia otrzewnej polega na usunięciu przyczyny zapalenia oraz usunięciu z jamy brzusznej nagromadzonego tam trującego i drażniącego płynu poprzez operacyjne drenowanie jamy otrzewnej.

Leczenie niedrożności porażennej spowodowanej innymi czynnikami jest zachowawcze i sprowadza się do leczenia przyczyny oraz uzupełnienia płynów i elektrolitów. Do żołądka lub nawet jelita cienkiego jest wprowadzany zgłębnik (sonda) i odsysany zalegający tam płyn. Stosowane bywają również kroplówki doodbytnicze lub lewatywy. Czasami podawane są także leki pobudzające ruch robaczkowy jelit.

Choroby żołądka i dwunastnicy

Choroba wrzodowa

Choroba wrzodowa, zob. Choroby układu trawienia, s. 733.

Leczenie operacyjne. Duży wkład w rozwój wiedzy o leczeniu chirurgicznym choroby wrzodowej żołądka i dwunastnicy wnieśli uczeni polscy. Pierwszą w świecie operację częściowego wycięcia żołądka z powodu choroby wrzodowej wykonał w 1881 r. Ludwik Rydygier, późniejszy profesor Uniwersytetu Krakowskiego i Lwowskiego. Kilka lat później profesor Uniwersytetu Krakowskiego Jan Mikulicz-Radecki podał własny sposób wycięcia żołądka oraz opracował stosowaną dotychczas w chorobie wrzodowej metodę operacji plastycznej odźwiernika.

Wskazania do leczenia operacyjnego choroby wrzodowej żołądka i dwunastnicy można podzielić na bezwzględne i względne. Do wskazań b e z w z g l ę d n y c h należą: przedziurawienie wrzodu, krwotok, zwężenie odźwiernika oraz podejrzenie zezłośliwienia wrzodu żołądka. W s k a z a n i e m w z g l ę d n y m jest przewlekły przebieg choroby opornej na prawidłowo prowadzone leczenie zachowawcze, z pełnym wykorzystaniem działania środków farmakologicznych i wyeliminowaniem wszystkich okoliczności pogarszających przebieg choroby. Oceny takiej dokonuje zarówno lekarz, jak i chory, biorąc pod uwagę nasilenie dolegliwości, stopień w jakim zakłócają one normalny tryb życia, oraz ryzyko leczenia chirurgicznego.

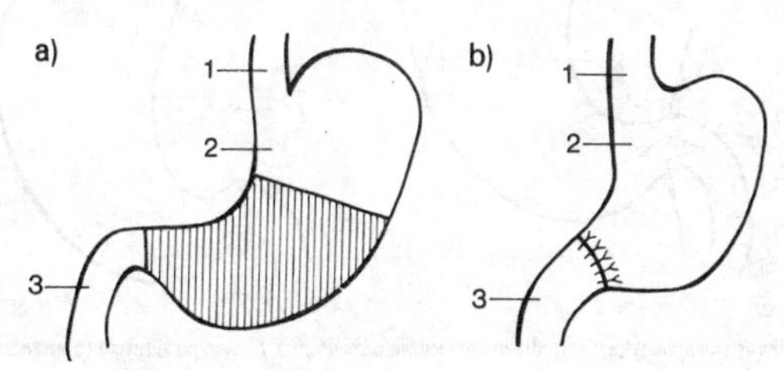

Częściowe wycięcie żołądka sposobem Rydygiera: a) stan przed operacją (zakreskowana część żołądka zostaje wycięta), b) stan po operacji – pozostawiona część żołądka zespolona z dwunastnicą; 1 – przełyk, 2 – żołądek, 3 – dwunastnica

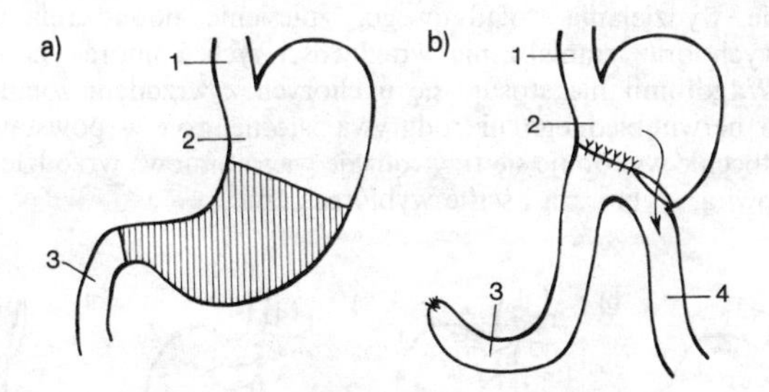

Częściowe wycięcie żołądka sposobem Billrotha II: a) stan przed operacją (zakreskowana część żołądka zostaje wycięta), b) stan po operacji – pozostawiona część żołądka zespolona z jelitem cienkim; 1 – przełyk, 2 – żołądek, 3 – dwunastnica, 4 – jelito cienkie

Leczenie operacyjne wrzodu trawiennego ma na celu zmniejszenie wydzielania żołądkowego, a tym samym obniżenie kwaśności soku żołądkowego oraz – w większości przypadków – usunięcie tzw. niszy wrzodowej. Współczesna chirurgia dysponuje kilkoma metodami operacji. Są to: częściowe wycięcie żołądka, przecięcie nerwów błędnych, czyli wagotomia, połączone z tzw. zabiegiem drenującym, wycięcie części odźwiernikowej połączone z wagotomią, całkowite wycięcie żołądka oraz zespolenie żołądkowo-jelitowe.

C z ę ś c i o w e w y c i ę c i e ż o ł ą d k a polega na wycięciu 2/3 – 3/4 obwodowej, bliższej dwunastnicy części żołądka. Odtworzenie ciągłości przewodu pokarmowego polega na zespoleniu pozostałej części żołądka z dwunastnicą lub z jelitem cienkim (rys. na s. 1465). Operacja ta zapewnia usunięcie głównego źródła wytwarzania gastryny (części przedodźwiernikowej i około połowy obszaru komórek okładzinowych żołądka). Po operacji nawroty owrzodzenia zdarzają się jednak u ok. 15% chorych. Częściowe wycięcie żołądka wraz z owrzodzeniem stosuje się przeważnie u chorych z wrzodem żołądka.

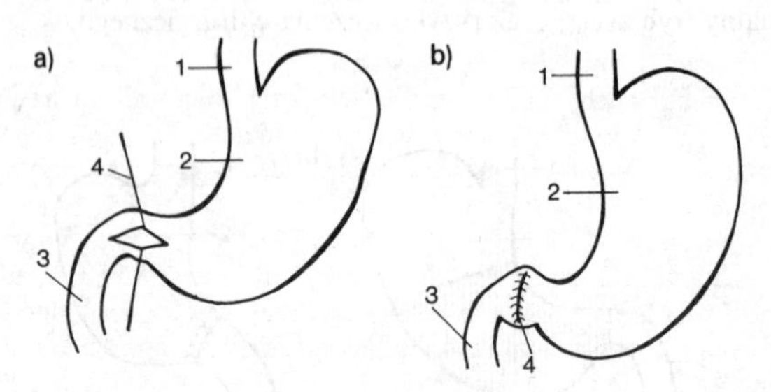

Przecięcie odźwiernika (pyloroplastyka): a) podłużne przecięcie odźwiernika, b) stan po zeszyciu (poprzecznym) odźwiernika; 1 – przełyk, 2 – żołądek, 3 – dwunastnica, 4 – miejsce przecięcia odźwiernika

P r z e c i ę c i e n e r w ó w b ł ę d n y c h, czyli w a g o t o m i a, ma na celu zmniejszenie wydzielania żołądkowego, zniesienie pobudzania komórek okładzinowych oraz zmniejszenie wrażliwości tych komórek na działanie gastryny. Wagotomii nie stosuje się u chorych z wrzodem żołądka, gdyż pobudzenie nerwu błędnego nie odgrywa istotnej roli w powstawaniu tej choroby. Obecnie wykonuje się trzy rodzaje wagotomii we wrzodzie dwunastnicy: całkowitą, wybiórczą i ściśle wybiórczą (rys.).

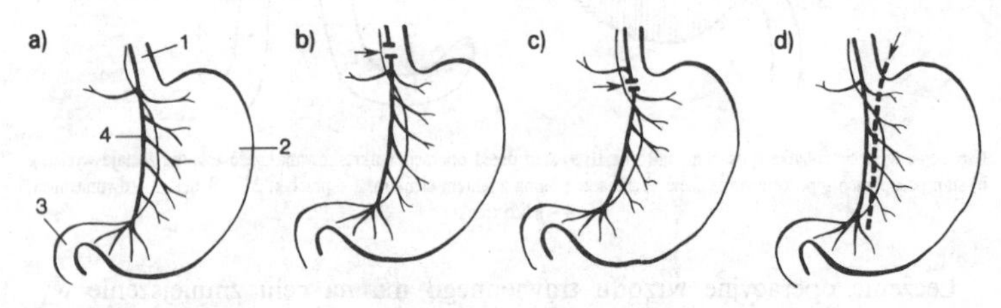

Różne rodzaje wagotomii: a) stan przed operacją, b) wagotomia całkowita (pniowa), c) wagotomia wybiórcza (selektywna), d) wagotomia ściśle wybiórcza (superselektywna). Strzałkami i linią przerywaną oznaczono miejsca przecięcia nerwu błędnego; 1 – przełyk, 2 – żołądek, 3 – dwunastnica, 4 – nerw błędny

W a g o t o m i a c a ł k o w i t a, polegająca na przecięciu głównych pni nerwowych, prowadzi do zniesienia fazy nerwowej wydzielania żołądkowego, zniesienia wydzielania gastryny związanego z pobudzeniem nerwu błędnego oraz do osłabienia czynności ruchowej żołądka, skurczu odźwiernika i zalegania pokarmu. W celu przeciwdziałania tym nie sprzyjającym zjawiskom wagotomia całkowita uzupełniana jest zabiegiem drenującym, ułatwiającym opróżnianie żołądka. Najczęściej wykonywane zabiegi drenujące to podłużne przecięcie odźwiernika i poprzeczne zeszycie go (pyloroplastyka) oraz zespolenie żołądkowo-jelitowe. Ponieważ całkowite przecięcie nerwów błędnych, które oprócz żołądka unerwiają drogi żółciowe, wątrobę, trzustkę i jelita, może doprowadzić do zaburzeń czynności tych narządów, wprowadzono przecinanie jedynie wybranych gałązek tych nerwów.

Wagotomia wybiórcza, czyli selektywna, polega na przecięciu obu nerwów błędnych poniżej miejsca ich podziału na gałęzie żołądkowe i pozażołądkowe. Obszar odnerwienia ogranicza się w tym przypadku do samego żołądka.

Wagotomia ściśle wybiórcza, czyli superselektywna, prowadzi do odnerwienia dna i trzonu żołądka, a zatem obszaru, w którym wydziela się kwas solny i pepsyna. Ponieważ unerwienie części przedodźwiernikowej pozostaje, opróżnianie żołądka przebiega względnie prawidłowo i zabieg drenujący nie jest konieczny.

Po wagotomii występują czasami biegunki, które najrzadziej zdarzają się po ściśle wybiórczym przecięciu nerwów błędnych. Wagotomia ma tę przewagę nad innymi operacjami wykonywanymi z powodu choroby wrzodowej, że jest zabiegiem stosunkowo lekkim i nie zmniejsza objętości żołądka. Zdarzają się po niej jednak nawroty choroby.

Wycięcie części odźwiernikowej żołądka i wagotomia stanowią bardziej radykalną formę leczenia niż tylko przecięcie nerwów błędnych. W następstwie tego zabiegu obniża się wydzielanie kwasu solnego o ok. 80% w stosunku do wydzielania wyjściowego. Odtworzenie ciągłości przewodu pokarmowego jest analogiczne jak w częściowym wycięciu żołądka. Nawroty choroby po wycięciu części odźwiernikowej i wagotomii zdarzają się u ok. 2% operowanych.

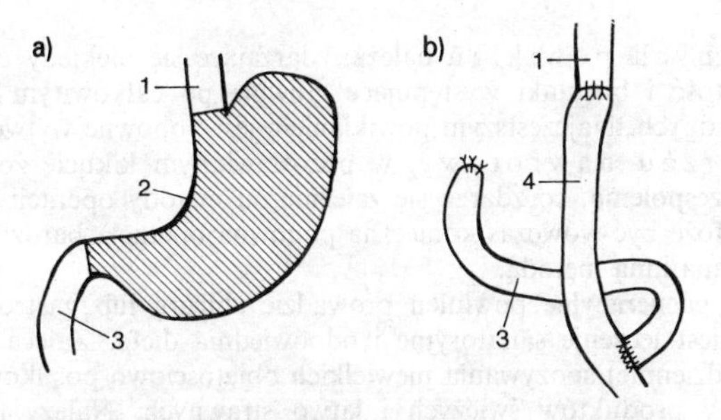

Całkowite wycięcie żołądka: a) stan przed operacją, b) stan po operacji – żołądek został usunięty (część zakreskowana), przełyk zespolony z jelitem cienkim; bliższa część dwunastnicy w miejscu odcięcia od żołądka została zaszyta, dalsza część – zespolona z jelitem cienkim; 1 – przełyk, 2 – żołądek, 3 – dwunastnica, 4 – jelito cienkie

C a ł k o w i t e w y c i ę c i e ż o ł ą d k a w chorobie wrzodowej jest wykonywane rzadko. Wskazaniem do tej operacji mogą być liczne wrzody żołądka, np. w zespole Zollinger–Ellisona, lub krwawienie w przebiegu krwotocznego nieżytu błony śluzowej. Po wycięciu żołądka przełyk zespala się z pętlą jelita cienkiego (rys. na s. 1467). U niektórych chorych po operacji występują zaburzenia odżywiania.

Z e s p o l e n i e ż o ł ą d k o w o - j e l i t o w e (rys.) polega na połączeniu żołądka z wybraną pętlą jelita cienkiego. Metoda ta została ostatnio prawie całkowicie zarzucona. Obecnie zespolenia żołądkowo-jelitowe wykonuje się tylko wówczas, gdy bardziej rozległa operacja stanowi zbyt duże ryzyko.

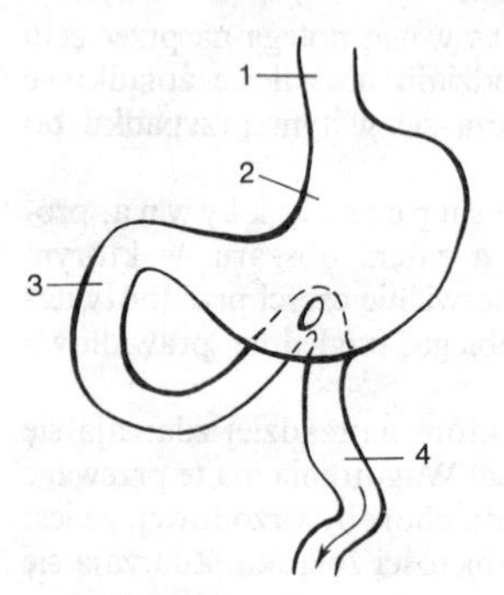

Zespolenie żołądkowo-jelitowe: 1 – przełyk, 2 – żołądek, 3 – dwunastnica, 4 – jelito cienkie

W s k a z a n i e m do wykonania jednej z wyżej wymienionych o p e r a c j i jest również p r z e d z i u r a w i e n i e w r z o d u. Niekiedy ze względu na zły stan ogólny chorego lub ostry proces zapalny otrzewnej operację ogranicza się jedynie do zeszycia przedziurawienia.

K r w o t o k z pękniętego naczynia tętniczego leżącego w obrębie wrzodu jest leczony typową operacją. Czasami, gdy stan chorego jest bardzo ciężki, a zwłaszcza gdy chory jest w podeszłym wieku, obarczony chorobami układu krążenia, nerek itp., operację ogranicza się do podkłucia krwawiącego naczynia.

Powikłania pooperacyjne. Dokuczliwym powikłaniem jest tzw. z e s p ó ł p o p o s i ł k o w y objawiający się wkrótce po spożyciu posiłku kołataniem serca, osłabieniem, dusznością, poceniem się. Czasami dołączają się bóle brzucha, czkawka, wymioty, rzadziej omdlenie. Nasilenie dolegliwości może być różne. Zwykle ustępują one w ciągu 30 – 40 min po przyjęciu pozycji leżącej. Przyczyna zaburzeń nie jest wyjaśniona. Zespół poposiłkowy zdarza się rzadko i zwykle samoistnie ustępuje po 2 – 3 latach.

Do p ó ź n y c h p o w i k ł a ń należą: zdarzające się niekiedy chudnięcie, niedokrwistość i biegunki występujące głównie po całkowitym przecięciu nerwów błędnych. Najczęstszym powikłaniem jest ponowne wytworzenie się wrzodu (w r z ó d n a w r o t o w y) w pozostawionym kikucie żołądka lub w miejscu zespolenia, co zdarza się zależnie od metody operacji u 1 – 15% chorych. Może być wówczas konieczna ponowna operacja bardziej rozległa lub wykonana inną metodą.

Leczenie pooperacyjne powinien prowadzić chirurg lub gastroenterolog. Wskazane jest leczenie sanatoryjne i odpowiednia dieta. Zaleca się częste (6 – 7 razy dziennie) spożywania niewielkich objętościowo posiłków, składających się z produktów świeżych i łatwo strawnych. Należy ograniczyć węglowodany, płyny, potrawy zbyt gorące. Niewskazane jest picie alkoholu. Konieczne jest dokładne przeżuwanie pokarmów. Zalecenia te ustalane są na okres 6 – 12 miesięcy, po których konieczne są niewielkie jedynie ograniczenia dietetyczne. Na odzyskanie pełni sił i podjęcie pracy potrzeba na ogół 6 – 12 tygodni.

Polipy żołądka

Polipy żołądka są leczone wyłącznie operacyjnie. Niektóre uszypułowane niewielkie polipy mogą być usunięte za pomocą pętli wprowadzonej przez gastroskop (przez jamę ustną). Przy wszystkich innych polipach operacja polega na otwarciu jamy brzusznej i ściany żołądka. Pojedynczy niezłośliwy polip (po wykonaniu badania mikroskopowego) jest wycinany wraz z przylegającą częścią ściany żołądka. Polipy większe i mnogie są wskazaniem do częściowego wycięcia żołądka. Całkowite wycięcie żołądka może być konieczne u chorych z dużymi rozsianymi polipami.

Rak żołądka

Rak żołądka, zob. Choroby nowotworowe, s. 2042.

Leczenie operacyjne. Szanse na całkowite wyleczenie raka żołądka daje jedynie operacja. Celem jej jest usunięcie guza, sąsiadujących z nim nie zmienionych części żołądka czy dwunastnicy i ewentualnie okolicznych węzłów chłonnych. W późniejszym okresie choroby, kiedy doszło do rozprzestrzenienia się zmian na okoliczne tkanki i narządy, powinny być usunięte wszystkie nacieczone tkanki, ale jedynie u połowy chorych może być wykonany tego rodzaju zabieg doszczętny.

Po częściowym wycięciu żołądka odtwarzana jest ciągłość przewodu pokarmowego (rys. oraz rys. na s. 1465). Jeśli konieczne jest całkowite wycięcie żołądka, przełyk zostaje zespolony z jelitem cienkim (rys. na s. 1467).

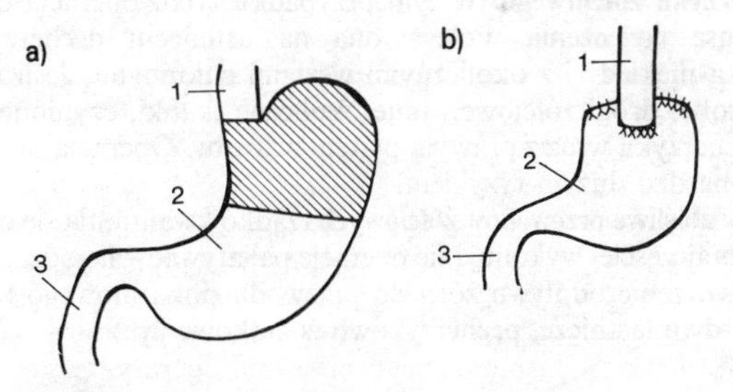

Częściowe wycięcie żołądka (wycięcie dna żołądka): a) stan przed operacją (zakreskowana część żołądka zostaje wycięta), b) stan po operacji – pozostawiona zdrowa część żołądka zespolona z przełykiem; 1 – przełyk, 2 – żołądek, 3 – dwunastnica

Zabiegi paliatywne, czyli **łagodzące**. O p e r a c j e p a l i a t y w n e, polegające na zespoleniu żołądka z jelitem, są wykonywane wtedy, gdy nieoperacyjny guz znajduje się w okolicy odźwiernikowej żołądka i powoduje niedrożność lub upośledzenie swobodnego przechodzenia treści pokarmowej. Operacja taka stwarza szanse przedłużenia życia chorego. Czasami, gdy guz nowotworowy zajmuje wpust żołądka zatykając jego światło i nie ma możliwości doszczętnego usunięcia tego guza, wprowadzana jest do żołądka przez przełyk i wpust rurka z tworzywa sztucznego. Przez rurkę tę pozostawioną na stałe przedostają się do żołądka połknięte pokarmy. Innym, bardzo rzadko obecnie stosowanym sposobem postępowania w nieoperacyjnym raku wpustu jest otwarcie żołądka i wprowadzenie do światła rurki, której drugi koniec wyprowadzony zostaje przez skórę na zewnątrz. Przez rurkę wlewa się pokarmy, co umożliwia przedłużenie życia chorego i uwalnia go od cierpień śmierci głodowej.

U części chorych ze względu na rozległe nacieczenie sąsiednich tkanek nie ma możliwości wykonania nawet zabiegu łagodzącego.

Choroby wątroby i pęcherzyka żółciowego

Choroby wątroby, pęcherzyka żółciowego i przewodów żółciowych, zob. Choroby układu trawienia, s. 746.

Ropnie wątroby są wywołane najczęściej przez bakterie, które przedostały się z dróg żółciowych lub z narządów jamy brzusznej wraz z krwią dopływającą przez żyłę wrotną.

L e c z e n i e r o p n i m n o g i c h polega na podawaniu dużych dawek odpowiednich antybiotyków, leczenie r o p n i p o j e d y n c z y c h wymaga niekiedy otwarcia ich i założenia drenów.

Nowotwory wątroby rzadko kwalifikują się do leczenia operacyjnego. Tylko wówczas, gdy nowotwór ograniczony jest do jednego płata i nie ma przerzutów w innych narządach, może być wycięty chory płat wątroby z guzem pierwotnym lub wtórnym. Operacja taka, obciążona dość znacznym ryzykiem, rzadko prowadzi do całkowitego wyleczenia.

Rak pęcherzyka żółciowego. W tym przypadku tylko operacja doszczętna stwarza szansę wyleczenia. Polega ona na usunięciu pęcherzyka wraz z łożyskiem, a niekiedy i z okolicznymi węzłami chłonnymi. Jeśli nowotwór nacieka wątrobę, drogi żółciowe i inne okoliczne tkanki, czynione są próby usunięcia pęcherzyka wraz z prawym płatem wątroby. Operacja ta jest jednak połączona z bardzo dużym ryzykiem.

Nowotwory złośliwe przewodów żółciowych rzadko kwalifikują się do operacji doszczętnej. Najczęściej wykonuje się operacje paliatywne – łagodzące, których celem jest stworzenie odpływu żółci do przewodu pokarmowego (zespolenie przewodowo-dwunastnicze, pęcherzykowo-żołądkowe itp.).

Nadciśnienie wrotne

Krew żylna z trzustki, jelit, śledziony odpływa przez żyłę wrotną do wątroby i następnie po przejściu przez jej miąższ wpływa przez żyłę główną dolną do serca. Przeszkoda na drodze jej odpływu, którą stanowi przeważnie marska wątroba, powoduje zwolnienie przepływu, zastój i wzrost ciśnienia w całym żylnym układzie wrotnym. Następstwem tego jest wytwarzanie się k r ą ż e n i a o b o c z n e g o. Jedną z jego dróg są żyły przełyku, które w wyniku nadmiernego wypełnienia krwią rozszerzają się znacznie tworząc żylaki. Ż y l a k i p r z e ł y k u łatwo pękają, co prowadzi do krwotoków.

L e c z e n i e k r w o t o k u z żylaków przełyku polega na przetaczaniu krwi i płynów krwiozastępczych oraz założeniu do żołądka i przełyku sondy z balonikami, które po wypełnieniu płynem uciskają krwawiące żylaki (rys.). Jeżeli krwotoku nie udaje się w ten sposób opanować, konieczna jest operacja polegająca na podkłuciu żylaków lub na poprzecznym przecięciu i następnie zeszyciu wpustu żołądka. W ten sposób przecina się drogę napływu krwi do żylaków.

L e c z e n i e c h i r u r g i c z n e n a d c i ś n i e n i a w r o t n e g o po opanowaniu krwotoku z żylaków polega na wytworzeniu połączenia między układem żyły wrotnej i układem żyły głównej dolnej (rys.). Dzięki temu krew z układu wrotnego

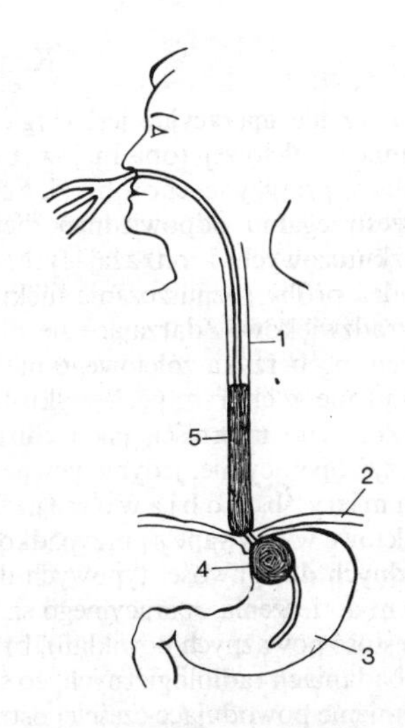

Zatamowanie krwawienia z żylaków przełyku za pomocą zgłębnika (sondy) Sangstakena: 1 – przełyk, 2 – przepona, 3 – żołądek, 4 – dolny balon sondy zaciskający żylaki w okolicy wpustu żołądka, 5 – górny balon sondy zaciskający żylaki przełyku

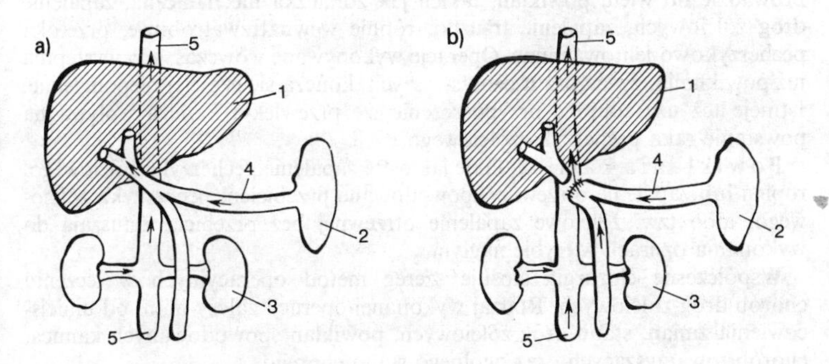

Leczenie chirurgiczne nadciśnienia wrotnego: a) stan prawidłowy, b) zespolenie żyły wrotnej z żyłą główną dolną – krew z narządów jamy brzusznej przepływa do serca omijając chorą wątrobę; 1 – wątroba, 2 – śledziona, 3 – nerka, 4 – żyła wrotna, 5 – żyła główna dolna

spływa do żyły głównej omijając przeszkodę, jaką stanowi marska wątroba. Prowadzi to do spadku ciśnienia w układzie żyły wrotnej i do zapadania się żylaków przełyku, a tym samym do zmniejszenia możliwości wystąpienia krwotoku.

Kamica żółciowa

Leczenie operacyjne jest ciągle jeszcze najskuteczniejszą metodą leczenia kamicy żółciowej (opisanej w Chorobach układu trawienia, s. 735), gdyż usuwa przyczynę choroby. Leczenie zachowawcze, polegające na przestrzeganiu odpowiedniej diety oraz stosowaniu leków żółciopędnych, rozkurczowych i odkażających, łagodzi jedynie objawy. Pewne nadzieje budzą próby rozpuszczania niektórych kamieni żółciowych oraz stosowanie ultradźwięków. Zdarzające się niezwykle rzadko czasowe opróżnienie z kamieni pęcherzyka żółciowego nie oznacza całkowitego wyleczenia, ponieważ kamienie w chorym pęcherzyku będą wytwarzały się ponownie.

Zarówno interniści, jak i chirurdzy uważają, że kamicę żółciową należy leczyć operacyjnie, jedynie pewne wątpliwości wzbudza postępowanie w tzw. kamicy bezobjawowej. Dotyczy to chorych, u których kamienie żółciowe wykrywane są przypadkowo, gdyż chorzy ci dotychczas nie odczuwali żadnych dolegliwości typowych dla kamicy. W takich przypadkach wskazaniem do leczenia operacyjnego są: a) współistniejąca cukrzyca (ze względu na częstość poważnych powikłań), b) nieuwidocznienie się pęcherzyka żółciowego w badaniach radiologicznych, co świadczy o zaawansowaniu choroby, c) duże kamienie powodujące częściej ostre zapalenie pęcherzyka żółciowego niż małe złogi, a także zwapniały pęcherzyk żółciowy, stwarzający większe niebezpieczeństwo rozwinięcia się procesu nowotworowego.

W kamicy objawowej przedmiotem dyskusji może być czas wykonania operacji. Termin zabiegu operacyjnego ustala się w czasie dogodnym dla chorego, który jednak powinien wiedzieć, że kamica żółciowa może prowadzić do wielu powikłań, takich jak żółtaczka mechaniczna, zapalenie dróg żółciowych, zapalenie trzustki, ropnie wewnątrzwątrobowe, przetoka pęcherzykowo-jelitowa i inne. Operacje wykonywane wówczas, gdy występują już powikłania, zwłaszcza u osób starszych, kończą się częściej niepomyślnie. Istnieje też uzasadnione przypuszczenie, że przewlekła kamica wpływa na powstanie raka pęcherzyka żółciowego.

Powikłania kamicy, takie jak ostre zapalenie pęcherzyka żółciowego, ropień lub zapalenie otrzewnej spowodowane przebiciem pęcherzyka żółciowego, albo tzw. żółciowe zapalenie otrzewnej bez przebicia zmuszają do wykonania operacji w trybie nagłym.

Współczesne chirurgia stosuje szereg metod operacyjnych w leczeniu chorób dróg żółciowych. Rodzaj wykonanej operacji zależy m.in. od umiejscowienia zmian, stanu dróg żółciowych, powikłań spowodowanych kamicą, chorób towarzyszących oraz ogólnego stanu chorego.

Wycięcie pęcherzyka żółciowego (cholecystektomia) jest najczęściej wykonywaną operacją na drogach żółciowych (rys.). Jest to najbardziej celowy zabieg operacyjny w przypadkach kamicy pęcherzykowej i zmian zapalnych ograniczonych do samego pęcherzyka. W czasie operacji w „loży" pozostającej po usuniętym pęcherzyku pozostawia się dren wyprowadzony przez ranę skórną na zewnątrz. Po operacji z drenu tego wycieka żółć oraz niewielkie ilości krwi. Usuwa się go przeważnie 3–4 dni po operacji.

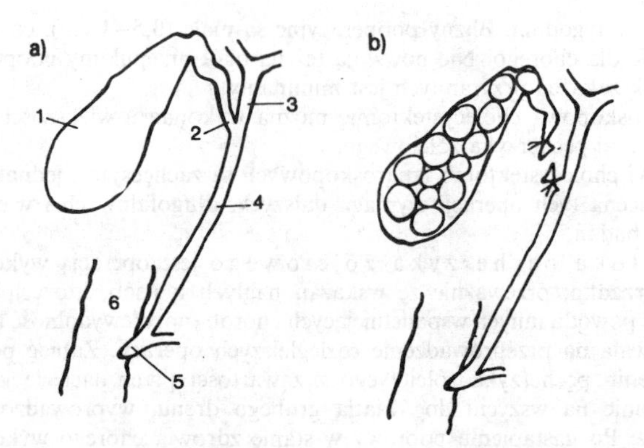

Wycięcie pęcherzyka żółciowego: a) stan przed operacją, b) chory pęcherzyk żółciowy wypełniony złogami (kamieniami) zostaje usunięty; 1 – pęcherzyk żółciowy, 2 – przewód pęcherzykowy, 3 – przewód wątrobowy, 4 – przewód żółciowy wspólny, 5 – brodawka dwunastnicza, miejsce ujścia przewodu żółciowego do dwunastnicy, 6 – dwunastnica

L a p a r s k o p o w a c h o l e c y s t e k t o m i a (LCH) jest nową techniką w chirurgii pęcherzyka żółciowego. Pierwsza cholecystektomia laparoskopowa została wykonana w Lionie w 1987 r., w Polsce zaś w 1991 r. Według europejskich statystyk wykonuje się ją u ponad 80% chorych z objawową kamicą pęcherzyka żółciowego.

Operacja polega na wprowadzeniu przez specjalną igłę (Veresa) do jamy brzusznej dwutlenku węgla (CO_2) pod ciśnieniem 12 – 14 mm Hg. Gaz wewnątrz jamy brzusznej odsuwa jelita od powłok brzusznych, umożliwiając przeprowadzenie operacji. Następnie przez skórę brzucha w okolicy pępka oraz pod prawym łukiem żebrowym wkłuwa się 4 trójgrańce (t r o k a r y). Przez pierwszy wprowadza się tor wizyjny połączony z kamerą, który przesyła obraz z wnętrza jamy otrzewnowej do monitora. Przez pozostałe trokary wprowadza się odpowiednie narzędzia laparoskopowe (nożyczki, kleszczyki preparacyjne, elektrodę koagulacyjną, klipsownicę), którymi wykonuje się zabieg. Wszystkie czynności przeprowadza się pod kontrolą wzroku. Wycięty pęcherzyk żółciowy chirurg wydobywa z jamy brzusznej przez otwór po trokarze w okolicy pępka. Operacja przeprowadzana w znieczuleniu ogólnym trwa około godziny. Po tej operacji chory wymaga 1 – 3-dniowego pobytu w szpitalu.

W pewnych sytuacjach ukończenie operacji techniką laparoskopową jest niemożliwe. Zamiana LCH na cholecystektomię tradycyjną nie jest powikłaniem, lecz prawidłową decyzją chirurga podjętą w celu uchronienia chorego przed powikłaniami. Po operacjach laparoskopowych mogą wystąpić podobne powikłania, jak po tradycyjnych. Na ogół chorzy odczuwają znacznie mniejsze dolegliwości bólowe i w większości przypadków w ogóle nie wymagają w okresie pooperacyjnym podawania leków przeciwbólowych. Okres rekonwalescencji wyraźnie skraca się z 4 – 6 tygodni przy tradycyjnej cholecystektomii do 1 tygodnia. Blizny pooperacyjne są małe (0,5–1 cm), co ma duże znaczenie dla chorego. Nie powstają też na ogół przepukliny pooperacyjne, a odsetek zakażeń przyrannych jest minimalny.

Laparoskopową cholecystektomię można wykonać u większości chorych z chorobami pęcherzyka żółciowego.

Wyniki cholecystektomii laparoskopowych są zachęcające, jednakże ostateczna ocena tych operacji wymaga dalszych, długofalowych i wieloośrodkowych badań.

P r z e t o k a p ę c h e r z y k a ż ó ł c i o w e g o jest operacją wykonywaną bardzo rzadko, przeważnie ze wskazań nagłych u osób, których zły stan ogólny z powodu innych współistniejących chorób (np. niewydolność krążenia) nie pozwala na przeprowadzenie rozleglejszych operacji. Zabieg polega na opróżnieniu pęcherzyka żółciowego z zawartości przez nacięcie jego dna, a następnie na wszyciu do światła grubego drenu, wyprowadzonego na zewnątrz. Po nastąpieniu poprawy w stanie zdrowia chorego wykonuje się zdjęcie radiologiczne dróg żółciowych po wstrzyknięciu przez dren środka cieniującego (kontrastu). W razie stwierdzenia kamieni planowana jest operacja wycięcia pęcherzyka po właściwym przygotowaniu chorego, polegającym na intensywnym leczeniu chorób towarzyszących. Jeśli kamieni nie ma, dren z pęcherzyka zostaje usunięty. Konieczna jest jednak dalsza obserwacja chorego, gdyż u połowy operowanych w ten sposób dochodzi do nawrotu kamicy w ciągu najwyżej 5 lat.

R o z c i ę c i e p r z e w o d u ż ó ł c i o w e g o w s p ó l n e g o i p r z e t o k ę tego przewodu wykonuje się w kamicy przewodowej, czyli wtedy, kiedy złogi znajdują się nie tylko w pęcherzyku, ale i w przewodzie wspólnym. Operacja polega na otwarciu przewodu żółciowego, usunięciu wszystkich znajdujących

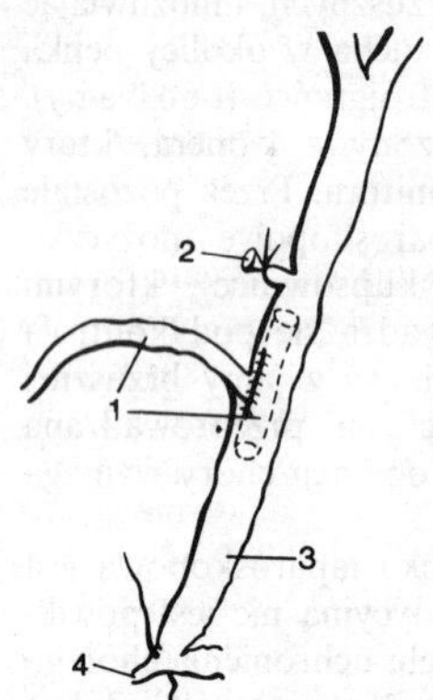

Drenowanie przewodu żółciowego wspólnego: ramię krótkie poprzeczne drenu „T" umieszczone w przewodzie żółciowym wspólnym, ramię długie wyprowadzone przez powłoki na zewnątrz; 1 – dren w kształcie litery „T" (Kehra), 2 – podwiązany przewód pęcherzykowy (po usunięciu pęcherzyka żółciowego), 3 – przewód żółciowy wspólny, 4 – brodawka dwunastnicza (miejsce ujścia przewodu żółciowego wspólnego do dwunastnicy)

się w nim kamieni, sprawdzeniu, czy miejsce przejścia przewodu żółciowego wspólnego do dwunastnicy jest odpowiednio szerokie oraz wprowadzeniu do przewodu drenu (rys.). Dren ułatwia odpływ żółci na zewnątrz do czasu zakończenia procesu gojenia. Spełnia on nie tylko rolę zaworu bezpieczeństwa, ale umożliwia również w okresie pooperacyjnym dokładną kontrolę przewodów żółciowych. Wstrzykując przez niego środek cieniujący można badaniem rentgenowskim (cholangiografia) uwidocznić obraz dróg żółciowych. Gdy stan dróg żółciowych jest prawidłowy, dren zamyka się na kilkanaście godzin. Jeśli nie pojawią się dolegliwości, zostaje on bezpiecznie usunięty.

Zespolenie przewodu żółciowego wspólnego z dwunastnicą (choledochoduodenostomia), czyli sztucznie stworzone połączenie miedzy tymi narządami, wykonuje się dla zapewnienia swobodnego odpływu żółci do przewodu pokarmowego, gdy nie można usunąć przeszkody w końcowym odcinku przewodu żółciowego wspólnego (np. nieoperacyjny rak brodawki dwunastnicy lub głowy trzustki). Niekiedy operacja ta jest wykonywana również wtedy, gdy część bardzo licznych kamieni leży w wewnątrzwątrobowych drogach żółciowych. Szerokie połączenie między przewodem żółciowym wspólnym a dwunastnicą stwarza wówczas możliwość przejścia do dwunastnicy sporych nawet kamieni i wydalenia ich przez przewód pokarmowy.

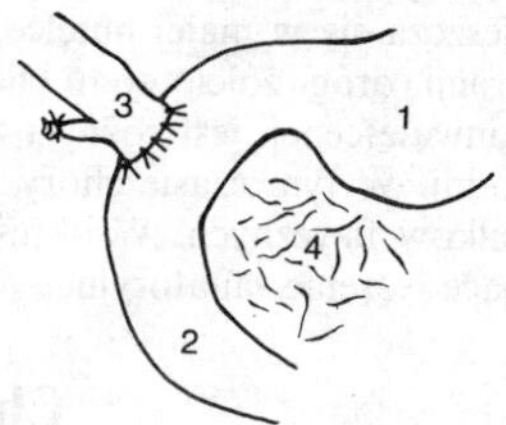

Zespolenie przewodu żółciowego wspólnego z dwunastnicą: 1 – żołądek, 2 – dwunastnica, 3 – przewód żółciowy wspólny, 4 – trzustka

Zespolenia pęcherzyka z żołądkiem, dwunastnicą lub jelitem cienkim polegają na wytworzeniu połączenia między tymi narządami. Operacje te wykonuje się dla zapewnienia odpływu żółci do przewodu pokarmowego z pominięciem przeszkody, którą zwykle stanowi nowotwór końcowego odcinka dróg żółciowych.

Rozcięcie brodawki dwunastniczej polega na otwarciu dwunastnicy, rozcięciu od strony jej światła mięśnia zaciskającego ujście przewodu żółciowego wspólnego (mięśnia zwieracza bańki wątrobowo-trzustkowej) oraz zeszyciu dwunastnicy. Operacja ta wykonywana jest wówczas, gdy nie można w inny sposób usunąć kamienia zaklinowanego u ujścia przewodu żółciowego wspólnego, czyli w brodawce dwunastnicy, lub gdy wymaga ona poszerzenia z powodu zmian bliznowatych.

Powikłania pooperacyjne zdarzają się częściej, jeśli operacja jest przeprowadzana w czasie ostrego zapalenia pęcherzyka, żółtaczki, zapalenia otrzewnej itp. oraz u ludzi starszych. U osób powyżej 60 r. życia ryzyko operacji dróg żółciowych jest wyraźnie większe niż u osób młodych.

U pewnej liczby chorych po wycięciu pęcherzyka żółciowego z powodu kamicy występują dolegliwości zbliżone do obserwowanych przed operacją. Mogą one być spowodowane: obecnością złogów w przewodach żółciowych, stanem zapalnym tych przewodów, zapaleniem trzustki, zrostami, błędami techniki operacyjnej, a także zaburzeniami czynnościowymi. Jedynym objawem w pełni znamiennym dla kamicy żółciowej jest tzw. „kolka żółciowa". Usunięcie zawierającego kamienie pęcherzyka żółciowego niekiedy nie uwalnia od niestrawności, nietolerancji na pokarmy tłuszczowe, od odbijania się itp. dolegliwości mogących być przejawem innych chorób wątroby.

Jeśli po wykonanej operacji w przewodach żółciowych ujawnione zostaną złogi w pooperacyjnym badaniu rentgenowskim wykonanym przez dren, istnieją trzy sposoby ich usunięcia. Pierwszy polega na przepłukiwaniu przez dren przewodu żółciowego płynami, które mogą rozpuścić złogi, drugi na próbie usunięcia kamieni przez otwór powstały po usuniętym drenie, trzeci na usunięciu złogów aparatem wprowadzonym przez jamę ustną do dwunastnicy i przewodu żółciowego.

Leczenie pooperacyjne. Po operacji należy spodziewać się wycieku żółci i płynu surowiczego do opatrunku. Jeżeli pozostawiono dren, spływa przez niego gęsta żółć czasami z niewielką domieszką krwi. Chory musi uważać, aby przypadkowo nie wyrwać drenu. W czasie chodzenia koniec drenu umieszcza się w małej butelce, którą wkłada do kieszeni. Po niepowikłanej operacji dróg żółciowych chory przebywa w szpitalu 7–10 dni. Okres rekonwalescencji jest różny i zależy od wielu czynników, zwykle trwa 6–8 tygodni. W tym czasie chory powinien stosować dietę wątrobową i unikać wysiłków fizycznych. W określonych przypadkach wskazane bywa uzupełniające leczenie sanatoryjne.

Choroby trzustki

Zob. Choroby układu trawienia, s. 755.

Leczenie chirurgiczne

Ostre zapalenie trzustki. Choroba jest leczona chirurgicznie dopiero wówczas, gdy leczenie zachowawcze nie przynosi pożądanych wyników. Operacja polega na otwarciu jamy brzusznej, odessaniu płynu z jamy otrzewnej oraz sączkowaniu i drenowaniu okolicy trzustki. Przy współistnieniu kamicy i zapalenia dróg żółciowych zostaje otwarty przewód żółciowy i po usunięciu z jego światła kamieni umieszcza się w nim dren. Czasami w jamie brzusznej pozostawiane są dwa cewniki, przez które po operacji przepłukuje się okolice trzustki roztworem antybiotyków. Wyniki operacji zależą od charakteru zapalenia trzustki. Najgorzej rokuje postać krwotoczno-martwicza. Podejmowano próby doraźnego wycięcia części tak zmienionej trzustki.

Przewlekłe zapalenie trzustki bywa leczone operacyjnie wówczas, gdy długotrwałe i systematyczne leczenie zachowawcze nie przynosi wyników, a chorzy cierpią z powodu bardzo silnych bólów. Zależnie od rozległości i umiejscowienia zmian dokonywane jest częściowe, prawie całkowite lub całkowite usunięcie tego narządu, odnerwienie trzustki albo zespolenie rozszerzonego przewodu trzustkowego z jelitem, co ułatwia odpływ soku trzustkowego do przewodu pokarmowego, zmniejsza ciśnienie w przewodzie trzustkowym i przeważnie znacznie łagodzi dolegliwości. Jeśli chory z przewlekłym zapaleniem trzustki ma także kamicę żółciową, wskazane jest usunięcie pęcherzyka żółciowego i drenaż przewodu żółciowego wspólnego.

Torbiele trzustki są leczone chirurgicznie. Małe torbiele zostają wycięte wraz z przylegającym odcinkiem trzustki, a większe zespalane bywają z żołądkiem, dwunastnicą lub jelitem cienkim. Niekiedy wykonywana jest tzw. m a r s u p i a l i z a c j a, polegająca na drenowaniu torbieli, której rozcięte brzegi przyszywa się do skóry.

Rak trzustki (zob. Choroby nowotworowe, s. 2046) rzadko kwalifikuje się do doszczętnego leczenia operacyjnego, ponieważ przeważnie naciekanie nowotworowe obejmuje okoliczne wielkie tętnice i żyły, co uniemożliwia wycięcie wszystkich zmienionych nowotworowo tkanek. Operacje paliatywne, czyli łagodzące, polegają na zespoleniu pęcherzyka żółciowego lub przewodu żółciowego wspólnego z przewodem pokarmowym, co ułatwia odpływ żółci z ominięciem przeszkody, jaką stanowi guz głowy trzustki. Operacja taka prowadzi do ustąpienia żółtaczki i wszystkich związanych z nią dolegliwości.

Choroby jelit

Choroby jelita cienkiego

Uchyłek Meckela jest to uwypuklenie jelita długości 1 – 12 cm, znajdujące się w końcowym odcinku jelita cienkiego. Występuje u ok. 2% ludzi. Tylko 4% uchyłków powoduje objawy chorobowe: krwawienie, ostre zapalenie, niedrożność jelit, przewlekłe bóle brzucha. Uchyłki powodujące o b j a w y chorobowe są wskazaniem do usunięcia operacyjnego.

Ostre niedokrwienie jelita powstaje w następstwie nagłego przerwania dopływu krwi. Najczęściej przyczyną jest zator lub zakrzep tętnic zaopatrujących jelito. Zatrzymanie dopływu krwi prowadzi do martwicy i zgorzeli jelita, co objawia się m.in. silnymi bólami brzucha i krwistą biegunką; z reguły występują objawy wstrząsu (zob. s. 1428). Skuteczne jest tylko l e c z e n i e o p e r a c y j n e, polegające na wycięciu zgorzelinowo zmienionego odcinka jelita lub udrożnieniu zaczopowanej tętnicy w przypadkach wcześnie rozpoznanych.

Nowotwory jelita cienkiego występują rzadko. L e c z e n i e polega na wycięciu guza wraz z odcinkiem jelita i zespoleniu pozostałych części jelita.

Zespół krótkiego jelita powstaje po rozległym wycięciu jelita cienkiego. Następstwem operacji jest przyspieszenie „pasażu" częściowo z powodu skrócenia odcinka, przez który przesuwa się treść pokarmowa, częściowo zaś z powodu przyspieszenia ruchów jelit. Okres pozostawania pokarmu w jelitach jest zbyt krótki dla prawidłowego strawienia węglowodanów, tłuszczów i białek. Powstały w ten sposób zespół objawów chorobowych mieści się w pojęciu „zespołu złego wchłaniania" (zob. Choroby układu trawienia, s. 737).

Charakterystycznym objawem są biegunki i połączona z nimi utrata płynów i elektrolitów. Największe nasilenie zaburzeń występuje w ciągu pierwszch kilku miesięcy po operacji. Później następuje adaptacja pozostawionej części jelita i stopniowe polepszanie się wchłaniania.

Leczenie w pierwszym okresie polega na odżywianiu dożylnym, później dożylnym i doustnym, wreszcie całkowicie doustnym. Chory powinien jeść często, lecz w małych porcjach. Konieczne jest podawanie witamin i soli mineralnych.

Choroba Leśniowskiego–Crohna, czyli **przewlekłe nieswoiste zapalenie jelita** (zob. Choroby układu trawienia, s. 745), jest w zasadzie leczona zachowawczo. Wskazanie do operacji stanowią powikłania w postaci niedrożności, przetoki zewnętrznej jelita, ropni lub krwawień oraz nieskuteczności leczenia zachowawczego. Operacja polega na wycięciu chorego odcinka jelita. W razie wystąpienia nawrotu, operacja powinna być wykonana ponownie. Z danych statystycznych wynika, że 88% chorych w ciągu 15 lat operowano po raz drugi. Te same zestawienia wykazują, że 80–85% operowanych prowadzi normalny tryb życia.

Zapalenie wyrostka robaczkowego

Ostre zapalenie wyrostka robaczkowego jest najczęstszą chorobą toczącą się w obrębie jamy brzusznej, wymagającą wykonania operacji w trybie nagłym.

Zapalenie wyrostka występuje u osób w różnym wieku, zwykle jednak między 10 a 30 r. życia. Przyczyną zapalenia może być m.in. zamknięcie światła wyrostka np. przez kamień kałowy lub ciało obce. Następuje wówczas obrzęk, przekrwienie, a w zaawansowanych przypadkach – martwica części lub całego wyrostka. W sytuacji takiej istnieje poważne niebezpieczeństwo pęknięcia wyrostka, z następowym zapaleniem otrzewnej.

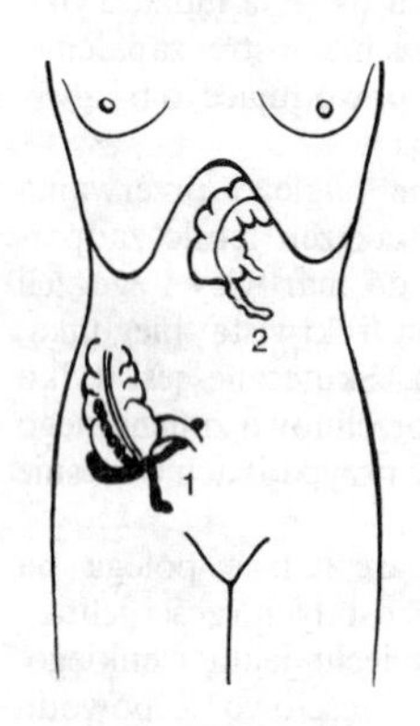

Różne ułożenie wyrostka robaczkowego: 1 – prawidłowe położenie kątnicy i różne ułożenia wyrostka w prawym dole biodrowym, 2 – nieprawidłowe ułożenie kątnicy i wyrostka

Objawy ostrego zapalenia wyrostka są różnorodne i zmienne i mogą „naśladować" każdą ostrą chorobę toczącą się w jamie brzusznej. I przeciwnie – inne choroby mogą pozorować proces zapalny wyrostka. Przeważnie jednak pierwszym objawem są bóle w nadbrzuszu lub wokół pępka, z towarzyszącymi nudnościami. Po pewnym czasie ból przenosi się do okolicy prawego dołu biodrowego (prawego podbrzusza), nasila podczas chodzenia i kaszlu. Bólom towarzyszy brak łaknienia, złe samopoczucie, często wymioty i nieznacznie podwyższona temperatura ciała.

U ludzi w podeszłym wieku dolegliwości mogą być nikłe i ograniczać się do niezbyt nasilonego bólu.

Jeśli wyrostek, który normalnie znajduje się w prawym podbrzuszu, jest położony w innych częściach jamy brzusznej, co czasami zdarza się (rys.), bóle występujące przy jego zapaleniu mogą być umiejscowione w różnych „nietypowych" miejscach brzucha.

W przebiegu ostrego zapalenia wyrostka robaczkowego mogą wystąpić powikłania w postaci nacieku okołowyrostkowego, ropnia okołowyrostkowego, zapalenia otrzewnej. Przedziurawienie wyrostka występuje najczęściej w drugim lub trzecim dniu choroby, ale może też wystąpić znacznie wcześniej. Towarzyszy mu gwałtowny ból brzucha i wymioty. Następstwem przedziurawienia jest często rozlane zapalenie otrzewnej (zob. s. 1459).

Leczenie zapalenia wyrostka jest z zasady operacyjne. Przebieg choroby, powikłania, a nawet niepomyślne zejścia zależą ściśle od czasu, jaki upłynął od wystąpienia dolegliwości do wykonania operacji, a więc w znacznej mierze wynikają z lekceważenia, z nieświadomości, niewłaściwego postępowania lub nieuzasadnionego strachu chorego. Zbyt późne zgłoszenie się do lekarza w przypadku bólów brzucha, a co gorsza – stosowanie bez zaleceń lekarza ciepłych okładów na brzuch lub leków przeczyszczających przyspiesza i zaostrza proces zapalny.

Jeśli operacja wykonana jest odpowiednio wcześnie, powrót do zdrowia jest zazwyczaj szybki.

Choroby jelita grubego

Choroby jelita grubego, zob. Choroby układu trawienia, s. 741.

Operacje jelita grubego należą do najpoważniejszych operacji wykonywanych na narządach jamy brzusznej. Ze względu na obecność w jelicie grubym zakażonych mas kałowych, wymagają one specjalnego przygotowania chorego. Często dla zapewnienia dobrego wyniku operacji konieczne jest wykonanie tzw. czasowego sztucznego odbytu. Czasami, gdy operacja musi być rozległa i dochodzi do wycięcia odbytnicy z odbytem, konieczne staje się wykonanie odbytu sztucznego stałego, czyli definitywnego.

Przygotowanie chorego do operacji ma na celu maksymalne zmniejszenie objętości mas kałowych w jelicie oraz zmniejszenie flory bakteryjnej, która po otwarciu jelita może przedostać się do okolicznych tkanek i stać się przyczyną powikłań pooperacyjnych (zapalenie otrzewnej). Podstawowe postępowanie polega na stosowaniu przez kilka dni przed operacją diety z niską zawartością błonnika. Na dwa dni przed zabiegiem podawana jest dieta płynna, bez mleka, oraz stosowane są środki przeczyszczające, lewatywy i leki przeciwbakteryjne.

Odbyt sztuczny jest to operacyjnie wytworzona przetoka skórno-jelitowa spełniająca rolę odbytu, a więc odprowadzająca zawartość jelitową na zewnątrz. Odbyt sztuczny definitywny wykonuje się wówczas, gdy konieczne jest usunięcie odbytnicy i odbytu naturalnego.

Odbyt sztuczny czasowy wskazany jest w różnego rodzaju operacjach wykonywanych na jelicie grubym w celu odbarczenia linii szwów zespalających ściany jelita. Po zeszyciu jelita może powstać obrzęk i związane z nim znaczne zwężenie światła w miejscu operowanym. Gromadzące się powyżej gazy i kał mogą łatwo doprowadzić do takiego rozszerzenia jelita, które spowoduje rozerwanie szwów i rozejście się brzegów zespolenia. Jeżeli powyżej miejsca operacji jest założony odbyt sztuczny, to gazy i kał odchodzą tą drogą, a zespolenie nie jest narażone na nadmierne napięcie. Po upływie kilkunastu dni obrzęk ustępuje, rana jelita ulega zagojeniu, a odbyt sztuczny zostaje zlikwidowany za pomocą stosunkowo bezpiecznego zabiegu operacyjnego.

Przeważnie odbyt sztuczny wykonuje się na jelicie grubym, czasami jednak, gdy usuwane jest całe jelito grube, zakładany jest na końcowy odcinek jelita cienkiego. W przypadku odbytu definitywnego zakładany jest specjalny zbiornik na kał. Nowoczesne zbiorniki leżą płasko na powierzchni brzucha przylegając do skóry, nie rzucają się w oczy, są nieprzepuszczalne dla zapachów i na ogół muszą być wymieniane co 3–5 dni. Opróżniane są kilkakrotnie w ciągu dnia przez otwarcie kieszeni w dnie zbiornika.

Przetoka jelita cienkiego wymaga bardzo dokładnej pielęgnacji skóry. Często dookoła niej dochodzi do podrażnienia skóry i stanów zapalnych. Konieczne jest wówczas osłanianie skóry maściami, niezbędna jest częsta zmiana zbiorników i dokładne ich dopasowanie. U większości chorych, zwłaszcza w pierwszym okresie po operacji, z przetoki może wydobywać się obfity płynny stolec (1–2 l dziennie). Po upływie kilku miesięcy wydalanie zmniejsza się do 500–800 ml. To obfite wydalanie jest spowodowane brakiem wchłaniania wody i soli, które to procesy zachodzą zwykle w jelicie grubym.

Duża utrata płynów i soli może powodować zaburzenia ogólnoustrojowe, objawiające się brakiem łaknienia, rozdrażnieniem, bólem głowy, silnym pragnieniem. Niewielki nawet wysiłek fizyczny zwiększa utratę płynów i nasila dolegliwości. Dlatego też większa niż zwykle utrata płynów przez przetokę lub intensywna praca fizyczna powinny być wskazaniem do zwiększenia podaży wody i soli. Niezależnie od tego chorzy mogą i powinni prowadzić normalny tryb życia.

Sztuczny odbyt definitywny założony w jelicie grubym jest znacznie mniej kłopotliwy. Przetoka wykonana na okrężnicy esowatej wydziela kał sformowany, przeważnie w określonych porach. Wielu chorych potrafi dokładnie przewidzieć zbliżanie się momentu defekacji i w porę udać się do ustępu. Zbiorniki na kał nie są tym chorym konieczne, lecz noszenie ich zapewnia spokój. Większa dobowa liczba wypróżnień zmusza do stałego noszenia zbiornika, który składa się z okrągłej plastykowej ramki z bocznym uchwytem na pas i woreczków z folii polietylenowej do jednorazowego użytku.

Skręt jelita grubego najczęściej dotyczy okrężnicy esowatej, rzadziej kątnicy. Skręt jest przyczyną 5–10% wszystkich niedrożności jelita grubego.

Skręt kątnicy objawia się silnymi bólami umiejscowionymi w prawym podbrzuszu. Jedynym leczeniem jest operacja, polegająca na odprowadzeniu skrętu i umocowaniu jelita do ściany jamy brzusznej. Niekiedy konieczne jest wycięcie części zmienionego jelita.

Skręt okrężnicy esowatej występuje u osób starszych, często cierpiących z powodu przewlekłych zaparć stolca. Objawia się bólami w lewym podbrzuszu, których natężenie stopniowo wzrasta. Występują znaczne wzdęcia oraz zatrzymanie gazów i stolca. Próba leczenia zachowawczego polega na

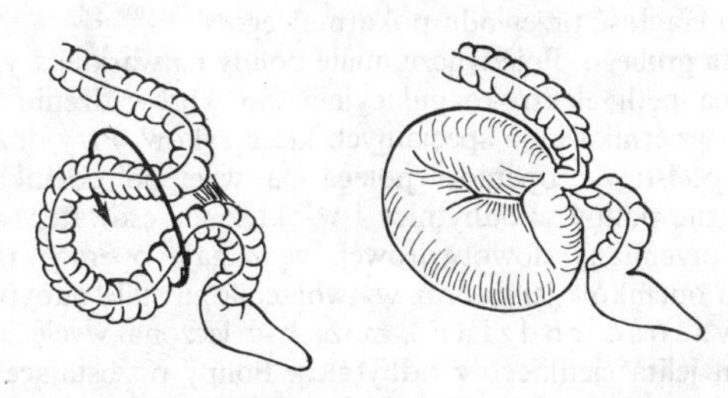

Skręt okrężnicy esowatej

wprowadzeniu przez odpowiedni wziernik do skręconej pętli miękkiej, gumowej rurki. Przeważnie powoduje to odejście gazów i odprowadzenie skręconej pętli jelita. Jeśli zabieg ten nie pomaga, konieczna jest operacja, która – zależnie od stanu chorego i zmian stwierdzanych w jelicie – może polegać na wycięciu części lub całej okrężnicy esowatej, na wyłonieniu jej albo odprowadzeniu skrętu i przyszyciu jelita do ściany jamy brzusznej.

Wrzodziejące zapalenie jelita grubego. Wskazania do leczenia operacyjnego zależą od przebiegu choroby i wyników leczenia zachowawczego. W ostrym okresie choroby operacja jest wykonywana po stwierdzeniu lub przy podejrzeniu przedziurawienia jelita, krwotoku lub ostrego rozdęcia jelita nie ustępującego po kilku dniach intensywnego leczenia zachowawczego. W przewlekłym okresie choroby leczenie operacyjne jest stosowane w razie częstszych rzutów choroby, długotrwałego utrzymywania się objawów chorobowych oraz u chorych z dużym ryzykiem rozwoju zmian nowotworowych, a także gdy rozwinęły się powikłania nie związane z jelitem grubym, np. ostre zapalenie stawów lub zapalenie błony naczyniowej oka. Wskazaniem do operacji jest również ciężki rzut choroby nie poddający się leczeniu zachowawczemu.

Leczeniem operacyjnym przynoszącym najlepsze wyniki jest zaplanowane całkowite usunięcie okrężnicy wraz z odbytnicą. W operacjach nagłych wyniki są mniej korzystne. Po całkowitym wycięciu jelita grubego koniec jelita cienkiego zostaje wyprowadzony poza ścianę brzucha i zeszyty ze skórą – jest to celowo wykonana definitywna przetoka skórno-jelitowa.

Uchyłkowatość jelita grubego. Leczenie operacyjne jest stosowane przy przewlekle nawracających zapaleniach uchyłków lub po wystąpieniu powikłań, np. przedziurawienia uchyłku, niedrożności, krwotoku lub ropnia wokół jelita grubego. Rodzaj wykonanej operacji zależy od rodzaju powikłania. Czasami możliwe jest jedynie wycięcie chorego odcinka jelita, częściej jednak wycięcie łączy się z założeniem czasowej przetoki kałowej powyżej wyciętego odcinka. Przy nawracających zapaleniach licznych uchyłków wycięte zostaje całe jelito grube. Jeśli uchyłek ulegnie przebiciu i nastąpi zapalenie otrzewnej, pętla jelita wraz z przedziurawionym uchyłkiem zostaje wyłoniona na skórę. Dopiero w drugim etapie leczenia chory odcinek zostaje usunięty i odtworzona ciągłość przewodu pokarmowego.

Polipy jelita grubego. Pojedyncze, małe polipy na wąskiej szypule usuwane są za pomocą pętli elektrokoagulacyjnej, po wprowadzeniu do jelita odpowiedniego wziernika albo specjalnych kleszczyków. Przy dużych polipach o szerokiej podstawie operacja polega na wycięciu odcinka jelita wraz z guzem. Liczne polipy w odbytnicy i w okrężnicy esowatej, wobec niebezpieczeństwa przemiany nowotworowej, wymagają operacji radykalnej, tj. wycięcia tych odcinków jelita oraz wytworzenia na stałe odbytu sztucznego.

Polipowatość rodzinna może być leczona wycięciem okrężnicy i zespoleniem jelita cienkiego z odbytnicą. Polipy pozostające w odbytnicy mogą być wówczas usunięte przez wziernik. Chorzy po tego typu operacji pozostają pod stałą kontrolą i poddawani są regularnym badaniom co kilka miesięcy. Inną metodą zapewniającą całkowite wyleczenie polipowatości rodzinnej jest wycięcie całego jelita grubego oraz wytworzenie odbytu sztucznego na jelicie cienkim.

Rak jelita grubego, zob. Choroby nowotworowe, s. 2044. Leczenie chirurgiczne polega na rozległym wycięciu zmian wraz z okolicznymi węzłami chłonnymi. Rodzaj operacji zależy od umiejscowienia zmian. Jeżeli guz znajduje się daleko od odbytu, po wycięciu odcinka jelita okrężnica esowata zostaje zespolona z pozostawioną zdrową częścią odbytnicy. Jeżeli guz znajduje się blisko odbytu, wycięta zostaje cała odbytnica wraz z odbytem i wytworzony jest odbyt sztuczny na okrężnicy esowatej. Jeżeli guz doprowadził do zatkania jelita i niedrożności, powyżej zmiany zostaje wykonany odbyt sztuczny w celu odbarczenia jelit przez odprowadzanie gazów i mas kałowych; jednocześnie usuwany jest nowotwór. Przeważnie po pewnym czasie zostaje wykonana druga operacja, polegająca na zespoleniu jelita. Zwykle przeprowadzana jest trzecia operacja, polegająca na zlikwidowaniu odbytu sztucznego.

Choroby odbytu

Choroby odbytu należą do najczęściej spotykanych schorzeń. Powodują one różnorodne dolegliwości, z których na pierwszy plan wysuwają się dokuczliwe niekiedy bóle. Chorzy często uznają te cierpienia za „wstydliwe" i nie zgłaszają się do lekarza. Lekceważą też krwawienia z odbytu, sądząc, że spowodowane są żylakami (hemoroidami). Zlekceważenie tych objawów może spowodować przeoczenie początkowego okresu choroby nowotworowej.

Żylaki odbytu (hemoroidy). Żylaki odbytu są to rozszerzenia splotów żylnych tej okolicy, przyjmujące najczęściej postać łatwo krwawiących guzków. Żylaki wewnętrzne znajdują się powyżej zwieracza odbytu i są niewidoczne podczas zwykłego oglądania, żylaki zewnętrzne zlokalizowane są poniżej niego. Oba te sploty żylne często łączą się tworząc postać mieszaną żylaków wewnętrznych i zewnętrznych.

Przyczyna choroby nie jest dokładnie znana, wiadomo jednak, że do jej powstania usposabiają różnorodne czynniki, takie jak np. zaparcia czy brak zastawek w żyłach odbytnicy. Za ważne czynniki uważa się również ciąże i nadciśnienie w układzie żyły wrotnej. Stany te, utrudniające odpływ krwi żylnej ze splotu odbytniczego, prowadzą do jego poszerzania. Niemałą rolę w powstawaniu żylaków odgrywają też obciążenia dziedziczne, wyrażające się osłabieniem tkanki łącznej i zmniejszeniem w niej elementów sprężystych. Dlatego też dość często współistnieją ze sobą żylaki odbytu, kończyn dolnych i powrózka nasiennego.

Dość powszechnie panujące poglądy, iż do powstawania żylaków odbytu usposabiają takie czynniki, jak praca w pozycji siedzącej, siadanie na twardym, zimnym podłożu, wpływy klimatyczne, psychogenne i wreszcie stałe przyjmowanie leków przeczyszczających zostały uznane za nieuzasadnione.

Żylaki odbytu są jedną z częściej występujących u człowieka chorób. Pojawiają się przeważnie u osób w średnim wieku, równie często u kobiet i mężczyzn.

Objawy. Pierwszym i najbardziej charakterystycznym objawem żylaków jest przeważnie krwawienie świeżą, jasną krwią. Krew ta nie jest zmieszana ze stolcem, lecz znajduje się na jego powierzchni. Obfitość krwawienia bywa różna, od śladów jedynie na papierze toaletowym, do ilości łatwo zauważalnej w misce klozetowej. Krwawienie nie stanowi zwykle zagrożenia dla zdrowia, ustępuje samoistnie i może się zjawiać ponownie po dłuższym lub krótszym czasie. Jeśli jednak powtarza się systematycznie, może doprowadzić nawet do znacznej, wtórnej niedokrwistości.

Innym objawem hemoroidów może być guzek lub guzki w okolicy odbytu, zjawiające się podczas oddawania stolca i zanikające samoistnie lub utrzymujące się stale. Rzadziej występującymi dolegliwościami są: świąd odbytu, ból i wyciek śluzu, a czasami także trudne do określenia uczucie jak gdyby „niecałkowitego" oddania stolca. Objawy te są przeważnie słabo nasilone i występują okresowo.

Powikłaniem żylaków odbytu może być ich wypadnięcie i uwięźnięcie, czyli nieodprowadzalność guzka. W wyniku stanu zapalnego lub zakrzepu wypadnięty żylak ma postać twardego i obrzękniętego guzka, żywo bolesnego nie tylko przy dotyku. Guzek taki nie daje się odprowadzić. Czasami ulega on owrzodzeniu i zakażeniu. Niekiedy pojawia się kilka takich guzków.

Leczenie. Żylaki odbytu bezobjawowe nie wymagają leczenia. Po wykluczeniu innych chorób, lekarz zaleca stosowanie specjalnej diety, tak aby wypróżnienia były całkowite i luźne (owoce, jarzyny, kwaśne mleko), a w razie potrzeby łagodne środki przeczyszczające. Ponadto wskazane są spacery, gimnastyka, staranna higiena osobista. Przeciwwskazane jest spożywanie obfitych tłustych pokarmów oraz alkoholu.

Wypadnięte, nieodprowadzalne żylaki, zmienione zapalnie lub zakrzepowo, mogą być leczone zachowawczo lub operacyjnie. W leczeniu zachowawczym poza ww. zaleceniami stosowane są doodbytniczo czopki oraz maści przeciwbólowe i ściągające. Wskazane są nasiadówki z kory dębowej, okłady z rumianku lub kwasu bornego oraz leki uspokajające. Czasami za pomocą łagodnego ucisku w pozycji leżącej udaje się odprowadzić wypadnięty guzek. Po tym zabiegu chory przez kilka dni powinien pozostać w łóżku, a zastosowanie stałego opatrunku uciskowego nie dopuszcza do ponownego wypadnięcia żylaka.

Leczenie chirurgiczne polega na wycięciu nadmiaru błony śluzowej odbytu wraz z żylakami. Czasami przez pewien czas po operacji może występować bolesne oddawanie stolca, w którym czasami znajduje się krew. Objawy te ustępują samoistnie z upływem czasu. Chory powinien zapobiegać zaparciom (odpowiednia dieta i ewentualnie łagodne leki przeczyszczające) i przyzwyczaić się do oddawania stolca o określonej porze dnia. Po oddaniu stolca wskazane są nasiadówki. Należy też przestrzegać delikatnego wycierania odbytu po wypróżnieniach.

Krwiak odbytu. W czasie wypróżnienia, kaszlu, kichania, dźwignięcia ciężaru, ćwiczeń gimnastycznych, porodu itp. może dojść do pęknięcia cienkościennych podskórnych żył okolicy odbytu. Powstały wówczas krwiak przyjmuje postać kulistą, rozpycha luźną tkankę przestrzeni okołoodbytniczej i uciska bogato ukrwioną skórę.

Objawy. Początek dolegliwości jest nagły – chory odczuwa silny ból w okolicy odbytu i wyczuwa przy jego brzegu twardy, bolesny guzek. Dolegliwości trwają ok. 5 dni, po czym następuje stopniowe włóknienie i kurczenie się krwiaka. Pozostałością jest jedynie zgrubienie skóry.

Leczenie polega na stosowaniu nasiadówek, maści i leków przeciwbólowych. W czasie pierwszych 48 godz. choroby może być zastosowany zabieg chirurgiczny, czyli nacięcie krwiaka i usunięcie znajdujących się w nim skrzepów.

Szczelina odbytu. Jest to podłużne lub trójkątne owrzodzenie błony śluzowej odbytu, zwykle pojedyncze, występujące częściej u kobiet i przeważnie umiejscowione na tylnej, środkowej linii odbytu. U dzieci może powstawać na skutek długotrwałej biegunki lub uporczywych zaparć, u dorosłych – w wyniku przewlekłej biegunki, nadmiernego parcia na stolec, zranienia błony śluzowej twardymi masami kałowymi, urazu okołoporodowego, skaleczenia ciałem obcym. W większości przypadków przyczyna powstania szczeliny pozostaje nieznana.

Objawem jest zwykle silny ból, określany przez chorych jako „rozdzierający" lub piekący. Ponieważ pojawia się głównie w czasie oddawania stolca, chorzy starają się unikać wypróżnień. Następstwem jest zaleganie mas kałowych, co powoduje z kolei odruchowy skurcz zwieracza odbytu powodujący również silne bóle. W ten sposób powstaje błędne koło. Czasami zaobserwować można jedynie na papierze toaletowym niewielkie ilości żywoczerwonej krwi nie zmieszanej ze stolcem. Choroba ma charakter przewlekły, nie leczona trwa przeważnie przez wiele lat z okresami zaostrzeń i poprawy.

Leczenie zachowawcze polega na stosowaniu ciepłych nasiadówek, zwłaszcza po wypróżnieniu, nakładaniu maści znieczulających i przeciwzapalnych. Należy wcześnie leczyć biegunki lub zaparcia i dbać o regularne wypróżnienia.

Leczenie operacyjne, zależnie od zaawansowania i lokalizacji, polega na: a) rozciągnięciu odbytu (tzw. diwulsja), które wykonuje się w znieczuleniu ogólnym; gojenie przebiega szybko, nawroty zdarzają się jednak u ok. 15% chorych; b) wycięciu szczeliny wraz z okolicznymi tkankami; zabieg ten uzupełnia się rozciągnięciem odbytu; gojenie trwa zwykle ok. miesiąca; c) przecięciu bocznym zwieracza odbytu.

Ropnie okołoodbytnicze powstają w wyniku przedostania się drobnoustrojów chorobotwórczych do przestrzeni okołoodbytniczej. Zwykle powstanie ropnia jest poprzedzone niezauważalnym nawet uszkodzeniem błony śluzowej odbytu lub tkanek otaczających. Zranienie może być spowodowane przez twarde masy kałowe, urazy mechaniczne (drapanie) oraz ciała obce (połkniętą ość rybią). Ropnie mogą też powstawać jako powikłania szczelin, krwiaków i żylaków odbytu.

Objawy. Najboleśniejsze są ropnie leżące powierzchownie. Powodują one silny, pulsujący ból, szczególnie dokuczliwy w czasie oddawania stolca, nasilający się też przy jakimkolwiek ucisku. Bólom towarzyszy przeważnie podwyższona temperatura ciała, dreszcze, ogólne złe samopoczucie, zatrzymanie stolca. Przy obmacywaniu okolicy odbytu wyczuwa się twarde, bardzo bolesne uwypuklenie (naciek), ulegające w późniejszym okresie rozmiękaniu. Skóra nad uwypukleniem jest zaczerwieniona i gorąca. Ropnie położone głębiej dają równie nasilone dolegliwości bólowe, lecz przy obmacywaniu nie stwierdza się uwypuklenia. Dopiero przy badaniu wewnętrznym przez odbyt lekarz wyczuwa bolesne zgrubienie. Występują często podane wyżej objawy ogólne.

Leczenie jest operacyjne i polega na szerokim nacięciu ropnia, opróżnieniu go oraz sączkowaniu. Wczesne otwarcie ropnia zapobiega szerzeniu się zakażenia i powstawaniu powikłań. Po operacji chory powinien przestrzegać zasad leczenia jak przy żylakach odbytu (zob. s. 1483).

Gojenie rany jest długotrwałe, wydobywa się z niej początkowo duża ilość ropy, a następnie wydzieliny surowiczej. W dalszym przebiegu procesu gojenia wskazane są nasiadówki.

Chory z ropniem okołoodbytniczym nie poddający się leczeniu operacyjnemu jest narażony na wytworzenie się przetoki odbytu.

Przetoka odbytu. Jest to powstały w wyniku procesu patologicznego kanał otoczony twardą tkanką włóknistą, łączący światło odbytnicy z otworem znajdującym się na skórze w pobliżu odbytu. Kanał ten może być jednotorowy lub porozwidlany, z licznymi otworami skórnymi. Zwykle prowadzą one do wspólnego otworu pierwotnego w odbytnicy. Czasami kanał przetoki nie zmierza bezpośrednio do odbytnicy, lecz kończy się w sąsiednich tkankach i narządach.

Przetoka jest najczęściej następstwem niewłaściwie leczonego ropnia okołoodbytniczego (zob. wyżej). Czasami przyczyną jej może być gruźlica, wrzodziejące zapalenie jelita grubego i inne choroby. Przetoki z nie wyjaśnionych przyczyn występują częściej u mężczyzn w dwudziestych i trzydziestych latach życia.

O b j a w y. Przetoka odbytu w postaci niepowikłanej przebiega zwykle bez dolegliwości. Jedynym objawem jest niewielki wyciek surowiczej wydzieliny, który może powodować podrażnienie okolicy zewnętrznego ujścia przetoki. Zamknięcie przetoki wskutek zaczopowania jej kanału prowadzi do powstania nacieku zapalnego i często ropnia, który opróżnia się, gdy przetoka otwiera się ponownie lub gdy ropień zostaje przecięty.

Przetoki odbytu nie ulegają samoistnemu gojeniu się. Może się to zdarzyć jedynie w przetokach świeżych, o niezbliznowaciałych ścianach. Przyczyną uniemożliwiającą gojenie się jest właśnie zbliznowacenie ścian, zaleganie wydzieliny w kanale, bliskie sąsiedztwo zwieracza, który kurcząc się i rozluźniając przeszkadza w „odklejeniu" ścian przetoki.

Nie leczone przetoki mogą być źródłem zakażenia ogólnego, a także – co zdarza się rzadko – nowotworu złośliwego.

L e c z e n i e z a c h o w a w c z e, polegające na podawaniu antybiotyków, wstrzykiwaniu do kanału leków o działaniu przeciwbakteryjnym, łyżeczkowaniu itp. nie daje zachęcających, a tym bardziej trwałych wyników.

L e c z e n i e o p e r a c y j n e polega na wycięciu ścian przetoki.

Nawroty choroby po doszczętnym wycięciu przetoki zdarzają się bardzo rzadko. Zalecenia pooperacyjne są takie jak po operacji żylaków odbytu (zob. s. 1484).

Kłykciny kończyste. Są to mnogie wyrośla nabłonkowe rozrastające się w najbliższym otoczeniu odbytu. Początkowo małe i słabo widoczne, w miarę upływu czasu przybierają duże kalafiorowate kształty, tworząc gęste skupienia przysłaniające odbyt. Zwykle są kruche i łatwo krwawiące. Sącząca się z kłykcin wydzielina powoduje podrażnienie skóry. Kłykciny występują przeważnie u młodych mężczyzn. P r z y c z y n ą choroby jest prawdopodobnie zakażenie wirusowe.

L e c z e n i e z a c h o w a w c z e polega na smarowaniu kłykcin środkami drażniącymi. Pewniejsze i szybsze wyniki daje leczenie chirurgiczne, polegające na wycięciu kłykcin lub zniszczeniu ich nożem elektrycznym.

Świąd odbytu. Swędzenie okolicy odbytu jest bardzo przykrym i dokuczliwym objawem, który może towarzyszyć rozmaitym chorobom. Czasami zdarza się jednak, że przyczyny tego objawu są całkowicie nieznane i niemożliwe do ustalenia. Z tego też wynika rozróżnianie świądu objawowego i samoistnego.

Ś w i ą d o b j a w o w y występuje w licznych chorobach wewnętrznych (np. w cukrzycy, żółtaczce, alergii), skórnych (łuszczyca, grzybice), pasożytniczych (owsiki, świerzb) oraz w chorobach samego odbytu (kłykciny, przetoki, szczeliny). Może też występować przy długotrwałym podawaniu antybiotyków, w zaniedbaniach higienicznych, a nawet w zaburzeniach nerwicowych.

Rozpoznanie świądu samoistnego można ustalić dopiero po wyłączeniu wszystkich znanych przyczyn wywołujących świąd objawowy.

Objawy. Swędzenie o różnym nasileniu może zjawiać się okresowo lub też może mieć charakter ciągły. Zwykle pojawia się z jednej strony odbytu, a z czasem obejmuje całe otoczenie, szerząc się na moszne lub wargi sromowe. Dolegliwości nasilają się nocą, często uniemożliwiając sen.

Czasami na skórze wokół odbytu nie występują żadne uchwytne badaniem odchylenia od normy. Wygląd jej ulega zmianom dopiero pod wpływem zakażenia wtórnego, powstającego w następstwie drapania, które chwilowo przynosi ulgę, ale wkrótce nasila swędzenie.

Leczenie. Podstawą jego jest skrupulatne przestrzeganie higieny okolicy odbytu, co często daje bardzo dobre wyniki. Nadmierne pocenie się okolicy odbytu można opanować stosując pudrowanie talkiem bez żadnych innych dodatków. Zalecana bywa maść hydrokortyzonowa. Ostry stan zapalny można złagodzić okładami z płynu Burowa. Przede wszystkim jednak należy unikać drapania, szorowania i wszelkiego drażnienia odbytu. Do mycia krocza nie stosować mydła. Spodnie i bieliznę osobistą należy nosić luźne, unikać spożywania ostrych potraw, pieprzu i owoców cytrusowych. Leczenie operacyjne, wskazane w nielicznych przypadkach, nie daje zachęcających wyników.

Leczenie świądu objawowego polega na trwałym usunięciu przyczyny wywołującej dolegliwość, a więc zwalczaniu choroby zasadniczej.

Wypadanie odbytu. Częściowe wypadanie odbytu polega na wynicowaniu się jego błony śluzowej na zewnątrz i często towarzyszy żylakom odbytu. W wypadaniu całkowitym wynicowaniu ulegają wszystkie warstwy ściany odbytnicy. Może wtedy dojść nawet do wypadania przez rozluźniony odbyt dużego jej odcinka.

Wypadanie odbytu spotyka się zarówno u dzieci (wypadanie wrodzone), jak i u dorosłych, u których choroba ta jest wadą nabytą i występuje częściej u kobiet. Przyczyną są: osłabienie mięśni, powięzi i wiązadeł okolicy krocza spowodowane u kobiet ciążami i porodami, a ponadto chorobami wyniszczającymi, zaburzeniami neurologicznymi, starością i niedożywieniem.

Podczas wynicowania odbytu zwieracz ulega rozciągnięciu i zupełnemu zwiotczeniu. Następstwem tego jest nietrzymanie stolca i gazów. Ponadto chorzy skarżą się na uwypuklający się z odbytu na zewnątrz twór tkankowy, pojawiający się w czasie oddawania stolca, kaszlu, kichania i każdego wysiłku fizycznego. Początkowo wypadnięty odcinek jelita cofa się samoistnie lub może zostać odprowadzony, ale w miarę upływu czasu staje się to coraz trudniejsze, a w końcu niemożliwe.

Leczenie. Postępowanie zachowawcze bywa skuteczne tylko u dzieci. U dorosłych konieczna jest operacja, która w przypadku wypadnięcia tylko błony śluzowej polega na wycięciu jej części i zeszyciu pozostałej śluzówki, a w przypadku wypadania całkowitego – najczęściej na przyszyciu odbytnicy do kości krzyżowej lub też na odpowiednim zeszyciu i wzmocnieniu mięśni krocza.

Torbiele i przetoki nadogonowe – torbiele włosowate

W szparze międzypośladowej na wysokości kości guzicznej (ogonowej) czasami tworzą się otworki, w których przeważnie znajdują się pojedyncze włosy. Otworki te łączą się kanalikami z niewielkimi torbielami znajdującymi się w tkance podskórnej.

P r z y c z y n y powstawania zmian nie są całkowicie wyjaśnione. Przypuszczalnie są następstwem urazu i wnikania włosów do tkanki podskórnej lub zmian o typie wad wrodzonych. Choroba występuje przeważnie u nadmiernie owłosionych młodych mężczyzn, stosunkowo często u zawodowych kierowców.

O b j a w y. Torbiele włosowate zwykle są niedostrzegane tak długo, dopóki nie rozwinie się w ich obrębie ostry proces zapalny. Wówczas torbiel powiększa się, pojawia się obrzęk i zaczerwienienie okolicznej skóry. Chorzy skarżą się na silne bóle. Proces zapalny może samoistnie ustąpić albo doprowadzić do powstania ropnia, który często ulega przebiciu na zewnątrz. Choroba nie leczona daje okresowe nawroty lub przechodzi w stan przewlekły, w którym wydzielina surowiczo-ropna wydobywa się z pojedynczych lub mnogich ujść łączących się z torbielą.

L e c z e n i e r o p n i a polega na rozcięciu i sączkowaniu. W przypadkach przewlekłego zakażenia połączonego ze stałym sączeniem wydzieliny torbiel jest wycinana wraz z otaczającymi tkankami.

Kokcygodynia

Pojęciem kokcygodyni określa się bóle w okolicy kości guzicznej, spowodowane przeważnie jej złamaniem lub odkształceniem. Dolegliwości występują po długotrwałym siedzeniu na miękkim podłożu. Czasami jednak pojawia się nagły, silny ból (przeważnie w porze nocnej), który narasta w ciągu kilku minut, po czym stopniowo ustępuje.

L e c z e n i e polega na stosowaniu ciepłych nasiadówek, diatermii, leków uspokajających i przeciwbólowych. Czasami wykonywane są tzw. b l o k a d y, czyli wstrzyknięcia leków porażających zakończenie nerwów czuciowych. Leczenie chirurgiczne polega na wycięciu kości guzicznej. Chorzy powinni siedzieć tylko na twardych, płaskich podłożach w pozycji wyprostowanej.

Ciała obce w odbytnicy

Połknięte ciała obce, takie jak ości rybie, kości drobiu, kawałki szkła, odpryski emalii, skorupki jaj, korony zębowe, a u więźniów i chorych psychicznie – różne, nieraz najdziwniejsze nawet przedmioty, mogą uwięznąć w okolicy połączenie odbytnicy z odbytem i spowodować skaleczenie lub nawet przebicie ściany jelita. Ciała obce świadomie wprowadzone do odbytnicy w celu ukrycia, pobudzenia seksualnego lub w celach leczniczych (termometr, końcówka zestawu do wykonywania lewatywy) mogą wślizgnąć się w głąb kanału odbytu i tam pozostając kaleczyć tkanki.

Objawy zależą od wielkości i kształtu ciała obcego, czasu przebywania w odbytnicy i powikłań w postaci stanu zapalnego lub przedziurawienia ściany. Zwykle chorzy skarżą się na ból i parcie na stolec. Krwawienie pojawia się w przypadkach poważniejszego urazu ściany jelita. Może rozwinąć się ropień, a nawet ropowica krocza.

Usunięcie ciała obcego z odbytnicy może sprawiać znaczne trudności nawet doświadczonemu lekarzowi, a niekiedy wymaga operacji. Jakiekolwiek próby wydobycia drażniącego przedmiotu przez samego chorego są niedopuszczalne, grożą bowiem ciężkim powikłaniem, jakim jest uszkodzenie ściany jelita.

XI. PRZEPUKLINY BRZUSZNE

Przepuklina brzuszna jest to wytworzenie się uchyłku otrzewnej i przemieszczenie się jego, wraz z zawartością, przez: a) otwór w ścianie jamy brzusznej pod powłoki brzucha – przepuklina zewnętrzna, b) otwór w przeponie do klatki piersiowej – przepuklina przeponowa lub c) do zachyłku otrzewnej wewnątrz jamy brzusznej – przepuklina wewnętrzna.

Od przepukliny należy odróżnić przedostanie się, pod wpływem tępego urazu, narządów jamy brzusznej pod nieuszkodzoną skórę.

Przepukliny częściej tworzą się u mężczyzn niż u kobiet i częściej u osób, które ukończyły 40 r. życia. Badania epidemiologiczne wykazują, że choroba ta występuje u 3–5% pełnej populacji. U mężczyzn najczęściej powstają przepukliny pachwinowe, inne rodzaje przepuklin, jak udowa, pępkowa, pooperacyjna, wewnętrzne, występują znacznie rzadziej. U kobiet częściej występują przepukliny udowe (ok. 30%). Równoczesne występowanie obustronnej przepukliny pachwinowej lub też innych rodzajów przepuklin zdarza się nie tak rzadko, zwłaszcza u ludzi starszych z osłabionymi mięśniami.

Każda przepuklina składa się z wrót, worka i zawartości przepukliny. Wrota przepuklinowe to miejsce przedostawania się przepukliny przez ścianę jamy brzusznej. Zależnie od ich anatomicznego umiejscowienia, odróżnia się przepukliny: pachwinowe, udowe, pępkowe, zasłonowe i inne.

Wrota przepuklinowe są to słabsze miejsca ściany brzucha wskutek przechodzenia przez nie naczyń krwionośnych i nerwów (przepuklina udowa, pępkowa) lub powrózka nasiennego (przepuklina pachwinowa). Wrota mogą mieć kształt płaskiego pierścienia (przepuklina pępkowa) lub kanału z ujściem wewnętrznym leżącym od strony jamy brzusznej i ujściem zewnętrznym znajdującym się w warstwach podskórnych (przepuklina pachwinowa, udowa).

Worek przepuklinowy tworzy rozciągnięty uchyłek otrzewnej. Wielkość worka zależy od rodzaju przepukliny i czasu jej trwania (im przepuklina jest „starsza”, tym większy worek). Czasami worek ma kształt i wielkość naparstka, czasami sięga daleko poza wrota przepuklinowe.

Zawartość przepukliny mogą stanowić różne narządy jamy brzusznej. Najczęściej są to narządy ruchome, a więc jelito cienkie i sieć, rzadziej jelito grube, jajnik, jajowód, macica, część pęcherza moczowego, moczowody, dwunastnica i żołądek.

Zawartość przepukliny przedostaje się do worka przepuklinowego przy dłuższym staniu, chodzeniu, kaszlu, parciu na stolec itp. Na to, aby przepuklina cofnęła się ponownie do wnętrza jamy brzusznej, wystarcza zwykle ułożenie chorego na wznak i łagodne uciśnięcie przepukliny ręką. Jeżeli takie postępowanie pomaga, przepuklina jest wolna odprowadzalna. Gdy zawartość worka nie cofa się przy takim postępowaniu, przepuklina jest nieodprowadzalna. Przyczyną nieodprowadzalności mogą być zrosty między zawartością przepukliny i ścianą worka lub zbyt wielkie rozmiary przepukliny. Przepuklina nieodprowadzalna może stać się przyczyną przewlekłej, a nawet ostrej niedrożności mechanicznej przewodu pokarmowego.

Powstawanie przepuklin

Przepukliny wrodzone powstają w wyniku wady wrodzonej, polegającej na niezarośnięciu uchyłku otrzewnej. Ujawniają się bezpośrednio po urodzeniu lub w 1–2 r. życia.

Przepukliny nabyte powstają u osób mających słaby układ mięśni i powięzi oraz wiotki układ łącznotkankowy, który wykonują nadmierny dla nich wysiłek fizyczny, cechują się znaczną otyłością lub cierpią na przewlekły kaszel, kichanie, zaparcia albo utrudnione oddawanie moczu. Również chudnięcie wpływa na powstawanie lub powiększanie się przepuklin, ponieważ w wyniku zanikania tkanki tłuszczowej w okolicy wrót przepuklinowych stają się one szersze.

Przepukliny urazowe tworzą się wskutek nadmiernego i gwałtownego wysiłku fizycznego lub nagłego wzrostu ciśnienia śródbrzusznego w chwili poważnego urazu ciała, nawet bez współistnienia skłonności anatomicznych.

Prawie każda przepuklina powiększa się w miarę upływu czasu, gdyż nawet niewielkie wysiłki fizyczne stopniowo powodują dalsze przemieszczanie się zawartości przepukliny. Równocześnie mogą się powiększać wrota przepuklinowe.

Objawy przepuklin

Przepukliny mogą dawać nikłe dolegliwości lub nawet przebiegać bezobjawowo, co powoduje, że wykrywane są przypadkowo, podczas badań lekarskich przeprowadzonych z innych powodów.

Niepokój chorego powinien wzbudzić miękki guz pojawający się w okolicy typowych wrót przepuklinowych (zob. s. 1489). Guz ten zmienia swe rozmiary, w zależności od pozycji ciała, fazy oddechu, kaszlu i działania tłoczni brzusznej. Występuje stale lub pojawia się tylko w czasie kaszlu, kichania, oddawania stolca, podnoszenia ciężaru lub po innym wysiłku fizycznym. Jeśli zawartość worka przepuklinowego nie jest zrośnięta z jego ścianami, to w ułożeniu na wznak przemieszcza się samoistnie do jamy brzusznej lub znika przy niewielkim ucisku dłonią. Wysiłek fizyczny, a czasami jedynie przyjęcie pozycji stojącej powoduje przesunięcie się zawartości przepukliny do worka i ponowne pojawienie się guza.

Wysuwanie się narządów jamy brzusznej do worka przepuklinowego może sprawiać różnorodne dolegliwości, od uczucia „ciągnięcia" w brzuchu do nieokreślonego bólu i nudności. Dolegliwości te nie zależą od wielkości przepukliny, a czasami stają się nawet mniejsze w miarę jej powiększania. Bóle zwykle zmniejszają się lub ustępują zupełnie w czasie spoczynku, w pozycji leżącej. Długotrwałe stanie, wzmożona praca tłoczni brzusznej, praca fizyczna powodują nasilenie dolegliwości.

Leczenie przepuklin

Jedynym skutecznym sposobem leczenia przepukliny jest zabieg operacyjny. Wiek nie odgrywa decydującej roli, ponieważ powikłania w postaci uwięźnięcia przepukliny, niedrożności i zadzierzgnięcia stanowią większe zagrożenie życia niż ryzyko operacji.

Operacja polega na odsłonięciu worka przepuklinowego, odprowadzenie do jamy brzusznej jego zawartości i zamknięciu szwami wrót przepuklinowych. W przypadkach wielkich przepuklin konieczne jest niekiedy wzmocnienie mięśni i powięzi brzucha przez wszycie w nie siatki z tworzywa sztucznego.

Przed operacją przepukliny nieuwięźniętej powinny być starannie leczone wszystkie choroby, które po zabiegu operacyjnym mogłyby powodować częste i nadmierne wzmożenie ciśnienia śródbrzusznego obciążającego miejsce operowane. Do chorób tych zalicza się: przewlekłe nieżyty oskrzeli powodujące uporczywy kaszel, uczulenia wywołujące gwałtowne kichanie, przewlekłe zaparcia, a u mężczyzn przerost gruczołu krokowego sprawiający znaczne trudności w oddawaniu moczu.

Po operacji przez 4–6 tygodni nie wolno wykonywać większych wysiłków fizycznych. Czas powrotu do pracy zależy od jej charakteru. Po operacjach przepuklin nawrotowych osobom ciężko pracującym fizycznie doradza się zmianę wykonywanej pracy.

Jeśli ogólny stan chorego nie pozwala na wykonanie operacji przepukliny nieuwięźniętej, co zdarza się rzadko, lekarz zaleca noszenie specjalnego pasa, który przeciwdziała przemieszczaniu się zawartości worka przepuklinowego pod powłoki skórne.

Pas przepuklinowy wyposażony jest w poduszeczkę (pelotę) z twardego materiału, którą umieszcza się nad wrotami przepuklinowymi. Zakłada się go przed wstaniem z łóżka w pozycji leżącej, po dokładnym odprowadzeniu zawartości przepukliny do jamy brzusznej. Pas powinien być nałożony tak, aby zapobiegał wyjściu przepukliny nie tylko w pozycji leżącej, ale i podczas chodzenia, siedzenia, a nawet działania tłoczni brzusznej. Pelota nie powinna zbyt mocno uciskać okolicy wrót przepukliny, gdyż może to spowodować powstanie na skórze odleżyn. Pas nosi się na gołe ciało, ponieważ bielizna pod nim powoduje ześlizgiwanie się poduszki i tym samym zmniejsza skuteczność jej działania. Pas zdejmuje się na noc pod warunkiem, że chory nie cierpi na uporczywy kaszel. Zawsze należy dbać o czystość skóry nad przepukliną.

Pas przepuklinowy jest stosowany tylko u nielicznych chorych jako leczenie łagodzące i ostateczne. Noszenie go przed odwlekaną przez chorego operacją czyni ją trudniejszą, powodując w uciskanych tkankach zmiany wsteczne, zmienia na gorsze warunki anatomiczne. Tam, gdzie operacja może i powinna być wykonana, pasy przepuklinowe stwarzają szkodliwe pozory leczenia nie usuwając niebezpieczeństwa uwięźnięcia przepukliny. Stosowanie pasa w przepuklinach nieodprowadzalnych jest przeciwwskazane, nie spełnia on bowiem swojej roli.

Uwięźnięcie przepukliny

Uwięźnięcie przepukliny jest to stan, w którym z rozmaitych przyczyn do worka przepuklinowego zostaje wciśnięta większa niż zazwyczaj zawartość, co uniemożliwia ponowne cofnięcie się jej do jamu brzusznej. W wyniku ucisku wrót przepuklinowych zostają zaciśnięte naczynia krwionośne narządów uwięźniętych w worku przepuklinowym, co może doprowadzić do ich martwicy. Uwięźnięcie pętli jelita powoduje ponadto wystąpienie – groźnej dla życia – mechanicznej niedrożności jelit.

Uwięźnięciu przepukliny towarzyszy pojawienie się silnych bólów zlokalizowanych początkowo w okolicy guza, obejmujących później całą jamę brzuszną. W miarę upływu czasu występują nudności, wymioty, zatrzymanie stolca i gazów. Guz przepuklinowy staje się twardy, a jego zawartość nie daje się odprowadzić.

Jeśli pojawią się objawy uwięźnięcia przepukliny, a w pozycji leżącej przepuklina nie chowa się samoistnie – lub przy bardzo delikatnym ucisku nie pozwala się odprowadzić – należy natychmiast wezwać lekarza. Nie wolno samemu podejmować prób odprowadzenia uwięźniętej przepukliny, ponieważ wszelkie działania mogą doprowadzić do uszkodzenia zawartości worka przepuklinowego. Wpychanie do jamy brzusznej zawartości przepukliny zwiększa zagrożenie życia chorego, m.in. dlatego, że ewentualne zniknięcie guza usypia czujność chorego i jego otoczenie, a może także zmylić wezwanego lekarza.

Operacja uwięźniętej przepukliny polega na uwolnieniu jej zawartości od ucisku, a następnie na dokładnym zbadaniu żywotności uwięźniętych w worku narządów. W razie zgorzeli konieczne staje się wycięcie martwych tkanek (pętli jelita). Jeżeli zawartość przepukliny po uwolnieniu nie wykazuje cech martwicy, odprowadza się ją do jamy brzusznej i przeprowadza dalszy zabieg tak, jak przy przepuklinach wolnych.

Rodzaje przepuklin

Przepukliny pachwinowe. Przepuklina pachwinowa skośna powstaje na skutek uwypuklenia się zawartości jamy brzusznej przez naturalny otwór, czyli kanał pachwinowy, biegnący skośnie przez ścianę brzucha nad

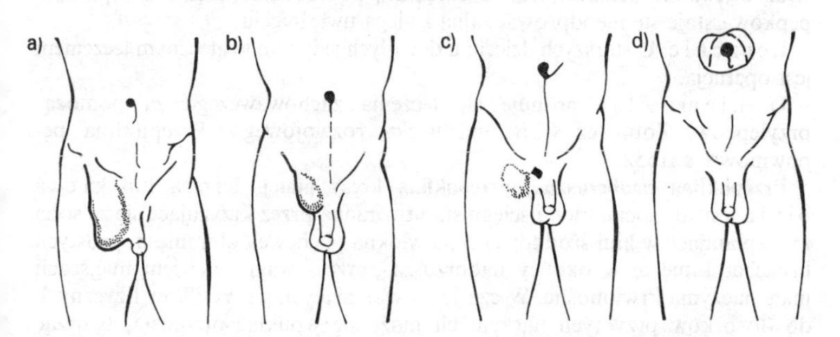

Najczęstsze przepukliny: a) pachwinowa mosznowa, b) pachwinowa skośna, c) udowa, d) pępkowa

więzadłem pachwinowym. Jeśli zawartość przepukliny u mężczyzn zsuwa się aż do worka mosznowego, powstaje przepuklina mosznowa. Częstsze występowanie przepuklin pachwinowych skośnych u mężczyzn związane jest ze stosunkowo większymi wysiłkami fizycznymi i z procesem tzw. zstępowania jąder, które w okresie płodowym zsuwają się przez kanał pachwinowy do moszny.

Przepuklina pachwinowa prosta powstaje zwykle w wyniku osłabienia powięzi stanowiącej tylną ścianę kanału pachwinowego. Przepuklina ta tylko wyjątkowo zsuwa się do worka mosznowego. Występuje często u starszych mężczyzn, zwykle obustronnie.

Przepuklina udowa powstaje wówczas, gdy zawartość jamy brzusznej zsuwa się przez kanał udowy znajdujący się tuż poniżej więzadła pachwinowego. Przepuklina ta występuje częściej u kobiet niż u mężczyzn. Przeważnie uwidacznia się jako małe uwypuklenie w górnej przyśrodkowej powierzchni uda tuż poniżej więzadła pachwinowego. Ze względu na wąskie wrota ma skłonność do uwięźnięcia.

Przepuklina pępkowa powstaje w następstwie niedostatecznego zamknięcia pierścienia pępkowego. U dzieci zwykle uwidacznia się w pierwszych miesiącach życia. U dorosłych powstaje w wyniku stopniowego zanikania tkanki bliznowatej i rozszerzenia się pierścienia pępowinowego. Czynnikiem usposabiającym jest wzrost ciśnienia śródbrzusznego. Nie bez wpływu są też przebyte ciąże oraz obecność guzów w jamie brzusznej. Przepuklina pępkowa pojawia się najczęściej u starszych i otyłych kobiet.

Przepuklina pępkowa objawia się przeważnie jako niewielkie, o szerokiej podstawie wzniesienie w okołopępkowej tkance tłuszczowej. Czasami rozmiary jej dochodzą do wielkości pięści, a nawet głowy. Skóra nad przepukliną, wskutek ucisku wywieranego od wewnątrz, staje się z biegiem czasu cienka i podatna na zakażenie. Worek przepuklinowy często tworzy uwypuklenie w postaci uchyłków do tkanki przedotrzewnowej lub podskórnej. W ten sposób powstaje przepuklina wielokomorowa, co jest charakterystyczne dla tego umiejscowienia przepukliny. Zawartość przepukliny stanowi zwykle sieć wraz z jelitami cienkimi albo z okrężnicą poprzeczną. Często przepuklina pępkowa staje się nieodprowadzalna i ulega uwięźnięciu.

L e c z e n i e. U starszych dzieci i u dorosłych jedynym skutecznym leczeniem jest operacja.

U n i e m o w l ą t próbuje się leczenia zachowawczego za pomocą przylepców. Zob. też Chirurgia wieku rozwojowego. Przepuklina pępowinowa, s. 1652.

Przepuklina nadbrzuszna, przepuklina kresy białej. L i n i a lub k r e s a b i a ł a jest to mocna błona ścięgnista utworzona przez krzyżujące się ze sobą i przeplatające w linii środkowej ciała włókna pochewek obu mięśni prostych brzucha. Linię tę w okolicy nadbrzusza „przeszywają" w wielu miejscach małe naczynia krwionośne. W czasie powtarzających się wysiłków fizycznych do otworków przy tych naczyniach może się wpuklać otrzewna, tworząc naparstkowy worek przepuklinowy.

Przepuklina nadbrzuszna pojawia się miedzy 20 a 50 r. życia. Trzykrotnie częściej występuje u mężczyzn niż u kobiet. Najczęstszym o b j a w e m jest guzek umiejscowiony w linii środkowej ciała powyżej pępka. Przepuklina ta może być przyczyną bólów o różnym nasileniu, począwszy od łagodnego bólu w nadbrzuszu aż do silnego promieniującego do pleców i w dół brzucha. Bólom towarzyszą niekiedy wzdęcia, nudności i wymioty. Objawy występują zwłaszcza po obfitych posiłkach, a przybranie pozycji leżącej zwykle przynosi ulgę.

Dolegliwości powodowane przez przepuklinę nadbrzuszną są zbliżone do objawów typowych dla chorób żołądka, dróg żółciowych i trzustki. Dlatego też ustalenie ścisłego rozpoznania może wymagać przeprowadzenia wielu badań mających na celu wykluczenie chorób tych narządów.

L e c z e n i e jest o p e r a c y j n e. Leczenie z a c h o w a w c z e w postaci noszenia pasa przepuklinowego nie daje wyników zadowalających.

Przepuklina w bliźnie pooperacyjnej. Zasadniczą p r z y c z y n ą powstania przepukliny w bliźnie pooperacyjnej jest nieprawidłowe gojenie się rany pooperacyjnej. Również powikłania pooperacyjne, takie jak kaszel, wymioty, zaparcie stolca, trudności w oddawaniu moczu, mogą doprowadzić do rozluźnienia szwów i powstania przepukliny. Jeśli przepuklina powstaje w bliźnie po operacji przepukliny, nosi ona nazwę p r z e p u k l i n y n a w r o t o w e j.

O b j a w y przepukliny pooperacyjnej zależą od jej umiejscowienia oraz od wielkości wrót, worka i zawartości przepukliny. Guzowi, często zniekształcającemu figurę, towarzyszą pobolewania, czasami nudności.

L e c z e n i e jest operacyjne i powinno być możliwie wcześnie wykonane jako operacja naprawcza.

Rzadkie postacie przepuklin

Przepuklina lędźwiowa i grzbietowa. Przepukliny te powstają wówczas, gdy worek przepuklinowy uwypukla się przez tylną ścianę brzucha w okolicy lędźwiowej lub grzbietowej. Przepukliny te mogą być wrodzone lub występować w następstwie urazów albo miejscowych procesów zapalnych. Objawem są dolegliwości polegające na uczuciu „przeszkody" w okolicy lędźwi lub grzbietu i tępym, uciążliwym uczuciu pociągania. Przeważnie widoczne jest uwypuklenie nad talerzem biodrowym, które zwiększa się w czasie kaszlu i daje się „wmasować" do brzucha w pozycji leżącej.

Przepuklina zasłonowa. Zawartość z jamy brzusznej zsuwa się na przednią powierzchnię uda. Przepukliny te występują prawie wyłącznie u starszych, wyniszczonych kobiet. Chore skarżą się na ból umiejscowiony na przyśrodkowej powierzchni uda, nasilający się podczas kaszlu.

Przepuklina kroczowa. Zawartość jamy brzusznej uwypukla się na kroczu. Przepuklina ta występuje prawie wyłącznie u kobiet.

Przepuklina kulszowa. Zawartość jamy brzusznej uwypukla się między mięśniami pośladków. Ten rodzaj przepukliny występuje bardzo rzadko.

Przepukliny brzuszne wewnętrzne powstają w jamie brzusznej w fałdach otrzewnej. Mogą być spowodowane przewlekłymi chorobami przewodu pokarmowego oraz zaparciami. Rozpoznanie bywa trudne, wymaga badań pomocniczych, a nawet „zwiadowczego" otwarcia jamy brzusznej.

Przepukliny rozworu przełykowego

Rozszerzenie naturalnego otworu w przeponie, przez który przechodzi przełyk z klatki piersiowej do jamy brzusznej i przemieszczenia tą drogą części żołądka do klatki piersiowej nosi nazwę przepukliny rozworu przełykowego. Do czynników usposabiających do powstania tych przepuklin należą: otyłość, ogólne zwiotczenie tkanek mięśniowo-powięziowych oraz ujemne ciśnienie panujące w klatce piersiowej i dodatnie ciśnienie śródbrzuszne. Wyróżnia się dwa rodzaje przepuklin rozworu przełykowego: wślizgową i okołoprzełykową.

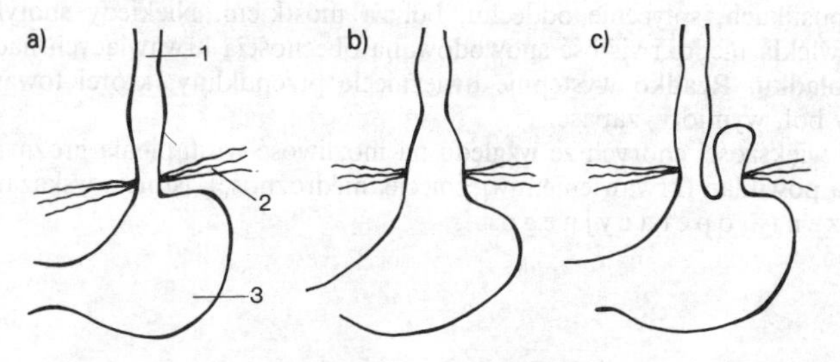

Przepukliny rozworu przełykowego: a) stan prawidłowy, b) przepuklina wślizgowa, c) przepuklina okołoprzełykowa; 1 – przełyk, 2 – przepona, 3 – żołądek

Przepuklina wślizgowa jest najczęstszą postacią przepuklin rozworu przełykowego i występuje głównie u mężczyzn w 50–60 latach życia. W początkowym okresie przepuklina przemieszcza się do klatki piersiowej i do jamy brzusznej, w zależności od fazy oddechowej, położenia ciała i wypełnienia żołądka. Z biegiem czasu worek przepuklinowy zrasta się z opłucną albo innymi narządami klatki piersiowej i przepuklina staje się nieodprowadzalna.

Objawy. Na ogół przepuklina ta nie daje objawów. U niektórych chorych głównym objawem jest ból umiejscowiony wysoko w nadbrzuszu (w dołku sercowym), mający przeważnie charakter palenia czy pieczenia. Czasami nasila się podczas skłonu do przodu lub w czasie snu. Niekiedy bólom towarzyszą nudności, odbijanie, czkawka, trudności w połykaniu. Dolegliwości te przeważnie ustępują po zmianie pozycji ciała lub po wypiciu wody albo płynów neutralizujących działanie soku żołądkowego Powikłaniem przepukliny może być zwężenie, zapalenie lub owrzodzenie przełyku, a także zmiany w płucach, spowodowane aspiracją treści żołądkowej w czasie snu.

Leczenie zachowawcze ma na celu łagodzenie dolegliwości i polega na stosowaniu diety wysokobiałkowej z ograniczeniem tłuszczu. Posiłki powinny być częste, niezbyt obfite. Wskazane jest stosowanie leków zobojętniających kwaśną zawartość żołądka. Chory powinien przeciwdziałać przedostawaniu się treści żołądkowej do przełyku. Należy więc unikać leżenia po posiłkach, wcześnie spożywać kolacje, sypiać z uniesioną głową i klatką piersiową.

Leczenie operacyjne polega na odprowadzeniu do jamy brzusznej części żołądka znajdującej się w klatce piersiowej i zwężeniu szwami nadmiernie powiększonego rozworu przełykowego przepony. Zabieg może być wykonany przez klatkę piersiową lub jamę brzuszną.

Przepuklina okołoprzełykowa stanowi około 10% przepuklin rozworu przełykowego. Wrota przepuklinowe są położone pomiędzy przełykiem a brzegiem rozworu przełykowego. W przeciwieństwie do przepuklin wślizgowych, w worku przepuklinowym obok żołądka, a właściwie jego części, mogą znajdować się jelita lub śledziona.

Objawy zależą od wielkości części żołądka znajdującej się w klatce piersiowej oraz od stopnia jego ucisku. Są to: uczucie pełności po jedzeniu, puste odbijanie, uczucie ucisku w dolnej części klatki piersiowej występujące po posiłkach, spłycenie oddechu, ból za mostkiem. Niekiedy spotyka się przewlekłą niedokrwistość spowodowaną obecnością krwawiących nadżerek w żołądku. Rzadko występuje uwięźnięcie przepukliny, której towarzyszy silny ból, wymioty, zapaść.

U większości chorych ze względu na możliwość wystąpienia groźnych dla życia powikłań (krwawienie, uwięźnięcie, niedrożność), istnieją wskazania do leczenia operacyjnego.

XII. CHIRURGICZNE LECZENIE OTYŁOŚCI

Podstawową metodą l e c z e n i a o t y ł o ś c i jest l e c z e n i e z a c h o w a w c z e. Ponieważ jednak nawet najbardziej prawidłowe i długotrwałe leczenie zachowawcze przez stosowanie odpowiedniej diety, leków oraz prowadzenie określonego trybu życia jest u niektórych chorych nieskuteczne, podjęto próby l e c z e n i a o p e r a c y j n e g o.

Leczenie chirurgiczne otyłości, wprowadzone przez chirurgów amerykańskich, a stosowane już i w innych krajach (liczba zoperowanych sięga wielu tysięcy), może być obecnie przeprowadzone tylko u nielicznych starannie wybranych chorych. Wyniki tego leczenia będzie można ocenić dopiero za kilka lub kilkanaście lat.

Do operacji mogą być kwalifikowani chorzy w wieku 20–60 lat, u których stwierdzono: a) 70–100% nadwagi, b) nieskuteczność długotrwałego i właściwego leczenia zachowawczego, c) powikłania będące następstwem znacznej otyłości. Operacja jest bezwzględnie przeciwwskazana, jeśli przyczyną otyłości są zaburzenia hormonalne.

Spośród wielu proponowanych operacji największe nadzieje budzą wykonywane coraz częściej zabiegi zmniejszające pojemność żołądka, tzw. gastroplastyka, oraz wagotomia całkowita. G a s t r o p l a s t y k ę można wykonać dwiema metodami. Pierwsza polega na całkowitym przecięciu żołądka i wykonaniu wąskiego zespolenia między dwoma wytworzonymi zbiornikami

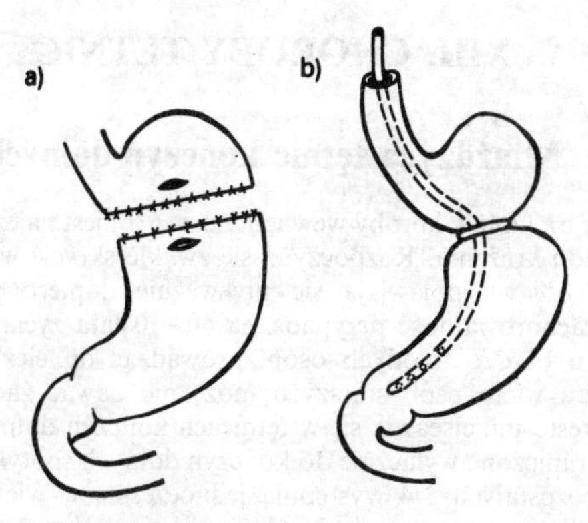

Gastroplastyka (opis w tekście)

(rys. a). W drugiej natomiast wytwarza się dwa zbiorniki przez przewiązanie żołądka na grubej sondzie niewchłanialną taśmą (rys. b). W obu metodach żołądek dzieli się na dwie części, przy czym pojemność górnego zbiornika wynosi jedynie od 60 do 150 ml, a średnica połączenia od 7 do 14 mm.

Gastroplastyka powoduje powstanie zespołu małego żołądka, co zmusza osobę operowaną do znacznego ograniczenia ilości przyjmowanych pokarmów. Mała średnica przejścia między górnym i dolnym zbiornikiem skłania ponadto chorego do dłuższego i dokładniejszego przeżuwania pokarmów. Już mały objętościowo posiłek daje uczucie sytości, a zbyt obfity może nawet spowodować nudności lub wymioty. W rezultacie zabiegu dochodzi do mobilizacji nagromadzonych w przeszłości rezerw energetycznych (tkanka tłuszczowa) i spadku masy ciała.

Wagotomia jest operacją stosowaną w leczeniu choroby wrzodowej dwunastnicy (zob. s. 1466). Oceniając wyniki tej operacji stwierdzono, jako objaw uboczny, spadek masy ciała lub trudności w utrzymaniu masy należnej. Opierając się na tych spostrzeżeniach, zastosowano tę metodę do leczenia otyłości. Przecięcie obu nerwów błędnych powoduje atonię żołądka, czyli osłabienie jego czynności ruchowej, co w następstwie doprowadza do zalegania treści pokarmowej. Przyjęty posiłek może pozostawać w żołądku nawet do 24 godz. Osoba po takiej operacji ma w tym czasie poczucie pełności i sytości, co w sumie ogranicza ilość przyjmowanych pokarmów i doprowadza do ujemnego bilansu energetycznego.

Chirurgiczne leczenie otyłości nie może być powszechnie stosowane. Powinno być podejmowane tylko wyjątkowo, u nielicznych chorych z krańcową otyłością, u których zawiodły wszelkie metody leczenia dietetycznego oraz leczenie farmakologiczne. W żadnym razie nie może być podejmowane ze względów kosmetycznych.

XIII. CHOROBY TĘTNIC

Miażdżyca tętnic kończyn dolnych

Miażdżyca (zob. Choroby wewnętrzne, s. 636) jest najczęściej spotykaną chorobą układu krążenia. Rozpoczyna się zwykle skrycie w młodym wieku, ale pierwsze objawy pojawiają się przeważnie dopiero po 40 r. życia. Największa zachorowalność przypada na 60–70 lata życia. Choroba może rozwijać się u bardzo młodych osób, prowadząc do ciężkich jej postaci, podczas gdy u wielu osób starszych może nie dawać żadnych objawów. Miażdżyca często umiejscawia się w tętnicach kończyn dolnych.

Zmiany ograniczone wyłącznie do kończyn dolnych spotyka się tylko u 1/4 chorych, u pozostałych 3/4 występują jednocześnie w wielu tętnicach, np. w tętnicach mózgu, serca, nerek. Niedrożność tętnic kończyn dolnych może doprowadzić do martwicy palców lub stopy, niedrożność tętnic mózgowych – do udaru mózgowego, tętnic wieńcowych – do zawału serca, tętnic nerkowych – do nadciśnienia tętniczego.

Miażdżyca tętnic kończyn dolnych jest chorobą dość rozpowszechnioną i liczba chorych stale zwiększa się. W Polsce rejestruje się corocznie ok.

30 tys. nowych zachorowań. Aż u ok. 10% z tych osób konieczne jest odjęcie kończyny. Większość chorych stanowią ludzie po 50 r. życia, ale aż 30% są to osoby młode. Częściej chorują mężczyźni, jednak w ostatnich latach liczba zachorowań wśród kobiet ulega zwiększeniu i prawie jest równa zachorowaniom wśród mężczyzn, czego jedną z przyczyn jest niewątpliwie rozpowszechnienie nałogu palenia tytoniu wśród kobiet.

Następstwa niedrożności tętnic zależą od rozmiaru i umiejscowienia chorej tętnicy, szybkości powstawania zmiany i rozległości przeszkody w przepływie krwi. W niedrożności małych tętniczek palców martwica rozwija się szybko. W niedrożności tętnic większych na ogół tworzy się krążenie oboczne. W krążeniu tym krew omijając przeszkodę płynie przez niewielkie gałęzie najbliższych bocznic odchodzących od zamkniętej tętnicy nad miejscem niedrożności (rys.) i powraca do głównego pnia naczynia przez najbliższą bocznicę leżącą poniżej niedrożności. Ilość krwi przepływającej przez krążenie oboczne jest zawsze mniejsza od ilości krwi przepływającej przez drożną tętnicę, ale może to wystarczyć dla ukrwienia tkanek leżących obwodowo od niedrożności, dopóki nie muszą one wykonywać pracy wymagającej większego dopływu krwi.

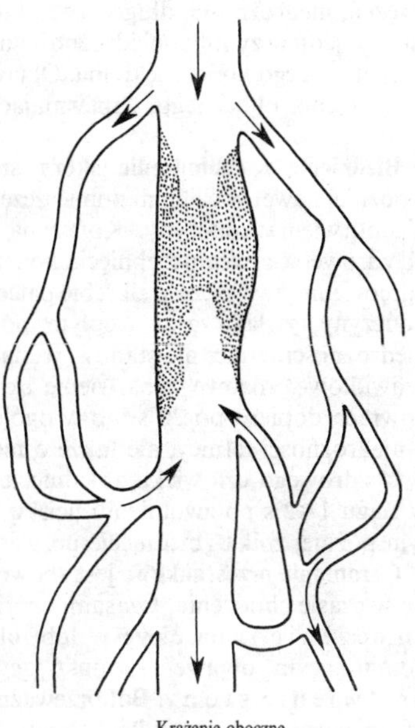
Krążenie oboczne

Objawy

Przebieg procesu miażdżycowego nie jest równomierny i można w nim wyróżnić cztery następujące po sobie okresy. W okresie pierwszym, bez względu na umiejscowienie zmian, nie występują objawy umożliwiające rozpoznanie. Powodem skrytego początku choroby jest to, że niedokrwienie narządu może występować dopiero po znacznym zwężeniu światła w tętnicy. W okresie drugim pojawiają się bóle związane ze zwiększoną pracą niedokrwionego obszaru. W niedrożności tętnic kończyn dolnych bóle te zmuszają chorego do zatrzymania się po przejściu pewnego odcinka drogi, co określa się jako chromanie przestankowe. W okresie trzecim bóle utrzymują się niezależnie od wysiłku. Są to tzw. bóle spoczynkowe. Bóle te bywają zwykle sygnałem zapowiadającym martwicę niedokrwionego narządu (okres czwarty).

Nasilenie objawów może być różne i zależy od umiejscowienia

zwężeń, niedrożności, długości zamkniętego odcinka tętnicy oraz od tego, czy istnieje jedna czy kilka niedrożności na różnych poziomach układu tętniczego zaopatrującego kończynę dolną. Objawy zależą w dużej mierze od wytworzenia się krążenia obocznego, zapewniającego ukrwienie tkanek leżących poniżej niedrożności.

Blednięcie i ochłodzenie skóry stopy pod wpływem łagodnego zimna, a później nawet w ciepłym pomieszczeniu, jest przeważnie pierwszym objawem niedokrwienia kończyny. Kończyna niedokrwiona jest zwykle chłodniejsza od zdrowej. Łatwemu ziębnięciu kończyn mogą towarzyszyć kłucia, mrowienie i drętwienie, zwłaszcza w obrębie palców i stóp. Wyraźne zblednięcie uniesionej kończyny, zwłaszcza w ciepłym pomieszczeniu, przemawia za istnieniem niedrożności tętnic, nie stanowi jednak bezwzględnego dowodu. Jeżeli jednak prawidłowe, różowe zabarwienie skóry po opuszczeniu zbielałej kończyny powraca dopiero po 20 s lub w ogóle nie pojawia się, świadczy to nie tylko o niedrożności tętnicy, ale także o niedostatecznym krążeniu obocznym.

U zdrowego człowieka zblednięcie skóry wywołane uciskiem palca znika w ciągu 1 – 2 s po zwolnieniu ucisku. Im większy jest stopień niedokrwienia, tym później znika zblednięcie po ucisku palcem.

Chromanie przestankowe jest spowodowane bólem kończyny pojawiającym się w czasie chodzenia. Czasami chorzy skarżą się nie tyle na ból, co na silne zmęczenie kończyny lub obu kończyn. Zdarza się również, że dominującym objawem, zmuszającym chorego do zatrzymania się, jest drętwienie stopy. Ból przeważnie pojawia się w łydce, rzadko w stopie, tylko wyjątkowo w udzie, biodrze lub pośladku. Po zatrzymaniu się i odpoczynku, chory może znowu przejść bez bólu pewną odległość. Odległość ta zależy od szybkości chodzenia, pochyłości terenu i stopnia niedrożności tętnic. Szybki marsz lub wchodzenie pod górę wymaga zwiększonej pracy mięśni, wobec czego ból występuje wcześniej. Odległość, którą chory może przejść bez odpoczynku, może zmieniać się nawet codziennie, zależnie od jego zmęczenia, ogólnego stanu zdrowia, pogody itp. U wielu chorych może pozostawać nie zmieniona przez wiele lat, a nawet wydłużać się, co może świadczyć o zatrzymaniu się procesu miażdżycowego. U innych chorych chromanie ma charakter zmienny, okresy stabilizacji objawów przeplatają się z okresami pogorszenia.

Odległość, po przejściu której pojawia się ból, pozwala w przybliżeniu określić stopień niedokrwienia kończyny.

Istnieje też szczególny rodzaj chromania, który jest związany ze zwiększoną motoryzacją. U ludzi, którzy stale jeżdżą samochodem i mało chodzą, ból wysiłkowy z niedokrwienia może zjawić się po dłuższym trzymaniu nogi na pedale przyspieszenia.

Bóle spoczynkowe są wyrazem dalszego pogarszania się ukrwienia kończyny. Pojawiają się niezależnie od chodzenia, przeważnie w nocy. Początkowo są umiejscowione głównie w palcach, znacznie później obejmują stopę, a nawet podudzie. Zwykle występują, gdy chory leży płasko. Nieco zmniejszają się po odkryciu kończyny i opuszczeniu jej ku dołowi. Bóle mogą trwać wiele godzin, przeważnie zaostrzają się w nocy uniemożliwiając sen. Chory spędza noce w pozycji siedzącej, z kończyną opuszczoną na dół, co przynosi mu pewną ulgę, ale doprowadza do obrzęków stopy, a później i podudzia. Zwykle trzyma obolałą kończynę zgiętą w stawie kolanowym, co z czasem wiedzie do przykurczu w tym stawie. W miarę postępu choroby ból staje się ciągły i bardzo silny. Może go jeszcze potęgować ból w miejscu zakażonej martwicy ogniskowej. W obszarze zakażonym ból ma charakter pulsujący.

Zmiany troficzne wyrażają się zanikiem mięśni podudzia, wypadaniem włosów na stopie, wolnym wzrostem paznokci itp. Poprzedzają zwykle pojawienie się martwicy.

Martwica opuszek palców i stopy, nie gojące się owrzodzenie, zgorzel palców świadczą o największym zaawansowaniu niedokrwienia. Martwicę poprzedza zwykle pojawienie się stałego zasinienia. W miejscu zasinienia tworzy się stopniowy pęcherz, a po jego zeschnięciu lub pęknięciu uwidaczniają się obumarłe tkanki. W miarę postępu choroby ogniska martwicze rozprzestrzeniają się na stopę, a później i na podudzie, aż do poziomu, gdzie dopływ krwi jest wystarczający dla utrzymania żywotności tkanek.

Martwica może być następstwem nawet niewielkiego uszkodzenia mechanicznego – np. otarcia palca w niewygodnym bucie, skaleczenia przy obcinaniu paznokci lub w czasie chodzenia boso, oparzenia wodą, poduszką elektryczną, termoforem – albo jest po prostu wyrazem znacznego niedokrwienia. Powiększająca się martwica jest najczęściej powikłana zakażeniem i przeważnie (chociaż nie jest to reguła) staje się powodem odjęcia kończyny.

Postacie miażdżycowego niedokrwienia kończyn

Niedrożność końcowego odcinka aorty i tętnic biodrowych, zwana zespołem Leriche'a, występuje u 10–30% chorych z niedokrwieniem kończyn dolnych. Charakterystycznym objawem jest łatwe męczenie się kończyn podczas chodzenia bez typowego chromania przestankowego, znaczne osłabienie siły mięśniowej i zaniki mięśni kończyn dolnych oraz stale utrzymujące się zblednięcie skóry, szczególnie wyraźne na stopach. U mężczyzn występują zaburzenia wzwodu spowodowane zmniejszonym dopływem krwi do członka. Przebieg choroby jest długotrwały. Wyraźne objawy niedokrwienia, tzn. chromanie i zmiany troficzne, zjawiają się dopiero po 3–5 latach Mimo że jest to wysoka niedrożność, chromanie dotyczące pośladków lub bioder obserwuje się rzadko, przeważnie występują bóle w łydkach, jak w niedrożności tętnicy udowej i tętnicy podkolanowej. Pogorszenie jest zwykle związane z dodatkowym powstaniem niedrożności w tętnicach udowych i podkolanowych.

Niedrożność tętnicy udowej i tętnicy podkolanowej, czyli **niedrożność udowo-podkolanowa**. Ta postać miażdżycy tętnic kończyny dolnej zdarza się najczęściej i dotyczy 70% chorych. Zmiany rozpoczynają się przeważnie w odcinku leżącym tuż powyżej stawu kolanowego i rozprzestrzeniają się zarówno w górę, jak i w dół. Stopniowo pojawiają się wszystkie charakterystyczne cechy niedokrwienia, a postęp choroby jest znacznie szybszy niż w niedrożności końcowego odcinka aorty i tętnic biodrowych. Rozwój

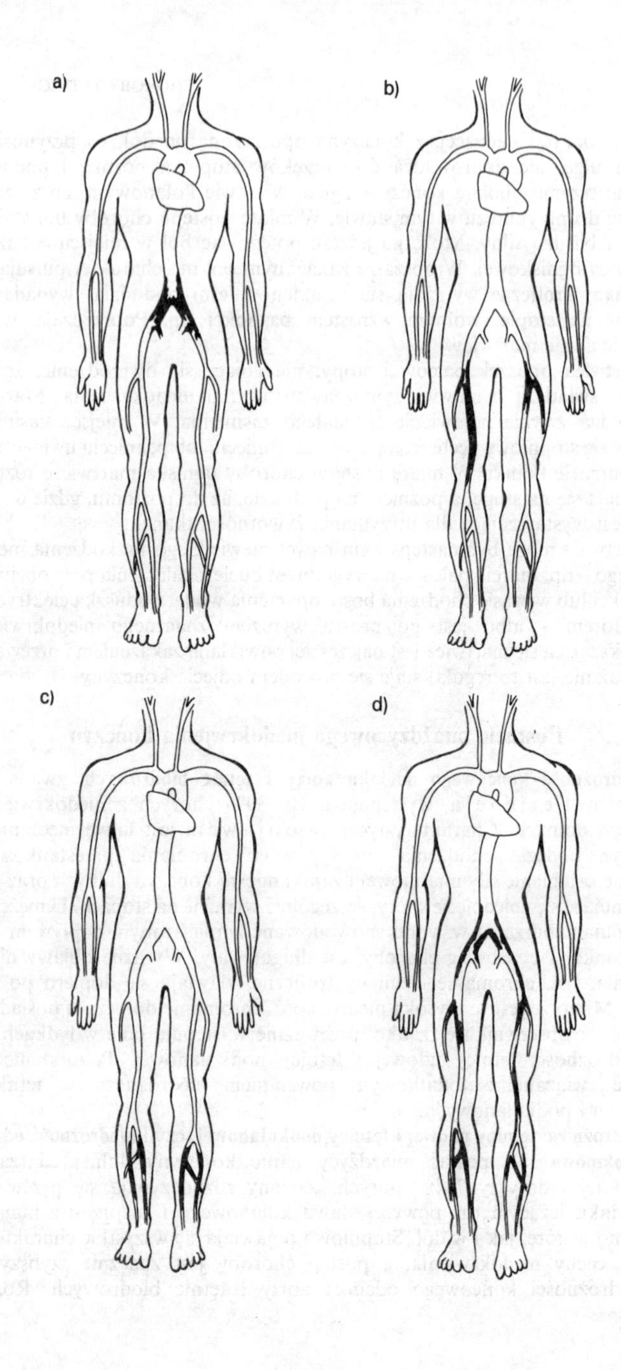
a)
b)
c)
d)

niedokrwienia bywa przeważnie etapowy, z charakterystycznymi okresami poprawy pozornie świadczącymi o zatrzymaniu choroby. Ból, pojawiający się w czasie chodzenia, tj. chromanie przestankowe, pozwala przejść jedynie odległość 300 – 500 m, która w miarę rozwoju choroby stopniowo skraca się.

Niedrożność tętnicy udowej dotyczy zwykle jednej kończyny, dopiero po różnie długim czasie trwania choroby zjawiają się identyczne objawy w drugiej kończynie dolnej.

Niedrożność obwodowa, czyli **niedrożność tętnic podudzia**, zdarza się u 8 – 10% chorych z miażdżycą tętnic kończyn dolnych. Występuje przeważnie u osób młodych. U ludzi starszych zwykle współistnieje z cukrzycą. Często pierwszym objawem, który sprowadza chorego do lekarza, jest ból spoczynkowy lub owrzodzenie palca. Ból pojawiający się w czasie chodzenia jest umiejscowiony w stopie lub w palcach; przeważnie bywa odczuwany jako drętwienie.

Niedrożność wielopoziomowa. Miażdżyca tętnic jest chorobą postępującą i dlatego po kilku latach, niezależnie od pierwotnego umiejscowienia zmian, zwężenia i niedrożności występują w wielu odcinkach tętnic kończyn dolnych. Niedrożność wielopoziomowa, będąca wyrazem największego zaawansowania miażdżycy, powoduje najpoważniejsze niedokrwienie. Objawia się to najczęściej wyraźnym pogorszeniem niedokrwienia kończyny u chorego, który dotychczas odczuwał jedynie dolegliwości związane wyłącznie np. z istniejącą już niedrożnością końcowego odcinka aorty albo tętnic udowych. R o k o w a n i e i wyniki l e c z e n i a są niepewne i zwykle gorsze niż w innych postaciach niedrożności.

Rokowanie

Rokowanie w niedrożności tętnic kończyn jest niekorzystne najczęściej z powodu powikłań spowodowanych miażdżycą innych narządów. U ok. 40% chorych z niedokrwieniem kończyn współistnieje nadciśnienie, u przeszło 25% – choroba wieńcowa, u 10 – 15% – miażdżyca tętnic mózgu. Według innych statystyk, u 20 – 30% chorych z niedokrwieniem kończyn dolnych w ciągu 5 lat trwania choroby może zdarzyć się zawał serca lub udar mózgu.

Badania diagnostyczne

Rozpoznawanie niedrożności tętnic kończyn dolnych opiera się na objawach (zob. wyżej) oraz na badaniach diagnostycznych, z których największe znaczenie przypisuje się badaniu tętna, arteriografii oraz badaniom ultradźwiękowym, czyli ultrasonografii.

Różne postacie niedrożności tętnic kończyn dolnych: a) niedrożność końcowego odcinka aorty i tętnic biodrowych (zespół Leriche'a), b) niedrożność udowo-podkolanowa, c) niedrożność obwodowa, d) niedrożność wielopoziomowa

Badanie tętna obmacywaniem jest badaniem podstawowym, łatwym i powszechnie znanym. Dokładne zbadanie tętna i wywiad z chorymi pozwalają z dość dużą dokładnością ustalić umiejscowienie niedrożności w kończynach. Brak tętna we wszystkich miejscach dostępnych badaniu na kończynach dolnych jest typowy w niedrożności końcowego odcinka aorty, natomiast w niedrożności tętnicy udowej charakterystyczne jest wyczuwalne tętnienie w pachwinie i brak tętna pod kolanem i na stopie. W niedrożności obwodowej typowy jest brak tętna na stopie i zachowanie go w dole podkolanowym.

Arteriografia jest to wykonanie serii zdjęć rentgenowskich tętnicy po wstrzyknięciu do niej środka kontrastowego przy użyciu aparatu zwanego seriografem (tablica 28 a i b). Badanie to, ukazujące rysunek tętnicy na kliszy rentgenowskiej, pozwala dokładnie ustalić umiejscowienie, a nawet postać choroby. Jest ono niezbędne przy planowaniu operacji tętnic.

Ultrasonografia, czyli badanie ultradźwiękami, pozwala uzyskać dane graficzne tętnicy zbliżone do arteriografii. Umożliwia ono dokładną ocenę jakości przepływu w tętnicy. Jest całkowicie bezpieczne dla chorych i nie powoduje powikłań, które mogą wystąpić w arteriografii.

Zapobieganie

Ponieważ próby leczenia zaawansowanej miażdżycy nie przynoszą pożądanych wyników, coraz więcej uwagi poświęca się jej zapobieganiu. Zapobieganie polega na unikaniu czynników szczególnie usposabiających do powstawania zmian miażdżycowych. Do czynników tych zalicza się: nieracjonalne żywienie i małą aktywność fizyczną, a ponadto nadciśnienie tętnicze, podwyższony poziom cholesterolu we krwi, otyłość, palenie tytoniu oraz nieracjonalny tryb życia odbiegający w sposób wyraźny od nakazów nowoczesnej medycyny i higieny.

Zapobieganie miażdżycy należy rozpocząć już w młodym wieku, ponieważ choroba ta przez długie lata może przebiegać bezobjawowo, a najczęściej ujawnia się już w średnim wieku.

Pomimo niepełnej znajomości istotnych przyczyn powodujących miażdżycę, przyjmuje się, że przestrzeganie podstawowych zasad w życiu codziennym może opóźnić chorobę, a nawet jej zapobiec. Oto te zasady:

Kontrola lekarska jest pierwszym krokiem w zapobieganiu miażdżycy. Ma ona na celu ocenę ogólnego stanu zdrowia badanego i daje możliwość wczesnego wykrycia dyskretnych objawów choroby. Kontrolne badania osób z potencjalnym zagrożeniem miażdżycą powinny odbywać się dwa razy w roku.

Odżywianie. Na podstawie licznych badań wiadomo, że rozwój miażdżycy w dużym stopniu zależy od sposobu odżywiania. Dieta przeciwmiażdżycowa dla osób z należną masą ciała polega na łagodnym ograniczeniu kalorii oraz na odpowiednim doborze pokarmów, dla ludzi z nadwagą zaś, na znacznym zaostrzeniu reżimu odżywiania.

Dieta powinna być pełnowartościowa, tzn. zawierać dostateczną ilość białka, tłuszczów i węglowodanów, witamin i składników mineralnych. Ludzie otyli muszą stosować dietę ubogoenergetyczną oraz zwiększyć wysiłek fizyczny. Najwłaściwsze jest umiarkowane ograniczenie spożycia pokarmów, tj. energii do 1000 kcal (ok. 4187 kJ) dla osób pracujących w pozycji siedzącej oraz do 1500 kcal (ok. 6280 kJ) dla osób pracujących fizycznie (zob. też Choroby wewnętrzne, Zapobieganie miażdżycy, s. 645). Inne metody leczenia są stosowane tylko w szczególnych przypadkach. Kuracje odchudzające zawsze należy przeprowadzać pod kontrolą lekarza.

Aktywność fizyczna. Przyjmuje się, że aktywność fizyczna mężczyzny powinna wyrażać się co najmniej 7 km marszem dziennie, a kobiety – 5 km. Zamiast marszu zalecane mogą być inne formy ćwiczeń fizycznych, stanowiące równoważnik wyżej podanego wysiłku. Wskazania te dotyczą ludzi, którzy nie pracują fizycznie.

Marsze i zwiększenie aktywności fizycznej zalecane są również chorym z objawami niedokrwienia kończyn dolnych. Chodzenie i odpowiednie ćwiczenia fizyczne zapobiegają nadwadze i korzystnie wpływają na rozwój krążenia obocznego. Zależnie od zaawansowania choroby, spacer powinien trwać 30–60 min i powinien odbywać się 2–3 razy dziennie. Osoby starsze powinny chodzić z szybkością 60 kroków na minutę, młodsze – do 100 kroków na minutę. Należy zatrzymywać się przed wystąpieniem bólu w kończynie. W miarę ewentualnej poprawy wskazane jest powiększenie odcinka przebywanej drogi.

Zalecana jest codzienna gimnastyka, przysiady, zginanie kończyn w stawach kolanowych i biodrowych, stawanie i chodzenie na palcach, chodzenie na piętach, unoszenie i opuszczanie nóg.

Ćwiczenia usprawniające należy wykonywać systematycznie. Powinny one stać się stałym nawykiem. Często nagłe pogorszenie stanu kończyny bywa następstwem zaprzestania ćwiczeń.

W związku z możliwością wystąpienia powikłań, wszelkie ćwiczenia gimnastyczne można wykonywać tylko na zlecenie lekarza.

Racjonalny tryb życia. Należy unikać stanów emocjonalnych, nadmiernych wzruszeń i zmartwień. Optymistyczny stosunek do życia i spokojny tryb życia przynoszą ulgę sercu i naczyniom.

Dobowy rozkład zajęć należy tak rozłożyć, aby w ciągu dnia znaleźć czas na odpoczynek psychiczny i fizyczny. Bardzo ważne jest uregulowanie snu. Dostateczna liczba godzin snu jest konieczna ze względu na ogólny stan chorego, na jego odporność i siły fizyczne, a także dlatego, że w czasie snu następuje rozkurcz tętnic, co poprawia ukrwienie tkanek.

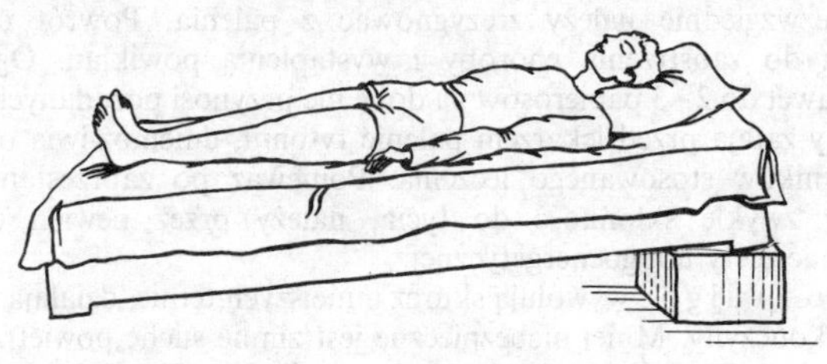

Zalecana pozycja snu w chorobach tętnic kończyn dolnych

Chorzy z niedokrwieniem kończyn powinni spać z nogami ułożonymi nieco poniżej poziomu serca (rys. na s. 1505). Podniesienie łóżka od strony głowy o ok. 15 cm poprawia ukrwienie nóg i u osób cierpiących na bóle spoczynkowe może spowodować ich uśmierzenie.

Odpowiednie spędzanie dni wolnych od pracy, a także urlopów, ma bardzo duże znaczenie. Wskazane są spacery na świeżym powietrzu, gimnastyka, gry sportowe (za zgodą lekarza). Przeciwwskazane są wyjazdy do miejscowości górskich i podgórskich (ponad 600 m n.p.m.).

Praca zawodowa. Dane statystyczne wskazują, że pracownicy umysłowi częściej zapadają na miażdżycę niż fizyczni. Odpowiednie do możliwości dawkowanie wysiłku fizycznego może być u pracowników umysłowych ważnym czynnikiem zapobiegania miażdżycy.

Chorzy z objawami chorób tętnic powinni unikać pracy w nieodpowiednich warunkach atmosferycznych (wilgoć, zimno, częste zmiany klimatu i temperatury). Dotyczy to zwłaszcza pracy w budownictwie, hutnictwie, żegludze itp. Nie wskazana jest też praca wymagająca wielogodzinnego stania, a dla osób z objawami chromania przestankowego – praca wymagająca długiego chodzenia (listonosze, kelnerzy).

Pielęgnowanie kończyn. Należy unikać otarć, skaleczeń, oparzeń, a nawet drapania miejsc po ukłuciach przez komary i inne owady, gdyż może to być przyczyną trudno gojących się owrzodzeń i martwicy palców lub stopy.

Wskazane jest noszenie ciepłych skarpet, najlepiej wełnianych, bez cer, wygodnego, luźnego obuwia o numer większego od stopy i tak szerokiego, by nie uciskało palców i stopy oraz pozwalało na ich swobodne poruszanie. Zimą dobrze jest nosić buty z wojłoku (filcu), latem obuwie płócienne lub dziurkowane. Nie wolno wkładać obuwia na gołe stopy, chodzić boso lub w wilgotnych butach.

Szkodliwe jest używanie okrągłych podwiązek, zaciskających gum i wszystkiego, co może uciskać kończynę.

Paznokcie, zwłaszcza na paluchu, należy obcinać prosto, bez przycinania bocznych części. W razie zaczerwienienia, bolesności, pojawienia się ropy około paznokcia nie wolno paznokci obcinać, lecz trzeba natychmiast zgłosić się do lekarza.

Czynniki szkodliwe. P a l e n i e t y t o n i u przyczynia się do rozwoju miażdżycy. Składniki dymu tytoniowego i nikotyna podnoszą poziom cholesterolu we krwi oraz wywołują długotrwały skurcz tętnic. W związku z tym bezwzględnie należy zrezygnować z palenia. Powrót do palenia usposabia do zaostrzenia choroby i wystąpienia powikłań. Ograniczenie palenia nawet do 2–3 papierosów na dobę nie przynosi pożądanych skutków. Jeśli chory zataja przed lekarzem palenie tytoniu, uniemożliwia obiektywną ocenę wyników stosowanego leczenia. Ponieważ po zaprzestaniu palenia występuje zwykle skłonność do tycia, należy przez pewien czas ściśle przestrzegać diety ubogoenergetycznej.

Z i m n o i w i l g o ć wywołują skurcz mniejszych tętnic, działają szkodliwie na chore kończyny. Mniej niebezpieczne jest zimne suche powietrze. Bardzo szkodliwe jest długotrwałe przebywanie w wilgotnych pomieszczeniach lub chodzenie w przemoczonym obuwiu. Nie wolno też nagrzewać nóg na słońcu, robić gorących okładów, stosować termoforu. Nie należy również nacierać skóry, gdyż można ją łatwo uszkodzić. Energiczne masaże są przeciwwskazane u wszystkich osób cierpiących na choroby tętnic.

Nałogowe picie alkoholu wywiera szkodliwy wpływ na układ krwionośny. Ponieważ jednak alkohol działa rozszerzająco na naczynia krwionośne oraz uśmierza ból, lekarz niektórym chorym może zlecić w pewnych okolicznościach zażywanie niewielkich ilości alkoholu (20 – 30 g na noc).

Leczenie

Leczenie zachowawcze ma na celu wytworzenie krążenia obocznego i zapobieżenie dalszemu rozwojowi miażdżycy. Głowną zasadą tego leczenia jest postępowanie takie jak przy zapobieganiu miażdżycy (zob. s. 645), a ponadto stosowane są odpowiednie leki. Zalecane bywają leki rozszerzające naczynia, obniżające poziom cholesterolu i innych tłuszczów we krwi, obniżające krzepliwość krwi oraz blokady.

Leki rozszerzające naczynia zmniejszają ich opór, a przez to ułatwiają przepływ krwi. Zwiększa się różnica ciśnienia w części naczynia powyżej i poniżej niedrożności, wzrasta więc przepływ krwi przez naczynia krążenia obocznego. Ponieważ rozszerzeniu, nieraz nawet gwałtownemu, ulegają również inne naczynia, np. narządów jamy brzusznej, klatki piersiowej, zdrowych kończyn itd., następuje obniżenie ogólnego ciśnienia tętniczego, w wyniku czego przepływ krwi przez chorą kończynę zamiast wzrastać może zmniejszyć się. Dlatego leki rozszerzające naczynia można stosować tylko pod kontrolą lekarza, ściśle przestrzegając jego zaleceń. Jeśli ciśnienie tętnicze krwi spada lub pojawiają się takie objawy, jak: „bicie serca", mdłości, wymioty lub swędzenie skóry, lekarz zmienia dawkowanie lub stosuje inny lek o podobnym działaniu, który nie wywiera niekorzystnego działania.

Leki obniżające poziom cholesterolu i innych tłuszczów w surowicy krwi są stosowane jako leczenie uzupełniające, ponieważ podstawową metodą leczenia jest obniżenie masy ciała oraz dieta przeciwmiażdżycowa.

Środki obniżające krzepliwość krwi są stosowane zapobiegawczo w zagrażających zakrzepach albo jako dodatek do innych leków. Dawkowania tych leków należy wnikliwie przestrzegać, wymagane są częste laboratoryjne kontrole czasu krzepnięcia krwi. Zbyt duża dawka leku może spowodować krwawienie z nosa, ust, dróg rodnych lub moczowych. Należy wówczas natychmiast zgłosić się do lekarza.

Ponadto w leczeniu miażdżycy zalecane są preparaty jodowe, witaminy i inne leki.

Blokady są to „wyłączenia nerwów" (przerwanie w nich przewodnictwa) utrzymujących napięcie mięśni tętnic. W następstwie następuje rozszerzenie tętnic i zwiększenie dopływu krwi do obszaru niedokrwionego.

Aktywność fizyczna zapobiega tworzeniu się zakrzepów i sprzyja wytworzeniu się krążenia obocznego. Chodzenie bywa zalecane nawet chorym z martwicą tkanek. Leżenie jest wskazane przy bardzo głębokich owrzodzeniach, stale utrzymujących się obrzękach oraz bólach spoczynkowych.

Niektórzy chorzy z niedrożnościami tętnic kończyn mają zalecane specjalne ćwiczenia gimnastyczne, zapobiegające przykurczom i zanikom mięśniowym. Ćwiczenia te wykonują pod kontrolą doświadczonego rehabilitanta.

Leczenie uzdrowiskowe ma zastosowanie w początkowym okresie przewlekłych chorób oraz jako kuracja uzupełniająca leczenie szpitalne lub ambulatoryjne. Dużą rolę odgrywa tu zmiana otoczenia, przerwa w pracy zawodowej, spokój, unormowany tryb życia, regularne posiłki, dieta. Nie bez znaczenia jest również zmiana klimatu oraz leczenie wodami zdrojowymi, stosowanymi do picia, w formie kąpieli i we wziewach.

Leczenie operacyjne. Ma ono na celu polepszenie lub przywrócenie dopływu

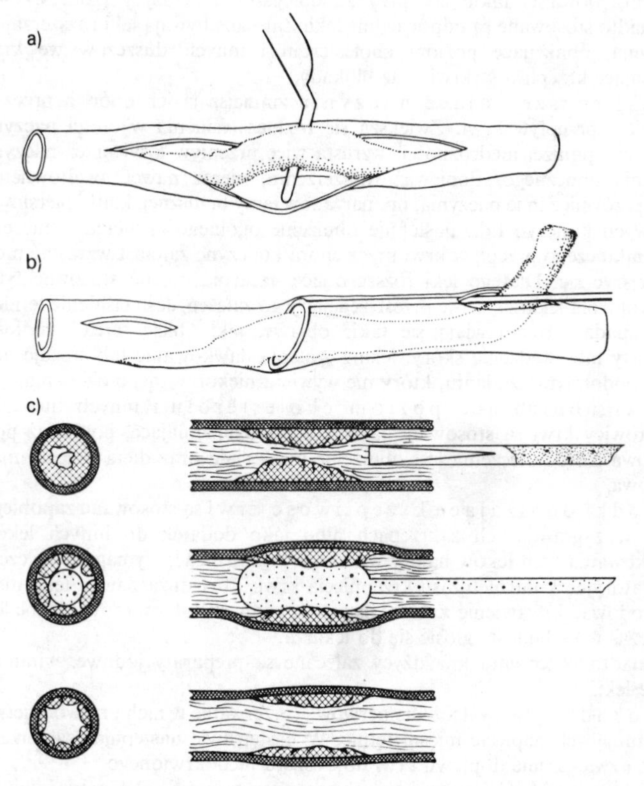

Udrożnienie tętnicy: a) bezpośrednie po podłużnym, rozległym otwarciu naczynia, b) za pomocą pętli drucianej, c) za pomocą balonika

krwi do niedokrwionych tkanek. Wybór metody operacji zależy od stanu chorego oraz umiejscowienia i rozległości niedrożności.

Sympatektomia polega na wycięciu odpowiedniego odcinka nerwu współczulnego, który jest nerwem utrzymującym stałe napięcie tętnic, czyli nerwem „naczyniozwężającym". Po sympatektomii znika napięcie drobnych tętniczek, zwłaszcza występujące pod wpływem „ujemnych" bodźców, np. zimna, palenia tytoniu, silnych bodźców psychicznych. Powoduje to rozszerzenie licznych dobrze unerwionych tętniczek mięśniowych, a zwłaszcza skórnych, co wyraźnie poprawia warunki krążenia obocznego.

Wycięcie odcinka nerwu współczulnego nie wpływa jednak na rozszerzenie tętnic większego kalibru. Przebyta odległość, powodująca pojawienie się bólu, może nie ulec zwiększeniu albo też powiększa się dopiero po tygodniach i miesiącach, gdyż dopływ krwi do mięśni powiększa się stopniowo. Poprawa krążenia skórnego, której przejawem jest sucha i ciepła skóra na stopie i podudziu, następuje zwykle już w kilka godzin po operacji i u różnych chorych utrzymuje się przez różny okres: kilka dni, niekiedy kilka tygodni, a czasami całe lata.

Sympatektomia jest operacją stosunkowo bezpieczną i często może być wykonywana u osób, u których operacje na tętnicach są zbyt ryzykowne.

Udrożnienie tętnicy. Operacja ta polega na usunięciu ze światła tętnicy skrzeplin i blaszek miażdżycowych. Wykonuje się ją bezpośrednio po rozległym otwarciu tętnicy w miejscu zatkanym lub za pomocą pętli drucianych (rys. a, b).

Przeszczepy tętnicze wykonuje się w celu doprowadzenia krwi do odcinka tętnicy znajdującego się poniżej niedrożności. Przywracają one ciągłość naczynia po wycięciu chorego odcinka albo, częściej, omijają

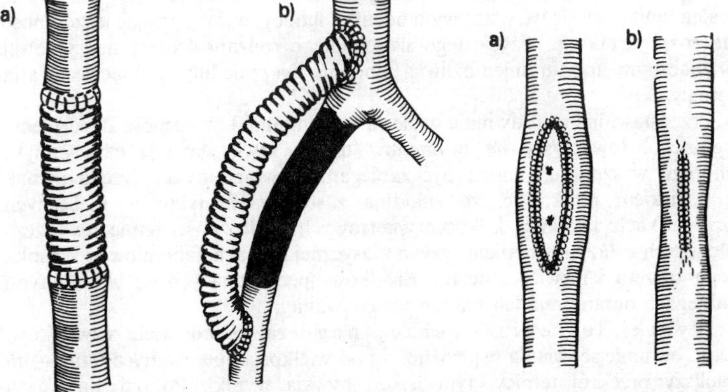

Przeszczepy tętnicze: a) wycięcie niedrożnego odcinka i zastąpienie go protezą, b) ominięcie protezą niedrożnego odcinka tętnicy (przęsłowanie tętnic, „by-pass")

Poszerzenie miejsca nacięcia tętnicy „łatą" z żyły chorego (a); zwężenie powstające po zeszyciu tętnicy bez zastosowania łaty (b)

niedrożny odcinek tętnicy, co nazwano przęsłowaniem (rys. na s. 1509). Ten rodzaj operacji nazywany jest popularnie „by-passem". Jako przeszczep najczęściej służy własna żyła chorego lub proteza wykonana z tworzywa sztucznego (tablica 28 c).

Poszerzenie tętnicy polega na jej podłużnym nacięciu i wszyciu „łaty" z własnej żyły chorego lub z tworzywa sztucznego. Operacje polegające tylko na poszerzeniu zwężonej tętnicy wykonywane są rzadko. Przeważnie równocześnie wykonuje się udrożnienie i poszerzenie tętnicy przez wszycie w jej ścianę „łaty" (rys. na s. 1509).

Przezskórna wewnątrznaczyniowa plastyka tętnic. Metoda ta polega na wprowadzeniu do światła tętnicy specjalnego cewnika dwukanałowego zakończonego cylindrycznym balonikiem. Cewnik ten przesuwa się w kierunku zwężenia, tak aby balonik znalazł się w najwęższym miejscu. Wypełniając balonik płynem stopniowo rozszerza się tętnice. Zabieg przeprowadza się w pracowni rentgenowskiej, obserwując na monitorze wprowadzanie i umiejscawianie cewnika, poszerzenie tętnicy i stan naczynia po wycofaniu cewnika. Metoda ta może być zastosowana w leczeniu krótkich zwężeń tętnic kończyn, a także tętnic nerkowych i wieńcowych (rys. c na s. 1508).

W połowie lat osiemdziesiątych nastąpił gwałtowny rozwój przezskórnych metod wewnątrznaczyniowego udrażniania tętnic. Stało się to możliwe dzięki zastosowaniu promieni laserowych (angioplastyki laserowej) i specjalnych wysoko- i niskoobrotowych cewników, których tnące metalowe ostrza obracają się w świetle udrażnianej tętnicy. Celem tych metod jest wytworzenie w niedrożnym odcinku tętnicy kanału o odpowiedniej średnicy i doprowadzenie krwi do niedokrwionych tkanek. Obecnie istnieje także możliwość nieoperacyjnego wszczepiania tzw. stentów do udrożnionej i (lub) poszerzonej tętnicy. Pod kontrolą monitora metalową siatkę w kształcie walca umieszcza się we właściwym odcinku tętnicy, wykorzystując jej zdolność do rozprężania się. Użycie tego szczególnego rodzaju protezy naczyniowej w znacznym stopniu uniemożliwia ponowne zwężenie lub zamknięcie światła tętnicy.

Przedstawione metody mają wiele zalet: eliminują konieczność znieczulenia ogólnego, towarzyszy im minimalna utrata krwi, skracają czas pobytu chorego w szpitalu i mogą być zabiegami powtarzalnymi. Trzeba jednak z naciskiem podkreślić, że znajdują zastosowanie tylko w nielicznych przypadkach: krótkich, kilkucentymetrowych niedrożności tętnic, zwłaszcza u chorych z dużym stopniem ryzyka klasycznej operacji naczyniowej. Wysoka cena sprzętu i niewielka liczba ośrodków specjalizujących się w tego typu zabiegach ograniczają ich szersze zastosowanie.

Wyniki leczenia operacyjnego zależą od wielu czynników, m.in. od umiejscowienia niedrożności i od wielkości operowanych tętnic – im większy przekrój tętnicy, tym lepsze bywają wyniki. Po operacjach aorty i tętnic biodrowych dobre wyniki odległe stwierdza się aż u 60–90% operowanych. Po udrożnieniu tętnicy udowej i podkolanowej dobre są wyniki wczesne – u 70–80% operowanych. W okresie późniejszym (po 5 latach) drożność operowanych tętnic utrzymuje się u ok. 60% operowanych, a po 10 latach już tylko u 20–40% chorych. Pogorszenie się wyników w miarę upływu lat po operacji jest związane głównie z dalszym szerzeniem się procesu miażdżycowego, co doprowadza do ponownego zatkania tętnicy. Operacje dają tylko przejściową poprawę, jeśli nie zostaną usunięte czynniki ryzyka, takie jak palenie tytoniu czy otyłość. Zawsze po operacji konieczne jest ścisłe przestrzeganie zasad zapobiegania miażdżycy (zob. s. 1504).

Operacja naczyniowa i sympatektomia ratujące kończyny chorego nie zawsze mogą być wykonane. U niektórych chorych z zaawansowaną niedrożnością, zwłaszcza w tętnicach podudzia, zachodzi konieczność odjęcia kończyny. Amputacja może stać się również konieczna po sympatektomii lub operacji odtwarzającej przepływ. Zawsze jest ona przeprowadzana z przyczyn bezwzględnie koniecznych, gdy wszelkie inne metody leczenia zmierzające do uratowania kończyny zawiodły. Dzięki osiągnięciom w dziedzinie protezowania, większość chorych, nawet w wieku starszym, może po amputacji poruszać się zupełnie sprawnie.

Tętniaki

T ę t n i a k jest to ograniczone rozszerzenie tętnicy. Ponad 90% tętniaków powstaje w następstwie miażdżycowego zwyrodnienia ścian tętnicy. Inne przyczyny to: urazy, zakażenia (dawniej często kiłą) oraz wrodzone zmiany tętnic. Czasami tętniak powstaje po operacji wykonanej na tętnicy, w obrębie szwu zespalającego tętnicę z protezą z tworzywa sztucznego.

Tętniak powstający w następstwie okrężnego poszerzenia tętnicy nazywany jest t ę t n i a k i e m w r z e c i o n o w a t y m. Tętniak będący workowatym uwypukleniem naczynia nosi nazwę t ę t n i a k a w o r k o w a t e g o (rys. na s. 1512). Zawartość pulsującego worka tętniaka stanowią skrzepliny i warstwy przyściennych blaszek miażdżycowych. W centralnej części tętniaka powstaje kanał, przez który przepływa krew.

Tętniaki mogą się wytworzyć w każdym odcinku układu tętniczego. Tętniaki aorty najczęściej powstają w jej odcinku brzusznym, znacznie rzadziej w odcinku piersiowym. Tętniaki tętnic obwodowych wytwarzają się najczęściej w tętnicy podkolanowej i udowej.

R o k o w a n i e w tętniakach aorty jest zawsze poważne, ponieważ grozi ich przedziurawienie, tj. krwotok.

Tętniaki aorty. Objawy ich zależą przede wszystkim od wielkości i umiejscowienia. Początkowo, a nawet u niektórych chorych przez cały okres choroby, może nie być żadnych charakterystycznych objawów. U innych chorych po skrytym przebiegu występuje nagle krwotok z powodu przedziurawienia, który jest jednocześnie pierwszym widocznym objawem. Niekiedy chory może sam zauważyć pojawienie się tętniącego guza, np. w brzuchu, albo odczuwa pulsowanie w jamie brzusznej, które określa „jakby bicie drugiego serca”. Wczesne wykrycie tętniaka w klatce piersiowej jest możliwe

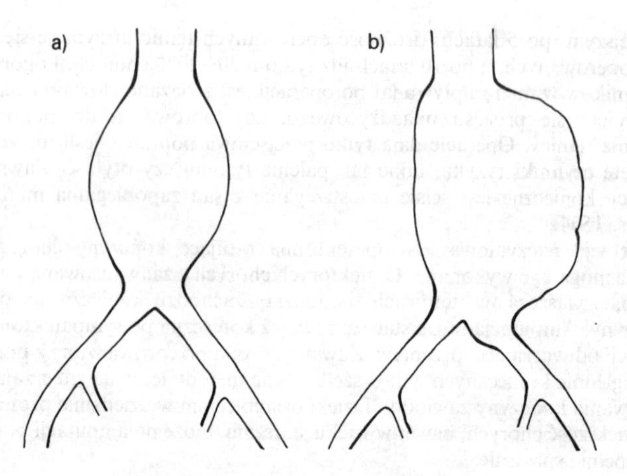

Tętniaki aorty brzusznej: a) wrzecionowaty, b) workowaty

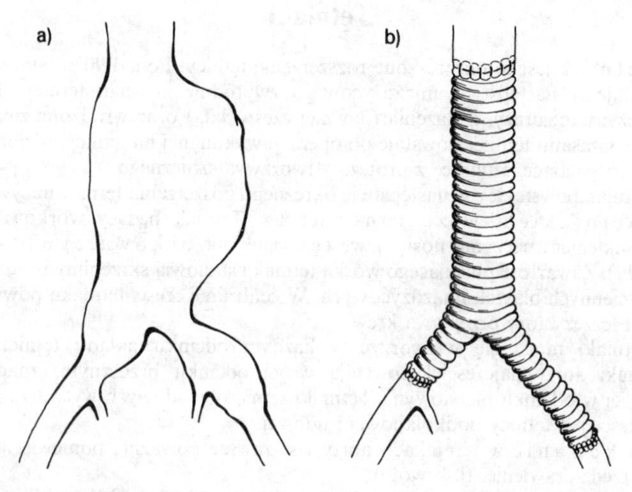

Tętniak aorty brzusznej i obu tętnic biodrowych wspólnych: a) stan przed operacją, b) stan po operacji wycięcia tętniaka i wszczepienia protezy z tworzywa sztucznego

tylko dzięki zdjęciom rentgenowskim wykonywanym z innych przyczyn. Wyraźniejsze objawy występują dopiero w razie ucisku powiększającego się tętniącego guza na otaczające narządy.

Tętniaki aorty brzusznej u ok. 30% chorych nie powodują żadnych dolegliwości, u pozostałych występują bóle, które zwykle promieniują do krocza lub krzyża. Pęknięty tętniak aorty wywołuje bardzo silne bóle w klatce piersiowej lub w jamie brzusznej.

Tętniaki tętnic obwodowych bardzo rzadko ulegają przedziurawieniu. Często powstaje w nich zakażenie oraz rozwijają się powikłania spowodowane odrywaniem się skrzeplin. Tętniaki tętnic obwodowych są najczęściej bezobjawowe i stwierdza się je podczas przypadkowego badania. Nierzadko chory przez długi czas nie zwraca uwagi na tętniący guz np. w okolicy podkolanowej. Objawy występują dopiero w razie powikłań: zjawiają się bóle w okolicy tętniącego guza, staje się on bolesny, pojawiają się objawy przewlekłego lub nagłego niedokrwienia kończyny, mogące prowadzić do martwicy.

Leczenie. Jedynym skutecznym sposobem leczenia tętniaków jest ich operacyjne wycięcie i zastąpienie ubytku przeszczepem. Operacja powinna być wykonana jak najwcześniej, ponieważ śmiertelność w razie konieczności przeprowadzenia jej z nagłych wskazań, np. w przedziurawieniu, jest wielokrotnie większa aniżeli po operacjach planowanych, wykonywanych w odpowiednim czasie (śmiertelność wynosi wtedy 4–10%). Podeszły wiek, nadciśnienie i choroba wieńcowa pogarszają znacznie wyniki operacji.

Tętniaki naczyń mózgowych, zob. Neurochirurgia, s. 1553.

Przetoki tętniczo-żylne

Przetoki tętniczo-żylne są to pourazowe lub wrodzone bezpośrednie połączenia między tętnicą a żyłą. Mogą występować w każdej części ciała, najczęściej jednak na kończynach dolnych. Przez przetokę krew tętnicza przedostaje się do żyły, czego następstwem są bardzo niebezpieczne zaburzenia w przepływie krwi i w pracy serca.

Leczenie przetok tętniczo-żylnych jest wyłącznie chirurgiczne. Przetoki między małymi naczyniami są leczone przez podwiązywanie tętnicy i żyły. Przy przetokach między dużymi tętnicami i żyłami operacja polega na oddzieleniu naczyń i zeszyciu otworów ich ścian.

Choroba Buergera

Choroba Buergera, czyli przewlekłe zakrzepowo-zarostowe zapalenie naczyń, charakteryzuje się licznymi, odcinkowymi niedrożnościami tętnic kończyn dolnych. Zmiany występują w małych tętniczkach palców stopy oraz podudzia i dotyczą zwykle młodych mężczyzn, przeważnie palących duże ilości papierosów. Choroba Buergera stanowi jedynie 1–2% wszystkich chorób tętnic, a to, co się na ogół określa tym mianem, jest prawie zawsze miażdżycą tętnic.

Przyczyny choroby Buergera nie są znane. Na rozwój jej wpływa wiele czynników, wśród których znaczną rolę odgrywa palenie tytoniu, zaburzenia krzepnięcia krwi, zjawiska alergiczne oraz zakażenie, a ponadto praca w zimnie i wilgoci, niehigieniczne warunki mieszkaniowe oraz niedostateczne i nieregularne odżywianie się.

Objawy. Choroba rozpoczyna się zwykle znacznym niedokrwieniem części obwodowych kończyn, najczęściej stopy, z bólami spoczynkowymi i szybko rozszerzającą się martwicą, ograniczoną do palców. Chromanie przestankowe (zob. s. 1500), które bywa pierwszym objawem, zwykle jest wynikiem „palenia" lub drętwienia stopy. Często dolegliwości spowodowane niedokrwieniem poprzedzone są zapaleniem żył.

Postęp choroby bywa różny w poszczególnych odcinkach tętnic, a zmiany mogą być niesymetryczne. Okresy poprawy zdarzają się na przemian z okresami pogorszenia. Pogorszenie zwykle łączy się z powrotem do nałogu palenia.

Zapobieganie i leczenie. Bezwzględnym warunkiem zatrzymania dalszego rozwoju choroby jest zaprzestanie palenia tytoniu. Ponadto niezbędne są: 1) stałe, systematyczne współdziałanie z lekarzem, 2) zmiana dotychczasowych niekorzystnych warunków pracy i niehigienicznego trybu życia, 3) odpowiednie ćwiczenia fizyczne, systematyczne, przedłużane spacery i inne ćwiczenia sprawnościowe w okresach poprawy, natomiast w czasie zaostrzenia choroby znaczne ich ograniczanie, 4) wyjątkowo staranne pielęgnowanie kończyn i unikanie najmniejszych urazów.

Leczenie zachowawcze w okresie zaostrzeń polega na stosowaniu środków przeciwbólowych, uspokajających, rozszerzających naczynia, zmniejszających krzepliwość krwi. W razie braku poprawy stosowane jest leczenie operacyjne – sympatektomia (zob. s. 1509), po której niekiedy może wystąpić długi okres poprawy. Amputacja palców stóp, a później i podudzi jest wykonywana w przypadkach bezwzględnie koniecznych i, co jest znamienne, przeważnie u chorych, którzy nie zaprzestali palenia tytoniu lub powrócili do tego nałogu.

Nerwice naczyniowe

Nerwice naczyniowe to zaburzenia naczynioruchowe powodujące powstawanie nienormalnych reakcji kurczu lub rozszerzenia małych tętnic w odpowiedzi na różne bodźce. Po ustąpieniu kurczu lub nadmiernego rozszerzania, stan tętnic i krążenia jest prawidłowy.

Choroba i zespół Raynauda jest to napadowe blednięcie i sinienie palców. Przyczyną zaburzeń jest prawdopodobnie nadpobudliwość układu współczulnego powodująca skurcz tętnic palców.

W chorobie Raynauda napadowe blednięcie i sinienie palców występują bez widocznych powodów. Zaburzenia pojawiają się u młodych, nerwowych kobiet, które już od wczesnego dzieciństwa wykazywały dużą wrażliwość rąk na działanie zimna. W czasie napadów, które występują w zimowych porach roku lub po zanurzeniu rąk w chłodnej wodzie, nagłe zblednięcia pojawiają się na końcach palców, po czym postępują ku śródręczu. W chwili największego nasilenia palce stają się woskowobiałe, bolesne, nie ma w nich czucia. Po rozgrzaniu blada skóra staje się różowa i ciepła, a nawet czerwona i gorąca. W zaawansowanych przypadkach napadom zblednięcia towarzyszy uczucie mrowienia, drętwienia oraz coraz silniejsze bóle. Napady zdarzają się również nocą uniemożliwiając sen. Po kilku latach mogą pojawić się owrzodzenia na opuszkach palców.

Leczenie choroby Raynauda polega na stosowaniu, również w okresach miedzy napadami, leków uspokajających i rozszerzających naczynia krwionośne oraz witamin z zespołu B i PP.

W czasie napadu chory powinien schronić się w ciepłym pomieszczeniu, zanurzyć ręce w letniej wodzie oraz przyjąć zapisane przez lekarza leki. Skutecznym sposobem leczenia bywa operacyjne przecięcie nerwów zwężających naczynia krwionośne w kończynach górnych (sympatektomia).

W zespole Raynauda zaburzenia występują na skutek działania takich czynników, jak: a) urazy, np. wibracyjne lub stale powtarzające się uderzenia w opuszki palców (choroba zawodowa maszynistek, pianistów), b) choroby nerwowe, c) uciski na tętnice i pnie nerwowe, d) choroby tętnic (miażdżyca, choroba Buergera), e) zatrucie, np. sporyszem lub metalami ciężkimi.

Leczenie zespołu Raynauda polega na usunięciu przyczyny powodującej skurcz tętnic.

Zapobieganie rozwojowi choroby polega na: 1) zaprzestaniu palenia tytoniu, 2) wystrzeganiu się zimna, wilgoci i wiatru, 3) chronieniu rąk przed wszelkimi urazami, 4) unikaniu przemęczenia oraz napięć emocjonalnych, 5) usunięciu wszelkich ognisk zakażenia.

Bolesna czerwienica kończyn jest to nerwica naczyniowa objawiająca się bolesnym napadowym zaczerwienieniem rąk i stóp. Złagodzenie bólu i ustąpienie zaczerwienienia następuje po przejściu do chłodnego otoczenia, a czasami po uniesieniu kończyny. Leczenie jest trudne, gdyż nieznana jest przyczyna choroby. Złagodzenie nasilenia napadu może nastąpić po przyjęciu polopiryny. Czasami dobre wyniki przynosi leczenie operacyjne – sympatektomia (zob. wyżej).

Samorodna sinica kończyn objawia się sinofioletowym lub sinopurpurowym zabarwieniem skóry rąk, a niekiedy i stóp. Zaburzenia polegają na znacznym rozszerzeniu naczyń włosowatych i małych żył oraz zwężeniu tętniczek. Choroba dotyczy przeważnie młodych kobiet, a zmiany pojawiają się zwykle w czasie zimy lub w chłodnych pomieszczeniach. Zaburzenia nie powodują trwałych następstw. Po 25 r. życia choroba często ustępuje samoistnie. Jeśli sinicy towarzyszy nadmierna potliwość, poprawę przynosi sympatektomia (zob. wyżej).

Nadmierna potliwość kończyn występuje u młodzieży obojga płci. Powodem są zaburzenia czynności nerwowego układu współczulnego. Ręce chorych są stale chłodne i wilgotne. Bardzo silnie pocą się również stopy. Nasilenie wydzielania potu występuje nawet w lekkich stanach emocjonalnych.

Leczenie zachowawcze polega na podawaniu leków uspokajających i hamujących działanie układu współczulnego. Jeśli jest ono nieskuteczne, a nadmierne pocenie bardzo dokuczliwe, stosowane jest leczenie operacyjne – sympatektomia (zob. wyżej).

Zespoły uciskowo-nerwowe

Nieprawidłowość układu kostnego oraz silnie rozwinięte mięśnie mogą uciskać na przebiegające w ich okolicy naczynia i nerwy wywołując rozmaite objawy chorobowe. Do zespołów tych należą m.in. dwa opisane niżej.

Zespół wylotu klatki piersiowej. W chorobie tej uciskowi lub stałemu drażnieniu ulegają nerwy i naczynia przechodzące z klatki piersiowej na kończynę górną. Głównym objawem jest ból całej kończyny górnej. Czasami chorzy odczuwają tylko drętwienie palców rąk lub zaburzenia czucia. Zdarzają się również obrzęki i zasinienia.

L e c z e n i e polega na wykonywaniu ćwiczeń wzmacniających mięśnie unoszące obręcz barkową oraz na podawaniu leków przeciwzapalnych i rozszerzających naczynia. Jeśli dolegliwości nasilają się i uniemożliwiają wykonywanie pracy, może być wskazana operacja polegająca na usunięciu przyczyny powodującej ucisk.

Zespół kanału nadgarstka jest następstwem ucisku na nerw i tętnicę w okolicy nadgarstka. Chorzy odczuwają palenie i drętwienie bocznych części dłoni. Może dojść do zaniku niektórych mięśni. L e c z e n i e polega na przecięciu tkanek uciskających nerw i tętnice.

Zatory tętnicze

Zator tętniczy powstaje na skutek nagłego zamknięcia światła tętnicy czopem przyniesionym z prądem krwi. Jest to najczęściej skrzeplina oderwana z lewego przedsionka chorego serca.

Zator tętnic kończyn objawia się nagłym, trudnym do zniesienia bólem łydki i stopy lub ręki i palców. Ponadto występują: 1) uczucie zimna w kończynie, drętwienie i mrowienie, 2) zblednięcie kończyny, która staje się woskowoblada, 3) zniesienie czucia, 4) zniknięcie tętna poniżej zatoru. W zatorze rozwidlenia aorty, tj. końcowego odcinka aorty i tętnic biodrowych (zob. s. 1501), objawy dotyczą obu kończyn dolnych. Do objawów miejscowych dołączają się często objawy ogólne, takie jak np. wstrząs.

W ciężkim, o s t r y m n i e d o k r w i e n i u może szybko (już po upływie 24 godz.) powstać martwica stopy i podudzia, w lżejszym objawy stopniowo się zmniejszają, a nawet częściowo ustępują. Jednak nawet po uzyskaniu poprawy niedrożność zaczopowanego odcinka pozostaje. Niedokrwienie ostre zmienia się w niedokrwienie przewlekłe, które objawia się chromaniem przestankowym, z chwilą gdy chory zacznie chodzić.

L e c z e n i e. W zatorach m n i e j s z y c h t ę t n i c (podudzia, przedramienia), zwykle nie dających wyraźnych objawów większego niedokrwienia, stosowane jest l e c z e n i e z a c h o w a w c z e, polegające na podawaniu leków obniżających krzepnięcie krwi i rozszerzających naczynia.

W zatorach w i ę k s z y c h t ę t n i c jedynie skutecznym leczeniem jest o p e r a c y j n e usunięcie skrzeplin, tzw. e m b o l e k t o m i a. Wykonuje się ją wprowadzając do tętnicy przez masy zatorowe długi cewnik zakończony balonikiem (cewnik Fogarty'ego, rys.). Po przejściu przez zator balonik

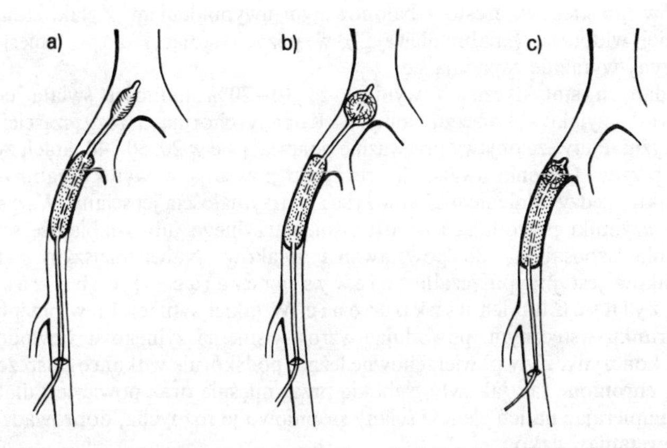

Usuwanie zatoru cewnikiem Fogarty'ego: a) wprowadzenie cewnika, b) rozdęcie balonika, c) wyciągnięcie zatoru

napełnia się powietrzem i stopniowo cofając cewnik usuwa się zator przed balonikiem. Operacje tego rodzaju ratują kończynę z zachowaniem jej pełnej sprawności czynnościowej u ok. 95% chorych.

Zator tętnicy płucnej, zob. Powikłania zapalenia zakrzepowego żył, s. 1522 oraz Choroby wewnętrzne, s. 689.

XIV. CHOROBY ŻYŁ I NACZYŃ CHŁONNYCH

Żylaki, zapalenia zakrzepowe żył i ich powikłania, takie jak zespół pozakrzepowy i owrzodzenia goleni, należą do najbardziej rozpowszechnionych chorób. Z danych statystycznych wynika, że co piąty obywatel naszego kraju ma żylaki kończyn dolnych, a co osiemdziesiąty cierpi z powodu zespołu pozakrzepowego. Bardzo duża zachorowalność, długotrwałe leczenie nie zawsze uwieńczone powodzeniem oraz wysokie jego koszty nadają chorobom żył znaczenie społeczne.

Choroby żył

Żylaki kończyn dolnych

Żylaki są to trwałe rozszerzenia żył w postaci wężowatych sznurów, splotów lub kłębów, często z balonowatym uwypukleniem. Żylaki stają się bardziej widoczne („nabrzmiewają”) w pozycji stojącej, a po uniesieniu kończyny wyraźnie zapadają się.

Z danych statystycznych wynika, że 10–20% ludności świata cierpi z powodu żylaków kończyn dolnych. Kobiety chorują 3 razy częściej niż mężczyźni. Pierwsze objawy przeważnie pojawiają się w 20, 30 i 40 latach życia.

Przyczyny. Obecnie uważa się, że żylaki powstają w wyniku zaburzenia stosunku między ciśnieniem krwi w żyle a wytrzymałością jej ściany. Wszystkie zatem czynniki powodujące wzrost ciśnienia żylnego lub osłabiające ścianę naczynia usposabiają do powstawania żylaków. Najważniejszym z tych czynników jest przypuszczalnie niewystarczająca liczba zastawek żylnych lub ich uszkodzenie. W takiej sytuacji krew przepływa w kierunku wstecznym, powodując wzrost ciśnienia żylnego w obwodowej części kończyny. Żyły powierzchowne leżące podskórnie w tkance tłuszczowej nie są chronione tak jak żyły głębokie przez mięśnie oraz powięzie i dlatego krew napierając na ich cienkie ściany stopniowo je rozpycha, doprowadzając do powstania żylaków.

Innym czynnikiem, będącym jedną z częstszych przyczyn powstawania żylaków, zwłaszcza u osób ze zmianami w budowie i w czynności zastawek żylnych, jest długo trwający ucisk na żyły kończyn dolnych. U kobiet ciężarnych ucisk taki na żyły w miednicy mniejszej wywiera powiększona macica, utrudniając odpływ krwi z kończyn. Podobne działanie wywierają guzy w miednicy mniejszej, nieodpowiednie ubranie, a także noszenie okrężnych podwiązek.

Kolejnym czynnikiem jest praca w pozycji stojącej. U osób pracujących w takiej pozycji brak jest tzw. „pompy mięśniowej”, tzn. pracy mięśni stopy i łydki, która normalnie pozwala na wypchnięcie krwi z żył w kończynach w kierunku serca. Następstwem tego jest nadmierne wypełnienie żył w kończynach i znaczne parcie krwi na zastawki, których szczelność zmniejsza się i krew zaczyna się cofać w kierunku obwodu kończyny. Inne czynniki, takie np. jak wady statyczne (płaskostopie), alkoholizm, otyłość, nie decydują o powstawaniu żylaków, ale mogą potęgować objawy choroby.

Biorąc pod uwagę czynniki usposabiające odróżnia się żylaki pierwotne i wtórne. Żylaki pierwotne powstają samoistnie, bez uchwytnej przyczyny, prawdopodobnie w następstwie ww. czynników sprzyjających; żylaki wtórne są powikłaniem niedrożności głębokich żył kończyn dolnych lub przetoki tętniczo-żylnej.

Objawy. W początkowym okresie żylaki nie powodują żadnych dolegliwości, tak że osoby z żylakami zgłaszają się do lekarza jedynie ze względów „kosmetycznych”. Pierwszym objawem choroby jest zwykle uczucie ciężaru kończyn pojawiające się po długotrwałym staniu.

W miarę powiększania się żylaków i narastania zaburzeń w krążeniu występują bóle i kurcze w kończynie, wreszcie obrzęki, z biegiem czasu nie ustępujące nawet po nocnym wypoczynku. W tym okresie na kończynie widoczne są liczne wężowate sznury i sploty żylne, często z balonowatymi uwypukleniami. Są one miękkie, niebolesne, a stopień ich wypełnienia zależy od ułożenia kończyny. Czasami w okolicy kostek widoczne są przebarwienia, wypryski, stwardnienia, a nawet owrzodzenia.

W żylakowato zmienionych żyłach, przepełnionych zalegającą krwią, łatwo może powstać skrzeplina, co znacznie pogarsza i tak już upośledzony odpływ krwi. Ponieważ ścieńczała skóra pokrywająca żylaki łatwo pęka pod wpływem nawet niewielkiego urazu, może nastąpić obfity krwotok. Zdarzają się również krwotoki samoistne. Utrata krwi z pękniętego żylaka może być bardzo znaczna.

Leczenie. Jedynie skutecznym sposobem leczenia żylaków jest operacja, która polega na usunięciu głównych pni żył powierzchownych, podwiązaniu i przecięciu żył łączących oraz na wycięciu żylaków. Wyniki są w ponad 90% dobre. Ponieważ leczenie operacyjne nie jest usunięciem przyczyny, lecz skutków choroby, nawet po prawidłowo wykonanym zabiegu operacyjnym mogą ponownie pojawić się żylaki na skutek niewydolności tych powierzchownych żył, które w czasie pierwszej operacji były niezmienione.

Leczenie zachowawcze żylaków jest prowadzone tylko wtedy, gdy chory nie wyraża zgody na operację lub istnieją przeciwwskazania do leczenia chirurgicznego. Leczenie zachowawcze jest mało skuteczne, gdyż dotychczas nie wynaleziono odpowiednich leków. Próby leczenia żylaków środkami powodującymi powstawanie zakrzepu w żyle w nadziei, że światło jej ulegnie w tym miejscu zarośnięciu, całkowicie zawiodły. Wstrzyknięcia tych leków do żylaków nie tylko nie powodowały poprawy, ale nawet stawały się powodem niebezpiecznego rozszerzenia się procesu zakrzepowego. Pewną poprawę stanu kończyny może przynieść przestrzeganie zaleceń przedstawionych w rozdz. „Zapobieganie chorobom żył kończyn dolnych", s. 1523.

Żylaki u kobiet w ciąży pojawiają się często i zwykle znikają po porodzie. Przypuszcza się, że przyczyną jest nie tylko ucisk ciężarnej macicy na żyły w miednicy mniejszej, ale również zmiany hormonalne, za czym przemawia fakt, że żylaki występują także w pierwszym okresie ciąży. Wielokrotne ciąże usposabiają do rozwoju żylaków.

Duże żylaki u kobiet ciężarnych leczone są czasami operacyjnie. Ma to na celu zapobiegnięcie zakrzepowemu zapaleniu żył, które stanowi bardzo niebezpieczne powikłanie porodu i połogu.

Zapalenia zakrzepowe żył – zakrzepice żylne

Choroba polega na zapaleniu ściany żyły i tworzeniu się zakrzepów, czyli skrzeplin. Skrzepliny mogą być umiejscowione przy ścianie żyły lub całkowicie zamykać jej światło. Z biegiem czasu skrzeplina i ściana żyły ulegają przemianie – w skrzeplinie powstają szczeliny umożliwiające przepływ krwi, elastyczna ściana żyły twardnieje, a zastawki ulegają zniszczeniu. Wynikiem tego procesu może być trwałe uszkodzenie żył, ujawniające się w kilka lub kilkanaście lat później w postaci zespołu pozakrzepowego i owrzodzenia podudzia (zob. Powikłania zapalenia zakrzepowego żył, s. 1522).

Zakrzepica może rozwinąć się zarówno w żyłach dotąd zdrowych, jak i zmienionych żylakowato. Przeważnie dotyczy kończyn dolnych. Częściej atakuje kobiety, ludzi otyłych i osoby po 45 r. życia.

Przyczyny. Główną przyczyną zakrzepowego zapalenia żył jest zwolnienie przepływu krwi w kończynach, występujące w czasie długotrwałego leżenia w łóżku, odwodnienia organizmu, otyłości, cukrzycy, chorób serca i tętnic. Zakrzepica często powstaje po operacjach chirurgicznych, w okresie połogu oraz u kobiet, które przez dłuższy czas stosują bez kontroli lekarskiej doustne środki antykoncepcyjne. Może być także następstwem urazu, rozległych złamań miednicy lub kości udowej, a także chorób zakaźnych oraz wysiewu bakterii z przewlekłych ognisk zakażenia. Zakrzepowe zapalenie żył powstaje stosunkowo często u osób z chorobą nowotworową, najczęściej płuc, trzustki, żołądka, oraz w przebiegu zapaleń trzustki i płuc. Może się także rozwinąć w następstwie nakłucia żyły wykonanego w celu wstrzyknięcia leku lub podania kroplówki.

Zapalenie zakrzepowe żył powierzchownych. Choroba występuje znacznie częściej w żyłach zmienionych żylakowato. Objawy ogólne są nikłe i sprowadzają się do nieznacznego podwyższenia temperatury ciała. Objawy miejscowe to powrózkowate stwardnienie żyły, obrzęk, zaczerwienienie i bolesność odcinka żyły lub pętli żylaków. Dolegliwości mogą trwać od kilku dni do wielu miesięcy. Choroba może przybierać charakter przewlekły z okresami poprawy i nawrotów. Pozostałością przebytego zakrzepu żyły powierzchownej jest najczęściej powrózkowate zgrubienie różnej długości na wewnętrznej stronie kończyny i przebarwienie skóry ponad nim. Czasami po cofnięciu się objawów zapalenia w jednym odcinku żyły powstają zakrzepy w innym miejscu. W najcięższej postaci następuje rozszerzenie stanu zapalno-zakrzepowego na całą żyłę powierzchowną, a nawet poprzez żyły łączące – na żyły głębokie. Zakrzep może także ulec zakażeniu bakteryjnemu prowadzącemu do powstania ropnia lub ropowicy w okolicy zmienionej żyły.

Leczenie polega na podawaniu środków przeciwzapalnych i przeciwbólowych oraz miejscowym stosowaniu okładów z płynu Burowa i ewentualnie maści o właściwościach przeciwzapalnych. Zalecane bywa również nagrzewanie (termoforem, poduszką elektryczną) chorej okolicy. Leczenie uzupełnia się nałożeniem bandaża elastycznego, sięgającego od nasady palców stopy do miejsca powyżej górnego poziomu zmian. Chory może chodzić. Tylko czasami w ostrym okresie choroby zaleca się kilkudniowe leżenie w łóżku z uniesioną kończyną. Jeżeli zakrzepica rozszerza się i obejmuje coraz wyższe odcinki żyły, może stać się konieczne leczenie szpitalne. Czasami wskazany jest zabieg chirurgiczny, polegający na wycięciu chorego odcinka żyły albo splotu żył, tak jak w operacjach żylaków.

Zapalenie zakrzepowe żył głębokich. Choroba stanowi poważny problem, ponieważ czasami po skrytym, bezobjawowym jej przebiegu skrzepliny odrywają się od ściany żyły i stają się przyczyną zatoru tętnicy płucnej. Najczęściej zagrożeni takim powikłaniem są ludzie starsi, otyli i na dłużej – z różnych przyczyn – unieruchomieni w łóżku.

Objawy ogólne mogą być niezbyt wyraźnie określone: złe samopoczucie, przyspieszenie tętna, stany podgorączkowe, zwłaszcza u chorych długo leżących w łóżku. Wyraźniejsze objawy zależą od rozległości zakrzepicy.

Zapalenie zakrzepowe żył głębokich kończyny dolnej na ogół rozpoczyna się niewielkim obrzękiem w okolicy kostek i podudzi, nieznaczną bolesnością podczas uciskania łydki, rzadziej – zasinieniem i zwiększonym uciepleniem skóry. Może występować uczucie zmęczenia i ciężkości w kończynie. Czasami pojawiają się bóle, umiejscowione głęboko w mięśniach podudzi lub uda. Bóle te nasilają się w pozycji stojącej i przeważnie ustępują w pozycji leżącej, zwłaszcza po uniesieniu kończyny.

W razie rozszerzania się zakrzepicy do okolicy pachwiny, a nawet wyżej, do miejsca, w którym żyła biodrowa łączy się z żyłą główną dolną, powstają objawy typowe i szybko narastające: obrzęk całej kończyny, nierzadko połączony z jej sinawym zabarwieniem oraz silne bóle w całej kończynie.

Najcięższą postacią zakrzepicy, która powstaje nie tylko w dużych, ale i drobnych żyłach kończyny dolnej i miednicy, jest tzw. niebieskie zapalenie żył. W postaci tej następuje całkowite zatrzymanie odpływu krwi z kończyny, czemu z reguły towarzyszy niedokrwienie spowodowane odruchowym kurczem tętnic. Głównym objawem jest ból, zasinienie i bardzo znaczny obrzęk kończyny. Często występuje wstrząs, a ogólny stan chorego jest bardzo ciężki. U około 50% chorych konieczna jest amputacja kończyny z powodu szybko rozwijającej się martwicy.

Leczenie zakrzepicy żył głębokich kończyny dolnej powinno odbywać się w szpitalu. Polega ono na wysokim ułożeniu chorej kończyny oraz podawaniu leków przeciwzakrzepowych, hamujących narastanie skrzeplin. Jeżeli obrzęk kończyn jest bardzo duży i nie cofa się, po leczeniu zachowawczym wskazane bywa operacyjne usunięcie skrzeplin. W niebieskim zapaleniu żył operacja jest jedynym sposobem ratowania kończyny, a nawet życia chorego. Jeśli pomimo leczenia dochodzi do odrywania się skrzeplin i zatorów płucnych, konieczne staje się podwiązanie żył powyżej miejsca zakrzepicy.

Zapalenie zakrzepowe żył głębokich kończyny górnej występuje rzadko. Dotyczy on zwykle żyły pachowej i podobojczykowej. Często przyczyną zapalenia jest nadmierny wysiłek fizyczny. Dominującym objawem jest obrzęk, nierzadko połączony z zasinieniem, głównie ręki i przedramienia. Towarzyszy temu uczucie osłabienia i ciężaru w kończynie. Bardzo charakterystyczne jest dobrze widoczne krążenie oboczne w postaci sieci powiększonych i rozszerzonych żył na skórze ramienia, barku i klatki piersiowej.

Zakrzepica w kończynach górnych nie ma skłonności do rozszerzania się, bardzo rzadko powoduje zatory tętnicy płucnej.

Leczenie polega na uniesieniu i unieruchomieniu kończyny oraz podawaniu leków przeciwzakrzepowych.

Powikłania zapalenia zakrzepowego żył

Zator tętnicy płucnej jest wczesnym i najgroźniejszym powikłaniem w zakrzepicy żył głębokich. Powstaje on wskutek oderwania się luźnej skrzepliny, która z prądem krwi zostaje przeniesiona do serca, a następnie do tętnicy płucnej.

Zawał płuca powstaje wówczas, gdy skrzepliny zaczopują odgałęzienia tętnicy płucnej. Pierwszym objawem jest zwykle nagły, kłujący ból w klatce piersiowej, nasilający się w czasie oddychania. Często towarzyszy mu duszność, a później kaszel i krwioplucie. Jeśli nie doszło do powstania nowych zatorów, po kilku tygodniach objawy mogą ustąpić całkowicie.

Masywny zator tętnicy płucnej jest skutkiem zaczopowania głównego pnia tętnicy płucnej przez dużą skrzeplinę (średnicy palca). Objawia się bardzo silnym bólem za mostkiem oraz dusznością. Towarzyszy temu zwykle uczucie lęku. Twarz staje się sina, żyły szyi nabrzmiewają. Objawy ujawniają się nagle, wśród pozornego zdrowia, i w ciągu kilku minut może nastąpić śmierć.

Przyczyną ok. 95% zatorów tętnicy płucnej jest zakrzepica żył głębokich kończyn dolnych. Ponieważ zator tętnicy płucnej może być pierwszym objawem zakrzepicy, szczególną rolę odgrywa zapobieganie powstawaniu zapalenia zakrzepowego żył. Dotyczy to zwłaszcza chorych unieruchomionych w łóżku. Głównym celem ich rehabilitacji jest zapobieganie zastojowi krwi w kończynach przez gimnastykę, jak najwcześniejsze uruchomienie oraz zakładanie opasek elastycznych.

Wczesne rozpoczęcie leczenia zakrzepicy żył głębokich zapobiega powstaniu zatoru tętnicy płucnej. Czasami konieczna jest operacja polegająca na podwiązaniu żył powyżej miejsca zapalenia zakrzepowego. Leczenie masywnego zatoru jest wyłącznie operacyjne i polega na usunięciu skrzeplin z tętnicy płucnej.

Zespół pozakrzepowy jest późnym następstwem zaniedbanego lub niewłaściwie leczonego zapalenia zakrzepowego żył głębokich kończyn dolnych. Wskutek uszkodzenia tych żył przez proces zakrzepowy (zniszczenie zastawek, sztywność ścian, częściowe lub całkowite zamknięcie światła) zostaje zaburzony odpływ krwi z kończyny. Prowadzi to do zastoju krwi i wzrostu ciśnienia w żyłach obwodowych.

Najbardziej widocznym objawem zespołu pozakrzepowego jest obrzęk kończyny. Początkowo może on być niewielki i występuje w okolicy kostek pod wieczór, a ustępuje po odpoczynku nocnym. Później zwykle powiększa się, a dołączające się zwłóknienie tkanki podskórnej powoduje, że staje się twardy i nie ustępuje po odpoczynku lub pod wpływem ucisku. Chorzy skarżą się na łatwe męczenie nóg, któremu towarzyszy uczucie nadmiernego ciążenia oraz ściskania i sztywności (tzw. „drętwa noga"). Często występują bóle nasilające się w czasie stania.

Długotrwały zastój żylny w obwodowej części goleni nieuchronnie prowadzi do powstawania zmian skórnych. Najpierw wypadają włosy, następnie podskórna tkanka tłuszczowa zmienia się we włóknistą warstwę. Powoduje to powstanie jak gdyby „obręczy" zaciskającej obwodową część podudzia. Później skóra właściwa ciemnieje, staje się połyskliwa, przybiera brunatne zabarwienie. Podrażnienie zakończeń nerwów czuciowych wywołuje uczucie bólu, kłucia, pieczenia. Najmniejsze nawet skaleczenia nie goją się. Często powstają owrzodzenia o dnie nierównym, sączącym wydzielinę surowiczo-ropną.

Typowym miejscem występowania owrzodzeń jest przyśrodkowa część 1/3 dolnej goleni. Rzadziej powstają nad kostką zewnętrzną. Czasami owrzodzenia łączą się, obejmując pierścieniowato cały obwód goleni powyżej kostek. Takie rozmiary owrzodzenia czynią z chorego inwalidę.

L e c z e n i e z a c h o w a w c z e zespołu pozakrzepowego jest długotrwałe i uciążliwe. Obrzęki zmniejszają się znacznie pod wpływem: a) odpowiedniego trybu życia (unikanie stania i długotrwałego siedzenia), b) stałego ucisku kończyny bandażem elastycznym, c) wykonywania ćwiczeń gimnastycznych ułatwiających odpływ krwi z kończyn dolnych.

L e c z e n i e o w r z o d z e ń może być zachowawcze lub chirurgiczne. Podstawowym zaleceniem jest leżenie w łóżku z unieruchomioną kończyną tak, aby stopa znajdowała się wyżej niż staw kolanowy, a ten wyżej niż staw biodrowy. Taka pozycja ułatwia odpływ krwi z żył i uniemożliwia jej zaleganie. Po kilku tygodniach, nawet bez dodatkowego leczenia, zwykle następuje wygojenie owrzodzenia. Miejscowo na ranę, zależnie od jej stanu, stosowane są różne przymoczki, maści, zasypki przyspieszające oczyszczanie się owrzodzeń i pobudzające proces gojenia. Chory może wstawać z łóżka tylko po odpowiednim nałożeniu opatrunku uciskowego. Wskazane bywa ogrzewanie kończyny, które wyraźnie przyspiesza gojenie owrzodzenia, aczkolwiek niekiedy potęguje ból. Chory musi bezwzględnie unikać stania i siedzenia z opuszczonymi i zgiętymi nogami. Konieczne jest stałe noszenie opasek (bandaży) elastycznych. Powrót do normalnego trybu życia zwykle przyczynia się do stopniowego nawrotu owrzodzenia.

L e c z e n i e o p e r a c y j n e prowadzone jest w celu wyeliminowania nadciśnienia żylnego w obrębie goleni. Polega ono na podwiązaniu i przecięciu żył łączących oraz usunięciu niewydolnych żył powierzchownych i żylaków.

Zapobieganie chorobom żył kończyn dolnych

Podstawowym celem zapobiegania chorobom żył kończyn dolnych jest ułatwienie odpływu krwi i niedopuszczenie do gromadzenia się jej na obwodzie kończyny. Niżej przedstawiono zalecenia, które powinny stosować osoby potencjonalnie zagrożone żylakami, osoby z żylakami i ich powikłaniami, a także z zespołem pozakrzepowym.

1) Młode osoby, u których stwierdza się początki żylaków lub rodzinnie obciążone występowaniem żylaków, n i e powinny w y b i e r a ć z a w o d u wymagającego pracy w p o z y c j i s t o j ą c e j.

2) Należy u n i k a ć d ł u g o t r w a ł e g o lub z b ę d n e g o s t a n i a. Osoby pracujące w pozycji stojącej powinny kilka razy na godzinę „maszerować w miejscu", stawać na palcach, wykonywać przysiady, unosić kolana do

góry. W miarę możności nawet w niewielkich zamkniętych pomieszczeniach, powinny wykonywać kilkuminutowe spacery.

3) Długotrwałe siedzenie, zwłaszcza z nogami zgiętymi w stawach biodrowych i kolanowych (rys. a), bardzo źle wpływa na krążenie krwi

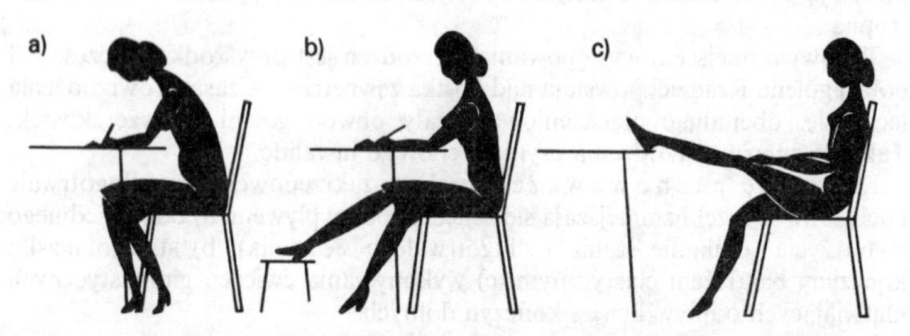

a) Niewłaściwy sposób siedzenia w chorobach żył kończyn dolnych, b) zalecany sposób siedzenia w chorobach żył kończyn dolnych, c) ułożenie kończyny ułatwiające odpływ krwi

w kończynach dolnych. Osoby pracujące w pozycji siedzącej powinny starać się siedzieć ze stopami umieszczonymi na stołku lub drugim krześle, ponieważ ta pozycja ułatwia odpływ krwi żylnej (rys. b). Należy jak najczęściej poruszać stopami, wstawać, robić przysiady, maszerować w miejscu lub chodzić po pokoju. Bardzo dobrze robi siadanie z kończynami uniesionymi na biurku, chociaż na kilka minut w ciągu godzin pracy (rys. c). Nie należy zakładać nogi na nogę i utrzymywać nóg w tej pozycji przez dłuższy czas.

4) Należy prowadzić r u c h l i w y t r y b ż y c i a, co korzystnie wpływa na układ żylny. Bardzo wskazane są spacery, chodzenie i wracanie z pracy pieszo. Czas spaceru należy uzależnić od ewentualnego wystąpienia dolegliwości wywołanych obrzękiem.

5) Rano i wieczorem, a w miarę możności i w innych porach dnia,

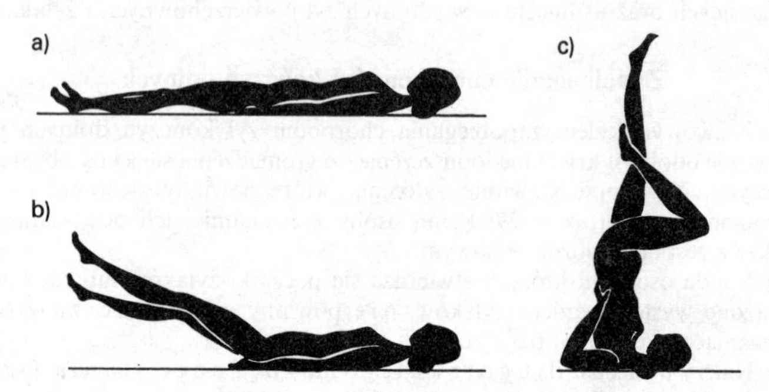

Ćwiczenia zalecane w chorobach żył kończyn dolnych: a) pozycja wyjściowa, b) naprzemienne unoszenie i opuszczanie nóg – „nożyce", c) unoszenie tułowia i wykonywanie „jazdy na rowerze"

wskazane są ćwiczenia ułatwiające odpływ krwi z kończyn dolnych (rys. na s. 1524). W pozycji leżącej na plecach należy: a) unosić nogi pod kątem 45–90° i po 1–2 s opuszczać je na 5–10 s; czynności te powtarza się kilkakrotnie; b) naprzemiennie szybko unosić i opuszczać nogi – tzw. „nożyce"; c) unosić tułów i wykonywać „jazdę na rowerze". W pozycji pionowej należy wykonywać skłony kręgosłupa (zginanie i prostowanie), przysiady, wznosić i opuszczać ramiona, stawać na palcach oraz unosić nogi zginając i wyprostowując je w stawach kolanowych. Wskazane są również ćwiczenia oddechowe z przedłużonym wydechem.

6) Polecane jest pływanie i jazda na rowerze, a także brodzenie po wodzie sięgającej kolan, ponieważ wyższe ciśnienie wody (ma ona większą gęstość niż powietrze) ułatwia odpływ krwi żylnej z nóg.

7) W miarę możliwości należy w ciągu dnia kilkakrotnie kłaść się na kilka lub kilkanaście minut z nogami uniesionymi na wałku lub poręczy łóżka.

8) W nocy, w czasie snu, stopy i podudzie powinny być uniesione tak wysoko, aby znajdowały się wyżej niż serce. W takim ułożeniu krew żylna spływa swobodnie. Najłatwiej jest uzyskać taką pozycję, unosząc tylną część łóżka o 8–10 cm (rys.). Pochyłe ułożenie łóżka, zwłaszcza w nocy, jest korzystniejsze od podkładania pod nogi poduszek, koców, wałków itp., które powodują zgięcie kończyn w stawach kolanowych lub biodrowych, co utrudnia odpływ krwi. Ponadto wałki, a nawet poduszki nie zapewniają dostatecznej wygody, a nogi łatwo się z nich zsuwają.

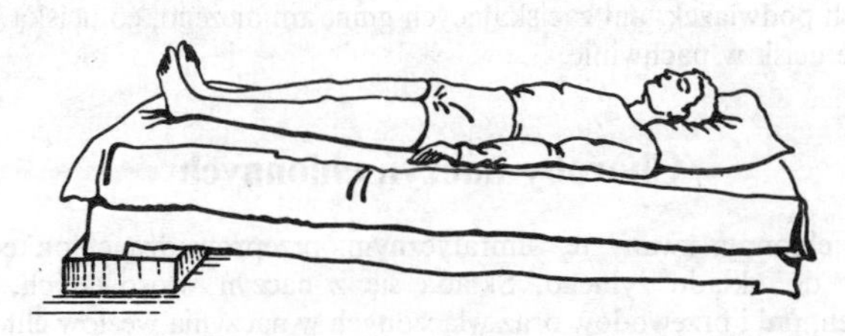

Zalecana pozycja snu w chorobach żył kończyn dolnych

9) Osoby, u których wystąpiły już powikłania żylaków lub zakrzepowego zapalenia żył, powinny w ciągu dnia nosić elastyczne bandaże lub pończochy elastyczne. Prawidłowo założony bandaż elastyczny zapobiega zaleganiu krwi w żyłach powierzchownych kończyn dolnych. Bandaż należy nakładać rano przed spuszczeniem nóg z łóżka, na nieobrzękniętą kończynę, najlepiej po wykonaniu „jazdy na rowerze" (rys. c na s. 1524). Nakłada się go od nasady palców, z ujęciem pięty, aż do kolana. Poszczególne obwoje powinny być ułożone jeden na drugim, podobnie jak dachówki. Zakładanie bandaża na udo jest niecelowe, gdyż łatwo się obluźnia i zsuwa. Ucisk bandaża powinien być równomierny i na tyle mocny, aby zamknął światło żył podskórnych, ale nie utrudniał dopływu krwi tętniczej, co objawiałoby się zblednięciem, ziębnięciem, mrowieniem i drętwieniem palców. Ponieważ obrzęk w miarę

chodzenia powiększa się, opaskę należy w ciągu dnia przewijać odpowiednio do objętości kończyny.

P o ń c z o c h y e l a s t y c z n e spełniają tę samą rolę, co opaska, ale muszą być tak dopasowane, aby odpowiednio silnie uciskały kończynę. Zaletą ich jest to, że wyglądają estetycznie i łatwiej jest je zakładać rano przed opuszczeniem łóżka. Ponieważ u niektórych osób wywołują podrażnienie skóry, dla uniknięcia tego, przed nałożeniem poleca się obmyć kończyny alkoholem, wysuszyć i posypać talkiem lub pudrem dziecięcym. Pończochy należy wymieniać nim utracą elastyczność, przeciętnie co 3–4 miesiące. Pończochy elastyczne kształtu rurowatego, nie dopasowane do kształtu kończyny, nie wywierają skutecznego ucisku malejącego stopniowo od kostek do kolan (od 30 do 16 mm Hg, tj. od 4,0 do 2,1 hPa). Przeciwnie – uciskają kończynę w odcinku bliższym kolana, przez co zwiększają zastój krwi żylnej. W krajach zachodnich stosuje się pończochy elastyczne wykonywane na miarę. Zaletą ich jest to, że stopień ucisku na tkanki jest różny w różnych częściach kończyny w zależności od potrzeby. Sposób zakładania pończoch elastycznych pokazuje fotografia na tablicy 28 e.

10) W przypadku płaskostopia konieczne jest noszenie odpowiednich w k ł a d e k o r t o p e d y c z n y c h.

11) Należy dbać o utrzymanie należnej masy ciała, ponieważ otyłość wyraźnie zwiększa zastój krwi w kończynach dolnych, a ponadto zmniejsza wpływ działania mięśni na powrót krwi żylnej do serca.

12) Nie należy nosić nic, co upośledza krążenie krwi w kończynach – ani okrężnych podwiązek, ani zaciskających gum, ani niczego, co uciska uda lub wywołuje ucisk w pachwinie.

Choroby naczyń chłonnych

Układ chłonny, zwany też limfatycznym, przeprowadza chłonkę (limfę) z tkanek do układu żylnego. Składa się z naczyń włosowatych, naczyń zbiorczych, pni i przewodów oraz włączonych w naczynia węzłów chłonnych. Włośniczki znajdują się prawie we wszystkich tkankach, skąd zbierają płyn tkankowy i przeprowadzają go do naczyń zbiorczych. Te łączą się w większe pnie, na których drodze znajdują się węzły chłonne. Węzły chłonne spełniają rolę filtrów oczyszczających chłonkę z różnych ciał obcych, np. z bakterii i toksyn. Są również miejscem powstawania limfocytów, które zbiera przepływająca chłonka. Pnie przeprowadzające limfę łączą się w przewody, które wpadają do układu żyły głównej górnej.

O kierunku przepływu chłonki decydują zastawki. Szybkość jej przepływu jest mała, kilkadziesiąt razy mniejsza niż krwi w żyłach. Ruch chłonki jest uwarunkowany przede wszystkim różnicą ciśnień w układzie oraz ruchami narządów sąsiednich, zwłaszcza mięśni i tętnic. Do czynników zwiększających szybkość przepływu limfy należą: rozszerzenie naczyń, wzmożona czynność mięśni, uniesienie kończyny. Całkowita objętość chłonki wpływającej do układu żyły głównej wynosi 2–4 l dziennie i zawiera 75–200 g białka.

Obrzęki chłonne

Obrzęk chłonny jest to nadmierne nagromadzenie się płynu tkankowego w następstwie utrudnionego odpływu przez naczynia chłonne. Przyczyną utrudnionego odpływu może być niedorozwój, niedrożność lub wycięcie naczyń chłonnych. Obrzęk chłonny może powstać również w wyniku nieprawidłowej czynności układu chłonnego.

Mechanizm powstawania obrzęku chłonnego można w sposób uproszczony przedstawić następująco. Zaburzenia w przepływie chłonki prowadzą do podwyższenia ciśnienia w naczyniach limfatycznych, czego następstwem jest ich rozszerzenie i niedomykalność zastawek. Niewydolność aparatu zastawkowego pogłębia trudności w odpływie chłonki i stopniowo prowadzi do jej zastoju. W następstwie wzmożonego ciśnienia i zastoju chłonki ustaje przechodzenie płynu tkankowego do włośniczek limfatycznych. Płyn tkankowy zawierający duże ilości białka stopniowo gromadzi się, co doprowadza do obrzęku chłonnego.

Pierwotny obrzęk chłonny przeważnie pojawia się u młodych kobiet. Przyczyną choroby jest nieprawidłowy rozwój naczyń chłonnych. Pierwszym objawem jest zwykle niebolesny obrzęk, umiejscowiony na grzbiecie stopy i w okolicy kostek. Obrzęk ten powiększa się po dłuższym chodzeniu i nieco zmniejsza po nocnym wypoczynku. W miarę upływu czasu obrzęk zwykle powiększa się i stopniowo obejmuje podudzie, a czasem nawet całą kończynę dolną. Często proces ulega stabilizacji.

W pierwszym okresie choroby obrzęk jest miękki, a po uciśnięciu palcem pozostaje zagłębienie. Później staje się oporny na ucisk. Skóra nad okolicą obrzękniętą jest gruba, twarda, pofałdowana. Stopniowo następuje przerost tkanki podskórnej, kończyna ulega stałemu zgrubieniu, staje się ciężka, przybiera nieestetyczny wygląd. Chorzy skarżą się na uczucie ciężaru i rozpierania w kończynie. Niekiedy rozwija się obrzęk na drugiej kończynie.

Wtórny obrzęk chłonny, w odróżnieniu od pierwotnego, jest zwykle wywołany określonymi przyczynami. Obrzęki wtórne mogą wystąpić po: a) chirurgicznym wycięciu naczyń i węzłów chłonnych w leczeniu nowotworów sutka, macicy, skóry, kończyn itp., b) urazach, np. po złamaniach kości lub operacjach naczyniowych (usunięcie żylaków, operacja naprawcza tętnicy), c) naświetlaniach promieniami rentgenowskimi, d) zapaleniu naczyń chłonnych, e) długotrwałym unieruchomieniu kończyny. Przyczyną wtórnego obrzęku chłonnego może być też nowotworowa niedrożność naczyń chłonnych, spowodowana przeważnie rakiem gruczołu krokowego u mężczyzn i chłoniakiem u kobiet.

Obrzęk wtórny pojawia się wkrótce po powstaniu wywołującej go przyczyny i powiększa się szybciej niż obrzęk pierwotny. Obraz kliniczny obu rodzajów obrzęków jest podobny.

Najczęstszym powikłaniem obrzęku chłonnego są nawracające zapalenia tkanki łącznej i naczyń chłonnych, występujące nawet po najdrobniejszych urazach (zadrapania, ukłucie itp.) kończyny, w której rozwinął się proces chorobowy.

Leczenie ma na celu zapobieganie narastaniu obrzęku i nawrotom zapaleń naczyń chłonnych. L e c z e n i e z a c h o w a w c z e polega na spaniu z uniesionymi chorymi kończynami oraz unoszeniu ich w ciągu dnia ku górze – choćby na kilka minut. Wskazane jest noszenie opasek elastycznych. Czasami konieczne jest stosowanie diety niskosodowej i leków moczopędnych. Należy unikać wszelkich urazów i przestrzegać rygorystycznie zasad higieny osobistej. Jeśli doszło do zapalenia naczyń chłonnych, stosowane są antybiotyki.

L e c z e n i e c h i r u r g i c z n e polega na stworzeniu odpływu chłonki przez wytworzenie nowego połączenia układu chłonnego z układem żylnym. Wykonywane też bywają operacje polegające na wprowadzeniu pod skórę chorej kończyny nitek, co ma ułatwić odpływ chłonki. Niektórzy chirurdzy wycinają tkanki, w których powstaje obrzęk. Wyniki leczenia są ciągle jeszcze niezadowalające.

XV. CHIRURGIA ENDOKRYNOLOGICZNA

Chirurgia tarczycy

Prawidłowo rozwinięty gruczoł tarczowy, czyli t a r c z y c a, składa się z dwóch płatów i łączącej je położonej pośrodkowo części tzw. w ę z i n y lub c i e ś n i. Kształt gruczołu porównać można do litery H. W około 80% przypadków od cieśni odchodzi ku górze wąski wyrostek tzw. p ł a t p i r a m i d o w y. Przeciętna masa tarczycy u osób dorosłych wynosi 20 – 36 g, długość płatów bocznych 4 – 6 cm, szerokość 2 – 4 cm i grubość 1,5 – 2 cm.

Położenie i kształt tarczycy: 1 – tętnica szyjna wewnętrzna, 2 – tarczyca, 3 – tchawica, 4 – żyła bezimienna, 5 – żyła główna dolna, 6 – żyła podobojczykowa, 7 – płat piramidowy

Gruczoł tarczowy objęty jest torebką włóknistą, od której do jego wnętrza wnikają przegrody łącznotkankowe, dzielące miąższ na tzw. z r a z i k i (płaciki), złożone zwykle z 20 – 50 pęcherzyków gruczołowych. Ściana pęcherzyków wysłana jest jednowarstwowym nabłonkiem sześciennym, a ich wnętrze wypełnia koloid.

Powierzchnia prawidłowego gruczołu jest gładka, niekiedy z zaznaczoną zrazikowatością. Normalny gruczoł jest równomiernie miękki; twarda jego spoistość lub obecność wyczuwalnych guzków przemawiają za zmianą chorobową.

Tarczyca nie jest bezwzględnie konieczna do życia, jednak wydzielane przez nią hormony biorą udział w przemianie materii całego organizmu. Usunięcie tarczycy u osoby dojrzałej powoduje postępujące zaburzenia czynności całego organizmu, dające wyraźne objawy chorobowe. W takich przypadkach konieczne jest zastępcze, czyli substytucyjne, leczenie preparatami zawierającymi hormony tarczycy.

Choroby tarczycy mogą zmieniać tylko strukturę gruczołu albo też zarówno jego strukturę, jak i czynność. Nawet przy rozległych zmianach strukturalnych funkcja tarczycy jako całości może pozostać niezmieniona i chory znajduje się w stanie tzw. e u t y r e o z y. Z kolei przy niewielkich zmianach anatomiczno-strukturalnych gruczołu czasami występują ciężkie zaburzenia czynnościowe tarczycy. Przyczyny, objawy kliniczne oraz leczenie zaburzeń tarczycy, zob. Endokrynologia, Choroby tarczycy, s. 821.

Wole

Powiększoną tarczycę określa się zwykle mianem w o l a. Jeżeli przyczyną powiększenia tarczycy są utworzone na jej powierzchni guzki, wole takie określa się jako w o l e g u z k o w e. Jeśli przyczyną wola jest równomierny rozrost miąższu gruczołu o gładkiej powierzchni, wówczas mówi się o w o l u m i ą ż s z o w y m. Gdy w rozrośniętym miąższu tarczycy występują guzki – jest to w o l e m i ą ż s z o w o - g u z k o w e. Wolu mogą towarzyszyć objawy nadczynności lub niedoczynności tarczycy, może też czynność tego gruczołu nie ulec zmianie. Stosuje się wtedy odpowiednie określenia: w o l e n a d c z y n n e, w o l e n i e d o c z y n n e i w o l e o b o j ę t n e.

Jeśli po uwzględnieniu przyczyn powstania wola odpowiednie leczenie zachowawcze nie daje rezultatu lub powiększona tarczyca uciska sąsiadujące narządy, wywołując duszność, kaszel, chrypkę i trudności w połykaniu, wówczas uzasadnione jest podjęcie l e c z e n i a o p e r a c y j n e g o. Wskazaniem do operacji może być również d u ż e w o l e – ze względów kosmetycznych – a także w o l e g u z k o w e o b o j ę t n e, zagrożone możliwością istnienia lub rozwoju nowotworu w obrębie guzka.

Zmiany anatomiczne i patologiczne gruczołu tarczowego oceniane są za pomocą wielu przedoperacyjnych badań diagnostycznych. Badania rentgenowskie są pomocne w ustalaniu położenia gruczołu, zarysów wola, jego ucisku na sąsiadujące narządy, jak tchawica i przełyk, oraz stwierdzeniu zwapnień w miąższu gruczołu. Tomografia komputerowa pozwala dodatkowo na odróżnienie wytrzeszczu oczu w chorobie Gravesa–Basedowa od zmian nowotworowych. Badaniem ultrasonograficznym tarczycy odróżnić można guzy lite tarczycy od torbieli oraz rozpoznać brak części tarczycy powstały w wyniku niedorozwoju, zaniku lub zniszczenia przez proces chorobowy, a ponadto wykryć małe niewyczuwalne palpacyjne guzki umiejscowione śródmiąższowo.

Histologiczne badanie wycinków tarczycy, węzłów chłonnych i przerzutów nowotworowych jest najważniejszą metodą oceny zmian patologicznych gruczołu. Jeśli zaistnieją wskazania, wykonywane są one przed operacją i podczas operacji (tzw. badania doraźne). Pooperacyjne badanie histologiczne usuniętej części tarczycy wykonywane jest rutynowo.

Bardzo często istnieją wskazania do wykonania tzw. biopsji cienkoigłowej tarczycy w celu cytologicznej oceny pobranego materiału. Szczególnym wskazaniem do tego badania są guzki tarczycy, zwłaszcza nie gromadzące jodu, oraz podejrzenie zmian zapalnych tarczycy.

Nowotwory częściej występują w guzkach pojedynczych niż w wolu wieloguzkowym. W wolu wieloguzkowym nowotwór rozwija się częściej u mężczyzn niż u kobiet i to zwykle w wieku powyżej 40 r. życia. Bardzo duże zagrożenie rozwoju nowotworu w guzkach istnieje u dzieci poniżej 15 r. życia po przebytym naświetleniu radiologicznym okolic szyi. W scyntygraficznie „zimnych" guzkach tarczycy prawdopodobieństwo raka tarczycy jest znacznie większe niż w guzkach „gorących". Leczenie operacyjne osoby młodej z krótko istniejącym, ale szybko rosnącym i o twardej spoistości guzkiem tarczycy, który scyntygraficznie określony jest jako „zimny", jest wskazaniem bezwzględnym. Z kolei chorzy w średnim wieku, z wolem o licznych i miękkich guzkach, istniejących i nie ulegających powiększeniu przez wiele lat, nie muszą być bezwzględnie operowani. Wymagają oni jednak stałej obserwacji okresowej.

Leczenie operacyjne wola miąższowego polega na częściowej resekcji tarczycy z usunięciem węziny (cieśni). Pojedynczy guzek tarczycy nie wykazujący cech przemiany nowotworowej usuwa się z prawie całym płatem tarczycy, w którym ten guzek występuje, wraz z cieśnią. W przypadku wola wieloguzkowego usuwa się prawie całkowicie oba płaty tarczycy, pozostawając jednak bezguzkowy miąższ. Jeśli istnieje podejrzenie nowotworu w obrębie guzka, usuwa się całkowicie dany płat tarczycy. Wycięty płat podczas trwania operacji jest badany histologicznie i wynik badania decyduje o dalszym postępowaniu operacyjnym. Jeżeli wole znajduje się poza mostkiem, usuwane jest w całości.

Powikłania po operacji. Wykonywanie okresowe głębokich oddechów ułatwia odkrztuszanie znajdującej się w oskrzelach wydzieliny. Poruszanie dolnymi kończynami z chwilą odzyskania przytomności sprzyja zapobieganiu powstawania zakrzepów żylnych w nogach. Często występujące po operacji bóle głowy, zwłaszcza w okolicy potylicznej, stopniowo zmniejszają się i zwykle całkowicie ustępują po kilku dniach. Jeśli nie są bardzo silne, nie muszą być podawane leki przeciwbólowe. W początkowym okresie bardzo bolesne mogą być ruchy głową i niekiedy chorzy skarżą się na uczucie „opadania" głowy ku tyłowi. Dolegliwości te ustępują także w ciągu kilku dni. Aby zapobiec tym przykrym uczuciom, chorzy przytrzymują głowę ręką.

Występująca czasami po operacji krótkotrwała męczliwość głosu oraz przejściowa chrypka mogą być następstwem śródoperacyjnego uszkodzenia dolnego nerwu krtaniowego na skutek jego nieprawidłowego położenia albo przemieszczenia przez bardzo duże wole. Jednostronne uszkodzenie nerwu krtaniowego, w zależności od rozległości, może spowodować zmianę barwy głosu lub jego męczliwość objawiającą się stopniowym obniżaniem siły głosu w miarę mówienia. Powikłanie to wymaga leczenia foniatrycznego i najczęściej po leczeniu tym ustępuje.

U chorych z bardzo dużym wolem uciskającym tchawicę przez długi okres bywa wykonywana przetoka tchawicza, tzw. tracheostomia, polegająca na założeniu specjalnej rurki do tchawicy. Zabieg ten umożliwia choremu swobodne oddychanie w okresie pooperacyjnym i zapobiega powikłaniom. Rurkę tracheostomijną usuwa się bezboleśnie, zwykle przed wypisaniem chorego do domu.

W drugim, trzecim dniu po operacji może niekiedy wystąpić uczucie drętwienia palców rąk i nóg oraz skóry wokół warg, oczu i na policzkach. Jest to najczęściej dolegliwość przejściowa, spowodowana usunięciem lub uszkodzeniem jednej lub więcej spośród 4 istniejących przytarczyc. Sytuacja taka może zaistnieć, ponieważ gruczoły przytarczowe są bardzo małe i mogą znajdować się w miąższu usuniętej tarczycy. Odróżnienie podczas operacji przytarczyc od drobnych guzków tarczycy jest tak trudne, że niekiedy nawet makroskopowo niemożliwe.

Nadczynność tarczycy

Zwiększone stężenie hormonów tarczycy we krwi prowadzi do wielu objawów chorobowych oraz zaburzeń fizjologicznych i biochemicznych określonych mianem tyreotoksykozy. Przyczyną tyreotoksykozy może być choroba Gravesa-Basedowa, wole guzkowe nadczynne (tzw. choroba Plummera), przedawkowanie hormonów tarczycy lub nieprawidłowe podawanie jodu albo hormonalna nadczynność niektórych guzów przysadki mózgowej. Najczęściej chirurgicznego leczenia wymaga choroba Gravesa-Basedowa i wole guzkowe nadczynne. Przyczyny, objawy, rozpoznanie i leczenie tych chorób, zob. Endokrynologia, Choroby tarczycy, s. 824.

Operacyjnie jest leczona nadczynność oporna lub z trudnością ustępująca w wyniku zastosowanego leczenia zachowawczego oraz nawracająca po jego zakończeniu. Operacyjnego usunięcia wymaga również duże wole powodujące objawy uciskowe oraz schodzące poza mostek. Chirurgicznie leczona jest też w niektórych przypadkach nadczynność istniejąca w czasie ciąży. Bezwzględnym przeciwwskazaniem do leczenia operacyjnego jest nadczynność tarczycy dotychczas nie leczona zachowawczo. Ze względu na zwiększone ryzyko operacyjne, nadczynność tarczycy u chorych w podeszłym wieku i ze zmianami płucnymi, sercowymi, nerkowymi oraz wątrobowymi jest leczona chirurgicznie jedynie przy objawach uciskowych, po odpowiednim przygotowaniu tych chorych.

Zaletą operacyjnego leczenia nadczynności tarczycy jest natychmiastowe ustąpienie tyreotoksykozy i objawów uciskowych spowodowanych przez duże wole, jak również usunięcie możliwych ognisk przemiany nowotworowej. Wadą natomiast jest możliwość rozwoju niedoczynności tarczycy i uszkodzenia nerwu krtaniowego oraz możliwość wystąpienia tężyczki. Niedoczynność po operacji jest najczęściej objawem przemijającym, natomiast utrzymywanie się nadczynności po operacyjnym leczeniu spotyka się wyjątkowo rzadko.

Nowotwory tarczycy

Nowotwory łagodne i raki tarczycy oraz ich leczenie, zob. Choroby nowotworowe, s. 2040.

Chirurgia przytarczyc

U ogromnej większości ludzi (90–95%) występują 4 gruczoły przytarczowe. Przytarczyce górne znajdują się na tylnej powierzchni płatów tarczycy – w 80% przypadków na poziomie środkowej trzeciej części tarczycy, w 15% na poziomie górnej trzeciej części tarczycy, w 1% powyżej górnego bieguna tarczycy i w 4% poniżej tętnicy tarczowej dolnej. U około 5–10% osób mogą znajdować się na wymienionych poziomach, lecz poza przełykiem i w okolicy dużych naczyń szyjnych lub nawet pod torebką tarczycy.

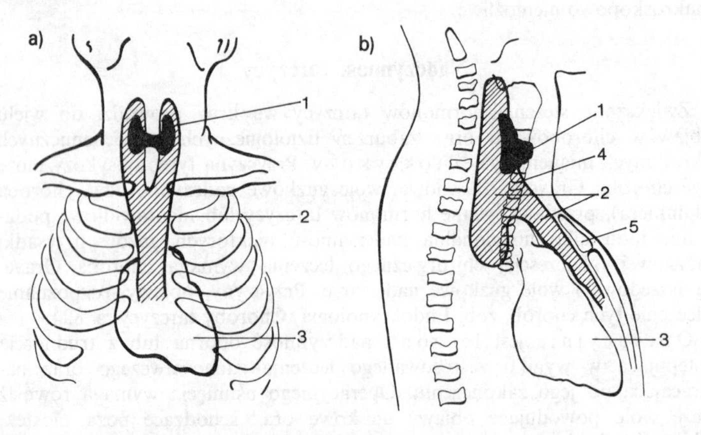

Możliwe umiejscowienie przytarczyc prawidłowych: a) widok od przodu, b) widok z boku; 1 – tarczyca, 2 – pole zakreskowane przedstawia zakres możliwego umiejscowienia przytarczyc, 3 – serce, 4 – tchawica, 5 – mostek

Przytarczyce dolne u 70% osób znajdują się na bocznej lub przedniej powierzchni dolnego bieguna tarczycy, u 25% – w tkance tłuszczowej między dolnym biegunem tarczycy a górną powierzchnią mostka, u 3% – poza mostkiem i u 2% na poziomie środkowej i górnej trzeciej części tarczycy.

Na skutek braku więzadeł utrzymujących przytarczyce w stałym położeniu oraz w wyniku spionizowanej postaci człowieka, jak również w następstwie ujemnego „ssącego" działania klatki piersiowej, duże gruczolaki przytarczyc ulegają przemieszczeniu w kierunku do śródpiersia.

Operacyjne leczenie chorób przytarczyc stosowane jest w przypadku ich nadczynności. Klinicznie rozróżnia się nadczynność pierwotną, wtórną i trzeciorzędową.

Nadczynność przytarczyc

Pierwotna nadczynność przytarczyc. Objawy zob. Endokrynologia, Choroby przytarczyc, s. 834.

Przyczyną pierwotnej nadczynności przytarczyc jest w ok. 80% gruczolak, w 20% przerost i w ok. 1% przypadków rak przytarczyc. Około 10% gruczolaków stanowią gruczolaki mnogie rozwijające się w dwóch lub nawet w czterech przytarczycach.

Operacyjne leczenie nadczynności przytarczyc opiera się na założeniu, że u chorego znajdują się 4 gruczoły. Do podstawowych zasad postępowania operacyjnego należy odnalezienie wszystkich czterech przytarczyc, gdyż zmiany patologiczne w każdej z nich mogą być odrębną przyczyną nadczynności. Ponieważ przytarczyce są bardzo małymi gruczołami o zmiennych cechach makroskopowych i ponieważ mogą być umiejscowione w rozległym obszarze od krtani do śródpiersia (rys. na s. 1532), operacje przytarczyc należą do najtrudniejszych i najbardziej precyzyjnych w chirurgii. Zdarza się np. że nadczynny gruczoł nie zostaje odnaleziony podczas operacji na szyi i musi być poszukiwany w następnej operacji w śródpiersiu po przecięciu mostka.

Gruczolak i gruczolaki mnogie usuwa się podczas operacji w całości. W przypadku pierwotnego (samoistnego) rozrostu przytarczyc (a dotyczy to wszystkich 4 gruczołów) usuwa się 3 najbardziej powiększone przytarczyce, a z czwartego gruczołu pozostawia taką masę jego tkanki gruczołowej, która wielkością odpowiada jednej zdrowej przytarczycy.

Powikłania po operacji przytarczyc są podobne jak po operacji tarczycy (zob. s. 1530). Przy rozległych i uogólnionych zmianach kostnych, po operacji wapń jest wychwytywany przez kości, co prowadzi do znacznego obniżenia jego poziomu w surowicy krwi. Objawia się to wzmożeniem pobudliwości nerwowej oraz tężyczką.

Wycięcie całej nadczynnej tkanki przytarczycowej usuwa przyczynę tworzenia się kamieni nerkowych (operację przytarczyc wykonuje się przed operacją urologiczną usuwającą kamienie z dróg moczowych), wpływa na zagojenie się wrzodów żołądka i dwunastnicy współistniejących z pierwotną nadczynnością przytarczyc, likwiduje przewlekłe zapalenie trzustki lub sprawia, że ma ono przebieg łagodniejszy.

Wtórna nadczynność przytarczyc cechuje się rozrostem wszystkich gruczołów przytarczycowych i jest procesem wyrównawczym w zaburzeniach metabolicznych występujących u chorych z przewlekłą niewydolnością nerek (z mocznicą) i w zaburzeniach wchłaniania pokarmu w jelitach. Chorzy z wtórną nadczynnością przytarczyc są leczeni zachowawczo (zob. Endokrynologia, Choroby przytarczyc, s. 834). W szczególnych jednak przypadkach, gdy występują rozległe zmiany kostne, złamania patologiczne, zwapnienia tkanek miękkich i dokuczliwy świąd skóry, jest stosowane leczenie chirurgiczne. Najczęściej leczeniu takiemu są poddawani chorzy z pełną niewydolnością nerek, utrzymywani przy życiu dzięki zastosowaniu tzw. sztucznej nerki.

Trzeciorzędowa nadczynność przytarczyc rozwija się u niektórych chorych długotrwale dializowanych z zastosowaniem sztucznej nerki oraz po przeszczepie nerek. Leczenie, wyłącznie operacyjne, polega na usunięciu nadczynnej tkanki gruczołowej.

Chirurgia nadnerczy

Nadnercza są gruczołem parzystnym i w organizmie człowieka znajdują się powyżej górnych biegunów nerek. Każdy gruczoł składa się z części zewnętrznej, korowej, oraz wewnętrznej, rdzeniowej. Hormony wydzielane przez nadnercza są niezbędne do życia człowieka, dlatego też po całkowitym usunięciu obu gruczołów chorzy muszą otrzymywać zastępczo odpowiednie preparaty hormonalne do końca życia. Nieregularne stosowanie tych leków grozi śmiercią chorego.

Zespół Cushinga

Zespół Cushinga jest to zespół zmian somatycznych i metabolicznych, spowodowany przewlekłymi zaburzeniami prawidłowego rytmu dobowego wydzielania kortyzolu – hormonu kory nadnerczy. Hormon ten jest wydzielany w ilości przekraczającej dobowe zapotrzebowanie organizmu. W następstwie dochodzi do wielu ciężkich zaburzeń metabolicznych, które – jeśli nie są właściwie leczone – prowadzą do zgonu chorego. Objawy, rozpoznanie oraz leczenie zob. Endokrynologia, s. 796.

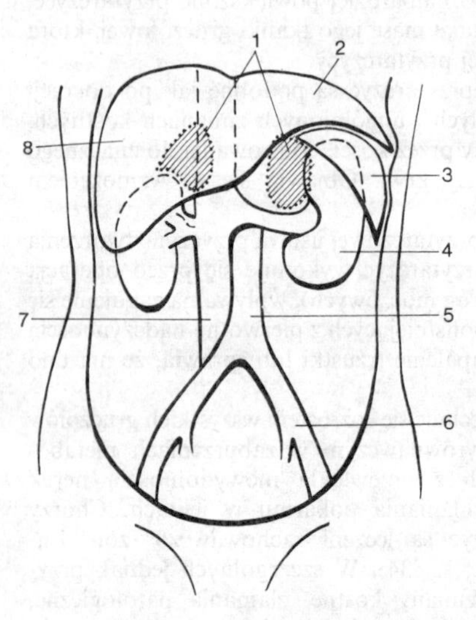

Położenie nadnerczy (pola zakreskowane) w stosunku do sąsiadujących narządów: 1 – nadnercza, 2 – lewy płat wątroby, 3 – śledziona, 4 – nerki, 5 – aorta brzuszna, 6 – tętnica biodrowa, 7 – żyła główna dolna, 8 – prawy płat wątroby

Najczęstszą przyczyną (ok. 90% przypadków) zespołu Cushinga jest obustronny przerost nadnerczy w następstwie nadmiernego wydzielania przez przysadkę kortykotropiny (ACTH), spowodowanego przeważnie mikrogruczolakiem lub gruczolakiem przysadki. U około 5% chorych niektóre pozaprzysadkowe i pozanadnerczowe guzy, np. raki płuc i jajników, wydzielają substancję ACTH-podobną, ktora pobudza korę nadnerczy do rozrostu i wzmożonego wydzielania kortykozolu, co prowadzi do rozwoju objawów typowych dla zespołu Cushinga. Ponadto przyczyną tego zespołu bywa czynny hormonalnie guz nadnercza, który histologicznie może być rakiem lub gruczolakiem.

L e c z e n i e guzów nadnerczy polega na operacyjnym usunięciu odpowiedniego gruczołu lub nawet obu nadnerczy w przypadku zmian obustronnych. Ponieważ rozrost obu nadnerczy wywołany jest przez nadmierne wydzielanie przez przysadkę hormonu kortykotropiny, dlatego też współczesne leczenie polega na operacyjnym usunięciu mikrogruczolaków przysadki lub (i) radioterapii. Jeśli objawy choroby nadal postępują, wówczas usuwa się operacyjnie oba nadnercza jako bezpośrednie źródło wydzielanych w nadmiarze hormonów.

Ponieważ po całkowitym usunięciu nadnerczy w krótkim czasie nastąpiłby zgon chorego, każdy chory po takiej operacji musi zastępczo stale przyjmować hormony wydzielane przez nadnercza. Jest to tzw. s u b s t y t u c y j n a t e r a p i a, która musi być stosowana do końca życia. Chory pod groźbą utraty życia musi codziennie zażywać określoną dawkę kortyzonu wraz z lekami uzupełniającymi. Dokładna dawka kortyzonu (utleniona postać kortyzolu) jest ustalana przez lekarzy w szpitalu. W przypadku choroby (np. grypy) lub drobnych nawet zabiegów dawkę należy zwiększyć zgodnie ze wskazówkami lekarza. Po jednostronnym usunięciu nadnercza terapia substytucyjna stosowana jest przejściowo.

Guz chromochłonny

Komórki chromochłonne (przyjmujące żółtawobrązowe zabarwienie pod wpływem soli chromu) znajdują się w rdzeniu nadnerczy i w nerwowych zwojach układu współczulnego (sympatycznego), które przebiegają wzdłuż aorty oraz na szyi. Z komórek tych może rozwinąć się nowotwór zwany g u z e m c h r o m o c h ł o n n y m (rys. na s. 1536). W 90% przypadków dzieje się to w rdzeniu nadnerczy. Guzy chromochłonne najczęściej występują zatem w obrębie jamy brzusznej, czasami w klatce piersiowej i na szyi, a tylko wyjątkowo w pęcherzu moczowym.

Guzy chromochłonne wydzielają hormony zwane k a t e c h o l a m i n a m i. Powodują one nadciśnienie tętnicze, które w zależności od rytmu ich wydzielania może być stałe lub napadowe. Wśród całej populacji chorych z nadciśnieniem tętniczym jedynie u ok. 1% stwierdza się guz chromochłonny. Różnorodność objawów chorobowych przy guzach chromochłonnych powoduje trudności w ich rozpoznaniu. Istnienie guza chromochłonnego podejrzewa się w przypadkach nadciśnienia tętniczego stałego lub napadowego, nadciśnienia nagle pojawiającego się, zwłaszcza u dzieci, oraz nadciśnienia ujawniającego się w czasie ciąży. Istnieje rodzinna skłonność do występowania guzów chromochłonnych.

O p e r a c y j n e u s u n i ę c i e g u z a c h r o m o c h ł o n n e g o jest jedyną, skuteczną metodą leczenia nadciśnienia wywołanego przez ten guz. Ryzyko operacji jest niewielkie, jeśli chory zostanie do niej prawidłowo farmakologicznie przygotowany. U ok. 5% chorych wyniki są niepomyślne, gdy guzy są złośliwe.

Podczas operacji bardzo trudnym zadaniem jest zapobieganie nagłemu

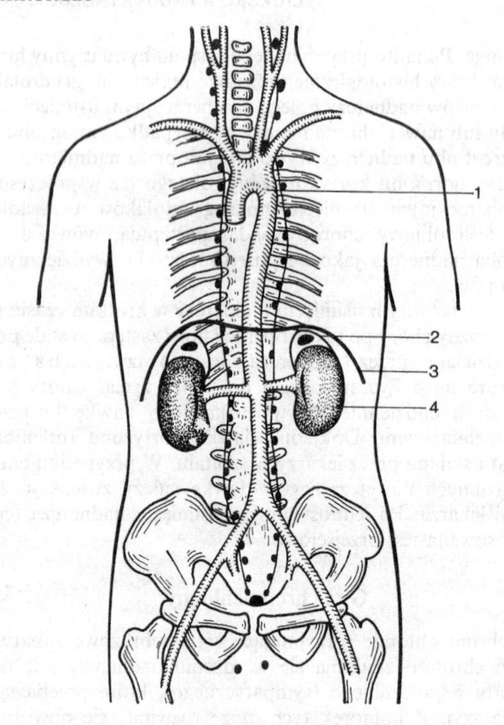

Guz chromochłonny; miejsca, w których może rozwinąć się guz, zaznaczono czarnymi kółeczkami; 1 – aorta, 2 – nadnercza, 3 – przepona, 4 – nerki

wzrostowi i spadkowi ciśnienia tętniczego. Często już bezpośrednio po usunięciu guza może nastąpić normalizacja ciśnienia, tylko niekiedy następuje jego gwałtowny spadek. U chorych z nadciśnieniem stałym ciśnienie tętnicze wraca do normy, jeśli uprzednio na skutek długotrwającej choroby nie doszło do wtórnych zmian w układzie naczyniowym.

Hiperaldosteronizm pierwotny, czyli zespół Conna

Hiperaldosteronizm pierwotny powstaje w wyniku nadmiernego i niezależnego od zapotrzebowania organizmu wydzielania przez korę nadnerczy hormonów zwanych mineralokortykosteroidami, których głównym przedstawicielem jest aldosteron. Zespół ten jest jedną z rzadkich postaci objawowego nadciśnienia tętniczego (zob. Choroby wewnętrzne, s. 662).

U około 80% chorych z zespołem Conna p r z y c z y n ą choroby jest pojedynczy gruczolak, a u ok. 20% – samoistny rozrost tej części kory nadnercza, która wydziela aldosteron. Rozrost kory może być rozrostem guzkowym, ale nie każdy guzek wykazuje aktywność. Objawy i rozpoznanie zob. Endokrynologia s. 798.

Leczenie chirurgiczne guzka polega na usunięciu zmienionego nadnercza wraz z guzkiem. W przypadku guzków mnogich pozostawiany jest bezguzkowy miąższ nadnerczy. Przy rozroście obejmującym oba nadnercza najczęściej usunięte zostaje jedno nadnercze oraz 1/2–3/4 nadnercza drugiego.

Leczenie operacyjne daje trwałe dobre wyniki u ok. 90–95% chorych operowanych. Jeśli nie współistnieją zmiany w nerkach, ciśnienie krwi staje się prawidłowe w ciągu kilku dni lub tygodni po operacji albo też wykazuje wyraźnie większą podatność na leczenie farmakologiczne i dietetyczne.

Zespół nadnerczowo-płciowy

Zespół ten występuje u nowodorodków, dzieci i w wieku dojrzałym. U dzieci i osób w wieku dojrzałym zespół ten może być wywołany przez guz nadnercza (gruczolak lub rak). Najczęściej są to tzw. guzy wirilizujące, dające wyraźne objawy rozwoju cech męskich u kobiet i dziewcząt w postaci zarostu, braku miesiączki, zaniku sutków i powiększenia łechtaczki. U mężczyzn guzy te wykrywane są na ogół przypadkowo.

Guzy feminizujące występują bardzo rzadko. Najczęściej są to raki. U kobiet powodują one między innymi przedwczesne dojrzewanie płciowe, nieregularne i obfite krwawienia maciczne. U mężczyzn zespół ten objawa się powiększeniem sutków, zanikiem prącia oraz jąder.

Guzy nadnerczy w zespole nadnerczo-płciowym mogą przemieszczać sąsiadujące narządy – nerki, śledzionę, trzustkę – oraz uciskać żyłę główną dolną powodując rozwój w niej zapalenia zakrzepowego. Guzy te niekiedy osiągają bardzo duże rozmiary oraz wykazują naciekający wzrost. Leczenie jest operacyjne. Zob. też Endokrynologia, s. 799.

XVI. UROLOGIA

Urologia jest działem chirurgii, zajmującym się rozpoznawaniem i leczeniem chorób narządów moczowych i chorób męskich narządów płciowych. Zabiegi urologiczne wykonywano już w starożytności, ale jako odrębna dyscyplina urologia wyodrębniła się dopiero w drugiej połowie XIX w. Proces ten był związany z rozwojem i udoskonaleniem złożonych metod badawczych: laboratoryjnych, instrumentalnych i radiologicznych. Pierwszy oddział urologiczny na świecie powstał w 1863 r. w Odessie. W Polsce proces wyodrębniania urologii z chirurgii zakończył się po II wojnie światowej. Powołano we wszystkich akademiach medycznych kliniki urologiczne. W wielu dużych szpitalach powstały oddziały urologiczne. Wprowadzono wykłady z urologii do programu studiów medycznych.

Objawy chorób narządów moczowo-płciowych

Bóle. Doznania bólowe w okolicy lędźwiowej związane z chorobami urologicznymi nerek mogą być ostre i tępe. Bóle ostre mają charakter napadowy, promieniują w charakterystyczny sposób do pachwiny, często związane są z zaburzeniami w oddawaniu moczu, mogą im towarzyszyć mdłości i wymioty. Bóle tępe w okolicy lędźwiowej towarzyszą chorobom powodującym rozciąganie torebki włóknistej nerki, nasilają się przy staniu i gwałtownych ruchach. Bóle w podbrzuszu mogą być wywołane zmianami chorobowymi w pęcherzu moczowym. Najbardziej dokuczliwe są w zaawansowanych nowotworach, zapaleniach i gruźlicy pęcherza. Bóle w kroczu towarzyszą nowotworom, zapaleniom i ropniom gruczołu krokowego. Bóle w jądrach najczęściej są wywołane ostrym stanem zapalnym jądra lub nadjądrza.

Zaburzenia w oddawaniu moczu. Częstomocz polega na oddawaniu moczu częściej niż 3–4 razy na dobę. Częstomocz bolesny jest charakterystycznym objawem zapalenia dolnych dróg moczowych. Nietrzymanie moczu może być całkowite lub częściowe. Moczenie nocne polega na bezwiednym oddawaniu moczu podczas snu, może być objawem chorób neurologicznych i wad wrodzonych w układzie moczowym.

Trudności w oddawaniu moczu, strumień moczu przerywany, wąski – występują w chorobach dolnych dróg moczowych. Zaleganie moczu powstaje na skutek niemożności całkowitego opróżniania pęcherza. Zatrzymanie moczu jest to niemożność oddania moczu, a bezmocz jest całkowitym brakiem moczu w pęcherzu.

Ropomocz i krwiomocz. Ropomocz jest to obecność krwinek białych, czyli leukocytów w moczu. Natężenie ropomoczu może być różne – liczba leukocytów w polu widzenia przy badaniu mikroskopowym może wynosić od kilkunastu do całkowitego zasłania pola (pełny ropomocz). Zazwyczaj ropomoczowi towarzyszą bakterie. Jeżeli ich liczba przekracza $10^5/1$ ml moczu, mówimy wówczas o znamiennej bakteriurii.

Krwiomocz jest to oddawanie moczu z domieszką krwi widoczną gołym okiem. Krwiomocz jest często pierwszym objawem nowotworu dowolnego odcinka układu moczowego.

Badania diagnostyczne w urologii

Badania fizykalne. Po rozmowie z chorym i zebraniu wywiadu chorobowego lekarz przeprowadza tzw. badania fizykalne. Polega ono na oglądaniu, obmacywaniu i osłuchiwaniu chorego.

Badanie instrumentalne. Właściwe badanie urologiczne często wymaga użycia instrumentów, czyli określonych narzędzi. Najprostszy z nich jest cewnik. Cewnik jest to rurka różnej długości, średnicy i o różnym zakończeniu, wykonana z metalu, gumy lub plastiku. W zależności od przeznaczenia wyróżnia się cewniki pęcherzowe, moczowodowe oraz do kontroli drożności cewki moczowej. Cewnikowanie stosuje się w celu odprowadzenia moczu, płukania pęcherza i kontroli zalegania moczu. Cewnikowanie moczowodów może być wykonane ze wskazań diagnostycznych i leczniczych.

Wziernik pęcherzowy, czyli cystoskop, pozwala na oglądanie wnętrza pęcherza i wykonanie wewnątrzpęcherzowych zabiegów diagnostycznych i leczniczych. Poza cystoskopami diagnostycznymi istnieją cystoskopy do zabiegów wewnątrzpęcherzowych: do zakładania cewników moczowodowych, pobierania wycinków z pęcherza, ścinania i elektrokoagulacji guzów pęcherza oraz do kruszenia kamieni w pęcherzu. Wziernikowanie pęcherza jest wykonywane przy przewlekłym, nie poddającym się leczeniu ropomoczu, krwiomoczu, przy podejrzeniu o nowotwór lub ciało obce w pęcherzu. Zabiegów tych nie wykonuje się w ostrym stanie zapalnym cewki moczowej, pęcherza i gruczołu krokowego.

Badania radiologiczne. W diagnostyce urologicznej badania te pozwalają na znaczne ograniczenie uciążliwych badań endoskopowych. Zdjęcia rentgenowskie wykonywane są po wprowadzeniu środka cieniującego do określonych narządów układu moczowego. Wszystkie rodzaje badań rentgenowskich urologicznych poprzedza zdjęcie przeglądowe jamy brzusznej.

Urografia jest to radiologiczne badanie całego układu moczowego. Pozwala ono na ocenę stanu morfologicznego i czynnościowego tego układu. Środek cieniujący wprowadza się dożylnie.

Pielografia jest to rentgenowskie badanie układu kielichowo-miedniczkowego nerki. Środek cieniujący wprowadza się przez cewnik moczowodowy. Badanie to wykonuje się, jeżeli na urografii jedna z nerek nie wypełnia się albo obraz jej jest mało czytelny.

Cystografia jest to badanie pęcherza moczowego po wprowadzeniu doń środka cieniującego przez uprzednio założony cewnik. Wskazaniem do tego badania jest m.in. podejrzenie: uszkodzenia pęcherza, nowotworu lub niedomykalności połączenia pęcherzowo-moczowodowego (odpływ pęcherzowo-moczowodowy).

Uretrografia jest to badanie cewki moczowej po wypełnieniu jej środkiem cieniującym; pozwala na stwierdzenie drożności i wykluczenie uszkodzenia.

Arteriografia nerkowa polega na badaniu łożyska naczyniowego nerki, po wypełnieniu go środkiem cieniującym przy zastosowaniu odpowiedniej techniki. Badanie to jest bardzo pomocne w wykrywaniu wielu chorób nerek.

Limfografia jest badaniem kontrastowym układu limfatycznego. Wskazaniem do tego badania w urologii jest poszukiwanie przerzutów nowotworowych z guzów pęcherza, prącia lub jąder.

Badanie ultrasonograficzne. W diagnostyce urologicznej badania te pozwalają zastąpić wiele uciążliwych badań radiologicznych. W urologii znalazły zastosowanie następujące rodzaje badań ultrasonograficznych: ultrasonografia jamy brzusznej, narządów moczowo-płciowych, ultrasonografia śródpęcherzowa oraz przez kiszkę stolcową. Ta ostatnie jest szczególnie cenna we wczesnym wykrywaniu schorzeń gruczołu krokowego.

Inne badania diagnostyczne. Należą do nich badania radioizotopowe oraz badania laboratoryjne, odgrywające niemałą rolę w ustaleniu właściwego rozpoznania i leczenia.

Kamica moczowa

Kamica moczowa jest jedną z najczęstszych chorób układu moczowego, występującą u obojga płci w każdym wieku. Przyczyny jej powstawania nie zostały dotychczas w pełni wyjaśnione. Na tworzenie się kamieni w drogach moczowych mają wpływ czynniki ogólnoustrojowe i miejscowe. Uważa się, że zaburzenia przemiany materii prowadzą do wzrostu stężenia w moczu substancji składowych kamieni, przy jednoczesnym niedoborze czynników chroniących przed krystalizacją. Najważniejszym czynnikiem miejscowym wpływającym na powstawanie kamieni jest zastój moczu i zakażenie, zwłaszcza drobnoustrojami rozkładającymi mocznik. Wielkość kamieni bywa różna, a ich kolor i spoistość zależą od składu chemicznego. Odróżnia się kamienie moczanowe, szczawianowe, fosforanowe, cystynowe i inne. Większość kamieni daje cień na kliszy rentgenowskiej. Kamienie moczanowe i cystynowe tworzą grupę kamieni bezcieniowych, niewidocznych na kliszy rentgenowskiej. Kamienie moczanowe są twarde, gładkie, o żółtej barwie. Kamienie szczawianowe, również twarde, mają powierzchnię kolczastą barwy ciemnej. Kamienie fosforanowe, barwy szarobiałej o powierzchni szorstkiej, są kruche. Kamienie cystynowe są miękkie, żółtawobrunatne.

Kamica nerkowa. Kamień jako ciało obce drażni otaczające tkanki i wywołuje odczyn zapalny. Kamicy często towarzyszą zaburzenia w odpływie moczu. W nerce na tle zastoju może nastąpić poszerzenie grupy kielichów lub równocześnie miedniczki i kielichów. Mocz zastoinowy łatwo ulega zakażeniu, rozwija się stan zapalny miedniczki, miąższu nerki, często tkanki okołonerkowej. W kamicy obustronnej lub jedynej nerki może wystąpić bezmocz.

Typowym objawem kamicy nerkowej jest ból i krwiomocz. Bóle nasilają się przy ruchach i długim staniu. Często bólom towarzyszą nudności i wymioty. Ropomocz i gorączka są objawami dołączającego się zakażenia.

Rozpoznanie kamicy nerkowej dokonuje się na podstawie całokształtu omówionych wyżej badań.

Leczenie jest zachowawcze i operacyjne. W przypadku wystąpienia silnych bólów stosuje się leki rozkurczowe i przeciwbólowe. Łagodzenie bólów powodują także ciepłe okłady lub kąpiele. Operacji poddawani są chorzy z kamieniami, które nie rokują samoistnego odejścia, chorzy z bezmoczem, z uporczywym krwiomoczem, z dużym zastojem moczu oraz z wtórnym zakażeniem. Najczęściej kamienie z nerki usuwa się przez naciętą miedniczkę. Czasami zachodzi konieczność dodatkowego nacięcia miąższu i kielicha nerkowego. Gniazdo kamieni w dolnym kielichu nerki jest wskazaniem do częściowego jej wycięcia. Nerkę zniszczoną przez proces zapalny i zastój moczu usuwa się, jeśli czynność drugiej nerki jest zachowana. Kamicę obustronną operuje się w trakcie jednej operacji lub dwuczasowo, tzn. w dwóch kolejnych operacjach – najpierw operuje się nerkę zdrowszą.

W ostatnich latach wprowadzono nowe metody leczenia kamicy moczowej: 1) kruszenie kamieni nerkowych i moczowodowych za pomocą fal wstrząsowych wytwarzanych poza organizmem chorego – ESWL (ang. extracorporal shock wave lithotripsy), 2) przezskórne usuwanie kamieni nerkowych – PCNL (ang. percutaneous nephrolithotripsy) i 3) usuwanie lub rozbijanie kamieni za pomocą ureterorenoskopów. Do ESWL kwalifikują się w zasadzie małe i średniej wielkości kamienie, jeżeli zachowany jest prawidłowy odpływ moczu z nerki i kamica nie jest zakażona. Po zabiegu fragmenty złogu muszą być wydalone drogami moczowymi. Może to łączyć się z bólami kolkowymi, krwiomoczem, zamknięciem światła moczowodu i występowaniem ostrego wodonercza, nierzadko z podwyższoną ciepłotą ciała. PCNL najlepiej stosować z ESWL. Warunkiem skruszenia kamienia za pomocą ureterorenoskopii jest odpowiednia szerokość moczowodu pozwalająca na wprowadzenie sondy drogą endoskopową. Metody te w znacznym stopniu ograniczyły dotychczasowe operacyjne leczenie kamicy moczowej.

Drobne kamienie w kielichach nerki rokujące samoistne odejście, kamienie moczanowe i cystynowe leczy się zachowawczo.

Kamica moczowodowa. Powstaje ona w moczowodach na skutek zatrzymywania się kamieni przesuwających się z nerki. Często złogi zatrzymują się w miejscu fizjologicznych zwężeń moczowodu, blokując odpływ moczu z nerki i powodując silne bóle w okolicy lędźwiowej. Na skutek zastoju i wtórnego zakażenia mogą spowodować zniszczenie nerki. Najbardziej niebezpieczne z tego powodu są złogi umiejscowione w górnych odcinkach moczowodu.

Leczenie operacyjne stosuje się w razie bezmoczu, zakażenia, dużego zastoju. Kamień usuwa się przez nacięty moczowód. Czasami złogi z dolnego odcinka moczowodu są usuwane przy użyciu odpowiedniego cewnika – pętli Zeissa przez cystoskop. W innych przypadkach stosuje się leczenie zachowawcze.

Kamica pęcherza moczowego. Przyczynami jej powstawania są głównie zastój i zakażenie moczu. Najczęściej kamica ta występuje u ludzi starych z przeszkodą w odpływie moczu. Złogi, w większości fosforanowe, mogą być różnej wielkości, często są mnogie.

Objawami charakterystycznymi są bóle nasilające się przy wysiłku, okresowy krwiomocz, ropomocz, strumień moczu przerywany.

Leczenie polega na usunięciu złogu przez nacięcie pęcherza lub skruszeniu kamienia pod kontrolą wzroku, za pomocą aparatu wprowadzonego przez cewkę do pęcherza. Zawsze musi być przy tym usunięta przeszkoda w odpływie moczu z pęcherza.

Kamica cewki moczowej. Kamica ta powstaje najczęściej na skutek zatrzymania się w cewce (zwłaszcza przy jej zwężeniu) złogów przesuwających się z górnych dróg moczowych. Kamień w cewce powoduje częstomocz bolesny, uczucie parcia na mocz i niekiedy zatrzymanie moczu. Z cewki przedniej złogi usuwa się kleszczykami, z tylnej przesuwa do pęcherza i tam albo kruszy, albo usuwa przez nacięcie pęcherza. W stanach zapalnych, zwężeniach cewki złogi usuwa się przez nacięcie cewki.

Leczenie zachowawcze i zapobieganie

We wszystkich postaciach kamicy moczowej obowiązują określone zasady postępowania. Chorzy powinni wypijać odpowiednią ilość płynów – 2–4 l na dobę, w celu wywołania dużej diurezy. Zwiększona ilość moczu powoduje obniżenie jego ciężaru właściwego (gęstości), zmniejszając w ten sposób zdolności krystalizacji rozpuszczonych w moczu związków, oraz mechanicznie spłukuje z dróg moczowych ciałka ropne i bakterie. Ponieważ większość złogów w drogach moczowych jest zbudowana z soli wapnia, zalecane są płyny o małej zawartości wapnia. Należy również ograniczyć spożywanie pokarmów zawierających wapń.

We wszystkich postaciach kamicy moczowej należy dbać o dobrą przemianę materii, codzienne wypróżnienia, zwalczać nadwagę i prowadzić ruchliwy tryb życia uprawiając gimnastykę i sporty.

Leczenie zachowawcze i zapobieganie nawrotom kamicy nerkowej zależy od budowy chemicznej złogów. W kamicy szczawianowej złogi są związkami szczawianu wapnia. Większość kwasu szczawiowego wydalanego z moczem pochodzi z przemiany materii, dlatego leczenie dietetyczne odgrywa w tej postaci kamicy rolę drugoplanową. Niemniej należy unikać pokarmów zawierających dużo szczawianów (szpinak, rabarbar, szczaw).

W kamicy moczanowej złogi nie zawierają jonów wapnia i łatwiej rozpuszczają się w środowisku alkalicznym. Doustne leki alkalizujące mocz mogą spowodować rozpuszczenie tych kamieni. Jeżeli kamicy moczanowej towarzyszy zwiększony poziom kwasu moczowego we krwi, poza środkami alkalizującymi mocz są stosowane leki obniżające poziom tego kwasu. Przy skazie moczowej należy ograniczyć spożywanie białka.

W kamicy fosforanowej złogi zawierają sole wapnia, które łatwiej krystalizują w środowisku zasadowym. W tej formie kamicy stosuje się dietę i leki zakwaszające mocz. Równocześnie leczenie uzupełnia się podawaniem związków wiążących wapń w jelitach, co powoduje obniżenie jego poziomu w moczu.

Urazy narządów moczowo-płciowych

Urazy nerek. Dzieli się je na urazy otwarte i zamknięte. Często towarzyszą tzw. urazom wielonarządowym. Urazy zamknięte mogą dotyczyć tylko nerek albo współistnieć z uszkodzeniami narządów jamy brzusznej i klatki piersiowej. Uraz może spowodować pęknięcie nerki, jej rozkawałkowanie lub oderwanie szypuły naczyniowej. Urazy otwarte nerki zazwyczaj towarzyszą ranom kłutym, ciętym lub postrzałowym okolicy lędźwiowej.

Objawy zależą od rozmiarów uszkodzenia nerki. W ciężkich postaciach dominują objawy krwotoku wewnętrznego. Chorzy skarżą się na bóle w okolicy lędźwiowej, pojawia się krwiomocz. Z ran otwartych oprócz krwi wypływa mocz. W urazach zamkniętych ze względu na gromadzenie się moczu i krwi w okolicy nerki (moczokrwiak) stwierdza się narastający guz. O rozpoznaniu decydują badania radiologiczne – urografia, arteriografia i inne.

Leczenie. W niewielkich pęknięciach miąższu nerki leczenie jest zachowawcze i polega na unieruchomieniu chorego w łóżku, przetaczaniu krwi oraz stosowaniu antybiotyków. We wszystkich innych uszkodzeniach leczenie jest operacyjne. Przy rozległym uszkodzeniu nerki lub oderwaniu szypuły naczyniowej nerka zostaje usunięta.

Uszkodzenia moczowodów należą do rzadkości. Dają podobne objawy jak uszkodzenie nerek. Leczenie jest operacyjne.

Uszkodzenia pęcherza moczowego mogą być zamknięte i otwarte. Rany pęcherza mogą łączyć się z przestrzenią pozaotrzewnową albo drążyć w kierunku jamy otrzewnej. Często towarzyszą im uszkodzenia organów jamy brzusznej i miednicy mniejszej. O rozpoznaniu decydują objawy i cystografia – przy ranach środek cieniujący wypływa poza obręb pęcherza.

Leczenie uszkodzeń pęcherza jest operacyjne. Polega na opróżnieniu moczokrwiaka, zeszyciu ściany pęcherza, zaopatrzeniu uszkodzeń innych organów, odprowadzeniu moczu i założeniu drenu do przestrzeni okołopęcherzowej.

Uszkodzenia cewki moczowej. Mogą dotyczyć odcinka tylnego cewki albo części przedniej. Najczęściej towarzyszą im obrażenia kości miednicy.

Objawy. W uszkodzeniu tylnej części cewki moczokrwiak nie przedostaje się poza mięśnie przepony moczowo-płciowej. W uszkodzeniu przedniej części cewki charakterystyczny jest krwiak i obrzęk okolicy krocza. W urazach cewki wypływa z niej krew przy jednoczesnej niemożności oddania moczu. O rozpoznaniu decyduje uretrografia, która wykazuje wypływanie środka cieniującego poza cewkę moczową. Próba cewnikowania nie udaje się.

Leczenie urazów cewki jest zawsze operacyjne. Polega na opróżnieniu moczokrwiaka, zeszyciu cewki, odprowadzeniu moczu oraz drenażu okolicy uszkodzonej cewki.

Urazy prącia. Tępe urazy prącia mogą spowodować pęknięcie ciała jamistego. W miejscu uszkodzenia występuje wówczas bolesność oraz zgrubienie. Podczas wzwodu prącie jest skrzywione. Leczenie tego urazu jest wyłącznie operacyjne (zapobiega ono ciężkiemu kalectwu).

Rany szarpane, kąsane, cięte okolicy narządów płciowych zewnętrznych wymagają opracowania chirurgicznego i ich zeszycia.

Bezmocz mechaniczny

Bezmocz mechaniczny jest to stan, w którym mocz nie spływa z miedniczek do pęcherza na skutek przeszkody mechanicznej. Bezmocz mechaniczny może wywołać obustronna kamica nerkowa, kamica jedynej nerki, naciek nowotworowy zamykający oba ujścia moczowodowe, zatkanie światła moczowodów przez tkanki martwicze w gruźlicy itp.

W odróżnieniu od innych form bezmoczu, w bezmoczu mechanicznym mocz jest stale przez nerki wytwarzany, co powoduje nadmierne poszerzenie miedniczek i kielichów powyżej przeszkody. Na skutek nadciśnienia, sklepienia kielichów ulegają rozerwaniu i powstaje zaciek moczowy łatwo ulegający zakażeniu. W następstwie wchłaniania moczu rozwija się zatrucie.

Objawem bezmoczu mechanicznego są bóle w okolicy lędźwiowej i całkowity brak moczu w pęcherzu. Stan ten jest groźny dla życia i wymaga natychmiastowej pomocy urologa, polegającej na cewnikowaniu obu moczowodów. W diagnostyce różnicowej form bezmoczu dużą rolę odgrywa badanie ultrasonograficzne. Brak zastoju w drogach moczowych wyklucza bezmocz mechaniczny. Jeśli próba cewnikowania powiedzie się – przeszkoda w moczowodzie zostanie pokonana – mocz z cewników wypływa strumieniem. Cewniki pozostawia się na kilka dni, aby chorego odtruć i wyrównać poziom elektrolitów w jego krwi, a następnie przeszkodę mechaniczną usuwa się operacyjnie.

Jeżeli próba cewnikowania moczowodów nie powiedzie się, natychmiast musi być wykonana operacja w celu usunięcia przyczyny bezmoczu mechanicznego. Często w takich przypadkach odprowadza się mocz z miedniczki przetoką wytworzoną przez nakłucie przeskórne lub operacyjne.

Przerost gruczołu krokowego

Pod tym określeniem „kryje się" nowotwór łagodny gruczołu krokowego, czyli gruczolak. Rozwija się on z gruczołów okołocewkowych u mężczyzn powyżej 50 r. życia na skutek zachwiania równowagi hormonalnej. W przebiegu choroby można wyodrębnić kilka okresów.

W początkowym okresie występuje znaczne przekrwienie w obrębie gruczołu krokowego oraz mniejszy lub większy obrzęk szyi pęcherza moczowego. Występują objawy podrażnienia pęcherza, parcie na mocz, częstomocz. W tej fazie opróżnianie pęcherza jest całkowite.

W następnym okresie przeszkoda w odpływie moczu z pęcherza powiększa się. Następuje przerost błony mięśniowej pęcherza, a następnie jej zwiotczenie. Powoduje to zaleganie moczu w pęcherzu i w górnych drogach moczowych. Nasilają się objawy opisane w pierwszym okresie, może wystąpić całkowite zatrzymanie moczu. Równocześnie zjawiają się objawy ogólne związane z zaburzeniami prawidłowej funkcji nerek, a mianowicie brak apetytu, zwiększone pragnienie, ogólne osłabienie. Często dołączają się stany zapalne dróg moczowych.

Kolejny okres choroby następuje niepostrzeżenie. Pęcherz i górne drogi moczowe ulegają znacznemu poszerzeniu, ściana ich staje się wiotka, nie kurczy się. W drogach moczowych zalega coraz więcej moczu. Objawy choroby nasilają się.

Rozpoznanie ustala się w wyniku badania fizykalnego (badanie przez kiszkę stolcową), badania ultrasonograficznego i radiologicznego. Te ostatnie pozwalają ocenić czynność i morfologię układu moczowego, wielkość gruczołu krokowego i bez cewnikowania oznaczyć ilość zalegającego moczu w pęcherzu. Wyniki innych badań umożliwiają ocenę ogólnego stanu chorego i pomagają w wyborze właściwego sposobu leczenia.

Leczenie operacyjne polegające na usunięciu gruczolaka daje trwałe wyleczenie. Elektroresekcja lub zamrożenie gruczolaka nie zawsze prowadzą do radykalnego wyleczenia. Jeśli istnieje duże ryzyko operacyjne, w przypadku zatrzymania moczu, wprowadzany jest cewnik na stałe lub cewnikowanie okresowe. U chorych źle znoszących cewnik albo cewnikowanie wytwarza się przetokę nadłonową.

Leczenie zachowawcze stosowane jest w pierwszym okresie choroby oraz u chorych z przeciwwskazaniem do leczenia operacyjnego. W tych przypadkach znalazły zastosowanie ekstrakty roślinne, wyciągi z organów zwierząt i hormony powodujące zmniejszenie przekrwienia w obrębie gruczolaka i zwiększające siłę skurczu mięśni wypieracza pęcherza. Zalecany jest higieniczny tryb życia, z wyeliminowaniem czynników powodujących przekrwienie w miednicy (alkohol, nie zaspokojone podniety seksualne).

Wodonercze

Stan, w którym następuje poszerzenie układu kielichowo-miedniczkowego nerki z równoczesnym zanikaniem miąższu, określa się jako wodonercze. Utrudnienie w odpływie moczu może być spowodowane: zmianami wrodzonymi, zwłóknieniem górnego odcinka moczowodu lub chorobami, które przez naciek czy ucisk zwężają lub zamykają światło moczowodu. Zalegający mocz powoduje nadciśnienie w układzie kielichowo-miedniczkowym, w następstwie czego mocz przenika do miąższu nerki i w jej okolice. Jeżeli wodonercze rozwija się powoli, może nie spowodować przeciekania moczu, lecz stopniowy zanik miąższu nerki wskutek ucisku. Zastój moczu sprzyja wtórnemu zakażeniu oraz powstawaniu kamicy.

Objawem wodonercza mogą być bóle oraz zmiany w moczu o typie ropomoczu. Czasami choroba przebiega bezobjawowo i może być odkryta przypadkowo.

Rozpoznanie odbywa się na podstawie badań radiologicznych – urografii lub badania izotopowego – oraz ultrasonografii.

Leczenie jest operacyjne i polega na usunięciu przyczyny utrudniającej prawidłowy odpływ moczu. Jeśli nerka uległa zniszczeniu, zostaje usunięta.

Gruźlica urologiczna

Gruźlicę układu narządów moczowych i męskich narządów płciowych określa się jako gruźlicę urologiczną. Jest to wtórna postać narządowa ogólnoustrojowego zakażenia gruźliczego. Z ogniska pierwotnego, najczęściej umiejscowionego w płucach, drogą krwionośną lub limfatyczną zakażenie przenosi się prawie zawsze do kory nerki, gdzie tworzy się ognisko wtórne. Ognisko to albo goi się, albo drogą krwionośną, limfatyczną, kanalikową rozszerza się na warstwę rdzenną nerki. W wyniku martwicy powstaje ognisko rozpadu, a następnie wysiew prątków na cały układ moczowy. Spływający mocz przenosi zakażenie do moczowodu i pęcherza moczowego. Powstają owrzodzenia i zmiany bliznowate. Doprowadza to do zniszczenia nerki i powstania roponercza. Zmniejsza się pojemność pęcherza moczowego, stopniowo ulega on zwłóknieniu. Gruczoł krokowy i najądrza zostają zakażone drogą krwionośną lub limfatyczną.

Objawami gruźlicy urologicznej są uporczywe, nie poddające się leczeniu zakażenia dróg moczowych, ropomocz jałowy, okresowy krwiomocz.

Rozpoznanie opiera się na dodatnich wynikach badań posiewów moczu na prątki kwasooporne lub na charakterystycznych zmianach w pobranych wycinkach podczas operacji lub metodą biopsji. Pomocne są również wyniki badań endoskopowych i radiologicznych.

Leczenie zachowawcze polega na stosowaniu leków przeciwprątkowych i trwa 2 lata. Ostatnio schemat leczenia uległ modyfikacji polegającej na skróceniu czasu podawania leków oraz wprowadzeniu przerw w ich stosowaniu. Chory podlega stałej kontroli lekarskiej. Wskazania do operacji w gruźlicy urologicznej stanowią: roponercze gruźlicze, rozległe zmiany jamiste w nerce, mały marski pęcherz, zapalenie najądrza z przetoką skórną. Uzupełnieniem leczenia zachowawczego i operacyjnego jest leczenie klimatyczne.

Zapalenia nieswoiste

Układ narządów moczowych jest szczególnie podatny na zakażenia. Do szerzenia się zakażenia usposabiają uszkodzenia mechaniczne nabłonka pokrywającego drogi moczowe i procesy chorobowe powodujące zastój moczu (wady wrodzone). Zakażenie przenosi się na układ moczowy drogą krwionośną, limfatyczną i na skutek cofania się moczu z pęcherza do górnych dróg moczowych. Szczególnie gwałtowny przebieg mają zakażenia u chorych z cukrzycą i po zabiegach endoskopowych. Zakażenie układu moczowego najczęściej wywołują bakterie Gram-ujemne, oporne na większość dostępnych antybiotyków i mające właściwości rozkładania mocznika.

Objawem zakażenia dróg moczowych jest ropomocz i bakteriomocz. W ostrej postaci choroby gwałtownie wzrasta temperatura, występują dreszcze, odruchowe wymioty. Do tego mogą dołączyć się bóle w okolicy lędźwiowej, nad spojeniem łonowym, częstomocz bolesny, krwiomocz. W postaci przewlekłej objawy nie są tak wyraźne.

Leczenie polega przede wszystkim na stosowaniu antybiotyków celowanych (zgodnie z wynikami posiewu), zaleceniu choremu picia dużej ilości płynów, aby wywołać obfite wydalanie moczu. Po ustąpieniu ostrych objawów oraz w każdym przypadku zakażenia przewlekłego dróg moczowych konieczne są specjalistyczne badania urologiczne w celu wykrycia ewentualnego podłoża organicznego stanowiącego przyczynę zakażenia. Mechaniczne przyczyny utrudniające odpływ moczu są usuwane operacyjnie. Bez usunięcia przyczyny mechanicznej nieskuteczne jest leczenie nawet celowanymi antybiotykami.

Zapalenie cewki moczowej. Choroba rozwija się głownie na skutek zakażenia rzeżączką lub rzęsistkiem, aczkolwiek częstą przyczyną bywają także: zwężenie ujścia zewnętrznego cewki, cewnikowanie i ciało obce.

Objawy ostrego zapalenia to ropno-śluzowy wyciek z cewki, zapalenie napletka i żołędzi, częstomocz bolesny. W postaci przewlekłej wyciek pojawia się po nocy w formie kilku kropel. Często dolegliwości bólowe i bolesny częstomocz wracają po wypiciu alkoholu. Zakażenie może szerzyć się na stercz, pęcherzyki nasienne i najądrza. Przewlekłe zapalenie może doprowadzić do zwężenia cewki.

Leczenie ostrego zapalenia polega na stosowaniu celowanego antybiotyku oraz unikaniu czynników mogących zaostrzyć stan zapalny. Ogranicza się alkohol, ostre przyprawy, stosunki płciowe. W przypadku wykrycia rzęsistka leczeni są oboje partnerzy. W leczeniu przewlekłego zapalenia cewki stosuje się chemioterapeutyki oraz ciepło w postaci kąpieli i okładów borowinowych.

Zapalenie pęcherza moczowego. W zapaleniu pęcherza moczowego u kobiet znaczną rolę odgrywają zapalenia narządów rodnych, urazy związane z pożyciem seksualnym, porodem i obniżeniem się narządów rodnych. U mężczyzn zapalenie pęcherza występuje jednocześnie z chorobami utrudniającymi oddawanie moczu. Uporczywe i trudne w leczeniu są zapalenia pęcherza po napromienianiu. Objawem choroby jest częstomocz bolesny, parcie naglące, krwiomocz, ropomocz. Leczenie polega na stosowaniu antybiotyku celowanego, leków rozkurczowych i przeciwbólowych.

Odmiedniczkowe zapalenie nerek i miedniczek nerkowych. Zapaleniu ulega miedniczka nerkowa i wtórnie miąższ nerki. Choroba ma skłonność do nawrotów i przejścia w stan przewlekły. Do najczęstszych jej przyczyn należą: kamica nerkowa, ciąża, cukrzyca.

Objawy to silne napadowe bóle w okolicach lędźwiowych, wysoka temperatura, dreszcze, mdłości, wymioty, ropomocz, krwiomocz.

Leczenie polega na podawaniu celowanego antybiotyku, odpowiedniej ilości płynów, pozostawaniu w łóżku.

Przewlekłe odmiedniczkowe zapalenie nerek jest trudne do rozpoznania i leczenia. Objawy są często nikle. W następstwie choroby powstają zmiany zanikowe w nerce, prowadzące do rozwoju nerkopochodnego nadciśnienia.

Czyrak, czyli **ropień nerki**, rozwijający się przeważnie w korze nerkowej, może być pojedynczy lub mnogi. Jest najczęściej wynikiem zakażenia krwiopochodnego.

Objawy choroby: wysoka gorączka, silne bóle w okolicy lędźwiowej po stronie ropnia, żywa bolesność przy wstrząsaniu okolicy nerki, nerka powiększona, wyczuwalna i bolesna.

Leczenie polega na podawaniu natybiotyków. W razie nasilenia objawów konieczne jest leczenie operacyjne, odsłonięcie nerki, drenaż ropnia.

Roponercze jest to ropne zakażenie wodonercza (zob. s. 1545). Nerka jest bolesna, wyczuwalna. Objawy są podobne jak w ropniu nerki (zob. wyżej). Leczenie wyłącznie operacyjne, polega na usunięciu roponercza.

Ropień okołonerkowy polega na gromadzeniu się treści ropnej w tkance okołonerkowej. Zakażenie może nastąpić drogą krwionośną, limfatyczną lub na skutek przebicia się ropnia nerki.

Objawy. Występują bóle w okolicy lędźwiowej, gorączka z dreszczami, uwypuklenie i zaczerwienienie skóry w tej okolicy.

Leczenie operacyjne polega na nacięciu i opróżnieniu ropnia.

Zapalenie jądra i najądrza. Zakażenie następuje drogą krwionośną lub limfatyczną. Objawy: bóle w okolicy jądra, wzrost temperatury ciała, powiększenie jądra i najądrza.

Leczenie. W początkowej fazie stosowane jest leczenie zachowawcze. Polega na uniesieniu worka mosznowego, stosowaniu okładów i antybiotyków. Jeżeli leczenie zachowawcze zawodzi, usuwa się operacyjnie jądro lub najądrze.

Nerka opadnięta, ruchoma

Przyczyną opadnięcia nerki jest osłabienie tłoczni brzusznej w następstwie nadmiernego, gwałtownego schudnięcia. Nerka opada swoją masą i wyczuwa się ją w formie guza w jamie brzusznej. Objawem są bóle w jamie brzusznej i w okolicy lędźwiowej. Czasami na skutek zagięcia moczowodu występuje utrudnienie odpływu moczu z miedniczki, co prowadzi do stanów zapalnych.

Leczenie jest na ogół zachowawcze. Polega na wzmocnieniu tłoczni brzusznej przez odpowiednie ćwiczenie gimnastyczne oraz stosowaniu diety tuczącej w celu zwiększenia tkanki tłuszczowej okołonerkowej. Zalecane jest noszenie pasa brzusznego zakładanego w pozycji leżącej, po odprowadzeniu nerki do jej loży. Tylko w krańcowych przypadkach stosuje się leczenie operacyjne, polegające na podszyciu nerki do ściany podżebrza.

Leczenie uzdrowiskowe chorób urologicznych

W leczeniu uzdrowiskowym korzysta się z naturalnych czynników leczniczyh: wód mineralnych służących do kuracji pitnej i kąpieli, borowiny, zabiegów rehabilitacyjnych oraz z właściwości klimatycznych. Najczęściej leczeniu uzdrowiskowemu poddawani są chorzy z przewlekłymi stanami zapalnymi dróg moczowych i kamicą moczową. Głównym czynnikiem leczniczym w tych chorobach są wody mineralne do kuracji pitnej oraz płukanie jelit. W wyniku kuracji następuje zmiana odczynowości i ciężaru właściwego (gęstości) moczu oraz zmniejszenie stężenia rozpuszczonych w nim soli. Zwiększona diureza, czyli wydalanie moczu, zależy od ilości wypitej wody. Przyczynia się ona do mechanicznego wypłukiwania z dróg moczowych piasku, śluzu, bakterii.

Dobór wód mineralnych zależy od rodzaju kamicy i typu choroby. Głównie stosuje się wody hipotoniczne. W kamicy fosforanowej dodatkowo podawane są leki zakwaszające mocz. Kurację pitną uzupełniają tzw. uderzenia wodne. Obfita diureza następuje po podaniu w ciągu 20 min nawet kilku litrów wody mineralnej. Płukanie jelit pobudza ruchy robaczkowe jelit, moczowodu i również zwiększa diurezę. Kąpiele mineralne mają znaczenie wspomagające. Działają podobnie jak płukanie jelit. Leczenie ciepłem, okłady borowinowe, wspomagają procesy wchłaniania w ognisku zapalnym, działają rozkurczowo na błonę mięśniową gładką i usuwają stany skurczowe w drogach moczowych. Gimnastyka, ruch i właściwości klimatyczne wpływają korzystnie na przemianę materii oraz nerwowy układ wegetatywny.

Przeciwwskazanie do leczenia uzdrowiskowego stanowi kamica powikłana wodonerczem lub roponerczem, choroby, w których występuje utrudnienie odpływu moczu, oraz ostre stany zapalne nerek i dróg moczowych. W Polsce choroby urologiczne leczy się w Krynicy (źródło Jana), w Szczawnie (źródło Dąbrówka), w Cieplicach (źródło Marysieńka), w Świeradowie (źródło Zofia) oraz w Żegiestowie (źródło Anny).

Zapobieganie chorobom urologicznym

Zapobieganie chorobom układu moczowo-płciowego należy rozpoczynać już od wczesnego dzieciństwa. Często występujące wady wrodzone układu moczowego łączą się z zaburzeniami w ukrwieniu i z zastojem moczu. Czynniki te mają zasadniczy wpływ na powstawanie zakażeń dróg moczowych. Wczesne operacyjne usunięcie wad albo operacyjna naprawa zapobiega powstawaniu wielu chorób, które prowadzą do kalectwa, a nawet śmierci. U dziewcząt i kobiet szczególnie ważne jest wyrobienie nawyków higienicznych przeciwdziałających zapaleniu sromu i pochwy. U kobiety w ciąży musi być kontrolowana czynność układu moczowego i starannie leczone stany zapalne dróg moczowych. Urazy porodowe i częste porody zaburzają statykę krocza, powodując liczne zmiany chorobowe będące powodem nawracającego zakażenia dróg moczowych. Wykonany we właściwym czasie zabieg naprawczy zapobiega wielu chorobom urologicznym.

XVII. NEUROCHIRURGIA

Neurochirurgia jako odrębna gałąź medycyny powstała niewiele ponad pół wieku temu, choć operacje na czaszce były wykonywane od ok. 3000 lat p.n.e. Szybki rozwój tej specjalności w ostatnich latach jest związany z postępami w diagnostyce (np. zastosowanie tomografii komputerowej), udoskonaleniem metod znieczulenia oraz wprowadzeniem techniki mikrochirurgicznej, zwłaszcza w operacjach naczyń mózgu.

Obecnie neurochirurgia zajmuje się leczeniem operacyjnym chorób układu nerwowego, takich jak: wady wrodzone, guzy, choroby naczyniowe, niektóre postacie padaczki i ruchów mimowolnych, zespoły bólowe oraz urazy i ich następstwa.

Wady wrodzone układu nerwowego

Wady wrodzone mogą być uwarunkowane genetycznie (dziedziczne) lub powstają w późniejszym okresie rozwoju płodu wskutek działania różnych szkodliwych czynników: chemicznych, fizycznych, zaburzeń odżywiania, niektórych chorób zakaźnych i innych.

Najcięższą wadą rozwojową jest całkowity lub częściowy niedorozwój mózgu i rdzenia kręgowego, a nawet brak czaszki.

Częściej, chociaż również bardzo rzadko, występują rozszczepy czaszki i mózgu. W powstały w ten sposób ubytek kości mogą wpuklać się zarówno opony – przepuklina oponowa – jak i mózg. Niekiedy dochodzi do nieprawidłowego połączenia przestrzeni płynowych mózgu z powierzchnią skóry. Jest to tzw. przetoka płynowa.

Do częstych zaburzeń rozwojowych należą rozszczepy kręgosłupa w postaci niespojenia jednego łuku kręgów lub większej ich liczby – tzw. tarń dwudzielna – które same w sobie nie stanowią istotnego kalectwa. Czasem jednak powstaje w tym miejscu przepuklina oponowa lub oponowo-rdzeniowa, niekiedy nawet bardzo znacznych rozmiarów.

Do rzadko występujących wad należą: różnego rodzaju niedorozwoje mózgu i rdzenia, wodogłowie, ścieśnienie czaszki wskutek zbyt wczesnego zarośnięcia szwów kostnych, wadliwe połączenie czaszki z kręgosłupem, nieprawidłowe ukształtowanie podstawy czaszki lub kości kręgosłupa z uciskiem na elementy nerwowe, jamistość rdzenia i inne.

Wiele z tych wad można leczyć operacyjnie, nawet w pierwszych dniach życia niemowlęcia, innych nie można naprawić, albo też w wyniku zabiegów chirurgicznych, trudnych i skomplikowanych, czasem wieloetapowych, uzyskuje się tylko częściową poprawę.

Guzy układu nerwowego

Guzy mózgu. Mianem tym określa się wszystkie procesy rozrostowe toczące się wewnątrz czaszki. Przeważnie są to nowotwory, rzadziej ropnie, ziarniniaki, pasożyty itp. Powiększenie się guza powoduje powstanie tzw. ciasnoty wewnątrzczaszkowej. Jedynie u małych dzieci, u których szwy czaszki nie są zrośnięte, w początkowym okresie dochodzi do powiększenia się głowy, a objawy ciasnoty występują później.

Do objawów ciasnoty wewnątrzczaszkowej należą: bóle głowy (oporne na leki), nudności i wymioty, a w dalszym przebiegu choroby – tzw. tarcza zastoinowa na dnie oczu (nie zawsze), zwolnienie tętna, a następnie zaburzenia świadomości, przechodzące w stan nieprzytomności i kończące się zgonem chorego. Innym rodzajem objawów, które często wyprzedzają pojawienie się ciasnoty wewnątrzczaszkowej, są tzw. objawy ogniskowego uszkodzenia mózgu, zależne od okolicy mózgu lub móżdżku, gdzie rozrasta się guz.

Pierwszym objawem guza móżdżku może być wodogłowie, rozwijające się na skutek zamknięcia dróg przepływu płynu mózgowo-rdzeniowego, a dopiero później mogą wystąpić objawy uszkodzenia móżdżku. Czasami pierwszym sygnałem istnienia guza mogą być niektóre postacie napadów padaczkowych.

Guzy nowotworowe występują najczęściej. Są to przeważnie glejaki, czyli guzy wywodzące się z tkanki glejowej, rzadziej tzw. oponiaki, rozrastające się z komórek opon otaczających mózg, nerwiaki – wyrastające z osłonek nerwu, zwłaszcza słuchowego, przerzuty nowotworów z innych narządów (przede wszystkim z płuc) oraz guzy przysadki mózgowej, rozwijające się na podstawie czaszki w obrębie tzw. siodła tureckiego, mogące w niektórych przypadkach dawać zaburzenia hormonalne, a przy znacznym rozroście – ucisk na nerwy wzrokowe. Znacznie rzadziej występują guzy pochodzenia rozwojowego oraz nowotwory kości czaszki wrastające do jej wnętrza i uciskające, a nawet naciskające mózg.

Ropnie mózgu, często mnogie, są zwykle powikłaniem zapalenia ucha wewnętrznego lub zatok przynosowych. Mogą powstawać też w przebiegu innych chorób zapalnych.

Pasożyty umiejscowione w mózgu spotyka się w Polsce bardzo rzadko, a należą do nich larwalne postacie tasiemca (wągry lub bąblowiec).

Ziarniniaki (gruźliczaki oraz kilaki) należą obecnie do wielkich rzadkości.

Rozpoznanie guza mózgu bywa niekiedy bardzo trudne, zwłaszcza we wczesnym okresie jego rozrostu, gdy mechanizmy wyrównawcze opóźniają wystąpienie niepokojących dolegliwości i objawów. Z chwilą jednak ich pojawienia się konieczne staje się przeprowadzenie dalszych specjalnych badań w warunkach szpitalnych. Do badań tych należą: scyntygrafia (badania izotopowe), angiografia (wprowadzenie środka cieniującego do naczyń mózgowych), komputerowa tomografia osiowa (tablica 28 d) oraz jądrowy rezonans magnetyczny. Niektóre z tych badań są bolesne, a nawet kryją w sobie pewien niewielki element ryzyka (angiografia) i dlatego nazywane są badaniami inwazyjnymi.

Leczenie guzów mózgu jest chirurgiczne i polega na możliwie najbardziej doszczętnym usunięciu guza. Jeśli jednak guz jest umiejscowiony w okolicach mózgu ważnych czynnościowo, np. w ośrodkach mowy czy ośrodkach ruchu kończyn, oraz w głębokich strukturach, lub jest to rozległy, naciekający nowotwór, co świadczy o jego złośliwości – nie istnieją możliwości usunięcia guza całkowicie, a niekiedy nawet i częściowo. Również wiek i stan chorego oraz współistniejące inne choroby (np. zawał serca) nie zawsze pozwalają na ryzyko zabiegu operacyjnego. Niektóre nowotwory są promienioczułe i wtedy – nawet po ich doszczętnym usunięciu – chorzy leczeni są energią promienistą. Często stosuje się również leki tzw. cytostatyczne, czyli hamujące wzrost młodych komórek, jednak przy stałej kontroli morfologii krwi.

Guzy kanału kręgowego, najczęściej nowotworowe, występują znacznie rzadziej niż wewnątrzczaszkowe. Przeważnie są to rosnące powoli nowotwory łagodne, tzw. oponiaki i nerwiaki, które tylko uciskają rdzeń kręgowy. Nowotwory wewnątrzrdzeniowe – glejaki – zwykle zdarzają się u ludzi młodszych; usunięcie ich jest zazwyczaj niemożliwe. Nierzadko występują też złośliwe nowotwory kręgosłupa wnikające do kanału kręgowego oraz nowotwory przerzutowe (raki, mięsaki).

Objawy chorobowe i dolegliwości zależą od tego, w którym odcinku rdzenia kręgowego występuje guz. Guzy w odcinku szyjnym powodują postępujące osłabienie wszystkich kończyn, ze wzmożeniem napięcia mięśniowego oraz obniżeniem lub zniesieniem czucia poniżej poziomu ucisku. Guzy w odcinku piersiowym wywołują tego rodzaju objawy w kończynach dolnych. W odcinku lędźwiowym, gdzie znajduje się zakończenie rdzenia kręgowego (stożek końcowy) oraz korzenie nerwowe tzw. ogona końskiego, ucisk spowodowany przez guz powoduje niedowład kończyn dolnych o charakterze wiotkim, z zaburzeniem czucia wokół krocza oraz dolegliwości o typie korzeniowym. Zwykle – bez względu na poziom ucisku – dochodzi do zaburzeń oddawania moczu i stolca.

Rozpoznanie guzów kanału kręgowego opiera się przede wszystkim na badaniu kontrastowym, tzw. myelografii, oraz ewentualnie tomografii komputerowej lub przy użyciu jądrowego rezonansu magnetycznego.

Leczenie jest operacyjne. Polega na otwarciu kanału kręgowego, oraz – w miarę możliwości – doszczętnym usunięciu guza.

Guzy nerwów obwodowych występują stosunkowo rzadko, głównie na nerwach powierzchni zgięciowych kończyn oraz w śródpiersiu i pozaotrzewnowo. Niektóre z nich – nerwiaki – rozwijają się wokół nerwów, inne – włókniakonerwiaki – wewnątrz pni nerwu; usunięcie ich może powodować kalectwo.

Choroby naczyniowe układu nerwowego

Tętniaki naczyń mózgowych są najczęściej wrodzone – powstają na tle zaburzeń rozwojowych ścian tętnic mózgowych. Umiejscawiają się zwykle w dużych naczyniach tętniczych podstawy mózgu, mają kształt workowaty o średnicy od kilku mm do kilku cm.

Pierwszym objawem istnienia tętniaka jest przeważnie nagłe jego pęknięcie i w następstwie wylew krwi do przestrzeni podoponowej, a często do mózgu. Niewielkie krwawienie może nastręczać trudności rozpoznawcze, ponieważ występujące wówczas objawy: bóle głowy, nudności i wymioty, uczucie „sztywności karku" i stany podgorączkowe, a po kilku dniach objawy rwy kulszowej – brane są często za grypę lub zatrucie pokarmowe. Dopiero nakłucie lędźwiowe wykazujące domieszkę krwi w płynie mózgowo-rdzeniowym nasuwa podejrzenie tętniaka. Masywny krwotok z tętniaka, zwłaszcza uszkadzający mózg, powoduje głębokie zaburzenia świadomości i niedowład lub bezwład kończyn, a nierzadko zgon w ciągu kilku do kilkunastu godzin. Niekiedy tętniak powiększając się powoli uciska na sąsiadujące nerwy i jeszcze przed pęknięciem wywołuje niepokojące objawy, np. porażenie nerwu okoruchowego.

Rozpoznanie. Każdy wylew krwi do mózgu – zwłaszcza u młodych ludzi – nasuwa podejrzenie pęknięcia tętniaka. Badaniem rozstrzygającym jest angiografia mózgowa.

Leczenie jest operacyjne. Bardzo skomplikowana operacja tego rodzaju jest możliwa u chorych w dość dobrym stanie ogólnym i kryje w sobie niekiedy znaczny element ryzyka. Czasami umiejscowienie tętniaka lub jego kształt nie pozwalają na wykonanie doszczętnej operacji i w niektórych wypadkach zabieg polega na zamknięciu tętnicy, którą płynie krew do tętniaka, jeżeli wykonane specjalne próby wykażą małą szkodliwość tego zabiegu.

Naczyniaki mózgu. Powstają w życiu płodowym w postaci kłębowiska nieprawidłowo wykształconych naczyń tętniczych i żylnych, między którymi znajduje się prawidłowa tkanka nerwowa. Bywają różnej wielkości – od bardzo małych do obejmujących kilka płatów mózgu. Występują znacznie rzadziej niż tętniaki i ujawniają się zwykle w młodym wieku.

Pierwszym objawem choroby jest często nagły krwotok, który może uszkodzić mózg powodując kalectwo, a nawet zgon chorego. Równie często jak krwawienie mogą występować, wywołane niedokrwieniem mózgu, napady padaczkowe. Rozstrzygającym badaniem jest angiografia mózgowa.

Leczenie jest operacyjne. Polega na usunięciu naczyniaka, a jeśli jest to niemożliwe, na zamknięciu naczyń doprowadzających do niego krew, co nie zawsze jest wystarczające.

Naczyniaki rdzenia kręgowego występują bardzo rzadko. Choroba może mieć przebieg o objawach takich, jakie daje rozrastający się guz albo też objawy występują nagle w następstwie krwawienia. Rozpoznanie opiera się na angiografii rdzeniowej bądź operacji zwiadowczej. Leczenie chirurgiczne. Całkowite usunięcie naczyniaka nie zawsze jest możliwe.

Zwężenie lub niedrożność tętnic domózgowych i mózgowych. Najczęściej przyczyną udarów mózgowych (zob. Choroby układu nerwowego, s. 1017) jest nagłe niedokrwienie, spowodowane zamknięciem lub zwężeniem tętnic przez zakrzep. Około 50% chorych nie przeżywa udaru mózgu, a u znacznej liczby pozostaje trwałe kalectwo.

Leczenie. Zakrzep tętnicy środkowej mózgu, który zwykle bywa przyczyną udaru, próbuje się usuwać mikrochirurgicznie. Innym sposobem leczenia jest wytworzenie połączenia między tętnicą powłok czaszki i tętnicą mózgową. Leczenie operacyjne zakrzepicy tętnic doprowadzających krew do mózgu – tętnicy szyjnej i tętnicy kręgowej – daje najlepsze wyniki we wczesnym okresie choroby, gdy jeszcze nie nastąpiło trwałe kalectwo.

Neurochirurgia czynnościowa

Neurochirurgia czynnościowa obejmuje leczenie chirurgiczne padaczki, ruchów mimowolnych, bólu oraz psychochirurgię (chirurgiczne leczenie chorób psychicznych).

Leczenie chirurgiczne padaczki. Niektóre postacie padaczki oporne na leki, z częstymi napadami i ogniskiem padaczkorodnym stwierdzonym w badaniach elektroencefalograficznych mózgu (EEG), można leczyć operacyjnie. Zabieg operacyjny polega na otwarciu czaszki i – po wykonaniu badania EEG z samej powierzchni mózgu – usunięciu, zmienionej zwykle chorobowo, części mózgu. Wyniki tego rodzaju leczenia w odpowiednio dobranych przypadkach są pomyślne.

Niekiedy, gdy ognisko padaczkorodne jest umiejscowione głęboko, stosuje się tzw. stereotaktyczne metody leczenia, tj. niszczenia pewnych struktur mózgu położonych głęboko za pomocą specjalnej aparatury, pozwalającej – bez otwierania czaszki – na precyzyjne wprowadzenie zgłębnika do odpowiednio wybranego miejsca.

Leczenie ruchów mimowolnych. Wspomniana wyżej metoda stereotaktyczna stosowana jest również, w opornych na inne sposoby leczenia, niektórych chorobach polegających na ruchach mimowolnych, takich jak np. choroba Parkinsona, drżenie zamiarowe i samoistne, różne postacie atetoz i dystonii.

Nierzadko spotykany kurczowy kręcz karku przy braku poprawy po leczeniu zachowawczym bywa leczony operacyjnie. Operacja polega na przecięciu nerwu lub korzeni nerwowych unerwiających odpowiednie mięśnie szyi.

Leczenie operacyjne bólu. Ból jest sygnałem ostrzegawczym oraz jednym z objawów choroby i dlatego powinien być leczony przede wszystkim przyczynowo. Jeżeli jednak przyczyna bólu nie jest znana, lub jest znana, ale nie może być usunięta, albo też została usunięta, a ból trwa nadal jako główne cierpienie – pozostają różne sposoby zwalczania dolegliwości, m.in. chirurgiczne.

Nerwoból nerwu trójdzielnego, czyli rwa twarzowa, polega na napadowych bólach połowy twarzy, wywołanych często podrażnieniem skóry twarzy lub błony śluzowej jamy ustnej. Przyczyna choroby zwykle nie jest znana.

Leczenie. W przypadkach opornych na leki stosuje się blokady nerwu trójdzielnego, a gdy one zawodzą – leczenie chirurgiczne, polegające na przecięciu końcowych gałęzi nerwu albo przecięciu śródczaszkowo korzeni nerwu lub dróg przewodzących ból.

Bóle po półpaścu, bóle fantomowe po amputacjach kończyn, tzw. bóle kauzalgiczne po urazach nerwów oraz bóle nowotworowe należą do częściej spotykanych zespołów bólowych. Leczenie tych bólów może polegać na przecinaniu nerwów obwodowych, korzeni tylnych rdzenia kręgowego, dróg rdzeniowych przewodzących czucie bólu lub na stereotaktycznym niszczeniu pewnych struktur mózgu.

Psychochirurgia. Chirurgiczne leczenie chorób psychicznych, krytykowane z pozycji etycznych, filozoficznych, religijnych i prawnych, w niektórych, szczególnie wybranych przypadkach jest jednak stosowane. Dotyczy przede wszystkim chorych z zespołami tzw. patologicznej agresji zarówno wobec otoczenia, jak i wobec siebie. Leczenie polega na wybiórczym niszczeniu pewnych głębokich struktur mózgu, zwykle metodą stereotaktyczną. Uzyskanie poprawy następuje zwykle kosztem trwałych zmian intelektu i osobowości.

Urazy układu nerwowego

Urazy czaszkowo-mózgowe

Obrażenia czaszki i mózgu mogą być wywołane różnymi czynnikami, a następstwa ich zależą od szybkości i siły oraz kierunku działania urazu. Jeśli siła ta przekroczy zdolności amortyzacyjne powłok miękkich i kości czaszki – dochodzi do urazu otwartego.

Złamania kości czaszki mogą dotyczyć sklepienia czaszki oraz jej podstawy. Proste złamania sklepienia czaszki, tzn. bez przemieszczenia odłamów kostnych, nie wymagają interwencji chirurgicznej. Złamania z wgłobieniem odłamów, uszkadzające lub uciskające mózg – zwłaszcza otwarte – wymagają szybkiego leczenia operacyjnego. Złamaniom kości czaszki mogą towarzyszyć inne powikłania mózgowe, jak krwiaki, uszkodzenia pnia mózgu.

Złamania podstawy czaszki, często trudne do uwidocznienia na zdjęciach rentgenowskich, mogą uszkadzać nerwy przechodzące przez otwory kostne (np. nerw twarzowy). Złamania kości w obrębie przedniego dołu czaszki, raniące opony mózgowe, doprowadzają niekiedy do wycieku płynu mózgowo-rdzeniowego z nosa lub – rzadziej – z ucha oraz stwarzają groźbę zapalenia opon mózgowo-rdzeniowych i mózgu. Powikłanie takie wymaga leczenia operacyjnego, polegającego na otwarciu czaszki i „załataniu" opon.

Obrażenia mózgu mogą mieć różny charakter. Najczęściej dochodzi do *wstrząśnienia mózgu*, które polega na przejściowym, zwykle krótkotrwałym porażeniu jego czynności, *objawiającym* się utratą przytomności, zaburzeniami oddechu i czynności serca. W lekkich postaciach wstrząśnienia powrót do stanu prawidłowego następuje szybko, a pozostaje niepamięć wsteczna. W ciężkich postaciach okres nieprzytomności przedłuża się, a różnego rodzaju zaburzenia psychiczne utrzymują się nieraz bardzo długo. *Leczenie* polega na unieruchomieniu chorego w łóżku oraz podawaniu leków uspokajających i ewentualnie przeciwobrzękowych.

Stłuczenie mózgu, a właściwie *pnia mózgu*, jest jednym z najcięższych następstw urazu głowy, gdyż uszkodzenie znajdujących się tam struktur nerwowych zagraża bezpośrednio życiu chorego. *Objawia się* utratą przytomności oraz zaburzeniami oddychania i krążenia, prowadzącymi niejednokrotnie do zgonu. U wielu chorych objawy te ustępują, a pojawiają się inne, świadczące o ciężkości uszkodzenia układu nerwowego. Stosunkowo pomyślne rokowanie bywa u chorych z zespołem tzw. *pobudzenia patologicznego*, tj. gdy chory jest bardzo niespokojny, a ciśnienie krwi, tętno, oddech i temperatura ulegają znacznemu podwyższeniu. Znacznie gorsze jest rokowanie u chorych głęboko nieprzytomnych ze wzmożonym napięciem mięśni (tzw. *sztywnością odmóżdżeniową*), a także u chorych z zespołem *śpiączki* i wiotkością wszystkich mięśni. W obu tych zespołach chorobowych dochodzi często do niewydolności oddechowej, wymagającej leczenia w ośrodku intensywnej terapii medycznej.

Pourazowe krwawienia śródczaszkowe powstają wskutek uszkodzenia naczyń krwionośnych i mogą występować w postaci krwiaków: nadoponowego, podoponowego lub śródmózgowego, albo też w postaci krwawienia podpajęczynówkowego. Nierzadko różne rodzaje krwawień współistnieją ze sobą.

Krwiak nadoponowy jest najczęściej następstwem zranienia tętnic opon mózgowych, narasta bardzo szybko i – nie operowany – prowadzi do zgonu. *Objawami* narastającego *ucisku mózgu* są postępujące zaburzenia świadomości i osłabienie albo porażenie kończyn przeciwstronnych w stosunku do krwiaka. *Rozpoznanie* tego rodzaju krwiaka może być bardzo trudne u chorych nieprzytomnych od chwili urazu głowy lub u zamroczonych alkoholem.

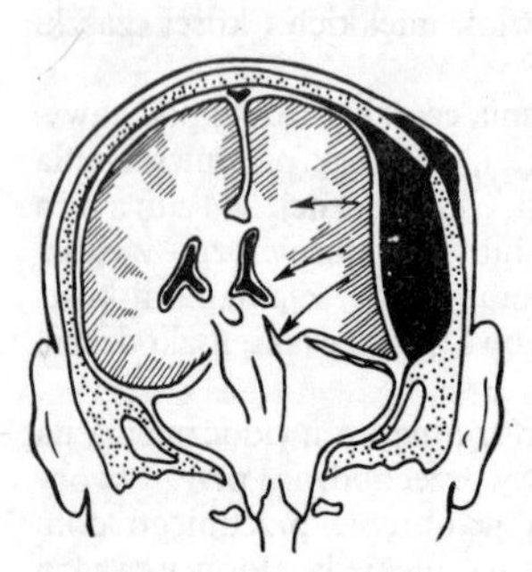

Krwiak nadoponowy

Krwiak podoponowy bywa zwykle następstwem uszkodzenia naczyń krwionośnych powierzchni mózgu. *Objawy* narastającego ucisku mózgu są podobne do objawów krwiaka nadoponowego. Niekiedy, przy krwawieniu z drobnych żył, krwiak powiększa się powoli przez wiele tygodni, a nawet miesięcy, „naśladując” objawami rozrastający się guz mózgu. Krwiak taki nosi nazwę przewlekłego.

Wodniak podoponowy jest to gromadzenie się – dużych nawet ilości – płynu mózgowo-rdzeniowego pod oponą twardą mózgu. Może powstać na skutek uszkodzenia opon miękkich mózgu.

Krwiak śródmózgowy rzadko jest powikłaniem pourazowym, a jego objawy zbliżone są do objawów występujących w krwiakach oponowych.

Leczenie krwiaków jest operacyjne. Polega na otwarciu czaszki, usunięciu krwiaka i odbarczeniu mózgu.

Pourazowe krwawienie podpajęczynówkowe, tj. pod opony miękkie mózgu, dają objawy podrażnienia opon mózgowo-rdzeniowych. Nie wymagają leczenia operacyjnego.

Zator tłuszczowy naczyń mózgu, występujący zawsze po złamaniu kości obfitujących w szpik, oraz zakrzepy pourazowe naczyń mózgowych nie wymagają leczenia operacyjnego.

Urazy rdzenia kręgowego

Złamania kości kręgosłupa naruszające kanał kręgowy lub otwory, którymi przechodzą nerwy, mogą uszkadzać rdzeń kręgowy lub korzenie nerwowe. W zależności od poziomu obrażenia, mogą występować porażenia wszystkich czterech kończyn lub tylko dolnych, zniesienie czucia bólu i dotyku oraz zaburzenia w oddawaniu moczu i stolca.

Leczenie zachowawcze lub operacyjne polega na nastawieniu kręgosłupa i rehabilitacji chorego, niekiedy nawet wieloletniej.

Urazy nerwów obwodowych

Urazy nerwów obwodowych dotyczą zwykle nerwów kończyn. Objawiają się natychmiast po zranieniu, złamaniu lub stłuczeniu kończyny. Leczenie operacyjne polega na szybkim ich zespoleniu, jeśli są przerwane, lub na usunięciu przyczyny ucisku. Później niezbędna jest rehabilitacja.

Przepuklina jądra miażdżystego kręgosłupa (choroba dyskowa)

Postępujące zmiany zwyrodnieniowe kręgosłupa, zmniejszenie sprawności niektórych grup mięśni i wady postawy, związane z charakterem pracy i wypoczynku, oraz przeciążenie kręgosłupa – stwarzają możliwość powstania przepukliny zwanej „dyskiem”. Choroba ta dość często występuje w odcinku szyjnym kręgosłupa lecz znacznie częściej – w dolnym lędźwiowym.

W odcinku szyjnym wpuklenie się dysku do kanału kręgowego może powodować objawy ucisku korzeni nerwowych i samego rdzenia.

W odcinku lędźwiowym wpuklanie się, a czasem nawet wpadnięcie dysku do kanału kręgowego jest często wywołane wysiłkiem fizycznym. Poza zespołem bólowym, może objawiać się niedowładem mięśni kończyn dolnych, zaburzeniami czucia, a nawet zaburzeniami działania mięśni zwieraczy pęcherza i odbytu.

Leczenie zachowawcze – fizyko-, balneoterapia i inne – często daje znaczną poprawę. W wielu jednak przypadkach dysk nie cofa się i konieczne jest leczenie operacyjne. Zob. też ortopedia, s. 1609.

XVIII. CHIRURGIA PLASTYCZNA

Chirurgia plastyczna jest specjalnością wywodzącą się z chirurgii ogólnej, a jej zakres obejmuje leczenie wad rozwojowych twarzy, rąk i zewnętrznych części układu moczowo-płciowego, zniekształceń pourazowych i pochorobowych, świeżych uszkodzeń pourazowych, nowotworów powłok ciała, oparzeń i ich następstw, oraz chirurgię ręki. Działem chirurgii plastycznej jest chirurgia kosmetyczna, która zajmuje się chirurgiczną korekcją części ciała znacznie odbiegających od przyjętych norm estetycznych oraz usuwaniem oznak starzenia się. Głównym celem działalności chirurga plastyka jest odtworzenie kształtu uszkodzonej części ciała i przywrócenie jej funkcji. Charakterystyczną cechą działalności chirurgicznej jest przeszczepianie i kształtowanie takich tkanek, jak: skóra, tkanka tłuszczowa, śluzówka, powięź, ścięgna, nerwy, chrząstka i kość.

Działalność lecznicza w chirurgii plastycznej często wymaga współpracy z innymi specjalnościami, takimi jak: chirurgia ogólna, traumatologia, ortopedia, laryngologia, chirurgia dziecięca, okulistyka, chirurgia szczękowa, urologia, ortodoncja, foniatria, rehabilitacja, neurologia i psychiatria. Zdolność przestrzennego widzenia i wyobrażenia sobie kształtu odtworzonych części ciała powinna cechować chirurga wykonującego złożone zabiegi rekonstrukcyjne. Ze względu na często indywidualny charakter zniekształcenia będącego następstwem wady rozwojowej, urazu lub choroby trzeba obiektywnie przedstawić możliwości rekonstrukcyjne, powikłania i przewidywany wynik leczenia, jak również uwzględnić konieczność znacznej indywidualizacji postępowania leczniczego. Leczenie chirurgiczne musi być dostosowane do stanu ogólnego pacjenta. Jest to szczególnie istotne, jeżeli planuje się złożone wieloetapowe leczenie rekonstrukcyjne, ponieważ konieczna jest w tych przypadkach współpraca ze strony pacjenta.

Przed przystąpieniem do leczenia chirurgicznego należy przeprowadzić ocenę morfologiczną zniekształcenia, określić zakres upośledzenia funkcji i – co jest również istotne – zapoznać się z reakcją psychiczną chorego. Dalszym etapem planowania leczenia rekonstrukcyjnego jest określenie rodzaju i ilości brakujących tkanek. Przygotowując plan leczenia, należy się liczyć z tym, że typowe, znane metody lecznicze mogą okazać się niewystarczające i że należy znaleźć zupełnie nowe rozwiązania chirurgiczne. Odpowiednia technika operacyjna ma na celu gojenie się rany – po przeszczepieniu i przemieszczeniu tkanek – z pozostawieniem możliwie najmniej widocznej blizny. Na gojenie się rany mają wpływ następujące czynniki: stan ogólny chorego, właściwości osobnicze, ewentualne zakażenie i ścisłe przestrzeganie zasad techniki operacyjnej, takich jak: atraumatyczne obchodzenie się z tkankami, opanowanie krwawienia, szycie tkanek bez napięcia, warstwowa rekonstrukcja tkanek bez pozostawienia martwych przestrzeni, odpowiedni materiał do szycia, właściwa technika szycia rany skórnej.

Metody operacyjne w chirurgii plastycznej

Znajomość wielu metod operacyjnych, jakimi dysponuje chirurgia plastyczna, umożliwia lekarzowi tej specjalności wybór najkorzystniejszego sposobu leczenia.

Przeszczepy własnych tkanek – autogenne

Przeszczep skóry pełnej grubości jest to odcinek tkanek zawierający naskórek i skórę właściwą, całkowicie oddzielony od tkanki tłuszczowej i przeniesiony w inne miejsce bez szypuły odżywczej. Przeszczepów skóry pełnej grubości używa się najczęściej do pokrywania małych i średnich ubytków pooperacyjnych lub pourazowych na twarzy i ręce. W ciągu pierwszch 48 godzin przeszczep odżywia się wchłaniając płyny tkankowe z podłoża. W 3 dobie rozpoczyna się wrastanie naczyń z podłoża do przeszczepu. Najczęściej elastyczny opatrunek uciskowy i szwy usuwa się około 7 dnia po zabiegu (o ile nie wystąpią powikłania w gojeniu). Do pokrywania ubytków na twarzy najlepiej pobierać przeszczep z okolicy zamałżowinowej i nadobojczykowej, ponieważ tam jest skóra najbardziej podobna do skóry twarzy. Skóra z ramienia i pachwiny jest biała i różni się znacznie od skóry twarzy. Nadaje się dobrze do pokrywania ubytków w innych okolicach, ciała, np. na ręce.

Przeszczep skóry pośredniej grubości jest to odcinek skóry zawierający naskórek i część skóry właściwej, całkowicie oddzielony od podłoża. Przeszczepy te mogą być cienkie i grube. Cienkich przeszczepów używa się do pokrywania ran ziarninujących różnego rodzaju, grubych – do pokrywania rozległych pooperacyjnych i pourazowych ubytków skóry, lub skóry i tkanki tłuszczowej (oskalpowania, oparzenia). Rana po pobraniu przeszczepu goi się przez naskórkowanie w okresie 10–14 dni. Najczęściej wolne przeszczepy skóry pośredniej grubości pobiera się z uda i pośladka, a w dalszej kolejności z grzbietu, powłok brzusznych, podudzia i kończyn górnych.

Przeszczep skóry właściwej jest to odcinek skóry pozbawiony naskórka, a zawierający całą grubość skóry właściwej. Grubość skóry właściwej jest różna (od 1 do 4 mm) w zależności od wieku, płci i okolicy ciała. Przeszczepy te używane są do rekonstrukcji niedużych ubytków powierzchownie leżących

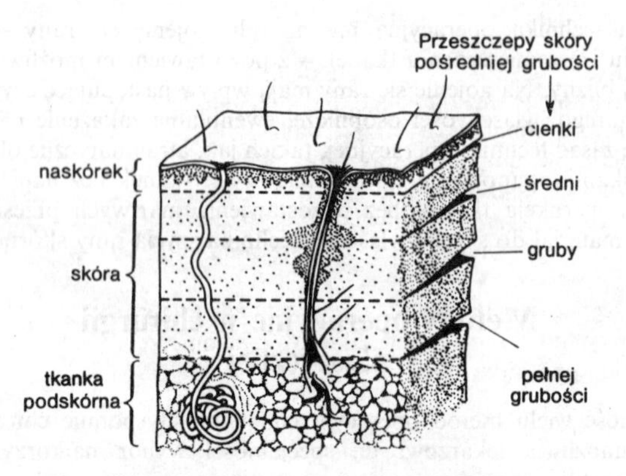

Głębokość przeszczepów skóry pośredniej i pełnej grubości

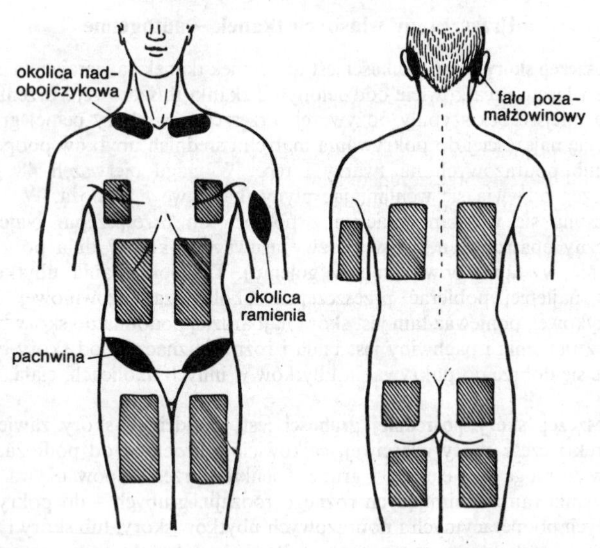

Miejsca pobrania przeszczepów skóry pośredniej i pełnej grubości (zakreskowania oznaczają miejsca pobrania skóry pośredniej grubości, zaczernienia – pełnej grubości)

części szkieletu twarzy, do uzupełnienia ubytków powięzi w operacjach nawrotowych przepuklin.

Przeszczepy powięzi używane są do podwieszenia tkanek miękkich, w których nie ma czynnych mięśni, np. do podwieszenia policzka i kąta ust przy porażeniu nerwu twarzowego, do podwieszenia powieki górnej przy braku czynności mięśnia dźwigacza. Przeszczepy pobiera się zwykle z powięzi szerokiej uda.

Przeszczepy błony śluzowej używane są najczęściej do odtworzenia ubytków spojówki oraz do pogłębienia przedsionka jamy ustnej. Pobiera się je z wargi dolnej, policzków, dolnej powierzchni języka i przegrody nosowej.

Przeszczepy chrząstki – stosuje się do odtwarzania szkieletu niedorozwiniętej małżowiny usznej i jej pourazowych ubytków. Duże przeszczepy pobiera się z łuku żebrowego, małe – ze środkowej części małżowiny usznej lub z przegrody nosowej.

Przeszczepy kości służą głównie do odtwarzania ubytków szkieletu w zakresie twarzy (do rekonstrukcji szkieletu zapadniętego nosa). Pobiera się je z grzebienia kości biodrowej, żebra i kości piszczelowej.

Przeszczep ścięgna jest szeroko stosowany w chirurgii ręki w przypadku uszkodzenia ścięgien zginaczy lub prostowników w celu przywrócenia ich funkcji. Najczęściej wykorzystuje się ścięgno mięśnia dłoniowego długiego.

Przeszczep nerwu najczęściej stosowany jest również w chirurgii ręki w celu przywrócenia czynności ręki. Jeżeli ubytek nerwu na przedramieniu, dłoni lub palcach nie pozwala na jego zespolenie, do jego odtworzenia pobiera się z reguły nerwy skórne z podudzia (nerw łydkowy) lub skórne nerwy z przedramienia.

Płat skórno-tłuszczowy jest to odcinek skóry z tkanką podskórną połączony z otoczeniem szypułą, przez którą krąży krew odżywiająca tkanki płata. Stosuje się je do zamykania ran, które z powodu ubytku tkanek nie mogą być zeszyte lub pokryte przeszczepem skóry. Mogą to być ubytki tkanek, których dno jest słabo ukrwione, całkowite ubytki różnych części ciała, np. warg, nosa, powiek, policzków. Płaty skórno-tłuszczowe mogą być stosowane jako płaty z bezpośredniego sąsiedztwa ubytku, jako płaty wyspowe oraz jako płaty z odległych okolic ciała. Te ostatnie mogą być stosowane jako: jednoszypułowe płaty skórno-tłuszczowe z tułowia przeszczepiane bezpośrednio, płaty krzyżowe, płaty jednoszypułowe skórno-tłuszczowe przeszczepiane z odległych okolic ciała za pomocą przenośnika, płaty rurowate i wolne płaty przeszczepiane z połączeniem małych naczyń.

Plastyka miejscowa to określenie techniki chirurgicznej polegającej na zastosowaniu płatów z najbliższego sąsiedztwa ubytku lub zniekształcenia. Szczególną postacią plastyki miejscowej jest Z-plastyka, polegająca na

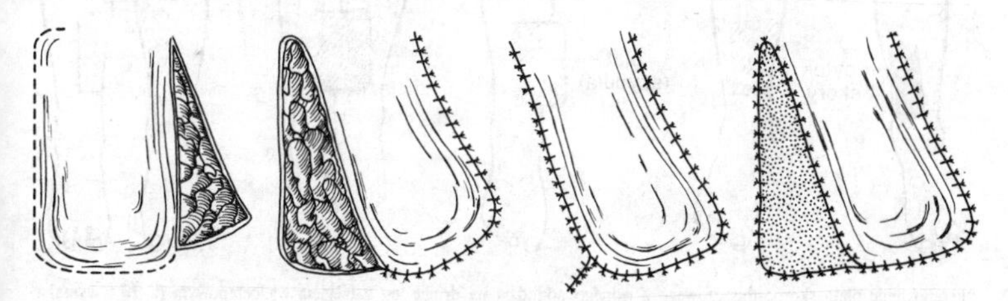

Płat przesunięty

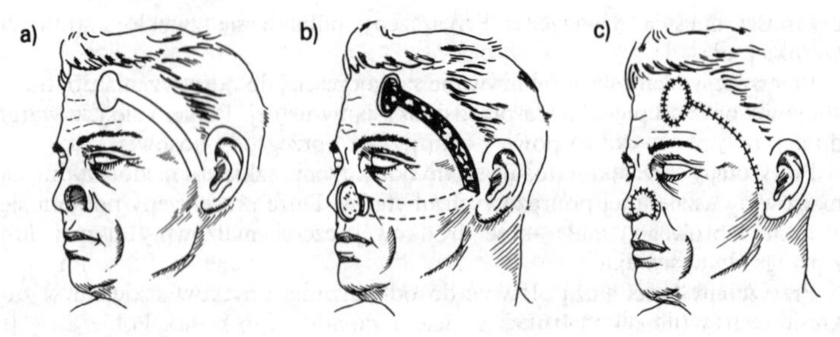

Uszypułowany płat wyspowy

wymianie dwóch lub więcej płatów trójkątnych skórno-tłuszczowych. Stosuje się ją głównie w przypadku płetwowatych, pasmowatych przykurczów bliznowatych, głównie pooparzeniowych. Zastosowanie płatów jednoszypułowych z czoła – tak zwana plastyka indyjska – do rekonstrukcji nosa jest także przykładem plastyki miejscowej.

Płaty z odległych okolic ciała mogą być przeszczepiane bezpośrednio z kończyn i tułowia najczęściej na kończyny i twarz.

Jednoszypułowe płaty skórno-tłuszczowe z tułowia najczęściej są bezpośrednio przeszczepiane w ubytki kończyny górnej. Szypułę odżywczą przecina się jedno- lub dwuetapowo po upływie około 3 tygodni (jeżeli przebieg pooperacyjny jest bez powikłań).

Płaty krzyżowe są to jednoszypułowe płaty skórno-tłuszczowe przeszczepiane z jednego podudzia na drugie. Przed przeszczepieniem płata należy założyć opatrunek gipsowy na obie kończyny w odpowiedniej pozycji, aby po przeszczepieniu płata można było połączyć zagipsowane kończyny. Szypułę płata przecina się po około 3 tygodniach, najczęściej dwuetapowo. Płaty krzyżowe mogą być stosowane również na palcach ręki.

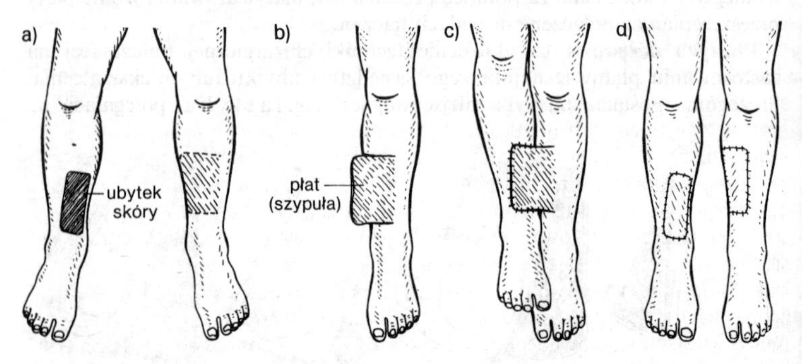

Przenoszenie płata skórno-tłuszczowego z jednego podudzia na drugie jest zabiegiem wieloetapowym (a, b) i wymaga kilkutygodniowego połączenia kończyn dolnych ze sobą (c)

P ł a t r u r o w a t y jest to odcinek skóry i tkanki tłuszczowej zwinięty w rurę i posiadający dwie szypuły odżywcze. Płat ten jest używany do rekonstrukcji ubytków części twarzy o wielopłaszczyznowym kształcie. Po 3 tygodniach szypułę płata zwykle przeszczepia się na przenośnik, którym najczęściej jest przedramię. Przy niepowikłanym przebiegu drugą szypułę możemy odciąć po upływie 3 tygodni i przenieść w ubytek. Po następnych 3 tygodniach odcina się szypułę od przenośnika i wykonuje się zasadniczy etap rekonstrukcji przez formowanie odtwarzanej części ciała. Rekonstruowana część ciała jest uformowana w nadmiarze i wymaga modelowania po upływie 6 miesięcy. Rekonstrukcja złożonych ubytków płatem rurowatym trwa długo i jest wieloetapowa.

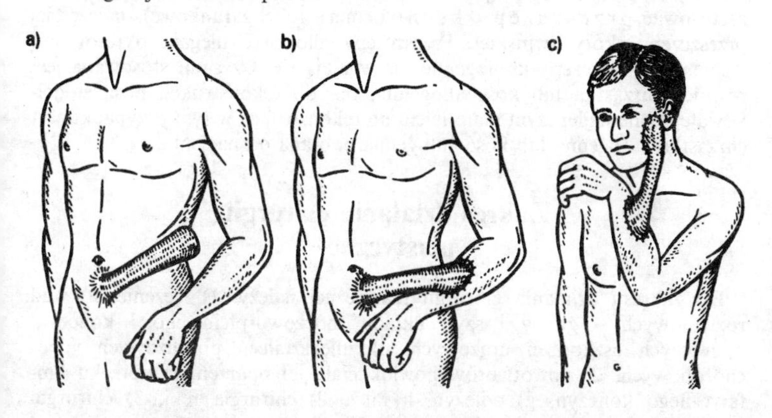

Przemieszczanie płata rurowatego wytworzonego na powłokach brzusznych (a) na policzek, b) c) kolejne etapy postępowania

W o l n e p ł a t y p r z e s z c z e p i a n e z p o ł ą c z e n i e m m a ł y c h n a c z y ń – technika mikrochirurgiczna umożliwiająca zespolenie małych naczyń tętniczych i żylnych oraz nerwów, pozwala na stosowanie wolnych płatów zawierających nie tylko skórę i tkankę tłuszczową, ale również mięśnie, kość, sieć większą. Wolne płaty tkankowe przeszczepiane z zespoleniem małych naczyń i nerwów mogą być stosowane w rekonstrukcji świeżych pourazowych ubytków, jak również we wtórnych zabiegach rekonstrukcyjnych w wielu okolicach ciała. Płat jest całkowicie oddzielony od podłoża. Technika mikrochirurgiczna wymaga posługiwania się mikroskopem operacyjnym i specjalnymi precyzyjnymi narzędziami umożliwiającymi zespalania naczyń i nerwów o średnicy około 1 mm. Współcześnie coraz częściej stosuje się, oczywiście tam gdzie to jest możliwe, wolne płaty tkankowe i uszypułowane, wyspowe płaty skórno-mięśniowe mogące zawierać również żebro lub kość. Zastosowanie wymienionych metod rekonstrukcyjnych umożliwia jednoetapowe leczenie. Skraca to znacznie czas pobytu w szpitalu i obniża koszty leczenia.

Przeszczepy obcych tkanek

Przeszczepy tkanek pobranych od innego człowieka noszą nazwę *przeszczepów alogennych*. Skóra alogenna stosowana jest najczęściej w przypadku leczenia ciężkich oparzeń. Jeżeli oparzenie jest bardzo rozległe, nie ma możliwości pobrania odpowiedniej ilości skóry własnej chorego celem zamknięcia ran. W tych przypadkach konieczne jest pobranie skóry allogennej, najczęściej ze świeżych zwłok, która służy jako tzw. *opatrunek biologiczny* do czasu uzyskania odpowiedniej ilości skóry własnej. Przeszczepy skóry allogennej po pewnym czasie zawsze zostają odrzucone. W przypadku braku autoprzeszczepów (przeszczepów skóry własnej), możemy również zastosować *przeszczepy ksenogenne* (obcogatunkowe), najczęściej przeszczepy skóry świńskiej. Przeszczepy allogenne ulegają okresowemu wgojeniu, przeszczepy ksenogenne nie wgajają się. Czasami stosowana jest również chrząstka lub kość allogenna, np. do rekonstrukcji nosa siodełkowatego, ale najlepszym materiałem do rekonstrukcji w tym przypadku jest chrząstka autogenna lub kość autogenna pobrana od pacjenta.

Zakres działania chirurgii plastycznej

Do zakresu działania chirurgii plastycznej należy: 1) leczenie: a) wad rozwojowych – głowy i szyi, układu moczowo-płciowego i kończyn, b) świeżych uszkodzeń urazowych, c) zniekształceń pourazowych i pochorobowych, d) nowotworów powłok ciała, e) oparzeń, f) obrzęku limfatycznego kończyn, g) odleżyn, a także 2) chirurgia ręki, 3) chirurgia kosmetyczna oraz 4) mikrochirurgia.

Wady rozwojowe

Wady głowy i szyi

Rozszczepy wargi i podniebienia należą do najczęstszych wad wrodzonych głowy i szyi (zob. Chirurgia wieku rozwojowego, s. 1650). Zależnie od rozległości są one przyczyną zniekształceń warg, nosa, szkieletu twarzoczaszki oraz zaburzeń takich funkcji, jak: ssanie, połykanie, oddychanie, mówienie i słyszenie. Złożony charakter następstw tych wad wymaga leczenia zespołowego, w którym powinni brać udział: chirurg, ortodonta i foniatra.

Rozszczepy wargi operuje się między 3–6 miesiącem życia, natomiast rozszczepy podniebienia między 12–18 miesiącem lub około 3 roku życia. Rozszczepy wargi i podniebienia mogą być jednostronne lub obustronne. Często współistnieją również rozszczepy w zakresie wyrostka zębodołowego.

Nietypowe rozszczepy twarzy występują rzadko. Oś rozszczepu przebiega od łuku brwiowego lub powieki przez szczęki, nos i wargę.

Inne wady. Należy tutaj szereg zwykle zespolonych wad. Jedną z nich jest *zespół I i II łuku skrzelowego*, w którym stwierdza się niewykształcenie ucha zewnętrznego, częściowy lub całkowity brak połowy żuchwy i boczne rozszczepy twarzy.

Tzw. zespół Treacher–Collinsa charakteryzuje się niedorozwojem kości twarzy, zwłaszcza jarzmowych i żuchwy, zewnętrznego i środkowego ucha, antymongoidalnym ustawieniem szpary powiekowej z zagłębieniem w obrębie bocznej części powiek dolnych, brakiem rzęs, wysokim gotyckim podniebieniem, zaburzeniami w uzębieniu.

Jeszcze innymi wadami są zespoły spowodowane zbyt wczesnym zarośnięciem szwów czaszkowych. Zespół Crouzona charakteryzuje się zniekształceniem czaszki, wytrzeszczem gałek ocznych, szeroko rozstawionymi i płytkimi oczodołami, niedorozwojem szczęki, zezem, zniekształceniem czubka nosa (tzw. nos papugi). W zespole Aperta stwierdzamy podobne zmiany, a istotną różnicą w stosunku do zespołu Crouzona jest różnego stopnia palcozrost lub inne wady ręki. Do anomalii twarzowo-czaszkowych zaliczamy zespół Pierre–Robina, w którym stwierdzamy niedorozwój żuchwy, rozszczep podniebienia wtórnego, zespół Möbiusa – obustronne wrodzone porażenie nerwów twarzowych, chorobę Romberga – połowiczy zanik twarzy. Postęp w chirurgii twarzowo-szczękowej i rekonstrukcyjnej umożliwił chirurgiczne leczenie wielu tego rodzaju wad. Nieprawidłowo przemieszczone kości zostają przesunięte do ich naturalnego położenia, a ubytki kostne uzupełnione przeszczepami.

Wady rozwojowe rąk. Najczęstszą wadą jest palcozrost. Inne wady, takie jak: palcozrost z niedorozwojem,wielopalczastość, przewężenie obrączkowate, przerost, niedorozwój lub brak poszczególnych części kończyny występują rzadziej.

Leczenie palcozrostu polega na rozdzieleniu palców i pokryciu ubytków wolnymi przeszczepami skóry. Leczenie powinno być ukończone przed wiekiem szkolnym. Przewężenia obrączkowate leczy się stosując Z–plastykę (zob. s. 1561). Niedorozwoje i ubytki poszczególnych części kończyny wymagają złożonych zabiegów rekonstrukcyjnych – przeszczepów lub transpozycji ścięgien, przeszczepów kości, płatów skórno-tłuszczowych. Jeżeli nie ma bezwzględnych wskazań funkcjonalnych, leczenie operacyjne rozpoczyna się ok. 3–4 r. życia dziecka.

Wady układu moczowego. Najczęściej występuje spodziectwo i wierzchniactwo (zob. Chirurgia wieku dziecięcego, s. 1647). Chirurgiczną naprawę przeprowadza się w jednym lub kilku etapach, zazwyczaj ok. 3–4 r. życia.

Wady rozwojowe powiek. Najczęściej są to fałdy nakątne, wrodzony zespół zwężenia szpar powiekowych, opadnięcie powiek i fałdów nakątnych: rzadziej spotyka się rozszczepy powiek.

Świeże uszkodzenia pourazowe

W okolicach dobrze unaczynionych podczas chirurgicznego opracowania rany obowiązuje maksymalne oszczędzanie tkanek i postępowanie zapobiegające zniekształceniu. Ubytki pokrywamy wolnymi przeszczepami skóry lub różnego rodzaju płatami tkankowymi. Wynik odtworzenia (rekonstrukcji) uszkodzeń urazowych zależy od rodzaju i umiejscowienia rany, indywidualnych skłonności do powstawania blizn przerostowych i od upływu czasu. Ostateczne ukształtowanie się blizny trwa rok i dopiero po tym czasie może być podjęta decyzja o ewentualnej wtórnej naprawie.

Zniekształcenia pourazowe i pochorobowe

W każdym przypadku jest przeprowadzana wnikliwa analiza zniekształcenia, możliwości jego naprawienia z punktu widzenia morfologicznego i funkcjonalnego, jak również ocena stanu psychicznego chorego. Do tej grupy uszkodzeń ciała zaliczamy obrzęk limfatyczny kończyn i odleżyny. W leczeniu chirurgicznym **obrzęku limfatycznego** stosuje się trzy grupy metod. Są to:

1) Operacje polegające na wycięciu tkanek, w których powstaje obrzęk limfatyczny:

operacja Sistrunka polega na możliwie najszerszym wycięciu – w okolicy obrzęku limfatycznego – skóry, tkanki podskórnej i powięzi, aby zmniejszyć maksymalnie masę kończyny;

operacja Charlesa jest to radykalne wycięcie wszystkich powierzchownych tkanek objętych obrzękiem limfatycznym, a więc skóry, tkanki podskórnej i powięzi, i pokrycie ubytków wolnymi przeszczepami skóry lub – w zmodyfikowanym postępowaniu – ponowne wszycie wyciętego płata po usunięciu z niego tkanki podskórnej i powięzi;

operacja Kondoleona polega na wycięciu w dwóch etapach tkanki podskórnej i powięzi po stronie przyśrodkowej i bocznej uda.

2) Operacja pogrążonego płata, czyli operacja Thompsona; polega na wytworzeniu w 2 etapach 2 długich płatów skórno-podskórnych, które preparuje się na bocznej i przyśrodkowej powierzchni uda i podudzia. Pozbawione naskórka brzegi płatów zwija się i przemieszcza do przestrzeni międzymięśniowych, w których zostają przyszyte do mięśni. Operacja ta, wg autora, spełnia rolę operacji „wycinających”, stwarza warunki do wykształcenia się połączeń powierzchownego układu chłonnego z głębokim i – poprzez wpływ obkurczających się mięśni kończyny na przemieszczone powierzchowne naczynia chłonne – ułatwia w nich krążenie.

3) Operacje polegające na stworzeniu zespoleń limfatyczno-limfatycznych i limfatyczno-żylnych.

Leczenie chirurgiczne **odleżyn**, które są owrzodzeniami powstałymi w następstwie odwracalnych i nieodwracalnych uszkodzeń układu nerwowego, polega na stosowaniu płatów mięśniowych i wyspowych (wyspa skórna) płatów skórno-mięśniowych.

Nowotwory powłok

Spośród nowotworów chirurgia plastyczna zajmuje się nowotworami powłok ciała: znamionami barwnikowymi, naczyniakami i znamionami naczyniowymi, nerwiakowłókniakami, stanami przedrakowymi skóry (rogowaceniami starczymi, rogiem skórnym, dermatozami), rakami skóry, czerniakiem, rakiem wargi. Nowotwory łagodne są częściowo lub całkowicie wycinane i w zależności od rozmiarów ubytek jest zaopatrzony przez zeszycie albo wolnym przeszczepem skóry, albo płatem jednoszypułowym z okolicy. Raki i czerniaki w zależności od stopnia rozwoju choroby i umiejscowienia zmiany są leczone doszczętnie obowiązującymi wycięciami: a) okolicznych tkanek zdrowych, b) okolicznych węzów chłonnych, c) regionalnych węzłów chłonnych, d) amputacją kończyny i usunięciem regionalnych węzłów chłonnych. W rekonstrukcji ubytku stosowane są przeszczepy skórne lub płaty skórno-tłuszczowe, mięśniowe, skórno-mięśniowe i wolne płaty tkankowe.

Oparzenia

Współczesne chirurgiczne leczenie oparzeń głębokich (III°) polega na możliwie najszybszym wycięciu tkanek martwych i pokryciu ran wolnymi przeszczepami skóry. Przy bardzo rozległych oparzeniach – w związku z tym przy niedostatecznej ilości przeszczepów własnopochodnych – rany pokrywane są przeszczepami obcopochodnymi, tj. pochodzącymi od innych osób (alogennymi) lub od świni (ksenogennymi); przeszczepy te są stopniowo wymieniane na przeszczepy własnopochodne (autogenne). Najczęstszymi powikłaniami w miejscowym leczeniu oparzeń są przykurcze, które wymagają leczenia z zastosowaniem wolnych przeszczepów skóry lub różnego rodzaju uszypułowanymi i wolnymi płatami tkankowymi.

Chirurgia ręki

Jest to ważny dział chirurgii plastycznej. W leczeniu wad rozwojowych, świeżych urazów, zniekształceń pourazowych i pochorobowych oraz nowotworów tego narządu mogą być stosowane wszelkie metody rekonstrukcyjne, od najprostszych, jakimi jest stosowanie wolnych przeszczepów skóry do najbardziej skomplikowanych, jakimi są wolne przeszczepy tkankowe z zespoleniem małych naczyń i nerwów i replantacje.

Operacje rekonstrukcyjne wybranych części ciała

Rekonstrukcja małżowiny usznej wykonywana jest w przypadkach jej niedorozwoju lub ubytku w następstwie urazu; jest kilkuetapowa. W pierwszym etapie wykonuje się rekonstrukcję szkieletu chrzęstnego małżowiny przeszczepem pobranym z łuku żebrowego i wprowadzonym pod skórę w okolicy małżowiny. Po 2–3 miesiącach oddziela się chrząstkę od czaszki, pokrywając rany wolnym przeszczepem skóry. Ostateczne modelowanie rekonstruowanej małżowiny przeprowadza się po następnych 6 miesiącach.

Rekonstrukcję sutka u kobiet wykonuje się w przypadku niedorozwoju lub po jego amputacji z powodu nowotworu. Współcześnie stosowane są następujące metody rekonstrukcji sutka: 1) wszczepienie protezy silastikowej wypełnionej solą fizjologiczną pod mięsień piersiowy większy, 2) zastosowanie uszypułowanego wyspowego płata skórno-mięśniowego, pod który wprowadza się protezę, 3) rekonstrukcja sutka uszypułowanym płatem wyspowym skórno-mięśniowym, 4) odtworzenie sutka wolnym płatem skórno-tłuszczowym z zespoleniem mikronaczyniowym.

Operacje rekonstrukcyjne w obrębie ręki mają na celu odtworzenie lub poprawę funkcji ręki. W przypadku niedorozwoju kciuka lub jego braku w następstwie urazu możemy wykonać rekonstrukcję przenosząc palec wskazujący w miejsce kciuka (tzw. policyzacja) lub przez przeniesienie jednego z palców stopy (transplantacja) – najczęściej palca drugiego – z zespoleniem małych naczyń, nerwów, ścięgien i kości. Ciągłość uszkodzonego nerwu odtwarza się przez bezpośrednie zespolenie końców lub – jeżeli jest to niemożliwe (ubytek) – stosuje się przeszczep nerwu.

XIX. PRZESZCZEPIANIE TKANEK I NARZĄDÓW

P r z e s z c z e p i e n i e m nazywamy wykonywane operacyjnie przemieszczenie tkanki lub całego narządu (p r z e s z c z e p u), w przypadku określonych stanów chorobowych, z jednego miejsca w drugie u tego samego człowieka, lub od jednego człowieka (dawcy) do drugiego (biorcy), które ma na celu uzupełnienie ubytku lub przywrócenie czynności.

Rozróżnia się przeszczepy biowitalne i biostatyczne. Przeszczepem b i o w i t a l n y m nazywamy żywy narząd lub zawiesinę komórek (np. szpiku), które po zabiegu podejmują swoją prawidłową czynność, pozwalając na uratowanie życia człowieka. Przeszczepy b i o s t a t y c z n e są to odpowiednio przygotowane martwe tkanki ludzkie (kości, opona, powięź, zastawka serca, naczynia krwionośne i inne), które po zabiegu przeszczepienia pełnią w organizmie biorcy funkcje mechaniczne, sprzyjając powrotowi do zdrowia.

Narząd pobrany od dawcy można przechowywać poza organizmem człowieka jedynie przez kilkanaście godzin, później pozbawiony dopływu krwi i tlenu umiera. Przeszczepy biostatyczne, dzięki specjalnym sposobom konserwacji, przechowywane w postaci liofilizatu (odwodnienia) lub zamrożone w temperaturze –80°C, zachowują swoje właściwości przez długi czas. Przeszczepy biostatyczne przechowywane są w specjalnych bankach tkanek. W Polsce, poza Centralnym Bankiem Tkanek w Warszawie, są jeszcze dwa inne – w Kielcach i Katowicach.

Rodzaje przeszczepów

Przeszczep autogenny, własnopochodny, czyli przeniesienie własnej tkanki lub narządu biorcy z jednego miejsca na drugie (np. przeszczepienie skóry, przeszczepienie żyły do układu tętniczego, przeszczepienie nerki z miejsca prawidłowego w inne w przypadku szczególnej postaci nadciśnienia tętniczego). Przeszczep autogenny nie powoduje żadnego odczynu ze strony organizmu biorcy i funkcjonuje prawidłowo po zabiegu.

Przeszczep izogenny, syngeniczny, czyli przeszczepienie tkanki lub narządu między osobnikami identycznymi genetycznie. Sytuacja taka istnieje, gdy mamy do czynienia z bliźniętami jednojajowymi. Przeszczep syngeniczny zachowuje się podobnie jak przeszczep autogenny, tzn. funkcjonuje prawidłowo po przeszczepieniu.

Przeszczep alogenny, bliźniopochodny, czyli przeniesienie tkanki lub narządu między osobnikami różnymi genetycznie tego samego gatunku. Narząd pobiera się od człowieka żywego, którym jest członek najbliższej rodziny, lub od osoby zmarłej. W zależności od stopnia różnic genetycznych między dawcą i biorcą przeszczep taki wzbudza w organizmie biorcy reakcję immunologiczną, zwaną odrzucaniem.

Przeszczep ksenogenny, obcogatunkowy, czyli przeszczepienie tkanki lub narządu między osobnikami dwóch różnych gatunków. Podejmowane były już pierwsze próby kliniczne przeszczepienia nerki lub serca małpy (lub świni) człowiekowi. Ze względu na bardzo znaczne różnice genetyczne, przeszczepienie tkanki obcogatunkowej powoduje bardzo gwałtowny, głównie humoralny, odczyn immunologiczny i prawie zawsze dochodzi do natychmiastowego odrzucenia narządu.

Zależnie od umiejscowienia przeszczepu określa się go mianem przeszczepu ortotopowego (gdy narząd umieszcza się w organizmie w miejscu dla niego prawidłowym) lub przeszczepu heterotopowego (gdy umieszcza się go w innym miejscu).

Przeszczepianie narządów. Skala problemu

W ciągu minionych lat doszło na świecie do niesłychanego rozwoju transplantologii klinicznej. Przeszczepianie nerek, serca i wątroby jest już uznanym sposobem leczenia, a przeszczepianie trzustki razem z nerką u chorych z nefropatią cukrzycową poprawia jakość życia tych chorych. Podejmowane są próby przeszczepiania płuc, płuc i serca oraz jelita. Wszystko to stało się możliwe dzięki nowym technikom badania zgodności tkankowej, udoskonaleniu sposobów przechowywania narządów, wprowadzeniu nowych metod immunosupresji, wcześniejszemu rozpoznawaniu i skuteczniejszemu leczeniu procesu odrzucania, a także zapobieganiu i lepszemu leczeniu zakażeń.

Przeszczepianie narządów przestało być osiągnięciem pojedynczych osób lub ośrodków. Stało się powszechną metodą leczenia schyłkowej niewydolności różnych narządów. Na podstawie Światowego Rejestru, który obejmuje dane pochodzące z 1406 ośrodków do końca 1992 r. wykonano z powodzeniem prawie 300 000 operacji przeszczepienia nerki, 45 000 zabiegów przeszczepienia szpiku kostnego, ponad 25 000 operacji przeszczepienia serca, 1830 przeszczepień płuca, 26 000 operacji przeszczepienia wątroby i 4400 zabiegów przeszczepienia trzustki (zazwyczaj u chorych, którym jednocześnie przeszczepiono nerkę). Do „rekordzistów" należą chorzy, którzy żyją z zachowaną czynnością przeszczepionego narządu przez 30 lat (po przeszczepieniu nerki), 22 lata (po przeszczepieniu wątroby), 21 lat (po przeszczepieniu serca), 14 lat (po przeszczepieniu trzustki) i 24 lata (po przeszczepieniu szpiku).

W Polsce przeszczepianie nerek rozpoczęto w 1966 r., serca w 1985 r., trzustki w 1988 r., a wątroby w 1989 r. Do końca 1991 r. w 8 ośrodkach transplantacyjnych w Polsce wykonano prawie 3000 przeszczepień nerki, ponad 150 przeszczepień serca, 22 przeszczepienia wątroby oraz 24 przeszczepienia trzustki i nerki. Wyniki tych zabiegów są zbliżone do średnich wyników europejskich.

Liczba wykonywanych operacji przeszczepienia narządów w Polsce jest znacznie mniejsza niż potrzeby w tym zakresie (liczba przeszczepień nerki wyniosła zaledwie 8 na 1 milion populacji). Przyczyną tego są: brak środowiskowej i społecznej akceptacji tej metody leczenia, co wynika m.in. z braku akceptacji koncepcji śmierci mózgowej, problemy natury obyczajowej, nieprecyzyjne przepisy prawne dotyczące przeszczepiania narządów pobieranych od osób zmarłych, brak jednoznacznego publicznie wyrażonego stanowiska kościoła katolickiego oraz innych autorytetów moralnych, a także problemy natury finansowej.

Czynniki warunkujące powodzenie przeszczepienia narządu

Powodzenie przeszczepienia nerki zależy od wielu czynników. Należą do nich: właściwy dobór kliniczny biorców, odpowiedni dobór immunologiczny dawcy i biorcy, skuteczne zabezpieczenie narządu pobieranego ze zwłok osoby zmarłej przed skutkami niedokrwienia, właściwe leczenie immunosupresyjne, wczesne rozpoznanie i leczenie procesu odrzucania narządu, zapobieganie zakażeniom i innym powikłaniom i w końcu, choć w równej mierze, właściwa technika chirurgiczna.

Zasady badania zgodności tkankowej przed przeszczepieniem

Na przeszkodzie do trwałego przeżycia przeszczepionego narządu stoi tzw. **bariera immunologiczna**, która powoduje, że ustrój rozpoznaje obcy narząd jako „nie swój", co prowadzi do uruchomienia mechanizmów odpornościowych i niszczenia przeszczepu (zob. dalej). Dlatego należy starać się, aby różnice w antygenach zgodności tkankowej między dawcą i biorcą były jak najmniejsze.

Układ **antygenów zgodności tkankowej**, tzw. układ HLA (ang. Human Lymphocyte Antigens) nie jest do końca poznany. Wiadomo jednak, że antygeny zgodności tkankowej występują na wszystkich komórkach jądrzastych (antygeny klasy I) lub tylko na niektórych limfocytach (antygeny klasy II). Antygeny te zlokalizowane są na chromozomie 6 limfocytów i innych komórek w specjalnym miejscu. Rozróżnia się cztery serie antygenów

HLA – A,B,C (klasa I) oraz **DR** (klasa II). Największe znaczenie w doborze dawcy i biorcy mają antygeny serii HLA-A i HLA-B oraz HLA-DR. Ponieważ w każdej z tych serii istnieje po kilkadziesiąt różnych antygenów, trudno dobrać takiego dawcę, którego antygeny byłyby takie same lub bardzo zbliżone do antygenów biorcy.

Badanie zgodności tkankowej przed przeszczepieniem polega na: 1) określeniu zgodności grup głównych układów erytrocytarnych ABO dawcy i biorcy, 2) określeniu antygenów układów HLA dawcy i biorcy i wybraniu takiego biorcy, którego układ HLA jest najbardziej podobny do układu dawcy, oraz 3) sprawdzeniu, czy w surowicy biorcy narządu nie znajdują się krążące przeciwciała cytotoksyczne skierowane przeciwko antygenom limfocytarnym HLA dawcy. Nie wolno wykonywać przeszczepienia narządu, jeżeli dawca i biorca mają inne grupy krwi lub też jeżeli u biorcy stwierdza się krążące przeciwciała limfocytotoksyczne, ponieważ grozi to nagłym ustaniem czynności przeszczepionego narządu, tzw. nadostrym odrzuceniem.

Mechanizm odrzucenia przeszczepu allogennego

Przeszczepienie narządu stanowi bodziec antygenowy wywołujący w ustroju biorcy uruchomienie mechanizmów odporności komórkowej i humoralnej. Reakcja ta jest tym silniejsza, im większe są różnice antygenowe między dawcą i biorcą narządu. Dla celów opisowych można wyodrębnić trzy fazy tego procesu: a) drogę dośrodkową odczynu immunologicznego, która stanowi fazę rozpoznania obcego antygenu przez układ odpornościowy gospodarza, b) fazę centralną – aktywacji, różnicowania i namnażania różnych subpopulacji limfocytów, oraz c) drogę odśrodkową odczynu immunologicznego, w wyniku której dochodzi do niszczenia przeszczepu przez uczulone limfocyty oraz przeciwciała.

Leczenie immunosupresyjne

Wprowadzenie przed ponad 30 laty azatiopryny (Imuran) i sterydów nadnerczowych pozwoliło na skuteczne przeprowadzanie zabiegów przeszczepiania nerki, nie wystarczało jednak do zapewnienia długotrwałego przeżycia przeszczepu i prawie zupełnie uniemożliwiało skuteczne przeszczepianie innych narządów. Przełomem było wprowadzenie poli- i monoklonalnych przeciwciał limfocytarnych (ATG, OKT–3), a w latach 80-tych cyklosporyny (CsA). Poznanie farmakokinetyki – sposobu stosowania i zapobiegania niepożądanym następstwom tych leków pozwoliło na szybki rozwój programów przeszczepiania oraz wyraźną poprawę przeżycia chorych.

W ostatnich 5 latach pojawiło się kilka nowych leków o silnym działaniu immunosupresyjnym. Największe nadzieje budzi lek przeciwgrzybiczy – Ticrolismus – FK 506 produkowany przez firmę japońską. Pojawiły się również inne leki m.in. kwas mykofenolowy, Rapamycyna, Mizorubina, Deoxyspergulina. Dla oceny rzeczywistej wartości tych leków konieczne są obiektywne badania wieloośrodkowe z długim okresem obserwacji.

Przeszczepianie nerek

Wskazania do zabiegu. Dzięki wprowadzeniu nowych sposobów immunosupresji, udoskonaleniu sposobów rozpoznawania i leczenia odrzucania, właściwie nie ma bezwzględnych przeciwwskazań do przeszczepienia nerki. Zabieg taki wykonywany jest z dobrymi wynikami nawet w nefropatii cukrzycowej i we wszystkich chorobach układowych (skrobiawica, oksaloza, toczeń układowy trzewny).

Do niedawna przyjmowano, że nie należy kwalifikować do przeszczepienia nerki biorców poniżej 2 i powyżej 60 roku życia. Obecnie zabieg ten wykonuje się z powodzeniem również u małych dzieci i u ludzi starych.

Przedmiot kontrowersji stanowi celowość przeszczepienia nerki chorym, u których usunięto nerki z powodu raka. Dawniej bezwzględnie dyskwalifikowano takich chorych z powodu ryzyka rozwoju procesu nowotworowego w stanie immunosupresji. Obecnie uważa się, że jeśli w 2 lata po usunięciu nerki z powodu nowotworu nie ma cech wznowy ani przerzutów, można u takich chorych wykonać przeszczepienie nerki.

Dawcy nerek. Ponieważ nerki są narządem parzystym, można bez większego uszczerbku dla zdrowia jedną z nich pobrać w celu przeszczepienia od osób spokrewnionych genetycznie w linii prostej (rodzice, rodzeństwo). W niektórych krajach nerki pobierane są od innych dawców. Wprowadzono podział takich dawców na: spokrewnionych emocjonalnie (współmałżonek, konkubin), bliskich emocjonalnie (przyjaciele), którzy w zamian za swój altruistyczny gest w postaci oddanego narządu otrzymują zwrot poniesionych kosztów leczenia, oraz dawców płatnych. Wykonywanie zabiegów przeszczepienia nerki od dawców płatnych budzi sprzeciw środowiska lekarskiego i społeczeństwa, spotkało się z potępieniem Światowej Organizacji Zdrowia, Komisji Etycznej Rady Europy i prawodawstwa wielu krajów. Zabiegi takie wykonywane są w Indiach i w Pakistanie, gdzie nie wolno pobierać nerek od zmarłych, a warunki ekonomiczne zmuszają ludzi do poszukiwania niecodziennych sposobów zdobywania pieniędzy.

Przeszczepianie nerek od osób żywych wykonywane jest różnie często w różnych krajach. W Turcji i Grecji 60–90% wszystkich zabiegów to przeszczepienia nerek pobieranych od dawców rodzinnych. Zabiegi takie wykonywane są znacznie rzadziej w Hiszpanii, Irlandii, Francji i Niemczech. W Wielkiej Brytanii przeszczepienia nerek od dawców rodzinnych wynoszą 6%, w Polsce zaledwie 0,5%.

Nerki pobierane są również od zmarłych (najczęściej w wieku 5–60 lat) w następstwie wypadków lub choroby naczyniowej mózgu zwykle po komisyjnym rozpoznaniu śmierci mózgowej (nieodwracalnego uszkodzenia pnia mózgu). Znacznie rzadziej pobiera się nerki w przypadku zgonu z innego powodu (samobójstwo, utonięcie, zawał serca). Przeciwwskazaniem jest stwierdzenie uogólnionego zakażenia, utrwalonego, długotrwałego nadciśnienia, cukrzycy lub innej choroby układowej oraz procesu nowotworowego. Uważa się, że pierwotny guz mózgu u dawcy nie stanowi przeciwwskazania do pobrania nerek.

Nerki, a zwłaszcza inne narządy pobiera się po komisyjnym stwierdzeniu śmierci mózgowej. Człowiek umiera wówczas, gdy umiera jego mózg. Rozpoznanie nieodwracalnego uszkodzenia pnia mózgu, czyli tej jego części, która kieruje pracą wszystkich ważnych życiowo narządów, opiera się na dokładnych badaniach neurologicznych wykazujących trwały bezdech (oddychanie zapewnia respirator) oraz brak jakichkolwiek odruchów z pnia mózgu. Oznacza to śmierć człowieka, mimo że nadal pracuje jego serce, którego czynność podtrzymywana jest wlewem preparatów podnoszących ciśnienie tętnicze.

W Polsce pobieranie tkanek i narządów od osób zmarłych zostało zalegalizowane ustawą z dnia 30 sierpnia 1991 r. o zakładach opieki zdrowotnej (Dz.U. nr 91, poz. 408). Ustawa ta stwierdza: *dopuszcza się pobranie ze zwłok narządów lub tkanek dla celów leczniczych, jeśli osoba zmarła nie wyraziła za życia sprzeciwu.* Oznacza to, że rodzina zmarłego nie musi, ani nawet nie może wyrażać zgody na pobranie narządów ze zwłok osoby najbliższej, choć oczywiście należy ją o zamiarze pobrania narządów poinformować.

Przechowywanie nerek przed przeszczepieniem. Powszechnie stosuje się trzy płyny do płukania i przechowywania nerek pobieranych od zmarłych. Są nimi płyn UV (Viaspan, DuPont), płyn Eurocollins (Frezenius) oraz płyn HTK (Custodiol).

Czynność nerki po przeszczepieniu. Po przeszczepieniu nerki mogą podjąć bezpośrednią czynność wydzielniczą lub też dochodzi do braku pierwotnej czynności (niedokrwienna niewydolność nerki, ATN) i chory wymaga przez pewien okres leczenia dializami. W większości przypadków po okresie 7–40 dni czynność wydzielnicza nerki powraca do normy, w 5–10% przypadków nerka nigdy nie podejmuje czynności po przeszczepieniu (pierwotny brak czynności). Różnica częstości występowania tego powikłania wynika z wielu czynników, do których należą zaburzenia hemodynamiczne i hormonalne u dawcy w okresie przedzgonnym, czas przechowywania w hipotermii (powyżej 36 godzin), sposób przechowywania, zwłaszcza w przypadku znacznych zaburzeń hemodynamicznych u dawcy, oraz w pewnym stopniu różnice antygenowe między dawcą i biorcą. Istotne znaczenie może mieć stosowanie dodatkowych preparatów farmakologicznych (blokery kanału wapniowego, chlorowodorek lidokainy) lub biologicznych (hormon tarczycy, prostacykliny) u dawcy przed pobraniem narządów.

Wyniki przeszczepiania nerek. Mimo że liczba wykonywanych zabiegów jest za mała w stosunku do potrzeb, wyniki przeszczepiania nerek w Polsce są takie same, jak średnie wyniki europejskie i zbliżone do wyników osiąganych w najlepszych ośrodkach światowych. Zabieg przeszczepienia nerki jest w pełni bezpieczny dla chorego. Ustanie czynności przeszczepionej nerki nie oznacza, że chory umiera. Jest on ponownie leczony dializami pozaustrojowymi. Przeżycie chorych przez 5 lat po zabiegu wynosi 85%. U większości z tych chorych przeszczepiony narząd funkcjonuje prawidłowo. Przeżycie przeszczepu nerki wynosi po 1 roku 90%, po 3 latach 80%, a po 5 latach

65%. Są to wyniki lepsze, niż te, które osiąga się lecząc pacjentów z chorobą nowotworową. Chorzy po zabiegu mogą pracować, uprawiać sport i cieszyć się normalnym życiem rodzinnym.

Przeszczepianie trzustki

U większości chorych z młodzieńczą postacią cukrzycy leczenie insuliną nie zapobiega powstaniu postępujących uogólnionych zmian naczyniowych prowadzących do upośledzenia drożności naczyń, głównie w nerkach, i siatkówki. Zmiany takie występują u 75% chorych z młodzieńczą postacią cukrzycy. W wyniku tego procesu rozwija się retinopatia (zob. s. 1719), neuropatia, nadciśnienie tętnicze, zmiany w drobnych naczyniach oraz – u części chorych – zmiany w nerkach prowadzące do mocznicy.

Wyniki przeszczepiania trzustki znacznie poprawiły się dzięki wprowadzeniu 8 nowych sposobów immunosupresji oraz lepszych metod zabezpieczenia trzustki przed następstwami niedokrwienia. Ponad 75% chorych żyje z czynnym przeszczepem trzustki i nerki przez okres kilku lat po zabiegu.

Ze względu na to, że przeszczepia się narząd cechujący się zarówno zewnątrz- jak i wewnątrzwydzielniczą czynnością istnieją różne techniki chirurgiczne. Przeszczepia się cały narząd wraz z segmentem dwunastnicy lub jego segment zawierający część trzonu i ogon. Trzustkę przeszczepia się wewnątrzotrzewnowo, najczęściej w miejscu heterotopowym, z odprowadzeniem krwi żylnej do krążenia systemowego.

Zasadniczym problemem wpływającym na przebieg operacji jest wybór sposobu postępowania z zewnątrzwydzielniczą czynnością trzustki. Spośród próbowanych dotąd sposobów pozostały w użyciu: zamknięcie światła przewodu trzustkowego (najczęściej w przypadku przeszczepienia segmentu trzustki), odprowadzenie soku trzustkowego do pęcherza moczowego (po przeszczepieniu całego narządu z dwunastnicą lub segmentem błony śluzowej zawierającym ujście przewodów trzustkowych), oraz odprowadzenie soku trzustkowego do jelita (najczęściej po przeszczepieniu segmentu trzustki, ale również w przypadku paratopowego przeszczepienia całej trzustki).

Najczęściej wykonuje się przeszczepienie trzustki wraz z nerką (w Polsce wyłącznie w ten sposób). W tym przypadku nerkę i trzustkę przeszczepia się wewnątrzotrzewnowo. Rzadziej wykonywane jest przeszczepienie samej trzustki lub zabieg dwuetapowy (kolejno trzustki i nerki).

W Polsce umiera rocznie około 2000 chorych na cukrzycę. Około 1/6 tej liczby to chorzy z młodzieńczą postacią cukrzycy, którzy umierają z powodu zmian naczyniowych i nefropatii towarzyszącej cukrzycy. W Polsce przeszczepianie trzustki i nerki u takich chorych wykonywane jest w dwu klinikach chirurgicznych w Warszawie.

Przeszczepianie wątroby

Przeszczepianie wątroby stało się na świecie uznanym sposobem leczenia. Wyniki odległe przeszczepiania ortotopowego są obecnie bardzo dobre (ponad 70% chorych żyje 3 lata i dłużej).

W Polsce umiera co roku ponad 3000 osób w wyniku niewydolności wątroby, a liczba potencjalnych biorców przeszczepu jest znacznie większa. W Polsce przeszczepianiem wątroby u dorosłych zajmują się ośrodki w Warszawie, Katowicach i Wrocławiu, a u dzieci – Centrum Zdrowia Dziecka.

Wskazaniem do przeszczepienia wątroby jest krańcowa niewydolność tego narządu w wyniku wrodzonego niedorozwoju dróg żółciowych, marskości wątroby (z wyjątkiem marskości poalkoholowej) i wreszcie niektóre przypadki pierwotnych nowotworów wątroby. Przeszczepienie wątroby stwarza znacznie więcej problemów niż przeszczepienie nerki. Należą do nich trudności techniczne zabiegu, znaczna wrażliwość narządu na niedokrwienie, występowanie wielu powikłań, nawet po udanym technicznie przeszczepieniu wątroby (skaza krwotoczna, przetoki żółciowe, zakażenie) oraz niemożność zastąpienia czynności wątroby aparaturą wspomagającą w przypadku niepowodzenia zabiegu.

Przeszczepianie serca

Pierwszego przeszczepienia serca u człowieka dokonał dr Christian Barnard w 1967 r. Operacja ta wywołała wiele entuzjazmu i w tym samym roku wykonano 100 podobnych operacji w 20 krajach świata. Od czasu wprowadzenia cyklosporyny zabieg ten jest wykonywany powszechnie. Najczęstszymi wskazaniami do przeszczepienia serca jest znaczne uszkodzenie serca w następstwie choroby wieńcowej u chorych, u których zabiegi rewaskularyzacji są niemożliwe lub nie przyniosły powodzenia, oraz kardiomiopatia.

Wyniki przeszczepienia serca są bardzo dobre. Ponad 75% chorych przeżywa 1 rok po zabiegu. W Polsce przeszczepianiem serca zajmują się trzy ośrodki w Zabrzu, Krakowie i Warszawie. Wykonano już ponad 220 tego typu zabiegów.

ORTOPEDIA

Twórcą terminu „ortopedia" jest chirurg francuski Nicolas Andry, autor wydanego w 1741 r. podręcznika *Ortopedia, czyli sztuka zapobiegania i poprawiania zniekształceń ciała u dzieci.*

W pojęciu współczesnym zakres działania ortopedii jest o wiele szerszy od ram zakreślonych przez jej twórcę. Obok zapobiegania wadom postawy i korygowania ich oraz leczenia wad rozwojowych narządu ruchu, ortopedia zajmuje się poprawianiem i przywracaniem czynności narządu ruchu. Zasięg działania ortopedii nie ogranicza się też do dzieci, ale rozciąga się na każdy wiek, bez względu na przyczyny chorób i wad kośćca oraz tkanek miękkich narządu ruchu.

I. WADY WRODZONE

Wady wrodzone są to zaburzenia budowy i czynności narządu ruchu, powstałe w wyniku nieprawidłowości rozwojowych, zwłaszcza w okresie rozwoju zarodkowego. W zależności od działających przyczyn, wady można podzielić na dwie grupy: endogenne i egzogenne.

W a d y e n d o g e n n e powstają na skutek przekazywania potomstwu nieprawidłowych informacji zawartych w genach komórek rozrodczych rodziców. W a d y e g z o g e n n e rozwijają się pod wpływem szkodliwych wpływów zewnętrznych na kształtujący się zarodek i płód.

Z uwagi na trudności leczenia wad coraz większy nacisk kładzie się na zapobieganie ich powstawaniu. Wprowadzono w tym celu trzy rodzaje działań: 1) poradnictwo genetyczne, ocenę biologiczną obojga rodziców pod kątem przekazywania zmutowanych genów, 2) ochronę kobiet w pierwszych 3 miesiącach ciąży, kiedy to rozwijający się płód jest szczególnie podatny na uszkodzenia, oraz 3) ochronę narządu ruchu dziecka w okresach sprzyjających zniekształceniom.

Płodowe zbliznowacenie mięśni, czyli **artrogrypoza**. Istotą choroby jest zaburzenie rozwoju mięśni w okresie płodowym. Niewykształcenie się prawidłowej tkanki mięśniowej doprowadza do ograniczenia ruchów i przykurczów stawowych. Choroba daje znać o sobie zaraz po urodzeniu. Kończyny są szczuplejsze, brzuśce mięśni niewykształcone, skóra pogrubiała wskutek nadmiaru tkanki tłuszczowej. W zależności od umiejscowienia zmian dochodzi do typowych zniekształceń ciała, jak stopy płasko-koślawe, stopy końsko-szpotawe, kolana przegięte, boczne skrzywienie kręgosłupa.

Leczenie wczesne polega na pobudzeniu i rozciąganiu przykurczonych mięśni za pomocą ćwiczeń i fizykoterapii. W rozwiniętych zniekształceniach stosuje się leczenie operacyjne w celu usunięcia zniekształceń, przywrócenia prawidłowej postawy ciała i umożliwienia chodzenia. Leczenie jest długotrwałe i często wymaga ponawiania zabiegów, aby kompensować różnice między rozwijającym się kośćcem a zatrzymanymi w rozwoju mięśniami.

Myelodysplazja i stan dysraficzny. Myelodysplazja jest to zaburzenie rozwojowe rdzenia kręgowego, jego nerwów korzeniowych oraz kręgosłupa, a także następstwa tego zaburzenia w obrębie narządu ruchu. Łącząca się z myelodysplazją dysrafia oznacza niepełne zamknięcia się łuków kręgowych i powłok. Wada powstaje w okresie rozwoju zarodka.

Istnieją różne odmiany tej wady – od bardzo zaawansowanych, w których przez niezrośnięty na znacznej przestrzeni kanał kręgowy uwypuklają się na zewnątrz opony rdzeniowe i sam rdzeń (przepuklina oponowo-rdzeniowa, rys. obok), do postaci lekkich, kiedy to stwierdza się jedynie objawy zaburzenia czynności układu nerwowego. Ponieważ wada dotyczy z reguły odcinka lędźwiowo-krzyżowego kręgosłupa, będące jej następstwem zaburzenia w obrębie narządu ruchu najczęściej dotyczą kończyn dolnych i obręczy biodrowej.

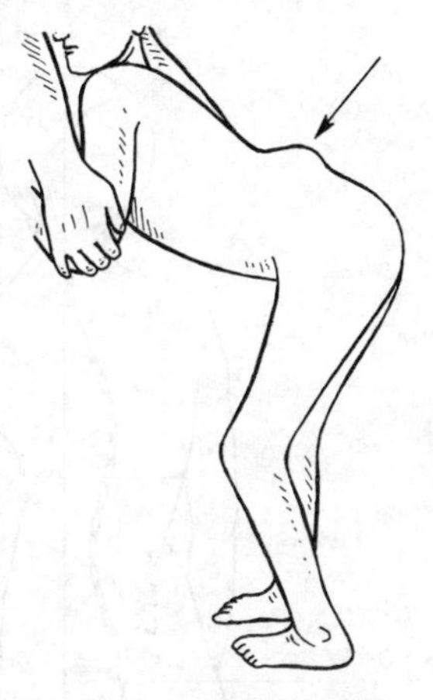

Przepuklina oponowo-rdzeniowa z niedowładami i zniekształceniami kończyn dolnych

Objawem wady są przeważnie porażenia i niedowłady mięśni, zaburzenia czucia, porażenia pęcherza i odbytu oraz zmiany w obrębie skóry – przebarwienia, upośledzenie ukrwienia i inne.

Leczenie operacyjne przeprowadza się bezpośrednio po urodzeniu się dziecka. Jeżeli objawy nie cofną się, w okresie późniejszym dzieci te są doleczane ortopedycznie i chirurgicznie. Leczenie ortopedyczne ma na celu umożliwienie choremu dziecku utrzymanie pionowej postawy i naukę chodzenia, co zapobiega tworzeniu się odleżyn skóry. Służą temu ćwiczenia i zabiegi fizykoterapeutyczne oraz stosowanie aparatów ortopedycznych. Leczenie operacyjne polega na korygowaniu wadliwego ustawienia kończyn oraz przywróceniu zaburzonej równowagi mięśniowej.

Postępujące kostnienie mięśni. Jest to choroba wrodzona, polegająca na tworzeniu się kości w tankach miękkich narządu ruchu, co prowadzi do ograniczenia ruchomości stawów. Choroba pojawia się we wczesnym dzieciństwie.

Objawy. Najpierw pojawiają się w okolicy szyi i tułowia obrzęki, które wskutek tworzenia się kości w obrębie mięśni, więzadeł i powięzi – twardnieją. W miarę postępu choroby dochodzi do ograniczenia ruchomości kręgosłupa, żeber i wielkich stawów, a w krańcowych przypadkach do unieruchomienia chorego.

Leczenie polega głównie na łagodzeniu objawów choroby. Leczenie przyczynowe nie jest znane.

Boczne skrzywienia kręgosłupa, czyli **skoliozy**, dzieli się na skrzywienia pierwotne i wtórne, a w zależności od ciężkości – na skrzywienia: I stopnia – kąt skrzywienia mierzony na radiogramie nie przekracza 30°; II stopnia – kąt skrzywienia nie przekracza 60°; III stopnia – kąt skrzywienia nie przekracza 90° oraz IV stopnia – kąt skrzywienia jest większy niż 90°.

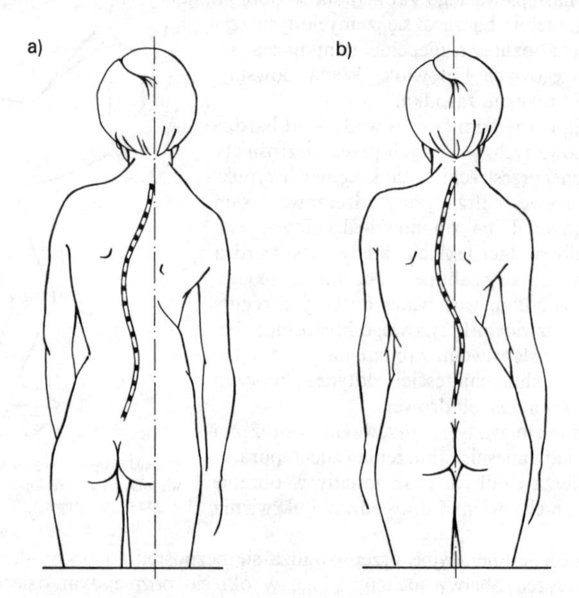

Boczne skrzywienie kręgosłupa średniego stopnia: a) skrzywienie niewyrównane – tułów odchyla się od linii pionu, b) skrzywienie wyrównane

Skrzywienia pierwotne, zwane idiopatycznymi lub samoistnymi, są nieznanego pochodzenia. Stanowią ponad 90% wszystkich skrzywień i doprowadzają do najcięższych zniekształceń ciała. Są najtrudniejsze do leczenia, zwłaszcza gdy dotyczą górnych kręgów piersiowych i dolnych kręgów szyjnych. Zmiany i deformacje są tym cięższe, im skrzywienie wystąpi wcześniej.

Skrzywienia pierwotne dzieli się na: niemowlęce, ujawniające się do 3 r. życia, dziecięce – w wieku przedszkolnym i szkolnym oraz młodocianych – w okresie przedpokwitaniowym i pokwitania.

Do wczesnych objawów skoliozy zalicza się: asymetrię trójkątów, tułowiowo-ramiennych, wystawanie łopatki lub asymetrię łopatek, wystawanie biodra po stronie pogłębionego trójkąta tułowiowo-ramiennego. Jeśli skrzywienie dotyczy odcinka szyjnego lub górnego odcinka piersiowego, występuje wyższe ustawienie barku po stronie wypukłości i pochylenie głowy lub szyi w stronę przeciwną.

Jeśli wykrzywianiu się kręgosłupa do boku, tyłu i przodu w wieku niemowlęcym i w okresie wczesnego dzieciństwa towarzyszy jednocześnie rotacja kręgów, czyli obracanie się ich wzdłuż osi długiej, powstaje typowe zniekształcenie klatki piersiowej (garb) z powodu wypchnięcia żeber i przemieszczenia łopatek. Choroba postępuje aż do momentu ukończenia wzrostu kręgosłupa.

Leczenie zachowawcze możliwe jest w skoliozach I stopnia, ponieważ dają się one łatwo korygować (brak zmian kostnych). Polega ono na ustaleniu całodobowego „reżimu” leczniczego, tzn. na: 1) eliminowaniu

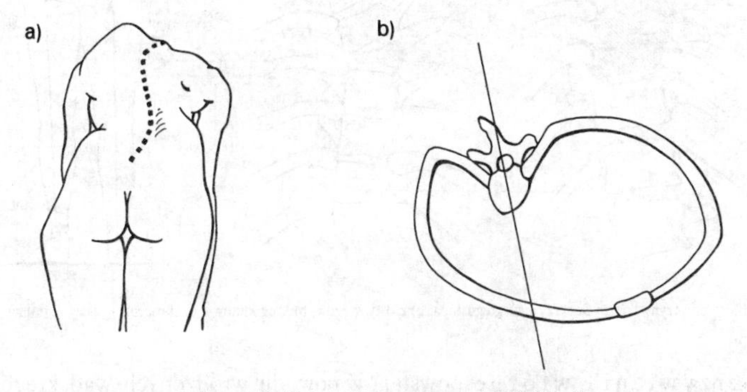

Deformacja klatki piersiowej w zaawansowanej skoliozie (a, b)

sytuacji i czynników prowadzących do osłabienia mięśni – poprzez ćwiczenia ogólnie kondycyjne i korekcyjne; 2) eliminowaniu sytuacji mogących nasilić skrzywienie – poprzez zakaz dźwigania ciężarów, noszenia ciężkiej odzieży, ciężkich teczek szkolnych itp.; 3) eliminowaniu szkodliwego działania grawitacji – poprzez unikanie pozycji siedzącej i stojącej na korzyść pozycji leżącej (np. czytanie, uczenie się, oglądanie telewizji w pozycji leżenia na brzuchu itp.); 4) spaniu na wklęsłym boku, w celu korygowania skrzywienia pod wpływem siły ciężkości; 5) uczeniu utrzymywania pozycji ciała przy siedzeniu co najmniej nie pogarszającej istniejącego skrzywienia.

Gorsetów ortopedycznych nie stosuje się w małych skrzywieniach, gdyż osłabiając napięcie mięśniowe mogą nawet działać pogarszająco. Gorsety są stosowane dopiero w skoliozach większych i szybko pogarszających się jako przygotowanie do operacji lub jeśli z jakichś względów nie można przeprowadzić leczenia operacyjnego.

L e c z e n i e o p e r a c y j n e jest stosowane w szybko pogarszających się skoliozach II stopnia oraz w skoliozach III i IV stopnia, po kilkumiesięcznym leczeniu zachowawczym.

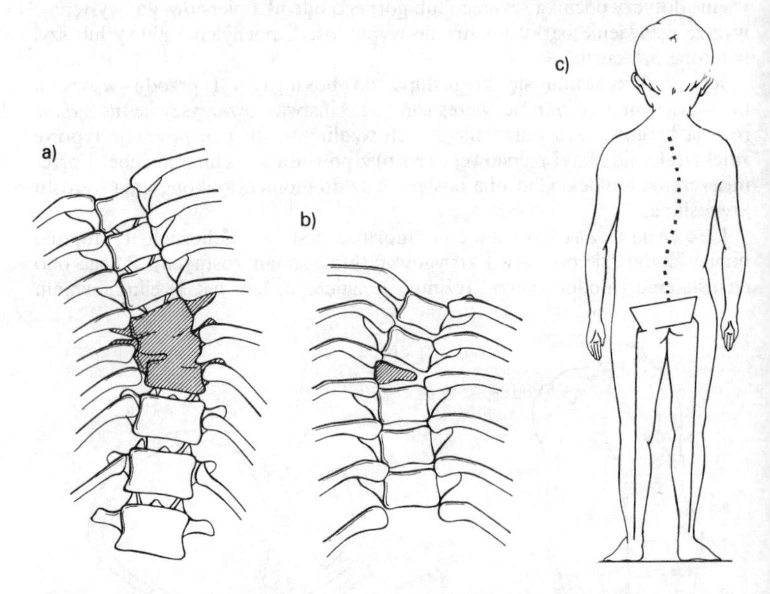

Niektóre przyczyny bocznych skrzywień kręgosłupa: a) zrosty kręgów, b) kręg klinowy, c) skrócenie kończyny dolnej

S k r z y w i e n i a w t ó r n e powstają z powodu wrodzonych wad kręgosłupa i klatki piersiowej (np. kręgi klinowe, zrosty kręgów itp.), albo nabytych, a także na skutek porażeń mięśni grzbietu i miednicy (np. po chorobie Heinego – Medina), ściągających blizn po oparzeniach klatki piersiowej itp. Do skrzywień wtórnych zalicza się też tzw. s k r z y w i e n i a k o m p e n s a c y j n e, powstające np. w nierówności kończyn dolnych, przykurczach dużych stawów (staw biodrowy i kolanowy) itp., oraz o d r u c h o w e s k r z y w i e n i a powstające pod wpływem bólu, np. ból krzyża. Niekiedy do powstania skrzywienia może dojść w zaburzeniach psychicznych.

L e c z e n i e s k r z y w i e ń w t ó r n y c h jest z reguły łatwiejsze niż pierwotnych, gdyż zazwyczaj nie dochodzi do zmian organicznych w kręgach. Po usunięciu przyczyny choroby zazwyczaj powracają prawidłowe krzywizny kręgosłupa, jeśli choroba nie trwała zbyt długo i nie doprowadziła do nieodwracalnych przykurczów okołokręgosłupowych tkanek miękkich.

Kręgoszczelina jest to istniejąca przerwa w łuku kręgu. Choroba zazwyczaj dotyczy V kręgu lędźwiowego. Ubytek wypełniony jest włóknistą blizną zespalającą obie gałęzie łuku, z których jedna związana jest z górnymi, a druga z dolnymi wyrostkami stawowymi kręgu.

Przyczyna choroby nie jest znana. Prawdopodobnie jest nią zaburzenie rozwojowe lub złamanie zmęczeniowe łuku kręgu, którego wytrzymałość jest osłabiona od urodzenia.

Gdy działające siły i obciążenia przekroczą wytrzymałość blizny włóknistej, dochodzi do rozluźnienia tkanki włóknistej i do przemieszczenia się trzonu kręgu ku przodowi. To zsuwanie się trzonu określa się jako kręgozmyk (zob. s. 1608).

Kręgoszczelina zazwyczaj nie daje dolegliwości i często jest wykrywana przypadkowo (np. przy wykonywaniu badania rentgenowskiego z innych przyczyn). Niekiedy jednak może dawać dolegliwości bólowe, a nawet objawy neurologiczne i wówczas wymaga leczenia.

Kręcz szyi. Choroba polega na przymusowym ustawieniu głowy w pochyleniu do boku i skręceniu w stronę przeciwną. Przyczyną jest zazwyczaj przykurcz i zbliznowacenie jednego z mięśni mostkowo-sutkowo-obojczykowych w następstwie urazu porodowego. W wyjątkowych przypadkach przyczyną kręczu może być wrodzona wada kręgów szyjnych, wada wzroku, przykurcz mięśnia z powodu zmian zapalnych w otoczeniu czy histeria.

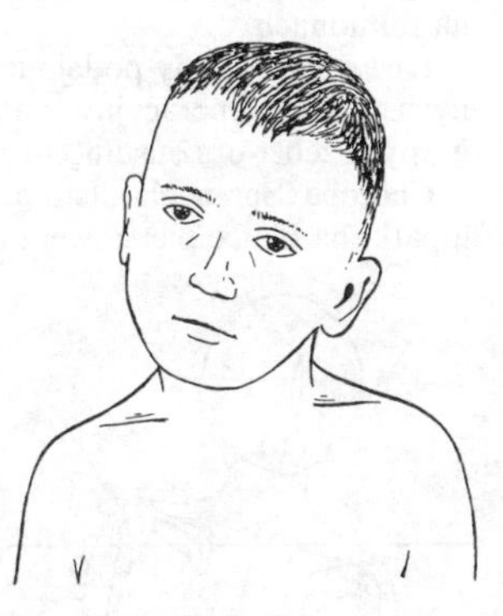

Kręcz szyi

Choroba ujawnia się po urodzeniu w miarę narastania dysproporcji między wzrostem zdrowych tkanek a nie zmieniającą się długością zbliznowaconego mięśnia. Nie leczona może z czasem doprowadzić do asymetrii twarzy.

Leczenie polega na biernym oraz czynnym rozciąganiu przykurczonego mięśnia i ustaleniu uzyskanej korekcji za pomocą kołnierza ortopedycznego lub opatrunku watowego. W przypadkach nie poddających się leczeniu zachowawczemu konieczny jest zabieg operacyjny, polegający na przecięciu przykurczonego mięśnia.

Zespół żebra szyjnego. Jest to zespół dolegliwości spowodowany istnieniem dodatkowego żebra (lub zawiązka żebra), które odchodzi od VII kręgu szyjnego i podrażnia tętnicę lub nerwy tej okolicy na skutek ucisku albo tarcia.

Objawem choroby są zaburzenia ukrwienia, powodujące zasinienie palców ręki, oraz zaburzenia czucia i bóle w obrębie skóry przedramienia i ręki, umiejscawiające się głównie po odłokciowej stronie ręki, a także upośledzenie siły ręki.

Leczenie zależy od stopnia zaawansowania choroby. W dolegliwościach i zaburzeniach niewielkiego stopnia stosowana jest fizykoterapia oraz ćwiczenia mięśni unoszących obręcz barkową. W przypadkach zaawansowanych, kiedy istnieją duże zaburzenia ukrwienia i unerwienia kończyny, konieczne jest leczenie operacyjne, polegające na zlikwidowaniu ucisku pęczka naczyniowo-nerwowego.

Zespół mięśnia pochyłego. Jest to zaburzenie neurologiczne spowodowane uciśnięciem pęczka nerwowo-naczyniowego między obojczykiem i I żebrem na skutek zwłóknienia i przerostu mięśnia pochyłego szyi lub nieprawidłowego jego przyczepu środkowego.

Leczenie zachowawcze polega na wykonywaniu odpowiednich ćwiczeń oraz stosowaniu fizykoterapii. Jeżeli dolegliwości utrzymują się, konieczne jest leczenie operacyjne, w celu odciążenia nerwów.

Choroba Klippel – Feila, czyli **krótka szyja**. Jest to wada wrodzona polegająca na zroście dwu lub większej liczby kręgów szyjnych albo na zmniejszonej ich liczbie i wynikającym z tego skróceniu szyi i ograniczeniu jej ruchomości. Wygląd chorego sprawia wrażenie, jakby głowa była osadzona bezpośrednio na ramionach.

Leczenie wady podejmuje się rzadko i głównie ze względów kosmetycznych. Zabieg operacyjny ma na celu wydłużenie szyi i polega na wycięciu górnych żeber oraz usunięciu płetw skórno-mięśniowych poszerzających szyję.

Choroba Sprengela. Istotą tej wady wrodzonej jest wysokie ustawienie łopatki na klatce piersiowej i ograniczenie jej ruchomości. Mięśnie łopatki są niedorozwinięte i często wykazują zmiany włókniste. Rozróżnia się trzy stopnie tej wady.

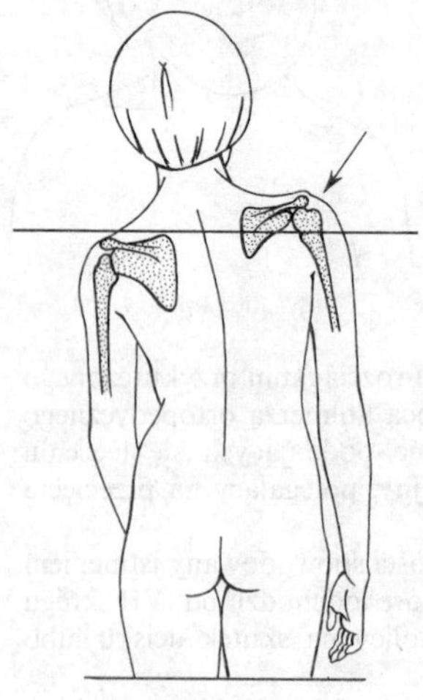

Choroba Sprengela, czyli wrodzone wysokie ustawienie łopatki

Leczenie operacyjne polega na wycięciu górnej części kąta łopatki, oddzieleniu przyśrodkowych przyczepów mięśniowych od łopatki oraz ściągnięciu całej łopatki ku dołowi i ustawieniu jej na klatce piersiowej na żądanej wysokości. Operacja wykonywana jest tylko w przypadkach znacznego ograniczenia ruchomości i defektu kosmetycznego.

Klatka piersiowa lejkowata. Choroba polega na lejkowatym zagłębieniu klatki piersiowej z jednoczesnym jej spłaszczeniem i poszerzeniem. Niekiedy zagłębienie jest tak duże, że przednia ściana klatki piersiowej prawie styka się z kręgosłupem. Zmianom tym zazwyczaj towarzyszy zwiększenie kifozy piersiowej (plecy okrągłe) lub boczne skrzywienie kręgosłupa.

P r z y c z y n ą zniekształceń są zaburzenia rozwojowe mięśni klatki piersiowej i przepony oraz zaburzenia kostnienia.

W zależności od zaawansowania wady dochodzi, poza defektem kosmetycznym, do upośledzenia pojemności oddechowej płuc, przemieszczenia narządów klatki piersiowej i niewydolności oddechowo-krążeniowej. Chorzy są podatni na zakażenia górnych dróg oddechowych.

L e c z e n i e. W postaciach łagodnych wada nie wymaga leczenia lub tylko l e c z e n i a w s p o m a g a j ą c e g o, które polega na stosowaniu ćwiczeń oddechowych, pływaniu i dozowanych zajęciach sportowych. W wadach zaawansowanych konieczne staje się l e c z e n i e o p e r a c y j n e, polegające na uniesieniu wgłębionego odcinka mostka i przylegających doń żeber.

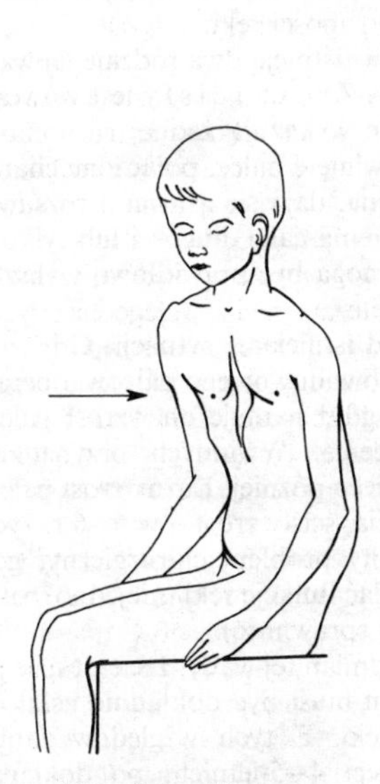

Klatka piersiowa lejkowata

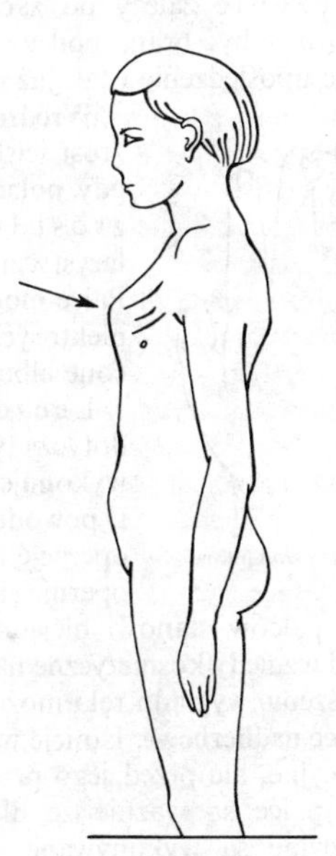

Klatka piersiowa kurza

Klatka piersiowa kurza. Istotą choroby jest wysunięcie ku przodowi i spłaszczenie po bokach klatki piersiowej, w wyniku czego upodabnia się ona do klatki piersiowej ptaków.

P r z y c z y n ą choroby są wrodzone zaburzenia procesów kostnienia oraz nieprawidłowe rozmieszczenie przyczepów mięśniowych.

L e c z e n i e. Ponieważ wada nie powoduje dolegliwości i stanowi głównie defekt kosmetyczny, wskazania do leczenia operacyjnego istnieją rzadko. Leczenie zachowawcze polega na stosowaniu ćwiczeń oddechowych, powiększających pojemność klatki piersiowej i poprawiających jej wygląd.

Wady wrodzone kończyny górnej. Wady te są spowodowane zaburzeniami rozwojowymi zawiązka kończyny górnej w okresie życia płodowego. Najpoważniejszą wadą jest całkowity brak kończyny oraz kończyna szczątkowa.

Z częściowych niedorozwojów ręki najczęściej występuje niedorozwój kości promieniowej; nierzadko wadzie tej towarzyszy brak lub niedorozwój kciuka. Jeśli nawet kciuk istnieje, jest on z reguły bezużyteczny, gdyż nie ma odpowiedniego oparcia na kośćcu ręki oraz ma niedorozwinięte mięśnie i ścięgna. Brak kości łokciowej powoduje charakterystyczne wygięcie przedramienia i ustawienie ręki w zgięciu dłoniowym. Wada nierzadko występuje obustronnie.

Leczenie zależy od zachowanych elementów uszkodzonej ręki. Nie może tutaj być brana pod uwagę kosmetyka ręki, gdyż mogłoby to spowodować upośledzenie i tak już ograniczonej czynności ręki.

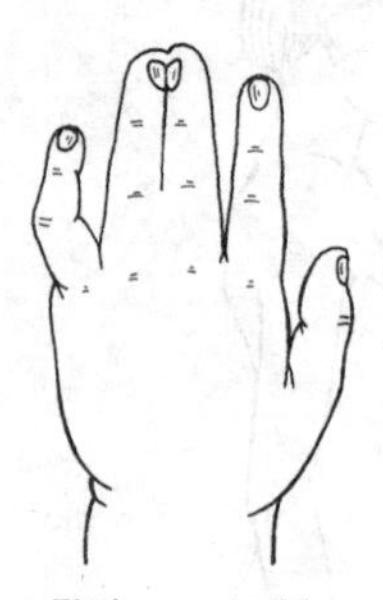
Wrodzony zrost palców

Wrodzony zrost palców. Istnieją dwa rodzaje tej wady: zrost ścisły i zrost luźny. Zrost ścisły jest wówczas, gdy połączone palce nie wykazują żadnej ruchomości, zrost luźny – gdy zwinięte palce, połączone charakterystyczną płetwą skórną, dają się zsuwać i rozsuwać. Palce mogą być zrośnięte na całej długości lub tylko na niektórych odcinkach, mogą być prawidłowo wykształcone albo niedorozwinięte.

Leczenie zależy od istniejącej sytuacji. Gdy zrost dotyczy tylko odcinka obwodowowego palców, operację wykonuje się wcześnie, gdyż hamuje on wzrost palców i powoduje zniekształcenia. W innych przypadkach operację wykonuje się nieco później. Luźny zrost palców operuje się w 3–4 r. życia, ścisły zrost – w 5–6 r. życia. Zrost palców stanowi niejednokrotnie trudny problem chirurgiczny, gdyż ponad względy kosmetyczne należy przedkładać funkcję ręki (niejednokrotnie polepszenie wyglądu ręki może pogorszyć jej sprawność).

Palce nadliczbowe. Istnieje wiele różnych odmian tej wady. Leczenie jest operacyjne, ale przed jego przeprowadzeniem musi być dokładnie ustalone, które palce są ważniejsze dla czynności ręki. Z tych względów zabiegi operacyjne są wykonywane dopiero u dzieci 4–5-letnich, po dokładnej analizie układu kostnego i istniejącej czynności. Nierzadko zdarza się bowiem, że palec sprawiający wrażenie gorzej rozwiniętego z czasem okazuje się bardziej przydatny.

Dysplazja stawu biodrowego. Jest to niepełne wykształcenie się stawu biodrowego w okresie życia płodowego. Stan ten, przy niewłaściwym pielęgnowaniu noworodka i braku postępowania profilaktycznego, może przejść w nadwichnięcie, a nawet zwichnięcie stawu. Dysplazja częściej dotyczy dziewcząt niż chłopców i przyczyny tego nie są znane. Niekiedy wydają się grać rolę czynniki dziedziczne.

Leczenie ma na celu stworzenie warunków do pełnego ukształtowania się stawu, tak aby głowa kości udowej była dobrze scentrowana w panewce, zaś ta prawidłowo ją pokrywała i aby nie doszło do przesuwania się głowy ku górze. Aby stworzyć takie warunki, nóżki dziecka muszą znajdować się w stałym rozkroku, co można uzyskać za pomocą odpowiedniego zakładania pieluszek lub aparatów ortopedycznych, takich jak poduszka Frejki, szyna Van Rosena, pajacyk Grucy, szyna Koszli itp. Zazwyczaj stosowanie pomocy ortopedycznych przez 2–3 miesiące wystarcza, aby doprowadzić do wykształcenia prawidłowych stawów biodrowych. Leczenie i kontrolę tego stanu powinni prowadzić specjaliści.

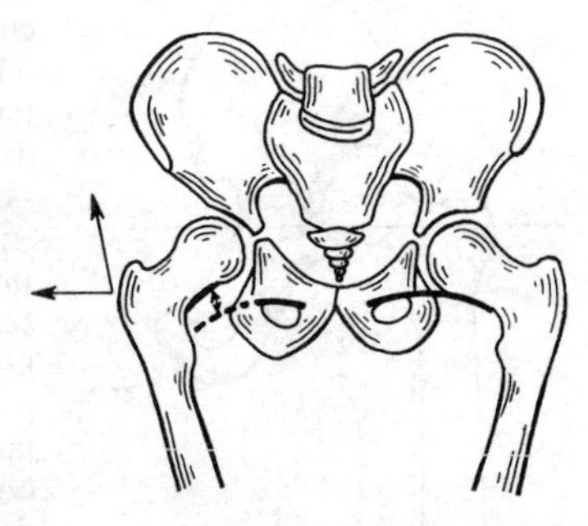

Zaawansowana dysplazja stawu biodrowego – po lewej, staw prawidłowy – po prawej

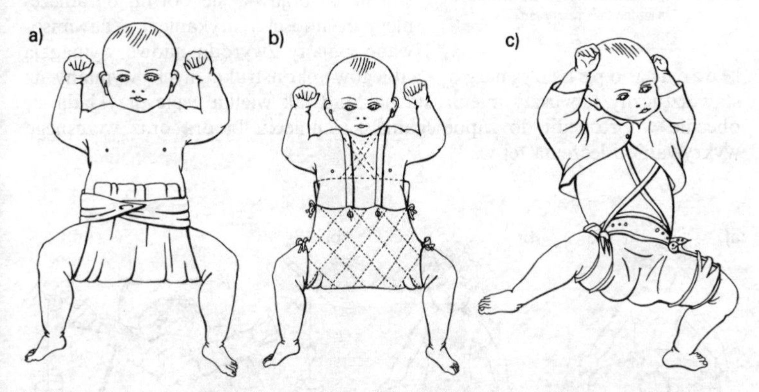

Sposoby leczenia dysplazji stawu biodrowego: a) właściwe zakładanie pieluszek, b) poduszka Frejki, c) aparat ortopedyczny

Wrodzone zwichnięcie biodra. Choroba polega na samoistnym wysunięciu się głowy kości udowej z panewki stawowej już w czasie życia płodowego lub zaraz po urodzeniu. P r z y c z y n ą jest przede wszystkim nadmierna, wrodzona wiotkość (brak zwartości) stawu biodrowego oraz rozluźnienie stawu pod wpływem relaksyny — hormonu wydzielanego przez płód. Zwichnięcie występuje częściej u dziewcząt niż u chłopców (5:1) i w ok. 30% dotyczy obu stawów.

O b j a w y. U n o w o r o d k ó w na istnienie rozluźnienia stawu wskazuje objaw przeskakiwania głowy kości udowej, zwany o b j a w e m O r t o l a n i e g o. Polega on na tym, że przy zgiętych i przywiedzionych biodrach głowa kości wysuwa się poza panewkę, a w momencie odwodzenia nóżek – wskakuje na powrót do panewki (w tej chwili daje się słyszeć lub wyczuć

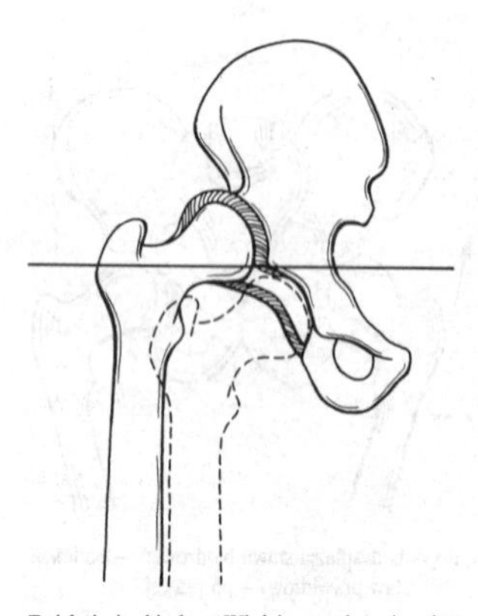

Zwichnięcie biodra. Właściwe położenie głowy kości udowej w panewce stawu biodrowego zaznaczono linią przerywaną

trzask). U dzieci starszych na zwichnięcie może wskazywać ograniczenie odwodzenia stawów biodrowych, asymetria krocza czy pośladka, opóźnienie chodzenia, utykanie, chód kaczkowaty czy skrócenie kończyny.

Leczenie zależy od wieku dziecka. Im wcześniej wykryta jest wada, tym większe istnieją szanse na wyleczenie. Najkorzystniejsze jest rozpoczęcie leczenia przed upływem pierwszego roku życia. Po upływie tego czasu odsetek pełnych wyleczeń maleje. Jeśli leczenie nie doprowadzi do przywrócenia normalnych stosunków anatomicznych w stawie, w miarę upływu lat dochodzi do przedwczesnego zużycia stawu, co objawia się bólem, ograniczeniem czynności i utykaniem. Zaawansowane zmiany zwyrodnieniowe wymagają leczenia operacyjnego – zabiegów rekonstrukcyjnych, wymiany na staw sztuczny lub usztywnienia stawu. Stąd tak wielką wagę przykłada się obecnie w ortopedii do zapobiegania zwichnięciu biodra oraz wczesnego wykrywania i leczenia tej wady.

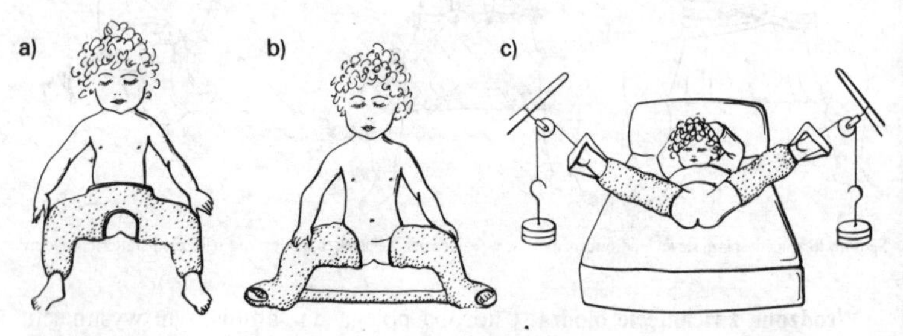

Metody zachowawczego leczenia wrodzonego zwichnięcia stawu biodrowego: a) opatrunek gipsowy, b) gips ćwiczebny, czynnościowy, c) wyciąg

Leczenie do 6 miesiąca życia. Zwichnięcie nastawia się zachowawczo i unieruchamia nóżki w opatrunku gipsowym (w pozycji odwiedzenia i skręcenia do wewnątrz kończyn w stawach biodrowych) na okres ok. 3 miesięcy.

Leczenie od 6 miesiąca do 3 r. życia. Dziecko układa się w łóżku ortopedycznym i zakłada wyciągi za obie kończyny dolne. W miarę uzyskiwania ściągania głów kości udowych w pobliże panewek, nóżki stopniowo się rozstawia, aż do uzyskania pełnego ich odwiedzenia. Trwa to ok. 4 tygodni. W tym momencie może dojść już do samoistnego nastawienia zwichnięcia, bez potrzeby dodatkowych manipulacji. Jeśli do tego nie dojdzie, zwichnięcie nastawia się ręcznie i unieruchamia nóżki w opatrunku gipsowym. Unieruchomienie utrzymuje się przez kilka miesięcy, a następnie dolecza gipsami czynnościowymi, czyli umożliwiającymi wykonywanie kontrolowanych ruchów, w celu uzyskania pełnego odtworzenia panewki stawu biodrowego.

Jeśli leczenie zachowawcze nie daje rezultatu, podejmuje się leczenie operacyjne. Najczęściej przyczyną niepowodzenia jest wypełnienie panewki tkankami miękkimi (obrąbek panewki), zarośnięcie cieśni torebki stawowej oraz nadmierne przodoskręcenie górnej nasady kości udowej. Niekiedy leczenie operacyjne konieczne jest z powodu nawrotu zwichnięcia czy nadwichnięcia biodra leczonego zachowawczo.

L e c z e n i e o d 4 d o 8 r. ż y c i a. Po upływie 3 r. życia leczenie zachowawcze nie ma szans powodzenia. Leczenie operacyjne ma na celu wytworzenie panewki oraz prawidłowe ustawienie w niej górnej nasady kości udowej, która przeważnie jest nadmiernie skręcona do przodu i odchylona ku górze.

L e c z e n i e p o w y ż e j 9 r. ż y c i a ma przeważnie charakter paliatywny, tzn. ma na celu przyniesienie ulgi. Wdraża się je wówczas, gdy zmiany zwyrodnieniowe stawu wywołują dolegliwości. Rodzaj operacji zależy głównie od tego, czy zajęte jest jedno czy też oba biodra oraz od wieku chorego.

Piszczel szpotawa, czyli **choroba Blounta**. Cechuje ją charakterystyczne szpotawe wygięcie goleni tuż poniżej szpary stawu kolanowego, z powodu zaburzenia kostnienia i wzrostu przyśrodkowej części bliższej nasady kości piszczelowej, przy normalnie rosnącej części bocznej. Zwiększony nacisk na kłykieć przyśrodkowy pogłębia dodatkowo pierwotne zaburzenie wzrostu. Z czasem dochodzi też do niedomogi więzadłowej stawu kolanowego. Choroba występuje najczęściej u małych dzieci (1 – 3 r. życia), rzadziej u młodzieży.

L e c z e n i e jedynie operacyjne. Jeśli zabieg jest konieczny u małego dziecka, musi on być powtórzony w okresie wzrostu (nawrót zniekształcenia).

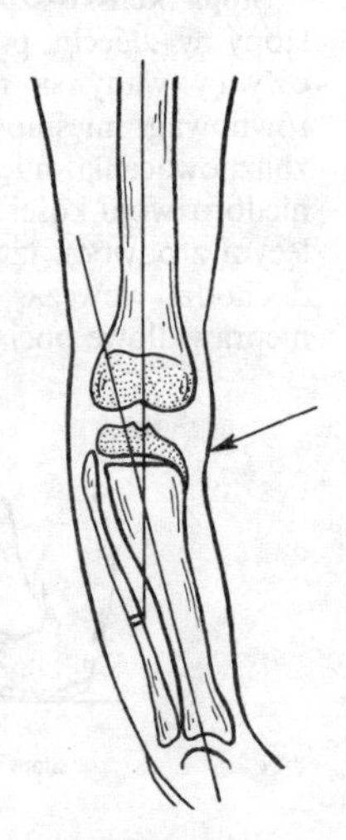
Piszczel szpotawa

Nawracające zwichnięcie rzepki. Istotą choroby jest przemieszczanie rzepki do boku, poza boczny kłykieć kości udowej, w momencie forsownego zgięcia obciążonego kolana. P r z y c z y n ą jest wrodzona niestabilność stawu rzepkowo-udowego z powodu: uogólnionego zwiotczenia układu torebkowo-więzadłowego, niedorozwoju bocznego kłykcia kości udowej (płytki rowek międzykłykciowy, w którym znajduje się rzepka), wysokiego ustawienia rzepki oraz koślawości stawu kolanowego.

Choroba zazwyczaj dotyczy kilkunastoletnich dziewcząt. Niekiedy po wystąpieniu 1 – 2 zwichnięć choroba ustępuje, ale częściej zwichnięcia ponawiają się w momentach wzmożonej aktywności fizycznej.

Leczenie pierwszych 1 – 2 zwichnięć jest zachowawcze i polega głównie na ćwiczeniach mięśnia czworogłowego uda. Jeśli zwichnięcia nawracają, konieczne jest leczenie operacyjne usuwające przyczynę ponawiania się zwichnięć. Zazwyczaj wystarcza zabieg na tkankach miękkich.

Cysta Bakera. Jest to przepuklina błony maziowej stawu kolanowego w stronę dołu podkolanowego, z wytworzeniem tam kieszeni wypełnionej płynem stawowym. Okresowo wypełniająca się cysta daje dolegliwości bólowe stawu kolanowego.

Leczenie z reguły jest chirurgiczne i polega na doszczętnym usunięciu cysty oraz zamknięciu otworu łączącego ją z jamą stawu.

Wrodzony staw rzekomy goleni. Wada ta, z którą dziecko przychodzi na świat, polega na istnieniu nieprawidłowej ruchomości w 1/3 dalszej goleni lub na wygięciu goleni pod kątem ku przodowi (stan poprzedzający staw rzekomy). Zazwyczaj goleń jest skrócona.

Przyczyną wady jest mniejsza wartościowość tkanki kostnej, zazwyczaj w przebiegu nerwiakowłókniakowatości (zob. Nowotwory z tkanki nerwowej, s. 2067).

Leczenie operacyjne polega na usunięciu chorobowo zmienionej kości, przywróceniu prawidłowej osi kończyny oraz zastosowaniu przeszczepienia kości. Ze względu na dużą skłonność do nawrotów leczenie jest trudne.

Stopa końsko-szpotawa wrodzona. Zniekształcenie polega na ustawieniu stopy w zgięciu podeszwowym, odwróceniu oraz przywiedzeniu. Przyczyny wady są nie wyjaśnione, przyjmuje się, że są nimi zaburzenia równowagi mięśniowej z powodu myelodysplazji (zob. s. 1577), płodowego zbliznowacenia mięśni (zob. s. 1576), wrodzonych ubytków mięśni lub niedorozwoju kości stępu. Zniekształcenie szybko narasta w okresie niemowlęcym z powodu tzw. skoku wzrostowego. Do gwałtownego nasilenia wady dochodzi wówczas, gdy dziecko zaczyna chodzić, gdyż następuje wtedy nieprawidłowe obciążenie stóp.

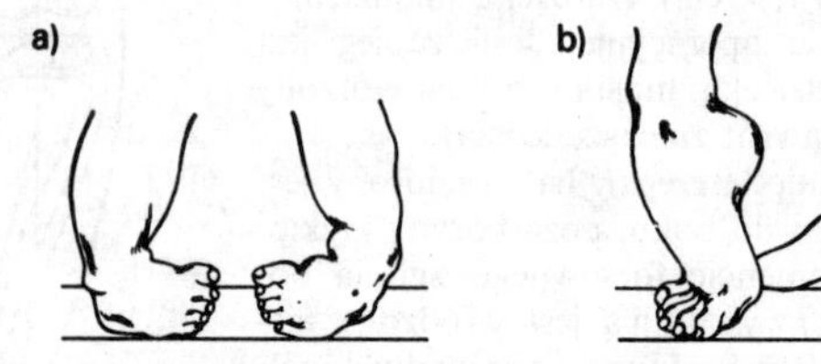

Stopy końsko–szpotawe obu nóg (a); stopa końska – widok z boku (b)

Wada może dotyczyć jednej stopy lub może być obustronna, przy czym stopy mogą być „miękkie”, tj. podatne na próby korekcji, lub „twarde”, czyli nie dające się biernie modelować. W miarę upływu czasu deformacji stóp towarzyszy wychudzenie mięśni goleni.

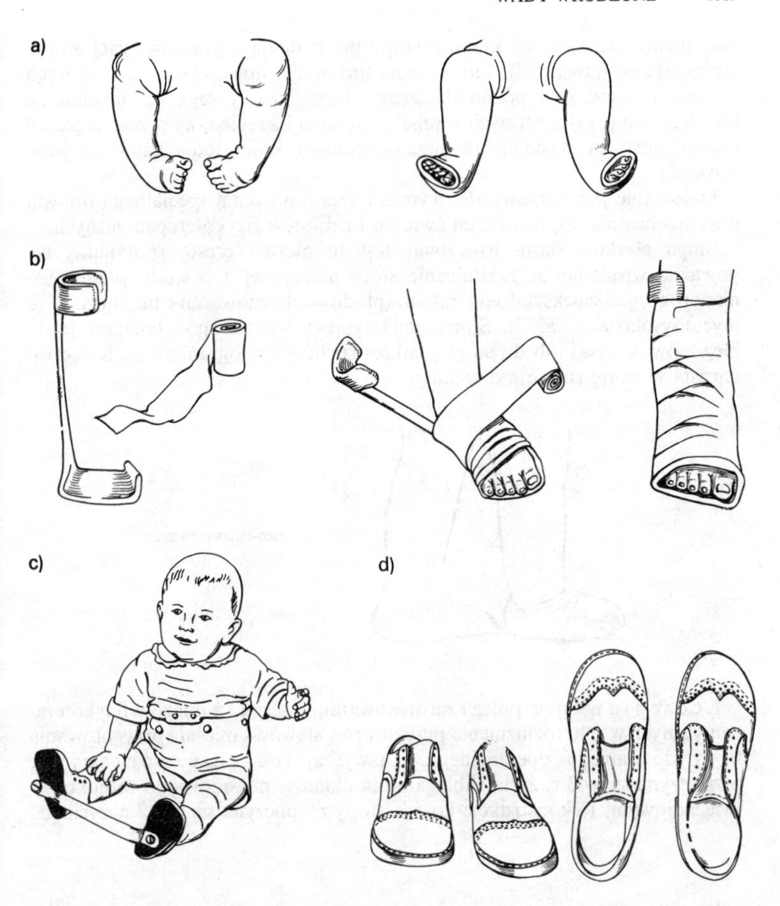

Sposoby leczenia stóp końsko-szpotawych: a) opatrunkami gipsowymi, b) szyną St. Germaine, c) szyną Denis–Browne'a, d) obuwiem (tzw. obuwie zamienione – lewy but na prawą stopę)

L e c z e n i e z a c h o w a w c z e rozpoczyna się już w pierwszych dniach po urodzeniu. Polega ono na stopniowym ręcznym kształtowaniu stóp dziecka.

Po uzyskaniu poprawy zakłada się korekcyjny opatrunek gipsowy lub szynowy. Opatrunki gipsowe stosuje się u dzieci od 2 miesiąca życia, zaś u dzieci większych – szyny ortopedyczne (szyny Saint Germaine, Denis–Browne'a i inne).

Dzieci zaczynające chodzić noszą specjalne obuwie utrzymujące uzyskaną korekcję.

L e c z e n i e o p e r a c y j n e podejmuje się w pierwszym roku życia. Jest ono stosowane u dzieci, których stopy nie poddają się leczeniu zachowawczemu (stopy „twarde"), lub z resztkami wady stopy u dzieci, u których leczenie podjęto zbyt późno. Leczenie chirurgiczne polega na: uwolnieniu i wydłużeniu przykurczonych torebek, więzadeł i ścięgien, na przeszczepieniu mięśni oraz na nastawieniu przemieszczonej kości łódkowatej na kość skokową.

Doleczanie jest długotrwałe, wymaga często noszenia specjalnego obuwia oraz stosowania odpowiednich ćwiczeń i zabiegów fizykoterapeutycznych.

Stopa płasko-koślawa wrodzona. Jest to niezbyt często spotykane, ale poważne wrodzone zniekształcenie stóp, najczęściej z powodu płodowego niedorozwoju i zniekształcenia mięśni (płodowe zbliznowacenie mięśni, s. 1576 myelodysplazja, s. 1577). Stopy mają typowy kształt upodabniający je do biegunów, kołyski lub do suszki; zakres ruchów jest ograniczony. Kalectwo narasta w miarę rozwoju dziecka.

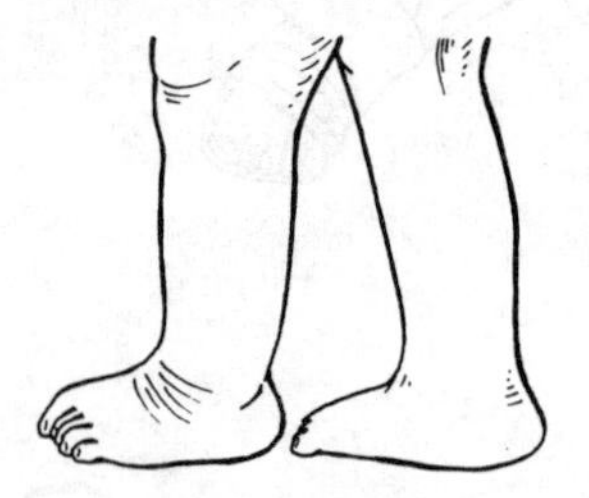

Stopy płasko-koślawe wrodzone

L e c z e n i e wstępne polega na stosowaniu ćwiczeń i zabiegów fizykoterapeutycznych w celu rozluźnienia przykurczów stawów i mięśni i przygotowania stopy do zabiegu operacyjnego. Zazwyczaj l e c z e n i e o p e r a c y j n e rozpoczyna się w 3 r. życia zabiegami na układzie mięśniowym i torebkowo-więzadłowym. Rekonstrukcję kośćca stopy rozpoczyna się ok. 7 r. życia.

II. JAŁOWE MARTWICE KOŚCI

Do martwicy kości czy chrząstki dochodzi na skutek upośledzenia dopływu krwi. Przyczyny niedokrwienia mogą być różnorodne: predyspozycje wrodzone, przeciążenia i mikrourazy, zaburzenia hormonalne, zatory i inne. Do zaburzeń w ukrwieniu dochodzi szczególnie łatwo u dzieci i młodzieży w związku z brakiem połączeń między krążeniem krwi w nasadach i przynasadach kości długich.

Choroba Perthesa. Jest to **jałowa martwica górnej nasady (głowy) kości udowej**, tworzącej wraz z panewką staw biodrowy. Pod wpływem choroby dochodzi do czasowego zmiękczenia głowy kości udowej i w następstwie do

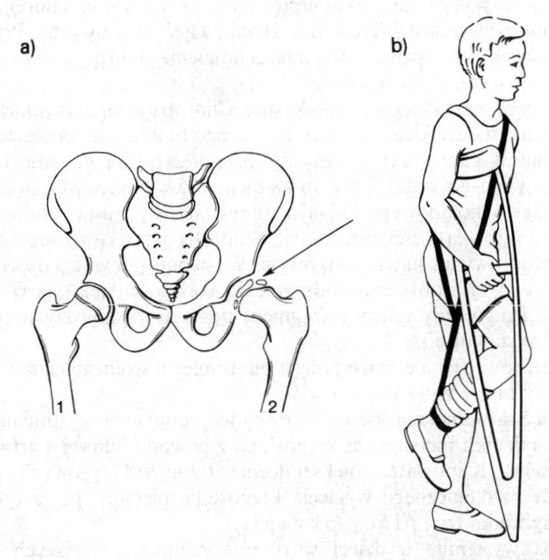

Choroba Perthesa: 1 – staw zdrowy, 2 – staw chory (a); sposób odciążania chorej głowy kości udowej (b)

jej zniekształcenia pod wpływem działania masy ciała. Choroba występuje u dzieci w 5 – 14 r. życia i zazwyczaj dotyczy jednego stawu biodrowego.

O b j a w y. Dziecko skarży się na bóle w pachwinie promieniujące do uda lub kolana. Niekiedy pierwszym objawem jest utykanie na skutek bezwiednego oszczędzania chorej kończyny.

R o z p o z n a n i e opiera się na badaniu radiologicznym. W zależności od zaawansowania choroby zdjęcie rentgenowskie wykazuje różnie nasiloną martwicę nasady kości, aż do jej rozkawałkowania włącznie.

L e c z e n i e polega na odciążeniu chorego stawu za pomocą wyciągów, opatrunków gipsowych i specjalnych aparatów ortopedycznych oraz ześrodkowaniu głowy kości udowej z panewką, aby wyłączyć deformujące nasadę działania masy ciała i nie dopuścić do deformacji kulistego kształtu głowy do czasu „ożywienia" i regeneracji tkanki kostnej uległej martwicy. W dużej liczbie przypadków możliwe jest leczenie operacyjne skracające okres choroby.

Choroba Osgood – Schlattera. Jest to **jałowa martwica guzowatości piszczeli**, czyli miejsca (poniżej rzepki) przyczepu obwodowego mięśnia czworogłowego uda. P r z y c z y n ą choroby jest sumowanie się mikrourazów wynikających z napinania się tego najsilniejszego mięśnia ciała. Choroba dotyczy głównie chłopców w wieku 10 – 14 lat uprawiających sport.

O b j a w e m choroby jest powiększenie guzowatości piszczeli i bóle nasilające się przy wysiłkach fizycznych i przy klękaniu.

L e c z e n i e polega na kilkumiesięcznym oszczędzaniu chorej kończyny (zaniechanie pewnych wysiłków fizycznych, zajęć sportowych). Przy silnych dolegliwościach konieczne jest unieruchomienie kończyny w opatrunku gipsowym na okres paru tygodni.

Oddzielająca martwica chrzęstno-kostna. Choroba polega na podchrzęstnym niedokrwieniu niewielkiego obszaru kości, jego obumarciu, oddzieleniu (wraz z pokrywającą chrząstką) i niekiedy przemieszczeniu do jamy stawowej w postaci „wolnego ciała" (tzw. m y s z k a s t a w o w a). Martwica dotyczy z reguły stawu kolanowego (kłykieć przyśrodkowy kości udowej) i stawu łokciowego (główka kości ramiennej). Choroba wyjątkowo umiejscawia się w stawie biodrowym i stawie skokowym. Występuje głównie u osób młodych.

O b j a w e m choroby jest podrażnienie stawu (wysięki) oraz okresowe „blokady" stawu, gdy martwy fragment dostanie się między przyparte do siebie końce stawowe.

L e c z e n i e o p e r a c y j n e polega na usunięciu wolnego ciała lub na jego zespoleniu z macierzą (z kością).

Choroba Scheuermanna. Istotą choroby jest zaburzenie kostnienia trzonów kręgów w odcinku piersiowym kręgosłupa z powodu **jałowej martwicy nasad tych trzonów**. Klinowate zniekształcenie trzonów kręgowych powoduje pogłębienie fizjologicznego wygięcia kręgosłupa piersiowego, a tym samym szpecące sylwetkę tzw. p l e c y o k r ą g ł e.

Choroba występuje u dzieci w okresie najintensywniejszych procesów

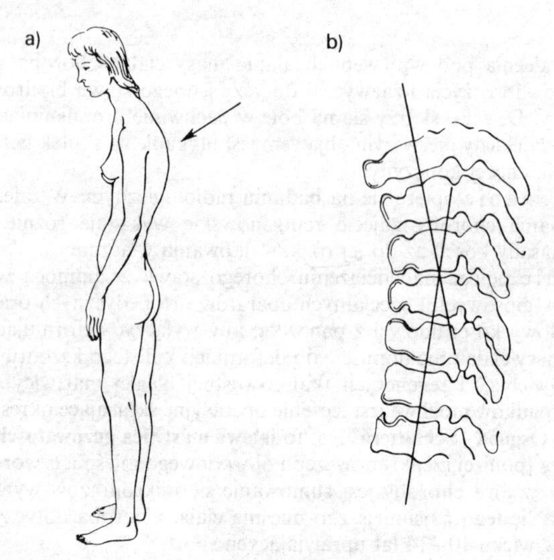

Choroba Scheuermanna – tzw. plecy okrągłe (a); zgięcie kręgosłupa do przodu z powodu klinowatego zniekształcenia trzonów kręgowych (b)

kostnienia kręgosłupa – u chłopców między 14–17 r. życia, u dziewcząt między 12–14 r. życia. Niekiedy objawia się bólami klatki piersiowej i trwa z reguły 2–3 lata. Nie leczona może powodować trwałe ograniczenie sprawności życiowej.

L e c z e n i e zależy od ciężkości procesu chorobowego. W l ż e j s z y c h p r z y p a d k a c h wystarczają ćwiczenia mięśni grzbietu w celu stworzenia ochronnego tzw. gorsetu mięśniowego i nauka utrzymywania prawidłowej postawy ciała. Przy rozległym klinowaceniu trzonów kręgowych i bólach konieczne jest z reguły stosowanie gorsetu ortopedycznego przez okres 6–9 miesięcy oraz ćwiczenia mięśni grzbietu.

III. CHOROBY UKŁADOWE

Przyczyną zniekształceń i dysfunkcji narządu ruchu są zaburzenia metabolizmu tkankowego powodujące niedorozwój lub mniejszą wartościowość tkanek, z których ten narząd jest zbudowany. W zależności od tła, na którym choroby układowe się rozwijają, dzieli się je na: choroby wrodzone, deficytowe zaburzenia metabolizmu (np. z powodu niedostatecznego dowozu witamin), zaburzenia metabolizmu z przyczyn hormonalno-enzymatycznych, zaburzenia metabolizmu na tle spaczenia gospodarki energetycznej organizmu. Większość chorób układowych jest uwarunkowana genetycznie, z tym że duży wpływ mają tu dodatkowo czynniki zewnętrzne.

Choroby układowe mogą ujawniać się już przy urodzeniu lub w wieku późniejszym, zależnie od choroby. Do ważniejszych chorób układowych zalicza się: achondroplazje, dysplazje przynasadowo-nasadowe, mnogie wyrośla chrzęstno-kostne, dyschondroplazję (mnoga chrzęstniakowatość, choroba Olliera), chorobę marmurową kości, chorobę Pageta, łamliwość kości, nerwiakowłókniakowatość, maszkaronizm, włókniste zwyrodnienie kości, krzywicę.

Choroba Pageta, czyli **zniekształcające zapalenie kości**, polega na postępującym grubieniu i zrzeszotnieniu kośćca, który w miarę utraty należnej wytrzymałości na obciążenia ulega deformacjom. Zajęte kości tracą w miarę upływu czasu normalny wygląd, różnica między ich warstwą korową a istotą gąbczastą zostaje zatarta, a kanał szpikowy wypełniony tkanką łączną. P r z y c z y n a choroby nie jest znana. Najczęściej zajęciu ulegają kości miednicy, czaszki, kręgosłup oraz kość udowa i piszczelowa. Osłabione kości są podatne na złamania. Choroba pojawia się z reguły po 40 r. życia.

O b j a w y. Choroba niekiedy objawia się bólami, ale nierzadko wykrywana jest przypadkowo (złamanie, badanie rentgenowskie). Narastające grubienie kości zmusza osobę chorą noszącą czapkę czy kapelusz do kupna coraz większych nakryć głowy. Uwagę chorego może też zwrócić wykrzywianie się i grubienie kości piszczelowych.

L e c z e n i e nie jest znane. W przypadkach złamań jest typowe i kości zrastają się prawidłowo.

Łamliwość kości. Istotą choroby jest wrodzone zaburzenie rozwoju komórek mezenchymalnych (decydujących o prawidłowym dojrzewaniu kości), w wyniku czego dochodzi do tworzenia się kości o kruchej, zcieniałej warstwie korowej, a więc podatnej na złamania.

Rozróżnia się 3 typy kruchości kości: płodowy, dziecięcy i okresu dojrzewania.

W p o s t a c i p ł o d o w e j do mnogich złamań kośćca dochodzi w macicy i dzieci rodzą się niezdolne do życia. W p o s t a c i d z i e c i ę c e j złamania pojawiają się zazwyczaj z chwilą, gdy dziecko zaczyna chodzić. P o s t a ć o k r e s u d o j r z e w a n i a stanowi najłagodniejszą odmianę choroby.

Oprócz złamań, najczęściej w obrębie kończyn i żeber z powodu nawet błahych urazów, u wielu chorych występują niebieskie białkówki i otoskleroza (zob. Choroby ucha wewnętrznego, s. 1763).

L e c z e n i e przyczynowe nie jest znane. Najważniejsze jest zatem zapobieganie złamaniom poprzez ciągłą opiekę i stworzenie dziecku specjalnych warunków życia i nauki. Złamania kości leczy się typowo i goją się one prawidłowo.

Achondroplazja. Jest to choroba wrodzona, z którą dziecko przychodzi na świat. Polega na znacznym skróceniu kończyn z powodu zaburzenia kostnienia kości długich, które niekiedy dochodzą jedynie do połowy swej należnej długości. Ręce są krótkie i szerokie, zaś środkowe 3 palce równej długości. Wzrost tułowia jest upośledzony jedynie nieznacznie.

Choroba widoczna jest tuż po urodzeniu (karłowatość). Osoby dotknięte nią rzadko osiągają wzrost powyżej 120 cm.

Mnogie wyrośla chrzęstno-kostne, czyli **aklazja przynasadowa**. Choroba objawia się występowaniem mnogich wyrośli w okolicy przylegającej do nasad kości długich na skutek wrodzonego rozsiania gniazd komórek chrzęstnych. Rozwój wyrośli powoduje zniekształcenie kości oraz upośledzenie jej wzrostu na długość.

L e c z e n i e jest operacyjne, gdy wyrośla uciskają otaczające tkanki (np. nerwy) lub są położone w miejscu drażnionym (obawa przed przemianą nowotworową).

Włókniste zwyrodnienie kości. Choroba polega na powstawaniu w kościach tkanki włóknistej w miejsce tkanki kostnej. Proces chorobowy dotyczy głównie kości długich, zwłaszcza kości udowej. Osłabione kości są podatne na wygięcia i złamania.

P r z y c z y n a choroby nie jest znana. Choroba rozpoczyna się w okresie dzieciństwa, często jednak zostaje wykryta dopiero w sile wieku, kiedy występują wygięcia kości lub jej złamania.

L e c z e n i e. W przypadkach osłabienia kości, jej wygięcia lub złamania leczenie jest głównie operacyjne. Polega ono na wycięciu nieprawidłowej tkanki i wypełnieniu ubytku przeszczepami kostnymi.

Dyschondroplazja, czyli **choroba Olliera** lub **mnoga chrzęstniakowatość**. Choroba polega na opóźnieniu wzrostu pewnych kości długich z powodu przetrwania w obrębie ich przynasad mas chrzęstnych nie uległych uwapnieniu. Jest to wada wrodzona kośćca, której przyczyna nie jest znana.

Kończyna dotknięta dyschondroplazją jest krótsza i zdeformowana. Jeśli choroba dotyczy ręki, palce są groteskowo zniekształcone przez mnogie chrzęstniaki.

L e c z e n i e jest operacyjne. Polega na usunięciu zniekształceń i wyrównaniu długości kości.

Nerwiakowłókniakowatość, czyli **choroba von Recklinghausena**. Jest to choroba wrodzona, polegająca na występowaniu przebarwień skóry (koloru kawy z mlekiem), zwłóknień skóry oraz nerwiakowłókniaków w przebiegu nerwów czaszkowych lub obwodowych. Nerwiakowłókniaki są często przyczyną bocznego skrzywienia kręgosłupa, bólów krzyża czy zaburzeń unerwienia w obrębie kończyny.

L e c z e n i e chirurgiczne polega na usunięciu guzków uciskających nerwy.

Krzywica. Jest to choroba wywołana niedoborem witaminy D, do którego zazwyczaj dochodzi z powodu niewystarczającego dowozu tego składnika do organizmu dziecka oraz zbyt małego nasłonecznienia. W rzadszych przypadkach przyczyną krzywicy jest choroba narządów wewnętrznych, np. nerek.

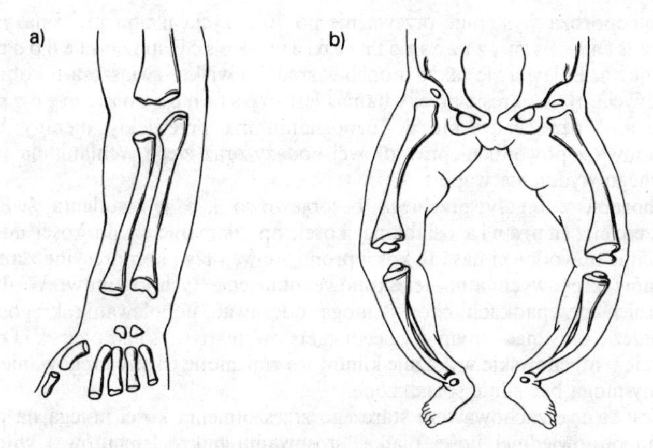

Krzywica: typowe zmiany w kończynach: a) pogrubienie i kielichowate rozdęcie nasad kości, b) wygięcie kości pod wpływem działania masy ciała

Istota choroby polega na niewystarczającym uwapnieniu kości, a przez to na podatności ich na odkształcenia pod wpływem działających nacisków. Typowe dla choroby jest poszerzenie i rozdęcie nasad kości, wygięcie kości długich dźwigających masę ciała oraz zgrubienia żeber w miejscu ich chrzęstno-kostnych połączeń (różaniec krzywiczy). Odpowiednikiem krzywicy dziecięcej jest u dorosłych rozmiękanie kości (zob. s. 1596).

L e c z e n i e jest proste, jeśli przyczyną choroby był niewystarczający dowóz witaminy D (uzupełnienie niedoboru). Jeśli przyczyną krzywicy jest nieprawidłowe wchłanianie w jelitach, konieczne jest stosowanie specjalnej diety i jednoczesne podawanie witaminy D. Zob. też Pediatria, s. 1334.

Osteodystrofia w zespole nadczynności przytarczyc. Istotą choroby jest uogólnione zrzeszotnienie kości (zob. niżej), ich zgąbczenie oraz występowanie torbieli kostnych. Przyczyną jest nadmierne wydzielanie hormonu przytarczyc – parathormonu, najczęściej z powodu gruczolaka (zob. Endokrynologia, s. 834). Nadmiar hormonu przytarczyc powoduje uogólnioną absorpcję kości, która traci wapń (często dochodzi do kamicy moczowej „wapniowej").

Objawem choroby są bóle kości (wygięcia, stany przedzłamaniowe), zaburzenia trawienia i ogólne osłabienie.

Leczenie chirurgiczne polega na usunięciu gruczolaka przytarczyc.

Zrzeszotnienie kości, czyli **osteoporoza** lub **rozlany zanik kostny**. Choroba polega na zaniku kostnym, czyli uogólnionym zmniejszeniu całkowitej masy kośćca (zob. Endokrynologia, s. 836). Proces chorobowy dotyczy całego szkieletu, lecz największe zmiany zachodzą w obrębie kręgosłupa. Zmniejszenie ilości beleczek kostnych czyni kości bardziej podatnymi na odkształcanie.

Osteoporoza występuje przeważnie po 70 r. życia u obu płci i nazywana bywa starczym zrzeszotnieniem kości lub osteoporozą starczą. Pojawia się także u osób w średnim wieku, zwłaszcza u kobiet po 45 r. życia, tj. w okresie przekwitania. Jest to osteoporoza menopauzalna. Ważne znaczenie w rozpoznaniu ma przewlekły ujemny bilans wapniowy z powodu nieprawidłowej podaży oraz złego wchłaniania i nadmiernego wydalania wapnia.

Choroba z reguły przebiega bezobjawowo i o jej istnieniu świadczą najczęściej złamania osłabionej kości, np. złamanie szyjki kości udowej, złamanie obwodowej nasady kości promieniowej, tzw. kompresyjne złamania trzonów kręgowych albo teleskopowe obniżenie tych trzonów. W dwóch ostatnich przypadkach chorzy mogą odczuwać pobolewanie kręgosłupa, zwłaszcza przy nasilonym wygięciu piersiowym (tzw. starcza kifoza). Zdjęcie rentgenowskie wykazuje klinowato zmienione trzony kręgów, niektóre trzony mogą być silnie spłaszczone.

Leczenie zachowawcze starczego zrzeszotnienia kości polega na podawaniu odpowiedniej ilości białka, stosowaniu mikroelementów i witamin, odciążeniu grawitacyjnym szkieletu (najczęściej kręgosłupa) oraz stosowaniu ruchu i ćwiczeń mięśni (spacery na świeżym powietrzu, wzmacnianie siły mięśni). Złamania goją się z reguły prawidłowo i mogą być leczone zarówno zachowawczo, jak i operacyjnie.

Wtórne zrzeszotnienie kości może pojawiać się z powodu unieruchomienia kończyny po złamaniu. Ten typ zaniku kostnego szybko ustępuje po uruchomieniu kończyny.

Rozmiękanie kości, czyli **osteomalacja**, stanowi u osób dorosłych odpowiednik krzywicy dziecięcej. Istotą choroby jest niedobór lub zaburzenie wchłaniania czy wydalania wapnia i fosforu (zob. też Endokrynologia, s. 837).

Przyczyną może być nieprawidłowe odżywianie lub choroby nerek, wątroby, niedrożność przewodów żółciowych, choroba trzustki lub „samoistny" kał tłuszczowy. Organizm, aby wyrównać niedobory wapnia i utrzymać prawidłowy jego poziom we krwi, uruchamia jego zapasy zawarte w kośccu. Prowadzi to do ścienienia beleczek kostnych, które i tak zbudowane są ze słabo zmineralizowanej tkanki kostnawej; jamy szpikowe wypełnia tkanka włóknista.

Objawem choroby są bóle, zniekształcenia oraz samoistne złamania kości.

Leczenie polega na uzupełnieniu zawartości w organizmie wapnia, tj. na podawaniu wapnia i witaminy D oraz na leczeniu choroby podstawowej. Niekiedy konieczne jest korygowanie zniekształceń kości i leczenie złamań.

Złuszczenie górnej nasady kości udowej, czyli **biodro szpotawe dorastających**. Istotą choroby jest osłabienie połączenia głowy kości udowej z szyjką, a co za tym idzie, stopniowe (zazwyczaj) wysuwanie się przynasady kości udowej ku przodowi i do góry. Z czasem przemieszczona nasada stabilizuje się w nieprawidłowym położeniu, co upośledza zawartość stawu i ustawienie kończyny. Mimoosiowe ustawienie obu końców stawowych z czasem doprowadza do przedwczesnego zużycia stawu i wystąpienia zmian zwyrodnieniowych.

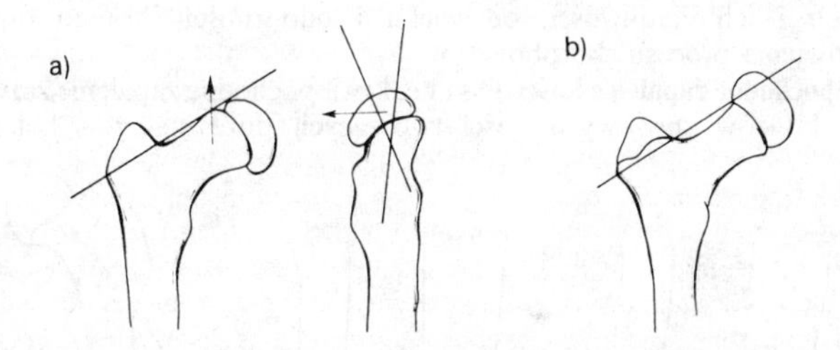

Biodro szpotawe dorastających: a) nasada głowy kości udowej zsunięta do dołu (pod linią) i przemieszczona do tyłu; b) biodro zdrowe

Choroba pojawia się zazwyczaj ok. 12–16 r. życia i występuje głównie u dzieci z zaburzeniami hormonalnymi. U ok. 50% chorych zajęte są oba stawy biodrowe.

Objawami choroby są: utykanie, ustawienie kończyny w skręceniu na zewnątrz, ograniczenie ruchomości oraz ból stawu biodrowego. Niekiedy ból może umiejscawiać się nietypowo w stawie kolanowym (tzw. „ból przeniesiony").

Leczenie jest operacyjne i zależy od fazy choroby.

IV. PROCESY ZAPALNE

R e a k c j a z a p a l n a stanowi o d p o w i e d ź organizmu na wtargnięcie czynników chorobotwórczych. Istota jej polega na próbie „zlokalizowania" czynnika chorobotwórczego, zniszczenia bakterii i naprawienia poczynionych szkód tkankowych (zob. Patologia, Zapalenie, s. 331).

W tkance kostnej warunki do obrony przed zapaleniem są niekorzystne i sprzyjają szerzeniu się procesu. Dlatego często z a p a l e n i e o s t r e przechodzi w stan p r z e w l e k ł y, ciągnący się latami, a nierzadko przez całe życie. Z pierwotnego ogniska w nasadzie kości lub w jej przynasadzie proces szerzy się kanalikami kostnymi albo jamą szpikową i doprowadza do powstania r o p n i a. Ucisk ropy i powstawanie zakrzepów w obrębie naczyń tkanki kostnej powoduje obumieranie kości i tworzenie się tzw. m a r t - w a k ó w. Przebicie ropy pod okostną i odwarstwienie tej od kości może nawet doprowadzić do obumarcia całego trzonu kości. Przebicie się ropnia przez tkanki miękkie na zewnątrz powoduje wytworzenie przetoki, przez którą mogą ulec wydaleniu mniejsze martwaki (niektóre z nich mogą zostać rozłożone przez enzymy bakteryjne).

Przebieg procesu zapalnego w kośćcu zależy od rodzaju bakterii chorobotwórczych i ich zjadliwości, od wieku i odporności chorego oraz od umiejscowienia procesu chorobowego.

Krwiopochodne zapalenie kości. O s t r e, krwiopochodne zapalenie zazwyczaj dotyczy końców stawowych kości tworzących duże stawy – kolanowy,

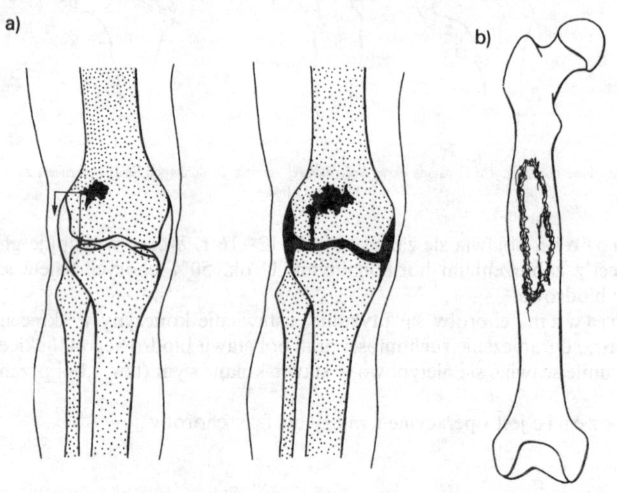

Krwiopochodne zapalenie kości: a) wytwarzający się ropień kości przebija się na zewnątrz lub do jamy stawowej, b) wytworzenie tzw. martwaka luźno leżącego w trzonie kości

biodrowy. Staw może być zajęty pierwotnie lub wtórnie. Źródłami krwiopochodnego zakażenia są zakażenia skóry i tkanek miękkich, dróg oddechowych oraz układu moczowo-płciowego. U dorosłych z reguły zajęciu ulega jedna kończyna (jeden staw), u dzieci krwiopochodny proces może mieć kilka umiejscowień.

Objawem choroby są ostre bóle, ograniczenie ruchomości kończyny, miejscowa tkliwość, obrzęk i wzmożenie ucieplenia skóry oraz gorączka, dreszcze i złe samopoczucie. U niemowląt i dzieci chorobie towarzyszą z reguły objawy silnego zatrucia. Dziecko unieruchamia odruchowo zajętą kończynę. Początek choroby u dorosłych przebiega mniej gwałtownie niż u dzieci. Najwcześniejszym objawem zakażenia może być bliżej nieokreślony, wędrujący oraz o zmiennym nasileniu ból.

Leczenie polega na unieruchomieniu kończyny w opatrunku gipsowym, podawaniu antybiotyków i leków przeciwzapalnych oraz jak najwcześniejszym chirurgicznym odbarczeniu ogniska. Unieruchomienie łagodzi ból oraz zapobiega zwichnięciu stawów. Również odbarczenie ogniska umożliwiające odpływ ropy zmniejsza ból spowodowany wzrostem ciśnienia w kości.

Chorym z objawami silnego zatrucia podawany jest dożylnie płyn fizjologiczny i elektrolity oraz przetaczana jest krew.

Jeśli dojdzie do utworzenia się ropnia pod okostną lub jego przebicia do tkanek miękkich, u niemowląt i dzieci konieczne jest codzienne odsysanie ropy (aspirowanie). Jeśli ból i gorączka utrzymują się dłużej niż 2–3 dni po rozpoczęciu aspirowania i leczenia przeciwbakteryjnego, świadczy to o rozszerzeniu się zakażenia i wskazuje na konieczność chirurgicznego dotarcia do kanału szpikowego i założenia drenu, który zapewnia stały odpływ wysięku i zmniejsza prawdopodobieństwo wtórnego zakażenia. Przez dren wprowadzane są również do rany duże dawki antybiotyków.

Gruźlica kości i stawów. Chorobę wywołują prątki gruźlicze usadawiające się w zatokach żylnych kości gąbczastej lub w błonie maziowej stawu, najczęściej w następstwie rozsiewu bakterii (bakteriemii), przy istniejącym ognisku w płucach albo w węzłach chłonnych.

W zależności od stopnia zjadliwości prątków oraz od odporności organizmu ognisko chorobowe w kości może: 1) wygoić się bez objawów chorobowych; 2) rozwinąć się w złośliwą postać wysiękowo-martwiczą, doprowadzającą do powstania ropni i niszczenia kości oraz 3) przejść w postać ziarninową, stopniowo naciekającą i niszczącą kość. Ognisko kostne może przebić się do stawu lub staw może być zajęty pierwotnie (gruźlica błony maziowej).

Przebieg procesu gruźliczego w kości dzieli się na dwie fazy. W fazie pierwszej następuje rozprzestrzenianie się zapalenia, niszczenie kości i tworzenie zniekształceń, w fazie drugiej gojenie.

Objawem choroby są stany podgorączkowe, szybkie męczenie się, niedokrwistość oraz bóle zajętego odcinka kośćca czy stawu, nasilające się np. przy ruchach oraz w nocy, zaniki mięśni i przykurcze stawów. Badania laboratoryjne wykazują podwyższenie OB oraz niedokrwistość; odczyn tuberkulinowy jest dodatni.

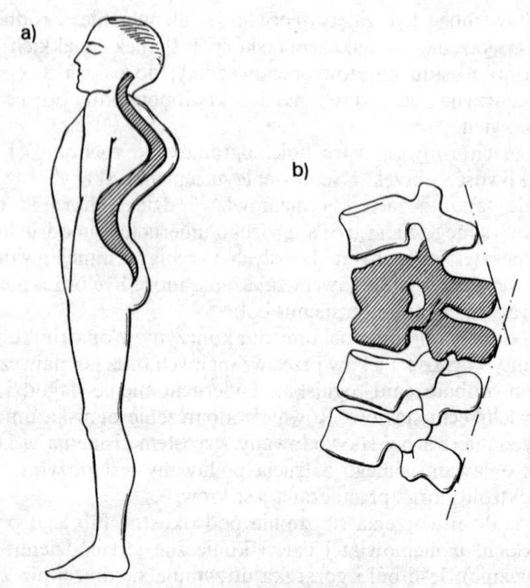

Choroba Potta – gruźlica kręgosłupa piersiowego: typowe zniekształcenie kręgosłupa (a), po wygojeniu ognisk przez zrost chorych kręgów (b)

L e c z e n i e. Gruźlicę kości i stawów leczy się zachowawczo i operacyjnie. Leczenie zachowawcze polega na stosowaniu leków przeciwprątkowych oraz leczeniu ortopedycznym i ogólnym. Na leczenie operacyjne składa się podawanie leków przeciwprątkowych, wycięcie ogniska oraz leczenie ortopedyczne i ogólne.

L e c z e n i e z a c h o w a w c z e jest stosowane głównie we wczesnym okresie choroby, w jej postaciach łagodnych oraz u dzieci. W rozwiniętej gruźlicy, z destrukcją końców stawowych, z przetokami oraz w gruźlicy kręgosłupa konieczne jest z reguły l e c z e n i e o p e r a c y j n e. Operacja umożliwia przyspieszenie procesu gojenia, skraca czas leczenia i pozwala na ustalenie lekowrażliwości prątków. Współczesna medycyna ma do dyspozycji leki przeciwprątkowe silnie działające (hydrazyd, ryfampicyna, streptomycyna), stanowiące podstawę do leczenia skojarzonego, oraz leki uzupełniające (etambutol, etionamid, pirazynamid, PAS, cykloseryna, wiomycyna, kapreomycyna). Leki przeciwprątkowe stosuje się zarówno ogólnie, jak i miejscowo (np. do stawu). Zob. też Choroby zakaźne, Leczenie gruźlicy, s. 946.

L e c z e n i e o r t o p e d y c z n e stanowi, obok leczenia przeciwprątkowego, zasadniczą składową leczenia gruźlicy kości i stawów. Zasadą jego jest zapewnienie choremu narządowi spokoju (odciążenie i unieruchomienie), a następnie stopniowe przywracanie ruchu i czynności.

L e c z e n i e o g ó l n e ma na celu wzmocnienie naturalnych sił obronnych organizmu. Polega głównie na oszczędzającym trybie życia, racjonalnym odżywianiu i leczeniu klimatycznym.

R o k o w a n i e w gruźlicy kości i stawów jest obecnie na ogół pomyślne, z tym że zależy od wczesnego rozpoznania choroby. Przeważająca większość chorych może po zakończeniu leczenia pracować w swoim zawodzie i prowadzić normalny tryb życia.

Zapalenie stawu

Choroba dotyczy wszystkich części składowych stawu i polega zarówno na zmianach zapalnych, jak i wynikających z nich zmianach zwyrodnieniowych występujących przedwcześnie.

Ropne zapalenie stawu. P r z y c z y n ą choroby jest bezpośrednie (zranienie) lub pośrednie (drogą krwionośną – przebicie ogniska z kości) zakażenie stawu bakteriami chorobotwórczymi. O b j a w a m i ropnego zapalenia stawów jest obrzęk i rozdęcie stawu, ból, zaczerwienienie skóry, ogólne złe samopoczucie, wysoka temperatura ciała.

P r z e b i e g choroby jest zazwyczaj ostry; nie leczona doprowadza do zniszczenia stawu i utraty ruchów – zesztywnienia stawu.

L e c z e n i e polega na przebywaniu chorego w łóżku, unieruchomieniu chorej kończyny w opatrunku gipsowym lub na wyciągu, nakłuciu stawu lub zdrenowaniu w celu odprowadzenia wydzieliny oraz wykonaniu jej posiewu na różne rodzaje bakterii (gronkowce, paciorkowce, dwoinki zapalenia płuc, dwoinki rzeżączki). Stosowane są antybiotyki o szerokim zakresie działania, miejscowo i ogólnie, w dużych dawkach.

Zapalenie stawu na tle zwyrodnieniowym. Jest to najczęstszy typ zapalenia stawu powstający na skutek jego przedwczesnego zużycia z powodu osłabienia wrodzonego (wady) lub nabytego (urazy, choroby, przeciążenie).

Zapalenie na tle zwyrodnieniowym rozwija się zwykle w stawach kończyny dolnej i występuje u osób powyżej 40 r. życia. Choroba przebiega powoli i o b j a w i a się tylko bólem, a w miarę upływu czasu narastającym ograniczeniem zakresu ruchów chorego stawu.

L e c z e n i e z a c h o w a w c z e polega na stosowaniu leków przeciwbólowych, przeciwzapalnych, fizykoterapii, balneoterapii, okresowego odciążania stawu. Przy silnych dolegliwościach i znacznym upośledzeniu czynności kończyny konieczne staje się l e c z e n i e o p e r a c y j n e prowadzące do zmiany osi stawu, wszczepienia stawu sztucznego lub usztywnienia stawu. Zob. też Choroby reumatyczne, Choroba zwyrodnieniowa układu kostno-stawowego, s. 893.

Zapalenie stawu dnawe. Dna atakuje głównie stawy stóp i rąk. Choroba występująca z reguły po 40 r. życia, głównie u mężczyzn, polega na odkładaniu się złogów dwumoczanu sodowego w chrząstce stawowej, co z kolei wywołuje reakcję zapalną (zob. też Choroby reumatyczne, Dna moczanowa, s. 905).

O b j a w y. Przebieg choroby cechują okresowe ataki, przy czym pierwszy atak zazwyczaj dotyczy palucha. Bóle występują najczęściej w nocy. Zajęty staw jest obrzęknięty i bolesny, skóra nad nim zaczerwieniona. Po kilku dniach wszystko powraca do normy, aż do kolejnego ataku. W dnie przewlekłej zajętych może być kilka stawów; z czasem dochodzi do upośledzenia ich ruchomości. Oprócz stawów choroba może dotyczyć kaletek maziowych, np. kaletki maziowej stawu łokciowego.

Leczenie w ostrych atakach polega na stosowaniu odpowiednich środków przeciwbólowych i przeciwzapalnych. Chory staw musi być unieruchomiony. Dnę przewlekłą leczy się odpowiednią dietą oraz stosowaniem właściwych leków.

Reumatoidalne zapalenie stawu. Ta postać zapalenia stawu nie ma podłoża bakteryjnego i z reguły początkowo przebiega łagodnie, bez ostrych objawów chorobowych. Zazwyczaj zapaleniem objętych jest kilka stawów. Choroba atakuje głównie stawy położone obwodowo – stawy kręgosłupa, barkowe i biodrowe zajęte są rzadko. Zob. Choroby reumatyczne, s. 885.

Zapalenie stawu neuropatyczne lub **stawy Charcota**. Choroba powstaje na skutek zaburzeń odżywiania tkanek oraz sumowania się drobnych urazów niszczących staw wówczas, gdy chory nie ma tzw. czucia głębokiego, w tym czucia bólu. Choroba atakuje kończyny dolne w wiądzie rdzenia, w neuropatii cukrzycowej, w trądzie, a kończyny górne z reguły w przebiegu jamistości rdzenia kręgowego.

Objawami choroby jest obrzęk i pogrubienie obrysów stawu oraz niestabilność, przy czym zakres ruchów jest tylko nieznacznie ograniczony, a niekiedy nadmierny, z powodu zniszczenia stawu.

Leczenie, oprócz leczenia choroby podstawowej, polega na stosowaniu stabilizujących aparatów ortopedycznych lub usztywnieniu stawu.

Zapalenie stawów krwawiączkowe rozwija się na skutek samoistnych, dostawowych wylewów w krwawiączce, czyli hemofilii (zob. Choroby wewnętrzne, s. 865). Może prowadzić do zniekształcenia stawów.

Zesztywniające zapalenie stawów kręgosłupa. Jest to przewlekły stan zapalny doprowadzający z czasem do usztywnienia kręgosłupa w wyniku kostnienia zapalnie zmienionych chrząstek, błon maziowych, torebek stawowych, pierścieni włóknistych i więzadeł kręgosłupa. Choroba zawsze rozpoczyna się od stawów krzyżowo-biodrowych, a następnie przechodzi na kręgosłup lędźwiowy i wyższe odcinki kręgosłupa. Niekiedy dochodzi także do zesztywnienia stawów biodrowych i barkowych. Przyczyny, objawy, przebieg choroby oraz leczenie i zapobieganie, zob. Choroby reumatyczne, s. 888.

W przypadkach bardzo zaawansowanego przykurczu można stosować leczenie operacyjne, polegające m.in. na klinowym wycięciu kręgów w celu zmniejszenia wygięcia kręgosłupa ku przodowi.

V. DYSFUNKCJE NARZĄDU RUCHU W CHOROBACH UKŁADU NERWOWO-MIĘŚNIOWEGO

Choroby układu nerwowego, zarówno ośrodkowego (mózg), jak i obwodowego, pociągają za sobą różnie zlokalizowane dysfunkcje, czyli zaburzenia czynnościowe i zniekształcenia w obrębie narządu ruchu. Dysfunkcje i zniekształcenia narządu ruchu dzieli się w zależności od przebiegu i objawów klinicznych na 2 grupy: 1) porażenia i niedowłady kurczowe występujące w chorobach ośrodkowego układu nerwowego (mózg i rdzeń kręgowy) oraz 2) porażenia i niedowłady wiotkie, stanowiące następstwa uszkodzenia nerwów obwodowych i mięśni.

Mózgowe porażenie dziecięce (zob. też Pediatria, s. 1344). W chorobie tej dochodzi do zaburzenia koordynacji nerwowo-mięśniowej z powodu uszkodzenia mózgu. Zmiany w tkance mózgowej mogą wystąpić w okresie płodowym, przy porodzie (niedotlenienie, uraz) oraz w okresie wczesnego dzieciństwa (zapalenie opon mózgowych i mózgu). Wyróżnia się kilka postaci porażenia mózgowego.

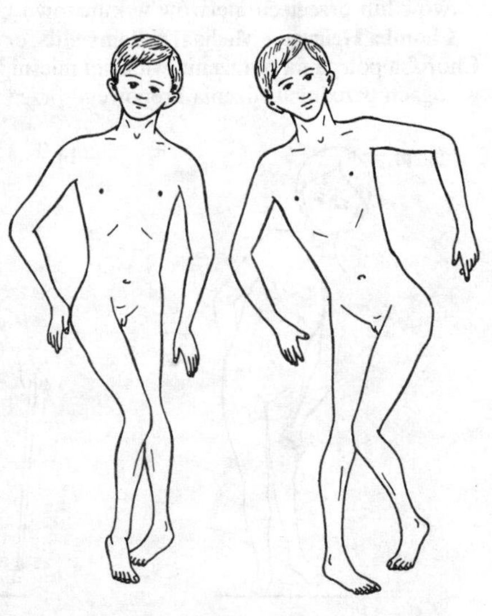

Porażenie mózgowe – typowa postawa ciała przy chodzeniu

W postaci spastycznej (kurczowej) porażenia dochodzi do wzmożonego napięcia mięśni zginaczy. Zaburzenie równowagi mięśniowej doprowadza do typowych przykurczów w stawach, np. zgięcia podeszwowego stopy, zgięcia dłoniowego ręki i palców, przykurczu zgięciowego stawu łokciowego czy stawu kolanowego – zaburzających chód i czynność kończyn górnych.

W postaci pląsawiczej porażenia próba wykonania jakiejś czynności wywołuje niekontrolowane skurcze mięśni uniemożliwiające wykonanie zamierzonego ruchu.

W postaci ataksycznej porażenia na czoło objawów wysuwają się zaburzenia równowagi z powodu uszkodzenia móżdżku.

W postaci ,,sztywnej'' – występuje usztywnienie stawów na skutek jednoczesnego wzmożonego napięcia wszystkich mięśni.

T y p m i e s z a n y c h o r o b y, stanowiący połączenie spastyczności z drżeniem mięśni i ruchami mimowolnymi, występuje najczęściej.

R o z p o z n a n i e porażenia mózgowego u dzieci starszych jest łatwe, u niemowląt może nastręczać duże trudności.

L e c z e n i e z a c h o w a w c z e ma na celu zniesienie przykurczów mięśniowych przez ich bierne rozciąganie, zwiększenie siły mięśni przeciwstawnych oraz uzyskanie prawidłowej koordynacji nerwowo-mięśniowej. Aby zachować uzyskane ćwiczeniami korekcyjnymi ustawienie stawów, często zakłada się na noc szyny ortopedyczne, utrzymujące kończyny w pożądanej pozycji. Do chodzenia stosuje się specjalne aparaty ortopedyczne, stabilizujące kończyny dolne (zapobiegające opadaniu stóp, zapadaniu się kolan i krzyżowaniu nóg – tzw. chód nożycowy).

L e c z e n i e o p e r a c y j n e jest stosowane wówczas, gdy nie udaje się znieść przykurczów stawów leczeniem zachowawczym lub gdy przykurcze narastają. Operacja polega na: wydłużeniu przykurczonych mięśni i ścięgien, uwolnieniu torebek stawowych, zmianie ustawienia kości, usztywnieniu stawów lub przecięciu nerwów w kurczowo napiętych mięśniach.

Choroba Heinego – Medina, poliomyelitis, czyli **nagminne porażenie dziecięce**. Choroba polega na porażeniu wiotkim mięśni z powodu uszkodzenia komórek w rogach przednich rdzenia kręgowego przez wirusy. Do zakażenia dochodzi

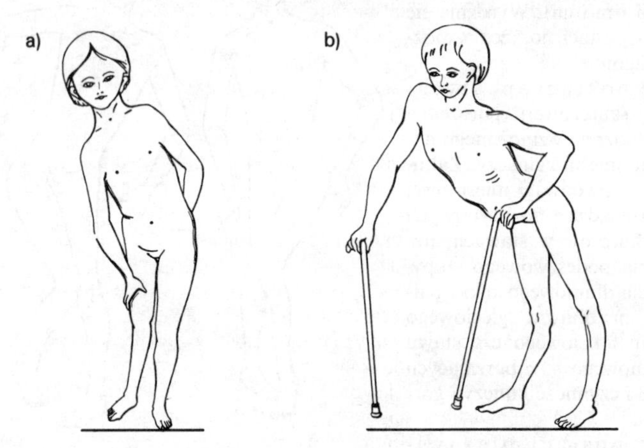

Choroba Heinego – Medina: a) sposób chodzenia przy porażonej jednej kończynie dolnej, b) chodzenie przy porażeniu obu nóg

drogą pokarmową. Po wniknięciu do przewodu pokarmowego wirusy przedostają się do rdzenia kręgowego, gdzie powodują zapalenie komórek rogów przednich i w następstwie uszkodzenie nerwów.

O b j a w y i p r z e b i e g c h o r o b y, zob. Choroby zakaźne, s. 974.

L e c z e n i e zależy od okresu choroby i objawów. W o s t r y m o k r e s i e leczenie ma na celu zapobieganie niewydolności oddechowej (jeśli dochodzi do zajęcia przepony i mięśni klatki piersiowej) i zapobieganie zakażeniu dróg moczowych (porażenie pęcherza), łagodzenie bolesnych skurczów mięśni i podtrzymywanie ogólnego stanu zdrowia chorego. Chorego układa się w najwygodniejszej pozycji, z reguły na plecach, z lekko zgiętymi nogami; bolesne skurcze mięśni zwalcza się ciepłymi okładami oraz łagodnym rozciąganiem.

W o k r e s i e z d r o w i e n i a, który trwa zazwyczaj do 18 miesięcy od czasu wystąpienia ostrych objawów choroby, celem leczenia jest zapobieganie przykurczom stawów z powodu zaburzenia równowagi mięśniowej oraz jednoczesne przywracanie funkcji porażonych kończyn. Aby umożliwić chodzenie, nierzadko stosowane są szyny i aparaty ortopedyczne stabilizujące kończyny dolne.

Po upływie 18–24 miesięcy, jeśli istniejące porażenia mięśni stają się nieodwracalne, stosuje się l e c z e n i e o p e r a c y j n e. Zabiegi naprawcze mają na celu: korygowanie przykurczów stawów, nastawianie zwichnięć i nadwichnięć (o ile do nich doszło), poprawę ustawienia osi kończyn, usztywnienie stawów oraz przeszczepienie mięśni (zastąpienie mięśni porażonych mięśniami zdrowymi).

Porodowe uszkodzenie splotu ramiennego. Do uszkodzenia splotu dochodzi na skutek zaburzeń w akcji porodowej, spowodowanych bezpośrednim uciskiem splotu, jego rozciągnięciem lub nawet wyrwaniem korzeni z rdzenia kręgowego. Porażenie dzieli się na 3 typy: górny, dolny oraz porażenie całkowite. Najczęściej występuje typ górny.

W p o r a ż e n i u g ó r n e j c z ę ś c i splotu ramiennego – p o r a ż e n i u t y p u E r b a – kończyna górna leży bezwładnie wzdłuż tułowia. Dziecko wykonuje ruchy jedynie rączką (dłonią) oraz zgina staw łokciowy.

W p o r a ż e n i u d o l n e j c z ę ś c i splotu – p o r a ż e n i u t y p u K l u m p k e g o – porażenie ograniczone jest do mięśni ręki oraz palców, i dlatego też trudniejsze jest do wykrycia (z powodu mniejszej aktywności palców u noworodka). Ręka pozbawiona jest czynności chwytnej; ustawienie ręki i palców zależy od przewagi czynnych mięśni.

W p o r a ż e n i u c a ł k o w i t y m cała kończyna górna leży bezwładnie wzdłuż tułowia. Ruchy są całkowicie zniesione, skóra wykazuje zaburzenia troficzne (niedokrwienie) – zasinienie i zwiększoną potliwość.

L e c z e n i e ma na celu stworzenie optymalnych warunków do regeneracji uszkodzonych nerwów oraz zapobieganie przykurczowi przywiedzeniowemu i rotacyjnemu. Chorą kończynę w określonej pozycji uniesioną do góry unieruchamia się w specjalnej szynie tekturowej lub gipsowej, odpowiednio wyścielonej flanelką. Szynę zdejmuje się kilkakrotnie w ciągu dnia, aby wykonać ćwiczenia ruchów biernych w pełnym zakresie. Przed ćwiczeniami stosuje się ciepłe okłady w celu polepszenia ukrwienia.

Jeśli istnieją przeciwwskazania do zastosowania szyny, chorą kończynę przymocowuje się flanelowymi więzami do becika w pozycji odwiedzenia i rotacji zewnętrznej.

VI. MYOPATIE

Myopatie są to genetycznie uwarunkowane choroby mięśni o różnym umiejscowieniu i różnie złośliwym przebiegu. Istotą choroby jest zaburzenie metabolizmu mięśniowego, połączone ze zmniejszoną ilością enzymów w mięśniach oraz zaburzeniem zdolności regeneracji komórek mięśniowych. Większość myopatii rozpoczyna się w dzieciństwie i w miarę upływu lat doprowadza do różnie zaawansowanego kalectwa.

Głównym objawem choroby jest osłabienie siły mięśni (nawet mimo ich rzekomego przerostu), co powoduje utrudnienie chodzenia, niemożność siadania i wstawania, skrzywienia kręgosłupa, przykurcze stawów, a w krańcowych przypadkach opadanie powiek oraz trudności połykania.

Leczenie jest głównie zachowawcze i polega na stosowaniu aparatów ortopedycznych i ćwiczeń mięśni i stawów. Gdy przebieg choroby jest powolny, przeprowadza się też zabiegi operacyjne mające na celu poprawę stabilizacji kończyn.

VII. NOWOTWORY NARZĄDU RUCHU

Układ szkieletowy atakują nowotwory pierwotne i nowotwory przerzutowe. Przerzuty zdarzają się bardzo często, a źródłem ich jest z reguły rak narządów wewnętrznych. Pierwotne złośliwe guzy kośćca są rzadkie, natomiast guzy łagodne i zmiany guzopodobne – częste. Najważniejsze nowotwory kości, zob. Choroby nowotworowe, zob. s. 2064.

Pierwotne guzy kości są zazwyczaj umiejscowione typowo. W przynasadach kości długich (zwłaszcza w okolicy kolana) występuje mięsak kościopochodny. W nasadach kości i w bliższej nasadzie kości ramiennej rozwija się chrzęstniak zarodkowy. Mięsak siateczkowy i mięsak Ewinga występują w trzonach kości długich. Na granicy przynasad i w samych nasadach kości kolana (udowej i piszczelowej), bliższego (górnego) końca kości ramiennej i dalszego (dolnego) końca kości promieniowej umiejscawia się guz olbrzymiokomórkowy. Chrzęstniaki wewnątrzkostne występują głównie w paliczkach palców rąk. Najczęstszym złośliwym guzem kręgosłupa jest szpiczak, zaś łagodnym – naczyniak i torbiel tętniakowata. W obrębie miednicy i łopatki umiejscawiają się z reguły chrzęstniakomięsaki. Nowotwory stawów są rzadkością.

Do guzów łagodnych kośćca zalicza się: kostniaki, kostniakochrzęstniaki, chrzęstniaki, korowy ubytek łącznotkankowy, włókniaki, naczyniaki.

Guzy złośliwe układu kostnego to: mięsaki, chrzęstniakomięsaki, włókniakomięsaki, struniak i szkliwiak. Spośród nowotworów układu krwiotwórczego i limfatycznego w narządzie ruchu umiejscawiają się: szpiczak, mięsaki z tkanki naczyniowej, białaczka i ziarnica złośliwa (choroba Hodgkina).

Guzy przykostne i guzy tkanek miękkich stanowią odrębną grupę nowotworów narządu ruchu. Niektóre biorą początek z tkanek przykostnych i tworzących powierzchnię kości, inne są guzami tkanek miękkich rozrastającymi się w styczności z kością, np. włókniakomięsak, maziówczak, tłuszczakomięsak.

Objawem nowotworu może być ból, namacalny guz, ograniczenie czynności kończyny lub też patologiczne złamanie kości.

Leczenie zależy od rodzaju nowotworu oraz jego umiejscowienia. W guzach łagodnych wystarczy z reguły wycięcie guza, w nowotworach złośliwych zabiegi są bardziej radykalne i zazwyczaj w grę wchodzi rozległe wycięcie guza, amputacja kończyny i zastąpienie wyciętego elementu przeszczepem alogennym (zob. s. 1564) lub elementem biomechanicznym. Guzy promienioczułe niszczy się promieniami rentgena. Niekiedy leczenie chirurgiczne kojarzy się z radioterapią lub chemioterapią.

Przerzuty nowotworowe do kości powstają wskutek przenoszenia się drogą krwi komórek nowotworowych, osadzania ich i rozwoju w szpiku. Przerzuty umiejscawiają się z reguły w dobrze unaczynionych kościach – w kręgosłupie, miednicy i bliższym (górnym) końcu kości udowej, mostku, żebrach i czaszce. Źródłem przerzutu są: rak gruczołu krokowego, oskrzeli, sutka, macicy, przewodu pokarmowego, nerki i tarczycy.

Leczenie ogólne zależy od rodzaju guza. Na przykład w przerzutach raka tarczycy stosuje się radioaktywny jod, w przerzutach raka piersi lub gruczołu krokowego – hormony. Leczenie miejscowe stosowane jest głównie przy patologicznych złamaniach kości.

VIII. CHOROBY Z PRZECIĄŻENIA I CHOROBY ZWYRODNIENIOWE

Nagłe silne urazy o sile przekraczającej wydolność kości i tkanek miękkich powodują jednoczasowe określone uszkodzenia narządu ruchu – złamania kości, zwichnięcia stawów (uszkodzenie torebek stawowych i więzadeł), rozerwanie ścięgien i mięśni itp. Niewielkie urazy (w tym też mikrourazy) sumując się doprowadzają do powolnych i często niezauważalnych uszkodzeń w obrębie narządu ruchu, które kończą się prędzej czy później złamaniem kości lub zerwaniem ścięgna, przerwaniem mięśnia, więzadła itp.

Entezopatie. Są to zmiany chorobowe przyczepów ścięgnistych mięśni do kośćca, powstające w wyniku działania zbytnich naprężeń i obciążeń.

Istotą choroby jest uwalnianie się z chorobowo zmienionego podłoża chrząstki czy kości pozbawionej okostnej – pojedynczych pęczków włókien ścięgnistych. Przemieszczenie wyrwanych włókien wraz z komórkami chrząstki lub kości w głąb ścięgna powoduje patologiczne kościotworzenie, wyrażające się powstawaniem specyficznych wyrośli kostnych. Proces chorobowy osłabia wydolność ścięgna, w wyniku czego może ono ulec przerwaniu w miejscu połączenia z kością.

Objawem choroby jest ból i obrzęk nasilające się przy ruchach kończyny.

Leczenie polega na unieruchomieniu kończyny w opatrunku gipsowym oraz stosowaniu leków przeciwbólowych i przeciwzapalnych, a miejscowo – kortykoterapii. W okresie przewlekłym stosuje się zabiegi fizykoterapeutyczne. Niekiedy konieczne jest leczenie operacyjne.

Zmiany zwyrodnieniowe kręgosłupa. Najczęściej dotyczą one odcinka lędźwiowego lub szyjnego. Przyczyny przedwczesnego zużycia kręgosłupa są podobne jak w przypadku innych stawów (zob. Choroba zwyrodnieniowa układu kostno-stawowego, s. 893). Stwierdzone na zdjęciach rentgenowskich zmiany nie zawsze idą w parze z dolegliwościami i ich obecność niczego jeszcze nie dowodzi.

Leczenie zmian zwyrodnieniowych w obrębie kręgosłupa jest głównie zachowawcze i polega przede wszystkim na stosowaniu zabiegów fizykoterapeutycznych. Leczenie operacyjne jest podejmowane wówczas, gdy istnieją objawy podrażnienia czy ucisku korzeni.

Napadowy kręcz karku. Sztywność karku występuje z reguły rano, natychmiast po przebudzeniu, zazwyczaj po niecodziennym wysiłku fizycznym dnia poprzedniego, po urazach i przeciążeniach szyjnego odcinka kręgosłupa. Niejednokrotnie dolegliwości mają związek ze snem w niecodziennych okolicznościach, na siedząco, w obcym łóżku, w pozycji przymusowej ciała, po zażyciu leków nasennych, nadmiernym spożyciu alkoholu itp. Przypisywanie ostrej sztywności karku tzw. „zawianiu" nie ma żadnego uzasadnienia naukowego.

Przyczyną dolegliwości jest z reguły nieznacznego stopnia nadwichnięcie i odruchowe zaryglowanie stawów międzywyrostkowych.

Objawy choroby są typowe. Przeszywający ból karku, niekiedy promieniujący do barków i ramion, powoduje odruchowe unieruchomienie szyi i związaną z tym przymusową pozycję głowy. Ponieważ wszelkie ruchy obrotowe są połączone z bólem, chory obraca się w całym ciałem.

Leczenie polega na położeniu chorego do łóżka, podawaniu leków przeciwbólowych i przeciwzapalnych, zaś miejscowo stosowaniu ciepła lub termoforu z lodem. Jeśli z różnych względów chory nie może pozostawać w łóżku, szyję jego należy unieruchomić na 2 – 3 dni w kołnierzu wykonanym z waty i bandaży.

Kręgozmyk. Choroba polega na samoistnym przesuwaniu się ku przodowi jednego z kręgów lędźwiowych, najczęściej V kręgu lędźwiowego. Niekiedy przesuwanie następuje ku tyłowi i wówczas mówi się o tzw. tyłozmyku kręgowym.

Przyczyną choroby jest szczelina lub ubytek kostny łuku kręgu (zob. Kręgoszczelina, s. 1581), zmiany zwyrodnieniowe stawów międzywyrostkowych kręgosłupa lub wady rozwojowe tych stawów.

Objawy. Choroba zwykle daje o sobie znać bólami powysiłkowymi, ustępującymi po zaprzestaniu ciężkiej pracy, uprawiania sportu itp. Czasami, gdy dochodzi do znaczniejszego przesunięcia kręgów, pojawiają się silne bóle krzyża, którym towarzyszyć mogą objawy neurologiczne, np. w postaci rwy kulszowej.

L e c z e n i e. Przy lekkich i przemijających dolegliwościach oszczędzający tryb życia oraz okresowe noszenie gorsetu ortopedycznego. Przy dużym przesunięciu kręgu i dolegliwościach bólowych oraz objawach neurologicznych leczenie jest operacyjne. Polega ono na odbarczeniu uciśniętych struktur nerwowych i usztywnieniu odpowiedniego segmentu kręgosłupa w celu zapobieżenia dalszemu przesuwaniu się chorego kręgu.

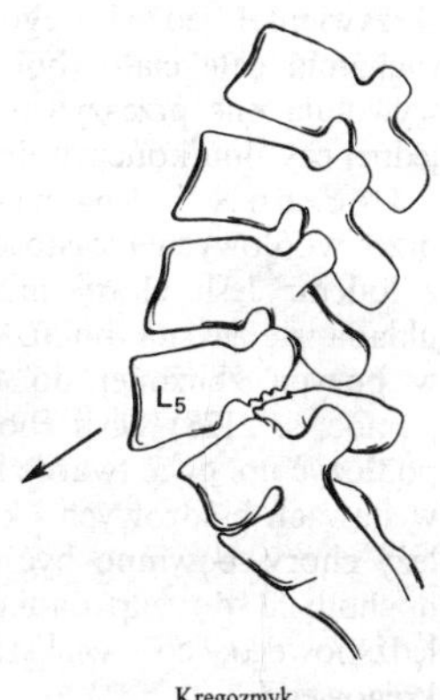

Kręgozmyk

Zespół bólowy dolnego odcinka kręgosłupa, tzw. **bóle krzyża**. Bóle krzyża mogą mieć charakter pobolewań, nie zaburzających zbytnio trybu życia, lub też okresowych ostrych napadów przykuwających chorego do łóżka na pewien czas. Ostre bóle krzyża mogą wystąpić u osób cierpiących na nie sporadycznie już od wielu lat, bez wyraźnej przyczyny, lub też po raz pierwszy, po wykonaniu określonego wysiłku fizycznego. Ostremu atakowi towarzyszą objawy rwy kulszowej.

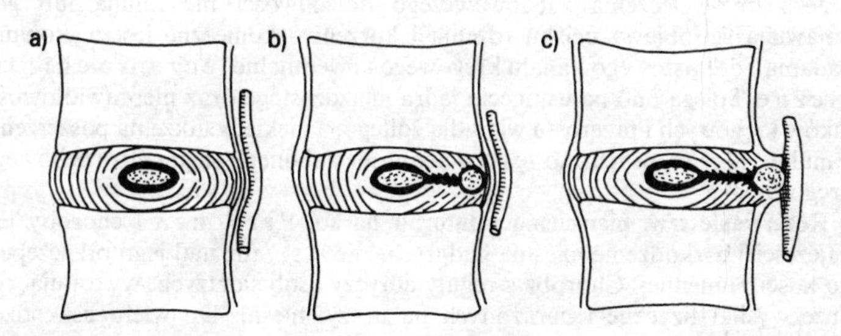

Dyskopatia: a) stan prawidłowy, b) rozpad jądra galaretowatego i przesunięcie jego fragmentu w stronę kanału kręgowego, c) ucisk przemieszczonego jądra na korzeń nerwowy (objawy rwy kulszowej)

P r z y c z y n ą ostrych bólów krzyża jest prawie z reguły zwyrodnienie i przemieszczenie jądra miażdżystego (galaretowatego) tarczy międzykręgowej do kanału kręgowego (przepuklina jądra miażdżystego, choroba dyskowa, d y s k o p a t i a – zob. też. Neurochirurgia, s. 1557, nierzadko w przebiegu wrodzonego lub nabytego zwężenia kanału kręgowego.

O b j a w y. W ostrym ataku objawy są typowe – obezwładniający ból albo stopniowo narastająca bolesność i sztywność w okolicy lędźwiowej, z nierzadko pogłębioną l o r d o z ą (wygięcie ku przodowi) i s k o l i o z ą (boczne skrzywienie) lędźwiowego odcinka kręgosłupa. Chory odruchowo unieruchamia całe ciało, boi się każdego ruchu, kaszlu czy kichnięcia, gdyż wywołują one przeszywające bóle kręgosłupa, nierzadko promieniujące do jednej czy obu kończyn dolnych.

Leczenie polega na położeniu chorego do łóżka, podawaniu leków przeciwbólowych i zastosowaniu miejscowo termoforu z gorącą wodą lub z lodem. Jeśli chory musi zachować pozycję przymusową ciała, układa się go na boku, z wysoko podkurczonymi obiema nogami albo w pozycji zbliżonej do tzw. pozycji bezpiecznej (zob. Pierwsza pomoc, s. 2128). Jeśli chorego można ułożyć na plecach, należy pod łydki podłożyć np. dwie twarde poduszki lub koce, aby ustawić obie nogi w zgięciu w stawach biodrowych i kolanowych pod kątem ok. 90°. Łóżko, na którym leży chory, powinno być odpowiednio twarde, aby pod ciężarem ciała nie dochodziło do zapadania się pośladków i nasilania lordozy kręgosłupa lędźwiowego, co zwiększa ból i nie pozwala na odblokowanie kanału kręgowego.

Chory musi pozostawać w łóżku aż do momentu ustąpienia ostrych dolegliwości, zazwyczaj kilka dni.

Po ustąpieniu ostrych dolegliwości stosowane jest leczenie fizykoterapeutyczne oraz odpowiednie ćwiczenia gimnastyczne, aby ochronić chorego przed nawrotami choroby. Niekiedy, w celu polepszenia stabilności odcinka lędźwiowo-krzyżowego kręgosłupa, konieczne jest okresowe noszenie gorsetu ortopedycznego.

Jeśli mimo leczenia zachowawczego dolegliwości nie mijają lub gdy pojawiają się objawy ucisku rdzenia i korzeni – konieczne jest wykonanie badania kontrastowego kanału kręgowego i ewentualne leczenie chirurgiczne. Polega ono na usunięciu jądra miażdżystego oraz nieprawidłowości łuków kręgowych i przerostu więzadła żółtego, a niekiedy także na poszerzeniu kanałów korzeniowych lub usztywnieniu niestabilnego segmentu ruchowego kręgosłupa.

Rozerwanie tzw. pierścienia rotatorów barku. Przyczyną choroby jest najczęściej uszkodzenie mięśnia nadgrzebieniowego, tuż nad jego przyczepem do kości ramiennej. Choroba z reguły dotyczy osób starszych, wykonujących duże wysiłki fizyczne i narażonych na urazy mięśni. Do wielu uszkodzeń pierścienia rotatorów dochodzi na skutek wrodzonej predyspozycji i sumujących się mikrourazów.

Objawem uszkodzenia jest ostry ból barku, utrzymujący się ok. 5–7 dni. Całkowite przerwanie mięśnia objawia się niemożnością odwiedzenia kończyny od klatki piersiowej i skręcenia ramienia na zewnątrz.

Rozpoznanie potwierdza badanie artrograficzne.

Leczenie. Przy rozerwaniu częściowym rotatorów kończynę unieruchamia się w gorsecie z szyną odwodzącą do momentu ustąpienia ostrych dolegliwości, a następnie podejmuje ruchy czynne w granicach bólu. Przerwanie całkowite mięśnia nadgrzebieniowego wymaga leczenia operacyjnego.

Zapalenie okołostawowe barku, tzw. „zamrożenie stawu barkowego". Istotą choroby jest wytworzenie się warstwowych zrostów tkankowych w okolicy barku i w następstwie bolesne ograniczenie ruchów stawu. Choroba występuje z reguły u osób starszych (zużycie tkanek), ale także u osób młodych o niskim progu bólowym przy dużym stresie psychicznym. U chorych tych wyjątkowo łatwo dochodzi do ochronnego i rozlanego kurczu mięśniowego i związanego z tym szkodliwego zastoju żylnego, obrzęku i rozplemu tkanki włóknistej w przedziałach międzymięśniowych.

O b j a w y. Po ostrej fazie bólowej, trwającej 7–10 dni, która powoduje kurczowe unieruchomienie kończyny w przywiedzeniu do tułowia (przy zachowanych jedynie ruchach zginania do przodu i do tyłu), w miarę upływu czasu dochodzi do całkowitego „zamrożenia" ruchów barku i kończyna może poruszać się jedynie wraz z łopatką.

L e c z e n i e polega na podawaniu miejscowym i ogólnym leków rozluźniających mięśnie, działających też przeciwobrzękowo i przeciwzapalnie, a następnie na stosowaniu specjalnego systemu ćwiczeń.

Uszkodzenie ścięgna głowy długiej mięśnia dwugłowego ramienia. Do przerwania ścięgna głowy długiej mięśnia dwugłowego ramienia dochodzi na podłożu zmian zwyrodnieniowych, spowodowanych długotrwałym zapaleniem pochewki i samego ścięgna. Ścięgno ulega przerwaniu niekiedy pod wpływem niewielkiego wysiłku.

O b j a w e m choroby jest obkurczanie się brzuśca i powstanie typowego jego zgrubienia. Jednocześnie pojawia się osłabienie odwracania przedramienia (zginanie przedramienia nie zostaje upośledzone z powodu działania silnej głowy krótkiej mięśnia ramiennego oraz zginaczy przedramienia).

L e c z e n i e jest operacyjne. Polega na przytwierdzeniu przerwanego ścięgna do kości.

Choroba Dupuytrena. Istotą choroby jest postępujący przykurcz palców na skutek bliznowacenia rozcięgna dłoni. P r z y c z y n a choroby nie jest znana. Wiadomo jednak, że może istnieć do niej skłonność rodzinna. Choroba częściej występuje w miarę starzenia się organizmu i przeważnie dotyczy palca V i IV; z reguły obejmuje obie ręce.

Postępujący przykurcz zgięciowy palców powoduje typowe zniekształcenie ręki (ręka błogosławiąca) i poważnie upośledza jej czynność.

L e c z e n i e operacyjne polega na usunięciu przerosłej powięzi, a w stanach zaawansowanych – na plastyce skóry. Choroba może dawać nawroty, dlatego chorzy muszą być doleczani i okresowo poddawani kontroli.

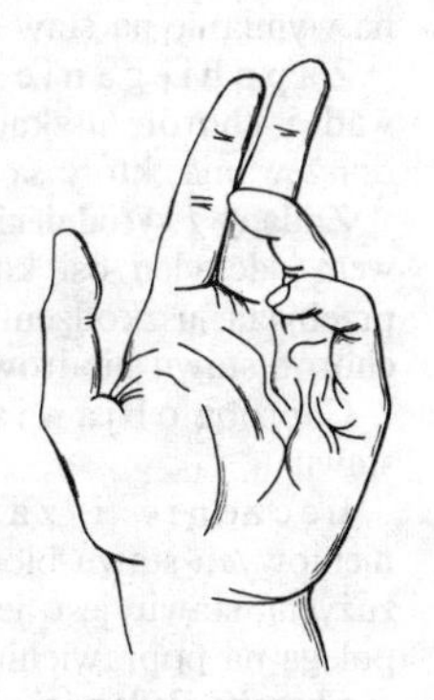
Choroba Dupuytrena

Ganglion zob, Chirurgia, s. 1439.

Zwężające zapalenie pochewek ścięgien, tzw. palce strzelające. Choroba polega na zwężeniu wejścia do włóknistego kanału palcowego, w którym przesuwa się ścięgno i na jednoczesnym bułowatym pogrubieniu samego ścięgna. Choroba najczęściej dotyczy trzech pierwszych palców ręki i z reguły występuje u osób w średnim wieku (nierzadko ze skłonnością do choroby reumatycznej).

O b j a w e m zapalenia jest ból oraz tzw. blokowanie pogrubiałego ścięgna przy ruchach ręki w pozycji zgięcia. Nierzadko chory musi biernie prostować zablokowany palec, czemu towarzyszy ból i słyszalny trzask.

L e c z e n i e polega na operacyjnym poszerzeniu pochewki ścięgna.

Choroba De Quervaine stanowi odmianę zwężającego zapalenia pochewek ścięgien. Jest to z w ę ż a j ą c e z a p a l e n i e k a n a ł u p o c h e w k o w e g o w okolicy wyrostka rylcowatego kości promieniowej, zawierającego ścięgna mięśni odwodzących kciuk. Choroba zazwyczaj występuje u kobiet w średnim wieku. O b j a w y jak w zwężającym zapaleniu pochewek ścięgien (zob. wyżej).

L e c z e n i e polega również na odbarczeniu ścięgien uwięzionych w zapalnie zmienionej pochewce.

Zmiany zwyrodnieniowe stawu biodrowego, czyli **koksartroza**. P r z y c z y n ą choroby jest przedwczesne zużycie się stawu biodrowego, najczęściej z powodu jego niepełnej wydolności, spowodowanej przebyciem dysplazji, jałowej martwicy głowy kości udowej, złuszczeniem nasady, stanami zapalnymi, urazami itp. Choroba z reguły występuje w średnim wieku.

O b j a w e m są bóle biodra, nasilające się po chodzeniu i wysiłkach fizycznych oraz postępujące utykanie i ograniczenie ruchomości. Niekiedy bóle pojawiają się w kolanie (bóle promieniujące).

L e c z e n i e z a c h o w a w c z e polega na oszczędzaniu kończyny, zmniejszeniu masy ciała oraz stosowaniu leków przeciwzapalnych i fizykoterapii. Niekiedy wystarcza to do zahamowania postępu choroby, znacznie częściej jednak narastające z wiekiem dolegliwości zmuszają chorego do poddania się operacji.

L e c z e n i e c h i r u r g i c z n e polega na usztywnieniu zużytego stawu lub na wymianie na staw sztuczny.

Z a p o b i e g a n i e to przede wszystkim wczesne wykrywanie i leczenie wad i chorób uszkadzających staw biodrowy w dzieciństwie i w wieku dojrzewania, które są podłożem koksartrozy.

Zmiany zwyrodnieniowe stawu kolanowego. Choroba jest zwykle następstwem odchyleń osi kończyny (nogi szpotawe czy koślawe), wcześniejszego przebycia uszkodzeń chrząstki stawowej, łękotek, urazów, zapaleń oraz chorób stawu biodrowego czy stawu skokowego.

Choroba o b j a w i a się bólem i postępującym ograniczeniem ruchomości stawu.

L e c z e n i e i z a p o b i e g a n i e jest takie jak w zmianach zwyrodnieniowych stawu biodrowego (zob. wyżej). Jeśli przyczyną przedwczesnego zużycia stawu jest jego koślawość lub szpotawość, leczenie chirurgiczne polega na poprawieniu osi stawu czy osi kończyny.

Choroba Pellegrini – Stieda. Istotą choroby są zwapnienia w okolicy więzadła pobocznego piszczelowego w stawie kolanowym. Do zwapnień dochodzi po wytworzeniu się krwiaka towarzyszącego zawsze uszkodzeniom więzadła – tzw. skręceniu stawu kolanowego.

O b j a w e m choroby są bóle i zgrubienia w okolicy przyczepu więzadła do kości udowej.

L e c z e n i e polega na czasowym unieruchomieniu kolana, a także na jednoczesnym wzmocnieniu siły mięśnia czworogłowego – głównego stabilizatora stawu – poprzez stosowanie odpowiednich ćwiczeń.

Uszkodzenie łękotek stawu kolanowego. Do uszkodzenia dochodzi na skutek skręceń kolana znajdującego się w zgięciu i obciążonego masą ciała, w wyniku czego kłykieć kości udowej miażdży i rozrywa unieruchomioną łękotkę. Zazwyczaj uszkodzeniu ulega łękotka przyśrodkowa. Zdarza się to na ogół u osób młodych, głównie u mężczyzn, zwłaszcza uprawiających sport wyczynowy.

O b j a w e m choroby są bóle stawowe po stronie uszkodzenia, nasilające się przy wysiłkach fizycznych oraz przy ruchach kolana, np. przy wstawaniu z krzesła, schodzeniu ze schodów itp. W miarę trwania choroby dochodzi do podrażnienia błony maziowej, co się objawia wysiękiem stawu. Okresowo chory może cierpieć na tzw. „bloki kolana", kiedy to ruchomy fragment łękotki ulega bardzo bolesnemu zakleszczeniu między kłykciem kości udowej i kości piszczelowej. Oszczędzanie bolesnego kolana doprowadza z czasem do zaników mięśnia czworogłowego uda, głównego stabilizatora stawu, co powoduje niestabilność stawu, a tym samym usposabia do dalszych urazów.

L e c z e n i e z a c h o w a w c z e polega na unieruchomieniu chorej kończyny na okres kilku tygodni w opatrunku gipsowym oraz na jednoczesnym stosowaniu specjalnych ćwiczeń mięśnia czworogłowego uda. Jeśli nastąpiło zablokowanie stawu, konieczne jest uprzednie jego odblokowanie (w znieczuleniu) oraz nierzadko usunięcie wysięku.

Jeśli leczenie zachowawcze nie doprowadzi do ustąpienia bólów i wysięku, zaś blokowanie stawu się ponowi, konieczne jest l e c z e n i e o p e r a c y j n e, polegające na usunięciu uszkodzonej łękotki, w celu zapobieżenia dalszemu niszczeniu chrząstki stawowej.

Paluchy koślawe. Zniekształcenie polega na szpotawym ustawieniu I kości śródstopia, czyli na wystawaniu ku stronie przyśrodkowej głowy tej kości

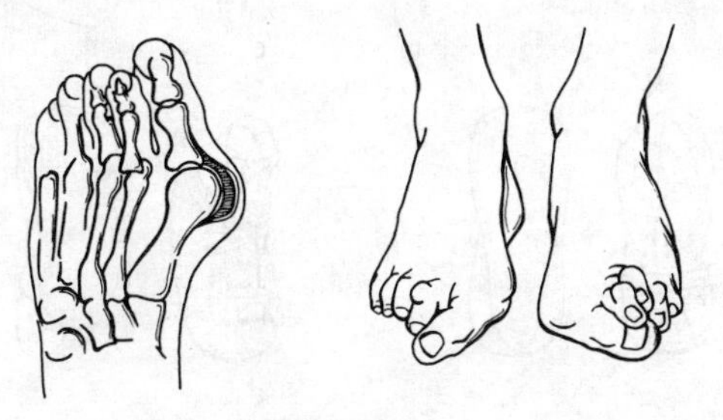

Paluchy koślawe

oraz na odchyleniu palucha do boku. Zniekształcony staw sterczący do boku często pokryty jest zapalnie zmienioną i bardzo bolesną kaletką maziową (tzw. „kostka"), zaś sam paluch zachodzi na sąsiednie palce. W przypadkach

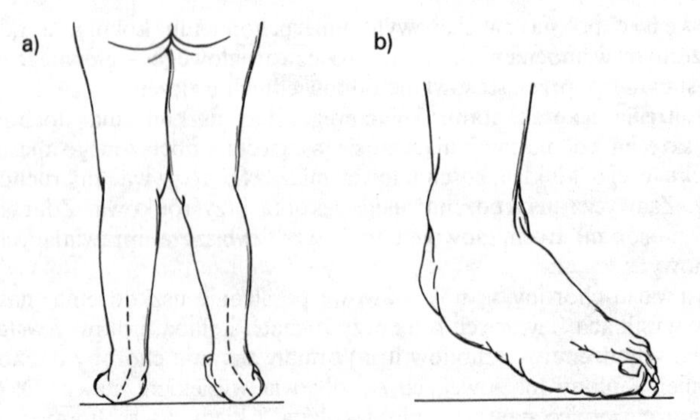

Stopy płasko-koślawe statyczne

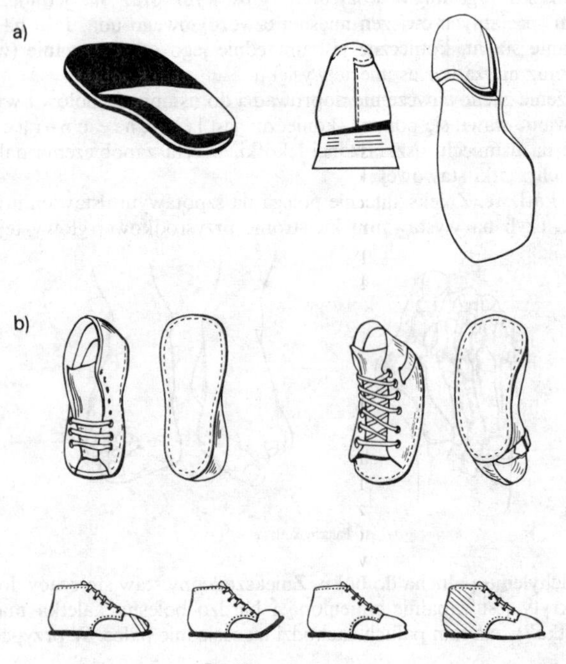

Prawidłowe obuwie dla dzieci

zaawansowanych występuje jednocześnie płaskostopie poprzeczne oraz zmiany zwyrodnieniowo-zapalne stawów stopy. Zniekształcenie palucha wstępuje głównie u kobiet, na skutek noszenia niefizjologicznego obuwia (wysokie obcasy, wąskie noski, nieprawidłowo ukształtowana podeszwa buta).

Leczenie. W niezbyt zaawansowanych zmianach wystarcza noszenie prawidłowo ukształtowanego obuwia, zakładanie na noc specjalnych szyn ortopedycznych oraz odpowiednia pielęgnacja i ćwiczenie stóp.

Zniekształcenia średniego stopnia leczy się operacyjnie wycięciem zapalnie zmienionej kaletki maziowej i ścięciem wystającej części głowy I kości śródstopia.

W zniekształceniach dużego stopnia leczenie operacyjne polega na przecięciu kości, w celu przywrócenia paluchowi właściwego ustawienia, lub nawet – przy silnych zmianach zwyrodnieniowych – na usztywnieniu palucha.

Stopy płasko-koślawe statyczne. Istotą choroby (o skłonnościach dziedzicznych) jest stopniowe obniżanie się sklepienia stopy oraz koślawe ustawienie pięty, dodatkowo upośledzające wydolność stopy. W okresie niewydolności mięśniowej stopa rozpłaszcza się jedynie przy obciążeniu, a poza tym zachowuje właściwy kształt. W zaawansowanych zmianach oprócz trwałego zniekształcenia mogą pojawiać się bóle (okres niewydolności więzadłowej), a nawet trwały i bolesny przykurcz stopy.

Leczenie. Najważniejszą rolę odgrywa zapobieganie: prowadzenie ruchliwego trybu życia, noszenie właściwego obuwia, a niekiedy wykonywanie odpowiednich ćwiczeń leczniczych. Przy szybko narastającym płaskostopiu musi być stosowane obuwie z odpowiednio wymodelowaną wkładką oraz tzw. obcasami Thomasa (obcasy podwyższone od strony przyśrodkowej).

Palce młoteczkowate. Zniekształcenie polega na trwałym przykurczu zgięciowym palca w stawie międzypaliczkowym. Do przykurczu dochodzi na skutek zaburzenia równowagi między mięśniami zginającymi i prostującymi palec. Nierzadko czynnikiem sprzyjającym jest niewłaściwe obuwie oraz paluch koślawy (zob. wyżej), spychający pozostałe palce w nieprawidłowe ustawienie. Na szczycie przykurczonego palca, z reguły palca II, wskutek drażnienia obuwiem dochodzi do powstania bolesnego odcisku.

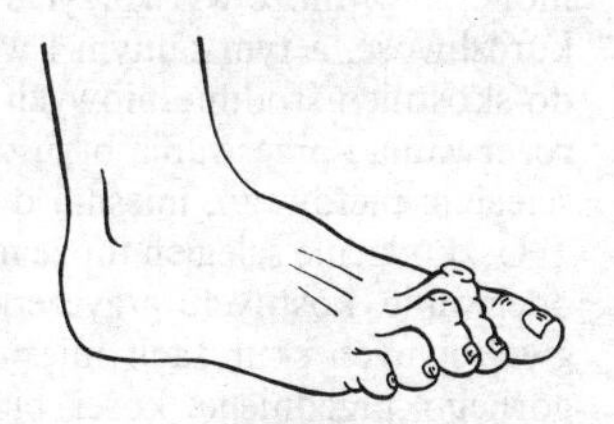

Palce młoteczkowate

Leczenie polega na ochronie palca przed uciskiem za pomocą miękkich ochraniaczy (np. dra Scholla). W przykurczach sztywnych konieczne jest z reguły leczenie operacyjne, polegające na wycięciu chorego stawu i jego usztywnieniu w żądanym ustawieniu.

Wrastający paznokieć, zob. Chirurgia, s. 1440.

IX. URAZY NARZĄDU RUCHU

Złamania i zwichnięcia

Złamania kości i zwichnięcia stawów zachodzą pod działaniem poważnych urazów. Niszcząca siła tych urazów rozprasza się także na tkanki miękkie. Każdemu złamaniu i zwichnięciu towarzyszy strefa krwotoku pourazowego, martwica tkanek i miejscowy obrzęk. Jeśli złamanie jest zamknięte, tj. nie ma przerwania skóry, krwawienie może być niezauważalne, gdyż wylana krew może się rozlać w tkanki miękkie, a przebarwienie skóry może pojawić się dopiero po kilku godzinach czy dniach od momentu urazu. Jeśli przemieszczenia odłamków kostnych są duże, może dojść do różnorodnych powikłań w postaci uszkodzeń powłok czy struktur głębiej leżących, takich jak nerwy, naczynia i tkanki okołostawowe.

Objawem złamania lub zwichnięcia jest ból, który nasila się przy próbach ruchu oraz ucisku miejsca urazu. Innym charakterystycznym objawem jest niemożliwość poruszania kończyną lub jej częścią. Chory może nie być w stanie wykonać żadnego ruchu zranioną kończyną. Przy znacznym przemieszczeniu odłamów widoczne jest zniekształcenie oraz mogą pojawić się ruchy patologiczne.

Uszkodzenia tkanek miękkich

Uszkodzenie mięśni. Uszkodzenie tkanek miękkich narządu ruchu objawia się mniej lub bardziej zaznaczonym wylewem krwawym i obrzękiem uszkodzonego miejsca. Stany te są potencjalnie groźne, gdyż na podłożu wynaczynionej krwi może wytworzyć się tkanka bliznowata, poważnie ograniczająca kurczliwość, a tym samym i wydolność mięśnia (niekiedy może nawet dojść do skostnień śródmięśniowych). Poważnymi konsekwencjami grożą wszelkie rozerwania i przerwania brzuśców mięśniowych oraz ścięgien (np. przerwanie ścięgien: piętowego, mięśnia dwugłowego ramienia czy mięśni ręki).

Uszkodzenie ścięgien może imitować tzw. złamanie awulsyjne, czyli oderwanie kostnych przyczepów ścięgien. Najczęściej zdarza się to przy gwałtownych skurczach mięśni pracujących kończyn, np. oderwanie kolca górnego przedniego kości biodrowej lub guza kości kulszowej w czasie wysiłku fizycznego (np. w sporcie).

Leczenie. Przy niewielkich wylewach stosuje się unieruchomienie i wysychające chłodne okłady. Duże krwiaki najpierw muszą być usunięte, a dopiero później kończyna unieruchomiona. Zabiegi te mają na celu obkurczenie uszkodzonych naczyń krwionośnych przez ucisk lub zimno. Zimno lub ucisk stosuje się w ciągu pierwszych 48 godz.

Po 2–3 dniach bandaże unieruchomiające mogą być zdejmowane na czas zabiegów fizykalnych i określonych ćwiczeń czynnych (w granicach bólu). Z metod leczenia fizykalnego stosowane jest łagodne ciepło, masaż wodny, kąpiele wirowe. We wczesnym okresie pourazowym nie wolno stosować ruchów biernych ani masażu. Gdy krwiak pojawi się ponownie, usuwa się go sposobem odessania, a następnie stosuje się bandaż elastyczny.

Zbyt wcześnie podjęty ruch jest szkodliwy nawet w banalnych stłuczeniach mięśni, zwłaszcza w okolicy ich brzuśców. Powstająca pod wpływem działania tkanka łączna ulega nadmiernemu rozrostowi, w wyniku czego brzusiec mięśnia traci kurczliwość, zaś mięsień swą pierwotną siłę i rozciągliwość.

Uszkodzenie więzadeł, torebek stawowych i ścięgien. Uszkodzenia tych struktur powodują upośledzenie stabilności stawów. Nie chroniony właściwie staw staje się wiotki, podatny na ponawiające się skręcenia czy nawet nadwichnięcia i zwichnięcia.

Objawem uszkodzenia jest obrzęk i ból nasilający się przy próbie wykonania ruchu w stawie. Urazom często towarzyszy rozległy krwiak. Jeśli uszkodzone jest ścięgno ważnego mięśnia, np. mięśnia trójgłowego łydki, czworogłowego uda czy dwugłowego ramienia, ruch stawu jest poważnie upośledzony lub całkowicie zniesiony.

Leczenie zachowawcze jest długotrwałe i wymaga odpowiedniego unieruchomienia. Niejednokrotnie unieruchomienie musi trwać kilka tygodni. Leczenie operacyjne stosuje się wówczas, gdy wiadomo, że leczenie zachowawcze nie spełni pokładanych w nim nadziei, np. przy całkowitym przerwaniu ścięgna piętowego czy ścięgna mięśnia czworogłowego uda.

Niedowłady i porażenia nerwów obwodowych. Wczesne rozpoznanie uszkodzenia nerwu obwodowego w urazach złożonych może nie być łatwe z powodu działania czynnika bólu. Na przykład w urazach kończyny górnej zniesienie

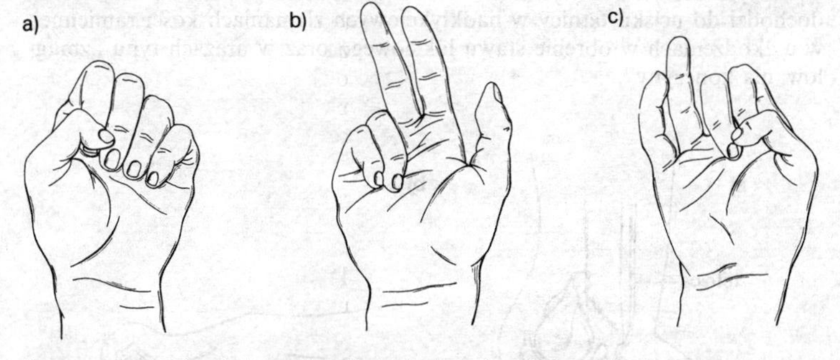

Następstwa najczęstszych uszkodzeń nerwów ręki: a) zginanie palców ręki zdrowej, b) zginanie w porażeniu nerwu pośrodkowego, c) zginanie w porażeniu nerwu łokciowego

czucia bólu w obrębie opuszki palca wskazującego może świadczyć o uszkodzeniu nerwu pośrodkowego, zaś w obrębie opuszki palca V – nerwu łokciowego. Niemożność wyprostowania nadgarstka i palców lub kciuka dowodzi uszkodzenia nerwu promieniowego – gdy nie są uszkodzone ścięgna prostowników. Na uszkodzenie nerwu pachowego wskazuje niemożność odwiedzenia ramienia (inne ruchy są zazwyczaj kompensowane przez mięśnie współdziałające).

W uszkodzeniach kończyny dolnej utrata czucia bólu w obrębie stopy wskazuje na uszkodzenie nerwu kulszowego lub piszczelowego, natomiast opadnięte stopy czy niemożność wyprostowania palucha – na uszkodzenie nerwu strzałkowego lub kulszowego.

Leczenie. Na ogół w uszkodzeniach zamkniętych nerwy nie ulegają przerwaniu, a jedynie zgnieceniu lub naciągnięciu i w ok. 80% przypadków samoistnie powraca ich czynność. Uszkodzoną kończynę unieruchamia się w celu przeciwdziałania rozciąganiu porażonych mięśni i wytworzenia przykurczów w stawach. „Unieruchomienie" zdejmuje się na czas codziennych zabiegów fizykoterapeutycznych i ćwiczeń. Aby przyspieszyć regenerację nerwu, uszkodzoną kończynę trzyma się w cieple.

W otwartych uszkodzeniach nerwów leczenie jest operacyjne (ewentualna rekonstrukcja nerwu).

Uszkodzenia naczyń krwionośnych zdarzają się rzadko w złamaniach i zwichnięciach. Objawami są: drętwienie palców, ból, zasinienie lub zblednięcie palców.

Leczenie. Ponieważ obrażenia naczyń krwionośnych należą do bardzo poważnych uszkodzeń, chory musi być leczony w wysoko specjalistycznym ośrodku chirurgicznym. Najczęściej w grę wchodzi leczenie operacyjne.

Przykurcz Volkmanna, czyli **przykurcz z niedokrwienia**. Choroba polega na przykurczu zgięciowym palców, które można wyprostować jedynie przy zgięciu dłoniowym nadgarstka. Przyczyną jest zbliznowacenie mięśni zginaczy ręki i palców na skutek niedokrwienia spowodowanego uciskiem złamanych kości w okolicy stawu łokciowego na tętnicę ramienną. Najczęściej dochodzi do ucisku tętnicy w nadkłykciowych złamaniach kości ramiennej, w uszkodzeniach w obrębie stawu łokciowego oraz w urazach typu „zmaglowania kończyny".

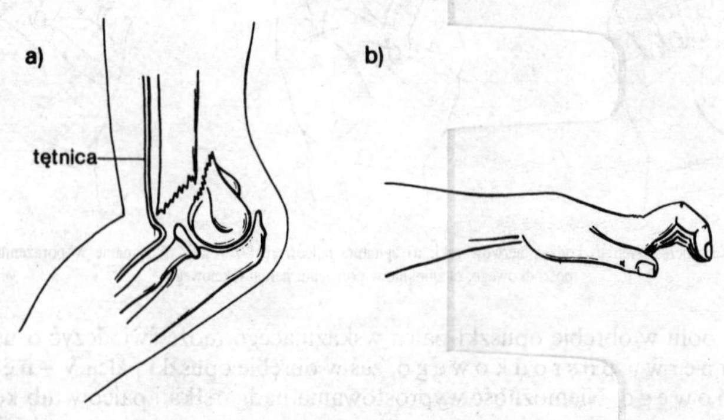

Przykurcz Volkmanna w następstwie złamania nadkłykciowego kości ramiennej: a) ucisk odłamu na tętnicę, b) typowy przykurcz palców ręki

O b j a w y. Choroba rozpoczyna się silnym bólem mięśni przedramienia po stronie zginaczy, zblednięciem lub zasinieniem palców oraz zaburzeniami czucia w obrębie palców. Próba wyprostowania palców wywołuje silny ból.

L e c z e n i e polega na szybkim nastawieniu złamania w celu odbarczenia uciśniętej tętnicy i polepszenia ukrwienia mięśni. Jeśli to nie pomaga, konieczne jest operacyjne odbarczenie tętnicy lub naczyniowe zabiegi plastyczne. Leczenie przykurczu zastarzałego polega na wydłużeniu ścięgien palców i ręki.

Zespół cieśni przedziału powięziowego oznacza stan, w którym w wyniku zwiększonego ciśnienia w obrębie jakiegoś przedziału anatomicznego kończyn dochodzi do upośledzenia krążenia krwi oraz do zaburzeń unerwienia i czynności mięśni. Szczególnie podatne na zaburzenia krążenia są mięśnie przedniego przedziału powięziowego goleni (tzn. z e s p ó ł c i e ś n i p r z e d z i a ł u p o w i ę z i o w e g o g o l e n i) oraz mięśnie przedramienia (tzw. z e s p ó ł c i e ś n i p r z e d z i a ł u p o w i ę z i o w e g o k o ń c z y n y g ó r n e j, czyli p r z y k u r c z V o l k m a n n a (zob. wyżej)).

P r z y c z y n a m i zespołów cieśni przedziałów powięziowych są: masywne urazy tkanek miękkich kończyn doznane w wypadkach komunikacyjnych i przemysłowych (tzw. „zmaglowanie" kończyn), rozległe operacje ortopedyczne, obcisłe opatrunki gipsowe, nadmierne wysiłki fizyczne oraz długotrwały ucisk kończyn.

O b j a w e m choroby jest nagły, masywny obrzęk i ból. Skóra kończyn jest blada i chłodna. Mięśnie są napięte i tkliwe.

L e c z e n i e jest zazwyczaj chirurgiczne.

Uszkodzenia ręki

Urazy ręki, pomimo wielkiego rozpowszechnienia, są często lekceważone, wskutek czego nierzadko doprowadzają do rozmaitych upośledzeń czynności, a nawet wyraźnego kalectwa.

Stłuczenia ręki są wynikiem urazów bezpośrednich. Obok stłuczenia powierzchownego i otarcia naskórka może wystąpić uszkodzenie ścięgien, które po stronie grzbietowej ręki przebiegają tuż ponad twardym podłożem kostnym, zaś po stronie dłoniowej – w ciasnym i niepodatnym na rozciąganie kanale nadgarstka. Zbagatelizowanie tych uszkodzeń może doprowadzić do przewlekłego stanu zapalnego pochewek ścięgien albo do ostrego zespołu cieśni kanału nadgarstka (zob. wyżej).

Bardzo bolesne są stłuczenia kciuka i palca V. Najbardziej narażone na stłuczenia są opuszki palców, a powstające krwiaki, zwłaszcza podpaznokciowe, są szczególnie bolesne. W miarę wzrostu ciśnienia w krwiaku ból narasta.

O b j a w e m stłuczenia ścięgien jest ból nasilający przy próbie czynnego ruchu stłuczonego palca. Współistniejący obrzęk oraz miejscowa bolesność uciskowa uniemożliwiają ścisłe określenie, które ścięgno zostało uszkodzone.

L e c z e n i e powierzchownych stłuczeń ręki, podobnie jak stłuczeń innych tkanek miękkich, polega na unieruchomieniu ręki (czy uszkodzonego palca) oraz na stosowaniu zimnych, wysychających okładów przez okres 24–48 godz. Po tym czasie wprowadza się stopniowane ruchy czynne do granic bólu, stosowanie ciepła (gorące kąpiele), a także zabiegi fizykoterapeutyczne sprzyjające wchłanianiu wysięku.

Po upływie tygodnia ostre dolegliwości bólowe zazwyczaj ustępują i wystarcza zwykle ograniczenie czynności ręki, aż do czasu powrotu pełnej ruchomości i całkowitej bezbolesności ścięgna. Dłuższego leczenia wymagają stłuczenia kciuka i palca V, a krwiaki podpaznokciowe usunięcia chirurgicznego.

Skręcenia, naciągnięcia i naderwania mogą powodować uszkodzenia typu więzadłowo-torebkowego, a nierzadko też uszkodzenia poszczególnych przyczepów mięśniowych, zwłaszcza ścięgien mięśni prostowników. Przy gwałtownym i silnym zgięciu palców niektóre włókna prostowników mogą ulec naderwaniu w miejscach ich przyczepów obwodowych.

Leczenie naderwania, podobnie jak leczenie stłuczeń (zob. wyżej), polega na unieruchomieniu uszkodzonej ręki na szynie gipsowej w ustawieniu czynnościowym (lekkie zgięcie grzbietowe) na okres 2–3 tygodni. Ruchy czynne mogą być podjęte dopiero po ustąpieniu bólu.

Złamania i zwichnięcia. W przeciwieństwie do stłuczeń i skręceń złamania kości i zwichnięcia ręki powstają pod wpływem silnych urazów bezpośrednich, np. uderzenia twardym przedmiotem, czy pośrednich, np. upadek na wyciągniętą kończynę.

Objawy złamań i zwichnięć są podobne: ból, zasinienie skóry, szybko narastający obrzęk, ograniczenie lub całkowite zniesienie czynności, np. zginania czy prostowania palców albo całej ręki, oraz różnie nasilone znieształcenie ręki.

Leczenie. O przywróceniu sprawności ręki decyduje: 1) możliwie szybkie właściwe rozpoznanie, które w miarę upływu czasu może być utrudnione przez narastający obrzęk; 2) udzielenie pierwszej pomocy, aby nie doprowadzić do dodatkowych uszkodzeń czy powikłań; 3) leczenie prowadzone przez specjalistę ortopedę. Nierzadko konieczne jest leczenie operacyjne.

Po okresie unieruchomienia bardzo ważne znaczenie ma tzw. doleczanie, aby nie dopuścić do skrzywienia palca, przykurczu stawu lub wciągnięcia w bliznę ścięgien, które w ręce przebiegają bezpośrednio w sąsiedztwie kości.

Uszkodzenia kości nadgarstka

Złamanie kości łódeczkowatej. Do złamań tych dochodzi z reguły na skutek urazu bezpośredniego – uderzenia w okolicę grzbietu nadgarstka. Większość złamań goi się opornie z powodu uszkodzenia ukrwienia odłamu bliższego (przerwanie tętniczki odżywiającej).

Objawem złamania jest ból w okolicy nadgarstka, nasilający się pod wpływem ucisku, przy zginaniu nadgarstka oraz przy pociąganiu za kciuk.

Leczenie polega na unieruchomieniu ręki w opatrunku gipsowym typu „rękawiczka balowa”, w ustawieniu ręki w pozycji chwytu, na okres ok.

12–16 tygodni. Opatrunki gipsowe zmienia się co 4–6 tygodni z uwagi na zaniki mięśniowe ręki i jednocześnie dokonuje się kontroli klinicznej i radiologicznej przebiegu procesu gojenia złamania. Złamania nie gojące się leczy się operacyjnie przeszczepianiem kości.

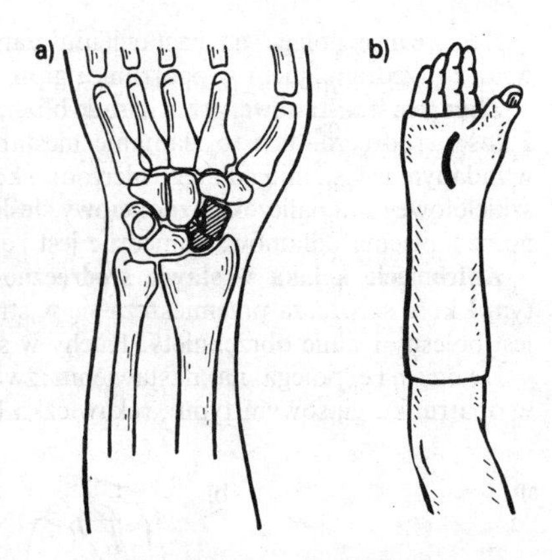

Złamanie kości łódeczkowatej nadgarstka (a), unieruchomienie ręki w opatrunku gipsowym (b)

Zwichnięcie kości księżycowatej może powstać w następstwie silnego zgięcia grzbietowego ręki.

Objawem jest ból i obrzęk oraz ograniczenie ruchów nadgarstka po stronie dłoniowej.

Leczenie. Po nastawieniu zawichnięcia przedramię unieruchamia się w pozycji lekkiego zgięcia w opatrunku gipsowym na okres 3 tygodni.

Zwichnięcie nadgarstka okołoksiężycowate. W uszkodzeniu tym przemieszczeniu grzbietowemu i w stronę odpromieniową ulegają wszystkie kości nadgarstka, z wyjątkiem kości księżycowatej. Ręka jest obrzęknięta i zdeformowana, jakakolwiek próba ruchu wywołuje żywy ból.

Leczenie polega na nastawieniu zwichnięcia i unieruchomieniu przedramienia w opatrunku gipsowym na 3 tygodnie.

Uszkodzenia kości śródręcza i palców

Złamanie I kości śródręcza. Jest to częste uszkodzenie ręki, zwłaszcza u młodych mężczyzn (bójki). Złamaniu ulega podstawa I kości śródręcza. Kciuk jest obrzęknięty i silnie bolesny; próba ruchu nasila ból (rys.).

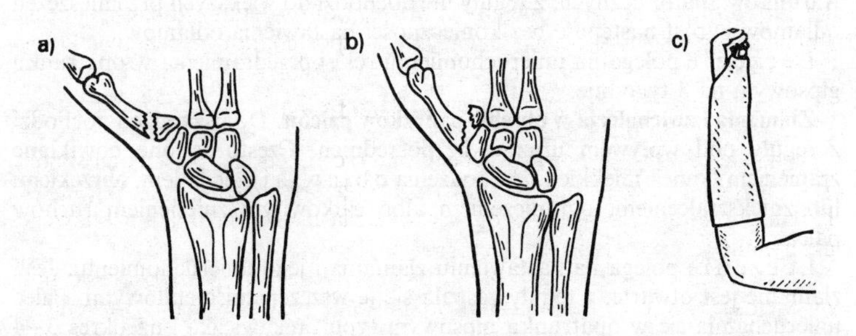

Złamanie podstawy I kości śródręcza: a) pozastawowe, b) stawowe, c) unieruchomienie w opatrunku gipsowym

L e c z e n i e polega na nastawieniu złamania oraz unieruchomieniu ręki wraz z przedramieniem w opatrunku gipsowym na okres czterech tygodni.

Złamanie śródstawowe, przez nasadę bliższą, jest odmianą złamania podstawy I kości śródręcza. Jest to złamanie niestabilne, trudno dające się utrzymać w żądanym ustawieniu i dlatego nierzadko konieczne jest zastosowanie wyciągu szkieletowego za paliczek paznokciowy. Jeśli i ten sposób nie daje prawidłowego nastawienia odłamów, konieczne jest l e c z e n i e o p e r a c y j n e.

Zwichnięcie kciuka w stawie śródręczno-nadgarstkowym. W uszkodzeniu tym I kość śródręcza przemieszcza się w stronę grzbietową i do boku. Kciuk jest bolesny i silnie obrzęknięty. Ruchy w stawie są zniesione.

L e c z e n i e polega na nastawieniu zwichnięcia i unieruchomieniu ręki w opatrunku gipsowym typu „rękawiczka balowa" na 3 tygodnie.

Zwichnięcie kciuka w stawie śródręczno-palcowym. Zwichnięty palec przemieszcza się typowo ku górze i ku tyłowi (skrócenie). Dużemu obrzękowi i zniekształceniu obrysów kciuka towarzyszy silny ból przy próbie ruchu.

L e c z e n i e polega na nastawieniu zwichnięcia oraz unieruchomieniu ręki w opatrunku gipsowym typu „rękawiczka balowa" na 3 tygodnie (kciuk w lekkim zgięciu). Jeśli zwichnięcie nie daje się nastawić z powodu wkleszczenia do stawu, torebki stawowej albo mięśni kłębu kciuka, konieczne jest wówczas leczenie operacyjne.

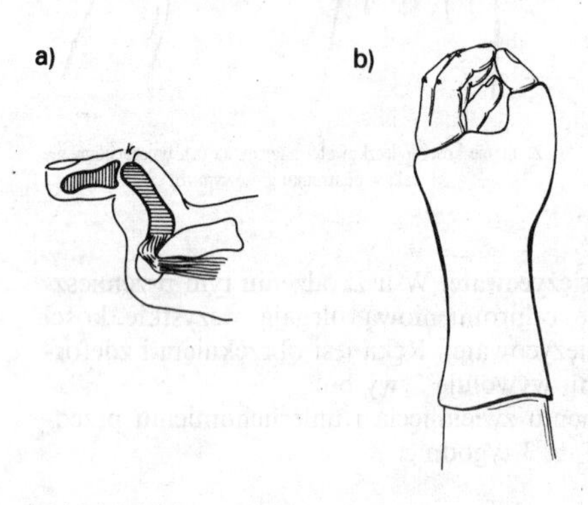

Zwichnięcie kciuka w stawie śródręczno-palcowym (a), unieruchomienie w opatrunku gipsowym (b)

Złamanie II – IV kości śródręcza. Złamanie o b j a w i a s i ę bólem i obrzękiem grzbietu ręki. Ruchy palcami nasilają ból. Z powodu specyficznych warunków anatomicznych, z reguły nie dochodzi do większych przemieszczeń odłamów i zrost następuje bez konieczności nastawienia odłamów.

L e c z e n i e polega na unieruchomieniu ręki i przedramienia w opatrunku gipsowym na 3 tygodnie.

Złamania i zwichnięcia w obrębie paliczków palców. Do uszkodzeń dochodzi z reguły pod wpływem urazów bezpośrednich. Często są one powikłane zranieniem tkanek miękkich. Uszkodzenia o b j a w i a j ą się bólem, obrzękiem, lub zniekształceniem, ograniczeniem albo całkowitym zniesieniem ruchów palca.

L e c z e n i e polega na nastawieniu złamania i jego unieruchomieniu. Jeśli złamanie jest otwarte, z reguły zespala się je wszczepami metalowymi. Palec unieruchamia się w opatrunku gipsowym typu „rękawiczka" na okres 3–4 tygodni.

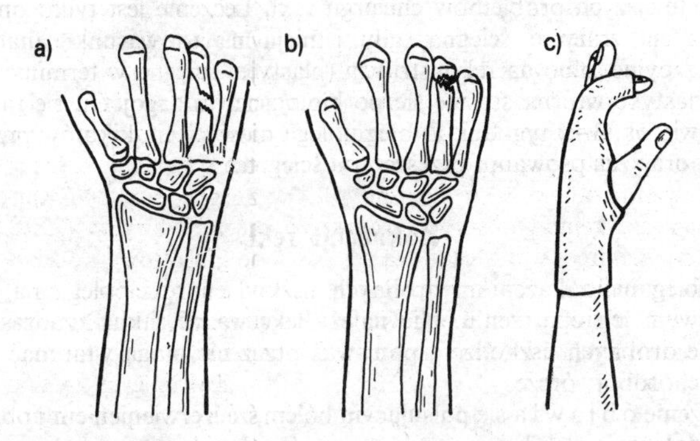

Złamania kości śródręcza (a, b), unieruchomienie w opatrunku gipsowym (c)

Zwichnięcia w stawach międzypaliczkowych zdarzają się wyjątkowo rzadko i zazwyczaj na skutek bezpośrednio działającego urazu. L e c z e n i e operacyjne.

Złamanie podstawy paliczka paznokciowego. Uszkodzenie polega na wyrwaniu kostnego przyczepu ścięgna prostownika palca. O b j a w e m jest ból, obrzęk i niemożność wyprostowania paliczka.

L e c z e n i e polega na unieruchomieniu stawu w szynie palcowej lub w gipsie na 5–6 tygodni.

Uszkodzenie ścięgien

Na uszkodzenie ścięgien ręki wskazuje patologiczne ustawienie palców lub niemożność ich prostowania i zginania. Urazy te nie zdarzają się często, ale jeżeli już dojdzie do uszkodzenia ścięgna, są to zawsze uszkodzenia poważne.

U osób młodych przyczyną uszkodzeń są z reguły zranienia otwarte – przecięcie nożem, szkłem itp. U osób starszych do uszkodzenia ścięgien dochodzi też często na tle ich zwyrodnienia, np. przerwania podskórne ścięgien prostowników.

Uszkodzenie ścięgien prostowników. Do najczęstszych uszkodzeń należy przerwanie ścięgna długiego prostownika kciuka, uszkodzenie rozcięgna grzbietowego w okolicy bliższego stawu międzypaliczkowego oraz oderwanie prostownika od podstawy paliczka paznokciowego.

O b j a w e m uszkodzenia jest ból, obrzęk oraz niemożność pełnego wyprostu palca.

L e c z e n i e jest z reguły operacyjne. Zazwyczaj wystarcza zeszycie uszkodzonego ścięgna oraz odpowiednie unieruchomienie palca.

Uszkodzenie ścięgien zginaczy. Najczęściej jest następstwem przecięcia ścięgien zginaczy palców wskutek głębokiego zranienia. Powoduje to niemożność lub ograniczenie zginania palców.

L e c z e n i e. Przywrócenie prawidłowej ruchomości palców stanowi jeden z najtrudniejszych problemów chirurgii ręki. Leczenie jest tylko operacyjne i polega na zeszyciu ścięgna, gdy istnieją na to warunki anatomiczne i organizacyjne, albo na rekonstrukcji (plastyce) ścięgna w terminie późniejszym. Plastykę wtórną stosuje się po biologicznym zagojeniu się rany, czyli po upływie ok. 3–4 tygodni. Zabieg polega na wycięciu kikutów przeciętych ścięgien oraz zastosowaniu przeszczepu ścięgna.

Zakażenia ręki

Zapobieganie zakażeniom drobnych uszkodzeń ręki polega na szybkim i właściwym ich opatrzeniu. Nie należy lekceważyć zakłuć, zadraśnięć itp. pozornie drobnych uszkodzeń, ponieważ przez nie mogą wtargnąć drobnoustroje chorobotwórcze.

Zakażenie objawia się pulsującym bólem, zaczerwienieniem i obrzękiem. Często dołączają się objawy ogólne w postaci braku apetytu, złego samopoczucia i podwyższonej temperatury ciała.

Leczenie zależy od rodzaju zakażenia i jego umiejscowienia.

Czyrak ręki. Jest to zakażenie mieszka włosowego, występujące na powierzchni grzbietowej ręki. W trakcie „dojrzewania czyraka" na szczycie wokół włosa powstaje tzw. „czop martwiczy", po którego wydzieleniu pozostaje kraterowy ubytek.

Leczenie polega na unieruchomieniu ręki i stosowaniu ciepłych okładów lub przymoczek, podawaniu antybiotyków. Rzadko potrzebne jest leczenie chirurgiczne.

Zanokcica czyli **zakażenie okołopaznokciowe**. Jest to zakażenie fałdów okołopaznokciowych, najczęściej na skutek banalnego skaleczenia czy zadrapania (zob. też Chirurgia, s. 1437).

Objawem jest ból zaczerwienienie i obrzęk wałów okołopaznokciowych oraz ognisko ropne.

Leczenie polega na chirurgicznym przecięciu ropnia, sączkowaniu, stosowaniu antybiotyków i leków przeciwzapalnych. Jeśli ropa „podminuje" płytkę paznokciową, konieczne jest usunięcie paznokcia.

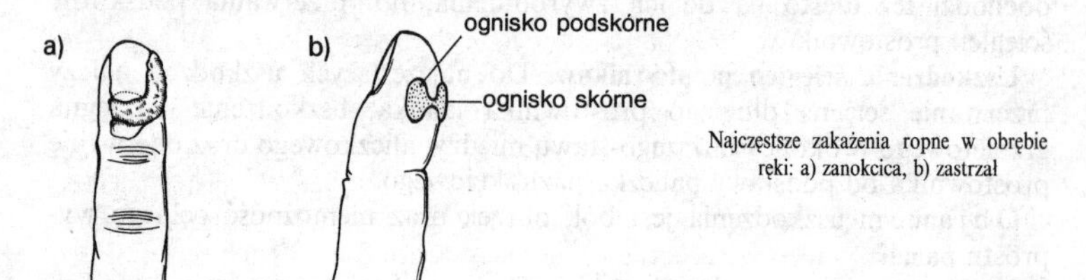

Najczęstsze zakażenia ropne w obrębie ręki: a) zanokcica, b) zastrzał

Zastrzał. Przyczyną tego zakażenia jest zazwyczaj zwykłe zakłucie lub skaleczenie dłoniowej powierzchni palców. Zakażenie rozprzestrzenia się bardzo szybko i obejmuje cały palec. Choroba objawia się silnym bólem, obrzękiem i zaczerwienieniem palca. Pulsujący ból spowodowany jest niemożnością rozprzestrzenienia się ropy w zamkniętej przestrzeni opuszki (zob. też Chirurgia, s. 1437).

Leczenie polega na rozległym, chirurgicznym przecięciu ropnia, sączkowaniu rany, unieruchomieniu palca oraz stosowaniu antybiotyków i leków przeciwzapalnych.

Zastrzał kostny powstaje wówczas, gdy zakażenie obejmuje kość. Leczenie jest podobne, ale choroba jest o wiele poważniejsza, gdyż enzymy bakteryjne powodują szybkie niszczenie zajętej kości. Przejście zapalenia na ścięgna lub układ kostno-stawowy nieuchronnie prowadzi do pewnego rodzaju kalectwa.

Ropne zapalenie pochewek ścięgien i ropowica dłoni. Zakażenie może być początkowo umiejscowione, np. może dotyczyć jednego palca czy części dłoni, jeśli jednak nie jest leczone, może w ciągu kilku dni objąć całą rękę. Proces chorobowy umiejscawia się głęboko i szerzy kanałami pochewek ścięgien i przedziałów powięziowych ręki. Z reguły w krótkim czasie zapalenie obejmuje pochewki ścięgniste, ścięgna, mięśnie, a nawet może przechodzić na kości i stawy. Pod wpływem działania enzymów bakteryjnych szybko dochodzi do martwicy rozpływnej tkanek i tworzenia się zbiorników ropy.

Objawy. Choroba, rozpoczynająca się od drobnego zakłucia czy zatarcia skóry ręki, początkowo może dawać nieznaczne objawy – ograniczone zaczerwienienie, uczucie ostrego kłucia. Z powodu dużej zjadliwości bakterii (lub słabej odporności organizmu) już po upływie kilkunastu godzin dochodzi jednak do zaostrzenia objawów - pojawia się silny, pulsujący ból, ręka staje się bolesna i wszelki ruch czy zmiana pozycji kończyny ból ten nasila. Równolegle z objawami miejscowymi narastają objawy ogólne: wysoka gorączka, złe samopoczucie, dreszcze, uczucie ogólnego rozbicia, bóle głowy i utrata apetytu, niekiedy wymioty. Leczenie operacyjne i intensywne ogólne.

Uszkodzenia kończyn górnych

Złamania obojczyka. Najczęściej obojczyk łamie się na granicy 1/3 części środkowej i obwodowej. Złamanie objawia się zniekształceniem obrysów tej okolicy oraz bólem przy próbie poruszania kończyną. Ponieważ odłam obwodowy pod wpływem ciężaru kończyny obniża się ku dołowi, kikut odłamu bliższego zazwyczaj napina skórę. W złamaniach typu „zielonej gałązki", kiedy nie dochodzi do przemieszczenia odłamów, uwagę zwraca kątowe załamanie się obojczyka, najczęściej w połowie jego długości.

Leczenie. Najlepsze wyniki daje leczenie zachowawcze. Metodą z wyboru jest dobrze założony opatrunek ósemkowy.

Nadwichnięcie i zwichnięcie w stawie barkowo-obojczykowym. Do uszkodzenia dochodzi z powodu zerwania włókien więzadła barkowo-obojczykowego i kruczo-obojczykowego. Objawem jest ból powodujący ograniczenie funkcji kończyny, niestabilność i nadwichnięcie lub zwichnięcie w stawie barkowo-obojczykowym (koniec barkowy obojczyka wystercza ku górze).

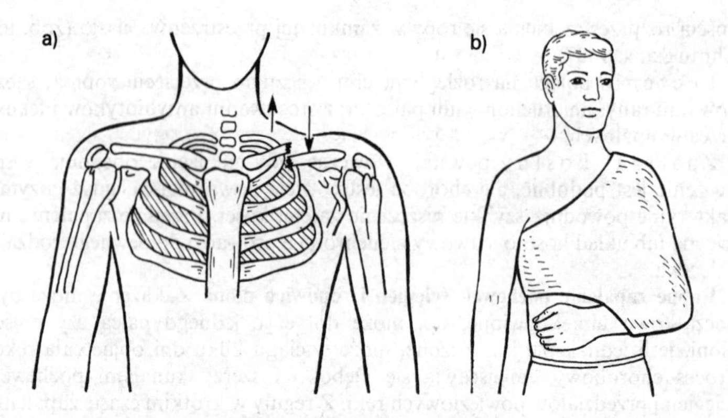

Złamanie obojczyka – typowe przemieszczenie odłamów (a), unieruchomienie w opatrunku gipsowym (b). W ten sposób unieruchamiane są także złamania łopatki, zwichnięcia stawu barkowo-obojczykowego oraz złamania kości ramiennej

Leczenie, zwykle zachowawcze, polega na unieruchomieniu barku w opatrunku gipsowym na okres kilku tygodni. Jeśli nie daje to efektu, konieczne jest leczenie operacyjne.

Zwichnięcia w stawie mostkowo-obojczykowym. Z reguły dochodzi do przemieszczenia obojczyka do przodu. Uszkodzenie objawia się uwypukleniem tej okolicy, napinaniem skóry na przemieszczonym mostkowym końcu obojczyka, nadmierną ruchomością oraz bólem, nasilającym się przy próbach poruszania kończyną.

Leczenie polega na nastawieniu zwichnięcia, unieruchomieniu kończyny w opatrunku gipsowym na okres kilku tygodni. Nienastawienie zwichnięcia lub niemożność utrzymania nastawienia stanowi wskazanie do leczenia operacyjnego.

Złamania łopatki. Do złamań łopatki dochodzi w następstwie silnych urazów powodujących zazwyczaj jednocześnie obrażenia żeber i kręgosłupa. Uszkodzenie objawia się obrzękiem i bólem nasilającym się przy próbie ruchu w stawie ramiennym.

Leczenie. Złamania trzonu łopatki wymagają przeważnie jedynie czasowego ograniczenia funkcji kończyny. Zaklinowane złamania szyjki łopatki wymagają natychmiast unieruchomienia kończyny na kilka tygodni.

Zwichnięcia barku. Zwykle są to zwichnięcia przednie stawu ramienno-łopatkowego. Zwichnięcia pachowe tylne i wyprostne zdarzają się wyjątkowo rzadko.

Z racji uszkodzenia tkanek okołostawowych oraz powikłań neurologicznych najbardziej niebezpieczne jest zwichnięcie wyprostne. Uraz powoduje bowiem nie tylko oderwanie torebki stawowej i przerwanie pierścienia rotatorów, lecz także ucisk na splot pachowy.

W typowym, przednim zwichnięciu barku występuje spłaszczenie obrysów i napinanie skóry nad wyrostkiem barkowym oraz przymusowe ustawienie barku. Ruchy są zniesione z powodu bólu. Głowa kości ramiennej znajduje się w dole pachowym.

L e c z e n i e. Przy zwichnięciu przednim barku po nastawieniu kończynę unieruchamia się na 3 tygodnie. Przy zwichnięciu wyprostnym obok nastawienia zachowawczego konieczne jest jeszcze operacyjne naprawienie pierścienia rotatorów.

Zwichnięcia powikłane złamaniami. Złamaniu ulega najczęściej guzek większy kości ramiennej, rzadziej dochodzi do rozkawałkowania jej głowy, złamania

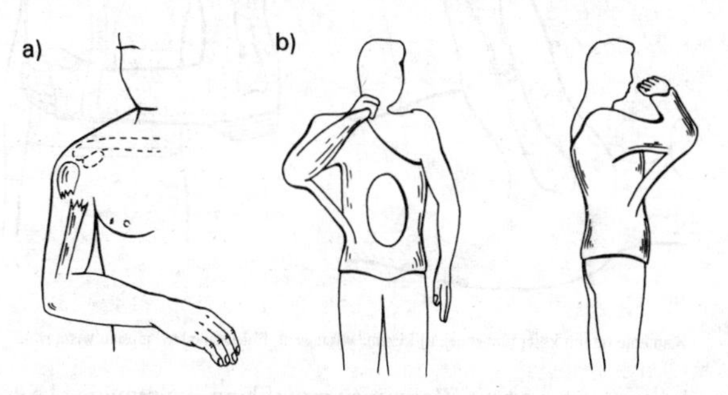

Złamanie szyjki kości ramiennej – typ przywiedzeniowy (a), sposób unieruchamiania w opatrunku gipsowym (b). Ten typ opatrunku służy także do leczenia innych złamań w obrębie kości ramiennej

szyjki lub wyrostka barkowego łopatki. Złamania guzka większego mogą być bez przemieszczenia i z przemieszczeniem – uszkodzona głowa ulega zwichnięciu, zaś guzek pozostaje na swym miejscu.

L e c z e n i e zwichnięć powikłanych złamaniem bez przemieszczenia jest zachowawcze – po nastawieniu stosowany jest opatrunek unieruchomiający. Leczenie zachowawcze zwichnięcia z przemieszczeniem jest na ogół niemożliwe, ponieważ panewka jest blokowana przez ścięgno mięśnia dwugłowego ramienia lub fragment kości i pierścienia rotatorów; konieczne jest wówczas l e c z e n i e o p e r a c y j n e.

Złamania nasady bliższej kości ramiennej. Większość złamań jest stabilna i l e c z e n i e ich polega jedynie – poza nieznaczną korekcją osi – na unieruchomieniu kończyny w opatrunku gipsowym na kilka tygodni. Leczenie złamań z przemieszczeniem odłamów lub niestabilnych wymaga nierzadko stosowania wyciągów i leczenia operacyjnego.

Złamania trzonu kości ramiennej. Przeważnie występują w postaci złamań spiralnych i poprzecznych z przemieszczeniem odłamów. W złamaniach tych nierzadko dochodzi do uszkodzenia nerwu promieniowego, co o b j a w i a się opadnięciem ręki lub niemożnością prostowania palców i kciuka oraz utratą czucia na grzbietowej powierzchni ręki i kciuka.

L e c z e n i e. Złamania te są trudne do nastawienia i dlatego gojenie ich jest długotrwałe, a niekiedy powikłane tzw. z r o s t e m o p ó ź n i o n y m

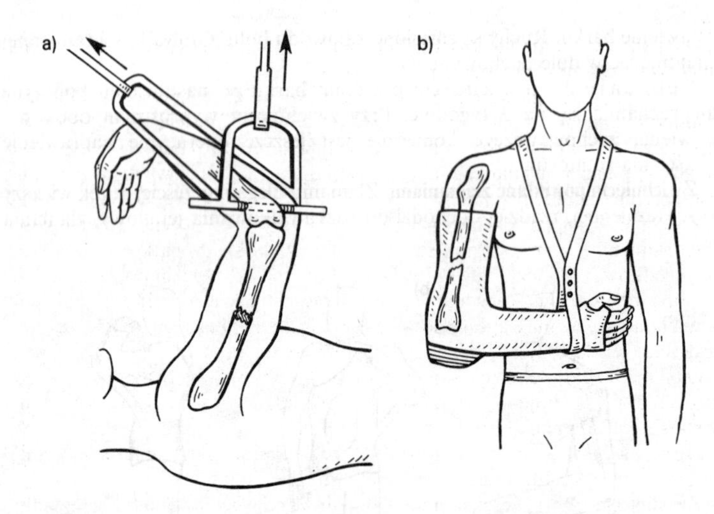

Złamanie trzonu kości ramiennej: a) leczenie wyciągiem, b) leczenie tzw. gipsem wiszącym

lub brakiem zrostu. Złamania powikłane wymagają leczenia operacyjnego.

Urazy i uszkodzenia okolicy stawu łokciowego. Złamania dalszego końca kości ramiennej. Rozróżnia się: złamania typu wyprostnego (klinicznie upodabniające się do tylnego zwichnięcia stawu łokciowego), złamania typu zgięciowego oraz złamania pośrednie (najczęściej wieloodłamowe). Przy złamaniach z rozkawałkowaniem kości zwykle występuje zwichnięcie stawu łokciowego. Złamaniom dalszego końca kości ramiennej mogą towarzyszyć zaburzenia ukrwienia spowodowane urazem, rozległym uszkodzeniem oraz obrzękiem tkanek miękkich, grożące w następstwie uszkodzeniem czynności ręki (przykurcz Volkmanna, s. 1618).

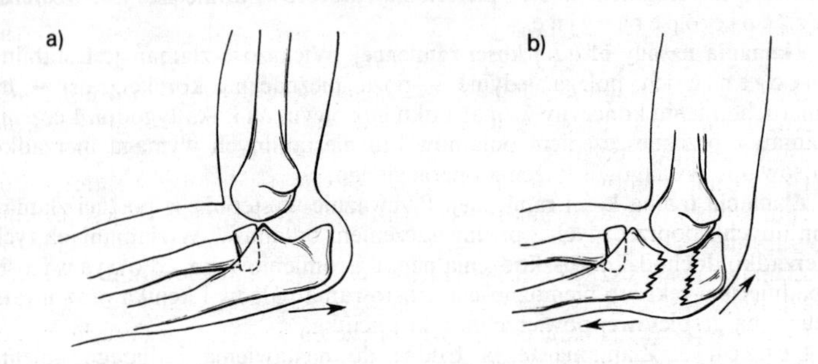

Zwichnięcie stawu łokciowego: a) zwichnięcie tylne, b) zwichnięcie przednie powikłane złamaniem kości

O b j a w e m złamania kości ramiennej są: ból, obrzęk, różnego stopnia zniekształcenia oraz zniesienie ruchów stawu.

L e c z e n i e jest głównie zachowawcze i polega na nastawieniu odłamów i unieruchomieniu kończyny. Nierzadko stosuje się wyciąg szkieletowy i leczenie czynnościowe. Przy złamaniach stawowych nie dających się nastawić oraz złamaniach powikłanych zaburzeniami ukrwienia i unerwienia, stosowane jest leczenie operacyjne.

Zwichnięcia stawu łokciowego. Są to z reguły zwichnięcia tylne – kości przedramienia przemieszczają się do tyłu i do boku (wyjątkowo w stronę przyśrodkową). Znaczne przemieszczenie końców stawowych pociąga zawsze za sobą poważne uszkodzenia okołostawowych tkanek miękkich. Częstym powikłaniem zwichnięcia jest oderwanie wyrostka dziobiastego kości łokciowej oraz nadkłykcia przyśrodkowego kości ramiennej.

O b j a w a m i zwichnięcia są: wystawanie ku bokowi wyrostka łokciowego, skrócenie przedramienia, obrzęk oraz przymusowe ustawienie kończyny w stawie łokciowym.

L e c z e n i e polega na nastawieniu zwichnięcia oraz unieruchomieniu kończyny w opatrunku gipsowym na 3 tygodnie.

Zwichnięcie głowy kości promieniowej. Uszkodzenie to zdarza się rzadko i zazwyczaj towarzyszy mu złamanie kości łokciowej. Zwichnięcie może być powikłane uszkodzeniem tylnej gałązki nerwu promieniowego.

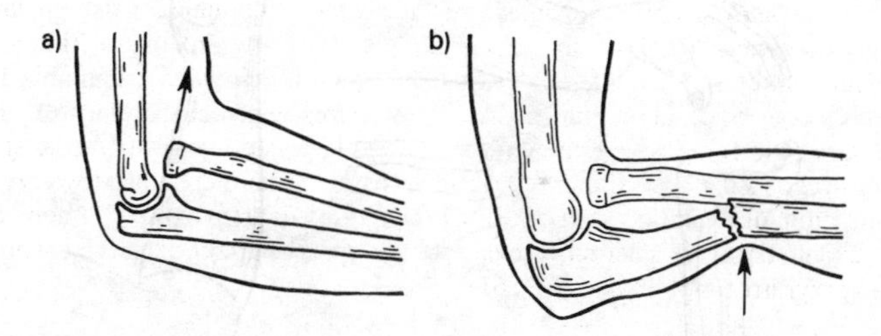

Zwichnięcie głowy kości promieniowej (a), zwichnięcie głowy kości promieniowej i złamanie trzonu kości łokciowej (b)

O b j a w e m zwichnięcia jest ból nasilający się przy ruchach obrotowych przedramienia. Jeśli uszkodzeniu uległ nerw, może dołączyć się upośledzenie prostowania ręki i palców.

L e c z e n i e zachowawcze polega na nastawieniu zwichnięcia i unieruchomieniu kończyny w opatrunku gipsowym. Nierzadko konieczne jest leczenie operacyjne.

Złamanie głowy i szyjki kości promieniowej. Do złamania dochodzi wskutek urazu bezpośredniego (raczej upadku na wyprostowane ramię).

L e c z e n i e. W złamaniach bez przemieszczeń wystarcza unieruchomienie kończyny w gipsie na kilka tygodni. Jeśli nastawienie zachowawcze się nie powiedzie, stosuje się leczenie operacyjne.

Złamanie wyrostka łokciowego. Jest to stosunkowo często spotykane uszkodzenie kości łokciowej. O b j a w i a się bólem nasilającym się przy próbie prostowania łokcia lub niemożnością wyprostowania łokcia.

L e c z e n i e. W złamaniach bez przemieszczenia odłamów zazwyczaj wystarcza unieruchomienie kończyny w gipsie. Jeśli rozejście się odłamów jest niewielkie, złamanie unieruchamia się w gipsie przy wyprostowanym stawie łokciowym. Złamania z przemieszczeniem odłamów są leczone operacyjnie.

Złamania trzonów kości przedramienia. Kości przedramienia stanowią ściśle sprzężony ze sobą układ biomechaniczny i ich uszkodzenia trudno jest leczyć metodami zachowawczymi, pomijając złamania typu „zielonej gałązki" u dzieci i złamania bez przemieszczenia odłamów, które zdarzają się rzadko. Złamanie o b j a w i a się bólem, obrzękiem i zniekształceniem obrysów i osi przedramienia.

L e c z e n i e. Złamania nie dające się nastawić – lub nie dające się utrzymać w opatrunku gipsowym – są leczone operacyjnie.

Złamania dalszej nasady kości promieniowej. Powstają z reguły przy upadku na wyprostowaną rękę. Uszkodzona nasada przemieszcza się

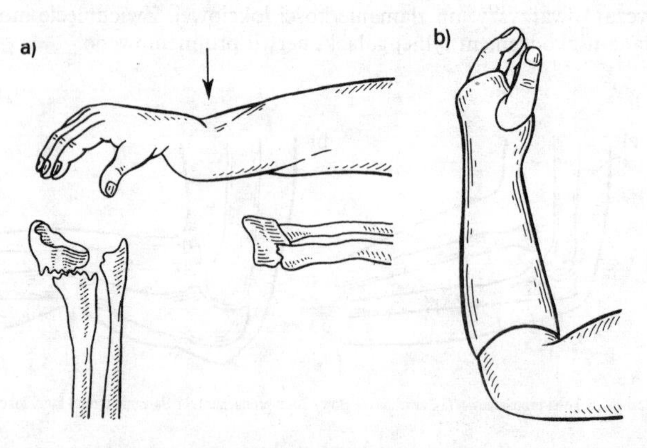

Typowe złamania dalszej (dolnej) nasady kości promieniowej (a), unieruchomienie w opatrunku gipsowym (b)

zazwyczaj ku górze, w stronę promieniową, w wyniku czego nadgarstek ulega charakterystycznemu „widelcowatemu" zniekształceniu. W przypadkach poważniejszych urazów ulega jednocześnie złamaniu wyrostek rylcowaty kości łokciowej. Nadgarstek jest obrzęknięty i silnie bolesny. Próba ruchu nasila ból.

L e c z e n i e, z reguły zachowawcze, polega na nastawieniu i unieruchomieniu kończyny w opatrunku gipsowym na okres 4–6 tygodni.

Uszkodzenia kręgosłupa

Złamania i zwichnięcia kręgosłupa zdarzają się najczęściej w wypadkach komunikacyjnych, przy upadkach z wysokości oraz przy skokach do wody. Złamanie kręgosłupa należy też podejrzewać u każdego chorego nieprzytomnego oraz rannego w głowę (kręgosłup szyjny). W wyniku urazu kręgosłupa może dojść do zgniecenia trzonów kręgowych, złamania łuków kręgowych z przemieszczeniem lub bez przemieszczenia odłamów oraz do zwichnięcia wyrostków stawowych. W każdym przypadku istnieje możliwość ucisku lub uszkodzenia rdzenia kręgowego, co stanowi najcięższe powikłanie.

Uszkodzenia kręgosłupa szyjnego o b j a w i a j ą się ograniczeniem ruchomości głowy lub przymusowym jej ustawieniem najczęścej w „pozycji czujności" lub podobnym jak w kręczu szyi (zob. s. 1581). Wszelki ruch wywołuje ból. Uszkodzenie rdzenia szyjnego może doprowadzić do porażenia wszystkich kończyn oraz mięśni tułowia. Skóra w porażonych odcinkach ciała traci czucie; może też utracić zdolność wydzielania potu. Chory nie może oddawać moczu i oddaje bezwiednie kał. Z powodu porażenia przepony i mięśni międzyżebrowych może dojść do niewydolności oddechowej, co stanowi zagrożenie dla życia.

Uszkodzenia kręgosłupa piersiowego i lędźwiowego charakteryzuje ból opasujący, promieniujący wzdłuż żeber lub ból promieniujący typu rwy

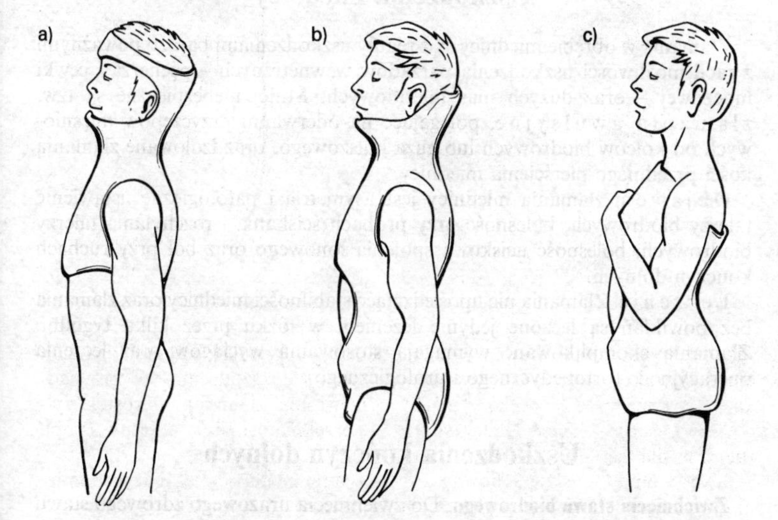

Złamanie kręgosłupa – sposoby unieruchamiania w gorsetach gipsowych: a) złamanie górnych kręgów szyjnych, b) złamanie dolnych kręgów szyjnych i górnych piersiowych, c) złamanie dolnych kręgów piersiowych i lędźwiowych

kulszowej. Ucisk rdzenia kręgowego w odcinku piersiowym i lędźwiowym może spowodować porażenie kończyn dolnych, pęcherza i odbytu.

Leczenie. Złamania i zwichnięcia kręgosłupa stabilne, bez przemieszczenia odłamów i objawów neurologicznych, leczy się zachowawczo nastawieniem i unieruchomieniem w opatrunku gipsowym lub za pomocą aparatów ortopedycznych (kołnierze, gorsety). Stosowane są też odpowiednie ćwiczenia mięśni. Niestabilne złamania i zwichnięcia i uszkodzenia powikłane uciskiem na rdzeń i korzenie rdzeniowe są leczone operacyjnie. W złamaniach i zwichnięciach w obrębie kręgosłupa szyjnego często stosuje się wyciąg szkieletowy za czaszkę.

Uszkodzenia żeber

Przyczyną złamań żeber są różne urazy bezpośrednie i pośrednie, jak np. ściśnięcie klatki piersiowej, przy którym zazwyczaj nie dochodzi do uszkodzenia narządów mieszczących się w niej (płuca, serce).

O b j a w e m złamania żeber jest ból opasujący klatkę piersiową, nasilający się przy próbie głębokiego oddechu.

L e c z e n i e polega na unieruchomieniu klatki piersiowej bandażem elastycznym na 2–3 tygodnie. W złamaniach kilku żeber oraz w złamaniach powikłanych uszkodzeniem opłucnej leczenie jest szpitalne.

Uszkodzenia miednicy

Złamania w obrębie miednicy są z reguły uszkodzeniami bardzo poważnymi z racji możliwości uszkodzenia narządów wewnętrznych – pęcherza i cewki moczowej – oraz dużych mas mięśniowych. Mniej niebezpieczne są tzw. z ł a m a n i a a w u l s y j n e, polegające na oderwaniu przyczepów mięśniowych od kolców biodrowych lub guza kulszowego, oraz izolowane złamania kości przedniego pierścienia miednicy.

O b j a w e m złamania miednicy jest asymetria i patologiczne ustawienie talerzy biodrowych, bolesność przy próbach ściskania i rozchylania talerzy biodrowych, bolesność uciskowa spojenia łonowego oraz ból przy ruchach kończyn dolnych.

L e c z e n i e. Złamania nie upośledzające stabilności miednicy oraz złamania bez powikłań są leczone jedynie leżeniem w łóżku przez kilka tygodni. Złamania skomplikowane wymagają stosowania wyciągów oraz leczenia operacyjnego (ortopedycznego i urologicznego).

Uszkodzenia kończyn dolnych

Zwichnięcia stawu biodrowego. Do zwichnięcia urazowego zdrowego stawu biodrowego dochodzi pod wpływem działania dużych urazów, uszkadzających w znacznym stopniu otaczające tkanki miękkie, niekiedy też panewkę stawu biodrowego. Rozróżnia się zwichnięcie tylne i zwichnięcie przednie. W zwichnięciu tylnym kończyna ustawia się w zgięciu, przywiedzeniu i skręceniu do wewnątrz w stawie biodrowym, tak że kończyna leży kolanem na udzie zdrowej nogi. Skóra uda napina się nad wystającym do boku krętarzem dużym. W zwichnięciu przednim kończyna jest typowo skręcona na zewnątrz w stawie biodrowym, niekiedy też lekko zgięta i odwiedziona.

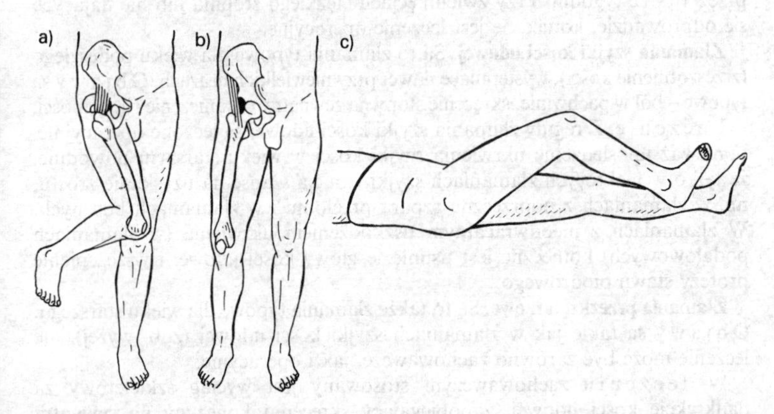

Zwichnięcia stawu biodrowego: a) zwichnięcie tylne, b) zwichnięcie przednie, c) unieruchomienie w opatrunku gipsowym. Ten sposób unieruchomienia znajduje także zastosowanie w leczeniu złamań miednicy, bliższej (górnej) nasady kości udowej i trzonu kości udowej

Leczenie polega na nastawieniu zwichnięcia i unieruchomieniu w opatrunku gipsowym. Zwichnięcia niestabilne, powikłane złamaniem panewki stawu, wymagają nierzadko leczenia operacyjnego.

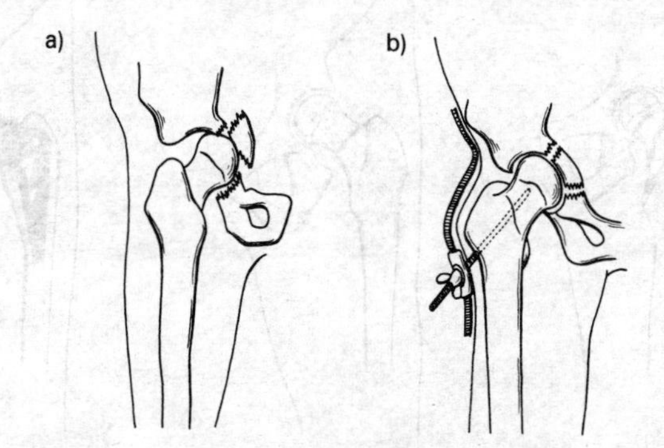

Złamanie panewki biodra – tzw. zwichnięcie centralne stawu biodrowego (a), leczenie wyciągiem wmontowanym w opatrunek gipsowy (b)

Zwichnięcie centralne stawu biodrowego, czyli **złamanie panewki biodra**. W uszkodzeniu tym dochodzi do przemieszczenia się głowy kości udowej w głąb miednicy z powodu złamania dna panewki biodra. Głowa przemieszcza się na różną głębokość i różne są w związku z tym uszkodzenia panewki oraz zaburzenia ukrwienia głowy kości udowej i chrząstki stawowej.

Leczenie najczęściej polega na zastosowaniu wyciągu szkieletowego przez 10 – 12 tygodni. Przy zwichnięciach ciężkiego stopnia lub nie dających się odprowadzić, konieczne jest leczenie operacyjne.

Złamania szyjki kości udowej. Są to złamania typowe dla wieku podeszłego (zrzeszotnienie kości), występujące nawet przy niewielkich urazach. Objawy są typowe – ból w pachwinie, skręcenie stopy na zewnątrz, ograniczenie ruchomości.

Leczenie. Z reguły złamania szyjki kości udowej są leczone operacyjnie, ponieważ upośledzenie ukrwienia szyjki kości w wieku starszym powoduje, że tylko w niektórych złamaniach szyjki istnieją szanse na uzyskanie zrostu, np. w złamaniach z poprzeczną szparą przełomu i w złamaniach bocznych. W złamaniach z nieodwracalnym uszkodzeniem ukrwienia (w złamaniach podgłowowych) konieczne jest usunięcie głowy kości udowej i wszczepienie protezy stawu biodrowego.

Złamania przezkrętarzowe. Są to także złamania typowe dla wieku starszego. Objawy są takie jak w złamaniach szyjki kości udowej (zob. wyżej), ale leczenie może być zarówno zachowawcze, jak i operacyjne.

W leczeniu zachowawczym stosowany jest wyciąg szkieletowy za nadkłykcie kości udowej, zapobiegający skręceniu kończyny na zewnątrz i przemieszczeniu się krętarza ku górze pod wpływem działania mięśni. Kończynę układa się na szynie Brauna na 10 – 12 tygodni. Leczenie operacyjne polega na zespoleniu odłamów wszczepem metalowym, co umożliwia szybkie uruchomienie i rehabilitację chorych.

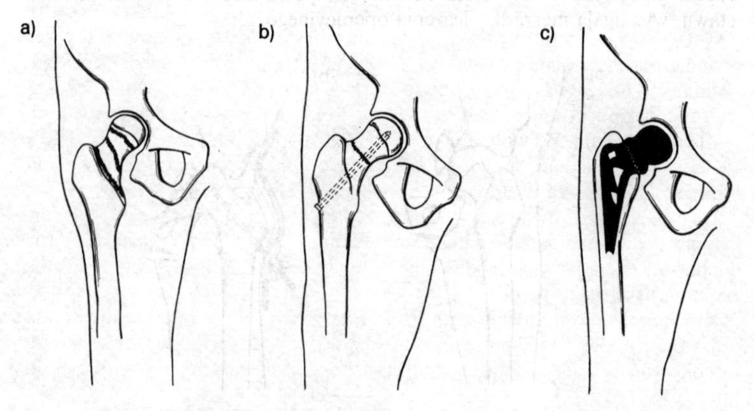

Złamania bliższej (górnej) nasady kości udowej (a), zespolenie szyjki kości udowej (b), zastąpienie bliższej nasady kości udowej protezą metalową (c)

Złamania trzonu kości udowej. Są to uszkodzenia poważne, powstające pod wpływem działania dużych sił. Towarzyszy im często wstrząs urazowy.

Leczenie zachowawcze polega na unieruchomieniu kończyny w opatrunku gipsowym wraz z biodrem. Złamania z przemieszczeniem odłamów wymagają stosowania wyciągów szkieletowych lub leczenia operacyjnego. Gojenie złamania trwa kilkanaście tygodni.

Złamania dalszej nasady kości udowej. Do złamań tych dochodzi z reguły na skutek urazów bezpośrednich. Są one zazwyczaj wieloodłamowe i obejmują staw kolanowy. Uszkodzenie objawa się bólem, obrzękiem, nierzadko zaburzeniem osi kończyny i krwiakiem w stawie.

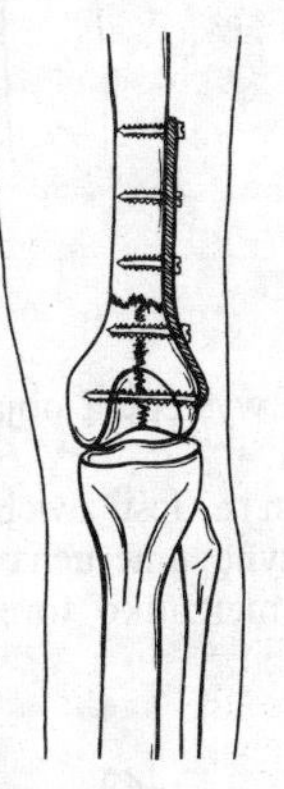

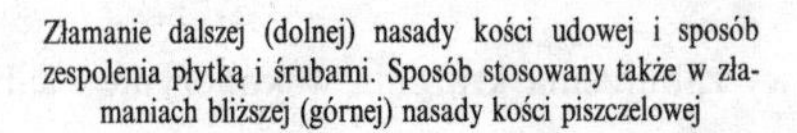

Złamanie dalszej (dolnej) nasady kości udowej i sposób zespolenia płytką i śrubami. Sposób stosowany także w złamaniach bliższej (górnej) nasady kości piszczelowej

Leczenie zachowawcze w opatrunku gipsowym lub leczenie czynnościowe na wyciągu szkieletowym stosuje się w złamaniach bez przemieszczenia odłamów oraz jeśli istnieją przeciwwskazania do operacji. Złamania z przemieszczeniem odłamów, zwłaszcza złamania stawowe, wymagają rekonstrukcji powierzchni stawowej. Leczenie trwa kilkanaście tygodni.

Złamania rzepki. Wywołują je urazy bezpośrednie. Uszkodzenie objawia się bólem, obrzękiem stawu kolanowego, niemożnością wyprostu kolana i obecnością krwiaka w stawie.

Leczenie zachowawcze w opatrunku gipsowym znajduje zastosowanie jedynie do złamań bez rozejścia się odłamów. Złamania z rozejściem się odłamów i złamania wieloodłamowe wymagają leczenia operacyjnego. Gojenie złamania trwa kilka tygodni.

Zwichnięcia stawu kolanowego. Przyczyną zwichnięć stawu kolanowego są urazy o dużej sile, co jednocześnie prowadzi do ciężkiego uszkodzenia układu torebkowo-więzadłowego, a nierzadko też do obrażeń naczyń krwionośnych i nerwów.

Objawem zwichnięcia jest masywny obrzęk stawu i duża deformacja jego obrysów. Oś kończyny jest zaburzona – ustawienie przymusowe.

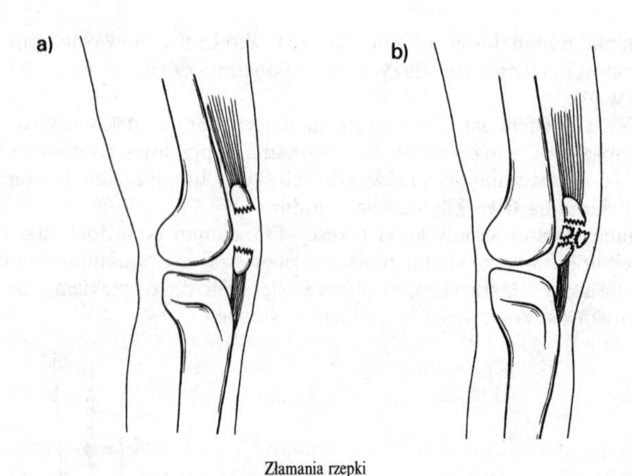

Złamania rzepki

Nierzadko występują objawy zaburzenia krążenia w kończynie i zaburzenia unerwienia.

L e c z e n i e. Jeśli zwichnięcie udaje się nastawić bez interwencji chirurgicznej, kończynę unieruchamia się w opatrunku gipsowym lub na wyciągu. Ponieważ nierzadko torebka stawowa ulega wkleszczeniu, zwichnięcie nie

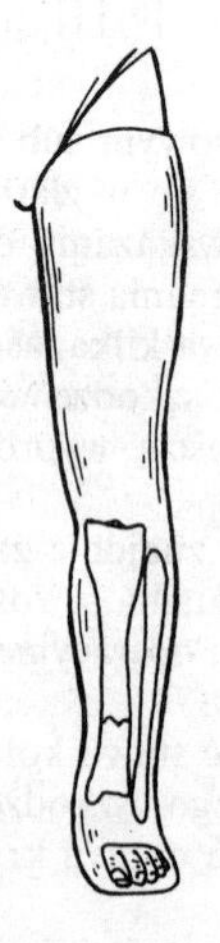

Złamanie kości piszczelowej podudzia unieruchomione w opatrunku gipsowym

Złamanie kostki bocznej kości strzałkowej podudzia unieruchomione w opatrunku gipsowym

daje się nastawić i konieczne jest leczenie operacyjne. Leczenie operacyjne stosowane jest także w większości przypadków nastawienia zachowawczego, ponieważ niezbędna jest rekonstrukcja więzadeł krzyżowych.

Złamania bliższej nasady kości piszczelowej. Ponieważ do złamań tych dochodzi z reguły na skutek urazów bezpośrednich, wiele z nich to złamania wieloodłamowe i stawowe. Uszkodzenie objawia się obrzękiem stawu kolanowego, krwiakiem w stawe i bólem nasilającym się przy próbie ruchu.

L e c z e n i e. Złamania bez przemieszczenia odłamów leczy się zachowawczo w opatrunku gipsowym zachodzącym na udo lub za pomocą wyciągu szkieletowego. Złamania z przemieszczeniem są zazwyczaj leczone operacyjnie. Leczenie trwa kilka tygodni.

Złamania trzonów kości podudzia. Są to złamania częste i trudno się gojące, zwłaszcza jeśli występują na przejściu 1/3 środkowej w 1/3 dolną podudzia. Podudzie jest obrzęknięte, oś kończyny zazwyczaj zaburzona, próba ruchu wywołuje ból.

L e c z e n i e zachowawcze w opatrunku gipsowym jest możliwe jedynie w złamaniach zaklinowanych bez przemieszczenia odłamów. Wszelkie inne złamania wymagają leczenia operacyjnego. Leczenie trwa kilkanaście tygodni.

Złamania kostki bocznej. Są to złamania niezwykle powszechne, powstające na skutek tzw. skręcenia nogi. Uszkodzenie objawia się bólem i obrzękiem w okolicy kostki. Próba ruchu wywołuje silny ból.

L e c z e n i e jest z reguły zachowawcze i polega na unieruchomieniu w opatrunku gipsowym przez 4–6 tygodni.

Złamania obu kostek podudzia. Są to niezwykle ciężkie obrażenia, zwłaszcza jeśli dochodzi do przemieszczenia odłamów. Niekiedy przebiega z równoczesnym nadwichnięciem lub zwichnięciem stopy oraz odłamaniem tylnej krawędzi piszczeli (złamania trójkostkowe). Uszkodzenie o b j a w i a się silnym obrzękiem, często dużym zaburzeniem osi kończyny i przymusowym ustawieniem stopy. Każda próba ruchu wywołuje silny ból.

L e c z e n i e. Złamania te często udaje się nastawić bezkrwawo. Jeśli metoda zachowawcza zawiedzie, konieczne jest leczenie operacyjne w celu rekonstrukcji stawu skokowego. Leczenie trwa od kilku do kilkunastu tygodni.

Złamania kości stopy. Oprócz złamań awulsyjnych na skutek oderwania przez pociągające mięśnie – większość złamań kości w obrębie stopy jest wynikiem urazów bezpośrednich (zmiażdżenia, zmaglowania itp.). Uszkodzenia o b j a w i a j ą się obrzękiem i bólem. Obciążenie kończyny nasila ból.

L e c z e n i e jest zazwyczaj zachowawcze w opatrunkach gipsowych lub za pomocą wyciągu, kiedy istnieje tendencja do przemieszczeń odłamów. Leczenie trwa od kilku do kilkunastu tygodni i przebiega pomyślnie (dobre gojenie się), z wyjątkiem kości skokowej, która może ulec martwicy.

CHIRURGIA WIEKU ROZWOJOWEGO

I. ODRĘBNOŚCI CHIRURGII WIEKU ROZWOJOWEGO

Chirurgia wieku rozwojowego wydzieliła się z chirurgii ogólnej (zajmującej się chorym dorosłym) w pierwszej połowie naszego wieku. Było to skutkiem stwierdzenia i zrozumienia faktu, że dziecko nie jest mniejszym odpowiednikiem dorosłego człowieka. Przyczyniło się zaś do tego nagromadzenie, opracowanie i wzajemne ze sobą powiązanie wielu nowych wiadomości i doświadczeń zarówno teoretycznych, jak i praktycznych.

Operacyjne leczenie małego dziecka, szczególnie noworodka, jest uwarunkowane różnego rodzaju odrębnościami jego organizmu, takimi jak np. niedojrzałość układów enzymatycznych i immunologicznych. Wskutek słabej odporności małego dziecka, niegroźne z pozoru zakażenie może doprowadzić do rozwoju posocznicy i zgonu w ciągu kilkunastu godzin, co się na ogół nie dzieje u dorosłych. Niewielkie oparzenie, które u osoby dorosłej, w pełni sił, jest skutecznie i bez ryzyka leczone ambulatoryjnie, u noworodka jest wskazaniem do leczenia szpitalnego, gdyż możne wywołać u niego wstrząs i w następstwie doprowadzić do zgonu. Zapalenie kości u małych dzieci zajmuje także chrząstkę wzrostową, powoduje jej uszkodzenie i w wyniku tego zaburzenia we wzroście kończyny. Zespolenie naczyniowe (zwłaszcza z użyciem protezy naczyniowej) wykonane u dziecka może po paru latach okazać się za wąskie i przepływ krwi do odpowiedniego narządu będzie zbyt mały, co doprowadzi do zahamowania tego narządu. Zbyt późno wykonana operacja wnętrostwa (zob. s. 1647), po 3 r. życia, powoduje, że przemieszczone do worka mosznowego jądro nie osiągnie nigdy normalnego stopnia rozwoju gwarantującego płodność. Zapotrzebowanie na wodę, kalorie, białka, tłuszcze i cukier także zmienia się z wiekiem. Noworodek powinien np. otrzymać w I–III dobie życia tylko 40 ml wody na kg masy ciała, niemowlę natomiast do 150 ml na kg masy ciała. Zmienia się też zapotrzebowanie na sód (Na^{+}) i potas (K^{+}). Pobranie u osoby dorosłej 20 ml krwi do badań nie stanowi najmniejszego zagrożenia, natomiast utrata tej samej ilości krwi przez niedonoszonego noworodka może być przyczyną wstrząsu. Konieczne zatem jest wprowadzanie w laboratoriach tzw. mikrometod, co przebiega bardzo powoli.

Różnice w leczeniu operacyjnym dotyczą także samej techniki i sprzętu stosowanego podczas zabiegu. Wyobrażenie o trudnościach, z którymi ma do czynienia chirurg dziecięcy, dają same wymiary narządów. Jelito cienkie u osoby dorosłej ma średnicę paru centymetrów, u noworodka paru milimetrów, a średnica moczowodu wynosi jedynie ok. 2 mm. Drogi żółciowe noworodka mają średnicę grubej nitki i tylko pęcherzyk żółciowy ma wymiary pozwalające na operowanie bez użycia specjalnych okularów. Chirurgia dziecięca musiała zatem opracować wiele nowych technik operacyjnych i całkowicie nowych metod leczenia.

W chirurgii wieku rozwojowego, obok skutecznego leczenia, zasadnicze wręcz znaczenie ma rehabilitacja, zarówno fizyczna, jak i psychiczna. Dzieci, których nie udało się w pełni usprawnić z powodu braków w tej specjalności, są inwalidami.

II. NAJCZĘSTSZE WADY WRODZONE

U ponad 3% noworodków żywo urodzonych występują zaburzenia rozwojowe tak poważne, że mogą prowadzić do zgonu dziecka, ciężkiego kalectwa lub wymagają leczenia operacyjnego. Wiele wad wrodzonych ujawnia się ponadto w okresie późniejszym lub może pozostać nieujawniona aż do śmierci osobnika przeciążonego wadą.

Nauka nadal niewiele może powiedzieć o czynnikach powodujących powstawanie wad. Do takich czynników należą: czynniki dziedziczne, wirusowe choroby zakaźne matek (zwłaszcza w pierwszych 2–3 tygodniach ciąży), zatrucia niektórymi związkami chemicznymi oraz niedotlenienie.

Wady występują właściwie we wszystkich narządach i układach organizmu: w układzie nerwowym, moczowym, krążenia, oddechowym, pokarmowym, a także w układzie mięśniowo-kostnym. Przeważającą większość wad układu moczowego i ośrodkowego układu nerwowego, a także serca oraz niektóre wady innych narządów jamy brzusznej udaje się obecnie rozpoznać w okresie noworodkowym dzięki stosowaniu badań ultrasonograficznych.

Wady układu nerwowego

Przepuklina rdzeniowa. Wada ta polega na rozszczepieniu kanału kostnego kręgosłupa najczęściej w okolicy lędźwiowo-krzyżowej, odsłonięciu niedorozwiniętego w tym odcinku rdzenia kręgowego oraz uszkodzeniu unerwienia kończyn dolnych, pęcherza moczowego i odbytu. Rozległość przepuklin oraz związane z tym uszkodzenia rdzenia wiążą się z większymi lub mniejszymi porażeniami. Tylko w niektórych przepuklinach rdzenia jest zachowana pełna ruchomość kończyn dolnych oraz sprawna czynność pęcherza moczowego i zwieraczy odbytu. W rozległych przepuklinach rdzenia występuje stały wypływ moczu z pęcherza lub trudności wydalania moczu. Zaleganie moczu lub brak kurczliwości pęcherza doprowadzają dość wcześnie, bo już w okresie niemowlęcym, do wstępującego zakażenia dróg moczowych oraz postępującej marskości i niewydolności nerek. Niedowład kończyn dolnych uniemożliwia chodzenie. Najmniej następstw groźnych dla zdrowia i życia wiąże się z zaburzeniami czynności odbytu i odbytnicy. Mogą temu towarzyszyć trudności wydalania stolca oraz stałe brudzenie bielizny. U większości dzieci z przepuklinami rdzeniowymi współistnieje wodogłowie.

L e c z e n i e przepuklin rdzeniowych jest w zasadzie tylko operacyjne. Zabiegi te wykonuje się w pierwszej dobie życia noworodka. Niewielkie przepukliny oponowe (pokryte skórą i bez zaburzeń neurologicznych) nie wymagają tak wczesnego leczenia operacyjnego.

Zakażenie dróg moczowych, które często doprowadza do niewydolności nerek, wymaga stałej kontroli i badań moczu oraz leczenia przeciwbakteryjnego odpowiednimi chemioterapeutykami. W trudniejszych przypadkach zaburzeń w wydalaniu moczu (dysfunkcja pęcherza – pęcherz neurogenny), z przewlekłym zakażeniem dróg moczowych staje się konieczne odprowadzenie moczu do wyłonionej pętli jelit.

Wodogłowie jest spowodowane brakiem przepływu płynu mózgowo-rdzeniowego między komorami mózgu a kanałem rdzeniowym i przestrzenią podoponową, w związku z tym następuje coraz większe gromadzenie się płynu w komorach, wzrost ciśnienia płynu i wreszcie zanik mózgu w następstwie ucisku na tkankę mózgową.

P r z y c z y n y wodogłowia są różne: często towarzyszy ono przepuklinom kanału rdzeniowego, może też być następstwem wady rozwojowej zaburzającej prawidłowe krążenie płynu mózgowo-rdzeniowego.

O b j a w e m charakterystycznym wodogłowia u noworodków i niemowląt jest powiększanie się obwodu głowy nieproporcjonalnie do wzrostu dziecka, rozstęp i brak zrostu kości pokrywy czaszki, szerokie i niezarastające ciemiączko oraz tzw. o b j a w „z a c h o d z ą c e g o s ł o ń c a". W objawie tym źrenice są częściowo pokryte dolną powieką i widoczna jest białkówka. Obecnie w rozpoznawaniu wodogłowia zasadnicze znaczenie ma rutynowe badanie ultrasonograficzne (USG) głowy przez ciemię duże. Wykazuje ono nawet bardzo wczesne wodogłowie, nie manifestujące się objawami klinicznymi. USG pozwala także śledzić narastanie wodogłowia lub jego cofanie się po skutecznym leczeniu operacyjnym.

L e c z e n i e m jedynie skutecznym jest operacja. Polega ona na wytworzeniu połączenia pomiędzy komorami bocznymi mózgu i prawym przedsionkiem serca lub jamą otrzewnową czy pęcherzykiem żółciowym za pomocą specjalnych drenów i zastawek, które wymuszają przepływ płynu mózgowo-rdzeniowego z komór mózgu do serca lub jamy otrzewnej albo pęcherzyka żółciowego. Następuje odbarczanie komór, a likwidacja nadciśnienia płynu ułatwia swobodny rozwój mózgu. U części dzieci zastawki muszą być wymieniane jeszcze w okresie niemowlęcym lub nieco później, gdy czynność ich ulegnie pogorszeniu i ponownie narasta wodogłowie.

Wady przewodu pokarmowego i dróg żółciowych

W r o d z o n a n i e d r o ż n o ś ć p r z e w o d u p o k a r m o w e g o może być całkowita lub częściowa. W n i e d r o ż n o ś c i c a ł k o w i t e j zawartość przewodu pokarmowego nie przechodzi przez przeszkodę i zbiera się w odcinku powyżej niedrożności. W n i e d r o ż n o ś c i c z ę ś c i o w e j część zawartości przechodzi przez przeszkodę i objawy są mniej nasilone lub występują nieco później. Nasilenie o b j a w ó w jest tym większe i tym szybciej one wystąpią, im bliższy jamy ustnej odcinek przewodu pokarmowego jest niedrożny. Cechą wspólną prawie wszystkich rodzajów niedrożności u noworodków jest wikłające ją zapalenie płuc, gdyż noworodek wymiotując zachłystuje się. To powikłanie może zadecydować o wyniku leczenia, dlatego też tak ważne jest wczesne rozpoznanie niedrożności.

Wrodzona niedrożność przełyku. W 80% przypadków niedrożności wrodzonej górny odcinek przełyku jest ślepo zakończony na wysokości górnego śródpiersia, dolny (połączony z żołądkiem) przetoką łączy się z tchawicą. Zwykle odległość pomiędzy tymi dwoma odcinkami przełyku jest dość duża, co stwarza trudności w wykonaniu zespolenia (lub je uniemożliwia). W n a s t ę p s t w i e tej wady ślina gromadzi się w górnym odcinku przełyku, następnie w jamie ustnej, skąd podczas wdechu jest zasysana do dróg oddechowych. Pęcherzyki płucne zostają nią zalane, rozwija się zapalenie płuc. Ponadto sok żołądkowy, przez przetokę przełykowo-tchawiczą, jest zarzucany do płuc, powodując uszkodzenie nabłonka pęcherzyków płucnych, co pogarsza wymianę gazową i nasila niewydolność oddechową. Jeżeli przed rozpoznaniem wady rozpoczęto karmienie noworodka, do dróg oddechowych dostaje się także pokarm, co znacznie pogarsza rokowanie. Niedrożności przełyku często towarzyszą inne wady.

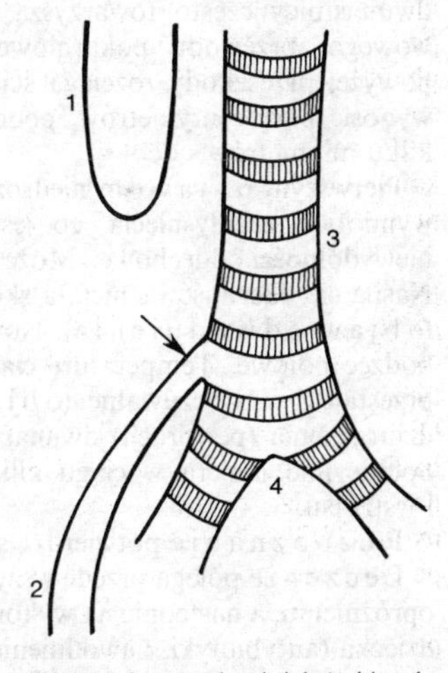

Najczęstsza forma wrodzonej niedrożności przełyku: 1 – górny odcinek przełyku ślepo zakończony, 2 – dolny odcinek przełyku łączący się z tchawicą (strzałka), 3 – tchawica, 4 – rozwidlenie tchawicy – oskrzela główne

Pierwszym o b j a w e m wady jest nadmierna ilość pienistej wydzieliny w jamie ustnej. Następnie dołączają się duszność i sinica. Podany pokarm wylewa się z ust. Zauważenie pienistej śliny w jamie ustnej noworodka zobowiązuje do natychmiastowego zaprzestania pojenia i karmienia dziecka, założenia sondy żołądkowej oraz zwrócenia się do specjalisty. Badanie radiologiczne z kontrastującym cewnikiem w przełyku uwidocznia zwijanie się cewnika, w górnym odcinku przełyku. Wątpliwości rozstrzyga podanie niewielkiej ilości kontrastu do przełyku, co nie jest pozbawione pewnego ryzyka i musi być wykonane tylko przez doświadczonego lekarza-radiologa.

R o z p o z n a n i e wady przed wystąpieniem objawów może zostać ustalone tylko wówczas, gdy podczas rutynowego odśluzowania noworodka lekarz próbuje wprowadzić do żołądka sondę. W przypadku zarośnięcia przełyku nie udaje się tego wykonać.

L e c z e n i e polega przede wszystkim na założeniu sondy do górnego odcinka przełyku i odsysaniu jego zawartości co 10–15 min. Podaje się antybiotyki, kroplówki i tlen. Jedynie skuteczne jest leczenie operacyjne, przebiegające czasami w kilku etapach. U dzieci w dobrym stanie ogólnym i bez wad współistniejących daje ono dobre wyniki w 90% przypadków. U niektórych dzieci po operacji mogą wystąpić zwężenia w miejscu zespolenia obu końców przełyku (30%). Z reguły istnieją zaburzenia perystaltyki przełyku i często zarzucanie zawartości żołądka do przełyku (tzw. refluks żołądkowo-przełykowy).

Wrodzona, całkowita niedrożność dwunastnicy. Wada polega na całkowitym zamknięciu światła dwunastnicy przez błonę przegradzającą lub ucisk z zewnątrz. Rzadziej występuje przerwanie ciągłości jelita. Niedrożności dwunastnicy często towarzyszą inne wady wrodzone (serca, układu nerwowego, przewodu pokarmowego). Zawartość przewodu pokarmowego powyżej przeszkody rozciąga ścianę dwunastnicy, tak że średnica jej może wynosić parę centymetrów, podczas gdy dalszy odcinek jelita ma średnicę kilku milimetrów.

Pierwszym o b j a w e m niedrożności już w pierwszych godzinach życia są wymioty i zachłyśnięcia, co jest powodem zapalenia płuc i narastającej niewydolności oddechowej. Może wystąpić umiarkowane wzdęcie nadbrzusza. Nasila się duszność i sinica, a skóra ujęta w fałd pozostaje tak przez chwilę (o b j a w o d w o d n i e n i a). Noworodek jest zamroczony, słabo reaguje na bodźce bólowe. Temperaturę ciała ma obniżoną, nie wydala moczu, tętno przestaje być wyczuwalne (o b j a w y w s t r z ą s u). Może dojść do przedziurawienia (perforacji) dwunastnicy lub żołądka. Noworodek nie leczony operacyjnie umiera w ciągu kilku dni z powodu zakażenia, odwodnienia i wstrząsu.

R o z p o z n a n i e potwierdza się badaniem radiologicznym.

L e c z e n i e polega przede wszystkim na założeniu sondy do żołądka i jego opróżnieniu, a następnie na wykonaniu operacji po starannym przygotowaniu dziecka (antybiotyki, nawodnienie). Wykonuje się najczęściej tzw. zespolenia omijające, czasami inne zabiegi. Leczenie pooperacyjne jest równie ważne, jak sama operacja i powinno być przeprowadzone w odpowiednio przygotowanych i wyposażonych oddziałach. Wyniki leczenia zależą od tego, jak wcześnie rozpoznano i operowano niedrożność oraz od wad współistniejących.

Wrodzone zwężenie dwunastnicy. W tej wadzie część zawartości żołądka i dwunastnicy przechodzi do jelita cienkiego. Objawy występują przeważnie po kilkunastu dniach lub nawet po paru latach od urodzenia i są mniej nasilone niż w całkowitej niedrożności (zob. wyżej). Rozpoznanie ustala badanie radiologiczne. Leczenie operacyjne.

Niedrożność jelita cienkiego. Zwykle jest to niedrożność całkowita. Jelito cienkie jest najczęściej ślepo zakończone i bardzo znacznie poszerzone. Dolny odcinek jelita jest bardzo wąski, niedorozwinięty. Niekiedy w przebiegu jelita występują liczne niedrożności.

Przyczyną tej wady są najczęściej zaburzenia w ukrwieniu ściany jelita, występujące w okresie płodowym. Jelito powyżej niedrożności jest wypełnione powietrzem i sokiem trawiennym, jego ściana jest rozciągnięta i ścieniała, niedokrwiona. W tych miejscach może dojść do przedziurawienia jelita i zapalenia otrzewnej. Brak wchłaniania i wymioty powodują utratę wody i soli z organizmu oraz zachłystowe zapalenie płuc. Jeśli nie nastąpi interwencja chirurgiczna – dziecko umiera.

Objawy. Najpierw narastają wzdęcia brzucha i wymioty. U ponad połowy dzieci z taką wadą wydalanie smółki jest upośledzone. Następnie dołącza się odwodnienie. Po paru dniach występują objawy zapalenia otrzewnej i przedziurawienia (perforacji) jelita. Dość często (u 30% dzieci) pojawia się żółtaczka.

Rozpoznanie ułatwia badanie radiologiczne, wykazujące cechy niedrożności mechanicznej lub perforacji.

Leczenie jest operacyjne: polega na wycięciu odcinka zmienionego i zespoleniu pozostałego odcinka jelita. Jeżeli jelito zespolone jest bardzo krótkie, występują zaburzenia we wchłanianiu pokarmu i często jest konieczne wielomiesięczne odżywianie dożylne. W tym czasie pozostawione jelito rozrasta się, powoli przejmuje swoją funkcję i dziecko może być odżywiane doustnie. Dalszy rozwój fizyczny dziecka może być opóźniony, ma ono skłonności do biegunek i kamicy dróg żółciowych.

Wrodzona niedrożność jelita grubego jest prawie zawsze całkowita. W drugiej, trzeciej dobie życia nasila się wzdęcie brzucha, występują wymioty kałowe. Ilość wydzielanej smółki jest niewielka. Wzdęcie brzucha, zwykle bardzo duże, utrudnia oddychanie, a wymioty prowadzą do odwodnienia i zachłyśnięcia. W dłużej trwającej niedrożności dochodzi do przedziurawienia (perforacji) jelita i zapalenia otrzewnej.

Rozpoznanie potwierdza zdjęcie przeglądowe jamy brzusznej. Leczenie wyłącznie operacyjne.

Wrodzona niedrożność odbytnicy i odbytu. Końcowy odcinek przewodu pokarmowego rozwija się z trzech różnych struktur, które przy normalnym rozwoju płodowym łączą się ze sobą w sposób prawidłowy. W bezpośrednim sąsiedztwie powstaje pęcherz moczowy i cewka moczowa, a u dziewczynek – pochwa. Przy zakłóconym rozwoju tworzą się nie tylko wady odbytu i odbytnicy, ale także powstają przetoki do układu moczowego i pochwy (przetoki odbytniczo-pochwowe lub odbytniczo-cewkowo-pęcherzowe). Rozróżnia się zwężenia i niedrożności, a wśród tych ostatnich niedrożności wysokie i niskie oraz pośrednie, w zależności od tego, jak długi jest brakujący końcowy odcinek jelita. Wyróżniamy także przemieszczenie odbytu, zwykle do przodu w odniesieniu do jego prawidłowej lokalizacji. Towarzyszy mu z reguły zwężenie. Niemożność normalnego wydalania smółki i gazów prowadzi do wystąpienia objawów i powikłań jak we wrodzonej niedrożności jelita grubego (zob. wyżej).

Rozpoznanie jest zwykle ustalone podczas pierwszego badania noworodka, bezpośrednio po urodzeniu. W miejscu odbytu brak otworu naturalnego lub widoczna jest wąska przetoka. Niektóre noworodki wydalają smółkę przez pochwę lub cewkę moczową.

Leczenie jest operacyjne. U większości dzieci najpierw wykonuje się tzw. odbyt sztuczny (jelito grube wszyte w skórę brzucha), a gdy dziecko osiągnie masę ciała 6–8 kg – operację radykalną, polegającą na sprowadzeniu jelita w miejsce jego normalnego ujścia. W przypadkach tzw. niskiej niedrożności lub przetoki mogą być konieczne inne zabiegi operacyjne. Po operacji radykalnej dziecko musi być przez wiele miesięcy lub lat kontrolowane przez chirurga, ponieważ często odbyt ulega zwężeniu i trzeba go poszerzać. Zaniedbanie tego niweczy dobry wynik operacji.

Niedrożność smółkowa. Jest to postać niedrożności z zatkania. Występuje w okresie noworodkowym i jest następstwem zatkania jelita gęstą smółką, która nie może być wydalona na zewnątrz drogą naturalną. Zagęszczenie smółki jest następstwem nieprawidłowego wydzielania przez trzustkę enzymów w wyniku jej torbielowatego zwłóknienia (wada uwarunkowana genetycznie).

Objawy podobne jak w innych postaciach niedrożności.

Leczenie polega najczęściej na operacji, w czasie której przepłukuje się jelita roztworami leków rozpuszczających smółkę. Czasami skuteczne jest leczenie zachowawcze, polegające na płukaniu jelit przez dren założony do odbytnicy. Niekiedy zachodzi konieczność usunięcia części uszkodzonego jelita.

Niedokonany zwrot jelit. Wada ta polega na nieprawidłowym ułożeniu jelit w jamie otrzewnowej. Nie dokonały one odpowiedniego zwrotu w okresie płodowym (kątnica wędruje z lewej połowy jamy brzusznej do prawej), a krezka, na której są zawieszone, jest zwykle długa i wąska, co sprzyja skrętowi jelit.

Objawy. Wada może przebiegać bezobjawowo, jednak często powoduje częściową nawracającą lub całkowitą niedrożność przewodu pokarmowego. Występują wzdęcia i bóle brzucha, wymioty, zatrzymanie gazów i stolca. Przy skręcie, który prowadzi do martwicy jelit, objawy są bardzo gwałtowne – następuje bardzo szybkie pogorszenie się stanu dziecka z objawami wstrząsu. Dołącza się zapalenie otrzewnej. Dziecko może wydalać kał lub śluz z domieszką krwi, co jest źle rokującym objawem.

Leczenie. Przy ostrej niedrożności jest niezbędna operacja przywracająca drożność przewodu pokarmowego. Może być konieczna resekcja (wycięcie) odcinka jelita i zespolenie. Przy rozległej martwicy wycięte mogą być długie odcinki przewodu pokarmowego. Po takich zabiegach dzieci wymagają wielotygodniowego lub wielomiesięcznego odżywiania dożylnego. Operacja jest często leczeniem objawowym, gdyż nie może przywrócić prawidłowego ułożenia jelit.

Zdwojenie przewodu pokarmowego. W wadzie tej krótszy lub dłuższy odcinek jelita jest podwójny. Oba odcinki mają zwykle wspólną krezkę i są ze sobą zrośnięte, co uniemożliwia usunięcie zdwojenia bez usunięcia jelita normalnego. Światła obu jelit mogą się łączyć lub zdwojenie jest zamkniętą torbielą. Mogą współistnieć inne wady. Wada może nie dawać żadnych objawów, częściej jednak jest wyczuwalna lub widoczna jako guz brzucha. Może powodować częściową lub całkowitą niedrożność przewodu pokarmowego, albo może objawiać się krwawieniem z przewodu pokarmowego w następstwie owrzodzeń i niedokrwistością. Jeżeli krwawienie następuje do zdwojenia nie łączącego się z przewodem pokarmowym, obserwujemy objawy krwotoku i guza brzucha bez wydalania krwi na zewnątrz. Zdwojenie zlokalizowane w klatce piersiowej jest zwykle rozpoznawane jako guz – torbiel.

R o z p o z n a n i e wymaga często stosowania wielu różnych badań specjalistycznych przewodu pokarmowego (m.in. tomografia komputerowa, ultrasonografia).

L e c z e n i e polega na usunięciu najczęściej jelita zdrowego i zdwojenia. Jeśli nie jest to możliwe z powodu bardzo długiego zdwojenia, stosuje się inne zabiegi. Wyniki leczenia są przeważnie dobre.

Uchyłek Meckela. Jest to pozostałość po przewodzie żółtkowo-jelitowym (z okresu płodowego) i występuje jako wada rozwojowa u 15% ludzi. Odchodzi od końcowego odcinka jelita cienkiego, ma długość 1 – 10 cm, różną średnicę i kończy się ślepo. Może łączyć się z pępkiem pasmem łącznotkankowym (dodatkowe, nieprawidłowe zamocowanie jelita). W ścianie uchyłku może znajdować się błona śluzowa żołądka, dwunastnicy, tkanka trzustki, co powoduje owrzodzenia i krwawienia z uchyłka.

Uchyłek Meckela nie daje o b j a w ó w charakterystycznych. Rozpoznawane są i leczone jego powikłania, jeżeli występują. Jedynym badaniem, które może pomóc w przedoperacyjnym ustaleniu rozpoznania, jest badanie izotopowe z technetem, który gromadzi się w „zbłąkanej" śluzówce żołądka w uchyłku. Najczęściej występują nagłe krwawienia lub krwotoki do przewodu pokarmowego. Krew wydalana jest ze stolcem. Zdarzają się skręty jelita lub jego wgłobienie w miejscu uchyłku, zapalenia uchyłku z możliwością przebicia i w następstwie tego zapalenie otrzewnej.

L e c z e n i e polega na usunięciu uchyłku i zaszyciu ubytku w ścianie jelita. Jeżeli pojawiają się krwawienia do przewodu pokarmowego, wykonuje się najpierw liczne badania mające na celu wykluczenie innych przyczyn, nie wymagających leczenia chirurgicznego. Wyniki leczenia są zwykle dobre.

Przetoka jelitowa pępka. Jest to przetrwanie drożnego połączenia pomiędzy jelitem cienkim i pępkiem, zwykle w postaci długiego kanału (przewód żółtkowy). Powoduje wydostawanie się tą drogą zawartości jelita i macerację skóry dookoła pępka. Przez szeroką przetokę może wynicować się na zewnątrz sąsiadujący odcinek jelita. Przetoka zwykle jest widoczna, czasami pokryta ziarniną (zob. niżej ziarniniak pępka). Zamocowanie jelita cienkiego do ściany jamy brzusznej (w okolicy pępka) może być przyczyną niedrożności w następstwie skrętu lub zadzierzgnięcia. L e c z e n i e, wyłącznie operacyjne, polega na wycięciu przetoki oraz zaszyciu jelita.

Torbiel pępka. Ślepo zakończona przetoka pępka (zob. wyżej) może mieć formę torbieli. Jest wyczuwalna jako guz powłok i często wydziela śluz. Czasami ulega zapaleniu. L e c z e n i e wyłącznie operacyjne.

Ziarniniak pępka. Po odpadnięciu pępowiny, przez wiele dni lub tygodni może utrzymywać się w pępku zapalna ziarnina. Wydziela ona płyn surowiczy, czasami nieco krwi. Dookoła pępka skóra ulega maceracji i zapaleniu.

L e c z e n i e z a c h o w a w c z e polega na stosowaniu lapisu lub innych wysuszająco-odkażających płynów (np. betadina). Ziarninę można też podwiązać. Po paru dniach odpada wraz z nitką. Brak poprawy przemawia za obecnością przetoki jelitowej pępka (zob. wyżej).

Wrodzone zarośnięcie dróg żółciowych. Jest to wada wrodzona, w której występuje różnego stopnia niedorozwój dróg żółciowych wewnątrz- lub zewnątrzwątrobowych, a często jednych i drugich. Nie ustalono dotychczas przyczyn tej wady. Wytwarzana przez wątrobę żółć nie przechodzi do jelita, tylko do krwi i powoduje żółtaczkę. Zastój żółci w wątrobie powoduje jej marskość. Brak żółci w przewodzie pokarmowym upośledza wchłanianie z jelit witamin K, A i D. Powoduje to z czasem zaburzenia wytwarzania c z y n n i k ó w k r z e p n i ę c i a (czynnika V i VII oraz protrombiny) oraz krzywicę.

O b j a w y pojawiają się zwykle w 2–3 tygodniu życia. Są to: żółtaczka, odbarwione gliniaste stolce, ciemny mocz, wzdęcia brzucha, świąd skóry, powiększona wątroba. Rozwój dziecka jest upośledzony. Tylko ok. 30% dzieci ma szanse przeżycia do wieku dorosłego po wykonaniu skutecznej o p e r a c j i. Zabieg polega na zespoleniu jelita z drogami żółciowymi, jeżeli takie zostaną znalezione, lub połączeniu wnęki wątroby z jelitem. Operacja musi być wykonana najpóźniej pod koniec 2 miesiąca życia, jeżeli ma zapobiec rozwojowi marskości wątroby.

Zespół zagęszczonej żółci. W wadzie tej drogi żółciowe są zatkane gęstą żółcią, co prowadzi do powstawania żółtaczki mechanicznej. P r z y c z y n ą choroby może być tzw. żółtaczka hemolityczna, przebyty stan zapalny dróg żółciowych lub inne.

L e c z e n i e polega na płukaniu dwunastnicy i podawaniu leków żółciopędnych. Gdy to nie skutkuje, wykonuje się operację i płucze drogi żółciowe przez cewnik założony do pęcherzyka żółciowego.

Wady układu moczowo-płciowego

Wynicowanie pęcherza moczowego. Wada ta jest widoczna bezpośrednio po urodzeniu. Towarzyszy jej brak skóry i częściowo mięśni powłok brzucha ponad pęcherzem moczowym. Pęcherz jest otwarty, śluzówką na zewnątrz (wynicowany), z widocznymi ujściami moczowodów. Towarzyszy tej wadzie rozszczepienie prącia i cewki moczowej (w i e r z c h n i a c t w o).

L e c z e n i e jest operacyjne. Polega na odtworzeniu cewki moczowej i pęcherza oraz powłok brzucha, a w przypadkach niepowodzenia – na odprowadzaniu moczu do jelita cienkiego lub esicy z wytworzeniem przetoki jelitowo-skórnej. Niekiedy moczowody wszczepia się do odbytnicy i wówczas mocz jest wydalany wraz z kałem.

Spodziectwo. Jest to wada prącia, w której ujście cewki moczowej znajduje się nie na szczycie żołędzi prącia, ale w różnych miejscach części brzusznej prącia: od rowka zażołędnego aż do krocza. Towarzyszy temu także często przygięcie prącia i jego skrócenie. Wada jest widoczna na zewnątrz. Niekiedy towarzyszą jej inne zaburzenia rozwojowe układu moczowego, takie jak wodonercze lub zdwojenie górnych dróg moczowych albo szczątkowa pochwa.

L e c z e n i e operacyjne przeprowadza się w jednym lub dwóch etapach. W pierwszym etapie wyprostowuje się prącie, a w drugim wytwarza brakującą część cewki moczowej.

Wnętrostwo. Jest to brak jednego lub obu jąder w mosznie. Najczęściej są one wyczuwalne w kanale pachwinowym, rzadziej znajdują się w jamie brzusznej. Niekiedy jest ich w ogóle brak, z powodu niedorozwoju lub zaniku. Prawidłowy rozwój jądra wraz z komórkami nasiennymi może odbywać się tylko w środowisku o nieco niższej temperaturze niż temperatura ciała. Taką temperaturę ma moszna. Jeśli więc jądro nie zostanie przemieszczone w trakcie rozwoju do moszny – może ulec zanikowi. W przypadku, gdy oba jądra znajdują się poza workiem mosznowym, występuje niepłodność.

Zdarzają się też tzw. j ą d r a w ę d r u j ą c e, które mogą być podciągane z moszny aż do kanału pachwinowego. Bardzo rzadko jądro znajduje się pod skórą uda lub na spojeniu łonowym. Stan taki nazywamy przemieszczeniem jądra (ectopia testis). Często wnętrostwu towarzyszy przepuklina pachwinowa.

L e c z e n i e wnętrostwa jest przeważnie operacyjne i polega na sprowadzeniu jąder (jądra) do moszny. Operację wykonuje się przed 3 r. życia. Leczenie hormonalne może być skuteczne, ale przy stosowaniu większych dawek hormonów (gonadotropiny) – także szkodliwe.

Zastawka lub zwężenie cewki. Są to przeszkody w obrębie cewki moczowej, które utrudniają wypływ moczu z pęcherza już w okresie płodowym. Po urodzeniu, zwłaszcza u chłopców, na skutek zaburzeń wydalania moczu z pęcherza może dojść do zakażenia moczu i uszkodzenia nerek.

O b j a w a m i typowymi wady są trudności w wydalaniu moczu, podwyższona temperatura ciała, utrata łaknienia i niepokój dziecka. Badanie moczu często wykazuje zmiany zapalne, obecność bakterii, obniżony z reguły ciężar właściwy (gęstość) moczu. Dodatkowe badanie, tzw. cystografia mikcyjna, wykazuje, w którym miejscu cewka jest zwężona lub istnieje zastawka. Widoczne są także zmiany w pęcherzu w postaci przerostu jego ściany i odpływ zwrotny moczu z pęcherza do nerek (tzw. refluks pęcherzowo-moczowodowo-nerkowy). W przypadkach zaawansowanych dochodzi do ciężkiej niewydolności nerek i konieczności przeszczepu nerki.

L e c z e n i e. Jeśli wada jest bardzo zaawansowana, leczenie polega przede wszystkim na założeniu cewnika przez cewkę do pęcherza, aby odbarczyć pęcherz oraz ułatwić swobodny spływ moczu. Stosowane są antybiotyki oraz usunięcie zastawki drogą zabiegu wziernikowania. U dziewczynek zwężenie ujścia zewnętrznego cewki leczy się najczęściej rozszerzaniem.

Nieprawidłowe ujście moczowodów. W wadzie tej moczowody uchodzą nieprawidłowo do szyi pęcherza, cewki moczowej, krocza lub pochwy. Podstawowym objawem jest dzienne i nocne moczenie się, często zakażenia, a także wodonercze.

Rozpoznanie wady i precyzyjne ustalenie miejsca, gdzie uchodzą moczowody, umożliwiają takie badania, jak urografia, cystografia mikcyjna oraz wziernikowanie pęcherza i cewki moczowej.

Leczenie jest operacyjne i polega na przeszczepianiu moczowodów w miejsce właściwe w pęcherzu lub wycięciu moczowodu wraz z fragmentem nieczynnym nerki.

Torbiele ujść moczowodów powstają najczęściej jako następstwo zdwojenia górnych dróg moczowych. Na końcu ujść zdwojonych moczowodów do pęcherza tworzą się torbiele różnej średnicy. Utrudniają one wypływ moczu z moczowodów, a często i z pęcherza. U dziewczynek mogą wypadać przez cewkę moczową na zewnątrz i nawet być widoczne w szparze sromowej. Towarzyszy im zakażenie moczu oraz narastające objawy uszkodzenia nerek. Wadę tę rozpoznaje się za pomocą badań ultrasonograficznych i rentgenowskich (urografii i cystografii mikcyjnej). Leczenie jest operacyjne, niekiedy wieloetapowe.

Odpływy pęcherzowo-moczowodowo-nerkowe są spowodowane wadami rozwojowymi: nieprawidłowym ujściem moczowodów do pęcherza lub przeszkodą podpęcherzową w postaci zastawki cewki, a także długotrwałym procesem zapalnym w pęcherzu. Cofający się mocz do górnych dróg moczowych wprowadza do nerek zakażenie i z czasem uszkadza nerki (tablica 29 a). U noworodków i niemowląt rozpoznajemy najczęściej opóźnienie rozwoju ujścia pęcherzowego moczowodu i w tych przypadkach leczenie przeciwzapalne, a później długotrwała profilaktyka prowadzą do wyleczenia (dojrzewanie ujścia).

Rozpoznanie ustala się na podstawie badania moczu, w którym występują zmiany zapalne, często nawracające i przewlekłe zakażenia, oraz badań rentgenowskich, przede wszystkim cystografii (wykazuje odpływy jedno- lub obustronne) i urografii (wykazuje stopień uszkodzenia nerek wywołany odpływami).

Leczenie jest przyczynowe.

Wodonercze wrodzone jest najczęściej wywołane zwężeniem w miejscu połączenia moczowodu z miedniczką nerki. Utrudnienia odpływu moczu z miedniczki do moczowodu doprowadzają do zastoju moczu, powiększenia miedniczki, uszkodzenia nerki i zakażenia. Choroba objawia się bólami w nadbrzuszu, często zmianami zapalnymi w moczu, czasem jest wyczuwalny guz w okolicy lędźwiowej (powiększona nerka). Przebieg choroby może być też bezobjawowy aż do całkowitego zniszczenia nerki.

Rozpoznanie ustala się podczas badania ultrasonograficznego, potwierdzając je przeważnie urografią (tablica 29 b).

Leczenie, wyłącznie operacyjne, polega na usunięciu zwężenia i zespoleniu miedniczki z moczowodem.

Moczowody olbrzymie. W wadzie tej moczowody są bardzo poszerzone i wydłużone. Jest to najczęściej następstwem zwężenia ich ujść do pęcherza, odpływów pęcherzowo-moczowodowych lub zastawki cewki. Wada ta doprowadza do wodonercza (zob. wyżej) i szybkiego uszkodzenia nerek oraz przewlekłej ich niewydolności. O b j a w i a się zmianami w moczu (m.in. niski ciężar właściwy) oraz okresowymi rzutami ostrego zakażenia górnych dróg oddechowych. R o z p o z n a n i e ustala się na podstawie badań USG i rentgenowskich (urografia, cystografia mikcyjna). L e c z e n i e wyłącznie operacyjne, czasami wieloetapowe.

Zakażenia układu moczowego. Zakażenia dróg moczowych u dzieci najczęściej powstają na tle różnych wad układu moczowego i są związane z utrudnieniem spływu lub zastojem moczu, a także z nieprawidłowym spływem i cofaniem się moczu do górnych dróg moczowych. Zakażenia towarzyszą także kamicy nerek i dróg moczowych. Zakażenia dróg moczowych najczęściej wywołują bakterie: pałeczka okrężnicy, pałeczka odmieńca, a także (rzadziej) pałeczka ropy błękitnej, najszybciej wywołująca uszkodzenie nerek.

Choroba o b j a w i a się temperaturą, bólami w okolicy nerek, trudnościami wydalania moczu, zmianami zapalnymi w moczu. W posiewie moczu następuje wzrost bakterii.

L e c z e n i e. Przewlekłe lub nawracające zakażenie wymaga nie tylko leczenia przeciwbakteryjnego, ale dalszych badań, w tym USG i rentgenowskich (urografia, cystografia, badania izotopowe wydolności nerek). Po ustaleniu przyczyny, którą stanowią wady wrodzone lub nabyte – leczenie przyczynowe zwykle operacyjne. W sporadycznym zakażeniu układu moczowego wystarcza leczenie odpowiednimi chemioterapeutykami po wykonaniu badań USG układu moczowego.

U w a g a. Wadom układu moczowego, szczególnie tym, które przebiegają z zakażeniem, często towarzyszą zaburzenia czynności przewodu pokarmowego (podobne do zespołu złego wchłaniania), gorszy rozwój dziecka z podatnością na infekcje dróg oddechowych, a czasami żółtaczka.

Wady układu oddechowego

Wrodzona rozedma płatowa jest następstwem w a d y o s k r z e l a (lub oskrzeli) płata płuca. Najczęściej jest to n i e d o r o z w ó j chrząstek okrężnych, które u dzieci zdrowych jak obręcze usztywniają oskrzela i uniemożliwiają ich zapadanie się. Stwarza to dobre warunki przepływu powietrza w czasie oddychania. Przy częściowym braku chrząstek oskrzele zapada się w tym miejscu podczas wydechu. Część powietrza pozostaje w pęcherzykach, które ulegają rozdęciu. Ustaje wymiana gazowa nie tylko w rozdętych pęcherzykach, ale także w płatach sąsiednich, uciśniętych przez płat rozdęty.

O b j a w e m wrodzonej rozedmy płuc u niemowląt jest duża duszność i sinica. Odcinek rozedmowy płuca uciska zdrowe płaty i przesuwa serce na stronę przeciwną (wykazują to badania rentgenowskie). Wada ta dotyczy zwykle pojedynczego płata, czasami jednego płuca. L e c z y się ją operacyjnie.

Wrodzone torbiele oskrzeli są to guzy najczęściej umiejscowione w tylnym śródpiersiu. Powstają w życiu płodowym z odszczepionych komórek oskrzela. Guzy te są wypełnione śluzem produkowanym przez komórki nabłonka oskrzela. Mogą uciskać oskrzela, przełyk lub nawet duże naczynia serca. Rzadko wywołują objawy duszności lub zaburzeń oddychania. Rozpoznanie najczęściej następuje w czasie wykonywania zdjęć rentgenowskich klatki piersiowej. Leczenie jest operacyjne.

Wady głowy i szyi

Wady głowy i szyi obejmują najczęściej zaburzenia rozwojowe pokrywy czaszki, nosa, uszu, wargi, oka, podniebienia oraz żuchwy. Wszystkie one wymagają leczenia operacyjnego.

Wrodzona szczelina boczna twarzy. Wada ta może niekiedy sięgać aż do kąta oka, bardzo szpecąc twarz. Wymaga operacji plastycznych, łącznie z przeszczepami skóry, w celu odtworzenia nosa i korekcji powieki dolnej.

Rozszczep wargi górnej (jednostronny lub obustronny). Wadzie tej często towarzyszy rozszczep podstawy nosa oraz rozszczep podniebienia miękkiego lub twardego. Operacje plastyczne wykonuje się w pierwszym roku życia – najczęściej dwuetapowo; pierwszy etap to plastyka wargi i odtworzenie wyrostka zębodołowego, drugi etap – operacja rozszczepu podniebienia. Po wykonaniu operacji plastycznych dzieci powinny być leczone przez ortodontów, w celu prawidłowego ustawienia wyrostka zębodołowego i rozwoju zębów, oraz przez foniatrów, korygujących wady wymowy związane z rozszczepem wargi i podniebienia.

Niedorozwój małżowiny ucha może występować w różnej postaci, od nieznacznego zniekształcenia aż do zupełnego jej braku z niedorozwojem przewodu słuchowego. Wada ta jest leczona operacyjnie najczęściej między 8 a 14 r. życia. Małżowinę uszną rekonstruuje się metodą kilkuetapową (zob. Chirurgia plastyczna, s. 1567).

Niedorozwój żuchwy, czyli **zespół Pierre–Robina**. Dziecko rodzi się z małą, ku tyłowi przesuniętą żuchwą, co sprawia wrażenie braku bródki. Podstawa jamy ustnej i jej objętość są mniejsze, w związku z czym język zapada się ku tyłowi, w kierunku gardzieli, i stwarza niebezpieczeństwo uduszenia się dziecka. Z wadą tą współistnieje rozszczep podniebienia.

Leczenie dawniej polegało na operacyjnym przemieszczeniu języka w kierunku wargi dolnej i zamocowaniu go w tym położeniu. Dzisiaj stosuje się w okresie noworodkowym i niemowlęcym leczenie zachowawcze, często z przedłużoną intubacją dotchawiczą (wprowadzenie do tchawicy rurki gumowej lub z tworzywa sztucznego przez nos lub usta, w celu zapewnienia drożności dróg oddechowych), aż do momentu opanowania przez dziecko odruchów połykania i odkrztuszania.

Wrodzone przedwczesne zarastanie szwów czaszki, czyli **wrodzone ścieśnienie czaszki.** W chorobie tej dochodzi do wczesnego, już w okresie niemowlęcym, zarastania szwów czaszki. W związku z tym czaszka nie rośnie, a powiększający się mózg ulega uciśnięciu i niedorozwojowi, a nawet zanikowi.

Leczenie operacyjne polega na wycięciu pasków kości wzdłuż szwów pokrywy czaszki lub na innym zabiegu odbarczającym. Umożliwia to powiększenie się jamy czaszki.

Torbiele i przetoki szyi. Są to wady rozwojowe odpowiednich łuków i szczelin skrzelowych, pozostałość z okresu rozwoju zarodkowego. Torbiel na szyi występuje w formie sprężystego, gładkiego guza (czasami bolesnego), który może się gwałtownie powiększać w trakcie zakażenia górnych dróg oddechowych. Skóra ponad nim bywa zaczerwieniona (odczyn zapalny). Torbiel jest wypełniona śluzem (lub ropą), który nie może odpłynąć przez wąski kanalik łączący ją z jamą ustną albo gardłową i skórą.

Przetoki wydzielające śluz mogą zmieniać się w torbiele, gdy dojdzie do zatkania ich ujść przez zgęstniałą wydzielinę zapalną.

Leczenie, wyłącznie chirurgiczne, polega na usunięciu opisanych tworów.

Wady układu kostnego, mięśni i stawów, kręcz szyi

Klatka piersiowa lejkowata. Jest to wada wrodzona polegająca na nieprawidłowym rozwoju przednich żeber i mostka, które rosnąc nadmiernie zginają się w głąb klatki, w kierunku kręgosłupa. Widoczne jest charakterystyczne zagłębienie w przedniej części w klatce piersiowej na wysokości dolnej części mostka. W przypadkach skrajnych doprowadza to do zmniejszenia pojemności klatki piersiowej (i płuc), a nawet przemieszczenia serca. Dzieci z taką wadą często chorują na nieżyty górnych dróg oddechowych. Zaawansowane zniekształcenia wymagają wykonania operacji plastycznej żeber i mostka, a także długotrwałej rehabilitacji oddechowej i mięśniowej, zarówno przed, jak i po zabiegu. Zob. też Ortopedia, s. 1582.

Niedorozwój panewek stawów biodrowych, czyli **dysplazja stawu biodrowego**. Wada ta występuje u ok. 5 do 10% noworodków i polega na niepełnym wykształceniu się stawu biodrowego. Jeśli wada ta nie zostanie rozpoznana i odpowiednio leczona we wczesnym okresie niemowlęcym, może doprowadzić do przesunięcia się główki kości udowej poza staw, czyli do zwichnięcia stawu biodrowego. Wczesne rozpoznanie oraz zastosowanie prostego leczenia (za pomocą rozpórek szynowych lub specjalnych majteczek ustawiających w rozkroku oba uda) umożliwia prawidłowe ustawienie główek kości udowych w panewkach, co doprowadza z czasem do ich pogłębienia i całkowicie leczy tę wadę. Zob. też Ortopedia, s. 1584.

Wrodzone skrzywienie kręgosłupa polega na występowaniu nieprawidłowych wygięć kręgosłupa do boku lub przednio-tylnych. Najczęstszą przyczyną jest zaburzenie czynności mięśni kręgosłupa i tułowia, rzadziej nieprawidłowy rozwój kręgów.

Leczenie zachowawcze polega na stosowaniu gimnastyki korekcyjnej i gorsetów. W cięższych przypadkach operacyjnie wyrównuje się wadę lub zaburzenia statyki.

Wrodzony kręcz szyi (karku). Jest to skrócenie prawego lub lewego mięśnia mostkowo-obojczykowo-sutkowego, wywołujące pochylenie głowy w stronę mięśnia skróconego i skręt w stronę przeciwną. Wada rozpoznawana jest zwykle wcześnie – u noworodków i niemowląt.

Leczenie w okresie noworodkowo-niemowlęcym polega na masażach i naciąganiu mięśnia. Jeśli nie daje to poprawy, jest wskazany zabieg operacyjny. Polega on na przecięciu mięśnia. Wykonuje się go pod koniec pierwszego lub na początku drugiego roku życia. Operacja wykonana w okresie późniejszym jest zwykle mniej skuteczna, gdyż wcześnie dochodzi do asymetrii w rozwoju twarzy i kręgów szyjnych. Zob. też Ortopedia, s. 1581.

Wady powłok

Wrodzony brak mięśnia piersiowego. Przyczyna tej wady jest nieznana. Jeśli wada jest jednostronna, występuje asymetria w rozwoju klatki piersiowej.

Szyja płetwiasta. Wada ta występuje niekiedy w połączeniu z innymi zaburzeniami rozwojowymi u dzieci. Po obu stronach głowy są widoczne fałdy skóry łączące głowę w okolicy ucha z barkiem. Sprawia to wrażenie bardzo szerokiej i krótkiej szyi. Leczenie jest tylko operacyjne. Operacja polega na plastyce skórnej i mięśniowej.

Przepuklina pępowinowa. W okolicy pępka u noworodka znajduje się duży ubytek powłok brzucha – skóry, mięśni i powięzi, najczęściej z zachowaną ciągłością otrzewnej w postaci dużego worka pokrywającego jelita. Worek zawierający jelita, a często i część wątroby, może dochodzić do wielkości głowy dziecka (tablica 29 c). Podczas porodu worek niekiedy pęka i wówczas jelita wydostają się poza jamę otrzewnej. Większość jelit w okresie płodowym znajduje się w worku przepuklinowym, dlatego jama brzuszna jest mała i odprowadzenie do niej jelit, wątroby i żołądka może być bardzo trudne.

Istnieje kilka sposobów leczenia tej wady. Zależą one od wielkości przepukliny oraz od zachowania lub pęknięcia worka w czasie porodu. Większość chirurgów stosuje leczenie operacyjne. Leczenie zachowawcze polega na zakładaniu na worek opatrunku (stosowanie lekkiego ucisku) aż do pokrycia się worka naskórkiem. Operację plastyczną powłok brzucha wykonuje się później, w 2–3 r. życia dziecka.

Wytrzewienie jelit. W tej wadzie wrodzonej występuje u noworodka ubytek w ścianie brzucha (niedorozwój skóry, powięzi, mięśni i otrzewnej), przez który wydostają się na zewnątrz jelita. Często współistnieje z tą wadą niedorozwój jelit lub ich niedrożność. Wytrzewieniu towarzyszy także nieprawidłowy zwrot jelit, tzn. całe jelito cienkie znajduje się po stronie prawej, a jelito grube wraz z kątnicą i wyrostkiem robaczkowym po stronie lewej brzucha.

Leczenie tej wady polega na operacyjnym odprowadzeniu jelit do jamy brzusznej (często małej i nie przystosowanej do tak dużej zawartości), usunięciu dodatkowych wad przewodu pokarmowego i odtworzeniu powłok brzucha.

Rokowanie jest poważne, gdyż wadzie tej towarzyszą: wcześniactwo i inne wady, a także bardzo wczesne zakażenie otrzewnej.

Wady obwodowego układu naczyniowego. Obrażenia naczyń

Wrodzone przetoki tętniczo-żylne. Wada ta polega na połączeniu części tętniczej układu naczyniowego z jego częścią żylną z pominięciem naczyń włosowatych. Następstwem jest przelewanie się utlenowanej krwi tętniczej bezpośrednio do żył (tzw. mieszanie się krwi, przeciek lewo-prawy). Powoduje to przeciążenie serca, które pompuje więcej krwi w jednostce czasu (rośnie tzw. pojemność minutowa serca). Może nawet dojść do jego niewydolności. Natomiast w obrębie tkanek niedokrwionych (krew ominęła naczynia włosowate!) mogą powstać owrzodzenia, podobnie jak ponad żyłami, przez które płynie nadmiar krwi. Przepełnione żyły ulegają poszerzeniu, co objawia się występowaniem żylaków. Mogą one pękać, stwarzając zagrożenie dla życia dziecka. Jeżeli zmiany obejmują kończynę, dochodzi zwykle do jej przerostu, jeżeli znajdują się w narządach wewnętrznych – mogą powodować objawy ogólne i miejscowe – krwotoki, ucisk itp. Często w okolicy przetok jest widoczny naczyniak krwionośny, a przetoki mogą być zlokalizowane także w naczyniaku.

Leczenie polega na chirurgicznym usunięciu przetok, jeśli jest to możliwe. Stosuje się także zamykanie przetok pod kontrolą rentgena, podając przez cewnik do doprowadzającej tętnicy substancję zamykającą przetoki. W przypadkach rozległych zmian mogą być konieczne resekcje części narządów lub amputacje kończyn. Rozległe przetoki stanowią jeden z najtrudniejszych problemów chirurgicznych.

Naczyniaki limfatyczne. Naczyniak limfatyczny ma zwykle wygląd miękkiego guza lub rozległego przerostu tkanek miękkich. Skóra ponad nimi jest najczęściej nie zmieniona. Naczyniak jest nie tylko defektem kosmetycznym, lecz stwarza także poważne zagrożenie dla życia noworodka, gdy jest zlokalizowany na szyi lub w klatce piersiowej. Może on uciskać lub przerastać drogi oddechowe, stając się powodem duszności, która narasta bardzo gwałtownie, gdy naczyniak ulega obrzękowi zapalnemu.

Leczenie polega na operacyjnym usunięciu guza, często podczas kilku kolejnych zabiegów. Gdy naczyniak uciska drogi oddechowe, zwykle jest konieczna intubacja dotchawicza, tj. wprowadzenie rurki do tchawicy.

Wrodzony obrzęk limfatyczny dotyczy głównie kończyn, może jednak współistnieć z obecnością chłonki w jamie otrzewnej i opłucnej. Nie zawsze można go odróżnić od naczyniaka limfatycznego. Robi wrażenie rozległego przerostu tkanek miękkich (u dzieci starszych) lub ich obrzęku. Jeżeli nie towarzyszy mu stan zapalny, nie jest bolesny, a skóra ponad nim jest nie zmieniona. Wrodzony obrzęk limfatyczny może ustąpić w pierwszych 2–4 latach życia. Jeżeli utrzymuje się dłużej, częściej ulega stanom zapalnym, z wtórnym przerostem tkanki łącznej.

L e c z e n i e zachowawcze polega na noszeniu bandaża elastycznego. Jeśli nie daje to efektu, może być konieczne operacyjne usunięcie zmienionych tkanek, niekiedy z przeszczepem skóry.

Wrodzone żylaki kończyn. Są to rozszerzenia żylne, niekiedy ze zmianami zakrzepowymi w ich świetle. Zmiany zakrzepowe są następstwem zwolnienia prądu krwi i współistniejącego często stanu zapalnego. Rozległość zmian bywa różna, niekiedy obejmują one całą kończynę. Miękkie tkanki kończyny są niedorozwinięte lub przerośnięte. Skóra może być nie zmieniona lub występują na niej naczyniaki albo rozszerzenia żył. Dzieci zwykle skarżą się na ból związany z wysiłkiem lub z „pęcznieniem" kończyny; występuje także bolesność uciskowa. Rozszerzone żyły skóry mogą pękać, powodując znaczne krwawienie, które można opanować przez bezpośredni ucisk.

L e c z e n i e polega na operacyjnym usunięciu żylaków, jeżeli jest to możliwe. Ponadto stosuje się leki przeciwzapalne ogólnie i miejscowo. Powierzchowne owrzodzenia usuwa się operacyjnie, kładąc zwykle na to miejsce przeszczep skóry.

Obrażenia naczyń krwionośnych u dzieci zdarzają się rzadziej niż u dorosłych. Powstają one w następstwie złamań, ran kłutych i ciętych lub urazów tępych. Zwykle dochodzi do przerwania ściany tętnicy i powstania tętniaka rzekomego, zakrzepu w świetle naczynia lub krwotoku zewnętrznego. Następuje zwykle zblednięcie i ochłodzenie kończyny oraz brak tętna; rozwija się niedokrwienie tkanek.

L e c z e n i e polega na usunięciu skrzepliny lub tętniaka, zaszyciu uszkodzonej ściany naczynia i przywróceniu przepływu krwi. Jeżeli nie udaje się tego uzyskać, dochodzi do zwolnienia rozwoju niedokrwionych tkanek. Gdy uszkodzeniu uległa tętnica kończyny, ta rośnie wolniej i do końca życia pozostaje krótsza i cieńsza.

Niedrożność żylna w kończynie objawia się jej sinicą i obrzękiem. Później rozwija się tzw. z e s p ó ł p o z a k r z e p o w y. L e c z e n i e operacyjne jest skuteczne tylko w ciągu pierwszych paru dni od wystąpienia niedrożności.

Wady kończyn

Brak kończyny lub jej znaczny niedorozwój należy do najcięższych wad kończyn. Jedynie odpowiednia proteza może ułatwić życie dziecku. Postęp w tej dziedzinie jest ostatnio bardzo duży, wykorzystano w nim osiągnięcia elektroniki. W przypadkach lżejszych operacje korekcyjne i przeszczepy umożliwiają przystosowanie kończyn do wykonywania prostszych ruchów. Ważne znaczenie ma uzyskanie tzw. o p o z y c j i k c i u k a, tzn. takiego uformowania zakończenia kończyny górnej, aby dziecko mogło chwytać przedmioty.

Wrodzony zrost palców (palcozrost) należy do najczęściej spotykanych wad kończyn. W wadzie tej palce połączone są płetwami skórnymi, a w przypadkach cięższych zrost obejmuje także pozostałe tkanki. Leczenie polega na operacyjnym rozdzieleniu palców. Zob. też Ortopedia, s. 1584.

Palce nadliczbowe (dodatkowe). Zwykle jest to dodatkowy pierwszy lub piąty palec. Leczenie operacyjne jest przeprowadzane po uprzednim ustaleniu, który z dwóch pierwszych lub piątych palców będzie sprawniejszy czynnościowo. Zob. też Ortopedia, s. 1584.

III. ZAKAŻENIA ROPNE

Ropnie i ropowice powłok. Są to najczęstsze choroby ropne u dzieci, mogące stanowić poważne zagrożenia dla zdrowia, a nawet życia dziecka, zwłaszcza noworodka i młodego niemowlęcia. Wywołują je z reguły gronkowce złociste. Zakażenie następuje najczęściej przez kontakt z osobą chorą lub z nosicielem bakterii, a ponadto przez odzież lub drobny sprzęt. Ropnie lub ropowice mogą występować osobno, bywają też jednym z wielu ognisk zakażenia. U noworodków mogą występować jednocześnie obie formy zakażenia. Częstość występowania chorób ropnych świadczy o poziomie kultury sanitarnej i ogólnym poziomie życia w określonym rejonie.

Ropnie. Są to małe, bolesne guzki w skórze powłok. Skóra dookoła nich jest zaczerwieniona. Środkowa część nacieku ulega rozmiękaniu i wydzielina ropna przebija się przez zniszczoną skórę. W różnych miejscach ciała obserwuje się różny stopień zaawansowania zmian. Dziecko zwykle gorączkuje, często traci łaknienie, jest niespokojne.

Ropowice. Ropny proces zapalny obejmuje najczęściej tkankę podskórną tułowia lub kończyn. Początkowo obserwuje się naciek zapalny (obrzęk i zaczerwienienie), później dochodzi do odwarstwienia skóry od podłoża przez ropną wydzielinę. Stwierdza się chełbotanie. Rozległe odwarstwienie skóry może doprowadzić do jej martwicy. Powstają wtedy ubytki, wymagające nawet przeszczepów skóry. Stan ogólny dziecka jest z reguły gorszy niż w ropniach.

Leczenie. Ropnie nacina się, a małym niemowlętom i noworodkom dodatkowo podaje się antybiotyki ze względu na ryzyko zakażenia ogólnego. W przypadku nawrotu choroby stosuje się leczenie bodźcowe (autoszczepionka, szczepionka Delbeta). Korzystne są naświetlania lampą kwarcową i kąpiele w rumianku lub w roztworze nadmanganianu potasu.

Ropowice muszą być nacięte i sączkowane (sączki ułatwiają odpływ ropy). Leczenie ogólne polega na początkowym podawaniu antybiotyków o szerokim zakresie działania, a następnie – po ustaleniu, jakie bakterie wywołały ropowicę i na co są wrażliwe (wykonuje się posiew i bada odporność bakterii), dobiera się antybiotyk działający wybiórczo. Po wyleczeniu choroba nie daje nawrotów.

Jeżeli ropnie i ropowice towarzyszą innym chorobom, leczenie może być bardziej skomplikowane, ryzyko jest większe. Dzieci małe lub w złym stanie ogólnym powinny być leczone w szpitalu.

Zapobieganie zakażeniom ropnym polega na zachowaniu higieny – codziennej kąpieli dziecka, dokładnym praniu i prasowaniu (gorącym żelazkiem) odzieży i pieluszek oraz izolacji od osób chorych. Dziecka nie należy przegrzewać (choroba może zacząć się od tzw. potówek), trzeba natomiast wystawiać na świeże powietrze. Szkodliwe jest używanie odzieży i pieluch z włókien sztucznych.

Zapalenie kości i stawów u noworodków i małych niemowląt. Jest to z reguły ostry krwiopochodny proces zapalny toczący się w kości, w sąsiadującym stawie i tkankach miękkich najbliższej okolicy. W większości przypadków wywołują go gronkowce złociste. Zapalenie kości stanowi bezpośrednie zagrożenie dla życia dziecka, ponieważ zakażenie może się uogólnić (może się rozwinąć tzw. posocznica), a ponadto stwarza niebezpieczeństwo powikłań miejscowych. Toczący się proces zapalny mimo prawidłowego leczenia może spowodować uszkodzenie chrząstki wzrostowej, co w dalszym rozwoju dziecka prowadzi do zaburzeń wzrostu kończyny. Jeżeli następuje uszkodzenie stawu, może dojść do zwichnięcia patologicznego. Nadmiernie rozwinięta kostnina powoduje niekiedy zablokowanie stawu. Osłabiona procesem zapalnym kość może ulec złamaniu, co pociąga za sobą niebezpieczeństwo powstania tzw. stawu rzekomego. Rozległy i ciężki proces zapalny prowadzi niekiedy do całkowitego zniszczenia kości i trwałego kalectwa.

Objawy. Choroba zaczyna się gorączką i obrzękiem w okolicy toczącego się procesu zapalnego w kości. Dziecko „oszczędza" kończynę, a bierny jej ruch wywołuje ból. Stan niemowlęcia jest dość ciężki, często dochodzi do rozwoju zakażenia uogólnionego (posocznicy). Szybko nasilają się objawy miejscowe, naciek powłok zmienia się w ropowicę (zob. wyżej), a w stawie pojawia się wysięk. Wyczuwalne jest chełbotanie. We wczesnym okresie badanie rentgenowskie nie wykazuje zmian w kościach.

Leczenie polega na stosowaniu odpowiednich antybiotyków, a w przypadku ropowicy – na opróżnieniu zbiornika ropy i punkcji stawu. Niekiedy stosuje się stały przepływ antybiotyku przez ognisko zapalne. Kończyna zostaje unieruchomiona w ułożeniu zapobiegającym zwichnięciu. Dziecko musi być bardzo dobrze odżywiane, musi otrzymywać witaminy. Gdy ciężki proces zapalny powoduje niedokrwistość, podaje się krew. Konieczne jest zapobieganie powikłaniom oddechowym (częste zapalenie płuc!) przez stosowanie zabiegów fizykoterapeutycznych.

Ropniak opłucnej i odma opłucna. Są to najczęstsze powikłania zapaleń płuc u dzieci, zwłaszcza u niemowląt. Ropniak opłucnej powstaje przeważnie w wyniku przejścia procesu zapalnego z płuca na opłucną. W jamie opłucnej zbiera się płyn ropny, który nie tylko uciska płuco i utrudnia oddychanie, ale także powoduje zatrucie organizmu dziecka. Im dziecko jest młodsze, tym cięższe są objawy zatrucia i większe zagrożenie dla zdrowia, a nawet życia dziecka. Choroba jest szczególnie niebezpieczna dla noworodków i małych niemowląt. W przebiegu jej dochodzi przeważnie do miejscowego rozpadu tkanki płucnej i przedostawania się powietrza do jamy opłucnej (odma

– tablica 29 d). Powoduje to ucisk płuca, a nawet przesunięcie serca na stronę przeciwną. Uciśnięciu ulega także i drugie płuco, a napływ krwi do serca zmniejsza się. Stan ten określa się jako odmę z nadciśnieniem, spadnięciem płuca i przemieszczeniem śródpiersia. Powoduje on niewydolność oddechową i krążenia.

Objawy. Zwykle stan dziecka, chorującego od kilku dni na zapalenie płuc, ulega szybkiemu pogorszeniu (ropniak opłucnej) lub gwałtownemu pogorszeniu (ropniak z odmą i nadciśnieniem). Narasta duszność i dołącza się sinica. Dziecko jest niespokojne, gorączkuje, występuje wzdęcie brzucha. Tętno na tętnicy promieniowej (okolica nadgarstka) staje się słabo wyczuwalne, może dojść do zatrzymania czynności serca.

Leczenie polega na wypuszczeniu z jamy opłucnej powietrza i ropy, co umożliwia rozprężenie się płuca, powrót serca na miejsce i ułatwia leczenie trwającego nadal zapalenia płuc. Uzyskuje się to przez wprowadzenie do jamy opłucnej drenu, podłączonego do specjalnego zestawu butelek (tzw. drenaż ssący), zwykle na okres do 2 tygodni, czasami na dłużej. Stosuje się odpowiednie antybiotyki, najskuteczniejsze przeciwko bakteriom wyhodowanym z ropy (posiew), a często także z krwi, gdy współistnieje posocznica, oraz leki ogólnie wzmacniające (witaminy), rehabilitację, dietę wysoko odżywczą.

IV. PRZEPUKLINY

Termin „przepuklina" oznacza stan, w którym część zawartości jamy brzusznej – trzewia – wydostaje się na zewnątrz poprzez wrota przepukliny. Przepuklina składa się najczęściej z: worka przepuklinowego (którym jest uwypuklona otrzewna), zawartości (którą są najczęściej jelita, czasami jajnik) i wrót. Wrotami przepukliny u dzieci jest przeważnie kanał pachwinowy lub pierścień pępkowy, które nie uległy zamknięciu w okresie okołoporodowym. Zawartość przepukliny zewnętrznej znajduje się pod skórą i jest dobrze wyczuwalna podczas badania. Rozróżnia się przepukliny wrodzone i nabyte.

Przepukliny wrodzone to te, które występują już w okresie noworodkowym, oraz te, które ujawniły się wprawdzie później – w 2 lub nawet w 3 r. życia – ale przyczyny ułatwiające ich wystąpienie istniały od urodzenia (niecałkowicie zamknięty kanał pachwinowy lub pierścień pępkowy). Bezpośrednim powodem powstania przepukliny jest zwykle wysiłek fizyczny lub zapalenie górnych dróg oddechowych i kaszel, który im towarzyszy.

Przepukliny nabyte występują zwykle u dzieci starszych. Czynnikiem wywołującym jest przeważnie wysiłek fizyczny lub choroba osłabiająca sprawność fizyczną.

Przepuklina pachwinowa wolna. Zwykle jedynym objawem przepukliny jest widoczny i wyczuwalny miękki guz w okolicy pachwinowej lub w worku mosznowym. Powiększa się on podczas wysiłku i zmniejsza (lub znika) po odpoczynku. Skóra na nim nie jest zmieniona. Guz jest zwykle niebolesny i daje się łatwo odprowadzić do jamy brzusznej przy lekkim uciśnięciu. Niekiedy w jelicie wyczuwa się obecność kału. Przesuwanie się pokarmu przez przewód pokarmowy jest upośledzone. Dziecko może mieć zaparcia na przemian z wolnymi stolcami i traci łaknienie.

Przepuklina pachwinowa najczęściej powoli powiększa się z wiekiem, jednak u niemowląt do 8–9 miesiąca życia może ulec samowyleczeniu. Wszystkie przepukliny pachwinowe u dzieci powyżej 9 miesiąca życia powinny być leczone operacyjnie (w okresie najlepszej kondycji dziecka). Operowane powinny być również przepukliny u dzieci młodszych, jeśli powiększają się lub dają dolegliwości. Ryzyko operacji jest znikome, a wyniki bardzo dobre. Uwaga! Nie należy stosować żadnych pasów, pelot, aparatów uciskających. Nie prowadzą one do wyleczenie przepukliny, mogą być natomiast przyczyną powikłań.

Przepuklina pachwinowa uwięźnięta. W następstwie uwięźnięcia przepukliny w kanale pachwinowym dochodzi do niedrożności przewodu pokarmowego oraz niedokrwienia ściany jelita w miejscu ucisku. Początkowo pojawia się w okolicy pachwinowej bolesny guz nieodprowadzalny do jamy brzusznej. Skóra w tym miejscu ulega zaczerwienieniu, później zasinieniu oraz obrzękowi. Dziecko skarży się na bóle w okolicy pachwiny (lub jest niespokojne i płacze), następuje zatrzymanie gazów i stolca, pojawiają się wymioty i wzdęcia brzucha, powłoki brzucha są napięte. W końcu dochodzi do przedziurawienia jelita (perforacji) i zapalenia otrzewnej.

W przypadku uwięźnięcia jajnika objawy są mniej ostre, jednak operacja musi być wykonana jak najszybciej, gdyż martwica jajnika następuje bardzo szybko. W bardzo wczesnym okresie specjalista chirurg dziecięcy może próbować odprowadzić uwięźniętą przepuklinę. Jeśli się to nie udaje albo dziecko przybyło do szpitala z zaawansowanymi objawami ogólnymi – bezwzględnie konieczna jest operacja. Ryzyko operacji jest większe niż w przepuklinach wolnych, ale wyniki są dobre.

Przepuklina w bliźnie pooperacyjnej pojawia się wówczas, gdy przecięte podczas operacji mięśnie i powięzie nie zagoją się prawidłowo. Przez ubytek w tej warstwie powłok brzusznych, jelita uwypuklają się na zewnątrz i są wyczuwalne pod skórą. Leczenie wyłącznie operacyjne.

Przepuklina pępkowa. Zwykle jedynym objawem przepukliny pępkowej jest widoczny i wyczuwalny w pępku miękki guz, który można bez trudu odprowadzić do jamy brzusznej przez poszerzony pierścień pępkowy. Guz ten powiększa się podczas kaszlu lub wysiłku, zmniejsza w czasie odpoczynku lub snu. Jest utworzony przez jelita, rzadziej przez sieć. Niewielka przepuklina może ulec samowyleczeniu w pierwszych 9 miesiącach życia. Zwykle jednak powiększa się z wiekiem i po pierwszym roku życia w zasadzie powinna być leczona operacyjnie. Przepuklina pępkowa prawie nigdy nie więźnie, a tylko sporadycznie powoduje bóle. Jeżeli powiększa się i powoduje ścienienie skóry pępka grożące jej przerwaniem, dziecko, bez względu na wiek, powinno być operowane. Wyniki operacji są dobre, ryzyko znikome.

Przepukliny wewnętrzne zdarzają się u dzieci rzadko. O b j a w y występują zwykle po ich uwięźnięciu. Są to: niedrożność mechaniczna przewodu pokarmowego, rzadziej zapalenie otrzewnej lub perforacja jelita. Szanse uratowania dziecka daje jedynie szybko wykonana o p e r a c j a.

Przepuklina przeponowa. Przepona, płaski mięsień oddzielający jamę brzuszną od klatki piersiowej, jest u dzieci najważniejszym mięśniem oddechowym. Przepona uniemożliwia również przechodzenie narządów jamy brzusznej do klatki piersiowej. Jeśli jednak w przeponie znajduje się jakikolwiek u b y t e k, na skutek wyższego ciśnienia panującego w jamie brzusznej niż w klatce piersiowej, zostają przez niego przepchnięte do klatki piersiowej jelita, wątroba i śledziona. Stan taki nazywa się p r z e p u k l i n ą p r z e p o n o w ą. Jelita i inne narządy naciskają na płuco, a w ciężkich przypadkach także na serce, powodując przepchnięcie całego śródpiersia na stronę przeciwną i uciśnięcie drugiego płuca. Występują objawy niewydolności oddechowej, a ponadto krążeniowej, gdyż spływ krwi do prawego przedsionka i prawej komory serca zostaje utrudniony. Serce pompuje coraz mniej krwi do ważnych dla życia narządów, wskutek czego ulegają one uszkodzeniu. Prowadzi to do śmierci dziecka.

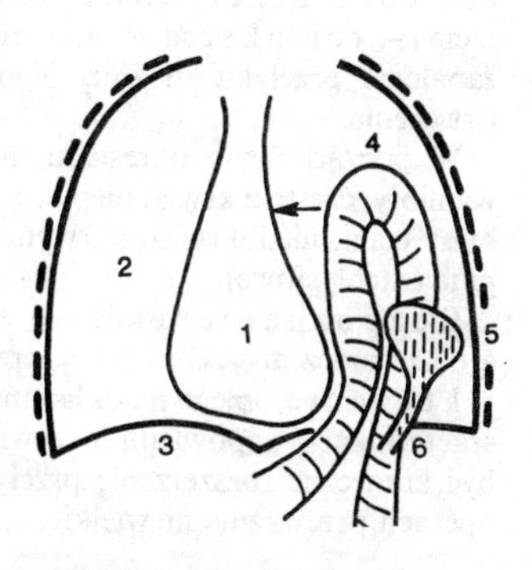

Lewostronna przepuklina przeponowa: 1 – serce, 2 – prawa jama opłucnej, 3 – prawa połowa przepony, 4, 5 – jelita i śledziona w lewej jamie opłucnej, 6 – otwór w lewej połowie przepony. Strzałką zaznaczono kierunek przemieszczenia serca (na prawo) przez rozdęte pętle jelit

U b y t k i w p r z e p o n i e są najczęściej wrodzone, rzadko pourazowe. Im wcześniej w życiu płodowym jelita przenikną przez ubytek do klatki piersiowej, tym większy jest niedorozwój płuca po tej stronie. Dziecko rodzi się na ogół w dobrym stanie ogólnym i dopiero w ciągu pierwszych godzin po porodzie pojawia się duszność, później sinica, w końcu wymiana gazowa i krążenie ulegają tak znacznemu upośledzeniu, że powstaje bezpośrednie zagrożenie życia dziecka. Narastanie objawów jest spowodowane tym, że noworodek połyka powietrze, które wypełnia jelita zwiększając ich objętość.

L e c z e n i e. Tylko natychmiastowe założenie sondy do żołądka w celu wypuszczenia powietrza, podanie tlenu do oddychania, a następnie jak najszybsza operacja dają dziecku szanse przeżycia.

R o k o w a n i e pogarszają niedorozwój płuca i mała pojemność jamy brzusznej.

Niekiedy przepukliny przeponowe nie mają tak dramatycznego przebiegu i r o z p o z n a n i e zostaje ustalone w wieku późniejszym. Występują wtedy zapalenia płuc, duszność, zaburzenia czynności przewodu pokarmowego, czasami krwawienia, niedrożność lub perforacja jelita uwięźniętego w otworze w przeponie. Leczenie operacyjne.

Przepuklina roztworu przełykowego. Przełyk z klatki piersiowej do jamy brzusznej przechodzi przez naturalny otwór w przeponie, zwany rozworem. Przez ten otwór, obok przełyku, może wsuwać się do klatki piersiowej cały żołądek lub jego część. Konsekwencją tego stanu, czyli przepukliny rozworu przełykowego, jest niedomoga wpustu żołądka z zarzucaniem – refluksem – zawartości żołądka do przełyku. Powoduje to zapalenie przełyku, później jego owrzodzenie, a w końcu bliznowacenie i zwężenie.

W początkowym okresie u niemowląt występują: ulewania, narastające wymioty, często z krwią, niepokój dziecka, niechęć do jedzenia, brak przyrostu masy ciała, niedokrwistość, wyniszczenie. Towarzyszą temu częste zapalenia płuc (zachłystowe).

Rozpoznanie ustala się badaniem radiologicznym (z kontrastem), a także przez mierzenie pH w przełyku (kwasoty przełyku).

Leczenie polega na układaniu niemowląt w pozycji półsiedzącej (zmniejsza refluks) i odpowiednim żywieniu. W zmianach zaawansowanych może być konieczne rozszerzenie przełyku lub operacja. Wyniki są dobre, ryzyko operacji przeważnie niewielkie.

V. STANY ZAPALNE W OBRĘBIE JAMY BRZUSZNEJ

Zapalenie wyrostka robaczkowego. Choroba ta występuje najczęściej u dzieci w wieku szkolnym, znacznie rzadziej u niemowląt. Przebieg ostrego zapalenia wyrostka robaczkowego u dzieci najmłodszych różni się znacznie od obserwowanego u dzieci starszych i osób dorosłych.

U niemowląt i noworodków zapalenie wyrostka robaczkowego ma większą skłonność do szybkiego szerzenia się na całą jamę otrzewnej. Stan dziecka ulega szybkiemu pogorszeniu, znacznie łatwiej dochodzi do uogólnienia zakażenia. Perforacja (pęknięcie) wyrostka następuje zwykle już po upływie 36 godz. od wystąpienia bólów brzucha i pogarsza rokowanie.

Pierwszym dostrzegalnym objawem jest często zapalenie otrzewnej i niedrożność. Wzdęcie brzucha występuje bez wyraźnego wzmożenia napięcia mięśniowego. Objaw Blumberga, czyli objaw otrzewnowy (silniejszy ból przy odrywaniu ręki od brzucha niż przy jego ostrożnym uciskaniu), jest trudny do wywołania, a jego brak nie wyklucza zapalenia otrzewnej. Bolesność miejscowa jest mniej wyraźna. Zatrzymanie stolca może zostać przeoczone, gdyż dziecko często wydala brunatny śluz, co bywa rozpoznawane jako biegunka. Leukocytoza, charakterystyczna dla tej choroby, może nie występować.

Rozpoznanie zapalenia wyrostka u małych dzieci może sprawiać duże trudności. Wymaga starannej obserwacji przez jednego (tego samego) chirurga. Choroba jest nadal poważnym problemem chirurgicznym.

L e c z e n i e operacyjne, a także ogólne.

Zapalenie węzłów chłonnych krezki może przebiegać w sposób podobny do zapalenia wyrostka robaczkowego. Brak pewnych o b j a w ó w r ó ż n i c u j ą c y c h sprawia, że dzieci z tą chorobą są operowane. W czasie operacji zostaje usunięty wyrostek.

Bóle brzucha u dzieci z zapaleniem gardła i migdałków mogą sprawiać trudności w różnicowaniu z zapaleniem wyrostka robaczkowego. Konieczna jest zwykle obserwacja szpitalna.

Zapalenie otrzewnej u dzieci różni się od tej choroby u dorosłych zarówno objawami, jak i przebiegiem. Może ono być wynikiem zapalenia jelita lub jego przebicia, znacznie rzadziej następstwem zapalenia innego narządu jamy brzusznej – jest to tzw. z a k a ż e n i e p r z e z c i ą g ł o ś ć. O zakażeniu k r w i o p o c h o d n y m mówi się wówczas, gdy bakterie dotarły do jamy otrzewnej z krwią z ogniska poza jamą brzuszną. Proces zapalny szerzy się szybko na całą jamę otrzewnej wywołując zapalenie rozlane i tylko wyjątkowo zostaje zlokalizowany, powodując tzw. o g r a n i c z o n e z a p a l e n i e o t r z e w n e j.

O b j a w y. Ogólny stan dziecka ulega szybkiemu pogarszaniu. Początkowo gorączkuje ono i jest niespokojne, później temperatura ciała obniża się poniżej prawidłowej i niemowlę jest apatyczne lub zamroczone, przestaje reagować nawet na bodźce bólowe. Tętno staje się niewyczuwalne, pojawia się duszność, sinica i kwasica. Szybko pogłębia się stan wstrząsu. Brzuch jest bardzo wzdęty, skóra na nim jest napięta, zaczerwieniona, często obrzęknięta. Może nie być tzw. obrony mięśniowej, ale zwykle stwierdza się bolesność. Dziecko wymiotuje i przestaje wydalać stolec (o b j a w y n i e d r o ż n o ś c i). Niekiedy z odbytnicy wydobywa się niewielka ilość śluzu.

R o z p o z n a n i e potwierdza zdjęcie przeglądowe jamy brzusznej, na którym widzimy liczne zwykle poziomy płynu, a czasami wolne powietrze pod przeponą, gdy dochodzi do przebicia przewodu pokarmowego.

L e c z e n i e. Niezależnie od przyczyny rozlanego zapalenia otrzewnej jest konieczne szybkie leczenie operacyjne i intensywne leczenie ogólne zarówno przed, jak i po zabiegu. Śmiertelność noworodków jest bardzo duża z powodu posocznicy i maleje z wiekiem dziecka.

Ropnie w jamie otrzewnej są zwykle następstwem stanu zapalnego narządów wewnętrznych. Najczęściej są one powikłaniem zapalenia wyrostka robaczkowego. Lokalizują się zwykle w tzw. zatoce Douglasa (w miednicy małej, poza pęcherzem moczowym), pod przeponą, pod wątrobą lub między pętlami jelit. Choroba objawia się zwykle utratą apetytu, wysoką gorączką, napięciem powłok brzusznych (najsilniej ponad ropniem). Stwierdza się ograniczoną bolesność i tzw. objaw otrzewnowy (zob. wyżej). Mogą występować objawy niedrożności mechanicznej, porażennej lub dziecko wydala skąpe, wolne śluzowe stolce.

L e c z e n i e polega na usunięciu ropnia (nakłucie lub operacja i sączkowanie), podawaniu antybiotyków (wg antybiogramu) i ogólnym leczeniu wzmacniającym.

VI. CHOROBY PRZEWODU POKARMOWEGO

Krwawienia z przewodu pokarmowego

Krwawienia z przewodu pokarmowego mogą następować z różnych jego odcinków i z różnych przyczyn. Krwawienia mogą być gwałtowne, w postaci krwotoku (z dużą utratą krwi), lub niewielkie, ale przewlekłe. Masywne krwawienia z górnych odcinków przewodu pokarmowego – przełyku, żołądka lub dwunastnicy – objawiają się wymiotami z dużą ilością krwi nie zmienionej lub zmienionej, o wyglądzie fusowatym (wymioty fusowate). W kilka do kilkunastu godzin po krwotoku krew pojawia się również w stolcu (czarne, smoliste stolce), gdyż zwykle tylko jej część zostaje usunięta z przewodu pokarmowego w postaci wymiotów.

Krwawienia z dolnego odcinka przewodu pokarmowego – z jelita grubego, odbytnicy i odbytu – objawiają się występowaniem świeżej krwi w stolcu.

Krwawienia z żylaków przełyku następują wtedy, gdy krew z żyły wrotnej przewodu pokarmowego nie odpływa w całości przez wątrobę, ale na skutek przeszkody w tej żyle znajduje inną drogę – rozszerzone żyły przełyku. U dzieci z reguły przeszkodę stanowił niedorozwój żyły wrotnej lub wypełniająca ją skrzeplina (tzw. blok przedwątrobowy). Ostatnio coraz częściej (40–50%) przyczyną nadciśnienia jest blok wewnątrzwątrobowy – marskość po wirusowym zapaleniu wątroby (WZW). Poszerzone żyły podśluzówkowe – żylaki – pękają i krew dostaje się do przełyku i żołądka. Utrata krwi jest zwykle duża, dlatego występują objawy krwotoku.

Leczenie polega na uspokojeniu dziecka, powolnym przetaczaniu krwi i stosowaniu leków obkurczających naczynia doprowadzajace krew do jelit. Niekiedy zakłada się specjalną sondę uciskającą żylaki przełyku. Po uzyskaniu poprawy stanu dziecka wykonuje się operację lub tzw. sklerotyzację żylaków (powoduje się zarastanie żylaków).

Krwawienia z owrzodzeń żołądka i dwunastnicy występują nagle i towarzyszą im zarówno wymioty świeżą lub zmienioną krwią, jak i smoliste stolce oraz ostre objawy wykrwawienia. Ostre wrzody trawienne (żołądka i dwunastnicy) u dzieci występują niekiedy w ciężkich zakażeniach uogólnionych (posocznica) lub w dużych, rozległych oparzeniach ciała.

Leczenie jest początkowo zachowawcze i polega na wyrównywaniu ubytków krwi oraz na stosowaniu leków osłaniających śluzówkę żołądka lub zmniejszających wydzielanie kwasu solnego. Gdy krwawienie nie ustępuje lub narasta, może być konieczne leczenie operacyjne.

Polipy jelita grubego są najczęściej umiejscowione w dolnych odcinkach tego jelita. Dają one niewielkie krwawienia świeżą krwią zabarwiające stolec.

Leczenie jest operacyjne. Nisko usytuowane polipy są usuwane podczas wziernikowania odbytu, wyżej usytuowane – w jelicie grubym – są usuwane operacyjnie (przez otwarcie jamy brzusznej) lub przy użyciu specjalnego instrumentu, tzw. fiberoskopu.

Naczyniaki krwionośne przewodu pokarmowego są to rzadko spotykane łagodne nowotwory, zbudowane z sieci naczyń żylnych i tętniczych, które mogą niekiedy gwałtownie krwawić do światła jelita. Rozpoznanie jest tylko pośrednie na podstawie krwawień. Potwierdzane bywa podczas operacji.

Leczenie jest chirurgiczne i polega na wycięciu fragmentów jelita objętego naczyniakiem.

Krwawienia z uchyłku Meckela, zob. s. 1645.

Choroba Hirschsprunga

Jest to choroba wrodzona spowodowana brakiem zwojów nerwowych w ścianie jelita grubego, najczęściej w dolnych jego odcinkach. Niekiedy brak zwojów może występować w całym jelicie grubym. Brak zwojów prowadzi do braku ruchu robaczkowego w tym odcinku jelita, który staje się przeszkodą dla przesuwającej się treści pokarmowej. Prowadzi to do coraz większego i dłuższego zalegania kału w jelicie grubym przed przeszkodą, zmian zapalnych i owrzodzeń w błonie śluzowej oraz do przerostu ściany jelita grubego. Zaleganie kału powoduje zatrucie organizmu, niedokrwistość oraz zaburzenia wchłaniania w przewodzie pokarmowym, co w konsekwencji (w cięższych przypadkach) doprowadza do postępującego ogólnego wyniszczenia.

Objawem choroby są: chroniczne zaparcia (stolec raz na tydzień lub rzadziej), wyniszczenie, brak łaknienia, okresowo występujące objawy niedrożności lub biegunki i zatrucia. Dzieci wydalają bardzo cuchnący, gliniasty stolec, najczęściej dopiero po intensywnych wlewach doodbytniczych (lewatywach). Obecnie choroba Hirschsprunga jest rozpoznawana najczęściej w okresie noworodkowym. Występują objawy niedrożności wrodzonej, które ustępują po wydaleniu bardzo dużej ilości smółki (przeważnie po badaniu palcem przez odbytnicę). W innych przypadkach zwraca uwagę opóźnione, ale samoistne wydalenie pierwszej smółki przez noworodka. Niekiedy pierwszym objawem jest ciężka biegunka.

Rozpoznanie można ustalić na podstawie badania radiologicznego, tzw. doodbytniczego wlewu kontrastującego, który wykazuje istnienie zwężonego, skurczonego odcinka jelita grubego. Badanie mikroskopowe wycinka jelita potwierdza brak komórek zwojowych w ścianie jelita.

Leczenie jest tylko operacyjne. Polega na wycięciu odcinka jelita bezzwojowego, wtórnie poszerzonego oraz na zespoleniu jelita prawidłowego (zawierającego zwoje) z bańką odbytnicy. W cięższych przypadkach, z wczesnymi objawami występującymi już u noworodków i niemowląt, wykonuje się tzw. operację przygotowującą do operacji radykalnej. Polega ona na założeniu sztucznego odbytu (przetoka jelita), w celu poprawy stanu ogólnego dziecka i zmniejszenie ryzyka właściwej operacji. Po wykonaniu zespolenia jelitowego miejsce to musi być rozszerzane przez wiele tygodni po operacji. Od postępowania tego zależy w dużym stopniu końcowy wynik leczenia operacyjnego.

Przerostowe zwężenie odźwiernika

Przerostowe zwężenie odźwiernika jest to stan, w którym na skutek przerostu i włóknienia mięśniówki odźwiernika żołądka przechodzenie zawartości żołądka do dwunastnicy najpierw jest utrudnione, w końcu całkowicie zatrzymane. Powoduje to początkowo zwolnienie przyrostu masy ciała dziecka, a następnie wyniszczenie jego organizmu. Dołącza się przeważnie zachłystowe zapalenie płuc. Istnieje rodzinna skłonność do tej choroby.

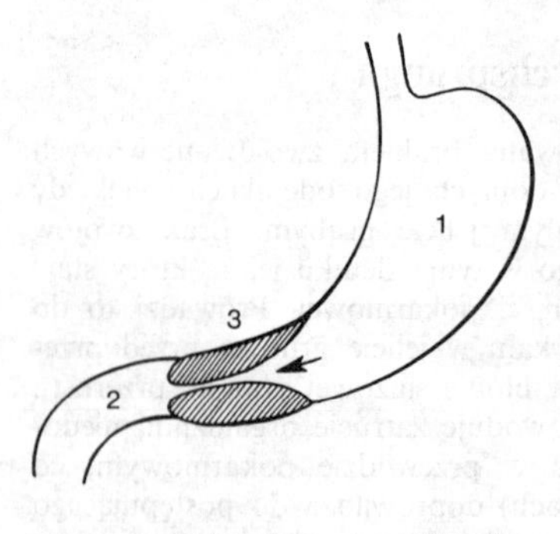

Przerostowe zwężenie odźwiernika: 1 – żołądek, 2 – dwunastnica, 3 – odźwiernik

Pierwszym objawem choroby są zawsze wymioty. Przeważnie zaczynają się w 3 tygodniu życia dziecka, ale mogą pojawiać się także pomiędzy 5 dniem a 5 miesiącem życia. Początkowo występują 1–2 razy dziennie, później stają się chlustające i następują po każdym posiłku. Zawierają niestrawiony pokarm, czasami z domieszką krwi. Rozwija się tzw. zasadowica ze zmniejszeniem zawartości chlorków i potasu we krwi. Na brzuchu dziecka, zwłaszcza po karmieniu, jest widoczne tzw. stawianie się żołądka (przesuwanie się fali perystaltycznej). W miejscu odźwiernika często wyczuwa się zgrubienie, tzw. oliwkę.

Leczenie jest wyłącznie operacyjne. Wyniki zabiegu są bardzo dobre, a ryzyko operacji niewielkie.

Wgłobienie jelita krętniczo-kątnicze

Jest to wniknięcie końcowego odcinka jelita cienkiego, zwanego krętnicą lub jelitem krętym, do kątnicy, czyli początkowej najszerszej części jelita grubego, a w dłużej trwającym wgłobieniu – także do dalszych odcinków tego jelita. Wgłobienie występuje przeważnie u niemowląt (do pierwszego roku życia 65% wgłobień) dobrze odżywionych, zwykle wiosną lub jesienią. Istnieje związek przyczynowy z wirusowym zapaleniem górnych dróg oddechowych (zakażenie adenowirusem). Tylko wyjątkowo wgłobienie jest spowodowane zmianami anatomicznymi (polipem jelita, uchyłkiem Meckela, innymi wadami wrodzonymi). Ściana jelita w miejscu wgłobienia ulega obrzękowi, a w końcu martwicy. Powoduje to niedrożność, a w dłużej trwającym wgłobieniu – także zapalenie otrzewnej.

Objawy. Pierwszym objawem wgłobienia są zwykle napadowe bóle brzucha. Pierwszy atak bólów następuje przeważnie podczas snu. W przerwach między bólami stan dziecka jest zupełnie dobry. U małych dzieci ból brzucha objawia się tylko niepokojem i płaczem. Początkowo dziecko wydala normalny stolec, później śluz z krwią (podobny do galaretki malinowej). Pojawiają się wymioty i narasta wzdęcie brzucha. Małe dzieci początkowo gorączkują. Zwiększa się napięcie powłok brzusznych, pojawia się bolesność, często wyczuwa się guz w brzuchu (przeważnie pod prawym łukiem żebrowym). Bywają wgłobienia bez typowych napadów bólowych.

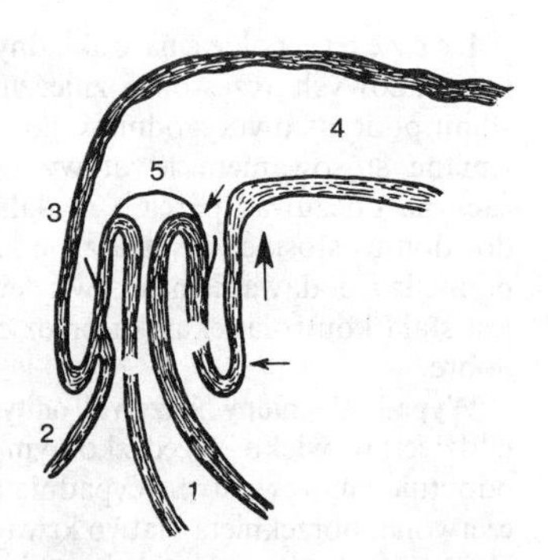

Wgłobienie jelita: 1 – jelito cienkie kręte, 2 – wyrostek robaczkowy, 3 – jelito grube okrężnica wstępująca, 4 - jelito grube - okrężnica poprzeczna, 5 – czoło wgłobienia. Strzałkami zaznaczono miejsce największego obrzęku

Rozpoznanie potwierdza badanie radiologiczne z wlewem doodbytniczym, który nie tylko czyni rozpoznanie pewnym, ale odpowiednio przeprowadzony może spowodować odgłobienie, tj. cofnięcie się wgłobienia, czyli wyleczenie.

Leczenie. Jeśli stan dziecka jest dobry, leczenie polega na wykonaniu wlewu doodbytniczego. Jeśli wlew nie spowoduje odgłobienia albo ciężki stan dziecka nie pozwala na jego przeprowadzenie, wykonuje się operację, która najczęściej polega na wyciągnięciu jelita cienkiego z jelita grubego, rzadziej na wycięciu (resekcji) jelita i zespoleniu jego końców. Wyniki są dobre, jeśli jednak interwencja jest opóźniona, istnieje poważne ryzyko ciężkich powikłań.

Inne stany chorobowe jelit i dróg żółciowych

Nawykowe zaparcie u dzieci. Przewlekłe zaparcia u dzieci są często objawem zmian organicznych w końcowym odcinku przewodu pokarmowego. Rzadziej przyczyna choroby jest nieznana. U dzieci takich nie ma odchyleń od stanu prawidłowego, które by usprawiedliwiały zaparcia. Badanie radiologiczne z wlewem doodbytniczym wykazuje jedynie umiarkowane poszerzenie odbytnicy i esicy będące skutkiem, a nie przyczyną zalegania mas kałowych.

Objawem zaparcia nawykowego są nieregularne wypróżnienia (zwykle prowokowane lewatywą lub lekami), a często stałe brudzenie się na skutek nietrzymania stolca, co jest związane z jego zaleganiem w przepełnionej odbytnicy i niekontrolowanym wydalaniem w małych ilościach. Dziecko nie czuje już parcia ani potrzeby wydalania stolca, ponieważ zaadaptowało się do stale działającego bodźca.

Leczenie polega na dokładnym oczyszczeniu odbytnicy z zalegających mas kałowych (często w znieczuleniu ogólnym) i utrzymywaniu takiego stanu podczas dwutygodniowego pobytu w szpitalu podawaniem leków i na zmianę stosowaniem lewatywy oraz odpowiednią dietą. Dziecko zwykle zaczyna odczuwać parcie i wydala stolec regularnie. Po wypisaniu dziecka do domu stosuje się nadal opisane postępowanie, z tym, że odstępy pomiędzy podawaniem leków i lewatywami powoli wydłuża się. Konieczna jest stała kontrola lekarska przez co najmniej 6 miesięcy. Wyniki leczenia są dobre.

Wypadanie błony śluzowej odbytnicy. Zdarza się ono u niemowląt oraz u dzieci w wieku przedszkolnym i polega na wypadaniu błony śluzowej odbytnicy na zewnątrz. Wypadnięta śluzówka w postaci różnej długości rury, czerwona, obrzęknięta i łatwo krwawiąca jest widoczna w szparze pośladkowej. Dziecko odczuwa parcie, jest niespokojne i płacze. Śluzówka może sama cofnąć się do odbytnicy, częściej jednak musi być odprowadzona przez lekarza. Przeważnie wystarczające jest leczenie zachowawcze ogólnie wzmacniające. Konieczne jest staranne utrzymywanie higieny dziecka i spowodowanie regularnych wypróżnień (najlepiej odpowiednią dietą). Stosuje się ciepłe nasiadówki z rumianku. Przy braku poprawy leczenie operacyjne.

Wypadanie odbytnicy następuje wówczas, gdy wszystkie warstwy jej ściany wynicowują się na zewnątrz. Jeżeli leczenie zachowawcze jest nieskuteczne, konieczna jest operacja. Wyniki są dobre.

Kamica dróg żółciowych występuje u dzieci znacznie rzadziej niż u dorosłych. W wieku niemowlęcym i przedszkolnym powstaje ona głównie w przebiegu żółtaczki hemolitycznej, w zespole zagęszczonej żółci, w niedokrwistości sierpowatej. W wieku szkolnym występuje przede wszystkim u dziewcząt i jest następstwem zaburzeń metabolicznych, rzadziej zakażenia.

Najczęściej występującymi objawami są nawracające napadowe bóle brzucha (kolka), wymioty, nudności nie związane na ogół z jedzeniem. Rzadko pojawia się żółtaczka mechaniczna. Zdjęcie przeglądowe jamy brzusznej wykazuje przeważnie zwapnienie w drogach żółciowych. Wykonuje się także badanie cholecystograficzne. Bardzo pomocne są ultrasonografia i tomografia komputerowa.

W zasadzie jedynym skutecznym leczeniem jest operacja polegająca na usunięciu kamieni, często z pęcherzykiem żółciowym.

Zapalenie pęcherzyka żółciowego manifestuje się bólami w nadbrzuszu, gorączką, wymiotami i nudnościami. Mogą wystąpić objawy ograniczonego zapalenia otrzewnej. Bardzo często przebieg jest nietypowy i dopiero podczas operacji ustala się przyczynę „ostrego brzucha". Leczenie może być zachowawcze przy pewnym rozpoznaniu (antybiotyki, dieta, kroplówki) i gdy to nie pomaga – operacyjne.

VII. CHOROBY I OBRAŻENIA UKŁADU MOCZOWO-PŁCIOWEGO

Kamica układu moczowego

Kamica nerek i dróg moczowych u dzieci występuje rzadziej niż u dorosłych. Kamienie u dzieci powstają najczęściej na tle odmiedniczkowego zapalenia nerek powikłanego zastojem moczu w miedniczce i kielichach. Kamienie mogą się tworzyć także u dzieci ze zmianami w składzie moczu, wywołanymi defektami metabolicznymi.

Objawem kamicy są przeważnie zapalenia dróg moczowych, często bóle brzucha i niekiedy zaburzenia wydalania moczu. U dzieci, u których kamienie przesuwają się przez moczowody do pęcherza, występują: ostre bóle brzucha, krwiomocz, a niekiedy zatrzymanie wydalania moczu.

Rozpoznanie ustala się na podstawie badań ultrasonograficznych i radiologicznych.

Leczenie zachowawcze polega na podawaniu środków moczopędnych, leków rozkurczowych i przeciwbakteryjnych; ma ono na celu ułatwienie samoistnego wydalenia kamienia (urodzenie kamienia). Gdy samoistne wydalenie kamienia nie jest możliwe, usuwa się go operacyjnie. Po operacji bezwzględnie jest konieczne dalsze leczenie zachowawcze, mające na celu zapobieganie nawrotom kamicy (leczenie przeciwzapalne i moczopędne). W ostatnich latach wprowadzono nowe metody leczenia kamicy moczowej – zob. Urologia, s. 1540.

Choroby jądra

Wodniak jądra lub powrózka nasiennego. Jest to twór o charakterze torbieli wypełnionej płynem surowiczym. Ścianę torbieli tworzy niezarośnięty uchyłek otrzewnej, z którym jądra zstępują z brzucha do worka mosznowego w okresie płodowym. Do ok. 3 r. życia wodniak wypełnia się płynem z jamy otrzewnej przez wąski kanał; zarośnięcie tego połączenia powoduje zwykle cofnięcie się wodniaka. Po 3 r. życia ściana wodniaka wytwarza płyn i te wodniaki nie cofają się same.

Objawem wodniaka jest owalny, gładki, różnej wielkości guz powrózka lub jądra. W wodniakach jądra obok guza wyczuwa się zwykle normalne jądro. Wodniak może wywoływać niewielkie dolegliwości bólowe.

Leczenie jest operacyjne dopiero po 3 r. życia. Zabieg polega na częściowym lub całkowitym usunięciu ściany wodniaka. Wyniki są dobre, a ryzyko zabiegu niewielkie.

Skręt jądra występuje najczęściej u dzieci w wieku przedszkolnym i szkolnym, zdarza się jednak także u noworodków. Przyczyną jest nieprawidłowe zamocowanie jądra w worku mosznowym lub w osłonkach. Jądro wykonuje obrót w stosunku do powrózka nasiennego, co powoduje zaciśnięcie naczyń żylnych, a później tętniczych. Skutkiem tego jest początkowo obrzęk, później niedokrwienie jądra.

Objawy nasilają się szybko. Narasta ból jądra, rozwija się obrzęk moszny. Skóra jest zaczerwieniona. Jądro jest zwykle napięte i bolesne, występują wymioty (odruchowe). Jeżeli skręt dotyczy jądra niezstąpionego (w kanale pachwinowym), objawy mogą się ograniczać do bólu i bolesności podbrzusza oraz wymiotów.

Leczenie jest wyłącznie operacyjne. Odwlekanie zabiegu prowadzi do martwicy jądra, które często musi być usunięte (ok. 50%).

Skręt przydatku jądrowego. Objawy są podobne jak w skręcie jądra (zob. wyżej), jedynie nieco mniej nasilone. Leczenie operacyjne (usunięcie przydatku).

Zapalenie jądra. Zdarza się głównie u dzieci w wieku szkolnym. Objawem jest powiększenie i bolesność jądra oraz obrzęk i zaczerwienienie worka mosznowego. Występują samoistne bóle i podwyższona temperatura ciała. Ponieważ objawy są podobne do występujących przy skręcie jądra (zob. wyżej), dzieci są często operowane z rozpoznaniem skrętu. Zróżnicowanie tych stanów jest możliwe przy zastosowaniu badania za pomocą ultradźwięków (USG).

Krwiak jądra i obrzęk pourazowy wywołują objawy podobne do skrętu lub zapalenia jądra. Jedynie wywiad umożliwia różnicowanie. W razie wątpliwości konieczne jest leczenie operacyjne.

Choroby napletka

Zwężenie napletka, czyli **stulejka.** Jest to wada wrodzona lub powikłanie zapalenia napletka, tj. fałdu skórnego pokrywającego żołądź prącia. W zwężeniu prawdziwym napletka nie udaje się zsunąć z żołędzi i odsłonić zewnętrznego ujścia cewki moczowej. W czasie wydalania moczu może tworzyć się na końcu prącia balonik skórny wypełniony moczem (mocz zbiera się w worku napletkowym). Leczenie jest operacyjne i polega na plastyce napletka lub tzw. obrzezaniu.

Przyklejenie napletka. Jest to stan, w którym napletek jest zlepiony z żołędzią prącia wydzieliną gruczołów łojowych i potowych. U każdego niemowlęcia płci męskiej istnieje fizjologiczny zlep napletka z żołędzią. Zlep ten w miarę wzrostu dziecka samoistnie odkleja się.

U niektórych chłopców na skutek gromadzenia się wydzieliny pod napletkiem i trudności jej usunięcia z powodu zlepu może dojść do zakażenia i zropienia tej wydzieliny. Występuje wówczas ostre, ropne zapalenie worka napletkowego. Objawia się ono obrzękiem, zaczerwienieniem i żywą bolesnością prącia. Dzieci wydalają mocz z trudem, a spod napletka może wydobywać się wydzielina ropna. Przedłużające się przyklejenie napletka lub stan zapalny są wskazaniem do wykonania niewielkiego zabiegu odklejenia napletka. Po zabiegu jest konieczna kilkudniowa pielęgnacja i podawanie pod napletek płynnej parafiny lub maści, aby przeszkodzić ponownemu zrostowi napletka z żołędzią.

Obrażenia układu moczowego

Urazy nerki. Do zmian urazowych w nerce dochodzi najczęściej w następstwie uderzenia w nadbrzusze lub w okolice lędźwiowe. W zależności od siły uderzenia może dojść do stłuczenia nerki, pęknięcia nerki bez rozerwania jej torebki, pęknięcia nerki wraz z torebką lub (w przypadkach skrajnych) do oderwania nerki od naczyń (tętnicy i żyły nerkowej) i moczowodu. Przy pęknięciu nerki występują krwawienia do miąższu nerki i dróg moczowych, a przy rozerwaniu torebki zarówno krew, jak i mocz wydostają się do przestrzeni okołonerkowej. Przeciek moczu do otoczenia nerki może doprowadzić do zakażenia i powstania ropnia okołonerkowego. Oderwanie nerki od szypuły naczyniowej prowadzi do martwicy nerki, jeżeli krwotok, który temu towarzyszy nie spowoduje innych powikłań.

Do charakterystycznych objawów należą: ból w okolicy nadbrzusza, a także bolesność okolicy lędźwiowej. W dużym krwawieniu – bladość powłok ciała, wymioty, słabe tętno i spadek ciśnienia tętniczego krwi (wstrząs). Mocz może być krwisty, ale brak krwi w moczu nie świadczy o nieuszkodzeniu nerki, ponieważ oderwanie moczowodu od nerki uniemożliwia spływ krwistego moczu do pęcherza.

Leczenie jest wyłącznie szpitalne. Stopień uszkodzenia nerki (ocena za pomocą urografii) i stan ogólny dziecka warunkują sposób leczenia. W leczeniu zachowawczym stosuje się spokój, leżenie i płyny dożylne, w chirurgicznym – usunięcie krwiaka, zeszycie nerki lub jej usunięcie w przypadku całkowitego zniszczenia. U dzieci większość nawet rozległych urazów nerki leczy się dobrze i bez powikłań metodą zachowawczą, tak że po kilkunastu miesiącach kontrolne badania urograficzne nie wykazują nawet śladów obrażenia.

Przerwanie moczowodu powoduje zaciek moczu do jamy otrzewnowej, narastający ból oraz gorączkę. Leczenie wyłącznie operacyjne, polegające na zespoleniu moczowodu.

Urazy pęcherza. Silny uraz może wywołać pęknięcie pęcherza moczowego z zaciekiem moczu do jamy otrzewnej lub okolicy pęcherza. Objawami urazu są: ból i często guz nad spojeniem łonowym, trudności w wydalaniu moczu, krwisty mocz i objawy zapalenia otrzewnej. W przypadku pęknięcia pęcherza istnieją bezwzględne wskazania do leczenia operacyjnego – zaszycia pęcherza.

Rozerwanie cewki moczowej pod wpływem urazu następuje najczęściej w odcinku bliższym cewki. Objawami są: ból i krwawienie z cewki oraz trudności wydalania moczu lub całkowite zatrzymanie moczu i krwiak albo zaciek moczowy na kroczu. Leczenie, wyłącznie chirurgiczne, polega na zeszyciu cewki moczowej lub ponownym przyszyciu jej do pęcherza.

VIII. URAZY I OBRAŻENIA

Najczęstsze urazy okołoporodowe

Obrażenia nerwu twarzowego. Uraz ten następuje podczas porodu i prowadzi najczęściej do porażenia mięśni twarzy (rzadziej stanu spastycznego). Objawia się deformacją twarzy, szczególnie dobrze widoczną podczas płaczu dziecka. Zmiany cofają się przeważnie w pierwszym roku życia.

Okołoporodowy uraz splotu ramiennego powoduje jego porażenie i w następstwie niedowład kończyny górnej. Czasami towarzyszy temu zespół Hornera (opadnięcie powieki, wpadnięcie gałki ocznej i zwężenie źrenicy).

Leczenie musi być rozpoczęte natychmiast po porodzie. Polega na założeniu odpowiedniej szyny utrzymującej kończynę górną uniesioną do góry. Pomocna jest elektroterapia i ćwiczenia kończyny. Gdy zmiany przy takim leczeniu nie cofają się, wskazana jest operacja splotu barkowego odtwarzająca ciągłość przerwanych nerwów. Zob. też Ortopedia, Porodowe uszkodzenie splotu ramiennego, s. 1605.

Kręcz karku lub **kręcz szyi**, zob. Ortopedia, s. 1581.

Złamanie obojczyka jest najczęstszą formą złamania u noworodków. Dziecko jest niespokojne, płacze podczas przewijania. Ruchy ręki są zwykle bardzo ograniczone. W okolicy obojczyka jest wyczuwalny bolesny guz. Leczenie polega na założeniu opatrunku unieruchamiającego. Złamanie goi się po upływie 12 dni.

Odma opłucnej jest zwykle następstwem ciężkiego porodu. Występuje różnego stopnia duszność, czasami nawet sinica, co zwykle wskazuje na zagrożenie życia. Rozpoznanie potwierdza się prześwietleniem płuc. Leczenie polega najczęściej na zastosowaniu drenażu klatki piersiowej.

Krwawienie wewnątrzczaszkowe. Najczęściej krwawienie następuje do lub w okolice komór bocznych mózgu. Jest ono przeważnie następstwem ciężkiego porodu, a głównie niedotlenienia. Objawy nie są charakterystyczne. Za wystąpieniem krwawienia przemawia ciężki stan noworodka, najczęściej wcześniaka. Następstwem krwawienia może być wodogłowie, niedowład (najczęściej spastyczny) lub upośledzenie rozwoju psychicznego. Niewielkie krwawienie podwyściółkowe może przebiegać bezobjawowo i nie pozostawia trwałych następstw. Dziecko musi być pod opieką neurologa.

Rozpoznanie ustala się badaniem ultrasonograficznym, które wykazuje obecność wynaczynionej krwi.

Leczenie jest zachowawcze. Leczenie chirurgiczne stosuje się w przypadkach wodogłowia, wodniaków, a także gdy jest konieczna korekcja ortopedyczna kończyn dolnych. Leczeniem uzupełniającym jest rehabilitacja.

Obrażenia narządów jamy brzusznej

Urazy komunikacyjne, upadki z wysokości, uderzenia i pobicia mogą powodować u dzieci nie tylko złamania kości, ale także obrażenia narządów wewnętrznych (zwłaszcza przy urazach bezpośrednich brzucha i okolic lędźwiowych).

Pęknięcie wątroby lub śledziony. W obu przypadkach przede wszystkim dochodzi do gwałtownego krwawienia wewnętrznego i najczęściej wstrząsu z powodu spadku ilości krwi krążącej.

Objawy nie pozwalają jednoznacznie stwierdzić, czy pęknięciu uległa wątroba czy śledziona. Dziecko, jeśli jest przytomne, uskarża się na ból brzucha. Jest blade, cierpiące, w stanie rozwiniętego wstrząsu krwotocznego może być zamroczone. Skóra jest chłodna, często wilgotna, tętno szybkie i słabo wyczuwalne lub niewyczuwalne. Ciśnienie tętnicze krwi jest niskie lub nieoznaczalne. Brzuch może być wzdęty, mięśnie jego napięte (obrona mięśniowa), występują objawy otrzewnowe i bolesność uciskowa. Może być wyczuwalny guz w brzuchu. Badanie USG przeważnie umożliwia prawidłowe rozpoznanie.

Przy pęknięciu wątroby mogą dominować objawy żółciowego zapalenia otrzewnej. Przy obrażeniach śledziony zdarza się, że w pierwszych godzinach ogólny stan dziecka może być dobry i nie występują objawy krwawienia do jamy otrzewnej. Dopiero po kilku lub kilkunastu godzinach może nastąpić pęknięcie torebki śledziony na skutek powiększającego się krwiaka podtorebkowego i krwawienie lub krwotok do jamy otrzewnej. Pęknięcie torebki mogą poprzedzać bóle o charakterze rozpierającym w lewym nadbrzuszu, odruchy wymiotne oraz narastająca bladość powłok.

Leczenie pęknięcia wątroby polega na zeszyciu lub usunięciu jej części. W przypadkach pęknięcia śledziony przeważnie jest usuwany cały narząd, rzadziej zszywa się go lub skleja.

Pęknięcie jelit lub żołądka. We wszystkich przypadkach pęknięcia jelit lub żołądka ich zawartość wypływa do jamy otrzewnej i szybko doprowadza do jej zakażenia. Obrażenia te objawiają się nagłym bólem i wstrząsem. W wymiocinach może być niewielka ilość krwi. Tylko szybka operacja, zeszycie pęknięcia lub wycięcie uszkodzonego fragmentu jelita może zahamować proces zapalenia otrzewnej i uratować dziecko.

Obrażenia trzustki, włącznie z jej pęknięciem, powstają wskutek urazów części środkowej nadbrzusza. Wydobywający się z trzustki do jamy otrzewnej sok trzustkowy, zawierający enzymy trawiące białka i tłuszcze, wywołuje gwałtowny odczyn zapalny ze strony otrzewnej. Towarzyszą mu bardzo silne bóle brzucha, wymioty i wstrząs. Przeważnie jest konieczne leczenie operacyjne i ogólne. To ostatnie polega na podawaniu leków hamujących działanie enzymów trzustkowych. Po mniejszych obrażeniach leczonych tylko zachowawczo mogą powstać torbiele trzustki.

Obrażenia głowy

Urazy głowy u dzieci zdarzają się w każdym wieku, od okresu noworodkowego do szkolnego. W okresie noworodkowym ich sprawcami są z reguły rodzice (awantury domowe), w okresie niemowlęcym są one skutkiem braku właściwej opieki (dzieci spadają ze stołu, tapczanu, balkonu, wypadają z wózka), w okresie przedszkolnym i szkolnym zdarzają się przeważnie podczas zabaw, rzadziej są następstwem wypadków komunikacyjnych. Na podstawie rodzaju urazu i okoliczności nie można wnioskować o możliwych skutkach, ponieważ zdarza się, że nawet mały uraz może spowodować bardzo ciężkie następstwa.

Wstrząśnienie mózgu. Jest to najlżejsza forma obrażenia mózgu.

O b j a w y. Zwykle po bezpośrednim urazie głowy następuje krótkotrwała utrata przytomności. Po powrocie do świadomości występują zwykle wymioty, bóle i zawroty głowy, zaburzenia równowagi. Dziecko starsze nie pamięta przebiegu wypadku. Wszystkie te objawy są wynikiem nieznacznego uszkodzenia mózgu i w stosunkowo krótkim czasie ustępują nie pozostawiając żadnych trwałych śladów. U d z i e c i n a j m ł o d s z y c h trudno określić, czy i jak długo trwała utrata przytomności, nie można uzyskać także pozostałych informacji. Najbardziej stałym objawem są wymioty, chociaż dzieci pobudliwe mogą reagować wymiotami na bardzo różne bodźce. Każde dziecko, które wymiotowało po urazie głowy, powinno być zbadane przez lekarza i na ogół wymaga obserwacji szpitalnej. Jeśli po wykonaniu niezbędnych badań (rentgen czaszki, badanie neurologiczne i ogólnochirurgiczne, rejestracja częstości tętna i oddechów, ciśnienia tętniczego krwi) stan dziecka nie budzi wątpliwości, jest wypisywane po parodniowej obserwacji do domu z zaleceniem kontroli ambulatoryjnej. B e z o b j a w o w y początek choroby nie gwarantuje pomyślnego dalszego przebiegu.

Krwiak śródczaszkowy może ujawnić się po kilku godzinach lub dniach od urazu. O jego obecności świadczą tzw. o b j a w y o g n i s k o w e, tj. jednostronne drgawki, niedowłady lub porażenia, rozszerzenie źrenic i inne.

Uszkodzenia mózgu u dzieci, nawet te z bardzo ciężkimi objawami, mogą cofać się nie pozostawiając trwałego kalectwa.

Złamanie kości czaszki jest wykrywane na podstawie badania rentgenowskiego. L e c z o n e jest szpitalnie, ale sposób postępowania zależy od wystąpienia wyżej opisanych objawów. Wyciek płynu mózgowo-rdzeniowego z nosa lub uszu świadczy o złamaniu podstawy czaszki. Pewnym dowodem złamania kości czaszki, nawet gdy zdjęcie rentgenowskie nie wykazuje zmian, jest chełbocący krwiak na głowie (krwiak podokostnowy).

Leczenie obrażeń głowy. Jeśli wystąpił pełny zespół objawów wstrząśnienia, dziecko wymaga leczenia steroidami i ewentualnie preparatami moczopędnymi, które zmniejszają obrzęk mózgu. Jeżeli utrzymują się zaburzenia świadomości i dołączają się takie objawy, jak zwolnienie lub przyspieszenie częstości tętna, zaburzenia czynności oddechowej, albo gdy zaburzenia świadomości narastają, może być konieczne leczenie operacyjne (t r e p a n a c j a) mające na celu odbarczenie tkanki mózgowej. Wskazaniem do operacji jest także krwiak śródczaszkowy oraz wgniecenie kości czaszki.

Pierwsza pomoc w urazach głowy z głęboką utratą przytomności polega na utrzymaniu drożności dróg oddechowych, a przy zatrzymaniu czynności serca – na pośrednim masażu serca i sztucznym oddychaniu (zob. Pierwsza pomoc, s. 2125).

Złamania i zwichnięcia u dzieci

Złamania kości długich. Do najczęstszych złamań kończyn u dzieci należą złamania: kości przedramienia, obojczyka, nadkłykciowe kości ramienia oraz złamania kości uda i podudzia. Są one wywołane upadkami z wysokości, wypadkami komunikacyjnymi lub zwykłym przewróceniem się. Złamania kości długich mogą być poprzeczne, z przemieszczeniem odłamów do boku lub skróceniem, oraz skośne albo spiralne. Ponadto mogą być otwarte lub zamknięte, tzn. z przerwaniem lub bez przerwania ciągłości powłok (skóry). Przy złamaniach otwartych następuje zakażenie tkanek otaczających.

O b j a w y. Po urazie występuje silny ból w miejscu złamania, trudności poruszania kończyną, obrzęk, przeważnie z rozległym wylewem krwi do tkanek miękkich otaczających miejsce złamania oraz deformacja lub skrócenie kończyny.

Leczenie zależy od rodzaju złamania. Może być zachowawcze, operacyjne lub za pomocą wyciągów. L e c z e n i e z a c h o w a w c z e polega na zestawieniu złamanych kości w prawidłowe położenie, a następnie na założeniu opatrunku gipsowego unieruchamiającego kończynę. Zabieg ten zwykle wykonuje się w znieczuleniu ogólnym. Stosuje się go w olbrzymiej większości przypadków. L e c z e n i e o p e r a c y j n e jest stosowane tylko wtedy, gdy nie udaje się nastawić złamania. W czasie operacji zestawia się kości w prawidłowym ustawieniu i ustala odłamy przy użyciu śrub, drutów lub gwoździ.

Trzecim sposobem leczenia są tzw. w y c i ą g i p o ś r e d n i e lub b e z p o ś r e d n i e (często stosowane u dzieci). Kończyna jest rozciągana przy użyciu sytemu bloków i linek, a złamanie nastawia się samo. Wyniki leczenia są dobre.

Złamania miednicy należą do ciężkich złamań, często z towarzyszącymi obrażeniami innych narządów. Dochodzi do nich przy upadku z dużych wysokości, w wypadkach samochodowych (dostanie się pod koła pojazdu) albo w następstwie przyciśnięcia i przygniecenia. Pęknięcia i złamania kości miednicy mogą przebiegać w różnych kierunkach, ale najczęściej są to rozerwania w miejscach fizjologicznie słabszych, takich jak np. spojenie łonowe.

O b j a w e m złamania jest ból, trudności lub niemożliwość chodzenia, obrzęki i wylewy krwawe w miejscu złamania. Ciężkim urazom miednicy z rozerwaniem obręczy biodrowej mogą towarzyszyć uszkodzenia jelita grubego, pęknięcie pęcherza moczowego, pochwy lub cewki moczowej.

L e c z e n i e izolowanego złamania miednicy jest zachowawcze, z unieruchomieniem kilkutygodniowym w łóżku, w rynienkach gipsowych lub w hamakach. Rozerwania lub zmiażdżenia połączone z obrażeniami narządów wewnętrznych wymagają leczenia operacyjnego oraz rekonstrukcji narządów – zeszycia jelita, cewki moczowej lub pęcherza.

Złamania kręgosłupa. Dochodzi do nich najczęściej przy upadku z wysokości lub w wypadkach komunikacyjnych. Ciężkie złamania z przemieszczeniem trzonów kręgowych mogą doprowadzić do ucisku rdzenia albo nawet do jego przerwania. Ucisk lub przerwanie rdzenia rzadko są odwracalne i u dzieci z takimi obrażeniami występują porażenia kończyn dolnych z nietrzymaniem moczu i stolca (pęcherz neurogenny). Doprowadza to do zakażenia układu moczowego i ciężkich uszkodzeń nerek w następstwie zalegania moczu.

Leczenie złamania kręgosłupa bez objawów ucisku rdzenia jest zachowawcze i polega na leżeniu na twardym i równym podłożu. Wcześnie zakłada się specjalne gorsety usztywniające kręgosłup. Przy ucisku odłamu kostnego na rdzeń leczenie jest operacyjne i polega na odbarczeniu rdzenia (usunięciu łuków kręgu lub inne). Dalsze leczenie jest zachowawcze. Rehabilitacja jest niezbędna.

Złamania żeber u dzieci należą do złamań dość rzadkich ze względu na elastyczność części chrzęstnych żeber. Objawiają się bólem podczas oddychania i bolesnością w miejscu złamania.

Leczenie jest zachowawcze i polega na założeniu opatrunków plastrowych ograniczających ruchomość jednej połowy klatki piersiowej. Ogranicza się aktywność fizyczną dziecka i podaje leki przeciwbólowe.

Złamanie obojczyka objawia się niemożnością uniesienia ręki po stronie złamania, bólem i bolesnością uciskową obojczyka. Leczenie zachowawcze polega na unieruchomieniu obojczyka w opatrunku gipsowym na okres 3 tygodni. Leczenie operacyjne stosuje się tylko wtedy, gdy odłamy uciskają na naczynia krwionośne lub splot ramienny (bardzo rzadkie). Złamania obojczyka u noworodków leczy się założeniem miękkiego opatrunku unieruchomiającego na ok. 12 dni.

Zwichnięcia występują u dzieci rzadziej niż u dorosłych. Najczęściej dochodzi do zwichnięć w stawach palców rąk (przeważnie kciuka), w stawie biodrowym, kolanowym, łokciowym, barkowym lub kręgów szyjnych. Objawami są: ból w okolicy stawu, ograniczenie lub zniesienie ruchów, przymusowe ustawienie kończyny, obrzęk, zniekształcenie zarysu stawu. Rzadko dochodzi do uszkodzenia nerwów lub naczyń. W zwichnięciu (a najczęściej nadwichnięciu) kręgów szyjnych występuje ból, zniesienie ruchów i przymusowe ustawienie głowy w stosunku do tułowia.

Leczenie polega na nastawieniu, najczęściej zachowawczo, przeważnie w znieczuleniu ogólnym. Nadwichnięcie kręgów szyjnych leczy się wyciągiem za głowę.

Podwichnięcie główki kości promieniowej. Jest to niezupełne zwichnięcie. Występuje u dzieci do 3 r. życia w wyniku silnego pociągnięcia za rączkę. Dziecko nie zgina ręki w stawie łokciowym z powodu bólu. Występuje bolesność stawu łokciowego.

Leczenie polega na nastawieniu podwichnięcia i założeniu temblaka na 3–4 dni.

Ciała obce

Ciała obce w organizmie dziecka są to różne drobne przedmioty, które dziecko najczęściej podczas zabawy połyka lub wprowadza np. do nosa, ucha, cewki moczowej, odbytnicy. Do ciał obcych należą również odłamki szkła, metalowe, drzazgi, które wnikają do miękkich tkanek dziecka (dziecko kaleczy się nimi).

Ciała obce z dróg oddechowych muszą być szybko usunięte, gdyż grożą zatkaniem oskrzeli i powikłaniami płucnymi (zapalenie płuc, niedodma, ropnie).

Ciała obce w przewodzie pokarmowym najczęściej przechodzą wraz z treścią pokarmową całą drogę bez powikłań i są wydalane na zewnątrz ze stolcem. Jeśli zdarzy się, że ostre przedmioty zaklinują się w przełyku lub w jelicie, muszą być usunięte operacyjnie. Zwykle wykonuje się zdjęcie przeglądowe brzucha (lub klatki piersiowej) w celu uwidocznienia połkniętych przedmiotów (tablica 29 e). O leczeniu decyduje chirurg.

Ciała obce w pochwie, cewce moczowej, pęcherzu lub odbytnicy wywołują miejscowy stan zapalny i niepokój dziecka. Niekiedy jednak właśnie stan zapalny i wywołany nim świąd są powodem wprowadzenia ciał obcych do wspomnianych miejsc.

Ciała obce z tkanek miękkich usuwa się operacyjnie. Szczególnie trudne do usunięcia są kawałki szkła, drewna lub plastyku, które nie kontrastują i mogą znajdować się o wiele głębiej lub dalej, niż wydaje się to początkowo. Przy usuwaniu ciał obcych kontrastujących korzysta się z aparatu rentgenowskiego z ekranem telewizyjnym.

Oparzenia

Oparzenia powłok (skóry) są typowym i najczęstszym obrażeniem u dzieci w pierwszych latach życia. Po 4 r. życia ich częstość gwałtownie maleje, zwiększa się natomiast liczba złamań. Dziecko przeważnie (ponad 95% przypadków) ściąga na siebie naczynie z gorącym płynem: wodą, herbatą lub kawą, zupą itp. Zdarzają się też oparzenia po włożeniu dziecka do zbyt gorącej kąpieli lub gdy dziecko usiądzie na maszynkę elektryczną. Oparzenia prądem elektrycznym lub ogniem występują częściej u dzieci starszych. W olbrzymiej większości przypadków winę ponoszą opiekunowie, którzy nie dopilnowali dziecka i nie przewidzieli możliwości oparzenia (zwykły brak wyobraźni).

Najprostszy podział wyróżnia trzy stopnie oparzenia: I° – rumień, II° – rumień i pęcherze lub skóra pozbawiona naskórka (częściowe uszkodzenie skóry), III° – skóra blada lub zwęglona, zniszczona na całej głębokości, często także z tkankami głębszymi. Określenie głębokości oparzenia może początkowo sprawiać trudności. W oparzeniu prądem elektrycznym uszkodzenie tkanek głębszych jest znacznie rozleglejsze, niż wynika to ze zmian na skórze.

Oparzenie jest rozległą raną, przez którą bakterie bez trudu wnikają do organizmu, a uszkodzone tkanki stanowią doskonałe podłoże dla ich rozwoju. Oparzenie, zwłaszcza rozległe, jest ciężką chorobą całego organizmu i stanowi zagrożenie dla życia dziecka. Noworodki z oparzeniem zaledwie 5% powierzchni ciała mogą zareagować ciężkim wstrząsem.

Pierwsza pomoc polega na natychmiastowym zdjęciu ubrania i ochłodzeniu rany przez polanie zimną wodą. Nie zdejmuje się ubrania, gdy paliło się ono na dziecku, tylko polewa się je wodą. Takie postępowanie zapobiega przenikaniu ciepła do tkanek głębiej leżących i obniża stopień oparzenia. Po ochłodzeniu skóry, co następuje po kilkudziesięciu sekundach, należy dziecko zawinąć w czyste prześcieradło i w koc, aby ochronić organizm przed utratą ciepła. Jeżeli dostępny jest jałowy opatrunek, należy położyć go na ranę.

Leczenie. Większość oparzeń u dzieci wymaga leczenia szpitalnego, każde zaś powinno być obejrzane przez lekarza. Leczenie polega na podawaniu leków przeciwbólowych, co pomaga zwalczać wstrząs oparzeniowy i zmniejsza cierpienie dziecka, oraz na nałożeniu jałowego opatrunku ochronnego. W rozległych oparzeniach i u małych dzieci stosuje się płyny dożylne w celu zwalczenia wstrząsu i wyrównania strat płynu przez ranę oparzeniową. Bardzo często podaje się antybiotyki, które zapobiegają rozwojowi zakażenia. Po opanowaniu wstrząsu oparzeniowego jest ono największym niebezpieczeństwem i najczęstszą przyczyną zgonu (posocznica). Bardzo ważne jest intensywne żywienie wzmacniające odporność dziecka. W okresie późniejszym często stosuje się przeszczepy naskórkowe (pobrane ze zdrowej skóry) zmniejszające powierzchnię rany i przyspieszające gojenie. W rozległych oparzeniach jest to jedyny sposób umożliwiający uratowanie dziecka. Już we wczesnym okresie oparzenia i przez cały czas leczenia jest konieczna rehabilitacja fizyczna i psychiczna. Głębokie oparzenia, zwłaszcza twarzy i rąk, wymagają zabiegów odtwórczych (chirurgia plastyczna).

Zapobieganie oparzeniom polega na przewidywaniu możliwości oparzenia i likwidowaniu warunków, które temu sprzyjają. Znaczną rolę spełnia tutaj wzrost stopy życiowej i poprawa warunków socjalnych oraz stała akcja uświadamiająca przez środki masowego przekazu, głównie radio i telewizję.

IX. NOWOTWORY U DZIECI

W odróżnieniu od nowotworów u osób dorosłych, większość tych chorób u dzieci powstaje w wyniku zaburzeń w rozwoju płodowym. Zaburzenia te mogą być spowodowane paleniem tytoniu przez matkę, prześwietleniami rentgenowskimi i zażywaniem leków w czasie ciąży oraz wieloma innymi czynnikami środowiskowymi. Wykazano np., że przez łożysko mogą przenikać niektóre chemiczne czynniki rakotwórcze. Pewien wpływ na zwiększenie ryzyka zachorowania dziecka na nowotwór może mieć również wiek matki (im starsza matka, tym wyższe ryzyko) oraz ogólny stan jej zdrowia.

Ustalono też pewien związek między nowotworami złośliwymi a wadami wrodzonymi u dzieci. U dzieci z wrodzonym defektem immunologicznym i z niektórymi zaburzeniami chromosomów (trisomia) również istnieje zwiększone ryzyko zachorowania na nowotwory złośliwe. Zachorowalność wynosi średnio 15 zachorowań rocznie na 100 000 dzieci.

Nowotwory łagodne u dzieci to głównie naczyniaki, potworniaki i nerwiaki.

Nowotwory złośliwe można zgrupować następująco: białaczki, chłoniaki ziarnicze i nieziarnicze, histiocytoza X, nowotwory ośrodkowego układu nerwowego, nowotwory układu współczulnego, nowotwory kości, nowotwory narządów moczowo-płciowych oraz nowotwory umiejscowione w innych narządach. Częstość występowania nowotworów złośliwych u chłopców i dziewcząt obrazuje tabela.

Częstość występowania nowotworów złośliwych u dzieci

Umiejscowienie lub typ nowotworu	% wszystkich nowotworów	
	u chłopców	u dziewczynek
Białaczki	34,8	29,7
(w tym białaczka limfatyczna)	(17,2)	(15,9)
Ośrodkowy układ nerwowy	21,6	27,2
(w tym mózg)	(15,7)	(20,1)
Ziarnica złośliwa	10,0	4,2
Układ moczowo-płciowy	8,5	3,8
Oko	5,6	4,6
Kości	3,8	4,6
Układ oddechowy	2,8	1,6
Układ pokarmowy	1,6	2,5

Objawy choroby nowotworowej u dzieci zależą od charakteru choroby. W nowotworach układowych (np. białaczka) wczesne objawy są zwykle mało charakterystyczne (osłabienie, krwawienia z dziąseł i błon śluzowych). W innych nowotworach ulegają powiększeniu węzły chłonne (chłoniaki) lub zostają zniekształcone bądź powiększone narządy (guz Wilmsa – nerka, siatkówczak – oko). Nowotwory kości powodują zwykle dolegliwości bólowe kości.

Zasady leczenia nowotworów u dzieci. Podstawowym warunkiem uzyskiwania dobrych wyników leczenia jest jak najwcześniejsze rozpoznanie choroby i właściwe leczenie. W wykrywaniu nowotworów szczególnie dużą rolę spełnia najbliższe otoczenie (rodzina) i lekarze sprawujący opiekę nad dzieckiem. Podobnie jak u dorosłych, stosowane są metody leczenia: chirurgiczna, chemioterapia, radioterapia oraz metody skojarzone. Leczenie chirurgiczne ma głównie zastosowanie w guzach litych (usunięcie guza) i w niektórych nowotworach układowych (np. układu limfatycznego). Postępy w chemioterapii (leczenie systemowe) i w radioterapii poprawiły znacznie rokowanie również w nowotworach uważanych dawniej za nieuleczalne. Ważnym problemem jest właściwa rehabilitacja po leczeniu.

Kompleksowym leczeniem nowotworów u dzieci zajmuje się Instytut Matki i Dziecka oraz kliniki pediatryczne akademii medycznych.

Szybko rosnące naczyniaki krwionośne u dzieci. Jest to szczególna postać naczyniaków cechujących się bardzo szybkim wzrostem od wczesnego okresu niemowlęcego. Jeżeli znajdują się na twarzy, mogą stanowić duży defekt kosmetyczny. Początkowo są wielkości główki szpilki i w krótkim czasie mogą powiększać się do rozmiarów śliwki. W skrajnych przypadkach mogą przerastać pół twarzy. Naczyniaki mogą rozrastać się także w narządach wewnętrznych, mięśniach kończyn itp. Współistnieć może małopłytkowość i niewydolność krążenia w następstwie przeciążenia serca. Wiele z nich zanika w 2 r. życia, pozostawiając niewielkie zmiany.

L e c z e n i e przetrwałych naczyniaków jest bardzo trudne. Koagulacja laserem lub metoda głębokiego zamrażania daje dobre wyniki kosmetyczne. Podejmuje się również próbę leczenia steroidami, ale wyniki nie są pewne. Stosowane niekiedy podwiązywanie naczyń krwionośnych odżywiających guz przeważnie prowadzi do jego zaniku lub zatrzymuje wzrost. Dziecko powinien leczyć jeden kompetentny lekarz.

Białaczki, zob. Pediatria, Choroby krwi i układu krwi, s. 1283.

Nowotwory ośrodkowego układu nerwowego. Są to najczęstsze po białaczkach nowotwory wieku dziecięcego, występujące zwłaszcza między 5 a 10 r. życia. Większość, bo 70%, stanowią g l e j a k i o różnej budowie mikroskopowej: gwiaździaki, rdzeniaki, wyściółczaki (zob. Choroby nowotworowe, s. 2069). Nowotwory mózgu umiejscawiają się głównie w tylnej jamie czaszkowej.

O b j a w y: wymioty, bóle głowy, zaburzenia równowagi i widzenia, zaburzenia świadomości, niedowłady i porażenia.

R o z p o z n a n i e ustala się na podstawie specjalnych badań radiologicznych (tomografia komputerowa, rezonans magnetyczny i arteriografia, a u niemowląt USG).

L e c z e n i e chirurgiczne, uzupełniane radioterapią.

R o k o w a n i e, uzależnione od umiejscowienia i zaawansowania choroby, zwykle jest dość dobre.

Ziarnica złośliwa, zob. Pediatria, Choroby krwi i układu krwiotwórczego, s. 1287.

Histocytoza X, zob. Pediatria, Choroby krwi i układu krwiotwórczego, s. 1289.

„Guz brzucha" jest to obecność nieprawidłowej masy w jamie brzusznej. Może to być nowotwór złośliwy lub łagodny, torbiel albo patologicznie powiększony narząd (np. olbrzymie wodonercze, powiększona śledziona). Zwykle dopiero specjalistyczne badania umożliwiają ustalenie dokładnego rozpoznania. Czasami może być konieczne próbne otwarcie jamy brzusznej i pobranie wycinka, gdy inne badania nie prowadzą do ustalenia ostatecznego rozpoznania. Zaniechanie koniecznych badań i opóźnienie leczenia może zadecydować o życiu dziecka.

Guz Wilmsa lub **nerczak płodowy.** Jest to złośliwy nowotwór nerki występujący prawie wyłącznie u dzieci, głównie w ciągu pierwszych 4 lat życia. Może występować również u noworodków. Powoduje on zniszczenie nerki, rozrasta się w najbliższej okolicy i daje przerzuty, głównie do płuc. Naciekanie wątroby i trzustki występuje w stanach zaawansowanej choroby nowotworowej. Nowotwór może się rozwijać w obu nerkach równocześnie.

Objawy. Najczęściej pierwszym objawem, niestety późnym, jest guz w brzuchu. Zwykle zauważa go matka. Bóle tej okolicy, jeśli występują, nie są silne. Może wystąpić krwiomocz (rzadko), gorączka. W zaawansowanej chorobie stwierdza się wyniszczenie i niedokrwistość.

Rozpoznanie potwierdza urografia. Pomocne są ultrasonografia, tomografia komputerowa, NMR, a także biopsja, zwłaszcza w przypadkach, w których leczenie rozpoczyna się od napromieniania i chemioterapii (w bardzo dużych guzach).

Leczenie jest zwykle chirurgiczne. Po zabiegu stosuje się przeważnie chemioterapię i rzadziej radioterapię. Przerzuty do płuc mogą być usuwane operacyjnie. Wyniki są tym lepsze, im młodsze jest dziecko i mniejszy guz. Ponad 90% dzieci może być trwale wyleczonych. Gdy dziecko przeżywa 2 lata po operacji bez przerzutów, można je uznać za wyleczone. Wznowy po tym okresie zdarzają się rzadko.

Mięsak groniasty pęcherza moczowego, pochwy i macicy. Jest to nowotwór złośliwy. Może powodować zaburzenia w wydalaniu moczu (częstomocz, skąpomocz lub zatrzymanie moczu), krwiomocz, krwawienia z dróg rodnych. Niekiedy wypada przez cewkę lub pochwę na zewnątrz i wtedy ma wygląd groniastych mas.

Leczenie operacyjne z następującą po nim chemioterapią i radioterapią.

Nerwiak zarodkowy współczulny. Jest to guz o dużej złośliwości, wywodzący się z zarodkowych komórek współczulnego układu nerwowego. Może rozwijać się wszędzie tam, gdzie są rozmieszczone embrionalne komórki układu współczulnego. Najczęściej występuje w brzuchu, rzadziej w klatce piersiowej. Może występować rodzinnie. Przeważnie atakuje dzieci do 4 r. życia. Guz nacieka tkanki okoliczne i daje przerzuty do węzłów chłonnych, wątroby i kości.

Objawy. Najczęściej pierwszym objawem jest guz w brzuchu. Wydziela on substancje biologicznie czynne (katecholaminy), mogą więc występować różne objawy z tym związane, m.in. nadciśnienie tętnicze, zaburzenia neurologiczne, biegunki i inne. Stwierdzenie podwyższonego poziomu tych związków we krwi, a produktów ich przemiany w moczu, potwierdza rozpoznanie. Rutynowo wykonuje się badania klatki piersiowej i kości w poszukiwaniu przerzutów.

Leczeniem z wyboru jest chirurgiczne usunięcie guza w całości lub choćby tylko jego części, a następnie chemio- oraz radioterapia. Gdy guz jest bardzo duży, leczenie może być rozpoczęte od chemioterapii. Wyniki są dobre u małych dzieci, z wcześnie ustalonym rozpoznaniem (do 85% wyleczeń), gorsze u dzieci starszych z zaawansowaną chorobą nowotworową, niedokrwistością i wyniszczonych. Jeżeli dziecko przeżywa 3 lata po operacji bez przerzutów, można je uznać za wyleczone.

Siatkówczak jest najczęstszym nowotworem złośliwym oka. Stanowi ok. 1% wszystkich nowotworów złośliwych u dzieci. Istnieje w pewnym stopniu uwarunkowanie genetyczne, ponieważ ok. 5% tych nowotworów rozwija się u dzieci, których rodzice chorowali na tę chorobę. U niektórych chorych występują zaburzenia w chromosomie 13. U 25% chorych nowotwór rozwija się w obu gałkach ocznych. Ocenia się, że prawdopodobieństwo wystąpienia choroby u drugiego dziecka zdrowych rodziców wynosi 1%.

Objawami najbardziej charakterystycznymi siatkówczaka są: szarożółty refleks źrenicy („błysk koci"), ciągły zez, jednostronne rozszerzenie źrenicy, zaburzenia widzenia i wytrzeszcz gałek ocznych.

Choroba może szerzyć się na zewnątrz lub do wewnątrz oczodołu, zwłaszcza wzdłuż nerwu wzrokowego.

Rozpoznanie ustala dokładne badanie okulistyczne i badanie mikroskopowe.

Leczenie zależy od zaawansowania choroby. Małe guzy o wymiarach do 10 mm zlokalizowane w jednej gałce ocznej, nawet jeśli są 2–3 ogniska nowotworowe, mogą być napromieniane promieniami kobaltu 60 wg specjalnej metody Stallarda, która umożliwia zachowanie gałki ocznej i częściowego widzenia. Nowotwór bardziej zaawansowany usuwany jest operacyjnie wraz z gałką oczną lub leczony przy użyciu metody fotokoagulacji albo specjalnej techniki zamrażania z ewentualnym napromienianiem promieniami kobaltu 60.

Przy nowotworze w obu gałkach ocznych stosuje się wszystkie możliwe metody: napromienianie, chemioterapię i leczenie chirurgiczne w taki sposób, aby zachować wzrok lub poczucie światła chociaż w jednym oku. Przy nowotworach we wczesnych fazach rozwoju istnieje duża szansa wyleczenia z zachowaniem wzroku (85–95%).

Nowotwory łagodne kości. Nowotwory łagodne kości najczęściej ujawniają się w postaci zmian kostnych, takich jak uwypuklenia, guz, zniszczenie struktury kostnej. Mogą im towarzyszyć bóle i upośledzenie czynności kości, w której się umiejscawiają. Należą tu m.in.: kostniaki, chrzęstniak zarodkowy, guz olbrzymiokomórkowy, torbiel tętniakowata, naczyniak krwionośny, dysplazja włóknista. Niektóre z nich występują przeważnie w kościach długich (np. kostniak kostninowy, chrzęstniak zarodkowy, guz olbrzymiokomórkowy i kostniako-chrzęstniak), w kościach czaszki (kostniak) lub w trzonach kręgów (naczyniak krwionośny).

Rozpoznanie ustala się na podstawie badania rentgenowskiego i badania mikroskopowego.

Leczenie operacyjne, rokowanie dobre, jeśli zmianę można usunąć w całości.

Nowotwory złośliwe kości. U dzieci najczęściej występują: kostniakomięsak, powstający z mezenchymy kościotwórczej, oraz mięsak (guz) Ewinga, wywodzący się z mezenchymy szpiku. Nowotwory te mogą wystąpić w każdym miejscu kośćca, jednakże kostniakomięsak najczęściej umiejscawia się w kościach długich okolicy kolana, natomiast mięsak Ewinga – w górnej części kości udowej, w kościach miednicy i żebrach. Inne nowotwory występują znacznie rzadziej.

Objawami początkowymi kostniakomięsaka i mięsaka Ewinga jest bolesny obrzęk, który poprzedza pojawienie się guza. Może wystąpić gorączka. Zwiększa się liczba krwinek białych i przyspiesza opadanie krwinek (OB).

Przy rozpoznaniu bardzo pomocne są badania rentgenowskie i scyntygrafia, ale opiera się ono ostatecznie na badaniu mikroskopowym.

Leczenie. Większość nowotworów złośliwych kości jest leczona chirurgicznie z amputacjami kończyn. Uzupełnieniem tego leczenia jest chemioterapia. W przypadkach mięsaka siateczki stosowane jest napromienianie.

Guzy jajnika. Najczęściej spotykanymi guzami jajnika u dziewcząt są tzw. potworniaki, zarówno dojrzałe (łagodne), jak i niedojrzałe (złośliwe), rozrodczaki i torbiele. Inne nowotwory zdarzają się rzadko. Często rozwijają się powoli i bezobjawowo, w związku z czym rozpoznaje się je dopiero wtedy, gdy osiągają duże rozmiary. Mogą występować bóle brzucha, nudności, czasami zaparcia. Jeżeli szypuła naczyniowa guza ulegnie skręceniu, pojawiają się ostre objawy brzuszne – silny ból, podrażnienie otrzewnej, wymioty, stan podgorączkowy.

Z reguły konieczne jest leczenie operacyjne – usunięcie guza, najczęściej z jajnikiem i jajowodem. Rozległość operacji zależy od stopnia złośliwości nowotworu, jego skłonności do naciekania tkanek okolicznych i niekiedy innych cech. Radio- i chemioterapia są wskazane w zależności od rodzaju nowotworu. Po operacji może być konieczne leczenie hormonalne.

Guz krzyżowo-ogonowy (krzyżowo-guziczny). Jest to potworniak okolicy kości ogonowej (guzicznej). Może mieć charakter nowotworu łagodnego, złośliwego lub mieszanego. Wraz ze wzrostem niemowlęcia obserwuje się uzłośliwienie guza. Konieczne jest zatem jak najszybsze usunięcie nowotworu, ponieważ może on dawać przerzuty do płuc, kości i rozrastać się miejscowo. Zwykle operuje się dzieci w okresie noworodkowym (w 1 m. życia).

Przyczyną powstania guza są zaburzenia we wczesnej fazie embriogenezy, prowadzące do uwalniania się komórek zarodkowych spod wpływu czynników kierujących ich rozwojem.

Objawy. Zwykle jest widoczny guz znacznych rozmiarów, np. głowy dziecka, zniekształcający budowę pośladków. Skóra na nim może być cieńsza, ze zmianami martwiczymi lub widocznymi poszerzonymi naczyniami żylnymi. Część guzów tego typu rozwija się w miednicy małej, uciskając na odbytnicę lub drogi moczowe, i wtedy jedynymi objawami są zaburzenia w wydalaniu moczu i stolca. Objawy te występują późno, gdy nowotwór jest już bardzo duży.

Rozpoznanie potwierdza się badaniem radiologicznym i USG. Wykonuje się urografię, wlew doodbytniczy i zdjęcia przeglądowe płuc, a także badania biochemiczne, które wykazują podwyższony poziom tzw. alfafetoprotein (białko pochodzenia embrionalnego).

Leczenie polega na chirurgicznym usunięciu guza. Jeśli jest to nowotwór złośliwy, stosuje się chemioterapię i dodatkowe napromienianie w przypadkach koniecznych.

Mięsak poprzecznie prążkowany. Jest to nowotwór złośliwy rozwijający się w mięśniach poprzecznie prążkowanych, umożliwiających czynny ruch (kończyny, tułów, gałki oczne). Przeważnie pojawia się w okresie noworodkowo-niemowlęcym oraz między 15–19 r. życia. Najczęściej występuje w obrębie głowy i szyi (gdzie może być pomylony z zapaleniem węzłów chłonnych), rzadziej w układzie moczowym (zob. Mięsak groniasty, s. 1679, w obrębie tułowia lub kończyn. Rozrasta się, miejscowo naciekając okoliczne tkanki. Drogą krwionośną i limfatyczną daje często przerzuty, głównie do węzłów chłonnych, wątroby, szpiku kostnego, rzadziej do płuc i mózgu.

Objawia się w formie guza. Rozpoznanie ustala się badaniem mikroskopowym wycinka (lub całego guza). Przed rozpoczęciem leczenia wykonuje się radiologiczne badanie narządów, do których najczęściej daje przerzuty.

Leczenie polega na całkowitym usunięciu guza, później na chemioterapii i radioterapii. Jeżeli guz nie może być operowany (ze względu na rozmiary i naciekanie okolicznych tkanek), leczenie rozpoczyna się od chemioterapii i radioterapii, po czym usuwa się guz i kontynuuje rozpoczęte leczenie. Terapia skojarzona daje duże szanse trwałego wyleczenia dziecka. Czasami może być konieczne wykonanie więcej niż jednego zabiegu operacyjnego.

Nieziarnicze chłoniaki złośliwe (NHL) należą do najczęstszych nowotworów złośliwych u dzieci. Częściej chorują chłopcy, a szczyt zachorowań przypada na wiek 7–11 lat. Ryzyko zachorowania zwiększają zaburzenia wrodzone i nabyte w układzie immunologicznym oraz narażenie na niektóre środki chemiczne, a także niektóre leki. Do czynników związanych z zachorowaniem na limfatycznego mięsaka Burkitta w Afryce zalicza się wirusa Epstein–Barra i malarię. Stwierdzono, że niemal wszystkie dzieci chore na ten nowotwór mają w DNA wbudowany genom wirusa Epstein–Barra.

Nieziarnicze chłoniaki złośliwe mogą umiejscawiać się w każdym miejscu organizmu: w układzie pokarmowym, śródpiersiu, migdałkach, gardle, węzłach chłonnych szyi i innych oraz, rzadziej, w kościach i ośrodkowym układzie nerwowym.

Objawy są związane z umiejscowieniem nowotworu. Ponad jedna trzecia tych nowotworów umiejscawia się w układzie pokarmowym, wywołując bóle brzucha w jego prawej, górnej części, mdłości i wymioty, ogólne osłabienie, utratę masy ciała. W późniejszych okresach choroby pojawia się płyn w jamie brzusznej i obrzęki.

Rozpoznanie ustala się badaniem mikroskopowym. Najczęstszą postacią histologiczną jest nieziarniczy chłoniak złośliwy o typie rozlanym limfoblastycznym.

W leczeniu metodą z wyboru jest wielolekowe, systemowe leczenie chemiczne. W dużych guzach niezbędnym leczeniem uzupełniającym lub zasadniczym – w przypadkach umiejscowienia w kościach – jest napromienianie (radioterapia).

CHOROBY UKŁADU WZROKOWEGO

I. WIADOMOŚCI OGÓLNE

O k u l i s t y k a jako nauka zajmująca się poznawaniem, zapobieganiem i leczeniem chorób oczu wyodrębniła się spośród nauk medycznych na początku XIX w. Rozwój tej gałęzi medycyny uwarunkowany był coraz dokładniejszym poznawaniem złożonych mechanizmów fizjologii i patofizjologii układu wzrokowego, co stało się możliwe dzięki postępowi technicznemu.

Choroby układu wzrokowego można podzielić według lokalizacji zmian oraz przyczyn ich powstawania, uwzględniając czynniki zewnątrz- i wewnątrzustrojowe. W sposobach leczenia tych chorób stosuje się dwie metody: zachowawczą i operacyjną. L e c z e n i e z a c h o w a w c z e uwzględnia czynnik odpowiedzialny za zaistniały stan chorobowy, ma więc charakter przyczynowy. Uzupełnieniem jego jest l e c z e n i e o b j a w o w e, przynoszące często doraźną ulgę w dolegliwościach. W leczeniu zachowawczym są szeroko stosowane takie środki farmakologiczne, jak antybiotyki i preparaty hormonalne oraz inne nowoczesne, wybiórczo działające na określone choroby.

Wiele chorób i nieprawidłowości układu wzrokowego jest wynikiem zmian patologicznych w innych układach organizmu. Przykładem tego są charakterystyczne zmiany wykrywane w badaniu okulistycznym, będące objawem niektórych chorób ośrodkowego układu nerwowego.

Siatkówka oka, najbardziej zróżnicowana tkanka gałki ocznej, jest jedynym miejscem, w którym można przyżyciowo z dużą dokładnością obserwować – b a d a j ą c d n o o k a – naczynia krwionośne najmniejszego kalibru. Badanie dna oka, pozwalające ocenić stan naczyń krwionośnych, ma doniosłe znaczenie w wielu chorobach układowych, w których uszkodzeniu ulega przede wszystkim układ naczyń krwionośnych całego organizmu, w tym także naczyń siatkówki. Do takich chorób, często występujących w naszym społeczeństwie, należą: nadciśnienie tętnicze, cukrzyca i niektóre choroby układu krwiotwórczego. Wynik badania dna oczu pozwala ocenić stopień rozwoju choroby, obserwować jej dynamikę i ustalić właściwe leczenie.

Dzięki zastosowaniu w medycynie zdobyczy współczesnej techniki poczyniono znaczne postępy w rozpoznawaniu i leczeniu chorób narządu wzroku. Znalazły tu szerokie zastosowanie promienie laserowe, izotopy i ultradźwięki. Opracowanie precyzyjnej aparatury optycznej pozwoliło na wgląd w mikrostrukturę oka, co dało początek mikrochirurgii, dzięki której udoskonalił i rozszerzył się zakres operacyjnego leczenia tkanek oka.

Rola zakażeń ogniskowych w chorobach oczu

W patogenezie chorób układu wzrokowego szczególną rolę odgrywają tzw. ogniska zakażenia, którymi określa się procesy zapalne toczące się w innych, odległych niekiedy narządach. Z narządów tych mogą rozsiewać się do krwi bakterie, ich toksyny, a także produkty przemiany materii drobnoustrojów lub komórek chorej tkanki i wywoływać odczyny zapalne w innych narządach. Ogniska zakażenia działają głównie na drodze mechanizmów alergiczno-immunologicznych, ponieważ wymienione czynniki (bakterie, ich toksyny i produkty rozpadu tkanki) stanowią antygeny powodujące wytwarzanie przeciwciał.

Ogniska zakażenia, które mają istotne znaczenie w chorobach układu wzrokowego, znajdują się najczęściej w sąsiednich tkankach. Są to przede wszystkim ogniska okołozębowe w postaci ziarniniaków, torbieli przywierzchołkowych, resztek korzeni zębowych, przetoki ropne zębowe, martwe zęby, z niezupełnie wypełnionymi korzeniami, a także zmienione zapalnie migdałki podniebienne i zatoki przynosowe.

W przebiegu zakażeń ogniskowych powstają stany zapalne błony naczyniowej oka, występujące pod postacią zapalenia tęczówki, ciała rzęskowego i naczyniówki. Wykrycie przyczynowego związku zmian zapalnych w oku z ogniskiem zakażenia jest niekiedy trudne do ustalenia, gdyż często toczące się w sąsiednich narządach i układach procesy chorobowe przebiegają bezobjawowo. Dokładne specjalistyczne badania stomatologiczne i laryngologiczne pozwalają wszakże potwierdzić lub wykluczyć obecność ogniska zakażenia.

Leczenie chorób oka związanych przyczynowo z ogniskiem zakażenia polega przede wszystkim na zlikwidowaniu tego ogniska przez intensywne leczenie zachowawcze (antybiotyki o szerokim zakresie działania), a także operacyjne (usunięcie martwych zębów lub chorych migdałków).

Higiena układu wzrokowego

W środowisku otaczającym człowieka znajduje się wiele czynników szkodliwych mogących zaburzać prawidłową czynność układu wzrokowego. Przestrzeganie zasad higieny sprowadza się do unikania nieodpowiednich warunków, które wpływają szkodliwie na narząd wzroku, narażając go na choroby lub zaburzając proces widzenia. Higiena twarzy i oczu, polegająca przede wszystkim na ich przemywaniu czystą wodą, zapobiega często występującym infekcjom spojówki pochodzenia bakteryjnego lub wirusowego.

Nie należy używać do wycierania oczu chusteczek stosowanych jednocześnie do nosa, ponieważ flora bakteryjna znajdująca się w wydzielinie z nosogardzieli jest często przyczyną zapalenia spojówek. Funkcję ochronną pełnią łzy, które nie tylko zwilżają spojówkę i rogówkę, ale mają ponadto właściwości bakteriobójcze.

Ochrona oczu przed urazami polega na bezwzględnym przestrzeganiu przepisów dotyczących bezpieczeństwa i używaniu odpowiednich okularów ochronnych, a także na zwiększeniu opieki nad dziećmi, zwłaszcza w miejscach zbiorowych zabaw. Urazy oczu powstające w związku z wykonywaną pracą zawodową oraz nieszczęśliwe wypadki, zwłaszcza wśród dzieci, stanowią duży procent uszkodzeń prowadzących w wielu przypadkach do całkowitej ślepoty.

Przestrzeganie odpowiednich warunków pracy wzrokowej, odpowiedniego oświetlenia, prawidłowej pozycji ciała przy czytaniu i pisaniu oraz wyrównanie istniejącej wady wzroku mają zasadnicze znaczenie dla procesu widzenia. Najlepsze dla oczu jest oświetlenie dzienne. Oświetlenie powinno być dostosowane do rodzaju wykonywanej pracy i powinno być tym silniejsze, im praca jest bardziej precyzyjna. W warunkach normalnej pracy wzrokowej optymalne widzenie występuje w oświetleniu o sile 200–300 luksów. Źródło oświetlenia powinno znajdować się z lewej strony w celu uniknięcia cienia ręki pracującej. Przedmioty silnie błyszczące mogą powodować męczące dla wzroku olśnienia.

Szczególną troską, jeśli chodzi o przestrzeganie zasad higieny wzroku, należy otoczyć dzieci w wieku szkolnym, ponieważ są one narażone na wzmożony wysiłek wzrokowy. Przed rozpoczęciem nauki w szkole dziecko powinno być zbadane przez lekarza okulistę, aby wykluczyć wadę wzroku. Dziecko z istniejącą wadą wzroku nie wyrównaną szkłami korekcyjnymi na skutek zwiększonego wysiłku akomodacyjnego szybko męczy się pracą wzrokową, co rzutuje na wyniki nauczania. Poza oświetleniem, przy pracy wzrokowej istotna jest właściwa odległość, która powinna wynosić ok. 30 cm. Zbyt mała odległość oczu od książki, co często obserwuje się u dzieci, zmusza układ optyczny oka do nadmiernej akomodacji, a to prowadzi do znużenia oczu.

Przedmiotem dyskusji jest szkodliwość działania transmisji telewizyjnych na układ wzrokowy. Aparaty telewizyjne nie emitują promieni szkodliwych dla oczu. Dolegliwości powstające w czasie oglądania telewizji, w postaci „męczenia się oczu", pieczenia spojówek lub pogorszenia wzroku, są najczęściej spowodowane nadmiernym wysiłkiem akomodacyjnym, który występuje w wadzie wzroku nie wyrównanej szkłami korekcyjnymi.

Rozpoznawanie i leczenie chorób oczu

Postęp w dziedzinie rozpoznawania i leczenia chorób układu wzrokowego stał się możliwy dzięki osiągnięciom naukowym i zastosowaniu niektórych zdobyczy techniki w okulistyce. Udoskonalenie aparatury optycznej i zastosowanie jej w mikroskopach, a także innych urządzeniach używanych do celów diagnostycznych i operacyjnych, pozwala na bardziej dokładne badanie układu wzrokowego i precyzyjne operowanie tkanek oka, co znacznie zwiększyło skuteczność zabiegów. W usuwaniu ciał obcych metalicznych, magnetycznych znalazły zastosowanie elektromagnesy o różnej sile trakcyjnej w zależności od rodzaju, wielkości i lokalizacji ciała obcego. Rozpoznanie i leczenie chorób oczu stało się doskonalsze dzięki wprowadzeniu nowych metod diagnostycznych, takich jak ultrasonografia oka, badania elektrofizjologiczne, angiografia fluoresceinowa, oraz zastosowanie energii laserowej, tzw. fotokoagulacji laserowej.

Ultrasonografia oka jest metodą badania narządu wzrokowego za pomocą fal ultradźwiękowych. Impulsy ultradźwiękowe, wysyłane przez odpowiednie echosondy, zostają częściowo odbite od struktur oka o różnej gęstości. Rejestracja graficzna odbitych impulsów tworzy tzw. echogram charakterystyczny dla prawidłowej gałki ocznej. Obecność dodatkowych struktur w gałce ocznej w postaci guzów nowotworowych, ciał obcych lub odwarstwień siatkówki wywołuje echa, które zniekształcają prawidłowy zapis echogramu. Badanie za pomocą ultradźwięków jest szczególnie cenne przy braku przezierności układu optycznego (bielmo, zaćma), który nie pozwala na ocenę dna oka za pomocą oftalmoskopu. Ultradźwięki znalazły także zastosowanie w leczeniu chorób ciała szklistego, np. masywnych wylewów krwi.

Badania elektrofizjologiczne polegają na rejestracji prądów czynnościowych powstających w obrębie gałki ocznej i części wzrokowej kory mózgowej. Podstawową i najbardziej rozpowszechnioną metodą jest elektroretinografia (ERG), pozwalająca na rejestrowanie prądów czynnościowych siatkówki. Metoda ta, łącznie z badaniem wziernikowym za pomocą oftalmoskopu, pozwala na ustalenie właściwego rozpoznania chorób siatkówki. Elektroretinografia stanowi cenne uzupełnienie innych metod diagnostycznych, stosowanych w patologicznych stanach siatkówki. W chorobach degeneracyjnych siatkówki następuje zniekształcenie i zanik prądów czynnościowych.

Fluoresceinografia, czyli **angiografia fluoresceinowa**, jest cenną, nowoczesną metodą badania układu naczyniowego oka. Metoda ta polega na dożylnym wprowadzeniu roztworu fluoresceiny, który przenikając do układu krążenia uwidacznia w sposób szczególny wypełnioną nim sieć naczyń krwionośnych siatkówki. Poszczególne fazy i szybkość wypełniania się naczyń krwionośnych siatkówki roztworem fluoresceiny są rejestrowane za pomocą kamery fotograficznej, co umożliwia uzyskanie dynamicznej oceny stanu krążenia w siatkówce.

Fotokoagulacja laserowa, wykorzystywana w wielu specjalnościach chirurgicznych, znalazła też zastosowanie w okulistyce, głównie do leczenia odwarstwień siatkówki. Wiązka laserowa skierowana za pomocą układu optyczno-celowniczego do wnętrza gałki ocznej skupia się dokładnie w punkcie przewidzianym do wytworzenia koagulacji. W miejscu tym impuls świetlny wywołuje odczyn zapalny, w następstwie czego powstaje zrost siatkówki z sąsiednimi tkankami. W ten sposób następuje częściowe lub całkowite zespolenie siatkówki z przylegającymi do niej tkankami w miejscu jej odwarstwienia.

Obecnie, dzięki udoskonaleniom aparatury laserowej, wskazania do zastosowania techniki laserowej w chorobach układu wzrokowego znacznie się rozszerzyły. Między innymi promieniowanie laserowe zastosowano do leczenia częstych w przebiegu długotrwałej cukrzycy powikłań w układzie naczyniowym siatkówki, a mianowicie do niszczenia nieprawidłowego rozrostu naczyń siatkówki, co zapobiega krwotokom do ciała szklistego, będącym niejednokrotnie przyczyną ślepoty.

Środki lecznicze stosowane w okulistyce

Środki lecznicze stosowane w chorobach układu wzrokowego podawane są miejscowo w postaci kropli, zawiesin lub maści, a także ogólnie drogą doustną lub pozajelitową. Najczęściej i najszerzej jest stosowane leczenie miejscowe, polegające na podawaniu leków do worka spojówkowego, ponieważ wówczas leki oddziałują bezpośrednio na chorą tkankę (spojówkę i rogówkę). W ciężkich chorobach oka, a także w tych, które są przyczynowo związane ze zmianami patologicznymi w innych narządach organizmu, np. w zakażeniach ogniskowych, leki są stosowane ogólnie. Często leki są wprowadzane w postaci iniekcji podspojówkowych lub pozagałkowych. W zależności od działania farmakologicznego leki stosowane w okulistyce dzieli się na grupy.

Środki znieczulające miejscowo służą do znieczulenia miejscowego przed zabiegami chirurgicznymi. Są stosowane w postaci kropli, np. kokaina, tetrakaina, lub podawane drogą iniekcji, np. Lidocaina.

Leki bakteriostatyczne i bakteriobójcze. Jest to duża grupa leków, w skład której wchodzą związki chemiczne organiczne i nieorganiczne, a także antybiotyki.

Ś r o d k i o d k a ż a j ą c e są stosowane miejscowo w postaci maści, kropli lub okładów. Do najbardziej rozpowszechnionych należą: Ophthalmol (tlenek rtęci), krople cynkowe (siarczan cynku) oraz roztwory: rywanolu, kwasu bornego i sody.

A n t y b i o t y k i, stosowane zarówno miejscowo, jak i ogólnie, pozwalają na opanowanie większości stanów zapalnych narządu wzroku, spowodowanych zakażeniem drobnoustrojami. Wybór antybiotyku powinien być poprzedzony badaniem bakteriologicznym materiału zakaźnego, np. wydzieliny z worka spojówkowego w przypadku zapalenia spojówek, pozwalającym określić wrażliwość zidentyfikowanych bakterii na określony antybiotyk. Do najczęściej stosowanych antybiotyków w okulistyce, wykazujących szeroki zakres działania, należy chloromycetyna i neomycyna.

S u l f o n a m i d y stanowią grupę leków działających bakteriostatycznie. Stosowane są miejscowo w postaci kropli i maści.

K o r t y k o s t e r o i d y to grupa leków o silnym działaniu przeciwzapalnym i przeciwalergicznym. Są stosowane miejscowo i ogólnie, z reguły łącznie z antybiotykami, w leczeniu zapaleń błony naczyniowej oka. Należy je używać ściśle wg wskazań lekarskich, gdyż w przeciwnym razie mogą wywołać wiele groźnych powikłań, np. mogą sprzyjać wystąpieniu zakażeń grzybiczych.

Leki zwężające źrenicę. Do najczęściej stosowanych należą: pilokarpina i fizostygmina (ezeryna) podawane miejscowo w postaci kropli i maści. Są używane w leczeniu jaskry.

Leki rozszerzające źrenicę. Należą tu powszechnie stosowane: atropina, homatropina, skopolamina i adrenalina. Używane są miejscowo w stanach zapalnych przedniego odcinka błony naczyniowej oka (tęczówki i ciała rzęskowego), w celu zapobieżenia powstaniu zrostów tęczówki z przednią torebką soczewki.

Leki rozszerzające źrenicę nie mogą być stosowane u osób chorych na jaskrę, gdyż nawet jednorazowe zakroplenie ich do oka może spowodować groźny w skutkach napad jaskry. Leki te niekiedy wywołują objawy niepożądane, dlatego można je stosować jedynie na zlecenie lekarza i pod ścisłą jego kontrolą. Leków do użytku zewnętrznego stosowanych w okulistyce nie należy podawać doustnie, ponieważ – przynajmniej niektóre z nich – mogą wywołać zatrucia.

II. CHOROBY OCZODOŁU

Choroby tkanek oczodołu wywoływane są zaburzeniami krążenia ogólnego lub miejscowego w obrębie oczodołu, procesami zapalnymi ostrymi lub przewlekłymi, procesami rozrostowymi (nowotwory) oraz zaburzeniami wewnątrzwydzielniczymi.

Krwotoki do oczodołu występują w przebiegu niektórych chorób ogólnych (hemofilia), w wyniku pęknięcia tętniaków lub żylaków oraz po urazach oczodołu tępych lub drążących. Wynaczynienia powodują wytrzeszcz gałki ocznej, zniesienie lub ograniczenie jej ruchowości oraz podbiegnięcia krwawe spojówek i powiek. Leczenie jest zachowawcze.

Wytrzeszcz oczu jest to nadmierne wysunięcie gałki ocznej ku przodowi jedno- lub obustronne (najczęściej). Powstaje wskutek zmian w oczodole: nowotworowych, zapalnych (ropowica oczodołu), krążeniowych lub zaburzeń wewnątrzwydzielniczych (choroba Gravesa–Basedowa). W zaburzeniach wewnątrzwydzielniczych jest następstwem obrzęku tkanki tłuszczowej pozagałkowej i mięśni zewnętrznych oka oraz ich wtórnego przerośnięcia tkanką łączną włóknistą.

Wytrzeszcz tętniący, pulsujący, powstaje wskutek uszkodzenia ściany tętnicy szyjnej wewnętrznej w obrębie zatoki jamistej. Nad okiem lekarz wysłuchuje szmer skurczowy zanikający po ucisku tętnicy szyjnej po tej samej stronie. Leczenie operacyjne.

Wytrzeszcz przepuszczający jest związany z występowaniem

żylaków w oczodole. Przy pochyleniu głowy żylaki wypełniają się krwią i wypierają gałkę oczną ku przodowi. Leczenie zachowawcze.

Zapalenie tkanek oczodołu. Częstą przyczyną stanów zapalnych tkanki oczodołowej są procesy zapalne, zwłaszcza ropne, zatok przynosowych. Po usunięciu przyczyny stan chorobowy może całkowicie ustąpić, jeśli nie nastąpiło rozprzestrzenienie się zakażenia przez naczynia żylne i nie wytworzy się ropowica.

Ropowica oczodołu. Choroba ta objawia się wytrzeszczem zapalnym gałki ocznej, ograniczeniem jej ruchomości, obrzękiem i zaczerwienieniem powiek oraz silnym obrzękiem spojówki gałkowej. Objawom tym towarzyszy najczęściej podwyższenie temperatury ciała. Powikłaniem ropowicy może być utrata widzenia spowodowana zapaleniem nerwu wzrokowego lub zakrzepem żyły środkowej siatkówki albo zatorem tętnicy środkowej siatkówki. Leczenie antybiotykami o szerokim zakresie działania, a w przypadku dużego nagromadzenia się ropy – leczenie operacyjne (nacięcie ropowicy).

III. CHOROBY POWIEK

Zmiany w ustawieniu powiek

Podwinięcie powieki, czyli **entropion**, powstaje najczęściej u ludzi starszych. Wskutek zwiotczenia skóry następuje nieprawidłowe ustawienie powiek, co powoduje światłowstręt i kurczowe zamykanie powiek, prowadzące z kolei do stanu zapalnego spojówek i rogówki. Leczenie operacyjne.

Wywinięcie powieki, czyli **ektropion**, może być następstwem zmian bliznowatych skóry powiek lub policzka, albo następstwem porażenia nerwu twarzowego. Nieprawidłowe zamykanie szpary powiekowej może powodować wysychanie rogówki. Leczenie operacyjne.

Stany zapalne powiek

Stany zapalne powiek, zwłaszcza ropne, są wywoływane zakażeniem bakteryjnym, któremu towarzyszy najczęściej obniżona odporność organizmu.

Jęczmień jest to gronkowcowe, ropne zapalenie gruczołów powiek. Jęczmień wewnętrzny jest zapaleniem ropnym gruczołu tarczkowego, jęczmień zewnętrzny – zapaleniem ropnym gruczołu łojowego i rzęskowego.

Objawem choroby jest silna bolesność, zaczerwienienie i nacieczenie zapalne powieki. Z chwilą przebicia się ropy na zewnątrz objawy zapalne ustępują. Jęczmień może być niekiedy przyczyną cięższych powikłań, takich jak ropowica powiek lub zapalenie zakrzepowe żył oczodołu.

Leczenie polega na stosowaniu okładów rozgrzewających na powieki oraz antybiotyków do worka spojówkowego. W przypadkach przebiegających z silnymi objawami ogólnymi antybiotyki podawane są ogólnie.

Gradówka jest przewlekłym stanem zapalnym gruczołu tarczkowego Meiboma. Objawia się ograniczonym, niebolesnym zgrubieniem tarczki na brzegu powieki. Czasem gradówka cofa się samoistnie, najczęściej jednak trzeba ją usunąć operacyjnie.

Zapalenie brzegów powiek objawia się silnym zaczerwienieniem i pieczeniem brzegów powiek, na których tworzą się łuski lub drobne nacieki ropne zlokalizowane wokół mieszków włosowych. Przyczyną może być zakażenie gronkowcowe, łojotok skóry lub alergia.

Leczenie polega na usuwaniu łusek, a przy zakażeniu gronkowcowym – na miejscowym stosowaniu antybiotyków.

Choroby wirusowe powiek

Opryszczka zwykła powiek objawia się pojawieniem na skórze powieki drobnych przezroczystych pęcherzyków wypełnionych płynem surowiczym. Leczenie miejscowe lekami przeciwwirusowymi.

Półpasiec oczny. Zmiany chorobowe występują najczęściej wzdłuż brzegu I gałązki nerwu trójdzielnego. Silne pieczenie i ból towarzyszą pojawieniu się na skórze drobnych przezroczystych pęcherzyków wypełnionych płynem surowiczym.

Leczenie lekami przeciwwirusowymi, zespołami witamin B, środkami przeciwbólowymi.

Ospica krowiankowa jest to przeniesienie na powieki uprzednio szczepionej ospy. Choroba objawia się podwyższoną temperaturą ciała, obrzękiem zapalnym powiek, pojedynczymi pęcherzami z charakterystycznym zagłębieniem w części środkowej. Powikłaniem może być zapalenie rogówki, zapalenie tkanek oczodołu, a nawet zapalenie mózgu.

Leczenie. Stosowane są antybiotyki w celu zapobieżenia wtórnemu zakażeniu, gamma-globulina, zespół witamin B, krowiankowa globulina odpornościowa.

IV. CHOROBY SPOJÓWEK

Zapalenie spojówek

Stany zapalne spojówek są często spotykaną chorobą układu wzrokowego. Rozwijają się wskutek działania drobnoustrojów chorobotwórczych, takich jak gronkowce, paciorkowce, pneumokoki, wirusy, lub różnorodnych czynników zewnętrznych, np. złych warunków oświetleniowych, pyłu, kurzu, kosmetyków, dymu. Choroba może występować w postaci ostrej lub przewlekłej. W zapaleniu ostrym pojawia się silne przekrwienie spojówek powiekowych i gałkowych, światłowstręt, swędzenie i pieczenie powiek. Niekiedy dochodzi do obrzęku limfatycznych węzłów przyusznicznych, podżuchwowych i szyjnych. W zapaleniu przewlekłym spojówka gałkowa jest przekrwiona, w kątach oka występuje wydzielina.

Zapalenie spojówek bakteryjne

Zapalenie spojówek ostre pneumokokowe jest wywołane przez Gram--dodatnie dwoinki zapalenia płuc. Występuje zarówno u dzieci, jak i u dorosłych, często razem z nieżytem górnych dróg oddechowych. Objawia się silnym przekrwieniem i obrzękiem powiek. Rozpoczyna się najczęściej w jednym oku, a następnie przechodzi na drugie oko. Leczenie miejscowe antybiotykami.

Zapalenie kątowe spojówek Moraxa–Axenfelda jest wywołane przez Gram-ujemny dwuprątek. Objawia się gromadzeniem lepkiej wydzieliny w kątach powiek oraz silnym swędzeniem i pieczeniem oczu. Skóra w kątach powiek jest silnie zaczerwieniona i wilgotna. Leczenie polega na stosowaniu do oczu 0,25% roztworu siarczanu cynku, będącego środkiem ściągającym.

Zapalenie spojówek u noworodków jest wywołane przez gronkowce złociste lub dwoinki rzeżączki. Zakażenie następuje w czasie porodu. Stan zapalny cechuje silne ropienie obu oczu ze skłonnością przechodzenia na rogówkę. Leczenie antybiotykami do worka spojówkowego.

Zapalenie spojówek wirusowe

Nagminne zapalenie spojówek i rogówki jest wywołane przez adenowirus 8. Choroba objawia się silnym przekrwieniem spojówek powiekowych i gałkowych oraz obfitą wydzieliną ropną w worku spojówkowym. Po upływie paru dni od wystąpienia objawów spojówkowych mogą pojawić się zmiany w rogówce. Leczenie antybiotykami w celu zapobieżenia wtórnym zakażeniom oraz lekami łagodzącymi objawy zapalne.

Zapalenie spojówek wywołane wirusem opryszczki zwykłej. Choroba występuje na ogół u dzieci. Objawia się ostrym, grudkowym zapaleniem spojówek, często z powiększeniem limfatycznych węzłów okolicy przyusznej. Nierzadko dołączają się objawy zapalne ze strony rogówki, polegające na pojawieniu się nacieków i ubytków nabłonka w kształcie drzewkowatym. Leczenie zależy od objawów klinicznych.

Zapalenie spojówek o nie ustalonej etiologii

Zapalenie grudkowe spojówek. Choroba objawia się występowaniem twardych grudek na spojówce powiekowej. Może występować w postaci ostrej i przewlekłej. Leczenie lekami ściągającymi i odczulającymi.

Zapalenie spojówek uczuleniowe

Choroba może być wywołana działaniem różnorodnych czynników, takich jak leki, kurz, dym, pyłki kwiatowe i inne. Występuje w postaci ostrej i przewlekłej. W ostrym zapaleniu dochodzi do silnego obrzęku i zaczerwienienia powiek oraz spojówek powiekowej i gałkowej. Z worka spojówkowego wydobywa się zazwyczaj płynna wodnista wydzielina. W przewlekłym zapaleniu objawy są znacznie łagodniejsze i ograniczają się do swędzenia i pieczenia powiek i spojówek. Leczenie lekami ściągającymi i odczulającymi.

Zapalenie spojówek wiosenne. Na spojówkach powiekowych obu oczu pojawiają się grudki o wyglądzie kamieni brukowych. Spojówki powieki dolnej przyjmują barwę mleczną. W cięższych przypadkach spojówka gałkowa wokół rogówki fałduje się. Leczenie najczęściej kortykosteroidami.

Zapalenie spojówek polekowe. Choroba objawia się ciastowatym obrzękiem skóry powiek, z silnym przekrwieniem spojówek powiekowej i gałkowej. Po ustąpieniu objawów ostrych stan zapalny może przybrać charakter przewlekły. Skóra powiek staje się wówczas mniej zaczerwieniona, natomiast marszczy się i jest chropowata. Światłowstręt, łzawienie i przekrwienie spojówek może utrzymywać się długo. Leczenie odczulające i ściągające.

Zapalenie spojówek i rogówki pryszczykowe jest odczynem alergicznym na tuberkuloproteinę. Na spojówce gałkowej w pobliżu brzegu rogówki widoczne są białawe pryszczyki. Często na rogówce pojawiają się nacieki o podobnym wyglądzie, które posuwają się stopniowo w kierunku środka rogówki. Charakterystycznym objawem jest wnikanie naczyń krwionośnych na kształt miotełki z obwodu w kierunku nacieku. Leczenie lekami rozszerzającymi źrenicę, przeciwzapalnymi oraz antybiotykami.

Zwyrodnienie spojówek

Tłuszczyk jest to szarawo-żółtawe wzniesienie na spojówce gałkowej, zlokalizowane najczęściej po stronie nosowej w obrębie szpary powiekowej. Leczenie operacyjne.

Skrzydlik jest to zgrubienie spojówki gałkowej w obrębie szpary powiekowej. Występuje w kształcie trójkąta zwróconego wierzchołkiem do rogówki. Leczenie operacyjne.

V. CHOROBY NARZĄDU ŁZOWEGO

Objawy towarzyszące chorobom narządu łzowego są często związane z jego nieprawidłowym funkcjonowaniem, a mianowicie z nadmiernym łzawieniem lub z upośledzeniem wydzielania łez. Nadmierne łzawienie występuje w przebiegu chorób gruczołu łzowego, w stanach emocjonalnych, pod wpływem środków farmakologicznych; może być także pochodzenia nerwowego. Upośledzenie wydzielania łez jest następstwem ostrego zapalenia gruczołu łzowego, najczęściej jednak porażenia nerwu twarzowego. Leczenie polega przede wszystkim na znalezieniu przyczyny schorzenia.

Ostre zapalenie gruczołu łzowego. Przyczyną może być zakażenie miejscowe lub ogólne (stany gorączkowe). Objawia się silną bolesnością powieki w okolicy górno-bocznej, połączoną z obrzękiem, w następstwie którego dochodzi czasem do całkowitego zniesienia szpary powiekowej. Węzły przyusznicze są na ogół powiększone i bolesne. Ostre zapalenie gruczołu łzowego może przejść w postać przewlekłą. Leczenie antybiotykami miejscowe i ogólne.

Choroby dróg łzowych. Wrodzone wady dróg łzowych należą raczej do rzadkości. Może to być wrodzony brak dróg łzowych lub nieprawidłowości budowy anatomicznej kanalików łzowych, woreczka łzowego albo przewodu nosowo-łzowego. Wszelkie nieprawidłowości wiążą się ściśle z zaburzeniem drożności dróg łzowych.

Zapalenie dróg łzowych może ograniczyć się do kanalika łzowego lub może dotyczyć woreczka łzowego. Ropne zapalenie kanalika może być wywołane przez paciorkowce, dwoinki zapalenia płuc, pałeczkę ropy błękitnej lub grzyby chorobotwórcze. Dotyczy ono najczęściej kanalika górnego i objawia się obrzękiem, bolesnością i zaczerwienieniem skóry w jego okolicy. Leczenie polega na płukaniu dróg łzowych antybiotykami.

Zapalenie woreczka łzowego. Choroba może mieć przebieg ostry lub przewlekły. Zapalenie ostre ropne objawia się silnym zaczerwienieniem, obrzękiem i bolesnością skóry w okolicy woreczka łzowego. Spojówki są przekrwione, a w woreczku łzowym zbiera się obfita wydzielina ropna. Niekiedy wydzielina ropna nie mogąc znaleźć ujścia drogą kanalika łzowego (np. na skutek jego niedrożności) przedostaje się przez wytworzoną przez siebie przetokę skórną. Wówczas objawy zapalne powoli cofają się, a ostry stan zapalny przechodzi w przewlekły stan ropiejący.

Leczenie ostrego zapalenia polega na stosowaniu antybiotyków oraz kompresów rozgrzewających. W przewlekłych stanach zapalnych leczenie jest operacyjne.

Zapalenie woreczka łzowego u noworodka jest spowodowane niedrożnością przewodu łzowego, co może być wywołane jego zablokowaniem przez złuszczony nabłonek lub wrodzoną błonę, która uniemożliwia prawidłowe funkcjonowanie dróg łzowych. Choroba objawia się stanem zapalnym spojówek i wydzieliną ropną wydobywającą się z punktu łzowego.

Leczenie polega na przepłukiwaniu dróg łzowych antybiotykiem, a w razie braku poprawy – na sondowaniu, które na ogół po jednorazowym zastosowaniu usuwa wszelkie dolegliwości.

VI. CHOROBY GAŁKI OCZNEJ

Choroby rogówki

R o g ó w k a jest tkanką przezroczystą, beznaczyniową, kształtu elipsoidalnego. Należy do najbardziej wrażliwych tkanek, gdyż ma czucie dotyku; kontakt jej z jakimkolwiek ciałem obcym wywołuje uczucie bólu w zależności od siły pobudzenia. Nie jest natomiast wrażliwa na zmiany temperatury.

Anomalie rogówki

Rogówka mała, o wymiarach zmniejszonych do 8–10 mm, jest wadą występującą najczęściej we wrodzonym małooczu. Wadzie tej mogą towarzyszyć inne wady wrodzone oczu, takie jak np. ubytek tęczówki lub naczyniówki.

Rogówka olbrzymia, o wymiarach powyżej 12 mm, należy do wad wrodzonych oka. Oczy z rogówką olbrzymią mają ogólnie większe rozmiary. Wadzie tej może towarzyszyć podwichnięcie soczewki. Rogówka olbrzymia może również występować we wrodzonej jaskrze.

Stożek rogówki jest wadą wrodzoną, polegającą na tworzeniu się w części środkowej rogówki wypuklenia w kształcie stożka. Pierwsze o b j a w y mogą występować w pierwszych latach życia, a obniżenie ostrości wzroku związane z tą wadą daje się zauważyć dopiero w późniejszych latach życia.

L e c z e n i e polega na stosowaniu twardych szkieł kontaktowych. Przy znacznym obniżeniu ostrości wzroku wskazane jest leczenie operacyjne.

Stany zapalne i owrzodzenia rogówki

Stany zapalne rogówki charakteryzują się powstawaniem nacieczeń w obrębie jej warstw powierzchownych lub głębszych. W zależności od głębokości nacieczenia rozróżnia się z a p a l e n i e r o g ó w k i p o w i e r z c h o w n e i z a p a l e n i e r o g ó w k i g ł ę b o k i e. W cięższych przypadkach dochodzi do powstawania głębszych ubytków tkanki rogówkowej, które są określane jako o w r z o d z e n i e. W zależności od przyczyny wywołującej stany zapalne rogówki, choroby rogówki dzieli się na bakteryjne, wirusowe i alergiczne.

Zapalenie rogówki bakteryjne

W r z ó d p e ł z a j ą c y o s t r y jest najczęściej spotykaną postacią bakteryjnego zapalenia rogówki. Wywołują go dwoinki zapalenia płuc, które poprzez ubytek rogówki spowodowany często urazem przenikają do warstw głębszych. Powstawaniu owrzodzenia sprzyja niejednokrotnie ropny stan woreczka łzowego. Choroba rozpoczyna się naciekiem w części środkowej rogówki, który szybko przeistacza się w ubytek w kształcie sierpa. Towarzyszy jej odczyn ze strony tęczówki oraz wysięk ropny na dnie przedniej komory oka. L e c z e n i e polega na stosowaniu leków rozszerzających źrenicę, antybiotyków do worka spojówkowego lub w postaci wstrzyknięć pod spojówkę gałki ocznej.

I n n e   r o d z a j e   o w r z o d z e n i a   r o g ó w k i mogą być wywołane zakażeniem paciorkowcowym lub pałeczką ropy błękitnej. Ten typ owrzodzenia daje gwałtowne objawy zapalne. Jest najczęściej spowodowany urazem rogówki i drążąc w głąb jej tkanek prowadzi niejednokrotnie do jej przebicia. Owrzodzeniu towarzyszy odczyn ze strony błony naczyniowej oraz wysięk ropny na dnie przedniej komory oka. L e c z e n i e polega na stosowaniu środków rozszerzających źrenicę oraz podspojówkowo antybiotyków.

Zapalenie rogówki wirusowe

Z a p a l e n i e   s p o j ó w e k   i   r o g ó w k i   n a g m i n n e jest wywołane przez adenowirus typu 8. O b j a w y ze strony spojówek przebiegają burzliwie, z silnym obrzękiem i obfitą wydzieliną. Zmiany w rogówce występują najczęściej po 7 – 10 dniach pod postacią szarawych okrągłych nacieków podnabłonkowych. L e c z e n i e polega na stosowaniu leków rozszerzających źrenicę, antybiotyków w celu zapobieżenia nadkażeniom oraz leków przeciwwirusowych.

W r z ó d   r o g ó w k i   w y w o ł a n y   p r z e z   w i r u s   o s p y   p r a w d z i w e j. Choroba polega na pojawieniu się na spojówce gałkowej krosty, która przenosi się na rogówkę wywołując rozległe drążące owrzodzenie. L e c z e n i e polega na stosowaniu leków rozszerzających źrenicę oraz antybiotyków w celu zapobieżenia nadkażeniom.

W r z ó d   w y w o ł a n y   p r z e z   o s p ę   s z c z e p i e n n ą. Jest to wtórna choroba oczu wywołana ospą poszczepienną. Owrzodzenie, które początkowo dotyczy spojówki, może przenosić się na rogówkę wywołując owrzodzenie przybrzeżne lub tzw. tarczowate. L e c z e n i e polega na stosowaniu leków rozszerzających źrenicę oraz antybiotyków w celu zapobieżenia nadkażeniom.

Z a p a l e n i e   w y w o ł a n e   p r z e z   p ó ł p a s i e c   o c z n y. Choroba obejmuje obszar nerwu V i prowadzi do wytworzenia się stanu zapalnego rogówki. O b j a w i a się pojawieniem na rogówce pęcherzyków, które pękając tworzą owrzodzenia. L e c z e n i e lekami rozszerzającymi źrenicę oraz przeciwwirusowymi.

O p r y s z c z k a   r o g ó w k i występuje pod postacią zapalenia rogówki powierzchownego lub głębokiego. Z a p a l e n i e   p o w i e r z c h o w n e objawia się pojawieniem się na rogówce pęcherzyków, które pękając wytwarzają owrzodzenie w kształcie drzewkowatym. Inne postacie zapalenia powierzchownego – punkcikowate lub nitkowate – goją się podobnie jak zapalenie drzewkowate bez pozostawienia blizny. G ł ę b o k i e   z a p a l e n i e   t a r c z o w a t e cechuje się obrzękiem głębokich warstw środkowego obszaru rogówki. Czucie rogówkowe we wszystkich postaciach opryszczkowego zapalenia rogówki jest zniesione. L e c z e n i e polega na stosowaniu środków rozszerzających źrenicę oraz miejscowo krioterapii (działanie niskiej temperatury).

Zapalenie rogówki alergiczne

Z a p a l e n i e   r o g ó w k i   r ó ż o w a t e występuje u osób cierpiących na trądzik różowaty twarzy. Na powierzchni rogówki w obrębie szpary powiekowej pojawiają się nacieki, do których dochodzą naczynka krwionośne.

L e c z e n i e polega na stosowaniu środków rozszerzających źrenicę oraz antybiotyków w celu zapobieżenia nadkażeniom.

Z a p a l e n i e m i ą ż s z o w e r o g ó w k i jest wynikiem reakcji alergicznej na krętek blady (wywołujący kiłę) w okresie życia płodowego. Choroba objawia się między 10 a 20 r. życia. Występuje silne łzawienie, światłowstręt oraz nacieczenie głębokich warstw rogówki. Do nacieku wnikają głębokie naczynia krwionośne. Wraz z procesem wrastania naczyń postępuje przejaśnienie się tkanki rogówkowej. L e c z e n i e polega na stosowaniu leków rozszerzających źrenicę oraz preparatów kortykosteroidowych.

Choroby twardówki

Twardówka jest łącznotkankową błoną włóknistą, która osłania od zewnątrz 5/6 powierzchni gałki ocznej.

Plamki barwnikowe twardówki występują na skutek gromadzenia się komórek barwnikowych w warstwach powierzchownych twardówki. Pojawiają się najczęściej u osób ze zwiększoną pigmentacją błon oka. Rzadko ulegają powiększeniu. W r o z p o z n a n i u należy je różnicować z czerniakiem złośliwym.

Zapalenie nadtwardówki. Jest to najczęściej objaw nadwrażliwości na toczące się w organizmie ogniskowe zakażenia bakteryjne. Na twardówce pojawiają się płaskie lub nieco wyniosłe nacieki zapalne, zabarwione sinawoczerwono, co jest spowodowane rozszerzeniem naczyń krwionośnych.

L e c z e n i e polega na stosowaniu środków rozszerzających źrenicę oraz preparatów kortykosteroidowych.

Zapalenie twardówki. P r z y c z y n ą tej choroby może być reumatoidalne zapalenie stawów, gruźlica lub zakażenie bakteryjne. Na twardówce występuje rozległe nacieczenie o zabarwieniu ciemnofioletowym. O b j a w o m zapalnym towarzyszy ból gałki ocznej. Powikłaniem może być zapalenie błony naczyniowej oka. W l e c z e n i u stosowane są leki rozszerzające źrenicę oraz preparaty kortykosteroidowe miejscowo i ogólnie.

Choroby soczewki

Soczewka mała. Wada ta występuje w obu oczach i objawia się wnikaniem brzegu soczewki w obręb źrenicy oka. Niekiedy soczewka może być podwichnięta lub zmętniała.

Wrodzone przemieszczenie soczewki. Wada ta współistnieje z innymi wadami wrodzonymi oka, a najczęściej z przemieszczeniem źrenicy. Wada ta należy do typowych objawów w zespole chorobowym zwanym z e s p o ł e m M a r f a n a. Soczewka najczęściej przemieszczona jest ku górze i na zewnątrz.

Zaćma wrodzona. Zaćma, zwana też k a t a r a k t ą, jest to zmętnienie soczewki. Zaćma wrodzona powstaje w życiu płodowym pod wpływem różnorodnych czynników działających na kobietę w okresie ciąży. Do czynników tych zalicza się: awitaminozę (zwłaszcza niedobór witamin z grupy B), substancje toksyczne, wirusy, głównie wirus różyczki, który działa uszkadzająco na płód wywołując wiele zaburzeń rozwojowych. Rozróżnia się zaćmy wrodzone: torebkowe, torebkowo-soczewkowe, śródsoczewkowe całkowite i błoniaste. Określenie rodzaju zaćmy jest niekiedy bardzo trudne. Leczenie operacyjne polega na usunięciu zmętniałej i nieprzejrzystej soczewki.

Zaćma młodzieńcza. Choroba rozwija się w okresie młodzieńczym lub wczesnego dzieciństwa. Występuje pod postacią plam lub punktów zmętnienia w soczewce. Najczęściej jednak pod postacią zaćmy wieńcowej. Leczenie operacyjne.

Zaćma starcza, czyli **starcze zmętnienie soczewki**, rozwija się najczęściej po 45 r. życia. Zależnie od miejsca, w którym rozpoczynają się procesy zmętnienia, rozróżnia się zaćmę korową lub jądrową. Choroba rozwija się powoli pod wpływem stopniowej denaturacji i koagulacji białka soczewki. Po upływie pewnego czasu dochodzi do nieodwracalnego zmętnienia całej soczewki. Zaćma dotyczy najczęściej obu oczu, z tym że w jednym oku może rozwijać się intensywniej i wcześniej niż w drugim. Leczenie operacyjne.

Zaćma powikłana. Ten rodzaj zmętnienia soczewki spowodowany jest najczęściej procesami zapalnymi przedniego lub tylnego odcinka gałki ocznej. Może powstawać również u osób ze znaczną krótkowzrocznością, w jaskrze dokonanej lub stanowić powikłanie chorób ogólnych, takich jak cukrzyca, tężyczka, choroby skórne (twardzina skóry albo świerzbiączka rozsiana). Zaćma może rozwijać się także w następstwie stosowania pewnych leków (zaćma toksyczna), np. kortykosteroidów (przez długi okres) lub leków zwężających źrenicę. Leczenie operacyjne.

Choroby ciała szklistego

Krwotoki do ciała szklistego występują po urazach, w stanach zapalnych siatkówki i naczyniówki oraz w następstwie niektórych chorób ogólnych, takich jak cukrzyca, skaza krwotoczna, miażdżyca. W masywnych krwotokach do ciała szklistego szczegóły dna oka są niewidoczne, a zatem niemożliwe do oceny. W takich przypadkach dodatkowe badanie diagnostyczne jest przeprowadzane przy użyciu ultradźwięków.

Leczenie. Stosowane są leki rozszerzające źrenicę, ogólnie wstrzymujące krwawienie i uszczelniające ściany naczyń krwionośnych, koagulacja laserowa oraz krioaplikacja (niska temperatura).

Ropień ciała szklistego jest najczęściej następstwem urazu przenikającego gałkę oczną, ale może również powstawać w wyniku krwiopochodnego zakażenia. Objawia się przede wszystkim szarożółtym odblaskiem z dna oka. Towarzyszy temu zawsze stan zapalny błony naczyniowej z wysiękiem ropnym w przedniej komorze oka. Proces zapalny może niekiedy rozprzestrzeniać się i stać się przyczyną ropnego zapalenia oczodołu.

U dzieci ropień ciała szklistego może przypominać siatkówczaka (zob. Chirurgia wieku rozwojowego, s. 1679).

Leczenie. Oprócz leków rozszerzających źrenicę są stosowane antybiotyki o szerokim zakresie działania pozagałkowo i dożylnie.

Odłączenie ciała szklistego od siatkówki następuje wskutek przewlekłego zapalenia błony naczyniowej oka, w wysokiej krótkowzroczności lub w wyniku tępego urazu gałki ocznej. Objawia się widzeniem mętów i błysków przed okiem. Ostrość widzenia nie jest na ogół obniżona. Powikłaniem może być odwarstwienie siatkówki (zob. s. 1702). Choroba występuje u ludzi starszych, częściej u kobiet.

Leczenie właściwie nie istnieje. Obserwacja dna oka umożliwia dokładną kontrolę siatkówki.

Zmiany w ciele szklistym. Zmiany takie mogą wystąpić w przebiegu chorób ogólnych, na ogół w niewyrównanej i bardzo zaawansowanej cukrzycy. Polegają na tworzeniu się zrostów pomiędzy ciałem szklistym a siatkówką, zlokalizowanych wzdłuż nowo tworzących się naczyń siatkówki. Na skutek pociągania tych naczyń przez tworzące się zrosty dochodzi do wylewów krwawych w ciele szklistym. Zrosty szklisto-siatkówkowe mogą powodować odwarstwienie siatkówki. Leczenie polega na stosowaniu koagulacji laserowej.

Choroba Ealesa. Charakteryzuje się występowaniem nawracających krwotoków do ciała szklistego. Choroba ta, o nieznanej przyczynie, występuje najczęściej u ludzi młodych lub w średnim wieku, zwłaszcza u mężczyzn. Leczenie polega na podawaniu leków ułatwiających wchłanianie krwi oraz stosowaniu koagulacji laserowej.

Choroby błony naczyniowej

Zmiany wrodzone błony naczyniowej

Brak tęczówki. Jest to stosunkowo rzadko spotykana wada wrodzona, której towarzyszy zazwyczaj niedowidzenie i oczopląs. Powikłaniem tej wady może być jaskra wtórna (zob. s. 1707).

Szczelina tęczówki jest wrodzonym ubytkiem tkanki, umiejscowionym zawsze w dolnej części tęczówki. Wada ta w większości przypadków kojarzy się z innymi wadami wrodzonymi.

Błona źreniczna przetrwała. Tak określa się zespół brunatnych nitek przebiegających od przedniej powierzchni tęczówki do soczewki lub drobne gwiaździste osady na przedniej powierzchni soczewki.

Zapalenie błony naczyniowej

Przyczyną procesów zapalnych błony naczyniowej oka, tkanki bogato unaczynionej i szczególnie podatnej na wiele procesów zapalnych, są najczęściej zakażenia odogniskowe, np. martwe zęby ze zmianami przy korzeniach, przewlekłe zapalenia migdałków podniebiennych oraz stany zapalne zatok przynosowych. Reakcja obronna organizmu sprawia, że drobnoustroje, takie jak paciorkowce, gronkowce złociste lub wirusy mogą trwać całymi latami w ogniskach zakażenia w stanach zmniejszonej zjadliwości. W przypadkach zmniejszenia się odporności miejscowej i ogólnej organizmu bakterie lub ich toksyny przedostają się do krwiobiegu i umiejscawiają w tkankach bogato unaczynionych, wywołując odczyn zapalny. Do takich tkanek należy błona naczyniowa oka.

Stany zapalne błony naczyniowej oka mogą występować również w przebiegu chorób ogólnych, takich jak gruźlica, kiła, kolagenozy, w przewlekłych stanach choroby reumatycznej, a zwłaszcza w przewlekłych postaciach reumatyzmu mięśniowego i stawowego oraz w cukrzycy. Procesy zapalne mogą również szerzyć się drogą zewnątrzpochodną. Każde skaleczenie gałki ocznej może doprowadzić do ropnego jej zapalenia, które zazwyczaj rozpoczyna się od zapalenia przedniego odcinka błony naczyniowej oka.

Zapalenie przedniego odcinka błony naczyniowej, tj. tęczówki i ciała rzęskowego. Choroba objawia się silnym bólem głowy i oka, gałka oczna jest przekrwiona, na tylnej powierzchni rogówki widoczne są osady złożone z elementów morfotycznych krwi, limfocytów i komórek wielojądrzastych. W przedniej komorze oka pojawia się wysięk zapalny, który powoduje wytwarzanie się zrostów pomiędzy tęczówką a przednią powierzchnią soczewki. Niekiedy w ciężkich stanach zapalnych dochodzi do wytworzenia się litej błony wysiękowej, która może przesłaniać całą źrenicę. W tęczówce są widoczne rozszerzone naczynia krwionośne. Dalsze części oka są niewidoczne z powodu zmian opisanych powyżej. Ostre stany tęczówki i ciała rzęskowego mogą przeistaczać się w stany zapalne przewlekłe.

Leczenie polega na stosowaniu leków rozszerzających źrenicę oraz ogólnie antybiotyków i kortykosteroidów.

Zapalenie tylnego odcinka błony naczyniowej. Choroba przebiega najczęściej bez zewnętrznych objawów zapalnych, może jednak być następstwem i powikłaniem zapalenia przedniego odcinka błony naczyniowej. Na dnie oka występują białawe ogniska wysiękowe o nieostrych obrysach, które dopiero po upływie dłuższego czasu przybierają kolor żółtawoszary, a granice ich stają się wyraźne i ostro odgraniczone od otoczenia. Osłabienie ostrości widzenia zależy od umiejscowienia zmian ogniskowych. Największe upośledzenie widzenia występuje przy lokalizacji zmian w plamce żółtej. Gdy ogniska znajdują się na obwodzie dna oka, ostrość widzenia może być prawidłowa.

Leczenie. Stosuje się leki rozszerzające źrenicę, ogólnie antybiotyki i kortykosteroidy.

Zapalenie błony naczyniowej na tle toksoplazmozy jest szczególną postacią zapalenia tylnego odcinka błony naczyniowej. Zakażenie przez pierwotniaka *Toxoplasma gondii* następuje drogą pokarmową, najczęściej przez spożycie surowego lub niedogotowanego mięsa. Najniebezpieczniejsza jest choroba u kobiet w ciąży, gdyż zakażenie przenosi się na płód i dziecko może urodzić się z objawami zapalnymi na dnie oka. Charakterystycznym objawem toksoplazmozy jest duże ognisko o wyraźnie odgraniczonych brzegach, umiejscowione w okolicy plamki żółtej lub w okolicy tylnego bieguna gałki ocznej. Rozpoznanie jest oparte na testach serologicznych. Leczenie sulfonamidami ściśle według wskazań lekarskich.

Zapalenie współczulne oka. Jest to obustronne zapalenie błony naczyniowej oka o nie wyjaśnionej dotychczas etiologii. Choroba występuje najczęściej w następstwie przenikającej rany gałki ocznej, a zwłaszcza rany ciała rzęskowego. Stan zapalny rozpoczyna się zazwyczaj w oku zranionym, a po pewnym czasie pojawiają się objawy zapalne w drugim oku dotychczas zdrowym.

Zapalenie współczulne ma charakter zapalenia przewlekłego wysiękowo-wytwórczego błony naczyniowej. Okres pomiędzy urazem a wystąpieniem objawów choroby jest bardzo różnorodny i wynosi od 9 dni do kilkunastu, a nawet kilkudziesięciu lat po zranieniu. Najniebezpieczniejszy jest okres między 4 a 7 tygodniem od zranienia oka. Zapalenie współczulne jest chorobą rzadko spotykaną. Występuje u ok. 2% chorych ze schorzeniami oczu.

Zapobieganie wystąpieniu choroby polega na dokładnym i właściwym leczeniu ran gałki ocznej, a przy znacznym uszkodzeniu nawet na usunięciu zranionego oka.

Leczenie. Stosowane są leki rozszerzające źrenicę oraz ogólnie antybiotyki o szerokim zakresie działania, a także kortykosteroidy.

Choroby siatkówki

Zaburzenia krążenia siatkówkowego

Znaczne ograniczenie przepływu krwi przez siatkówkę oka lub całkowite zamknięcie światła tętnicy środkowej siatkówki bądź jej rozgałęzienia bywa spowodowane skurczem tej tętnicy albo jej zatorem.

Skurcz tętnicy środkowej siatkówki występuje najczęściej w przebiegu nadciśnienia tętniczego albo pod wpływem różnych związków chemicznych, np. nikotyny. Odpowiednio wysokie stężenie nikotyny we krwi u palaczy tytoniu bywa niejednokrotnie przyczyną przemijających zaburzeń widzenia.

Stany skurczowe tętnicy środkowej siatkówki i jej rozgałęzień występują także w bólach głowy pochodzenia naczyniowego określanych mianem migreny. Skurcz tętnicy środkowej siatkówki bądź jej rozgałęzień może trwać wówczas od kilku minut do kilkunastu godzin. Związane z tym upośledzenie czynności siatkówki zależy od rozległości i lokalizacji zmian. Jeżeli obszar niedokrwienia obejmuje okolicę plamki żółtej, występuje wówczas znacznego stopnia obniżenie ostrości widzenia. Leczenie takie jak zatoru tętnicy (zob. niżej).

Zator tętnicy środkowej siatkówki powoduje zatrzymanie przepływu krwi w tkance zaopatrywanej przez tę tętnicę. Często bywa to przyczyną nieodwracalnych zmian w siatkówce, prowadzących do trwałego zaniewidzenia. Zator może być spowodowany przedostawaniem się do światła tętnicy skrzepów pochodzących niekiedy z odległych obszarów ciała, np. w przypadku chorób serca. Często materiał zatorowy stanowią bakterie przedostające się do układu naczyniowego oka z okolic ciała objętych zakażeniem, określanych potocznie ogniskami zakażenia. Zatory w układzie tętniczym siatkówki występują niekiedy w chorobach zakaźnych, np. w grypie i płonicy. W urazach mechanicznych ciała, np. przy zmiażdżeniach narządów miąższowych lub złamaniach kości długich, mogą wystąpić zatory tłuszczowe na skutek przedostawania się do światła naczyń fragmentów tkanki tłuszczowej.

Objawem zatoru jest nagłe, częściowe lub całkowite zaniewidzenie. Badanie dna oka pozwala na dokładną obserwację obszaru siatkówki dotkniętego niedokrwieniem. Badanie pola widzenia umożliwia lokalizację ubytków w tym polu, w miejscach odpowiadających niedokrwieniu siatkówki.

Leczenie nagle występującego niedokrwienia siatkówki (zob. wyżej) powinno być przeprowadzone jak najwcześniej, gdyż od szybkości przywrócenia ukrwienia siatkówki zależy szansa na odzyskanie utraconej ostrości widzenia, zwłaszcza w przypadku zatoru. Skurcz naczyń ustępuje niekiedy samoistnie i stanowi mniejsze zagrożenie, choć i w tym przypadku przy dłużej trwającym niedokrwieniu rokowanie może okazać się niepomyślne. Leczenie polega na stosowaniu środków rozszerzających naczynia krwionośne w postaci wstrzyknięć dożylnych lub pozagałkowych. W większości przypadków leczenie jest najskuteczniejsze w pierwszych godzinach od wystąpienia objawów choroby, dlatego istotne jest wczesne jej rozpoznanie (różne stopnie upośledzenia widzenia).

Zapobieganie polega na leczeniu chorób mogących powodować zatory naczyniowe oraz niepaleniu tytoniu – nikotyna wywiera szkodliwe działanie na układ naczyniowy siatkówki.

Zakrzep żyły środkowej siatkówki. Choroba polega na powstaniu skrzepliny przyściennej, zamykającej stopniowo światło żyły. Zakrzep jest spowodowany zazwyczaj stanem zapalnym ściany wewnętrznej żyły bądź uciskiem jej z zewnątrz przez zmienione chorobowo tętnice. Przyczyną zakrzepu są najczęściej procesy zapalne okolicznych tkanek, np. okołozębowych, migdałków podniebiennych lub zatok przynosowych. Objawem zakrzepu jest różnego stopnia upośledzenie widzenia, zależne od stopnia jego rozległości i lokalizacji. Powikłaniem może być jaskra (zob. s. 1705). Leczenie jest przyczynowe oraz przeciwzapalne i przeciwzakrzepowe.

Krwotok przedsiatkówkowy powstaje w miejscu przerwania ciągłości ściany naczynia siatkówki na skutek zmian chorobowych lub urazu mechanicznego. Przedostająca się do ciała szklistego krew może w różnym stopniu upośledzać ostrość wzroku. Leczenie jest przyczynowe. Stosuje się również środki przyspieszające wchłanianie krwi.

Zapalenie i odwarstwienie siatkówki

Zapalenie siatkówki. Choroba jest najczęściej spowodowana procesami chorobowymi okolicznych tkanek, np. migdałków podniebiennych, zatok przynosowych lub tkanek okołozębowych. Przyczyną zapalenia może być także gruźlica, kiła, toksoplazmoza i posocznica. Zapalenie siatkówki często występuje łącznie z zapaleniem przylegającej do niej błony naczyniowej. Objawem jest upośledzenie ostrości wzroku zależne od lokalizacji zmian chorobowych, które często pozostawiają trwałe ślady w siatkówce.

Leczenie jest przyczynowe oraz przeciwzapalne (antybiotyki o szerokim zakresie działania, preparaty steroidowe).

Odwarstwienie siatkówki jest to odłączenie się siatkówki od błony naczyniowej. Odwarstwienie siatkówki może być pierwotne, nazywane samoistnym, oraz wtórne, gdy spowodowane jest określoną chorobą.

W odwarstwieniu samoistnym, występującym najczęściej w dużej krótkowzroczności, w miejscu odwarstwienia gromadzi się płyn, który unosi siatkówkę w postaci pęcherza wpuklającego się do wnętrza gałki ocznej. Przyczyną odwarstwienia siatkówki w dużej krótkowzroczności jest jej przedarcie w miejscu zmian zwyrodnieniowych występujących w tej wadzie refrakcji.

Wtórne odwarstwienie siatkówki może powstać w wyniku urazu gałki ocznej, ale najczęściej jest spowodowane guzami nowotworowymi naczyniówki (czerniaki), rzadziej obecnością pasożytów (wągrzyca). Może być również skutkiem pociągania siatkówki od strony ciała szklistego przez tworzącą się tkankę włóknistą w rozrostowym zapaleniu siatkówki.

Objawami charakterystycznymi odwarstwienia siatkówki są: „błyski" przed okiem, „migotanie" oglądanych przedmiotów oraz „przesłanianie" części pola widzenia.

Rozpoznanie ustala się na podstawie charakterystycznego obrazu dna oka.

Leczenie odwarstwienia siatkówki jest wyłącznie operacyjne i polega na zablokowaniu przedarć i stworzeniu warunków do przylegania siatkówki do błony naczyniowej. Niektóre odwarstwienia siatkówki są leczone energią promieniowania laserowego. Nieleczone odwarstwienie rozprzestrzenia się na cały obszar siatkówki i nieuchronnie prowadzi do całkowitego zaniewidzenia.

Odwarstwienie siatkówki jest chorobą często rokującą niepomyślnie, a dotychczasowe wyniki leczenia mimo stosowania nowoczesnych metod są nadal niezadowalające, dlatego szczególną rolę odgrywa tu profilaktyka. Odnosi się to zwłaszcza do osób z dużą krótkowzrocznością, gdyż przy tej wadzie refrakcji czynnikiem powodującym odwarstwienie siatkówki jest najczęściej wysiłek fizyczny.

Zmiany zwyrodnieniowe siatkówki

Zmiany zwyrodnieniowe w siatkówce mogą być samoistne (pierwotne) lub wtórne jako następstwo stanów zapalnych. Mogą dotyczyć części obwodowej siatkówki albo środkowej, z lokalizacją w okolicy plamki żółtej (tzw. zwyrodnienia plamkowe). Większość zwyrodnień pierwotnych dotyczy obu oczu i często ma charakter dziedziczny.

Zmiany zwyrodnieniowe siatkówki na tle wysokiej krótkowzroczności. Jest to szczególny rodzaj zwyrodnienia siatkówki dotyczący także przylegającej doń błony naczyniowej. Przyczyną jest wydłużenie tylnego odcinka gałki ocznej, doprowadzające do nadmiernego rozciągania i ścieńczenia siatkówki, co doprowadza do zaburzeń w odżywianiu i zwyrodnienia. Szczególnie ciężkim powikłaniem w dużej krótkowzroczności są zmiany zwyrodnieniowe w plamce żółtej, określane mianem plamy Fuchsa. Występuje wówczas znaczne obniżenie ostrości wzroku nie dające się wyrównać szkłami korekcyjnymi.

Zwyrodnienie barwnikowe siatkówki. Choroba ta, o niewyjaśnionej etiologii, jest dziedziczna i występuje we wczesnym dzieciństwie, często u kilku członków tej samej rodziny. Pierwszym objawem jest pogorszenie widzenia w warunkach gorszego oświetlenia, tzw. ślepota zmierzchowa. W późnych okresach pojawia się zwężenie pola widzenia prowadzące do tzw. widzenia lunetowego, które znacznie utrudnia poruszanie się chorego. Rozpoznanie ustala się na podstawie charakterystycznych zmian na dnie oka i obrazu pola widzenia.

Zwyrodnienie centralnej części siatkówki, o bardzo różnorodnej etiologii, zlokalizowane jest w części środkowej siatkówki, gdzie obejmuje plamkę żółtą lub jej okolicę. Objawem tych stanów chorobowych są różne stopnie upośledzenia ostrości wzroku przy zachowanym widzeniu obwodowym.

Leczenie zwyrodnień siatkówki polega na stosowaniu środków rozszerzających naczynia tętnicze, preparatów hormonalnych, leków wpływających korzystnie na metabolizm komórek siatkówki, a także witamin.

VII. CHOROBY NERWU WZROKOWEGO

Zapalenie nerwu wzrokowego jest najczęściej spotykaną chorobą tego nerwu. Spowodowane jest zakażeniem bakteryjnym lub wirusowym oraz zatruciem związkami chemicznymi. Może dotyczyć odcinka wewnątrzgałkowego nerwu lub odcinka pozagałkowego.

Zapalenie odcinka wewnątrzgałkowego nerwu wzrokowego występuje w ostrych chorobach zakaźnych, także w przebiegu grypy, chorób reumatycznych, zakażeń swoistych, takich jak kiła i gruźlica, oraz w ostrych zatruciach związkami ołowiu lub dwusiarczkiem węgla. Niekiedy zapalenie nerwu wzrokowego jest początkowym objawem chorób ośrodkowego układu nerwowego (mózgu i rdzenia kręgowego), np. stwardnienia rozsianego.

Zapalenie występuje z reguły jednostronnie i objawia się nagle różnego stopnia upośledzeniem ostrości wzroku, aż do całkowitej ślepoty włącznie.

Rozpoznanie ustala się na podstawie obrazu tarczy nerwu wzrokowego. W stanie zapalnym tarcza nerwu wzrokowego jest przekrwiona i ma zatarte granice. W polu widzenia występują ubytki odpowiadające obszarom siatkówki, w których bodźce świetlne z powodu uszkodzenia włókien nerwowych nie mogą być przekazywane do dalszych odcinków drogi wzrokowej.

Zapaleniu odcinka pozagałkowego nerwu wzrokowego poza upośledzeniem ostrości wzroku często towarzyszą bóle w oczodole nasilające się przy ruchach gałki ocznej. W polu widzenia powstaje centralny ubytek, tzw. mroczek środkowy. Często występują zaburzenia widzenia barwnego. Zapalenie może dotyczyć jednego lub obu oczu. Tarcza nerwu wzrokowego w początkowym okresie choroby z reguły ma wygląd prawidłowy.

Leczenie. Zapalenie nerwu wzrokowego jest chorobą ciężką, o niepewnym rokowaniu, dlatego leczenie powinno odbywać się w warunkach szpitalnych. Stosowane jest leczenie przyczynowe oraz środki przeciwzapalne, a w dalszym etapie leczenia preparaty wpływające regenerująco na nerw wzrokowy. Wcześnie rozpoczęte leczenie pozwala na uzyskanie pozytywnych wyników.

Uszkodzenie nerwu wzrokowego w zatruciu alkoholem metylowym. Metanol wybiórczo uszkadza komórki zwojowe siatkówki oraz włókna nerwowe tworzące nerw wzrokowy, powodując ich zanik, co jest przyczyną trwałego upośledzenia ostrości wzroku, a nierzadko całkowitej ślepoty. Ciężkie objawy zatrucia (zob. Zatrucia, s. 2088), przejawiające się różnego stopnia upośledzeniem widzenia, występują niekiedy już po kilku godzinach od spożycia nawet kilkunastu gramów alkoholu metylowego. Najpierw występują objawy pozagałkowego lub wewnątrzgałkowego zapalenia nerwu wzrokowego, a następnie pojawiają się zmiany degeneracyjne prowadzące do zaniku włókien nerwowych.

Leczenie szpitalne. W początkowym okresie zatrucia są stosowane środki przeciwzapalne (steroidy) ogólnie i miejscowo we wstrzyknięciach pozagałkowych. Po ustąpieniu objawów zapalenia nerwu wzrokowego są stosowane środki rozszerzające miejscowo naczynia w celu poprawy warunków ukrwienia siatkówki oraz leki zapobiegające zanikowi nerwu wzrokowego.

Tarcza zastoinowa jest to obrzęk tarczy nerwu wzrokowego, wyrażający się zatarciem jej granic, rozszerzeniem żył i obecnością wybroczyn w jej okolicy. Jest objawem wzmożonego ciśnienia płynu mózgowo-rdzeniowego, które utrudnia odpływ krwi z żyły środkowej siatkówki. Najczęstszą przyczyną zaburzeń w krążeniu płynu mózgowo-rdzeniowego są guzy mózgu, a także wylewy krwi do mózgu. Przedłużający się obrzęk nerwu wzrokowego prowadzi do zmian wstecznych w obrębie włókien nerwowych, powodując częściowy lub całkowity zanik nerwu wzrokowego. Objawia się to znacznym niekiedy obniżeniem ostrości wzroku.

Tarcza zastoinowa, w odróżnieniu od zapalenia nerwu wzrokowego, z reguły nie zaburza ostrości wzroku.

Zanik nerwu wzrokowego. Choroba objawia się bladością tarczy nerwu wzrokowego oraz zwężeniem naczyń krwionośnych siatkówki. Ostrość wzroku ulega obniżeniu w różnym stopniu, aż do całkowitej ślepoty włącznie. Objawem stopnia uszkodzenia włókien nerwowych są zmiany w polu widzenia. W zależności od przyczyny wywołującej, zanik nerwu wzrokowego może być prosty lub wtórny. Zanik prosty występuje najczęściej w chorobach ośrodkowego układu nerwowego, zanik wtórny jest stanem zejściowym po zapaleniu wewnątrzgałkowym nerwu wzrokowego, a także tarczy zastoinowej (zob. wyżej). Poza tym przyczynami zaniku nerwu wzrokowego mogą być urazy mechaniczne, np. złamania podstawy czaszki, a także zatrucia, np. związkami ołowiu lub alkoholem metylowym. Zanik nerwu wzrokowego występuje także w jaskrze.

Leczenie zaniku nerwu wzrokowego jest przede wszystkim przyczynowe. W celu zahamowania procesu zaniku są stosowane środki poprawiające warunki odżywiania nerwu wzrokowego (leki rozszerzające naczynia krwionośne).

VIII. JASKRA

Terminem jaskra określa się wiele jednostek chorobowych, których wspólnym, głównym objawem jest podwyższone ciśnienie śródoczne, tj. wewnątrzgałkowe, śródgałkowe. Ciśnienie to jest uwarunkowane ilością cieczy wodnistej wypełniającej przednią i tylną komorę oka w przednim odcinku gałki ocznej. Ciecz wodnista wytwarzana przez ciało rzęskowe, stanowiące część błony naczyniowej, przez otwór źreniczny przedostaje się do komory przedniej. Miejscem odpływu cieczy wodnistej jest tzw. kąt przesączania, który stanowi tkanka o charakterystycznej porowatej strukturze znajdującą się między rogówką a nasadą tęczówki. W prawidłowych warunkach fizjologicznych istnieje stan równowagi pomiędzy wytwarzaniem cieczy wodnistej a jej odpływem. Zaburzenia tego stanu, najczęściej w postaci utrudnionego odpływu, prowadzą do wzrostu ciśnienia śródgałkowego określonego mianem jaskry.

Prawidłowe ciśnienie śródoczne waha się w granicach od 14 do 26 mm Hg (1,82–3,38 hPa), przy czym istnieją wahania dobowe nie przekraczające wartości 5 mm Hg. W zależności od przyczyny powodującej wzrost ciśnienia śródgałkowego, a także od dynamiki powstania tego zaburzenia i związanego z tym odmiennego obrazu choroby, wszystkie postacie jaskry dzieli się na dwie grupy: jaskrę pierwotną i jaskrę wtórną. Wyodrębniona w klasyfikacji jaskra dokonana jest niepomyślnym zejściem wszystkich rodzajów jaskry. Jaskra wtórna jest spowodowana stanem patologicznym oka, w wyniku którego dochodzi do podwyższenia ciśnienia wewnątrzgałkowego.

Jaskra pierwotna

Jaskra pierwotna dzieli się na: jaskrę prostą, jaskrę zamykającego się kąta przesączania oraz jaskrę wrodzoną, uwarunkowaną niedorozwojem kąta przesączania.

Jaskra pierwotna jest chorobą obuoczną, uwarunkowaną genetycznie. Charakteryzuje się nieprawidłowością budowy kąta przesączania, ujawnia się zazwyczaj po 50 r. życia, nieco wcześniej u kobiet niż u mężczyzn.

Na przebieg choroby niekorzystny wpływ ma wzmożone napięcie układu nerwowego, za czym przemawiają ostre napady jaskry u osób, które przeszły silne stany emocjonalne, wzruszenia, zdenerwowanie.

Jaskra prosta jest najczęściej spotykaną postacią jaskry spowodowaną upośledzeniem odpływu cieczy wodnistej z oka przy zachowanym otwartym kącie przesączania. Choroba przebiega podstępnie, nie powodując przez kilka lub kilkanaście lat żadnych dolegliwości. Okresowe zwyżki ciśnienia wewnątrzgałkowego, najczęściej w godzinach rannych, są zazwyczaj niezauważalne (brak dolegliwości) i często dopiero przypadkowe badanie okulistyczne pozwala ustalić właściwe rozpoznanie. Jaskra prosta ze stałymi lub okresowymi zwyżkami ciśnienia, nie leczona lub leczona niedostatecznie, często na skutek nieprzestrzegania zaleceń lekarskich, z biegiem lat prowadzi do zaniku nerwu wzrokowego i całkowitej utraty obwodowego i centralnego pola widzenia.

Jaskra zamykającego się kąta przesączania może przejść w postać ostrą, gdy kąt przesączania ulegnie zamknięciu. Ta postać jaskry zwana jest także ostrym napadem jaskry.

Objawy ostrego napadu jaskry, w postaci silnych bólów gałki ocznej promieniujących do czoła, skroni i szczęki górnej z towarzyszącymi nudnościami i wymiotami, są spowodowane nagłym zamknięciem kąta przesączania. Nagły wzrost ciśnienia wewnątrzgałkowego, wielokrotnie przekraczający prawidłowe granice, powoduje obrzęk nabłonka rogówki, co jest przyczyną widzenia kół tęczowych, łzawienia i światłowstrętu. Znaczne obniżenie ostrości wzroku, a niekiedy tylko zachowanie poczucia światła, jest skutkiem niedokrwienia siatkówki i obrzęku nabłonka rogówki. W ostrym napadzie jaskry charakterystyczne jest przekrwienie spojówki gałkowej i rozszerzenie źrenicy. Ostry napad jaskry może trwać kilka godzin i powtarzać się w różnych odstępach czasu. Niekiedy ustępuje samoistnie, zazwyczaj jednak po leczeniu.

Objawy jaskry podostrej i przewlekłej (dawniej nazwanej jaskrą zapalną) są łagodniejsze niż w napadzie ostrym, ponieważ kąt przesączania zamyka się niecałkowicie i nie następuje tak gwałtowny, jak w ostrej postaci, wzrost ciśnienia wewnątrzgałkowego.

Jaskra wrodzona jest spowodowana niedorozwojem kąta przesączania, co utrudnia odpływ cieczy wodnistej. Przeważnie choroba ujawnia się tuż po urodzeniu, niekiedy w pierwszych latach życia. W odróżnieniu od innych rodzajów jaskry pierwotnej, jaskra wrodzona często dotyczy tylko jednego oka. Spowodowany wzrostem ciśnienia wewnątrzgałkowego utrzymujący się obrzęk nabłonka rogówki prowadzi do zaburzeń jej przezierności i powstania zmętnienia, czyli bielma.

Objawem jaskry wrodzonej jest powiększenie średnicy rogówki spowodowane rozciągnięciem ściany gałki ocznej pod wpływem wzrostu ciśnienia wewnątrzgałkowego. Z powodu powiększenia objętości gałki ocznej oko w jaskrze wrodzonej nazwano okiem wolim.

Jaskra wtórna

Jaskra wtórna jest następstwem chorób gałki ocznej. Występuje najczęściej w przebiegu stanów zapalnych błony naczyniowej, zwłaszcza tęczówki i ciała rzęskowego. Wzrost ciśnienia wewnątrzgałkowego jest spowodowany zablokowaniem dróg odpływu (kąta przesączania) wysiękiem zapalnym w przednim odcinku gałki ocznej, co może zdarzyć się w toczących się w gałce ocznej procesach chorobowych, takich jak guzy nowotworowe, wylewy krwi lub pęcznienie mętniejącej soczewki.

Przyczyną jaskry wtórnej mogą być także przemieszczenia pourazowe soczewki (nadwichnięcia), prowadzące do częściowego zablokowania dróg odpływu cieczy wodnistej.

Jaskra dokonana

Jaskra dokonana stanowi niepomyślne zejście wszystkich rodzajów jaskry, zarówno pierwotnej, jak i wtórnej. W jaskrze dokonanej oko jest ślepe na skutek zaniku nerwu wzrokowego. W jaskrze wtórnej często występują objawy zwyrodnienia rogówki, zmiany w tęczówce, zmętnienie w soczewce, a także rozdęcia ścieńczałej twardówki w postaci tzw. garbiaków.

Rozpoznawanie jaskry

W diagnostyce jaskry, zwłaszcza jaskry prostej, duże znaczenie ma badanie łatwości odpływu cieczy wodnistej z gałki ocznej, zwane tonografią. Tonografię, jak i pomiar ciśnienia wewnątrzgałkowego, czyli tonometrię, przeprowadza się za pomocą przyrządu zwanego tonometrem. Badanie kąta przesączania, tzw. gonioskopię, wykonuje się przy użyciu gonioskopu, przyrządu optycznego pozwalającego dzięki specjalnemu układowi zwierciadeł ocenić miejsce odpływu cieczy wodnistej. Obraz gonioskopowy kąta przesączania jest różny w jaskrze prostej, ostrej i wrodzonej.

Do podstawowych badań w jaskrze, wykonywanych zarówno w celach diagnostycznych, jak i prognostycznych, należy badanie pola widzenia. Zmiany w polu widzenia w postaci ubytków (początkowo głównie od strony nosowej), koncentrycznego zawężenia pola widzenia aż do zachowania widzenia jedynie w części skroniowej są spowodowane niedokrwieniem siatkówki. Chorzy ze zmianami w polu widzenia powinni być poddawani badaniom kontrolnym, gdyż czasem niewielkie podwyższenie ciśnienia wewnątrzgałkowego powoduje powiększenie się ubytków.

W rozpoznawaniu jaskry i ocenie jej przebiegu duże znaczenie ma badanie tarczy nerwu wzrokowego. W rozwiniętej postaci choroby tarcza nerwu wzrokowego ma barwę bledszą od prawidłowej i jest dobrzeżnie zagłębiona. Zmiany te są spowodowane zanikiem włókien nerwowych.

Leczenie jaskry

Leczenie jaskry ma na celu przywrócenie do normy ciśnienia wewnątrzgałkowego przez stworzenie prawidłowych warunków odpływu cieczy wodnistej z oka lub zahamowanie jej wytwarzania w ciele rzęskowym. W zależności od rodzaju jaskry i jej przebiegu, stosuje się leczenie zachowawcze lub operacyjne.

W leczeniu zachowawczym podawane są środki (w postaci kropli) zwężające źrenicę, np. pilokarpina i fizostygmina. Przy zwężonej źrenicy istnieją lepsze warunki odpływu cieczy wodnistej w kącie przesączania. Środki zmniejszające wytwarzanie cieczy wodnistej, np. diuramid, stosowane są doustnie.

Leczenie operacyjne polega na odtworzeniu dróg odpływu cieczy wodnistej. Stosowane jest z reguły wówczas, gdy leczenie zachowawcze nie przynosi pożądanych efektów.

W jaskrze wtórnej poza leczeniem przeciwjaskrowym podstawowe znaczenie ma leczenie przyczynowe. W ostrym napadzie jaskry bezpośrednio zagrażającym utratą wzroku z powodu wysokich wartości ciśnienia wewnątrzgałkowego, grożących uszkodzeniem elementów nerwowych siatkówki, niezwykle ważne jest jak najszybsze rozpoczęcie leczenia. W razie wystąpienia objawów sugerujących ostry napad jaskry należy niezwłocznie zasięgnąć porady okulistycznej.

Jaskra należy do ciężkich chorób oczu i według danych statystycznych jest, poza urazami, najczęstszą przyczyną ślepoty w Polsce. Właściwie prowadzone leczenie w wydzielonych ośrodkach – poradniach przeciwjaskrowych zapobiega skutkom tej niekiedy podstępnie, bo bezobjawowo przebiegającej choroby (jaskra prosta).

Chorzy na jaskrę muszą bezwzględnie przestrzegać następujących zaleceń: unikać sytuacji stresowych, nie stosować używek w postaci kawy naturalnej, a nawet mocnej herbaty, a także nie używać ciemnych okularów, które mogą powodować rozszerzenie źrenicy. W jaskrze przeciwwskazane są leki uspokajające i nasenne, tak że w każdym przypadku konieczności ich stosowania należy zasięgnąć porady lekarza okulisty. Lekiem bezwzględnie przeciwwskazanym jest atropina i jej pochodne. Są to leki rozszerzające źrenicę i u osób chorych na jaskrę mogą spowodować nagły wzrost ciśnienia wewnątrzgałkowego, czyli ostry napad jaskry, który jest bardzo niebezpieczny.

IX. NOWOTWORY UKŁADU WZROKOWEGO

Zmiany nowotworowe występujące w tkankach układu ochronnego oka i w strukturach gałki ocznej mogą mieć charakter łagodny lub złośliwy.

Nowotwory oczodołu

W obrębie oczodołu występują guzy, które mogą być nowotworami łagodnymi lub złośliwymi. Nowotwory łagodne to tłuszczaki, chrzęstniaki, naczyniaki (krwionośne i limfatyczne). Nowotwory złośliwe to mięsaki i glejaki. Guz oczodołu może narastać powoli, początkowo bezobjawowo, a dopiero po osiągnięciu średnicy ok. 1 cm może dawać objawy: chory odczuwa rozsadzanie w oczodole, gałka oczna ulega uwypukleniu. W każdym podejrzanym przypadku chory powinien jak najprędzej zgłosić się do lekarza specjalisty, w celu poddania się odpowiednim badaniom diagnostycznym i rozpoczęcia leczenia.

Nowotwory powiek

Nowotwory łagodne powiek

Kępki żółte powiek są to podskórne, ograniczone twory o żółtawym zabarwieniu, zbudowane z komórek zawierających lipidy. Są dość często spotykaną zmianą, zlokalizowaną najczęściej w przynosowych częściach skóry powiek. Choroba występuje w wieku dojrzałym i jest jedynie defektem kosmetycznym. Leczenie jest operacyjne i polega na wycięciu zmian skórnych.

Brodawki zwyczajne są to nitkowate, uszypułowane twory łatwo krwawiące, które występują często w okolicy brzegu wolnego powiek. Przyczyną choroby jest infekcja wirusowa. Leczenie operacyjne polega na wycięciu lub przyżeganiu zmiany.

Naczyniaki powiek pochodzą z naczyń krwionośnych lub chłonnych. Występują najczęściej w pierwszych miesiącach i latach życia i są zlokalizowane na powiekach lub w ich okolicy. Mogą cofać się samoistnie. Gdy grożą powikłaniem, jest wskazane leczenie operacyjne.

Znamiona barwnikowe powiek. Są to zmiany różnej wielkości, od łebka szpilki do bardzo rozległych, rozprzestrzeniających się na całą powiekę. Mogą być płaskie, czasem wypukłe lub nawet guzowate. Bardzo rzadko ulegają zezłośliwieniu.

Nowotwory złośliwe powiek

Rak powieki rozwija się najczęściej na brzegu powieki. Początkowo ma postać niewielkiego guzka, który następnie ulega rozpadowi tworząc owrzodzenie pokryte strupem. Owrzodzenie to nie wykazuje skłonności do gojenia, rozrasta się przechodząc na sąsiednie tkanki. Rak powieki jest zróżnicowany pod względem budowy mikroskopowej i dopiero badanie histologiczne umożliwia dokładną jego identyfikację. Leczenie jest wyłącznie operacyjne, uzupełnione najczęściej naświetleniami energią promienistą.

Czerniak złośliwy powieki, zob. Nowotwory skóry. Czerniak złośliwy, s. 2032.

Nowotwory spojówki

Nowotwory spojówki w postaci pierwotnej występują bardzo rzadko. Są najczęściej przerzutami nowotworów powiek i gałki ocznej.

Znamiona barwnikowe spojówki występują najczęściej w spojówce gałkowej i są przesuwalne względem podłoża. Wymagają ścisłej obserwacji ze strony specjalisty. Z chwilą stwierdzenia powiększania się powinny być usunięte operacyjnie.

Tłuszczak spojówki. Jest to twór guzowaty o zabarwieniu żółtawym, najczęściej zlokalizowany w górno-skroniowej części spojówki gałkowej. Leczenie operacyjne.

Nabłoniak spojówki umiejscawia się w okolicy rąbka spojówki z tendencją rozrastania się płaskiego. Jest mocno zrośnięty z podłożem. Leczenie operacyjne.

Czerniak złośliwy spojówki. Jest to twór guzowaty barwy szarawobrunatnej umiejscowiony w pobliżu rogówki. Rozrasta się szybko i daje przerzuty. Leczenie operacyjne.

Nowotwory gałki ocznej

Nowotwory twardówki

Zmiany nowotworowe twardówki występują bardzo rzadko. Są to naczyniaki, włókniaki i torbiele. Tkankę twardówki mogą również naciekać nowotwory wewnątrzgałkowe przebijające gałkę oczną, takie jak siatkówczak lub mięsak czerniaczkowy (melanosarkoma).

Nowotwory błony naczyniowej

Znamię barwnikowe tęczówki jest to nagromadzenie się komórek barwnikowych w obrębie tęczówki. Może występować pojedynczo lub w formie plamkowatego skupienia barwnika. Znamiona barwnikowe mogą czasami ulegać zezłośliwieniu, dlatego jest wskazana ścisła ich obserwacja.

Czerniak złośliwy gałki ocznej wywodzi się z komórek barwnikowych błony naczyniowej, a według ostatnich poglądów – z tkanki nerwowej. Częściej jest zlokalizowany w tylnym odcinku gałki ocznej. Rozrastając się w postaci guza często powoduje wtórne odwarstwienie siatkówki. W obrazie wziernikowym dna oka jest widoczny w postaci czarnobrunatnego tworu. Czerniak rozrastając się może wypełnić wnętrze gałki ocznej, stanowiąc przyczynę jaskry wtórnej (zob. s. 1707), a przebijając twardówkę może także przejść na tkanki oczodołu. W każdym okresie swojego rozwoju może dawać przerzuty, najczęściej do wątroby, mózgu i skóry.

Leczenie polega na możliwie najwcześniejszym wykonaniu zabiegu operacyjnego. Czerniak jest nowotworem niewrażliwym na energię promienistą.

Siatkówczak. Nazwa ta obejmuje grupę chorób nowotworowych siatkówki, rozwijających się z istniejących już w momencie urodzenia niezróżnicowanych komórek. Są to guzy wrodzone, których objawy pojawiają się w pierwszych miesiącach lub latach życia. Pierwszym zazwyczaj objawem jest spostrzeżenie przez rodziców szarożółtego refleksu w obrębie źrenicy, przypominającego odblask ze źrenicy kota, stąd potoczna nazwa „kocie oko". Badanie dna oka wykazuje rozrost tkanki nowotworowej, która obejmuje okoliczne tkanki. Siatkówczaki są nowotworami o szybkim rozwoju; dają przerzuty do mózgu i innych narządów.

Leczenie chirurgiczne polega na jak najwcześniejszym usunięciu gałki ocznej i następnie oświetleniu oczodołu energią promienistą.

X. CHOROBA ZEZOWA

Chorobą zezową określa się nieprawidłowe ustawienie gałek ocznych oraz współistniejące z tym zaburzenia widzenia.

W warunkach fizjologicznych, dzięki prawidłowym, skoordynowanym czynnościom mięśni zewnętrznych oczu, osie optyczne gałek ocznych przy patrzeniu w dal ustawiają się równolegle, natomiast przy patrzeniu na przedmioty bliskie przecinają się w punkcie, na który kieruje się wzrok. Utworzone w ten sposób obrazy w identycznych, odpowiadających sobie miejscach siatkówek obu oczu umożliwiają widzenie przestrzenne, czego nie daje patrzenie tylko jednym okiem. Niezbędnym warunkiem obuocznego widzenia jest ponadto prawidłowa ostrość widzenia obu oczu.

Przewaga czynnościowa poszczególnych mięśni zewnętrznych jednego oka powoduje odchylenie gałki ocznej od osi optycznej, co sprawia, że praktycznie istnieje możliwość posługiwania się jednym okiem o prawidłowym ustawieniu. Oko odchylone od swej osi optycznej nie może odbierać prawidłowo wrażeń wzrokowych, gdyż obraz powstaje nie w środkowej części siatkówki, a na jej obwodzie. Stan taki określa się jako zez.

W zależności od udziału mięśni okoruchowych w nieprawidłowym ustawieniu gałki ocznej rozróżnia się dwa podstawowe rodzaje zeza: zez zbieżny oraz zez rozbieżny. Czasami oko zezujące może być skierowane w górę lub w dół. Zez może dotyczyć tylko jednego oka lub występować naprzemiennie, raz w jednym, raz w drugim oku. Taki rodzaj zeza jest określany jako zez naprzemienny. Najczęściej występuje zez zbieżny.

Zez zdarza się na ogół we wczesnym dzieciństwie przy słabo rozwiniętej fuzji, tj. procesie pozwalającym na złączenie się dwóch jednakowych obrazów siatkówkowych obu oczu w jeden obraz. W miarę rozwoju fiksacji, co następuje stopniowo przy wykształceniu się widzenia plamkowego, powstaje równowaga pomiędzy widzeniem a napięciem mięśni zewnątrzgałkowych.

W zezie nie jest możliwe prawidłowe widzenie obuoczne, gdyż w oku zezującym, w zależności od rozmiarów zeza (określanego w stopniach), obraz na siatkówce powstaje w pewnej odległości od plamki żółtej. Powoduje to, że obserwowany okiem zezującym przedmiot, którego obraz nie powstaje na korespondującym z drugim okiem obszarze siatkówki, widziany jest podwójnie. W celu uniknięcia tego nieprzyjemnie odczuwanego zjawiska, zezujący używa raz jednego, raz drugiego oka i w rezultacie powstaje zez naprzemienny. W zezie tym ostrość widzenia jest na ogół prawidłowo zachowana w obu oczach. W zezie jednego oka zezujące oko z reguły ma obniżoną ostrość widzenia. Przy trwającym długo zezie najczęściej jednostronnym, wskutek nieprawidłowej fiksacji plamkowej warunkującej widzenie precyzyjne, powstaje niedowidzenie.

Przyczyny zeza. W dzieciństwie przyczyną zeza są czynniki uniemożliwiające wykształcenie się fuzji (zob. wyżej). Najczęściej są to wady wzroku, a zwłaszcza różnowzroczność, przy której niemożliwa jest prawidłowa percepcja korowa jednocześnie z obu siatkówek (zob. Fizjologia, s. 102 i 109). Utrudnienie wykształcenia się fuzji powodują m.in. czynniki psychiczne warunkujące prawidłowy rozwój dziecka. Często przebyte choroby zakaźne wieku dziecięcego, obniżające ogólną odporność organizmu, opóźniają proces fuzji, stając się przyczyną nieprawidłowego ustawienia gałek ocznych.

U osób dorosłych zezy powstają: 1) przy niedowidzeniu będącym najczęściej skutkiem nie skorygowanej wady wzroku, 2) w stanach chorobowych upośledzających przezierność układu optycznego oka (bielmo, zaćma) lub 3) przy uszkodzeniu elementów nerwowych odbierających wrażenia wzrokowe (choroby siatkówki i nerwu wzrokowego). Będące wynikiem tych chorób znaczne obniżenie ostrości widzenia powoduje wyłączenie oka z procesu widzenia i ustawienie go w zezie zbieżnym.

Zezy porażenne stanowią odrębną grupę. Powstają na skutek urazu lub uszkodzenia procesem chorobowym nerwu zaopatrującego dany mięsień. Niekiedy porażeniem są objęte wszystkie mięśnie zewnętrzne oka. Przyczyną porażenia mięśni zewnętrznych oka mogą być stany zapalne organizmu (ostre choroby zakaźne, zapalenie odogniskowe), zatrucia, a także choroby ośrodkowego układu nerwowego. Charakterystycznym objawem zezów porażennych jest podwójne widzenie.

Leczenie zeza polega na: wyrównaniu wady wzroku przez zastosowanie odpowiednich szkieł korekcyjnych, zlikwidowaniu ewentualnego niedowidzenia, wytworzeniu widzenia obuocznego i przywróceniu prawidłowego ustawienia oczu.

Leczenie zeza powinno być przeprowadzone jak najwcześniej. Ma to szczególne znaczenie u dzieci, ponieważ proces fuzji wykształca się do 6 r. życia. Leczenie przeprowadzone przed zakończeniem tego procesu daje duże szanse nie tylko na prawidłowe ustawienie oczu w sensie kosmetycznym, ale także czynnościowym, gdyż przywraca widzenie obuoczne. Praktycznie po 10 r. życia niedowidzenie powstałe w wyniku zeza jest trudne do wyleczenia i przeprowadzony zabieg operacyjny poprawia jedynie defekt kosmetyczny, stąd efekty korekcji mięśniowej są często nietrwałe.

W większości zezów tzw. akomodacyjnych, powstałych u dzieci w wyniku wad wzroku, po zastosowaniu odpowiednich okularów jeszcze przed wystąpieniem wstecznych zmian w mięśniach (przerostów bądź zaników) następuje całkowite wyleczenie.

Jeżeli stosowanie okularów korekcyjnych u dzieci nie daje oczekiwanych wyników, stosuje się leczenie ortopedyczne, polegające na stosowaniu odpowiednich ćwiczeń. Przeprowadzane jest ono w wyposażonych w odpowiednią aparaturę pracowniach ortopedycznych. Uzupełnieniem leczenia zachowawczego jest często zabieg operacyjny, polegający na przywróceniu równowagi mięśniowej w poruszaniu gałką oczną.

Leczenie zeza u osób dorosłych jest często przyczynowe i polega na leczeniu choroby podstawowej bądź jej skutków powodujących znaczne upośledzenie ostrości widzenia.

Zez jest chorobą o dużym znaczeniu społecznym. Osoby zezujące nie tylko są dotknięte defektem kosmetycznym, ale ponadto z powodu braku widzenia obuocznego nie mogą pracować w wielu zawodach, a także wykonywać prac precyzyjnych, wymagających widzenia przestrzennego.

XI. WADY WZROKU

Wadą wzroku, zwaną także wadą refrakcji, określa się stan, w którym obserwowane przedmioty – przy zachowanej prawidłowej przezroczystości układu optycznego oka przy braku zmian chorobowych siatkówki i nerwu wzrokowego – są widziane niewyraźnie. Przyczyną tego jest dysproporcja pomiędzy siłą łamiącą układu optycznego a wielkością gałki ocznej. W porównaniu z okiem miarowym, w oku z wadą refrakcji promienie świetlne skupiają się przed siatkówką lub poza nią. W rezultacie odbierany przez komórki siatkówki obraz jest nieostry o niewyraźnych konturach.

Gdy siła łamiąca układu optycznego oka jest zbyt słaba lub gdy gałka oczna ma mniejsze od normalnych rozmiary, promienie świetlne przecinają się poza siatkówką i taki rodzaj wady refrakcji określa się jako nadwzroczność. Jeżeli układ łamiący oka jest za silny lub jeśli gałka oczna

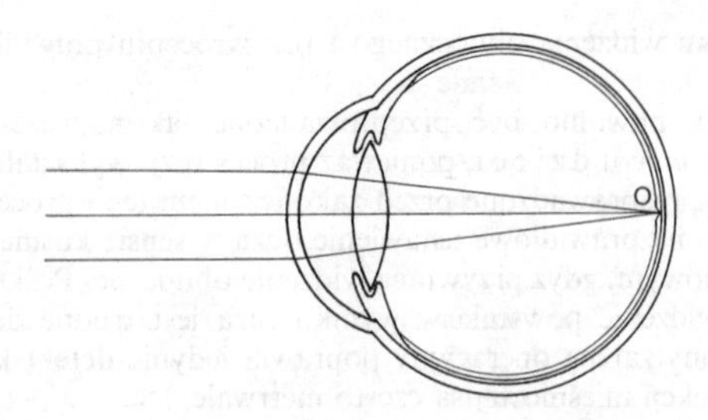

Oko miarowe. Promienie świetlne biegnące od odległego przedmiotu skupiają się w ognisku 0 na siatkówce oka

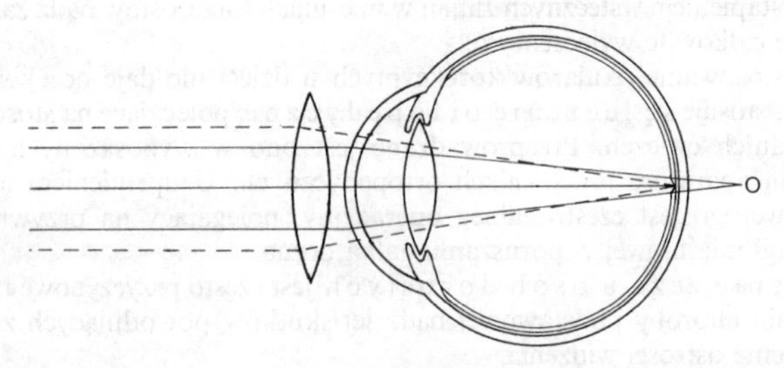

Oko nadwzroczne. Siła łamiąca układu optycznego oka jest zbyt słaba i promienie świetlne skupiają się w ognisku 0 poza siatkówką oka (linia ciągła). Po korekcji soczewka dwuwypukła skupia promienie na siatkówce oka (linia przerywana)

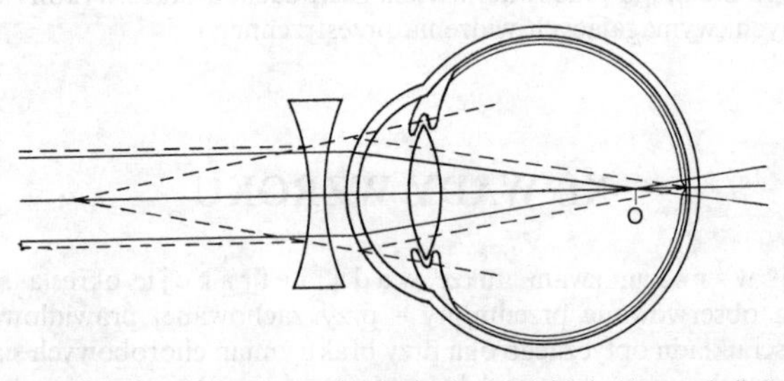

Oko krótkowzroczne. Siła łamiąca układu optycznego jest zbyt duża i promienie świetlne biegnące od odległego przedmiotu skupiają się w ognisku 0 przed siatkówką (linia ciągła). Po korekcji soczewka podwójnie wklęsła odchyla promienie na zewnątrz, powodując ich skoncentrowanie się w ognisku na siatkówce (linie przerywane)

jest zbyt duża, promienie świetlne skupiają się przed siatkówką i taką wadę określa się jako krótkowzroczność.

Niezborność lub astygmatyzm jest to wada wzroku polegająca na niejednakowym załamywaniu promieni świetlnych wzdłuż różnych południków gałki ocznej. Ten rodzaj wady jest spowodowany nieprawidłową krzywizną rogówki. W zależności od zniekształceń rogówki, zarówno wrodzonych, jak i nabytych w przebiegu procesów chorobowych bądź po przebytych operacjach, powstaje niezborność nadwzroczna lub krótkowzroczna. Niezbornością mieszaną określa się stan, w którym w jednym oku w różnych płaszczyznach rogówki występuje zarówno nadwzroczność, jak i krótkowzroczność.

Objawem niezborności jest zniekształcenie widzianych obrazów. Wielkość wady refrakcji określa się w dioptriach.

U niemowląt i małych dzieci występuje nadwzroczność fizjologiczna, uwarunkowana małymi rozmiarami gałki ocznej. Stan ten jest częściowo wyrównywany większą wypukłością soczewki dziecięcej, w porównaniu z soczewką człowieka dorosłego. W miarę powiększania się gałki ocznej wraz z fizycznym rozwojem dziecka nadwzroczność ulega zmniejszeniu.

Przy niewielkiej wadzie refrakcji istnieje możliwość dokładnego widzenia, podobnie jak w oku miarowym. Uwarunkowane jest to akomodacją oka, tj. przystosowaniem układu optycznego do dokładnego widzenia przedmiotów z różnej odległości dzięki zmianie krzywizny soczewki. Zakres akomodacji zależy od elastyczności soczewki; największy jest u małych dzieci i stopniowo zmniejsza się z upływem lat.

W miarę powiększania się wady wzroku lub zmniejszania zakresu akomodacji pojawia się uczucie zmęczenia oczu, zwłaszcza przy obserwowaniu przedmiotów bliskich, a głównie przy czytaniu i pisaniu. Stanowi temu nierzadko towarzyszy złe samopoczucie, bóle głowy, a często także stany zapalne spojówek i brzegów powiek.

Leczenie wad refrakcji ma na celu przywrócenie prawidłowego, wyraźnego widzenia. Wady wzroku wyrównuje się za pomocą korekcyjnych szkieł okularowych po uprzednim ustaleniu wady refrakcji.

Zasadę działania szkieł korekcyjnych w prostych wadach refrakcji (nadwzroczność, krótkowzroczność) ilustrują rysunki zamieszczone na s. 1714. W nadwzroczności, w której optyczny układ łamiący oka jest za słaby w stosunku do długości gałki ocznej, stosuje się soczewki skupiające (wypukłe) oznaczone znakiem „+”. W krótkowzroczności, gdzie układ łamiący oka jest za silny w stosunku do długości gałki ocznej, znalazły zastosowanie soczewki rozpraszające (wklęsłe) oznaczone znakiem „–”. Niezborność wyrównuje się soczewkami cylindrycznymi, które załamując promienie świetlne tylko w jednym południku zwiększają lub zmniejszają siłę układu optycznego oka.

Wyrównywanie wad refrakcji u dzieci ma szczególne znaczenie. Niemożność dokładnego odbierania wrażeń wzrokowych wiedzie bowiem do nieprawidłowej fiksacji i wytworzenia się obrazu poza plamką żółtą, co w efekcie prowadzi do niedowidzenia, a więc stanu nie dającego się już wyrównać szkłami korekcyjnymi. Niewyrównana wada wzroku u dzieci jest najczęściej przyczyną zeza.

Zapobieganie polega na okresowych badaniach ostrości wzroku u dzieci.

Ograniczenie zakresu akomodacji u ludzi z oczami miarowymi, którzy przekroczyli 40 r. życia, wyrównuje się soczewkami skupiającymi.

Pierwszym objawem niedomogi akomodacji u tych osób jest „zamazywanie się liter" przy czytaniu i pisaniu. Stan ten określa się mianem starczowzroczności. Zastosowanie właściwej korekcji likwiduje tę niedogodność.

U osób, których zawód wymaga dobrego widzenia, zarówno z daleka, jak i z bliska, stosuje się szkła dwuogniskowe. Górna część szkła o określonej refrakcji wyrównuje wadę wzroku, natomiast dolna o innych wartościach łamiących służy do pracy z bliska.

Szkła kontaktowe są to szkła korekcyjne stosowane bezpośrednio na powierzchnię rogówki. Zbudowane z przezroczystej masy plastycznej o różnym stopniu twardości, znalazły zastosowanie w różnego rodzaju wadach refrakcji. Stosowanie szkieł kontaktowych podyktowane jest także względami estetycznymi lub zawodowymi, np. u aktorów. Ujemną stroną szkieł kontaktowych jest określony czas ich używania (pozostawiania na powierzchni rogówki), jak i częste objawy nietolerancji.

Zaburzenia widzenia barwnego

Zaburzenia widzenia barwnego polegają na nieprawidłowym odbiorze przez fotoreceptory siatkówki trzech zasadniczych barw: czerwonej, zielonej i niebieskiej. Najczęściej spotykanym zaburzeniem widzenia barwnego jest nierozpoznawanie barwy czerwonej, zwane protanopią, oraz barwy zielonej, zwane deuteranopią. Jednoczesna ślepota na barwę czerwoną i zieloną określana jest mianem daltonizmu.

Całkowita ślepota na barwy występuje rzadko, najczęściej zaburzenia dotyczą nierozpoznawania poszczególnych odcieni barw. Większość postaci zaburzeń widzenia barwnego ma charakter wrodzony, uwarunkowany genetycznie i dotyczy głównie mężczyzn. Nabyta ślepota na barwy występuje niekiedy w chorobach siatkówki, nerwu wzrokowego, a także przejściowo w niektórych zatruciach środkami chemicznymi.

Do badania poczucia barw służą tablice pseudoizochromatyczne, w których liczba, litera lub znak utworzony jest z elementów barwnych. Badaniom takim są poddawane m.in. osoby prowadzące pojazdy mechaniczne: kierowcy samochodowi i innych pojazdów, maszyniści kolejowi, piloci.

XII. ZABURZENIA OCZNE W CHOROBACH OŚRODKOWEGO UKŁADU NERWOWEGO

Choroby ośrodkowego układu nerwowego w różnym stopniu oddziałują na śródczaszkową część układu wzrokowego, wywołując wiele zaburzeń uchwytnych badaniem okulistycznym. Niektóre objawy ze strony układu wzrokowego, występujące w określonych chorobach neurologicznych, wykorzystano do celów diagnostycznych.

Zmiany w polu widzenia spowodowane uszkodzeniem nerwu wzrokowego pozwalają na dokładną lokalizację procesu chorobowego wewnątrz czaszki. Wywołany procesem chorobowym rozrost tkanki, wylew krwi lub naciek zapalny w ośrodkowym układzie nerwowym powodują ucisk, a czasem całkowite zniszczenie nerwu wzrokowego. W zależności od lokalizacji tego procesu występują charakterystyczne ubytki w polu widzenia jednego lub obu oczu. Na przykład uszkodzenie skrzyżowania nerwów wzrokowych, spowodowane najczęściej przez guzy przysadki, objawia się niedowidzeniem połowiczym. Ucisk na szlak wzrokowy po jednej stronie powoduje niedowidzenie połowicze jednoimienne po stronie przeciwnej. Objawem guzów w przedniej jamie czaszkowej są zmiany na dnie oczu objawiające się zanikiem nerwu wzrokowego w jednym oku, a obecnością tarczy zastoinowej w drugim oku. Przy wzmożonym ciśnieniu wewnątrzczaszkowym na dnie oka występują objawy tarczy zastoinowej. Obraz tarczy zastoinowej jest cenną wskazówką zarówno w diagnostyce choroby, jak i w przebiegu leczenia. Brak reakcji źrenic na światło występuje m.in. w kile układu nerwowego, w wiądzie rdzenia, a także w nagminnym zapaleniu mózgu. Procesy chorobowe uszkadzające wewnątrzczaszkową część nerwów zaopatrujących mięśnie zewnętrzne oka powodują niedowłady lub porażenia poszczególnych mięśni poruszających gałkę oczną. W rezultacie powstają zezy porażenne (zob. Choroba zezowa, s. 1711).

XIII. ZMIANY NA DNIE OKA W CHOROBACH WEWNĘTRZNYCH

Siatkówka oka jest jedynym miejscem w organizmie, w którym można przyżyciowo obserwować najmniejsze naczynia krwionośne. Zaburzenia w układzie naczyniowym siatkówki i ich następstwa są ściśle związane ze zmianami w układzie krążenia całego organizmu. Na podstawie badania dna oka można wnioskować, że podobne zmiany jak w siatkówce mogą występować w naczyniach tej samej wielkości w innych narządach, takich jak mózg, nerki lub serce.

Zaburzenia krążenia w siatkówce oka, będące wyrazem uogólnionych zmian w obwodowym układzie krążenia, są często pierwszymi objawami choroby. Ocena dna oka ma więc w wielu chorobach układu krążenia znaczenie diagnostyczne, a obserwacja dynamiki zmian naczyniowych w przebiegu zastosowania leczenia pozwala na prognozowanie co do dalszego rokowania.

Zmiany na dnie oka w nadciśnieniu tętniczym

Istnieją pewne współzależności pomiędzy zmianami na dnie oka a ogólnymi objawami choroby nadciśnieniowej. Opracowane podziały, obejmujące różne stopnie zmian na dnie oka, odpowiadają określonym stanom klinicznym choroby nadciśnieniowej.

We wczesnym okresie nadciśnienia tętnice ulegają skurczowi czynnościowemu początkowo na ograniczonym odcinku, a w nadciśnieniu utrwalonym na całym swoim przebiegu, żyły natomiast rozszerzają się. Utrudnienie przepływu krwi żylnej jest skutkiem ucisku, jaki na żyły wywierają tętnice w miejscu skrzyżowania obu rodzajów naczyń. W fazie złośliwej nadciśnienia tętniczego występuje skurcz zwłaszcza małych tętniczek. Równolegle ze skurczem powstają zmiany wsteczne w ścianie naczyń.

W długo trwającym nadciśnieniu tętniczym stwardniałe odgałęzienia tętnicy środkowej siatkówki stają się podobne początkowo do miedzianych, a następnie srebrnych drucików. W miarę postępu nadciśnienia zastój w układzie żylnym powoduje, że żyły siatkówki przybierają kształt wężykowaty, co szczególnie wyraźnie zaznacza się w małych gałązkach żylnych w okolicy plamki żółtej. W następstwie nasilania się ucisku zmienionej miażdżycowo tętnicy na żyłę następuje jej zwężenie, a odcinek powyżej skrzyżowania ulega rozszerzeniu na skutek utrudnionego odpływu krwi. Znaczny stopień ucisku tętnicy na żyłę sprzyja zwolnieniu prądu krwi w żyle powyżej skrzyżowania, co stwarza warunki do powstania skrzeplin początkowo przyściennych, a następnie zajmujących całe światło żyły. W ten sposób z powodu nadciśnienia tętniczego w żyle siatkówki powstaje zakrzep prowadzący do wybroczyn, przesięków lub zmian zwyrodnieniowych.

Postępujące zmiany w naczyniach powodują zwiększenie ich przepuszczalności, co stanowi przyczynę wystąpienia drobnych wynaczynień zwanych wybroczynami. Drobne wybroczyny obserwowane na całym obszarze dna oka są pochodzenia zarówno tętniczego, jak i żylnego, natomiast większe na ograniczonej przestrzeni są charakterystyczne dla zakrzepu żyły środkowej siatkówki.

Nasilające się w miarę postępu nadciśnienia procesy patologiczne w naczyniach siatkówki przyczyniają się do powstania zmian w samej siatkówce. W miejscu skrzyżowania tętnicy z żyłą, w wyniku utrudnionego odpływu krwi w siatkówce, powstają ogniska przesięku. Na skutek zaburzeń w krążeniu siatkówkowym na obszarach niedokrwionych tworzą się ogniska martwicze, nazwane „ogniskami waty", świadczące na ogół o wkroczeniu nadciśnienia w fazę złośliwą. O złośliwej fazie nadciśnieniowej świadczą również zmiany barwnikowe w siatkówce będące najczęściej następstwem zaniku lub uszkodzenia tkanki przez wylewy krwi.

Stany skurczowe naczyń siatkówki w początkowym okresie choroby nadciśnieniowej mają charakter czynnościowy i przy prawidłowo prowadzonym leczeniu mogą całkowicie ustąpić. Okresowa ocena dna oka pozwala na obserwację efektów leczenia i daje możność porównania zmian na dnie oka z objawami choroby. Zmiany naczyniowe w siatkówce i sąsiadującej z nią błonie naczyniowej oraz ich następstwa mogą powodować w chorobie nadciśnieniowej wiele zaburzeń w funkcjonowaniu układu wzrokowego. Uszkodzenia w okolicy plamki żółtej często są przyczyną znacznego niekiedy obniżenia ostrości wzroku.

Zmiany na dnie oka w cukrzycy

Stopień uszkodzenia układu naczyniowego w siatkówce oka zależy od czasu trwania cukrzycy. Przedłużenie życia ludzi cierpiących na tę chorobę spowodowało wzrost liczby chorych z cukrzycowym uszkodzeniem siatkówki, zwanym retinopatią cukrzycową.

Zmiany w układzie naczyniowym siatkówki w cukrzycy dotyczą głownie części żylnej i polegają na odcinkowym rozszerzeniu żylnych naczyń włosowatych, wyglądem przypominających drobne wybroczynki. Występowanie ich uważa się za swoistą dla cukrzycy zmianę w układzie naczyniowym siatkówki. Zmiany w układzie tętniczym siatkówki nie są charakterystyczne i przypominają zmiany w nadciśnieniu tętniczym. Są one przyczyną przesięków, wybroczyn, wylewów i prowadzą do powstawania ognisk zwyrodnieniowych.

Rozległe wylewy krwi w siatkówce i w ciele szklistym powodują tworzenie się tkanki łącznej, która kurcząc się na skutek procesu bliznowacenia może powodować odwarstwienie siatkówki. Z rozwojem tkanki łącznej następuje charakterystyczny dla cukrzycy rozplem naczyń krwionośnych. Nowotworzenie naczyń rozwija się niekiedy bardzo gwałtownie, czasem w ciągu kilku tygodni. Nowo powstałe naczynia są mało wartościowe, kruche, co powoduje ich pękanie i powstawanie nowych wylewów. Przyczyną patologicznego rozrostu naczyń siatkówki w cukrzycy jest prawdopodobnie niedotlenienie spowodowane zaburzeniami w krążeniu.

Zmiany w układzie naczyniowym siatkówki są częścią ogólnoustrojowych, naczyniowych zmian patologicznych w cukrzycy. Zmiany naczyniowe w obrębie siatkówki pojawiają się najwcześniej, nieco później występują w nerkach, a następnie prawdopodobnie we wszystkich narządach organizmu. Badanie dna oka w cukrzycy jest podstawowym badaniem stwarzającym wyobrażenie o uszkodzeniu układu naczyniowego całego organizmu. Zmiany naczyniowe w oczach spowodowane cukrzycą często prowadzą do znacznego obniżenia ostrości wzroku i stanowią poważny problem terapeutyczny.

Zmiany na dnie oka w zatruciu ciążowym

Głównym objawem zatrucia ciążowego jest nadciśnienie tętnicze. Gwałtowny wzrost ciśnienia powoduje silne zwężenie tętniczek, objawy ucisku w miejscu ich skrzyżowania z żyłami oraz często obrzęki tarczy n e r w u w z r o k o w e g o. Charakterystyczna dla zatrucia ciążowego faza złośliwa nadciśnienia sprzyja wystąpieniu w siatkówce tzw. ognisk waty, które są obszarami martwiczymi, a także licznych wybroczyn. Pełny obraz rozwiniętego zespołu r e t i n o p a t i i n a d c i ś n i e n i o w e j w przebiegu ciąży stanowi wskazanie do wywołania porodu lub nawet przerwania ciąży, gdyż dłużej trwający stan nadciśnienia złośliwego może powodować nieodwracalne zmiany w naczyniach innych narządów.

Niepokojącym objawem ocznym towarzyszącym zwykle r z u c a w c e p o r o d o w e j, będącej najcięższą postacią późnego zatrucia ciążowego, jest połowicze lub całkowite z a n i e w i d z e n i e, trwające zazwyczaj kilka godzin. Jest ono wywołane skurczem naczyń tętniczych zaopatrujących korę płata potylicznego mózgu w miejscu korowego ośrodka widzenia.

Zmiany na dnie oka w chorobach układu krwiotwórczego

Zmiany te są ściśle związane ze zmianami w składzie krwi i wynikającymi z tego stanu powikłaniami.

N i e d o k r w i s t o ś ć powoduje mniejsze wypełnienie krwią naczyń tętniczych siatkówki, wskutek czego stają się one bardziej przezroczyste. W stanach ciężkiej niedokrwistości zmiany na dnie oka przypominają zmiany wywołane zatorem tętnicy środkowej siatkówki (zob. s. 1701). Współistniejąca w niektórych stanach niedokrwistości s k a z a k r w o t o c z n a jest przyczyną licznych wybroczyn w siatkówce.

C z e r w i e n i c a wywołuje rozszerzenie i nadmierne wypełnienie krwią naczyń siatkówki. Również tarcza nerwu wzrokowego jest przekrwiona na skutek rozszerzenia i nadmiernego wypełnienia krwią naczyń włosowatych zaopatrujących nerw wzrokowy.

B i a ł a c z k a. W chorobie tej występują w narządzie wzroku typowe zmiany w postaci n a c i e k ó w. Zazwyczaj pojawiają się one w tych miejscach siatkówki, gdzie na skutek niedokrwistości i skazy krwotocznej występują wybroczyny i ogniska zwyrodnienia.

XIV. URAZY OKA I NARZĄDÓW DODATKOWYCH

Urazy układu wzrokowego powodują na ogół ciężkie uszkodzenie i nierzadko bywają przyczyną znacznego upośledzenia ostrości wzroku lub całkowitej ślepoty. Związane są one głównie z rodzajem wykonywanej pracy zawodowej i w większości przypadków są wynikiem nieprzestrzegania przepisów dotyczących ochrony oczu. Przyczyną części urazów są nieszczęśliwe wypadki, zdarzające się przeważnie u dzieci. W zależności od rodzaju czynnika uszkadzającego, urazy oka dzieli się na: mechaniczne, chemiczne, termiczne oraz wywołane energią promienistą.

Urazy mechaniczne

Urazy mechaniczne, w zależności od kształtu przedmiotu uszkadzającego oraz siły, z jaką ten przedmiot oddziałuje na tkanki układu wzrokowego, mogą być tępe, tzn. nie naruszające ciągłości tkanek tworzących aparat ochronny oka i gałkę oczną, lub drążące, kiedy powstają rany przenikające w głębsze struktury układu wzrokowego.

Urazy tępe

Urazy powiek i ich okolicy. Urazy te wywołują obrzęk i podskórne wylewy krwi. Jeżeli nie ma uszkodzenia skóry, nie występuje wtórne zakażenie i zmiany te cofają się bez powikłań.

Urazy gałki ocznej. W spojówce gałkowej wskutek urazów często występują wylewy podspojówkowe. Z biegiem czasu resorbują się one całkowicie i nie wymagają leczenia. Urazy rogówki, zarówno nie powodujące przerwania jej ciągłości, jak i będące przyczyną pęknięcia jej tylnych warstw, mogą wywoływać przemijające lub trwałe zmętnienie. Pojawienie się krwi w przedniej komorze oka jest często spowodowane uszkodzeniem naczyń w głębszych strukturach gałki ocznej.

Podspojówkowemu pęknięciu twardówki towarzyszą zazwyczaj miejscowe krwawienia podspojówkowe, a często także rozległe wylewy krwi do komory przedniej i ciała szklistego. Leczenie zachowawcze polega na stosowaniu leków przeciwkrwotocznych i antybiotyków. W wielu przypadkach niezbędne jest leczenie chirurgiczne.

Urazy błony naczyniowej. Urazy tęczówki i ciała rzęskowego powodują krwawienie do komory przedniej oka i ciała szklistego. Częściowe lub całkowite oderwanie tęczówki od jej nasady objawia się zniekształceniem źrenicy lub pojawieniem się otworu przypominającego dodatkową źrenicę. Urazy ciała rzęskowego są przyczyną silnych bólów gałki ocznej i światłowstrętu. Urazy naczyniówki mogą powodować wylewy krwawe, odłączenie jej od podłoża, a także pęknięcie. Leczenie uszkodzeń błony naczyniowej polega na stosowaniu środków przyspieszających resorpcję krwi, antybiotyków, leków rozszerzających źrenicę, a w przypadkach zaburzeń ciśnienia wewnątrzgałkowego – leków normujących jego wartości.

Urazy soczewki mogą być przyczyną zaburzeń jej przezierności, a także jej przemieszczenia. Przyczyną zmętnienia soczewki jest pęknięcie jej torebki, co powoduje przenikanie cieczy wodnistej z komory przedniej oka do wnętrza soczewki. Ograniczone zmętnienia na ogół nie powiększają się i nie wymagają leczenia. Przemieszczenie soczewki jest wywołane częściowym zerwaniem więzadełek, na których jest ona zawieszona. Całkowite zerwanie tych więzadełek powoduje przemieszczenie soczewki do komory przedniej oka lub do ciała szklistego. Przemieszczenie soczewki często prowadzi do podwyższonego ciśnienia wewnątrzgałkowego, natomiast zwichnięcie jej do ciała szklistego może być przyczyną ciężkich powikłań, np. zapalenia błony naczyniowej oka. Leczenie operacyjne.

Urazy siatkówki mogą spowodować jej obrzęki, krwotoki, rozdarcia, a także odwarstwienia. Leczenie krwotoków przedsiatkówkowych i siatkówkowych jest zachowawcze, natomiast rozdarć i odwarstwień – operacyjne. W miejscach uszkodzeń siatkówki powstają zazwyczaj ogniska zwyrodnienia. Jeśli są zlokalizowane w okolicy plamki żółtej, mogą trwale upośledzać ostrość wzroku.

Uszkodzenia nerwu wzrokowego powstają najczęściej przy złamaniach oczodołu lub podstawy czaszki. Bezpośrednią przyczyną uszkodzeń są wylewy krwi do pochewek nerwu wzrokowego lub mechaniczne przerwania ciągłości włókien nerwowych odłamkami kostnymi. Uszkodzenia nerwu wzrokowego prowadzą do częściowego lub całkowitego jego zaniku. Złamaniom kości oczodołu towarzyszy najczęściej krwotok do przestrzeni pozagałkowej, który powoduje wytrzeszcz gałki ocznej i ograniczenie jej ruchomości. Przemieszczenie i unieruchomienie gałki ocznej są przyczyną wystąpienia podwójnego widzenia. Rozpoznanie złamania i dokładna jego lokalizacja są możliwe do przeprowadzenia badań rentgenowskich.

Rany

Zranienia aparatu ochronnego oka i gałki ocznej mogą być powierzchowne lub przenikające, powodując uszkodzenie głębszych części oka. Rany przenikające zadane ostrym przedmiotem bywają cięte, kłute i szarpane. Uszkodzeniu mogą ulec wszystkie struktury aparatu ochronnego oka i gałki ocznej. Rokowanie co do zachowania prawidłowej funkcji oka zależy od rozległości uszkodzeń, od tego, jakie części oka zostały uszkodzone, oraz od powikłań spowodowanych wtórnym zakażeniem.

Rany przenikające powiek, narządu łzowego i spojówki są leczone wyłącznie chirurgicznie.

Rany rogówki. Zranienia powierzchowne, ograniczające się do ubytków jej nabłonka, goją się w ciągu kilkunastu godzin bez śladu. Zranienia głębsze, dotyczące warstwy właściwej rogówki, pozostawiają po sobie blizny w postaci ograniczonych zmętnień.

Objawem uszkodzeń rogówki jest ból, światłowstręt i łzawienie.

Leczenie polega na stosowaniu środków przeciwzapalnych w postaci kropli oraz zasłonięciu oka do czasu pokrycia się rogówki nabłonkiem.

Rozległe rany przenikające rogówki powodują upływ cieczy wodnistej z komory przedniej. Mogą one być przyczyną wypadnięcia tęczówki, a następnie zrostów tęczówki z rogówką. Leczenie chirurgiczne polega na odprowadzeniu tęczówki i zaopatrzeniu rany.

Rany drążące twardówki powikłane są często uwięźnięciem w nich przyległych tkanek, tj. błony naczyniowej i siatkówki, a także różnego stopnia upływem ciała szklistego. Leczenie chirurgiczne. W procesie gojenia rany często dochodzi do bliznowatych zniekształceń w ścianie gałki, które mogą być niekiedy przyczyną odwarstwienia siatkówki.

Rany soczewki polegają zwykle na przerwaniu jej torebki, co powoduje zmętnienie soczewki prowadzące do rozwoju zaćmy urazowej. Masy soczewki drażniąc błonę naczyniową wywołują niekiedy ciężkie jej zapalenia.

Pourazowe zapalenie błony naczyniowej. Choroba może wystąpić jako powikłanie każdego rodzaju rany przenikającej gałki ocznej. Zapalenie pourazowe, z reguły ropne, możne obejmować różne odcinki błony naczyniowej i może mieć charakter ostry, podostry i przewlekły.

Zapalenie współczulne jest szczególnym rodzajem zapalenia błony naczyniowej. Rozwija się zwłaszcza w następstwie drążących zranień okolicy ciała rzęskowego. Choroba pojawia się początkowo w oku zranionym, a następnie przenosi się na drugie oko. Okres pomiędzy urazem a wystąpieniem objawów zapalenia jest różny i w zależności od rozległości zranienia może wynosić od kilku dni do kilkunastu lat. Choroba jest bardzo niebezpieczna, gdyż jej skutki prowadzą do ciężkich uszkodzeń, większych niekiedy w oku zdrowym aniżeli dotkniętym urazem.

Leczenie ran przenikających gałkę oczną, oprócz chirurgicznego, polega na zapobieganiu zakażeniu. W tym celu podaje się ogólnie surowicę przeciwtężcową, środki przeciwbakteryjne, głównie antybiotyki o szerokim zakresie działania. Leki przeciwbakteryjne stosuje się miejscowo do oka w postaci kropli, a także ogólnie, doustnie lub pozajelitowo drogą wstrzyknięć domięśniowych i dożylnych.

Ciała obce w oku

W niektórych rodzajach urazów mechanicznych do tkanek oka przedostają się różnorodne ciała obce, najczęściej metaliczne. Powodują one rozwój zakażenia bakteryjnego, a ponadto wchodząc w chemiczną reakcję z tkankami oka wyzwalają reakcję zapalną, dodatkowo wikłającą skutki urazu.

Ciało obce znajdujące się w worku spojówkowym lub na powierzchni rogówki powoduje światłowstręt, łzawienie i różnego stopnia objawy bólowe. Usuwa się je stosując płukanie oka. Ciała obce głębiej tkwiące w tych tkankach, nie dające się usunąć płukaniem worka spojówkowego, wymagają interwencji specjalisty. Po usunięciu ciała obcego z rogówki stosuje się środki przeciwbakteryjne w postaci kropli lub maści, a także zasłanianie oka w celu przyspieszenia procesu gojenia (pokrycia ubytku w rogówce nabłonkiem).

Urazy chemiczne

Stopień uszkodzenia oczu w urazach chemicznych zależy od stężenia substancji chemicznej, jej ilości i czasu działania. Typową reakcją oczu na działanie silnych środków chemicznych jest ból, światłowstręt i łzawienie.

Inne objawy w postaci przekrwienia, a w ciężkich przypadkach – rozległej martwicy, zależą od stopnia uszkodzenia tkanek. Szczególnie niebezpieczne są oparzenia wapnem, ponieważ wapno łączy się z wodą wyzwalając duże ilości ciepła, co powoduje dodatkowe oparzenia termiczne.

O losach oparzonego chemicznie oka decyduje niejednokrotnie udzielenie pierwszej pomocy. W oparzeniach kwasami pierwsza pomoc polega na jak najszybszym płukaniu worka spojówkowego środkami zobojętniającymi działanie kwasu, np. 1% roztworem sody. W oparzeniach zasadami stosuje się płukanie worka spojówkowego roztworem fizjologicznym soli kuchennej lub słabymi roztworami kwasów. W oparzeniach wapnem przed płukaniem worka spojówkowego należy dokładnie usunąć z niego kawałki wapna.

Urazy cieplne

Oparzenia cieplne są spowodowane dostaniem się do oczu ciał gazowych, płynnych lub stałych chemicznie obojętnych o wysokiej temperaturze. Rozległość uszkodzeń zależy od ilości i temperatury czynnika termicznego. Leczenie świeżych oparzeń polega na miejscowym stosowaniu antybiotyków, środków rozszerzających źrenicę i naczynia krwionośne. Skutki oparzeń w postaci zniekształceń i blizn wymagają często leczenia operacyjnego.

Uszkodzenia energią promienistą

Są to szczególnego rodzaju urazy związane z coraz szerszym stosowaniem w praktyce energii promieniowania elektromagnetycznego.

Mikrofale wywołują łzawienie, światłowstręt, stany zapalne rogówki, tęczówki i siatkówki, a także specyficzne dla tego rodzaju promieniowania zmętnienie soczewki.

Promieniowanie podczerwone, na którego działanie narażeni są przede wszystkim pracownicy zatrudnieni w hutach metali i szkła, powoduje powstawanie zmętnień w soczewce określanych jako tzw. zaćma hutnicza.

Promieniowanie elektromagnetyczne światła widzialnego w określonych warunkach może uszkadzać elementy nerwowe siatkówki. Uszkodzenia tego rodzaju zdarzają się podczas spawania łukiem elektrycznym, w przypadkowej ekspozycji światła laserowego, a także w czasie oglądania zaćmienia Słońca. W przebiegu ciężkich uszkodzeń siatkówki może nastąpić trwałe upośledzenie wzroku.

Promieniowanie nadfioletowe, będące częścią składową światła słonecznego, wywołuje często reakcję zapalną, której szczególnym rodzajem jest tzw. oftalmia fotoelektryczna. Występuje ona jako skutek działania łuku świetlnego na układ wzrokowy, np. podczas obserwowania silnego błysku powstającego przy zwarciu elektrycznym lub spawaniu metali. Charakterystycznym objawem jest zapalenie spojówek i rogówki przebiegające z silnymi bólami oka, światłowstrętem i łzawieniem. Objawy te ustępują zwykle po kilku godzinach.

Promieniowanie jonizujące, do którego zalicza się promieniowanie rentgenowskie, promieniowanie gamma oraz promieniowanie cząstek alfa, beta i protonów, może spowodować zmiany zapalne skóry w okolicy oka, z wypadaniem brwi i rzęs oraz owrzodzeniem spojówki i rogówki. Ze struktur gałki ocznej najbardziej narażona na szkodliwe działanie promieniowania jonizującego jest soczewka, w której mogą powstawać zmętnienia określane mianem z a ć m y p o p r o m i e n n e j.

Przepisy dotyczące ochrony oczu przed różnymi rodzajami promieniowania elektromagnetycznego przewidują stosowanie okularów pochłaniających odpowiedni zakres tego widma.

XV. CHOROBY ZAWODOWE OCZU

Układ wzrokowy narażony jest na działanie szkodliwych czynników związanych z wykonywaniem zawodu. Czynniki te mogą działać bezpośrednio na oko lub uszkadzać układ wzrokowy przez ogólne oddziaływanie na organizm. Bezpośrednie działanie wywołują urazy chemiczne, mechaniczne, cieplne oraz spowodowane energią promienistą.

Urazy chemiczne powstają na skutek działania przy stanowiskach pracy: dymów, par i gazów lub cieczy. Uszkodzeniu ulegają najczęściej aparat ochronny oka i przedni odcinek gałki ocznej. Występuje podrażnienie spojówki powiekowej i gałkowej objawiające się jej przekrwieniem i obrzękiem, a także obecnością wydzieliny w worku spojówkowym. Typowymi dolegliwościami są światłowstręt, łzawienie i ból. Długotrwałe, miejscowe działanie szkodliwych środków chemicznych może powodować zmętnienie rogówki oraz stany zapalne błony naczyniowej oka.

Urazy mechaniczne o charakterze przewlekłym, zaistniałe w związku z wykonywaniem zawodu, to w wielu przypadkach działanie na powierzchowne tkanki oka pyłów pochodzenia mineralnego, roślinnego, zwierzęcego, a także z tworzyw sztucznych. Urazy te są najczęstszą przyczyną chorób oczu u ludzi pracujących w zapylonym środowisku. O b j a w e m jest zapalenie spojówek i rogówki. Częstą chorobą jest p y l i c a r o g ó w k i, polegająca na inkrustacji rogówki fragmentami ciał stałych. Choroba ta występuje np. u kamieniarzy i szlifierzy. Inne urazy mechaniczne oczu, zob. s. 1721.

Urazy cieplne i wywołane energią promienistą powstałe w warunkach pracy przebiegiem swym, powikłaniami i leczeniem nie różnią się od tego typu urazów powstałych przypadkowo (zob. wyżej).

Uszkodzenie układu wzrokowego w zatruciach. Oko jako narząd szczególnie unaczyniony i unerwiony bardziej od innych narządów reaguje na wszelkie zatrucia.

W zatruciu związkami ołowiu może wystąpić porażenie mięśni poruszających gałkę oczną, czego wyrazem jest pojawienie się zeza, oczopląsu i opadnięcia powiek. Często następuje też zapalenie nerwu wzrokowego w odcinku pozagałkowym, prowadzące do częściowego jego zaniku. Zmiany w układzie naczyniowym na dnie oka prowadzą do wytworzenia się ognisk zwyrodnienia.

Zatrucie rtęcią często bywa powikłane pozagałkowym zapaleniem nerwu wzrokowego.

Zatrucie srebrem, w którym występuje odkładanie się jego związków w tkankach, objawia się charakterystycznym zabarwieniem powiek, spojówek i rogówki.

W zatruciach związkami siarki szczególnie niebezpieczne dla układu wzrokowego jest działanie dwusiarczku węgla, wywołujące nieodwracalne uszkodzenie elementów nerwowych siatkówki, poprzedzone zazwyczaj zmianami w układzie naczyniowym spojówki i siatkówki.

XVI. PROBLEMY SPOŁECZNE LUDZI SŁABO WIDZĄCYCH I NIEWIDOMYCH

Pomimo znacznych osiągnięć w dziedzinie rozpoznawania i leczenia chorób układu wzrokowego, liczba osób niewidomych ciągle wzrasta.

Przyczyny upośledzenia wzroku i ślepoty w porównaniu z zestawieniem sprzed 30 lat zmieniły się znacznie. Miejsce chorób zakaźnych, zwłaszcza wieku dziecięcego, stanowiących najczęstszy powód zaniewidzenia, zajęły oprócz chorób oczu, takich jak jaskra lub odwarstwienie siatkówki, choroby układowe – cukrzyca, miażdżyca, nadciśnienie tętnicze – oraz choroby zwyrodnieniowe. Uwarunkowane jest to przedłużającym się przeciętnym okresem życia ludzkiego i pojawieniem się powikłań ocznych w tych chorobach. Innymi, nader istotnymi przyczynami ślepoty są urazy mechaniczne związane z rozwojem przemysłu i mechanizacji, a także urazy chemiczne i zatrucia. Przyczynami wrodzonymi ślepoty są predyspozycje dziedziczne oraz czynniki szkodliwe działające na płód, takie jak zakażenia bakteryjne, wirusowe, energia promienista, zatrucia chemiczne. Zapobieganie ślepocie wrodzonej polega na chronieniu kobiety ciężarnej przed czynnikami szkodliwymi, zwłaszcza w pierwszych miesiącach ciąży, w których kształtują się narządy zmysłów.

W zależności od okresu życia, w którym nastąpiła ślepota, używa się określeń niewidomy bądź ociemniały. Niewidomi nie są w stanie odbierać wrażeń wzrokowych od urodzenia, natomiast ociemniali widzieli kiedyś i stopniowo lub nagle utracili wzrok.

Ślepota jest ciężkim kalectwem pociągającym za sobą wiele ograniczeń i trudności życiowych. Ludzie niewidomi i upośledzeni wzrokowo otoczeni są szczególną troską. Problematyką ludzi niewidomych oraz ich rehabilitacją zajmuje się Polski Związek Niewidomych.

Rehabilitacja niewidomych jest złożonym procesem przygotowania ich do samodzielnego i niezależnego życia osobistego, rodzinnego, społecznego i zawodowego. Ma także na celu niedopuszczenie do rozwoju trwałych skutków psychicznych ślepoty, takich jak kompleksy i reakcje nerwicowe. Z tych też względów powinna rozpoczynać się jak najszybciej, aby nie dopuścić do zahamowania rozwoju osobniczego.

Rehabilitacja jest procesem długotrwałym, wymagającym pewnej kolejności w realizowaniu poszczególnych jej elementów, począwszy od zdobycia umiejętności samodzielnego poruszania się, umiejętności czytania i pisania systemem punktowym i wreszcie opanowania odpowiedniego zawodu pozwalającego na zatrudnienie niewidomego w odpowiednich warunkach. Opanowanie przez niewidomych umiejętności pisania i czytania stało się możliwe dzięki opracowaniu i wprowadzeniu przez Braille'a alfabetu punktowego. Stanowi on kombinację określonej liczby wypukłych punktów i ich położenia w układzie sześciopunktowym.

Postęp techniczny, a zwłaszcza rozwój elektrotechniki pozwolił na opracowanie wielu nowoczesnych urządzeń technicznych, które mogą być zastosowane w procesie rehabilitacji niewidomych. W większości przypadków są to jeszcze prototypy, ale pomyślne próby praktycznego ich zastosowania dają nadzieję na szybszą adaptację ludzi niewidomych do normalnego życia. Spośród nowoczesnych zdobyczy na uwagę zasługuje laska laserowa. Wmontowane w nią systemy laserowe wysyłają promienie w trzech różnych kierunkach. Napotykając na przeszkodę sygnalizują o jej istnieniu za pomocą sygnału akustycznego lub wibracji wyczuwalnej na uchwycie laski. Innym urządzeniem, w którym pokłada się duże nadzieje, jest konstrukcja działająca na zasadzie sondy sondy ultradźwiękowej wmontowanej w oprawki okularowe. Wielkość obiektu i jego odległość od niewidomego jest określana odpowiednim sygnałem akustycznym.

XVII. ORZECZNICTWO OKULISTYCZNE

Orzecznictwo okulistyczne zajmuje się ustalaniem stopnia zdolności do pracy osoby badanej. Pod uwagę są brane, oprócz choroby podstawowej ograniczającej w znacznym stopniu możliwości wykonywania określonej pracy, inne czynniki, które dają obiektywny obraz zdolności całego organizmu do podjęcia pracy zawodowej. Należą do nich: wiek chorego, kwalifikacje oraz możliwości wyrównawcze poszczególnych narządów. Ocena ich pozwala na określenie całkowitej lub częściowej niezdolności do pracy i daje prawo do uzyskania renty inwalidzkiej. Kryterium zaliczenia do grup inwalidzkich z punktu widzenia okulistycznego stanowią: obniżenie ostrości wzroku i zwężenie pola widzenia.

I grupa inwalidów obejmuje osoby z całkowitą ślepotą lub znacznym zwężeniem pola widzenia (do ok. 20°), co uniemożliwia wykonywanie jakiejkolwiek pracy w warunkach normalnych i wymaga pomocy osób trzecich przy wykonywaniu podstawowych czynności życiowych.

II grupa inwalidów obejmuje osoby, u których ostrość wzroku oka lepiej widzącego nie przekracza 0,1 lub pole widzenia jest zwężone do ok. 30°. Inwalidzi II grupy praktycznie nie są w stanie podjąć jakiejkolwiek pracy.

III grupa inwalidów obejmuje osoby, u których stwierdza się jednooczność, bezsoczewkowość obuoczną oraz osoby, u których ostrość wzroku (z korekcją) oka lepiej widzącego nie przekracza 0,3.

Instytucje orzekające o stopniu inwalidztwa rozpatrują również okoliczności jego powstania, co dodatkowo wpływa na wysokość odszkodowania. Inwalidztwo może być spowodowane wypadkiem przy pracy, może mieć związek z chorobą zawodową lub ze służbą wojskową. Na potrzeby PZU, sądów powszechnych, a także w celu określenia związku inwalidztwa ze służbą wojskową, stopień inwalidztwa określa się procentową utratą zdolności do pracy (np. utrata gałki ocznej, przy zachowaniu pełnej sprawności drugiego oka, daje 38% trwałego inwalidztwa). Do rozpatrywania spornych spraw rentowych są powołane sądy ubezpieczeń społecznych.

CHOROBY JAMY USTNEJ I ZĘBÓW

Intensywny rozwój medycyny w ostatnim półwieczu dotyczy również stomatologii. Związane jest to z jednej strony z postępem wiedzy, rozwojem i praktycznym zastosowaniem osiągnięć nauk technicznych, a z drugiej strony z potrzebą zaspokojenia oczekiwań społecznych.

Dawna dentystyka, zajmująca się przez stulecia chorobami zębów, a następnie zębów i wyrostków zębodołowych, rozwinęła się we współczesną stomatologię, zajmującą się rozwojem, fizjologią i patologią czaszki twarzowej, a w niej głównie narządu żucia, zwanego układem stomatognatycznym.

Współczesna stomatologia rozwinęła wiele odrębnych specjalności.

Stomatologia wieku rozwojowego, nazywana także dziecięcą, zajmuje się krzewieniem oświaty zdrowotnej, zapobieganiem, czyli profilaktyką próchnicy i chorób przyzębia, wczesnym wykrywaniem wrodzonych wad oraz szeroko rozumianym lecznictwem narządu żucia u dzieci i młodzieży – od 0 do 18 r. życia.

Stomatologia zachowawcza zajmuje się leczeniem chorób zębów i ozębnej.

Peridontologia zajmuje się chorobami przyzębia (przyzębica, parodontoza) oraz wcale nie tak rzadko występującymi chorobami dziąseł i błony śluzowej jamy ustnej.

Ortodoncja (ortopedia szczękowa) zajmuje się zapobieganiem skutkom i leczeniem wrodzonych i nabytych wad zębowo-szczękowo-twarzowych.

Protetyka stomatologiczna zajmuje się rehabilitacją narządu żucia, tj. uzupełnianiem i odbudową za pomocą różnego typu protez brakującego uzębienia.

Chirurgia stomatologiczna zajmuje się ambulatoryjną chirurgią zębów i wyrostka zębodołowego. Chirurgia szczękowo-twarzowa zajmuje się wykonywaniem w warunkach szpitalnych zabiegów w obszarze czaszki twarzowej (urazy, choroby nowotworowe, chirurgia plastyczna i odtwórcza itp.).

Stomatologia przemysłowa, niedawno wyodrębniona, zajmuje się ujemnym wpływem środowisk przemysłowych na uzębienie i struktury jamy ustnej oraz eliminacją tych negatywnych uwarunkowań.

Profilaktyka jest domeną wszystkich wymienionych wyżej specjalności stomatologicznych. W stomatologii bowiem, podobnie jak i w innych specjalnościach medycznych, ogromnie ważne jest zapobieganie najczęściej występującym chorobom, co społecznie i ekonomicznie jest korzystniejsze od zwalczania rozwiniętych chorób.

I. UKŁAD STOMATOGNATYCZNY

Narząd żucia lub, poprawniej, układ stomatognatyczny jest zespołem elementów i struktur anatomicznych i czynnościowych twarzoczaszki, biorących udział w funkcji pobierania pokarmu. Układ ten tworzą kości, zęby, naczynia krwionośne, nerwy, mięśnie, więzadła i stawy. Po urodzeniu się dziecka układ stomatognatyczny umożliwia pobieranie pokarmów. Odruch ssania w pierwszych miesiącach życia człowieka jest najsilniejszym odruchem bezwarunkowym. W miarę wyrzynania się zębów, rozwoju nerwów i mięśni czynność ssania zostaje zastąpiona przez czynność żucia.

Od układu stomatognatycznego zależą w znacznym stopniu również inne ważne funkcje, takie jak oddychanie, a w okresie poniemowlęcym – mowa. Wszystkie te funkcje, wykształcające się w miarę rozwoju organizmu, wywierają modelujący wpływ na rozwój samego układu stomatognatycznego. Prawidłowy rozwój i czynność tego układu zależy również do czynników genetycznych, od przebiegu morfogenezy w pierwszych miesiącach życia płodowego oraz od indywidualnej dynamiki rozwoju. Nie bez znaczenia jest też wpływ środowiska wewnętrznego i zewnętrznego, wielkość, nasilenie i czas trwania działających bodźców, a także zdolności adaptacyjne tkanek budujących narząd żucia.

Rozwój twarzy i układu stomatognatycznego

Rozwój twarzy i układu stomatognatycznego w życiu wewnątrzłonowym wiąże się z intensywnym rozwojem głowowego odcinka zarodka. Zawiązki twarzy i szczęk pojawiają się już w końcu 3 tygodnia życia płodu.

Zarodek 8-tygodniowy ma już uformowaną twarz i szczęki. Zawiązki zębowe powstają w 9 tygodniu. W 5 miesiącu życia płodu wykształcone zawiązki zębów mlecznych ulegają wapnieniu; rozpoczyna się również formowanie zawiązków zębów stałych. W 8–9 miesiącu mineralizacja zawiązków prawie wszystkich zębów mlecznych, podobnie jak i zawiązków pierwszych stałych zębów trzonowych jest zakończona.

Noworodek ma dużą głowę, stosunkowo długi tułów i krótkie kończyny. Twarz zajmuje zaledwie 1/8 głowy (u dorosłego prawie połowę). Swoista budowa twarzy, tyłożuchwie, niedorozwinięte stawy skroniowo-żuchwowe

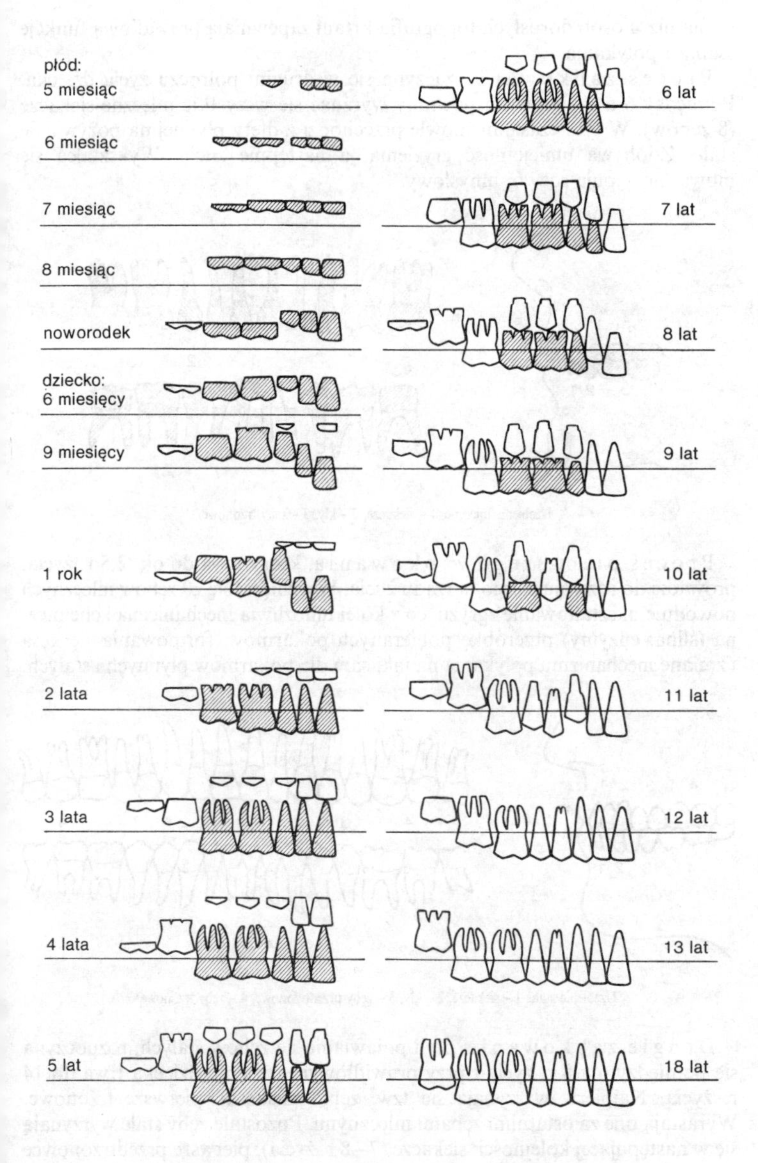

Czas formowania się, mineralizacji i wyrzynania zębów mlecznych i stałych i inna niż u osób dorosłych topografia krtani zapewniają prawidłową funkcję ssania i połykania.

Proces ząbkowania zaczyna się w drugim półroczu życia dziecka. Pomiędzy 6 a 9 miesiącem powinny wyrżnąć się wszystkie mleczne siekacze (8 zębów). W tym czasie niemowlę przechodzi z diety płynnej na pożywienie stałe. Zdobywa umiejętność gryzienia, a następnie żucia. Wykształca się mowa, postępuje rozwój umysłowy.

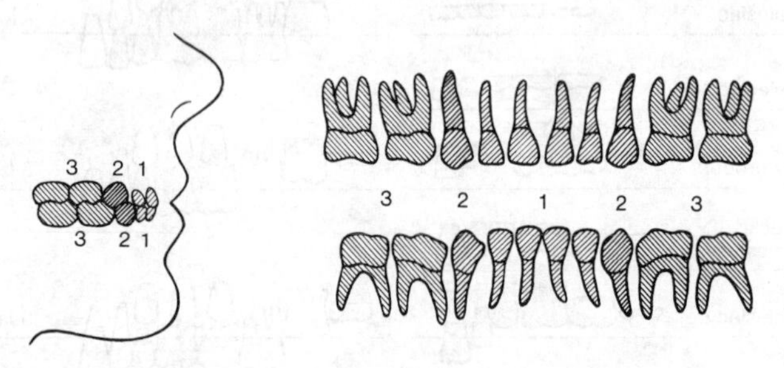

Uzębienie mleczne: 1 – siekacze, 2 – kły, 3 – zęby trzonowe

Proces pierwszego ząbkowania, który trwa do ok. 2,5 r. życia, prowadzi do rozwoju całego narządu żucia. Wyrżnięcie się 20 zębów mlecznych powoduje ukształtowanie zgryzu, co z kolei umożliwia mechaniczną i chemiczną (ślina, enzymy) przeróbkę pobieranych pokarmów, formowania się kęsa i zmianę mechanizmu połykania na taki sam dla pokarmów płynnych i stałych.

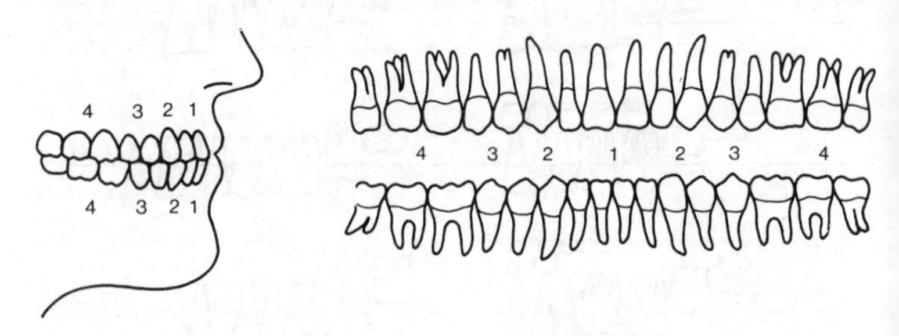

Uzębienie stałe: 1 – siekacze, 2 – kły, 3 – zęby przedtrzonowe, 4 – zęby trzonowe

Drugie ząbkowanie, czyli pojawianie się zębów stałych, rozpoczyna się pomiędzy 6 a 8 r. życia i przy prawidłowym rozwoju dziecka trwa do 14 r. życia. Najpierw wyrzynają się tzw. zęby szóste, tj. pierwsze trzonowe. Wyrastają one za ostatnimi zębami mlecznymi. Pozostałe zęby stałe wyrzynają się w następującej kolejności: siekacze (7–8 r. życia), pierwsze przedtrzonowce

(8–9 r. życia), kły (ok. 10 r. życia), drugie przedtrzonowce (ok. 11 r. życia), drugie zęby trzonowe (ok. 12 r. życia). W różnym czasie, zwykle do 20–22 r. życia wyrzynają się trzecie zęby trzonowe, tzw. ósemki (zęby mądrości).

Zęby i przyzębie

Całkowicie wykształcony i uformowany z ą b anatomicznie składa się z: korony, szyjki oraz korzenia lub korzeni. Morfologicznie jest zbudowany (idąc od warstw zewnętrznych): ze szkliwa, zębiny, a w części korzeniowej z cementu. Jamę zęba (komorę) wypełnia m i a z g a. Każdy ząb jest zawieszony w zębodole wykształconym w kości wyrostków zębodołowych szczęki i części zębodołowej żuchwy. Wyróżnia się stawy zębowo-dołowe utworzone przez kolejną tkankę narządu stomatognatycznego – ozębną. Włókna ozębnej biegną pomiędzy cementem korzenia a ścianą kostną zębodołu.

W narządzie żucia wyróżnia się także p r z y z ę b i e. Terminem tym określa się: dziąsło okalające ząb wokół szyjki, ozębną, okostną, kość wyrostka zębodołowego i cement korzeniowy. Przyzębie jest jednostką morfologiczno-czynnościową; jego rozwój wiąże się ściśle z ukształtowaniem się zębów.

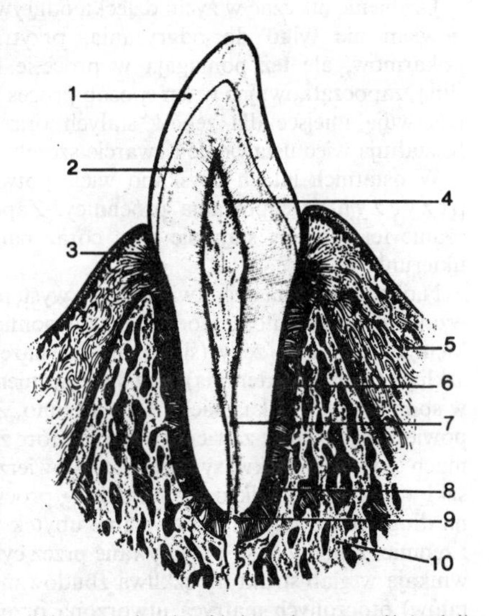

Budowa anatomiczna i morfologiczna zęba oraz przyzębia (przekrój podłużny siekacza); 1 – szkliwo, 2 – zębina, 3 – szyjka zęba, 4 – miazga zęba, 5 – dziąsło, 6 – ozębna, 7 – kanał korzenia zęba, 8 – cement (kostniwo), 9 – otwór szczytowy zęba, 10 – kość wyrostka zębodołowego

Zawiązki koron zębów tworzą się w życiu płodowym, natomiast korzeni już po urodzeniu się dziecka. Procesy formowania i mineralizacji (wapnienia) tkanek zęba mają wpływ na przesuwanie się zawiązków w kierunku powierzchni wyrostków zębodołowych. Mechanizm procesu wyrzynania się zębów nie jest do tej pory całkowicie wyjaśniony.

Następną fazą w rozwoju jest współzależne kształtowanie się koron zębów stałych i resorpcja (rozsysanie) korzeni zębów mlecznych. Równocześnie z wyraźnie postępującą resorpcją korzeni siekaczy mlecznych zaczyna się mineralizacja korzeni drugich zębów trzonowych mlecznych. Dzieje się tak dlatego, że zęby te są wymieniane przez stałe zęby przedtrzonowe.

II. STOMATOLOGIA WIEKU ROZWOJOWEGO – DZIECIĘCA

Próchnica zębów, najczęściej występująca choroba uzębienia, jest chorobą społeczną. Stąd wysiłki we wdrażaniu programów zapobiegawczych i podejmowanie planowanego, wczesnego leczenia. Z wyjątkiem tzw. wczesnej próchnicy, próchnica rzadko występuje przed 2 r. życia dziecka. Nasilenie próchnicy obserwuje się pomiędzy 2 a 6 r. życia (ok. 50% liczby zębów). W wieku 6–12 lat nasilenie to spada, co wiąże się głównie z wymianą uzębienia.

Wśród dzieci polskich, pomimo wielu wysiłków i akcji zapobiegawczych, obserwuje się wysoki odsetek zębów dotkniętych próchnicą. Najczęściej próchnicą dotknięte są dolne, trzonowe zęby mleczne. Kły i sieczne zęby dolne wykazują natomiast znaczną odporność na tę chorobę.

Uzębienie mleczne w życiu dziecka odgrywa bardzo ważną rolę. Zęby służą bowiem nie tylko do odgryzania, przytrzymywania oraz rozdrabniania pokarmów, ale też pomagają w procesie nasycania kęsów pokarmowych śliną, zapoczątkowując w ten sposób proces trawienia. Ponadto zęby mleczne rezerwują miejsce dla zębów stałych oraz decydują o wysokości zgryzu. Kształtują więc ustawienie i zwarcie szczęk.

W ostatnich latach uzyskano wiele potwierdzonych informacji na temat przyczyn występowania próchnicy. Zapobieganie (profilaktyka) i zwalczanie tej choroby stają się więc coraz bardziej skuteczne i są precyzyjnie ukierunkowane.

Najkrócej można dziś stwierdzić, że występowanie próchnicy jest rezultatem wzajemnych zależności i oddziaływań pomiędzy szkliwem zębów, środowiskiem otaczającym zęby (śliną), płytką nazębną powstającą na powierzchni szkliwa (płytką bakteryjną) oraz spożywaniem węglowodanów (ich poziomem w spożywanych pokarmach). Stwierdzono, że płytka nazębna powstająca na powierzchni szkliwa zawiera bakterie, które z cukrów dostarczanych w pokarmach wytwarzają kwasy niszczące powierzchnię szkliwa. Na powierzchni szkliwa powstają mikrouszkodzenia – próchnica początkowa (białe plamy) na długo przed tym, nim powstanie ubytek w szkliwie lub głębiej w szkliwie i zębinie. Zmiany te są wywoływane przez cyklicznie powstające kwasy, które wnikają w głąb struktury szkliwa zbudowanego z hydroksyapatytów (kryształów) otoczonych matrycą utworzoną przez wodę, białka (proteiny) i substancje lipidowe. Ten proces, nazywany demineralizacją, osłabia strukturę twardych tkanek zęba (szkliwa i zębiny), co prowadzi do powstawania ubytków w tkankach zębów.

W zapobieganiu próchnicy podstawową rolę mogą więc odgrywać procesy odwrotne do demineralizacji, czyli ponowna remineralizacja szkliwa. Właśnie ten kierunek jest szeroko wykorzystywany we współczesnej profilaktyce próchnicy. Procesy demineralizacji i remineralizacji występują ciągle, cyklicznie i naprzemiennie, dlatego w działaniach profilaktycznych chodzi o „nasycenie" środowiska jamy ustnej nadmiarem substancji i związków chemicznych sprzyjających procesom remineralizującym szkliwo. Wykazano, że remineralizacja zależy od obecności fluorków i przesycenia płytki nazębnej fosforanem wapnia. Inaczej mówiąc, łatwo rozpuszczające minerały zawarte w szkliwie są zastępowane dostarczanymi w pastach do zębów, tabletkach, płynach do płukania jamy ustnej, żelach do szczotkowania powierzchni zębów związkami trudniej rozpuszczalnymi i trudniej wypłukującymi się. Tymi związkami są dwuwodny fosforan dwuwapniowy (DCPD) i fosforan wapnia. Właśnie obecność, a jeszcze lepiej nadmiar tych związków sprawia, że powierzchnia szkliwa staje się bardziej oporna na działanie kwasów.

Z podanego opisu wynika jak ważna jest częstotliwość zabiegów higienicznych (mycie i szczotkowanie zębów i dziąseł, płukanie jamy ustnej), pielęgnacja uzębienia przez stosowanie past i płukanek zawierających związki fluoru i wapnia, a także racjonalne odżywianie się (dieta niskowęglowodanowa) i cykliczne wizyty u lekarza stomatologa.

W występowaniu próchnicy odgrywają także rolę czynniki wrodzone, konstytucjonalne oraz czynniki zewnętrzne, tj. warunki bytowe, higiena jamy ustnej, sposób odżywiania. Stan zdrowia matki przed urodzeniem dziecka, przebyte w tym czasie przez nią choroby, stan uzębienia obojga rodziców, sposób odżywiania dziecka (naturalny lub sztuczny) odgrywają nie mniej ważną rolę.

W rozwoju próchnicy ważną rolę odgrywają też: mechanizm chemicznych procesów endogennych, egzogennych i proteolityczno-chelatacyjnych, bakterie i węglowodany zawarte w pokarmach oraz tzw. płytka lub błonka

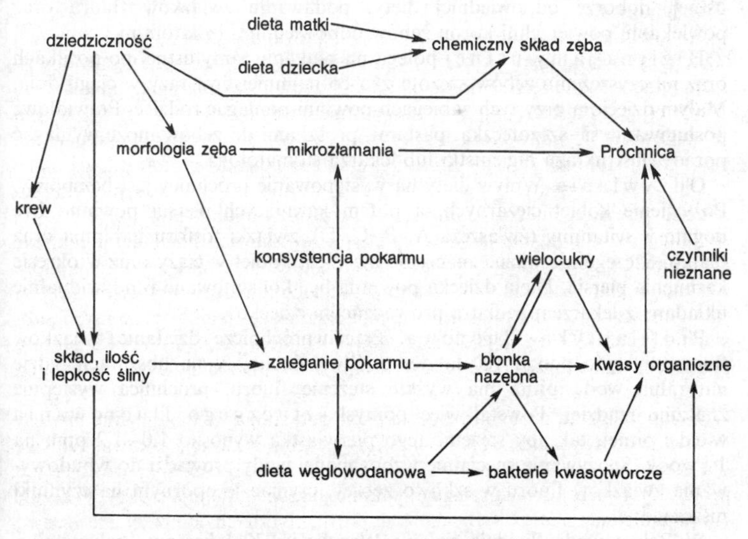

Czynniki odgrywające rolę w rozwoju próchnicy zębów

nazębna, tworząca się na powierzchni niemytych i nieczyszczonych zębów. Błonkę tę tworzą Gram-dodatnie ziarenkowce i pałeczki oraz bezpostaciowe substancje (matrix) złuszczonych komórek nabłonka, leukocyty strącające się ze śliny, glikoproteidy oraz związki wapnia, fosforu, fluoru. Błonka ta nie daje się spłukać strumieniem wody. Usunąć ją można mechanicznie za pomocą szczoteczki do mycia zębów. W 1 mg błonki nazębnej występuje średnio ok. 2,5 mld drobnoustrojów. Stwierdzono, że fluor w błonce wyraźnie hamuje wytwarzanie kwasów przez drobnoustroje, zapobiega więc demineralizacji tkanek zęba.

Objawy. Próchnica rozpoczyna się wystąpieniem na powierzchni szkliwa zęba kredowobiałej plamy. Plama ta może ulegać przebarwieniu od ciemnobrązowej poprzez brunatną do czarnej. Postępująca demineralizacja tkanek zęba prowadzi do powstania ubytku, który drążąc niszczy kolejną warstwę zęba: zębinę. Proces szerząc się dochodzi do komory zęba, a drobnoustroje przenikając w głąb wywołują choroby miazgi.

U dzieci i młodzieży najczęściej występuje ostra postać próchnicy. Tego typu próchnica szybko szerzy się w tkankach zęba, często szybciej niszcząc mniej oporną zębinę, a w mniejszym stopniu twardsze szkliwo. W próchnicy przewlekłej procesy demineralizacyjne i destrukcyjne przebiegają znacznie wolniej.

Próchnica najczęściej rozwija się w bruzdach powierzchni żującej zębów i na powierzchniach stycznych koron zębów w pobliżu szyjek. Jej wykrycie, rozpoznanie i leczenie nie nastręcza trudności.

Profilaktyka próchnicy polega na utrzymywaniu właściwej higieny jamy ustnej, doborze odpowiedniej diety, podawaniu związków fluoru oraz powlekaniu powierzchni koron zębów odpowiednimi izolatorami.

Higiena jamy ustnej polega na płukaniu jamy ustnej po posiłkach oraz na czyszczeniu zębów szczoteczką co najmniej dwa razy w ciągu dnia. Małym dzieciom przy tych zabiegach powinni pomagać rodzice. Prawidłowe posługiwanie się szczoteczką, pastami, proszkami do zębów może wymagać porady, instruktażu higienistki lub lekarza stomatologa.

Odżywianie. Wpływ diety na występowanie próchnicy jest bezsporny. Pożywienie kobiet ciężarnych, a potem karmiących piersią powinno być bogate w witaminy (zwłaszcza A, B, C, D), związki fosforu i wapnia oraz białko. Szczególnie ważne znaczenie ma dieta kobiet w ciąży oraz w okresie karmienia piersią. Dieta dziecka powinna być konsultowana i indywidualnie układana z lekarzem pediatrą prowadzącym dziecko.

Profilaktyka fluorowa. Przeciwpróchnicze działanie związków fluoru wykryto ponad 100 lat temu. Stwierdzono, że na obszarach, gdzie naturalna woda pitna ma wyższe stężenie fluoru, próchnica występuje znacznie rzadziej. Powstał więc pomysł sztucznego fluorowania wody pitnej, tak aby stężenie tego pierwiastka wynosiło 1,0–1,2 ppm na 1 l wody. Spożywanie specjalnie wzbogaconej wody prowadzi do wbudowywania związków fluoru w szkliwo zębów, czyniąc je opornym na czynniki niszczące.

W Polsce wodę fluoruje się: we Wrocławiu, Kołobrzegu, Białymstoku,

Szczecinie, Strzelinie, Oświęcimiu, Bydgoszczy, Turoszowie, Lublinie, Gdyni, Zgorzelcu, Grudziądzu, Wejherowie, Legnicy. Wodę naturalną ze zwiększonym stężeniem fluoru mają: Tczew, Malbork, Kalisz.

Związki fluoru (fluorek sodu, NaF) można też podawać w formie tabletek. Dzienna dawka dla dzieci wynosi 1,5–2,0 mg. Metoda ta jest skuteczna tylko wówczas, gdy jest wprowadzona już w pierwszych dniach życia dziecka (kuracja wymaga uzgodnienia z pediatrą) i systematycznie kontynuowana do 12–16 r. życia. Tabletki powinno podawać się pomiędzy posiłkami.

Inną metodą jest fluorowanie soli kuchennej (90 mg związków fluoru na 1 kg soli). Mniej efektywną metodą jest przypuszczalnie fluorowanie mleka pitego przez dzieci. W metodzie kontaktowej wykorzystuje się zdolność wnikania związków fluoru (fluorku cynawego sodu) przez powierzchnię szkliwa. Najprostszym sposobem jest używanie past do mycia zębów wzbogaconych fluorem, płukanie jamy ustnej odpowiednio przyrządzonymi roztworami, wreszcie pędzlowanie powierzchni koron zębów np. 2% wodnym roztworem fluorku sodu.

Za bardzo skuteczne uznano także organiczne związki fluoru (fluoroaminy), które są stosowane w postaci samopolimeryzujących roztworów służących do powlekania koron zębów (Elmex-protector), past do mycia zębów (Elmex-paste) albo żelu (Elmex-gele). Środki te wymagają długotrwałego, systematycznego stosowania (przez wiele lat), a kuracja powinna być zawsze uzgodniona i kontrolowana przez lekarza stomatologa.

Obecnie na rynku znajduje się wiele skutecznych w profilaktyce próchnicy środków (pasty i żele do mycia zębów oraz płukanki). Oferowane pasty do zębów zazwyczaj jako przeciwpróchnicowo działający składnik zawierają fluorek lub monofosforan sodu (MFP). Podobnie w płukankach znajdują się roztwory fluorku sodu w stężeniach od 0,2 do 2%.

Zaleca się również stosowanie tzw. warstw izolacyjnych (lakierów), którymi powleka się w celach ochronnych szkliwo zębów, aby zredukować płytkę nazębną i zahamować toczące się w niej procesy metaboliczne wiodące do próchnicy. Czynione są też próby immunizacji drobnoustrojów współodpowiedzialnych za występowanie próchnicy. W fazie niezakończonych i nie w pełni udokumentowanych dotychczas doświadczeń są prace z zastosowaniem rubinowego lasera do przebudowy struktury krystalicznej szkliwa, co ma zwiększać jego odporność na próchnicę. Dopóki jednak nie zostanie wyjaśniona całkowicie etiologia próchnicy, dopóty nie da się wypracować w pełni skutecznej metody jej zapobiegania.

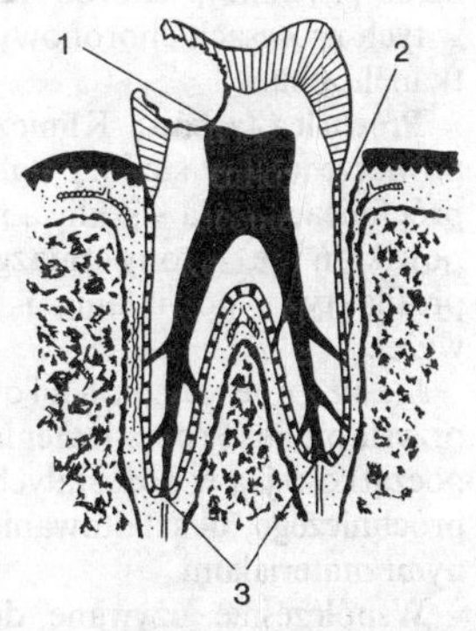

Drogi przenikania drobnoustrojów do tkanek zęba i przyzębia; 1 – ubytek próchniczy, 2 – kieszonka dziąsłowa, 3 – droga krwiopochodna

Powikłania i następstwa nie leczonej próchnicy. Zniszczenie twardych tkanek zęba powoduje przenikanie drobnoustrojów i produktów ich przemiany do głębszych warstw, tj. do miazgi wypełniającej komorę i kanały zęba. Miazga może ulegać zakażeniu drogą krwiopochodną oraz przez ozębną, od strony zmienionych patologicznie kieszonek dziąsłowych. Przyczyną stanów zapalnych miazgi mogą być również bodźce mechaniczne, chemiczne i termiczne. Zmieniona zapalnie i nie leczona miazga prowadzi do rozwoju zgorzeli (zob. niżej Choroby miazgi).

Wszystkie stany chorobowe zębów, począwszy od próchnicy, a skończywszy na zgorzeli miazgi, powinny być leczone. Zdrowe, sprawne uzębienie odgrywa ważna i istotną rolę w rozwoju dziecka. Z kolei zęby, które nie kwalifikują się do leczenia, jako źródło odogniskowego zakażenia powinny być usunięte. Nie ma żadnych przeciwwskazań, aby wszystkie bolesne zabiegi u dzieci, w tym leczenie i usuwanie zębów, były wykonywane w znieczuleniu. Najczęściej zastosowanie u dziecka znieczulenia miejscowego, w szczególnych przypadkach ogólnego, wymaga psychicznego, a niekiedy farmakologicznego przygotowania małego pacjenta.

Urazy. Zdarzające się u małych dzieci urazy, w wyniku których często dochodzi do złamania lub wybicia zęba (zębów), a rzadziej do złamania elastycznych kości szczęk albo czaszki twarzowej, wymagają wnikliwej oceny, precyzyjnego rozpoznania oraz specjalistycznego, kontrolowanego leczenia.

III. STOMATOLOGIA ZACHOWAWCZA

S t o m a t o l o g i a z a c h o w a w c z a zajmuje się zapobieganiem i leczeniem próchnicy, chorób miazgi i ozębnej. Zmiany anatomopatologiczne w tych procesach chorobowych zależą od stopnia zniszczenia poszczególnych tkanek zęba.

Próchnica zębów. Klinicznie próchnicę różnicuje się na: początkową, powierzchowną, średnią i głęboką. Pierwsze dwie postacie dotyczą szkliwa, próchnica średnia – szkliwa i zębiny, a próchnica głęboka może prowadzić do powikłań ze strony miazgi. Próchnicę zębów, jej przyczyny, rozwój, profilaktykę, powikłania i następstwa nie leczonej próchnicy, omówiono wyżej.

L e c z e n i e p r ó c h n i c y daje tym lepsze rezultaty, im szybciej doń przystąpiono. Proces leczenia polega na remineralizacji szkliwa w próchnicy początkowej, a w pozostałych postaciach na mechanicznym usunięciu ogniska próchniczego, ukształtowaniu ubytku, a potem na jego wypełnieniu specjalnymi materiałami.

Współcześnie używane do w y p e ł n i a n i a u b y t k ó w materiały to: cementy krzemowe, amalgamaty srebra (dla dzieci także miedzi), materiały złożone (tzw. Compositae), samopolimeryzujące masy akrylanowe oraz porcelana i metale (w postaci wkładów). Ciągle jeszcze nie udało się opracować i zestawić materiału, który spełniałby wszystkie wymagania, jakie współczesna stomatologia stawia preparatom zastępującym twarde tkanki zębów.

Choroby miazgi są najczęściej następstwem działania czynników zewnątrzpochodnych, rzadziej wewnątrzpochodnych (zob. Powikłania i następstwa nie leczonej próchnicy, s. 1738). Histopatologicznie choroby miazgi polegają na: zaburzeniach w krążeniu krwi w tej tkance, jej zapaleniach, zmianach postępowych lub zmianach wstecznych. Jeżeli nie istnieją szanse na cofnięcie się tych zmian po usunięciu ich przyczyny i leczeniu farmakologicznym, chorobowo zmienioną miazgę usuwa się (częściowo lub w całości), a komorę i kanały zęba wypełnia odpowiednim materiałem (cementy, pasty, ćwieki).

M a r t w i c a i z g o r z e l m i a z g i. Martwica polega na obumarciu miazgi. Jest to równoznaczne z wypadnięciem jej funkcji oraz sprzyja wtórnemu zakażeniu. Zgorzel miazgi jest wynikiem bakteryjnego jej zakażenia. Zęby martwicze są dla organizmu źródłem odogniskowych (zębopochodnych) zakażeń. L e c z e n i e jest zachowawcze lub chirurgiczne (ekstrakcja, czyli usunięcie zakażonego zęba).

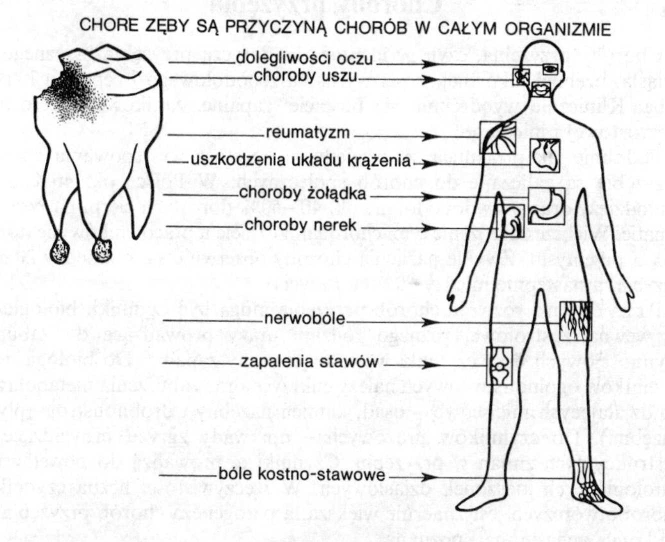

Choroby ozębnej (tkanek okołowierzchołkowych). P r z y c z y n y tych chorób są różnorodne: urazy chemiczne, mechaniczne, termiczne, zakażenia bakteryjne. Najczęstszą przyczyną jest krwiopochodne zakażenie bakteryjne miazgi, szerzące się przez otwór przywierzchołkowy korzeni.

L e c z e n i e chorób ozębnej polega na usunięciu przyczyny oraz na leczeniu tkanek okołowierzchołkowych przez komorę i kanał zęba (po usunięciu chorobowo zmienionej miazgi) albo przez chirurgicznie wytworzoną przetokę po odwarstwieniu lub usunięciu chorobowo zmienionych tkanek na wysokości wierzchołka korzenia zęba.

Ognisko zakażenia może znajdować się w różnych miejscach organizmu: w zębach, kościach szczęk, migdałkach, zatokach przynosowych oraz w innych narządach lub układach. Ogniska zakażenia pochodzenia zębowego stanowią ok. 80% wszystkich ognisk zakażenia u człowieka. Odgrywają one dużą rolę w patogenezie wielu chorób narządowych i układowych, zwanych chorobami odogniskowymi (rys. wyżej), dlatego jest ważne ich wykrycie, zlokalizowanie i jak najszybsze usunięcie.

IV. CHOROBY PRZYZĘBIA I BŁONY ŚLUZOWEJ

Choroby przyzębia

Choroby przyzębia, czyli **peridontopatie**, dotyczą przyzębia brzeżnego, tj. dziąsła, ozębnej, okostnej, kości wyrostka zębodołowego i cementu korzeni zęba. Klinicznie wyodrębnia się postacie: zapalne, zanikowe, przerostowe (rozrostowe) i mieszane.

Podobnie jak próchnica, ze względu na częstość występowania choroby przyzębia są zaliczane do chorób społecznych. W Polsce ok. 40% dzieci i młodzieży oraz prawdopodobnie ok. 40–50% dorosłych cierpi na peridontopatie. Większe zagrożenie tymi chorobami istnieje u pracowników niektórych gałęzi przemysłu. Zwykle nasilenia choroby obserwuje się pomiędzy 20 a 30 r. życia, a następnie między 50 a 60 r. życia.

Przyczyną rozwoju chorób przyzębia mogą być czynniki: biologiczne, tj. wewnątrzustrojowe, różnego rodzaju urazy prowadzące do zaburzeń czynnościowych oraz czynniki wywołujące stany zapalne. Do biologicznych czynników ogólnoustrojowych należy cukrzyca oraz zaburzenia metaboliczne, do działających miejscowo – osad, kamień nazębny i drobnoustroje (płytka nazębna). Do czynników urazowych – np. wady zgryzu prowadzące do destrukcyjnych zmian w przyzębiu. Czynniki te prowadzą do powstawania patologicznych kieszonek dziąsłowych. W rzeczywistości liczba czynników chorobotwórczych jest znacznie większa, a patogeneza chorób przyzębia nie do końca wyjaśniona i poznana.

Dzisiaj z pewnością wiadomo, że akumulacja płytki nazębnej prowadzi w efekcie do zapalenia dziąsła, a następnie do zapalenia przyzębia. Mechanizm rozwoju choroby obejmuje procesy zachodzące na poziomie komórek przyzębia. Stwierdzono także, że tylko 10–15% osobników w każdej populacji jest jakby genetycznie usposobionych do chorób przyzębia. Z kolei u 85–90% jako odpowiedź na utrzymującą się płytkę nazębną dochodzi do zapalenia dziąsła, ograniczonej destrukcji tkanek przyzębia, co przy zastosowaniu odpowiedniej terapii wcale nie musi prowadzić do utraty uzębienia. Wyjaśnia to różnorodność występowania i przebieg chorób przyzębia u różnych osób, u członków tej samej rodziny itd.

Współcześnie choroby przyzębia są odbierane jako proces, w którym w trakcie długo trwającego zapalenia przyzębia dochodzi do utraty zęba lub grupy zębów. Wiadomo również, że zniszczenie tkanek przyzębia następuje na skutek działania toksyn wytwarzanych przez bakterie znajdujące się w płytce nazębnej. Z kolei czynnik bakteryjny aktywizuje wiele mechanizmów odpornościowych (granulocyty obojętnochłonne, układ dopełniacza, system immunologiczny, chemiczne mediatory).

Leczenie chorób przyzębia jest uciążliwe i zazwyczaj długotrwałe. Wymaga utrzymania dużej higieny uzębienia i jamy ustnej, wyjątkowo dobrej współpracy chorego z lekarzem, systematycznych działań, kompleksowego postępowania, ścisłego stosowania się do otrzymywanych zaleceń. Nie leczone choroby przyzębia prowadzą do rozchwiania i utraty zębów. Leczenia przyczynowego nie ma, dlatego bardzo ważną rolę odgrywa zapobieganie.

Zapobieganie chorobom przyzębia sprowadza się do: racjonalnego odżywiania (pokarmy bogate w białko, o małej zawartości węglowodanów, witaminy, minerały); doboru pokarmów o odpowiedniej konsystencji (zmuszające do rozgryzania, rozdrabniania i żucia); racjonalnego trybu życia (ruch, świeże powietrze, unikanie używek); higieny jamy ustnej (mycie, czyszczenie, szczotkowanie, płukanie zębów, dziąseł); wczesnej likwidacji próchnicy, wad zębowo-zgryzowych, osadów, kamienia nazębnego itp.; ciągłego, systematycznego leczenia chorób podstawowych (cukrzycy, padaczki, chorób przewodu pokarmowego, chorób krwi); stałej opieki lekarskiej nad pracownikami szczególnie narażonymi na działanie wysokich temperatur, pyłów, szkodliwych związków chemicznych.

Choroby błony śluzowej jamy ustnej

Błona śluzowa jamy ustnej wyściela dno jamy, pokrywa język, gardło, podniebienie, wyrostki zębodołowe. W stanie zdrowia jest wilgotna, gładka, lśniąca o bladoróżowej barwie. Pełni ona funkcję: osłaniającą, wydzielniczą (drobne gruczoły ślinowe), obronną (bakteriobójcze właściwości śliny, enzymów), wchłaniania, smakową (kubki smakowe), czuciową (receptory temperatury, dotyku, bólu).

Zmiany chorobowe występujące na błonie śluzowej jamy ustnej są tylko w niewielkim stopniu wynikiem miejscowych chorób. Są to tzw. zmiany pierwotne. W większości są one objawami chorób ogólnoustrojowych i noszą nazwę zmian wtórnych. Mają one typowy wygląd i umiejscowienie. Często stanowią wczesne objawy różnorodnych chorób ogólnych i są wielce pomocne w ich wczesnym rozpoznawaniu. Niektóre z nich są np. charakterystyczne dla chorób nowotworowych.

Zmiany pierwotne:

p l a m a – odgraniczona od otoczenia zmiana, różniąca się zabarwieniem;

g r u d k a – ograniczona zmiana wznosząca się ponad powierzchnię błony śluzowej, różniąca się od niej konsystencją (zbita, lita);

g u z e k – spoisty, guzowaty twór, zwykle wyczuwalny dotykiem; g u z jest większy i zwykle głębiej leży, może być uszypułowany lub związany z podłożem większą powierzchnią;

p ę c h e r z y k – zwykle drobny wykwit, górujący nad powierzchnią, wypełniony płynem; p ę c h e r z jest większą zmianą, szybko się tworzy, gromadzi płyn; płynna zawartość może mieć różny charakter (surowiczy, krwisty, ropny);

k r o s t a – drobny, podobny do pęcherza wykwit, może być pokryty strupem, wypełniony ropą;

b ą b e l – charakterystyczny dla zmian o charakterze alergicznym; jego powstawaniu może towarzyszyć świąd i mrowienie;

o t a r c i e – ubytek nabłonka, goi się nie pozostawiając blizny.

Zmiany wtórne:

n a d ż e r k a – przypomina otarcie, ale jej powstanie wiąże się z usuwaniem pęcherzyków, grudek, krost lub uszkodzeniem nabłonka;

p ę k n i ę c i e – rozpadlina lub linijny ubytek nabłonka;

ł u s k a – fragment zrogowaciałego nabłonka;

s t r u p – powstaje w wyniku zasychania krwi, wydzieliny, pęcherzyków, krost;

o w r z o d z e n i e – ubytek nabłonka i błony śluzowej, rozmaicie obrzeżony, pokryty nalotem, krwawiącą ziarniną, strupem;

o s u t k a – może być jedno- lub wielopostaciowa; składa się z różnych wykwitów, takich jak plamy, grudki, pęcherzyki, zajmuje określoną powierzchnię;

b l i z n a – tkanka wypełniająca ubytki, zbudowana głównie z włókien łącznotkankowych; różni się elastycznością i wyglądem od nie zmienionej błony śluzowej.

Wszystkie zmiany i uszkodzenia błony śluzowej powinny być kontrolowane i leczone przez lekarza. Brak postępu w terapii w ciągu 6–10 dni jest wskazaniem do wykonania biopsji tkankowej (pobranie próbki tkankowej) i wykonania badania histopatologicznego. Niektóre z tych zmian nie muszą, ale mogą być wczesnym objawem nowotworu.

V. ORTODONCJA

O r t o d o n c j a, zwana też o r t o p e d i ą s z c z ę k o w ą, zajmuje się zaburzeniami (wadami) rozwojowymi (wrodzonymi) i nabytymi układu stomatognatycznego (narządu żucia) i wynikającymi z nich następstwami.

Nowoczesna ortodoncja kładzie nacisk na zapobieganie wadom oraz na wczesne ich wykrywanie i leczenie. Do uszkodzeń może dojść w czasie porodu lub po urodzeniu i wtedy są to w a d y n a b y t e.

Wady narządu żucia występują u ok. 40–50% dzieci w wieku przedszkolnym i 50–70% dzieci w wieku szkolnym. Wady te narastają z wiekiem. Wady wrodzone i nabyte w zależności od tego, jakich części układu stomatognatycznego dotyczą, dzieli się na wady twarzowo-szczękowe, wady zgryzowe, wady zębowe (tablica 30).

Stwierdzenie i określenie wady twarzowo-szczękowo-zgryzowej wymaga wnikliwych badań oraz porównania ze wzorcem uznanym za prawidłowy. Pojęcie wzorca należy rozumieć jako sumę wielu norm biologicznych, tj. cech spotykanych u większości osobników danej populacji. Normy te opracowano dla poszczególnych grup wiekowych, płci, ras oraz obszarów geograficznych i są przez specjalistów systematycznie weryfikowane.

Przyczyny występowania wad są różne i zależą od: szkodliwości czynnika wywołującego, czasu, w jakim czynnik ten zadziałał, oraz od długości okresu działania szkodliwych wpływów.

W r o d z o n e w a d y rozwijają się w życiu płodowym, w łonie matki. Mogą one być przekazywane dziedzicznie lub też mogą być skutkiem uszkodzenia materiału genetycznego w już powstałych komórkach, np. w wyniku choroby zakaźnej, zakażenia. Do wad wrodzonych należą np.: zespół żuchwowo-twarzowy, zespół obojczykowo-czaszkowy, mongolizm.

W a d y n a b y t e powstają pod wpływem czynników wewnętrznych i zewnętrznych. Do czynników wewnętrznych zalicza się np. zaburzenia w gospodarce mineralnej, zaburzenia hormonalne. Zaburzenia w gospodarce mineralnej, polegające m.in. na niedoborach lub nieprzyswajaniu witaminy D lub na wadliwym przebiegu przemiany fosforowo-wapniowej, mogą prowadzić do: zmian w żuchwie i szczęce, zgryzu otwartego, zwężenia szczęki (podniebienie gotyckie). Inne zmiany mogą być wynikiem zaburzeń w czynności gruczołów dokrewnych, np. przysadki, tarczycy.

Do czynników zewnętrznych, będących przyczyną 85% wad nabytych, należą przede wszystkim mechanizmy związane z wadliwym karmieniem niemowląt, nieprawidłowym ich układaniem do spoczynku (rys. obok), urazy, próchnica zębów mlecz-

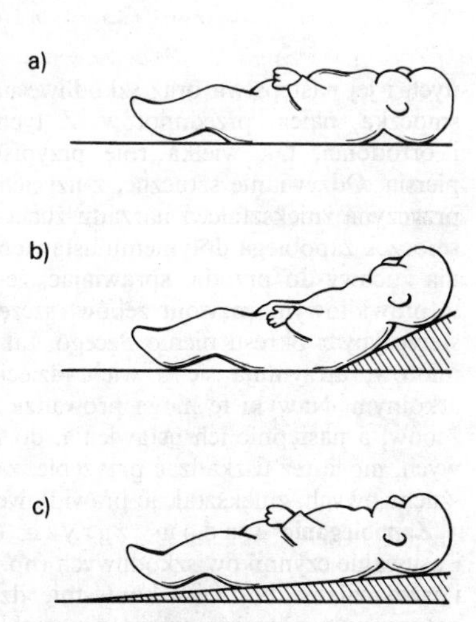

Nieprawidłowe układanie małego dziecka do spoczynku prowadzi do rozwoju wad narządu żucia; a) ułożenie zbyt nisko, b) ułożenie zbyt wysokie, c) ułożenie prawidłowe

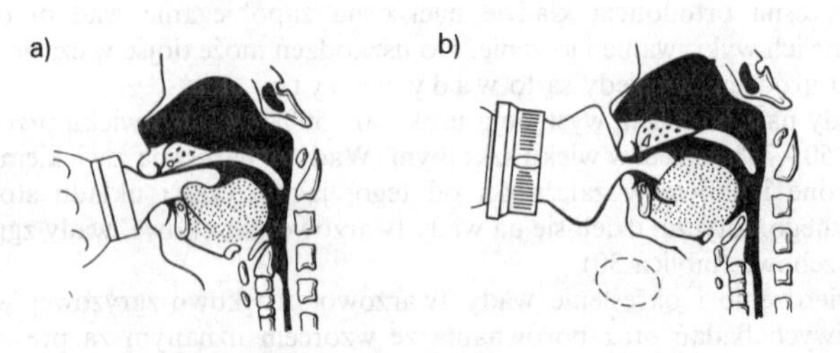

Smoczek o wadliwych kształtach (a) prowadzi do rozwoju wad narządu zgryzu (cofanie żuchwy); smoczek o budowie prawidłowej (b), przypominającej kształtem brodawkę sutkową

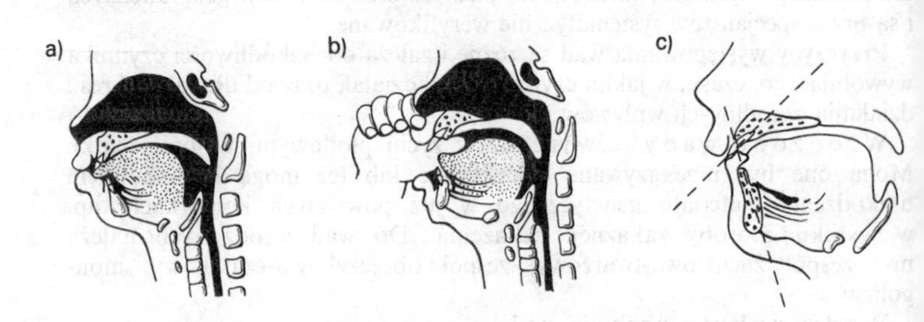

Nawyk ssania palca prowadzi do zniekształcenia zębów i szczęk

nych i jej następstwa oraz szkodliwe nawyki (parafunkcje), takie jak ssanie smoczka, palca, przedmiotów. Z tych względów zarówno pediatrzy, jak i ortodonci, tak wielką rolę przypisują naturalnemu odżywianiu dzieci piersią. Odżywianie sztuczne, z użyciem niewłaściwego smoczka, jest często przyczyną zniekształceń narządu żucia (rys. wyżej). Prawidłowy w kształcie smoczek zapobiega dotylnemu ustawieniu żuchwy, wyzwala odruch wysuwania żuchwy do przodu, sprawiając, że akt połykania odgrywa istotną rolę w prawidłowym rozwoju zębów, szczęk, twarzy. Parafunkcje, tj. ruchowe stereotypy z okresu niemowlęcego, takie jak ssanie smoczka, palca, przedmiotów, utrzymują się u wielu dzieci w wieku przedszkolnym, a nawet szkolnym. Nawyki te mogą prowadzić do zmiany kierunku wyrzynania się zębów, a następnie ich ustawienia, do zniekształcenia wyrostków zębodołowych, mogą też uszkadzać przyzębie, zaburzać czynność stawów skroniowo-żuchwowych, zniekształcać prawidłowe rysy twarzy.

Zapobieganie wadom zgryzu to jak najwcześniejsze wykrywanie i usuwanie czynników szkodliwych (np. niewłaściwych nawyków, próchnicy) i wzmacnianie bodźców korzystnie działających na poszczególne narządy organizmu w okresie rozwoju (gimnastyka, higieniczny tryb życia). Szczególną opieką zdrowotną z tych właśnie powodów powinny być otoczone kobiety w ciąży i małe dzieci.

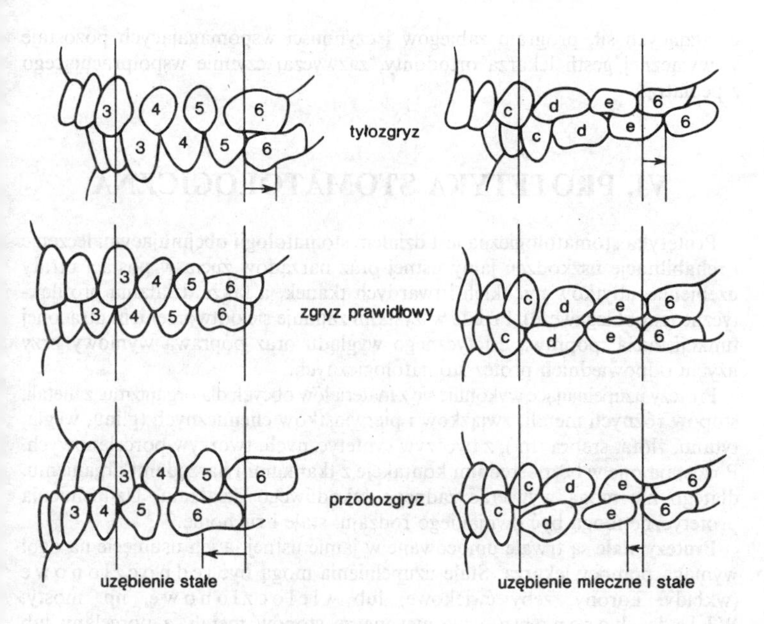

Wady zgryzu w porównaniu ze zgryzem neutralnym, uznanym za prawidłowy

W Polsce prowadzone są b a d a n i a p r o f i l a k t y c z n e, które obejmują dzieci w żłobkach, przedszkolach i trzech pierwszych klasach szkoły podstawowej. Na podstawie tych badań dzieci zalicza się do czterech grup:

I grupa – dzieci z prawidłowo wykształconym zgryzem;

II grupa – dzieci, u których stwierdza się wpływ szkodliwych czynników, ale brak jeszcze wyraźnych odchyleń czynnościowych i zgryzowych;

III grupa – dzieci z wadami zgryzu w fazie początkowej;

IV grupa – dzieci z nasilonymi wadami zgryzu.

Dzieci z grupy I są obserwowane, z II – poddane działaniom zapobiegającym (chodzi głównie o wykrycie i usunięcie szkodliwych czynników), III – leczone przyczynowo przy zastosowaniu prostych zabiegów oraz aparatów ortodontycznych. Dzieci z IV grupy wymagają leczenia przy użyciu skomplikowanych aparatów, a niekiedy i leczenia chirurgicznego.

Leczenie wad ukształtowania kośćca twarzy polega na wykorzystaniu biologicznej plastyczności młodej tkanki kostnej. Odpowiednio ukierunkowane siły ucisku i ciągnienia prowadzą do zamierzonej przebudowy kości, zmiany obrysów i kształtu. Stosuje się aparaty czynnościowe, wykorzystując siły wyzwalane podczas pracy mięśni (jest to tzw. l e c z e n i e c z y n n o ś c i o w e), a także aparaty czynne zaopatrzone w łuki sprężyste, śruby, wyciągi, oddziałujące siłą mechaniczną. Stosowanie tych aparatów, regulacja wielkości działających sił, program zabiegów i czynności wspomagających pozostaje w wyłącznej gestii lekarza ortodonty, zazwyczaj czynnie współpracującego z pediatrą.

VI. PROTETYKA STOMATOLOGICZNA

Protetyka stomatologiczna jest działem stomatologii obejmującym: leczenie i rehabilitację uszkodzeń jamy ustnej oraz narządów żucia w postaci utraty uzębienia, ubytków miękkich i twardych tkanek, a także działania profilaktyczne (zapobiegawcze). Przede wszystkim zajmuje się odtworzeniem utraconej funkcji żucia, poprawą estetycznego wyglądu oraz poprawą wymowy przy użyciu odpowiednich protez stomatologicznych.

Protezy uzupełniające wykonuje się z materiałów obcych dla organizmu: z metali, stopów różnych metali, związków i pierwiastków chemicznych (glinu, węgla, tytanu, złota, srebra itp.), z tworzyw syntetycznych, tworzyw porcelanowych. Pozostają one w bezpośrednim kontakcie z tkankami i narządami organizmu, dlatego nie mogą wywierać żadnego szkodliwego działania. Uzupełnienia protetyczne mogą być dwojakiego rodzaju: stałe i ruchome.

Protezy stałe są trwale umocowane w jamie ustnej, a ich usunięcie na ogół wymaga pomocy lekarza. Stałe uzupełnienia mogą być *jednoczłonowe* (wkłady, korony, zęby ćwiekowe) lub *wieloczłonowe*, np. mosty. *Wkłady koronowe*, wykonywane ze stopów metali, z porcelany lub syntetycznego tworzywa (kompozytów, akrylu), odbudowują brakujące (utracone) części koron zębowych. Wkłady korzeniowo-koronowe, odlewane ze stopów metali, są wprowadzane do odpowiednio przygotowanego kanału zęba i mocowane cementem stomatologicznym.

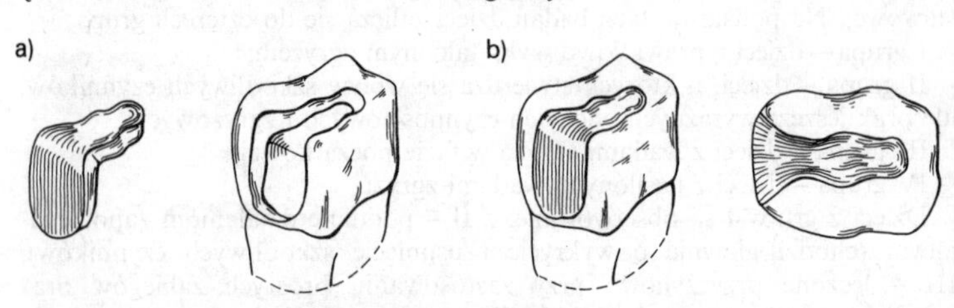

Wkład koronowy: a) lany wkład metalowy i ubytek w koronie zęba przygotowany do uzupełnienia wkładem; b) wkład osadzony w ubytku; na lewo – widok z boku, na prawo – widok z góry

Korony protetyczne mogą pokrywać powierzchnie zębów tylko częściowo (półkorony, korony trzyćwierciowe) lub w całości (są to wówczas tzw. *korony osłaniające*). Korony z metali lub ich stopów zakłada się zazwyczaj na zęby przedtrzonowe i trzonowe. Ze względów estetycznych na zęby przednie (siekacze, kły, pierwsze przedtrzonowce) zakłada się korony z porcelany lub tworzyw syntetycznych. W celu poprawy wyglądu estetycznego

a) Ząb z kikutem korony przygotowanym do pokrycia koroną osłaniającą; b) korona protetyczna osłaniająca; c) wkład korzeniowo-koronowy (czarny), na którym zostanie osadzona korona osłaniająca

Most protetyczny (u góry) przygotowany do umocowania w szczęce: 1 – korony, 2 – przęsło, 3 – zęby filarowe

można również łączyć metal z porcelaną lub akrylem. Wówczas to od strony wargowej lub policzkowej korona ma licówkę do złudzenia przypominającą wyglądem, barwą, kształtem utracony ząb.

Korony protetyczne mogą stanowić samodzielne uzupełnienie lub po połączeniu z przęsłami mogą tworzyć m o s t y. Mosty są protezami wieloczłonowymi, składającymi się z koron umocowanych na odpowiednio

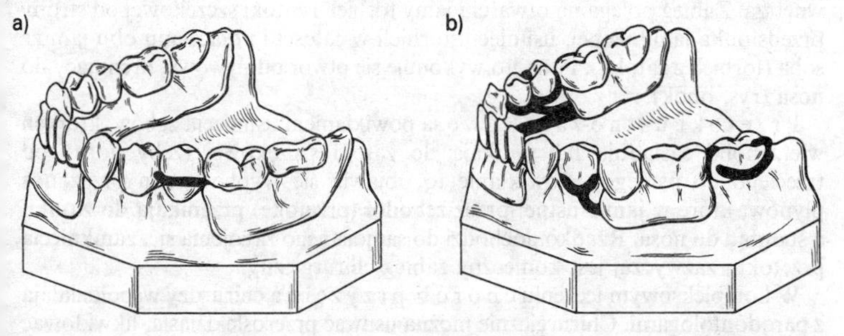

Protezy ruchome; a) proteza z klamrą mocującą na własnych zębach; b) proteza szkieletowa ze skomplikowanymi klamrami i łamaczami sił

przygotowanych zębach filarowych oraz z przęsła odbudowującego braki istniejące w uzębieniu.

Protezy ruchome składają się z podstawowej płyty oraz z osadzonych w niej klamer i zębów. Klamry pozwalają na zaczepienie protezy o własne, jeszcze zachowane zęby. Zęby protezy uzupełniają braki istniejące w uzębieniu. Płyta protezy w żuchwie spoczywa na dziąsłach i błonie śluzowej jamy ustnej oraz na części zębodołowej, a w szczęce na podniebieniu oraz wyrostkach zębodołowych. Współczesna protetyka dąży do ograniczenia zasięgu płyty podstawowej, uciskającej błonę śluzową i podłoże kostne, na rzecz tzw. protez szkieletowych (rys. na s. 1747).

Protezy ruchome odbudowują utracone braki w uzębieniu, przywracają funkcje narządu żucia, poprawiają wygląd estetyczny. Ponieważ są ciałem obcym, wymagają ze strony pacjenta przystosowania się i nabycia umiejętności posługiwania się nimi.

VII. CHIRURGIA STOMATOLOGICZNA I SZCZĘKOWO-TWARZOWA

Najczęstszym zabiegiem chirurgicznym w stomatologii jest ekstrakcja, czyli usunięcie zęba, będące zwykle rezultatem postępującej i nie leczonej próchnicy zębów. Zęby, których nie można leczyć zachowawczo, a toczy się w ich tkankach proces chorobowy, powinny być usunięte, gdyż stają się źródłem zakażenia organizmu.

Chirurgicznie można także leczyć zmiany chorobowe w tkankach otaczających zęby. Leczenie torbieli korzeniowych, tworzących się przy wierzchołkach korzeni zębów z tzw. martwą miazgą, polega na: usunięciu martwej miazgi zęba, wypełnieniu kanału i ubytku, a od strony przedsionka jamy ustnej – usunięciu mieszka torbieli i obcięciu wierzchołka korzenia wystającego do jej wnętrza oraz zaszyciu rany (rys. obok). Interwencji chirurgicznej wymagają też wzrastające rozprężająco torbiele w szczęce, które mogą wywoływać stany zapalne zatok szczękowych lub wpuklać się do ich wnętrza. Zabieg polega na otwarciu jamy torbieli i zatoki szczękowej od strony przedsionka jamy ustnej, usunięciu torbieli w całości i połączeniu obu jam ze sobą (torbieli z zatoką). Ponadto wykonuje się otwór odpływowy, drenujący do nosa (rys. obok).

Przetoki ustno-zatokowe są powikłaniem usunięcia zębów, których wierzchołki sąsiadują lub wnikają do zatoki szczękowej (zęby górne od trzeciego do ósmego). Powikłanie to objawia się wypływaniem przez nos płynów, które w jamie ustnej przez zębodół (przetokę) przenikają do zatoki, a stamtąd do nosa. Rzadko dochodzi do samoistnego zagojenia się, zamknięcia przetoki i zazwyczaj jest konieczny zabieg chirurgiczny.

W kompleksowym leczeniu chorób przyzębia chirurdzy współdziałają z parodontologami. Chirurgicznie można usuwać przerosłe dziąsła, likwidować kieszonki dziąsłowo-kostne przy zaniku kości wyrostków zębodołowych,

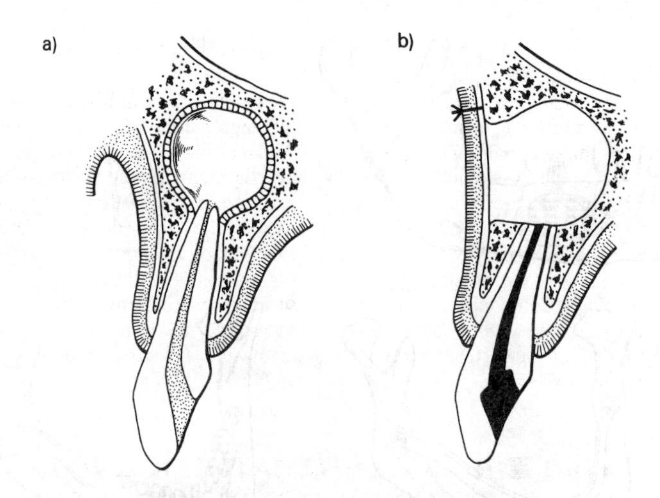

a) Torbiel korzeniowa zęba; b) stan po leczeniu chirurgicznym (zob. tekst)

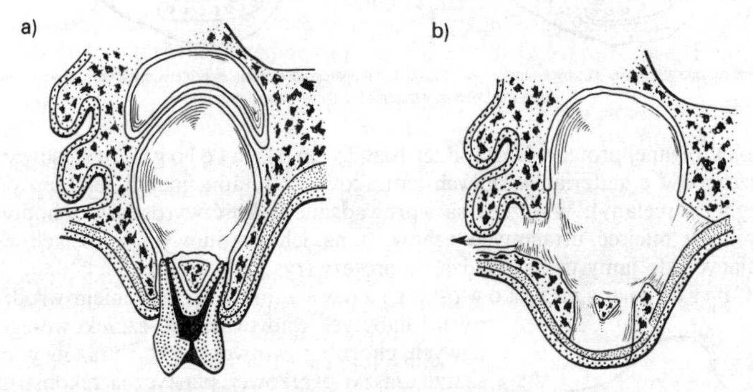

a) Rozrastająca się torbiel korzeniowa zęba niszczy tkankę i wpukla się do zatoki szczękowej; b) stan po leczeniu chirurgicznym; strzałka wskazuje otwór drenujący do nosa

przesuwać płaty śluzówkowo-okostnowe w celu przykrycia obnażonych korzeni. Można także przecinać zbyt krótkie przyczepy mięśni mimicznych i przemieszczać ich przyczepy (wędzidełka) w obrębie warg, policzków, języka. Przeciwdziała to odciąganiu dziąsła od powierzchni kości, zapobiegając tworzeniu się patologicznych kieszonek.

Chirurgia współdziała również z protetyką w celu przygotowania pola protetycznego, tj. miejsca pod przyszłą protezę. Chirurgicznie można poprawić kształt wyrostków zębodołowych (plastyka), pogłębić przedsionek jamy ustnej, a tym samym polepszyć warunki utrzymania

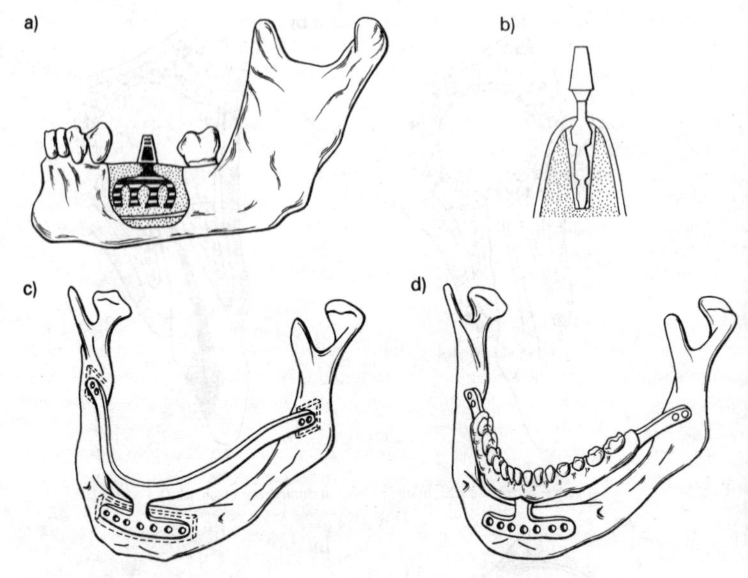

Różne rodzaje wszczepów kostnych (implantów), stanowiących oparcie dla uzupełnień protetycznych (a, b, c) oraz proteza dolna osadzona na wszczepie bródkowo-gałęziowym (d)

projektowanej protezy. Nastąpił też rozwój implantologii, tj. stosowania wszczepów z materiałów obcych gatunkowo (z tytanu, metali szlachetnych, węgla, porcelany). Wszczepy są wprowadzane w kość wyrostków zębodołowych, w miejsce utraconych zębów, a na ich koronowych częściach wystających do jamy ustnej osadza się protezy (rys.).

Chirurgia szczękowo-twarzowa zajmuje się leczeniem wrodzonych i nabytych wad twarzowo-szczękowo-zgryzowych, chorób nowotworowych i urazów w obszarze czaszki twarzowej, plastyczną rekonstrukcją tego obszaru, następstwami zakażeń i stanów zapalnych.

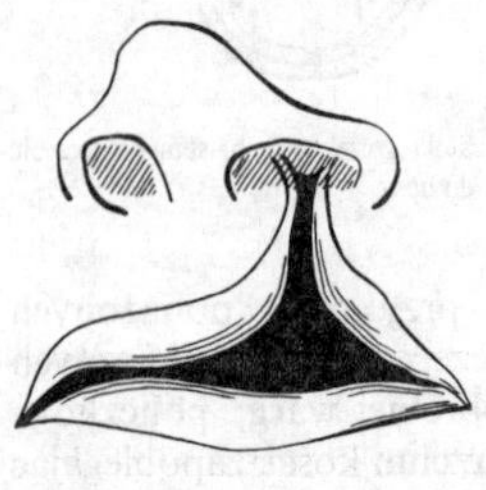

Rozszczep wargi

Rozszczep wargi to zaburzenie rozwojowe łączące się często z rozszczepem wyrostka zębodołowego, podniebienia twardego i miękkiego. Wczesne, chirurgiczne usunięcie wady w kilku etapach pozwala dziecku prawidłowo rozwijać się, chroni je przed izolacją od otoczenia i zapobiega dalszym powikłaniom utrudniającym leczenie (zob. też Chirurgia wieku rozwojowego, s. 1650). Wczesne rozpoznanie wady, ustalenie indywidualnego planu leczenia, często z udziałem wielu specjalistów (pediatrów, logopedów, ortodontów, chirurgów, protetyków) oraz prowadzenie leczenia przez wyspecjalizowany ośrodek przynosi zazwyczaj dobre rezultaty i ma duże znaczenie osobnicze i społeczne.

Chirurdzy szczękowo-twarzowi biorą udział (leczenie zespołowe) w „naprawie" wad szczękowo-zgryzowych. Przemieszczenie np. bloków kostnych szczęk wraz z zębami poprawia zgryz i nadaje twarzy estetyczny wygląd (tablica 30). Chirurdzy szczękowo-twarzowi zajmują się ponadto operacyjnym leczeniem chorób dużych gruczołów ślinowych (ślinianek przyusznych, podżuchwowych, podjęzykowych), kości szczęk i czaszki twarzowej, struktur jamy ustnej oraz nowotworów jamy ustnej i twarzoczaszki, zarówno złośliwych, łagodnych, jak i specyficznych dla tego obszaru guzów zębopochodnych. Wczesne wykrycie i rozpoznanie, a następnie podjęcie leczenia ma zasadniczy wpływ na uzyskiwane wyniki. Wszystkie zmiany chorobowe nie poddające się tradycyjnemu leczeniu w czasie 7 – 10 dni, jak: pęknięcia, ubytki, owrzodzenia, brodawki, blizny błony śluzowej i skóry, guzki i guzy, nadmierne rogowacenie, przebarwienia, narośla powinny być zbadane przez lekarzy (badanie histopatologiczne, radiologiczne, ultrasonograficzne).

Chirurgia szczękowo-twarzowa zajmuje się także leczeniem skutków wszelkich urazów w twarzowej części czaszki. Najczęściej złamaniom ulega żuchwa i kości nosa, rzadziej kości jarzmowe i szczęka. Złamania kości czaszki twarzowej zaburzają funkcje (ból, ruchomość odłamów kostnych) i rysy twarzy. Przemieszczone odłamy kostne mogą upośledzić oddychanie oraz uniemożliwiać odżywianie wskutek zmiany zgryzu i zwarcia szczęk.

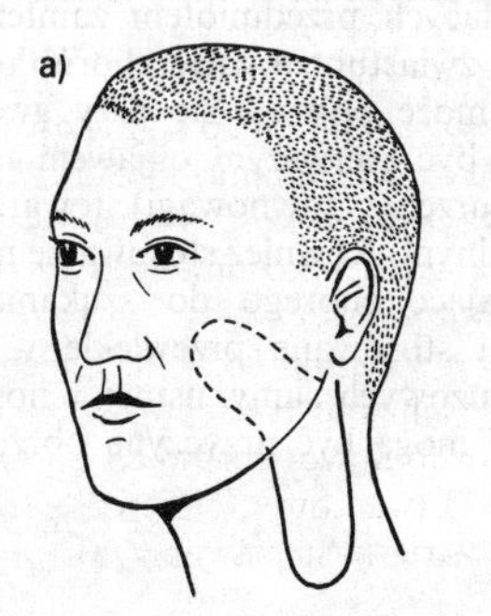

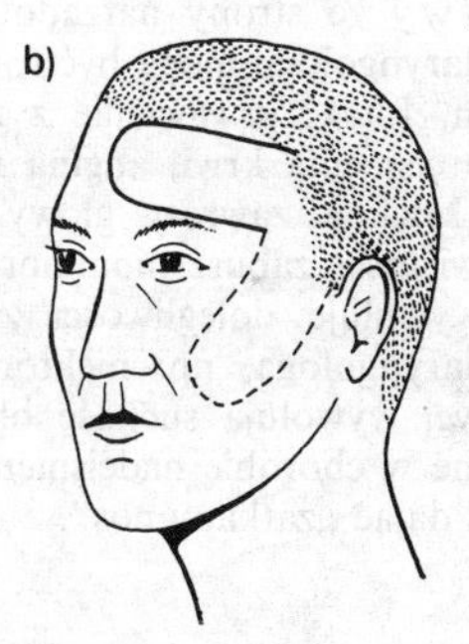

Możliwości przenoszenia płatów tkankowych w celu zamknięcia ubytków w policzkach: a) z szyi, b) z czoła

Następstwem chirurgicznej interwencji w procesach pourazowych, nowotworowych i pozapalnych mogą być ubytki tkankowe wymagające rekonstrukcji. Wskazania i zasady opracowane przez chirurgów plastycznych znalazły szerokie zastosowanie w chirurgii szczękowo-twarzowej. Można przeszczepić (transplantować) pojedyncze zęby, bloki kostne (kości własne lub z banku kostnego) do ubytków żuchwy oraz płaty tkanek miękkich (skóry, skóry i mięśni, błony śluzowej) w celu zamknięcia ubytków powłok, np. po usunięciu guzów nowotworowych.

CHOROBY USZU, NOSA, GARDŁA I KRTANI

Nauka o chorobach uszu, nosa, gardła i krtani, ich leczeniu i zapobieganiu im stanowi dział medycyny zwany o t o r y n o l a r y n g o l o g i ą (laryngologią) (z gr. – nauka o uchu, nosie i krtani). Wyodrębnienie chorób wymienionych narządów zmysłów: słuchu, równowagi, węchu i smaku w jedną specjalność lekarską wynika ze ścisłego anatomicznego i fizjologicznego powiązania tych narządów. Nos, gardło i krtań tworzą górny odcinek dróg oddechowych i przez trąbkę słuchową (Eustachiusza) łączą się z uchem środkowym. Bliskie sąsiedztwo i zależności anatomiczne powodują wzajemne oddziaływanie tych narządów, a procesy chorobowe toczące się w jednym mogą zakłócać czynność pozostałych lub przenosić się na nie.

O b j a w y ze strony narządów będących przedmiotem zainteresowania otorynolaryngologii mogą być również zwiastunem wielu chorób ogólnoustrojowych. I tak, krwawienie z nosa może pojawić się przy gwałtownym wzroście ciśnienia krwi, angina może być pierwszym objawem niektórych chorób krwi, a zawroty głowy (zaburzenie równowagi) towarzyszą np. niedokrwistości, zaburzeniom hormonalnym. Również stosowanie niektórych leków wywołuje dolegliwości zmuszające chorego do szukania porady otorynolaryngologa, np. niektóre leki stosowane przewlekle w chorobie wrzodowej wywołują suchość błon śluzowych jamy ustnej i nosa, a leki stosowane w chorobie nadciśnieniowej mogą być przyczyną obrzęku błony śluzowej dając „zatkany nos".

I. CHOROBY USZU

Dolegliwości ze strony ucha

Do celów opisowych i topograficznych ucho dzieli się na: u c h o z e w n ę t r z n e (małżowina uszna, przewód słuchowy zewnętrzny), u c h o ś r o d k o w e (jama bębenkowa, komórki wyrostka sutkowatego, trąbka słuchowa) i u c h o w e w n ę t r z n e, zwane też b ł ę d n i k i e m. W uchu wewnętrznym znajdują się receptory (urządzenia odbiorcze) zmysłu słuchu i równowagi. Ścisłe powiązania anatomiczne narządu słuchu i równowagi sprawiają, że zmiany patologiczne ucha wewnętrznego wywołują dolegliwości nie tylko ze strony słuchu, ale i zaburzenia równowagi.

Ból ucha

B ó l u c h a może być pochodzenia lokalnego lub może promieniować z otoczenia, może mieć rozmaity charakter i nasilenie. Może być silny, rwący, promieniujący do oka, zębów. Ból nasilający się przy poruszaniu żuchwą jest najczęściej wywołany czyrakiem zewnętrznego przewodu słuchowego lub zapaleniem stawu żuchwowego. Ból, który towarzyszy ostremu zapaleniu ucha środkowego, ma najczęściej charakter tętniący i ulega złagodzeniu po pojawieniu się wycieku z ucha. Ból spowodowany twardym korkiem woszczynowym, zamykającym światło przewodu słuchowego, powstaje w wyniku ucisku wywieranego na błonę bębenkową.

Ból w uchu lub promieniujący do ucha może pojawiać się też przy chorobach jamy ustnej, gardła, krtani, twarzy i szyi, a nawet podstawy czaszki. I tak, ostre zapalenie gardła, angina, próchnica zębów, stany zapalne zatok przynosowych, ostre stany zapalne ślinianki przyusznej i stawu żuchwowego mogą powodować ból zlokalizowany w zdrowym uchu i wywołują przeświadczenie o jego chorobie. Ból promieniujący do ucha może być również związany z uciskiem nerwu przez tkankę patologiczną lub przez zmiany zwyrodnieniowe tkanek w sąsiedztwie włókien nerwowych; są to tzw. n e r w o b ó l e.

Każdy ból ucha wymaga badania laryngologicznego i w przypadku zmian miejscowych, leczenia specjalistycznego. W bólach usznych promieniujących z otoczenia badanie takie jest również wskazane w celu wykluczenia zmian w uszach. Samoleczenie przez wkraplanie do bolącego ucha np. olejku kamforowego lub próba usunięcia ciała obcego, np. korka woszczyny, za pomocą mniej lub bardziej ostrych narzędzi, mogą doprowadzić do uszkodzenia błony bębenkowej i powikłań z tym związanych.

Wycieki z ucha

W y c i e k i z ucha są objawem choroby toczącej się w obrębie ucha zewnętrznego (przewodu słuchowego zewnętrznego), środkowego lub wewnętrznego. Mogą być surowicze, ropne lub krwiste. Towarzyszą zmianom zapalnym, zarówno ostrym, jak i przewlekłym. Mogą być wynikiem urazu głowy ze złamaniem kości w obrębie ucha wewnętrznego (błędnika), a także objawem zmian nowotworowych w uchu.

Wyciekom z ucha w przewlekłych stanach zapalnych z reguły nie towarzyszy ból, co często jest przyczyną lekceważenia tej tylko „nieprzyjemnej” dolegliwości. Wycieki cuchnące i krwiste mogą być wskazaniem do zabiegu operacyjnego ucha. Są one objawem choroby mogącej powodować ciężkie powikłania wewnątrzczaszkowe lub porażenie nerwu twarzowego (zob. s. 1757).

Szumy uszne

S z u m y u s z n e są złudzeniami słuchowymi, słyszalnymi wyłącznie przez samego chorego. Odczuwa on je i opisuje jako dzwonienie, brzęczenie, gwizdanie, szum wiatru, wody, tętnienie itp. Niekiedy są lokalizowane nie tyle w uchu, co w głowie. Mogą pojawiać się i nasilać okresowo lub występować stale. Są często bardzo uciążliwe i przykre nawet przy niewielkim stężeniu.

P r z y c z y n szumów usznych jest wiele. Mogą towarzyszyć chorobom ucha zewnętrznego (korek woszczynowy zatykający przewód słuchowy), środkowego, wewnętrznego (choroba Ménière'a, guz nerwu słuchowego), a także ośrodkowego układu nerwowego. Mogą być związane z ogólnym złym stanem zdrowia. Mogą towarzyszyć chorobom krwi, nerek, wątroby, zatruciom niektórymi związkami chemicznymi i lekami. Mogą też występować w zespołach nerwicowych i chorobach psychicznych. Taka różnorodność przyczyn stwarza często duże trudności rozpoznawcze i leczenia, wymaga też współpracy wielu specjalistów (laryngologa, neurologa, radiologa, internisty, neurochirurga).

L e c z e n i e szumów usznych polega na ustaleniu przyczyny i, jeśli to możliwe, na jej usunięciu (usunięcie korka woszczynowego, leczenie stanów zapalnych ucha środkowego, nadciśnienia, niedokrwistości itp.) Leczenie farmakologiczne jest praktycznie nieskuteczne, stosuje się również psychoterapię. W całkowitej ciszy szum jest bardziej odczuwalny, dlatego należy go „zagłuszać" (stosować maskowanie) niezbyt głośną muzyką. Przy szumach bardzo dokuczliwych i opornych na leczenie farmakologiczne może być stosowane leczenie chirurgiczne, zwykle łączy się to jednak z całkowitym uszkodzeniem słuchu w operowanym uchu. Leczenie szumów usznych jest bardzo trudne i nie zawsze daje pozytywne wyniki.

Pogorszenie słuchu

B a d a n i e s ł u c h u p o d s t a w o w e wykonuje lekarz laryngolog za pomocą mowy i szeptu, podawanych z różnej odległości do każdego ucha z osobna oraz przy użyciu stroików. Jeśli badania podstawowe wypadają nieprawidłowo, wykonuje się b a d a n i e a u d i o m e t r y c z n e. Badanie to przeprowadza się za pomocą specjalnego aparatu elektroakustycznego, zwanego a u d i o m e t r e m, wytwarzającego tony czyste o wybranych wysokościach (250-8000 Hz) i dowolnym natężeniu. Badania tego rodzaju są wykonywane w specjalnych dźwiękoszczelnych pomieszczeniach. Badany sygnalizuje usłyszenie dźwięku w słuchawce w badanym uchu, a urządzenie rejestruje jego moc w decybelach (dB). W ten sposób określa się przewodzenie powietrzne. Ustawienie przekaźnika na wyrostku kostnym za uchem pozwala na określenie przewodzenia kostnego świadczącego o percepcji dźwięku. Przy badaniu audiometrycznym jest konieczna współpraca badanego, dlatego można je wykonać od 3 r. życia. U młodszych dzieci, a także u ludzi z upośledzeniem umysłowym i przy podejrzeniu o symulację wykonuje się badania metodami elektrofizjologicznymi. W metodach tych rejestruje się odpowiedzi bioelektryczne z różnych odcinków drogi słuchowej (ślimak, nerw słuchowy, pień mózgu, kora mózgowa) po podaniu bodźca dźwiękowego. Audiologia jest działem otorynolaryngologii zajmującym się rozpoznawaniem, leczeniem i rehabilitacją zaburzeń słuchu.

Upośledzenie słuchu, określane jako niedosłuch lub głuchota, może mieć rozmaity stopień zaawansowania. O całkowitej głuchocie jedno- lub obuusznej mówi się wtedy, gdy występuje całkowity brak odpowiedzi słuchowej przy maksymalnym wzmocnieniu bodźca akustycznego. Dźwięki podawane do ucha znacznie przewyższają natężeniem dźwięki, z którymi stykamy się w życiu codziennym. Tak zwana „socjalna" niewydolność słuchu to zaburzenie zdolności rozumienia mowy ludzkiej uniemożliwiające porozumienie się ze środowiskiem. Towarzyszy ona najczęściej głuchocie starczej, w której dochodzi również do zmian w korze mózgowej. Ludzie z takimi dolegliwościami „słyszą, ale nie rozumieją".

Niedosłuch odbiorczy (percepcyjny) powstaje na skutek uszkodzenia odbioru (percepcji) dźwięku najczęściej w uchu wewnętrznym, a niedosłuch przewodzeniowy na skutek uszkodzenia przewodzenia dźwięku w uchu środkowym (uszkodzenie błony bębenkowej i łańcucha kosteczek słuchowych).

Przyczyny upośledzenia słuchu są różnorodne. Ustalenie ich oraz miejsca uszkodzenia jest najważniejsze, ponieważ pozwala określić, czy uszkodzenie dotyczy przewodzenia dźwięku czy jego odbioru. W tym celu są wykonywane liczne badania obejmujące m.in. audiometryczne badanie słuchu, badania radiologiczne itp. Najczęstszymi przyczynami utrzymującego się i postępującego niedosłuchu są przewlekłe stany zapalne ucha środkowego z towarzyszącym wyciekiem oraz nawracające upośledzenia drożności trąbki słuchowej w wyniku częstszych katarów lub nadmiernie przerośniętego trzeciego migdałka. Niedosłuch towarzyszący ostremu zapaleniu ucha środkowego ustępuje najczęściej po wyleczeniu stanu zapalnego.

Niedosłuch odbiorczy, najczęściej pochodzenia naczyniowego, jest związany z zaburzeniami ukrwienia ucha wewnętrznego i ośrodkowego układu nerwowego. Występuje w przebiegu chorób ogólnoustrojowych, takich jak: choroba nadciśnieniowa, miażdżyca naczyń krwionośnych, choroby serca i inne.

Toksyczne uszkodzenia słuchu zdarzają się zwłaszcza u małych dzieci i ludzi w wieku podeszłym. Są one skutkiem stosowania tzw. leków ototoksycznych, mogą być również spowodowane skażeniem środowiska naturalnego związkami metali ciężkich, siarki itp. oraz nadużywaniem alkoholu i tytoniu.

Przyczyną upośledzenia słuchu może być także działanie nadmiernego hałasu przekraczającego dopuszczalne normy. Uszkodzenie to, tzw. uraz akustyczny, ma charakter upośledzenia percepcji dźwięku i zależy od czasu ekspozycji na hałas i jego natężenia. Początkowo upośledzenie słuchu ma charakter przejściowy i cofa się w czasie odpoczynku w ciszy, ale w miarę upływu czasu dochodzi do zmian utrwalonych. U osób z osobniczą wrażliwością na działanie hałasu uszkodzenie słuchu rozwija się szybciej. Wszyscy przystępujący do pracy w warunkach nadmiernego natężenia hałasu powinni być poddani audiometrycznemu badaniu słuchu przed przyjęciem do pracy, a potem stale okresowo badani. Osoby z upośledzeniem słuchu nie powinny być zatrudniane na stanowiskach pracy z nadmiernym natężeniem hałasu. Upośledzenie słuchu wywołane urazem akustycznym jest nieuleczalne. Szkodliwy wpływ hałasu można zmniejszyć przez noszenie specjalnych ochraniaczy na uszy.

Nagła utrata słuchu lub szybko postępująca w ciągu kilku godzin, dni zwana jest nagłą głuchotą. Zwykle występuje jednostronnie, mogą jej towarzyszyć zaburzenia ze strony narządu równowagi. Jest to nagłe naruszenie czynności układu nerwowego w którymś miejscu drogi słuchowej, poczynając od komórek zmysłowych zlokalizowanych w uchu wewnętrznym, a kończąc na komórkach kory mózgowej. Nagła głuchota może pojawić się u osób, które dotąd nie chorowały na uszy. Często pojawia się po dużym napięciu emocjonalnym przy obciążeniu fizycznym, w trakcie zakażeń wirusowych, przy współistnieniu takich chorób ogólnych, jak choroba nadciśnieniowa, cukrzyca, miażdżyca naczyń krwionośnych i inne. Nagła głuchota jest stanem wymagającym natychmiastowego leczenia szpitalnego na oddziale otolaryngologicznym, w celu podjęcia jak najszybszego intensywnego leczenia farmakologicznego. Szansa uzyskania poprawy słuchu zależy nie tylko od przyczyny, ale i od czasu, jaki dzieli wystąpienie głuchoty od rozpoczęcia leczenia.

Leczenie zaburzeń słuchu jest farmakologiczne, a w przypadku zmian patologicznych zlokalizowanych w uchu zewnętrznym i środkowym, a więc w części, której głównym zadaniem jest przewodzenie dźwięku, może być i operacyjne. Operacja otochirurgiczna ma na celu rekonstrukcję aparatu przewodzącego dźwięk, uszkodzonego najczęściej przez urazy lub procesy zapalne, i tym samym poprawę słuchu. Im mniej zaawansowane są zmiany chorobowe w uchu, tym większe są szanse poprawy. Jeśli w wyniku leczenia farmakologicznego i operacyjnego poprawa słuchu nie następuje, w wielu przypadkach można stosować protezy słuchowe.

Aparaty słuchowe, zwane też protezami słuchowymi, pozwalają na znaczne wzmocnienie dźwięków. Nie zawsze spełniają one pokładane w nich nadzieje, ponieważ: 1) tylko wzmacniają dźwięki i, jeśli ucho jest całkowicie głuche, nie przywracają słuchu, 2) wzmacniają wszystkie dźwięki docierające z otoczenia, nie tylko te, które chcemy lepiej słyszeć, 3) jeśli zmiany wystąpiły w ośrodkowym układzie nerwowym, wzmacniając jedynie dźwięk nie dają dużej poprawy rozumienia mowy.

Protezy słuchowe mają różny kształt (pudełka, zaczepy zauszne, okularowe i znajdujące się wewnątrz przewodu słuchowego) i różną charakterystykę wzmocnień akustycznych. Nie przepisuje się ich tylko na podstawie wyniku badania audiometrycznego, muszą być dobrane indywidualnie i wypróbowane. Nie mniej ważne jest wykonanie indywidualnych wkładek usznych. Szybkie dobranie aparatu ma ogromne znaczenie u małych dzieci, dla których wzmocnienie dźwięku jest niezbędne do prawidłowego rozwoju mowy (patrz s. 1763).

Implanty ślimakowe są osiągnięciem elektroniki i chirurgii ucha ostatnich lat. Wykonywane są w wybranych przypadkach całkowitej obustronnej głuchoty. Implanty ślimakowe nie są aparatami słuchowymi. Do ucha wewnętrznego operacyjnie wprowadza się elektrodę zastępującą zniszczone komórki zmysłowe (rzęsate). Powstające wrażenie (odczucie), które jest odmienne od powstającego u osób słyszących, jest następnie przekazywane drogą nerwu ślimakowego do ośrodkowego układu nerwowego. Po wykonaniu implantu ślimakowego jest konieczna bardzo intensywna i długa rehabilitacja, ponieważ powstające zupełnie nowe wrażenie chory musi „przetłumaczyć" na te, które pamięta jako dźwięk. Udany implant ślimakowy zależy w 90% od powodzenia rehabilitacji.

Zawroty głowy

Zawroty są przejawem dezorientacji w przestrzeni, wyrażają się złudzeniem ruchu wirowego otaczających przedmiotów lub własnego ciała. Często bywają mylone z takimi odczuciami, jak omdlenie, ciemności i mroczki przed oczami itp.

Zachowanie postawy i orientacji w przestrzeni zależy od prawidłowej integracji informacji płynącej do ośrodkowego układu nerwowego z trzech układów: z błędnika znajdującego się w uchu wewnętrznym, z narządu wzroku i z receptorów czucia głębokiego znajdujących się w mięśniach, stawach, skórze. Mnogość ośrodków zawiadujących prawidłowym zachowaniem i orientacją w przestrzeni powoduje, że przyczyny zaburzeń równowagi mogą być różne i rozpoznanie ich wymaga często współpracy specjalistów: laryngologa, neurologa, radiologa i internisty. Zawroty głowy może wywoływać wiele chorób, a zmiany patologiczne nie zawsze są zlokalizowane tylko w układzie nerwowym. Zawroty głowy mogą pojawić się w przebiegu cukrzycy, niewydolności nerek, niedokrwistości i wielu innych chorób ogólnych. Choroby obwodowej części narządu równowagi, zlokalizowane w obrębie ucha wewnętrznego są leczone przez laryngologów.

Nagłe pojawienie się zawrotów głowy o dużym nasileniu, którym często towarzyszą nudności, a nawet wymioty, wymaga zapewnienia choremu całkowitego spokoju, ograniczenia wykonywania przez niego ruchów, zwłaszcza głową, a następnie wezwania pogotowia ratunkowego.

Porażenie nerwu twarzowego

Uszkodzenie nerwu twarzowego, który unerwia wszystkie mięśnie mimiczne, prowadzi do porażenia połowy twarzy z niemożliwością zamknięcia oka, zagwizdania, uśmiechu itp.

Bezpośredni uszkadzający wpływ na nerw twarzowy mogą mieć zmiany patologiczne w uchu i śliniance przyusznej. Wynika to z bliskiego sąsiedztwa tego nerwu z uchem wewnętrznym i środkowym oraz z jego przebiegu przez śliniankę przyuszną.

Porażenie nerwu twarzowego w przebiegu ostrego lub też przewlekłego zapalenia ucha środkowego wymaga natychmiastowej pomocy laryngologicznej, a niekiedy również przeprowadzenia zabiegu operacyjnego.

Porażenie nerwu twarzowego przy urazach kości czaszki, zwłaszcza okolicy skroniowej, kiedy szczelina złamania kości przechodzi przez kanał kostny, w którym przebiega nerw, wymaga jak najszybszego zabiegu operacyjnego. Opóźnianie leczenia chirurgicznego zmniejsza szanse na powrót czynności nerwu.

Najczęstszą postacią porażenia nerwu twarzowego jest tzw. porażenie idiopatyczne typu Bella. Pojawia się ono nagle, bez żadnych zmian patologicznych w uszach i śliniance przyusznej. Cofa się stopniowo po farmakologicznym leczeniu zachowawczym.

Jeśli leczenie zachowawcze i operacyjne nie powoduje cofnięcia się porażenia, można wykonać operację plastyczną mięśni, tzw. mioplastykę, umożliwiającą zamknięcie oka i poprawę wyglądu estetycznego.

Choroby ucha zewnętrznego

Choroby ucha zewnętrznego dotyczą małżowiny usznej i przewodu słuchowego zewnętrznego.

Urazy małżowiny usznej. Są to najczęściej rany cięte, szarpane, krwiaki powstałe po tępych urazach. Wymagają jak najszybszego opatrzenia chirurgicznego według ogólnych zasad chirurgii. Powikłaniem może być zakażenie, które łatwo powoduje martwicę chrząstki i duże zniekształcenie małżowiny – „ucho kalafiorowate".

Choroby skóry małżowiny i przewodu słuchowego zewnętrznego są takie same jak choroby skóry pozostałych obszarów ciała.

Opryszczka małżowiny usznej jest chorobą wirusową, która przy tym umiejscowieniu zmian chorobowych może dawać bardzo ciężkie powikłania ze strony ośrodkowego układu nerwowego. Objawia się bólem małżowiny usznej, później pojawiają się charakterystyczne pęcherzyki na skórze i w przewodzie słuchowym. Zmianom skórnym może towarzyszyć porażenie nerwu twarzowego, jak również zawroty głowy i uszkodzenie słuchu. Leczenie opryszczkowego zapalenia ucha przy występujących powikłaniach (porażenie nerwu twarzowego, zaburzeń słuchu i równowagi) należy prowadzić jak najszybciej, w warunkach szpitalnych na oddziale laryngologicznym.

Wady rozwojowe małżowin usznych polegają na częściowym niewykształceniu się ich (w różnym stopniu) lub na całkowitym ich braku. Wadom towarzyszy często niedorozwój ucha środkowego, co powoduje upośledzenie słuchu. Upośledzenie to dotyczy przewodzenia dźwięku przy prawidłowej jego percepcji przez nerw słuchowy.

Leczenie polega na plastycznym odtworzeniu małżowin usznych, a w niektórych przypadkach również na operacyjnej rekonstrukcji aparatu przewodzącego dźwięk. Jeśli zaburzenia rozwojowe dotyczą tylko małżowin usznych przy prawidłowym słuchu, leczenie operacyjne rozpoczyna się ok. 10 r. życia. Przebiega ono w kilku etapach (zwykle 3 lub 4). Jeśli zniekształconym małżowinom towarzyszy jednostronny niedosłuch, leczenie operacyjne poprawiające słuch oraz rekonstrukcje małżowin rozpoczyna się również ok. 10 r. życia. Jeśli występuje obustronne upośledzenie słuchu, pierwsze zabiegi operacyjne mają na celu poprawę słuchu i wykonuje się je ok. 6–7 r. życia. Zabiegi wytwórczo-korekcyjne małżowin usznych przeprowadza się w drugim etapie. Do czasu operacyjnej poprawy słuchu dziecko z obustronnym niedosłuchem musi używać aparatu słuchowego, ponieważ wzmocnienie dźwięku jest niezbędnym warunkiem rozwoju mowy u dziecka.

Zapalenie przewodu słuchowego zewnętrznego. Choroba rozwija się wskutek zakażenia bakteriami (najczęściej gronkowcem) lub grzybami wnikającymi w głąb skóry w miejscach uszkodzonego naskórka. Do uszkodzeń naskórka dochodzi najczęściej wskutek „czyszczenia" ucha za pomocą zapałek, szpilek itp. „narzędzi", jak również na skutek drażnienia skóry przez wydzielinę ropną wyciekającą z ucha w przewlekających się stanach zapalnych ucha środkowego.

Zmiany zapalne w przewodzie słuchowym zewnętrznym mogą być rozlane albo ograniczone w postaci czyraka. Objawiają się dużą bolesnością samoistną, którą nasila się znacznie przy poruszaniu małżowiną. Ból często promieniuje do oka, do zębów i może nasilać się przy poruszaniu żuchwą. Najczęściej nie występuje upośledzenie słuchu.

Leczenie jest miejscowe i w niektórych przypadkach – ogólne. Przy dużej bolesności stosuje się leki przeciwbólowe (zwłaszcza na noc) i rozgrzewanie okolicy chorego ucha.

Ciała obce w przewodzie słuchowym. U dzieci są to najczęściej pestki, koraliki, guziki, u dorosłych – wata, złamane końce zapałek i części roślin włożone w celach „leczniczych". Niekiedy ciałem obcym może być żywy owad. Drobne ciała obce mogą przez dłuższy czas nie powodować dolegliwości. Ciało obce w uchu nie jest groźne, groźne są natomiast skutki nieumiejętnego jego usuwania. Próby usuwania go „na ślepo" powodują najczęściej uszkodzenia błony bębenkowej i wepchnięcie ciała obcego do ucha środkowego, co grozi ciężkimi powikłaniami. Ciało obce z przewodu słuchowego powinien usunąć wyłącznie lekarz laryngolog.

Żywy owad w przewodzie słuchowym wywołuje bardzo nieprzyjemne dolegliwości bólowe i doznania słuchowe. W takiej sytuacji należy przede wszystkim wlać do przewodu słuchowego płyn oleisty, np. płynną parafinę lub olej, w celu unieruchomienia owada.

Czop woskowinowy, wytwarzający się w zewnętrznym przewodzie słuchowym z wydzieliny gruczołów łojowych, potowych, włosów i kurzu, może całkowicie zatkać światło tego przewodu. Następuje to najczęściej wtedy, gdy do przewodu słuchowego dostanie się woda i woskowina spęcznieje. Szczelne zamknięcie powoduje upośledzenie słuchu i szum w uchu, może również wystąpić ból wywołany uciskiem twardego korka na ściany przewodu.

U s u n ą ć woskowinę może wyłącznie lekarz laryngolog. Nie wolno samemu „wydłubywać" jej z ucha, ponieważ można skaleczyć przewód słuchowy lub uszkodzić błonę bębenkową. Przy bardzo twardej woskowinie lekarz zaleca zakraplanie do ucha przez kilka dni kropli rozmiękczających (np. płynnej parafiny) i następnie sam wykonuje płukanie ucha ciepłą wodą. Przed tym zabiegiem należy poinformować lekarza o przebytych chorobach uszu, a zwłaszcza o wyciekach ropnych, które mogły uszkodzić błonę bębenkową. Płukania ucha nie można bowiem wykonywać u osób z uszkodzoną błoną bębenkową, a lekarz jej nie widzi, gdyż jest zasłonięta woskowiną.

Choroby ucha środkowego

Nieżytowe zapalenie trąbki słuchowej. Choroba ta jest następstwem chorób nosa, zatok przynosowych, gardła, ponieważ trąbka słuchowa łączy jamę bębenkową ucha środkowego z gardłem. Występuje często u dzieci, ponieważ trąbka słuchowa jest u nich krótsza, szersza i ustawiona bardziej poziomo niż u dorosłych. Obrzęk błon śluzowych tego kanału, łączącego ucho środkowe ze światem zewnętrznym, powoduje upośledzenie dopływu powietrza do jamy bębenkowej. Początkowo, wskutek wchłonięcia powietrza z jamy bębenkowej do otaczających tkanek, powstaje podciśnienie zasysające błonę bębenkową. Później może dochodzić do gromadzenia się płynu o charakterze zapalnym lub niezapalnym.

Główne o b j a w y zapalenia trąbki słuchowej to uczucie zatkania ucha, szum oraz upośledzenie słuchu. Często pojawia się również uczucie przelewania płynu w uchu.

O s t r e n i e ż y t o w e z a p a l e n i e t r ą b k i s ł u c h o w e j towarzyszy ostrym stanom zapalnym nosa, zatok przynosowych, gardła. Najczęściej ustępuje po wyleczeniu chorób zasadniczych. Czasami może dojść do uszkodzenia błony śluzowej, co prowadzi do trwałego zwężenia trąbki słuchowej, zalegania płynu i powstania zrostów w obrębie jamy bębenkowej. Z a p o b i e g a n i e temu powikłaniu, zwłaszcza u dzieci, polega na systematycznym, dokładnym oczyszczaniu nosa z wydzieliny w czasie kataru, przez wydmuchiwanie każdej z jam nosa oddzielnie. W celu zmniejszenia obrzęku błon śluzowych stosuje się krople do nosa, ściśle według wskazań lekarza, ponieważ zbyt częste ich przyjmowanie prowadzi również do uszkodzenia błon śluzowych.

Jeśli po ostrym katarze pozostają dolegliwości w postaci szumu, uczucia pełności i przelewania się płynu w uchu, należy niezwłocznie zgłosić się do laryngologa. Jest to bardzo ważne, zwłaszcza u dzieci, ponieważ ostre stany zapalne mogą przejść w przewlekłe. W stanach przewlekłych, w których doszło do zrostów w jamie bębenkowej, ulega uszkodzeniu aparat przewodzenia dźwięku w uchu środkowym, co upośledza słuch.

Z a b u r z e n i a d r o ż n o ś c i t r ą b k i s ł u c h o w e j mogą powstać nie tylko w następstwie stanów zapalnych. U dzieci często do tych zaburzeń dochodzi przy przeroście migdałka gardłowego (trzeciego), a u dorosłych w następstwie polipów nosa, skrzywienia przegrody nosa i w przebiegu zmian nowotworowych nosogardła.

Uraz ciśnieniowy jest uszkodzeniem spowodowanym nagłymi zmianami ciśnienia atmosferycznego w warunkach zaburzeń drożności trąbki słuchowej. Występuje najczęściej w czasie lotu samolotem (zwłaszcza w czasie lądowania) i podczas nurkowania. Objawy polegają na pojawieniu się nagle silnego bólu ucha i zaburzeń słuchu. Można temu zapobiec przez przedmuchiwanie trąbek słuchowych i podawanie do nosa leków obkurczających, np. Xylometazoliny w aerozolu kilka razy na 1 godz. przed lądowaniem samolotu.

Ostre zapalenie ucha środkowego jest najczęściej wynikiem szerzenia się zakażenia drogą trąbki słuchowej z nosogardła. Występuje często u dzieci jako powikłanie ostrych stanów zapalnych górnych dróg oddechowych lub chorób zakaźnych wieku dziecięcego.

Objawem jest nagły, narastający ból ucha, uczucie pełności w uchu i upośledzenie słuchu, wskutek gromadzenia się wysięku w jamie bębenkowej. Błona bębenkowa może ulec przerwaniu pod naciskiem płynu, wówczas w przewodzie słuchowym pojawia się wyciek, a ból ustępuje. Lepiej jeśli błonę przetnie lekarz w odpowiedni sposób (zabieg ten nosi nazwę paracentezy), ponieważ gojenie się błony bębenkowej, która uległa samoistnemu przerwaniu, jest znacznie gorsze. Po nacięciu błona bębenkowa goi się bardzo szybko, nie pozostawiając śladów.

Leczenie ostrego zapalenia ucha środkowego powinien prowadzić laryngolog. Polega ono na stosowaniu odpowiedniego antybiotyku. Wcześniej można podać lek przeciwbólowy, np. paracetamol, i zastosować nagrzewanie okolicy ucha w celu zmniejszenia dolegliwości bólowych. Nie należy samemu wpuszczać do ucha jakichkolwiek kropli, olejku lub spirytusu kamforowego, ponieważ można trwale uszkodzić błonę bębenkową.

Przewlekłe zapalenie ucha środkowego. Choroba toczy się w przestrzeniach ucha środkowego. Cechuje ją: trwały ubytek w błonie bębenkowej (przedziurawienie), stały lub okresowy wyciek śluzowy albo ropny z ucha i różnego stopnia uszkodzenie słuchu. Choroba może trwać wiele lat i często ma swój początek w dzieciństwie. Czasami przechodzi w nią ostre zapalenie ucha środkowego. Dzieje się tak w przypadku: zbyt późnego i nieodpowiedniego leczenia ostrego zapalenia ucha środkowego, współistnienia zmian chorobowych w górnych drogach oddechowych, nosie, zatokach przynosowych, migdałkach podniebiennych i migdałku gardłowym, a także ogólnego osłabienia odporności organizmu.

Przewlekłe zapalenie ucha środkowego, mimo że nierzadko trwa długie lata, stosunkowo nieznacznie upośledza ogólny stan zdrowia i nie daje zazwyczaj dolegliwości bólowych. Z tych przyczyn często bywa bagatelizowane przez chorego.

Proces zapalny może ograniczać się do błon śluzowych ucha środkowego lub rozprzestrzeniać się do tkanki kostnej. W pierwszym przypadku wyciek najczęściej występuje okresowo i ma charakter śluzowy, a przedziurawienie (perforacja) znajduje się w części centralnej błony bębenkowej. Postać tę można nazwać „łagodną”, ponieważ nie grozi w zasadzie ciężkimi powikłaniami. Nie leczona doprowadza jednak do coraz większego zniszczenia aparatu przewodzącego dźwięk i postępującego uszkodzenia słuchu.

Proces zapalny ucha środkowego obejmujący również kości jest także bezbolesny. Wyciek z ucha jest stały, ropny, często cuchnący. Ubytek w błonie bębenkowej znajduje się na jej brzegu. Przez ten brzeżny otwór wrasta naskórek z przewodu słuchowego w głąb jamy bębenkowej i wytwarza się tzw. perlak. Przewlekłe zapalenie ucha środkowego z perlakiem stanowi realną groźbę bardzo poważnych, niebezpiecznych nawet dla życia powikłań. Perlak rosnąc niszczy bowiem sąsiadujące z nim kości, np. oddzielające ucho środkowe od opon mózgowych, otoczkę kostną błędnika (ucha wewnętrznego) lub ścianę kostną kanału nerwu twarzowego. Słuch jest najczęściej znacznie przytępiony.

Czasami w przebiegu przewlekłego zapalenia ucha tworzą się w jamie bębenkowej łatwo krwawiąca ziarnina i polipy. Mogą one wypełnić przewód słuchowy blokując odpływ wydzieliny zapalnej, co może doprowadzić do groźnych powikłań.

Leczenie. Stosuje się miejscowo odpowiednie leki przeciwbakteryjne dobrane na podstawie badania bakteriologicznego, tzw. posiewu, pozwalającego ustalić wrażliwość drobnoustrojów na leki (antybiogram). Wyniki leczenia zależą w dużym stopniu od chorego, który musi bezwzględnie przestrzegać zaleceń lekarza, takich jak ochrona ucha przed wodą, systematyczne badania itp. Jeśli leczenie zachowawcze nie przynosi poprawy, możliwe jest leczenie chirurgiczne. Ma on na celu usunięcie chorobowo zmienionych tkanek i jeśli warunki na to pozwalają, odtworzenie uszkodzonego aparatu przewodzącego dźwięk w uchu środkowym, co może dać poprawę słuchu.

Powikłania ostrego i przewlekłego zapalenia ucha środkowego. Powikłania ostrego zapalenia ucha środkowego występują najczęściej u dzieci i przebiegają w postaci zapalenia wyrostka sutkowatego (część kostna znajdująca się za małżowiną uszną), a niekiedy wyrostka jarzmowego (część kostna przed małżowiną uszną).

Objawem powikłań jest obrzęk zapalny za lub przed małżowiną, narastający ból ucha i bolesność przy ucisku na kość, podwyższona temperatura ciała i pogorszenie ogólnego stanu zdrowia. Niekiedy może też wystąpić porażenie nerwu twarzowego (zob. s. 1757). Jeśli zakażenie rozprzestrzeni się do ucha wewnętrznego, pojawia się całkowita głuchota ucha chorego, z zawrotami głowy i zaburzeniami równowagi.

Powikłania wewnątrzczaszkowe występują wtedy, gdy zakażenie z ucha przechodzi poza obręb kości, do wnętrza czaszki, wywołując zapalenie opon mózgowo-rdzeniowych, ropień tkanki mózgowej, zapalenie zatok żylnych mózgu. Powikłania te zdarzają się nie tak rzadko, zwłaszcza w przebiegu przewlekłego zapalenia ucha środkowego, i stanowią duże zagrożenie życia.

Leczenie powikłań ostrego i przewlekłego zapalenia ucha jest niejednokrotnie chirurgiczne.

Choroby ucha wewnętrznego

Zapalenie ucha wewnętrznego. Jest to najczęściej powikłanie zapalenia ucha środkowego wskutek przenikania drobnoustrojów lub ich toksyn do wnętrza błędnika (ucha wewnętrznego).

Objawy początkowo są bardzo burzliwe. Pojawiają się zawroty głowy i zaburzenia równowagi uniemożliwiające jakiekolwiek ruchy. Towarzyszą im nudności i wymioty oraz całkowita utrata słuchu po stronie chorej, a także oczopląs. Istnieje groźba powikłań wewnątrzczaszkowych.

Leczenie szpitalne.

Otoskleroza. Jest to choroba przewlekła niezapalna, której przyczyna jest nieznana, nie mająca nic wspólnego ze „sklerozą naczyń krwionośnych". Polega na nieprawidłowym, postępującym kostnieniu struktur ucha wewnętrznego, co prowadzi do unieruchomienia aparatu przenoszącego dźwięk z ucha środkowego do ucha wewnętrznego (zob. Fizjologia, s. 110).

Objawy. Chorobie tej towarzyszy stopniowe pogarszanie się słuchu (z reguły w obu uszach), często z szumami usznymi. Choroba rozpoczyna się ok. 20–25 r. życia i częściej dotyczy kobiet niż mężczyzn. Ciąża przyspiesza postęp choroby, co objawia się narastaniem szumów i upośledzenia słuchu.

Leczenie otosklerozy jest wyłącznie operacyjne. Poprawa słuchu po zabiegu operacyjnym zależy istotnie od stopnia jego uszkodzenia przed operacją. Jeśli nie doszło jeszcze do uszkodzenia elementów nerwowych, a zmiany polegają głównie na zaburzeniu przewodzenia dźwięku, poprawa po operacji może być znaczna. Jako uzupełnienie leczenia chirurgicznego i u chorych, którzy nie kwalifikują się do operacji stosuje się sole fluoru. Jeśli leczenie operacyjne nie rokuje poprawy słuchu, mogą być stosowane odpowiednio dobrane aparaty słuchowe.

Choroba Ménière'a. Jest to niezapalna choroba ucha wewnętrznego o nieustalonej dotąd przyczynie.

Objawy to napadowo występujące zawroty głowy, upośledzenie słuchu i szumy uszne. Zawroty głowy pojawiają się nagle w stanie pełnego zdrowia. Silnym zawrotom towarzyszą nudności i wymioty. Trwają one kilka minut, godzin do kilku dni. W okresie między napadami mogą nie występować żadne dolegliwości, ale mogą pozostać bardzo uciążliwe szumy uszne. W miarę upływu czasu, po każdym napadzie następuje pogłębienie upośledzenia słuchu. Upośledzenie to dotyczy odbierania dźwięku i jest wynikiem uszkodzenia komórek zmysłowych.

Rozpoznanie choroby Ménière'a jest bardzo trudne i wymaga wykonania wielu specjalistycznych badań narządu słuchu i równowagi, a także konsultacji neurologicznej, okulistycznej i internistycznej. Zawroty głowy mogą być bowiem wywołane różnymi stanami patologicznymi, zlokalizowanymi nie tylko w uszach.

Leczenie w większości przypadków jest zachowawcze. W ostrych napadach leżenie w łóżku, w zupełnym spokoju i zażywanie leków zleconych przez lekarza. Ze względu na silne czasami nudności i wymioty leki muszą być stosowane pozajelitowo (doodbytniczo, domięśniowo lub dożylnie). W często nawracających, uporczywych napadach niekiedy konieczne jest leczenie operacyjne.

Dziecko z trwałym uszkodzeniem słuchu

Stan słuchu i rozwój mowy decydują o możliwości rozwoju psychicznego dziecka. Im wcześniej wykryje się upośledzenie słuchu i rozpocznie rehabilitację, tym większe są szanse prawidłowego rozwoju dziecka i jego włączenia do społeczeństwa. We wczesnym dzieciństwie pierwszych spostrzeżeń dotyczących słuchu dziecka dokonują rodzice obserwując, czy niemowlę reaguje na dźwięki. Przy wrodzonym, głębokim upośledzeniu słuchu rehabilitację dziecka należy rozpocząć już przed ukończeniem przez nie pierwszego roku życia. W pierwszych latach życia dziecka duży ciężar odpowiedzialności spoczywa na rodzicach i na ich codziennej pracy wychowawczej. Aparaty słuchowe stosuje się już u niemowląt.

Mowa u dziecka kształtuje się między 1 i 3 r. życia i do jej rozwoju konieczny jest sprawnie działający słuch, w przeciwnym razie dziecko głuche będzie również nieme. Jeśli utrata słuchu nastąpiła już po opanowaniu przez dziecko mowy, może się ono nią posługiwać w sposób naturalny, trudności ma natomiast w jej odbieraniu. W przypadkach tych jest konieczna stała rehabilitacja z korekcją foniatryczną mowy (zob. Zaburzenia głosu i mowy, s. 1780). Praca foniatry i logopedy nad poprawną wymową dziecka z uszkodzeniem słuchu trwa długie lata.

Aparaty słuchowe wzmacniają „resztki" słuchu, dzięki czemu dziecko odbiera bodźce dźwiękowe i może je kojarzyć z obrazem wzrokowym. Im wcześniej zastosuje się u dziecka aparat słuchowy, tym większą przyniesie korzyść. Aparat słuchowy nie przywróci prawidłowego słuchu, umożliwi natomiast odbiór wielu dźwięków dotychczas nie słyszanych. Dziecko musi się jednak nauczyć umiejętności słyszenia i słuchania, a więc zwracania uwagi na dźwięki, które są również sygnałem grożącego niebezpieczeństwa, np. klakson samochodowy. Aparat słuchowy bardzo pomaga w rehabilitacji dziecka głuchego. W wybranych przypadkach mogą być wykonywane implanty ślimakowe (zob. s. 1757).

II. CHOROBY NOSA I ZATOK PRZYNOSOWYCH

Dolegliwości ze strony nosa

Nos jest początkiem drogi oddechowej oraz siedzibą zmysłu węchu. Występujące w nim nieprawidłowości i zaburzenia mogą doprowadzić do zaburzeń w układzie oddechowym, do osłabienia lub zaniku powonienia i do zmiany głosu, tzw. *nosowania zamkniętego*.

Do najczęściej spotykanych dolegliwości należą: „zatkany nos", katar lub nadmierna suchość oraz krwawienie z nosa. Przyczyną tych dolegliwości mogą być miejscowe zmiany w jamie nosowej lub w strukturach powiązanych z nią, np. w zatokach przynosowych, bądź też zmiany ogólnoustrojowe, np. krwawienie z nosa może być spowodowane wzrostem ciśnienia krwi.

Zaburzenia drożności nosa – „zatkany nos"

Upośledzenie drożności nosa może być obustronne lub jednostronne. Uczucie zatkanego nosa może być obiektywne, tzn. rzeczywiście występuje zmniejszenie przepływu powietrza przez nos, może być też subiektywne, gdy przeciwnie, jamy nosa są nadmiernie poszerzone. W drugim przypadku przepływające powietrze nie natrafia na żaden opór, co wywołuje odczucia braku jego przechodzenia. Zmniejszenie drożności jam nosa jest przemijające, jeśli przyczyna wywołująca je ustępuje, np. zmiany zapalne w przebiegu zakażenia. Może być też stałe i wówczas wymaga leczenia operacyjnego, np. polipy nosa, skrzywienie przegrody nosa, wrastająca tkanka nowotworowa rozwijająca się w sąsiadujących z nosem strukturach (w zatokach przynosowych, oczodole).

Przyczyny. Najczęściej spotykaną przyczyną „zatkania nosa" jest obrzęk zapalny błon śluzowych wywołany zakażeniem, któremu towarzyszy wysięk, tzw. katar. U niektórych osób może on mieć podłoże alergiczne. Związane jest to z nadwrażliwością na czynniki zewnętrzne, takie jak kurz domowy, pyłki roślin, sierść zwierząt, pióra ptaków itp.

Inną przyczyną obrzęku błon śluzowych nosa mogą być czynniki ogólnoustrojowe, np. ciąża, miesiączka, niektóre choroby, zaburzenia hormonalne, stosowanie niektórych leków (np. obniżających ciśnienie krwi, doustnych leków antykoncepcyjnych). Krople lub aerozole o działaniu obkurczającym stosowane dłużej niż 7 dni mogą również powodować wtórnie obrzęk błony śluzowej nosa, wywołując uczucie jego zatkania.

Obrzęk błon śluzowych, a z czasem zanikowe w nich zmiany i nadmierną suchość wywołują też substancje chemiczne znajdujące się w powietrzu wdychanym. Podobne szkodliwe działanie wywołuje długotrwałe oddychanie gorącym i suchym powietrzem. Długotrwałe działanie substancji chemicznych, w tym także dymu papierosowego, prowadzi również do uszkodzenia aparatu rzęskowego nabłonka błon śluzowych. W konsekwencji uniemożliwia to sprawne oczyszczenie błon śluzowych z kurzu, bakterii i innych substancji wdychanych z powietrzem.

U dzieci najczęstszą przyczyną zmniejszenia drożności nosa jest ciało obce, które dziecko włożyło sobie do nosa w czasie zabawy. Są to zazwyczaj koraliki, guziki, drobne części zabawek itp. Nie wolno samemu próbować ich usuwać za pomocą np. zapałek, szczypczyków i innych „narzędzi". Można jedynie namówić dziecko do silnego wydmuchania nosa. Jeśli to nie pomoże, należy zgłosić do lekarza laryngologa. Nieumiejętne manipulowanie w jamach nosa, zwłaszcza u niespokojnych dzieci, może spowodować zaklinowanie ciała obcego, uszkodzenie małżowin nosa lub przesunięcie tego ciała do nosogardła. Grozi to wpadnięciem ciała obcego do krtani i może spowodować uduszenie.

Zmniejszenie drożności nosa wywołuje konieczność oddychania przez usta. Może to wywołać następne dolegliwości, a nawet choroby. Pojawia się np. uczucie pieczenia, zasychania w gardle i krtani. Często występują nawracające zakażenia gardła, migdałków podniebiennych, krtani i oskrzeli.

Zmniejszenie drożności nosa, zwłaszcza trwające przez długi czas, może prowadzić do rozmaitych dolegliwości ogólnych. Pojawiają się: uczucie zmęczenia, brak apetytu (w dużym stopniu związane z utratą węchu i smaku), zaburzenia snu i drażliwość.

Katar, czyli nadmierny wyciek z nosa

Wyciek z nosa towarzyszy obrzękowi błon śluzowych. Wydzielina z nosa może być wodnista (surowicza), śluzowa, ropna, niekiedy podbarwiona krwią.

Katar jest najczęściej objawem ostrego zapalenia błon śluzowych nosa, czyli nieżytu nosa (zob. s. 1768 oraz Choroby zakaźne, s. 950), wywołanego przeważnie przez wirusy i, rzadziej, przez bakterie. Te ostatnie częściej występują przy zmianach przewlekłych. Katar ropny nie ustępujący przez dwa tygodnie może świadczyć o zmianach zapalnych w zatokach przynosowych.

Wydzielina wodnista pojawiająca się nagle z łzawieniem, poprzedzona napadowym kichaniem, pieczeniem w nosie, jest najczęściej związana z odczynem alergicznym. Objawy powyższe świadczą, że błony śluzowe zetknęły się z alergenem, tj. czynnikiem uczulającym. Czynnik ten (np. pyłki kwiatów, traw, drzew) jest dla ludzi nieuczulonych zupełnie obojętny. Wydzielina z nosa oraz uczucie jego „zatkania" równie nagle pojawiają się w tzw. nieżycie naczynioruchowym. W odróżnieniu od odczynu alergicznego, objawy nieżytu naczynioruchowego nie są wyzwalane przez alergen, ale przez czynniki fizyczne, np. gwałtowną zmianę temperatury otoczenia.

U dzieci cuchnąca ropna lub podbarwiona krwią wydzielina jest najczęściej objawem zalegania ciała obcego w przewodzie nosowym.

U dorosłych jednostronna krwista wydzielina, często cuchnąca, łącznie z bólami zdrowych zębów, może być spowodowana zmianami nowotworowymi.

Krwawienie z nosa

Błona śluzowa nosa jest silnie unaczyniona. Naczynia krwionośne w tym miejscu, położone na twardym, nieelastycznym podłożu chrzęstno-kostnym, łatwo ulegają uszkodzeniu. Miejscem szczególnie narażonym na uszkodzenia jest przednia część przegrody nosa.

Przyczyny krwawienia z nosa mogą być miejscowe i ogólnoustrojowe. Przyczynami miejscowymi są głównie: urazy nosa, uszkodzenia błon śluzowych przez czynniki chemiczne oraz rozrost tkanki patologicznej w nosie, a także w zatokach przynosowych (guzy łagodne i złośliwe). Do przyczyn ogólnoustrojowych zalicza się: przeziębienie, choroby zakaźne, chorobę nadciśnieniową, niewydolność krążenia, choroby nerek, wątroby, krwi. W przeziębieniu i chorobach zakaźnych, np. w grypie, przebiegających z wysoką gorączką są podawane zazwyczaj leki w istotny sposób zmniejszające krzepliwość krwi, co zwiększa możliwość wystąpienia krwawień. Do tych leków należą m.in. polopiryna (aspiryna), calcypiryna, alka-prim itp. W chorobie nadciśnieniowej każdy gwałtowny wzrost ciśnienia krwi może powodować pęknięcie naczynia krwionośnego w jamie nosowej i gwałtowne krwawienie. Również pozostałe ww. choroby predysponują do pojawienia się okresowych krwawień z nosa.

Postępowanie. Krwawienia z nosa są na ogół łatwiejsze do opanowania u dzieci niż u osób dorosłych. Pierwsza pomoc polega na: posadzeniu chorego, oczyszczeniu jam nosa (przez wydmuchanie) z zalegających skrzepów, pochyleniu głowy do przodu, aby krew nie spływała do gardła, położeniu na kark lub nasadę nosa zimnego okładu i przyciśnięciu dość mocno skrzydełek nosa do przegrody po stronie krwawiącej (przez 10–15 min). Jeśli postępowanie to nie doprowadza do opanowania krwawienia, należy zgłosić się na ostry dyżur laryngologiczny w celu zatrzymania krwawienia. Zakładane są w tym celu do jam nosa specjalne gąbki, a jeśli to nie skutkuje, stosuje się tzw. tamponadę jam nosa i podaje leki zwiększające krzepliwość krwi. Nawroty krwawienia mogą powodować konieczność chirurgicznego podwiązania większych naczyń doprowadzających krew do uszkodzonego naczynia. Dalsze postępowanie polega na ustaleniu przyczyny krwawienia, którą mogą być ww. choroby internistyczne.

Choroby nosa zewnętrznego

Choroby nosa zewnętrznego dotyczące skóry są leczone przez dermatologa, specjalistę chorób skóry.

Czyrak nosa i wargi górnej powstaje wskutek zakażenia bakteriami (gronkowcem) mieszków włosowych lub gruczołów potowych. Choroba rozwija się szybko, zwykle w ciągu kilku godzin. Pojawia się ból, obrzęk i zaczerwienienie obejmujące nos, wargę, policzek, powiekę dolną. Może wystąpić gorączka, dreszcze i bolesne powiększenie węzłów chłonnych twarzy i szyi. Zakażenie może przejść drogą połączeń naczyniowych do jamy czaszki, powodując najcięższe powikłania wewnątrzczaszkowe.

Wszelkie zmiany ropne w okolicy nosa i wargi górnej są niebezpieczne. Nie wolno ich wyciskać ani nacinać. Muszą być leczone przez lekarza.

Urazy nosa zdarzają się często z powodu jego lokalizacji w środkowej części twarzy i eksponowania ponad jej płaszczyznę. Mogą dotyczyć tylko skóry, najczęściej na grzbiecie nosa lub jego kostnego rusztowania.

Skrzywienie, będące wynikiem urazu przegrody nosa, powoduje zwężenie przewodów nosowych i upośledzenie oddychania przez nos.

Krwiak przegrody nie wywołuje dużych dolegliwości bólowych,

jedynie zmniejsza drożność nosa. Jeśli nie zostanie nacięty chirurgicznie i zdrenowany, grozi martwicą przegrody i zapadnięciem się nosa, może również ulec zropieniu.

R o p i e ń p r z e g r o d y objawia się gorączką, często wysoką, i silnymi bólami. Nie leczony może wywołać p o w i k ł a n i a ze strony ośrodkowego układu nerwowego. Może również spowodować zniszczenie chrząstek nosa i jego zapadnięcie się. L e c z e n i e jest chirurgiczne, wspomagane podawaniem antybiotyków.

Z ł a m a n i a k o s t n e g o r u s z t o w a n i a n o s a, ich rozległość i rodzaj zależą od kierunku działania siły urazowej. Przy niewielkiej sile najczęściej ulega pęknięciu kość bez przemieszczenia odłamów. Uderzenie silniejsze lub boczne wywołuje przesunięcie odłamów kostnych, co objawia się wyraźną zmianą kształtu nosa. Przy dużej sile uszkadzającej może dojść do złamania również ścian zatok przynosowych i innych części twarzy, a nawet podstawy czaszki.

Urazom nosa towarzyszy prawie zawsze krwawienie z nosa, ból i obrzęk części miękkich.

L e c z e n i e. Niezbędne jest zawsze badanie laryngologiczne w celu oceny stopnia uszkodzenia części chrzęstnych lub kostnych i ewentualne ich nastawienie. Nienastawienie lub nastawienie nieodpowiednie przesuniętych odłamków złamanych kości nosa doprowadza do trwałych zniekształceń, które nie tylko szpecą wygląd, ale i dają zaburzenia drożności nosa ze wszystkimi konsekwencjami tej nieprawidłowości. Leczenie utrwalonych zniekształceń nosa jest chirurgiczne (często jest to chirurgia plastyczna).

Choroby błon śluzowych nosa i zatok przynosowych

Ostry nieżyt nosa jest najczęściej wywołany przez wirusy. Rozwojowi jego sprzyja tzw. p r z e z i ę b i e n i e (przemarznięcie, przegrzanie, przemoczenie obuwia), które prowadzi do ogólnego osłabienia odporności organizmu, co sprzyja zakażeniu wirusem. Do zakażenia dochodzi najczęściej drogą kropelkową przy kontakcie z chorą osobą. Przebyta choroba nie daje trwałej odporności i może powtarzać się często, zwłaszcza w okresie zmieniających się warunków atmosferycznych (na wiosnę i na jesieni).

O b j a w y. Choroba zaczyna się ogólnym zmęczeniem, bólami głowy, drapaniem w gardle i nosie. Po 1 – 2 dniach pojawia się obfita wydzielina wodnista i zatkanie nosa wskutek obrzęku błony śluzowej. Upośledzeniu ulega węch i smak. Na wargach lub w przedsionku nosa może pojawić się opryszczka. Po kilku dniach objawy ustępują, wydzielina gęstnieje, staje się ropna. P o w i k ł a n i e m może być zapalenie gardła, zatok przynosowych, krtani, oskrzeli, ucha środkowego.

L e c z e n i e. W pierwszym okresie ostrego nieżytu nosa skuteczna może być kuracja napotna (gorąca kąpiel, zwłaszcza stóp, przyjmowanie większej ilości gorących płynów, zażywanie polopiryny), stosuje się również witaminę

C, preparaty wapniowe, krople do nosa obkurczające błony śluzowe. Kropli do nosa nie należy przyjmować dłużej niż 5–7 dni, ponieważ przewlekłe ich stosowanie prowadzi do uszkodzenia błon śluzowych i zmian zanikowych. Bardzo ważną czynnością zapobiegającą powikłaniom ostrego nieżytu nosa jest właściwe jego oczyszczanie. Polega ono na wydmuchiwaniu na przemian raz jednej, raz drugiej jamy nosa. Dmuchanie jednoczesne z obu przewodów nosowych może spowodować przemieszczenie wydzieliny przez trąbkę słuchową do ucha środkowego. Prawidłowe oczyszczanie nosa jest szczególnie ważne u dzieci, ponieważ zapalenie ucha środkowego jest u nich częstym powikłaniem kataru.

Nieżyty nosa towarzyszące niektórym przewlekłym chorobom ogólnym – jak choroby nerek, niewydolność krążenia, cukrzyca, niewydolność tarczycy, choroby przenoszone drogą płciową – oraz ostrym chorobom zakaźnym (odra, płonica, grypa, ospa wietrzna, koklusz) są leczone w ramach leczenia choroby zasadniczej.

Ostry nieżyt nosa u noworodków i niemowląt jest chorobą poważniejszą niż u dzieci starszych i dorosłych. Niemowlęta są bardzo wrażliwe na zakażenia wirusowe, co jest związane ze słabo wykształconymi mechanizmami obronnymi organizmu. Szybko może nastąpić uogólnienie zakażenia, tym cięższe, im dziecko jest młodsze. Może dojść do powikłań ze strony układu oddechowego, pokarmowego i moczowego. „Zatkany” nos utrudnia ssanie, co z kolei upośledza odżywianie niemowlęcia.

Leczenie kataru u noworodka i niemowlęcia polega przede wszystkim na ostrożnym oczyszczaniu nosa z nadmiaru wydzieliny przez odsysanie miękką gumową gruszką oraz częstym kładzeniu dziecka na brzuch, co zapobiega spływaniu wydzieliny zapalnej do dróg oddechowych. Nie wolno zakraplać kropli do nosa. Ponieważ dziecko znajduje się w pozycji leżącej, nagłe dostanie się kropli do gardła i krtani może wywołać odruchowe zamknięcie głośni i uduszenie.

Zapobieganie polega na ochronie dziecka przed zakażeniem, którego źródłem są osoby zakażone.

Alergiczny nieżyt nosa występuje u ludzi uczulonych na niektóre substancje, zupełnie obojętne dla większości. Może towarzyszyć też innym chorobom alergicznym, np. astmie oskrzelowej (zob. Choroby wewnętrzne, s. 701). Alergeny, czyli czynniki uczulające, mogą znajdować się w pyłkach traw, kwiatów, drzew; są to tzw. alergeny sezonowe. Wywołują one sezonowy alergiczny nieżyt nosa – tzw. katar sienny, czyli pyłkowicę. W odróżnieniu od nich alergeny związane z kurzem domowym, pierzem, sierścią zwierząt, piórami ptaków, zarodnikami pleśni, pokarmami i wiele innych występujących cały rok wywołują całoroczny nieżyt nosa.

Ostre objawy choroby rozpoczynają się uczuciem swędzenia w nosie, napadowym kichaniem, pojawia się wodnista wydzielina i uczucie zatkania nosa. Występują również łzawienie, światłowstręt, drapanie w gardle i ból głowy. Nasilenie tych objawów jest różne, w zależności od ilości alergenów w powietrzu. Przy katarze siennym (pyłkowicy) pojawiają się w okresie występowania alergenów (w okresie kwitnienia) i trwają 1–2 miesiące, potem ustępują. Gdy alergeny występują stale lub prawie stale w otoczeniu, np. w kurzu domowym, objawy są całoroczne z okresami zaostrzeń.

L e c z e n i e polega na znalezieniu przyczyny, tzn. czynnika uczulającego i wyeliminowaniu go. Nie zawsze jest to możliwe, ponieważ często czynnikami uczulającymi jest kilka alergenów powszechnie występujacych w otoczeniu. Oznaczenie substancji uczulających wymaga żmudnych badań, m.in. t e s t ó w s k ó r n y c h wykonywanych w specjalistycznych poradniach alergologicznych. Jeśli eliminacja substancji uczulających jest niemożliwa, ale wiadomo, jakie one są, w niektórych przypadkach podejmowane jest l e c z e n i e o d c z u l a j ą c e. Polega ono na ostrożnym wstrzykiwaniu, w coraz większych dawkach, specjalnie przygotowanych preparatów zawierających alergeny. Przeważnie jednak leczenie sprowadza się do zmniejszenia nasilenia samych objawów chorobowych. Najczęściej stosuje się okresowo doustnie tzw. l e k i p r z e c i w h i s t a m i n o w e, np. zyrtek. Krople obkurczające błonę śluzową nosa są stosunkowo mało skuteczne, a jednocześnie uszkadzają ją.

Przewlekły nieżyt nosa jest długotrwałą chorobą błon śluzowych nosa. Często zmiany dotyczą również zatok przynosowych i gardła. P r z y c z y n y mogą być miejscowe i ogólne. Do p r z y c z y n m i e j s c o w y c h należą: powtarzające się ostre nieżyty nosa, zatok przynosowych, stałe drażnienie błon śluzowych przez substancje chemiczne, m.in. dym papierosowy, nadmiernie suche powietrze. P r z y c z y n y o g ó l n e to: zaburzenia krążenia krwi, cukrzyca, zaburzenia hormonalne, niektóre niedobory witaminowe (zwłaszcza witaminy A), niedobór żelaza, a także pewne czynniki konstytucjonalne.

Zmiany błon śluzowych mogą mieć charakter przerostowy lub zanikowy. Te ostatnie częściej dotyczą kobiet.

O b j a w y p r z e r o s t o w e g o n i e ż y t u n o s a to duże upośledzenie jego drożności (które nie cofa się po podaniu do nosa kropli obkurczających) i wydzielina śluzowa lub śluzowo-ropna.

O b j a w y z a n i k o w e g o n i e ż y t u n o s a to duża suchość w nosie, uczucie jego zatkania mimo poszerzenia przewodów nosowych, skłonność do tworzenia się strupów o nieprzyjemnym zapachu. Mogą one tworzyć się również w nosogardle i na tylnej ścianie gardła (widoczne są wtedy przez otwarte usta). Występuje także większa skłonność do krwawień z nosa, a w miarę upływu czasu dochodzi do dużego upośledzenia powonienia.

Szczególną postacią zanikowego nieżytu nosa jest tzw. o z e n a, przewlekły, cuchnący nieżyt ze strupami, na który chorują przeważnie kobiety. Choroba rozpoczyna się zazwyczaj po okresie pokwitania.

L e c z e n i e przewlekłych nieżytów nosa jest żmudne i zależy od postaci. Bardzo ważne jest wyeliminowanie zewnętrznych i wewnętrznych czynników uszkadzających błony śluzowe (zaprzestanie palenia tytoniu, unikanie suchych, gorących pomieszczeń, usunięcie niedoborów witaminowych, zaburzeń hormonalnych). W nieżycie zanikowym należy dokładnie usuwać z jam nosa wydzieliny i nie dopuszczać do tworzenia się strupów. Można stosować do płukania: roztwory sody oczyszczonej, soli fizjologicznej, płyny pobudzające wydzielanie gruczołów błony śluzowej (zawierające jod), tłustą maść allantoinową. Wskazane jest leczenie klimatyczne i inhalacje z solanki jodowej lub roztworu ługu ciechocińskiego.

W niektórych przypadkach przerostowego nieżytu nosa i ozeny stosuje się leczenie operacyjne.

Polipy nosa powstając w przebiegu zmian zapalnych lub alergicznych błon śluzowych. Są to uszypułowane balonowate twory śluzówkowe, występujące najczęściej przy ujściach zatok przynosowych do jam nosa, zwykle obustronnie. W miarę wzrostu wypełniają jamę nosa, wywołując jego zniekształcenie (rozdęcie). Nie leczone mogą wystawać z przedsionka nosa na zewnątrz lub, rzadziej, zwisać do gardła. Objawy polipów nosa to postępujące w miarę ich wzrostu upośledzenie drożności nosa, przewlekły katar i zanik powonienia.

Leczenie polega na chirurgicznym usunięciu polipów, a następnie farmakologicznym leczeniu zapobiegawczym. Polipy mają tendencję do odrastania, dlatego zabiegi należy powtarzać. Jeśli zmiany polipowate występują jednocześnie w zatokach przynosowych, jest konieczna także operacja zatok. Gdy powodem tworzenia się polipów jest alergiczny nieżyt nosa, prowadzi się również leczenie przeciwalergiczne.

Zapalenia zatok przynosowych bywają ostre lub przewlekłe. Mogą obejmować jedną zatokę lub kilka zatok. U dorosłych najczęściej ulegają zmianom zapalnym zatoki szczękowe, rzadziej czołowe, a u dzieci – sitowe. Zapalenia głęboko położonej zatoki klinowej są bardzo rzadkie.

Ostre zapalenie zatok szczękowych pojawia się przeważnie w czasie ostrego nieżytu górnych dróg oddechowych lub jako powikłanie zębopochodne, np. okołowierzchołkowego ropnia zęba przedtrzonowego i trzonowego. W czasie trwania ostrego kataru może je wywołać także nurkowanie lub lot samolotem.

Objawem jest pulsujący ból głowy, nasilający się przy skłonie do przodu, upośledzenie drożności nosa z towarzyszącą (choć nie zawsze) wydzieliną i gorączką. Pomocne w rozpoznaniu jest zdjęcie radiologiczne, na którym jest widoczne zacienienie lub poziom płynu w chorej zatoce.

Leczenie polega na stosowaniu obkurczających kropli do nosa, preparatów wapniowych, przeciwzapalnych (polopiryna), inhalacji parą wodną, a w przypadku podwyższonej temperatury ciała - pozostawanie w łóżku i stosowanie antybiotyków. Około 5 dnia choroby może być również wykonany zabieg płukania chorej zatoki drogą nakłucia zatoki od strony jamy nosa (tzw. punkcja zatoki). Zabieg ten wykonuje lekarz laryngolog po uprzednim miejscowym znieczuleniu. Usunięcie zalegającej w zatoce zapalnej wydzieliny przyspiesza zdrowienie i zapobiega przejściu zapalenia w stan przewlekły. Jeśli choroba jest pochodzenia zębowego, warunkiem skutecznego leczenia jest również leczenie stomatologiczne.

Przewlekłe zapalenie zatok szczękowych powstaje najczęściej wskutek nawracających, nie wyleczonych ostrych zapaleń lub zmian chorobowych w zębach. Sprzyjają temu również zniekształcenia przegrody nosa zmniejszające jego drożność i zaburzające prawidłowy odpływ wydzieliny z zatok do jam nosa.

Przewlekłe zapalenie zatok szczękowych przebiega nie tak gwałtownie jak ostre. Objawy są mniej nasilone. Bóle głowy pojawiają się okresowo, najczęściej w godzinach popołudniowych. Występuje ropny katar i ściekanie wydzieliny do gardła, wywołujące kaszel, zwłaszcza rano po przebudzeniu.

Leczenie polega na, w miarę możliwości, wyeliminowaniu przyczyny, tzn. leczeniu zębów, operacyjnym poprawieniu skrzywionej przegrody nosa. Stosuje się oczyszczanie zatoki z zalegającej wydzieliny drogą punkcji (zob. wyżej). Jeśli kolejne punkcje nie dają poprawy i nadal gromadzi się ropna wydzielina, konieczne bywa leczenie operacyjne.

Ostre zapalenie zatok sitowych występuje najczęściej w wieku dziecięcym. Objawia się szybko narastającym obrzękiem powiek i złym stanem ogólnym. Wymaga to natychmiastowego leczenia szpitalnego i ewentualnie wykonania zabiegu operacyjnego, ponieważ może dawać ciężkie powikłania ze strony oka i ośrodkowego układu nerwowego.

Ostre zapalenie zatok czołowych występuje rzadziej i najczęściej towarzyszy zapaleniom zatok szczękowych. Objawia się silnym bólem głowy nad oczami, który pojawia się zwłaszcza rano i nasila przy skłonach głowy do przodu, w czasie kaszlu i wysiłku fizycznego. Rozpoznanie ułatwia badanie radiologiczne.

Leczenie. Przy niezbyt nasilonych objawach stosuje się miejscowo i ogólnie leki zmniejszające obrzęk śluzówek, aby udrożnić ujście zatok do jamy nosa i ułatwić odpływ zapalnej wydzieliny. Jeśli objawy zablokowania zatoki czołowej są bardzo nasilone, wobec groźby powikłań wewnątrzczaszkowych jest konieczne leczenie operacyjne, polegające na otworzeniu zatoki na zewnątrz, od strony czoła.

III. CHOROBY JAMY USTNEJ I GARDŁA

Dolegliwości ze strony jamy ustnej i gardła

Jama ustna i gardło są swoistym „obrazem" tego, co dzieje się wewnątrz organizmu. Różne zmiany w ich obrębie są objawem wielu chorób, zarówno miejscowych, jak i ogólnoustrojowych.

Ból gardła

Ból gardła jest bardzo częstym objawem wielu chorób. Zwykle towarzyszy ostrym nieżytom nosa. Silny, nagły ból gardła i ogólne objawy rozbicia z gorączką (często powyżej 38°C) są przeważnie objawami anginy. Ból gardła jest też jednym z objawów takich chorób zakaźnych, jak mononukleoza, odra, płonica (szkarlatyna), ospa wietrzna, dur brzuszny. Wywołują go również zmiany próchnicze w zębach trzonowych, zapalenia zębopochodne dziąseł, ropień języka.

Ostre, kłujące bóle gardła przy połykaniu powstają, gdy ciało obce (ość, kość) utkwi w migdałku podniebiennym albo językowym. Kłujące bóle w gardle, mimo braku jakichkolwiek zmian patologicznych w tym obszarze, mogą być także wywołane przez zmiany zwyrodnieniowe w części szyjnej kręgosłupa. Podobne bóle są również objawem uszkodzenia nerwu językowo-gardłowego unerwiającego czuciowo okolice gardła.

Suchość w gardle

Uczucie suchości w gardle może być przemijające lub stałe. Przemijające jest, gdy np. powstaje z powodu kataru (zmuszeni jesteśmy do oddychania przez usta), stałe zaś, gdy drożność nosa jest zmniejszona np. wskutek skrzywienia przegrody nosa.

Uczucie suchości i pieczenia w gardle i nosie jest też objawem drażnienia błon śluzowych przez alkohol, dym tytoniowy, bardzo gorące, suche powietrze lub zanieczyszczone kurzem, różnymi związkami chemicznymi itp. Jeśli czynniki uszkadzające błony śluzowe działają długo, dochodzi do utrwalonych zmian zapalnych w postaci zanikowego nieżytu gardła.

Uczucie suchości i zawadzania, tzw. kluska w gardle, powodują ciągły odruch łykania i chrząkania, zmuszają do ciągłego picia płynów.

Powiększenie ślinianek

Przyczyną powiększenia ślinianek mogą być procesy zapalne lub inne czynniki. Ślinianki mogą powiększać się tylko w czasie jedzenia lub być powiększone stale. Zmiany mogą dotyczyć ślinianek przyusznych i wtedy obrzęk pojawia się po bokach twarzy, przed małżowinami usznymi. Mogą dotyczyć ślinianek podżuchwowych lub podjęzykowych i wtedy obrzęk występuje na szyi bliżej żuchwy. Każde powiększenie ślinianki, zwłaszcza niebolesne lub guzkowate, powinno być zbadane przez lekarzy.

Zapaleniu ślinianek towarzyszy obrzęk, ból i podwyższona temperatura ciała. Tak zwana *świnka*, czyli zapalenie ślinianek przyusznych, jest chorobą zakaźną wywołaną przez wirus i występującą najczęściej w wieku dziecięcym (zob. Choroby zakaźne, s. 977).

Przemijające powiększenie ślinianek (najczęściej podżuchwowej) podczas jedzenia przemawia za istnieniem kamienia w przewodzie wyprowadzającym. Utrudnia on odpływ śliny do jamy ustnej. Gdy zmiany te trwają przewlekle, dochodzi do zwłóknienia miąższu ślinianki. Staje się ona twarda i widoczna na szyi w postaci dobrze ograniczonego, przesuwalnego guzka. Jeśli do tego dołączy się stan zapalny, wówczas pojawiają się bóle, większe obrzmienie ślinianki, a nawet ropna wydzielina, która wydostaje się do jamy ustnej z przewodu wyprowadzającego.

Niebolesne powiększenie ślinianek, bez odczynu zapalnego, może towarzyszyć niektórym chorobom ogólnym, np. cukrzycy, zaburzeniom hormonalnym, niektórym chorobom reumatycznym. W chorobach tych ulegają powiększeniu przeważnie ślinianki przyuszne. Spośród ślinianek również najczęściej w śliniankach przyusznych rozwijają się zmiany nowotworowe.

Choroby jamy ustnej

Zob. Choroby jamy ustnej i zębów, s. 1741.

Choroby gardła

Ostre nieżytowe zapalenie gardła. Dotyczy ono często błon śluzowych gardła i nosa, czasami także krtani i tchawicy. Przyczyną są najczęściej wirusy, rzadziej bakterie. Atakują one organizm w okresie zmniejszonej odporności, np. po przemarznięciu, co zdarza się najczęściej w okresie jesieni i przedwiośnia. Szczególnie często chorują osoby mające z różnych przyczyn upośledzoną drożność nosa i oddychające ustami.

Objawy ostrego nieżytu gardła są podobne do ostrego nieżytu nosa. Początkowo występuje pieczenie, kłucie, suchość w gardle, ból przy połykaniu. Często dołącza się ból głowy, stan podgorączkowy i złe samopoczucie (uczucie ogólnego rozbicia).

Leczenie polega na stosowaniu środków napotnych, najlepiej gorącej herbaty z sokiem malinowym oraz witaminy C. Częste popijanie lub płukanie gardła rumiankiem, szałwią łagodzi przykre dolegliwości. Podczas choroby należy bezwzględnie zaprzestać palenia tytoniu. Jeśli objawy nie mają tendencji do ustępowania, a ogólne samopoczucie jest złe, należy zwrócić się do lekarza.

Angina jest chorobą nie tylko migdałków, ale i zakażeniem ogólnoustrojowym. Uwidacznia się zewnętrznie najbardziej na migdałkach podniebiennych w postaci ropnych nalotów. Wywołują ją na ogół bakterie z grupy paciorkowców. Jako choroba zakaźna może się przenosić na osoby zdrowe przez bezpośredni kontakt. Najczęściej chorują na nią dzieci i ludzie młodzi. U ludzi w podeszłym wieku występuje bardzo rzadko.

Objawy. Bardzo szybko narastający ból gardła nasila się przy połykaniu. Występują dreszcze, gorączka ok. 38°C, bóle stawowo-mięśniowe. Ogólne samopoczucie jest złe.

Leczenie polega na leżeniu w łóżku aż do ustąpienia gorączki i na stosowaniu antybiotyków, najlepiej penicyliny podawanej we wstrzyknięciach domięśniowych przez okres nie krótszy niż 10 dni. Płukanie gardła, ssanie tabletek jest nieszkodliwe, ale nie zwalcza przyczyny choroby i dlatego w żadnym przypadku nie może zastąpić leczenia ogólnego antybiotykami.

Anginę należy traktować jako poważną chorobę ogólną, mogącą w niektórych przypadkach powodować powikłania ze strony serca, nerek, stawów. Dlatego leczenie anginy powinno być prowadzone przez lekarza internistę lub laryngologa.

Ropień okołomigdałkowy jest powikłaniem powstającym w przebiegu anginy; zwykle tworzy się po jednej stronie.

Objawy. Ogólny stan chorego na anginę pogarsza się, temperatura ciała nie opada, a raczej rośnie, narasta ból promieniujący do ucha, występują duże trudności w połykaniu, pojawia się szczękościsk (utrudnione otwieranie ust). Z powodu obrzęku w gardle mowa staje się niewyraźna, „kluskowata".

Leczenie polega na nacięciu ropnia i opróżnieniu go z treści ropnej. Po zabiegu tym chory szybko powraca do zdrowia. Przebycie ropnia okołomigdałkowego jest wskazaniem do operacyjnego usunięcia migdałków podniebiennych.

Przewlekły nieżyt gardła. Choroba jest najczęściej następstwem przewlekłych chorób nosa i zatok przynosowych. Zaburzenia drożności nosa, spowodowane np. skrzywieniem przegrody nosa lub przewlekłymi stanami zapalnymi, powodują s[illegible]oddychanie przez usta. Prowadzi to z czasem do uszkodzenia błon śluzowych gardła, „nieprzygotowanych" do kontaktu z nieogrzanym, nieoczyszczonym i nienawilgoconym powietrzem. Przy przewlekłych stanach zapalnych zatok przynosowych stale spływa do gardła i dolnych dróg oddechowych drażniąca wydzielina, co może wywołać nadkażenie błon śluzowych tego obszaru.

Przewlekły nieżyt gardła może być spowodowany substancjami chemicznymi wdychanymi razem z powietrzem, np. z dymem papierosowym. Rozwojowi tej choroby sprzyjają również nadużywanie alkoholu, przebywanie w nadmiernie suchych pomieszczeniach, choroby nerek, cukrzyca.

Objawy. Występuje uporczywe drapanie i pieczenie w gardle, uczucie suchości i obecności ciała obcego. Wywołują one konieczność ciągłego chrząkania i pokasływania.

Leczenie jest długotrwałe i wymaga przede wszystkim usunięcia pierwotnej przyczyny. Konieczne jest zaprzestanie palenia tytoniu i zapewnienie jak najlepszych warunków mikroklimatycznych, tzn. świeżego powietrza o odpowiedniej wilgotności.

Przewlekłe zapalenie migdałków podniebiennych. Choroba występuje u dzieci i dorosłych po wielokrotnie powtarzających się anginach i chorobach zakaźnych. Może też rozwijać się bez wyraźnych zaostrzeń. Wywołują ją przeważnie bakterie, tzw. paciorkowce beta-hemolizujące grupy A, powodujące również gorączkę reumatyczną (zob. Choroby reumatyczne, s. 890).

Przewlekłe zapalenie migdałków podniebiennych, podobnie jak przewlekłe zapalenie zatok przynosowych, pęcherzyka żółciowego lub nie leczone zęby próchnicze, stanowi tzw. ognisko zakażenia w organizmie.

Objawy choroby mogą być bardzo skąpe, a nawet może nie być ich wcale. Czasami występuje uczucie „przeszkody" (ciała obcego) w gardle, pobolewania promieniujące do ucha, uczucie połykania wydzieliny, nieprzyjemny zapach z ust. Okoliczne węzły chłonne na szyi są często powiększone, wyczuwalne w postaci przesuwalnych guzków. Mogą pojawić się stany podgorączkowe, opadanie krwinek może być przyspieszone(wysokie OB).

Rozpoznanie przewlekłego zapalenia migdałków podniebiennych nie jest łatwe i wymaga ścisłej współpracy lekarzy: internisty i laryngologa.

Leczenie przyczynowe polega na operacyjnym usunięciu migdałków podniebiennych. Po operacji może jednak dojść do suchego nieżytu błon śluzowych gardła, co wywołuje nowe dolegliwości, zwłaszcza u ludzi pracujących głosem.

Przerost migdałka gardłowego (trzeciego). Migdałek ten znajduje się w jamie nosowo-gardłowej. W warunkach prawidłowych nie jest widoczny przy bezpośrednim oglądaniu gardła. W pierwszych latach życia dziecka migdałki, zarówno gardłowe, jak i podniebienne, ulegają rozrostowi fizjologicznemu. W okresie pokwitania wszystkie migdałki, a zwłaszcza migdałek gardłowy, ulegają zmniejszeniu. O rozroście patologicznym, czyli nadmiernym, mówi się wówczas, gdy przerosły migdałek gardłowy stwarza przeszkodę w oddychaniu przez nos.

Objawy. Dzieci z przerosłym migdałkiem gardłowym oddychają prawie wyłącznie ustami. Powoduje to m.in. chrapanie w czasie snu i mowę nosową. Występuje skłonność do częstych katarów, zapaleń ucha środkowego, krtani i oskrzeli. Wskutek ucisku powiększonej masy migdałka na trąbkę słuchową, słuch ulega pogorszeniu. Oddychanie przez usta powoduje nieprawidłowy wzrost podniebienia i wadliwe ustawienie uzębienia, tzw. wady zgryzu. Wszystko to z czasem może prowadzić do upośledzenia rozwoju fizycznego i umysłowego dziecka.

Leczenie jest wyłącznie operacyjne. Odpowiednio wczesne wykonanie zabiegu chroni dziecko przed ww. komplikacjami. Zwykle operację wykonuje się między 3 a 10 r. życia.

Przerost migdałków podniebiennych może towarzyszyć przerostowi migdałka gardłowego (trzeciego). Bardzo duże, powiększone migdałki mogą stykać się ze sobą w linii środkowej utrudniając oddychanie i połykanie. U osób dorosłych powiększenie, zwłaszcza jednostronne, migdałka podniebiennego może być wynikiem rozrostu nowotworowego.

O rozpoznaniu zawsze decyduje badanie mikroskopowe tkanki migdałka.

Objawem charakterystycznym jest tzw. nosowanie przy mówieniu.

Leczenie. Gdy przerosłe migdałki stanowią rzeczywistą przeszkodę w połykaniu, oddychaniu i mowie, stosuje się leczenie operacyjne.

Ciała obce dostają się do gardła z jamy ustnej, przeważnie wraz z pokarmem. Są to najczęściej ości, kości lub drobne przedmioty trzymane w ustach (np. szpilki, igły krawieckie). Ostre, drobne przedmioty wbijają się najczęściej w migdałek podniebienny lub językowy (znajdujący się na podstawie języka).

Objawy to ostry ból przy połykaniu i ślinotok.

Leczenie polega na usunięciu ciała obcego przez lekarza za pomocą odpowiednich kleszczyków. Nie należy w celu „przepchnięcia" przeszkadzającej ości czy kości spożywać chleba, kaszy i innych pokarmów. Takie postępowanie utrudnia tylko późniejsze odnalezienie ciała obcego, które zostaje bardziej wbite w błonę śluzową lub przesuwa się do przełyku.

Nowotwory jamy ustnej, gardła, krtani, zatok przynosowych, zob. Choroby nowotworowe, s. 2036–2039 .

IV. CHOROBY KRTANI

Dolegliwości ze strony krtani

Krtań jest częścią drogi oddechowej oraz narządem głosowym. Spełnia ona rolę ochronną dla dolnych odcinków tej drogi, ponieważ zamykając tchawicę, np. w czasie połykania, zapobiega dostawaniu się do niej ciał obcych. Dolegliwości ze strony krtani (duszność, chrypka) wynikają z jej roli w układzie oddechowym.

Duszność krtaniowa

Dolegliwość ta powstaje w wyniku zwężenia światła dróg oddechowych na wysokości krtani. Zmniejszeniu ulega przestrzeń zawarta między więzadłami głosowymi, co utrudnia przechodzenie powietrza. Powietrze wdychane i wydychane przeciska się przez zwężenie wywołując charakterystyczny świst.

Nasilenie duszności zależy od stopnia zwężenia oraz szybkości jego narastania. W nagle pojawiającej się przeszkodzie (np. obrzęk krtani wywołany uczuleniem, ciało obce) uczucie duszności jest bardziej nasilone niż w wolno narastającym zwężeniu, kiedy istnieje możliwość zaadaptowania się do zmniejszonego dowozu tlenu.

Duszność krtaniowa, jeśli pojawi się nagle, może przebiegać bardzo dramatycznie i nierzadko grozi uduszeniem. Do nagłej duszności krtaniowej szybciej i łatwiej dochodzi u dzieci. Światło krtani u dzieci jest znacznie węższe niż u dorosłych, a błona śluzowa bardzo szybko reaguje obrzękiem pod wpływem różnych czynników zapalnych, alergicznych, toksycznych.

Pomoc lekarska w nagłej duszności musi być natychmiastowa. Wysiłek fizyczny i napięcie emocjonalne powodują pogorszenie oddychania, dlatego choremu należy zapewnić spokój do czasu przewiezienia go do szpitala na ostry dyżur laryngologiczny.

Leczenie duszności krtaniowej zależy od przyczyny, która ją wywołała. W niektórych sytuacjach jest konieczne wykonanie zabiegu operacyjnego, tzw. tracheostomii. Zabieg ten polega na otwarciu na zewnątrz tchawicy w odcinku szyjnym i wprowadzeniu w otwór rurki. Przez rurkę chory oddycha z ominięciem przeszkody znajdującej się w krtani. Tracheostomia jest zabiegiem ratującym życie. Jeśli przyczyny duszności zostaną wyleczone, rurkę usuwa się i fizjologiczny tor oddychania zostaje przywrócony.

Chrypka

„Szorstkość" głosu, zwana chrypką, powstaje w wyniku nieprawidłowej fonacji, czyli tworzenia dźwięku. W czasie fonacji więzadła głosowe muszą dokładnie przylegać do siebie na całej długości i drgać podobnie do strun instrumentów muzycznych. Zmiany patologiczne na więzadłach głosowych, nawet bardzo niewielkie, doprowadzają do zaburzeń w ich zwarciu oraz drganiach. Podobnie zmniejszenie elastyczności więzadeł głosowych zaburza wytwarzanie głosu i wywołuje chrypkę.

Przyczyny chrypki są różne. Mogą to być: zmiany zapalne krtani (ostre i przewlekłe), zmiany nowotworowe, zmiany w drobnych stawach i mięśniach krtani, uszkodzenie nerwu unerwiającego mięśnie krtani. Jeśli przyczyną chrypki są zaburzenia czynnościowe (bez widocznych zmian organicznych w krtani), leczenie prowadzą poradnie foniatryczne zajmujące się patologią głosu i mowy. Chrypka trwająca dłużej niż 3 tygodnie wymaga pilnego badania przez laryngologa w celu wykluczenia raka krtani.

Choroby krtani

Ostre zapalenie krtani. Choroba powstaje w przebiegu przeziębienia na skutek nadużywania głosu w zimnych albo nadmiernie zakurzonych pomieszczeniach lub po wypiciu zimnych płynów. Oddychanie przez usta z powodu zmniejszonej drożności nosa, palenie tytoniu, nadużywanie alkoholu ułatwiają powstanie ostrego zapalenia krtani.

Objawem podstawowym jest chrypka, a okresowo nawet zupełny bezgłos. Do tego dołącza się uczucie drapania, pieczenia, zawadzania w gardle i suchy kaszel. Może również wystąpić podwyższona temperatura ciała.

Leczenie, jak we wszystkich stanach zapalnych, początkowo polega na podawaniu środków napotnych w postaci gorącej herbaty, najlepiej z sokiem malinowym, ewentualnie polopiryny. Ze względu na suchy, męczący kaszel można stosować tabletki emskie i inhalacje z dodatkiem soli, np. bocheńskiej, lub olejków eterycznych (eukaliptusowy, miętowy, tymiankowy itp.). Należy ograniczyć do minimum mówienie i to tylko szeptem, jak również bezwzględnie zaprzestać palenia tytoniu i picia alkoholu. Jeśli objawy nie ustąpią w ciągu 3–4 dni, należy udać się do lekarza laryngologa.

Ostre zapalenia krtani u dzieci mają inny przebieg niż u dorosłych. Zwłaszcza u małych dzieci na pierwszy plan objawów wysuwają się zaburzenia oddychania, dochodzi do duszności krtaniowej (zob. wyżej). Czynnikami wywołującymi chorobę są najczęściej zakażenia wirusowe, rzadziej bakteryjne. Pewną rolę odgrywają również czynniki alergiczne. Przeważnie chorują dzieci w wieku 1–3 lat.

Podgłośniowe zapalenie krtani jest najczęstszą postacią ostrego zapalenia krtani u małych dzieci. Ze względu na szybkie narastanie obrzęku może ono mieć przebieg dramatyczny. Objawy pojawiają się nagle, w „zupełnym zdrowiu". Dziecko budzi się w nocy z nasiloną d u s z n o ś c i ą, której towarzyszy charakterystyczny ś w i s t krtaniowy i „s z c z e k a j ą c y" k a s z e l. Objawy duszności ustępują po kilku godzinach, czasem po kilku dniach.

P i e r w s z a p o m o c polega na dostarczeniu świeżego powietrza (należy otworzyć okno, nawilżyć powietrze w pomieszczeniu, w którym dziecko przebywa). Należy też podać większą ilość płynu i syrop wykrztuśny. Gdy duszność nie ustępuje, ale nasila się, trzeba szybko przewieźć dziecko do szpitala na ostry dyżur laryngologiczny.

Przewlekłe zapalenie krtani jest często następstwem nawracających ostrych zapaleń krtani. Powstaje ono pod wpływem długotrwałego oddziaływania czynników szkodliwych, takich jak nadużywanie alkoholu, palenie tytoniu, duże zapylenie, zwiększone stężenie związków chemicznych w powietrzu, nagłe zmiany temperatury otoczenia, jak również zawodowe nadużywanie głosu (aktorzy, nauczyciele). Przewlekłe zapalenie krtani może przebiegać w dwóch postaciach: jako postać przerostowa i zanikowa.

O b j a w e m podstawowym jest chrypka o różnym nasileniu. Towarzyszą jej kaszel, stałe uczucie przeszkody, drapanie i zasychanie w gardle. Charakterystyczne jest łatwe męczenie się głosu.

P r z e r o s t o w e p r z e w l e k ł e z a p a l e n i e k r t a n i. W przebiegu tej choroby dochodzi do zgrubienia błon śluzowych, głównie więzadeł głosowych, a nawet do ich zrogowacenia. Niektóre zrogowaciałe zmiany przerostowe mogą ulegać przemianom złośliwym, dlatego zalicza się je do tzw. stanów przedrakowych.

L e c z e n i e zmian przerostowych jest operacyjne, a chory podlega stałej, okresowej kontroli laryngologicznej. Każdy rodzaj przewlekłych zmian w krtani jest bezwzględnym wskazaniem do zaprzestania palenia tytoniu.

Z a n i k o w e p r z e w l e k ł e z a p a l e n i e k r t a n i częściej rozwija się u kobiet. Niejednokrotnie towarzyszą mu również zanikowe zmiany błon śluzowych nosa i gardła. Błony śluzowe stają się bardziej wrażliwe na różne mikrourazy, łatwo krwawią.

L e c z e n i e jest objawowe i długotrwałe. Konieczne jest unikanie suchego, zadymionego powietrza. Uczucie suchości łagodzą inhalacje z dodatkiem np. soli bocheńskiej, ciechocińskiej, iwonickiej lub nawet soli kuchennej. Wskazane jest leczenie balneoklimatyczne (Szczawnica, Ciechocinek, miejscowości nadmorskie).

Swoiste zapalenie krtani towarzyszy przebiegowi takich chorób, jak gruźlica, kiła. Pojawiające się zmiany na więzadłach głosowych wywołują chrypkę. L e c z e n i e takie jak choroby zasadniczej.

Urazy krtani powstają najczęściej wskutek zadziałania siły od zewnątrz na przednią okolicę szyi. Mogą być tępe lub ostre. Zdarzają się przeważnie w wyniku wypadków komunikacyjnych, a u dzieci często w trakcie zabaw. Bardzo niebezpieczne jest już samo uderzenie w okolicę krtani przy odgiętej do tyłu szyi, ponieważ może wywołać objawy wstrząsu lub skurcz głośni (zamknięcie dróg oddechowych).

Objawy po urazie mają różne nasilenie i mogą narastać w czasie. Może pojawić się duszność, ból, kaszel i bezgłos. Zawsze konieczne jest zgłoszenie się na ostry dyżur laryngologiczny.

Zaburzenia głosu i mowy

Foniatria jest specjalnością lekarską zajmującą się zaburzeniami głosu i mowy. Rozwój głosu i mowy trwa do okresu dojrzewania i dlatego najwięcej zaburzeń występuje u dzieci. Wczesne rozpoznanie i leczenie zaburzeń głosu i mowy ma istotne znaczenie dla rozwoju psychicznego i fizycznego dziecka.

Zaburzenia głosu objawiają się najczęściej chrypką, zaburzenia mowy – bełkotaniem, jąkaniem i nosowaniem. Leczenie zaburzeń głosu i mowy jest prowadzone w poradniach foniatrycznych. Poradnie te prowadzą również rehabilitację głosu u chorych, którym z powodu zmian nowotworowych usunięto krtań. Człowiek pozbawiony krtani może wyuczyć się głosu zastępczego, przełykowego lub może korzystać z odpowiednich aparatów elektronicznych, z tzw. krtani elektrycznej (dostępnej w naszym kraju).

Zaburzenia czynnościowe występują najczęściej u młodych kobiet w czasie silnych napięć emocjonalnych. Może nastąpić nawet całkowita utrata głosu (afonia). Charakterystyczny dla zaburzeń czynnościowych jest fakt prawidłowej czynności krtani w czasie kaszlu (wydawanie dźwięku). Leczenie polega na stosowaniu psychoterapii.

GINEKOLOGIA I POŁOŻNICTWO

I. FIZJOLOGIA NARZĄDU RODNEGO KOBIETY

Pokwitanie

P o k w i t a n i e jest to okres życia, w którym występuje dynamiczny rozwój całego organizmu, wszystkich narządów i tkanek pod wpływem ustalania się nowej równowagi hormonalnej. Zachodzące zmiany konstytucjonalne doprowadzają do pełnego zróżnicowania obu płci, następuje rozwój wewnętrznych i zewnętrznych narządów płciowych oraz pełne wykształcenie się drugorzędowych, tj. wtórnych cech płciowych (zob. Fizjologia, s. 250 oraz s. 1795).

O ś r o d k o w y u k ł a d n e r w o w y przez swoją czynność neurosekrecyjną (podwzgórze) wpływa na tempo rozwoju dojrzewania płciowego. Wzmaga się w tym okresie napięcie układu nerwowego obwodowego i współczulnego. R o z w ó j u m y s ł u postępuje w trzech kierunkach: nasila się chłonność pamięci i umiejętność myślenia analitycznego, ustala się kierunek zainteresowań, rozwija się osobowość.

Moment r o z p o c z ę c i a p o k w i t a n i a nie został dotychczas dokładnie określony. Wiek, w którym rozpoczyna się pokwitanie, zależy od szerokości geograficznej: w krajach południowych dziewczęta osiągają dojrzałość płciową w wieku 9–12 lat, w naszej szerokości geograficznej w wieku 13–15 lat, natomiast w krajach północnych ok. 16 r. życia. Zmiany zachodzące w tym czasie w organizmie żeńskim są uwarunkowane czynnością wydzielniczą gruczołów dokrewnych: podwzgórza, przysadki, jajników. W początkowej fazie pokwitania następuje znaczny wzrost wydzielania hormonów przedniego płata przysadki – g o n a d o t r o p i n, które pobudzają gruczoły płciowe (jajniki) do wzmożonej syntezy i uwalniania h o r m o n ó w p ł c i o w y c h – estrogenów i progesteronu. Hormony płciowe warunkują prawidłowy rozwój drugorzędnych cech płciowych. Pierwszą oznaką pokwitania jest najczęściej okres przyspieszonego wzrostu. Przypuszcza się, że okres ten pozostaje pod kontrolą przysadki, tarczycy i gruczołów płciowych.

Jednym z pierwszych objawów zaczynającego się okresu dojrzewania płciowego jest pojawienie się w pochwie białej, grudkowatej, śluzowej wydzieliny o kwaśnym zapachu i odczynie. Jest to wynikiem przełomu hormonalnego. Estrogeny wydzielane przez jajniki wpływają głównie na rozwój gruczołów piersiowych. Oznaki rozwoju sutków występują na 2–3 lata przed pierwszym krwawieniem miesięcznym. Równocześnie pojawia się i nasila owłosienie pachowe oraz wzgórka łonowego. Za najbardziej kobiecą cechę dojrzewania płciowego uważa się wystąpienie pierwszego krwawienia miesięcznego, czyli menstruacji. Początkowe miesiączki występują nieregularnie, w pierwszym roku cykle miesiączkowe są z reguły bezowulacyjne (bez jajeczkowania). Bardzo istotnym elementem dojrzałego żeńskiego systemu przysadkowo-gonadowego jest rytm biologiczny. Występuje cykliczny wzrost wydzielania hormonów przysadkowych – gonadotropin, które z kolei pobudzają jajnik (gonadę) do wydzielania hormonów oraz dojrzewania, a następnie uwalniania komórki jajowej. Od tej pory cykle miesiączkowe są owulacyjne, tzn. w prawie każdym cyklu dojrzewa komórka jajowa zdolna do zapłodnienia. Organizm kobiety jest w okresie biologicznej gotowości do spełnienia funkcji rozrodczych.

Cykl miesiączkowy

Cykl miesiączkowy jest to przedział czasu, w którym zachodzą charakterystyczne zmiany w błonie śluzowej macicy. Miesiączka jest krwawieniem z jamy macicy, wynikającym ze złuszczania warstwy czynnościowej błony śluzowej macicy. Miesiączka trwa ok. 3–5 dni. Potem następuje odnowa błony śluzowej macicy, wzrost warstwy czynnościowej i rozrost gruczołów cewkowych.

Czas, w którym następuje rozrost (proliferacja) błony śluzowej macicy, nazywany jest fazą rozrostu lub wzrostową. Trwa ona 9–12 dni. Następnie gruczoły cewkowe podejmują czynność wydzielniczą. Faza ta, zwana fazą wydzielania lub wydzielniczą, albo sekrecyjną, trwa ok. 10–12 dni. W komórkach błony śluzowej macicy gromadzą się wówczas duże ilości glikogenu i innych składników odżywczych. Błona śluzowa jest przygotowana do przyjęcia zapłodnionej komórki jajowej. Jeżeli nie doszło do zapłodnienia, błona śluzowa ulega niedokrwieniu, co prowadzi do zmian wstecznych, złuszczenia i wydalenia jej z macicy, czyli do krwawienia. Czas liczony od pierwszego dnia krwawienia do pierwszego dnia kolejnego krwawienia określony jest jako cykl miesiączkowy. Przeciętnie wynosi on 28–30 dni, czyli równa się miesiącowi księżycowemu. Stąd też wzięło się określenie – miesiączka, tzn. krwawienie, które występuje jeden raz w miesiącu w równych odstępach czasu. U części kobiet miesiączki występują częściej, tj. co 24–26 dni, u innych rzadziej – co 32–35 dni.

W ośrodkowym układzie nerwowym kobiet stwierdzono istnienie tzw. ośrodka cykliczności, który steruje czynnością wydzielniczą podwzgórza, przysadki i jajników. Istnienie tego ośrodka jest cechą charakterys-

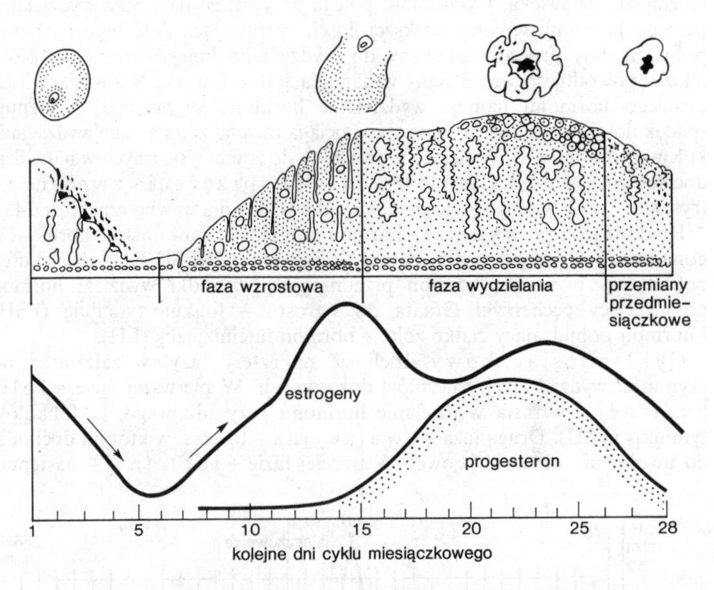

Przemiany błony śluzowej macicy w fazach cyklu miesiączkowego i udział w tym hormonów

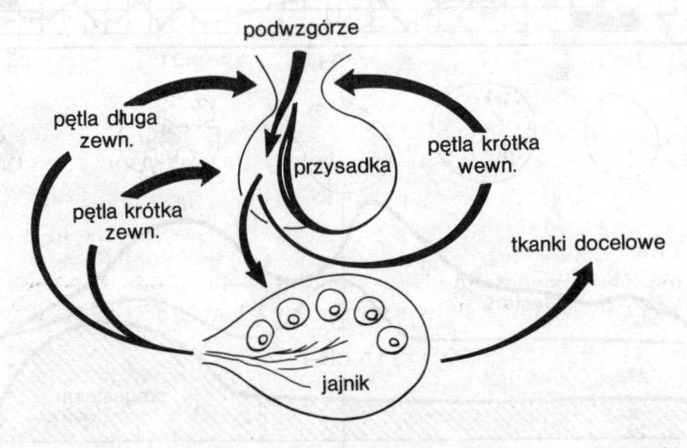

Zasada sprzężenia zwrotnego w czynności gruczołów wewnątrzwydzielniczych u kobiety. Pętla krótka wewnętrzna – hormony przysadki hamują wydzielanie podwzgórzowych hormonów uwalniających; pętla krótka zewnętrzna – hormony jajników hamują wydzielanie hormonów przysadki; pętla długa zewnętrzna – hormony jajników hamują wydzielanie podwzgórzowych hormonów uwalniających

tyczną dla człowieka. Cykliczność polega na tym, że następuje wydzielanie jednego hormonu w coraz większej ilości. Wzrastająca ilość tego hormonu pobudza inny gruczoł dokrewny do wydzielania innego hormonu, który z kolei powoduje pewne zmiany w narządach docelowych. Narastająca ilość drugiego hormonu hamuje wydzielanie hormonu pierwszego. Następuje spadek ilości pierwszego hormonu, co pociąga za sobą zmniejszone wydzielanie kolejnych hormonów. W efekcie prowadzi to do zmian wstecznych w narządzie docelowym – w macicy. Jest to tzw. z a s a d a s p r z ę ż e n i a z w r o t n e g o (rys. na s. 1783, zob. też Fizjologia, Układ wydzielania wewnętrznego, s. 243).

P o d w z g ó r z e w y d z i e l a hormon pobudzający uwalnianie hormonów gonadotropowych przysadki, zwany luliberyną (LH/FSH-RH). Na skutek pobudzenia przez ten hormon przedni płat przysadki wydziela hormon pobudzający pęcherzyki Graafa do wzrostu – folikulostymulinę (FSH) i hormon pobudzający ciałko żółte – hormon luteinizujący (LH).

C y k l m i e s i ą c z k o w y dzieli się na cztery fazy, w zależności od czynności wydzielniczej gruczołów dokrewnych. W pierwszej fazie – f o l i k u l a r n e j – wzrasta wydzielanie hormonu przysadkowego, tj. folikulostymuliny (FSH). Druga faza – o w u l a c y j n a – to czas, w którym dochodzi do uwolnienia komórki jajowej. W trzeciej fazie – l u t e a l n e j – następuje

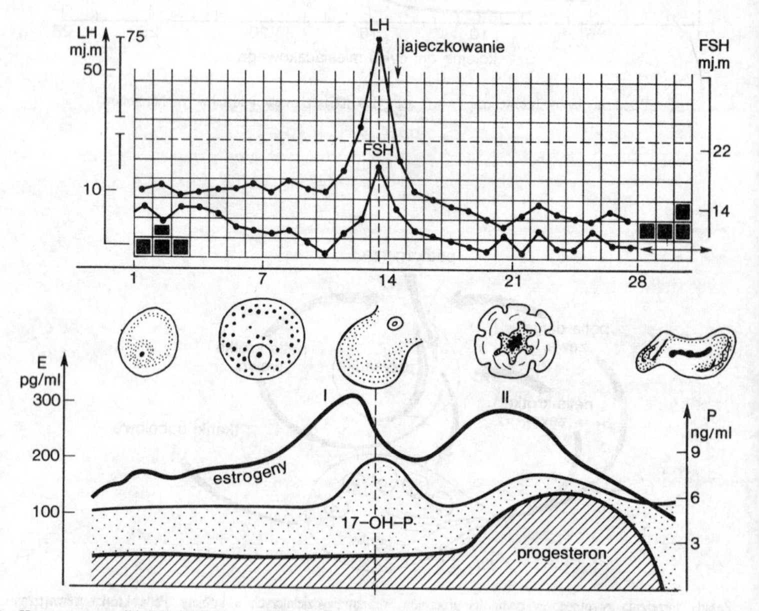

Hormony przysadki (LH i FSH) oraz jajnika w przebiegu cyklu miesiączkowego: LH – hormon luteinizujący, FSH – folikulostymulina, E – estrogeny, P – progesteron, 17-OH-P – 17-hydroksyprogesteron, I – okres przed jajeczkowaniem, II – okres po jajeczkowaniu

Schemat cyklu jajnikowego – dojrzewanie komórki jajowej w pęcherzyku Graafa i uwalnianie jaja: 1 – macierzysty pęcherzyk pierwotny, 2 – pęcherzyk pierwotny rozwinięty, 3 – pęcherzyk wzrastający, 4 – pęcherzyk w stadium jamki; komórki osłonki wewnętrznej tworzą charakterystyczny stożek w jednym biegunie, 5 – pęcherzyk Graafa tuż przed pęknięciem, 6 – jajeczkowanie, 7 – ciałko żółte, 8 – zanikające ciałko żółte, 9 – bliznowaty twór po ciałku żółtym (ciałko białawe)

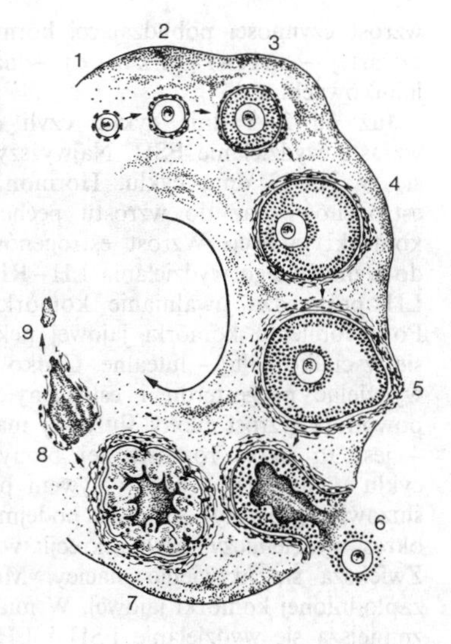

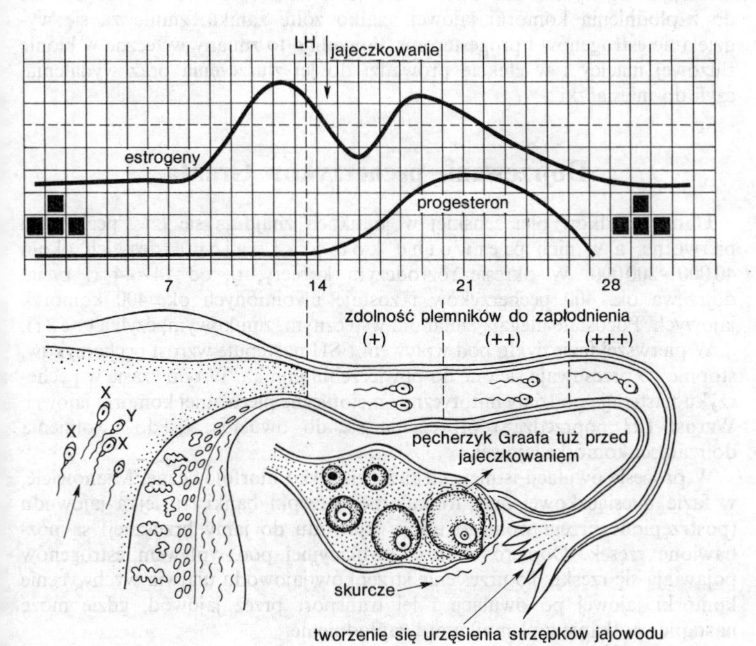

wzrost czynności pobudzającej hormonu luteinizującego (LH), a w fazie czwartej – miesiączkowej – następuje spadek poziomu hormonów jajnikowych.

Już od 2–3 dnia cyklu, czyli od 2–3 dnia miesiączki stopniowo wzrasta wydzielanie FSH. Najwyższy poziom wydzielania FSH obserwuje się w 12–13 dniu cyklu. Hormon ten pobudza jajnik do wydzielania estrogenów oraz do wzrostu pęcherzyka Graafa i dojrzewania w nim komórki jajowej. Wzrost estrogenów pobudza podwzgórze i przysadkę do wzmożonego wydzielania LH–RH i LH. Najwyższy szczyt wydzielania LH poprzedza uwalnianie komórki jajowej, czyli jajeczkowanie. Po uwolnieniu komórki jajowej pęknięty pęcherzyk Graafa przekształca się w ciałko żółte – lutealne. Ciałko żółte stymulowane przez LH zaczyna wydzielać progesteron i estrogeny. W pierwszej fazie cyklu estrogeny powodują wzrost błony śluzowej macicy i rozrost gruczołów cewkowych – jest to okres rozrostu tej błony, czyli proliferacji. W fazie drugiej cyklu – lutealnej – pod wpływem progesteronu następuje przerost błony śluzowej, gruczoły cewkowe podejmują czynność wydzielniczą – jest to okres wydzielniczy, czyli sekrecji; w komórkach wzrasta ilość glikogenu. Zwiększa się ukrwienie macicy. Macica przygotowuje się do przyjęcia zapłodnionej komórki jajowej. W miarę wzrostu estrogenów i progesteronu zmniejsza się wydzielanie FSH i LH (rys. na s. 1784). Jeżeli nie dojdzie do zapłodnienia komórki jajowej, ciałko żółte zanika, zmniejsza się wydzielanie estrogenów i progesteronu. Powoduje to zmiany wsteczne w błonie śluzowej macicy i w efekcie prowadzi do jej złuszczenia oraz wydalenia, czyli do miesiączki.

Dojrzewanie pęcherzyków Graafa

U noworodków płci żeńskiej w jajnikach znajdują się tzw. pęcherzyki pierwotne, a w nich pierwotne komórki jajowe. Jest ich około 40 000–200 000. W okresie rozrodczym kobiety, tj. od 14–44 r. życia, dojrzewa ok. 400 pęcherzyków i zostaje uwolnionych ok. 400 komórek jajowych. Pozostałe ulegają zmianom wstecznym, zanikowym, czyli atrezji.

W pierwszej fazie cyklu pod wpływem FSH następuje wzrost pęcherzyków, stopniowo przesuwają się one do powierzchni jajnika. W tym czasie w pęcherzyku następują podziały mitotyczne i mejotyczne pierwotnej komórki jajowej. Wzrost LH poprzedza i przyczynia się do owulacji, tj. do uwolnienia dojrzałości komórki jajowej.

W procesie owulacji istnieje ciekawe zjawisko morfologiczne. Mianowicie, w fazie miesiączkowej oraz folikularnej strzępki bańki, tj. lejka jajowodu (postrzępione brzegi wolnego ujścia jajowodu do jamy brzusznej) są pozbawione rzęsek. Dopiero w fazie owulacyjnej pod wpływem estrogenów pojawiają się rzęski. To urzęsienie strzępków jajowodu ułatwia wychwycenie komórki jajowej po owulacji i jej transport przez jajowód, gdzie może nastąpić spotkanie z plemnikami i zapłodnienie.

Po wyrzuceniu komórki jajowej ściana pęcherzyka zapada się, rozpoczyna się proces przemiany pękniętego pęcherzyka w ciałko żółte. Istnieje ono w jajniku ok. 14 dni. Jeżeli nie dojdzie do zapłodnienia komórki jajowej, ulega zmianom zanikowym, czyli luteolizie. Natomiast w przypadku zapłodnienia – przekształca się w ciałko ciążowe.

Wpływ hormonów jajnikowych na nabłonek pochwy i śluz szyjkowy

Błona śluzowa pochwy jest pokryta nabłonkiem wielowarstwowym płaskim nie rogowaciejącym. Na komórki warstwy powierzchownej oddziałują hormony jajnikowe. Estrogeny przyspieszają dojrzewanie komórek warstwy powierzchownej, progesteron natomiast zwiększa tempo ich podziału. Komórki są mniej dojrzałe, ale jest ich więcej. Dzięki tym przemianom badania mikroskopowe rozmazów komórkowych (cytologicznych) z pochwy po odpowiednim barwieniu pozwalają ocenić prawidłowość kolejnych faz cyklu miesiączkowego. Na podstawie badania cytohormonalnego można ocenić czynność hormonalną jajników – estrogenów i progesteronu oraz stwierdzić owulację.

Wraz z cyklicznym wydzielaniem estrogenów i progesteronu następują zmiany biofizyczne i biochemiczne śluzu szyjkowego. W miarę narastania poziomu estrogenów śluz staje się bardziej ciągliwy, przejrzysty, przepuszczalny dla plemników. Jest wydzielany w znacznie większej ilości. Pod wpływem progesteronu konsystencja śluzu zmienia się. Staje się on gęsty, mniej ciągliwy, nieprzepuszczalny dla plemników. Zdrowa kobieta sama może obserwować cykliczne zwiększanie się wydzieliny w pochwie poprzedzające jajeczkowanie. W przypadku istnienia stanów zapalnych ta cecha nie może być brana pod uwagę w ocenie owulacji.

Podstawowa temperatura ciała

Hormony jajnikowe wywierają również wpływ na temperaturę ciała. W pierwszej fazie cyklu miesięcznego, kiedy wzrasta wydzielanie estrogenów, stwierdza się niższą temperaturę ciała niż w fazie lutealnej. Najwyższy poziom estrogenów, poprzedzający szczyt wydzielania hormonu luteinizującego (LH), powoduje największe obniżenie się temperatury ciała. Po jajeczkowaniu temperatura wzrasta o 0,5 – 1°C i utrzymuje się na tym poziomie przez cały okres czynności wydzielniczej ciałka żółtego (rys. na s. 1788). To zjawisko w przybliżeniu pozwala stwierdzić jajeczkowanie. Pomiar temperatury ciała powinien być wykonany rano, co najmniej po 6-godzinnym wypoczynku, przed podjęciem jakichkolwiek czynności. Temperaturę należy mierzyć w pochwie lub jamie ustnej, począwszy od 5 dnia cyklu. Na podstawie wykresu temperatury i obserwacji śluzu szyjkowego każda kobieta może

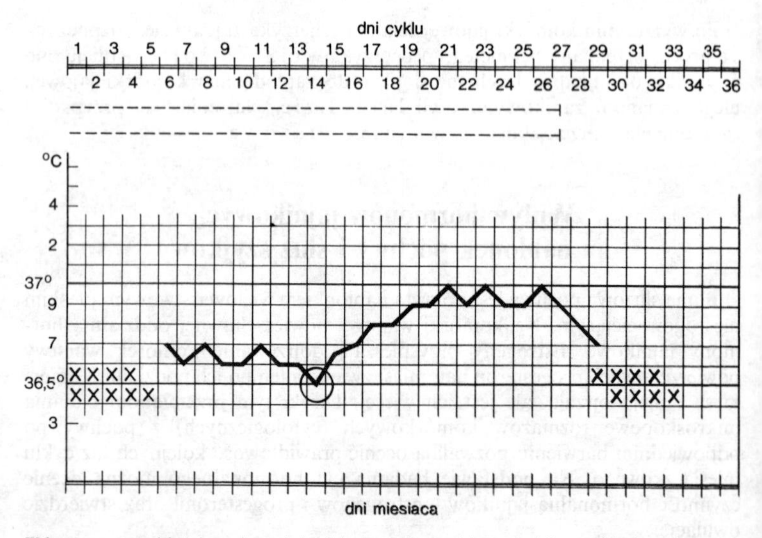

Wykres temperatury ciała (mierzonej w pochwie lub jamie ustnej) pozwalający stwierdzić proces jajeczkowania. Owulacji towarzyszy najniższa temperatura (w kółeczku)

sama orientacyjnie określić czas jajeczkowania. Ma to istotne znaczenie w planowaniu rodziny. W przypadku istnienia procesu chorobowego z podwyższoną temperaturą, to badanie nie może być brane pod uwagę.

Przekwitanie

Przekwitanie, inaczej k l i m a k t e r i u m, jest to okres przejściowy w życiu kobiety od pełnej dojrzałości płciowej do starości. W tym okresie dochodzi do zaniku miesiączkowania. Ostatnia miesiączka – m e n o p a u z a – jest oznaką przekwitania. Okres przekwitania można podzielić na dwa podokresy: 1) okres przed ostatnią miesiączką trwający ok. 6 lat i 2) okres po ostatniej miesiączce trwający ok. 6 lat. Ostatnia miesiączka występuje pomiędzy 46 a 52 r. życia kobiety.

Okres przekwitania wiąże się ze zmianami w ośrodkowym układzie nerwowym, postępującymi zmianami morfologicznymi w jajnikach oraz z zaburzeniami enzymatycznymi biosyntezy i metabolizmu hormonów steroidowych.

Głównym objawem zaburzonej czynności jajników w tym okresie życia kobiety jest utrata cykliczności wydzielania estrogenów. Jest to spowodowane zanikiem zdolności wyzwolenia rytmicznych bodźców dla podwzgórza przez ośrodkowy układ nerwowy. Równocześnie z tymi zmianami postępują stopniowo procesy degeneracji i zaniku większości swoistych struktur jajnika.

Najpierw zanika zdolność do pełnego dojrzewania pęcherzyka Graafa i komórek jajowych. Pierwszą oznaką rozpoczynającego się przekwitania jest zanikanie działania lutealnego – brak ciałka żółtego. Cykle stają się bezowulacyjne. Niedobór progesteronu i zmniejszone wydzielanie estrogenów powodują wzrost wydzielania gonadotropin przysadkowych. Zachwiany przebieg procesów hormonalnych przez sprzężenie zwrotne pogłębia nieprawidłowość procesów psychonerwowych.

Okres przekwitania i starości dzieli się na trzy okresy hormonalne:

I okres – alutealny, braku ciałka żółtego,

II okres – hipoestrogenny, zmniejszonego wydzielania estrogenów,

III okres – hipohormonalny, zmniejszonego wydzielania hormonów układu podwzgórze – przysadka – jajnik.

Objawy kliniczne okresu przekwitania są tym silniejsze, im gwałtowniej dochodzi do obniżenia produkcji estrogenów.

W pierwszym okresie obserwuje się niepłodność, zaburzenia rytmu cyklu miesięcznego, niekiedy krwawienia czynnościowe. Miesiączki występują coraz rzadziej, są bardziej skąpe.

W drugim okresie mogą pojawić się dolegliwości bardziej uciążliwe dla kobiety. Są to zaburzenia wegetatywne i psychiczne, zwane objawami wypadowymi. Kobiety skarżą się na uczucie gorąca w nadbrzuszu, w klatce piersiowej, występuje zaczerwienienie twarzy i uderzenia krwi do głowy. Może występować przyspieszenie czynności serca, przyspieszenie oddechów, nadmierne pocenie się, bóle i zawroty głowy. Zaburzenia naczynioruchowe występują często podczas wysiłku, napięcia emocjonalnego. Po 2–3 latach objawy te ustępują bez leczenia. Niekiedy utrzymują się nawet do 68 r. życia.

Wśród zaburzeń psychicznych występują: silna labilność emocjonalna, wzmożona drażliwość, depresja, osłabienie pamięci. Zmiany te są problemem w życiu kobiety pracującej. Wpływają na aktywność i wydajność w pracy, bywają przyczyną konfliktu z otoczeniem.

W okresie przekwitania zwiększa się zachorowalność na choroby nowotworowe narządu rodnego. W następstwie zaniku estrogenów występują zmiany narządowe i ogólnoustrojowe: zwiększa się ilość cholesterolu, postępują zmiany miażdżycowe, narasta otyłość, obserwuje się zaburzenia gospodarki wapniowo-fosforanowej. Do najczęściej spotykanych chorób ogólnych w tym czasie należy: nadciśnienie tętnicze, zapalenie pęcherzyka żółciowego, cukrzyca, zmiany zwyrodnieniowe stawów, zrzeszotnienie kości.

Obecnie coraz częściej stosuje się leczenie hormonalne, które pozwala w znacznym stopniu złagodzić i zwolnić przebieg procesu starzenia. Leczenie takie może być prowadzone jedynie pod stałą kontrolą lekarską.

Starość

Starość jest to okres po przekwitaniu, w którym rozpoczyna się proces starzenia organizmu i ostatecznej adaptacji podwzgórza do znacznie zmniejszonego wydzielania estrogenów. W tym okresie życia u kobiety często występują choroby organiczne. W narządach płciowych stwierdza się często zanikowe zapalenie sromu i pochwy, zwężenie przedsionka pochwy, zanik fałdów błony śluzowej pochwy, osłabienie tkanek dna miednicy mniejszej. Występuje zanikowe zapalenie pęcherza moczowego i cewki moczowej, które może spowodować częstomocz, nietrzymanie moczu. Zaburzenia gospodarki fosforanowo-wapniowej prowadzą do zrzeszotnienia kości, tj. postępującego odwapniania kości długich i kręgosłupa. To powoduje częste złamania szyjki kości udowej. Występują bóle w okolicy krzyżowej w wyniku zmian zesztywniających i zniekształcenia kręgosłupa. Pojawiają się zmiany skórne: zwiotczenie skóry, marszczenie, utrata pigmentacji, nadmierne rogowacenie, wypadanie włosów.

II. HIGIENA KOBIETY

Higiena to nauka o zdrowiu. Należy do niej pielęgnowanie zdrowia i urody, zapobieganie chorobom, przedłużanie życia. Podstawą pielęgnowania zdrowia i urody jest utrzymanie czystości ciała, lekkie i umiarkowane odżywianie, uregulowany tryb życia, ruch na świeżym powietrzu.

Higiena osobista

Codzienne mycie całego ciała, przynajmniej dwa razy dziennie mycie okolicy sromu, używanie własnego ręcznika – to podstawowe zasady utrzymania czystości ciała, które współczesna kobieta powinna znać i stosować od dzieciństwa. Mycie sromu wodą i mydłem toaletowym powinno być wykonywane od spojenia łonowego do odbytnicy, a nie w kierunku odwrotnym. Niewskazane jest wykonywanie irygacji, czyli przepłukiwania pochwy, gdyż zaburza to naturalną biologię pochwy. Zabieg ten może być wykonywany tylko na zlecenie lekarza przy leczeniu zakażeń pochwy.

W każdym przypadku zauważenie zwiększonej wydzieliny z pochwy, pieczenia, świądu pochwy i sromu należy udać się do lekarza ginekologa i prowadzić leczenie pod jego kierunkiem. Szczególnie częste są zakażenia pochwy rzęsistkiem pochwowym i grzybicą przy zbiorowym korzystaniu z łazienek i toalet. Drobnoustroje długo zachowują zdolność zakażenia, żyjąc w wilgotnym środowisku na powierzchni urządzeń sanitarnych, ręcznika, gąbkach, ściereczkach. Przy korzystaniu z tych urządzeń jest zalecana szczególna ostrożność. Wskazane jest wówczas mycie się pod prysznicem zamiast kąpieli w wannie.

Higiena miesiączki. Krwawienie miesiączkowe jest okresem, w którym obowiązuje kobietę specjalne postępowanie higieniczne. Krew wypływająca z jamy macicy do pochwy stanowi dobrą odżywkę dla bakterii. Częstość zmiany wkładki jest uzależniona od obfitości krwawienia. Przy umiarkowanym krwawieniu obowiązuje czterokrotna zmiana wkładki na dobę. Nie zalecane jest w czasie pierwszych obfitych dni miesiączki zakładanie na wiele godzin tamponów OB, które zamykają pochwę, utrudniają odpływ krwi i stwarzają niebezpieczeństwo wstępującego zakażenia macicy i przydatków. Przed zmianą wkładki wskazane jest mycie okolicy sromu. Nie można w czasie miesiączki brać ciepłych kąpieli w wannie, gdyż nasila to krwawienie i może spowodować wystąpienie krwotoku. Nie wskazane są również kąpiele rzeczne lub morskie. Przeciwwskazane są w tym okresie stosunki płciowe, które ułatwiają wprowadzenie zakażenia. W okresie miesiączki należy unikać wysiłków fizycznych, natomiast nie ma przeciwwskazań do lekkiej gimnastyki. Picie alkoholu nawet w niedużej ilości nasila krwawienia miesiączkowe.

Higiena żywienia

Prawidłowe odżywianie to ważny czynnik w zachowaniu zdrowia i zapobieganiu chorobom. Nieprawidłowe odżywianie, zarówno pod względem ilości, jak i składu pożywienia, może być przyczyną ciężkich chorób. Nadwaga u kobiet w większości przypadków jest wynikiem nieprzestrzegania higieny żywienia.

W okresie pełnej dojrzałości lekko pracujące kobiety powinny spożywać ok. 2100 kcal (8800 kJ) na dobę. Organizm kobiet młodych będących w okresie wzrostu oraz kobiet ciężko pracujących wymaga dostarczenia wraz z żywnością ok. 3200 kcal (13400 kJ) na dobę. Częste przekraczanie zapotrzebowania energetycznego, spożywanie nadmiernej ilości węglowodanów (pieczywo, słodycze), tłuszczów powoduje stopniowy przyrost masy ciała i następowe zwiększanie łaknienia. Dlatego kobieta powinna prowadzić cotygodniową kontrolę masy ciała. Przekroczenie normy przewidzianej w specjalnie opracowanych tabelach wg przyjętych wzorów (zob. Fizjologia, s. 218) powinno być sygnałem do ograniczenia przyjmowanych kalorii, zwłaszcza zmniejszenia lub wyeliminowania z posiłków węglowodanów. W regulacji codziennej diety należy uwzględnić białko (ok. 1,0 g/kg masy ciała). *Niedobory białkowe* mogą być przyczyną gorszej sprawności umysłowej, zmęczenia, zmniejszenia odporności na zakażenie. *Niedobory witamin i składników mineralnych* mogą powodować niedokrwistość, awitaminozy, zaburzenia hormonalne, a nawet mogą być przyczyną niepłodności.

Jednym z bardziej szkodliwych czynników dla zdrowia kobiety jest *dym tytoniowy*. Palenie tytoniu powoduje wcześniejsze zmiany miażdżycowe w naczyniach krwionośnych mózgu i serca, jak również może być przyczyną nieprawidłowej czynności hormonalnej jajników oraz wcześniejszego wygaśnięcia ich funkcji. Zwiększone 10–40-krotnie ryzyko zachorowania na raka płuc u palących tytoń przewlekle, zwłaszcza po 45 r. życia, jest faktem. *Palenie w czasie ciąży* daje ryzyko porodu przedwczesnego, hypotrofię płodu (zob. Pediatria, s. 1131) oraz gorszy rozwój umysłowy dziecka.

Ruch na świeżym powietrzu

Dla prawidłowego funkcjonowania organizmu kobiety, czyli dla jej zdrowia i urody, niezbędny jest codzienny ruch na świeżym powietrzu. Kobieta pracująca przez 6–8 godz. w zamkniętym pomieszczeniu powinna wygospodarować codziennie ok. 2 godz. na spacer lub ćwiczenia na powietrzu. Obowiązuje to kobietę pracującą zawodowo, jak również pracującą w domu. Ponieważ powietrze w miastach jest zawsze w większym lub mniejszym stopniu zanieczyszczone, należy w planach urlopowych uwzględnić wyjazd w okolice o dobrych warunkach klimatycznych. Czynny wypoczynek przez okres kilkunastu dni w roku jest nieodzownym warunkiem zdrowia. Każda kobieta powinna od młodych lat uprawiać jakąś dziedzinę sportu. Nie musi to być sport wyczynowy. Przeprowadzone ćwiczenia poprawiają funkcjonowanie układów krążenia i oddechowego, procesy trawienia i przemiany materii. Dobór ćwiczeń w starszym wieku powinien być zawsze uzgodniony z lekarzem.

Zapobieganie chorobom

Choroby ginekologiczne w początkowym okresie często nie dają objawów chorobowych i są niezauważalne. Może je natomiast stwierdzić lekarz badaniem ginekologicznym. Każda kobieta w okresie rozrodczym pomimo braku dolegliwości powinna przynajmniej raz w roku poddać się badaniu ginekologicznemu i wykonać badanie cytologiczne. Zauważenie jakichkolwiek odchyleń od stanu fizjologicznego powinno spowodować jak najszybsze zasięgnięcie porady lekarskiej.

Do najczęstszych objawów ginekologicznych należą: upławy, bóle w podbrzuszu, nieregularne krwawienia miesiączkowe, krwawienia lub plamienia międzymiesiączkowe, krwawienia w okresie przekwitania, zaburzenia w oddawaniu moczu.

Profilaktyka chorób ginekologicznych jest najpewniejszym sposobem zapewnienia zdrowia i życia kobiecie.

III. ZABURZENIA OKRESU POKWITANIA I GINEKOLOGIA WIEKU ROZWOJOWEGO

G i n e k o l o g i a   w i e k u   r o z w o j o w e g o jest uzupełnieniem nauki o chorobach kobiecych. Prawidłowa profilaktyka i w niezbędnych przypadkach właściwe leczenie mogą bowiem zapobiec poważnym powikłaniom, wpływając na ogólny stan zdrowia dziecka i umożliwiając w przyszłości, dorosłej już kobiecie, podjęcie normalnego życia płciowego i wydanie na świat potomstwa.

W ginekologicznej ocenie wieku dziecięcego odróżnia się dwa okresy: okres estrogenizacji, tj. wpływu estrogenów (hormonów płciowych wytwarzanych przez jajniki), i okres pozbawiony działania estrogenów. W wieku rozwojowym okresy te zmieniają się 3-krotnie i pozwalają na podział wieku dziecięcego na:

1) hormonalny okres noworodkowy, tj. wpływu estrogenów matki;

2) okres spokoju dziecięcych narządów płciowych, bez wpływu estrogenów;

3) okres dojrzewania płciowego, tj. okres wpływu estrogenów własnych jajników, a w okresie późniejszym także hormonu ciałka żółtego.

Powyższy podział różni się od podziałów przyjętych w pediatrii, ale jest jedynym uwzględniającym fizjologię i patofizjologię zmian w narządach płciowych dziecka.

Hormonalny okres noworodkowy

Działanie estrogenów matki, dostających się do organizmu dziecka w okresie życia płodowego, jest przejściowe. Wydalają się one szybko, głównie z moczem, i działanie ich ustaje zwykle po upływie ok. 3 tygodni, choć czasem jest dłuższe i wygasa wolniej. Nie obserwuje się w tym względzie żadnych różnic pomiędzy wcześniakami i dziećmi z normalną urodzeniową masą ciała.

Zewnętrzne narządy płciowe noworodka są najczęściej rozpulchnione, u dziewczynek wargi sromowe większe są obrzęknięte, nie pokrywają warg mniejszych ani łechtaczki. Przedsionek pochwy położony jest głębiej niż w okresie dojrzałości. Ze sromu wystają bądź strzępki błony dziewiczej, bądź cała błona. Na wargach sromowych i w przedsionku pochwy występuje mlecznobiała treść (tzw. *fluor neonatalis*) zawiera ona śluz szyjkowy, komórki nabłonka pochwy, pałeczki kwasotwórcze i wykazuje odczyn kwaśny. Jej obecność świadczy o prawidłowym stanie hormonalnym i prawidłowym odpływie treści pochwowej przez otwór w błonie dziewiczej.

Macica noworodka ma długość 35 – 40 mm, waży ok. 390 – 420 mg, a tylko 1/3 jej długości przypada na trzon (odwrotnie niż u kobiety dojrzałej). Jajniki leżą nad wchodem miednicy małej, nie mają ściśle ustalonego położenia.

Najczęstsze zmiany w okresie noworodkowym mogące zaniepokoić rodziców to:

1) wyciek noworodkowy trwający dłużej niż 3 tygodnie od urodzenia albo zmiana jego barwy z mlecznobiałej na żółtą lub zielonkawą (konieczne jest badanie mikrobiologiczne, gdyż istnieje możliwość zakażenia);

2) krwawienie z dróg rodnych; stwierdzane u niektórych dziewczynek po urodzeniu ma charakter fizjologiczny i występuje wskutek spadku poziomu estrogenu; nie ma nic wspólnego z miesiączką. W przypadku dużej ilości jasnej krwi niezbędne jest badanie ginekologiczne, gdyż może być objawem nowotworu;

3) brak wycieku noworodkowego; może być spowodowany

zarośnięciem pochwy i pozostawaniem śluzu w zamkniętej pochwie. W przypadku zwężenia błony dziewiczej i częściowego zwężenia pochwy śluz wydobywa się kroplami, głównie podczas krzyku dziecka;

4) rozpulchnienie zewnętrznych narządów płciowych; jest to stan fizjologiczny. Kontrola ginekologiczna jest niezbędna, gdy utrzymuje się ono długo po urodzeniu;

5) obrzmienie gruczołów piersiowych; jest to stan fizjologiczny, będący reakcją gruczołów na hormony matki. Występuje u ok. 1/3 noworodków, w tym także u chłopców. Wydzielać się może treść podobna do siary (tzw. mleko czarownic). Ustępuje wraz z ustaniem działania estrogenów matki i nie wymaga leczenia. Niezbędna jest ochrona brodawek sutkowych noworodka przed zakażeniem (zropieniem gruczołów);

6) nieprawidłowości zewnętrznych narządów płciowych; przerost łechtaczki lub niesymetryczny przerost warg sromowych większych (typowy obraz obojniactwa rzekomego, gdy ustalenie płci jest trudne) wymaga kontroli lekarskiej;

7) nieprawidłowości związane z niewłaściwym umiejscowieniem ujścia jelita grubego i cewki moczowej. Konieczne jest korekcyjne leczenie operacyjne.

Okres spokoju dziecięcych narządów płciowych

Po ustaniu wpływu estrogenu matki na organizm dziecka dochodzi do przejściowego uwstecznienia wszystkich uprzednio zaawansowanych zmian. W narządach płciowych panuje spokój. Utrzymuje się działalność ośrodków nadrzędnych oraz stały wzrost i rozwój jajników, w odróżnieniu od innych narządów płciowych. Wargi sromowe większe mają mniej podściółki tłuszczowej, wargi mniejsze stają się delikatniejsze. Błona dziewicza leży głębiej w przedsionku pochwy i jest wyraźnie zredukowana w porównaniu z okresem noworodkowym. Pochwa jest wąska, mało elastyczna, badanie ginekologiczne zaś utrudnione, a czasem wręcz niemożliwe. Nie stwierdza się wydzieliny w pochwie, ani w jej przedsionku. Macica jest mniejsza niż u noworodka (wielkość z okresu noworodkowego osiąga ok. 10 r. życia) i leży wysoko w miednicy małej. Jajniki dopiero między 2 a 5 r. życia opuszczają się do miednicy małej i wolno zajmują swoje zwykłe położenie. Jajowody długie, wąskie i kręte nie wykazują perystaltyki. Sutki dziewczynki nie różnią się od sutków chłopca; brodawka nie przekracza poziomu klatki piersiowej, a od otoczenia różni się intensywniejszym zabarwieniem.

Okres spokoju trwa do 8 – 10 r. życia, co zależy od różnych czynników wewnętrznych i zewnętrznych: przynależności rasowej, uwarunkowań rodzinnych, klimatu.

Okres dojrzewania płciowego

W okresie tym oddziałują już własne estrogeny wydzielane przez jajniki. Zapoczątkowanie czynności jajników jest indywidualne. Estrogeny pojawiają się stopniowo – najpierw estriol (u 100% dziewczynek 10-letnich), później estradiol i estron. Zaczyna się rozwój sromu. Poszczególne jego elementy ulegają pogrubieniu i rozpulchnieniu. Wargi sromowe większe są widoczne w postaci dwóch zgrubiałych wałków biegnących po obu stronach przedsionka pochwy, na zewnątrz od warg mniejszych, które rozrastają się ku dołowi. Skóra warg sromowych większych staje się grubsza, a u brunetek wyraźnie pigmentowana. Błona dziewicza ulega rozpulchnieniu, zasłaniając wejście do pochwy, które staje się niewidoczne. Pochwa szybko zaczyna zwiększać swoje rozmiary, staje się bardziej elastyczna, przez rozwój włókien elastycznych warstwy podśluzowej i mięśni. Macica rozpoczyna szybki wzrost; powiększa się głównie w okolicy trzonu, a mięsień jej przerasta i grubieje. Jajowody stają się grubsze, a jajniki zwiększają swoje rozmiary i w okresie dojrzewania osiągają masę ok. 400 mg.

Pojawiają się charakterystyczne wtórne cechy płciowe, czasem szybko, czasem powoli. Sylwetka dziewczynki zaokrągla się, zwłaszcza w okolicy barków i bioder. Pojawia się owłosienie łonowe, tworząc charakterystyczny trójkąt na wzgórku łonowym, rozrastający się od środka

Faza dojrzewania	Wiek	Wzrost	Masa ciała	Sylwetka	Sutki	Owłosienie		Miesiączka	Klasa
						łonowe	pachowe		
Dziecięca	10	132,4	28,20					brak	IV
	11	138,5	31,97	podlotka					V
Przejściowa	12	146,8	37,60						VI
	13	152,8	42,0					pierwsza	VII
	14	156,1	45,2	początek kobiecej					VIII
Młodzieńcza	15	158,0	48,2					miesiączki mogą byc jeszcze nieregularne	IX
	16	160,2	50,5						X
	17	161,3	52,1	kobieca					XI

Fazy rozwojowe w okresie pokwitania dziewcząt

na boki. Rzadziej wzrost owłosienia rozpoczyna się pojedynczymi twardymi włosami na wargach sromowych mniejszych. Na wzgórku łonowym odkłada się więcej tłuszczu. Owłosienie pachowe pojawia się później, na skutek pobudzającego działania hormonów nadnerczy.

Sutki dziewczynki przyjmują dość szybko kształt sutków dojrzałej kobiety. Ich rozwój jest trzystopniowy:

I stopień – stadium pączka; okolica brodawki unosi się kopulasto i zabarwia różowo (u blondynek) lub brunatno (u brunetek);

II stopień – następuje wyraźne odkładanie się tłuszczu i wzrost tkanki gruczołowej; pierś zaczyna stożkowato wysuwać się do przodu;

III stopień – rozwój piersi ulega zakończeniu; brodawka wystaje z otoczki i reaguje erekcyjnie (wzwodem) na bodźce termiczne lub mechaniczne.

Pokwitanie łączy się zwykle z pojawieniem się pierwszego krwawienia miesięcznego, ze stopniowym osiąganiem pełnej czynności jajników.

Czas wystąpienia pierwszej miesiączki waha się w dużych granicach, od 9 do 16 r. życia. Od kilkudziesięciu lat obserwuje się stałe obniżanie się wieku dziewczynek, w którym pojawia się pierwsze krwawienie miesięczne. Zjawisko to określa się mianem akceleracji (przyspieszenia) dojrzewania i stwierdza się je w wielu krajach. Przyczynami są prawdopodobnie: prawidłowe odżywianie i regularność posiłków, snu, ćwiczeń fizycznych i ogólna organizacja życia (w tym również tzw. przełamanie izolacji środowiskowej). Dziewczęta dojrzewają przeciętnie o 2 lata wcześniej niż ich matki, a o 3 lub 4 lata wcześniej niż ich babki. Wcześniej dojrzewają dziewczęta ciemnowłose i ciemnookie, z dużą ilością barwnika w skórze.

W Polsce średni wiek dziewcząt, w którym występuje pierwsza miesiączka, waha się w granicach od 12,5 do 13 r. życia w mieście i o 2–3 lata więcej na wsi. Pojawienie się pierwszej miesiączki uwarunkowane jest często porą roku; dziewczęta zamieszkałe w miastach najczęściej zaczynają miesiączkowanie w zimie, a na wsi – w lecie.

Wpływ gruczołów wydzielania wewnętrznego na rozwój płciowy

Prawidłowy rozwój płciowy jest uzależniony od harmonijnego współdziałania całego układu gruczołów wydzielania wewnętrznego i układu nerwowego.

Układ podwzgórzowo-przysadkowy, tworzący jeden zwarty układ neurohormonalny, pełni regulującą i koordynującą rolę w procesach dojrzewania. W obrębie tego układu przebiega synteza hormonów i neurohormonów oraz znajdują się w nim receptory wrażliwe na hormony obwodowe. Uwalnianie się hormonów gonadotropowych przysadki (lutropina i folitropina) odbywa się pod wpływem podwzgórzowych hormonów uwalniających, których wydzielanie jest stymulowane przez estrogeny. Gonadotropiny wydzielane do krwi pobudzają jajniki do produkcji estrogenów, progesteronu i androgenów. Podwzgórze reguluje prawidłowy poziom hormonów płciowych drogą sprzężenia zwrotnego.

Jajnik spełnia swe zadanie w rozwoju płciowym, jeśli jest prawidłowo uformowany, unaczyniony i unerwiony. Jego czynność może być wzmożona lub osłabiona w zależności od czynności tarczycy (między 12 a 14 r. życia występuje zwiększone wydzielanie hormonu tyreotropowego i przejściowa nadczynność tarczycy).

Kora nadnerczy, zwana trzecią gonadą, w okresie dojrzewania wspomaga czynność jajników. W razie zaniku ich czynności dokrewnej może przejąć w pewnym stopniu ich funkcje. Taki mechanizm wyrównawczy ma duże znaczenie i od jego sprawności prawdopodobnie zależy proces dojrzewania. Tzw. strefa płciowa w korze nadnerczy wydziela 3 rodzaje hormonów: androgenne, estrogenne i ciała pokrewne progesteronowi. Androgeny nadnerczy działają synergicznie z estrogenami jajnika i wpływają na rozwój płciowy. „Odpowiadają" one za tzw. skok pokwitaniowy, pobudzają ogólny wzrost ciała, zwiększenie się masy mięśni i wzrost kości (przyspieszone kostnienie). Wpływają na pojawienie się owłosienia, przyspieszają rozwój łechtaczki, warg sromowych i wzrost reaktywności gruczołów łojowych. Zwiększają również ilość melanotropiny (MSH), co wywołuje ciemniejsze zabarwienie włosów, brodawek sutkowych i linii białej na brzuchu.

Zaburzenia przebiegu dojrzewania

Dojrzewanie przedwczesne. O stanie takim mówi się wówczas, gdy występuje u dziewczynki przed 8 r. życia. Czasem może być wywołane przez guzy mózgu lub jajników. Ważnym problemem jest wychowywanie i uczenie tych dzieci. Ich rozwój fizyczny znacznie wyprzedza wiek chronologiczny, lecz psychiczny i umysłowy odpowiada z reguły chronologicznemu. Stwarza to znaczne niebezpieczeństwo przeciążenia umysłowego i psychicznego. Problemy seksualne są najczęściej znikome. W zależności od przyczyny wywołującej wyróżnia się dwie główne postacie dojrzewania przedwczesnego: samoistne i spowodowane procesami destrukcyjnymi mózgu.

Dojrzewanie przedwczesne samoistne, przysadkowe. Wzrost, dojrzewanie kości i rozwój wtórnych cech płciowych (rzadko zdolności umysłowych) wyprzedzają wiek chronologiczny. Dziewczęta dość wcześnie przestają rosnąć, tak że jako dorosłe są niższe od zdrowych. Zdolność rodzenia nie ulega zaburzeniom. Miesiączkowanie może ustać na lata albo mniej lub bardziej regularnie utrzymywać się do prawidłowego przekwitania. Leczenie preparatami hormonalnymi daje niekiedy dobre wyniki.

Dojrzewanie przedwczesne w procesach destrukcyjnych mózgu. Występuje u dziewcząt rzadko. Jego najczęstszą przyczyną są guzy mózgu, rzadziej wodogłowie wewnętrzne, uszkodzenia po zapaleniu mózgu i opon w dnie komory III i w obrębie szyszynki. Nie są znane żadne przypadki przedwczesnego dojrzewania w chorobach przysadki.

Dojrzewanie przedwczesne rzekome. W stanie tym objawy pokwitania są wywołane nie przez układ podwzgórzowo-przysadkowy, lecz przez guzy gruczołów wytwarzających hormony lub przez guzy nadnerczy albo też przez hormony płciowe podawane jako leki. Nie występuje wówczas jajeczkowanie.

Dojrzewanie późne objawia się brakiem rozwoju drugo- i trzeciorzędowych cech płciowych, pomimo ukończenia 14 r. życia oraz brakiem miesiączek po ukończeniu 16 r. życia. Występuje częściej niż dojrzewanie przedwczesne, jest uwarunkowane z reguły genetycznie, choć może być też wynikiem niedostatecznego odżywiania lub chorób przewlekłych. Bezpośrednią przyczyną są niedoczynność oraz zaburzenia regulacyjne podwzgórza i przysadki (opóźnione wydzielanie gonadotropin).

Brak jajników lub pierwotne zaburzenia czynności jajników można rozpoznać dopiero wtedy, gdy mimo braku pokwitania wiek kostny dziewczynki wynosi ponad 11,5 lat. Jeżeli wiek kostny jest niższy, wówczas bardziej prawdopodobne jest zwykłe opóźnienie wzrastania i rozwoju, a w takim przypadku leczenie hormonalne nie jest wskazane.

Zaburzenia miesiączkowania u dziewcząt

Brak miesiączkowania z prelitycznego punktu widzenia dzieli się na pierwotny i wtórny.

Pierwotny brak miesiączki to stan występujący u dziewcząt, które ukończyły 16 r. życia, jest on najczęściej wynikiem procesów patologicznych znacznego stopnia, mogą to być:

1) zaburzenia ośrodkowe (mózgowe, podwzgórzowe, przysadkowe, zapalenia i guzy oraz karłowatość przysadkowa),
2) zaburzenia jajnikowe (niedorozwój i guzy jajnika),
3) zaburzenia nadnerczowe (wrodzony przerost kory nadnercza),
4) wady rozwojowe narządu rodnego (zarośnięcie pochwy, błony dziewiczej, macicy i szyjki macicy, wrodzony brak macicy),
5) zaburzenia genetyczne.

Wtórny brak miesiączki to brak miesiączki trwający ponad 2–3 miesiące (należy oczywiście wykluczyć możliwość ciąży). Występuje głównie z powodu czynnościowych zaburzeń układu podwzgórze–przysadka–jajnik. Przyczynami mogą być:

1) najczęściej zaburzenie wewnątrz wydzieliny (obniżenie się poziomu estrogenów),
2) choroby zakaźne lub stany pozakaźne, czynniki psychonerwowe (w tym jadłowstręt psychiczny), nadmierny wysiłek, skrócenie snu, itp.,
3) szybkie i nadmierne odchudzanie się w wieku pokwitaniowym (ostatnio liczba takich przypadków stale się zwiększa).

Leczenie wtórnego braku miesiączki jest hormonalne i musi się odbywać pod stałą kontrolą lekarza. Po nadmiernym odchudzeniu się leczenie trwa wyjątkowo długo, niekiedy nie daje rezultatu. W pierwszych 2–3 latach miesiączkowania nie powinno się stosować leczenia hormonalnego, należy natomiast dokładnie poinformować rodziców, że jest to stan fizjologiczny i na ogół przejściowy, a miesiączki wyrównają się po pewnym czasie.

Krwawienia młodocianych. Początkowe nieregularności cyklów miesiączkowych u dziewcząt pokwitających, gdy samo krwawienie nie jest nadmierne lub nie trwa dłużej niż 7 dni, jest po prostu jednym z normalnych objawów procesu rozwojowego. Nie wymaga specjalnego leczenia. Najlepsze wyniki daje krótki pobyt w łóżku w okresie miesiączki. Jeśli jednak zarówno czas trwania krwawienia (niekiedy ponad 2–3 tygodnie), jak i jego obfitość przekroczą granice fizjologii, prowadzą wówczas do niedokrwistości i wymagają odpowiedniego leczenia, w skrajnych przypadkach nawet leczenia szpitalnego, włącznie z przetaczaniem krwi.

Miesiączki obfite. Trwają 6–14 dni, są nieregularne, nie powodują niedokrwistości. Ustępują samoistnie i nie wymagają leczenia szpitalnego.

Miesiączki skąpe i rzadkie. Występują przeważnie w odstępach dłuższych niż 32 dni.

Miesiączkowanie bolesne. Jest to zespół objawów bólowych, występujących w miednicy małej przed lub w czasie krwawienia miesiączkowego wraz z zespołem objawów neurowegetatywnych. Dziewczęta skarżą się na bóle głowy, nudności, wymioty, bóle brzucha, niekiedy o typie napadów kolki, czasem dochodzi do utraty przytomności i omdlenia, zatrzymania moczu lub trudności w jego oddawaniu. Ból występuje najczęściej w pierwszych 24 godz. miesiączkowania. Teorii powstawania tego stanu jest wiele: mechaniczna zakłada zwężenie lub skurcz kanału szyjki macicy, zapalna, hormonalna – nadmiar wydzielania estrogenów, nerwowa – chwiejność układu nerwowego i wzmożoną pobudliwość.

Częste miesiączki. Występują częściej niż co 21–24 dni, wiążą się zwykle z cyklami bezowulacyjnymi lub niewydolnością ciałka żółtego; jeśli nie są obfite i nie prowadzą do niedokrwistości leczenie nie jest polecane.

Zespół napięcia przedmiesiączkowego. Jest to zespół objawów neurowegetatywnych, które towarzyszą bólom w miednicy małej i występują już na 5–14 dni przed miesiączką. Mogą to być: objawy zaburzeń ośrodkowego układu nerwowego (niepokój, emocjonalność, apatia, depresje, lęki, senność lub bezsenność), objawy wywołane pozakomórkowym gromadzeniem się wody (bolesny obrzęk sutków, uczucie obrzmienia i pełności w dole brzucha, bóle i zawroty głowy), objawy wywołane niedocukrzeniem krwi (okresowe osłabienie, mdłości, wymioty, czasem drgawki). Główną rolę ma tu odgrywać nadmierny poziom estrogenów, choć niektórzy uważają za przyczynę znaczny niedobór progesteronu.

Krwawienia z dróg rodnych w wieku dziecięcym

Krwawienia w okresie noworodkowym są fizjologiczne, ale bywają też wywołane przez urazy lub nowotwory.

Krwawienia w okresie spokoju narządów płciowych mają wyłącznie charakter patologiczny i mogą być wywołane przez nowotwory, ciała obce w pochwie oraz uszkodzenia urazowe (w tym urazowe wypadnięcie cewki moczowej).

Krwawienia w okresie dojrzewania płciowego są fizjologiczne – pierwsza miesiączka, następne miesiączki, czasem defloracja, ale mogą też występować krwawienia patologiczne, wywołane przez urazy (np. gwałtowna defloracja), nowotwory, zmiany zapalne narządów płciowych, poronienia. Czasami krwawienia fizjologiczne przyjmują postać krwawienia młodocianych (zob. s. 1799).

Wyciek z narządów rodnych – upławy

Upławy są uważane za chorobę, w istocie zaś są tylko objawem chorobowym, najczęściej objawem zapalenia pochwy.

Upławy w okresie noworodkowym są stanem fizjologicznym, choć niekiedy może dochodzić do wtórnego zakażenia grzybicą lub rzęsistkiem.

Upławy w okresie spokoju narządów płciowych (tj. do 8–10 r. życia) są zawsze objawem choroby. Częstą ich przyczyną są zakażenia bakteriami jelitowymi, do których dochodzi głównie po błędach higienicznych: po niedokładnym lub w niewłaściwą stronę (do góry) wycieraniu odbytu po oddaniu stolca, po stosowaniu nadmiernej ilości pudrów i zasypek u małych dzieci, po przegrzewaniu dzieci lub zakładaniu niewłaściwej bielizny.

Źródłem zakażenia może być także owsica, częsta choroba wieku dziecięcego. Bakterie zostają przeniesione przez owsiki lub też owsiki drażniące mechanicznie skórę i śluzówkę pochwy prowokują dziewczynkę do masturbacji, co wtórnie prowadzi do infekcji.

Częstą przyczyną upławów bywają również w tym okresie ciała obce w pochwie, i to zarówno wprowadzone do pochwy w celach masturbacyjnych, jak i dostające się do niej przypadkowo w czasie zabawy lub przy nieprzestrzeganiu zasad higieny (części roślin dostające się do pochwy, gdy dziecko siada na ziemi bez majtek, włoski z bielizny włożonej po niewłaściwej stronie).

Jeszcze inną przyczyną upławów w okresie spokoju narządów płciowych są choroby ogólne, takie jak: błonica, płonica, zapalenie płuc, anginy, cukrzyca lub rzeżączka.

Upławy w okresie dojrzewania płciowego. Ważnym problemem są tzw. upławy czyste okresu przedpokwitaniowego. Pojawiają się one najczęściej na pół do jednego roku przed rozpoczęciem miesiączkowania. Jest to obfita biaława wydzielina, która staje się bardzo uciążliwa przez stałą obecność na narządach płciowych i stałe moczenie bielizny, która po wyschnięciu części wydzieliny jak nakrochmalona stale ociera skórę. Błona śluzowa pochwy i skóra obrzękłego sromu stają się żywoczerwone, może pojawić się piekący ból.

W ostatnich latach obserwuje się wyraźne zwiększenie liczby dziewcząt z upławami okresu przedpokwitaniowego, co można wiązać z częstym używaniem niewłaściwej bielizny (nie z bawełny, a z różnych tworzyw sztucznych) i z noszeniem bardzo obcisłych spodni.

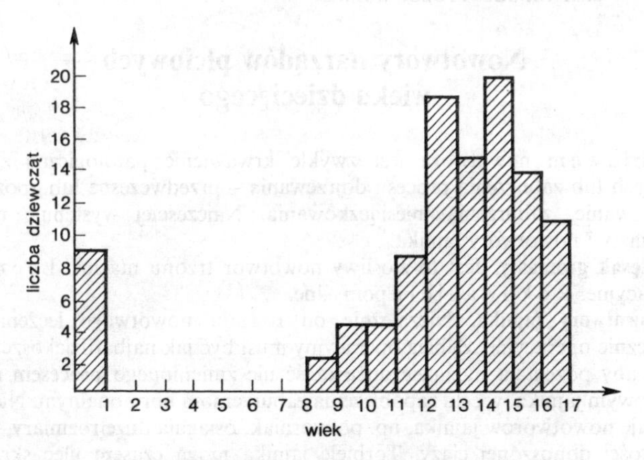

Częstość występowania rzęsistka pochwowego u 106 dziewcząt w różnym wieku

I n n ą p r z y c z y n ą upławów w tym okresie mogą być upławy wywołane rzęsistkowicą (zob. s. 1808). Do zakażenia rzęsistkiem pochwowym drogą pozapłciową dochodzi przy nieprzestrzeganiu zasad higieny osobistej.

Uszkodzenia narządów płciowych

Uszkodzenia narządów płciowych w czasie porodu zdarzają się sporadycznie, głównie przy pośladkowym położeniu płodu.

U r a z o w e u s z k o d z e n i a s r o m u zdarzają się najczęściej w czasie upadku dziecka. Małe dziecko pada bardzo często jak pajac z szeroko rozstawionymi nogami, uderzając kroczem o twarde podłoże lub wystające twarde przedmioty.

P o u r a z o w e w y p a d n i ę c i e c e w k i m o c z o w e j. Pochłonięte zabawą dziecko wstrzymuje się z oddawaniem moczu, a przy skoku lub upadku z pełnym pęcherzem moczowym łatwo może dojść do wypadnięcia śluzówki cewki moczowej. O b j a w a m i są tu bóle w narządach płciowych, które zmuszają dziewczynkę do chodzenia na szeroko rozstawionych nogach i częstego, bolesnego oddawania moczu, który jest krwisty. L e c z e n i e jest wyłącznie operacyjne.

R z e k o m e z a b u r z e n i a w o d d a w a n i u m o c z u objawiają się również pieczeniem i bólem przy oddawaniu moczu. Stan ten bywa często przyczyną samogwałtu i może wtórnie prowadzić do infekcji sromu. P r z y c z y n a m i bywają najczęściej: krwawe lub bezkrwawe uszkodzenia sromu, zrost przedni warg sromowych, zakażenie rzęsistkiem i grzybicą sromu (przeważnie w cukrzycy).

Nowotwory narządów płciowych wieku dziecięcego

Objawem nowotworu jest zwykle krwawienie patologiczne z dróg rodnych lub zaburzenia procesu dojrzewania – przedwczesne lub opóźnione dojrzewanie, zaburzenia miesiączkowania. Najczęściej występuje mięsak groniasty i nowotwory jajnika.

Mięsak groniasty. Jest to złośliwy nowotwór trzonu macicy. Leczenie operacyjne. Rokowanie niepomyślne.

Nowotwory jajnika. Niezależnie od rodzaju nowotworu leczenie jest wyłącznie operacyjne. Zabieg operacyjny musi być jak najbardziej oszczędzający, aby pozostała możliwie duża część nie zmienionego procesem nowotworowym jajnika, w celu zapobieżenia zaburzeniom hormonalnym. Niektóre rodzaje nowotworów jajnika, np. potworniak, osiągają duże rozmiary, często wielkości donoszonej ciąży. Torbiele jajnika mogą czasem ulec skręceniu i wtedy dziecko trafia do szpitala z objawami ostrego zapalenia wyrostka robaczkowego.

Wady wrodzone i nabyte narządów płciowych

Zaburzenia drożności pochwy. Są to wrodzone lub nabyte przeszkody znajdujące się tuż przy przedsionku pochwy (w przyszłości uniemożliwiają normalny stosunek płciowy) albo w jej głębi (uniemożliwiają w okresie dorosłym zajście w ciążę wskutek zablokowania plemnikom drogi do komórki jajowej). Rozpoznanie wczesne tych stanów ma więc ogromne znaczenie dla przyszłych losów kobiety. Do najczęściej spotykanych wad należą: zrost warg sromowych mniejszych, nierozwinięta pochwa oraz niedrożność pochwy.

Zrost warg sromowych mniejszych jest przeważnie wadą nabytą, spostrzeganą przez rodziców przypadkowo. Przyczyną mogą być czynniki mechaniczne (zasypka, puder, zbyt obcisła bielizna, które ocierają stale powierzchnię warg), chemiczne (środki do mycia lub prania, wyjątkowo mocz) i biologiczne (flora bakteryjna powierzchni ciała). Objawem są trudności w oddawaniu moczu. Leczenie jest operacyjne.

Niedorozwinięta pochwa. Jest to wada wrodzona. Objawem jest brak wycieku noworodkowego lub krwawienia miesiączkowego. Leczenie operacyjne przeprowadza się po zakończeniu okresu dojrzewania.

Niedrożność błony dziewiczej. Jest to wada wrodzona objawiająca się całkowitym brakiem upławów i miesiączki. Pochwa wypełnia się śluzem szyjkowym, a później krwią. Po miesiączce, która przechodzi niezauważona, dziewczynka ma regularne bóle w dole brzucha, powstające wskutek gromadzenia się krwi w pochwie i macicy. Wypełniona krwią macica tworzy guzowaty lub kulisty twór różnej wielkości, przypominający kształtem i spoistością macicę ciężarną, sięgający czasem do wysokości pępka. Leczenie operacyjne.

Nieprawidłowe położenie jajników może być wadą wrodzoną lub nabytą. W wadzie wrodzonej jajnik określa się jako „przylegający", gdyż wskutek długiego więzadła podwieszającego opada na dno zatoki Douglasa (zob. Anatomia, s. 37), a po stronie lewej opiera się na esicy. W okresie pokwitania stan ten może prowadzić do zapalenia tkanki okołojajnikowej. Leczenie jest operacyjne, głównie w celu zapobieżenia bezpłodności.

Rodzajem wady nabytej jest wnikanie całych przydatków, a zwłaszcza jajników do worka przepuklinowego, gdy u dziewczynki występuje przepuklina pachwinowa.

Zaburzenia rozwojowe dróg moczowych. Objawami ich są bardzo często obserwowane u dziewczynek uporczywe zapalenia dróg moczowych, ciągnące się mimo leczenia przewlekłe lub zaostrzające się okresowo przez całe dzieciństwo. Badanie ginekologiczne często wykrywa te zmiany i umożliwia zastosowanie właściwego leczenia zapobiegającego rozwojowi zmian w nerkach.

Zapalenie wyrostka robaczkowego u dziewczynek. Powikłaniem tego stanu u dziewczynek może być ciężkie zapalenie przydatków, prowadzące w skrajnych przypadkach do dużych zrostów i niepłodności. Przyczyną jest rozszerzanie się procesu zapalnego z wyrostka przez wysięk drogą brzuszną do miednicy małej lub bezpośredni kontakt zapalnego wyrostka z przydatkami albo drogami chłonnymi. Każda dziewczynka po operacji wyrostka robaczkowego, nawet niepowikłanej, powinna znajdować się pod stałą okresową kontrolą ginekologa dziecięcego.

Asymetria sutków. Fizjologicznie zazwyczaj większa bywa lewa pierś, a asymetria jest przejściowa. Leczenie jest możliwe dopiero po zakończeniu rozwoju sutków. Leczenie hormonalne jest na ogół nieskuteczne, a niekiedy może nawet pogłębiać asymetrię. Operacja plastyczna jest możliwa po odbytej laktacji.

Sutki dodatkowe. Umiejscowione są z reguły poza gruczołem sutkowym, ewentualny zabieg operacyjny jest możliwy po zakończeniu pełnego rozwoju piersi.

IV. ZAPALENIA NARZĄDÓW PŁCIOWYCH

Narządy płciowe kobiety, tworzące narząd rodny, ze względu na swoje położenie, funkcje fizjologiczne, cykliczność zmian miesięcznych są szczególnie narażone na zakażenie. Czynnikiem sprzyjającym szerzeniu się zakażenia w obrębie wszystkich narządów płciowych, włącznie z jamą otrzewnej i miednicą mniejszą, jest połączenie tych narządów ze światem zewnętrznym przez pochwę, szyjkę macicy, jamę macicy i jajowody. Zakażenia następujące tą drogą powodują rozwój tzw. zapaleń zewnątrzpochodnych, zwanych też wstępującymi. W ten sposób szerzy się rzeżączka i większość nieswoistych zakażeń bakteriami ropotwórczymi. Zakażenia te najczęściej obejmują macicę oraz przydatki, tj. jajowody i jajniki; zwykle rozpoczynają się okresem ostrym i mają burzliwy przebieg.

Zakażenia w narządzie rodnym następujące przez krew i limfę, czyli drogą zstępującą, wewnątrzpochodną, zdarzają się dużo rzadziej. Dochodzi do nich najczęściej, gdy istnieją w organizmie inne ogniska zapalne, np. ropne zapalenie zatok, migdałków, wyrostka robaczkowego.

Narząd rodny kobiety „dysponuje" wieloma mechanizmami obronnymi, chroniącymi go przed zakażeniem i dopiero zniszczenie tych mechanizmów lub ich uszkodzenie sprzyja rozwojowi zakażenia. Do mechanizmów tych należą:

1) wysoka kwasota pochwy (pH 4,3) i zasadowy odczyn czopa śluzowego szyjki macicznej (pH 7,5); stanowią one obronę chemiczną;

2) błona dziewicza, przyleganie ścian pochwy, czop śluzowy w kanale szyjki, perystaltyczne ruchy jajowodów, ruch rzęsek w jajowodach skierowany na zewnątrz; stanowią one obronę mechaniczną;

3) krwinki białe, przeciwciała i lizozymy śluzu szyjkowego; tworzą one obronę biologiczną.

Zakażenia narządu rodnego dzieli się na: nieswoiste – wywołane głównie paciorkowcami, gronkowcami i pałeczką okrężnicy (bakterie Gram-ujemne), oraz swoiste, takie jak kiła, rzeżączka, gruźlica, rzęsistkowica i drożdżyca. Zazwyczaj zakażenie obejmuje cały narząd rodny i dopiero po ustąpieniu stanu ostrego zaznacza się wyraźnie uszkodzenie jednego z jego odcinków.

Zapalenie sromu występuje stosunkowo rzadko, a przyczyny są różne. Stan zapalny sromu mogą wywoływać: urazy (otarcia naskórka, uszkodzenia śluzówki, maceracja skóry), czynniki chemiczno-termiczne (np. podmywanie się gorącymi lub drażniącymi środkami odkażającymi), zaburzenia hormonalne (głównie w okresie menopauzy i starości w związku z niedoborem estrogenów), choroby ogólne (cukrzyca, mocznica, żółtaczka, zapalenie nerek, niedokrwistość) oraz bakterie. Bakterie, głównie ropotwórcze (gronkowce, paciorkowce, pałeczki okrężnicy), rzadko jednak są przyczyną stanu zapalnego, gdyż srom ma naturalną przeciw nim odporność. Zakażeniom bakteryjnym sprzyjają czynniki drażniące: przetoki (np. pęcherzowo-pochwowe), rzęsistkowica, rzeżączka, grzybica, a nawet wszy łonowe lub owsiki.

Objawem zapalenia sromu jest ból, pieczenie i swędzenie, obrzęk oraz zaczerwienienie, a także podwyższona temperatura ciała.

Leczenie. Najważniejszym jego celem jest złagodzenie i usunięcie najbardziej uciążliwych objawów, tj. świądu i pieczenia. Ponadto zależy od przyczyny. Leczenie objawowe polega na: obmywaniu sromu ciepłą wodą i stosowaniu nasiadówek z roztworu nadmanganianu potasu lub kory dębowej, wykonaniu kilkakrotnie w ciągu dnia okładów z płynu Burowa, roztworu kwasu bornego albo naparu rumianku, pędzlowania 1% roztworem gencjany, smarowaniu maściami przeciwzapalnymi i uśmierzającymi świąd.

Zapalenie gruczołu przedsionkowego większego, czyli **zapalenie gruczołu Bartholina.** Choroba występuje w każdym wieku na tle zakażenia dwoinkami rzeżączki, paciorkowcami, rzadziej pałeczką okrężnicy. Głównym objawem jest silny ból, nasilający się podczas chodzenia, siedzenia i defekacji. Często występuje podwyższona temperatura ciała do 38°C.

Rozróżnia się trzy postacie zapalenia: ostrą, przewlekłą nawracającą i zastoinową.

Postać ostrą cechują typowe objawy zapalenia oraz typowe umiejscowienie zaczerwienionego, chełboczącego ropnia w dolnej części warg sromowych większych.

Postać przewlekła nawracająca są to wielokrotne wznowy zapalenia z powstaniem ropnia. W następstwie powtarzających się zapaleń może powstać torbiel zastoinowa.

Torbiel zastoinowa jest to różnej wielkości torbielowaty, niebolesny guz powstały wskutek zarośnięcia przewodu gruczołu i zatrzymania jego wydzieliny.

Leczenie. W okresie ostrym są stosowane antybiotyki, leżenie, nasiadówki. W momencie stwierdzenia wyraźnego chełbotania ropnia rozległe nacięcie i sączkowanie. W okresie przewlekłym (postać nawracająca) postępowanie jest podobne. Całkowite wyleczenie następuje dopiero po doszczętnym wycięciu gruczołu. Torbiel zastoinowa jest leczona wyłącznie operacyjnie.

Świąd sromu. Wyróżnia się dwie postacie tej choroby: świąd pierwotny i świąd wtórny. Świąd pierwotny nie jest związany ze stanem zapalnym. Może pojawić się przy zdrowej skórze sromu, ale często jest związany z zanikiem skóry jako efekt podrażnienia zakończeń nerwowych o nie ustalonej przyczynie (wpływy endogenne, hormonalne, enzymatyczne, psychonerwice). Postać ta często występuje w okresie przekwitania i u wielu starszych kobiet doprowadza do wtórnych zapaleń sromu.

Świąd wtórny występuje jako podstawowy objaw towarzyszący innemu schorzeniu, najczęściej zakażeniu sromu lub owsicy. Jest trudny do wyleczenia, utrzymuje się nawet po ustąpieniu obrzęku i zaczerwienienia.

Leczenie miejscowe jest wyłącznie objawowe i właściwie mało skuteczne. Polega na przemywaniu skóry sromu 40–50% alkoholem, pędzlowaniem 5% roztworem lapisu, ostrzykiwaniem hialuronidazą, nowokainą, stosowaniu zasypek (5% kwas borny z talkiem) oraz maści (z mentolem, nowokainą, hydrokortyzonem). Ponadto jest stosowane leczenie hormonalne (duże dawki estrogenów) oraz psychoterapia. Przy braku efektów może być zastosowane leczeni operacyjne (sympatektomia), a w ostateczności nawet wycięcie sromu.

Zapalenie pochwy powstaje na skutek zniszczenia prawidłowego środowiska pochwy przez urazy chemiczne, mechaniczne, termiczne lub przez bakterie. W zależności od przyczyny wyróżnia się: zapalenie na tle rzęsistkowicy (20–30%), zapalenie na tle drożdżycy (10–15%), zapalenie ropne wywołane przez paciorkowce, gronkowce, dwoinki rzeżączki oraz zapalenie starcze związane z niedoborami hormonalnymi. W zależności zaś od postaci: rozlane zapalenie pochwy i guzkowate (rozsiane) zapalenie pochwy.

O b j a w y. W r z ę s i s t k o w y m z a p a l e n i u pochwy występują obfite, pieniste, żółtawo-zielonkawe upławy o mdłym „mysim" zapachu. Błona śluzowa przedsionka pochwy jest pokryta szarą wydzieliną. W stanie ostrym objawy choroby są bardzo wyraźne, w stanie przewlekłym przebieg choroby jest prawie bezobjawowy.

W d r o ż d ż y c o w y m z a p a l e n i u pochwy charakterystyczny jest bardzo dokuczliwy świąd i pieczenie sromu oraz pochwy. W przedsionku i na sromie tworzą się typowe serowate, białoszarawe naloty.

G u z k o w e z a p a l e n i e p o c h w y jest związane z niedoborem estrogenów i stopniowym zanikiem narządu rodnego (zwłaszcza nabłonka). Występuje często w okresie przekwitania, a głównie po menopauzie. Może prowadzić do tzw. z r o s t o w e g o z a p a l e n i a p o c h w y.

Przy s t a r c z y m z a p a l e n i u pochwy upławy mogą być krwiste; wywołują pieczenie i uczucie ciężaru w podbrzuszu.

L e c z e n i e zapaleń pochwy jest zachowawcze. Ma ono na celu zniszczenie bakteryjnej flory chorobotwórczej, zmniejszenie przekrwienia i obrzęku oraz przywrócenie właściwej dla pochwy flory bakteryjnej.

Zapalenie szyjki macicy. Choroba występuje często przewlekle, z nawracającymi okresami zaostrzenia. Jest spowodowana głównie zakażeniem: gronkowcami, paciorkowcami, pałeczką okrężnicy, rzadziej dwoinkami rzeżączki. Czynnikami predysponującymi do rozwoju choroby są: pęknięcia i uszkodzenia szyjki w czasie porodu oraz zniszczenie czopa śluzowego szyjki w czasie zabiegów wewnątrzmacicznych (np. przerwanie ciąży, zakładanie wkładki antykoncepcyjnej).

Zakażenie z szyjki macicy może się szerzyć w trzech kierunkach: bocznie – powodując zapalenie przymacicza; ku dołowi – powodując zapalenie pochwy lub ku górze – wywołując zapalenie błony śluzowej macicy i przydatków.

Zapalenie śluzówki kanału szyjki macicy może być przyczyną zapalenia całego narządu rodnego.

Z a p a l e n i e o s t r e, najczęściej wywołane przez dwoinki rzeżączki, trwa krótko i jest spotykane rzadko; z a p a l e n i e p r z e w l e k ł e – poza upławami śluzowo-ropnymi nie daje innych dolegliwości.

L e c z e n i e o g ó l n e polega na stosowaniu antybiotyków, zwłaszcza w rzeżączce, lub sulfonamidów, l e c z e n i e m i e j s c o w e na stosowaniu wagotylu lub elektrokoagulacji nadżerki części pochwowej szyjki.

Przed i w czasie leczenia powinny być wykonane rozmazy cytologiczne.

Zapalenie błony śluzowej macicy. Choroba ta może wystąpić: po p o r o n i e n i u (po zabiegach wewnątrzmacicznych – wyłyżeczkowaniu – lub na skutek pozostania w macicy fragmentów jaja płodowego i łożyska), w czasie p o r o d u i p o ł o g u (mechaniczne wprowadzenie bakterii do jamy macicy w czasie operacji położniczych, resztki łożyska lub zatrzymanie odchodów), po w e w n ą t r z m a c i c z n y c h z a b i e g a c h d i a g n o s t y c z n y c h, np. po histerosalpingografii. Zapalenie błony śluzowej macicy często towarzyszy rakowi lub polipom trzonu macicy oraz mięśniakom.

O b j a w y. Początkowym objawem są przedłużające się krwawienia pomiesiączkowe, następnie obfite krwawienia miesiączkowe i międzymiesiączkowe. W ostrym stanie zapalnym trzon macicy może być powiększony, bolesny i rozpulchniony. Często współtowarzyszy tym objawom ostre zapalenie przydatków, przymacicza lub nawet otrzewnej miednicy małej.

Leczenie w okresie ostrym polega na leżeniu w łóżku, podawaniu antybiotyków, środków przeciwbólowych i rozkurczowych. W okresie przewlekłym leczenie jest hormonalne (estrogeny).

Zapalenie przydatków. Nazwą tą określa się zapalenie jajowodów i zapalenie jajników. Kliniczne rozgraniczenie tych zapaleń jest niemożliwe, gdyż na ogół zawsze procesem zapalnym objęte zostają jednocześnie jajniki i jajowody. Przyjmuje się, że co 10 kobieta zgłaszająca się do ginekologa ma zapalenie przydatków. U ok. 50–60% spośród tych, które chorowały na zapalenie przydatków, dochodzi do trwałej niepłodności.

Zapalenie jajowodów. Postać ostra najczęściej szerzy się drogą wstępującą z szyjki i jamy macicy, rzadziej drogą chłonną i krwionośną. Proces zapalny doprowadza do uszkodzenia i owrzodzenia błony śluzowej oraz do sklejania i zrośnięcia jajowodów.

Po ustąpieniu stanu ostrego najczęściej pozostają zrosty zewnętrzne jajowodu unieruchamiające go i dające różne formy przewlekłego stanu zapalnego. Na skutek uszkodzenia warstwy mięśniowej i zrostów zewnętrznych zmieniających położenie i ruchy perystaltyczne jajowodu staje się on czynnościowo upośledzony. Najczęściej dochodzi do zrostów z jajnikiem i otoczeniem. Pewną reakcją obronną organizmu przed szerzeniem się zakażenia jest zamknięcie ujścia brzusznego jajowodu. Prowadzi to do workowatego rozszerzenia się jajowodu i gromadzenia się w nim zawartości surowiczej, ropnej lub krwistej.

Zapalenie jajników może być wynikiem rozszerzenia się zakażenia przy zapaleniu wyrostka robaczkowego, przy rzeżączce, zakażeniach po poronieniu i porodzie oraz w przypadkach istnienia w organizmie ognisk zapalnych, np. ropnego zapalenia zatok lub migdałków.

Objawy. W okresie ostrym choroby podstawowymi objawami są: bóle podbrzusza, wysoka gorączka, niekiedy objawy zapalenia otrzewnej. Stan taki występuje podczas miesiączki lub w następstwie zakażonego poronienia. W okresie podostrym występują stany podgorączkowe, bóle w podbrzuszu zjawiają się tylko okresowo. W okresie przewlekłym poza tkliwością przydatków stwierdzaną podczas badania ginekologicznego brak jakichkolwiek objawów. Co pewien czas następuje zaostrzenie choroby, zjawiają się tzw. zapalenia nawracające.

Powikłaniem zapalenia jajników mogą być: krwawienia spowodowane najczęściej towarzyszącym zapaleniom śluzówki macicy, ropień jamy Douglasa, zapalenie przymacicza lub rozlane zapalenie otrzewnej (rzadko).

Następstwem zapalenia przydatków może być niepłodność, ciąża pozamaciczna (jajowodowa) oraz utrwalone tyłozgięcie macicy.

Leczenie. W stanie ostrym leczenie polega na bezwzględnym leżeniu w łóżku i podawaniu antybiotyków oraz leków przeciwbólowych i rozkurczowych. Stosowany jest lód na brzuch. Wskazane jest leczenie szpitalne. W stanie przewlekłym, kiedy zaszły już zmiany w jajowodach polegające na zbliznowaceniu i rozroście tkanki łącznej, stosuje się niekiedy leczenie bodźcowe, w celu wywołania odczynu ogniskowego i lepszego ukrwienia oraz są podawane antybiotyki. Następny etap postępowania polega na stosowaniu termoforów, diatermii, nasiadówek, distreptazy w czopkach doodbytniczych, aby wywołać resorpcję produktów zapalnych oraz rozluźnienie zrostów powstałych w wyniku zapalenia.

Rzęsistkowica. Jest to choroba inwazyjna wywołana przez rzęsistka pochwowego (*Trichomonas vaginalis*), pierwotniaka z gromady wiciowców, rozpowszechnionego na całym świecie. Rzęsistek pochwowy rozwija się w układzie moczowo-płciowym kobiet i mężczyzn. U kobiet osiedla się w pochwie i jej przedsionku, w cewce moczowej, w gruczołach przycewkowych i w pęcherzu moczowym. Nie jest stwierdzany w miedniczkach nerkowych, w kanale szyjki macicy i samej macicy ani w jajowodach.

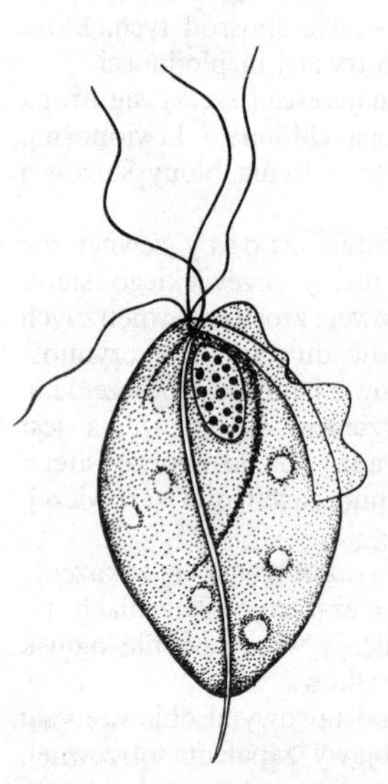

Rzęsistek pochwowy

Zakażenie rzęsistkiem następuje głównie w czasie stosunku płciowego, może jednak nastąpić drogą pośrednią, przez wspólne używanie pościeli, przyborów do mycia, ręczników, bielizny, a także przez urządzenia sanitarne, narzędzia lekarskie. Noworodki zakażają się rzęsistkiem od matki, w czasie porodu.

Objawy. Choroba może przebiegać bezobjawowo lub w postaci ostrej i przewlekłej. W stanie ostrym występują obfite, szarożółte, wodniste, pieniące upławy, świąd i pieczenie sromu, szczególnie dotkliwe przy oddawaniu moczu. W przebiegu bezobjawowym rzęsistkowicę wykrywa tylko badanie mikroskopowe.

Leczenie. Ponieważ w ok. 70% przypadków rzęsistkowica obejmuje pochwę i jej przedsionek, w takim też odsetku jest wystarczające leczenie miejscowe – dopochwowe. Tylko u 30% kobiet są stosowane równocześnie środki doustne działające ogólnie. Równocześnie z chorą powinien być leczony za pomocą leków doustnych jej partner. Badania kontrolne są wykonywane po 1, 3 i 6 tygodniach od zakończenia kuracji. Ujemne wyniki posiewów świadczą o wyleczeniu. W okresie leczenia, aż do trzeciej kontroli, nie należy odbywać stosunków płciowych bez użycia prezerwatywy.

Drożdżyca pochwy. Zakażenie to dotyczy skóry sromu oraz błon śluzowych pochwy i jest wywołane przez drożdżaki chorobotwórcze (*Candidia albicans* lub *Monilia albicans*). Drobnoustroje te znajdują się na skórze i śluzówkach jako saprofity. W zmienionych warunkach (zmiana pH pochwy), gdy zaistnieją czynniki sprzyjające, np. ciąża, cukrzyca, niedobór zespołu witamin B, stają się chorobotwórcze. Czynnikami usposabiającymi są także: obniżona odporność, leczenie antybiotykami lub promieniami rentgenowskimi. Najczęstszą drogą szerzenia się zakażenia są kontakty płciowe.

O b j a w y. Występują gęste, bezwonne, grudkowate upławy, z uczuciem pieczenia i swędzenia. Mocno obrzęknięte i zaczerwienione podłoże pochwy i przedsionka jest pokryte grudkowatymi, trudnymi do usunięcia nalotami.

R o z p o z n a n i e potwierdza badanie mikroskopowe świeżych preparatów pobranych z przedsionka pochwy i tylnego sklepienia.

L e c z e n i e jest miejscowe i polega na stosowaniu preparatów nystatyny. Należy jednocześnie leczyć partnera lekami stosowanymi miejscowo.

Gruźlica narządu rodnego występuje u kobiet w każdym wieku, lecz najczęściej między 30 a 40 r. życia, przeważnie jako powikłanie utajonego zakażenia gruźliczego, toczącego się w innym miejscu w organizmie. Gruźlica najczęściej obejmuje jajowody, zawsze obustronnie (ok. 90%), rzadziej błonę śluzową macicy (60 – 70%), najrzadziej srom i pochwę.

Proces gruźliczy w narządzie rodnym może się szerzyć drogą krwionośną (z ogniska w innym narządzie, np. z płuc oraz skóry) lub przez ciągłość – z otrzewnej.

O b j a w y są różne i zależą od umiejscowienia choroby, zmian, długości jej trwania i dokonanych zniszczeń w organizmie. Gruźlica może przebiegać bezobjawowo, może być utajona i jawna.

G r u ź l i c a u t a j o n a charakteryzuje się pierwotną niepłodnością, zrostami wewnątrzmacicznymi (Nettera) zniekształcającymi jamę macicy oraz skąpymi, rzadko występującymi miesiączkami.

G r u ź l i c a j a w n a przypomina zapalenie przydatków. W zapaleniu przewlekłym dolegliwości są niewspółmiernie małe w porównaniu z wielkością zmian w przydatkach. Z czasem powstają duże zrosty przydatków z otoczeniem.

R o z p o z n a n i e pewne opiera się na badaniach bakteriologicznych wykrywających prątki.

L e c z e n i e z a c h o w a w c z e jest takie jak w leczeniu gruźlicy innych narządów. L e c z e n i e o p e r a c y j n e jest stosowane tylko u kobiet po 40 r. życia przy dużych zmianach w narządzie rodnym i braku poprawy po leczeniu zachowawczym. Polega na całkowitym wycięciu macicy z przydatkami.

V. ZABURZENIA MIESIĄCZKOWANIA

Nieprawidłowe krwawienia z dróg rodnych

Terminem „nieprawidłowe krwawienia z macicy" określa się zarówno zaburzenia miesiączkowania, jak i inne krwawienia z dróg rodnych nie związane z miesiączką.

Z a b u r z e n i a m i e s i ą c z k o w a n i a polegają na zbyt obfitym lub przedłużającym się ponad 7 dni krwawieniu, albo też na krwawieniu miesiączkowym występującym w odstępach krótszych niż 24 dni. Nieprawidłowe krwawienia pojawiają się w czasie nie odpowiadającym terminowi miesiączki. Nieprawidłowe krwawienia z dróg rodnych mogą występować w każdym okresie życia kobiety, od pokwitania do menopauzy. Właściwe rozpoznanie przyczyny krwawienia i szybkie leczenie mają zasadnicze znaczenie dla dalszego zdrowia kobiety.

Przyczyną krwawień z dróg rodnych mogą być: choroby miejscowe, układowe lub też czynniki natury psychicznej. Częstą przyczyną jest po prostu powiększenie i nieregularny kształt macicy lub guzy macicy i przydatków. Dopiero badania dodatkowe oraz wyłyżeczkowanie jamy macicy pozwalają wyjaśnić nieprawidłowości stanowiące powód krwawienia. Ilość utraconej krwi oraz rytmiczność cyklu stanowi główny miernik fizjologicznych zmian.

Obfita miesiączka może być spowodowana: mięśniakami macicy, polipami błony śluzowej macicy, nieregularnym złuszczaniem się błony śluzowej, czynnościowym przerostem śluzówki macicy, skazą krwotoczną lub czynnikami psychicznymi.

Częste miesiączki mogą być wynikiem skrócenia cyklu płciowego (faza proliferacyjna krótsza niż 10 dni lub faza wydzielnicza krótsza niż 14 dni – zob. s. 1782) lub też przedwczesnego krwawienia wskutek działania czynników psychicznych lub fizycznych.

Nieprawidłowe krwawienie z dróg rodnych może być wynikiem: zaburzeń hormonalnych, różnych anomalii w obrębie narządu rodnego oraz zaburzeń czynnościowych – tzw. krwawień dysfunkcyjnych. Zaburzenia hormonalne są najczęściej spowodowane: przerostem gruczołowym błony śluzowej macicy, krwawieniem owulacyjnym z towarzyszącym bólem, przyjmowaniem dużych dawek estrogenów, cyklami bezowulacyjnymi oraz nadczynnością i niedoczynnością tarczycy.

Spośród chorób organicznych narządu rodnego, powodujących krwawienie, do najczęstszych należą: polipy szyjki i błony śluzowej macicy, mięśniaki podśluzówkowe, rak szyjki, trzonu macicy lub jajowodu oraz zapalenie błony śluzowej macicy.

Krwawienie dysfunkcyjne, spowodowane nieokreślonymi zaburzeniami czynnościowymi, jest nieregularne i często niebolesne, może być obfite lub skąpe. Cykl płciowy ma zazwyczaj charakter bezowulacyjny. Wśród licznych, możliwych przyczyn najczęściej spotyka się wielotorbielowate zwyrodnienie jajników, choroby przysadki, podwzgórza, tarczycy lub nadnerczy, a także cukrzycę.

Rozpoznanie opiera się w ogromnym stopniu na wywiadzie z chorą. Pozwala on ustalić rodzaj krwawienia, czas jego trwania, ilość utraconej krwi, charakter bólu, termin ostatniej prawidłowej miesiączki. Konieczna jest ocena ogólnego stanu zdrowia chorej, przebytych chorób i zabiegów operacyjnych oraz wad rozwojowych, metabolicznych i skaz krwotocznych występujących w rodzinie. Dokładny wywiad obejmuje informacje o miesiączkach, pierwszej miesiączce, przerwach międzymiesiączkowych, czasie trwania miesiączki, średniej utracie krwi, dolegliwościach przed, w czasie i po miesiączce, istniejących upławach, świądzie i krwawieniach międzymiesiączkowych, a także o rodzaju przyjmowanych leków.

Duże znaczenie w rozpoznaniu, poza badaniem ginekologicznym, mają cytologiczne i bakteriologiczne badania rozmazu z pochwy, badania wycinków lub zeskrobin z owrzodzeń albo obszarów przerostu w obrębie pochwy lub szyjki macicy. Niezbędne są również tzw. badania podstawowe krwi, moczu, serologiczne testy kiłowe.

W rozpoznawaniu guzów, zniekształceń i płynu pomocne może być badanie radiologiczne jamy brzusznej, histerosalpingografia, cystografia, wlew doodbytniczy. Badania radiologiczne są wykonywane tylko w przypadku podejrzenia nieprawidłowości organicznych. Pomocne bywa też badanie ultrasonograficzne miednicy małej i jamy brzusznej.

Czasami jest niezbędna biopsja lub wyłyżeczkowanie jamy macicy, pozwalające rozpoznać mięśniaki, polipy lub skrycie przebiegające inne nowotwory.

Leczenie. Obfite krwawienie z macicy, bez względu na jego przyczynę, może zostać zahamowane okresowo, jedynie na 1–2 dni, na drodze leczenia hormonalnego. Wybór leku zależy od stanu błony śluzowej macicy. Właściwe zahamowanie krwawienia polega jednak na wyłyżeczkowaniu jamy macicy. Zabieg ten ma charakter zarówno leczniczy, jak i diagnostyczny, umożliwia bowiem rozpoznanie mięśniaków, polipów i innych nieprawidłowości błony śluzowej macicy. Jeśli krwawienie nie jest spowodowane zmianami nowotworowymi lub zapalnymi, po wyłyżeczkowaniu jamy macicy ulega ono zahamowaniu u 50% kobiet z obfitymi miesiączkami i 60% kobiet z nieprawidłowymi krwawieniami z dróg rodnych. U kobiet tych powracają prawidłowe cykle płciowe. Jednoczesne zastosowanie preparatów hormonalnych (jeśli istnieją wskazania) zwiększa odsetek wyleczonych kobiet o dalsze 10–15%.

Nieprawidłowe krwawienia z dróg rodnych będące następstwem skazy krwotocznej powracają wraz z nasileniem zaburzeń hematologicznych.

Nie poddające się leczeniu zachowawczemu krwawienie z dróg rodnych u kobiet po 40 r. życia zmusza do podjęcia leczenia operacyjnego, polegającego na usunięciu macicy; przydatki nie zmienione nie zostają usunięte.

Zapobieganie polega na poddawaniu się okresowym badaniom ogólnym i ginekologicznym oraz wczesnym leczeniu chorób, które mogą stanowić przyczynę nieprawidłowych krwawień z dróg rodnych.

VI. KRWAWIENIA PO OKRESIE PRZEKWITANIA

Krwawieniami po okresie przekwitania, czyli *krwawieniami pomenopauzalnymi*, nazywa się krwawienia z dróg rodnych występujące w 6 miesięcy lub później po ostatniej w życiu kobiety miesiączce, tj. po menopauzie. Rodzaj krwawienia, czas jego trwania oraz ilość utraconej krwi nie zależą od przyczyny krwawienia.

Przyczyną krwawień mogą być zarówno choroby macicy, jak i innych narządów układu płciowego oraz zmiany nowotworowe narządu rodnego. Rak szyjki i trzonu macicy jest przyczyną krwawień w 35–50% przypadków. Innymi przyczynami są najczęściej: uszkodzenia narządu rodnego, zbyt długie stosowanie estrogenów, polipy szyjki i błony śluzowej macicy, choroba nadciśnieniowa, mięśniaki podśluzówkowe, owrzodzenie troficzne szyjki macicy z towarzyszącym wypadaniem macicy, skazy krwotoczne oraz feminizujące guzy jajników (zob. s. 1817), wytwarzające duże ilości estrogenów. Badania błony śluzowej macicy, pobranej metodą biopsji, pozwalają wyróżnić trzy stany tej błony:

1) błonę śluzową czynnościową – z objawami stymulacji hormonalnej;
2) błonę śluzową zanikową;
3) błonę śluzową o charakterze nowotworowym (rak błony śluzowej macicy).

Krwawienie z błony śluzowej czynnościowej, rozrastającej się, jest prawdopodobnie wynikiem nagłego, znacznego obniżenia lub wzrostu poziomu estrogenów krążących we krwi. Wahanie w poziomie hormonów jest następstwem metabolicznych zmian wpływających na ich wytwarzanie lub rozkład. Istnieje dosyć duża liczba badań umożliwiających ocenę aktywności hormonalnej u kobiet po menopauzie (badania cytohormonalne, biopsja błony śluzowej macicy, oznaczenie poziomu hormonów płciowych we krwi i wydalanych z moczem).

Wytwarzanie estrogenów w jajniku utrzymuje się prawdopodobnie przez ok. 10 lat po ostatniej miesiączce. Ponadto nawet bardzo mały błoniak ziarnisty (ziarniszczak) lub otoczkowiak może „produkować" w okresie przekwitania bardzo duże ilości estrogenów. Również kora nadnerczy wytwarza steroidowe hormony płciowe. Estrogeny wytwarzane w organizmie (tzw. endogenne), a także podawane w formie leków (tzn. egzogenne) mogą wpływać pobudzająco na błonę śluzową macicy po menopauzie i powodować krwawienia z dróg rodnych.

Krwawienie z błony śluzowej zanikowej jest spowodowane często starczym ścieńczeniem warstwy czynnościowej tej błony i pękaniem pętli włośniczek podczas zwiększonego ciśnienia śródnaczyniowego, zwłaszcza przy istniejącym nadciśnieniu tętniczym.

Źródłem krwawienia są też łagodne polipy w przypadku urazu mechanicznego, zaburzeń krążenia lub zakażenia, a także mięśniaki podśluzówkowe w przypadku ich skrętu lub zakażenia.

Rak gruczołowy błony śluzowej macicy może mieć charakter ogniskowy lub bardziej rozległy. Z wyjątkiem wczesnej fazy rozwoju, zmiana nowotworowa obejmuje zarówno warstwę czynnościową, jak i podstawową. Krwawienie w tych przypadkach może być spowodowane zarówno przez naciekanie naczyń krwionośnych, jak też przez jałowe i zakażone zmiany martwicze.

Rozwój raka w następstwie stosowania leczniczych dawek steroidów jest mało prawdopodobny, jednakże estrogeny mogą stwarzać środowisko sprzyjające powstawaniu raka pod wpływem innych nieznanych czynników.

Dodatkową przyczyną krwawienia z każdego rodzaju błony śluzowej może być zakażenie, kruchość naczyń krwionośnych, żylaki lub anomalie rozwojowe naczyń krwionośnych.

Objawy. Krwawienie po menopauzie może być bolesne lub też nie sprawia żadnych dolegliwości bólowych. Nasilenie dolegliwości zależy od: stanu szyjki macicy, ilości i szybkości utraty krwi, obecności zakażenia lub skrętu guza. Krwawienie może być różnie nasilone, od skąpego plamienia do obfitego krwawienia. Może trwać również różnie długo – mogą to być zdarzające się plamienia lub długotrwałe krwawienia utrzymujące się przez wiele dni i miesięcy.

Biopsja lub wyłyżeczkowanie kanału szyjki i jamy macicy umożliwiają uzyskanie tkanki, której badanie pozwala rozpoznać raka, przerost błony śluzowej macicy lub jej zapalenie.

Leczenie zależy od przyczyny wywołującej krwawienie. W celu wykrycia przyczyny krwawienia chora powinna być poddana badaniom lekarskim w szpitalu. W większości przypadków (prawie 65%) wystarczającym zabiegiem jest wyłyżeczkowanie jamy macicy i usunięcie polipów (jeśli istnieją wskazania). Jeśli badanie diagnostyczne wyskrobin wykaże tylko przerost gruczołowy błony śluzowej macicy, może być prowadzone leczenie hormonalne, a po 3 miesiącach powtórne kontrolne wyłyżeczkowanie kanału szyjki i jamy macicy. Jeśli mimo dwukrotnego wyłyżeczkowania jamy macicy krwawienie nadal się utrzymuje, wskazane może być całkowite usunięcie macicy z przydatkami.

Gdy przyczyną krwawienia jest zanikowe zapalenie błony śluzowej pochwy, leczenie polega na cyklicznym podawaniu estrogenów.

Rak wywodzący się z każdej części dróg rodnych wymaga radykalnego leczenia chirurgicznego.

Zapobieganie. Każda kobieta po okresie przekwitania powinna co 6–12 miesięcy poddać się badaniu ginekologicznemu z jednoczesnym badaniem cytologicznym. Jeśli badanie cytologiczne wykazuje grupę III lub IV, jest konieczne diagnostyczne wyłyżeczkowanie kanału szyjki i jamy macicy.

VII. ZESPOŁY ENDOKRYNOLOGICZNE

Zaburzenia czynnościowe jajników

Objawami zaburzeń czynności hormonalnej jajników u kobiety dojrzałej jest brak miesiączki lub inne zaburzenia cyklu płciowego, niepłodność czynnościowa oraz nieprawidłowy rozwój drugo- i trzeciorzędowych cech płciowych. Większość tych nieprawidłowości jest wywołana zaburzeniami wydzielania wewnętrznego układu podwzgórze – przysadka – jajnik z wtórną niewydolnością jajnika.

Najczęściej pierwotną przyczyną są zaburzenia czynności podwzgórza, rzadziej przysadki. Drugą co do częstości przyczyną są pierwotne choroby jajników, które mogą być zarówno wrodzone (zespół szczątkowych gonad, tj. dysgenezja gonad), jak i nabyte (niedorozwój jajników, guzy hormonalnie czynne).

Objawową niewydolność jajników prawdziwą stanowią choroby innych gruczołów dokrewnych, zwłaszcza kory nadnerczy, tarczycy i trzustki, oraz ogólne choroby metaboliczne, które wtórnie zaburzają czynność wydzielniczą jajników.

Objawową niewydolność jajników rzekomą wywołują zmiany anatomiczne w obrębie narządu płciowego, a więc nie przyczyny hormonalne, gdyż czynność jajników jest prawidłowa. Brak miesiączki w tym przypadku jest wynikiem braku macicy (wrodzonym lub pooperacyjnym) albo zarośnięcia macicy, szyjki macicy lub pochwy.

Podzwgórzowa niewydolność jajników

Ośrodki regulacyjne podwzgórza, zwłaszcza odpowiedzialne za regulację czynności płciowej, cechują się już w warunkach fizjologicznych bardzo wielką labilnością i są wrażliwe na różne bodźce wewnątrz- i zewnątrzustrojowe, w tym także na silne impulsy psychiczne. Urazy psychiczne upośledzają czynność tych ośrodków przez zaburzenia w ich ukrwieniu. Czynność podwzgórza mogą również upośledzić różne zmiany organiczne, np. guzy, stany zapalne i urazy mózgu.

Objawem niewydolności lub uszkodzenia podwzgórza mogą być zmiany chorobowe ze strony innych narządów. Mogą wtedy wystąpić zaburzenia wewnątrzwydzielnicze, np. zaburzenia miesiączkowania, mlekotok, przedwczesne dojrzewanie płciowe, a także zaburzenia wegetatywne regulacji snu i czuwania, łaknienia i pragnienia, zmiany naczynioruchowe, chwiejne nadciśnienie tętnicze, wzmożona potliwość, zaburzenia popędu płciowego, termoregulacji i psychiki.

Zaburzenia czynności podwzgórza mogą powodować występowanie miesiączkowych cykli bez jajeczkowania, nie wywołując zaburzeń ze strony innych gruczołów dokrewnych zależnych od przysadki. Powrót do cykli prawidłowych może nastąpić nawet bez leczenia. Przy większych zaburzeniach czynności podwzgórza, a także po wstrząsach psychicznych, dochodzi do zatrzymania miesiączkowania.

Rozpoznanie niewydolności podwzgórzowej jest na ogół możliwe dopiero po uprzednim wykluczeniu niewydolności pochodzenia przysadkowego, jajnikowego lub innych gruczołów dokrewnych.

Podwzgórzowa niewydolność wrodzona występuje u 25% wszystkich chorych z zaburzeniami miesiączkowania oraz u 30% kobiet z zespołami podwzgórzowymi. Powodują ją szkodliwe czynniki z okresu życia płodowego (choroby matki w ciąży, zakażenia wirusowe, zatrucia), choroby wczesnego dzieciństwa lub zmiany naciekowe jąder w okolicach podwzgórza. Przy prawidłowym rozwoju drugorzędowych cech płciowych, zwłaszcza gruczołów piersiowych, występuje labilność naczyniowa, nadmierne łaknienie, wahania masy ciała i zaburzenia żołądkowo-jelitowe. Niewydolność podwzgórzową wrodzoną można wyleczyć w ok. 50% przypadków.

Podwzgórzowa niewydolność psychogenna. Czynniki psychiczne w niewydolności jajników pochodzenia podwzgórzowego odgrywają dużą rolę, zwłaszcza gdy zanik miesiączki występuje po wstrząsie psychicznym. Wyróżnia się kilka postaci tej choroby:

Niewydolność reaktywno-psychogenną cechuje: a) brak miesiączki po doznanym wstrząsie psychicznym u dotychczas regularnie miesiączkującej kobiety, któremu tylko rzadko towarzyszą inne zaburzenia miesiączkowe; b) często nadmierne łaknienie i wzrost masy ciała; c) drugorzędowe cechy płciowe są dobrze rozwinięte.

Psychogenny wstręt do jedzenia, tj. jadłowstręt psychiczny. Choroba przebiega z zaburzeniami ośrodków łaknienia i sytości przy pierwotnym lub wtórnym braku miesiączki, braku apetytu, bardzo dużej utracie masy ciała, nawet do 30 kg. Drugorzędowe cechy płciowe, tj. owłosienie i gruczoły sutkowe, są słabo rozwinięte, występuje niskie ciśnienie krwi, sinica kończyn, obniżona temperatura ciała, często zaparcia. W wywiadzie częste konflikty psychiczne. Zob. też Choroby wewnętrzne, Endokrynologia s. 789.

Podwzgórzowa niewydolność organiczna stanowi ok. 20% chorób podwzgórza u kobiet. Powstaje wskutek procesów zapalnych i zwyrodnieniowych, urazów i guzów mózgu. Charakteryzuje się nadmiarem lub niedoborem wagi, nadmiernym owłosieniem lub utratą włosów, zanikiem gruczołów sutkowych i płciowych. Często dołączają się zaburzenia psychiczne, zaburzenia łaknienia, objawy neurologiczne, takie jak bóle głowy, zaburzenia wymowy, wzroku, czucia oraz śpiączka.

Podwzgórzowa niewydolność pociążowa. Choroba jest następstwem patologicznego przebiegu ciąży, poronienia lub porodu. Czynnikami wywołującymi są krwotoki i niedotlenienie, stany zapalne lub toksyczne. Objawia się wzmożoną pobudliwością nerwową, ogólnym osłabieniem, bólami głowy, sennością, brakiem popędu płciowego, zmiennością masy ciała, zaburzeniami miesiączkowania, wypadaniem włosów, suchością i bladością skóry, uczuciem zimna i nerwicą układu krążenia, moczowego lub pokarmowego.

Podwzgórzowa niewydolność z laktacją. Laktacja występująca po urazach psychicznych i fizycznych, po operacjach brzusznych, po przyjmowaniu niektórych leków wskazuje na zaburzenia pochodzenia podwzgórzowego. Rozróżnia się kilka postaci tej choroby:

zespół patologicznej laktacji i wtórnego zaniku narządu rodnego (zespół Chiari – Frommela) mający początek w połogu;

zespół Argonz del Castillo – nie związany z ciążą i połogiem;

zespół Forbes – Albrighta – gdy laktacja jest wywołana guzem. Zespoły te charakteryzują się brakiem miesiączki, nadmierną i przedłużającą się laktacją oraz zanikiem narządu rodnego. Zob. też Choroby wewnętrzne, Endokrynologia s. 791.

Przysadkowa niewydolność jajników

Niewydolność jajników pochodzenia przysadkowego jest spowodowana niewydolnością przedniego płata przysadki głównie w następstwie martwicy poporodowej (zespół Sheehana, ok. 80% przypadków). Wszystkie pozostałe niedomogi przysadki, nie związane z patologicznym porodem, a występujące po zakażeniach i urazach czaszki z krwotokami, rzadziej wywołane guzami przysadki – zalicza się do zespołu Glińskiego – Simmondsa.

Objawy i przebieg choroby zależą od rozległości zmian w przysadce. Najczęściej występują zaburzenia miesiączkowania (rzadkie miesiączki), bóle głowy, powolna, monotonna mowa, psychozy. Skóra jest blada, czasem nawet woskowato-żółta, sucha i szorstka. Owłosienie łonowe i pachowe zanikowe, skąpe. Zob. też Endokrynologia, Choroby części gruczołowej przysadki, s. 785.

Guzy przysadki. Najczęściej są to gruczolaki: barwnikooporne i barwnikochłonne – kwasochłonne w akromegalii oraz zasadochłonne w chorobie Cushinga. Najczęściej towarzyszą im skąpe miesiączki lub ich brak oraz otyłość z typowym rozłożeniem tkanki tłuszczowej (twarz okrągła, księżycowata, w okolicy karku garb tłuszczowy, otłuszczenie głównie tułowia, duży obwisły brzuch). Kończyny dolne są chude, skóra cienka, papierowata, czerwone rozstępy skórne na brzuchu, pośladkach, górnych częściach ud i gruczołach piersiowych. Bardzo często występuje cukrzyca. Zewnętrzne i wewnętrzne narządy płciowe są w granicach normy.

Pierwotna niewydolność jajników

Zespół Stein – Leventhala, czyli **zespół policystycznych jajników** lub **drobnotorbielkowate zwyrodnienie jajnika.** Zespół ten cechuje niepłodność, zaburzenia miesiączkowania (miesiączki skąpe lub ich brak), nieprawidłowe, nadmierne owłosienie, często otyłość. Na skórze występuje trądzik, także łojotok. Wargi sromowe mniejsze przerosłe, łechtaczka przerosła, powiększona, macica na ogół prawidłowo rozwinięta, jajniki obustronnie powiększone, twarde, gładkie.

Leczenie farmakologiczne lub operacyjne – polegające na klinowej resekcji jajników.

Dysgenezja gonad, czyli **zespół szczątkowych gonad**, jest to niewytworzenie się w życiu płodowym prawidłowych gonad (jajników u kobiet, jąder u mężczyzn) i przetrwanie ich w takiej szczątkowej postaci u osób dorosłych. U kobiet cechuje się pierwotnym brakiem miesiączki oraz brakiem drugo- i trzeciorzędowych cech płciowych. Objawy i przebieg choroby są następstwem przede wszystkim niewytwarzania estrogenów w szczątkowych gonadach.

Zespół Turnera jest charakterystyczną postacią dysgenezji gonad. Oprócz braku miesiączki występuje nieprawidłowa budowa ciała: wzrost niski poniżej 150 cm, płetwiasta szyja, koślawe łokcie i kolana, beczkowata klatka piersiowa, niedorozwinięte gruczoły sutkowe szeroko rozstawione. Często towarzyszą inne wady rozwojowe, głównie układu moczowego i krążenia. Owłosienie łonowe jest bardzo skąpe lub w ogóle go brak. Niedorozwinięte są zewnętrzne narządy płciowe, trzon macicy jest typu płodowego lub infantylnego. Jajniki tworzą wąskie taśmy tkanki łącznej. Zob. Patologia, Genetyczne podłoże chorób, s. 303.

Guzy jajników hormonalnie czynne

Guzy feminizujące. Ziarniszczak, nazywany też błoniakiem ziarnistym, wydziela stale w zmiennej ilości estrogeny powodując długie i obfite miesiączki, cykle jednofazowe, a nawet wtórny brak miesiączki. Otoczkowiak ma słabsze działanie estrogenne, może wydzielać też progesteron.

Guzy maskulinizujące. Jądrzak występuje głównie między 20 a 30 r. życia. Objawia się zanikiem miesiączki, macicy i gruczołów sutkowych, a w drugim etapie wirylizacją, tj. nadmiernym, nieprawidłowym owłosieniem, przerostem łechtaczki oraz obniżeniem tembru głosu.

Objawowa niewydolność jajników prawdziwa

Niewydolność jajników spowodowana zaburzeniami czynnościowymi innych gruczołów dokrewnych, a zwłaszcza kory nadnerczy i tarczycy oraz zaburzeniami przemiany materii, nosi nazwę niewydolności prawdziwej. Pierwotna przyczyna leży wówczas poza układem podwzgórze – przysadka – jajnik, a niewydolność jajników jest wywołana pośrednio i stanowi tylko objaw choroby.

VIII. NIEPŁODNOŚĆ MAŁŻEŃSKA I ZAPŁODNIENIE POZAUSTROJOWE

Niepłodność małżeńska jest pojęciem biologicznym i zobowiązuje do badania pary małżeńskiej, co jest podstawową zasadą postępowania diagnostycznego. Wyodrębnia się: niepłodność kobiecą oraz niepłodność męską.

Od niemożności zajścia w ciążę należy odróżnić brak zdolności donoszenia ciąży, który może wynikać z trudności zagnieżdżenia się zapłodnionego jaja, z poronień lub z braku możliwości rodzenia dzieci żywych lub zdolnych do życia.

Pojęcie niepłodności też nie jest jednoznaczne. Niepłodność całkowita, czyli bezpłodność, może być spowodowana u kobiet wadami wrodzonymi (brak jajników, macicy lub pochwy, macica szczątkowa, brak jajowodów lub ich wrodzone zarośnięcie) albo wadami nabytymi w wyniku przebytych operacji, stanów zapalnych i innych uszkodzeń, a u mężczyzn – wrodzonym lub nabytym brakiem jąder.

Niepłodność względna oznacza istnienie przyczyn czasowo powodujących niepłodność, ale dających szanse wyleczenia. Rozróżnia się niepłodność względną wrodzoną oraz niepłodność względną nabytą.

O niepłodności pierwotnej mówi się wówczas, gdy mimo regularnych stosunków utrzymywanych dłużej niż 2 lata, kobieta nie zachodzi w ciążę.

Niepłodność wtórna to sytuacja, gdy kobieta raz lub więcej razy była w ciąży (niezależnie od tego, czy nastąpiło poronienie, ciąża pozamaciczna lub poród), a następnie minęły 2 lata bez zajścia w ciążę mimo regularnych stosunków płciowych.

Istnieją również pojęcia niepłodności okresowej, w tym także fizjologicznej (ciąża, niepłodne fazy cyklu) oraz niepłodności dobrowolnej (zapobieganie zapłodnieniu).

Przyczyny niepłodności małżeńskiej

Przyczyny niepłodności u ok. 50% małżeństw są wspólne i najczęściej dotyczą kilku czynników równocześnie. Na ogół przyjmuje się, że przyczyną niepłodności małżeńskiej w 45–50% jest niepłodność kobiet, w 35–40% – niepłodność mężczyzn, a w 10–20% są sprawy niewyjaśnione.

Niepłodność kobiet może być spowodowana czynnikami:

1) jajnikowymi – zaburzenia jajeczkowania lub wytwarzania hormonów steroidowych;

2) jajowodowymi – niedrożność, nieprawidłowe ruchy lub brak ruchów perystaltycznych jajowodu, stan nabłonka (morfologiczny i czynnościowy – w sensie ruchowym i wydzielniczym);

3) macicznymi – nieprawidłowym kształtem, wielkością i położeniem macicy, zrostami wewnętrznymi, morfologicznym i czynnościowym stanem mięśniówki macicy oraz stanem błony śluzowej wyścielającej jamę macicy;

4) szyjkowymi – niedrożnością, pofałdowaniem szyjki macicy oraz składem i stanem biochemiczno-immunologicznym śluzu szyjki macicy;

5) pochwowymi – niewłaściwym kształtem i wymiarami pochwy, stanem bakteriologicznym i biochemicznym wydzieliny pochwy.

Niepłodność mężczyzn może być spowodowana:

1) czynnikami jądrowymi – zaburzeniami w wytwarzaniu hormonów steroidowych lub w wytwarzaniu prawidłowych ilościowo i jakościowo plemników;

2) niedrożnością dróg wyprowadzających;

3) zaburzeniami uniemożliwiającymi „zdeponowanie” nasienia w pochwie z powodu: zahamowań psychicznych lub wad anatomicznych.

Niepłodność kobiet

Czynnościowe przyczyny niepłodności kobiet. Niepołodność czynnościowa stanowi 35–50% przyczyn niepłodności u kobiet. Jest ona wynikiem zaburzeń w odczynie biologicznym pochwy, zmian biochemicznych ze zmianami immunologicznymi i fizykochemicznymi śluzu szyjkowego, zmian czynnościowych błony śluzowej macicy – w tym braku reaktywności błony śluzowej na bodźce hormonalne, zmian czynnościowych jajowodów, a wreszcie – i to jest najważniejszy czynnik – zmian czynnościowych, w wyniku których nie dochodzi do jajeczkowania i występują zaburzenia w ilościowym i jakościowym wytwarzaniu hormonów steroidowych przez jajniki.

Najważniejszym momentem jest jajeczkowanie, czyli owulacja. Niektórzy ograniczają nawet pojęcie niepłodności czynnościowej do braku jajeczkowania. Metody diagnostyczne pozwalające stwierdzić owulację dzieli się na pewne i prawdopodobne.

Metody diagnostyczne pewne. Należą tutaj: a) ciąża, b) stwierdzenie pękniętego pęcherzyka albo ciałka żółtego, c) znalezienie jaja w drogach rodnych. W ostatnich kilku latach można za pomocą codziennych badań ultrasonograficznych śledzić wzrost i pęknięcie pęcherzyka Graafa.

Metody diagnostyczne prawdopodobne. Należą tutaj: a) wzrost podstawowej temperatury ciała ok. 14 dnia cyklu spowodowany progesteronem (ok. 80% pewności); b) zmiany w rozmazach cytohormonalnych (30–50% pewności); c) zmiany wydzielnicze w błonie śluzowej macicy (biopsja – ok. 90% pewności); d) podwyższenie poziomu progesteronu we krwi (ok. 80%); e) zmiany śluzu szyjkowego.

Inne dowody jajeczkowania, jak ból w środku cyklu lub plamienie, są objawami subiektywnymi i występują rzadko, w związku z czym mogą mieć tylko znaczenie pomocnicze.

Leczenie czynnościowej niepłodności jest hormonalne lub operacyjne (polega na klinowej resekcji jajników).

Mechaniczne przyczyny niepłodności kobiet. O niepłodności mechanicznej mówi się wtedy, gdy istnieją przeszkody na drodze wędrówki plemników lub zapłodnionego jaja, a więc chodzi tu nie tylko o całkowite niedrożności, ale o zwężenie światła lub zmiany czynności w obrębie dróg rodnych uniemożliwiające tzw. czynny transport.

Przyczyny jajowodowe. Według różnych autorów stanowią one 20–60% niepłodności i można je podzielić na pierwotne i wtórne. Przyczyny pierwotne to wady wrodzone jedno- lub obustronne, calkowity brak jajowodów, ślepe zachyłki itp. Przyczyny wtórne, czyli nabyte, są wynikiem różnych bakteryjnych stanów zapalnych połogowych (po porodach i poronieniach), rzeżączki, gruźlicy, zapalenia błony śluzowej macicy oraz zmian pooperacyjnych.

Przyczyny maciczne, mające znacznie mniejszy „udział" w niepłodności, można również podzielić na wrodzone i nabyte. Do wrodzonych należy brak macicy lub jej niedorozwój, do nabytych zrosty śródmaciczne (zrosty Ashermana) oraz mięśniaki śródścienne i podśluzówkowe zamykające ujścia śródścienne jajowodów.

Przyczyny szyjkowe obejmują zwężenie szyjki macicy, jej zrosty oraz nadmierne przodo- i tyłozgięcie.

W diagnostyce niepłodności mechanicznej największe znaczenie ma tzw. histerosalpingografia (HSG), tj. badanie radiologiczne narządu rodnego polegające na podaniu przez kanał części pochwowej środka cieniującego do jamy macicy i ocenie na ekranie telewizyjnym zarysów jamy macicy, kształtu i drożności jajowodów.

Leczenie mechanicznej niepłodności kobiecej jest zachowawcze lub operacyjne. Leczenie zachowawcze polega na stosowaniu tzw. hydrotubacji, czyli wlewek domacicznych stosowanych seriami – 3–5 serii po 5–10 wlewek na cykl, z użyciem antybiotyku w połączeniu z hydrokortyzonem. Dobre wyniki daje też leczenie balneoklimatyczne. Leczenie operacyjne polega na uwalnianiu ze zrostów i próbach udrażniania jajowodów (salpingostomia); efekty nie są dostateczne, zaledwie 6–8% kobiet poddanych operacji zachodzi w ciążę.

Niepłodność mężczyzn

Zob. Andrologia, s. 1908.

Zapłodnienie pozaustrojowe

Leczenie niepłodności jest procesem skomplikowanym, długotrwałym i często nieefektywnym. Stosunkowo niska skuteczność stosowanych metod leczniczych dotyczy głównie tzw. niepłodności mechanicznej, tj. stanu, w którym brak jest łączności pomiędzy jajnikiem a jamą macicy. Typowym tego przykładem może być brak jajowodów lub obustronne ich zarośnięcie. Kobiety z takimi zmianami w przydatkach, będąc endokrynologicznie zupełnie zdrowe, praktycznie nie mają szans posiadania własnego dziecka. Jedynie ominięcie fizjologicznej drogi zapłodnionej komórki jajowej, czyli wprowadzenie jej bezpośrednio do jamy macicy, daje szansę na zmianę tej sytuacji. Po kilkunastu latach doświadczeń i tego typu skutecznych zabiegów u zwierząt podjęto próby u ludzi.

Pierwsze zabiegi zapłodnienia pozaustrojowego wykonali badacze z Cambridge: R. Edwards, embriolog doświadczalny, i P. Steptoe, ginekolog. Po przeprowadzeniu przeszło 200 prób w 1979 r. urodziło się pierwsze dziecko z zapłodnienia pozaustrojowego – Luiza Brown. Od tego momentu datuje się dynamiczny rozwój badań nad udoskonaleniem tej metody leczenia niepłodności. Rozszerzono znacznie zakres wskazań do zapłodnienia pozaustrojowego. Obok niepłodności mechanicznej obejmują one niepłodność immunologiczną (przeciwciała produkowane przez organizm kobiety uniemożliwiają zapłodnienie komórki jajowej), niepłodność męską (nasienie partnera posiada obniżoną zdolność do zapłodnienia) oraz tzw. niepłodność idiopatyczną, tj. stan, w którym nie udaje się wykryć żadnej ze znanych przyczyn uniemożliwiających zajście w ciążę.

Podjęcie próby leczenia za pomocą zapłodnienia pozaustrojowego wymaga utworzenia odpowiedniego zespołu oraz zgromadzenia odpowiedniej aparatury, a także opracowania tzw. programu, czyli schematu postępowania diagnostyczno-terapeutycznego. Każdy taki program rozpoczyna się kwalifikacją małżeństw. Warunkiem niezbędnym jest stwierdzenie samoistnego lub indukowanego jajeczkowania u kobiety, wykluczenie całej gamy chorób zakaźnych, wykazanie prawidłowego przygotowania błony śluzowej macicy do przyjęcia zapłodnionej komórki jajowej. U mężczyzny należy m.in. wykonać badanie ogólne i posiew nasienia. Po uzyskaniu pozytywnych wyników badań kwalifikacyjnych małżeństwo może zostać włączone do programu leczenia.

Pojęciem „zapłodnienie pozaustrojowe" określa się kilka powiązanych ze sobą etapów postępowania, a mianowicie: stymulację owulacji, pobranie komórki jajowej, właściwe zapłodnienie pozaustrojowe (IVF – *in vitro fertilization*), przeniesienie zarodka do jamy macicy (ET – *embryo transfer*), wczesną diagnostykę ciąży oraz ocenę jej rozwoju.

Po kilku latach badań stwierdzono, że znacznie większą szansę na rozwój ciąży uzyskuje się przenosząc jednorazowo kilka zarodków. Aby uzyskać taką możliwość, niezbędny jest równoczesny rozwój kilku, kilkunastu pęcherzyków jajnikowych. W fizjologicznym cyklu owulacyjnym dojrzewa najczęściej jeden pęcherzyk, uzyskanie większej ich liczby wymaga stymulacji dokonywanej najczęściej clomiphenem oraz gonadotropinami przysadkowymi i gonadotropiną kosmówkową.

Rozwój poszczególnych pęcherzyków jajnikowych (tzw. pęcherzyków Graafa) powinien być oceniany ultrasonograficznie (ocena wielkości i liczby pęcherzyków) oraz biochemicznie (ocena stężenia hormonów, najczęściej estriolu). Na podstawie tych badań wybiera się moment najodpowiedniejszy do pobrania komórki jajowej. Pobranie to może być dokonane w trakcie laparoskopii lub, co jest ostatnio coraz częściej stosowane, pod kontrolą obrazu ultrasonograficznego. W obu tych metodach nakłuwa się pęcherzyki jajnikowe i odsysa ich zawartość. Po uzyskaniu płynu pęcherzykowego, pod mikroskopem identyfikuje się komórki jajowe, które następnie umieszcza się w stałych, sterylnych warunkach w cieplarce hodowlanej.

Jednym z warunków skuteczności całego programu zapłodnienia pozaustrojowego jest dobranie odpowiedniego płynu hodowlanego, atmosfery gazów i utrzymanie stałej temperatury w trakcie hodowli. Po pewnym czasie do komórki jajowej dodaje się przygotowane uprzednio plemniki partnera. Komórki jajowe i plemniki ponownie zostają poddane inkubacji; po kilkunastu godzinach można już stwierdzić pod mikroskopem, czy doszło do ich połączenia. Dzielące się, złożone z dwu, czterech lub ośmiu blastomerów zarodki umieszcza się w specjalnie skonstruowanym cewniku, za pomocą którego, w sposób możliwie najmniej urazowy, wprowadza się je do jamy macicy. Od tego momentu rozpoczyna się okres oczekiwania. Obecność wczesnej ciąży można wykazać już po kilku, kilkunastu dniach oceniając stężenie progesteronu lub gonadotropiny kosmówkowej. Stwierdzenie rozwoju ciąży stanowi znak, że doszło do zagnieżdżenia zarodka w jamie macicy. Szczęśliwym zakończeniem całego programu jest urodzenie zdrowego dziecka. Nawet w najbardziej wyspecjalizowanych ośrodkach udaje się to osiągnąć w 20–30% przypadków.

Obok klasycznej już techniki zapłodnienia pozaustrojowego pojawiło się kilka innych, pokrewnych metod, takich jak np. transfer gamet do jajowodu (GIFT – *gametes intra fallopian transfer*). Zabieg ten polega na umieszczeniu w świetle jajowodu posiadającego łączność z jamą macicy komórek jajowych i przygotowanych plemników.

Odmiennym, często dyskutowanym zagadnieniem jest zamrażanie zarodków. Postępowanie to ma swój czysto biologiczny sens (transfer zarodków w następnym, niestymulowanym cyklu), budzi jednak sporo zastrzeżeń natury etyczno-moralnej. Jeszcze więcej oporów budzą próby klonowania zarodków, tj. podziału kilkukomórkowego zarodka na poszczególne komórki, z których rozwijać się mogą identyczni osobnicy.

Pomimo licznych zastrzeżeń, stosunkowo niskiej skuteczności i wysokich kosztów leczenia należy spodziewać się dalszego rozwoju techniki zapłodnienia pozaustrojowego, którego głównym celem są narodziny dziecka w małżeństwach, w których inne metody leczenia niepłodności okazały się nieskuteczne.

IX. CIĄŻA

Zapłodnienie i rozwój zarodka

Cykl miesiączkowy dojrzałej kobiety przygotowuje jej organizm do procesu rozrodczego. Około 14 dnia cyklu następuje jajeczkowanie, czyli uwolnienie komórki jajowej z pęcherzyka Graafa.

Komórka jajowa (gameta żeńska) przechodzi przez ujście brzuszne jajowodu do jego światła, gdzie ruchami rzęsek i skurczami mięśniówki jest przesuwana w kierunku jamy macicy. Czas jej przeżycia jest obliczany na kilka do kilkunastu godzin i tylko w tym okresie jest ona zdolna do połączenia się z plemnikiem.

Nasienie męskie (sperma) po stosunku płciowym znajduje się w tylnym sklepieniu pochwy. Zawiera ono 300–400 mln plemników. Plemniki (gamety męskie) poruszając się za pomocą witki przesuwają się przez ujście zewnętrzne szyjki macicy do kanału szyjki, a następnie przez jamę macicy do światła jajowodu. Czas ich przeżycia i zdolność zapłodnienia wynosi 48 godz. Jeżeli w bańce jajowodu znajduje się komórka jajowa (rys. obok), zostaje ona otoczona plemnikami, lecz tylko jeden z nich wnika do jej wnętrza.

Zapłodnienie jest to zespolenie się komórki jajowej z plemnikiem, w wyniku czego powstaje komórka potomna zwana zygotą. Jeżeli zostaną spełnione warunki dotyczące życia komórki jajowej i plemników, zapłodnienie jest możliwe w każdym cyklu miesiączkowym.

Zygota, powstała z połączenia się komórki jajowej z plemnikiem, jest przesuwana przez jajowód w kierunku jamy macicy. Przechodzi ona fazę podziałów zwanych bruzdkowaniem, a powstałe komórki noszą nazwę blastomerów. Blastomery leżąc obok siebie przypominają owoc morwy.

W trzeciej dobie od zapłodnienia zygota osiąga stadium 12–16 blastomerów zwane morulą i przedostaje się do jamy macicy. W okresie dalszych podziałów następuje zróżnicowanie komórek. Komórki zewnętrzne układają się w jednolitą warstwę nazywaną trofoblastem i tworzą kulę wypełnioną wewnątrz płynem. Komórki wewnętrzne tworzą węzeł zarodkowy, tzw. embrioblast. Jest to stadium blastuli, czyli pęcherzyka zarodkowego, który początkowo leży na powierzchni błony śluzowej macicy. Okres od zapłodnienia do początku zagnieżdżania się w jamie macicy trwa 5 do 7 dni.

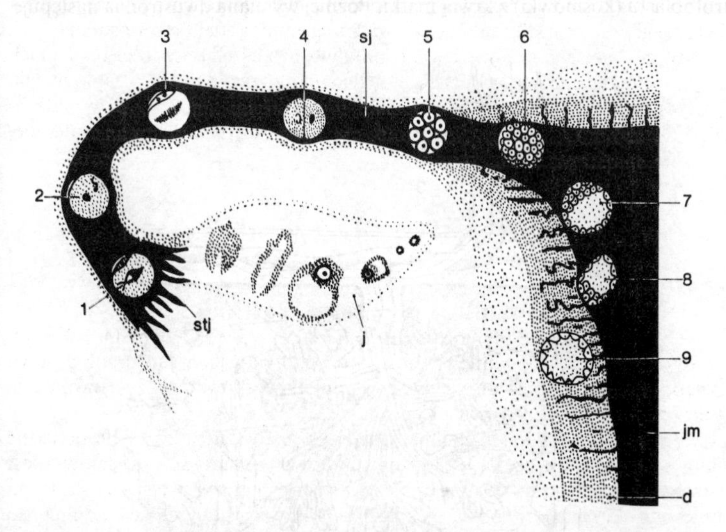

Zapłodnienie komórki jajowej w obrębie jajowodu oraz wędrówka zygoty, tj. jaja płodowego, w kierunku jamy macicy oraz zagnieżdżenie się w zmienionej błonie śluzowej macicy zwanej doczesną; 1 – komórka jajowa (oocyt), 2 – wniknięcie plemnika do komórki jajowej, 3 – zapłodniona komórka jajowa, 4, 5 – proces bruzdkowania, 6 – stadium moruli, 7, 8 – stadium blastuli, 9 – zagnieżdżone jajo płodowe w doczesnej, j – jajnik, stj – strzępki jajowodu, sj – światło jajowodu, jm – jama macicy, d – doczesna

Powstanie blastuli kończy okres bruzdkowania i zaczyna okres tworzenia listków zarodkowych zwany gastrulacją. Komórki węzła zarodkowego różnicują się przez podział na trzy listki zarodkowe: ektodermę, entodermę i mezodermę. Z listków tych powstanie jedna z błon płodowych – owodnia – oraz tkanki zarodka, a z nich płód zdolny do samodzielnego życia.

Zagnieżdżanie się jaja płodowego w jamie macicy, zaczynające się 5–7 dnia od zapłodnienia i trwające ok. 7 dni, polega na wnikaniu blastocysty do błony śluzowej i pokryciu tego miejsca przez napełzający nabłonek doczesnej. Doczesna jest błoną śluzową macicy, zmienioną pod wpływem hormonów płciowych. Przemiana ta umożliwia proces zagnieżdżania. Wnikanie blastocysty w doczesną następuje głównie wskutek cytolitycznej właściwości komórek trofoblastu.

T r o f o b l a s t rozrastając się w głąb błony śluzowej i tkanki łącznej macicy niszczy je i otwierając naczynka krwionośne czerpie materiał odżywczy. Pełni on funkcję odżywczą w jaju płodowym. W dalszym rozwoju przekształci się w k o s m ó w k ę, która w 3 miesiącu ciąży podzieli się na kosmówkę gładką i krzewiastą. Z tej ostatniej oraz przylegającej do niej doczesnej podstawowej powstanie ł o ż y s k o w 4 miesiącu ciąży.

W początkowym okresie rozwoju zarodek odżywia się przez kontakt trofoblastu (kosmówki) z krwią matki. Później wymiana dwustronna następuje

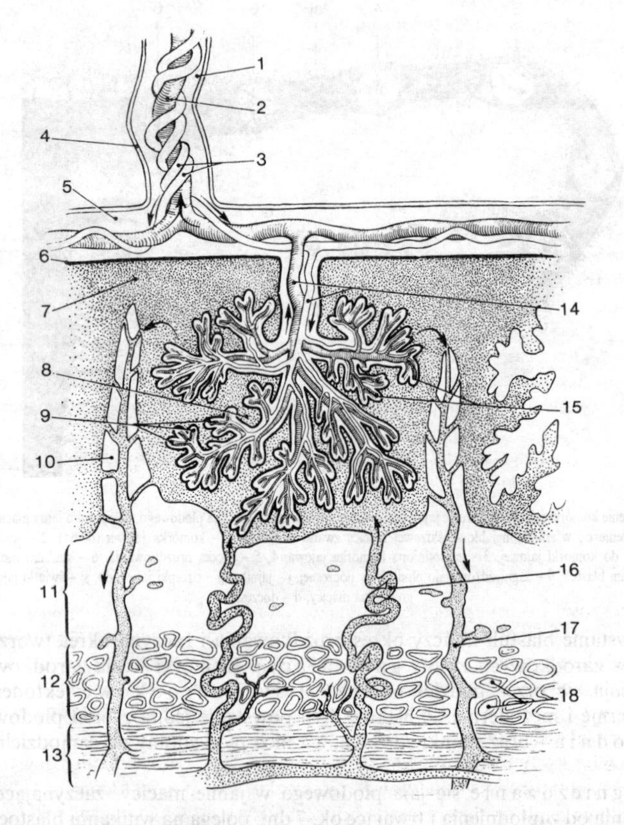

Przekrój przez łożysko: 1 – pępowina, 2 – żyła pępkowa, 3 – tętnice pępkowe, 4 – owodnia, 5 – blaszka łożyska, 6 – kosmówka (trofoblast), 7 – przestrzeń podkosmówkowa, 8 – przestrzeń międzykosmkowa, 9 – kosmki, 10 – przegroda doczesnowa, 11 – doczesna podstawna zbita, 12 – doczesna podstawna gąbczasta, 13 – mięsień macicy, 14 – tętnica i żyła pępowinowa, 15 – naczynia włosowate, 16 – tętniaki spiralne, 17 – żyły, 18 – gruczoły macicy

przez łożysko. Przylega ono jedną płaszczyzną do macicy i styka się z naczyniami matki, z drugiej strony jest połączone z płodem sznurem, zwanym p ę p o w i n ą. Płód otrzymuje tą drogą produkty potrzebne do swego rozwoju i wydala produkty przemiany materii.

W rozwoju płodu wyróżnia się trzy okresy:

1) o k r e s j a j a p ł o d o w e g o – od zapłodnienia do 2 tygodnia, czyli do ukończenia zagnieżdżania się jaja;

2) o k r e s z a r o d k o w y – od 2 do 5 tygodnia ciąży – okres kształtowania się trzech listków zarodkowych;

3) o k r e s p ł o d o w y – od 5 tygodnia do zakończenia ciąży.

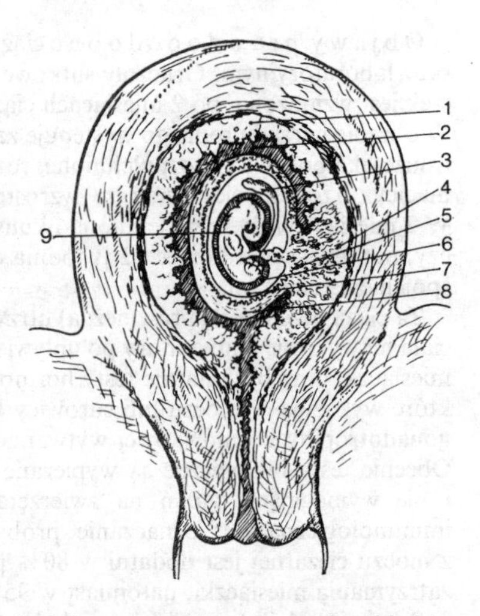

Przekrój macicy wraz z jajem płodowym w 5 tygodniu ciąży: 1 – doczesna ścienna, 2 – jama macicy, 3 – pęcherzyk żółtkowy, 4 – doczesna podstawna, 5 – kosmki, 6 – owodnia, 7 – kosmówka, 8 – doczesna pokrywowa, 9 – zarodek

Rozwój płodu w życiu wewnątrzmacicznym jest bardzo szybki. Od 2 miesiąca po zapłodnieniu do końca ciąży masa ciała płodu powiększa się 800-krotnie, a długość 50-krotnie. W czasie pierwszych 3 miesięcy życia płodowego wykształcają się zawiązki wszystkich narządów płodu. Dlatego okres ten jest najbardziej niebezpieczny dla prawidłowego rozwoju płodu. Choroba ciężarnej, zwłaszcza wirusowa, lub działanie z zewnątrz szkodliwych czynników fizycznych i chemicznych mogą spowodować rozwój wrodzonych wad płodu.

Rozpoznanie ciąży

Większość kobiet podejrzewa ciążę, zanim lekarz może ją stwierdzić badaniem. O b j a w y w c z e s n e j c i ą ż y wywołane są działaniem hormonów ciałka żółtego jajnika, a także trofoblastu zapłodnionego jaja (zygoty) na organizm kobiety. Rozpoznanie opiera się na o b j a w a c h d o m y ś l n y c h i p r a w d o p o d o b n y c h. Pewne objawy ciąży można rozpoznać w późniejszych okresach.

Do o b j a w ó w d o m y ś l n y c h ciąży należą: zatrzymanie miesiączki u kobiety dotychczas prawidłowo miesiączkującej, powiększenie i bolesność gruczołów piersiowych, poranne nudności, ślinotok, zgaga, nadmierny apetyt lub jego brak, częste oddawanie moczu, złe samopoczucie. Objawy te mogą tylko budzić podejrzenie rozwijającej się ciąży, lecz nie stanowią podstawy do jej rozpoznania.

Objawy prawdopodobne ciąży stwierdzane są badaniem lekarskim oraz laboratoryjnym. Gruczoły sutkowe są powiększone, pigmentacja brodawek jest wzmożona, po 2 miesiącach ciąży przy ucisku sutków wycieka siara. W obrębie narządu rodnego występuje zasinienie, zewnętrzne narządy płciowe i śluzówka pochwy są rozpulchnione, rozpulchniona i przekrwiona jest szyjka macicy, trzon macicy wraz ze wzrostem ciąży stopniowo powiększa się. W 2 miesiącu ciąży rozpulchniona i kulista macica osiąga wielkość pomarańczy, natomiast pod koniec 12 tygodnia ciąży dno macicy znajduje się ponad spojeniem łonowym.

Za ciążą przemawiają również: a) utrzymanie się podwyższonej temperatury ciała na wykresie temperatury po upływie 21 dni od jajeczkowania, przy braku miesiączki oraz b) dodatnie testy hormonalne biologiczne i immunologiczne, które wykazują w moczu lub surowicy kobiety ciężarnej obecność hormonu gonadotropiny kosmówkowej wytwarzanej przez trofoblast jaja płodowego. Obecnie testy biologiczne są wypierane przez testy immunologiczne, tańsze i nie wymagające badań na zwierzętach. Najczęściej stosowaną metodą immunologiczną jest oznaczanie próby ciążowej testem Gravindex. Test z moczu ciężarnej jest dodatni w 80% przypadków już po 2 tygodniach od zatrzymania miesiączki, natomiast w 95% przypadków po 4 tygodniach.

Pewne objawy ciąży, z których każdy wystarcza do rozpoznania ciąży, stwierdzane były do niedawna dopiero w drugiej połowie ciąży. Obecnie, dzięki osiągnięciom techniki, możliwe to jest już w 2 miesiącu ciąży.

Do pewnych objawów ciąży należą: 1) stwierdzane badaniem ręcznym przez powłoki brzuszne części płodu, 2) wyczuwane czynne ruchy płodu – dopiero po 20 tygodniu ciąży, 3) wysłuchiwana czynność serca płodu, 4) stwierdzone ultrasonograficznie elementy jaja płodowego i czynność serca płodu – od 6–7 tygodnia ciąży.

Konwencjonalne metody osłuchiwania serca płodu pozwalają stwierdzić jego czynność dopiero po 20 tygodniu ciąży. Dzięki nowoczesnej technice czynność serca płodu można obecnie zarejestrować w 85% już w 12 tygodniu ciąży. Może być ona rejestrowana przez zastosowanie fonokardiografii, elektrokardiografii lub dopplerowskiej ultrasonografii. Fonokardiografia płodowa rejestruje na taśmie zapis tonów serca płodu. Elektrokardiografia płodowa polega na graficznej rejestracji prądów czynnościowych serca płodu. Ultrasonografia (USG, zob. s. 1851) jest obecnie najczęściej stosowaną metodą do rejestracji czynności serca płodu oraz do rozpoznania obecności jaja płodowego i uwidocznienia jego struktur. W diagnostyce położniczej są stosowane ultradźwięki o częstotliwości od 0,5 do 25 MHz. Fale ultradźwiękowe przechodząc przez ciała płynne, stałe i gazowe ulegają częściowemu odbiciu na granicy tkanek o różnych właściwościach akustycznych. Impulsy ultradźwiękowe, odbite od struktur anatomicznych, przetworzone na sygnały elektryczne, zostają wzmocnione, a następnie przedstawione na ekranie oscyloskopowym dając obraz badanych narządów. Ultrasonografia dopplerowska polega na wykorzystaniu w diagnostyce ultradźwiękowej zjawiska Dopplera. Wiązka ultradźwiękowa, ulegając odbiciu od tkanki będącej w ruchu, zmienia długość fali w stosunku do padającej. Zmiana częstotliwości fali odbitej względem padającej zostaje przetworzona na sygnał słyszalny i zarejestrowana na oscyloskopie lub graficznie. Wykorzystane jest to do rejestracji czynności serca płodu.

Ultrasonografia może być stosowana do wykrycia ciąży już od 6 tygodnia jej trwania. Objawem ciąży jest stwierdzenie pęcherzyka płodowego w jamie macicy. Jego wielkość pozwala ocenić czas trwania ciąży. Główkę płodu można wykazać po 12 tygodniach ciąży. Oceniając wymiar dwuciemieniowy główki można oznaczyć wielkość ciąży. Badania wykonywane w odstępach czasu pozwalają śledzić prawidłowy rozwój płodu. W miarę wzrostu ciąży uwidaczniają się szczegóły głowy, tułowia i kończyn płodu. Ciążę bliźniaczą można rozpoznać w I trymestrze na podstawie obecności dwóch pęcherzyków płodowych z cechami zarodka, w II trymestrze dwóch płodów. Badaniem USG można również rozpoznać łożysko oraz ocenić jego wielkość i położenie w jamie macicy (tablica 31).

We współczesnym położnictwie ultrasonografia stała się podstawową metodą diagnostyczną oceny wieku i rozwoju ciąży, zarówno fizjologicznej, jak i patologicznej.

Ciąża donoszona

J a j o p ł o d o w e w ciąży donoszonej składa się z p ł o d u o masie ciała powyżej 2500 g, długości ok. 50 cm i p o p ł o d u. Płód pływa swobodnie w p ł y n i e o w o d n i o w y m. Położenie płodu w 99% jest podłużne, w 96% przypadków częścią przodującą zwróconą ku dołowi jest główka, w 3% – miednica płodu. Położenie płodu poprzeczne lub skośne zdarza się tylko u 1% ciężarnych.

P o p ł ó d składa się z łożyska, błon płodowych pozałożyskowych oraz ze sznura pępowinowego. Tkanki popłodu spełniają dwie zasadnicze czynności: 1) zapewniają prawidłową wymianę substancji pomiędzy matką i płodem oraz 2) są gruczołem wewnątrzwydzielniczym.

Ł o ż y s k o ludzkie należy do typu krwiokosmkowego, zapewniającego najkrótszą drogę wymiany między krwią matki i płodu. Średnia masa łożyska wynosi 400–500 g. Przez

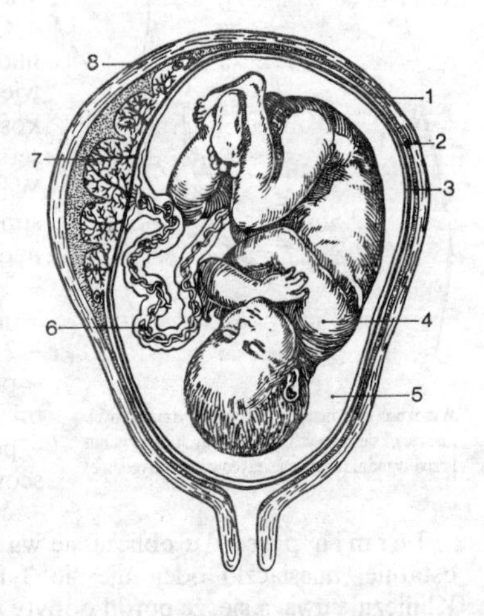

Ciąża donoszona: 1 – doczesna ścienna przekształcona w cienką błonę płodową, 2 – doczesna pokrywowa ściśle przylegająca do doczesnej ściennej, 3 – owodnia pokrywająca część płodową łożyska, wypełniająca wnętrze jaja płodowego i wytwarzająca płyn owodniowy, 4 – płód, 5 – płyn owodniowy, 6 – pępowina, 7 – łożysko, 8 – ściana macicy

łożysko przepływa krew matczyna i płodowa, lecz są one oddzielone ścianą kosmka. Krew płodu dopływa do łożyska 2 tętnicami pępowinowymi, przechodząc do naczyń włosowatych kosmków. Utlenowana i zaopatrzona w substancje odżywcze wraca do płodu żyłą pępowinową. Przez rozległą sieć naczyń włosowatych kosmków w ciągu 1 min przepływa ok. 600 ml krwi płodu. W przestrzeniach międzykosmkowych znajduje się krew tętnicza ciężarnej z tętnicy macicznej. Cienka błonka ściany kosmków oddzielająca krew matczyną od płodowej stanowi dużą powierzchnię wymiany, przez którą płód otrzymuje produkty potrzebne do swego rozwoju i wydala zużyte produkty przemiany materii. Czynność hormonalna łożyska, zob. Endokrynologia ciąży, s. 1830.

Czas trwania ciąży

Prawidłowy czas trwania ciąży, obliczany od daty zapłodnienia, wynosi 268 dni. Data jajeczkowania jest zwykle nieznana, podobnie jak data zapłodnienia, dlatego czas trwania ciąży oblicza się od daty ostatniej miesiączki zakładając, że ciąża trwa 280 dni, czyli 40 tygodni lub 10 miesięcy księżycowych. Okres ciąży u kobiet z dłuższym cyklem miesiączkowym jest dłuższy, z krótszym – krótszy.

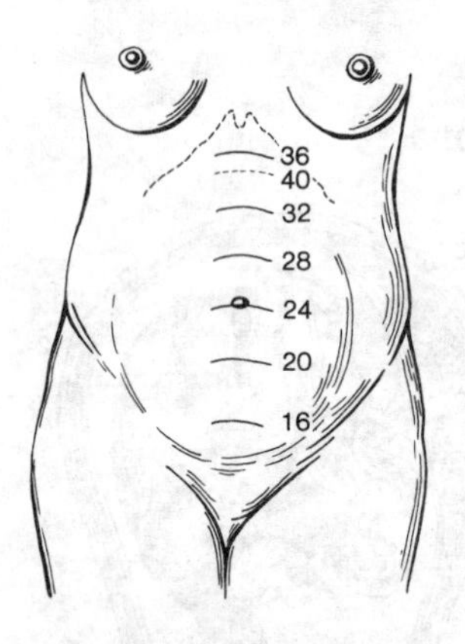

Wysokość dna macicy w końcu poszczególnych miesięcy księżycowych, zaznaczonych na rysunku liczbą tygodni (miesiąc księżycowy ma 4 tygodnie)

Czas trwania ciąży oznacza się również badaniem ultrasonograficznym oceniając wielkość płodu. W I trymestrze ciąży wielkość ciąży ocenia się na podstawie wielkości macicy w badaniu ginekologicznym. W 12 tygodniu macica osiąga wysokość spojenia łonowego, 16 tygodniu – 2 palce nad spojeniem łonowym, w 20 tygodniu – 2–3 palce poniżej pępka, w 24 tygodniu – na wysokości pępka, w 28 tygodniu – 2–3 palce powyżej pępka, w 32 tygodniu – pośrodku między pępkiem a wyrostkiem mieczykowatym mostka, w 36 tygodniu – pod łukami żebrowymi najwyższe umiejscowienie dna macicy, w 40 tygodniu – 2–3 palce poniżej łuku żebrowego.

Termin porodu oblicza się wg reguły Naegelego: od pierwszego dnia ostatniej miesiączki odejmuje się 3 miesiące oraz dodaje 7 dni i 1 rok. Klinicznie uważa się, że poród odbyty na 3 tygodnie przed lub po obliczonym terminie jest porodem czasowym, jeśli cykle miesiączkowe były ok. 28-dniowe. Jeśli kobieta nie pamięta daty ostatniej miesiączki, termin porodu można obliczyć na podstawie daty pierwszych ruchów płodu. Pierworódki odczuwają ruchy płodu ok. 20 tygodnia ciąży, a wieloródki ok. 18 tygodnia. Porodu należy oczekiwać odpowiednio po 4,5 lub 5 miesiącach.

Objawem zapowiadającym zbliżanie się porodu jest obniżenie się dna macicy ciężarnej, które zdarza się na 2–3 tygodnie przed wystąpieniem czynności porodowej. Ciężarna odczuwa to jako swobodniejsze oddychanie i zmniejszenie ucisku na żołądek. Często występuje wówczas parcie na pęcherz moczowy i częste oddawanie moczu. Na 2–3 dni przed porodem może nastąpić odejście czopa śluzowego z kanału szyjki macicy w postaci 2–3 ml gęstego śluzu białego lub brązowego.

Zmiany ogólnoustrojowe w przebiegu ciąży

Ciąża wywołuje zmiany nie tylko w narządach płciowych, ale również w pozostałych tkankach.

Skóra. Zmiany skóry cechują się zwiększonym uwodnieniem, zwiększoną pigmentacją, wzmożonym porostem włosów, rozstępami skórnymi. Zwiększona pigmentacja skóry na skutek większego odkładania się barwnika występuje na brodawkach sutkowych oraz w linii białej brzucha. Rozstępy skórne są spowodowane przerwaniem ciągłości włókien elastycznych skóry bioder i podbrzusza. Tworzą się nie u każdej ciężarnej, lecz pozostają po zakończeniu ciąży.

Układ krążenia. Objawem przystosowania się organizmu do ciąży jest zwiększenie objętości krwi krążącej i zmiana jej składu. Zwiększenie objętości krwi i poszerzenie łożyska naczyniowego powoduje większy przepływ krwi przez narządy, w tym również i przez macicę. Zmiany te dają lepsze utlenowanie tkanek i sprzyjają procesom anabolicznym. Największy przyrost objętości krwi, ok. 1,5 l, przypada między 28 a 34 tygodniem ciąży. Objętość osocza wzrasta o 40–60%, natomiast masa krwinek czerwonych tylko o 10–30%.

Większy i szybszy przyrost osocza w stosunku do elementów stałych krwi doprowadza u kobiet ciężarnych do umiarkowanej niedokrwistości zwanej niedokrwistością fizjologiczną lub rzekomą. Fizjologiczne uwodnienie krwi nie powinno jednak obniżać poziomu hemoglobiny poniżej 11,0 g%, krwinek czerwonych poniżej 3,5 mln w 1 mm^3 oraz poziomu żelaza w surowicy poniżej 60 gamma %. Zmniejszenie białek osocza, zwłaszcza albumin, obniża ciśnienie onkotyczne oraz przyśpiesza opadanie krwinek (OB). Wzrasta natomiast liczba krwinek białych – stwierdzane w ciąży wartości wahają się od 7000 do 10 000 w 1 mm^3. Ciśnienie tętnicze krwi w ciąży prawidłowej nie ulega większym zmianom. Ciśnienie żylne krwi w kończynach górnych nie zmienia się, natomiast w kończynach dolnych jest wyższe. Spowodowane jest to utrudnionym odpływem krwi na skutek ucisku ciężarnej macicy i może doprowadzić do powstania żylaków kończyn dolnych, sromu, odbytu.

Układ moczowy. Pod wpływem hormonu ciążowego – progesteronu – występuje zwiotczenie mięśni ścian pęcherza moczowego, moczowodów i miedniczek nerkowych. Wywołuje to zastój moczu w drogach wyprowadzających, wsteczny odpływ moczu (refluks) i sprzyja zakażeniom układu moczowego. Zaleganie moczu w pęcherzu, rozpulchnienie i przekrwienie jego błony śluzowej wywołuje u wielu kobiet częste parcie na mocz. Objaw ten nasila jeszcze ucisk na pęcherz powiększającego się trzonu macicy. Rozwojowi bakterii w moczu sprzyja zmiana jego składu. Zwiększony poziom hormonów w moczu oraz obecność w nim cukru u ok. 10% ciężarnych stanowi dobrą pożywkę dla bakterii i powoduje częste zakażenia układu moczowego.

Układ pokarmowy. Hormon ciążowy – progesteron – obniża napięcie mięśniówki żołądka i jelit, dając upośledzenie ich czynności ruchowej. Powoduje to często obserwowane wzdęcia jelitowe, zaparcia stolca, zwłaszcza w drugiej połowie ciąży. Natomiast zgaga, odbijanie się i ucisk poniżej mostka są spowodowane rozluźnieniem wpustu żołądka i ułatwionym przedostawaniem się soku żołądkowego do przełyku. Obniżone napięcie mięśniówki woreczka żółciowego i jego przewodów prowadzi do zalegania żółci. Zwiększone wydzielanie gruczołów ślinowych i spowolnienie motoryki jelit daje lepsze trawienie i ułatwia przyswajanie pokarmu przez ciężarną.

Układ oddechowy. Zwiększone zapotrzebowanie ciężarnej na tlen jest wyrównywane przez wzmożoną wentylację płuc. Pod wpływem progesteronu i estrogenów obniża się próg wrażliwości ośrodka oddechowego. Zwiększona wentylacja płuc, będąca następstwem pogłębionych oddechów, poprawia utlenowanie krwi ciężarnej i obniża ciśnienie parcjalne dwutlenku węgla. Ułatwia to przechodzenie tlenu do krążenia płodowego oraz dwutlenku węgla z krwi płodu do krwi ciężarnej. Pod koniec ciąży połowa wzrostu zużycia tlenu przez ciężarną idzie na pokrycie zapotrzebowania płodu na tlen.

Przemiana materii. Wzmożona przemiana materii u ciężarnej jest podstawowym warunkiem prawidłowego rozwoju płodu oraz możliwości adaptacyjnych organizmu ciężarnej. Zmiany w metabolizmie ciężarnej polegają na przewadze procesów anabolicznych nad procesami rozpadu. Przemianą materii kierują hormony łożyska, płodu i ciężarnej. Przemiana podstawowa wzrasta o 20–25%. Potrzeby energetyczne wzrastają stopniowo i są pod koniec ciąży wyższe o ok. 500 kcal (2095 kJ) na dobę niż na początku ciąży. Wzrost przemiany materii powoduje zwiększone zapotrzebowanie na czynniki odżywcze, których podaż musi wzrastać (zob. Żywienie ciężarnej, s. 1835).

Endokrynologia ciąży

W czasie ciąży zmiany w organizmie matki są sterowane przez układ wewnątrzwydzielniczy. W okresie tym pojawiają się hormony wytwarzane przez łożysko, które nie występują w innych okresach życia kobiety. Do hormonów tych należą tzw. proteohormony i gonadotropina kosmówkowa (HCG).

Płód razem z łożyskiem i matką tworzą funkcjonalną jednostkę, która wytwarza estrogeny oraz progesteron. Gonadotropina kosmówkowa (HCG) zaczyna się wydzielać od momentu zagnieżdżenia się jaja w macicy i osiąga swój najwyższy poziom w 80–90 dniu ciąży. W II trymestrze ciąży (4–6 miesięcy) poziom gonadotropiny kosmowkowej szybko spada do niskich wartości. HCG pobudza ciałko żółte do wydzielania estrogenów i progesteronu. Obniżanie się poziomu HCG następuje równocześnie ze wzrostem poziomu hormonów steroidowych wytwarzanych przez nabłonek kosmków łożyska. W moczu wzrasta poziom pregnandiolu, będącego produktem rozkładu progesteronu. Okres pomiędzy spadkiem HCG a wzrostem innych hormonów łożyskowych jest momentem niebezpiecznym dla ciąży, ponieważ w tym czasie może wystąpić poronienie. Łożysko przejmuje dalszą funkcję wydzielania estrogenów, progesteronu, laktogenu łożyskowego, prolaktyny i hormonu tyreotropowego.

L a k t o g e n ł o ż y s k o w y (HPL) jest podobny w działaniu do prolaktyny. W czasie prawidłowej ciąży następuje stopniowy wzrost HPL aż do 34–36 tygodnia ciąży, a następnie stopniowy spadek. Poziom tego hormonu stanowi ocenę wydolności łożyska i odgrywa istotną rolę w monitorowaniu ciąży, zwłaszcza w zatruciu ciążowym (gestozie), cukrzycy, konflikcie serologicznym oraz niewydolności łożyska. Spadek poziomu HPL w drugiej połowie ciąży świadczy o niewydolności łożyska i zagrożeniu płodu.

Laktogen łożyskowy działa podobnie do prolaktyny i somatotropiny. Przygotowuje gruczoł sutkowy do laktacji oraz ma działanie przeciwinsulinowe. Ponieważ w II trymestrze ciąży wzrasta zapotrzebowanie na insulinę, wpływ hormonów może spowodować ujawnienie się cukrzycy u osób obciążonych dziedzicznie tą chorobą.

E s t r o g e n y są wytwarzane z cholesterolu matki przez przekształcenia enzymatyczne przy czynnym udziale łożyska oraz nadnercza i wątroby płodu. Samo łożysko nie ma tych zdolności enzymatycznych. Ma je organizm płodu, w którym cholesterol matki w procesie hydroksylacji przekształca się w androgeny, w łożysku przechodzące w estrogeny. Estrogeny wytwarzane przez łożysko są w większości transportowane w kierunku krwioobiegu matki, a następnie wydalane z moczem. Estrogeny w moczu znajdują się jako oddzielne frakcje: E1 (estron), E2 (estradiol), E3 (estriol). Poziom estrogenów wzrasta stopniowo przez cały okres ciąży, osiągając najwyższe stężenie w końcu ciąży. Wśród estrogenów 90% stanowi estriol. Produkowany aktywnie przez jednostkę płodowo-łożyskową jest wydzielany z moczem, w którym można oceniać jego wartości. Oznaczanie poziomu estriolu w moczu ciężarnej jest wykorzystywane w diagnostyce i monitorowaniu przebiegu ciąży, jako wyraz stanu płodu.

P r o g e s t e r o n w pierwszych 70–80 dniach ciąży jest wytwarzany przez ciałko żółte, a następnie przez łożysko. Jest on ochronnym hormonem ciąży, sprzyja jej utrzymaniu, ułatwia wzrost macicy ciężarnej, zapobiega skurczom macicy i przygotowuje organizm ciężarnej do porodu. W poronieniu zagrażającym, w zatruciu ciążowym poziom progesteronu jest niski.

Pod wpływem hormonów wydzielanych przez łożysko następuje r o z r o s t g r u c z o ł ó w w e w n ą t r z w y d z i e l n i c z y c h, zwłaszcza przysadki, jajników, nadnerczy, tarczycy i trzustki.

Zmiany czynnościowe rozrastającej się części gruczołowej p r z y s a d k i polegają na zwiększeniu wytwarzania hormonów tropowych przedniego płata, tzn. somatotropiny, adrenokortykotropiny i tyreotropiny. W tylnym płacie przysadki są uwalniane do naczyń krwionośnych wazopresyna i oksytocyna. Oksytocyna wywołuje skurcz mięśni gładkich, wazopresyna hamuje wytwarzanie moczu. Oksytocyna wzmagająca skurcze mięśni macicy jest w ciąży unieczynniana przez enzym łożyskowy – oksytocynazę. Od ich wzajemnego stosunku ilościowego i biologicznego zależy inicjowanie czynności porodowej.

W ciąży następuje nieznaczne powiększenie gruczołu tarczowego. Ze zmian czynnościowych na uwagę zasługuje wzmożone wychwytywanie jodu przez tarczycę, wzrost o 50–100% jodu związanego z białkiem oraz jodu hormonalnego, wzrost poziomu globuliny transportującej tyroksynę.

Nieznaczny rozrost części warstwy pasmowatej nadnerczy w ciąży jest niewspółmierny do zmian czynnościowych. Wytwarzanie glikokortykosteroidów wzrasta o ok. 100%, następuje mierny wzrost produkcji mineralokortykosteroidów, zwiększa się rezerwa czynnościowa nadnercza, wzrasta poziom transkortyny. Ten ostatni objaw jest odpowiednikiem wzrostu ilości białek transportujących tyroksynę i ochrania organizm ciężarnej przed nadmiarem lub niedoborem kortyzonu. Czynnikiem wywołującym wzrost poziomu transkortyny są estrogeny.

Zwiększone zapotrzebowanie energetyczne ciężarnej jest pokrywane przez zwiększenie podaży i lepsze wykorzystanie węglowodanów. Lepsze wykorzystanie zależy od wyniku gry hormonalnej, w której biorą udział: insulina obniżająca poziom cukru we krwi, antagonistycznie działające glikokortykosteroidy i laktogen łożyskowy (HPL). Poziom insuliny w ciąży zwiększa się nawet o 50%. Ostateczny wynik tej gry hormonalnej jest wtedy pozytywny, kiedy węglowodany są zużyte na tworzenie materiału zapasowego w tkance tłuszczowej i kiedy poziom glukozy we krwi ciężarnej zapewnia optymalny jej transport przez łożysko do płodu.

X. HIGIENA CIĄŻY

Sposób życia ciężarnej, jej odżywianie i środowisko wywiera wpływ na rozwój płodu, czas trwania ciąży, a tym samym ma decydujące znaczenie w prawidłowym rozwoju przyszłego pokolenia.

Kobieta powinna w sposób szczególny dbać o własne zdrowie przynajmniej na 4 miesiące przed planowaną ciążą. Powinna unikać zakażeń, niedożywiania, wpływu na jej organizm czynników chemicznych i fizycznych. Unikać zajścia w ciążę w okresie zakażenia lub bezpośrednio po nim. Od położnej i lekarza powinna uzyskać informację dotyczącą ciąży oraz poznać lekturę o zachowaniu się ciężarnej. W 2–3 tygodniu po zatrzymaniu miesiączki powinna zgłosić się do lekarza i pozostawać pod jego ścisłą opieką do końca ciąży.

Dla prawidłowego rozwoju ciąży najważniejszy jest I trymestr, tj. pierwsze trzy miesiące ciąży, kiedy powstają u płodu zawiązki poszczególnych narządów. Działanie na organizm kobiety czynnika szkodliwego nawet o niewielkim nasileniu może spowodować u zarodka nieprawidłowy rozwój danego narządu lub układu. Nie można używać jakichkolwiek leków bez porozumienia z lekarzem.

Tryb życia

Tryb życia kobiety ciężarnej powinien być uregulowany i dostosowany do potrzeb rozwijającej się ciąży. Należy izolować się od wpływu czynników szkodliwych, unikać wysiłków fizycznych i psychicznych. Praca wykonywana przez ciężarną nie ma wpływu na przebieg ciąży, jeśli zbyt nie obciąża jej organizmu i nie odbywa się w warunkach szkodliwych dla zdrowia. Należy unikać kontaktu z chemikaliami i napromieniowaniem oraz dużych skupisk ludzkich, gdzie istnieje możliwość zakażeń. Pracę można wykonywać do pierwszego zmęczenia, później należy odpocząć. Nie należy dźwigać ciężarów.

Unikać dłuższego siedzenia lub stania, które mogą doprowadzić do zastoju krwi w miednicy mniejszej i w kończynach dolnych. Po dłuższym siedzeniu lub staniu jest wskazany krótki spacer lub leżenie na boku ok. 10 min. Wskazany jest również codzienny ruch na świeżym powietrzu przez 2–3 godz. Najlepszą formą ćwiczeń jest spacer do pierwszego zmęczenia. W ciągu dnia jest wskazany kilkakrotny odpoczynek ok. 20 min, w pozycji leżącej z nogami uniesionymi powyżej tułowia.

Sen w stałych godzinach powinien trwać nie mniej niż 8–9 godz. U niektórych kobiet w czasie ciąży występują omdlenia, spowodowane krótkotrwałym niedostatecznym dopływem krwi do mózgu. Kobiety te zawsze powinny powoli wstawać z krzesła lub łóżka. Podobne objawy mogą wystąpić również przy dłuższym staniu.

Ciąża jest okresem, w którym istnieje bezwzględne przeciwwskazanie palenia tytoniu i picia alkoholu. Palenie papierosów powoduje zwężenie naczyń krwionośnych, niedotlenienie płodu oraz przenikanie nikotyny do krążenia płodowego. Jest to przyczyną hypotrofii płodu, porodów przedwczesnych lub opóźnionego rozwoju dziecka.

Stosunki płciowe u zdrowych kobiet nie są przeciwwskazane. Zaleca się natomiast wstrzemięźliwość płciową w ostatnich 6 tygodniach ciąży ze względu na możliwość pęknięcia pęcherza płodowego oraz zakażenia pochwy. U kobiet z obciążonym wywiadem położniczym lub z zagrożoną ciążą jest zalecana wstrzemięźliwość płciowa, w niektórych przypadkach nawet przez cały okres ciąży. Te kobiety powinny szczególnie pamiętać o tym, aby unikać wysiłków fizycznych w dniach przypadających przed ciążą na miesiączki, zwłaszcza w pierwszych miesiącach ciąży.

Podróżowanie w okresie ciąży powinno być właściwie zakazane, ponieważ poza zmęczeniem może dawać urazy psychiczne i fizyczne powodujące zaburzenia w krążeniu łożyskowym. W przypadkach koniecznych podróże powinny być krótkotrwałe, aby powodowały jak najmniej wstrząsów. Bezwzględnie jest przeciwwskazana jazda rowerem, motocyklem i źle resorowanym małym samochodem.

Higiena osobista

Kąpiele w wannie są niekorzystne. Zbyt ciepłe lub zimne mogą spowodować wystąpienie czynności porodowej. Mogą również wywołać wstępujące zakażenie pochwy, szyjki i jaja płodowego. Wskazane są natomiast codzienne, przynajmniej dwukrotne, kąpiele pod natryskiem o temperaturze ok. 37°C i przy małym ciśnieniu wody. Srom i okolicę odbytu należy utrzymywać w szczególnej czystości przez częste podmywanie wodą z mydłem. Irygacje pochwowe i przemywanie pochwy są przeciwwskazane. W przypadku upławów należy je leczyć według zaleceń lekarza, gdyż stany zapalne pochwy mogą spowodować zapalenie układu moczowego, a także jaja płodowego.

W czasie ciąży często dochodzi do zaparć stolca. Nie wolno wówczas stosować leków przeczyszczających, które mogą wyzwolić czynność porodową. Należy natomiast stosować w diecie więcej świeżych owoców, jarzyn, gruboziarnisty chleb, w czasie posiłków pić szklankę wody mineralnej oraz regulować wypróżnienia pijąc szklankę kefiru lub kwaśnego mleka.

Przed ciążą należy koniecznie przeprowadzić kontrolę uzębienia. Ubytki próchnicze powinny być wyleczone, a zęby nie nadające się do leczenia usunięte. W czasie ciąży należy zgłaszać się na kontrolę do lekarza stomatologa co 2–3 miesiące. Po każdym posiłku czyścić zęby twardą szczoteczką.

Wydzielająca się siara z gruczołów piersiowych może spowodować drażnienie i macerację naskórka brodawek sutkowych. Piersi należy myć wodą i mydłem, a okolice brodawek smarować kremem. W ostatnich 2–3 miesiącach ciąży rozpocząć hartowanie brodawek przez mycie ich zimną wodą, wycieranie szorstkim ręcznikiem oraz nacieranie kremem. Zabiegi te powinny być wykonywane 2–3 razy dziennie. Postępowanie to uodporni brodawkę na urazy w czasie karmienia.

Ubranie

Ubiór ciężarnej powinien być dostosowany do warunków klimatycznych, aby nie powodował przegrzania lub oziębienia ciała. Ubranie powinno być luźne, wygodne, bez pasków w talii. Nie może uciskać piersi i brzucha. Powinno być wykonane z włókien naturalnych, zwłaszcza to, które ma bezpośredni kontakt z ciałem.

Biustonosz nie powinien uciskać piersi i brodawek sutkowych, lecz podtrzymywać piersi od dołu.

Pas ciążowy jest zalecany tylko wówczas, gdy mięśnie brzucha są osłabione, dają tzw. obwisły brzuch. Pas powinien podtrzymywać brzuch od spojenia łonowego do pępka. Należy go zakładać w pozycji leżącej. Chodzenie na wysokim obcasie obciąża kręgosłup i wytwarza również większe ryzyko potknięcia się i upadku.

Obuwie powinno być wygodne, dobrze trzymające się stopy, na szerokim obcasie wysokości 4–5 cm.

Żywienie ciężarnej

Zapotrzebowanie energetyczne wzrasta u kobiety w miarę rozwoju ciąży. W pierwszej połowie ciąży wzrost ten wynosi 250–300 kcal (1040–1250 kJ) na dobę w stosunku do zapotrzebowania przed ciążą. Przekarmianie ciężarnej, będące często objawem troski rodziny o zdrowie dziecka i przyszłej matki, prowadzi do zaburzenia przemiany materii, otyłości ciężarnej, nadwagi płodu oraz nieprawidłowego przebiegu porodu.

Dzienna racja pokarmowa dla kobiety ciężarnej od 4 miesiąca ciąży

Nazwa produktu	Ilość (g)
Mleko	750–900
Sery	50
Jaja duże 1 szt.	50
Mięso, wędliny, podroby, ryby	200
Masło	25–30
Śmietana	30
Tłuszcze: smalec, olej, słonina	15–20
Warzywa	500–550
Owoce	200
Ziemniaki	300–400
Mąka, kasza	80
Pieczywo	300
Cukier	50
Przetwory owocowe i słodycze	30

Żywienie kobiety od początku ciąży powinno być pełnowartościowe i zawierać wszystkie niezbędne składniki odżywcze potrzebne do budowy tkanek dziecka. W drugiej połowie ciąży, przy szybkim wzroście płodu, należy zwiększyć ilość białka pełnowartościowego zwierzęcego (mleko, sery, mięso, wędliny, podroby, ryby). Białko zawarte w produktach zwierzęcych zawiera niezbędne składniki do budowy białka ludzkiego. Białko występujące w produktach roślinnych ma niższą wartość biologiczną. Korzystne jest łączenie obu rodzajów białek. Białko zwierzęce powinno stanowić 60% ogólnej dziennej ilości białka. W okresie ciąży średnie zapotrzebowanie na białko wynosi 1,5–2,0 g/kg masy ciała, tj. 90–100 g/dobę.

Zapotrzebowanie na tłuszcze wynosi 80–100 g/dobę. Tłuszcze zwierzęce zawierają witaminę A i D_1, a roślinne witaminę E. Z tłuszczów zwierzęcych najbardziej jest wskazane masło, ponieważ jest lekko strawne i zawiera witaminy. Niewskazane są natomiast tłuste wędliny i tłuste mięso, ciężko strawne i obciążające wątrobę. Nadmiar tłuszczu powoduje otyłość.

Ilość spożywanych węglowodanów w ciąży należy zmniejszyć, głównie cukru i słodyczy, na rzecz owoców i warzyw. Uważa się, że 50 g cukru na dobę jest dawką wystarczającą dla ciężarnej. Błonnik występujący w gruboziarnistych produktach zbożowych, w warzywach i owocach jest niezbędny w procesie trawienia, gdyż zwiększając część niestrawną pożywienia pobudza ruch robaczkowy jelit i nie dopuszcza do zaparć. Dużo błonnika zawiera chleb razowy, Graham, chleb z otrębami. Niewskazane jest spożywanie kapusty, z wyjątkiem kiszonej, oraz suchych owoców roślin strączkowych (groch, fasola), ponieważ powodują wzdęcia.

Dzienna racja pokarmowa dla kobiety ciężarnej od 4 miesiąca ciąży

Wartość odżywcza dziennej racji pokarmowej dla kobiety ciężarnej od 4 miesiąca ciąży 2710–2880 kcal (11 350–12 070 kJ)	
Białko	95–100 g
Tłuszcze	91–98 g
Węglowodany	396–397 g
Wapń	1,4–1,6 g
Żelazo	18,6–19,4 mg
Witamina A	16 902–18 225 (j.m.)
Witamina B_1	1,7–1,8 mg
Witamina B_2	2,7–2,9 mg
Witamina PP	14–15 mg
Witamina C	174–179 mg

Zapotrzebowanie na składniki mineralne w okresie ciąży wzrasta. Źródłem wapnia i fosforu niezbędnego do budowy kości jest mleko i jego przetwory, jaja oraz niektóre warzywa: brukselka, fasolka szparagowa, marchew, buraki. Spożycie 1/2 l mleka dziennie zaspokaja dużą część zapotrzebowania.

Zapotrzebowanie na żelazo szczególnie wzrasta w drugiej połowie ciąży i wynosi dziennie ok. 30 mg. Niedobór żelaza prowadzi do niedokrwistości. Najłatwiej przyswajalne jest żelazo z żółtka, wątroby, mięsa, ziemniaków i owoców.

Jedna z teorii zatruć ciążowych występujących w II połowie ciąży głosi, że główną przyczyną są niedobory żywieniowe, zwłaszcza białek, oraz nadmiar soli kuchennej. Należy więc przestrzegać w tym okresie diety wysokobiałkowej i bezsolnej, z dodatkiem składników mineralnych i witamin.

Produkty przewidziane w dziennej racji pokarmowej należy podzielić na 3 posiłki duże, tj. śniadanie, obiad, kolację, oraz 2 posiłki małe, tj. drugie śniadanie i podwieczorek. Pierwsze śniadanie powinno stanowić 25% racji pokarmowej, obiad 30%, kolacja 25%, drugie śniadanie i podwieczorek po 10%. Posiłki powinny być urozmaicone i zawierać sezonowe warzywa i owoce. Potrawy powinny być świeże i doprawione do smaku, gdyż wówczas są łatwiej trawione i przyswajane przez organizm. Niewskazane są wszelkie konserwy. Owoce i warzywa starannie należy myć. Posiłki należy spożywać regularnie, powoli i w pogodnym nastroju.

XI. PATOLOGIA CIĄŻY

Nieprawidłowy przebieg ciąży

Poronienie samoistne. Poronienie jest to przedwczesne wydalenie jaja płodowego w pierwszych 16 tygodniach trwania ciąży. W bardzo wczesnym stadium rozwoju ciąży poronienie może być przez kobietę w ogóle nie zauważone. Przyjmuje się, że poronienia stanowią 10–20% wszystkich ciąż.

Przyczyną poronienia mogą być: zaburzenia rozwoju jaja płodowego, wady wrodzone i nabyte macicy, zaburzenia hormonalne polegające na niedostatecznej produkcji hormonu podtrzymującego ciążę – progesteronu, choroby zakaźne matki, przewlekłe choroby wewnętrzne, awitaminozy, urazy mechaniczne i psychiczne, czynniki immunologiczne.

Pierwszym objawem zagrażającego poronienia są krwawienia z dróg rodnych o różnym nasileniu, drugim – bóle podbrzusza i okolicy krzyżowej. Przy wystąpieniu nawet słabych objawów należy jak najszybciej zasięgnąć porady lekarza. Leczenie polega przede wszystkim na leżeniu w łóżku w warunkach całkowitego spokoju. Zabronione są stosunki płciowe.

W przypadku poronienia dokonanego (wydalenia jaja płodowego) zazwyczaj w jamie macicy pozostają tzw. resztki. Resztki te są usuwane wyłyżeczkowaniem jamy macicy ze względu na możliwość powikłań. Po następnej miesiączce od zabiegu należy zasięgnąć porady lekarskiej.

Poród niewczesny i przedwczesny. Porodem niewczesnym nazywa się poród od 17 do 28 tygodnia ciąży, porodem przedwczesnym – od 29 do 36 tygodnia ciąży. Przyczyny są podobne jak w poronieniu samoistnym.

Objawem zagrażającego porodu niewczesnego i przedwczesnego są regularne skurcze macicy o charakterze skurczów porodowych lub odpływanie z dróg rodnych płynu owodniowego.

Odpływanie płynu owodniowego świadczy o przerwaniu ciągłości błon płodowych, otwarciu połączenia między pochwą i jamą macicy (szyjki macicy), a tym samym o możliwości wystąpienia zakażenia jaja płodowego. Szansa utrzymania ciąży jest w tym przypadku znikoma, gdyż zagraża to uogólnieniem zakażenia ciężarnej.

W przypadku wystąpienia czynności skurczowej macicy, szansa na utrzymanie ciąży jest tym większa, im szybciej ciężarna znajdzie się pod opieką lekarza. W 28 tygodniu ciąży płód osiąga masę ok. 1000 g i po tym okresie szybko wzrastają szanse jego przeżycia poza organizmem matki.

Dzieci urodzone niewcześnie są niedojrzałe do samodzielnego życia. Często występują zaburzenia w oddychaniu i krążeniu; dzieci łatwo ulegają zakażeniu.

L e c z e n i e w przypadku porodu zagrażającego polega na leżeniu w łóżku i stosowaniu leków hamujących czynność skurczową macicy.

Ciąża pozamaciczna jest to ciąża rozwijająca się poza jamą trzonu macicy. W prawidłowym przebiegu ciąży zapłodniona komórka jajowa, zygota, wędruje jajowodem, osiąga jamę macicy i zagnieżdża się tam w ciągu 5 – 7 dni od zapłodnienia. Czasami, na skutek różnych czynników, najczęściej zmian w jajowodzie, zygota zostaje zatrzymana w swej wędrówce i zagnieżdża się w jajowodzie, jajniku lub w jamie brzusznej. W początkowym okresie ciąża pozamaciczna o b j a w i a się typowymi dla ciąży objawami domyślnymi i prawdopodobnymi (zob. s. 1825). Jednak poza macicą jajo płodowe ma niekorzystne warunki rozwoju, dlatego najczęściej w 2 miesiącu dochodzi do powikłań groźnych dla życia kobiety. Występują jednostronne bóle podbrzusza, uszkodzone lub obumarłe jajo płodowe wywołuje na drodze hormonalnej plamienie lub krwawienie z jamy macicy. Może wystąpić ostry, napadowy ból podbrzusza, uczucie parcia na stolec wywołane gromadzeniem się krwi w zatoce Douglasa, spadek ciśnienia krwi, zasłabnięcie, stopniowe pogłębianie się wstrząsu. Objawy takie występują przy pęknięciu jajowodu i w krótkim czasie mogą doprowadzić do zapaści. Tylko natychmiastowa pomoc chirurgiczna może zapobiec najcięższemu powikłaniu, jakim jest śmierć kobiety.

Ze względu na groźne konsekwencje pęknięcia ciąży pozamacicznej, każda kobieta podejrzana o tę ciążę musi być obserwowana w oddziale ginekologicznym w szpitalu.

Łożysko przodujące. W ciąży prawidłowej łożysko znajduje się w dnie, tzn. w górnej części jamy macicy, na tylnej lub przedniej jej ścianie. Łożysko przodujące jest zlokalizowane w dolnej części jamy macicy i pokrywa częściowo lub całkowicie ujście wewnętrzne kanału szyjki. Płód leżący w jamie macicy nad łożyskiem znajduje się często w nieprawidłowym położeniu poprzecznym lub skośnym. Ta nieprawidłowość łożyska występuje u ok. 1% ciężarnych, częściej u wieloródek niż u pierwiastek.

O b j a w e m łożyska przodującego jest krwawienie z jamy macicy o różnym nasileniu, począwszy od skąpego krwistego plamienia do obfitego krwotoku. Krwawienie występuje w II połowie ciąży bez dolegliwości bólowych lub pojawia się na początku czynności skurczowej. Nasilone krwawienie stanowi zagrożenie życia ciężarnej i płodu. R o z p o z n a n i e ustala się badaniem ultrasonograficznym.

W przypadku wystąpienia krwawienia ciężarną należy jak najszybciej przewieźć na oddział położniczy do szpitala. Trzeba pamiętać o zabraniu badań laboratoryjnych wykonanych w ciąży, zwłaszcza grupy krwi. W razie krwotoku tylko przetaczanie krwi i zabieg operacyjny (cesarskie cięcie) może uratować życie matki i dziecka.

Przedwczesne odklejenie łożyska. Jest to częściowe lub zupełne oddzielenie się łożyska prawidłowo usadowionego od ściany macicy przed urodzeniem płodu. Występuje w II i III trymestrze ciąży (od IV miesiąca ciąży) oraz w I i II okresie porodu. W około 60% przypadków nie można ustalić przyczyny. W pozostałych przyczyną może być zatrucie ciążowe, nadciśnienie tętnicze, uraz mechaniczny, szybkie odpłynięcie płynu owodniowego lub czynnik psychiczny.

Głównymi objawami przedwczesnego odklejenia łożyska są: nagle występująca bolesność macicy, wzmożone jej napięcie mięśniowe, krwawienie z dróg rodnych o rożnym nasileniu, szybkie pogarszanie się stanu ogólnego kobiety ciężarnej, uczucie lęku, zawroty głowy, omdlenie oraz wahania czynności serca płodu. Objawy te mogą być tylko lekko zaznaczone, jeśli odklejenie łożyska jest nieznaczne. Odklejenie 30% powierzchni łożyska doprowadza już do wystąpienia pełnych objawów oraz wewnątrzmacicznej śmierci płodu. U ciężarnej oprócz wstrząsu z wykrwawienia może dojść do groźnego powikłania w postaci zaburzeń krzepliwości krwi z powodu braku czynnika krzepnięcia krwi.

Oprócz krwiaka pozałożyskowego, w przedwczesnym odklejeniu łożyska występuje krwawienie śródmięśniowe w trzonie macicy, zwane udarem maciczno-łożyskowym, noszące także nazwę macicy Couvelaire'a. Śmiertelność płodów sięga 70–90%, natomiast śmiertelność matek do 10%. W przypadku żywego płodu tylko bardzo szybkie rozwiązanie ciąży cesarskim cięciem może uratować życie dziecka, a matkę przed następstwem ciężkich powikłań.

Choroby wywołane ciążą

Wymioty ciężarnych są wynikiem zaburzeń adaptacji organizmu kobiety do zmian spowodowanych ciążą. Mogą być również wywołane stresem psychicznym kobiety ciężarnej. Rozpoczynają się najczęściej w 5–6 tygodniu ciąży i trwają do 3–4 miesiąca. Częściej występują u pierworódek i kobiet z ciążą mnogą. Są to zazwyczaj wymioty poranne przy pustym żołądku i nie zakłócają w sposób istotny przebiegu ciąży. Ustępują samoistnie pod koniec trzeciego miesiąca ciąży. Zaleca się spokój, oszczędzający tryb życia, lekkie śniadanie w łóżku, w ciągu dnia posiłki co 2–3 godziny.

Niepowściągliwe wymioty ciężarnych. Są to wymioty występujące zarówno na czczo, jak i po jedzeniu, czasem kilkanaście razy dziennie. Pojawia się wstręt do jedzenia, chora przestaje przyjmować pokarm. Następuje szybki spadek masy ciała, wysuszenie skóry i śluzówek, pogorszenie stanu ogólnego. Prowadzi to do zaburzeń wodno-elektrolitowych, zmniejszenia ilości moczu, a nawet do bezmoczu.

Leczenie. W lekkiej postaci wymiotów zalecenia jak przy wymiotach porannych (zob. wyżej). Wskazane są lekko strawne stałe pokarmy w małych ilościach oraz przyjmowanie płynów między posiłkami (soki owocowe, zimne mleko). Przy niepowściągliwych wymiotach leczenie jest szpitalne, polega na podawaniu kroplówek, leków przeciwwymiotnych, uspokajających. Zmiana warunków i trybu życia daje najczęściej szybką poprawę stanu zdrowia ciężarnej. Brak poprawy i pogarszający się stan ogólny kobiety zmusza do wykonania zabiegu przerwania ciąży, co zdarza się rzadko.

Zatrucie ciążowe – gestoza EPH

Zespół objawów chorobowych objawiający się nadciśnieniem, obrzękami i białkomoczem, występujący tylko u kobiet ciężarnych w drugiej połowie ciąży, nosi nazwę gestozy – dawniej zatrucia ciążowego. Po zakończeniu ciąży stan ten ustępuje.

Częstość występowania gestozy ocenia się na 6–20%; zdarza się częściej u pierworódek, u ciężarnych z ciążą mnogą, u kobiet chorych na cukrzycę lub nadciśnienie tętnicze. Rzadko występuje w następnej ciąży, najczęściej u kobiet obciążonych chorobami narządów usposabiającymi do występowania gestozy.

Dokładna etiologia gestoz nie jest znana. Przyczyną są zaburzenia przemiany materii spowodowane obciążeniem organizmu przez ciążę. W zależności od nasilenia objawów, gestozy dzieli się na łagodne, średnie i ciężkie.

Nadciśnienie (*hypertensio*) – gestoza H – jest w większości przypadków pierwszym objawem gestozy. Wzrost ciśnienia tętniczego krwi powyżej 140/90 mm Hg jest uważany za patologiczny. Jest spowodowany skurczem małych tętniczek. Zwiększenie oporów naczyniowych zmniejsza przepływ krwi przez tkanki, w tym również przez macicę, dając gorsze warunki odżywiania płodu.

Obrzęki (*oedema*) – gestoza E – jest wywołana obniżeniem poziomu białek we krwi (hipoproteinemia), a zwłaszcza obniżeniem albumin (hipoalbuminemia), co powoduje spadek ciśnienia onkotycznego białek osocza. W następstwie dochodzi do ucieczki płynu z łożyska naczyniowego do przestrzeni pozanaczyniowej i do powstania obrzęków. Najpierw powstają obrzęki kończyn dolnych nie ustępujące po nocnym wypoczynku, a następnie obrzęki uogólnione. Za istnieniem obrzęków jawnych lub utajonych przemawia przyrost masy ciała ciężarnej powyżej 500 g na tydzień.

Białkomocz (*proteinuria*) – gestoza P – jest wywołana zmianami zwyrodnieniowymi kłębuszków nerkowych. Zmiany te doprowadzają do ucieczki białka z krwi do moczu. Objawem gestozy jest dobowa utrata białka z moczem przekraczająca 0,3 g/dobę lub białkomocz powyżej 50 mg%.

Wszystkie gestozy, nawet w łagodnej postaci, stanowią niebezpieczeństwo dla ciężarnej i rozwijającego się płodu. Zmiany w układzie naczyniowym, w składzie krwi ciężarnej oraz zmiany w łożysku utrudniają dopływ do płodu substancji odżywczych i tlenu. Płód wykazuje cechy hypotrofii (niedożywienia). Nasilone objawy gestozy mogą doprowadzić do bezpośredniego zagrożenia życia płodu.

Utajony przebieg choroby i brak dolegliwości utrudnia rozpoznanie. Tylko systematyczne badania kontrolne i wykonywanie podstawowych badań laboratoryjnych umożliwia wczesne wykrycie zmian, prawidłowe leczenie oraz prawidłowy rozwój ciąży.

W zapobieganiu gestozom obok stałej kontroli lekarskiej ważną rolę odgrywa właściwe odżywianie się ciężarnej, jej tryb życia, przestrzeganie wypoczynku, snu oraz przebywanie na świeżym powietrzu. Dieta wysokobiałkowa i małosolna jest podstawowym czynnikiem zapobiegania i leczenia gestoz.

L e c z e n i e łagodnej postaci gestozy polega na leżeniu w łóżku do 18 godz. na dobę oraz stosowaniu diety. Przy braku poprawy ciężarna powinna być skierowana do szpitala na oddział patologii ciąży.

Rzucawka jest n a j c i ę ż s z ą p o s t a c i ą g e s t o z y. Objawia się utratą świadomości oraz napadem drgawek toniczno-klonicznych, które kończą się ś p i ą c z k ą. Rzucawka może wystąpić w czasie ciąży, porodu i połogu.

Przed napadem mogą pojawić się o b j a w y z w i a s t u j ą c e: silny ból głowy, pobudzenie, niepokój, zaburzenie widzenia, mroczki przed oczami, bóle żołądka, nudności, wymioty. Najczęściej przed napadem drgawek następuje znaczny wzrost ciśnienia tętniczego krwi. Skurcz naczyń włosowatych wywołuje niedotlenienie tkanek i może doprowadzić do niewydolności krążenia, niebezpiecznej dla matki i dziecka. Przy braku pomocy lekarskiej napad rzucawki może doprowadzić do śmierci.

L e c z e n i e. W czasie napadu drgawek chorą należy położyć, chronić przed urazami mechanicznymi oraz zapewnić jej ciszę i spokój. Podanie leków przeciwdrgawkowych, obniżających ciśnienie krwi przerywa napad rzucawki. Dalsze leczenie polega na usunięciu lub złagodzeniu objawów zatrucia ciążowego. Jeżeli leczenie zachowawcze nie daje poprawy, może być podjęte rozwiązanie ciąży za pomocą cesarskiego cięcia.

Częstość występowania rzucawki oceniana na 0,05 – 2% ciąż zmniejsza się, a w rejonach, w których ciężarne objęte są systematyczną opieką, choroba ta zanikła.

Konflikt serologiczny matczyno-płodowy

Występowanie w krwinkach czerwonych ojca antygenów nie stwierdzonych u matki nazywa się n i e z g o d n o ś c i ą s e r o l o g i c z n ą m a ł ż e ń s k ą. Na drodze dziedziczenia płód otrzymuje część cech antygenowych ojca. W czasie ciąży krwinki płodu przenikają przez łożysko do układu krążenia matki. U większości ciężarnych liczba tych krwinek jest znikoma. Zwiększa się ona zazwyczaj w czasie poronienia samoistnego lub sztucznego oraz w czasie porodu, zwłaszcza tzw. porodu zabiegowego.

C i ą ż a p r a w i d ł o w a stanowi swoisty „stan tolerancji immunologicznej”, w którym nie występuje reakcja obronna organizmu matki w stosunku do obcogrupowych tkanek płodu. Konflikt serologiczny matczyno-płodowy jest naruszeniem stanu tolerancji. Dochodzi wówczas do wytwarzania przez ciężarną przeciwciał skierowanych przeciwko antygenom krwinkowym płodu. Przeciwciała te przechodzą przez łożysko do krążenia płodu i wchodząc w reakcję z krwinkami płodu wywołują chorobę hemolityczną. Zob. też Pediatria, s. 1136.

Choroby współistniejące z ciążą

Niedokrwistość kobiet ciężarnych. Zmiany występujące w układzie krążenia ciężarnej, polegające na zwiększeniu objętości krwi krążącej (zob. Zmiany ogólnoustrojowe w przebiegu ciąży, s. 1829), powodują fizjologiczną niedokrwistość ciężarnych. Prawidłowa dolna granica liczby krwinek czerwonych w czasie ciąży wynosi 3,5 mln, a hemoglobiny 11 g% (6,83 mmol/l). Niedokrwistość patologiczna występująca w ciąży jest najczęściej wywołana wzrostem zapotrzebowania organizmu na żelazo oraz zaburzeniami jego wchłaniania. Zapotrzebowanie dzienne człowieka na żelazo wynosi ok. 3 mg, natomiast w III trymestrze ciąży (7–9 miesięcy) wzrasta do ok. 15 mg. Ten wzrost jest zużywany na potrzeby płodu, budowę łożyska, powiększenie mięśnia macicy oraz zwiększoną produkcję krwinek ciężarnej.

Niedokrwistość z niedoboru żelaza rozwija się najczęściej w drugiej połowie ciąży i objawia się osłabieniem, sennością, łatwym męczeniem, bólem głowy, bólami mięśni podudzia, bladością skóry, wypadaniem włosów. Można jej zapobiec przez stosowanie diety bogatej w żelazo, witaminy, białko oraz uzupełnieniem doustnymi preparatami żelaza i witamin. Szczególnie dużo żelaza znajduje się w wołowinie, jajkach, szpinaku, marchwi.

Wcześnie występująca i nasilona niedokrwistość może być przyczyną poronień, porodów niewczesnych i przedwczesnych oraz gestozy wtórnej (zob. s. 1840).

Leczenie nasilonych objawów polega na przetaczaniu krwi (najczęściej w postaci masy erytrocytarnej).

Odmiedniczkowe zapalenie nerek. Choroba występuje u ok. 3% ciężarnych. Przyczyną mogą być częste zakażenia dróg moczowych spowodowane zmianami w układzie moczowym (zob. Zmiany ogólnoustrojowe w przebiegu ciąży, s. 1829). Również stany zapalne pochwy, szyjki macicy mogą przyczyniać się do zapalenia układu moczowego. Najczęściej zapalenie jest wywołane przez pałeczkę okrężnicy i u pierworódek występuje ok. 7 miesiąca ciąży, a u wieloródek pod koniec ciąży.

Objawy. Początek choroby jest zwykle nagły. Następuje wzrost temperatury, bóle w okolicy lędźwiowej, bolesne i częste oddawanie moczu. W 65% proces zapalny dotyczy prawej nerki, w 15% – lewej, a w 20% jest obustronny. Badanie ogólne moczu i bakteriologiczne potwierdzają rozpoznanie.

Leczenie polega na stosowaniu antybiotyków przez co najmniej 3 do 6 tygodni. Leczenie podtrzymujące trwa kilka miesięcy.

Powikłaniem zapalnym nerek w ciąży może być poród przedwczesny, hypotrofia płodu, a nawet wewnątrzmaciczne obumarcie płodu w ostatnich 4–6 tygodniach. Każda kobieta po przebytym zapaleniu nerek w ciąży powinna przeprowadzić badania po porodzie w celu wykluczenia zmian w układzie moczowym. Przed ukończeniem badań nie powinna ponownie zachodzić w ciążę.

Cukrzyca. Jest to choroba dziedziczna, która ujawnia się w różnych okresach życia. U kobiet obciążonych genetycznie ciąża może wywołać wystąpienie tej choroby w postaci jawnej lub utajonej. Przyczyną są zaburzenia przemiany węglowodanowej spowodowane czynnością hormonalną łożyska i nadnerczy ciężarnej. Łożysko ma zdolność unieczynniania insuliny, natomiast laktogen łożyskowy (HPL) jest antagonistą insuliny (zob. Endokrynologia ciąży, s. 1830). Czynność łożyskowa oraz zwiększone wytwarzanie glikokortykosteroidów mogą wywołać hiperglikemię, czyli wzrost stężenia glukozy (cukru) we krwi ciężarnej ponad normę.

O b j a w y j a w n e j c u k r z y c y są typowe (zob. Choroby wewnętrzne, s. 804). Cukrzycę utajoną można rozpoznać tylko za pomocą badań laboratoryjnych i dlatego stanowi ona niebezpieczeństwo dla prawidłowego rozwoju płodu. Podejrzane o cukrzycę mogą być ciężarne z obciążeniem rodzinnym cukrzycy, otyłością oraz te, które już urodziły płody z wadami wrodzonymi, dużą wagą lub obumarłe. Stwierdzenie cukromoczu i hiperglikemii u ciężarnej jest wskazaniem do wykonania krzywej glikemicznej. U ciężarnych chorych na cukrzycę częściej występuje zatrucie ciążowe.

O stopniu zagrożenia płodu świadczy stopień wyrównania cukrzycy i występujące powikłania. Skutkiem powikłań są często poronienia, wady rozwojowe płodu, wielowodzie i wewnątrzmaciczne obumarcie płodu. Tylko systematyczna opieka internisty i położnika może zapewnić prawidłowy przebieg ciąży i właściwy termin jej zakończenia.

Żółtaczka ciężarnych. Najczęstszą postacią żółtaczki w czasie ciąży jest s a m o i s t n a ż ó ł t a c z k a spowodowana zaburzeniami enzymatycznymi wątroby oraz wewnątrzwątrobowym zastojem żółci. Występuje w drugiej połowie ciąży i cechuje się uporczywym świądem skóry poprzedzającym zażółcenie skóry i białkówek oczu. Poziom bilirubiny w surowicy krwi nie przekracza zazwyczaj 5 mg%, przy wysokim wzroście fosfatazy zasadowej i nieznacznym podwyższeniu transaminaz. Przebieg zazwyczaj jest łagodny. Istnieje jednak niebezpieczeństwo wystąpienia porodu przedwczesnego.

L e c z e n i e polega na stosowaniu diety wątrobowej oraz przyjmowaniu leków wspomagających czynność wątroby. Po porodzie żółtaczka szybko ustępuje samoistnie.

Choroby zakaźne a ciąża

Niektóre choroby zakaźne przebyte przez ciężarną w I trymestrze (w pierwszych 3 miesiącach) mogą być przyczyną wad rozwojowych płodu. Najbardziej niebezpieczne są z a k a ż e n i a w i r u s o w e ze względu na łatwość przechodzenia wirusa przez łożysko do płodu. Prowadzą często do obumarcia płodu lub w razie utrzymania ciąży do powstania wad rozwojowych. W późniejszym okresie ciąży może dojść do zmian zapalnych w poszczególnych narządach płodu, które mogą utrzymywać się jeszcze po porodzie. Do częstych zakażeń wirusowych należy grypa, różyczka, nagminne zapalenie przyusznic, odra, wirusowe zapalenie wątroby. Czas zakażenia wpływa na charakter uszkodzenia płodu.

Różyczka przebiegająca u ciężarnej bez powikłań, u płodu może spowodować wady wrodzone: wrodzoną zaćmę, nieprawidłowość uzębienia, głuchotę, wady serca. Największe niebezpieczeństwo istnieje do 8 tygodnia ciąży, później ryzyko jest mniejsze, a po 16 tygodniach ciąży wady wrodzone obserwowane są rzadko. Zakażenie w I trymestrze ciąży stanowi zagrożenie dla dziecka w ok. 20%.

Grypa przebyta w pierwszych tygodniach ciąży daje powikłania w rozwoju płodu podobne jak różyczka. W późniejszym okresie ciąży może spowodować poród przedwczesny.

Ospa wietrzna, żółtaczka zakaźna mogą wywołać poronienia, porody przedwczesne. Wady wrodzone są rzadkie.

Toksoplazmoza jest wywołana przez pierwotniaka i może występować w postaci utajonej, nie dając żadnych objawów klinicznych (zob. Choroby zakaźne, s. 989). W okresie ciąży stanowi niebezpieczeństwo dla płodu. Może powodować wady rozwojowe płodu i jego obumarcie oraz może być przyczyną poronień i porodów przedwczesnych. Leczenie kobiety jest prowadzone po okresie ciąży.

Listerioza jest chorobą odzwierzęcą wywołaną przez pałeczkę *Listeria monocytogenes*. Zakażenie może przebiegać bezobjawowo, ale w okresie ciąży powoduje chorobę płodu, poronienia, porody przedwczesne lub obumarcie płodu. Leczenie jest prowadzone po okresie ciąży.

XII. LEKI A CIĄŻA

W roku 1961 opinia światowa została wstrząśnięta licznymi doniesieniami o teratogennym działaniu talidomidu (Contergan), leku stosowanego w terapii nerwic, wprowadzonego na rynek farmaceutyczny RFN i kilku innych krajów Europy Zachodniej. Lek ten podawany kobietom w ciąży wywoływał różne wady rozwojowe płodu, najczęściej niedorozwój kończyn (fokomelia). Urodzenie się w tym czasie kilku tysięcy dzieci z poważnymi uszkodzeniami spowodowało szczególne zainteresowanie i kompleksowe badania dotyczące wpływu leków na płód, jakkolwiek już od ponad 100 lat negatywny wpływ niektórych leków i substancji chemicznych na płód był lekarzom znany.

Teratogenne i embriotoksyczne działanie leków

Teratogenny wpływ leków na płód jest to wpływ powodujący powstanie różnorodnych wad rozwojowych. Występuje przede wszystkim w I trymestrze (tj. w pierwszych trzech miesiącach) ciąży i to pod wpływem stosunkowo małych dawek leku. Działanie embriotoksyczne, tj. zatruwające płód, może występować przez cały okres ciąży i może spowodować obumarcie płodu, poronienie lub liczne zaburzenia biochemiczne. Te ostatnie polegają zazwyczaj na niewykształceniu lub opóźnieniu wykształcania układów enzymatycznych biorących udział w procesach „odtruwających" działanie leków. Działanie embriotoksyczne uwydatnia się przeważnie po dużych dawkach leków i stosunkowo długo przyjmowanych, choć nie jest to regułą.

Teratogenne i embriotoksyczne działanie leków zależy od kilku czynników, z których najważniejsze są: właściwości czynnika teratogennego, a więc właściwości leku, jego dawka, z którą wiąże się stężenie leku w krążeniu płodowym, okres przyjmowania leku, okres rozwoju zarodka i jego właściwości genetyczne.

Istnieje kilka teorii powstawania zmian teratogennych. Zakładają one, że zmiany te: 1) są wynikiem działania niektórych leków na chromosomy komórek rozrodczych, 2) zależą od bezpośredniego lub pośredniego działania leków na gruczoły rozrodcze (gonady) oraz 3) zależą od działania leków na układ neurohormonalny. Wydaje się, że w wielu przypadkach wada rozwojowa jest wynikiem działania wszystkich wymienionych czynników.

Wady rozwojowe stanowią poważny problem społeczny. Występują one, wg różnych opracowań, u 2–8% noworodków. Są one powodowane przez wiele czynników, spośród których najważniejsze są czynniki genetyczne i czynniki środowiskowe. Leki działające teratogennie należą do tych ostatnich.

Od teratogennego i embriotoksycznego działania leków na płód należy odróżnić ich działanie terapeutyczne. W farmakologii wyodrębnia się dział farmakologii rozwojowej, zajmującej się zagadnieniami zarówno działania teratogennego i embriotoksycznego leków, jak i farmakologią płodu.

Wpływ leków na płód zależy w dużym stopniu od okresów, w których czynność narządów płodu jest szczególnie wrażliwa. Do okresów szczególnych należą: kilkudziesięciogodzinny okres przed porodem, po porodzie i okres karmienia. Klasycznym przykładem jest tu wrażliwość ośrodka oddechowego płodu na leki podane matce tuż przed porodem. Również leki podane matce w okresie karmienia mogą powodować zaburzenia, a nawet uszkodzenia niektórych narządów noworodka, ponieważ jego procesy enzymatyczne są jeszcze niecałkowicie wykształcone.

Przenikanie leków przez łożysko

Szybki i wszechstronny rozwój farmakokinetyki (zob. Farmakoterapia, s. 488) potwierdził stosunkowo łatwe przechodzenie wielu leków i innych substancji chemicznych przez tzw. barierę łożyskową. Przenikanie leków przez łożysko zależy przede wszystkim od właściwości fizykochemicznych danego leku, takich jak np. jego rozpuszczalność w lipidach (tłuszczach) lub w wodzie albo masa cząsteczkowa. Przenikanie leku zależy również od wielkości powierzchni łożyska, jego grubości i ukrwienia, a także od zmian patologicznych w łożysku.

Substancje o masie cząsteczkowej mniejszej niż 600 łatwo przenikają przez łożysko, w przeciwieństwie do tych, których masa wynosi ponad 1000. Szybko przez łożysko przenikają również substancje (leki) nie dysocjujące i niezjonizowane.

Poznano kilka mechanizmów przenikania (przechodzenia) leków przez barierę łożyskową. Najważniejszy z nich – tzw. bierna dyfuzja (dyfuzja lipofilna) – polega na przenikaniu rozpuszczonego w tłuszczach (lipidach) leku przez błonę kosmówkową do naczyń płodu. Szybkość tego procesu zależy od stężenia leku we krwi matki, czyli od dawki leku, jaką kobieta ciężarna przyjęła. Prawie wszystkie leki rozpuszczalne w tłuszczach przenikają w taki właśnie sposób stosunkowo szybko przez łożysko i osiągają niekiedy duże stężenie w krążeniu płodu. Stężenie niektórych leków w wodach płodowych może wynosić aż 70% ich stężenia we krwi matki. Transport leków przez dyfuzję bierną odbywa się bez wydatków energetycznych.

Leki rozpuszczające się w wodzie przenikają przez łożysko wolno i w krążeniu płodowym osiągają znacznie mniejsze stężenia w stosunku do stężenia leków we krwi kobiety ciężarnej. Inne mechanizmy przenikania leków przez barierę łożyskową, takie jak aktywny transport przez systemy nośnikowe lub też przejście leków przez pory w błonie kosmówkowej mają mniejsze znaczenie.

W końcowym okresie ciąży błony łożyskowe są cieńsze i przenikanie leków przez nie jest wtedy zwiększone.

W Polsce i wielu innych krajach świata zgodnie z wytycznymi Światowej Organizacji Zdrowia wszystkie nowo wprowadzone do lecznictwa leki są badane na działanie teratogenne i embriotoksyczne na co najmniej trzech gatunkach zwierząt. Największe znaczenie w tym względzie mają badania wykonane na małpach.

Przyjmowanie leków przez ciężarne

Szacunkowe dane uzyskane na podstawie przeprowadzonych wywiadów i ankiet wskazują, że ponad 75–80% kobiet ciężarnych przyjmuje co najmniej jeden lek, ok. 20–25% przyjmuje 2–4 leki, a ok. 4% aż 8 leków i więcej. Są to dane wysoce niepokojące, ponieważ właściwie żaden lekarz nie zaleca terapii kilkulekowej ciężarnym. Przy chorobach współistniejących z ciążą, jak np. cukrzyca, choroby układu krążenia, alergiczne i inne, każda chora ciężarna powinna być pod ścisłą kontrolą zarówno położnika, jak i doświadczonego lekarza innej specjalności, np. internisty, kardiologa, alergologa itp.

Samoleczenie, tj. przyjmowanie leków bez zalecenia lekarskiego, jest w ciąży bardzo niebezpieczne nawet wtedy, gdy dotyczy tak „niewinnych leków", za jakie powszechnie uważa się leki przeciwgrypowe, proszki od bólu głowy lub też leki przeciwreumatyczne. Lekarze dysponują licznymi zestawieniami tabelarycznymi dotyczącymi poszczególnych leków i ich grup, gdzie jest zaznaczone, czy dane leki można w ogóle stosować w ciąży lub jakie zagrożenie mogą one stanowić dla płodu i matki. Zestawienia te nie są pełne i dość często są uzupełniane nowymi danymi.

Podawanie określonych leków ciężarnej zależy ponadto od czasu trwania ciąży (istnieją np. leki, które można lub których nie można podawać do 12 tygodnia ciąży, od 12 do 28 tygodnia ciąży i po 28 tygodniu ciąży), od chorób współistniejących oraz od możliwości wystąpienia interakcji, czyli wzajemnego oddziaływania na siebie poszczególnych leków, które z uzasadnionych przyczyn powinna przyjmować ciężarna.

Kobieta, która jest w ciąży powinna poinformować lekarza, czy przyjmuje jakiekolwiek leki, w jakiej dawce, przez jak długi czas oraz z jakiej przyczyny. Niezależnie od tego lekarz każdej specjalności powinien zapytać pacjentkę, czy jest w ciąży. To wzajemne informowanie i zaufanie jest rękojmią prawidłowo prowadzonej farmakoterapii, a w ostateczności jej skuteczności. W ten prosty sposób można uniknąć wystąpienia wielu objawów niepożądanych oraz ich negatywnej interakcji.

Leki z pewnych grup są dość często przyjmowane przez ciężarne bez konsultacji z lekarzem, dlatego grupy tych leków zostaną tu pokrótce omówione. Najczęściej są to leki stosowane w zakażeniach drobnoustrojami – tzw. chemioterapeutyki, środki uspokajające i anksjolityczne (psychotropowe, np. często stosowany oksazepam, diazepam, hydroksyzyna), środki przeciwcukrzycowe, nasercowe, przeciwnadciśnieniowe, przeczyszczające, przeciwgorączkowe i przeciwzapalne, środki przeciwbólowe, jak gardan, pabialgina lub antyneuralgina.

Leki chemioterapeutyczne. Z leków tych właściwie tylko antybiotyki z grupy penicylin i niektóre z cefalosporyn mogą być stosowane w ciąży. Inne są bardzo niebezpieczne dla płodu. I tak, chloramfenikol (Detreomycyna) może powodować obumarcie płodu, liczne tetracykliny, np. oksytetracyklina, doksycyklina (Vibramycyna) powodują zaburzenia rozwoju zębów i kości, sulfonamidy (Sulfasalacyna, Amidoksal) mogą powodować bilirubinemię, a nitrofurantoina – lek często stosowany w zakażeniach bakteryjnych układu moczowego – może powodować hemolizę (rozpad) krwinek. Antybiotyki aminoglikozydowe, do których zalicza się m.in. streptomycynę i gentamycynę, uszkadzają nerw słuchowy. Również leki stosowane w leczeniu gruźlicy powinny być stosowane nader ostrożnie, a niektóre z nich, np. etambutol, mogą uszkadzać nerw wzrokowy. Do chemioterapeutyków zalicza się liczne leki przeciwnowotworowe (cytostatyczne). Leki te mogą powodować ciężkie uszkodzenia płodu i są bezwzględnie przeciwwskazane w ciąży.

Leki działające na ośrodkowy układ nerwowy. Wiele z nich, np. leki uspokajające, nasenne, psychotropowe, może wywoływać zarówno działanie teratogenne (powodować rozwój wad, uszkodzenia płodu), jak i embriotoksyczne (zatruwanie płodu), nie należy ich zatem stosować w ciąży. Mogą one ponadto wywołać lekozależność u noworodka. W Polsce bardzo jest rozpowszechnione przyjmowanie niektórych leków psychotropowych, które ogólnie biorąc są stosunkowo mało toksyczne, np. niektórych leków anksjolitycznych (przeciwlękowych) stosowanych m.in. w nerwicach, wiele z nich jest niewskazane w ciąży, np. diazepam, klonazepam, nitrazepam, oksazepam. Mimo licznych publikacji na ten temat, odczytów itp. są one stosowane przez ciężarne na zasadzie samoleczenia w sytuacjach konfliktowych, które tak często są naszym udziałem w obecnych czasach. Należy je zastąpić łagodnie działającymi preparatami roślinnymi, np. neospazminą lub nerwosolem. Syntetyczne leki psychotropowe mogą wywołać żółtaczki, jak też hamować rozwój płodu (mała urodzeniowa masa ciała noworodka). Do leków działających na ośrodkowy układ nerwowy należą także leki przeciwpadaczkowe, które zwiększają 2–3-krotnie możliwość zaburzeń rozwojowych płodu. Są one jednak, pod ścisłą kontrolą neurologa, stosowane w ciąży na zasadzie wyboru mniejszego zła, w tym przypadku niebezpieczeństwo dla ciężarnej jest większe niż ryzyko uszkodzenia płodu.

Salicylany. Należą tutaj popularne, często przyjmowane leki, takie jak polopiryna, calcipiryna, asprocol, Alka-Prim, salicylamid i wiele innych. Stosowane są w tzw. chorobach przeziębieniowych, działają bowiem przeciwgorączkowo, przeciwbólowo i przeciwzapalnie. Wszystkie te leki nie powinny być stosowane w ciąży lub muszą być przyjmowane bardzo ostrożnie i krótkotrwale, pod ścisłą kontrolą lekarską. Mogą one powodować nawet żółtaczkę jąder podstawy mózgu i methemoglobinemię.

Narkotyczne środki przeciwbólowe. Leków tych (np. morfiny) w ciąży nie należy stosować, ponieważ mogą one spowodować obumarcie płodu, a w okresie okołoporodowym – osłabienie lub porażenie ośrodka oddechowego noworodka. Opisywano objawy abstynencji u noworodków, których matki w okresie ciąży otrzymywały narkotyczne środki przeciwbólowe.

Leki obniżające ciśnienie krwi. W chorobie nadciśnieniowej w ciąży stosowanie leków z tej grupy musi być bardzo ostrożne, ponieważ niektóre z nich mogą wywoływać, zależnie od dawki, znaczne zwolnienie czynności serca płodu.

Leki przeciwnowotworowe są bezwzględnie przeciwwskazane w ciąży, ze względu na ich udowodnione działanie teratogenne i embriotoksyczne.

Środki hormonalne. Stosowanie wszelkiego rodzaju hormonów w okresie ciąży stanowi wielkie niebezpieczeństwo dla płodu. Dotyczy to wszystkich hormonów płciowych, hormonów tarczycy, kory nadnerczy, preparatów hormonalnych o działaniu anabolicznym, licznych hormonów przysadkowych (ACTH, STH, oksytocyna, wazopresyna). Wszystkie one wywierają zarówno ogólne działanie embriotoksyczne, jak i teratogenne, co stwierdzono na płodach zwierzęcych.

Hormony płciowe: androgeny i gestageny mogą powodować maskulinizację płodów żeńskich, estrogeny – feminizację płodów męskich, a nawet zatrzymanie rozwoju jąder. Działania te zależą od dawki hormonów (duże dawki w początkowym okresie ciąży powodują wystąpienie wad wrodzonych), okresu ciąży i osobniczej wrażliwości. Hormony kory nadnerczy i ACTH powodują najczęściej rozszczep podniebienia. Hormony tarczycy wywołują objawy nadczynności tego gruczołu u płodu i noworodka, natomiast leki hamujące czynność tarczycy, tzw. tyreostatyki, mogą wywołać wole, a nawet kretynizm u dziecka.

Uszkodzenia płodu mogą wywołać także doustne leki przeciwcukrzycowe, np. chlorpropamid, meftormina, dlatego też cukrzycę ciężarnych powinno się leczyć odpowiednimi dawkami wysoko oczyszczanej (monokomponentnej) insuliny.

W ciąży przeciwwskazane są również doustne leki przeciwzakrzepowe, jeśli istnieje konieczność stosowania leków tej grupy, to podawana jest heparyna, która nie przechodzi przez barierę łożyskową do płodu.

Wskazówki praktyczne

1) Kobieta zgłaszająca się do lekarza innej specjalności niż ginekolog-położnik powinna go poinformować, że jest w ciąży lub że prawdopodobnie jest w ciąży. Jest to niezwykle istotne w pierwszym okresie ciąży, kiedy ogólny wygląd kobiety nie wskazuje na ciążę. Informacja ta uczuli lekarza na ostrożne i odpowiednie postępowanie farmakoterapeutyczne.

2) Kobieta będąca w ciąży musi pamiętać, że również leki mogą wywierać działanie teratogenne i embriotoksyczne.

3) Jakiekolwiek samoleczenie w ciąży oraz w okresie karmienia jest bardzo niebezpieczne dla płodu (noworodka), a często dla matki.

4) Palenie tytoniu oraz picie alkoholu w ciąży i w okresie karmienia jest bardzo niekorzystne dla płodu i dziecka. Dzieci urodzone z matek palących mają z reguły niższą urodzeniową masę ciała niż noworodki matek niepalących. Alkohol etylowy powoduje zmiany mutagenne u płodu, a noworodki alkoholiczek są z reguły opóźnione w rozwoju umysłowym, u części z nich występuje matołectwo.

XIII. OPIEKA PRENATALNA

Intensywna opieka nad ciężarną jest najskuteczniejszą drogą zapewnienia prawidłowego rozwoju ciąży, ochrony ciężarnej, a tym samym urodzenia zdrowego, donoszonego dziecka. Ciąża stanowi duże obciążenie dla organizmu kobiety, dlatego przyszła matka powinna zgłosić się po poradę lekarską przed planowanym zajściem w ciążę.

Diagnostyka ciąży

Każda przyszła matka pragnie urodzić zdrowe dziecko. W ogromnej większości pragnienie to zostaje spełnione. Zależy to jednak od stanu zdrowia obojga rodziców przed momentem poczęcia, stanu zdrowia kobiety w czasie ciąży oraz od prawidłowego rozwoju ciąży. Niektóre osoby i ich rodziny obarczone są podwyższonym ryzykiem urodzenia dzieci dotkniętych ciężkimi chorobami i wadami wrodzonymi. Wraz z wiekiem rodziców również zwiększa się liczba wad wrodzonych.

Rozpoznanie stopnia ryzyka zagrożenia chorobą genetyczną jest trudne. Wskazaniem do przeprowadzenia badań genetycznych jest wiek matki powyżej 35 r. życia, w wywiadzie nawykowe poronienia lub urodzenie dziecka z genetycznymi wadami. Postępowaniem wstępnym przed ciążą jest badanie krwi w celu ustalenia fenotypu kobiety, męża, dzieci lub nawet członków rodziny.

Większość chorób genetycznych wymaga wykonania już w okresie ciąży tzw. amniopunkcji, czyli pobrania płynu z jaja płodowego, z owodni.

Oznaczenie w nim poziomu α-fetoproteiny (AFP) jest pomocne w rozpoznaniu wad wrodzonych płodu, zwłaszcza otwartych wad ośrodkowego układu nerwowego. Oznaczenie enzymów pozwala rozpoznać wrodzone choroby metaboliczne, a badanie cytogenetyczne – ustalić kariotyp płodu i związane z nim wady genetyczne. Amniopunkcję w celu wykrycia wad wrodzonych płodu wykonuje się między 14 a 16 tygodniem ciąży.

We współczesnym położnictwie wskazaniem do diagnostycznej amniopunkcji jest rozpoznanie: 1) choroby hemolitycznej płodu, 2) chorób metabolicznych i genetycznych płodu oraz 3) ocena dojrzałości płodu.

Badania hormonalne mają na celu ocenę stanu płodu i wydolności łożyska – zob. Endokrynologia ciąży, s. 1830.

Do śledzenia prawidłowego rozwoju płodu służy również badanie ultrasonograficzne, czyli USG (zob. s. 1851). W II i III trymestrze ciąży za pomocą USG określa się wielkość płodu i czas trwania ciąży, położenie płodu w jamie macicy, wady płodu, wielowodzie, ciążę mnogą oraz lokalizację łożyska. W III trymestrze ciąży oraz podczas porodu bardzo przydatną metodą diagnostyczną w monitorowaniu ryzykownej ciąży jest kardiotokografia (KTG). Jest to jednoczesna rejestracja czynności serca płodu (FHR) i skurczów macicy (tokografia) (zob. też Rozpoznanie ciąży, s. 1826).

Organizacja opieki prenatalnej

Liczba poradni dla kobiet (poradnie K) w naszym kraju jest dostatecznie duża dla zapewnienia opieki przedporodowej wszystkim ciężarnym. Poradnie K są składową częścią poradni rejonowych. Prowadzone są one przez lekarzy specjalistów i sprawują opiekę profilaktyczno-leczniczą nad kobietami. Lekarz poradni K współpracuje z lekarzami innych specjalności oraz poradni konsultacyjnej przychodni przyszpitalnej. W razie stwierdzenia ciąży zagrożonej ciężarna jest kierowana na oddział patologii ciąży w celu leczenia szpitalnego.

Aby uzyskać właściwą opiekę, każda ciężarna powinna zgłosić się do poradni K w pierwszych tygodniach ciąży, najpóźniej do dwóch miesięcy. Zdrowe ciężarne, z prawidłowym przebiegiem ciąży, powinny być badane w pierwszych 8 miesiącach co najmniej jeden raz w miesiącu, później – co 2 tygodnie. Ciężarna obarczona chorobą lub z zagrożoną ciążą musi być pod intensywną opieką lekarską. Terminy wizyt ustala lekarz poradni K.

Przez cały okres ciąży kobieta powinna kontrolować ciśnienie tętnicze krwi i masę ciała, a w przypadku wystąpienia obrzęków zgłosić się na wizytę lekarską. Przyrost masy ciała wyżej 500 g na tydzień świadczy o utajonych obrzękach będących objawem zatrucia ciążowego (zob. s. 1830). Zgodnie z zaleceniem lekarza ciężarna powinna systematycznie wykonywać badania laboratoryjne: morfologię krwi, badanie ogólne moczu, odczyn WR i inne zlecone. Każda ciężarna powinna mieć zawsze przy sobie książeczkę ciąży wraz z badaniami laboratoryjnymi, a zwłaszcza z grupą krwi. W przypadku otrzymania skierowania na oddział patologii ciąży powinna zgłosić się tam z wykonanymi uprzednio badaniami.

Okresowe badania ciężarnej mają na celu obserwację rozwoju ciąży, adaptację organizmu ciężarnej, wczesne rozpoznanie powikłań i ich leczenie. Badania profilaktyczne, porady w sprawach dotyczących ciąży i połogu, badania pomocnicze i specjalistyczne, leczenie ambulatoryjne kobiet ciężarnych, wizyty patronażowe położnych w domu kobiet ciężarnych, położnic i noworodków wchodzą w zakres bezpłatnych świadczeń przez poradnie K. Ustawodawstwo socjalne obowiązujące w naszym kraju, dotyczące ochrony zdrowia kobiety ciężarnej, zapewnia możność zmiany warunków pracy w czasie ciąży. Jest to szczególnie ważne dla ciężarnych, które mają kontakt z czynnikami zakaźnymi i promieniowaniem. Począwszy od 4 miesiąca ciąży kobieta jest zwolniona z pracy nocnej.

Psychoprofilaktyczne przygotowanie kobiety ciężarnej do porodu, zob. Szkoła rodzenia, s. 1867.

XIV. ULTRASONOGRAFIA W POŁOŻNICTWIE I GINEKOLOGII

Rozwój techniki ultrasonograficznej, wiążącej się z coraz lepszą wizualizacją narządów oraz możliwością obserwacji ich ruchu i dokładnych pomiarów, w tym również oceny przepływu krwi, szeroko wprowadził tę metodę do wielu dyscyplin medycyny. Czołowe miejsce zajmuje tu położnictwo i ginekologia. Zasadą fizyczną tej metody jest wysyłanie przez sondę fali ultradźwiękowej, która przechodząc przez tkanki jest częściowo pochłaniana, a po odbiciu powraca do sondy. Po elektronicznej obróbce otrzymuje się dwuwymiarowy obraz o różnej skali szarości, najczęściej ruchomy (prezentacja czasu rzeczywistego – „Real Time"). Zob. też Diagnostyka wizualizacyjna, s. 617 .

Ultrasonografia w położnictwie

Ultrasonografia jest szeroko stosowana do o c e n y r o z w o j u c i ą ż y zarówno fizjologicznej, jak i patologicznej. Typowe badanie pozwala ocenić: wiek ciąży, rozwój płodu i jego położenie, ciążę mnogą, ilość płynu owodniowego, niewydolność cieśniowo-szyjkową, wady rozwojowe płodu, obumarcie płodu, biofizyczny stan płodu, masę płodu, lokalizację łożyska, przyczyny krwawienia w ciąży.

O c e n a w i e k u c i ą ż y jest najbardziej precyzyjna w pierwszych 3 miesiącach jej trwania. Dokładność oceny w tym okresie mieści się w granicach 7 dni. Wraz z rozwojem ciąży dokładność maleje i pod koniec ciąży wynosi 21 dni. Oceniając wiek ciąży, ocenia się i mierzy różne parametry:

GS – średnicę pęcherzyka ciążowego (5–8 tydzień ciąży)
CRL – długość ciemieniowo-siedzeniową (8–14 tydzień ciąży)
BPD – wymiar dwuciemieniowy główki (12–40 tydzień ciąży)
FL – długość kości udowej (17–40 tydzień ciąży).

Pomocniczo wykonuje się pomiary obwodu głowy (HC) i obwodu brzucha (AC) oraz określa wymiar poprzeczny i podłużny przekroju brzucha.

Poza określeniem czasu trwania ciąży badanie ultrasonograficzne pozwala określić masę płodu, a także jego nieprawidłowości, takie jak opóźniony wewnątrzmaciczny rozwój płodu (IUGR), zwany także hypotrofią płodu.

Wczesne wykrycie wad płodu, takich jak wady ośrodkowego układu nerwowego, braki powłok brzusznych, guzy płodu i inne wady są pomocne w diagnostyce prenatalnej.

Czynność serca płodu można zaobserwować już w 6–7 tygodniu ciąży, co stanowi dowód na jego wewnątrzmaciczne życie.

Rozpoznanie ultrasonograficzne nieprawidłowej lokalizacji łożyska (łożysko przodujące centralnie, brzeżnie lub o niskiej lokalizacji) pomaga ustalić przyczynę krwawień w ciąży i wybrać właściwe postępowanie.

Rozpoznawanie płci

Możliwość rozpoznawania płci za pomocą badania ultrasonograficznego dotyczy zaawansowanej II połowy ciąży. Polega na uwidocznieniu narządów płciowych zewnętrznych, szczególnie uwidocznieniu jąder płodu. Badanie to jest obarczone pewnym błędem i powinno być wykonywane wyłącznie ze wskazań lekarskich, zwłaszcza przy badaniach prenatalnych.

Określenie płci w I połowie ciąży polega na badaniu chromosomów jaja płodowego z pobieranych pod kontrolą USG: płynu owodniowego, krwi płodu lub biopsji trofoblastu.

Ultrasonografia w ginekologii

Badanie ultrasonograficzne w ginekologii, będące uzupełnieniem badania klinicznego, pozwala obserwować poszczególne narządy miednicy mniejszej.

Badanie macicy pozwala określić jej wielkość (długość, grubość i szerokość trzonu), położenie, stosunek wielkości trzonu do szyjki. Najczęściej wskazaniem do badania jest podejrzenie mięśniaków macicy, w celu określenia ich lokalizacji i wielkości. W trakcie badania ocenia się również śluzówkę jamy macicy, określając jej grubość, co ma szczególne znaczenie w przerostach różnego pochodzenia. USG jest pomocne również przy potwierdzeniu obecności wkładki wewnątrzmacicznej, a także przy określeniu jej dokładnej lokalizacji.

Ultrasonografia ma również olbrzymie znaczenie dla szybkiego zdiagnozowania ciążowej choroby trofoblastycznej. Wraz z oznaczeniem w surowicy krwi gonadotropiny kosmówkowej (HCG) pozwala pewnie odróżnić tę jednostkę chorobową od prawidłowej ciąży wewnątrzmacicznej.

Ważnym wskazaniem do USG jajników są: guzy jajników, podejrzenie ciąży pozamacicznej (ektopowej), diagnostyka owulacji i ocena jajników. Obrazy guzów jajnika są różne. Najczęściej mają postać jedno- lub wielokomorowej torbieli, ale są też lite lub mieszane. Ocenę ultrasonograficzną jajników wykonuje się przy podejrzeniu zespołu policystycznych jajników, w celu oceny owulacji, kontroli reakcji jajnika na leki stymulujące jajeczkowanie.

Rozpoznanie ciąży o nieprawidłowej lokalizacji, czyli pozamacicznej, jest jednym z częstych problemów pracy klinicznej. Badanie ultrasonograficzne wykluczające ciążę wewnątrzmaciczną przy stwierdzeniu w surowicy krwi gonadotropiny kosmówkowej (HCG) jest podstawą rozpoznania ciąży pozamacicznej. Zastosowanie w diagnostyce ultradźwiękowej specjalnych sond, które można wprowadzać do jam ciała (zob. niżej Endosonografia), pozwala za pomocą badania pozapochwowego w 75% uwidocznić ciążę zlokalizowaną poza macicą.

USG gruczołów piersiowych umożliwia różnicowanie zmian torbielowatych od zmian litych. Uzupełnienie wizualizacji punkcją cienkoigłową pod kontrolą USG pozwala na dokładną diagnostykę guzów sutka.

Postępy w ultrasonografii położniczej i ginekologicznej

Ultrasonografia interwencyjna polega na wprowadzeniu pod kontrolą USG cienkiej igły w celu pobrania materiału do badania lub podania krwi albo leku. W położnictwie ma zastosowanie przy: pobieraniu płynu owodniowego (amniopunkcja), pobieraniu krwi płodu, aspirowaniu treści z torbieli i guzów płodu, przetaczaniu krwi do płodu (w konflikcie serologicznym), zakładaniu cewnika (np. w niedrożności dróg moczowych), biopsji trofoblastu do badań prenatalnych. W ginekologii stosuje się do: biopsji guzów, opróżnienia torbieli i zbiorników płynu, pobierania komórki jajowej w celu zapłodnienia pozaustrojowego.

Endosonografia. Jest to badanie ultrasonograficzne przy użyciu specjalnych sond wprowadzanych do jam ciała – do pochwy, odbytnicy, pęcherza moczowego, żołądka i dwunastnicy. W ginekologii jest to: a) badanie przezpochwowe (transwaginalne) w podejrzeniu ciąży pozamacicznej, diagnostyce jajników i pobieraniu komórki jajowej, oraz b) badanie przez odbytnicę (transrektalne) przydatne w ocenie stopnia zaawansowania raka szyjki macicy.

Badanie przepływów metodą dopplerowską jest szczególnie przydatne w położnictwie. Pomaga ocenić szybkość przepływu krwi, wzajemne relacje przepływu skurczowego i rozkurczowego w tętnicach pępowinowych, aorcie płodu, tętnicy szyjnej płodu i w innych naczyniach. Badanie to pozwala ocenić czynnościowo stan płodu, zwłaszcza w takich przypadkach, jak gestoza, opóźniony wewnątrzmaciczny rozwój płodu, konflikt serologiczny matczyno-płodowy.

Bezpieczeństwo i działania uboczne badania ultrasonograficznego

W świetle dotychczas przeprowadzonych badań, używając współczesnej aparatury ultrasonograficznej, można wysunąć następujące stwierdzenia:

1) wpływ USG zależy od dawki i czasu ekspozycji ultradźwięków;

2) dotychczas nie stwierdzono u człowieka ubocznych skutków badania ultrasonograficznego;

3) mimo powyższego nie można przyjąć, że USG jest całkowicie nieszkodliwym badaniem.

W związku z powyższym, mimo wielu korzyści, jakie przynosi diagnostyka ultradźwiękowa, nie należy traktować tego badania jako rutynowe. Szczególnie dotyczy to bardzo wczesnego etapu rozwoju jaja płodowego. Dlatego też badanie wymaga wskazań lekarskich, a korzyści medyczne lub psychologiczne wyraźnie muszą przewyższać ewentualne ryzyko.

XV. PLANOWANIE RODZINY

Założenie rodziny i posiadanie zdrowego potomstwa jest chyba celem życia każdego człowieka. Osiągnąć to można przez rozsądne planowanie przyszłości. Ciąża nie powinna być sprawą przypadku, lecz zaplanowaną decyzją. Zapewni to prawidłowy rozwój ciąży, a w dalszym etapie prawidłowy rozwój psychiczny i fizyczny dziecka. Przychodzące na świat pożądane i oczekiwane dziecko zespala młode małżeństwo. Ciąża niepożądana staje się niejednokrotnie początkiem osobistej tragedii kobiety i rozkładu istniejącej rodziny.

Najlepszym okresem zajścia w ciążę dla kobiety jest wiek pomiędzy 20 a 28 r. życia. Wraz z wiekiem matki zwiększa się liczba pewnych wad wrodzonych płodu. Dlatego jeżeli istnieją warunki, niewskazane jest odkładanie macierzyństwa na wiek późniejszy. Na prawidłowy rozwój ciąży ma wpływ stan komórek rozrodczych męskich i żeńskich. Z y g o t a, tj. zapłodniona komórka jajowa, powstająca z nieprawidłowych komórek rozrodczych może spowodować poronienie lub w dalszym etapie nieprawidłowy rozwój płodu. Dokładne badanie lekarskie przyszłych rodziców powinno poprzedzić ich decyzję planowania dziecka. Pewne choroby ogólnoustrojowe lub choroby narządu rodnego stwarzają niekorzystne warunki rozwoju zarodka i płodu. Należą do nich: choroby układu krążenia, układu oddechowego, choroby zakaźne ostre lub przewlekłe, zwłaszcza zakażenia wirusowe, choroby nerek, cukrzyca, niedorozwój układu rodnego. Choroby te osłabiają organizm kobiety. Ciąża i poród będzie zbyt dużym dla niej obciążeniem. Kobiety chore powinny odłożyć zajście w ciążę do chwili wyleczenia lub uzyskania poprawy stanu zdrowia.

W rodzinie należy planować również odstępy między porodami. Po zakończeniu ciąży organizm kobiety w ciągu 6 miesięcy wraca do normy fizjologicznej. Wcześniejsze zajście w ponowną ciążę może spowodować wystąpienie niedokrwistości, osłabienie mięśni, wyczerpanie nerwowe oraz stanowić zagrożenie prawidłowego rozwoju ciąży.

Antykoncepcja

Antykoncepcja są to sposoby postępowania chroniące przed zajściem w ciążę. Celem jej jest stworzenie świadomej chęci do posiadania pożądanego dziecka. Antykoncepcja zapobiega sztucznym poronieniom i rodzeniu dzieci niepożądanych. Nie jest jednak wskazana u kobiet, które mają ograniczoną zdolność płodzenia na skutek niedorozwoju narządów płciowych, zaburzeń cyklu miesiączkowego, przebytych chorób zapalnych, mięśniaków macicy. W przypadkach tych odkładanie ciąży może doprowadzić do niepłodności.

Wyboru metody antykoncepcyjnej powinna dokonać kobieta po uzyskaniu informacji od lekarza o możliwych metodach, ich zaletach i wadach. W przypadkach wątpliwych decyzję powinna podjąć po rozmowie z mężem, bowiem dobrą metodą jest ta, którą akceptują oboje małżonkowie.

Wyróżnia się metody antykoncepcyjne naturalne, chemiczne, mechaniczne i hormonalne.

Antykoncepcyjne metody naturalne

Metody naturalne opierają się na powstrzymywaniu się od stosunków płciowych w okresie jajeczkowania. Do zapłodnienia może dojść, gdy stosunek płciowy odbył się 2 dni (48 godz.) przed jajeczkowaniem i pół dnia (12 godz.) po jajeczkowaniu.

Metoda kalendarzowa, zwana inaczej **metodą rytmu**, polega na wyznaczaniu okresu płodności na podstawie uprzedniej obserwacji długości cyklów miesiączkowych. Jajeczkowanie występuje najczęściej na 14 dni przed następnym krwawieniem miesięcznym. Przy cyklach miesiączkowych mieszczących się w przedziale 26 do 32 dni, jajeczkowanie może być 12 lub najpóźniej 18 dnia cyklu (między 12 i 18 dniem). Ponieważ plemniki są zdolne do zapłodnienia przez 2 dni od wytrysku, bezpieczny stosunek może odbyć się najpóźniej 2 dni przed najwcześniejszym terminem jajeczkowania, czyli 10 dnia cyklu. Długość życia komórki jajowej wynosi ok. 12 godz., niepłodność poowulacyjna zaczyna się zatem 19 dnia cyklu.

Stosowanie metody kalendarzowej wymaga co najmniej dziesięciomiesięcznej obserwacji długości cyklów, aby ustalić najdłuższy i najkrótszy cykl miesiączkowy u danej kobiety. Skuteczność tej metody oceniona jest na 80–95%. Zawodzi ona głównie przy nieregularnych cyklach, gdy nastepuje

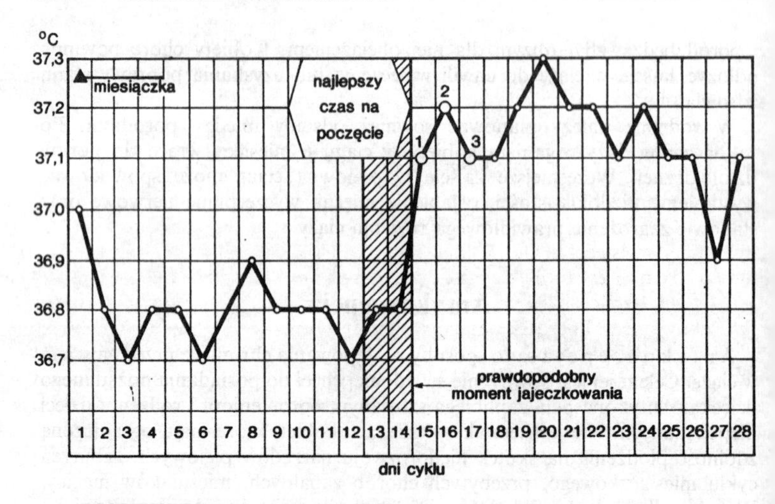

Metoda kalendarzowa oznaczania dni największej płodności; 1–3 – okres wzrostu temperatury po jajeczkowaniu

przesunięcie jajeczkowania z powodu przemęczenia, strachu, choroby, napięcia nerwowego, zmiany klimatu.

Metoda termiczna. W ciągu ostatnich trzydziestu lat tradycyjny kalendarz małżeński został zastąpiony nowymi metodami oznaczania dnia jajeczkowania, do których należy metoda termiczna. Polega ona na codziennym mierzeniu porannej temperatury ciała przed wstaniem z łóżka. W przypadku pracy nocnej temperaturę mierzy się po powrocie do domu i śnie trwającym co najmniej 3 godz. Temperaturę mierzy się w ustach (pod językiem) lub w pochwie. Bezpośrednio po wykonaniu pomiaru wynik należy odnotować

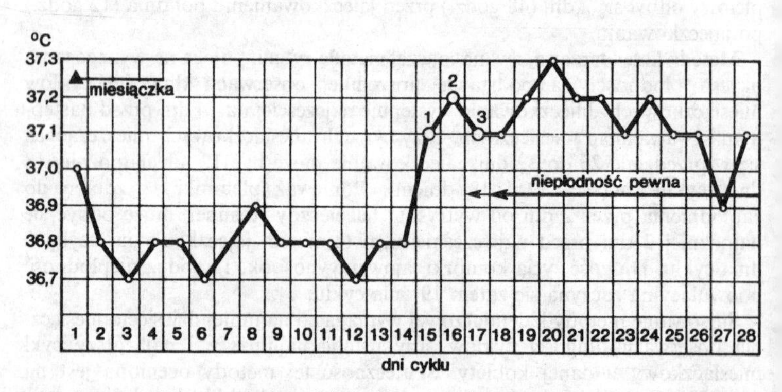

Metoda termiczna ścisła oznaczania okresu niepłodności poowulacyjnej po trzecim dniu podwyższonej temperatury

na karcie cyklu. Może służyć do tego celu zeszyt w kratkę z zaznaczonymi dniami kalendarzowymi i cyklu. Każde niedomaganie, jak przeziębienie, katar, ból głowy należy zaznaczyć na karcie temperatury.

U zdrowej kobiety temperatura ciała obniża się na krótko przed krwawieniem miesiączkowym lub w czasie jego trwania o ok. 0,4 do 0,6°C i utrzymuje się na tym poziomie do dnia jajeczkowania. Od dnia jajeczkowania wytwarzany przez ciałko żółte progesteron powoduje wzrost temperatury o 0,4 do 0,6°C w ciągu 1–2 dni. Ten podwyższony poziom utrzymuje się do następnej miesiączki. Od 3 dnia po wzroście temperatury następują dni niepłodne, jest to okres niepłodności poowulacyjnej.

Metoda termiczna rozszerzona wyznacza dnie niepłodne również przed jajeczkowaniem. Początek okresu płodności obejmuje ostatnie 6 dni poprzedzających podwyższenie temperatury. Biorąc pod uwagę co najmniej 10 kolejnych cyklów można określić, kiedy najwcześniej przypada podwyższenie temperatury, a tym samym pierwszy z 6 dni poprzedzających jej podwyższenie. W ten sposób okres płodności obejmuje 9 dni.

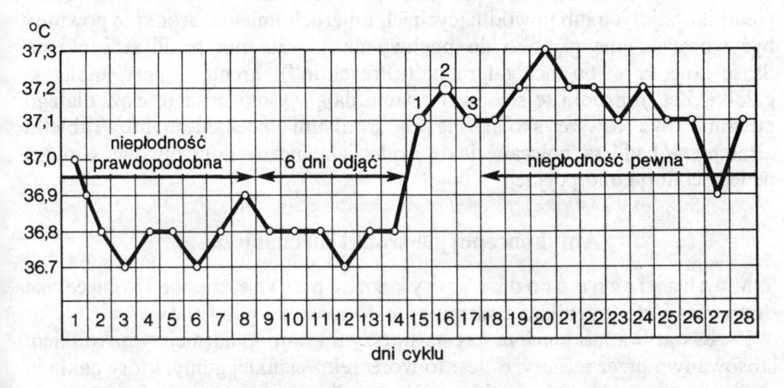

Metoda termiczna rozszerzona oznaczania początku okresu płodności – 6 dni przed wzrostem temperatury

Oznaczenie przedowulacyjnego okresu niepłodności opiera się na statystycznym prawdopodobieństwie, a zatem nie jest on tak niezawodny, jak ściśle określony okres niepłodności poowulacyjnej, dający praktycznie całkowitą pewność.

Test termiczny w okresie poporodowym. Po porodzie zachodzą w organizmie kobiety zmiany, które prowadzą do przywrócenia stanu przedciążowego i do „powrotu" cyklu miesiączkowego. Data wystąpienia pierwszej miesiączki jest różna i w dużym stopniu zależy od przebiegu laktacji. Niewystępowanie krwawienia miesiączkowego nie oznacza jednak braku jajeczkowania. Karmienie wpływa na opóźnienie jajeczkowania, ale na tej podstawie nie można przewidzieć terminu pierwszej owulacji. Cykle bezowulacyjne mogą również występować przez pewien czas u kobiet miesiączkujących.

Kobieta w połogu na pewno nie jajeczkuje tylko w ciągu pierwszych

6 tygodni po porodzie. Dlatego też mierzenie temperatury ciała należy rozpocząć już w 6 tygodniu połogu, aby oznaczyć skok temperatury występujący po pierwszym jajeczkowaniu, nawet jeszcze przed wystąpieniem pierwszej miesiączki, pozwalający na określenie niepłodności poowulacyjnej.

Stosunek przerywany. Przy stosowaniu tej metody 12 do 36 kobiet na 100 zachodzi w ciążę w ciągu roku. Plemniki zdolne do zapłodnienia znajdują się już w śluzie wydostającym się z cewki moczowej mężczyzny w czasie stosunku, jeszcze przed wytryskiem. Również plemniki z wytrysku znajdującego się na skórze sromu mogą dostać się do pochwy i spowodować zapłodnienie. Oprócz małej skuteczności, ujemną stroną tej metody jest możliwość niewystępowania orgazmu u kobiety, a niekiedy również u mężczyzny. Może to prowadzić u kobiet do bolesnych i obfitych miesiączek oraz stanów nerwicowych.

Antykoncepcyjne metody chemiczne

Metody chemiczne polegają na stosowaniu do pochwy środków plemnikobójczych lub powodujących ich unieruchomienie. Środki te powinny być wprowadzone głęboko do pochwy na 15–30 min przed stosunkiem. Stosowane są w postaci galaretek („Preventin"), kremów, past, tabletek, gałek („Zet"). Środki te stosowane same dają wysoki odsetek ciąż, dlatego powinny być zawsze skojarzone ze środkami mechanicznymi. Tabletki „Patentex-Oval" są polecane jako środek chemiczny dopochwowy o dużej pewności antykoncepcyjnej.

Antykoncepcyjne środki mechaniczne

Mechaniczne środki antykoncepcyjne, męskie i kobiece, nie dopuszczają do przenikania plemników do macicy i jajowodów.

Prezerwatywa lub **kondom** jest najstarszym i najpopularniejszym środkiem stosowanym przez mężczyzn. Jest to woreczek z cienkiej gumy, który nakłada się na prącie przed stosunkiem. W czasie wytrysku nasienie pozostaje w prezerwatywie. Zaletą tej metody jest łatwość użycia i dość duża pewność (6–18 ciąż na 100 kobiet stosujących ten typ antykoncepcji przez rok) oraz zapobieganie chorobom wenerycznym. Wadą tej metody jest zmniejszenie doznań seksualnych u partnerów oraz możliwość pęknięcia w czasie stosunku.

Zewnątrzmaciczne środki mechaniczne oddzielają szyjkę macicy od pochwy i uniemożliwiają wskutek tego przechodzenie plemników z pochwy do macicy. Należą do nich błony pochwowe oraz kapturki naszyjkowe. Połączenie ich ze środkiem chemicznym w postaci past, kremów i galaretek plemnikobójczych stanowi pewną metodę antykoncepcji.

Błony pochwowe „Proven" składają się z gumowej błony rozciągniętej na spiralnej sprężynie. Po wprowadzeniu do pochwy błona ta oddziela sklepienie pochwy z szyjką od pozostałej części pochwy. Błonę można założyć na kilka godzin przed stosunkiem i powinna pozostawać nie krócej niż 8 godz. po stosunku. Bezpośrednio przed stosunkiem należy założyć do pochwy pastę plemnikobójczą. Po usunięciu z pochwy błonę należy wymyć mydłem, osuszyć i posypać talkiem.

Skuteczność błony pochwowej zależy od właściwego dobrania jej wielkości i prawidłowego założenia. Błony są produkowane w 15 rozmiarach. Doboru błony zawsze powinien dokonać lekarz ginekolog, jak również nauczyć kobietę zakładania jej. Po każdej ciąży, która może zmienić anatomię pochwy, doboru błony powinien na nowo dokonać lekarz. Zaletą błon pochwowych jest łatwość ich stosowania, brak ujemnego wpływu na organizm kobiety, ponieważ działanie jest tylko miejscowe, niezaburzanie orgazmu, a także duża skuteczność antykoncepcyjna.

W stanach obniżenia narządu rodnego i tyłozgięcia macicy błona pochwowa nie jest skuteczna.

Kapturki naszyjkowe spełniają rolę podobną do błony pochwowej. Stosowane mogą być u kobiet z prawidłową szyjką macicy. Kapturek zakłada się bezpośrednio na szyjkę macicy. Pozostaje tam co najmniej 6 godz. po stosunku. Bezpośrednio przed stosunkiem należy założyć do pochwy środek plemnikobójczy. Rozmiar kapturka dobiera lekarz ginekolog oraz uczy sposobu zakładania.

Wewnątrzmaciczne środki antykoncepcyjne zalicza się do jednych z najskuteczniejszych metod zapobiegania ciąży, pomimo możliwości wystąpienia pewnych powikłań. Metoda ta jest skuteczna i nie daje powikłań, jeśli jest stosowana u kobiet odpowiednio przez lekarza dobranych i pozostających pod stałą jego kontrolą. Metoda polega na założeniu do jamy macicy wkładki wykonanej z plastyku. Obecnie stosowane wkładki są uzupełnione dodatkiem miedzi, która zwiększa działanie antykoncepcyjne.

Mechanizm działania domacicznych środków antykoncepcyjnych polega prawdopodobnie na: 1) zaburzeniu wędrówki plemników w drogach rodnych kobiety, 2) przyspieszeniu ruchu perystaltycznego jajowodów, co powoduje szybkie przesuwanie komórki jajowej przez jajowód do macicy, zanim jeszcze komórka ta uzyska zdolność do zagnieżdżenia w błonie śluzowej macicy, 3) zmianach w samej błonie śluzowej macicy, które uniemożliwiają zagnieżdżenie jaja, a także na podrażnieniu macicy powodującym wydalenie zarodka we wczesnym stadium rozwoju.

Wewnątrzmacicznych wkładek nie można stosować u kobiet: 1) ze stanami zapalnymi przydatków, szyjki macicy, pochwy, z nadżerkami, 2) z zaburzeniami miesiączkowania, 3) niewyjaśnionymi krwawieniami macicznymi, 4) mięśniakami macicy, 5) guzami przydatków, 6) wadami rozwojowymi macicy. Zasadniczo nie ma przeciwwskazań do stosowania wkładek u kobiet, które nie rodziły, lecz ze względu na możliwość uszkodzenia kanału szyjki macicy w czasie zakładania wkładki i powstania stanu zapalnego błony śluzowej macicy, co może doprowadzić do niepłodności, metoda ta jest zalecana głównie wieloródkom.

Przed założeniem wkładki kobieta jest badana przez ginekologa. Konieczne są również badania cytologiczne, czystości pochwy, leukocytoza, OB. Wskazane jest zakładanie wkładki pod koniec miesiączki lub bezpośrednio po miesiączce, ponieważ wówczas najłatwiej jest ją wprowadzić przez otwarty kanał szyjki, a poza tym istnieje pewność, że kobieta nie jest w ciąży. Po poronieniu samoistnym lub sztucznym wkładkę można założyć po miesiącu, natomiast po porodzie – po ok. 10 tygodniach od porodu.

Badania kontrolne po założeniu wkładki powinny być przeprowadzone: pierwsze – po miesiączce, następne – raz na 6 miesięcy lub wcześniej, jeżeli wystąpią powikłania.

Do powikłań spowodowanych wkładką należą: krwawienia międzymiesiączkowe, bóle podbrzusza, podwyższona temperatura ciała, zatrzymanie miesiączki lub wydalenie wkładki z macicy. Kobieta sama może kontrolować obecność wkładki w macicy. Po dokładnym umyciu rąk wprowadzony palec do pochwy wyczuwa w okolicy ujścia zewnętrznego szyjki macicy obecność nylonowej nitki, którą zakończona jest wkładka znajdująca się w jamie macicy. Samoistne wydalenie wkładki zdarza się u ok. 10% kobiet w pierwszym roku po założeniu.

Wkładka może pozostawać w macicy przez 2–5 lat, w zależności od rodzaju wkładki. Po tym okresie należy ją usunąć, a po 2 lub 3 kolejnych cyklach miesiączkowych – założyć nową.

Antykoncepcja hormonalna

Doustna antykoncepcja hormonalna jest obecnie najpowszechniejszą metodą stosowaną przez kobiety. Istnieje jednak wiele kontrowersyjnych poglądów dotyczących wpływu tej metody na organizm kobiety i jej potomstwa. Działania niepożądane zależą od rodzaju stosowanych tabletek antykoncepcyjnych oraz od właściwego ich doboru dla danej kobiety. Jest to najskuteczniejszy środek antykoncepcyjny, lecz może być stosowany po uzgodnieniu z lekarzem ginekologiem i pod stałą kontrolą lekarską.

Tabletka antykoncepcyjna składa się z dwóch związków chemicznych o działaniu hormonalnym podobnym do działania hormonów jajnikowych: estrogenu i progesteronu. Działanie ich polega na hamowaniu wytwarzania hormonów gonadotropowych przez przysadkę oraz na blokowaniu czynności jajnika, co w efekcie nie dopuszcza do wystąpienia jajeczkowania, czyli uwolnienia komórki jajowej przez jajnik. Poza tym tabletki antykoncepcyjne działają bezpośrednio na błonę śluzową macicy wywołując w niej zmiany zanikowe uniemożliwiające zagnieżdżenie się w macicy ewentualnie wytworzonej i zapłodnionej komórki jajowej. Pod wpływem zawartych w tabletce środków hormonalnych również śluz w szyjce macicy staje się nieprzenikliwy dla plemników, uniemożliwiając ich wędrówkę do jamy macicy. To wielorakie działanie tabletki daje prawie 100% pewność antykoncepcyjną.

Metoda przyjmowania tabletek jest najczęściej cykliczna. Polega ona na przyjmowaniu preparatu po 1 tabletce dziennie, począwszy od 5 dnia cyklu, przez 21 lub 22 dni (do 25 dnia cyklu), w zależności od rodzaju preparatu. Dla wyrobienia odruchu tabletkę należy przyjmować o jednej, najdogodniejszej porze dnia. Jeśli jednego dnia zapomni się zażyć tabletkę, należy następnego dnia przyjąć dwie: jedną rano i jedną wieczorem. Po trzech dniach od zażycia ostatniej tabletki wystąpi miesiączka. Od 5 dnia miesiączki rozpoczyna się nowy cykl przyjmowania tabletek. Jeśli miesiączka nie wystąpi, należy po 7-dniowej przerwie ponownie rozpocząć przyjmowanie tabletek.

Przy antykoncepcji hormonalnej co 6 miesięcy obowiązuje badanie kontrolne w poradni K, z wykonaniem badania cytologicznego i badania gruczołów sutkowych. Po rocznym stosowaniu tabletek antykoncepcyjnych należy zrobić 2-miesięczną przerwę i pozwolić na samoistne wystąpienie cyklu miesiączkowego. W przerwie tej istnieje duża możliwość zajścia w ciążę. Chcąc uchronić się przed niepożądaną ciążą, należy wówczas stosować dwie połączone metody: mechaniczną i chemiczną.

Do objawów niepożądanych najczęściej występujących w trakcie antykoncepcji hormonalnej należą: nudności, bóle głowy, wymioty, stany przygnębienia, depresje psychiczne, bóle piersi, ociężałość, zwiększenie masy ciała. Powikłania te występują u ok. 10–20% kobiet zazwyczaj w pierwszych miesiącach przyjmowania tabletek i ustępują samoistnie w dalszym etapie stosowania. Czasami, w trakcie przyjmowania tabletek, występuje plamienie z dróg rodnych. Nie należy wówczas przerywać przyjmowania tabletek, gdyż spowoduje to nasilenie krwawienia, lecz przyjmując je nadal udać się po poradę do lekarza ginekologa.

Przeciwwskazaniem do stosowania hormonalnej antykoncepcji są: przebyty rak narządu rodnego, rak sutka lub inne nowotwory hormonozależne, poważne choroby wątroby, przebyte ciężkie żółtaczki zakaźne, rozległe żylaki, przebyte zapalenie żył, choroby zakrzepowo-zatorowe, nadciśnienie tętnicze, ciężkie choroby serca, nerek, otyłość znacznego stopnia, niezakończony okres wzrostu, jak również ciąża i okres karmienia. Względnym przeciwwskazaniem, wymagającym szczególnej kontroli, są choroby metaboliczne (np. cukrzyca, choroby tarczycy, nadnerczy), a także padaczka, migrena, stwardnienie rozsiane, dychawica oskrzelowa, depresje psychiczne.

XVI. PORÓD

Poród fizjologiczny

Poród jest zjawiskiem fizjologicznym, podczas którego następuje wydalenie, drogami rodnymi, płodu wraz z łożyskiem i błonami płodowymi. Normalny poród ciąży donoszonej odbywa się między 37 a 42 tygodniem ciąży, licząc od początku ostatniej miesiączki. Termin porodu można obliczyć kilkoma sposobami, nie wymagającymi badań specjalistycznych, a mianowicie:

1) według daty ostatniej miesiączki – od daty pierwszego dnia ostatniej miesiączki odejmuje się 3 miesiące i dodaje 7 dni oraz jeden rok. Termin ten jest przybliżony, ponieważ nie uwzględnia momentu zapłodnienia;

2) według pierwszych ruchów płodu – u pierworódki do daty pierwszych

ruchów płodu należy dodać 20 tygodni, u wieloródki 22 tygodnie (objaw pomocniczy);

3) na podstawie daty obniżenia się dna macicy. Następuje to zwykle ok. 4 tygodnie przed porodem u pierworódek i ok. 2 tygodnie u wieloródek (objaw pomocniczy).

Sposoby powyższe wraz z badaniami specjalistycznymi pozwalają obliczyć właściwy tydzień ciąży. Jest to informacja ważna, ponieważ poród odbywający się przed 37 tygodniem ciąży określa się jako p r z e d w c z e s n y, natomiast po 42 tygodniu ciążę uważa się za przeterminowaną i często przenoszoną.

Czynniki wpływające na przebieg porodu

Przebieg i mechanizm porodu zależą od trzech czynników: ułożenia płodu, kanału rodnego oraz skurczów porodowych.

Płód. Największą i najtwardszą częścią płodu, w 96% porodów stanowiącą część przodującą, jest g ł ó w k a p ł o d u. Stosunek wielkości główki do wymiarów kanału rodnego ma decydujący wpływ na przebieg porodu. W czasie przechodzenia przez kanał miednicy mniejszej, główka wykonuje cztery zwroty, bardzo istotne dla prawidłowego przebiegu porodu (zob. s. 1864), inne części płodu, oprócz barków, nie podlegają specjalnemu mechanizmowi w czasie przechodzenia przez kanał rodny. Budowa główki płodu i jej wymiary pozwalają na adaptację główki w czasie przechodzenia przez drogi rodne.

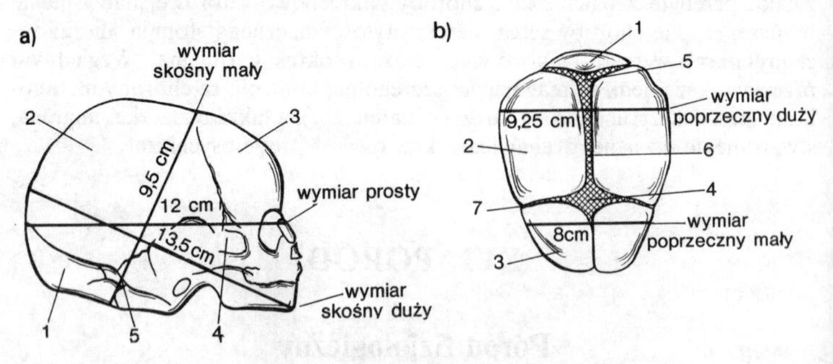

Czaszka płodu i jej wymiary. Czaszka płodu jest zbudowana z kilku kości dość miękkich i nie zrośniętych ze sobą. Są one od siebie oddzielone szwami i ciemiączkami. Z ciemiączek do najważniejszych należą: ciemiączko duże i ciemiączko małe. Między nimi przebiega szew strzałkowy, będący ważnym punktem orientacyjnym do oceny zwrotów główki w kanale rodnym w czasie porodu; a) wymiary podłużne główki; b) wymiary poprzeczne główki; 1 – kość potyliczna, 2 – kość ciemieniowa, 3 – kość czołowa, 4 – ciemiączko duże (przednie), 5 – ciemiączko małe (tylne), 6 – szew strzałkowy, 7 – szew wieńcowy

Kanał rodny jest utworzony z kanału kostnego miednicy mniejszej oraz z kanału tkanek miękkich. K a n a ł k o s t n y określa kształt, wielkość i kierunek dróg rodnych i służy do umocowania części miękkich. M i e d n i c a m n i e j s z a, otoczona ze wszystkich stron kośćmi i mocnymi więzadłami, ma

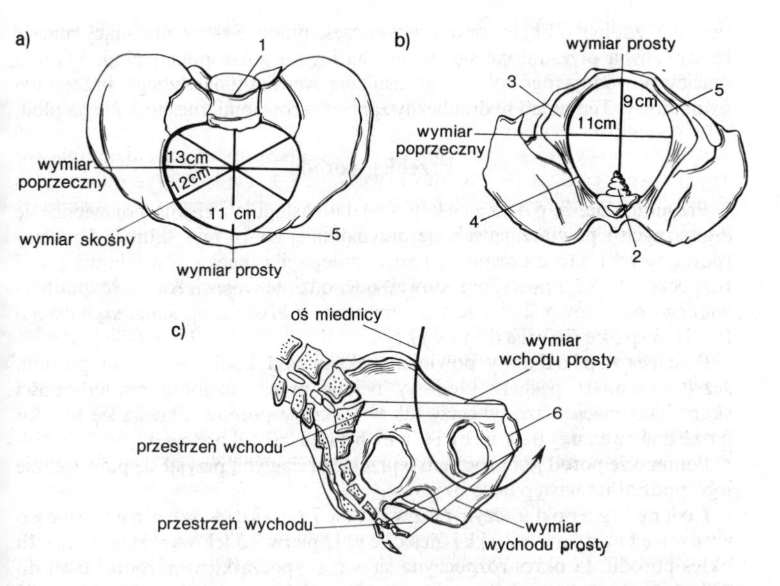

Wymiary i przestrzenie miednicy małej; a) wchód miednicy poprzecznie owalny; b) wychód miednicy, c) przestrzenie miednicy i oś kanału rodnego; 1 – kość krzyżowa, 2 – kość ogonowa, 3 – guz kulszowy, 4 – więzadło krzyżowo-guzowe, 5 – łuk łonowy, 6 – spojenie łonowe

otwór górny – większy – tworzący tzw. wchód miednicy oraz otwór dolny – mniejszy – tworzący wychód miednicy. Między nimi znajduje się przestrzeń, tzw. próżnia. Prawidłowe wymiary wchodu, próżni i wychodu miednicy rokują dobry przebieg porodu, gdy inne czynniki mechanizmu porodu nie ulegną zaburzeniu.

Kanał tkanek miękkich jest zbudowany z dolnego odcinka macicy, kanału szyjki macicy, pochwy, sromu oraz z mięśni dna miednicy. W czasie porodu ten rozciągliwy system mięśniowo-powięziowy wydłuża się, tworząc rodzaj walca długości ok. 15 cm, który wspomaga mechanizm porodowy.

Porodowe siły wydalające – skurcze porodowe. W wydalaniu płodu istotną rolę spełnia mięsień macicy. Wiąże się to z jego skurczami niezależnymi od woli rodzącej. Skurcz górnego odcinka mięśnia macicy powoduje skrócenie jego, wskutek czego ściana tego odcinka staje się grubsza, a jej powierzchnia mniejsza (retrakcja). Powoduje to zepchnięcie płodu ku dołowi. Jednocześnie następuje rozciąganie cienkiego dolnego odcinka macicy, a także szyjki (dystrakcja). Prowadzi to do rozwarcia kanału szyjki macicy.

W wyniku tych procesów – retrakcji i dystrakcji – staje się możliwy postęp porodu, gdyż retrakcja zapobiega powracaniu płodu na miejsce zajmowane przed skurczem, a dystrakcja powoduje zwiększanie pojemności dolnego odcinka, zdolnego objąć coraz większą część płodu. System mocujący macicę uniemożliwia przesunięcie się trzonu macicy ku górze ponad płód. Skurcze macicy powodują ogólny wzrost ciśnienia wewnątrzmacicznego przez płyn owodniowy. Ten układ hydrauliczny zapewnia równomierne ciśnienie na płód.

Przebieg porodu

Przyjmuje się, że początek porodu następuje z chwilą pojawienia się regularnych i powtarzających się przynajmniej co 10 min skurczów macicy (porodowych), które powodują rozwieranie szyjki macicy. Zwykle tuż przed rozpoczęciem czynności porodowej odchodzi też niewielka ilość podbarwionego na różowo śluzu. Jest to zmieszany z krwią czop śluzu szyjkowego (objaw przepowiadający).

Pęcherz płodowy powinien pęknąć pod koniec I okresu porodu. Jeżeli natomiast pęcherz płodowy pęknie przed rozpoczęciem czynności skurczowej macicy, tzn. w ciąży lub w I okresie porodu, określa się to jako przedwczesne pęknięcie pecherza płodowego.

Pomimo że poród jest procesem o przebiegu ciągłym, przyjął się powszechnie jego podział na następujące okresy:

I okres porodu, czyli rozwieranie ujścia wewnętrznego i zewnętrznego szyjki macicy. U pierworódek wyróżniamy Ia i Ib okres porodu. Ia okres rozpoczyna się wraz z początkiem porodu i trwa do całkowitego rozwarcia ujścia wewnętrznego. W tym okresie skraca się część pochwowa szyjki macicy. Ib okres trwa od pełnego rozwarcia ujścia wewnętrznego do pełnego rozwarcia ujścia zewnętrznego szyjki macicy. U wieloródek skracanie części pochwowej i rozwieranie ujścia wewnętrznego i zewnętrznego przebiega jednoczasowo i dlatego nie ma zastosowania podział I okresu porodu na Ia i Ib. Trudno jest określić optymalny czas trwania I okresu porodu. Przyjmuje się, że nie powinien być dłuższy niż 18 godz. u pierworódki i 12 godz. u wieloródki.

II okres porodu rozpoczyna się w chwili całkowitego rozwarcia ujścia zewnętrznego szyjki macicy i kończy się urodzeniem dziecka. U pierworódek okres ten trwa 15 min do 2 godz., u wieloródek – od 15 min do 1,5 godziny.

III okres porodu, czyli łożyskowy, zaczyna się po urodzeniu płodu i kończy się wydaleniem popłodu, tj. łożyska i błon płodowych. Trwa do 30 min.

IV okres jest wczesnym okresem poporodowym, obejmującym dwie pierwsze godziny po wydaleniu popłodu, w czasie których obowiązuje szczególnie dokładna i wnikliwa obserwacja stanu ogólnego i „położniczego" kobiety.

Mechanizm porodowy główki. Zgodnie z prawem najmniejszego oporu główka płodu wstawia się szwem strzałkowym w wymiar poprzeczny miednicy, w równej odległości między spojeniem łonowym a promontorium (wzgórek kości krzyżowej). W trakcie przesuwania się przez kanał rodny główka wykonuje tzw. cztery zwroty.

I zwrot główki, czyli przygięcie. Zwrot ten dokonuje się we wchodzie miednicy. Główka płodu przygina się do klatki piersiowej (ułożenie

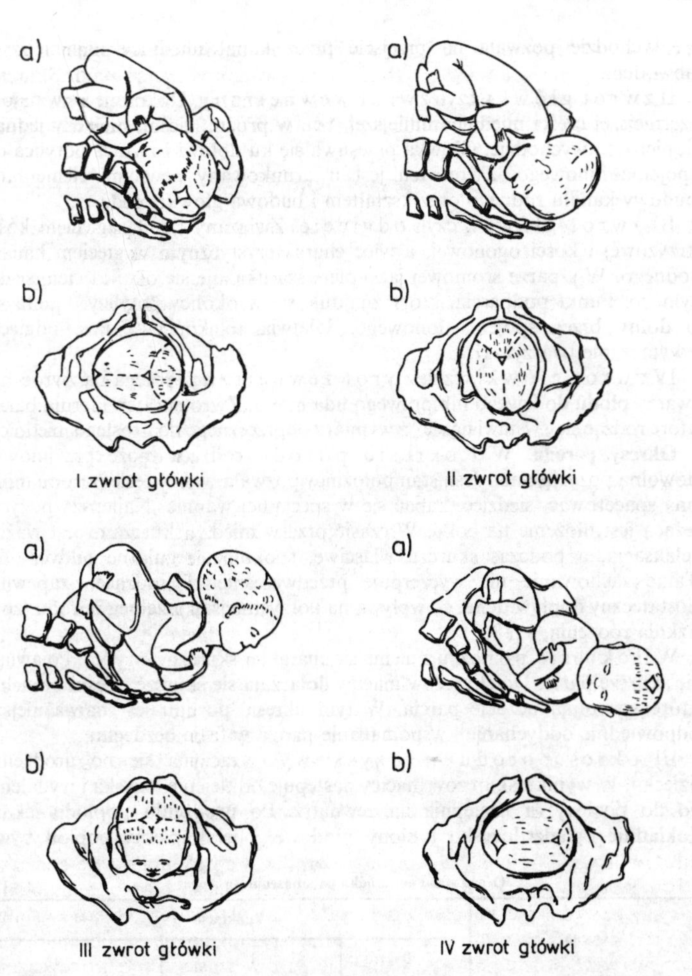

Główka płodu przesuwając się przez kanał rodny wykonuje tzw. zwroty główki; a) widok z boku; b) widok od strony krocza. Opisy w tekście

przygięciowe, rys. u góry). Punktem prowadzącym, tzn. znajdującym się najniżej (najbardziej obniżonym ku wyjściu) staje się ciemię małe (tylne). Wówczas to, w wymiar poprzeczny miednicy wstawia się wymiar podpotyliczno-ciemieniowy główki. Jest to sytuacja najkorzystniejsza z punktu widzenia mechanizmu porodowego, gdyż wymiar ten określa płaszczyznę miarodajną główki o najmniejszym obwodzie – 32 cm. Taka adaptacja główki we wchodzie pozwala na przejście przez kanał miednicy najmniejszym obwodem.

II zwrot główki, czyli zwrot wewnętrzny. Dokonuje się w najobszerniejszej części miednicy mniejszej, tzn. w próżni, cieśni, niekiedy jednak dopiero na wychodzie. Główka przesuwa się ku dołowi i zwraca potylicą do spojenia łonowego. Zwrot ten jest uwarunkowany pewnymi elementami budowy kanału rodnego oraz kształtem i budową główki płodu.

III zwrot główki, czyli odgięcie. Związany jest z zagięciem kości krzyżowej i kości ogonowej, a więc charakterystycznym wygięciem kanału rodnego. W szparze sromowej jako pierwsza ukazuje się okolica ciemiączka tylnego. Punkt podparcia, który znajduje się w okolicy potylicy, opiera się o dolny brzeg spojenia łonowego. Ułatwia to końcową fazę odgięcia i wytaczanie twarzyczki.

IV zwrot główki, czyli zwrot zewnętrzny, polega na zwróceniu twarzy płodu do lewego lub prawego uda matki. Zwrotem tym kierują barki, które rodząc się „wstawiają się" z wymiaru poprzecznego do prostego miednicy.

Okresy porodu. W I okresie porodu rodząca może przyjmować dowolną pozycję ciała. Jeśli stan położnicy pozwala, w I okresie porodu może ona spacerować, siedzieć, kąpać się w specjalnej wannie. Najlepszą pozycją leżącą jest ułożenie na boku. W czasie przerw między skurczami jest ważna relaksacja, a podczas skurczu właściwe, spokojne, regularne oddychanie. Takie zachowanie nie wyczerpuje przedwcześnie sił rodzącej, zapewnia dostateczny dopływ tlenu, co wpływa na korzystniejszy przebieg porodu (zob. Szkoła rodzenia, s. 1867).

W II okresie porodu zmienia się charakter skurczów macicy. Pojawiają się skurcze parte. Do skurczów macicy dołączają się skurcze mięśni brzucha, które wywołują uczucie parcia. W tym okresie porodu jest najważniejsze odpowiednie oddychanie i wspomaganie parcia w fazie bezdechu.

III okres porodu – łożyskowy – zaczyna się po urodzeniu dziecka. W wyniku skurczów macicy następuje odklejenie łożyska i wydalenie go do pochwy, a następnie na zewnątrz. Po urodzeniu popłodu lekarz dokładnie ogląda łożysko i błony płodowe. Niekompletny popłód bywa

Ocena stanu noworodka po urodzeniu wg Apgar

Ocena	Punktacja		
	0	1	2
Czynność serca	brak	poniżej 100/min	ponad 100/min
Oddychanie	brak	nieregularne słaby krzyk	prawidłowy głośny krzyk
Napięcie mięśni	brak wiotkie	słabe	prawidłowe kończyny zgięte
Reakcja na bodźce – wprowadzenie cewnika do nosa	brak	grymas	krzyk, kichanie
Barwa skóry	sina blada	kończyny sine	różowa

częstą przyczyną powikłań poporodowych. Fizjologiczna utrata krwi podczas porodu wynosi około 250 ml.

Noworodek. Bezpośrednio po urodzeniu dziecka podwiązuje się pępowinę i przecina. Uprzednio uciśnięta klatka piersiowa noworodka rozpręża się gwałtownie i do płuc wchodzi powietrze (pierwszy krzyk dziecka).

Bezpośrednio po urodzeniu się noworodek jest badany. W celu oceny jego stanu urodzeniowego stosuje się najczęściej 10 punktową skalę według Apgar. Ocenia się łącznie stan układów: oddechowego, krążenia i nerwowego. Przyjmuje się, że 8–10 punktów to stan bardzo dobry, 5–7 punktów – stan średni, a 0–4 punkty – stan ciężki.

Poród kierowany

Nowoczesne położnictwo stosuje ścisły nadzór nad rodzącą i współpracuje z nią, stosuje wiele metod postępowania mających na celu zmniejszenie dolegliwości porodowych i odbycie porodu w optymalnym czasie. Poznanie mechanizmu porodowego przez matkę, jej przygotowanie fizyczne i psychiczne do porodu, przyczynia się często do zmniejszenia napięcia emocjonalnego i bólu. Sprzyja temu roztaczanie wnikliwej opieki przedporodowej nad ciężarną oraz psychoprofilaktyka porodowa prowadzona przez szkoły rodzenia.

Stosowana w trakcie porodu tzw. analgezja farmakologiczna (zob. Chirurgia, Anestezja i analgezja w położnictwie, s. 1408) działa przeciwbólowo, nie zaburza czynności porodowej, w okresie parcia rodzącej pozwala na współpracę z nią, a jednocześnie jest mało toksyczna dla matki i dla płodu. Do działań porodu kierowanego należy również stymulacja porodu przez stosowanie odpowiednich środków naskurczowych lub rozkurczowych.

W porodzie kierowanym ważną rolę odgrywa często ocena postępu porodu i stanu płodu. Pozwala to dopomóc w fizjologicznym przebiegu porodu i wcześnie rozpocząć właściwe postępowanie w przypadku porodu patologicznego. Nowoczesne położnictwo stosuje nacięcie krocza w momencie przerzynania się główki płodu przez szparę sromową jako zasadę u pierworódki i w porodzie przedwczesnym oraz jako pożądane u wieloródki. Jest to profilaktyka zapobiegająca pęknięciu krocza matki lub też przy zachowanej ciągłości skóry krocza – głębokich uszkodzeń tkanek wewnętrznych, które często prowadzi do zaburzeń statyki narządu rodnego. Dla dziecka nacięcie krocza rodzącej stanowi ochronę główki przed urazami okołoporodowymi.

W III okresie porodu nowoczesne położnictwo stosuje wczesne podawanie naskurczowych leków, powodujących szybsze odklejenie łożyska i jego wydalenie. Zmniejsza to utratę krwi oraz zapobiega dalszym powikłaniom poporodowym.

Szkoła rodzenia

Podstawowym celem „szkoły rodzenia" jest przygotowanie ciężarnej do porodu i jej aktywnego uczestnictwa w porodzie. Zadaniem psychoprofilaktyki nie jest zwalczanie bólu, lecz nastawienie na naturalną interpretację doznań bólowych i właściwe zachowanie, w tym naukę koncentracji i odprężania. Bardzo istotne są informacje na temat przebiegu porodu. Zdobyte w szkole rodzenia wiadomości wpływają na zmniejszenie lęku i napięcia związanego z bólem.

Na terenie kraju zorganizowano wiele szkół rodzenia. Uczestniczą w nich ciężarne wraz z mężami. W szkołach tych są prowadzone zajęcia teoretyczne, praktyczne i ćwiczenia fizyczne. W czasie zajęć teoretycznych wyjaśnia się zagadnienia dotyczące fizjologii ciąży, porodu i połogu. Często zajęcia są ilustrowane pokazami filmowymi, przeźroczami i plakatami. Omawia się problemy związane z właściwym odżywianiem, higieną ciężarnej, karmieniem piersią i pielęgnacją noworodka. W czasie zajęć praktycznych ciężarna i jej mąż mogą nauczyć się pielęgnacji i kąpieli noworodka.

Już w I trymestrze ciąży, jeśli nie ma przeciwwskazań, można rozpocząć ćwiczenia fizyczne. Do połowy ciąży ćwiczenia mają na celu poprawę kondycji i postawy ciężarnej. W II połowie ciąży dochodzą ćwiczenia oddechowe oraz ułatwiające koncentrację i relaksację.

U kobiet, które uczestniczyły w szkole rodzenia poród ma znacznie częściej przebieg fizjologiczny, mniej jest porodów powikłanych.

Poród rodzinny

We współczesnym położnictwie istnieje tendencja do odbywania porodu w warunkach zbliżonych do domowych. W szpitalach, w miarę możliwości lokalowych i technicznych, organizuje się jednołóżkowe pokoje porodowe, w których w czasie porodu przebywa rodząca, mąż i położna. Wiadomości zdobyte w szkole rodzenia pozwalają na świadome i aktywne uczestnictwo w porodzie rodzącej i jej męża.

Rodząca przyjmuje dowolną pozycję ciała podczas całego porodu. W I okresie może spacerować, kąpać się w wannie, siedzieć lub leżeć, rodzi w dogodnej dla siebie, a nie wymuszonej pozycji. Przebieg takiego porodu i stan płodu jest monitorowany.

Bezpośrednio po urodzeniu noworodka kładzie się na brzuchu, a po odpępnieniu przystawia do piersi. Matka ma możliwość przebywania wraz z dzieckiem w jednym pokoju przez cały okres pobytu w szpitalu. Stwierdzono, że efektem porodów rodzinnych jest zwiększenie więzi emocjonalnej rodziców i dziecka.

Poród patologiczny

Poród w położeniu miednicowym. Położeniem miednicowym nazywa się takie położenie podłużne płodu, w którym częścią przodującą jest miednica (pośladki) płodu, miednica razem ze stopkami bądź same kończyny dolne płodu. Położenia miednicowe stanowią 3% wszystkich porodów.

Przyczyną położenia miednicowego mogą być: 1) zaburzenia

budowy miednicy kostnej – miednica ścieśniona, niedostatecznie wykształcony dolny odcinek miednicy (nie przystosowany do dużej główki płodu); 2) zaburzenia rozwojowe macicy – macica jedno- i dwurożna, macica z częściową przegrodą; 3) guzy macicy i narządów sąsiednich; 4) macica o wiotkich ścianach (np. u wieloródek); 5) zaburzenia rozwojowe jaja płodowego i płodu – wielowodzie, małowodzie, łożysko przodujące, ciąża mnoga, wodogłowie. Również porody przedwczesne częściej przebiegają w położeniu miednicowym.

Mechanizm porodu jest następujący: część przodująca wstawia się do kanału rodnego i przechodzi przez niego, po czym następuje rodzenie się części przodującej (np. pośladków), rodzenie się tułowia, rodzenie się barków, a na końcu rodzenie się główki płodu.

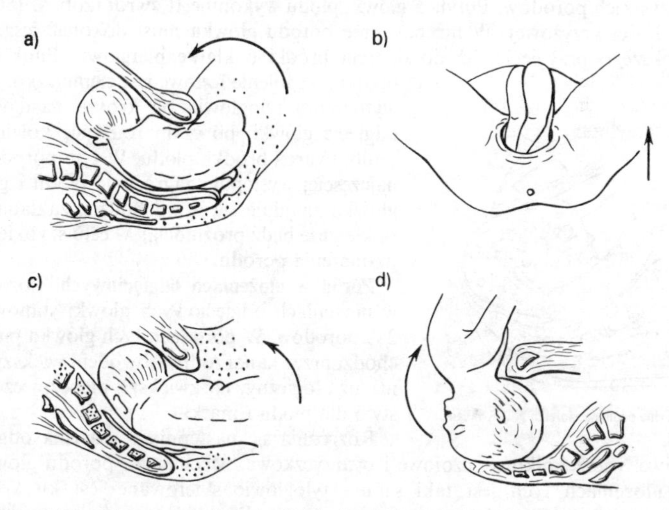

Poród w położeniu miednicowym; a) rodzenie się pośladków, b) rodzenie się tułowia, c) rodzenie się barków, d) rodzenie się główki

Obwód główki jest zwykle większy od obwodu części przodującej, dlatego brak czasu na adaptację kanału rodnego do przejścia przez niego największej części płodu, którą jest główka, a także brak czasu na adaptację główki w kanale rodnym. Czas porodu jest dłuższy niż w położeniu główkowym, gdyż miękkie pośladki nie spełniają dostatecznej roli w czynnym rozwieraniu szyjki macicy.

Lekarz oceniając wielkość płodu, zwłaszcza główki, budowę miednicy, wiek rodzącej, jej przeszłość położniczą (pierworódka, wieloródka), podejmuje decyzję o wykonaniu cesarskiego cięcia lub o prowadzeniu porodu drogami rodnymi, udzielając pomocy ręcznej. Niekiedy, w przypadku zarzucenia rączek płodu, stosuje się dodatkowe rękoczyny położnicze. Ideą pomocy ręcznej przy porodzie drogami rodnymi jest naśladowanie samoistnego mechanizmu porodu i wczesne nacięcie krocza.

Powikłania. Śmiertelność płodów i noworodków w porodach w położeniu miednicowym jest znacznie wyższa niż w położeniu główkowym. W ciąży niedonoszonej sięga nawet 30%. Często też noworodki ulegają urazom mechanicznym. Występować może również niedotlenienie wewnątrzmaciczne płodu spowodowane przez ucisk główki na pępowinę. Często także wypada pępowina.

Poród w nieprawidłowych ułożeniach płodu

Poród w ułożeniu potylicowym tylnym. Porody tego typu stanowią ok. 1% wszystkich porodów. Potylica główki płodu wykonuje II zwrót (zob. s. 1866) ku kości krzyżowej. W mechanizmie porodu główka musi dokonać jeszcze większego przygięcia, aż do oparcia bródki o klatkę piersiową. Punktem oparcia o spojenie łonowe jest ciemiączko. Po wytoczeniu tyłogłowia po kroczu następuje odgięcie główki, po czym rodzi się kolejno: czoło, twarz i bródka płodu. W tym porodzie najczęściej występuje zagrożenie płodu i gdy główka znajduje się w wychodzie, zakładane są kleszcze bądź próżniociąg w celu szybkiego ukończenia porodu.

Tylna odmiana ułożenia potylicowego

Poród w ułożeniach odgięciowych. Porody w ułożeniach odgięciowych główki stanowią 2% porodów. W porodach tych główka przechodzi przez kanał rodny obwodem większym niż fizjologiczny, co zwiększa niebezpieczeństwo dla płodu i matki.

Rozróżnia się następujące ułożenia odgięciowe: wierzchołkowe, czołowe i twarzyczkowe. Mechanizm porodu główki w ułożeniach tych jest taki sam – tyłogłowie skierowane jest ku kości krzyżowej, a twarz ku spojeniu łonowemu. Punktem oparcia o spojenie

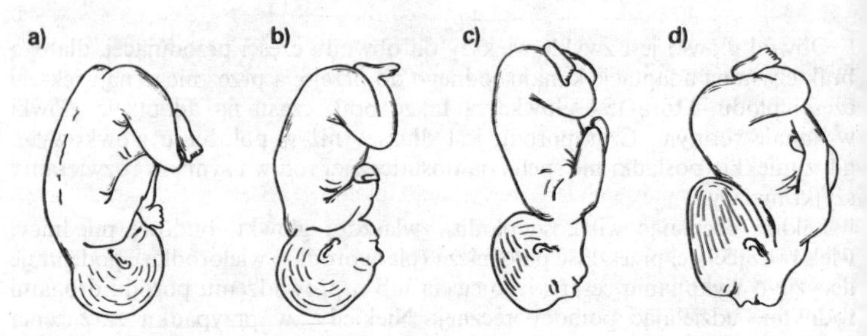

Ułożenie główki: a) przygięciowe (prawidłowe) oraz odgięciowe – b) wierzchołkowe, c) czołowe, d) twarzyczkowe

łonowe są: w ułożeniu wierzchołkowym – czoło, w ułożeniu czołowym – szczęka górna, w ułożeniu twarzyczkowym – podbródek lub kość gnykowa. Mechanizm wytoczenia główki polega na maksymalnym przygięciu, a następnie za pomocą odgięcia rodzi się twarzoczaszka. W ułożeniach odgięciowych niekorzystny zwrot jest wtedy, gdy tyłogłowie jest skierowane ku spojeniu łonowemu. Przy porodzie twarzyczkowym ten zwrot uniemożliwia poród drogami rodnymi – stosowane jest cesarskie cięcie.

W przypadkach wszelkich zagrożeń płodu lekarz stosuje odpowiednie zabiegi położnicze (kleszcze, próżniociąg) lub cesarskie cięcie.

Poród w nieprawidłowych ustawieniach płodu

Poród w wysokim prostym ustawieniu główki występuje wtedy, gdy główka wstawia się do wchodu miednicy szwem strzałkowym w wymiarze prostym. Poród drogami rodnymi jest możliwy tylko przy obszernej miednicy i małej główce płodu. W przeciwnym razie ze względu na niewspółmierność porodową (wymiar prosty główki jest większy od wymiaru prostego miednicy) poród grozi pęknięciem macicy i obumarciem płodu. W tym przypadku wykonuje się cięcie cesarskie.

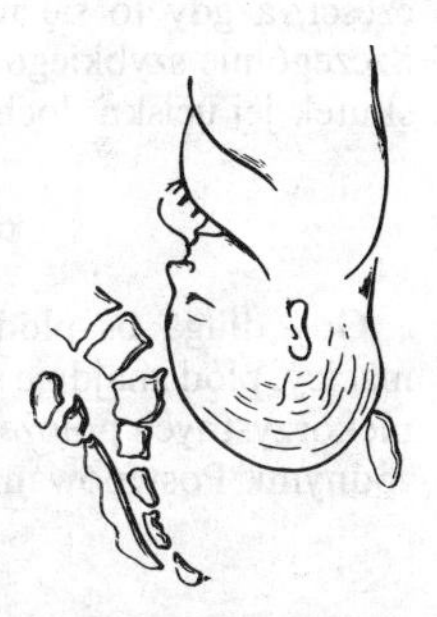
Wysokie proste ustawienie główki

Poród w niskim poprzecznym ustawieniu główki występuje wtedy, gdy główka płodu nie dokonała II zwrotu (zob. s. 1866), szew strzałkowy znajduje się w wymiarze poprzecznym wychodu miednicy. Ponieważ wymiar prosty wychodu miednicy jest większy, poród w tym ustawieniu jest bardzo trudny i często prowadzi do zamartwicy płodu. Aby spowodować zwrot główki, układa się rodzącą na tym boku, po którego stronie jest ciemię małe główki. Jeżeli mimo to główka nie dokonuje zwrotu, poród należy zakończyć zabiegiem kleszczowym.

Poród w miednicach ścieśnionych

Istnieje wiele typów miednic ścieśnionych. Do najczęściej spotykanych należą: miednica ogólnie jednostajnie ścieśniona i miednica płaska. Przy względnej niewspółmierności porodowej (tj. dysproporcji między wielkością płodu a pojemnością miednicy – jej wymiarami) jest podejmowana próba porodu drogami rodnymi, a przy braku postępu porodu – rozwiązanie następuje drogą cesarskiego cięcia.

Poród w miednicy ogólnie jednostajnie ścieśnionej. Przekrój wchodu w takiej miednicy jest jednostajnie ścieśniony, tzn. wszystkie wymiary są mniejsze od prawidłowych. Pod wpływem silnych skurczów macicy, zwłaszcza gdy główka płodu jest mała, poród może się odbyć. W tym przypadku dochodzi najczęściej do porodów nieprawidłowych – odgięciowych (zob. wyżej).

Poród w miednicy płaskiej. Miednica płaska cechuje się skróconym wymiarem prostym (mniej niż 11 cm, rys. na s. 1863). Główka płodu ma wówczas duże trudności przy wejściu do wchodu i aby pokonać tę trudność, ustawia się nieosiowo (asynklitycznie). Najczęściej szew strzałkowy główki przebiega bliżej kości krzyżowej. Jest to zjawisko korzystne. W tym przypadku przoduje przednia kość ciemieniowa, która przechodzi pod spojenie łonowe, a potem przechodzi tylna kość ciemieniowa. Jeżeli szew strzałkowy przebiega bliżej spojenia łonowego, poród siłami natury nie może się odbyć.

Przodowanie i wypadanie drobnych części płodu

Przodowanie części drobnych płodu występuje wtedy, gdy jest zachowany pęcherz płodowy i gdy rączka, nóżka lub pępowina znajdują się przed główką lub też obok niej (albo miednicy). Wypadnięcie następuje po pęknięciu pęcherza płodowego. Lekarz podejmuje próbę odprowadzenia wypadniętej części, a gdy to się nie udaje, poród odbywa się drogą cesarskiego cięcia. Szczególnie szybkiego postępowania wymaga wypadnięta pępowina, gdyż na skutek jej ucisku dochodzi do śmierci płodu.

Poród w położeniu poprzecznym

Gdy długa oś płodu jest ustawiona pod kątem prostym do długiej osi macicy, płód znajduje się w położeniu poprzecznym. Jest to jedno z najbardziej niekorzystnych położeń i żaden donoszony płód nie może urodzić się drogami rodnymi. Postępowaniem z wyboru jest wyłącznie cesarskie cięcie.

Łożysko przodujące

Nieprawidłowe umiejscowienie łożyska w macicy może być kilku rodzajów. Gdy łożysko zakrywa całkowicie ujście wewnętrzne szyjki macicy, jest to tzw. *łożysko centralnie przodujące*. Gdy dolny biegun łożyska częściowo zachodzi na ujście wewnętrzne szyjki, jest to *łożysko częściowo przodujące*. Gdy dolny biegun łożyska dochodzi do brzegu ujścia wewnętrznego szyjki, jest to *łożysko brzeżne przodujące*. Jeśli natomiast dolny biegun łożyska znajduje się w okolicy ujścia wewnętrznego, jest to *łożysko nisko schodzące*. Łożysko przodujące uniemożliwia normalny poród i prowadzi do masywnego krwotoku, groźnego zarówno dla matki, jak i płodu. Niekiedy w przypadku łożyska nisko schodzącego i brzeżnie przodującego możliwy jest poród drogami rodnymi przy położeniu główkowym płodu (główka uciska brzeg łożyska). Najczęściej jest wykonywane cesarskie cięcie, a utrata krwi uzupełniana drogą transfuzji.

Przedwczesne odklejenie łożyska

Łożysko prawidłowo odkleja się w III okresie porodu (zob. s. 1864). Odklejenie łożyska przedwczesne, tj. w ciąży, w I lub II okresie porodu, jest groźnym stanem położniczym dla matki (może dojść do krwotoku z zaburzeniami krzepliwości krwi) i często kończy się śmiercią płodu. Poród odbywa się za pomocą natychmiastowego cesarskiego cięcia.

Poród przedłużony

Poród przedłużony występuje wówczas, gdy I i II okres porodu u pierworódek trwa dłużej niż 18 godz., a u wieloródek ponad 10 godz. (optymalny czas trwania porodu u pierworódek – 9 godz., u wieloródek – 5 godz.). Powikłania w porodzie przedłużonym trzykrotnie częściej prowadzą do śmiertelności płodu, mają duży wpływ na zachorowalność noworodka i jego dalszy rozwój psychofizyczny.

Postępowanie profilaktyczne polega na właściwym pokierowaniu porodem. Jako zabieg profilaktyczny jest traktowane również cesarskie cięcie ratujące nie tylko życie płodu, ale także wpływające na zdrowie i przyszły rozwój psychofizyczny noworodka.

Zaburzenia czynności skurczowej macicy

Zaburzenia czynności skurczowej macicy w porodzie stanowią ciągle jeszcze jedno z najpoważniejszych zagrożeń dla matki i płodu.

Słaba czynność skurczowa jest najczęstszą postacią zaburzeń sił porodowych i główną przyczyną porodów przedłużonych. W takich przypadkach są stosowane odpowiednie środki naskurczowe (stymulacja porodu).

Nieskoordynowana czynność skurczowa macicy jest związana przeważnie z wyzwalaniem skurczów macicy z różnych jej ośrodków (z dolnego odcinka i trzonu macicy). Jest przyczyną zwolnionego postępu porodu na skutek gorszych warunków do rozwierania szyjki. W tym przypadku są stosowane odpowiednie środki farmakologiczne rozkurczowe i naskurczowe.

Nadmierna czynność skurczowa macicy prowadzi do porodu przyspieszonego, w trakcie którego następują obrażenia płodu, a także rozległe obrażenia tkanek miękkich dróg rodnych.

Tężcowy skurcz macicy jest najskrajniejszą postacią zaburzeń czynności skurczowej tego narządu. Jest to stan, gdy macica znajduje się w stałym i silnym skurczu. Przeoczenie tego stanu prowadzi do śmierci płodu i pęknięcia macicy. Jedynym sposobem postępowania jest cesarskie cięcie.

Dystocja szyjkowa, czyli niepodatność szyjki macicy, prowadzi do przedłużenia porodu. Czynność skurczowa macicy w pewnym momencie może się nasilić tak znacznie, że rozwarcie szyjki może przebiegać z jej pęknięciem. Przyczynami są najczęściej zmiany bliznowate po przebytych zabiegach, stanach zapalnych oraz zmiany o charakterze anatomicznym i czynnościowym. Przy dystocji szyjki są podawane rozkurczowe środki farmakologiczne, jeśli nie dają efektu, stosuje się cesarskie cięcie.

Poród w ciąży mnogiej

Ciążę mnogą lekarz rozpoznaje na podstawie powiększenia macicy ponad normalne wymiary oraz wysłuchiwania więcej niż jednego tętna płodu. Najbardziej wiarygodnym badaniem jest ultrasonografia. Najczęściej występuje ciąża bliźniacza. Płody w ciąży bliźniaczej mogą zajmować różne położenie: oba mogą leżeć podłużnie główkowo (40%), oba podłużnie miednicowo (10%), jeden płód może leżeć główkowo, a drugi miednicowo (38%), jeden główkowo, a drugi poprzecznie (11%) lub oba poprzecznie (1%).

Do częstych powikłań porodowych w ciąży bliźniaczej należy niewczesne lub przedwczesne wystąpienie akcji porodowej oraz większa urazowość i śmiertelność drugiego bliźnięcia. W porodzie bliźniaczym częściej stosuje się zabiegi położnicze, zwłaszcza przy urodzeniu drugiego dziecka. Poród w ciąży mnogiej coraz częściej uważa się za wskazanie do cesarskiego cięcia.

Ciąża i poród bliźniaczy zwiększają biologicznie i fizycznie obciążenie organizmu ciężarnej. Częściej występują zatrucia ciążowe, krwawienia i wielowodzie, a poród stwarza niebezpieczeństwo krwotoku, zakażeń i obrażeń kanału rodnego.

Patologia III okresu porodu

Wszystkie powikłania III okresu porodu, tj. łożyskowego, charakteryzują się krwotokami o różnym nasileniu.

Nieodklejenie łożyska. Zaburzenia w odklejaniu i wydalaniu popłodu są spowodowane przyrośnięciem łożyska lub zaburzeniami skurczu macicy.

P r z y c z y n ą mogą być wady wrodzone macicy, przebyte stany zapalne śluzówki macicy, stan po wyłyżeczkowaniach jamy macicy, nadmierne rozciąganie mięśnia macicy w ciąży, nadmiernie przepełniony pęcherz moczowy.

L e c z e n i e polega na stosowaniu środków naskurczowych (czynne prowadzenie III okresu porodu), wyciśnięciu łożyska lub ręcznym wydobyciu łożyska.

Uwięźnięcie łożyska jest to zatrzymanie w macicy łożyska już odklejonego wskutek spastycznego skurczu odcinka szyjkowego macicy.

Niedowład macicy, czyli **atonia macicy**, po porodzie jest to stan, w którym występuje brak kurczliwości mięśnia macicy i retrakcji.

P r z y c z y n ą są: wady rozwojowe macicy, guzy macicy, nadmierne rozciągnięcie macicy, przebyte stany zapalne, poród przedłużony.

O b j a w e m jest obfity krwotok, objawy wstrząsu i duża wiotka macica.

L e c z e n i e polega na podawaniu środków naskurczowych, sprawdzeniu, czy w macicy nie pozostały resztki łożyska, transfuzji krwi. W skrajnych przypadkach operacyjne usunięcie macicy.

Wynicowanie macicy jest rzadkim p o w i k ł a n i e m. Występuje najczęściej jako skutek złego prowadzenia III okresu porodu.

Krwotoki w IV okresie porodu i w połogu są najczęściej wynikiem pozostania resztek łożyska bądź błon płodowych w macicy.

Leczenie polega na usunięciu resztek przez wyłyżeczkowanie jamy macicy.

Urazy i uszkodzenia kanału rodnego

Pęknięcie macicy. Przyczynami mogą być: nieprawidłowa budowa miednicy, nieprawidłowe ułożenie płodu i jego wady rozwojowe, zabiegi lekarskie, stan po cesarskim cięciu (pęknięcia w bliźnie). Leczenie operacyjne.

Pęknięcie pochwy i krocza. Przyczynami są: szybki poród, duży płód, porody w ułożeniach odgięciowych, zabiegi położnicze, nieprawidłowe

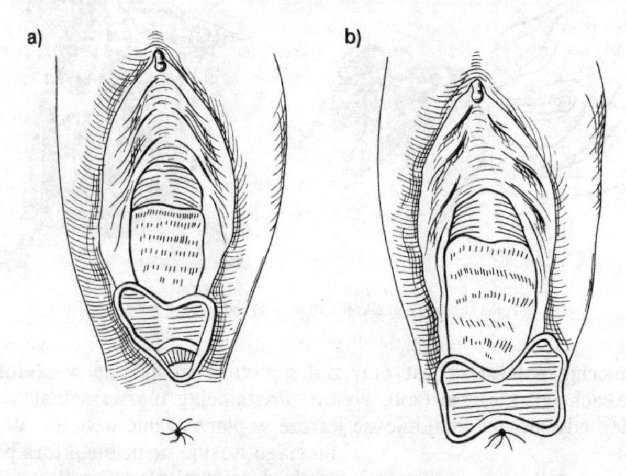

Pęknięcie krocza: a) II stopnia, b) III stopnia

„wytaczanie się” główki i barków płodu. Pęknięcia krocza dzielą się na trzy stopnie: I stopień – pęknięcie błony śluzowej i skóry, II stopień – pęknięcie mięśni krocza, III stopień – pęknięcie mięśni krocza ze zwieraczem odbytu. Pęknięcia zszywane są natychmiast po porodzie, w znieczuleniu miejscowym. Zapobieganie polega na prawidłowym prowadzeniu porodu i nacięciu krocza.

Zabiegi położnicze

Nacięcie krocza jest stosowane w celu ułatwienia główce płodu przejścia przez szparę sromową i ochrony krocza przed pęknięciem. Najczęściej nacięcie jest boczne, czasami pośrodkowe. Krocze zostaje zeszyte po porodzie w znieczuleniu miejscowym.

Kleszcze są narzędziem położniczym służącym do wyciągnięcia płodu z dróg rodnych w przedłużających się porodach i zakładane są w II okresie porodu, gdy główka znajduje się w wychodzie miednicy. Najczęściej wskazaniem do założenia kleszczy jest brak postępu porodu, stan zdrowia matki uniemożliwiający parcie, grożąca wewnątrzmaciczna zamartwica płodu oraz nieprawidłowe ułożenie i ustawienie główki. Zabieg ten kryje w sobie pewne niebezpieczeństwa zarówno dla matki, jak i płodu i dlatego jest stosowany w ściśle ustalonych wskazaniach i w ściśle ustalonych warunkach.

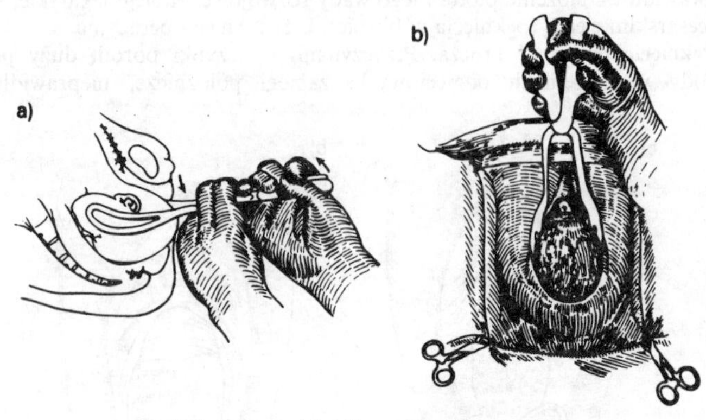

Poród kleszczowy; a) założenie kleszczy, b) wydobywanie główki

Próżniociąg położniczy jest przyrządem, który stosuje się w podobnych przypadkach jak kleszcze (zob. wyżej). Próżniociąg można jednak założyć wcześniej, gdy główka znajduje się jeszcze w płaszczyźnie wchodu. W próżniociągu stosuje się pelotę, która przysysa się do główki płodu na skutek ujemnego ciśnienia (0,8 at). Synchronicznie ze skurczami macicy pociąga się pelotę aż do urodzenia się główki płodu.

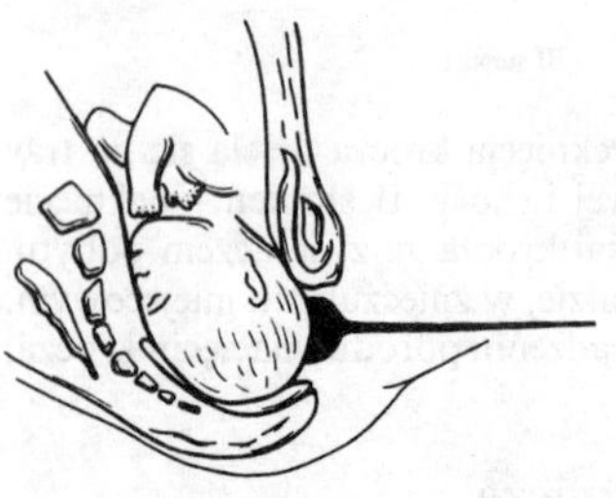

Zakładanie próżniociągu, czyli wyciągacza próżniowego

Pomoc ręczną stosuje się w porodach miednicowych w celu skrócenia czasu przechodzenia barków i główki przez kanał rodny od momentu, gdy płód jest urodzony po dolne kąty łopatek.

Ręczne wydobycie płodu wykonuje się wtedy, gdy zachodzą wskazania do natychmiastowego ukończenia porodu w przypadku położenia miednicowego. Służy do wydobycia płodu zanim urodzą się pośladki. Stosowane jest w celu bardzo szybkiego urodzenia płodu ze względu na niebezpieczeństwo dla matki i dziecka.

Cesarskie cięcie. Jest to operacyjne wydobycie płodu przez przecięcie powłok brzusznych i macicy. Obecnie w Polsce cięciem cesarskim kończy się około 10–12% wszystkich porodów i dzięki rozwojowi anestezjologii ta operacja położnicza staje się coraz bezpieczniejsza.

Cesarskie cięcie wykonuje się ze względu na matkę, ze względu na matkę i płód, a coraz częściej również ze względów profilaktycznych.

XVII. POŁÓG

Połóg jest to okres poporodowy, w którym cofają się ciążowe i porodowe zmiany ogólnoustrojowe oraz zmiany w obrębie narządów płciowych. Czas trwania połogu wykazuje znaczne różnice indywidualne, lecz zwykle kończy się w 6–8 tygodni po porodzie. Pierwsze cykle miesiączkowe występują przed upływem 3 miesięcy u 30% kobiet karmiących i u ponad 90% kobiet nie karmiących. Pierwsze miesiączki, zwłaszcza powracające wcześnie, są bezowulacyjne.

W okresie połogu zachodzą cztery rodzaje procesów: 1) zwijanie się macicy, czyli inwolucja, 2) gojenie się ran, 3) rozpoczęcie i utrzymanie laktacji oraz 4) powrót czynności jajników.

Inwolucja macicy. W okresie, kiedy zachodzi proces inwolucji, następuje zmniejszenie się macicy, wydalenie resztek zmienionej błony śluzowej macicy, wygojenie miejsca łożyskowego. Zmniejszanie się macicy odbywa się wskutek zmniejszenia się włókien mięśniowych oraz innych elementów morfologicznych. Proces ten w pierwszych dniach połogu postępuje bardzo szybko. W 5 dniu dno macicy sięga połowy odległości od spojenia łonowego do pępka, a ok. 10 dnia – spojenia łonowego. Inwolucja kończy się po upływie 6–7 tygodni.

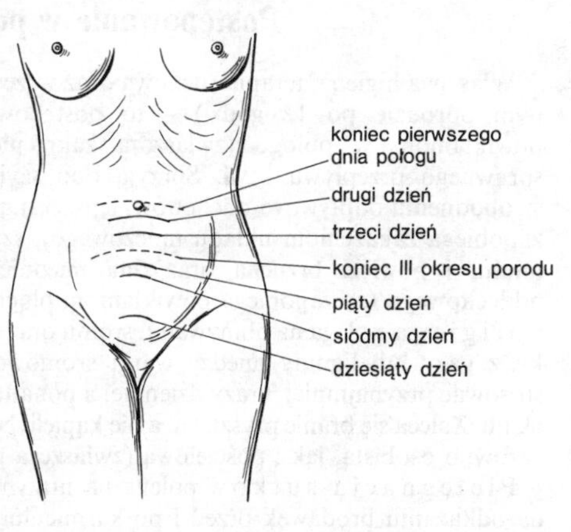

Poporodowa inwolucja macicy

Proces gojenia się ran. W pierwszych dniach połogu wraz ze zmienioną krwią z jamy macicy są wydalane resztki zmienionej błony śluzowej (endometrium). Wydaliny te wraz z treścią śluzową i surowiczą są nazywane odchodami. Są one „obrazem" gojenia się zmian powstałych w czasie ciąży i porodu. Całkowite wygojenie się miejsca po łożysku trwa ponad 6 tygodni. Gojenie się uszkodzeń kanału rodnego oraz zeszytego krocza przebiega szybko.

Laktacja jest sterowana za pomocą bodźców hormonalnych i nerwowych. Wyzwolenie laktacji następuje w pierwszych dniach połogu. Niezmiernie ważną rolę pełni w tym procesie akt ssania. W pierwszych dwóch dniach gruczoły sutkowe wydzielają siarę, mleko pojawia się dopiero w 3–4 dniu połogu i stopniowo jego ilość wzrasta do 1500 ml na dobę. Bodźcem do wytwarzania mleka jest ssanie, połączone z dokładnym opróżnianiem gruczołów. Mleko matki jest naturalnym i najlepszym pokarmem dla noworodka. Ma ono taką zawartość białka, tłuszczu, węglowodanów i składników mineralnych, jakiej nie można uzyskać nawet w najdroższych pokarmach sztucznych. Zawiera poza tym przeciwciała odpornościowe.

Powrót czynności jajników. Podczas ciąży jest zahamowane wydzielanie hormonów gonadotropowych przedniego płata przysadki przez hormony wytwarzane przez ciałko żółte ciążowe w jajniku, a następnie przez łożysko. W tym czasie nie występuje dojrzewanie pęcherzyków Graafa w jajniku i jajeczkowanie. Po wydaleniu łożyska z macicy następuje zmniejszenie ilości hormonów steroidowych, ponieważ jajniki nie podejmują od razu czynności hormonalnej. Ten brak hormonów jajnikowych powoduje odblokowanie wytwarzania gonadotropin w przysadce, te zaś powodują stopniowe wznowienie czynności jajników.

Postępowanie w połogu

Właściwa higiena, terapia ruchowa oraz wczesne wstawanie (po fizjologicznym porodzie po 12 godz.) – to postępowanie zapobiegające licznym powikłaniom w połogu (zwłaszcza zakrzepicy) wskutek „zapewnienia” sprawnego przepływu krwi. Sprzyja ono szybkiemu zwijaniu się macicy, swobodnemu odpływowi odchodów, lepszej funkcji pęcherza moczowego (co zapobiega zakażeniom układu moczowego), szybszemu powrotowi napięcia mięśni i powięzi brzucha oraz dna miednicy, sprawnej funkcji układu oddechowego (co zapobiega powikłaniom płucnym).

H i g i e n a polega na obmywaniu sromu oraz zakładaniu jałowego opatrunku z gazy lub ligniny między wargi sromowe. Obmywanie sromu należy stosować przynajmniej 3 razy dziennie, a ponadto po każdym oddaniu moczu i kału. Zaleca się branie prysznicu, a nie kąpieli. Należy często zmieniać bieliznę, zarówno osobistą, jak i pościelową (zwłaszcza podkład na prześcieradle).

P i e l ę g n a c j a s u t k ó w polega na utrzymywaniu ich w czystości oraz na odkażaniu brodawek przed i po karmieniu (każdorazowo po starannym umyciu rąk).

Ćwiczenia fizyczne

Ćwiczenia fizyczne powinny odbywać się 2 razy dziennie, a każde ćwiczenie trzeba powtarzać 5 razy. Każdego dnia należy też wprowadzać dodatkowo nowe ćwiczenia. Ćwiczenia rozpoczyna się po upływie pierwszej doby po urodzeniu. Zalecane ćwiczenia na określone dni przedstawia rysunek.

P i e r w s z y d z i e ń (a) – głębokie wdechy, rozprężenie powłok brzusznych, mocne wciąganie mięśni brzucha.

D r u g i d z i e ń (b) – leżenie płasko na plecach, kończyny dolne nieco

Ćwiczenia w połogu. Opis w tekście

rozchylone, ramiona ułożone pod kątem prostym w stosunku do tułowia, powolne unoszenie ramion ku górze, przy wyprostowanych stawach łokciowych, złączenie rąk i powolne ich opuszczanie do pozycji wyjściowej.

Trzeci dzień (c) – leżenie płasko na plecach, ramiona wzdłuż tułowia, lekkie uniesienie kolan, a następnie tułowia.

Czwarty dzień (d) – leżenie płasko na plecach, kończyny zgięte w stawach kolanowych i biodrowych, uniesienie miednicy ku górze, uniesienie głowy w momencie napięcia mięśni brzucha.

Piąty dzień (e) – niewielkie uniesienie głowy i jednego kolana, zbliżenie przeciwległej dłoni do uniesionego kolana (ćwiczenie na przemian).

Szósty dzień (f) – powolne zginanie kolana, a następnie uda na brzuch, przyciśnięcie stopy do pośladka, wyprostowanie nogi.

Siódmy dzień (g) – naprzemienne unoszenie wyprostowanych nóg ku górze, powolne opuszczanie nóg.

Ósmy dzień (h) – oparcie na łokciach i kolanach, tak aby ramiona znajdowały się w prostopadłej pozycji w stosunku do tułowia, unoszenie grzbietu ku górze, ściśnięcie pośladków i silne wciągnięcie brzucha.

Dziewiąty dzień (i) – ćwiczenie podobne jak w siódmym dniu, jednoczesne unoszenie obu nóg.

Dziesiąty dzień (j) – powolne podnoszenie i opuszczanie tułowia (nogi zahaczyć można o mebel).

Uprawnienia matki wynikające z urodzenia dziecka

Urlop macierzyński przysługuje wszystkim pracownicom. Po pierwszym porodzie wynosi on 112 dni, po każdym następnym porodzie – 126 dni, a po urodzeniu więcej jak jednego dziecka przy jednym porodzie – 182 dni. Urlop macierzyński może być rozpoczęty przed porodem, a okres ten nie może wynosić więcej niż 28 dni. W przypadku urodzenia martwego dziecka lub śmierci dziecka urlop macierzyński pracownicy wynosi 56 dni.

Ustawa Sejmowa w sprawie świadczeń dla rolników i członków ich rodzin z 14 grudnia 1982 wprowadziła zasiłek macierzyński dla żon rolników przez okres 112 dni po urodzeniu jednego dziecka i 168 dni w przypadku urodzenia więcej niż jednego dziecka. W przypadku urodzenia martwego dziecka (poród powyżej 17 tygodnia ciąży) lub jego śmierci w pierwszych 6 tygodniach życia zasiłek przysługuje za okres 42 dni.

Zasiłek macierzyński w wymiarze urlopu macierzyńskiego przysługuje kobiecie również w przypadku rozwiązania lub ustania stosunku pracy nie z jej winy.

Zasiłek porodowy z tytułu urodzenia dziecka przysługuje pracownicy oraz nie zatrudnionej żonie pracownika.

Zasiłek porodowy jednorazowy przysługuje każdej kobiecie, która urodziła dziecko (nie tylko pozostającej w stosunku pracy).

Urlop wychowawczy (płatny) wynosi w zasadzie 3 lata. Udziela się go na dziecko do ukończenia przez nie 4 lat życia (wysokość i warunki regulują odpowiednie przepisy). Jeżeli kobieta urodzi w trakcie pobytu na urlopie wychowawczym następne dziecko, przysługuje jej 96 dni urlopu macierzyńskiego, a w przypadku porodu z ciąży mnogiej – 152 dni.

XVIII. NIEPRAWIDŁOWY CZAS TRWANIA CIĄŻY

W zależności od czasu trwania ciąży jej ukończenie określa się różnymi terminami. Jeśli czas trwania ciąży nie przekracza 16 tygodni, jej ukończenie określa się mianem poronienia. Jeśli ciąża trwała 17–28 tygodni, jej ukończenie nazywa się porodem niewczesnym. Poród przy czasie trwania ciąży 29–36 tygodni określa się jako przedwczesny, przy czasie trwania ciąży 37–42 tygodnie – jako poród o czasie, a przy ciąży trwającej powyżej 42 tygodnie – jako poród opóźniony.

Poronienie, aborcja

Przyczyny poronień samoistnych można podzielić na dwa rodzaje: ze strony jaja płodowego i ze strony matki. Oprócz nich istnieją też poronienia sztuczne (przerywanie ciąży) wykonywane ze wskazań lekarskich lub społecznych (w Polsce jedynie ze wskazań lekarskich).

Przyczyny ze strony jaja płodowego stanowią ok. 50% wszystkich poronień. Mogą one być wynikiem: wad różnicującego się zarodka i późniejszego płodu, wad pępowiny, wad kosmówki powodujących następowe obumarcie płodu, zmian chorobowych doczesnej, a także aberracji chromosomowych (tj. zmian struktury chromosomów na skutek samorzutnych lub wywołanych szkodliwymi czynnikami pęknięć chromosomów i łączenia się ich w nowe układy).

Przyczyny ze strony matki. Zaliczyć do nich można: zmiany miejscowe w obrębie narządów płciowych (wady rozwojowe macicy, jej niedorozwój, guzy macicy, uszkodzenia szyjki macicy, a zwłaszcza jej ujścia wewnętrznego), ostre choroby ogólne i zakaźne przebiegające z wysoką temperaturą, przewlekłe choroby zakaźne, zaburzenia funkcji gruczołów wewnętrznego wydzielania (np. cukrzyca), urazy mechaniczne i wstrząsy psychiczne, niedomoga hormonalna ciałka żółtego.

Objawy. Poronienia charakteryzują się głównie dwoma objawami: krwawieniem i bólami. Krwawienie jest związane z oddzielaniem się jaja płodowego, bóle zaś ze skurczami macicy.

Rodzaje poronień. Jeśli u ciężarnej przed ukończeniem 16 tygodnia ciąży pojawia się skąpe bezbolesne krwawienie, mówi się o poronieniu zagrażającym. Gdy krwawienie nasila się i zjawiają się bóle powodowane skurczami macicy, jest to tzw. poronienie zaczynające się. Dalsze wzmożenie objawów przez zejście jaja płodowego lub jego części do kanału szyjki macicy świadczy o poronieniu w toku. Jeśli część jaja płodowego została wydalona, a reszta zalega w macicy i jest przyczyną krwawienia, poronienie takie jest niezupełne. Pozostałe w macicy drobne fragmenty kosmówki, tzw. resztki po poronieniu, są przyczyną krwawienia utrzymującego się przez dłuższy czas. Zatrzymanie w macicy oddzielonego i następnie obumarłego jaja płodowego nosi nazwę poronienia zatrzymanego albo ciąży obumarłej.

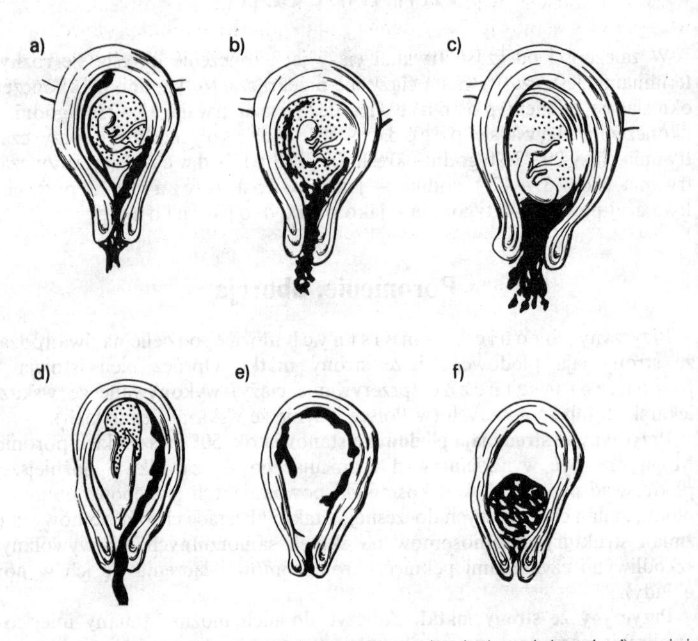

Różne postacie poronień: a) poronienie zagrażające; b) poronienie zaczynające się; c) poronienie w toku; d) poronienie niezupełne; e) poronienie zupełne; f) poronienie zatrzymane, czyli ciąża obumarła

Leczenie poronień zależy od ich postaci klinicznej. W poronieniach zagrażających i zaczynających się stosuje się leczenie zachowawcze. Polega ono na bezwzględnym leżeniu w łóżku, podawaniu środków rozkurczowych, uspokajających i przy niskich zawartościach hormonów we krwi – substytucyjnie hormonów. Stosowane są również leki blokujące prostaglandynę. W pozostałych postaciach poronień leczenie polega na wyłyżeczkowaniu jamy macicy.

Przy poronieniach powtarzających się – nawykowych – powinno być wcześniej stosowane postępowanie profilaktyczne. Do niego należy także unikanie przerywania ciąży, które jest często powodem następnych poronień. Przy niewydolności szyjki macicy zapobiegawczo ciężarnej zakłada się operacyjnie okrężny szew na szyjkę macicy.

Poród niewczesny i przedwczesny

W porodzie niewczesnym i przedwczesnym urodzony płód jest niedojrzały, tzn. nie przystosowany do życia pozamacicznego. Częstość porodów przedwczesnych waha się w granicach 5–10%. Jest to ważny problem, gdyż zgony wcześniaków stanowią 75% ogólnej umieralności okołoporodowej, a 70% wcześniaków małych (o masie ciała urodzeniowej poniżej 1500 g), które przeżyły dzięki staraniom lekarskim, wykazuje w przyszłości cechy niedorozwoju umysłowego lub chorób nerwowych.

Przyczyny niewczesnych i przedwczesnych porodów są różne. Ze strony matki mogą być ciężkie zatrucia ciążowe, przewlekłe lub ostre choroby zakaźne, nieprawidłowa budowa macicy, niewydolność szyjki macicy. Wczesny poród może nastąpić też przy ciąży mnogiej, przy łożysku przodującym lub na skutek jego przedwczesnego odklejenia się, a także na skutek przedwcześnie pękniętego pęcherza płodowego. Z przyczyn socjalnych należy wymienić niski stopień uświadomienia i niekorzystanie z opieki lekarskiej, złe warunki ekologiczne (duże aglomeracje, toksyczne środowisko), stresy, warunki życiowe, nieodpowiednia praca w czasie ciąży, wiek ciężarnej.

Objawem rozpoczęcia się porodu niewczesnego lub przedwczesnego jest wystąpienie skurczów o różnym nasileniu, rozwieranie się szyjki macicy oraz niewczesne pęknięcie pęcherza płodowego.

Leczenie. Celem jego jest próba przedłużenia czasu trwania ciąży, umożliwiająca – zwłaszcza w porodach przedwczesnych – przygotowanie płodu do życia pozamacicznego. Zalecane jest bezwzględne leżenie, a ponadto stosowane są środki farmakologiczne hamujące czynność skurczową macicy. W przypadku niewydolności szyjki macicy zakłada się na nią operacyjnie okrężny szew, który zdejmuje się w 37 tygodniu ciąży.

XIX. NOWOTWORY ŻEŃSKICH NARZĄDÓW PŁCIOWYCH

Nowotwory żeńskich narządów płciowych (narządu rodnego) są najczęstszymi nowotworami u kobiet. Mogą występować w sromie, pochwie, szyjce macicy, trzonie macicy oraz jajnikach i jajowodach. Znaczny odsetek nowotworów narządu rodnego stanowią nowotwory złośliwe, w których rokowanie i wyniki leczenia zależą od stopnia zaawansowania. Najlepsze rokowanie dotyczy nowotworów rozpoznanych we wczesnych stadiach rozwoju. Niektóre zmiany chorobowe, np. w sromie lub sutku, mogą być zauważone przez samą kobietę. Wystąpienie nieprawidłowych objawów, jak bóle, krwawienie powinno powodować szybkie zgłoszenie się do ginekologa w celu wyjaśnienia przyczyny tych dolegliwości. Warunkiem wczesnego rozpoznania wielu nowotworów są badania kontrolne, na które kobiety powinny zgłaszać się przynajmniej raz na rok. Dotyczy to szczególnie kobiet starszych poza okresem rozrodczym, u których często występują nowotwory narządu rodnego.

Duże znaczenie w zwalczaniu nowotworów złośliwych żeńskich narządów płciowych ma rozpoznanie stanów predysponujących do zachorowania na te nowotwory, czyli stanów przedrakowych, w których rak rozwija się częściej niż w narządzie zdrowym (np. rogowacenie białe, niektóre postacie nadżerki).

Nowotwory sromu

Nowotwory niezłośliwe sromu

Z nowotworów niezłośliwych w sromie występują włókniaki, tłuszczaki, gruczolaki, rzadziej – naczyniaki, mięśniaki i nerwiaki. Umiejscawiają się one w wargach sromowych lub w łechtaczce. Występują pod postacią guzków różnych rozmiarów, mogą być uszypułowane. Często ulegają owrzodzeniu.

L e c z e n i e polega na chirurgicznym usunięciu guzka i zbadaniu histologicznym w celu wykluczenia złośliwego nowotworu sromu.

Stany przedrakowe sromu

Do stanów przedrakowych sromu zalicza się: rogowacenie białe, marskość sromu oraz kłykciny kończyste.

Rogowacenie białe, czyli **leukoplakia sromu** jest chorobą kobiet starszych, po menopauzie (po zakończeniu miesiączkowania). Główną dolegliwość stanowi świąd. Zmiany polegają na wieloogniskowym obrzęku i zaczerwienieniu tkanek, gdzie po pewnym czasie można zauważyć białawe plamy, o nieregularnych kształtach, barwy kości słoniowej. Zmiany są mnogie, obustronne, umiejscowione najczęściej na łechtaczce, na wargach sromowych, na kroczu oraz w okolicy odbytu. Wokół plam widać zadrapania i owrzodzenia. Rogowacenie białe nie ustępuje samoistnie. Nie leczone w ponad 5% przypadków prowadzi do rozwoju raka sromu.

L e c z e n i e chirurgiczne polega na wycięciu sromu.

Marskość sromu jest chorobą przewlekłą polegającą na bardzo nasilonym procesie zaniku sromu. Błona śluzowa staje się biaława, wysuszona. Szpara sromu zwęża się, wargi sromowe mniejsze i łechtaczka prawie zanikają, wargi większe spłaszczają się. Skóra warg sromowych większych staje się sucha, odbarwiona, napięta. Często powstają pęknięcia i ogniska rogowacenia białego.

L e c z e n i e jest zachowawcze, czasem operacyjne, polegające na wycięciu sromu.

Kłykciny kończyste sromu powstają u kobiet z przewlekłymi zapaleniami pochwy, powodującymi upławy. Podkreśla się ich wirusową etiologię. Mają postać kalafiorowatych tworów różnej wielkości, przeważnie mnogich. Mogą niekiedy (5%) przechodzić w raka.

L e c z e n i e polega na usunięciu chirurgicznym lub wypaleniu środkami żrącymi albo na elektrokoagulacji.

Nowotwory złośliwe sromu

Nowotwory złośliwe sromu występują stosunkowo rzadko. Są to: rak pierwotny, czerniak złośliwy oraz mięsak.

Rak pierwotny sromu występuje najczęściej, przeważnie u kobiet starszych, w wieku 60 – 70 lat, jednakże chorują nań również kobiety młodsze. Choroba o b j a w i a się swędzeniem, pieczeniem, bólem. Guzek może być umiejscowiony na wargach sromowych większych lub mniejszych, w przedsionku pochwy, w okolicy ujścia cewki moczowej, w łechtaczce lub w miejscu gruczołów Bartholina. Guzek może mieć różnorodny wygląd oraz rozwijać się jedno- lub wieloogniskowo. Guzki często ulegają owrzodzeniu.

L e c z e n i e m z wyboru jest chirurgiczne usunięcie sromu, ewentualnie z węzłami chłonnymi pachwinowymi, co daje stosunkowo duży odsetek wyleczeń (ponad 60%).

Nowotwory pochwy

Nowotwory niezłośliwe pochwy

Nowotwory te występują rzadko. Są to: włókniaki, brodawczaki i naczyniaki. Rozwijają się w postaci guzków osiągających dość duże rozmiary. Mogą stanowić przeszkodę w odbywaniu stosunków. L e c z e n i e jest chirurgiczne.

Stany przedrakowe pochwy

Stanem przedrakowym jest d y s p l a z j a, czyli nieprawidłowy rozwój komórek, oraz r o g o w a c e n i e b i a ł e. Rozpoznanie ustala się badaniem histopatologicznym wycinków.

Nowotwory złośliwe pochwy

Nowotwory złośliwe pochwy należą do nowotworów najrzadziej występujących w narządach rodnych kobiety i stanowią 1 – 3% wszystkich nowotworów złośliwych tych narządów. Wśród nowotworów złośliwych pochwy ponad 90% stanowi rak.

Rak pochwy najczęściej występuje u kobiet między 50 – 65 r. życia. Najczęstszą postacią kliniczną jest guz uwypuklający się do światła pochwy, znacznie rzadziej występują postacie naciekające i kraterowate.

Objawy raka zależą od stopnia jego rozwoju. Rak przedinwazyjny przebiega bezobjawowo. W późniejszym okresie choroby pojawiają się krwiste upławy, krwawienia niezależne od cyklu miesiączkowego (samoistne lub kontaktowe po stosunku). W postaciach zaawansowanych występują bóle, częste parcie na pęcherz, bóle przy oddawaniu stolca.

Leczenie zależy od stopnia zaawansowania nowotworu, wieku i ogólnego stanu chorej oraz umiejscowienia zmiany nowotworowej. Rak przedinwazyjny może być leczony zarówno chirurgicznie, jak i napromienianiem śródpochwowym. W leczeniu raka inwazyjnego radioterapia ma raczej przewagę nad leczeniem chirurgicznym, jako mniej obciążająca chorą. Leczenie chirurgiczne wymaga bardzo rozległego zabiegu.

We wczesnych stopniach zaawansowania nowotworu wyleczenie sięga 70%, w późniejszych wyniki są gorsze.

Nowotwory szyjki macicy

Nowotwory łagodne szyjki macicy

Do nowotworów łagodnych należą: brodawczak oraz polip szyjkowy. Ze względu na możliwość zezłośliwienia (ok. 10% brodawczaków i 0,25% polipów szyjkowych) powinny być leczone chirurgicznie i badane histopatologicznie.

Stany przedrakowe

Do stanów przedrakowych szyjki macicy zalicza się: 1) dysplazję szyjki, która po wielu latach może ulec przemianie w nowotwór złośliwy (6–35% przypadków), 2) rogowacenie białe (leukoplakia) szyjki oraz wg niektórych autorów (Laskowski) 3) nadżerkę częściowo pokrytą nabłonkiem. Wszystkie te choroby potwierdzone badaniem histologicznym wycinków części pochwowej szyjki i wyskrobin z kanału szyjki powinny być leczone chirurgicznie.

Leczenie polega na częściowym usunięciu szyjki macicy lub wykonaniu elektrokonizacji (wycięcie stożka szyjki macicy za pomocą pętli elektrycznej).

Rak szyjki macicy

Rak stanowi ok. 95% nowotworów złośliwych szyjki macicy. Według danych Rejestru Nowotworów Instytutu Onkologii w Warszawie, rak szyjki macicy np. w 1987 r. stanowił 10,4% wszystkich nowotworów złośliwych u kobiet i zajmował drugie miejsce po raku sutka. Średnio wykrywa się w Polsce ok. 4500 nowych zachorowań rocznie.

Czynniki sprzyjające. Spośród czynników odgrywających znaczną rolę w powstawaniu raka szyjki macicy najczęściej wymienia się: a) wcześnie rozpoczęte życie płciowe (przed 20 r. życia), b) poziom higieny osobistej kobiet i ich partnerów seksualnych, c) znaczną płodność i porody we wczesnym wieku, d) zakażenie wirusem ludzkiego brodawczaka (HPV). Rak szyjki macicy prawie nie występuje u kobiet żyjących w celibacie, częściej występuje u kobiet zamężnych. Notowana jest też większa częstość raka szyjki u prostytutek. Częściej występuje u kobiet, które wielokrotnie rodziły, zwłaszcza w młodym wieku. Ostatnio coraz więcej faktów świadczy o związku między zachorowalnością na raka szyjki macicy a zakażeniem wirusowym, które jest przekazywane drogą stosunku płciowego. Częste wykrywanie komórek rakowych w nadżerce części pochwowej szyjki świadczy, że zapalenie szyjki może sprzyjać powstawaniu nowotworu.

Objawy. W początkowym okresie rozwoju raka szyjki są niecharakterystyczne: upławy, nieregularne krwawienia, krwawienia kontaktowe (po stosunku), niekiedy bóle. Nasilenie i rodzaj objawów oraz stan narządu rodnego zależą od stopnia zaawansowania procesu nowotworowego.

Badania. W stopniu 0, często w stopniu I badanie przez pochwę nie wykazuje żadnych widocznych zmian w narządzie rodnym. Oglądanie istniejącej nadżerki przez wziernik zazwyczaj nie wskazuje na istnienie procesu nowotworowego. Na odróżnienie nadżerki od raka pozwalają: a) badanie cytologiczne części pochwowej i kanału szyjki, b) kolpomikroskopia (oglądanie zmiany chorobowej w powiększeniu) oraz c) biopsja części pochwowej i kanału szyjki macicy.

Badanie cytologiczne pobranego rozmazu z podejrzanego miejsca pozwala wstępnie ocenić rodzaj procesu chorobowego oraz wskazuje miejsce ewentualnego pobrania wycinków w przypadkach niewielkich zmian w szyjce macicy. Pomocne w tej ocenie jest badanie kolpomikroskopowe. Badanie histopatologiczne pobranych wycinków z części pochwowej oraz wyskrobin z kanału szyjki macicy ustala rozpoznanie nowotworu. Badanie ginekologiczne z badaniem przez odbytnicę oraz inne dodatkowe badania, np. limfografia (badanie stanu układu limfatycznego) lub cytoskopia (wziernikowanie pęcherza moczowego) umożliwiają ocenę stopnia zaawansowania nowotworu złośliwego.

Rak przedinwazyjny szyjki, czyli najmniej zaawansowany proces, nie tworzy przerzutów, może jednak dawać nawroty, gdyż czasami rozwija się wieloogniskowo.

Rak inwazyjny szyjki najczęściej rozwija się z raka przedinwazyjnego, rzadziej na podłożu dysplazji (wadliwego rozwoju komórek), a bardzo rzadko z nie zmienionego uprzednio nabłonka. Czas, w jakim rak przedinwazyjny przechodzi w raka inwazyjnego, mieści się w szerokich granicach i wynosi od roku do 9 lat. Rokowanie i leczenie zależy od stopnia zaawansowania choroby.

Leczenie. Stosowane są trzy metody leczenia raka szyjki macicy: 1) leczenie chirurgiczne, 2) radioterapia (leczenie promieniami jonizującymi) oraz 3) leczenie skojarzone (leczenie chirurgiczne z radioterapią lub z chemioterapią). (Zob. Choroby nowotworowe, Metody leczenia nowotworów, s. 2021 i 2025).

Leczenie chirurgiczne. Rozległość zabiegu operacyjnego zależy od stopnia zaawansowania nowowtoru, wieku chorej oraz dodatkowych zmian chorobowych w narządzie rodnym (mięśniaki macicy, guzy jajnika, guzy zapalne przydatków). Zabiegi oszczędzające są stosowane w raku przedinwazyjnym (elektrokonizacja, amputacja szyjki), zwłaszcza u młodych kobiet pragnących zachować płodność. Polegają one na usunięciu całej zmiany chorobowej, potwierdzonej badaniem histologicznym. W stanach bardziej zaawansowanego procesu nowotworowego leczenie jest radykalne i polega na całkowitym usunięciu macicy z przydatkami.

Radioterapia. Leczenie promieniowaniem jonizującym może być stosowane bezpośrednio na zmianę nowotworową (dopochwowo lub domacicznie) lub z odległości (kobalt 60).

W leczeniu bezpośrednim naturalne pierwiastki promieniotwórcze (np. rad lub izotopy promieniotwórcze, np. kobalt 60, cez 137, iryd 192) wprowadza się do pochwy w aplikatorach o kształcie i wielkości korków od butelki (2–3 cm) oraz w dodatkowym aplikatorze do macicy (długości średnio ok. 5–6 cm i grubości cienkiego ołówka). Aplikatory te pozostają w pochwie i w macicy przez 72–120 godz. Niekiedy stosuje się zaplanowane lub konieczne przerwy w leczeniu, albo też zakłada się oddzielnie aplikatory pochwowe i maciczne. W nowoczesnej technice leczenia zakłada się aplikatory bez substancji promieniotwórczej, którą dopiero potem wprowadza się do nich (metoda „after loading"). Chora w czasie całego leczenia aplikatorami pochwowymi i macicznymi pozostaje w łóżku w pozycji leżącej.

Leczenie z odległości przeprowadza się za pomocą bomby kobaltowej, przyspieszaczy lub betatronów. Napromienia się cztery pola wyrysowane na skórze, przy czym najczęściej napromienia się dwa pola dziennie. Jednorazowe napromienianie trwa kilka minut, zwykle 5 razy w tygodniu. Całe leczenie trwa 30–35 dni.

Radioterapia jako leczenie wyłączne jest stosowane u chorych, u których leczenie chirurgiczne jest przeciwwskazane ze względu na stan ogólny, oraz u chorych, u których radykalne leczenie operacyjne jest niemożliwe z powodu zaawansowania procesu nowotworowego.

Po przebytej radioterapii kobieta powinną stosować odpowiedni zalecany reżim, tj. prowadzić oszczędzający tryb życia, unikać przeziębień, alkoholu, stosować dietę lekkostrawną bez przypraw i błonnika, chronić skórę przed urazami, nie myć skóry wodą przez okres ok. trzech miesięcy (myć oliwką).

W trakcie leczenia lub po jego zakończeniu mogą wystąpić odczyny popromienne. Najczęściej objawiają się one bólami odbytnicy, parciem na stolec, biegunką oraz zapaleniem pęcherza moczowego. Odczyny ogólne występują w formie osłabienia, złego samopoczucia, braku łaknienia, nudności. Następuje spadek liczby białych krwinek. Niezbędne jest natychmiastowe zgłoszenie się do lekarza i odpowiednie leczenie.

Leczenie skojarzone raka szyjki macicy polega na stosowaniu leczenia chirurgicznego z radioterapią lub chemioterapią. W Polsce najczęściej stosowaną metodą jest kojarzenie pierwotnej operacji z późniejszą radioterapią.

W przypadkach raka przedinwazyjnego uzyskuje się 100% wyleczeń. Ogólna liczba 5-letnich przeżyć chorych leczonych z powodu inwazyjnego raka szyjki macicy wynosi ponad 50%. W wyższych stopniach zaawansowania odsetki te obniżają się w sposób statystycznie znamienny. Średnia wielkość przeżyć 5-letnich przy raku w I stopniu zaawansowania wynosi 80%, w II stopniu zaawansowania – 59%, w III stopniu – 31%, w IV stopniu tylko 8,3%.

Zapobieganie jest najważniejszym działaniem w zwalczaniu raka szyjki macicy. Wykrycie stanów przedrakowych i ich leczenie zapobiega zachorowaniom na raka tego narządu. Wcześniejsze natomiast wykrycie raka stwarza większe możliwości wyleczenia go. Kobiety po 50 r. życia powinny zgłaszać się na badanie cytologiczne raz w roku, kobiety młodsze co 2–3 lata, jeśli ostatnie dwa badania były prawidłowe (I grupa cytologiczna) i nie mają żadnych objawów ze strony narządu rodnego. Są to zalecenia ogólne, nie dotyczą tych kobiet, którym lekarz zalecił inne postępowanie.

Badania cytologiczne są wykonywane w poradniach „K", w poradniach onkologicznych, w szpitalach i innych placówkach służby zdrowia. Istnieje obowiązek badania cytologicznego kobiet będących pod opieką poradni „K" i przebywających w szpitalach z powodu innych chorób niż ginekologiczne. Organizowane są również specjalne akcje profilaktycznych badań grup kobiet, np. w zakładach pracy lub mieszkanek województwa.

Wyniki badania cytologicznego określa się w następującej skali pięciostopniowej:

I grupa – norma, nie ma zmian chorobowych;
II grupa – zmiany niewielkiego stopnia, zwykle natury zapalnej;
III grupa – większe zmiany w obrazie cytologicznym, prawdopodobnie zapalne; chora wymaga leczenia i kontroli cytologicznej;
IV grupa – zmiany w obrazie cytologicznym wskazujące na prawdopodobieństwo nowotworu; chora musi być bezwzględnie poddana dalszym badaniom i leczeniu;
V grupa – zmiany nowotworowe.

Badanie cytologiczne jest tylko badaniem wskazującym na możliwość istnienia nowotworu, dlatego musi być ono potwierdzone badaniem histopatologicznym wycinków z tarczy części pochwowej i wyskrobin pobranych z kanału szyjki macicy.

Nowotwory trzonu macicy

Nowotwory niezłośliwe trzonu macicy

Mięśniaki. Są to nowotwory łagodne najczęściej występujące w trzonie macicy, głównie u kobiet w wieku 40–50 lat. W 25% występują poniżej 35 r. życia. Chorują najczęściej kobiety, które nie rodziły lub rodziły mało. Istotą choroby jest tworzenie się guzów różnej wielkości (do wielkości głowy dorosłego człowieka), pojedynczych lub mnogich, na ogół o kształcie nieregularnym, zazwyczaj twardych; jeżeli ulegną zwyrodnieniu lub zakażeniu,

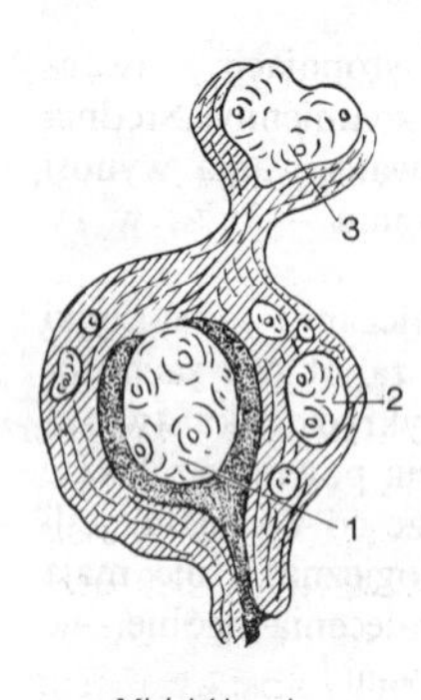

Mięśniaki macicy:
1 – mięśniak podśluzówkowy,
2 – mięśniak śródścienny,
3 – mięśniak podsurowiczy

stają się bardziej miękkie. Zależnie od ich liczby i wielkości mięśniaki zniekształcają trzon macicy.

W zależności od umiejscowienia oraz kierunku wzrostu odróżnia się trzy zasadnicze typy mięśniaków: podśluzówkowe, śródścienne oraz podsurowicze.

Przekształcenie mięśniaka w mięsaka (nowotwór bardzo złośliwy) zdarza się rzadko. Niekiedy w obrębie mięśniaka może powstać ognisko mięsaka. Szybki wzrost mięśniaka zawsze budzi podejrzenie przemiany złośliwej.

Objawy towarzyszące mięśniakom są następujące: obfite przedłużające się miesiączki, krwawienia niezależnie od cyklu miesiączkowego, bóle w podbrzuszu, częste parcie na pęcherz i odbytnicę. Mięśniaki mogą być przyczyną niepłodności oraz poronień, mogą powodować powikłania podczas porodu. Często w czasie trwania ciąży obserwuje się intensywny wzrost mięśniaków. 3–4% mięśniaków współistnieje z rakiem trzonu macicy.

Leczenie mięśniaków jest wyłącznie chirurgiczne. U młodych kobiet, którym szczególnie zależy na płodności, nieliczne mięśniaki mogą być wyłuszczone – jest to tzw. operacja zachowawcza. Przed operacją jest wykonywany zabieg wyłyżeczkowania kanału szyjki i jamy macicy oraz badanie histopatologiczne wyskrobin w celu wykluczenia procesu złośliwego w macicy. U kobiet starszych, w wieku przed- lub pomenopauzalnym usuwa się macicę z przydatkami. Mięśniak rodzący się lub „urodzony" jest usuwany przez pochwę tylko wówczas, gdy w macicy nie ma innych mięśniaków.

Nowotwory złośliwe trzonu macicy

Wśród nowotworów złośliwych trzonu macicy wyróżnia się raki i mięsaki.

Rak trzonu macicy rozwija się z tkanki nabłonkowej błony śluzowej macicy i stanowi ok. 90% nowotworów złośliwych tego narządu. W ciągu ostatnich lat częstość zachorowania na raka trzonu macicy wzrasta, co tłumaczy się: 1) zwiększeniem się populacji kobiet dożywających późnego wieku; 2) postępem w rozpoznawaniu raka, 3) powszechnym stosowaniem preparatów hormonalnych. Rak trzonu macicy występuje u kobiet starszych. Kobiety powyżej 60 r. życia stanowią ok. 65% wszystkich chorych na raka trzonu macicy.

Rozwój raka trzonu macicy jest poprzedzony zwykle zmianami rozrostowymi błony śluzowej, a postać rozrostu z wyraźnie nasiloną atypią jest uznawana za raka przedinwazyjnego. Czas, w jakim rak przedinwazyjny przekształca się w postać naciekającą, obliczany jest na ok. 10 lat. Zmiany rozrostowe błony śluzowej powodują nieprawidłowe krwawienia w okresie przekwitania lub po menopauzie i wymagają badania histopatologicznego wyskrobin z kanału szyjki i jamy macicy. Zmiany rozrostowe błony śluzowej trzonu macicy pod wpływem leczenia hormonalnego mogą ustąpić.

Określono cechy kobiet, u których ryzyko zachorowania na raka trzonu macicy jest szczególnie duże. Cechy te można podzielić na trzy grupy: 1) demograficzne (wiek, miejsce zamieszkania), 2) osobnicze (płodność, cykle bezowulacyjne, późna menopauza, otyłość, cukrzyca, nadciśnienie, obciążenie dziedziczne), 3) egzogenne (hormonoterapia).

Ryzyko zachorowania w zależności od wieku przedstawia się następująco w stosunku do grupy kobiet w wieku 45–50 lat: wzrasta ono 2,5-krotnie w grupie wieku 50–55 lat, 4-krotnie w grupie wieku 55–60 lat i 5-krotnie w grupie kobiet powyżej 60 r. życia.

Rak trzonu macicy częściej występuje u kobiet mieszkających w mieście oraz u kobiet żyjących w lepszych warunkach ekonomicznych. Niektórzy autorzy podają, że kobiety, które nie rodziły lub rodziły jeden raz, 2–3 razy częściej chorują na raka trzonu. Wśród kobiet, które nie rodziły, procent zachorowania wynosi 40–50. Dwukrotnie większą zachorowalność stwierdzono u kobiet, u których menopauza wystąpiła dopiero po 50 r. życia. Ryzyko zachorowania kobiet nadmiernie otyłych jest 3-krotnie większe, a kobiet z cukrzycą – 2-krotnie większe. U kobiet w wieku poniżej 40 r. życia leczonych hormonalnie z powodu drobnotorbielkowatego twardniejącego zwyrodnienia jajnika – czyli zespołu Stein–Loeventhala (zob. s. 1816) – rak trzonu macicy stwierdzany jest u 20% chorych.

Objawy. U 30% chorych na raka trzonu pierwszy objaw stanowią nieregularne krwawienia z jamy macicy, niekiedy skojarzone z bólami w podbrzuszu. Najbardziej typowe jest krwawienie występujące po menopauzie. W każdym przypadku takiego krwawienia, jak również nieregularnych krwawień w okresie przekwitania, zwłaszcza u kobiet z cechami wysokiego ryzyka zachorowania, konieczne jest diagnostyczne wyłyżeczkowanie kanału szyjki i jamy macicy. U ok. 10% chorych pierwszym objawem są upławy o charakterze „popłuczyn mięsnych".

Rozpozanie raka trzonu macicy opiera się na badaniu klinicznym, badaniu ginekologicznym, histerografii (badanie radiologiczne jamy macicy), histeroskopii (oglądanie jamy macicy przez aparat optyczny) i ostatecznie na wyniku badań mikroskopowych wyskrobin z kanału szyjki i jamy macicy.

Leczenie. Stosuje się trzy metody leczenia raka trzonu macicy: 1) leczenie chirurgiczne, 2) radioterapię oraz 3) leczenie skojarzone.

Operacyjność raka trzonu macicy sięga obecnie ok. 80–85% (stopień I i II). Podstawowym sposobem leczenia chirurgicznego jest proste wycięcie macicy z przydatkami. Leczenie skojarzone polega na połączeniu leczenia chirurgicznego z radioterapią. Stosuje się wtedy aplikatory śródpochwowe oraz napromienianie z odległości. Sposób i czas pełnej radioterapii są podobne do opisanej w leczeniu raka szyjki macicy. Kolejność metod leczenia skojarzonego może być odwrócona. Hormonoterapię stosuje się jako leczenie zachowawcze u chorych z wysokim stopniem zaawansowania raka, nie kwalifikujących się do leczenia chirurgicznego i radioterapii oraz u chorych z nawrotem procesu nowotworowego. Odsetki 5-letnich przeżyć zależą od zaawansowania choroby. We wczesnych stopniach zaawansowania osiąga się do 80% 5-letnich przeżyć.

Zapobieganie polega przede wszystkim na kontroli i właściwym leczeniu kobiet o wysokim zagrożeniu rakiem. Są to kobiety powyżej 50 r. życia, otyłe, z owłosieniem typu męskiego, nadciśnieniem, niepłodnością w wywiadzie, cukrzycą oraz kobiety młode z zaburzeniami endokrynologicznymi. U tych kobiet nieprawidłowe krwawienia powinny być traktowane jako sygnał zagrożenia rakiem i spowodować oprócz badania ginekologicznego wyłyżeczkowanie kanału szyjki i jamy macicy. Postępowanie lecznicze zależy od wyniku badania histopatologicznego wyskrobin. U kobiet w okresie przekwitania lub pomenopauzalnym z rozpoznaniem rozrostu błony śluzowej trzonu macicy przeprowadza się próbę kilkumiesięcznego leczenia hormonalnego z następową kontrolą histologiczną wyskrobin z szyjki i jamy macicy. W przypadku utrzymywania się rozrostu gruczolakowatego macicę usuwa się.

Mięsaki, nienabłonkowe złośliwe nowotwory macicy, stanowią ok. 5% wszystkich złośliwych nowotworów macicy. Budową mikroskopową naśladują różne struktury tkanek macicy, najczęściej tkankę mięśniową, a rzadziej podścielisko błony śluzowej, tkankę łączną oraz tkanki ścian naczyń krwionośnych.

Mięsaki występują przeważnie u kobiet w wieku 50–70 lat. W ok. 60% rozwijają się na podłożu mięśniaków. Częstość zezłośliwienia mięśniaków wynosi 0,3–3%. Są to mięsaki wtórne, wolniej rozwijające od mięsaków pierwotnych.

Objawy w początkowym okresie choroby są podobne do objawów występujących u chorych z mięśniakami lub z rakiem trzonu macicy. Szybko powiększające się mięśniaki macicy budzą podejrzenie powstawania mięsaka wtórnego. Ostateczne rozpoznanie opiera się na wynikach badania mikroskopowego tkanki pobranej z guza.

Leczeniem z wyboru jest całkowite usunięcie macicy. W przypadkach zaawansowanych próbuje się kojarzyć radioterapię z chemioterapią.

Ciążowa choroba trofoblastyczna

Ciążowa choroba trofoblastyczna obejmuje grupę zarówno łagodnych, jak i złośliwych nowotworów wywodzących się z trofoblastu płodowego (zob. s. 1823). Nowotwory te są jedyną postacią nowotworów rozwijających się w organizmie kobiety z tkanki obcej dla jej organizmu. Nowotwory te mogą rozwijać się w ciąży i po jej zakończeniu.

Cechą specyficzną tej grupy nowotworów jest wysoka produkcja hormonu gonadotropiny kosmówkowej (HCG) ze specyficzną dla gonadotropiny kosmówkowej podjednostką β. Podjednostka jest oznaczana metodą immunoradiologiczną (norma w surowicy krwi 1 nanogram/1 ml).

Do grupy nowotworów rozwijających się z trofoblastu płodowego zalicza się: 1) zaśniad groniasty, 2) zaśniad niszczący oraz 3) nabłoniak kosmówkowy.

Zaśniad groniasty jest najczęstszą odmianą choroby trofoblastycznej. W Polsce częstość występowania określa się na 1:1850 ciąż. Zmiany trofoblastu prowadzące do powstania zaśniadu występują najczęściej między 3–4 tygodniem ciąży. Dochodzi do całkowitego lub częściowego obumarcia płodu. Łożysko przekształca się w zaśniad tworzący gładkie, lśniące, ściśle między sobą połączone pęcherzyki.

Przyczyna rozwoju zaśniadu groniastego nie jest znana.

Rozpoznanie zaśniadu groniastego następuje na podstawie następujących objawów: szybkiego wzrostu macicy niewspółmiernego z okresem zatrzymania miesiączki, niewysłuchiwaniem tętna płodu, w którym nie stwierdza się obecności płodu, wysokiego poziomu gonadotropiny kosmówkowej we krwi i w moczu (znacznie wyższego niż w ciąży prawidłowej) oraz typowego obrazu w badaniu ultrasonograficznym.

Leczenie polega na dokładnym opróżnieniu jamy macicy oraz jej wyłyżeczkowaniu (wyskrobiny są badane histologicznie). Każda kobieta po ciąży zaśniadowej musi pozostawać pod ścisłą obserwacją kliniczną i laboratoryjną przez okres wielu miesięcy. Powinna być badana ginekologicznie co 2 tygodnie, a jej krew na poziom gonadotropiny kosmówkowej co 7–10 dni. Co 3 miesiące powinno być wykonywane zdjęcie radiologiczne klatki piersiowej. Rokowanie jest dobre. Przeciwwskazane jest zachodzenie w ciążę przez okres co najmniej roku.

Zaśniad niszczący jest stadium pośrednim między zaśniadem groniastym i złośliwym nabłoniakiem kosmówkowym. Stanowi 15% przypadków zaśniadu groniastego. Zaśniad niszczący głęboko nacieka mięsień macicy, uszkadza ściany naczyń krwionośnych i wrasta do ich światła oraz ma dużą zdolność tworzenia przerzutów odległych drogą krwi (w płucach, wątrobie i mózgu).

Objawem najczęstszym są obfite krwawienia, a niekiedy krwotoki zmuszające do usunięcia macicy. O rozpoznaniu decyduje badanie mikroskopowe wyskrobin z jamy macicy oraz wysoki poziom gonadotropiny kosmówkowej we krwi.

Leczenie polega na stosowaniu leków niszczących tkankę nowotworową (cytostatyków), z ewentualnym leczeniem chirurgicznym. Rokowanie jest dobre.

Nabłoniak kosmówkowy może rozwinąć się po każdej przebytej ciąży. W 50% przypadków rozwija się po ciąży zaśniadowej, w 25% przypadków po porodzie, w 25% po poronieniu i ciąży pozamacicznej. Nowotwór jest zbudowany z elementów złośliwego trofoblastu (zob. wyżej) bez obecności kosmków. Szybko wytwarza odległe przerzuty drogą krwi: w płucach, w pochwie, w mózgu, w wątrobie lub innych narządach.

Rozpoznanie opiera się na dodatnim wyniku badania histologicznego wyskrobin z jamy macicy, stwierdzeniu wysokiego poziomu gonadotropiny kosmówkowej we krwi oraz przerzutów w odległych narządach.

Wczesne rozpoznanie nabłoniaka kosmówkowego jest możliwe, jeśli podejrzewa się go w następujących przypadkach: 1) po przebytym zaśniadzie groniastym, jeśli podwyższony poziom gonadotropiny kosmówkowej utrzymuje się dłużej niż 8 tygodni, 2) przy krwawieniu po porodzie, jeśli trwa ono ok. 4 tygodni, 3) przy obfitym krwawieniu w krótkim czasie po wyłyżeczkowaniu macicy po porodzie lub poronieniu, 4) jeśli macica ulegnie powiększeniu po upływie 1–2 miesięcy po porodzie lub poronieniu i nowa ciąża zostanie wykluczona.

L e c z e n i e. Metodą z wyboru leczenia choroby trofoblastycznej ograniczonej do macicy jest chemioterapia jedno- lub wielolekowa. W przypadkach opornych stosuje się leczenie chirurgiczne. Leczenie przerzutowej choroby trofoblastycznej wymaga z reguły chemioterapii wielolekowej. Wyleczalność w chorobie ograniczonej do macicy wynosi ok. 100%, w chorobie przerzutowej ok. 70–80%.

Nowotwory jajnika

Nowotwory jajnika występują w każdym okresie życia kobiety, od wieku młodocianego aż do późnej starości. Charakteryzują się różnym i nietypowym przebiegiem klinicznym, niejednorodnością obrazów morfologicznych i różnym w związku z tym rokowaniem. Trudności wczesnego rozpoznania i profilaktycznego działania powodują, że nowotwory złośliwe jajnika są rozpoznawane najczęściej w zaawansowanej postaci.

Częstość zachorowań na nowotwory złośliwe jajnika w Polsce w 1987 r. wynosiła 11,7 na 100 000 kobiet. Nowotwory złośliwe jajnika stanowiły 5,9% wszystkich zachorowań na nowotwory złośliwe u kobiet i zajmowały 6 miejsce wśród wszystkich nowotworów (zob. tabela na s. 2013).

O b j a w y towarzyszące nowotworom jajnika są bardzo różnorodne i niecharakterystyczne. Są to: bóle w podbrzuszu, uczucie pełności i ciężaru w jamie brzusznej, zaparcie stolca, częste parcie na mocz oraz zaburzenia miesiączkowania. W okresie bardziej zaawansowanej choroby występuje powiększenie obwodu brzucha, silniejsze bóle, nudności i wymioty, wzdęcia oraz brak łaknienia. Przy skręcie guza bóle są bardzo silne, chora wymiotuje, występują objawy zapalenia otrzewnej.

R o z p o z n a n i e. Stwierdzenie guza oraz guzków w zatoce Douglasa sugeruje złośliwy charakter nowotworu. Badanie musi być uzupełnione badaniem przez odbytnicę w celu oceny przymacicza i sąsiednich narządów oraz potwierdzone badaniem histologicznym. Oprócz tzw. badań podstawowych (krew, mocz, OB) wykonuje się urografię oraz badanie radiologiczne przewodu pokarmowego. W razie obecności płynu w jamie otrzewnej może być wykonane badanie histologiczne osadu tego płynu uzyskanego drogą nakłucia jamy otrzewnej przez powłoki brzuszne. Do badań pomocniczych należą: badania cytologiczne materiału uzyskanego z guza za pomocą punkcji cienkoigłowej lub laparoskopii, badanie ultrasonograficzne pozwalające określić lokalizację guza w miednicy małej, jego punkt wyjścia, wewnętrzną strukturę oraz badanie wyskrobin z kanału szyjki i jamy macicy.

G r u p y n o w o t w o r ó w. W zależności od histogenezy pierwotne nowotwory jajnika dzieli się na cztery najczęściej występujące grupy: 1) nowotwory nabłonkowe, 2) nowotwory ze sznurów płciowych – gonadalne, 3) nowotwory z komórek zarodkowych – germinalne oraz 4) nowotwory z tkanek miękkich niespecyficznych dla jajnika. Określenie typu nowotworu ma zasadnicze znaczenie dla wyboru metody leczenia i dla rokowania. Każdy usunięty guz jajnika jest w trakcie operacji badany histopatologicznie i na tej podstawie lekarz operujący podejmuje decyzję o rozległości zabiegu chirurgicznego. W zależności od stopnia zaawansowania ustalono cztery stopnie kliniczne rozwoju nowotworów jajnika (I–IV). Podział ten jest oparty na wynikach badania klinicznego i śródoperacyjnego.

Nowotwory nabłonkowe

Najczęstszymi nowotworami jajnika są nowotwory nabłonkowe (95% wszystkich nowotworów jajnika), rozwijające się z jednego lub wielu typów nabłonka i podścieliska łącznotkankowego.

Oceniając stopień złośliwości wyróżnia się trzy zasadnicze grupy tych nowotworów: 1) niezłośliwe, 2) o granicznej złośliwości oraz 3) złośliwe, tj. raki.

Nowotwory nabłonkowe niezłośliwe. Do tej grupy należą gruczolakotorbielaki surowicze i śluzowe. Leczenie operacyjne oszczędzające polega na usunięciu jajnika lub przydatków.

Nowotwory nabłonkowe o granicznej złośliwości. Nowotwory te stanowią grupę gruczolakotorbielaków o formach pośrednich między nowotworami łagodnymi i złośliwymi i dlatego są nazwane guzami bądź rakami o niskiej potencjalnej złośliwości. W badaniu mikroskopowym nie stwierdza się wyraźnego naciekania podścieliska. Ta grupa nowotworów występuje u ponad 50% chorych poniżej 40 r. życia.

Gruczolakotorbielaki surowicze o granicznej złośliwości. Powierzchnia guza często bywa gładka, czasami jest pokryta wyroślami brodawkowatymi, które łatwo złuszczają się i wszczepiają do otoczenia. W ok. 50% przypadków rozwijają się obustronnie. Najczęściej leczenie polega na wycięciu macicy z przydatkami. U kobiet młodych w szczególnych warunkach może być wykonana operacja oszczędzająca. Chore ze stwierdzonym rozsiewem w jamie brzusznej wymagają uzupełniającego leczenia promieniami jonizującymi lub chemioterapii. Rokowanie jest dobre, 5-letnie przeżycia wynoszą ok. 80% we wszystkich stopniach zaawansowania nowotworu.

Gruczolakotorbielaki śluzowe o granicznej złośliwości. Guzy te wzrastają powoli, ale osiągają bardzo duże rozmiary. W 15–20% przypadków dotyczą obu jajników. Makroskopowo powierzchnia guza jest gładka, napięta i łatwo ulega rozerwaniu. Płyn wypełniający guz jest śluzowy lub galaretowaty. Nowotwory te późno naciekają narządy sąsiednie. Niekiedy w przebiegu choroby rozwija się śluzak otrzewnej. U młodych kobiet we wczesnym okresie choroby wystarczające może być usunięcie tylko jednego jajnika z guzem i pozostawienie drugiego nie zmienionego jajnika. U kobiet starszych usuwa się macicę z przydatkami. Rokowanie jest dobre, 5-letnie przeżycie obserwuje się u ponad 85% chorych.

Rak jajnika. Niektóre badania wskazują, że rak jajnika może należeć do nowotworów hormonozależnych. Takie stwierdzenie jest oparte na podstawie badań, z których wynika, że na raka jajnika chorują szczególnie często kobiety niepłodne, kobiety, które nie rodziły oraz kobiety, które stosowały hormonalne środki antykoncepcyjne. Kobiety chore na raka jajnika późno weszły w okres pokwitania, miały zaburzenia miesiączkowania i wcześnie wystąpiła u nich menopauza. Rak jajnika występuje najczęściej w wieku pomenopauzalnym. Najliczniejszą grupę chorych stanowią kobiety w wieku 50–60 lat.

Rak surowiczy jajnika występuje obustronnie u ponad 20% chorych operowanych w I stopniu zaawansowania. Najczęściej rozpoznawany jest późno. Guz ma charakter mieszany, częściowo lity, częściowo torbielowaty z wyroślami brodawkowatymi na powierzchni.

Rak śluzowy jajnika wzrasta powoli, ale osiąga duże rozmiary. Zwykle ma powierzchnię gładką. U ok. 10% chorych występuje obustronnie. 50% chorych jest leczonych w I stopniu zaawansowania.

Rak endometrioidalny jajnika. Jest to jeden z częstszych raków jajnika. Budowę mikroskopową ma identyczną jak rak trzonu macicy i często współistnieje z tym rakiem. Obustronnie występuje u 10% chorych. Przebieg choroby jest powolny, ok. 50% chorych jest leczonych w I stopniu zaawansowania. Jest to najbardziej promienioczuły z nabłonkowych raków jajnika.

Raki jajnika są rozpoznawane często w późnym okresie rozwoju. Ciągle notuje się dużą liczbę (36–45%) raków jajnika rozpoznawanych w III stopniu zaawansowania.

Leczenie. Podstawową metodą leczenia raka jajnika jest leczenie chirugiczne, polegające na doszczętnym wycięciu nowotworowo zmienionych tkanek, w miarę możności bez przerwania torebki guza. Radioterapię stosuje się jako metodę uzupełniającą lub w przypadkach nawrotów w miednicy mniejszej. Promienioczułość raka jajnika zależy od jego postaci histologicznej. Największą wrażliwość na promienie wykazuje rak niedojrzały, a najmniejszą rak śluzowy. Chemioterapię stosuje się u chorych w III i IV stopniu zaawansowania, u chorych z nawrotami po pierwotnym leczeniu chirurgicznym i radioterapii oraz jako metodę uzupełniającą leczenie chirurgiczne we wcześniejszych stopniach rozwoju choroby.

Guzy przerzutowe w jajniku. Najczęstszym nowotworem złośliwym dającym przerzuty do jajników jest rak przewodu pokarmowego (45%), następnie rak innych odcinków narządu rodnego (36%) oraz rak sutka (10%).

Nowotwory gonadalne

Nowotwory gonadalne, czyli guzy wywodzące się ze sznurów płciowych, stanowią 5–10% wszystkich pierwotnych nowotworów jajnika. Guzy te są zbudowane z komórek typowych dla utkania gonady, tj. jajnika i jądra. Mogą zawierać tylko jeden rodzaj komórek lub też różne kombinacje. Guzy te w ok. 85% przypadków wydzielają hormony, stąd u chorych z nowotworami gonadalnymi występują objawy feminizacji lub wirylizacji.

Błoniak ziarnisty lub **ziarniszczak** stanowi 50% wszystkich guzów gonadalnych. Występuje najczęściej u kobiet powyżej 40 r. życia. W rozpoznawaniu guza przed zabiegiem operacyjnym zwracają uwagę objawy czynności hormonalnej. Ostateczne rozpoznanie ustala się na podstawie badania mikroskopowego usuniętego guza. Aż 80% błoniaków ma przebieg złośliwy.

Leczenie. Najczęściej stosowaną metodą jest leczenie chirurgiczne, którego zakres zależy od wieku chorej i stanu zaawansowania choroby. U młodych kobiet możliwa jest operacja oszczędzająca. W bardziej zaawansowanych stopniach rozwoju nowotworu stosuje się radioterapię (nowotwór promienioczuły). Obowiązuje ścisła obserwacja do końca życia.

Otoczkowiak jest dość częstym nowotworem gonadalnym, występującym u kobiet w wieku 50–60 lat. Jest to guz twardy, gładki, niekiedy dużych rozmiarów, najczęściej jednostronny. Otoczkowiaki wykazują dużą aktywność estrogenną. Zakres leczenia chirurgicznego zależy od wieku chorej. Rokowanie jest dobre. W przypadkach złośliwego przebiegu stosuje się radio- lub chemioterapię.

Nowotwory germinalne

Wśród nowotworów germinalnych, pochodzących z pierwotnej komórki rozrodczej, wyróżnia się: 1) rozrodczaka, 2) guza woreczka żółtkowego, 3) raka zarodkowego, 4) poliembriomę, 5) nabłoniaka kosmówkowego oraz 6) potworniaki. Ta grupa nowotworów stanowi ok. 10% wszystkich nowotworów złośliwych jajnika i dotyczy młodych kobiet.

Rozrodczak jest najczęstszym nowotworem tej grupy. Występuje na ogół w wieku 14–25 lat. Guz ma charakter lity, jest otorbiony, ma gładką powierzchnię. Osiąga duże rozmiary. Jeżeli w utkaniu rozrodczaka występują inne struktury zarodkowe, przebieg choroby jest bardziej złośliwy.

Leczenie jest chirurgiczne z następową radioterapią (duża promienioczułość guza). Możliwy jest zabieg oszczędzający.

Rak zarodkowy występuje u dziewcząt. Przebiega bardzo złośliwie. Leczenie chirurgiczne polega na usunieciu macicy z przydatkami i powinno być skojarzone z chemioterapią.

Potworniak niedojrzały występuje u dziewcząt i młodych kobiet. Charakteryzuje się różną histologiczną złośliwością. W postaciach najbardziej złośliwych radykalną operację łączy się z następową chemioterapią wielolekową.

Potworniak dojrzały jest nowotworem łagodnym i stanowi 98% nowotworów grupy germinalnej. U kobiet starszych może ulec przemianie złośliwej i dlatego u tych chorych zawsze stosuje się operację radykalną.

Nowotwory złośliwe jajowodu

Nowotwory złośliwe jajowodu należą do rzadkości. Najczęściej zdarza się rak, ale i on stosunkowo rzadko występuje. Wiek chorych waha się w granicach 45–60 lat. Jedynie w 6% przypadków rozpoznawany jest przedoperacyjnie.

Objawy raka jajowodu są niecharakterystyczne. Występują bóle w podbrzuszu, upławy, nieregularne krwawienia w okresie przedmenopauzalnym i krwawienia po okresie menopauzy, powiększenie obwodu brzucha spowodowane obecnością płynu w jamie otrzewnej. Większe zaawansowanie procesu nowotworowego powoduje wystąpienie objawów takich jak w przypadkach nasilonego procesu nowotworowego toczącego się w jajniku. Badaniem ginekologicznym w początkowym okresie choroby stwierdza się jedynie guz przydatków, i to na ogół niewielkich rozmiarów.

Leczeniem z wyboru jest chirurgiczne usunięcie macicy z przydatkami, skojarzone z radioterapią lub chemioterapią. Wyniki leczenia zależą przede wszystkim od stopnia zaawansowania procesu nowotworowego.

Nowotwory sutka

Dokładne rozpoznanie wszystkich nowotworów sutka jest możliwe jedynie na podstawie badania mikroskopowego. Wśród nowotworów niezłośliwych wyróżnia się: 1) gruczolaka i gruczolako-włókniaka, 2) torbiele (cysty), 3) gruczolistość sutka (zwyrodnienie włóknistotorbielkowate, mastopatia) oraz 4) brodawczaki. Do nowotworów złośliwych należą raki sutka. Zob. Choroby nowotworowe, s. 2053.

ANDROLOGIA

Andrologia jest nauką o czynności jąder męskich: rozrodczej (wytwarzanie plemników) i hormonalnej (wytwarzanie testosteronu), zaburzeniach tych czynności, chorobach nimi spowodowanych, rozpoznawaniu tych chorób i leczeniu.

Wrodzony brak jąder

Wrodzony brak jąder, czyli anorchizm, jest wynikiem ich zaniku we wczesnym okresie życia płodowego. Do okresu dojrzewania płciowego chłopcy z tą wadą rozwijają się normalnie i różnią się od swych rówieśników jedynie brakiem jąder w worku mosznowym i kanałach pachwinowych. Dopiero w okresie dojrzewania występują różnice. Sylwetka ciała chłopców dotkniętych anorchizmem zaczyna nabierać cech eunuchoidalnych. Narządy płciowe nie rozwijają się, prącie pozostaje małe, typu dziecięcego, moszna płaska, pusta, występuje całkowity brak owłosienia łonowego, pachowego i twarzy. Zaznacza się brak popędu płciowego i aktywności zyciowej. Nie ma wytrysków nasienia.

Rozpoznanie. Potwierdzeniem rozpoznania anorchizmu jest operacyjnie stwierdzony brak jąder w worku mosznowym, kanałach pachwinowych i jamie brzusznej. Badania laboratoryjne wykazują w surowicy krwi znacznie podwyższony poziom hormonów gonadotropowych przysadki: hormonu luteotropowego (LH) oraz folikulostymuliny (FSH). Brak jest testosteronu lub jego poziom ma wartości śladowe. Wiek kostny młodych mężczyzn jest o parę lat cofnięty w stosunku do wieku metrykalnego.

Leczenie. W celu spowodowania rozwoju męskich cech płciowych i ich utrzymania podaje się przez całe życie mężczyzny brakujący hormon jąder – testosteron. Wyniki leczenia są dobre. Systematyczne, w odpowiednich dawkach podawane preparaty testosteronu sprawiają, że mężczyźni z wrodzonym brakiem jąder nie różnią się stopniem rozwoju cech płciowych męskich od zdrowych mężczyzn. Są oni jednak ze względu na brak jąder trwale niepłodni.

Stany pokastracyjne

Kastracja przed okresem dojrzewania płciowego

Usunięcie operacyjne jąder jest najczęściej następstwem rozległego mechanicznego ich uszkodzenia, zwykle wywołanego nieszczęśliwymi wypadkami. Wskazaniem do usunięcia jąder jest również ich gruźlica, nowotwory lub skręt. Do stanów pokastracyjnych można zaliczyć również zanik jąder jako powikłanie pooperacyjne.

O b j a w y stanów pokastracyjnych u chłopców nimi dotkniętych oraz l e c z e n i e są identyczne jak we wrodzonym braku jąder, czyli anorchizmie (zob. wyżej).

Kastracja po zakończonym dojrzewaniu płciowym

P r z y c z y n y usunięcia jąder u mężczyzn dojrzałych są takie same jak u chłopców przed okresem dojrzewania płciowego.

Obustronna kastracja. Po operacji w stosunkowo krótkim czasie występują objawy typowe dla nagłego przerwania czynności hormonalnej jąder: ogólne osłabienie, uderzenia krwi do głowy, zlewne poty. Po pewnym czasie na skutek kompensacyjnego działania androgenów pochodzenia nadnerczowego następuje złagodzenie wyżej wymienionych objawów. Przez pewien okres mężczyźni mają zachowany popęd płciowy, mogą prowadzić życie płciowe. W miarę upływu czasu występują i nasilają się stany depresji i ociężałości psychofizycznej. Następuje przerzedzenie owłosienia łonowego i zanik owłosienia twarzy, pach i tułowia. Dochodzi do zmniejszenia masy mięśniowej z jednoczesnym rozwojem podściółki tłuszczowej, zwłaszcza w okolicy gruczołów piersiowych, na brzuchu, pośladkach i na udach. Wygasa popęd płciowy. Nie występują wzwody prącia. Następuje zanik wytrysków nasienia.

B a d a n i a l a b o r a t o r y j n e wykazują w surowicy krwi wybitnie podwyższony poziom hormonu luteotropowego (LH) i folikulostymuliny (FSH) oraz brak lub śladowe wartości testosteronu.

L e c z e n i e. Aby uniknąć objawów pokastracyjnych i nie dopuścić do zaniku męskich cech płciowych, w możliwie krótkim czasie po usunięciu jąder rozpoczyna się podawanie preparatów testosteronu w dawkach odpowiadających ilościom wytwarzanym przez dojrzały organizm mężczyzny. Wyniki leczenia są dobre. Mężczyźni po obustronnej kastracji otrzymujący systematycznie właściwe dawki preparatów testosteronu nie różnią się wyglądem i stanem psychicznym od mężczyzn zdrowych. Mogą podejmować stosunki płciowe, które kończą się wytryskiem nasienia, ale są trwale niepłodni.

Ze względów kosmetycznych istnieje możliwość wprowadzenia do worka mosznowego protez imitujących jądra.

Jednostronna kastracja. Jednostronne usunięcie lub zanik jądra nie wpływa na niedobór testosteronu w organizmie lub obniżenie płodności. Zachowane jądro przejmuje całkowicie czynność hormonalną i plemnikotwórczą.

Wnętrostwo

Wnętrostwo jest to brak jąder w worku mosznowym. Zjawisko to, zwane też niezstąpieniem jąder, występuje u ok. 4% noworodków męskich donoszonych i u 33% wcześniaków. W okresie późniejszym, zwłaszcza w pierwszym roku życia, odsetek ten, na skutek samoistnego zstępowania jąder, obniża się do ok. 0,7%. U mężczyzn dojrzałych płciowo wynosi tylko ok. 0,33%.

Aby jądra mogły prawidłowo spełniać swoje funkcje, zwłaszcza plemnikotwórcze, muszą zwisać swobodnie w worku mosznowym. Zapewnia im to przede wszystkim właściwą termoregulację, niezbędną do rozwoju nabłonka plemnikotwórczego.

Wnętrostwo może być obu- albo jednostronne. W przypadku obustronego wnętrostwa oba jądra znajdują się poza workiem mosznowym, w kanałach pachwinowych lub w jamie brzusznej. W jednostronnym wnętrostwie jedno jądro zwisa swobodnie w mosznie, natomiast drugie znajduje się poza nią. Wnętrostwo jednostronne występuje 5-krotnie częściej niż obustronne.

Przyczyny. Do najczęstszych przyczyn wnętrostwa należą zaburzenia w budowie powrózka nasiennego, polegające na zbyt krótkim nasieniowodzie lub zbyt krótkich naczyniach otaczających go. Inną równie częstą przyczyną jest nieprawidłowa budowa kanałów pachwinowych – ich niedorozwój, uchyłki, częściowe lub całkowite zarośnięcie ujść wewnętrznych albo zewnętrznych. Również wrodzone przepukliny uniemożliwiają zstąpienie jąder.

Skutki. W jądrze niezstąpionym pojawiają się zmiany wsteczne, zwłaszcza w nabłonku plemnikotwórczym, nasilające się w okresie dojrzewania. Przypuszcza się, że są one spowodowane wyższą temperaturą jamy brzusznej w porównaniu z temperaturą worka mosznowego. Czynność komórek Leydiga wytwarzających hormon męski testosteron nie jest zakłócona, tak że rozwój cielesno-płciowy mężczyzn z wnętrostwem jest prawidłowy. U około połowy mężczyzn z jednostronnym wnętrostwem stwierdza się obniżenie płodności. 30-krotnie częściej u mężczyzn z niezstąpionymi jądrami rozwijają się nowotwory złośliwe. U chłopców świadomość choroby powoduje rozwój uczucia mniejszej wartości, czego następstwem mogą być zaburzenia zachowania.

Leczenie ma na celu zapobieżenie niepłodności oraz zmniejszenie ryzyka zmian nowotworowych. W zależności od opinii lekarza może być ono zachowawcze lub chirurgiczne.

Jądra przemieszczone (ektopowe). Jeśli jądro w czasie zstępowania do moszny „zboczy” z drogi zejścia i umiejscowi się w okolicy krocza, ud lub pachwin, zjawisko to określa się jako przemieszczenie (ektopię) jąder. Nieprawidłowość ta wymaga leczenia chirurgicznego.

Jądra wędrujące. Pod wpływem zimna, dotykania lub emocji jądra cofają się z worka mosznowego do kanałów pachwinowych, gdzie mogą znajdować się przez pewien czas, a w czasie snu lub ciepłej kąpieli, zstępują do moszny. Stosunkowo często jądra wędrujące mogą być mylnie rozpoznawane jako wnętrostwo. Tego typu pomyłki diagnostyczne mają istotne znaczenie, gdyż jądra wędrujące w przeciwieństwie do wnętrostwa nie wymagają leczenia. Zstępują samoistnie na stałe do moszny w początkowym okresie dojrzewania płciowego.

Przedwczesne dojrzewanie płciowe

Przedwczesne dojrzewanie płciowe jest stanem, w którym objawy pokwitania pojawiają się przed 10 r. życia. Wystąpienie cech dojrzałości płciowej nieproporcjonalnie do wieku metrykalnego, rozwiniętej siły fizycznej oraz rozbudzonego popędu płciowego, w połączeniu z psychiką odpowiadającą rzeczywistemu wiekowi chłopca, powoduje powstanie wielu problemów wychowawczych. Wyróżnia się dwa rodzaje przedwczesnego dojrzewania płciowego: prawdziwe lub idiopatyczne oraz rzekome.

Przedwczesne prawdziwe dojrzewanie płciowe

Jest ono następstwem rozbudzonej przedwcześnie czynności hormonalnej układu podwzgórze – przysadka – jądra. Wydzielane przez przedni płat przysadki hormony gonadotropowe pobudzają jądra do rozpoczęcia czynności hormonalnej i plemnikotwórczej. Podobnie jak w prawidłowym dojrzewaniu płciowym, w typowej dla niego kolejności pod wpływem wytwarzanego przez jądra testosteronu następuje rozwój męskich cech płciowych. Chłopcy przedwcześnie dojrzewający mogą wcześniej zakończyć proces wzrastania, są znacznie lepiej umięśnieni i silniejsi fizycznie od swoich prawidłowo rozwijających się rówieśników. Pojawiają się wytryski nasienia, w których po pewnym czasie stwierdza się obecność plemników. Paroletni chłopcy są wówczas zdolni do zapłodnienia.

Wytwarzany testosteron wpływa również na ośrodkowy układ nerwowy. Pojawia się agresywność oraz niejednokrotnie silnie zaznaczona pobudliwość seksualna. Następuje wczesne kostnienie nasad kości długich. Konsekwencją tego jest niski wzrost mężczyzn po zakończeniu dojrzewania.

Prawdziwe przedwczesne dojrzewanie płciowe może być uwarunkowane genetycznie lub może być spowodowane zmianami nowotworowymi w mózgu, zwłaszcza w okolicy międzymózgowia. Ponieważ początkowo zmiany nowotworowe zwykle nie dają innych objawów chorobowych, pojawienie się objawów przedwczesnego dojrzewania powinno być sygnałem do skonsultowania się z lekarzami specjalistami – neurologiem i endokrynologiem.

Badania laboratoryjne wykazują w surowicy krwi poziom gonadotropin oraz testosteronu odpowiadające stanom prawidłowo przebiegającego procesu dojrzewania płciowego. Wiek kostny wyprzedza jednak zawsze, przynajmniej o parę lat, wiek metrykalny.

Leczenie polega na hamowaniu wytwarzania hormonu luteotropowego przysadki, pobudzającego wydzielanie testosteronu przez jądra. Inną metodą leczenia jest uniemożliwienie łączenia się testosteronu z jego receptorami znajdującymi się w komórkach narządów organizmu. Celem leczenia jest zahamowanie procesu pokwitania z jednoczesnym cofaniem się istniejących już cech dojrzewania płciowego. W przypadku stwierdzenia guza mózgu, jest konieczne jego leczenie.

Przedwczesne rzekome dojrzewanie płciowe

Jest ono następstwem przedwczesnego wydzielania hormonów męskich – androgenów – przez jądra lub korę nadnerczy na skutek nieprawidłowej ich czynności. Zaburzenia czynności tych narządów mogą być spowodowane ich nowotworem, tzw. zespołem nadnerczowo-płciowym (zob. Endokrynologia, s. 799) lub zmianami w podwzgórzu i przysadce.

Rzekome przedwczesne dojrzewanie płciowe nie jest zbliżone do fizjologicznego dojrzewania płciowego. Na skutek wydzielania znacznych ilości hormonów androgennych pochodzenia jądrowego lub nadnerczowego następuje „umężczyźnienie" organizmu chłopca. Przejawia się ono silnym owłosieniem ciała, znacznym rozwojem prącia, pojawieniem się wytrysków nasienia, ale bez obecności plemników. Na skutek niewydzielania hormonów gonadotropowych przez przysadkę jądra nie rozwijają się, są małe, typu dziecięcego. Powiększeniu ulec może jedynie jądro zmienione nowotworowo.

Badania laboratoryjne wykazują niski poziom hormonów gonadotropowych w surowicy krwi, odpowiadający ich stanowi w okresie dziecięcym lub przedpokwitaniowym. Przy guzie jądra złożonym z komórek Leydiga poziom testosteronu w surowicy krwi jest wysoki i odpowiada stanom w zaawansowanym okresie dojrzewania płciowego. W zespole nadnerczowo-płciowym poziom testosteronu jest niski, natomiast poziom androgenów pochodzenia nadnerczowego bardzo wysoki.

Wiek kostny bez względu na przyczynę przedwczesnego rzekomego dojrzewania płciowego jest znacznie zaawansowany w stosunku do wieku metrykalnego.

Leczenie zależy od przyczyny powodującej przedwczesne rzekome dojrzewanie płciowe. Może być operacyjne lub farmakologiczne.

Opóźnione dojrzewanie płciowe

Przyczyną opóźnionego dojrzewania płciowego jest brak lub niedostateczne pobudzenie jąder przez gonadotropiny przedniego płata przysadki. Dojrzewanie płciowe może być opóźnione o kilka lat i pojawić się dopiero ok. 18 r. życia, kiedy u chłopców prawidłowo rozwijających się fizjologicznie jest ono już zwykle zakończone.

Chłopcy z opóźnionym dojrzewaniem płciowym mimo zaawansowanego wieku metrykalnego mają budowę ciała i cechy płciowe takie jak chłopcy w okresie przedpokwitaniowym. Ich rozwój umysłowy przebiega prawidłowo i jest zgodny z wiekiem metrykalnym. Ta dysproporcja między rozwojem cielesno-płciowym a rozwojem umysłowym powoduje wiele kompleksów na skutek trudności w nawiązywaniu i utrzymywaniu koleżeńskich kontaktów z prawidłowo rozwijającymi się rówieśnikami. Chłopcy z opóźnionym dojrzewaniem płciowym nie wykazują popędu płciowego lub jest on bardzo słabo zaznaczony.

Badania laboratoryjne wykazują, że poziom gonadotropin przysadkowych oraz testosteronu w surowicy krwi odpowiada wartościom sprzed okresu dojrzewania płciowego. Wiek kostny jest znacznie cofnięty w stosunku do wieku metrykalnego.

Leczenie. Opóźnione dojrzewanie płciowe nie wymaga w zasadzie leczenia. Do czasu pojawienia się objawów dojrzewania chłopcy powinni znajdować się pod obserwacją lekarską.

Rozrost gruczołów piersiowych

Rozrost gruczołów piersiowych, czyli ginekomastia, jest to rozrost tkanki gruczołowej sutka. Może on występować w każdym okresie życia mężczyzny i dotyczyć jednego lub obu sutków. Stopień rozrostu bywa różny, od niewielkiego uwypuklenia nie przekraczającego otoczki brodawki piersiowej do wielkości sutka dojrzałej kobiety.

Powiększenie gruczołów piersiowych u noworodków (do pierwszego miesiąca życia) i u chłopców w okresie dojrzewania płciowego mieści się w granicach fizjologicznych i następnie samoistnie znika. Powiększenie się tych gruczołów w innych okresach życia mężczyzny jest traktowane jako objaw patologiczny. Przyczyną ginekomastii jest zachwianie równowagi między androgenami i estrogenami na korzyść tych ostatnich. Może ona również powstać na skutek nadmiernej wrażliwości sutków na estrogeny produkowane przez organizm.

Rozrost gruczołów piersiowych w okresie dojrzewania płciowego występuje u ok. 70% chłopców. Najczęściej pojawia się ok. 14 r. życia, zwykle zanika po upływie paru miesięcy. Jest to objaw przejściowy, gdyż ustępuje wówczas, gdy stosunek między androgenami a estrogenami osiągnie wartości prawidłowe dla dojrzałego organizmu mężczyzny. U niektórych chłopców mimo wyrównania się proporcji androgeny – estrogeny objaw ten nie zanika. Nosi wtedy nazwę rozrostu gruczołów piersiowych prawdziwego, czyli ginekomastii idiopatycznej, i nie jest objawem nieprawidłowej czynności hormonalnej. Nie zaburza czynności plemnikotwórczej jąder, stanowi jedynie problem natury kosmetycznej.

Rozrost gruczołów piersiowych po okresie dojrzewania może pojawić się w wielu zespołach chorobowych. Jest często wynikiem uszkodzenia czynności jąder po przebytych urazach mechanicznych lub następstwem zapalenia tych gruczołów w takich chorobach, jak świnka, gruźlica i inne zakażenia bakteryjne lub wirusowe. Występuje też w nowotworach jąder oraz kory nadnerczy. Niejednokrotnie rozrost gruczołów piersiowych może być spowodowany uszkodzoną czynnością wątroby wskutek jej zapalenia, marskości, nowotworu oraz niedomogi krążenia. Czasami występuje w okresie przekwitania (andropauzy). Pojawia się również podczas stosowania niektórych związków hormonalnych oraz leków podawanych m.in. w gruźlicy płuc i w chorobach serca.

Nowotwory gruczołów piersiowych rzadko występują u mężczyzn. Mimo to w każdym przypadku ginekomastii pojawiającej się w okresie dojrzałości płciowej, a zwłaszcza w okresie starzenia się, konieczne jest badanie onkologiczne.

Leczenie sprowadza się przede wszystkim do usunięcia przyczyn wywołujących rozrost gruczołów piersiowych. Stosuje się zwykle leczenie farmakologiczne. W stanach nie poddających się leczeniu zachowawczemu wykonuje się operację plastyczną.

Zespół Klinefeltera

„Prawdziwy" zespół Klinefeltera

Istotą tego zespołu jest pierwotne uszkodzenie jąder pochodzenia genetycznego, a przyczyną istnienie dodatkowego lub dodatkowych chromosomów X w kariotypie, czyli zespole chromosomów danego osobnika (prawidłowy kariotyp męski 46 XY, żeński – 46 XX). W zespole Klinefeltera najczęściej spotykany jest kariotyp 47 XXY. Zespół ten cechuje również dodatni typ chromatyny płciowej, typowy dla płci żeńskiej. Występuje on u 0,2% noworodków płci męskiej. Zob. Patologia, Genetyczne podłoże chorób, s. 303.

Rozpoznanie. Przed okresem dojrzewania płciowego rozpoznanie „prawdziwego" zespołu Klinefeltera jest możliwe jedynie na podstawie badania chromatyny płciowej lub kariotypu. Objawy domyślne to przede wszystkim ociężałość umysłowa i niedojrzałość psychiczna w stosunku do wieku metrykalnego.

W okresie dojrzewania głównym objawem zespołu jest nieprawidłowy rozwój narządów płciowych, przy niepowiększaniu się jąder, których wielkość pozostaje nie zmieniona w stosunku do okresu dziecięcego. U ok. 60% chłopców z tym zespołem pojawia się rozrost gruczołów piersiowych (zob. wyżej).

W zaawansowanym okresie dojrzewania płciowego lub po jego zakończeniu sylwetka ciała ma przeważnie cechy eunuchoidalne. Młodzi mężczyźni mają długie kończyny, szerokie biodra, nietypowo dla płci męskiej rozłożoną podściółkę tłuszczową w okolicy gruczołów piersiowych, na biodrach i pośladkach. Zarost na twarzy jest słaby, jądra małe, wielkości grochu lub nieco większe. Prącie oraz pozostałe narządy płciowe są prawidłowo rozwinięte. Życie płciowe zwykle nie odbiega od normy. U chorych z tym zespołem zaznacza się w różnym stopniu nasilona o c i ę ż a ł o ś ć u m y s ł o w a.

B a d a n i e l a b o r a t o r y j n e nasienia wykazuje brak plemników, a badanie surowicy krwi wysoki poziom hormonów luteotropowego (LH) oraz folikulostymuliny (FSH). Poziom testosteronu jest niski. B a d a n i e m i k r o s k o p o w e wycinków jąder wykazuje znaczny rozrost komórek Leydiga oraz postępujące zwyrodnienie kanalików plemnikotwórczych jądra prowadzące do ich całkowitego zwłóknienia i zeszkliwienia.

Leczenie „prawdziwego" zespołu Klinefeltera polega na podawaniu testosteronu. Uzupełnianie tego hormonu umożliwia „korektę" sylwetki ciała i innych cech psychofizycznych, których stan zależy od prawidłowego poziomu testosteronu w organizmie.

„Rzekomy" zespół Klinefeltera

W zespole tym zarówno stan cielesno-płciowy, jak i wyniki badań laboratoryjnych nie wykazują istotnych różnic w porównaniu z „prawdziwym" zespołem Klinefeltera (zob. wyżej). W zespole „rzekomym" ujemna chromatyna płciowa i kariotyp 46 XY są charakterystyczne. Sprawia to, że mężczyźni z tą chorobą nie wykazują obniżenia poziomu inteligencji, będącego istotną cechą „prawdziwego" zespołu Klinefeltera.

Leczenie jak w „prawdziwym" zespole Klinefeltera.

Niedojrzałość płciowa

Przetrwała niedojrzałość płciowa, czyli **hipogonadyzm hipogonadotropowy**. Jest to zespół chorobowy polegający na trwałej niewydolności jąder spowodowanej brakiem ich pobudzania przez gonadotropowe hormony przedniego płata przysadki: luteotropinę (LH) i folikulostymulinę (FSH). R o z p o z n a n i e tego zespołu ustala się dopiero po 20 r. życia, aby uniknąć pomyłki z opóźnionym dojrzewaniem płciowym.

O b j a w y. Na skutek braku lub śladowego wydzielania hormonów gonadotropowych przysadki jądra pozostają trwale niedojrzałe, nie wytwarzają testosteronu lub wytwarzają go zaledwie w śladowych ilościach. Nabłonek plemnikotwórczy nie jest również rozwinięty. Mężczyzna z tym zespołem wykazuje c e c h y e u n u c h o i d a l n e: ma długie kończyny, szerokie biodra, podściółkę tłuszczową rozłożoną tak jak u kobiety (w okolicy gruczołów piersiowych, na biodrach i pośladkach), bardzo słabo rozwinięte owłosienie łonowe, brak owłosienia pachowego i na twarzy. Skórę ma cienką, gładką, prącie oraz jądra małe, jak u chłopców przed okresem dojrzewania płciowego. Z powodu nierozwiniętego gruczołu krokowego mężczyźni ci nie mają wytrysków nasienia. Brak oddziaływania testosteronu na organizm sprawia również, że rozwój mięśni jest słaby, a popęd płciowy nie występuje lub jest bardzo słabo zaznaczony. Rozwój umysłowy nie wykazuje odchyleń od stanu prawidłowego.

Nabyta, popokwitaniowa niedojrzałość płciowa może wystąpić u mężczyzn o prawidłowym rozwoju cielesno-płciowym. Jest ona spowodowana zmianami chorobowymi podwzgórza lub przedniego płata przysadki. Następstwem tego jest zanik wytwarzania hormonów gonadotropowych: luteotropiny i folikulostymuliny, a i w konsekwencji zahamowanie wydzielania testosteronu przez jądra. Następuje zanik gruczołu krokowego i, co za tym idzie, brak wytrysków nasienia lub znaczne zmniejszenie jego objętości. Dochodzi do przerzedzenia owłosienia pachowego i łonowego oraz zaniku owłosienia twarzy. Wielkość jąder nie ulega większym zmianom. Następuje zanik popędu płciowego i zmniejszenie aktywności życiowej.

Badania laboratoryjne wykazują w surowicy krwi śladowe ilości hormonów: luteotropiny, folikulostymuliny i testosteronu. W nasieniu brak jest plemników.

Zespół węchowo-płciowy. W zespole tym współistnieją cechy zespołu przetrwałej niedojrzałości płciowej (zob. wyżej) z brakiem lub wybitnym osłabieniem węchu.

Niezupełna dojrzałość płciowa. W tej odmianie hipogonadyzmu czynność jąder jest w mniejszym lub większym stopniu upośledzona. Rozwój cielesno-płciowy odpowiada zaawansowanemu dojrzewaniu płciowemu. Budowa ciała jest zbliżona do eunuchoidalnej (zob. wyżej). Istnieje owłosienie łonowe i pachowe, ale zarostu na twarzy brak lub jest bardzo słaby.

Badania laboratoryjne nasienia wykazują zwykle brak plemników. Poziom hormonów: luteotropiny, folikulostymuliny i testosteronu w surowicy krwi odpowiada początkowemu okresowi dojrzewania płciowego.

Leczenie hormonalne niedojrzałości płciowej i jej odmian daje dobre wyniki i prowadzi do rozwoju męskich cech u chorych.

Przekwitanie u mężczyzn

Przekwitanie u mężczyzn, czyli andropauza, jest jednym z elementów starzenia się organizmu. Przyczyną jest wygasanie czynności hormonalnej jąder. Proces ten wywiera istotny wpływ na stan cielesno-płciowy i psychiczny mężczyzn. Płodność, mimo że ulega stopniowemu obniżeniu, utrzymuje się do późnych lat.

Przekwitanie występuje zwykle po 50 r. życia. Wiek, w którym pojawiają się objawy andropauzy i ich nasilenie zależą od cech osobniczych. Przekwitanie występuje tym wcześniej, im słabsza była czynność hormonalna jąder w okresie dojrzałości płciowej. Stopień nasilenia objawów odczuwanych przez mężczyzn jest tym większy, im słabsza jest czynność androgenna jąder i kory nadnerczy wyrównującej niedobory androgenów. Około 30% mężczyzn na skutek zaburzeń okresu przekwitania wymaga leczenia.

Objawy. Głównymi objawami andropauzy są zaburzenia potencji i obniżenie odczuwania w czasie stosunku, a zwłaszcza w czasie wytrysku. Jego objętość jest zwykle zmniejszona. Do częstszych objawów należy też zmniejszenie sprawności fizycznej na skutek obniżenia siły mięśniowej oraz osłabienie sprawności umysłowej. Gorsza pamięć, trudności w koncentracji, gorsze kojarzenie i refleks bywają nadrabiane rutyną zawodową i mogą być przez długi czas niezauważane przez najbliższe otoczenie i przez samego mężczyznę znajdującego się w okresie przekwitania. Często obserwuje się objawy nerwicowe, jak nadmierna drażliwość, stany depresji, zaburzenia snu. Zwiększona zwykle w tym okresie życia podściółka tłuszczowa odkłada się w miejscach dla mężczyzn nietypowych, tj. w okolicy brodawek piersiowych, stwarzając wrażenie ginekomastii (zob. s. 1904), oraz na podbrzuszu i pośladkach. Zwiększa się owłosienie skóry tułowia. Prącie jest wiotkie, obkurczone. W szczególnie nasilonych przypadkach andropauzy występują uderzenia krwi do głowy, zlewne poty, uczucie zimna.

Badania laboratoryjne wykazują niewielkiego stopnia podwyższenie poziomu luteotropiny (LH) oraz obniżenie poziomu testosteronu w surowicy krwi.

Leczenie. Poza leczeniem farmakologicznym niezbędnym w przypadkach odczuwania objawów przekwitania, konieczne jest w tym okresie prowadzenie higienicznego trybu życia, zwalczanie otyłości, unikanie palenia tytoniu, picia alkoholu, spożywania tłuszczów pochodzenia zwierzęcego. Zaleca się spożywanie dużej ilości warzyw, owoców, a przy niedoborach witamin naturalnych, uzupełnianie ich braków preparatami wielowitaminowymi. Konieczne są codzienne spacery i gimnastyka.

Niepłodność mężczyzn

W niepłodności małżeńskiej w ok. 30–40% przyczyną niezachodzenia kobiety w ciążę jest upośledzenie płodności mężczyzny, uniemożliwiające zapłodnienie. Odsetek mężczyzn niepłodnych stale wzrasta! Wpływa na to z jednej strony większa wykrywalność niepłodności na skutek powszechnie przyjętej zasady badania mężczyzny w każdorazowym przypadku niepłodności małżeńskiej, z drugiej zaś wzrost szkodliwych czynników zewnątrzpochodnych, związanych zarówno ze szkodliwymi warunkami pracy, jak i bytowania (zatrucie środowiska). Nie bez znaczenia jest też stan plemnika zapładniającego jajo. Zapłodnienie przez patologiczny plemnik może być przyczyną nieprawidłowego rozwoju jaja płodowego, a w następstwie obumarcia ciąży i poronienia, może być również powodem rozwoju wad wrodzonych płodu.

Niezdolność do zapłodnienia może być wynikiem wrodzonych lub nabytych zaburzeń czynności plemnikotwórczej jąder lub odchyleń od stanu prawidłowego dróg wyprowadzających nasienie. Nieodwracalną niepłodność powodują m.in.: wrodzony brak nabłonka plemnikotwórczego, obustronne nie leczone wnętrostwo przed okresem dojrzewania płciowego, nieprawidłowości w garniturze chromosomalnym polegające na istnieniu dodatkowego chromosomu X, pozapalny zanik jąder będący powikłaniem nagminnego zapalenia przyusznic (świnki), nieprawidłowy rozwój dróg wyprowadzających nasienie, np. brak najądrzy i nasieniowodu lub ich niedorozwój.

Całkowitą niepłodność lub krańcowe obniżenie płodności powodują również zaburzenia czynności takich gruczołów wydzielania wewnętrznego, jak tarczyca, nadnercza, a zwłaszcza podwzgórze i przysadka. Przyczyną obniżenia płodności, a także impotencji uniemożliwiającej odbywanie stosunków płciowych może być cukrzyca. Prawidłowa czynność nabłonka plemnikotwórczego zależy od właściwego jego odżywiania i utlenienia, jak również termoregulacji jąder, dlatego żylaki powrózka nasiennego, wodniaki jąder oraz jednostronne wnętrostwo powodują zwykle obniżenie płodności. Czynią to także przewlekłe choroby wyniszczające organizm, długotrwały niedobór białka, witamin i składników mineralnych, szkodliwe dla zdrowia warunki pracy. Działanie czynników szkodliwych, np. chemikaliów, promieni jonizujących, mikrofal, zależy od stopnia ich nasilenia, czasu trwania oraz osobniczej wrażliwości mężczyzny. Czynniki te mogą wpływać przejściowo na stan płodności lub powodować nieodwracalne uszkodzenie nabłonka plemnikotwórczego.

Do zaburzeń w czynności nabłonka płciowego prowadzi także przegrzanie jąder spowodowane noszeniem obcisłych spodenek, co utrudnia bądź uniemożliwia ich termoregulację. Zbyt intensywne życie płciowe, zwłaszcza prowadzone przez mężczyzn z obniżoną płodnością, powoduje dalsze jej pogorszenie. Uszkadzać nabłonek plemnikotwórczy mogą również procesy immunologiczne (autoimmunizacja) wywołujące powstanie przeciwciał.

Badanie przyczyn niepłodności

Wywiad lekarski w czasie porady ma na celu ustalenie przyczyn, które aktualnie lub w przeszłości stały się powodem niemożności zapłodnienia przez badanego.

Badanie andrologiczne sprowadza się do oceny stanu i stopnia rozwoju oraz odchyleń od stanu prawidłowego narządów płciowych, typu budowy ciała i owłosienia. W zakres badania andrologicznego wchodzi badanie stanu gruczołu krokowego.

Badania laboratoryjne. Ocena płodności mężczyzny polega przede wszystkim na przeprowadzeniu badania nasienia, co pozwala na ocenę czynnika męskiego w niepłodności małżeńskiej.

Wynik badania nasienia (spermy) jest miarodajny, gdy są przestrzegane następujące wskazania: 1) przed oddaniem nasienia do badania powinna być zachowana 4–5-dniowa przerwa w stosunkach płciowych, 2) wytrysk nasienia (ejakulacja) wywoływany przez masturbację (onanizm) powinien być oddany do suchego naczynka, najlepiej w miejscu badania (laboratorium, gabinet lekarski); 3) jeśli wytrysk nasienia następuje w domu pacjenta (również do czystego szklanego naczynka), musi być w jak najkrótszym czasie po ejakulacji dostarczony do laboratorium. Należy wówczas podać osobie wykonującej badanie, ile czasu upłynęło od wytrysku. Dostarczanie nasienia do badania w prezerwatywie jest niecelowe, gdyż zetknięcie się plemników z gumą prezerwatywy i preparatem, którym jest ona pokryta, powoduje obniżenie ruchliwości i żywotności plemników. Wynik badania nasienia tak dostarczonego jest niemiarodajny, ponieważ nie ustala rzeczywistej wartości zapładniającej nasienia.

Ejakulat, czyli nasienie wydalone w czasie ejakulacji (wytrysku), składa się z płynu nasiennego, plemników oraz niewielkiej liczby złuszczonych komórek nabłonka płciowego, krwinek czerwonych i białych. Głównym elementem nasienia są plemniki. Komórki te składają się z główki, szyjki, wstawki i witki. W główce mieszczą się chromosomy, w których zawarte są geny wszystkich cech, zarówno fizycznych, jak i psychicznych, jakie mężczyzna przekazuje swemu potomstwu. Plemniki, dzięki długiej witce, mają zdolność samoistnego poruszania się. Ich szybkość przemieszczania się wynosi 1–2 mm/min. Droga, którą muszą przebyć, aby z pochwy dostać się do jajowodu, gdzie dochodzi zwykle do zapłodnienia, jest jak na tak małą komórkę bardzo długa, gdyż wynosi ok. 20 cm.

Wartość zapładniającą nasienia można uznać za prawidłową, jeśli odpowiada ono następującym warunkom: 1) objętość ejakulatu musi wynosić 2–6 ml; 2) okres upłynnienia nasienia, tj. zmiany konsystencji galaretowatej nasienia bezpośrednio po wytrysku w konsystencję płynną powinien wynosić ok. 20–30 min; 3) liczba plemników w 1 ml nasienia powinna przekraczać 40 mln; 4) po upłynnieniu nasienia, tj. po 20–30 min, żywą ruchliwość powinno wykazywać ok. 60–70% plemników, po 4 godz. – 50%, a po 24 godz. jeszcze ponad 10%; 5) w barwionych preparatach nasienia ok. 80% plemników powinno mieć prawidłową budowę; zwiększony odsetek plemników o budowie nieprawidłowej obniża wartość zapładniającą nasienia, ponieważ zarówno ruchliwość, jak i żywotność tych plemników są zmniejszone. Jeśli zdarzy się, że patologiczne plemniki są prawidłowo ruchome i żywotne, i zapładniają komórkę jajową, rozwój jaja płodowego może być nieprawidłowy i w konsekwencji tego może nastąpić poronienie. Jeśli ciąża utrzyma się, płód urodzi się z wadami rozwojowymi.

Odchylenia od normy w stanie nasienia są następujące:

oligozoospermia – zmniejszona liczba plemników, pozostałe parametry w normie;

cryptozoospermia – liczba plemników w 1 ml nie przekracza miliona;

azoospermia – brak plemników w badanym płynie nasiennym;

teratozoospermia – liczba plemników o nieprawidłowej budowie wynosi ponad 20%;

asthenozoospermia – zwiększony odsetek plemników o ruchach nieprawidłowych i pozbawionych ruchu; skrócona żywotność plemników;

necrozoospermia – wszystkie plemniki nieruchome.

W większości przypadków nieprawidłowości nasienia nie ograniczają się do jednej cechy. Zmniejszona liczba plemników może łączyć się np. z podwyższonym odsetkiem plemników nieruchomych lub słabo ruchomych.

Diagnostyczna biopsja jąder

Badanie nasienia pozwala na precyzyjne stwierdzenie, jaka jest wartość zapładniająca nasienia. W przypadku niepłodności (azoospermia) lub krańcowo obniżonej płodności (cryptozoospermia) nie można jednak ustalić, jakiego typu zmiany nastąpiły w jądrze i jak daleko są zaawansowane. Określenie rodzaju oraz stopnia uszkodzenia jądra jest możliwe dopiero po mikroskopowym zbadaniu wycinka jądra. Badanie to pozwala również na ustalenie właściwego leczenia.

Przyżyciowe pobranie wycinka jądra, czyli jego biopsja, jest zabiegiem bezpiecznym, wykonywanym w znieczuleniu. Wielkość pobranego wycinka odpowiada w przybliżeniu wielkości ziarna ryżu. Zabieg jest wykonywany rutynowo w większości ośrodków andrologicznych.

Leczenie

Leczenie niepłodności jest farmakologiczne, a w przypadku zmian pozapalnych w drogach wyprowadzających nasienie – operacyjne, odtwarzające światło tych dróg. Jeśli istnieją żylaki powrózka nasiennego, wodniak jąder lub przepuklina mosznowa, przed rozpoczęciem leczenia farmakologicznego powinno się je operacyjnie usunąć. Leczenie niepłodności jest zazwyczaj długotrwałe i musi być prowadzone systematycznie. Daje ono dobre wyniki odpowiadające w przybliżeniu wynikom leczenia niepłodności u kobiet.

Sztuczne unasienienie

Rozróżnia się dwa rodzaje sztucznego unasienienia, czyli sztucznej inseminacji: unasienienie nasieniem męża oraz unasienienie nasieniem dawcy. Warunkiem zajścia w ciążę przez inseminację jest nie budząca zastrzeżeń płodność kobiety. Obniżenie płodności znacznie redukuje możliwość zapłodnienia. Inseminacji dokonuje się w okresie jajeczkowania, wprowadzając do kanału szyjki lub jamy macicy uprzednio pobrane przez masturbację nasienie. Jest to zabieg ambulatoryjny.

Unasienienie nasieniem męża

Ten sposób zapłodnienia stosuje się w przypadkach niemożności odbycia stosunku doprowadzającego do zapłodnienia na skutek impotencji, zmian anatomicznych wrodzonych lub nabytych prącia. Częściej jednak sztucznego unasienienia dokonuje się wówczas, gdy leczenie niepłodności mężczyzny dało pozytywny wynik, ale nie uzyskano prawidłowego stanu nasienia. Brak dalszej poprawy mimo kontynuowania leczenia może świadczyć o osiągnięciu maksymalnej, w danym przypadku, wydolności nabłonka plemnikotwórczego.

Innym powodem są zaburzenia wrodzone lub nabyte u kobiety, powodujące niemożność odbycia przez nią stosunku płciowego, nadmierna kwasota jej pochwy, zmiany w śluzie szyjkowym macicy uniemożliwiające przejście plemników. Sztuczna inseminacja pozwala na ominięcie pochwy i kanału szyjki macicy, miejsc, w których ginie najwięcej plemników. Do zapłodnienia może dojść przy znacznie mniejszej liczbie plemników i słabszej ich żywotności niż przy zapłodnieniu naturalnym.

Unasienienie nasieniem dawcy

Polega ono na wprowadzeniu do narządów rodnych kobiety nasienia obcego mężczyzny – d a w c y. Wskazaniami do inseminacji nasieniem dawcy są przede wszystkim choroby dziedziczne przekazywane przez męża lub całkowita, nieodwracalna jego niepłodność.

SEKSUOLOGIA

Seksuologia zajmuje się życiem intymnym człowieka we wszystkich jego aspektach. Jest nauką interdyscyplinarną, łączącą w sobie elementy medycyny, psychologii, socjologii, antropologii, pedagogiki, prawa, filozofii, historii sztuki i kultury.

I. SEKSUALNOŚĆ CZŁOWIEKA

Płeć jest to zespół cech odróżniających w obrębie gatunku osobniki żeńskie wytwarzające komórki jajowe od osobników męskich wytwarzających plemniki. Płeć człowieka jest zdeterminowana genetycznie przez chromosomy płciowe XX u kobiety i XY u mężczyzny. Mechanizm genetycznej determinacji płci, ustalony w momencie zapłodnienia, kieruje procesem, który doprowadza do wykształcenia z niezróżnicowanego gruczołu płciowego, tj. gonady pierwotnej, ok. 6 tygodnia życia płodowego – jąder lub – nieco później – jajników. Między 8 a 15 tygodniem ciąży pod wpływem androgenów wytwarzanych przez jądra płodowe następuje różnicowanie najądrzy, nasieniowodów, przewodu wytryskowego, zawiązków pęcherzyków nasiennych, prącia i moszny. Przekształcenie się gonady pierwotnej w jajniki lub uszkodzenie czynności hormonalnej jąder płodowych prowadzi zawsze do tworzenia żeńskich narządów płciowych, tzn. jajowodów, macicy, pochwy, łechtaczki oraz warg sromowych większych i mniejszych. Androgeny płodowe nie tylko stymulują rozwój męskich narządów płciowych, ale również doprowadzają do wykształcenia się w mózgu męskiego typu ośrodków kierujących seksualnością.

Od momentu urodzenia na dziecko bezpośrednio oddziałują czynniki psychospołeczne, mające ważny udział w formowaniu psychicznego poczucia przynależności do płci żeńskiej lub męskiej. W okresie pokwitania, tj. dojrzewania płciowego, pod wpływem hormonów wydzielanych przez gruczoły płciowe wytwarzają się trzeciorzędowe cechy płciowe warunkujące odmienność postaci, takie jak wysokość i sylwetka ciała, typ owłosienia, wysokość głosu. Różnice wynikające z przynależności do którejś płci dotyczą zarówno wyglądu zewnętrznego, budowy narządów płciowych, regulacji neurohormonalnej, hormonalnej, przemiany materii, jak i zachowań związanych z prokreacją (wydaniem na świat potomstwa) i innymi formami aktywności seksualnej i nieseksualnej. Zaburzenie na którymkolwiek z wyżej wymienionych etapów różnicowania płciowego przysparza osobie dotkniętej tym zaburzeniem poważnych problemów natury seksualnej.

Popęd seksualny jest to wybiórczy stan gotowości do przyjęcia partnera płciowego. Na podłożu tego popędu powstaje pożądanie seksualne oraz dążenie do zaspokojenia i odprężenia seksualnego.

Potencją seksualną nazywa się zdolność do wypełniania funkcji seksualnych. Zaburzenia potencji seksualnej przejawiają się w niezdolności do pożądania partnera, niezdolności do sprawnego odbycia stosunku płciowego, niezdolności do osiągnięcia rozkoszy seksualnej, niezdolności do dostarczenia rozkoszy oraz niezdolności do zapłodnienia.

Pobudliwość seksualna jest to zdolność żywego organizmu do reagowania podnieceniem seksualnym na bodźce zewnętrzne. Im szybciej osobnik reaguje podnieceniem seksualnym na bodźce zewnętrzne, tym większą wykazuje pobudliwość seksualną.

Fazy reakcji seksualnych

Reakcja seksualna człowieka dzieli się na trzy fazy: pożądanie, podniecenie i orgazm. W poszczególnych fazach pojawiają się charakterystyczne reakcje fizjologiczne w obrębie narządów płciowych i poza nimi.

Pożądanie seksualne, czyli pragnienie kontaktów seksualnych, u mężczyzn występuje najczęściej i jest odczuwane najsilniej średnio między 20 a 35 r. życia, a następnie wraz z wiekiem obniża się. U kobiet optimum pożądania seksualnego przypada średnio na wiek ok. 30 lat i po 40 r. życia stopniowo obniża się. Pożądanie seksualne zbyt małe (w odniesieniu np. do wieku, stanu zdrowia, sytuacji życiowej) nosi miano oziębłości płciowej, natomiast zbyt duże – erotomanii.

Fazę podniecenia cechuje przekrwienie narządów płciowych. Podniecenie u mężczyzny charakteryzuje się napłynięciem krwi do prącia, co powoduje wzrost jego długości i obwodu oraz usztywnienie (wzwód, erekcja prącia). U kobiet podniecenie objawia się głównie rozluźnieniem mięśni wokół wejścia do pochwy, wydzielaniem śluzu i zwilżeniem ścian pochwy. Zaburzenia fazy podniecenia u mężczyzn objawiają się brakiem bądź niedostateczną sztywnością członka, aby odbyć spółkowanie. U kobiet zaburzenia tej fazy objawiają się brakiem lub niedostatecznym rozluźnieniem i zwilżeniem wejścia do pochwy.

Faza orgazmu u mężczyzn jest dwuetapowa. W pierwszym etapie płyn nasienny zostaje wypchnięty do części sterczowej cewki, w drugim – na zewnątrz na odległość 30-60 cm – jest to wytrysk nasienia, czyli ejakulacja. W fazie orgazmu u kobiet następują skurcze 1/3 zewnętrznej części pochwy, skurcze macicy, zwieracza odbytu i cewki moczowej. Zaburzenia tej fazy u mężczyzn mogą wystąpić najczęściej pod postacią przedwczesnej, zbyt wczesnej, opóźnionej ejakulacji lub jej braku. U kobiet zaburzenia tej fazy objawiają się zbyt rzadkim orgazmem lub jego brakiem.

Aktywność seksualna a zapłodnienie i ciąża

Wzajemne związki między życiem seksualnym oraz zapłodnieniem, ciążą i porodem są oczywiste. Wartość zapładniająca nasienia (spermy) zależy m.in. od częstotliwości stosunków płciowych. Największą wartość zapładniającą ma ejakulat (porcja nasienia zawarta w wytrysku) po 4–7-dniowej abstynencji płciowej. Także czas trwania stosunku może mieć wpływ na składniki ejakulatu. Przy nieznacznie opóźnionej ejakulacji sperma ma zawierać więcej elementów jądra i gruczołów, co jest korzystne dla zapłodnienia. Zbyt rzadko podejmowane stosunki płciowe mogą nie trafiać na okresy optymalnej zdolności kobiety do zapłodnienia i utrudniać zajście w ciążę. Odczuwanie bólu przez kobietę podczas spółkowania, oziębłość płciowa, brak uczuciowego związku z mężem mogą utrudniać zapłodnienie na skutek psychogennego blokowania jajeczkowania (owulacji). Zaburzenia seksualne utrudniające lub uniemożliwiające kobiecie spółkowanie (pochwica, dyspareunia) również ograniczają zdolność do jej zapłodnienia. U mężczyzn przyczyną niepłodności może być wytrysk przedwczesny i zaburzenia erekcji prącia uniemożliwiające bądź ograniczjące zdolności do spółkowania.

Reaktywność seksualna kobiet w I trymestrze ciąży (w pierwszych 3 miesiącach ciąży) na ogół obniża się u kobiet, które dotychczas nie rodziły, natomiast nie ulega zmianom u wieloródek. W II trymestrze ciąży występuje wzmożenie reaktywności seksualnej u większości kobiet, natomiast w III trymestrze reaktywność ta wyraźnie się obniża. Aktywność seksualna w okresie ciąży zwykle nie stwarza zagrożenia dla jej utrzymania i rozwoju. Przeciwwskazanie do odbywania stosunków płciowych w ciąży stanowią niektóre powikłania ciąży, takie jak: krwawienie z dróg rodnych, przedwczesne odpłynięcie wód płodowych, groźba poronienia albo porodu przedwczesnego. Szczególnie ważne jest unikanie stosunków i masturbacji w I trymestrze ciąży przez kobiety, które miały już samoistne poronienia. W ostatnich dwóch miesiącach ciąży kobieta powinna zachować wstrzemięźliwość płciową z uwagi na możliwość sprowokowania porodu przedwczesnego. W okresie poporodowym karmienie dziecka piersią sprzyja szybszemu powrotowi prawidłowej aktywności seksualnej kobiety.

II. ZABURZENIA SEKSUALNE

Zaburzenia seksualne u kobiet

Oziębłość seksualna cechuje się brakiem pragnienia kontaktów seksualnych, brakiem odpowiednich reakcji w czasie kontaktu, brakiem redukcji napięć seksualnych (które są minimalne) oraz brakiem satysfakcji emocjonalnej. Oziębłość rozpoznaje się, gdy kobieta nigdy nie osiąga ani silniejszego podniecenia seksualnego, ani orgazmu, mimo istnienia więzi emocjonalnych z partnerem oraz mimo „technicznie" prawidłowych stosunków płciowych. Nie osiąga również orgazmów, gdy pobudza własne narządy płciowe (masturbuje się) i nie ma orgazmów nocnych.

Podłożem oziębłości mogą być czynniki psychiczne lub somatyczne, zaburzające prawidłowy rozwój psychoseksualny kobiety – oziębłość seksualna pierwotna – lub doprowadzające do oziębłości wtórnej. Urazy seksualne w dzieciństwie, lęk przed własnymi odczuciami erotycznymi, przesadny wstyd, tendencje dewiacyjne (homoseksualne, sadystyczne, masochistyczne) mogą kształtować takie postawy wobec seksu, których efektem jest oziębłość seksualna. Oziębłość może być też jednym z objawów chorób przysadki, podwzgórza, gruczołów płciowych, tarczycy, nadnerczy, depresji o różnej przyczynie oraz schizofrenii. Kobiety oziębłe traktują kontakty seksualne z mężem jako przykrą konieczność i różnymi sposobami, czego nie zawsze są w pełni świadome, starają się ograniczyć je do minimum. Oziębłość seksualna nie jest dla nich źródłem cierpienia, dlatego do seksuologa zgłaszają się raczej z problemami małżeńskimi będącymi wtórnym efektem braku ich reaktywności seksualnej.

Dyspareunia jest to niezdolność do osiągnięcia orgazmu przy prawidłowym, pod względem technicznym, przebiegu spółkowania ze stałym partnerem. Brak orgazmu, a nawet odczuwanie bólu podczas spółkowania, obniżają doznania erotyczne, lecz nie wykluczają możliwości osiągania satysfakcji seksualnej podczas stosunku płciowego z partnerem bardziej dobranym pod względem seksualnym. Jest to więc forma zaburzeń orgazmu ujawniająca się tylko w czasie spółkowania i tylko w danym układzie partnerskim.

Przyczyną dyspareunii jest nieodpowiedni dobór partnera. Negatywne uprzednie doświadczenia seksualne z danym partnerem stają się wybiórczym hamulcem nie pozwalającym kobiecie na przeżycie orgazmu z nim. Zaburzenie to może spowodować rozwój wtórnych nerwic seksualnych oraz np. oziębłości seksualnej.

Przyczyną bolesnego spółkowania, poza dyspareunią, mogą być m.in.: zranienie wejścia do pochwy, stany zapalne pochwy na tle bakteryjnym, alergicznym i po rentgenoterapii, brak wydzielania śluzu w fazie podniecenia seksualnego, poporodowe uszkodzenie więzadeł macicy, zapalenie mięśnia i błony śluzowej macicy, zrosty jajników, jajowodów lub macicy oraz różnego pochodzenia guzy zlokalizowane w miednicy małej. Usunięcie przyczyny eliminuje w tych przypadkach bolesne spółkowanie i przywraca kobiecie możliwość przeżywania orgazmu w tym samym układzie partnerskim.

Pochwica jest to mimowolny, odruchowy skurcz mięśni zamykających wejście do pochwy, będący reakcją na próbę wprowadzenia do pochwy prącia, palca, przedmiotu lub na samą myśl o spółkowaniu. Zamknięcie wejścia do pochwy jest tak ścisłe, iż uniemożliwia wprowadzenie prącia, a siła skurczu mięśni może wywoływać ból. W czasie próby penetracji pochwy u kobiet dotkniętych pochwicą dominującym objawem jest uczucie lęku i zagrożenia. Może to być lęk przed ciążą, przed bólem w czasie defloracji, przed bólem podczas spółkowania, przed wniknięciem czegoś obcego w jej ciało lub też przed uszkodzeniem jej ciała.

Przyczyną pochwicy mogą być: uraz doznany w czasie zgwałcenia, skłonności homoseksualne, brak akceptacji partnera, zdominowanie partnera przez kobietę. Najczęściej jednak przyczyną pochwicy są stany lękowe, których pochodzenie bywa trudne do ustalenia. Nieudana próba spółkowania wywołuje u kobiety z pochwicą poczucie frustracji, małowartościowości, kalectwa, upokorzenia, lęku przed następnymi próbami i utratą partnera. Unikanie prób spółkowania wzmacnia mechanizmy odpowiedzialne za powstanie pochwicy i prowadzi do niekonsumowania małżeństwa przez wiele lat. U mężów żon cierpiących na pochwicę może rozwinąć się wytrysk przedwczesny i wtórna impotencja. Pochwica powinna być traktowana jako „nagły przypadek seksuologiczny", ponieważ każda następna próba spółkowania pogłębia i utrwala nieprawidłowe reakcje związane z próbą penetracji pochwy.

Anorgazmia jest to niezdolność kobiety do osiągnięcia orgazmu w czasie stosunku płciowego, mimo istnienia podniecenia seksualnego oraz akceptacji partnera. Zdolność do przeżywania orgazmu może być „uszkodzona" w różnym stopniu. Istnieją kobiety nie przeżywające orgazmu w ogóle, istnieją też takie, u których zdolność ta jest zachowana w mniejszym lub większym stopniu.

Brak zaburzeń w przeżywaniu orgazmu przez kobietę nie oznacza, że przeżywa ona orgazm przy każdym stosunku płciowym. Również przeżycie orgazmu nie zawsze jest równoznaczne z osiągnięciem przez kobietę pełnej satysfakcji ze stosunku płciowego. Sprawy te zależą od warunków, w jakich odbywa się spółkowanie, od stosowanego przez mężczyznę rodzaju stymulacji seksualnej, od spełnienia przez niego oczekiwań pozaseksualnych kobiety oraz od stosunku emocjonalnego do partnera.

Przyczyną anorgazmii mogą być: obawy przed niepożądaną ciążą, przemęczenie fizyczne i psychiczne, negatywna postawa wobec życia seksualnego i mężczyzn, homoseksualne skłonności oraz wiele innych czynników, m.in. egoistyczne zachowania partnera nie liczącego się z potrzebami i z upodobaniami seksualnymi kobiety, brak doświadczenia seksualnego u partnera, przedwczesny lub zbyt wczesny wytrysk nasienia, zaburzenia wzwodu prącia.

Anorgazmia ma przebieg dynamiczny: od braku orgazmu, poprzez obojętność, a następnie przykre doznania podczas stosunku płciowego, prowadzi do niechęci i wstrętu wobec wszelkich kontaktów seksualnych. Brak orgazmu przy podnieceniu seksualnym kobiety podczas stosunków płciowych może doprowadzić do zmian organicznych w narządach miednicy małej. Długo utrzymujące się przekrwienie narządu rodnego kobiet po stosunku sprzyja powstawaniu odczynów zapalnych, a następnie zwyrodnienia w obrębie jajników, jajowodów, macicy, pochwy i tkanek otaczających narząd rodny. Częstym powikłaniem długotrwałej anorgazmii są również zaburzenia nerwicowe typu histeryczno-neurastenicznego.

Zespół zakodowanych reakcji seksualnych. Utrwalenie się pewnych stereotypów reakcji (np. przez częste powtarzanie się bodźców wyobrażeniowych i somatycznych przy uprawianiu masturbacji) stwarza swoisty „kod”, według którego przebiega cykl reakcji seksualnych kobiety. Zespół zakodowanych reakcji seksualnych powstaje na podłożu masturbacji uprawianej w okresie dojrzewania lub wczesnej młodości przez utrwalenie się skojarzenia stanów podniecenia seksualnego ze specyficznymi bodźcami niemożliwymi do odtworzenia przez mężczyznę. Kobieta, mimo dużej własnej pobudliwości seksualnej, nie osiąga zaspokojenia seksualnego w układzie partnerskim z mężczyzną. Prowadzi to do wielu negatywnych skutków, zarówno dla jej zdrowia, jak i dla harmonii współżycia małżeńskiego i rodzinnego.

Zaburzenia seksualne u mężczyzn

Zaburzenia erekcji prącia polegają na całkowitym braku wzwodu lub wzwodzie częściowym, utrudniającym lub uniemożliwiającym wprowadzenie prącia do pochwy. Zaburzenie to może również polegać na zaniku wzwodu podczas stosunku płciowego. Impotencja pierwotna występuje wówczas, gdy mężczyzna nigdy nie odbył spółkowania z powodu zaburzeń wzwodu. Jeżeli mężczyzna odbył chociażby jedno spółkowanie, wówczas mówi się o impotencji wtórnej.

Przyczynę zaburzeń erekcji stanowić mogą m.in.: cukrzyca, akromegalia, choroba Addisona, nadczynność tarczycy, eunuchoidyzm, choroby nerek w stadium niewydolności (chorzy dializowani), choroby układu krążenia, przewlekłe choroby układu oddechowego, stwardnienie rozsiane, guzy rdzenia kręgowego lub uraz rdzenia, neuropatia obwodowa, padaczka, uszkodzenia ośrodkowego układu nerwowego, stwardnienie włókniste prącia, uraz prącia, zapalenie gruczołu krokowego, zapalenie tętnic, stan po usunięciu gruczołu krokowego, sympatektomii, a także alkohol, środki obniżające ciśnienie krwi, leki psychotropowe, leki uspokajające. Impotencja erekcyjna w przebiegu chorób somatycznych powstaje w wyniku czterech podstawowych mechanizmów: 1) hormonalnego, 2) neurologicznego, 3) naczyniowego, 4) psychicznego.

Zaburzenia erekcji powstają również na tle nerwicowym. Jakiekolwiek niepowodzenie seksualne wynikające np. z przemęczenia, złego nastroju lub nieodpowiedniego dobrania partnerki może wywołać u mężczyzny uczucie niepokoju o jego sprawność seksualną. Podczas następnych kontaktów seksualnych mężczyzna zaczyna bacznie obserwować swoje narządy płciowe i głównie na nich skupia swoją uwagę. Im bliższy jest moment wprowadzenia prącia do pochwy, tym lęk o prawidłowy wzwód staje się silniejszy. Natężenie lęku może w pewnym momencie przewyższyć stopień podniecenia płciowego i do spółkowania nie dojdzie z powodu nie wystąpienia lub zaniku erekcji prącia. Lęk o prawidłowy wzwód i lęk przed kompromitacją to główne przyczyny nerwicowego zaburzenia wzwodu i impotencji u mężczyzny.

Brak wzwodu lub wzwód niepełny podczas próby *pierwszego stosunku płciowego* może być wywołany lękiem przed zakażeniem chorobą weneryczną, przed spowodowaniem ciąży, przed ośmieszeniem i niekorzystną oceną przez partnerkę. Również hamulce natury religijnej, etycznej i estetycznej mogą skutecznie zaburzać erekcję prącia. Następne próby, jeżeli kończą się niepowodzeniem, to już głównie z powodu lęku o prawidłowy wzwód. Wywołuje to poczucie choroby, niewydolności seksualnej i impotencji.

Nerwicowe zaburzenia wzwodu charakteryzują się prawidłowymi najczęściej erekcjami prącia w sytuacjach „niezagrożonych" stosunkiem płciowym, natomiast w momencie pojawienia się takiego zagrożenia lęk zaburza wzwód uniemożliwiając spółkowanie. Jest to reakcja analogiczna do reakcji kobiet dotkniętych pochwicą (zob. s. 1917).

Priapizm jest szczególną *formą zaburzeń wzwodu*, polegającą na trwającym dłuższy czas bolesnym usztywnieniu członka. *Przyczynami* somatycznymi mogą być różne procesy chorobowe toczące się w kanale kręgowym, uciskające rdzeń na poziomie dolnych segmentów krzyżowych, choroby zapalne mózgu, opon i rdzenia, urazy mózgu i rdzenia kręgowego, białaczka i inne. Wśród *przyczyn natury psychicznej* pewną rolę odgrywa zaskoczenie, lęk i zagrożenie podczas stosunku płciowego, które mogą spowodować czynnościowe, długotrwałe usztywnienie prącia.

Zaburzenia wytrysku nasienia. Zalicza się tutaj wytrysk przedwczesny, zbyt wczesny, opóźniony, brak wytrysku (aspermatyzm) i nasieniotok.

Wytrysk przedwczesny jest to wytrysk nasienia przed wprowadzeniem prącia do pochwy. Wytrysk może nastąpić w czasie rozbierania się, gry miłosnej, przy dotknięciu warg sromowych lub wejściu do pochwy. W skrajnych przypadkach wytrysk następuje zanim jeszcze pojawi się wzwód prącia.

Wytrysk zbyt wczesny jest to wytrysk nasienia po wprowadzeniu prącia do pochwy, ale przed osiągnięciem orgazmu przez kobietę. Ta definicja wymaga zastrzeżenia, że kobieta prawidłowo reaguje seksualnie i zdolna jest do przeżywania orgazmu. Przyjmuje się, iż spółkowanie powinno trwać minimum 2 min, aby większość prawidłowo reagujących kobiet osiągnęła orgazm. Wytrysk przedwczesny i zbyt wczesny rozwija się na podłożu wzmożonej pobudliwości seksualnej, wiążącej się najczęściej z młodym wiekiem mężczyzny lub długim okresem abstynencji seksualnej. Na nieudany stosunek z powodu zaburzeń wytrysku, występujących na podłożu nadpobudliwości seksualnej, nakłada się zwykle reakcja nerwicowa potęgująca objawy zaburzeń. Czynnikami sprzyjającymi rozwojowi oraz nasilaniu się objawów są: atmosfera nerwowości i pośpiechu podczas spółkowania, konieczność wycofania prącia z pochwy tuż przed wytryskiem nasienia (stosunek przerywany) oraz niewłaściwe reakcje kobiety na zaburzenia wytrysku występujące u jej partnera.

Wytrysk opóźniony jest to wytrysk po długim okresie trwania stosunku, mimo pragnienia, aby nastąpił wcześniej. Wytrysk opóźniony może być wynikiem nadmiernej częstotliwości spółkowania, małej erotycznej atrakcyjności partnerki, działania różnorodnych bodźców hamujących podczas stosunku, niechęci do partnerki lub sytuacji konfliktowej. Również skłonności dewiacyjne (homoseksualne, sadystyczne, masochistyczne i inne) mogą opóźniać wytrysk nasienia. W alkoholizmie oraz niektórych chorobach rdzenia kręgowego wytrysk opóźniony może być jednym z objawów choroby zasadniczej. Przyjmowanie niektórych leków może też powodować opóźnienie wytrysku, a nawet jego brak. Niewielkie opóźnienie wytrysku u dobranych i seksualnie atakcyjnych dla siebie partnerów pełni rolę pozytywną przedłużając stosunki płciowe. Najczęściej jednak przy znacznie opóźnionym wytrysku partnerka przejawia objawy zniecierpliwienia przedłużającym się spółkowaniem, co może wpływać na jeszcze większe jego opóźnienie. Stan taki doprowadza do narastającego konfliktu między partnerami i zniechęcenia kobiety do stosunków płciowych.

Nasieniotok polega na stałym lub bardzo częstym sączeniu się nasienia z cewki moczowej bez orgazmu, erekcji i podniecenia seksualnego. Wyciek nasienia nasila się podczas defekacji i mikcji. Nasieniotok może rozwijać się jako powikłanie wytrysku przedwczesnego lub może być objawem organicznych zmian w obrębie przewodów nasiennych i zwieraczy.

Zaburzenia seksualne a układ partnerski

Zaburzenia psychoseksualne w większości przypadków są zaburzeniami „parzystymi", tj. rozwijającymi się w obrębie pewnego konkretnego układu, pary, jaką stanowią mężczyzna i kobieta. Specyfika tych zaburzeń polega na tym, że rozwijają się w danym, konkretnym układzie, natomiast może ich nie być, gdy mężczyzna i kobieta próbują stworzyć inny układ, z inną osobą. Jeżeli nowy układ partnerski będzie pozytywny, zaburzenia, które wystąpiły w poprzednim układzie, mogą się nie pojawić lub będą miały mniejsze nasilenie.

Wszelkie reakcje zakłócające harmonijne współżycie seksualne w układzie partnerskim, spowodowane niedoborem psychicznym i fizycznym mężczyzny i kobiety, określa się mianem dysharmonii seksualnej. Dużą rolę w układzie partnerskim odgrywa zaufanie, jakim obdarza się partnera, i pewność jego uczuć. Gdy np. mężczyzna mający kłopoty ze wzwodem prącia i wobec tego lękający się niepowodzenia przy próbie spółkowania znajdzie się w układzie partnerskim z kobietą doświadczoną, sprawną seksualnie, może po kilku udanych stosunkach całkowicie pozbyć się swych zaburzeń wzwodu. Gdy ten sam mężczyzna znajdzie się w układzie partnerskim z kobietą mającą kłopoty w podjęciu stosunku płciowego, do spółkowania może nie dojść i zaburzenia u obojga rozwiną się w pełni.

Masturbacja

M a s t u r b a c j a jest to zachowanie seksualne polegające na pobudzaniu własnych narządów płciowych w celu wywołania u siebie rozkoszy płciowej. Wyniki badań ujawniły, że 94% mężczyzn i 49% kobiet masturbuje się w jakimś okresie swego życia. Nowsze badania podają nawet większe wartości: do 100% mężczyzn i 85% kobiet. Żadna inna forma aktywności seksualnej nie wywoływała tylu dyskusji, nie była w przeszłości, a w niektórych środowiskach i obecnie, tak ostro potępiana, a zarazem tak powszechnie stosowana. Jeszcze obecnie wiele osób jest przekonanych, że masturbacja wywiera szkodliwy wpływ na zdrowie.

Część mężczyzn z zaburzeniami seksualnymi wiąże występujące u nich zaburzenia z uprawianą w przeszłości masturbacją. Nie ma naukowych dowodów na to, iż uprawianie masturbacji ma szkodliwy wpływ na zdrowie, a w tym i na funkcjonowanie seksualne człowieka.

Masturbacja jest jedną z form aktywności seksualnej. To racjonalne podejście do zagadnienia masturbacji znalazło wyraz w zastosowaniu t r e n i n g u m a s t u r b a c y j n e g o w leczeniu niektórych zaburzeń seksualnych. Negatywne skutki masturbacji wynikają przede wszystkim z pojawienia się lęku i poczucia winy u osób stosujących tę formę rozładowania napięcia seksualnego. Lęk i poczucie winy wiążą się z przekonaniem o szkodliwości masturbacji i z łamaniem zakazów stosowania jej. Jednak m a s t u r b a c j a s t o s o w a n a j a k o j e d y n a f o r m a rozładowania napięcia seksualnego, przy możliwości kontaktów seksualnych w układzie partnerskim, j e s t n i e p r a w i d ł o w ą f o r m ą r e a l i z a c j i popędu seksualnego.

III. AKTYWNOŚĆ SEKSUALNA W WIEKU PODESZŁYM

Na aktywność seksualną w wieku podeszłym rzutują przede wszystkim następujące czynniki: fizjologiczne zmiany wsteczne (zanikowe) w układzie płciowym ludzi starszych, częste w tym okresie choroby i konieczność przyjmowania różnych leków, brak stałego partnera seksualnego oraz nieakceptowanie przez społeczeństwo, najbliższą rodzinę i samych ludzi starszych przejawów seksualności.

Popęd seksualny i potencja w wieku podeszłym mogą kształtować się bardzo różnie: od zupełnego ich wygaszenia i zaniku do utrzymywania się na dobrym poziomie aż do późnej starości. U kobiet zanik funkcji hormonalnej jajników powoduje zmiany wsteczne w narządzie rodnym. Ściany pochwy cieńczeją, pochwa zwęża się i staje się wrażliwsza na urazy. Spółkowanie przy takich zmianach zanikowych może być bolesne dla kobiety. Leczenie hormonalne oraz regularne odbywanie stosunków płciowych zapobiegają tym niekorzystnym zmianom. U mężczyzn w wieku podeszłym wolniej pojawia się erekcja prącia, nie jest ona taka pełna jak w wieku młodym czy średnim, wytrysk nasienia następuje pod zmniejszonym ciśnieniem, co obniża stopień doznawanej rozkoszy podczas orgazmu, a ponadto nie wszystkie stosunki płciowe kończą się wytryskiem nasienia. Te fizjologiczne zmiany związane ze starzeniem się mężczyzna może odczytać jako objawy pojawiającej się niewydolności seksualnej i zareagować na nie wtórną impotencją na tle nerwicowym. Może temu zapobiec właściwa informacja o fizjologicznych zmianach, jakie zachodzą w układzie płciowym z wiekiem, w przypadkach koniecznych podawanie hormonów, prawidłowe zapobieganie i leczenie chorób, a ponadto właściwy stosunek społeczeństwa przyznającego ludziom starym prawo do miłości erotycznej i kontaktów seksualnych.

IV. AKTYWNOŚĆ SEKSUALNA MĘŻCZYZN Z CHOROBĄ WIEŃCOWĄ LUB PO ZAWALE SERCA

Mężczyźni z chorobą wieńcową lub po zawale serca mogą mieć problemy seksualne o różnym nasileniu, poczynając od tylko zmniejszonej aktywności seksualnej do całkowitej impotencji. Problemy seksualne i ich zakres nie zawsze są wynikiem ciężkości choroby podstawowej, zdolności do wysiłku fizycznego, przyjmowanych leków lub wieku mężczyzny. Często wznowienie aktywności seksualnej wzbudza większy niepokój, niż wznowienie aktywności fizycznej innego rodzaju. Lęk przed bólem wieńcowym, utratą przytomności, następnym zawałem może ograniczać lub całkowicie eliminować zachowania seksualne. Zmniejszona aktywność seksualna lub całkowity jej brak staje się czynnikiem stresującym zarówno dla mężczyzny, jak i jego partnerki.

Istotny wpływ na funkcjonowanie seksualne mężczyzny z chorobą wieńcową lub po zawale wywiera zachowanie się jego partnerki seksualnej. Kobieta bojąc się negatywnych następstw, jakie mogą wyniknąć dla chorego partnera z podjęcia kontaktu seksualnego, świadomie może unikać zbliżeń seksualnych. Taka postawa partnerki najczęściej ujemnie wpływa na potencję mężczyzny.

Na aktywność seksualną mężczyzn z chorobą wieńcową lub po zawale serca mają wpływ takie czynniki, jak: stopień uszkodzenia serca, zdolność do wysiłku fizycznego, częstotliwość bóli wieńcowych, skłonność do występowania arytmii, wiek, przyjmowane leki, nasilenie lęku o zdrowie, stosunek partnerki do kontaktów seksualnych, aktywność seksualna przed chorobą.

W każdym przypadku decyzję o zdolności chorego do zachowań seksualnych i podjęciu przez niego aktywności seksualnej podejmie lekarz indywidualnie, określając tolerancję wysiłkową chorego oraz oceniając psychologiczne i seksuologiczne nastawienie mężczyzny i jego partnerki. Chorzy z chorobą wieńcową lub po zawale powinni rozmawiać z lekarzem prowadzącym o swoich problemach seksualnych. Takie objawy, jak ból wieńcowy, bezsenność i nadmierne zmęczenie występujące po kontakcie seksualnym powinni konsultować z lekarzem. Dla mężczyzn z chorobą wieńcową i po zawale nie wskazane są kontakty seksualne po obfitym posiłku, po spożyciu alkoholu oraz kontakty mogące nieść ze sobą silne przeżycia emocjonalne (np. przy zmianie partnerki).

V. SATYSFAKCJA SEKSUALNA KOBIET

Stopień uzyskanej przez kobietę satysfakcji seksualnej i rozładowania napięcia seksualnego jest niejako miarą wartości przeżywanego orgazmu. Orgazmy są różne u różnych kobiet i różne w różnych sytuacjach u tej samej kobiety. Żaden z tych orgazmów nie jest lepszy ani gorszy. Istnieją również kobiety, które mają satysfakcję i przyjemność w czasie spółkowania i nie przeżywają orgazmu. Satysfakcja seksualna tych kobiet, które przeżywają orgazm podczas spółkowania, i tych, które nie mają orgazmu, jest wyrazem wielu różnych prawidłowych wzorów (orgazmicznych i nieorgazmicznych) czerpania przyjemności z kontaktu seksualnego. Zdarzają się małżeństwa, które szukają porady lekarskiej lub nawet rozwodzą się tylko dlatego, że żona nie osiąga orgazmu, nawet jeśli uzyskuje satysfakcję psychiczną i fizyczne odprężenie w wyniku spółkowania z mężem. Małżeństwa te przeceniają znaczenie orgazmu i kładą nacisk na jeden tylko ograniczony aspekt ich życia intymnego. Reakcja fizjologiczna, jaką jest orgazm, nie może być miarą najgłębszych uczuć człowieka i miarą całokształtu kontaktów seksualnych dwojga ludzi.

Obecnie kobieta i jej partner nie zawsze są w stanie sprostać pewnym narzuconym człowiekowi kulturowo wzorom i normom seksualnym. Takie wzory i normy są propagowane przez niektóre podręczniki pożycia małżeńskiego, w których poucza się, jakie metody pobudzania seksualnego i techniki seksualne najskuteczniej doprowadzają kobietę do orgazmu. Tymczasem technika seksualna nie jest tak ważna w osiągnięciu orgazmu, jak to się popularnie przedstawia. Przeciwnie, stosowanie różnorodnych technik seksualnych może niejednokrotnie przeszkadzać kobiecie w uzyskaniu orgazmu. Kobiety bardzo się od siebie różnią, jeśli chodzi o czas trwania gry wstępnej i spółkowania potrzebnego im do uzyskania orgazmu. Niektóre osiągają orgazm przy krótkim lub zerowym okresie gry wstępnej i krótkim okresie spółkowania, inne nie przeżywają orgazmu nawet przy 20-minutowym lub dłuższym okresie gry wstępnej i dłuższym spółkowaniu. Osiągnięcie orgazmu jest często problemem złożonym i nie rozwiążą go „poradniki" doradzające dłuższą grę wstępną i dłuższe spółkowanie. Poczucie szczęścia małżeńskiego, miłość do partnera, pewność jego miłości są tymi czynnikami, które w sposób istotny wpływają na stopień uzyskanej przez kobietę satysfakcji z kontaktów seksualnych.

VI. METODY TERAPEUTYCZNE STOSOWANE W KLINICE SEKSUOLOGICZNEJ

Terapia zaburzeń seksualnych jest złożonym postępowaniem, na które składają się różne formy leczenia medycznego (farmakoterapia, leczenie chirurgiczne) i psychoterapii. To, czy w terapii ma przewagę leczenie medyczne (np. hormonalne), czy też psychoterapia, zależy od przyczyny zaburzenia. W klinice seksuologicznej są stosowane liczne badania diagnostyczne pozwalające ocenić, czy przyczyną dysfunkcji są zaburzenia somatyczne (np. choroba, uraz, zażywane leki, alkohol), czy też psychologiczne (np. lęk, awersja, dewiacja).

Zaburzenia seksualne ujawniają się w interakcji z partnerem, dlatego leczenie powinno odbywać się w układzie partnerskim. Możliwość zaangażowania partnera w leczenie (szczególnie w psychoterapii) ma korzystny wpływ dla przebiegu terapii. Niekiedy pomoc może ograniczyć się do wyjaśnienia zasad fizjologii i psychologii seksualności oraz skorygowania u pacjenta fałszywych poglądów na te tematy. Długoterminowe metody psychoterapii (np. psychoanaliza) ze względu na czas ich trwania mają mniejsze zastosowanie w leczeniu zaburzeń seksualnych. Z metod psychoterapeutycznych w klinice seksuologicznej mają zastosowanie głównie kilkutygodniowe programy terapeutyczne, mające na celu zmianę zachowania seksualnego pacjenta. Terapia polega na wyuczeniu właściwych reakcji seksualnych w interakcji z partnerem. Przy kwalifikowaniu do tego typu terapii istotne znaczenie mają właściwe motywacje. Terapia ta wymaga bowiem ze strony pacjenta gotowości do podjęcia nowych doświadczeń seksualnych, nierzadko znoszenia lęku itp. Dla poszczególnych zaburzeń seksualnych (np. impotencji, zaburzeń wytrysku, pochwicy) są opracowane i stosowane różniące się między sobą krótkoterminowe programy psychoterapeutyczne.

Leczenie dysfunkcji seksualnych, których przyczyną są zaburzenia somatyczne, musi uwzględniać nie tylko czynnik somatyczny, ale także oddziaływanie na psychikę i zachowanie pacjenta. W tych przypadkach w proces diagnozy i leczenia jest zaangażowany z reguły specjalista seksuolog i psycholog kliniczny wyszkolony w terapii seksuologicznej.

Farmakoterapia. Brak zainteresowania seksem często związany jest z depresją. Leczenie farmakologiczne przeciwdepresyjne poprzedza właściwą terapię seksuologiczną. Stosowanie hormonów jest uzasadnione wyłącznie wówczas, gdy na podstawie badań laboratoryjnych lekarz stwierdza zaburzenia hormonalne. Terapię hormonalną stosuje się w leczeniu transseksualizmu (zmiana płci). W leczeniu impotencji erekcyjnej znajdują zastosowanie z doskonałym skutkiem leki z grupy prostaglandyn.

Leczenie chirurgiczne stosuje się rzadko. U mężczyzn z nieodwracalnym uszkodzeniem mechanizmu erekcji prącia lub z brakiem jąder są wstawiane odpowiednie protezy. U kobiet dokonuje się korekcji rozmiaru piersi lub protezuje się sutki po ich amputacji. U mężczyzn operacje chirurgiczne na naczyniach krwionośnych stosuje się w przypadku zwężonego lub zamkniętego światła tętnic zaopatrujących ciała jamiste prącia w krew. Skomplikowane i rozległe leczenie chirurgiczne stosuje się w przypadku transseksualizmu.

VII. ZAPOBIEGANIE ZABURZENIOM SEKSUALNYM

Szczególnie istotnym okresem życia dla późniejszego prawidłowego funkcjonowania człowieka w społeczeństwie, a więc i w życiu seksualnym, jest okres pierwszych 4 lat życia dziecka. W tym czasie kształtują się podstawy osobowości przyszłego dorosłego człowieka. Aby ta osobowość była prawidłowa, jest niezbędne zapewnienie dziecku w tym okresie akceptacji, miłości i opieki ze strony najbliższych mu osób. Następnym, nie mniej ważnym okresem jest okres dojrzewania płciowego. W tym czasie należy chronić dziecko przed wstrząsami psychicznymi, otoczyć szczególną opieką i miłością, zapewnić mu prawidłowy z biologicznego punktu widzenia przebieg dojrzewania płciowego. Od momentu, gdy dziecko zaczyna pytać o sprawy związane z płcią, należy mówić mu prawdę na poziomie jego obecnego rozwoju umysłowego. Odpowiednie książki, rozmowa z lekarzem mogą zapobiec temu, aby młody mężczyzna wkraczał w życie seksualne już z kompleksem impotencji, małego prącia lub onanistycznym, a kobieta uważała siebie za kalekę tylko dlatego, że przeżywa orgazm łechtaczkowy. Przy zauważonych zaburzeniach seksualnych lub jeżeli nasuwają się problemy związane z życiem intymnym, należy jak najszybciej zgłosić się po poradę do seksuologa. Pozwoli to uniknąć utrwalenia się nieprawidłowych objawów oraz ich nasilenia.

CHOROBY PRZENOSZONE DROGĄ PŁCIOWĄ

Wśród chorób zakaźnych istnieją takie, które najczęściej przenoszą się z osób chorych na zdrowe podczas kontaktów seksualnych. Niektóre z tych chorób, znane od wieków, do niedawna były określane – od imienia rzymskiej bogini miłości Wenus, inaczej Wenery – nazwą „chorób wenerycznych", która podkreślać miała ich związek z życiem płciowym człowieka. Takimi chorobami rozpowszechnionymi w Europie są kiła i rzeżączka, uznane ze względu na ich częstość występowania i następstwa dla zdrowia za choroby społeczne. Inna choroba z tej grupy, o nazwie wrzód miękki (inaczej szankier miękki), przed drugą wojną jeszcze częsta na naszym kontynencie, obecnie w Polsce nie występuje.

W ostatnim trzydziestoleciu wyłonił się nowy, ważny problem kliniczny i epidemiologiczny – nierzeżączkowych zapaleń dolnych odcinków narządów moczowo-płciowych przenoszonych drogą płciową. Zapalenia te są wywoływane przez różnego rodzaju bakterie, pierwotniaki (tzw. rzęsistki pochwowe), grzyby drożdżopodobne oraz wirusy. Zakażenia te obecnie spotyka się coraz częściej, a w niektórych krajach przekraczają one liczbę zachorowań na rzeżączkę. Obok nierzeżączkowych zapaleń dróg moczowo-płciowych nierzadkie są także choroby wirusowe przenoszące się drogą kontaktów płciowych, takie jak kłykciny kończyste, opryszczka narządów płciowych, AIDS oraz pewne choroby pasożytnicze, np. wszawica łonowa i świerzb u osób dorosłych.

Wyżej wymienione zakażenia nie są zaliczane do tradycyjnie pojmowanych chorób wenerycznych, a także z prawnego punktu widzenia do nich nie należą. Nie jest bowiem uzasadnione rozciąganie na całą tę grupę ani nazwy, ani przepisów prawnych dotyczących chorób uznawanych za weneryczne w dawnym pojęciu. Nazwa choroby weneryczne ma wszak wieloletnią tradycję jako wyraźnie negatywna i dyskryminująca. I mimo że wiele zmieniło się w obyczajowości społeczeństw, choroby weneryczne nadal uważa się za „wstydliwe", a chorzy, jak dawniej, często wkładają wiele wysiłku, aby zachorowanie ukryć, zamiast je po prostu leczyć. Tym właśnie tłumaczy się starania wenerologów o zmianę terminologii, zwłaszcza że coraz większego znaczenia nabierają choroby, które nie są tradycyjnie traktowane jako weneryczne. Ostatecznie Światowa Organizacja Zdrowia zaleciła używanie terminu – „choroby przenoszone drogą płciową" (*sexually transmitted diseases* – w skrócie STD).

Przyczyny szerzenia się kiły, rzeżączki i innych chorób przenoszonych drogą płciową

Spośród chorób przenoszonych drogą płciową przedmiotem największej uwagi organizatorów ochrony zdrowia są nadal przede wszystkim k i ł a i r z e ż ą c z k a, jako choroby o szczególnym znaczeniu społecznym. Mimo bowiem szybszego niż kiedykolwiek dotąd postępu w medycynie – który doprowadził do rozwiązania zagadnień diagnostycznych i zapewnił wyleczalność tych chorób – częstość zakażeń kiłą i rzeżączką, jak wynika z raportu Światowej Organizacji Zdrowia, stopniowo zwiększa się w świecie i nie należy się spodziewać rychłego zahamowania tego wzrostu.

Problem szerzenia się kiły i rzeżączki powszechnie jest uważany za czysto medyczny i odpowiedzialnością za wzrost zachorowań na te choroby obciąża się służbę zdrowia, od niej też oczekuje się poprawy. Tymczasem przyczyny tego są złożone i trudne do usunięcia. Na niekorzystny stan wpływają w mniejszym stopniu czynniki natury medycznej, w większym zaś – natury społeczno-obyczajowej.

Właśnie dlatego, mimo pełnych w zasadzie możliwości rozpoznawania oraz leczenia kiły i rzeżączki, nawet w krajach najwyżej rozwiniętych gospodarczo istnieją warunki powodujące rozpowszechnianie tych chorób. Sama służba zdrowia nie może więc w pełni skutecznie działać ze względu na przyczyny, które w szerzeniu się tych chorób odgrywają zasadniczą rolę. P r z y c z y n y te można podzielić na trzy zasadnicze grupy: 1) wspomniany już i rozpowszechniony w społeczeństwie nieuzasadniony wstyd, który powstrzymuje wielu chorych od szybkiego zgłoszenia się do lekarza; 2) poważne braki w wychowaniu zdrowotnym powodujące, że osoby, u których występują objawy kiły lub rzeżączki, niejednokrotnie przez dłuższy czas nie wiążą ich z możliwością zakażenia, nie przychodzą do poradni i nie powstrzymują się od kontaktów seksualnych; 3) czynniki sprzyjające nawiązywaniu kontaktów seksualnych z przypadkowo poznanymi partnerami, które są najczęstszym źródłem zakażeń; takimi czynnikami są: uprzemysłowienie powodujące tworzenie dużych skupisk ludzi młodych, przybyłych do pracy, urbanizacja stwarzająca pewną anonimowość życia w dużych miastach, a tym samym trudności wykrywania źródeł zakażenia, zmiana modelu życia rodzinnego powodująca osłabienie wpływu wychowawczego rodziny, ruchliwość społeczeństw związana z rozwojem komunikacji, a wreszcie rozpowszechnienie prostytucji i wzrost spożycia alkoholu.

Epidemiologia i zwalczanie kiły oraz rzeżączki w Polsce

Zwalczanie kiły i rzeżączki w Polsce, tak jak w większości innych krajów, jest uregulowane odpowiednimi przepisami prawnymi. Podstawowym aktem jest Dekret z 16 IV 1946 r. o zwalczaniu chorób wenerycznych, ogłoszony w Dzienniku Ustaw nr 51 z 1949 r., na podstawie którego wydano wiele bardziej szczegółowych przepisów.

Leczenie jest całkowicie bezpłatne i jednocześnie obowiązkowe, na chorych nałożono obowiązek pomocy w wykrywaniu źródeł zakażenia i kontaktów, przewidziano prowadzenie badań zapobiegawczych oraz działalności uświadamiającej. Na tych zasadach podjęto w 1948 r. – kiedy w Polsce, podobnie jak w większości krajów europejskich, notowano znaczne zwiększenie zapadalności na rzeżączkę, a zwłaszcza na kiłę – planową walkę z tymi chorobami. Doprowadziła ona do znacznego obniżenia zachorowań na kiłę, które osiągnęły najniższy poziom w 1954 r. (8 na 100 000 mieszkańców). Wyniki zwalczania rzeżączki nie były jednak tak pomyślne.

Wspomniane przyczyny o charakterze społecznym i obyczajowym, a także pewne osłabienie nasilenia walki z kiłą i rzeżączką, spowodowały wkrótce ponowny wzrost liczby zakażeń, zwłaszcza kiłą, które osiągnęły w 1969 r. bardzo wysoki poziom – 52 na 100 000 mieszkańców. Zakażenia rzeżączką uległy w tym okresie podwojeniu. Wprawdzie w innych krajach obserwowano także wzrost liczby zakażeń, lecz nasze wskaźniki były szczególnie niekorzystne i znacznie odbiegały od zapadalności w innych krajach europejskich. Wysoki był przy tym odsetek zachorowań młodzieży (15% poniżej 20 r. życia, a 50% poniżej lat 25), bardzo często późne zgłaszanie się chorych do lekarzy, a wykrywanie źródeł zakażenia i kontaktów stosunkowo mało skuteczne.

W początkach 1970 r. opracowano i wprowadzono w życie realizowany do dziś program nasilenia walki z kiłą i rzeżączką, koordynowany przez utworzony w tym celu Instytut Wenerologii w Akademii Medycznej w Warszawie. Głównymi kierunkami tego programu były:

1) poprawa pracy poradni dermatologicznych przez podnoszenie poziomu fachowego lekarzy, rozbudowę laboratoriów oraz unowocześnienie metod leczenia;

2) zwiększenie skuteczności wykrywania źródeł zakażenia i kontaktów oraz szybsze obejmowanie opieką lekarską osób zakażonych, a także stosowanie leczenia zapobiegawczego w okresie wylęgania choroby u osób, które przez kontakty seksualne z chorymi naraziły się na zakażenie;

3) zwiększenie liczby badań profilaktycznych przeciwkiłowych i podjęcie takich badań przeciw rzeżączce;

4) unowocześnienie form i znaczne rozszerzenie zakresu oświaty zdrowotnej, prowadzonej we wszystkich środowiskach, zwłaszcza wśród młodzieży.

Działania te spowodowały zmniejszenie zapadalności na kiłę o 96%, tj. do 2,3 na 100 000 ludności w 1993 r., co jednak w porównaniu z innymi krajami wciąż było wskaźnikiem raczej wysokim. Zapadalność na rzeżączkę obniżyła się o 95%, osiągając 7,8 zachorowań na 100 000 mieszkańców. Walka z rzeżączką jest o wiele trudniejsza ze względu na jej dużą zakaźność i to również w okresie wylęgania, niepowodzenia lecznicze związane z obniżeniem się wrażliwości jej zarazków na antybiotyki, a przede wszystkim często bezobjawowy, skryty przebieg zakażenia i trudności diagnostyczne u kobiet.

Mimo dużej poprawy sytuacja epidemiologiczna w zakresie kiły i rzeżączki nie jest wciąż zadowalająca i zawsze można spodziewać się nagłego wzrostu zachorowań na te choroby. Dlatego intensywność działań zapobiegawczych nie może być osłabiona.

I. RZEŻĄCZKA

Rzeżączka określana bywa także nazwą tryper. Jest ona bardzo częstą chorobą przenoszoną drogą płciową, w niektórych krajach nawet najczęstszą spośród wszystkich chorób zakaźnych. Znana była już w starożytności, o czym świadczą wzmianki w dziełach autorów indyjskich, japońskich, greckich oraz w Biblii. Nie wiedziano jednak, że przenosi się przez stosunki płciowe, a wyciek ropny z cewki moczowej traktowano jako wypływ nasienia.

Rozpoznanie rzeżączki jest możliwe wyłącznie na podstawie badania bakteriologicznego wydzieliny chorobowej. Niekiedy wystarcza badanie mikroskopowe rozmazu wydzieliny, czasami konieczne jest wykonanie posiewów na odpowiednich pożywkach (hodowla). Choroby nie można w żadnym przypadku rozpoznać wyłącznie na podstawie objawów, gdyż podobne objawy może dawać zakażenie innymi drobnoustrojami.

Rzeżączkę wywołują bakterie zwane dwoinkami rzeżączki, dwoinkami Neissera (który był ich odkrywcą) lub gonokokami. Kształtem przypominają ułożone parami ziarenka kawy zwrócone do siebie wklęsłymi powierzchniami. Mało odporne na działanie czynników zewnętrznych, poza organizmem szybko giną, zwłaszcza w środowisku suchym. Są bardzo wrażliwe na wysokie temperatury oraz środki odkażające.

Zakażenie rzeżączką

Zakażenie rzeżączką następuje prawie wyłącznie drogą płciową, ponieważ najdogodniejszym środowiskiem do rozwoju zarazków jest błona śluzowa narządu moczowo-płciowego i tam też choroba najczęściej umiejscawia się. Dwoinki rzeżączki rozwijają się u mężczyzny na błonie śluzowej cewki moczowej, u kobiety na śluzówce cewki moczowej lub szyjki macicy. Jeśli u kobiety dostaną się tylko na wargi sromowe albo do przedsionka pochwy, zazwyczaj nie prowadzi to jeszcze do zakażenia; dlatego też przeniesienie choroby przez gąbkę lub ręcznik, używane przedtem przez osobę chorą, zdarza się u dojrzałych kobiet rzadko. W zależności od form współżycia seksualnego niekiedy następuje u osób obojga płci zakażenie odbytu lub jamy ustnej.

Zakażenia drogą pozapłciową spotykane są niekiedy u dziewczynek przed okresem pokwitania, gdyż w tym wieku wrażliwa na zarazki jest także błona śluzowa przedsionka pochwy. Źródłem zakażenia bywają rodzice (spanie we wspólnym łóżku), chora piastunka lub chore dziecko w domu dziecka, przedszkolu, żłobku; przeniesienie wydzieliny następuje wówczas za pośrednictwem przedmiotów lub nie mytych rąk.

Rzeżączka u mężczyzn

Okres wylęgania (inkubacji), czyli czas od zakażenia do wystąpienia pierwszych objawów choroby, wynosi u mężczyzn najczęściej 2–6 dni. Pierwsze objawy to mniej lub bardziej nasilone pieczenie w cewce moczowej, występujące zwłaszcza przy oddawaniu moczu, oraz wyciek obfitej wydzieliny ropnej z cewki. Mimo że objawy bez leczenia mogą po pewnym czasie prawie zupełnie ustąpić, chory jest nadal zakaźny, bo choroba trwa, przechodząc w stan przewlekły.

Powikłania mogą wystąpić, jeśli chory nie leczy się, a także jeśli się nie zgłasza do kontroli po leczeniu oraz pije alkohol. Może wtedy dojść do zajęcia nie tylko cewki moczowej, lecz także innych narządów układu moczowo-płciowego. Szczególnie poważne i stosunkowo częste jest zapalenie najądrza, objawiające się znacznym jego obrzękiem i bolesnością oraz gorączką. W wyniku stanu zapalnego może dojść do zarośnięcia kanalików najądrza, którymi plemniki wydostają się na zewnątrz. Jeśli zmiany są obustronne, prowadzą do niepłodności. Czynność samego jądra jest zazwyczaj prawidłowa, a potencja płciowa zwykle zachowana. Innym poważnym powikłaniem jest zapalenie gruczołu krokowego, czyli prostaty, które objawia się silnym bólem samoistnym, potęgującym się przy siedzeniu oraz przy oddawaniu stolca, a w ostrym zapaleniu także gorączką. Niekiedy wystąpić może zapalenie pojedynczych dużych stawów jako wynik uogólnienia procesu chorobowego. Powikłanie to zdarza się także u kobiet.

Rzeżączka u kobiet

Okres wylęgania choroby jest dłuższy niż u mężczyzn i wynosi 1–2 tygodnie. Bakterie umiejscawiają się początkowo na błonie śluzowej cewki moczowej lub szyjki macicy. Niekiedy ściekająca wydzielina wtórnie zakaża odbyt. W pochwie natomiast dwoinki rzeżączki nie znajdują dogodnych warunków rozwoju z powodu kwaśnego środowiska oraz budowy nabłonka. Choroba może objawiać się upławami, czyli ropną wydzieliną z dróg rodnych, a czasem także pieczeniem przy oddawaniu moczu. Bardzo często jednak upławy są słabo nasilone lub nie występują wcale. W przeważającej liczbie zakażeń kobiety nie dostrzegają objawów choroby. Jeśli nawet mają upławy, mogą je zlekceważyć, ponieważ często występują one przy innych chorobach kobiecych. Nie zdając sobie sprawy ze swej choroby, kobieta może utrzymywać stosunki płciowe i nieświadomie zakażać partnera. Często dowiaduje się ona o swej chorobie od partnera, którego zaraziła, a czasami nawet dopiero wówczas, gdy wystąpią powikłania. Ustalenie rozpoznania u kobiety bywa nieraz trudne i niekiedy wymaga nawet kilkakrotnego powtarzania badania bakteriologicznego.

Powikłania rzeżączki nie leczonej są poważne, dochodzi bowiem do zajęcia wyższych odcinków dróg rodnych. Najczęściej stwierdza się zapalenie przydatków, czyli jajników i jajowodów. To początkowo ostre powikłanie miewa przewlekły charakter i często trudno poddaje się leczeniu; jako następstwo w przypadku zmian obustronnych może pozostać niedrożność jajowodów, a w konsekwencji niepłodność. Niekiedy prócz zapalenia przydatków dochodzi – wskutek dalszego szerzenia się stanu zapalnego – do zapalenia otrzewnej miednicy małej. Innym powikłaniem rzeżączki bywa zapalenie gruczołu Bartholina. Objawia się ono obrzękiem i dużą bolesnością podstawy wargi sromowej i przedsionka pochwy po jednej lub wyjątkowo (gdy proces jest obustronny) po obu stronach.

Rzeżączkowe zapalenie oczu u noworodków

Istnieje niebezpieczeństwo zakażenia rzeżączką oczu rodzącego się dziecka, jeśli matka jest chora na tę chorobę i nie leczyła się. Dochodzi wówczas u noworodka do zapalenia spojówek, a następnie rogówki i całego oka, co może doprowadzić do uszkodzenia wzroku. Zapobiega się temu przez jednorazowe zakroplenie oczu wszystkim nowo narodzonym dzieciom 1% roztworem azotanu srebra, co należy do obowiązków każdej położnej. Zabieg ten nosi nazwę zabiegu Credégo. Jego znaczenie jest duże, ponieważ częsty jest bezobjawowy lub skąpoobjawowy przebieg rzeżączki u kobiet, które wskutek tego nie leczą się. (Zakażenie oczu dwoinkami rzeżączki u dorosłych, np. za pośrednictwem brudnych palców, jest bardzo rzadkie).

Leczenie rzeżączki

Przed rozpoczęciem leczenia jest konieczne ustalenie przez lekarza rozpoznania. Nie należy na własną rękę zażywać leków, zwłaszcza sulfonamidów (np. Biseptolu) i antybiotyków, gdyż mogą one zamaskować objawy i nie prowadząc do wyleczenia bardzo utrudnić właściwe rozpoznanie.

Podstawowym lekiem stosowanym w rzeżączce jest penicylina. Leczenie nie jest długie ani uciążliwe. Zasadą jest stosowanie bardzo dużych dawek penicyliny w krótkim czasie. Decydujące znaczenie ma bowiem wytworzenie tak wysokiego stężenia tego leku we krwi, aby nawet mniej wrażliwe szczepy dwoinek rzeżączki nie mogły się oprzeć jego działaniu. Leczenie takie jest najczęściej w pełni skuteczne. W przypadku przeciwwskazań do stosowania penicyliny, np. uczulenie, lub też w razie oporności, czyli niewrażliwości zarazków na ten antybiotyk, są stosowane inne leki.

Pomyślny wynik leczenia zależy w znacznym stopniu od przestrzegania zalecanych terminów zabiegów i badań kontrolnych, od bezwzględnego unikania picia napojów alkoholowych przez okres leczenia i kontroli oraz od powstrzymania się od stosunków płciowych do czasu zezwolenia przez lekarza, co może nastąpić dopiero wówczas, gdy wyniki badań mikroskopowych po leczeniu są ujemne, a więc po ok. 2 tygodniach od leczenia.

Kontrola po leczeniu ma ogromne znaczenie. Ustanie wycieku lub zmniejszenie upławów nie jest równoznaczne z wyleczeniem. Badania kontrolne pozwalają wykryć stan utajenia choroby, a dalsze odpowiednie leczenie zapobiec jej nawrotom i powikłaniom. Szczególnie starannej kontroli muszą być poddawane kobiety, z uwagi na większe trudności w rozpoznawaniu u nich choroby. Wczesne leczenie rzeżączki i kontrola po leczeniu pozwalają na wyleczenie chorego bez żadnych następstw, nawet jeśli zarazki okazały się oporne, czyli niewrażliwe na penicylinę, gdyż istnieją inne skuteczne leki. W przypadku wystąpienia powikłań, leczenie musi być intensywniejsze, często konieczne jest nawet leczenie szpitalne.

Zakaźność rzeżączki

Chodzi oczywiście o zakaźność przez kontakty płciowe. Najbardziej zakaźna jest ostra, objawowa postać choroby. Rzeżączka jest jednak zaraźliwa także przed wystąpieniem objawów, tj. w okresie wylęgania, stąd też zdarzają się często nieświadome zakażenia. Ze względów epidemiologicznych szczególnie niebezpieczne są osoby, u których choroba przebiega bez wyraźnych objawów. Takie przypadki często stwierdza się u kobiet (nawet do 80% wszystkich zakażeń), ale zdarzają się one także wśród mężczyzn. Zakaźni są również chorzy, u których na skutek stosowanego leczenia objawy już ustąpiły, lecz którzy nie zostali jeszcze wyleczeni. Także nie wyleczone komplikacje, np. u kobiet przewlekłe zapalenie przydatków, są źródłem zakaźności, która może być wtedy stała bądź tylko okresowa – w czasie zaostrzeń zmian chorobowych.

Od chwili podejrzenia lub stwierdzenia choroby nie wolno utrzymywać stosunków płciowych aż do czasu, gdy lekarz wyraźnie na to zezwoli.

II. KIŁA

Kiła lub inaczej syfilis jest poważną chorobą, nękającą od lat społeczeństwa. I chociaż dziś na skutek postępu wiedzy straciła wiele ze swojej dawnej grozy, gdyż medycyna potrafi obecnie dobrze ją rozpoznawać i skutecznie leczyć, nie wolno jej lekceważyć, ponieważ nie leczona, leczona zbyt późno lub nieregularnie może stać się przyczyną ciężkiego uszkodzenia zdrowia, prowadzącego nawet do śmierci.

Dzieje kiły to temat interesujący z uwagi na wiele do dziś nie rozwiązanych zagadnień. Problem pochodzenia tej choroby w Europie dzieli historyków medycyny na dwie grupy. Jedni utrzymują, że kiłę do Europy przywieźli marynarze Kolumba, którzy zarazili się od mieszkanek Ameryki Środkowej, gdzie miała ona istnieć od wieków, w łagodnej postaci, natomiast przeniesiona na grunt europejski, dwa lata później (w 1495 r.) wybuchła pod postacią bardzo groźnej epidemii. Druga grupa badaczy twierdzi, że kiła istniała w Europie już wcześniej, a różnorodne przyczyny złożyły się na wybuch epidemii w końcu XV w. Pierwsza wzmianka o istnieniu kiły w Polsce pochodzi z 1495 r.

Zakażenie kiłą

Chorobę tę wywołują drobnoustroje nazywane krętkami bladymi, z uwagi na charakterystyczny wygląd pod mikroskopem. Można je stwierdzić w wydzielinie ze zmian chorobowych jedynie przy użyciu specjalnego urządzenia mikroskopowego – ciemnego pola widzenia, w którym widoczne są jako bardzo cienkie, białosrebrzyste spirale.

Krętki blade znajdują się zazwyczaj w dużej ilości w wydzielinie ze zmian chorobowych, są jednak bardzo wrażliwe na wpływ warunków otoczenia, a zwłaszcza na wysychanie. Ta ich właściwość oraz konieczność istnienia powierzchownego, drobnego choćby uszkodzenia naskórka, przez które mogłyby wniknąć do organizmu, tłumaczy, dlaczego zakażenie następuje prawie wyłącznie przez stosunek płciowy. Czasami, choć bardzo rzadko, do zakażenia kiłą może dojść przez pocałunek z osobą chorą mającą wykwity chorobowe w jamie ustnej. Zupełnie wyjątkowo zakazić się można pośrednio przez przedmioty, z którymi styka się osoba chora, lecz praktycznie droga pozapłciowa nie ma znaczenia.

Badanie serologiczne krwi

W wyniku procesów zachodzących w organizmie, we krwi osoby chorej stwierdzić można, po upływie ok. 5 tygodni od zakażenia, pewne związki chemiczne, tzw. reaginy, wykrywane przy użyciu odczynów serologicznych, które dają wówczas wynik dodatni. Dawniej wykonywano odczyn Wassermanna, dziś zastąpiono go bardziej nowoczesnymi próbami, takimi jak odczyny: VDRL, USR, immunofluorescencji (FTA), Nelsona i inne. Są one pomocne w rozpoznawaniu choroby oraz w badaniach kontrolnych po leczeniu.

Kiła pierwszego okresu

Po okresie wylęgania, wynoszącym 2–4 tygodnie, w miejscu, w którym zarazki wniknęły do organizmu, a więc najczęściej na narządach płciowych, pojawia się mała, niebolesna ranka, nazywana zmianą pierwotną. Badaniem mikroskopowym można stwierdzić krętki blade w wydzielinie z tej zmiany. Równocześnie powiększają się węzły chłonne w pachwinach. Zmiana pierwotna u kobiety może być czasami nie zauważona, gdy umiejscowi się w wewnętrznych częściach narządów płciowych. Jeśli osoba chora nie rozpocznie leczenia, zmiana pierwotna zagoi się sama, ale choroba będzie rozwijać się nadal.

Kiła drugiego okresu

Po 10 tygodniach od zakażenia na skórze występuje uogólniona, bardziej lub mniej wyraźna wysypka, w postaci plamek lub grudek, która zazwyczaj nie swędzi i nie sprawia dolegliwości. Jest to drugi okres kiły. Wysypka ta, nazywana wczesną, również ustępuje bez leczenia, lecz może nawracać w różnych postaciach, często sączących, zajmując głównie narządy płciowe, pachwiny i okolicę odbytu. Mówi się wówczas o kile drugiego okresu nawrotowej. Wydzielina z tych zmian zawiera liczne zarazki. W okresie, gdy u osoby chorej nie ma wykwitów chorobowych, rozpoznawana jest kiła bezobjawowa wczesna.

Kiła utajona

Po 2 latach od zakażenia nie leczona choroba przechodzi w stadium utajenia; rozwija się skrycie bez objawów. Jedynie serologiczne badanie krwi daje wyniki dodatnie. Jest to tzw. kiła utajona. Często bywa ona wykrywana tylko przypadkowo, przeważnie dzięki profilaktycznym badaniom serologicznym krwi, np. u pracowników zakładów pracy, osób podejmujących pracę, poborowych, chorych przyjmowanych do szpitali itp. Badania te pozwalają wykryć kiłę u osób, które nie zdawały sobie sprawy ze swej choroby, gdyż przeoczyły lub zlekceważyły jej objawy. Mimo pozornego zdrowia, w przyszłości są one narażone na poważne następstwa.

Kiła trzeciego okresu

Po kilku lub kilkunastu latach od zakażenia dochodzić może niekiedy – jeśli chory nie leczył się – do uszkodzenia układu nerwowego, np. do wiądu rdzenia, do utraty wzroku z powodu zaniku nerwów wzrokowych lub do choroby psychicznej, zwanej porażeniem postępującym. Wystąpić może choroba serca i naczyń krwionośnych, czyli kiła sercowo-naczyniowa, lub też mogą powstawać (obecnie jednak bardzo rzadko) guzy nazywane kilakami: w skórze, w kościach i stawach albo w narządach wewnętrznych. Jest to kiła trzeciego okresu, której najczęstszą postacią jest kiła układu nerwowego.

Kiła wrodzona

Gdy kobieta chora na kiłę nie leczy się, choroba może przenosić się na potomstwo, które może urodzić się chore na kiłę wrodzoną, tj. nabytą w łonie matki. Chodzi tu o zakażenie dziecka przed urodzeniem, a nie o dziedziczenie choroby, gdyż kiła ani jej następstwa nie dziedziczą się.

U dzieci z kiłą wrodzoną zmiany chorobowe mogą wystąpić już w momencie urodzenia, albo też mogą pojawić się po kilku tygodniach lub miesiącach życia jako kiła wrodzona wczesna. Częściej dziecko przy urodzeniu nie wykazuje żadnych cech choroby, a pojawiają się one dopiero po kilku lub kilkunastu latach jako kiła wrodzona późna.

Wielkie znaczenie ma zatem dwukrotne badanie serologiczne krwi matki w czasie ciąży. Wykrycie zakażenia, o którym kobieta mogła nie wiedzieć, i leczenie zapobiega kile wrodzonej u dziecka. Każda kobieta ciężarna powinna w początkach ciąży zgłosić się do poradni dla kobiet lub ośrodka zdrowia. Systematyczna opieka lekarska nad ciężarną nie tylko zapobiega kile wrodzonej, lecz ma także ogromne znaczenie dla zdrowia kobiety, pomyślnego przebiegu porodu i prawidłowego rozwoju dziecka.

Leczenie kiły

Zastosowanie właściwego leczenia prowadzi do całkowitego wyzdrowienia. Podstawowym lekiem jest penicylina. Są też inne leki, które stosuje się, gdy chory jest uczulony na penicylinę, choć ustępują one nieco temu antybiotykowi. Dawka penicyliny i czas leczenia zależą przede wszystkim od czasu trwania choroby i jej postaci. Ogólnie można powiedzieć, że im wcześniej rozpoczęto leczenie, tym jest ono krótsze i krótszy czas obserwacji po leczeniu. Zwykle trwa ono 3–4 tygodnie, a obserwacja kilkanaście miesięcy do kilku lat. Znaczenie obserwacji jest ogromne, ponieważ pozwala stwierdzić ewentualny niepomyślny wynik i zastosować postępowanie, które w końcowym efekcie zapewni wyleczenie. Jeśli leczenie podjęto dopiero w okresie kiły trzeciego okresu, sytuacja jest bardziej skomplikowana, ponieważ często doszło już do uszkodzenia przez chorobę ważnych narządów. I chociaż można zabić zarazki kiły, naprawienie szkód, jakie choroba poczyniła w organizmie, jest niejednokrotnie trudne; mimo wyleczenia kiły, nie zawsze można przywrócić pełnię zdrowia.

W przypadku zauważenia na narządach płciowych jakichkolwiek zmian chorobowych, należy niezwłocznie zgłosić się do lekarza. Niezmiernie ważne jest regularne przyjmowanie zastrzyków i unikanie napojów alkoholowych w czasie leczenia. Nie wolno wcześniej, niż lekarz wyraźnie zezwoli, podejmować stosunków płciowych.

Zakaźność kiły

Mówiąc o zakaźności kiły mamy na myśli chorych nie leczonych, bowiem po rozpoczęciu regularnego leczenia zakaźność szybko się zmniejsza. Chodzi o zakaźność dla partnera płciowego, ponieważ w życiu codziennym chory na kiłę nawet w okresie dużej zakaźności nie stwarza poważniejszego zagrożenia dla otoczenia, pod warunkiem zachowania elementarnych zasad higieny. Zakaźność kiły zależy od okresu choroby i postaci zmian chorobowych. Najbardziej zaraźliwa jest kiła wczesna, tj. pierwszego i drugiego okresu. Prawdopodobieństwo zakażenia przez stosunek z osobą chorą jest wówczas bardzo duże. Natomiast po upływie 2 lat od zakażenia zakaźność bardzo się zmniejsza. Tym tłumaczy się obserwowane niejednokrotnie zjawisko, że u jednego z małżonków stwierdza się kiłę, a drugie mimo wieloletniego współżycia jest zdrowe. Taki przypadek przemawia za tym, że zakażenie osoby chorej nastąpiło co najmniej 2 lata przed pierwszym kontaktem płciowym ze zdrowym współmałżonkiem.

III. NIERZEŻĄCZKOWE STANY ZAPALNE DOLNYCH ODCINKÓW NARZĄDÓW MOCZOWO-PŁCIOWYCH

Najważniejszymi czynnikami wywołującymi te choroby są drobnoustroje: chlamydie, mikoplazmy (bakterie), rzęsistki pochwowe (pierwotniaki) oraz grzyby drożdżopodobne. W wielu przypadkach nie udaje się ustalić czynnika wywołującego. Najwcześniej wzbudził zainteresowanie problem zapaleń cewki moczowej u mężczyzn, dopiero później, z wyjątkiem rzęsistkowicy, poznano przebieg takich zakażeń u kobiet.

Nierzeżączkowe zapalenie cewki moczowej u mężczyzn

Choroba ta, określana powszechnie skrótem NGU (z ang. non-gonococcal urethritis), jest równie częsta jak rzeżączka i dotyczy głównie ludzi młodych, ale nieraz trudniejsza od niej do leczenia i częściej dająca nawroty oraz powikłania. Choć zakażenie zazwyczaj następuje drogą płciową, NGU nie było zaliczane do tradycyjnie pojmowanych chorób wenerycznych. Czynnikiem zakaźnym jest w ponad 50% *Chlamydia trachomatis*, część przypadków jest wywołana przez *Mycoplasma* T (*Ureaplasma urealyticum*), a w kilku procentach chorobę tę wywołuje rzęsistek pochwowy.

Objawy. Wylęganie choroby, zależnie od czynnika wywołującego, trwa od kilku dni do miesiąca. Wyciek z cewki moczowej jest zazwyczaj skąpy, śluzowy, lub niezbyt obfity, śluzowo-ropny. Może być jednak obfity, ropny, podobnie jak w rzeżączce. Niekiedy rano pojawia się kropla wydzieliny, bądź chory zauważa tylko plamy na bieliźnie, odczuwa wilgotność u ujścia cewki, albo też spostrzega zlepianie tego ujścia. Częste jest pieczenie lub ból w cewce o różnym nasileniu. W badaniu mikroskopowym wydzieliny stwierdza się liczne leukocyty oraz zwykle brak bakterii. W przebiegu choroby mogą wystąpić powikłania, np. zapalenie najądrzy.

Rozpoznanie można ustalić po wyłączeniu mikrobiologicznym rzeżączki. Konieczne jest też badanie mające na celu ewentualne wykrycie rzęsistków i grzybów w celu ustalenia właściwego leczenia. Główny czynnik zakaźny *Chlamydia trachomatis* (zaliczana do bakterii) może być wykazany tylko przy zastosowaniu specjalnych technik wirusologicznych w nielicznych jedynie laboratoriach. Również *Ureaplasma urealyticum* wymaga specjalnych warunków do wzrostu, jakich nie zapewnia większość laboratoriów mikrobiologicznych.

Leczenie zależy od przyczyny. Zasadą jest równoczesne leczenie partnerów, gdyż zaniedbanie tego bywa powodem rzekomych nawrotów, a w rzeczywistości ponownych zakażeń. Najczęściej są stosowane przez dość długi czas leki z grupy tetracyklin – skuteczne w zakażeniach chlamydiami i mikoplazmami. Po leczeniu konieczne jest badanie kontrolne.

Nierzeżączkowe stany zapalne narządów miednicy małej u kobiet

U kobiet, partnerek płciowych mężczyzn z nierzeżączkowym zapaleniem cewki moczowej, może występować wywołane przez chlamydie bądź mikoplazmy zapalenie śluzówki szyjki macicy i nadżerka części pochwowej szyjki, sprawiające zwykle niewielkie dolegliwości. Może też wystąpić zapalenie jajowodów i jajników (przydatków) o objawach podobnych jak w przypadku rzeżączki. Chlamydie bywają przyczyną zapalenia przydatków w 20–36%.

Leczenie – po wykluczeniu rzeżączki i rzęsistkowicy – polega na stosowaniu antybiotyków, głównie tetracyklin, przy jednoczesnym leczeniu partnera.

IV. RZĘSISTKOWICA

Rzęsistkowica to częsta choroba wywołana przez rzęsistka pochwowego (*Trichomonas vaginalis*), pierwotniaka z rodziny wiciowców. Zakażenie następuje w większości przypadków drogą kontaktów płciowych. Możliwe jest też zakażenie kobiet przez przybory toaletowe i urządzenia sanitarne. Chorobę tę częściej spotyka się u kobiet niż u mężczyzn. Jest ona jedną z częstszych przyczyn upławów. W nierzeżączkowym zapaleniu cewki moczowej u mężczyzn rzęsistkowica stanowi tylko kilka procent.

Objawy i przebieg. Okres wylęgania choroby wynosi od kilku dni do 4 tygodni. Zapalenie pochwy i sromu u kobiet ma różne nasilenie. Błona śluzowa jest zaczerwieniona, upławy są najczęściej pieniste o niemiłej woni, a towarzyszy im pieczenie, ból i świąd. Zdarza się zapalenie kanału szyjki macicy oraz pęcherza moczowego. Możliwe jest zakażenie bezobjawowe i skąpoobjawowe. U meżczyzn zapalenie cewki moczowej przebiega łagodnie i ustępować może samoistnie; zdarza się jednak ostre zapalenie z obfitym wyciekiem. Czasami dochodzi do zapalenia żołędzi i worka napletkowego lub zapalenia gruczołu krokowego.

Rozpoznanie powinno być zawsze potwierdzone wynikiem badania mikroskopowego lub hodowli.

Leczenie powinno obejmować jednocześnie oboje partnerów, nawet jeśli jedno z nich nie wykazuje objawów, aby zapobiec wzajemnemu zakażeniu. Podstawowymi lekami są metronidazol oraz tinidazol. U kobiet obok środków doustnych bywają stosowane leki dopochwowe; po leczeniu jest wskazane badanie kontrolne, w kilka dni po miesiączce.

V. ZAKAŻENIA DROŻDŻAKOWE

Zakażenia drożdżakowe dolnych odcinków dróg moczowo-płciowych grzybami drożdżopodobnymi, najczęściej *Candida albicans*, są coraz częstsze. Stwierdza się je zwłaszcza u kobiet w ciąży, u chorych na cukrzycę oraz w przebiegu leczenia niektórymi lekami. Zakażenia drogą pozapłciową stwierdza się częściej u kobiet; u mężczyzn do zakażenia dochodzi przeważnie podczas stosunku. Wspomniane grzyby mogą też występować w drogach rodnych kobiety jako saprofity, nie wywołując choroby; w sprzyjających dla nich warunkach stają się chorobotwórcze. Mogą być przyczyną zakażenia partnera, znajdując u niego dogodne warunki do rozwoju.

Objawy u kobiet. Zakażenie drożdżakowe pochwy i sromu wywołuje objawy o różnym nasileniu, aż po silny stan zapalny błony śluzowej sromu i pochwy, z obfitymi ropnymi lub serowatymi upławami. Obrzęk sromu niekiedy bywa tak znaczny, że utrudnia badanie; jeśli występują jednocześnie nadżerki błony śluzowej, potęgują one dolegliwości. Na ścianach pochwy mogą występować białe, serowate naloty. U osób otyłych współistnieje niekiedy stan zapalny w fałdach skóry pachwin i krocza.

Objawy u mężczyzn. Zakażenie obejmuje najczęściej żołądź i wewnętrzną blaszkę napletka, rzadziej cewkę moczową. Stan zapalny może mieć różne nasilenie: od lekkiego zaczerwienienia i swędzenia aż do silnego zaczerwienienia, obrzęku, wykwitów pęcherzykowych, bolesnych nadżerek oraz stulejki zapalnej, tj. niemożności odprowadzenia napletka. Objawy zapalne występują zazwyczaj po kilkunastu godzinach, najpóźniej po kilku dniach po stosunku z osobą chorą na drożdżycę. Choroba może też być wynikiem zaniedbań higienicznych.

Leczenie. Konieczne jest wykluczenie przyczyn usposabiających, wykonanie badania mikrobiologicznego oraz równoczesne leczenie partnera, aby zapobiec ponownemu wzajemnemu zakażeniu. Najczęściej są stosowane tylko środki przeciwgrzybicze. U kobiet ciężarnych przebieg choroby może być uporczywy i nawracający. W razie niewyleczenia przed porodem istnieje możliwość zakażenia noworodka w czasie porodu.

VI. KŁYKCINY KOŃCZYSTE

Kłykciny kończyste rozwijają się na skutek zakażenia wirusem z grupy wirusów brodawek ludzkich. Choroba rozwija się zwykle w okolicy narządów płciowych w postaci początkowo niewielkich grudek, stopniowo rosnących i przybierających formę uszypułowanych tworów kalafiorowatych. Przenosi się drogą płciową, jakkolwiek zakaźność nie jest zbyt duża. Okres wylęgania wynosi od 6 tygodni do kilku miesięcy.

Częstość występowania choroby jest u obu płci podobna. U mężczyzn kłykciny umiejscawiają się najczęściej w worku napletkowym i na żołędzi, czasem w ujściu cewki moczowej lub koło odbytu, u kobiet na sromie, szyjce macicy i koło odbytu. Powstawaniu sprzyja stan zapalny, np. rzeżączka, rzęsistkowica, zaniedbania higieniczne.

Leczenie kłykcin kończystych jest chirurgiczne lub za pomocą odpowiednich środków chemicznych stosowanych zewnętrznie. Powinno być poprzedzone leczeniem stanu zapalnego wywołującego u kobiet upławy bądź też zapalenia napletka u mężczyzn, sprzyjającego rozwojowi tej choroby.

VII. OPRYSZCZKA NARZĄDÓW PŁCIOWYCH

Opryszczka jest chorobą wirusową. Może występować w różnych miejscach ciała, najczęściej jednak lokalizuje się w okolicy ust, na granicy skóry i czerwieni wargowej. Towarzyszy nieraz przeziębieniom. Nierzadko umiejscawia się również na narządach płciowych, ale przyczyną jej jest wówczas inny typ wirusa, którym zakażenie następuje zwykle drogą płciową; opryszczka ta jest chorobą nawracającą przez lata, nieraz z wielomiesięcznymi przerwami.

U mężczyzn zmiany występują przeważnie na zewnętrznej i wewnętrznej blaszce napletka, na żołędzi lub skórze prącia, u kobiet zaś na wargach sromowych, na łechtaczce lub w przedsionku pochwy. Nieraz, zwłaszcza u kobiet, mogą być bardzo rozległe i sprawiać duże dolegliwości. Węzły chłonne w pachwinach mogą ulegać bolesnemu powiększeniu. Niewielkie, zgrupowane pęcherzyki przekształcają się w bolesne powierzchowne nadżerki, które goją się po kilku lub kilkunastu dniach. Mogą one stanowić wrota zakażenia dla krętków bladych wywołujących kiłę.

Leczenie. Ogólnie stosuje się lek przeciwwirusowy – acyklowir, dożylnie lub doustnie; miejscowo maść zawierającą ten lek lub inne środki. Niestety, nie udaje się zapobiec nawrotom.

VIII. ZESPÓŁ NABYTEGO UPOŚLEDZENIA ODPORNOŚCI – AIDS

Jest to bardzo poważna choroba przenoszona głównie przez kontakty seksualne, szerząca się gwałtownie w wielu krajach od początku lat osiemdziesiątych. Skrót AIDS pochodzi od pierwszych liter angielskiej nazwy „Acquired Immune Deficiency Syndrome".

Istotą AIDS jest utrata odporności organizmu, który nie potrafi bronić się przed wniknięciem różnego rodzaju drobnoustrojów: bakterii, grzybów, pasożytów jednokomórkowych lub wirusów i nie może zwalczyć powstałych zakażeń, niegroźnych dla ludzi mających prawidłową odporność. U osób pozbawionych sił obronnych zakażenia te mają ciężki, często śmiertelny przebieg. U osób tych mogą też rozwijać się niektóre nowotwory, zwłaszcza zaś rzadko poza chorymi na AIDS spotykany mięsak Kaposiego, który przebiega gwałtownie i ma złośliwy charakter.

Objawy chorobowe występujące u chorych na AIDS są bardzo różne i zależą od tego, jakie narządy przez jakie drobnoustroje zostały zaatakowane. Wszyscy jednak chorzy mają jedną wspólną cechę – znacznego stopnia zmniejszenie odporności.

Czynnik etiologiczny

Przyczyną choroby jest wirus z grupy tzw. retrowirusów, nazywany „Human immunodeficiency virus", w skrócie HIV. Obok najbardziej rozpowszechnionej odmiany zwanej HIV-1, znana jest inna postać tego wirusa nazywana HIV-2. Wirus HIV znajduje się przede wszystkim w krwi osób zakażonych, poza tym w spermie i w wydzielinie pochwy. Może też występować w ślinie, łzach, moczu, kale i innych wydzielinach i wydalinach, choć w znacznie mniejszych ilościach, toteż są one mało zakaźne i nie odgrywają roli w przenoszeniu zakażenia. HIV jest wrażliwy na działanie powszechnie używanych środków odkażających, takich jak alkohol, chloramina, podchloryny lub lizol; ginie również pod wpływem ogrzewania, już nawet w temperaturze powyżej 60°C, nie mówiąc o gotowaniu.

Wirusy, w przeciwieństwie do bakterii, nie mogą się mnożyć bez obcej pomocy, jaką stanowią komórki gospodarza. Dla wirusa HIV są to przede wszystkim limfocyty T, ich odmiana nazywana komórkami pomocniczymi, aktywnymi w procesach obronnych organizmu. HIV wnika do tych limfocytów, mnoży się w nich, lecz równocześnie je niszczy. Liczba komórek pomocniczych staje się znacznie mniejsza i organizm traci możliwość obrony przed innymi zarazkami, łatwo więc dochodzi do wtórnych zakażeń. Inne komórki ulegające zakażeniu przez HIV to monocyty, makrofagi, komórki dendrytyczne.

Zakażenia, jakim ulega taki osłabiony organizm, nazywane są zakażeniami oportunistycznymi. Najważniejszym i najczęstszym z nich jest zapalenie płuc wywołane przez pierwotniaka o nazwie *Pneumocystis carinii* (pneumocystodoza płuc).

Drogi zakażenia

Najczęstszym sposobem zakażenia są stosunki płciowe, hetero- i homoseksualne. Może ono również nastąpić przez niesterylne igły i strzykawki pożyczane sobie wzajemnie przez narkomanów (ta droga jest obecnie w Polsce najbardziej rozpowszechniona), a także przez przetoczenie krwi pochodzącej od osoby zakażonej lub preparatów wytworzonych z takiej krwi – stosowanych m.in. u chorych na hemofilię (dziś krew i preparaty te są już bezpieczne, gdyż bada się każdą pobraną porcję krwi). Zakażenie następuje, gdy wirusy HIV zawarte we krwi, nasieniu lub też wydzielinie pochwowej osoby zakażonej wnikną do krwiobiegu lub do tkanek przez uszkodzenia skóry albo błony śluzowej. Zakażona kobieta ciężarna może zakazić dziecko w swym łonie lub też w czasie porodu.

Nie można natomiast zakazić się przez podanie ręki, kontakty towarzyskie, zwykły pocałunek, w pracy, w tramwaju lub w szkole, przez klozet, wannę albo nakrycia stołowe. Nie ma więc niebezpieczeństwa przeniesienia wirusa na domowników mieszkających z osobą zakażoną, przy zachowaniu podstawowych zasad higieny (nie wolno np. używać wspólnej szczotki do zębów lub żyletki).

Przebieg zakażenia wirusem HIV

Przebieg zakażenia HIV jest przewlekły i nawet po upływie wielu lat nie u wszystkich dochodzi do rozwoju AIDS, choć niekiedy pełny obraz tego zespołu pojawia się już po kilkunastu miesiącach. Na podstawie obserwacji dużej grupy osób zakażonych stwierdzono, że po 2 latach od wniknięcia wirusa AIDS wystąpił u 1 na 100 zakażonych, po 5 latach – u 1 na 10, a po 10 chorowała połowa. Pozostałe osoby czuły się dobrze, choć w ich ustroju można wykryć wirusy i są one zakaźne dla innych, podobnie jak chorzy na AIDS.

Zakażenie ostre. U części osób zakażonych w kilka tygodni (zwykle 2–4) po wniknięciu wirusów HIV do organizmu pojawiają się niecharakterystyczne, podobne jak w wielu innych chorobach zakaźnych, przemijające objawy, takie jak gorączka, ból głowy, złe samopoczucie, bóle mięśniowe i stawowe, ból gardła, nerwobóle, uogólnione powiększenie węzłów chłonnych oraz niekiedy plamista wysypka przemijająca po kilku dniach. Spostrzegano także ostrą encefalopatię (zaburzenia mózgowe). Wymienione objawy, określane niekiedy jako „podobne do mononukleozy”, cofają się dość szybko, w tym również powiększenie węzłów chłonnych. Objawy ostrego zakażenia poprzedzają zazwyczaj pojawienie się przeciwciał anty-HIV we krwi.

Zakażenie bezobjawowe. Po ustąpieniu objawów zakażenia ostrego objawy choroby nie występują i zakażeni czują się zazwyczaj dobrze. U części z nich poza obecnością we krwi przeciwciał anty-HIV (zob. s. 1944) badaniami laboratoryjnymi nie stwierdza się odchyleń od stanu prawidłowego, u części jednak można wykryć zmiany wskazujące na uszkodzenie układu odpornościowego, przede wszystkim zmniejszenie liczby limfocytów T pomocniczych. Stan bezobjawowy może utrzymywać się trwale, mogą jednak pojawić się objawy kliniczne w postaci długotrwale utrzymującego się powiększenia węzłów chłonnych, a niekiedy objawów ogólnych wskazujących na wystąpienie AIDS. Rozwojowi AIDS mogą sprzyjać zakażenia różnymi drobnoustrojami, np. wywołującymi kiłę, rzeżączkę, wirusowe zapalenie wątroby, opryszczkę itp. Stwierdzono, że ogromna większość chorych na AIDS przebyła wcześniej także niektóre inne choroby przenoszone drogą płciową.

Zespół limfadenopatyczny. U części zakażonych po upływie kilku miesięcy lub lat występuje utrzymujące się trwale powiększenie węzłów chłonnych, co najmniej w dwu różnych miejscach, nie licząc pachwin, a więc np. na szyi i pod pachami. Niektóre z tych osób zapadają po pewnym czasie na AIDS, większość jednak zachowuje długo dość dobry ogólny stan zdrowia. U części osob badania laboratoryjne wykazują zaburzenia odporności.

Inne choroby wywołane przez HIV. Grupa ta obejmuje chorych z objawami innymi niż limfadenopatia lub istniejącymi obok limfadenopatii. Można tu wyodrębnić kilka podgrup:

A) Zmiany ogólnoustrojowe. Są niecharakterystyczne, takie jak utrzymująca się ponad miesiąc gorączka, ubytek masy ciała o ponad 10%, trwająca ponad miesiąc biegunka, osłabienie.

B) Choroby układu nerwowego. Charakteryzują się one takimi objawami, jak otępienie w wyniku uszkodzenia kory mózgowej, lub zmiany w obrębie rdzenia kręgowego albo nerwów obwodowych, przy braku innych chorób tłumaczących te objawy.

C) Wtórne choroby zakaźne. Chodzi tu o choroby związane z obniżeniem odporności (zakażenia oportunistyczne), wskazujące na obniżenie odporności. Do zakażeń tych należą: zapalenie płuc wywołane przez *Pneumocystis carinii*, toksoplazmoza, grzybica przełyku, oskrzeli lub płuc, cytomegalia i inne charakterystyczne dla rozwiniętego zespołu AIDS, który jest kwalifikowany do tej podgrupy.

D) Wtórne nowotwory. Do tej grupy są zaliczani chorzy, u których rozpoznano nowotwór związany z zakażeniem HIV, przede wszystkim mięsak Kaposiego lub określonego rodzaju chłoniak charakterystyczny dla AIDS. Część przypadków AIDS należy także do tej podgrupy.

E) Inne stany chorobowe w przebiegu zakażenia HIV. Tu zalicza się stany chorobowe nie odpowiadające kryteriom innych grup i podgrup.

Obraz w przebiegu zakażenia HIV może być zatem różny i zmienia się w miarę upływu czasu. O zespole AIDS mówi się tylko wtedy, gdy u osoby zakażonej HIV, po okresie wylęgania wynoszącym od kilku miesięcy do kilku lat (być może dziesięciu lub więcej), pojawiają się, w wyniku obniżenia odporności zwiazanego ze spadkiem liczby limfocytów T pomocniczych, zakażenia oportunistyczne, o których była mowa w podgrupie C lub nowotwór wymieniony w podgrupie D. Towarzyszą temu zwykle objawy ogólne charakterystyczne dla podgrupy A, takie jak długotrwała biegunka, chudnięcie znacznego stopnia, utrata sił itp. Z chwilą gdy dojdzie do wystąpienia rozwiniętego zespołu AIDS, ciężki ogólny stan chorego stopniowo się pogarsza, a stosowanie dostępnych obecnie leków działających na wirusa HIV (porównaj s. 1946) pozwala uzyskać jedynie czasową poprawę. Również leczenie zakażeń oportunistycznych nie daje na ogół trwałego wyleczenia. Ponad połowa chorych, u których w różnych krajach rozpoznano AIDS, już nie żyje.

Rozpowszechnienie zachorowań

Od czasu, gdy w 1981 r. w Stanach Zjednoczonych opisano tę nową wówczas chorobę i zapoczątkowano rejestrację zachorowań – których liczba podwajała się co kilka, a później co kilkanaście miesięcy – w oficjalnej statystyce tego kraju w końcu 1994 r. znalazło się ponad 430 000 chorych na AIDS, a w Europie ponad 150 000. Liczne zachorowania notuje się w Ameryce Południowej, a także Środkowej, niewiele, jak na razie, w Azji i Australii. Bez watpienia bardzo wielu chorych jest w Afryce Środkowej (stąd epidemia prawdopodobnie wzięła swój początek), choć do oficjalnej statystyki Światowej Organizacji Zdrowia napływa z krajów tego obszaru jedynie część zgłoszeń. Związane jest to m.in. ze stanem tamtejszej służby zdrowia i jej bardzo ograniczonymi możliwościami działania. Szczególnie szybki wzrost zakażeń HIV następuje obecnie w Azji, uprzednio oszczędzanej przez tę epidemię. Oczekuje się tam wkrótce ogromnej liczby zachorowań.

W końcu 1994 r. Światowa Organizacja Zdrowia zanotowała oficjalnie w świecie ponad 1 000 000 przypadków AIDS; rzeczywistą liczbę zachorowań ocenia się jednak na ponad 4 mln. Liczba zakażonych jest szacowana w świecie na ok. 18 mln i przewiduje się, że w 2000 r. osiągnie 30–40 mln.

Niepokój budzi duża i wciąż rosnąca liczba zachorowań, ograniczone możliwości przeciwdziałania szerzeniu się zakażeń HIV (brak szczepionki) oraz *niedostateczne efekty lecznicze*.

W Stanach Zjednoczonych i Europie Zachodniej nieco mniej niż 50% wszystkich zachorowań na AIDS stwierdza się u mężczyzn homoseksualnych i biseksualnych (tj. wykazujących seksualne skłonności do osób obojga płci). Około 25% rozpoznanych zachorowań dotyczy narkomanów wstrzykujących sobie dożylnie narkotyki. Od 1 do 3% zachorowań obejmuje mężczyzn chorych na hemofilię, leczonych uprzednio preparatami wytwarzanymi z krwi ludzkiej oraz osoby leczone wielokrotnymi przetaczaniami krwi. Są to tzw. *grupy zwiększonego ryzyka*. Zachorowania kobiet stanowią w Europie i Stanach Zjednoczonych mniej niż 20%; są to często partnerki zakażonych mężczyzn, niekiedy będące narkomankami lub prostytutkami. Wielkość wymienionych grup chorych wykazuje w poszczególnych krajach znaczne różnice, wszędzie jednak chorują najczęściej ludzie młodzi. Zaledwie kilka procent chorych nie należy do żadnej z wymienionych grup ryzyka i uległo zakażeniu przez stosunki heteroseksualne; liczba takich zakażeń rośnie obecnie szybko. Natomiast w Afryce proporcje chorych mężczyzn i kobiet są prawie równe, a przenoszenie choroby następuje głównie przez kontakty heteroseksualne. Grupami szczególnego ryzyka zachorowań są tam prostytutki i ich klienci.

W Polsce liczba zachorowań na AIDS jest wciąż, w porównaniu z innymi krajami, niewielka. Do końca 1994 r. zachorowały na AIDS 262 osoby, z których 136 już zmarło. U ponad 3000 dalszych wykryto obecność przeciwciał we krwi, nie okazują one jednak objawów klinicznych AIDS, a jedynie część z nich ma zespół limfadenopatyczny bądź nieznacznie zaawansowane objawy związane ze spadkiem odporności w wyniku zakażenia HIV.

Wykrywanie przeciwciał anty-HIV

Istnieją stosunkowo proste metody wykrywania we krwi przeciwciał wytwarzanych przez organizm w odpowiedzi na zakażenie HIV. Pozwala to na wykrycie zakażenia bezobjawowego oraz potwierdzenie rozpoznania w przypadku podejrzenia AIDS.

Dodatni wynik badania przeciwciał nie jest równoznaczny z rozpoznaniem AIDS i świadczy jedynie o tym, że dana osoba została zakażona wirusem HIV. Spośród zakażonych, na AIDS zachorowuje w ciągu 10 lat, jak się ocenia, ok. 50%, reszta pozostaje pozornie zdrowa. Osoby te mogą przenosić zakażenie przez stosunki płciowe, dlatego powinny one o swym stanie uprzedzić partnera seksualnego, bezwzględnie używać prezerwatyw i zachowywać odpowiednie środki ostrożności. Nie wolno im też być dawcami krwi!

Zapobieganie zakażeniom

Mimo intensywnych badań prowadzonych w wielu ośrodkach nad wytworzeniem szczepionki, która pozwoliłaby uodporniać na zakażenie osoby zdrowe, dotychczas nie ma takiej możliwości. Na prowadzenie szczepień ochronnych na szerszą skalę trzeba więc będzie prawdopodobnie jeszcze dłuższy czas poczekać. W tej sytuacji jedyną możliwością działania w celu powstrzymania szerzenia zakażeń jest prowadzenie intensywnej działalności oświatowo-zdrowotnej i ostrzegawczej. AIDS jest bowiem chorobą, której można łatwo uniknąć przy przestrzeganiu określonych zasad postępowania. Trzeba jednak o tym wiedzieć i zasad tych przestrzegać.

Zapobieganie zakażeniom drogą płciową. Chociaż droga seksualna ma podstawowe znaczenie w szerzeniu zakażeń HIV, nie każdy stosunek z osobą zakażoną powoduje przeniesienie wirusa; ryzyko takie ocenia się na 1 na 250 stosunków. Szczególne ryzyko zakażenia stwarzają kontakty seksualne z osobami należącymi do grup zwiększonego ryzyka (mężczyźni homoseksualni, narkomani, prostytutki). Niebezpieczeństwo zakażenia istnieje też w przypadku przygodnych, przypadkowych stosunków oraz przy częstej zmianie partnerów. Istotne znaczenie ma więc ograniczenie liczby partnerów. Stosowanie prezerwatyw zmniejsza w znacznym stopniu

(co najmniej o 90%) niebezpieczeństwo zakażenia HIV, niezależnie od formy współżycia seksualnego, zapobiega bowiem przedostaniu się spermy na błony śluzowe, jak również zmniejsza prawdopodobieństwo kontaktu drobnych uszkodzeń skóry i błon śluzowych z krwią i wydzielinami, które mogą zawierać wirusy. Prezerwatywa musi być używana w czasie całego aktu płciowego. Nie wolno jej smarować tłuszczem, gdyż łatwo ulega wówczas mechanicznemu uszkodzeniu.

Rzeczywiste bezpieczeństwo może zapewnić abstynencja seksualna lub współżycie z jednym zdrowym partnerem, przestrzegającym również tej zasady, przy czym dotyczy to zarówno związku hetero- jak i homoseksualnego. Dla wielu osób są to jednak warunki, mimo świadomości ryzyka, trudne do zachowania, w związku z czym WHO propaguje szerokie stosowanie prezerwatyw. Prezerwatywy chronią też w dużym stopniu przed innymi chorobami przenoszonymi drogą płciową: rzeżączką, kiłą, nierzeżączkowym zapaleniem cewki moczowej, kłykcinami kończystymi, opryszczką narządów płciowych, zapaleniem wirusowym wątroby typu B oraz rzęsistkowicą.

Zapobieganie zakażeniom przez krew. Osobom należącym do grup zwiększonego ryzyka AIDS, a więc mężczyznom o skłonnościach homoseksualnych i biseksualnych, narkomanom wstrzykującym sobie dożylnie narkotyki, partnerkom biseksualistów i narkomanów oraz kobietom trudniącym się prostytucją nie wolno oddawać krwi do transfuzji. W tych bowiem grupach osób znacznie częściej mogą znajdować się nosiciele HIV. Przeprowadza się też badanie na obecność przeciwciał anty-HIV każdej pobranej porcji krwi do przetoczeń. Aby zapewnić bezpieczeństwo leczenia preparatami krwiopochodnymi, niezależnie od badań dawców krwi zmieniono odpowiednio sposoby wytwarzania tych leków.

Zapobieganie zakażeniom u narkomanów. Działalność profilaktyczna prowadzona w tej grupie polega oczywiście na nakłanianiu do leczenia narkomanii, co jednak rzadko przynosi trwałe efekty. Jeśli więc osoby uzależnione od narkotyków nie decydują się na leczenie odwykowe, powinny bezwzględnie zaniechać wzajemnego pożyczania strzykawek i igieł oraz wspólnego ich używania lub nabierania narkotyków z jednego naczynia, ponieważ w ten sposób od osoby zakażonej wirusem HIV może zakazić się wiele innych. W przypadku kontaktów seksualnych, narkomanów obowiązuje zawsze używanie prezerwatywy, nawet jeśli badanie krwi nie wykazało zakażenia.

Ochrona osób zakażonych i leczenie

System odpornościowy osób zakażonych HIV jest mniej sprawny, toteż powinny one unikać jego obciążania, które może sprzyjać rozwinięciu się AIDS. Wskazana jest pożywna dieta, dostateczna ilość snu i wypoczynku oraz ćwiczenia fizyczne, bez nadmiernych jednak wysiłków. Osoby zakażone powinny unikać alkoholu, papierosów, przeziębień, grypy oraz innych zakażeń, dbać o higienę i nie przebywać, ze względu na niebezpieczeństwo zakażeń, jeśli jest to możliwe, w dużych skupiskach ludzi, np. w kinie, dyskotece. Mogą one pracować zawodowo i prowadzić normalny tryb życia.

Występujące w przebiegu rozwiniętego obrazu AIDS zakażenia oportunistyczne i nowotwory są leczone w zależności od ich rodzaju i umiejscowienia – z różnymi wynikami. Nie udaje się jednak dotąd wpływać skutecznie u chorych na trwały wzrost odporności, której spadek spowodowany przez wirusa jest podstawą choroby.

Prowadzone są intensywne poszukiwania leku działającego na zakażenia HIV oraz lepszych sposobów leczenia zakażeń oportunistycznych i nowotworów występujących w przebiegu AIDS. Z wielu leków największe nadzieje łączy się obecnie z lekiem znanym jako AZT (3-azido-deoxytymidyna), wprowadzonym pod nazwą „Retrovir", mającym również nazwę „Zidowudyna", który hamuje wzrost wirusa HIV. Nie jest to także środek działający radykalnie, a jedynie hamujący postęp choroby i prowadzący do poprawy stanu zdrowia chorych. Może on jednak powodować niekorzystne działania niepożądane. Prócz preparatu AZT są jeszcze inne leki, np. ddJ, ddC; można też oczekiwać wprowadzenia wkrótce dalszych doskonalszych leków, gdyż są prowadzone intensywne prace nad nowymi preparatami w wielu ośrodkach naukowych na całym świecie.

Leczenie AZT zakażonej HIV kobiety ciężarnej powoduje znaczne zmniejszenie niebezpieczeństwa przeniesienia wirusa na dziecko w łonie matki.

IX. ZAPALENIE WIRUSOWE WĄTROBY TYPU B

W latach siedemdziesiątych zwrócono uwagę na związek między aktywnością seksualną i częstością zakażeń wirusem zapalenia wątroby typu B. Ustalono, że u pacjentów poradni wenerologicznych dziesięciokrotnie częściej występują wysokie miana przeciwciał przeciw temu wirusowi, świadczące o przebytym zakażeniu, niż w odpowiedniej grupie kontrolnej. Stwierdzono też korelację między dodatnimi testami a przebytymi zakażeniami innymi chorobami przenoszonymi drogą płciową, promiskuityzmem oraz kontaktami orogenitalnymi i analnymi. Szczególnie często zakażenia te zdarzają się u mężczyzn homoseksualistów i biseksualistów, czemu mogą sprzyjać zarówno formy praktyk seksualnych, jak i mnogość kontaktów. Dalsze obserwacje wykazały także częste heteroseksualne przeniesienie wirusa, zwłaszcza przez mężczyznę na kobietę. Antygen wykryto także w ślinie, nasieniu, wydzielinie pochwy, choć w wyraźnie mniejszym stężeniu niż we krwi. Dziś powszechnie uważa się, że przeniesienie wirusa zapalenia wątroby typu B, zarówno homoseksualne, jak heteroseksualne, a także okołoporodowe jest – wobec znacznego ograniczenia zakażeń przez transfuzje (badanie dawców) i zabiegi lekarskie (sprzęt jednorazowy, odpowiednia sterylizacja narzędzi) – głównym sposobem szerzenia się choroby we współczesnych społeczeństwach.

X. CHOROBY PASOŻYTNICZE

Świerzb

Zakażenie tą chorobą pasożytniczą następuje przez bezpośredni kontakt z człowiekiem zakażonym, najłatwiej przez spanie w jednym łóżku z osobą chorą. Zakażenie świerzbowcem na drodze kontaktów płciowych odgrywa istotną rolę w epidemiologii tej częstej choroby i jest coraz mocniej podkreślane. Ponieważ nawet do 80% zakażeń u dorosłych następuje w ten sposób, świerzb jest zaliczany także do grupy chorób przenoszonych drogą płciową.

Objawy i leczenie, zob. Choroby skóry, s. 1956.

Wszawica łonowa

Chorobę wywołuje wesz łonowa, zwana mendą, mniejsza od wszy głowowej i odzieżowej; jej wielkość nie przekracza 2 mm. Zakażenie następuje zwykle w czasie kontaktu płciowego, może jednak niekiedy nastąpić przez pościel, bieliznę lub ręcznik. Najbardziej charakterystycznym objawem jest silny świąd wzgórka łonowego. Zajęte mogą też być uda, brzuch, doły pachowe, a u dzieci brwi i rzęsy. Wszy łonowe są dość trudno dostrzegalne, ponieważ są mało ruchliwe i ukryte częściowo w mieszkach włosowych, tak że w sąsiedztwie włosa wystaje na zewnątrz jedynie koniec ich odwłoka. Łatwiej można zauważyć gnidy przyklejone do włosów.

Leczenie powinno przebiegać pod kierunkiem lekarza dermatologa. Jednocześnie musi być leczony partner, aby zapobiec wzajemnemu zakażaniu się (zob. Choroby skóry, s. 1956).

CHOROBY SKÓRY

I. ROPNE CHOROBY SKÓRY

Ropnymi chorobami skóry nazywa się pierwotne zakażenia bakteryjne zewnątrzpochodne (zwykle) lub wewnątrzpochodne, a także zakażenia wtórne w przebiegu innych chorób skóry (np. sączący wyprysk). O b r o n ę p r z e d z a k a ż e n i a m i stanowią: powierzchowne wysychanie, obecność kwasów tłuszczowych, kwaśny odczyn powierzchni skóry, złuszczanie się warstwy rogowej, a także ogólnoustrojowa obrona humoralna i komórkowa. C z y n n i k a m i s p r z y j a j ą c y m i z a k a ż e n i u są: drobne urazy skóry, wysoka temperatura, duża wilgotność środowiska (np. warunki pracy w górnictwie), także cukrzyca.

Bakteriami wywołującymi ropne zakażenia skóry są gronkowce i paciorkowce. Z a k a ż e n i a g r o n k o w c o w e dotyczą zwykle głębszych warstw skóry i mieszków włosowych oraz ujść gruczołów skórnych. Z a k a ż e n i a p a c i o r k o w c o w e szerzą się na powierzchni (są bardziej zakaźne i łatwo się przenoszą). Najczęściej występują jednak z a k a ż e n i a m i e s z a n e paciorkowcowo-gronkowcowe, a przebieg ich jest bardzo różnorodny.

Liszajec. Jest to zakażenie paciorkowcowo-gronkowcowe zewnątrzpochodne, następujące przez kontakt z chorym lub z zakażonymi przedmiotami. Czasami szerzy się z wewnątrz, np. z błon śluzowych. Może również występować jako powikłanie innych chorób skóry, zwłaszcza przebiegających ze swędzeniem, ponieważ nadżerki powstające w wyniku drapania sprzyjają zakażeniom bakteryjnym.

O b j a w e m choroby są małe pęcherzyki z zawartością surowiczą, stopniowo przechodzącą w ropną. Szybko pękają, zasychająca wydzielina tworzy charakterystyczne miodowożółte, miękkie strupy. Choroba występuje najczęściej u dzieci na odsłoniętych częściach skóry (twarz, ręce). Wskutek dużej zakaźności może się przenosić na całą skórę (tablica XXIII a).

Liszajec umiejscawiający się w kątach ust tworzy tzw. z a j a d y. Są to bolesne popękania z grubo nawarstwiającymi się strupami, o cechach uprzednio opisanych, występujące wskutek ciągłego drażnienia. Podobne zmiany (nadżerki, pęknięcia i odwarstwienia naskórka) mogą wywołać także drożdżaki (zob. Drożdżyce, s. 1954). Czynnikiem usposabiającym jest niedobór witaminy B_2. O przyczynie choroby rozstrzyga badanie bakteriologiczne i mikologiczne (określające obecność drożdżaków).

Przebieg choroby jest szybki i na ogół krótkotrwały, zmiany cofają się bez śladu. Rozwojowi zakażenia sprzyjają złe warunki higieniczne.

Leczenie. Stosuje się maści złuszczające (usuwanie strupów), maści bakteriobójcze, aerozole i pasty z antybiotykami, wyjątkowo leczenie ogólne.

Liszajec pęcherzowy noworodków, określony nieprawidłowo jako pęcherzyca noworodków, jest zakażeniem gronkowcowym, które często przenosi się od personelu pielęgnującego. Powstają duże pęcherze z treścią surowiczą i surowiczo-ropną, bardzo zakaźne. Pęcherze te pękają pozostawiając obnażoną, sączącą skórę. Na dłoniach i stopach pęcherze nie tworzą się.

Zapobieganie polega na zachowaniu idealnej czystości. Zakaźność jest bardzo znaczna, zwłaszcza w żłobkach, przedszkolach i szkołach. Dzieci chore należy na krótki okres izolować.

Wyprzenie bakteryjne. Jest to ostry stan zapalny skóry połączony z sączeniem, licznymi pęknięciami i ubytkami naskórka. Występuje w fałdach, zgięciach stawowych i w miejscach przylegania do siebie większych powierzchni skóry (np. pod sutkami), gdzie naskórek jest zmacerowany wskutek nadmiernego pocenia się lub drażnienia u ludzi otyłych, nadmiernie pocących się i u niemowląt, których skóra jest szczególnie wrażliwa (łatwe przegrzewanie, zaniedbania higieniczne). Rozwojowi wyprzenia sprzyja również cukrzyca i choroby przemiany materii. Jeżeli zamiast zakażenia bakteryjnego nastąpi zakażenie drożdżakami, rozwinie się wyprzenie drożdżakowe (zob. s. 1954).

Leczenie polega na pędzlowaniu barwnikami, np. zielenią brylantową, eozyną, bawnikiem Castelaniego, oraz stosowaniu okładów i zasypek wysuszających.

Niesztowica. Wykwitem pierwotnym jest wiotki pęcherz wypełniony treścią ropną, którego dno ulega rozpadowi z wytworzeniem owrzodzeń, szerzących się obwodowo i pokrytych grubym szarym strupem. Zmiany tego rodzaju są na ogół liczne. Choroba występuje u osób wyniszczonych i wyczerpanych oraz przebywających w złych warunkach higienicznych. Często rozwija się we wszawicy lub świerzbie, gdy do miejsc zadrapania wnikną bakterie, powodując powstawanie płaskich i wiotkich pęcherzy z treścią surowiczo-ropną (często przymieszkowych), po których pęknięciu powstają niesztowice.

Leczenie. Ogólnie stosuje się środki wzmacniające, środki przeciwbakteryjne, leczenie bodźcowe. Jeżeli jest znana przyczyna (świerzb, wszawica), należy ją energicznie zwalczać.

W zapobieganiu istotne znaczenie ma ścisłe przestrzeganie zasad higieny.

Róża, zob. Chirurgia, s. 1438.

Ropne zapalenie mieszków włosowych. Chorobę wywołują gronkowce. Na twarzy, tułowiu, kończynach, w miejscach drobnych urazów i zadrapań pojawiają się ropne pęcherzyki (krostki) w ujściu mieszka włosowego, na żywoczerwonej podstawie, przebite przez włos. Gojenie następuje przez zasychanie ropnej wydzieliny w strupy. W razie szerzenia się zakażenia w głąb mieszka włosowego lub na jego otoczenie, wykwity stają się głębsze i większe. Rozwój choroby jest szybki.

L e c z e n i e miejscowe jak w liszajcu (zob. wyżej). Leczenie ogólne polega na podawaniu sulfonamidów, antybiotyków, na terapii bodźcowej (szczepionki).

Przewlekłe ropne zapalenie mieszków włosowych, czyli **figówka gronkowcowa**, jest odmianą choroby opisanej wyżej. Cechuje się długotrwałym przebiegiem i opornością na leczenie. Zwykle występuje na wardze górnej i brodzie u mężczyzn. Mogą powstawać większe nacieki lub guzy ropne.

L e c z e n i e bardzo trudne.

Czyrak, czyrak gromadny, zob. Chirurgia, s. 1433.

Ropnie dołu pachowego, czyli **zapalenie gruczołów potowych**, zob. Chirurgia, s. 1434.

Ropnie mnogie u niemowląt. Jest to zakażenie gronkowcowe gruczołów potowych u niemowląt, powstające wskutek przegrzewania dziecka i zaniedbań higienicznych. Na plecach, pośladkach, potylicy dziecka tworzą się chełbocące guzki, które mogą się przebijać. Choroba daje nawroty.

L e c z e n i e polega na otwieraniu ropni i stosowaniu antybiotyków, a z a p o b i e g a n i e na właściwej pielęgnacji dziecka i przestrzeganiu higieny.

II. GRUŹLICA SKÓRY

Gruźlicę skóry wywołuje prątek gruźlicy, przeważnie typu ludzkiego, rzadziej zwierzęcego. Gruźlica skóry występuje często u osób, które przedtem chorowały na gruźlicę narządową. Zakażenie może się szerzyć przez krew, limfę lub przez bezpośrednią styczność z chorym. Dokładne ustalenie r o z p o z n a n i a opiera się na wyglądzie zmian skórnych, na wykryciu prątków w badaniu mikroskopowym oraz na znalezieniu ziarniny gruźliczej w badaniu histologicznym (badanie wycinków tkankowych). Rozpoznanie ułatwiają również o d c z y n y t u b e r k u l i n o w e (zob. Pediatria, Szczepienie BCG, s. 1154).

Prątki nie znajdują w skórze korzystnych warunków rozwoju, dlatego gruźlica skóry przebiega stosunkowo łagodnie, przewlekle i towarzyszy jej duża odporność organizmu.

Wyróżnia się dwa rodzaje gruźlicy skóry: właściwą i tuberkulidy. Do g r u ź l i c y s k ó r y w ł a ś c i w e j zalicza się gruźlice: toczniową, wrzodziejącą, rozpływną i węzłową, guzowatą lub grzybiastą, brodawkującą. Zakażenie może być zewnątrz- lub wewnątrzpochodne. Do t u b e r k u l i d ó w zalicza się gruźlice: liszajowatą, guzkowo-zgorzelinową, stwardniałą (rumień stwardniały); w tej grupie nie zawsze udaje się wykazać obecność prątków i ziarniny gruźliczej.

Gruźlica toczniowa jest najczęściej spotykaną postacią gruźlicy skóry.

Zmiany umiejscawiają się najczęściej na twarzy (nos, uszy, policzki) wskutek przechodzenia zakażenia z błon śluzowych jamy ustnej i nosa. Powstają żółtobrunatne albo czerwonobrunatne guzki, które często rozpadają się tworząc owrzodzenie. Przy ucisku szkiełkiem, np. od zegarka (objaw diaskopii), guzki gruźlicze przyjmują zabarwienie żółtobrunatne (obecność ziarniny gruźliczej – tablica XXIV a). Są one zazwyczaj miękkie (zniszczona tkanka), tak że z łatwością można wprowadzić do ich wnętrza sondę. Wzrost guzków następuje przez obwodowe szerzenie się i nowy wysiew w otoczeniu. Przebieg choroby jest przeważnie długotrwały (wieloletni), a zaczyna się ona zwykle w dzieciństwie. Choroba pozostawia rozległe, nierówne blizny, w obrębie których może dochodzić do wznowienia czynnych zmian chorobowych.

Gruźlica wrzodziejąca zwykle towarzyszy gruźlicy wewnątrzustrojowej. Od początku występują małe owrzodzenia na błonach śluzowych lub na skórze w ich pobliżu.

Zapalenie gruźlicze węzłów chłonnych. Najczęściej zakażeniu ulegają węzły podszczękowe. Początkowo twarde, potem rozmiękają tworząc przetoki w otoczeniu, często ogniska gruźlicy rozpływnej lub toczniowej. Przebieg choroby jest przewlekły.

Gruźlica rozpływna. Powstaje zwykle jako zakażenie z węzłów chłonnych. Rozpoczyna się guzkiem głęboko umiejscowionym, który zrasta się ze skórą, przebija ją tworząc przetoki i owrzodzenia. Ustępując pozostawia nieregularne blizny, przeważnie w okolicy podszczękowej i nadobojczykowej.

Innych postaci gruźlicy jako mało charakterystycznych nie omówiono.

Leczenie gruźlicy skóry jest takie samo jak gruźlicy ogólnoustrojowej (zob. Choroby zakaźne, s. 946).

III. GRZYBICE SKÓRY

Grzybice skóry powodują grzyby chorobotwórcze należące do roślin niższych. Grzyby te żyją saprofitycznie lub jako pasożyty. Mogą atakować włosy, skórę gładką, błony śluzowe i paznokcie. Niektóre postacie grzybic skóry owłosionej ze względu na dużą zakaźność i częstość występowania u dzieci stanowią poważne niebezpieczeństwo społeczne. Źródłem zakażenia mogą być: chory człowiek, chore zwierzę lub przedmioty z otoczenia chorego. Walka z grzybicami polega ma wczesnym wykrywaniu i leczeniu osób chorych oraz na ich izolacji, na badaniu osób, które miały kontakt z chorym i od których mogło nastąpić zakażenie, a także na odkażaniu przedmiotów w otoczeniu chorego. W przypadku zakażenia grzybem zwierzęcym (grzybica strzygąca głęboka) należy przeprowadzić badania weterynaryjne zwierząt domowych.

Rozpoznanie grzybicy powinno być w każdym przypadku potwierdzone badaniami mikroskopowymi i hodowlanymi.

Łupież pstry jest chorobą stosunkowo mało zakaźną występującą u osób silnie pocących się. Na tułowiu i częściach przyległych widoczne są drobne plamy lekko różowe, żółtobrunatne lub ciemnobrunatne, zazwyczaj liczne i bezładnie rozrzucone, potem zlewające się. Powierzchnia plam nieznacznie złuszcza się otrębiasto. Pod wpływem nasłonecznienia plamy przybierają wygląd odbarwień.

L e c z e n i e. Stosuje się miejscowo różne środki złuszczające i przeciwgrzybiczne, te ostatnie także doustnie przy zmianach bardzo rozległych (np. Nizoral, czyli ketokonazol), specjalne szampony z zawartością selenu, np. Selsun. Konieczne jest jednoczesne leczenie skóry owłosionej głowy. Nieodzowne jest także odkażanie bielizny i odzieży w celu zapobiegania nawrotom.

Grzybice skóry gładkiej

Ze względu na przewlekły przebieg i znaczną zakaźność grzybice te powodują masowe zachorowania, zwłaszcza w dużych zbiorowiskach ludzkich. Zakażenie przenosi się przez wspólne używanie ręczników, gąbek, bielizny, umywalek, obuwia itp., a także przez bezpośredni kontakt. Sprzyja temu duża wilgotność i maceracja skóry rąk i nóg (łatwe pocenie się, złe osuszanie itp.). Zakażenie rozwija się przeważnie w hotelach, koszarach, w kąpieliskach, ośrodkach sportowych.

Grzybica skóry gładkiej charakteryzuje się występowaniem ognisk rumieniowo-złuszczających, zwykle okrągłych lub owalnych, dobrze odgraniczonych, o brzegach nieco bardziej wyniosłych z grudkami i pęcherzykami (tablica XXIV b); stan zapalny jest nieduży. W odmianie głębokiej tworzy się naciek i większy stan zapalny oraz występują krostki. Umiejscowienie może być różne.

Zmiany mogą wywołać różne gatunki grzybów.

Grzybica obrębna pachwin atakuje okolice pachwinowe, fałdy międzypośladkowe i górne części ud. O b j a w i a się wyniosłymi, dobrze odgraniczonymi czerwonobrunatnymi plamami o brzegach nieco wzniesionych, utworzonych przez drobne grudki i pęcherzyki. P r z e b i e g choroby jest przewlekły, występuje świąd.

Grzybica dłoni i stóp. Choroba rozwija się głównie w szparach międzypalcowych, na powierzchni dłoniowej rąk i na podeszwach. Zachorowują częściej osoby noszące obuwie nieprzewiewne, wykonane z gumy lub na gumowej podeszwie. W g r z y b i c y m i ę d z y p a l c o w e j zmiany zwykle dotyczą szpar między palcami III i IV oraz IV i V, gdyż szpary są tutaj najwęższe i łatwo dochodzi do maceracji naskórka. O b j a w y są podobne do wyprzenia: skóra jest zaczerwieniona i popękana, naskórek zmacerowany, łatwo się oddziela, obserwuje się sączenie.

W g r z y b i c y d ł o n i i s t ó p zmiany mają charakter ognisk rumieniowo-złuszczających, objawy zapalne są mniejsze, sączenie nie występuje. Niekiedy w ogniskach pojawiają się drobne pęcherzyki. Przy długotrwałym przebiegu choroby mogą wystąpić znaczne zgrubienia warstwy rogowej na dłoniach i podeszwach oraz liczne głębokie popękania w tych okolicach.

Leczenie grzybic skóry gładkiej

Zwykle wystarczy leczenie miejscowe. Przy zmianach wysiękowych i zapalnych stosuje się okłady, następnie barwniki lub nalewkę jodową, zasypki (pudry), kremy i maści przeciwgrzybicze. Z nowszych leków należących do tej grupy można wymienić tzw. pochodne imidazolowe (np. Clotrimazol, Pevaryl) w różnych postaciach, a także Lamisil (Terbinafine). Leczenie staje się kłopotliwe, jeżeli wystąpi wtórne zakażenie lub odczyn alergiczny. Nawroty są dość częste i dlatego zaleca się przez dłuższy czas po wystąpieniu zmian stosowanie zapobiegawczo niektórych leków miejscowo w postaci zasypek, płynów itp. Konieczna jest kontrola najbliższego otoczenia i ewentualne leczenie, jeżeli wykryje się zmiany grzybicze. Należy zachować daleko posuniętą higienę, często myć i dokładnie osuszać stopy oraz pachwiny, często zmieniać bieliznę i skarpetki. Leczenie doustne stosuje się wyjątkowo, tylko przy zmianach bardzo rozległych i opornych na leczenie miejscowe.

Grzybice skóry owłosionej głowy

Grzybica woszczynowa, czyli **strupień woszczynowy** albo **parch**, zajmuje zlewnie całą głowę, z wyjątkiem wąskiego pasa włosów na granicy ze skórą nie owłosioną (czoło, okolice zauszne, kark). Tworzą się tzw. tarczki woszczynowe, czyli szarożółte strupy o średnicy od kilku milimetrów do 1 cm, zagłębione w skórę, z talerzykowatym wgłębieniem w środku. Tarczkę przebija włos. W zaawansowanej postaci choroby cała skóra głowy jest pokryta takimi tarczkami. Włosy stają się matowe, szorstkie, suche i pokręcone, łamią się na różnych wysokościach i dają się łatwo usuwać. Ogniska chorobowe mają zapach podobny do zapachu stęchlizny. Zmiany ustępując pozostawiają rozległe, zanikowe, białe blizny, gładkie i lśniące.

Grzybica strzygąca atakuje skórę owłosioną głowy (zwykle u dzieci) i brodę u mężczyzn. Choroba wykazuje znaczną zakaźność. Objawia się występowaniem licznych, drobnych i dobrze odgraniczonych ognisk o powierzchni złuszczającej się otrębiasto (tzw. tonsurki). Zmiany zapalne są minimalne, włosy w ogniskach ułamane na nierównej wysokości (stąd nazwa strzygąca), a ich pieńki są szare, matowe.

Grzybicę strzygącą głęboką skóry owłosionej głowy (dzieci) oraz skóry brody u mężczyzn wywołuje odmiana odzwierzęca grzyba. Zmiany chorobowe mają charakter dużych guzowatych nacieków, ostro zapalnych, o powierzchni brodawkowatej, wydzielających przy ucisku ropę; na powierzchni pokryte są strupami. Włosy są zmienione, dają się łatwo usuwać. Przebieg choroby jest ostry, może wystąpić niewielka bolesność guzów. W długotrwałych, nie leczonych zmianach może nastąpić bliznowacenie i wówczas włosy w tym miejscu nie odrastają.

Grzybica drobnozarodnikowa jest grzybicą najbardziej zakaźną. Występuje głównie u dzieci, zwykle w większych zbiorowiskach. Nigdy nie zajmuje paznokci, rzadko skórę gładką. Na skórze owłosionej głowy bardzo przypomina grzybicę strzygącą.

Grzybica paznokci

Grzybica paznokci często towarzyszy innym rodzajom grzybicy skóry gładkiej, np. stóp, a także skóry owłosionej (z wyjątkiem grzybicy drobnozarodnikowej). Zmiany rozpoczynają się od I i V palca stopy (uciskanie przez obuwie), potem mogą zajmować płytki paznokciowe pozostałych palców stóp i wszystkich palców dłoni. Płytki są zgrubiałe, łamliwe, pobruzdowane i popękane. Zmianom tym towarzyszy nadmierne rogowacenie podpaznokciowe, które unosi płytkę – stopniowo płytki mogą ulegać wykruszeniu.

Zmiany grzybicze płytek paznokciowych mogą stanowić źródło zakażenia innych osób lub nadkażenia samego chorego, powodując rozwój innych odmian grzybic.

Podstawą leczenia grzybic skóry owłosionej i paznokci jest doustne stosowanie gryzeofulwiny, ketokonazolu (Nizoral) lub nowszego Lamisilu (Terbinafine). Kuracja jest długotrwała (ok. 2–3 miesiące) i wymaga kontroli u specjalisty-dermatologa oraz przeprowadzenia badań laboratoryjnych. W przypadkach grzybicy głębokiej jest konieczne jednoczesne leczenie przeciwzapalne i ręczne usuwanie zmienionych włosów. Przedmiotem dyskusji jest w przypadkach grzybicy paznokci chirurgiczne usuwanie chorych płytek z jednoczesnym leczeniem doustnym.

Drożdżyce

Drożdżyce. Są to choroby wywoływane przez drożdżaki chorobotwórcze (najczęściej z rodzaju *Candida*), nie mające nic wspólnego z drożdżami używanymi w gospodarstwie domowym lub w produkcji cukierniczej. Drobnoustroje te mogą pasożytować na skórze, błonach śluzowych i paznokciach. Zakażeniom sprzyjają zaburzenia przemiany materii (otyłość, cukrzyca), niedobory witaminowe (głównie z grupy witamin B), mikrourazy, maceracja naskórka (pocenie się). Ostatnio, wskutek masowego stosowania antybiotyków lub leków obniżających odporność organizmu, liczba zakażeń drożdżakowych wyraźnie wzrasta.

Rozpoznanie drożdżycy z reguły powinno się opierać na badaniu mikroskopowym i hodowlanym.

Wyprzenie drożdżakowe jest podobne do wyprzenia bakteryjnego (zob. s. 1949). Występuje w fałdach skórnych, zwykle w trzeciej przestrzeni międzypalcowej rąk (między III i IV palcem), u osób często moczących dłonie (kucharki, praczki itp.). Objawia się czerwonymi sączącymi nadżerkami, otoczonymi przez biały, zmacerowany, oddzielający się naskórek. Podobne zmiany mogą dotyczyć szpar międzypalcowych na stopach. Obraz choroby jest podobny do grzybicy dłoni i stóp umiejscowionej między palcami (zob. s. 1952).

Drożdżyca błon śluzowych. U dzieci występuje w postaci pleśniawek (zob. Pediatria, s. 1200). U dzieci i dorosłych pochodzenia drożdżakowego może być również zapalenie języka, zajady oraz zapalenie sromu.

Drożdżyca paznokci i wałów paznokciowych objawia się obrzękiem i zgrubieniem wałów paznokciowych. Skóra w tych miejscach jest napięta, ścieńczała i zapalnie zmieniona. Tworzy nawisy nad płytką paznokciową. Spod wału wydobywa się wydzielina ropna. Płytka paznokciowa jest szarobrunatna, pobruzdowana, matowa.

Leczenie drożdżyc

Leczenie drożdżyc polega głównie na stosowaniu barwników (zieleń brylantowa, eozyna, jodyna) i podawaniu dużych dawek witamin z grupy B. W przypadkach zmian sączących zaleca się okłady. Stosuje się także antybiotyki i inne chemioterapeutyki, np. nystatynę, natamycynę (pimafucin), w postaci maści, kremów, roztworow, tabletek i globulek dopochwowych. Z leków dostępnych w Polsce korzystne działanie wywierają płyn i maść Clotrimazol lub inne pochodne imidazolowe. W zakażeniach rozległych, o przewlekłym przebiegu podaje się doustnie ketokonazol (Nizoral), Lamisil (Terbinafine) lub Flukonazol. Na błony śluzowe jamy ustnej stosuje się boraks z gliceryną.

Zapobieganie polega na ścisłej higienie i dobrym osuszaniu rąk po pracy w kuchniach, pralniach itp. Osoby pracujące zawodowo w tym fachu powinny zapobiegawczo stosować smarowanie rąk boraksem z gliceryną.

Promienica twarzowo-szyjna

Promienicę wywołuje beztlenowy drobnoustrój zwany promieniowcem, który w sprzyjających warunkach może żyć w organizmie człowieka jako nieszkodliwy saprofit. Znajduje się on najczęściej w zębach próchniczych, w przywierzchołkowych ropniach zębów oraz w zeskrobinach z kamienia zębowego. W niektórych przypadkach, np. wskutek urazu (wyrwanie zęba) lub zakażenia ropnego, promieniowce stają się chorobotwórcze i wywołują zakażenia wewnątrzpochodne. Wylęganie trwa ok. 2–3 tygodnie. Atakować mogą różne narządy, najczęściej jednak zajmują skórę i tkankę podskórną okolicy podszczękowej, szyi lub twarzy. Wyjątkowo rozwijają się w mięśniach i kościach tej okolicy.

Objawy. Tworzy się bardzo twardy, głęboki naciek guzowaty zrastający się ze skórą, która jest zapalnie zmieniona, sinoczerwona i napięta. Powierzchnia nacieku jest nierówna, pofałdowana. Stopniowo naciek ulega rozmiękaniu, wytwarza się chełbotanie i liczne drobne przetoki, z których wydobywa się treść ropna z zawartością żółtych ziarenek. Czasami może wystąpić obrzęk szyi, szczękościsk i znaczna bolesność. Przebieg choroby jest przewlekły, przy nagłym na ogół początku.

Leczenie polega na stosowaniu dużych dawek penicyliny, rzadziej tetracykliny lub Biseptolu.

IV. CHOROBY SKÓRY WYWOŁANE PRZEZ PASOŻYTY

Świerzb. Jest to pasożytnicza choroba zakaźna wywoływana przez roztocze zwane świerzbowcem ludzkim (*Sarcoptes scabiei hominis*). Tylko samiczka wnika w naskórek. Zapłodniona na powierzchni skóry drąży nory i korytarze w naskórku, w którym składa jaja. Z jaj wylęgają się larwy, które przedostają się na powierzchnię skóry. Drążenie wywołuje znaczne swędzenie skóry, zwłaszcza w nocy. Chorzy drapią się i dochodzi do wtórnych zakażeń ropnych lub (i) spryszczenia (wyprysk). Świerzb umiejscawia się na bocznych powierzchniach palców rąk, w fałdach międzypalcowych, w okolicy nadgarstków, w przednich fałdach pachowych, zgięciach łokciowych, w okolicach pępka, narządów płciowych i na pośladkach. Skóra górnej części pleców, karku i twarzy nie bywa zajęta. Zakażenie następuje przez bezpośredni kontakt (np. podanie ręki, kontakty seksualne), przez pościel, bieliznę (np. wspólne spanie). Szerzenie się świerzbu zależy od stanu higieny osobistej i pomieszczeń.

Leczenie polega na stosowaniu na skórę całego ciała (z wyjątkiem głowy) leków przeciwświerzbowych. Najskuteczniejszy jest preparat (maść, emulsja lub żel) Jacutin (Lindan), choć na naszym rynku trudno dostępny. Ze względu na możliwe uboczne działanie preparatu kurację powinien kontrolować lekarz. Ze starszych preparatów należy wymienić: Novoscabin, maść Wilkinsona, Crotamiton (Eurax). Konieczne jest leczenie jednoczesne wszystkich domowników. Po zakończeniu kuracji obowiązuje zmiana bielizny osobistej i pościelowej. Czas trwania kuracji zależy od stosowanego preparatu.

Wszawica. Są to zmiany skórne wywołane przez wszy ludzkie. Odróżnia się wszawicę głowową, odzieżową i łonową. Wszy żywią się krwią ludzką, a przez ukłucie powodują na skórze powstawanie grudek lub bąbli pokrzywkowych i bardzo nasilonego świądu.

Wszy głowowe atakują skórę głowy (zwłaszcza okolice potyliczną i skroniowe), karku i pasa barkowego. Na skórze obserwuje się liczne grudki, bąble, ślady zadrapań i strupy. Zwykle dochodzi do wtórnych zakażeń ropnych. We włosach znajdują się wszy i ich jajeczka – gnidy – poprzylepiane do włosów; może powstać kołtun.

Leczenie polega na możliwie jak najkrótszym ścięciu włosów, dokładnym umyciu głowy wodą z mydłem oraz wcieraniu nafty z oliwą w równych częściach lub octu sabadylowego, stosowaniu maści rtęciowej. Jeżeli włosy nie zostały krótko ścięte (z reguły – u kobiet), po każdym zabiegu należy głowę dokładnie wyczesać gęstym grzebieniem.

W s z y o d z i e ż o w e powodują liczne ślady zadrapań, bąble pokrzywkowe i grudki na tułowiu, zwłaszcza w miejscach przylegania fałdów ubrań i szwów bielizny. W miejscach zadrapań powstają nadżerki, strupki i drobne blizenki. Przy długotrwałej wszawicy odzieżowej tworzą się charakterystyczne brunatne przebarwienia skóry. Często dołączają się zmiany ropne i wypryskowe.

L e c z e n i e polega na dokładnym odkażeniu bielizny i odzieży, na kąpieli, goleniu miejsc owłosionych i stosowaniu środków niszczących wszy. W z a p o b i e g a n i u największe znaczenie ma higiena osobista i odzieży.

W s z y ł o n o w e, nieco mniejsze od poprzednich, atakują okolice narządów płciowych zewnętrznych, łonową, pachwin, ud, brzucha, pach, a nawet brwi i rzęsy (zob. też Choroby przenoszone drogą płciową, s. 1947). Swędzenie jest rozmaicie nasilone. W następstwie ukłuć wszy łonowej występują charakterystyczne błękitne plamy (szaroniebieskie).

L e c z e n i e polega na zgoleniu włosów i stosowaniu maści rtęciowej. Dobre wyniki także daje ostrożne stosowanie szarej maści rtęciowej (może wywołać podrażnienie skóry). Lekiem z wyboru we wszystkich odmianach wszawicy jest 1%-gamma-heksa-chloro-heksan Jacutin w postaci emulsji, żelu lub pudru. Lek ten jest jednak trudno dostępny w kraju. Kurację powinien nadzorować lekarz. Sposób postępowania jest analogiczny jak przy świerzbie (zob. wyżej).

V. WIRUSOWE CHOROBY SKÓRY

Choroby skóry powodowane przez wirusy przenoszą się z człowieka na człowieka, wywołują odporność czasową lub stałą. Dzieli się je na trzy grupy: 1) g r u p ę o p r y s z c z k i (opryszczka zwykła, półpasiec, ospa wietrzna); 2) g r u p ę o s p y (mięczak zakaźny, ospa prawdziwa) oraz 3) g r u p ę b r o d a w e k.

Opryszczka. Ta choroba wirusowa występuje w miejscach przejścia skóry w błony śluzowe (wargi, nos – t y p 1, narządy płciowe – t y p 2), także w innych miejscach. Często nawraca. Może towarzyszyć chorobom zakaźnym i gorączkowym (grypa), może pojawiać się po nasłonecznieniu, przegrzaniu itp. Na rumieniowym podłożu pojawiają się małe pęcherzyki grupujące się, o zawartości przezroczystej, wyjątkowo ropiejące. Po pęknięciu pokrywy tworzy się nadżerka, strup jest często miodowożółty (wtórne zakażenie). Opryszczka trwa kilka dni. Wywołuje uczucie pieczenia i swędzenia, zwłaszcza we wczesnym okresie. Może przenosić się przez bezpośredni kontakt (płciowy, pocałunek).

Odmianami opryszczki są: z a p a l e n i e w i r u s o w e j a m y u s t n e j oraz z a k a ż e n i a o p r y s z c z k o w e r o g ó w k i.

L e c z e n i e opryszczki jest dość trudne, ponieważ nie ma swoistych leków.

Polega głównie na ochronie przed wtórnym zakażeniem bakteryjnym. Wskazane są pudry wysuszające, smarowanie barwnikami. W uporczywych i nawrotowych opryszczkach wskazane jest miejscowe stosowanie leków o działaniu przeciwwirusowym, takich jak acyklowir (Zovirax, Virolex) lub widarabina w postaci kremów, żelów itp. Leki te nie zapobiegają jednak nawrotom. Leczenie ogólne może polegać na podawaniu acyklowiru w postaci tabletek lub rzadziej dożylnie. Wskazane jest stosowanie dużych dawek witamin z grupy B (np. witaminy B_1). Pewne znaczenie w zapobieganiu nawrotom mają leki immunomodulujące, np. izoprinozina.

Półpasiec. Przyczyną choroby jest wirus półpaśca – identyczny z wirusem, który wywołuje ospę wietrzną (zob. Choroby zakaźne, s. 961). Wykazuje on powinowactwo do układu nerwowego (atakuje zwoje nerwowe, a także nerwy) oraz powoduje charakterystyczne zmiany skórne, które zwykle dotyczą obszaru unerwionego przez określony nerw (segment) po jednej stronie ciała.

Objawy. Najczęściej zmiany dotyczą twarzy – wówczas istnieje niebezpieczeństwo przejścia zakażenia na rogówkę (półpasiec oczny) – rzadziej klatki piersiowej, wówczas umiejscawiają się wzdłuż przebiegu żeber (zawsze jednostronnie, co jest bardzo charakterystyczne). Na rumieniowym podłożu tworzą się pęcherzyki i pęcherze o trwałej pokrywie, zawartości początkowo przezroczystej, potem często ropnej lub z zawartością krwawą (tablica XXIV c). Po pęknięciach pęcherzyków powstają głębokie nadżerki pokryte strupami, które mogą pozostawiać blizny.

Zmianom towarzyszą silne bóle (nerwobóle), które mogą się utrzymywać przez kilka miesięcy po całkowitym ustąpieniu zmian skórnych, zwłaszcza u osób starszych.

Choroba trwa kilka tygodni i na ogół pozostawia trwałą odporność.

Leczenie. Miejscowo stosuje się środki odkażające, ogólnie przeciwwirusowe (acyklowir), witaminy z grupy B, izoprinozynę, przy wtórnym nadkażeniu antybiotyki o szerokim zakresie działania, leki przeciwbólowe i uspokajające.

Uwaga – półpasiec u osób starszych może się łączyć z nowotworami narządów wewnętrznych lub chorobami nowotworowymi krwi.

Mięczak zakaźny. Chorobę wywołują wirusy z grupy ospy. Występuje ona najczęściej u dzieci, rzadziej u osób dorosłych. Zwykle na twarzy i częściach odkrytych pojawiają się pojedyncze (kilka), rzadziej mnogie cieliste, lekko przeświecające półkoliste guzki z wgłębieniem w środku; po wyciśnięciu wydobywa się z nich szarobiała kaszkowata masa.

Leczenie polega na wyciśnięciu zawartości i jodynowaniu.

Brodawki, określenie ludowe kurzajki, jest to grupa zmian wywołanych przez wirusy brodawczaka ludzkiego (HPV). Odróżnia się kilka odmian klinicznych: brodawki zwykłe, stóp, płaskie, czyli młodocianych, oraz brodawki (kłykciny) kończyste, czyli płciowe.

Brodawki płaskie (młodocianych) występują przeważnie u dzieci na twarzy i rękach. Są to drobne, cieliste lub brunatne grudki o gładkiej powierzchni.

Leczenie ich polega na złuszczaniu (papka Kumerfeld, pasty złuszczające, kwas witaminy A), wyjątkowo na elektrokoagulacji (może pozostawiać blizny!).

B r o d a w k i z w y k ł e występują u dzieci i u dorosłych, najczęściej na dłoniach, palcach i stopach, ale także na błonach śluzowych. Są to większe elementy grudkowe (małe guzki) barwy brunatnej, o nierównej, chropowatej (brodawkującej) powierzchni. Czasami są bardzo liczne. Łatwo przenoszą się przez kontakt bezpośredni, może występować także samozakażenie.

L e c z e n i e. Stosuje się wycinanie, łyżeczkowanie w znieczuleniu chlorkiem etylu, zamrażanie płynnym azotem, elektrokoagulację, pędzlowanie środkami żrącymi. Z metod leczenia ziołami – sok jaskółczego ziela (działa żrąco). Opisywane są przypadki ustępowania zmian pod wpływem sugestii.

B r o d a w k i s t ó p. Wykwity są pojedyncze i zwykle wnikają głęboko do skóry. Mogą wywoływać odczyn zapalny, są bolesne.

L e c z e n i e jest podobne jak brodawek zwykłych.

B r o d a w k i (k ł y k c i n y) k o ń c z y s t e są to przerosłe, uszypułowane twory brodawkowate (kalafiorowate) umiejscawiające się w okolicach płciowych (drażnionych) (zob. Choroby przenoszone drogą płciową, s. 1939).

VI. RUMIENIE

Rumień wielopostaciowy. Jest to zespół chorobowy o różnej przyczynie. Mogą wywoływać go bakterie (ogniska bakteryjne), wirusy, może towarzyszyć chorobom zakaźnym, występować po lekach. Może być też kilka przyczyn.

O b j a w y. Liczne sinoczerwone rumienie, dobrze odgraniczone, z pęcherzykiem w części centralnej, mogą tworzyć układ nieregularny, układ obrączkowy, girlandowy. Występują głównie na dłoniach i stopach, błonach śluzowych jamy ustnej i narządów płciowych (głównie nadżerki), mogą być rozsiane. Towarzyszy im bolesność, podwyższona temperatura ciała, bóle stawów. Choroba trwa kilka tygodni. Daje częste nawroty.

L e c z e n i e jest przyczynowe. Polega na odstawieniu leku wywołującego rumień i leczeniu choroby podstawowej. W cięższych przypadkach stosuje się kortykosteroidy, antybiotyki, leki odczulające.

O d m i a n ą rumienia wielopostaciowego jest r u m i e ń w y ł ą c z n i e b ł o n ś l u z o w y c h wszystkich naturalnych otworów ciała, mający przebieg gorączkowy, gwałtowny.

Rumień trwały. Są to plamy rumieniowe o odcieniu fioletowym, dobrze ograniczone, pojedyncze. Ustępują z przebarwieniami. P r z y c z y n ą ich są wyłącznie leki – często tabletki od bólu głowy i sulfonamidy.

Rumień guzowaty. Jest to zespół chorobowy o niejednolitej przyczynie. Mogą go powodować zakażenia bakteryjne, u dzieci pierwotne przywnękowe zmiany gruźlicze, sarkoidoza, zakażenia wirusowe, wyjątkowo leki. Istnieje też postać samoistna.

O b j a w y. Tworzą się głębokie, ostro zapalne guzy, średnicy 1 – 5 cm, sięgające do tkanki podskórnej. Początkowo żywoczerwone, stopniowo stają się sine i brunatne. Występują symetrycznie przede wszystkim na przedniej powierzchni podudzi. Nie ulegają rozmiękaniu ani przebiciu, cofają się bez pozostawiania blizn. W ostrym okresie występuje bolesność miejscowa, podwyższona temperatura, bóle stawowe. Zmiany tworzą się wysiewami. Choroba trwa kilka tygodni. Występuje na wiosnę i jesienią, raczej nie nawraca.

Leczenie jest przyczynowe. Jeżeli nie można ustalić przyczyny choroby, stosuje się antybiotyki, leki odczulające, przeciwzapalne.

VII. ALERGICZNE CHOROBY SKÓRY

Alergia i jej mechanizm, zob. Patologia, s. 311 oraz Pediatria, Choroby alergiczne u dzieci, s. 1234.

Pokrzywka. Występuje w różnych odmianach, których wspólną cechą jest powstawanie tzw. bąbli pokrzywkowych. Przyczyną mogą być mechanizmy immunologiczne (pokrzywka alergiczna), znana jest także pokrzywka niealergiczna, spowodowana np. nietolerancją niektórych leków, emocjami psychicznymi. Bezpośrednią przyczyną powstawania bąbla pokrzywkowego jest wyzwalanie histaminy i jej wpływ na naczynia.

Objawy. Wykwitem podstawowym jest bąbel pokrzywkowy, różowy lub blady, płaski albo wyniosły ponad otoczenie. Bąble powstają szybko, ustępują po kilku godzinach. Mogą być pojedyncze lub bardzo liczne (wysiewy). Towarzyszy im bardzo silny świąd.

Odmianą pokrzywki jest obrzęk twarzy (tzw. obrzęk Quinckego) lub krtani, czasami groźne dla życia.

Pokrzywka ostra powstaje po lekach i błędach dietetycznych. Zwykle jest krótkotrwała. Mogą jej towarzyszyć objawy ogólne, głównie ze strony przewodu pokarmowego, spadek ciśnienia.

Pokrzywka przewlekła, najczęściej nieswoista, ma przebieg wielomiesięczny, a nawet wieloletni. Zaostrzenia występują pod wpływem emocji psychicznych.

Pokrzywka z zimna występuje pod wpływem niskiej temperatury.

Leczenie zależy w znacznym stopniu od rodzaju pokrzywki oraz od czynników przyczynowych. Stosuje się leki przeciwhistaminowe, uspokajające (głównie w pokrzywce przewlekłej), psychoterapię. Kortykosteroidy podaje się tylko w pokrzywce ostrej.

Świerzbiączka. Jest to atopowe zapalenie skóry, w którym grają rolę mechanizmy alergiczne (głównie alergeny wziewne i pokarmowe) oraz mechanizmy nieswoiste. Duże znaczenie ma atopia (dziedziczna predyspozycja do zjawisk alergicznych) oraz różne sytuacje konfliktowe. Świerzbiączka często występuje rodzinnie. Charakterystyczna jest skłonność do wytwarzania przeciwciał klasy IgE. Przy skłonności atopowej może występować astma oskrzelowa i alergiczny nieżyt nosa.

O b j a w y. Grudki wysiękowe zlewają się w większe ogniska o ostrym lub podostrym stanie zapalnym, ze skłonnością do liszajowacenia (skóra staje się gruba, przebarwiona, sucha, pobruzdowana). Charakterystycznymi miejscami występowania zmian skórnych jest twarz, zgięcia łokciowe i kolanowe, ale mogą one również zająć całą skórę. Chorobie towarzyszy bardzo nasilony i uporczywy świąd. Często rozpoczyna się jako skaza wysiękowa u dzieci już w 6 miesiącu życia. Może trwać całe życie z okresami zaostrzeń i remisji, ale może całkowicie wygasać.

L e c z e n i e lekami przeciwhistaminowymi, uspokajającymi i neuroleptykami. Wyjątkowo stosuje się steroidy. Prowadzi się ponadto leczenie miejscowe, klimatyczne (bardzo ważne).

Wyprysk. Najczęstszą przyczyną tej alergicznej choroby są uczulenia kontaktowe (w y p r y s k k o n t a k t o w y, bardzo często zawodowy – tablica XXIV d) lub czynniki drażniące miejscowo (w y p r y s k z p o d r a ż n i e n i a). Zdarzają się także wypryski krwiopochodne, których przyczyną są na ogół antygeny bakteryjne z ogniska zakaźnego.

O b j a w y. Grudki wysiękowe i pęcherzyki zlewają się w większe ogniska rumieniowo-wysiękowe. W ostrym stanie zapalnym występuje obrzęk, sączenie, nadżerki, potem tworzą się strupy i liszajowacenie. Mogą wystąpić wtórne nadkażenia bakteryjne (objawy liszajca, zob. s. 1948). Zmiany dotyczą zwykle grzbietów dłoni, mogą być jednak rozsiane. Przeważnie towarzyszy im świąd. P r z e b i e g choroby jest przewlekły z nawrotami.

O d m i a n y: wyprysk podudzi (towarzyszy owrzodzeniom podudzi), pieniążkowaty, modzelowaty, potnicowy (głównie pęcherzyki i pęcherze), dziecięcy (właściwe atopowe zapalenie skóry, zob. wyżej Świerzbiączka).

L e c z e n i e wyprysku polega przede wszystkim na wykryciu substancji bądź to uczulającej (próby kontaktowe), bądź drażniącej i przerwaniu z nią kontaktu, a także na unikaniu substancji zaostrzającej zmiany. Poza tym jest stosowane leczenie ogólnie odczulające, dieta, leczenie miejscowe (maści steroidowe, redukujące, w okresie ostrym okłady).

VIII. USZKODZENIA SKÓRY

Uszkodzenia mechaniczne

W wyniku działania różnych czynników zewnętrznych może dojść do mechanicznego uszkodzenia skóry. Zdarza się tak zwłaszcza wówczas, gdy mechanizmy obronne nie są wystarczające, gdy bodziec działający jest zbyt silny lub gdy skóra reaguje nieprawidłowo (chorobowo). Do najczęstszych uszkodzeń należą: otarcia, nadżerki, przeczosy (ślady drapania), sińce (wylewy krwi do skóry pod wpływem bodźca mechanicznego), rany (uszkodzenia głębsze), a także modzele i nagniotki.

Modzele i nagniotki występują głównie na stopach. Są to ograniczone zgrubienia warstwy rogowej naskórka tworzące się pod wpływem długotrwałego ucisku. Nagniotki (odciski) różnią się od modzeli tym, że mają środkowy czop rogowy, tzw. rdzeń.

Leczenie polega przede wszystkim na usunięciu przyczyny, prawidłowym ustawieniu stopy w bucie, a miejscowo na stosowaniu silnych środków złuszczających.

Uszkodzenia termiczne

Oparzenia, zob. Chirurgia, s. 1421 i Pierwsza pomoc, s. 2145.
Odmrożenia, zob. Chirurgia, s. 1425 i Pierwsza pomoc, s. 2148.

Uszkodzenia wywołane przez promieniowanie słoneczne

Uszkodzenia te dzieli się na: 1) fizjologiczne u ludzi zdrowych, 2) chorobowe u ludzi z nadwrażliwością na światło, na skutek: utraty barwnika, obecności w organizmie substancji światłouczulających, zewnętrznego kontaktu z substancjami (lekami, kosmetykami) uczulającymi na światło, pewnych skomplikowanych zaburzeń genetycznych (wrodzonych) oraz 3) chorobowe spowodowane przewlekłym (długotrwałym) działaniem promieniowania słonecznego (zwyrodnienia skóry, nowotwory skóry).

Odczyny fizjologiczne

Nasilenie odczynów fizjologicznych zależy od długości fali świetlnej (tzw. widma promieniowania), natężenia promieniowania, czasu naświetlania oraz indywidualnej reakcji naświetlanego (np. typu skóry).

Odczyn rumieniowy (rumieniowo-zapalny). Wywołują go krótsze promienie nadfioletowe – UVB (290 – 310 nm). Może prowadzić do oparzenia słonecznego z objawami miejscowymi i ogólnymi, jak w oparzeniu I lub II stopnia (zob. Chirurgia, s. 1421). Rumień i pęcherze zazwyczaj są ograniczone do miejsc nasłonecznionych. Objawy wstrząsu występują wyjątkowo. Odczyn rumieniowy pojawia się po okresie utajenia (1 – 3 godz.); nasilenie największe ma w 6 – 9 godz. od nasłonecznienia. Ochrania przed odczynem rumieniowym barwnik zawarty w skórze – melanina.

Leczenie odczynu rumieniowego polega na stosowaniu okładów z kwasu borowego, maści chłodzących, maści steroidowych (z hydrokortyzonem).

Zapobieganie polega na stopniowym przyzwyczajaniu skóry. Ochronnie stosuje się maści, pudry, płyny światłoochronne, które pochłaniają część rumieniotwórczą widma słonecznego (np. kwas paraaminobenzoesowy i jego estry, tanina, chinina, preparaty pokrywające).

Zmiana zabarwienia skóry, czyli **opalenie**, zależy od wzmożonej produkcji brunatnego barwnika melaniny, która odkłada się w skórze. Krótsze promienie nadfioletowe powodują krótkotrwałą opaleniznę, a długie – UVA (320–400 nm) bardziej intensywną i dłużej się utrzymującą.

Udar słoneczny jest rodzajem udaru cieplnego. Powstaje w wyniku nasłonecznienia przede wszystkim głowy i karku, co prowadzi do przekrwienia opon mózgowych i mózgu, a nawet do obrzęku mózgu. Skutkiem są zaburzenia regulacji cieplnej organizmu.

Odczyny chorobowe

Odczyny fotoalergiczne. Są to reakcje alergiczne na różne preparaty stosowane ogólnie (leki), a także miejscowo (kosmetyki), ujawniające się pod wpływem słońca lub promieni nadfioletowych. Mechanizm powstawania tych reakcji jest immunologiczny.

Pokrzywka świetlna są to zmiany o charakterze bąbli pokrzywkowych, powstające pod wpływem działania promieni słonecznych o różnej dlugości fali. Choroba występuje nagle po 30–60 min od nasłonecznienia i utrzymuje się długo (przebieg wybitnie przewlekły).

L e c z e n i e polega na stosowaniu leków przeciwalergicznych oraz środków obniżających reakcję na słońce lub miejscowo chroniących przed działaniem słońca. Można próbować stopniowego przyzwyczajania skóry do naświetlań słonecznych (tylko pod kontrolą lekarza).

Odczyny fototoksyczne. Są to uszkodzenia komórek przez substancje fototoksyczne, tj. takie, które pod działaniem promieni słonecznych stają się toksyczne. O b j a w e m jest rumień, obrzęk, pęcherze, przebarwienia. Do s u b s t a n c j i f o t o t o k s y c z n y c h należą: psoraleny, olejek bergamotowy (perfumy), dziegcie, akrydyna, niektóre antybiotyki, sulfonamidy, siarczek kadmu.

Odczyn chorobowy przewlekły

Jest to zwyrodnienie skóry podobne do zmian starczych (głównie włókien sprężystych); na podłożu skóry starczej i rogowacenia starczego mogą rozwijać się raki skóry.

L e c z e n i e: natłuszczanie oraz stosowanie środków ochronnych (kremów, pudrów) przez osoby pracujące na powietrzu.

IX. CHOROBY PĘCHERZOWE

Choroby pęcherzowe to choroby skóry, których pierwotnym elementem są pęcherze.

Pęcherzyca. P r z y c z y n a choroby jest nie wyjaśniona. Mogą ją wywoływać różne czynniki, m.in. wirusy (?). Do czynników prowokujących należą:

światło słoneczne, oparzenia, niektóre leki. Mechanizm powstawania jest autoimmunologiczny; tworzą się swoiste przeciwciała przeciwko antygenom powierzchniowym komórek naskórka, głównie warstwy kolczystej. W następstwie reakcji immunologicznych dochodzi do wyzwalania enzymów proteolitycznych, które z kolei powodują rozpuszczenie substancji wiążącej poszczególne komórki naskórka. Proces nosi nazwę akantolizy, a jego skutkiem jest powstanie pęcherzy. Wykrycie przeciwciał ma znaczenie rozpoznawcze i ułatwia śledzenie wyników leczenia.

Odmiany pęcherzycy: zwykła, bujająca, rumieniowata, złuszczająca. Przebieg choroby jest przewlekły, rokowanie ostrożne; udaje się osiągać długie okresy remisji.

Pęcherzyca zwykła. Na skórze nie zmienionej i na błonach śluzowych tworzą się duże pęcherze o wiotkiej pokrywie. Pęcherze te pękając przekształcają się w sączące nadżerki. Zmiany zwykle są liczne, stan ogólny chorych dość dobry, brak innych objawów.

Pęcherzyca brodawkująca rożni się od zwykłej występowaniem wykwitów brodawkujących w obrębie nadżerek po pękniętych pęcherzach. Często dotyczy fałdów skórnych.

Inne postacie pęcherzycy są rzadsze.

Leczenie pęcherzycy jest trudne, raczej szpitalne. Stosuje się hormony steroidowe oraz leki immunosupresyjne.

Pemfigoid. Choroba charakteryzuje się powstawaniem podnaskórkowego pęcherza o dobrze napiętej pokrywie. Przyczyna jest nieznana, mechanizm powstawania autoimmunologiczny (przeciwciała skierowane przeciwko strefie błony podstawowej na granicy naskórka i skóry właściwej). Czynnikami prowokującymi są: promieniowanie nadfioletowe, leki, czynniki drażniące miejscowo. U osób starszych może być przejawem nowotworów narządów wewnętrznych, nie jest to jednak regułą.

Objawy. Na skórze zdrowej lub podłożu rumieniowym tworzą się na ogół duże pęcherze o dobrze napiętej pokrywie (brak nadżerek). Mogą też występować na błonach śluzowych. Mogą być pojedyncze i skupione lub rozsiane. Towarzyszy im niewielki świąd i pieczenie.

Odmiany choroby: pęcherzowa, pęcherzykowa, rumieniowa, ograniczona, bliznowaciejąca.

Leczenie kortykosteroidami, wyjątkowo lekami immunosupresyjnymi, sulfonami.

Zapalenie opryszczkowe skóry, czyli **choroba Duhringa.** Przyczyna choroby jest nieznana. Przyjmuje się jej mechanizm autoimmunologiczny. Towarzyszą jej zmiany w jelitach – tzw. zespół skórno-jelitowy, możliwość nadwrażliwości na gluten (enteropatia glutenowa, glutenozależna choroba trzewna). Przebieg jest przewlekły. Występują okresy remisji i nawrotów.

Objawy. Zmiany skórne są wielopostaciowe. Obok siebie występują grudki, pęcherzyki, rumienie, wykwity pokrzywkowate. Mogą one grupować się na obwodzie, tworząc układy girlandowate, obrączkowate. Umiejscowienie zmian jest bardzo charakterystyczne: występują one symetrycznie na łokciach, kolanach, okolicy krzyżowej i pośladków, mogą być rozsiane. Na ogół nie przechodzą na błony śluzowe. Zmianom towarzyszy silny świąd i pieczenie. Stan ogólny chorych jest dobry. Są oni nadwrażliwi na jod, a u 70% występują zmiany analogiczne do glutenozależnej choroby trzewnej (zob. Choroby układu pokarmowego, s. 739).

Leczenie. Stosuje się sulfony, sulfapirydynę długotrwale. Przerwy w leczeniu dają wznowę. Próbuje się wprowadzić specjalną dietę, tzw. bezglutenową.

X. CHOROBY TKANKI ŁĄCZNEJ TZW. KOLAGENOZY

Jest to grupa chorób o bardzo różnym przebiegu łączona w jedną całość ze względów historycznych. Obecnie sądzi się, że przyczyną tych chorób są zaburzenia autoimmunologiczne. Omówiono tutaj: liszaj (toczeń) rumieniowaty, twardzinę i zapalenie skórno-mięśniowe. Zob. też Choroby reumatyczne, s. 882.

Liszaj (toczeń) rumieniowaty (LE) występuje w dwóch odmianach: przewlekłej skórnej oraz narządowej (układowej). Mogą istnieć postacie przejściowe.

Odmiana przewlekła (ogniskowa) – DLE. Zjawiska autoimmunologiczne są słabiej zaznaczone, ale odgrywają istotną rolę patogenetyczną. Zazwyczaj występuje nadwrażliwość na światło słoneczne.

Objawy. Na skórze tworzą się zapalne nacieki czerwonobrunatne, dobrze ograniczone, o powierzchni nierównej (rogowacenie przymieszkowe). Wykwity te szerzą się obwodowo i ustępują od środka, pozostawiając bliznę zanikową. Przy zlewaniu się wykwitów powstają większe ogniska (tablica XXIII b). Zmiany umiejscawiają się na częściach odsłoniętych: na twarzy (w kształcie motyla – nos i policzki), małżowinach usznych, na skórze owłosionej głowy. Przebieg choroby jest przewlekły. Ulega zaostrzeniu w lecie i na wiosnę (niekorzystny wpływ słońca); zawsze pozostawia blizny.

Leczenie. Stosuje się preparaty przeciwmalaryczne (arechin, Plaquenil), witaminę PP, maści steroidowe, leki światłoochronne.

Odmiana narządowa (układowa) – SLE. Choroba o zdecydowanym podłożu autoimmunologicznym. Czynnikiem patogennym są kompleksy antygen-przeciwciało odkładające się w tkankach, najczęściej w nerkach. We krwi występują autoprzeciwciała przeciw elementom składowym własnych tkanek, głównie przeciw jądrom komórkowym. Stwierdzenie wysokiego miana tych przeciwciał, zwłaszcza skierowanych przeciwko obecnemu w jądrze kwasowi dezoksyrybonukleinowemu – potwierdza rozpoznanie.

Objawy. Ten bardzo złożony zespół chorobowy objawia się m.in.: rumieniem skóry twarzy przyjmującym kształt motyla, innymi zmianami skórnymi, wypadaniem włosów, ziębnięciem i drętwieniem palców dłoni, nadwrażliwością na światło, bólami stawowymi, zmianami w nerkach (białko i wałeczki w moczu), zapaleniem opłucnej, osierdzia, obniżeniem liczby białych ciałek krwi i anemią, bardzo wysokim opadem, stanami gorączkowymi. Wszystkie te objawy nie występują oczywiście jednocześnie, zwykle obserwuje się ich kilka.

Zmiany skórne występują u 3/4 chorych, zajmują obok twarzy dłonie, a także inne okolice ciała.

Leczenie jest bardzo trudne, szpitalne. Podaje się głównie kortykosteroidy ogólnie, przy zmianach nerkowych dodatkowo leki immunosupresyjne.

Rokowanie jest bardzo ostrożne i zależy od zajęcia narządów wewnętrznych.

Twardzina, czyli **skleroderma**, występuje w dwóch postaciach: układowej (uogólnionej) i ograniczonej. Przyczyny choroby i mechanizm jej powstawania jest niejasny. Najczęściej wymienia się związek z układem nerwowym, zjawiska autoimmunologiczne oraz zaburzenia biochemiczne. Istotą twardziny są zmiany zapalne, zaburzenia naczyniowe i włóknienie.

Postać układowa twardziny polega na postępującym twardnieniu skóry i tkanki podskórnej, a czasami także mięśni, z zajęciem narządów wewnętrznych. Najczęstsza odmiana naczyniowa rozpoczyna się od zmian naczyniowych w obwodowej części dłoni (palców): sinienie, ziębnięcie, obrzęki. Zwykle dotyczy kobiet. Powstają stwardnienia skóry z przykurczami, zanikami, zmiany kostne i małe owrzodzenia. W dalszej kolejności zmiany stwardnieniowe pojawiają się na twarzy, klatce piersiowej itd. Przebieg choroby jest stosunkowo przewlekły, znacznie łagodniejszy niż odmiany stwardnieniowej.

W odmianie stwardnieniowej po początkowym obrzęku następuje okres stwardnieniowy. Pojawiają się odbarwienia i przebarwienia, rozszerzenia naczyń krwionośnych, potem zaniki. Choroba nie rozpoczyna się obwodowo, ma szybki postępujący przebieg. Rokowanie jest poważne.

W obu odmianach zmiany narządowe są podobne. Dotyczą układu kostnego, mięśni, przewodu pokarmowego (bardzo charakterystyczne zmiany w przełyku), płuc, mięśnia sercowego i nerek (najgroźniejsze).

Leczenie twardziny układowej jest bardzo trudne, w większości przypadków tylko objawowe.

Postać ograniczoną cechuje powstawanie blaszek stwardniałych, a potem powstają zaniki. Tworzą się ogniska barwy białej, porcelanowej lub woskowożółtej, z fioletową obwódką na obwodzie. Kształt ognisk i ich liczba jest różny. Objawów innych brak.

Przbieg choroby jest przewlekły. Możliwe jest samoistne ustępowanie zmian.

Leczenie polega na podawaniu penicyliny prokainowej, witaminy E, Piasclediny oraz leków objawowych. Rokowanie dość dobre.

Zapalenie skórno-mięśniowe. Zespół ten, o niejednolitej przyczynie (czynniki wirusowe, bakteryjne, toksyczne, zaburzenia immunologiczne), łączy się z zapaleniem wielomięśniowym. Może być przejawem nowotworów narządów wewnętrznych, może współistnieć z innymi kolagenozami.

O b j a w y. Występuje bolesność, obrzęk, zaniki, zwłóknienie i stwardnienie mięśni, ograniczenie ruchów. Mogą być zajęte różne grupy mięśniowe (głównie pas barkowy i biodrowy). Na skórze pojawiają się wykwity rumieniowe, grudkowe, obrzękowe, pokrzywkowe; typowy jest obrzęk twarzy (oczodołów). W początkowym okresie chory ma trudności w poruszaniu się, występuje wysoka gorączka.

P r z e b i e g choroby jest ciężki. Mogą zostać zajęte mięśnie narządów wewnętrznych: przewodu pokarmowego (zaburzenia w połykaniu), układu oddechowego i serca.

L e c z e n i e kortykosteroidami, lekami immunosupresyjnymi, antybiotykami. Poprawa jest czasami bardzo znaczna, ale występują nawroty. R o k o w a n i e jest ostrożne.

XI. CHOROBY Z NADMIERNEGO I NIEPRAWIDŁOWEGO ROGOWACENIA

Rybia łuska. Jest to grupa chorób przeważnie wrodzonych (dziedziczny defekt genetyczny), związana patogenetycznie z zaburzeniami w rogowaceniu, które powodują suchość skóry, złuszczenie, tworzenie różnie nasilonych i różnych morfologicznie nawarstwień rogowych. Odróżnia się wiele odmian choroby o nieco innym mechanizmie dziedziczenia.

R y b i a ł u s k a z w y k ł a jest postacią najczęstszą. Dziedziczy się najczęściej dominująco, tzn. występuje w każdym pokoleniu. Pewną rolę w rozwoju choroby odgrywa metabolizm witaminy A.

O b j a w y. U dzieci, pomiędzy 1 a 4 r. życia występuje suchość skóry, a także tworzą się liczne drobne, białe, pierzaste łuski. Towarzyszy im rogowacenie dłoni i stóp oraz rogowacenie przymieszkowe (mieszek włosowy – wgłębienie naskórka, w którym tkwi korzeń włosa). Choroba na ogół zajmuje całą skórę (zgięcia i fałdy skórne są wolne). Poprawa występuje w okresach ciepłych i w wilgoci, a ponadto z wiekiem.

L e c z e n i e przyczynowe nieznane. Zaleca się kąpiele rozmiękczające (boraks), natłuszczanie, maści z mocznikiem, chlorkiem sodu. Ostatnio stosuje się ogólnie retinoidy (pochodne witaminy A), ale po odstawieniu leku występują nawroty.

I n n e o d m i a n y: rybia łuska zależna od płci, erytrodermia ichtiotyczna z odmianą pęcherzową, rybia łuska jeżasta.

Rogowiec dłoni i stóp. Jest to choroba dziedziczna (dziedziczenie dominujące) objawiająca się nadmiernym zgrubieniem warstwy rogowej powierzchni dłoniowej rąk i podeszew (nie przechodzi na grzbiet ręki i stopy).

O b j a w y. Skóra staje się zgrubiała, twarda, woskowożółta, popękana, niekiedy brunatna, jakby „brudna”. Płytki paznokciowe mogą być pogrubiałe. Choroba występuje pomiędzy 1–2 a 15 r. życia, wyjątkowo od wczesnego dzieciństwa, i nasila się stopniowo.

L e c z e n i e. Stosuje się maści złuszczające, kąpiele, maści z mocznikiem. Poprawa jest tylko objawowa.

Rogowacenie mieszkowe. Ta częsta nieprawidłowość skóry jest chorobą wrodzoną, występującą rodzinnie. Pewną rolę odgrywa także niedobór witaminy A. Choroba o b j a w i a się drobnymi grudkami przymieszkowymi lub czopami rogowymi w ujściu mieszka włosowego, na wyprostnych powierzchniach kończyn (ramiona, uda). Skóra jest szorstka (objaw „tarki") i sucha. Poprawa następuje z wiekiem oraz po nasłonecznieniu.

L e c z e n i e. Podaje się duże dawki witaminy A oraz stosuje maści złuszczające i kąpiele.

XII. INNE CHOROBY SKÓRY

Liszaj płaski. P r z y c z y n a choroby nie jest znana. Czynnikami wywołującymi mogą być stresy i niektóre leki. Występują drobne, płaskie, wieloboczne grudki, czerwonosine lub czerwonobrunatne, nieco błyszczące, o gładkiej powierzchni. Mogą się zlewać (układy linijne, obrączkowate). Umiejscawiają się symetrycznie na nadgarstkach, fałdach, udach i podudziu, na błonach śluzowych jamy ustnej i narządów płciowych, mogą też przyjąć postać uogólnioną. Na błonach śluzowatych tworzą białe drzewkowate, siateczkowate lub smugowate ogniska, wyjątkowo pęcherzowe.

P r z e b i e g choroby jest przewlekły, z częstymi nawrotami. Towarzyszy jej świąd. Wyróżnia się cztery nietypowe odmiany: liszaj płaski brodawkujący, barwnikowy, mieszkowy i pęcherzowy.

L e c z e n i e. Brak jest leczenia przyczynowego. Stosuje się leki uspokajające, witaminy z grupy B, wyjątkowo kortykosteroidy, miejscowo maści steroidowe.

Łuszczyca. Jest to jedna z najczęstszych chorób skóry, występująca u ok. 2% populacji. Stanowi poważny problem społeczny, ponieważ ma przebieg przewlekły i nawrotowy. P r z y c z y n a jest nieznana. Pewną rolę odgrywają czynniki genetyczne (występowanie rodzinne). Mechanizm powstawania jest skomplikowany, a jego końcowym efektem jest nadmierne nieprawidłowe (przyspieszone) rogowacenie komórek naskórka. Choroba ma przebieg przewlekły i nawrotowy. Obraz kliniczny i nasilenie zmian są różnorodne (pojedyncze grudki, nieliczne ogniska, zmiany obejmujące całą skórę, zmiany stawowe, paznokciowe).

O b j a w y. Na łokciach, kolanach, owłosionej skórze głowy, w okolicy krzyżowej tworzą się czerwonobrunatne grudki pokryte srebrzystobiałymi (łatwo sypiącymi się) łuskami (tablica XXIV e). Powiększają się przez wzrost odśrodkowy. Występują pojedynczo, w skupieniach lub tworzą większe wykwity powstające ze zlania grudek, typu plackowatego, mapowatego, monetowatego itd. Mogą zajmować całą skórę. Na płytkach paznokciowych mogą występować naparstkowe wgłębienia, bruzdowania, prążkowania lub też cała płytka może być zgrubiała i żółto zabarwiona. Wolny brzeg paznokcia może być uniesiony przez nadmierne masy rogowe.

Postacie nietypowe łuszczycy: łuszczyca zadawniona, brodawkująca, wysiękowa, stawowa, krostkowa, postać uogólniona zajmująca całą skórę.

Leczenie jest objawowe, na ogół bez trwałych wyników. Miejscowo stosuje się leki złuszczające (maść salicylowa), redukujące dziegcie, cygnolina, maści steroidowe, ewentualne jednoczesne naświetlenie promieniami nadfioletowymi. W cięższych postaciach fotochemoterapia, tj. naświetlania oraz ogólnie środki światłouczulające, retinoidy doustnie (aromatyczne pochodne kwasu witaminy A), wyjątkowo leki cytostatyczne ogólnie.

Kępki żółte, czyli **żółtaki** lub **ksantomatoza**. Są to grudkowe, guzkowe, także płasko-wyniosłe i płaskie wykwity o zabarwieniu żółtawym, czasem nieco brunatnym, wielkości od kilku milimetrów do orzecha włoskiego. Zwykle występują nielicznie, ale znana jest postać wysiewna (ksantomatoza rozsiana). Umiejscawiają się na łokciach, kolanach, w okolicy ścięgien, na pośladkach, dłoniach, powiekach.

Przyczyną tworzenia się kępek żółtych jest odkładanie się ciał tłuszczowatych w skórze. Najczęściej towarzyszą one ogólnoustrojowym zaburzeniom lipidowym, tzw. hiperlipoproteinemii (zob. Choroby wewnętrzne, s. 642), mogą jednak występować bez tych zaburzeń.

Leczenie. Przy zaburzeniach gospodarki lipidowej stosuje się dietę i leki. W pozostałych przypadkach leczenie operacyjne (zwłaszcza kępek żółtych powiek).

Sarkoidoza. Jest to choroba o nieznanej przyczynie i znamiennym obniżeniu odporności późnej (defekt immunologiczny, zob. Choroby wewnętrzne, s. 711). Zmiany skórne występują w uogólnionym procesie chorobowym. Są to wykwity drobnogrudkowe, liszajowate, guzkowe, nacieczenia. Najczęściej występujące guzki są czerwonosine lub brunatne, dość twarde, powiększają się obwodowo (wykwity obrączkowate), nie wrzodzieją. Umiejscowienie jest różne. Towarzyszy im powiększenie węzłów chłonnych.

Plamice, skazy krwotoczne skóry. Istotą choroby są wybroczyny i wylewy krwi do skóry i błon śluzowych, występujące często z przebarwieniami. Przyczyną są zaburzenia krzepliwości krwi, obniżenie liczby płytek krwi, uszkodzenie ścian drobnych naczyń skórnych (m.in. zwiększona ich przepuszczalność, stan zapalny itp.), spowodowane różnymi czynnikami toksycznymi (np. w cukrzycy), uczulającymi (np. po lekach) i bakteryjnymi (zakażenia). Obok wybroczyn i rozszerzeń naczyniowych mogą występować zmiany grudkowe, rumieniowe i obrzękowe, zwłaszcza w plamicy alergicznej.

Owrzodzenia podudzi są wynikiem zaburzeń w odżywianiu tkanek w następstwie żylaków, zmian pozakrzepowych utrudniających krążenie w kończynach dolnych, zamknięcia tętnic w przebiegu miażdżycy lub choroby Buergera.

Objawy. Są to rozmaitej wielkości i kształtów, nieraz głęboko drążące ubytki tkanek (owrzodzenia), o brzegach równo ściętych, raczej niepodminowanych. Na ich dnie występuje ziarnina lub wydzielina ropna, także krwista. Skóra otaczająca na skutek zaburzeń w odżywianiu jest ścieńczała, przebarwiona, obrzęknięta. Zmiany mogą być bardzo bolesne.

Owrzodzenia żylne (na tle żylaków) występują zwykle w dolnych częściach podudzi, owrzodzenia tętnicze w częściach obwodowych stopy.

Leczenie powinno uwzględniać usunięcie przyczyny, tj. leczenie żylaków lub innych nieprawidłowości układu naczyniowego. Leczenie bezpośrednie jest wielokierunkowe i bardzo długotrwałe. Owrzodzenia podudzi są bardzo częste i stanowią duży problem społeczny (częściowe inwalidztwo).

XIII. ZNAMIONA I NOWOTWORY ŁAGODNE SKÓRY

Znamiona są to nieprawidłowości rozwojowe skóry, powstające w życiu płodowym (wrodzone). Nie zawsze istnieją przy urodzeniu, mogą pojawiać się w późnym dzieciństwie, a nawet u dorosłych. Czasami jest je trudno odróżnić od nowotworów łagodnych (podobnie występuje nadmierny rozrost tkanek).

Odróżnia się: znamiona barwnikowe, naczyniowe, naskórkowe, związane z gruczołami lub włosami, pochodzenia łącznotkankowego.

Znamiona barwnikowe

Znamiona barwnikowe są rozmaicie wyniosłe (od płaskich do guzowatych), mogą być uszypułowane, o powierzchni gładkiej lub brodawkującej, niekiedy owłosione, o zabarwieniu ciemnym lub jasnobrunatnym (tablica XXIV f). Umiejscowione bywają rozmaicie.

Biorąc pod uwagę możliwość zezłośliwienia (czerniak złośliwy, zob. Choroby nowotworowe, s. 2032) najbardziej niebezpieczne są znamiona płaskie, nie owłosione i bardzo ciemne, umiejscowione w miejscach przewlekłego drażnienia (stopy, dłonie itp.).

Objawem zezłośliwienia znamienia jest nagłe powiększenie się, zmiana zabarwienia, wzrost brodawkujący powierzchni, stan zapalny, krwawienie, owrzodzenie.

Leczenie. Ze wskazań kosmetycznych lub w razie przewlekłego drażnienia leczenie wyłącznie chirurgiczne, najlepiej przed okresem pokwitania. Znamię nie drażnione, nie wykazujące cech przemiany złośliwej może nie być leczone, ale należy je obserwować i bezwzględnie chronić przed działaniem słońca (nie wolno opalać skóry ze zmianami barwnikowymi).

Znamię błękitne imituje plamę wykonaną niebieskim długopisem. Nie złośliwieje; nie wymaga leczenia, ale można je usunąć chirurgicznie.

Znamię bezbarwne jest to odbarwiona plama (pozbawiona barwnika

– melaniny) przypominająca bielactwo, bez przebarwień na obwodzie. L e c z e n i e jest niemożliwe, można jedynie je tuszować.

Znamię Suttona to biała, odbarwiona plama (jak w bielactwie nabytym) z ciemnym środkiem (jak znamię barwnikowe). To ostatnie może znikać. Nie wymaga leczenia; możliwe jest usunięcie chirurgiczne.

Znamiona naczyniowe

Z n a m i o n a n a c z y n i o w e powstają w wyniku rozrostu naczyń krwionośnych lub chłonnych. Istnieją od urodzenia lub wyjątkowo pojawiają się później. Mają charakter łagodnych nowotworów naczyniowych.

Naczyniaki krwionośne płaskie. Są to płaskie lub nieznacznie wyniosłe zmiany w postaci czerwonych plam, różnej wielkości i kształtu, często jednostronne. Najczęściej występują na twarzy i karku. Powiększają się wraz z rozwojem dziecka, mogą szybko wzrastać. Niektóre ustępują samoistnie. L e c z e n i e może polegać na stosowaniu lasera argonowego (leczenie z wyboru) lub na zamrażaniu (tylko w dużych ośrodkach klinicznych). Całkowite usunięcie zmian jest trudne. Naczyniaki płaskie umiejscowione w środkowej części twarzy mogą się cofać samoistnie.

Naczyniaki krwionośne jamiste (podskórne) to miękkie, sprężyste guzy, czerwone lub sinoczerwone, często kalafiorowate, zwykle jednostronne. Mogą zajmować błony śluzowe. L e c z e n i e metodą przewlekłego ucisku guza może powodować zarastanie naczyń i cofanie się zmian. Zmiany o mniejszych wymiarach można usuwać operacyjnie.

Naczyniaki gwiaździste, tzw. **pajączki**, zwykle występują u dzieci i młodzieży na twarzy. Są to „gwiazdki" z centralnym punktem w środku. L e c z e n i e metodą elektrokoagulacji lub elektrolizy, a także zamrażaniem. Odrastają w 30%.

Naczyniaki starcze pojawiają się po 50 r. życia, zwykle na tułowiu, w formie licznych rubinowych punktów. L e c z e n i e jak wyżej.

Znamiona i nowotwory łagodne pochodzenia łącznotkankowego

Są to ograniczone rozrosty tkanek na tle zaburzeń rozwojowych. Charakteryzują się powolnym wzrostem, na ogół nie złośliwieją (są wyjątki), stanowią głównie defekt kosmetyczny.

Włókniaki miękkie to guzki, czasami wiszące, uszypułowane, workowate, nitkowate, często liczne, rozsiane. L e c z e n i e tylko ze wskazań kosmetycznych chirurgiczne lub elektrokoagulacja.

Nerwiakowłókniaki, o podobnym wyglądzie klinicznym, występują jako guzy mnogie, zwłaszcza w c h o r o b i e R e c k l i n g h a u s e n a (jest to dziedziczna choroba wrodzona, w której obok nerwiakowłókniaków występują przebarwienia, zmiany w układzie nerwowym, kostnym i wewnątrzwydzielniczym).

Włókniaki twarde to pojedyncze guzki umiejscowione w skórze, zwykle okrągłe, wielkości ziarna grochu. Powierzchnię mają gładką, o zabarwieniu koloru skóry lub lekko brunatnym. Są niebolesne, dość twarde. Leczenie nie jest konieczne, ale możliwe jest usunięcie chirurgiczne.

Bliznowiec. Jest to niezłośliwy nowotwór powstający samoistnie lub wskutek urazu. Najczęściej występuje po oparzeniach, zranieniach, operacjach u osób do tego skłonnych. Zbudowany z tkanki łącznej, ma barwę czerwonosiną lub naturalnej skóry, powierzchnię gładką, lśniącą. Umiejscawia się najczęściej na twarzy, kończynach, szyi, w okolicy mostka.

Leczenie jest trudne. Stosuje się maści steroidowe lub maść Contratubex (Cepan) w opatrunkach pod folią. Można wstrzykiwać hormony steroidowe do zmian (obstrzykiwanie). Po wycięciu chirurgicznym bliznowiec daje prawie z reguły nawroty. Dlatego możliwe jest tylko leczenie operacyjne z dodatkowym stosowaniem leków jak wyżej.

Tłuszczak zbudowany jest z tkanki tłuszczowej i niekiedy tkanki łącznej włóknistej. Guz, pojedynczy lub mnogi (choroba Dercuma), umiejscawia się głęboko w skórze. Leczenie chirurgiczne.

Znamiona, cysty i nowotwory rozwijające się z gruczołów i włosów

Powstają one na tle zaburzeń rozwojowych. Są to guzy o różnym stopniu zróżnicowania. Do tej grupy należy również guz złośliwy: nabłoniak (rak) podstawnokomórkowy (tablica XXIV g) i jego odmiany (zob. Choroby nowotworowe, s. 2032).

Znamię łojowe. Jest to pojedynczy płasko-wyniosły guz o nierównej, brodawkowatej powierzchni, zabarwieniu żółtobrązowym, spoistości dość miękkiej. Występuje na głowie, rzadziej na twarzy. Leczenie chirurgiczne.

Gruczolak potowy. Są to miękkie, okrągłe, małe guzki wielkości ziarna prosa, barwy cielistej. Występują na szyi i klatce piersiowej, rzadziej na twarzy, głównie u kobiet po 40 r. życia.

Leczenie nie jest konieczne i bywa mało skuteczne. Można stosować elektrokoagulację.

Torbiele. Prosak to cysta naskórkowa wielkości łebka szpilki, biała. Występuje zwykle na twarzy (w okolicach oczu i na policzkach), często u dzieci.

Leczenie. Prosaki usuwa się mechanicznie przez wyciśnięcie treści po wcześniejszym nakłuciu lub nacięciu pokrywy. Stosuje się także leki miejscowe złuszczające naskórek.

Kaszak. Są to guzy pojedyncze lub mnogie, okrągłe, dość twarde, wielkości ziarna grochu do jaja gołębiego. Tworzą torbiele w obrębie mieszka włosowego i gruczołu łojowego. Umiejscawiają się na owłosionej skórze głowy, twarzy, karku, tułowiu i w okolicy narządów płciowych. Pokryte są skórą nie zmienioną lub nieznacznie zaczerwienioną, bez cech zapalnych. Na szczycie może tkwić czop rogowy przypominający zaskórnik. Nie sprawiają dolegliwości. Najczęstszym powikłaniem jest zakażenie ropne i przebicie na zewnątrz.

Leczenie polega na doszczętnym chirurgicznym wyłuszczeniu wraz z torebką. Nacięcie i opróżnienie gęstej, kaszowatej zawartości nie chroni od nawrotu.

Znamiona i nowotwory pochodzenia naskórkowego

Znamię naskórkowe twarde ma wiele odmian. Może być linijne, rogowaciejące, brodawkowate, zaskórnikowe. Usuwane metodą tzw. dermabrazji (ścieranie, ścinanie) – odrasta. Stosuje się też krioterapię, czyli zamrażanie, ale najskuteczniejsze jest wycięcie chirurgiczne.

Rogowacenie łojotokowe, czyli **brodawka łojotokowa**. Występuje w starszym wieku u osób z łojotokiem na twarzy i tułowiu, w okolicach łojotokowych. Niekiedy są to liczne wykwity żółtobrunatne, rogowaciejące, o nierównej, brodawkowatej, tłustej powierzchni. Dają się łatwo zdrapać bez wywoływania krwawienia. Leczenie polega na łyżeczkowaniu, stosowaniu zamrażania (krioterapii). Nie złośliwieją w odróżnieniu od rogowacenia starczego (zob. niżej), które jest stanem przedrakowym.

Stany przedrakowe

Rogowacenie starcze. Na tle skóry starczej, pomarszczonej, ścieńczałej, pokrytej siatką naczyń krwionośnych, występują ogniska suche, rogowaciejące, szarobrunatne, często krwawiące przy próbach zdrapania. Umiejscawiają się głównie na twarzy w miejscach odkrytych. Na ich tworzenie ma wpływ wieloletnie szkodliwe działanie czynników atmosferycznych (wiatr, mróz, słońce). Szybki wzrost ogniska i wrzodzenie mogą nasuwać podejrzenie zezłośliwienia. Wskazane jest wówczas badanie wycinka w celu wykluczenia nowotworu.

Leczenie chirurgiczne, elektrokoagulacja, krioterapia (płynny azot).

Róg skórny. Jest to twardy, wyniosły twór tworzący się często na podłożu rogowacenia starczego (zob. wyżej) na twarzy lub tułowiu. Może złośliwieć. Leczenie chirurgiczne.

Rogowacenie białe. Występujące wyłącznie na błonach śluzowych, najczęściej jamy ustnej (często u palaczy), białe, opalizujące plamy i smugi, czasem wyniosłe o szorstkiej powierzchni. Może złośliwieć. Konieczne jest przerwanie palenia tytoniu oraz sprawdzenie protez w przypadku ubytków zębowych, w celu wyeliminowania czynników drażniących. Leczenie chirurgiczne, elektrokoagulacja, krioterapia.

Raki skóry, zob. Choroby nowotworowe, s. 2032.

XIV. ZABURZENIA BARWNIKOWE SKÓRY

Bielactwo nabyte. Są to ograniczone, odbarwione plamy na ciele, z charakterystycznym przebarwieniem na obwodzie. Jeśli dotyczą głowy, wzgórka łonowego lub okolic pachowych, włosy na tych obszarach są siwe. Często występuje rodzinnie, w każdym wieku u obu płci, głównie na twarzy, tułowiu (okolice uszu, narządów płciowych), kończynach, ale zmiany mogą się szerzyć i zajmować duże obszary ciała, nawet całą skórę.

P r z e b i e g choroby jest przewlekły, opisywane są przypadki samoistnego ustępowania. P r z y c z y n a nie jest znana. Pewne znaczenie mają stresy i zaburzenia hormonalne. Istotą choroby jest ogniskowe zahamowanie tworzenia się barwnika melaniny w skórze. Rozpatruje się autoimmunologiczny charakter zmian (przeciwciała przeciwmelaninowe). Choroba jest defektem kosmetycznym, nie sprawia dolegliwości i stanowi jedynie problem psychologiczny.

L e c z e n i e jest bardzo trudne. Stosuje się środki światłouczulające miejscowo i ogólnie, po czym naświetla plamy odbarwione promieniami nadfioletowymi, długim nadfioletem lub słońcem. Możliwe jest tuszowanie plam bielaczych (tylko samych plam, nie otoczenia!) (Citosol Lechia, Cover-Mark itp.). P r z e c i w w s k a z a n a jest witamina C (działa odbarwiająco!). Naświetlanie bez zezwolenia lekarza leczącego jest nie wskazane (możliwe oparzenia).

Piegi. Są to żółto-brunatne plamki, dość dobrze odgraniczone od skóry otoczenia, leżące w poziomie skóry. Różnej wielkości, zwykle bardzo liczne, mogą się grupować. Najczęściej występują na twarzy, dekolcie, przedramionach i grzbietach rąk. Ulegają nasileniu w okresie letnim. Występują pod wpływem promieni słonecznych, zwłaszcza wiosennych, częściej u dzieci i młodzieży. Sprzyja temu skłonność osobnicza – częściej zdarzają się u blondynów i rudowłosych. Mogą ustępować samoistnie.

L e c z e n i e. Stosuje się środki złuszczające (maści rtęciowe – łatwo uczulają, fenol), a ostatnio także kwas witaminy A oraz środki odbarwiające.

Z a p o b i e g a n i e polega na unikaniu światła słonecznego – ochronnie stosuje się maści i pudry ochronne.

Plamy piegowate lub soczewicowate. Są to jasno- lub ciemnobrunatne plamy przypominające piegi, ale większe od nich. Występują także w okolicach zakrytych. Ciemnieją pod wpływem słońca. Są odmianą znamion barwnikowych.

L e c z e n i e i z a p o b i e g a n i e jak przy piegach (zob. wyżej).

Ostuda. Plamiste przebarwienia przypominające mapę geograficzną. Występują na twarzy, najczęściej u kobiet z zaburzeniami wewnątrzwydzielniczymi, w ciąży oraz chorobach wątroby.

Leczenie przyczynowe (hormonalne, wątrobowe). Po ciąży na ogół ustępują. Można stosować maści odbarwiające, maści złuszczające. Należy osłaniać przed światłem słonecznym.

Tatuaż. Wyróżnia się trzy rodzaje tatuażu. Sztuczny polega na wprowadzeniu barwnika za pomocą głębokiego wkłucia igły do skóry właściwej. Wykonywany jest w celach religijnych, kastowych, przy specjalnym upodobaniu (marynarze, więźniowie itp.). Tatuaż leczniczy jest to maskowanie ognisk chorobowych przez celowe wprowadzenie barwnika koloru skóry, a tatuaż wypadkowy to inkrustacja skóry cząsteczkami żwiru, piasku (wypadki drogowe), prochu (postrzał).

Leczenie chirurgiczne (czasem z przeszczepianiem), przy małych ogniskach metodą koagulacji.

XV. CHOROBY GRUCZOŁÓW POTOWYCH

Pocenie nadmierne, uogólnione lub symetryczne, zależy od zaburzeń w wymianie ciepła. Występuje przy bardzo wysokiej temperaturze otoczenia, wysiłku fizycznym, wysokiej wilgotności powietrza, wysokiej gorączce. Towarzyszy chorobom tarczycy, cukrzycy, otyłości, niektórym czynnikom psychicznym i emocjonalnym, np. pocenie się ze strachu. To ostatnie dotyczy głównie dłoni i stóp oraz pach i pachwin. Może być stałe i napadowe, nasila się pod wpływem wzrostu temperatury otoczenia.

Przebieg choroby jest na ogół przewlekły i uporczywy.

Leczenie ogólne polega na podawaniu leków uspokajających i ewentualnie blokujących wydzielanie potu. Daje przykre objawy uboczne, jest mało skuteczne. Leczenie miejscowe to stosowanie płynów i pudrów zmniejszających pocenie się, kąpiele w środkach ściągających (tanina, kora dębowa). Przy ograniczonym poceniu możliwe leczenie chirurgiczne.

Pocenie zmniejszone jest spowodowane uszkodzeniem gruczołów potowych (niedorozwój gruczołów, rybia łuska, zaniki skóry) lub układu nerwowego, który reguluje pocenie.

Potówki powstają w wyniku nadmiernego pocenia i trudności w wydalaniu potu. Potówki zwykłe występują w postaci drobnych, przeważnie bardzo licznych przezroczystych pęcherzyków, głównie na tułowiu. Utrzymują się na skórze kilka dni i ustępują ze złuszczaniem. Mogą ulegać wtórnemu zakażeniu bakteryjnemu.

Leczenie polega na usunięciu przyczyny powodującej nadmierne pocenie (np. u dzieci przegrzania). Miejscowo stosuje się środki wysuszające, spirytus salicylowy, pudry.

XVI. CHOROBY ŁOJOTOKOWE

Łojotok. Jest to nadmierne wydzielanie łoju skórnego wskutek wzmożonej czynności gruczołów łojowych. P r z y c z y n y są złożone. Odgrywają tutaj rolę czynniki konstytucjonalne i genetyczne, czynniki hormonalne (androgeny zwiększają wydzielanie łoju u kobiet), nerwowe oraz nadmierne rogowacenie ujść mieszków włosowych.

O b j a w y. Skóra łojotokowa jest lśniąca, tłusta, rozszerzone są ujścia gruczołów łojowych (pory skórne), tworzą się czopy łojowo-rogowe – zaskórniki. Łojotok dotyczy głównie skóry owłosionej, twarzy (czoło, nos, broda), okolicy mostka, okolicy międzyłopatkowej. U noworodków strupy łojotokowe na głowie tworzą tzw. c i e m i e n i u c h ę, u dzieci w okresie pokwitania rozwija się t r ą d z i k (zob. niżej). Łojotok jest też podłożem: łupieżu, łysienia łojotokowego, zapalenia łojotokowego skóry.

Łupież skóry owłosionej głowy. Łupież zwykły jest to drobnopłatowe złuszczanie naskórka bez objawów zapalnych. Może przechodzić w ł u p i e ż t ł u s t y, czyli w żółte, tłuste strupy przylegające do podłoża, powodujące stan zapalny skóry i świąd, co prowadzi często do ł y s i e n i a ł o j o t o k o w e g o.

L e c z e n i e. Stosuje się środki przeciwłojotokowe (np. siarkę), odkażające, złuszczające (np. kwas salicylowy) i drażniące w postaci roztworów spirytusowych, maści, szamponów.

Zapalenie łojotokowe skóry lub **złuszczanie łuszczycowate, czyli wyprysk łojotokowy**. Choroba rozwija się na podłożu łojotokowym wskutek działania rozmaitych czynników chemicznych, fizycznych, mechanicznych i bakteryjnych. Zmiany sa rumieniowe (stan zapalny), także grudkowe, powiększają się obwodowo i zlewają tworząc większe ogniska dobrze odgraniczone od otoczenia, często sączące, pokrywające się strupami łojotokowymi. Ustępują od środka pozostawiając przebarwienia. Często występuje obfite złuszczanie przypominające łuszczycę.

U m i e j s c o w i e n i e choroby jak w łojotoku (zob. wyżej), często zajęta jest skóra owłosiona głowy. Może prowadzić do zlewnego zapalenia całej skóry. Przebieg choroby jest bardzo uporczywy, nawroty są częste.

L e c z e n i e jest skomplikowane i polega na stosowaniu odpowiednich maści oraz witamin i środków przeciwzapalnych.

Trądzik pospolity. Są to grudki, krostki i zaskórniki otwarte (ciemne) i zamknięte (białe) najczęściej w okolicy twarzy (tablica XXIII c), pleców, ramion i mostka. P r z y c z y n ą jest łojotok, zaburzenia hormonalne w okresie dojrzewania (androgeny męskie pobudzają łojotok, estrogeny kobiece hamują), nadmierne rogowacenie ujść mieszków włosowych, zapalenie rozszerzonych ujść gruczołów łojotokowych (na tle bakteryjnym), zaburzenia żołądkowo-jelitowe i wątrobowe. Pewną rolę odgrywają wolne kwasy tłuszczowe wyzwalane z łoju pod wpływem określonych bakterii. Trądzik pospolity częściej występuje u mężczyzn, głównie w okresie od dojrzewania do końca 30 r. życia. Istnieją różne odmiany trądzika pospolitego.

L e c z e n i e. Miejscowo stosuje się mieszanki spirytusowe wysuszające, papki i pasty z siarką, kwas witaminy A (na trądzik zaskórnikowy), mechaniczne oczyszczanie z zaskórników, fizykoterapię (darsonwalizację, galwanizację), naświetlanie słońcem i lampą kwarcową, chemiczne i mechaniczne złuszczanie naskórka w przypadkach blizn po trądziku. Ogólnie podaje się witaminy oraz stosuje odpowiednią dietę. W zmianach nasilonych należy podawać antybiotyki (tetracyklinę, erytromycynę), a w postaciach ciężkich kwas witaminy A doustnie.

Trądzik skupiony częściej występuje u chłopców. P r z y c z y n y i umiejscowienie są podobne, jak w zwykłym trądziku pospolitym (zob. wyżej). Najczęściej występuje jednak w dolnej okolicy pleców i na pośladkach, tworząc głębokie, zlewające się ropnie i przetoki. Ustępując pozostawia blizny.

L e c z e n i e jak w trądziku pospolitym. Korzystne jest leczenie antybiotykami. Czasami konieczne jest chirurgiczne otwieranie większych ropni.

Trądzik arteficjalny. Dyskretne objawy trądzika pospolitego z licznymi śladami zadrapań. Najczęściej występuje u neuropatycznych młodych dziewcząt, które w okresie dojrzewania codziennie drapią się i wyciskają przed lustrem zaskórniki i krostki na twarzy.

L e c z e n i e jak wyżej, a ponadto leczenie układu nerwowego oraz zakaz drapania.

Trądzik polekowy. Są to krostki, grudki i nacieki zwykle nie związane z łojotokiem, będące reakcją organizmu na brom, jod, leki typu barbituratów. Powstają też w miejscach zanieczyszczonych maściami.

L e c z e n i e przyczynowe – polega na odstawieniu leków wywołujących.

Trądzik steroidowy powstaje w wyniku długiego stosowania miejscowo lub ogólnie steroidowych hormonów kory nadnerczy. O b j a w e m jest nadmierne rogowacenie przymieszkowe, zastój łoju, krostki. L e c z e n i e jak wyżej oraz odstawienie steroidów.

Trądzik niemowląt. Przyczyną jest przejście hormonów matki do organizmu płodu oraz długotrwałe stosowanie kremów dziecięcych na skórę. Przechodzi samoistnie lub po odstawieniu kremów. Zaskórniki usuwa się mechanicznie.

Trądzik zawodowy. Powstaje na skutek kontaktu z olejami, smarami i dziegciami. Często występuje nagminnie w pewnych środowiskach i okolicach. Poza miejscami łojotokowymi, czarne zaskórniki, grudki, krostki (nacieki) pojawiają się w okolicy przedramion i narządów płciowych. Po usunięciu przyczyny trwać może jeszcze dość długo.

L e c z e n i e przeciwłojotokowe, promieniowaniem nadfioletowym, słońcem, witaminą A ogólnie, kwasem witaminy A zewnętrznie. Konieczne przerwanie kontaktu ze smarami i olejami.

Trądzik różowaty występuje zarówno na skórze łojotokowej, jak i suchej. P r z y c z y n ą są zaburzenia naczynioruchowe, hormonalne, żołądkowo-jelitowe (nadkwasota, niedokwasota) i wątrobowe. Pogorszenie następuje po gorących i zimnych pokarmach, alkoholu, używkach, przy niskich i wysokich temperaturach. Choroba częściej występuje u kobiet między 30 r. życia a okresem przekwitania. Zmiany dotyczą tylko twarzy (policzki, nos, broda, czoło – tablica XXIII d).

W rozwoju choroby występują trzy okresy: 1) naczyniowy, cechujący się rozszerzeniem powierzchownych naczyń krwionośnych (żywo czerwone zabarwienie skóry), 2) grudkowo-krostkowy podobny do trądzika pospolitego (różni się brakiem zaskórników) oraz 3) przerostowy – tworzy się guzowatość nosa (prawie wyłącznie u mężczyzn); towarzyszyć może zapalenie spojówek, rzadziej rogówki.

Leczenie jest przyczynowe, głównie zaburzeń żołądkowo-jelitowych i hormonalnych. Ogólnie podaje się leki działające na zmiany krostkowe oraz witaminy głównie z grupy B. Leczenie miejscowe zależy od podłoża. Przy skórze łojotokowej – przeciwłojotokowe (np. papka z siarką, pasty z ichtiolem), przy cerze suchej – kremy odżywcze. Poza tym naświetlania lampą Sollux (z niebieskim filtrem) i serie galwanizacji, elektroliza rozszerzonych naczyń krwionośnych. Nie wolno stosować nasłoneczniania i naświetlań promieniami nadfioletowymi. Zmiany naczyniowe leczy się laserem argonowym. Ogólnie, zależnie od okresu i nasilenia zmian, można stosować doustnie metronidazol lub antybiotyki (tetracykliny, erytromycyna). Guzowatości nosa leczy się w zasadzie chirurgicznie.

Przyustne zapalenie skóry. Chorobę tę niektórzy uważają za odrębną jednostkę chorobową, inni za odmianę trądzika różowatego. Przyczyną są: konstytucja łojotokowa (ale może występować przy cerze suchej), zaburzenia żołądkowo-jelitowe i hormonalne (często po używaniu antykoncepcyjnych środków hamujących owulację), stosowanie fluoryzowanych pochodnych kortyzonu zewnętrznie w postaci kremów lub maści. Choroba występuje najczęściej u kobiet między 30 a 45 r. życia w okolicy przyustnej i na brodzie (wolny jest wąski brzeg przy wargach), w postaci drobnych czerwonych grudek, krostek, złuszczania, rumienia (podobnego do trądzika różowatego). Przebieg jest długotrwały.

Leczenie podobne jak w trądziku różowatym, zależnie od podłoża oraz przyczynowe. Nie wolno stosować maści steroidowych, kosmetyków ani lampy kwarcowej, należy chronić przed światłem słonecznym.

Choroby włosów

Zob. Kosmetyka lekarska, s. 1992.

KOSMETYKA LEKARSKA

Kosmetyka współczesna, której szybki rozwój datuje się od zakończenia drugiej wojny światowej, jest szeroko powiązana z wieloma naukami lekarskimi.

Wyodrębniony w dermatologii dział nazywany *kosmetologią* lub *kosmetyką lekarską* ma na celu przywracanie czynności i urody skórze całego ciała, zwłaszcza twarzy (cery), przy zastosowaniu najnowszych zdobyczy wiedzy medycznej.

Kosmetologia zajmuje się leczeniem chorób skóry zaburzających jej czynność albo nie sprzyjających urodzie, takich jak łojotok, trądzik, nadmierna potliwość, nadwrażliwość na światło, nadmierna suchość skóry i jej ujemne następstwa, a także leczeniem chorób włosów i paznokci.

Kosmetologia wskazuje właściwe postępowanie przy zmianach uczuleniowych lub innych zmianach skórnych spowodowanych szkodliwym działaniem kosmetyków, w procesach starzenia się skóry, przy występowaniu brodawek, znamion itp. Podstawowymi metodami działania kosmetyki lekarskiej są: farmakoterapia miejscowa i ogólna, ziołolecznictwo, higiena oraz fizykoterapia (elektro-, wodo-, światło- i kriolecznictwo).

Kosmetologia jest powiązana z chirurgią plastyczną (estetyczną, kosmetyczną), a także z innymi działami medycyny. W ostatnim przypadku chodzi o wyłączenie wpływu różnych zaburzeń ogólnoustrojowych, hormonalnych itp. na występowanie i przebieg chorób i zmian skórnych.

Kosmetyka upiększająca, zdobnicza, zwana też *kalotechniką*, jest sztuką upiększania i pielęgnowania skóry całego ciała (ze szczególnym uwzględnieniem skóry twarzy), a także włosów i paznokci, przy zastosowaniu zabiegów podkreślających lub zachowujących urodę. Kosmetyka zajmuje się również tuszowaniem niektórych wad skóry.

I. NIEKTÓRE ZAGADNIENIA FIZJOLOGII SKÓRY

Największe znaczenie dla kosmetyki lekarskiej i upiększającej mają trzy procesy fizjologiczne: 1) wydzielanie potu, 2) wydzielanie łoju oraz 3) czynność resorpcyjna skóry.

Wydzielanie potu. Jest to proces termoregulacyjny utrzymujący prawidłową temperaturę ciała. Gruczoły potowe znajdują się głównie na dłoniach i stopach oraz pod pachami i w pachwinach. Pocenie rozpoczyna się wskutek nadmiernego wydzielania ciepła przez organizm lub wskutek wzrostu temperatury otaczającego powietrza. Intensywność pocenia zależy od płci (mężczyźni pocą się więcej), od stanu fizjologicznego (pocenie jest większe w okresie dojrzewania płciowego, w czasie miesiączki, ciąży, klimakterium) oraz od wielu innych przyczyn. Pewien wpływ ma również układ wewnątrzwydzielniczy (hormony), układ nerwowy, choroby gorączkowe i niektóre leki (np. polopiryna).

Zaburzenia wydzielania potu mogą spowodować wiele chorób mających duże znaczenie w kosmetyce lekarskiej.

Wydzielanie łoju. Łój jest wydzielany przez gruczoły łojowe, które towarzyszą przeważnie mieszkom włosowym. Najwięcej ich znajduje się w środkowych częściach twarzy (czoło, nos, broda), w okolicach mostka i środkowej części pleców (tzw. rynna łojotokowa). Nie ma ich natomiast na dłoniach i podeszwach. Łój odgrywa niezmiernie ważną rolę ochronną dla skóry i włosów. Wraz ze złuszczonymi komórkami naskórka tworzy on płaszcz tłuszczowy, zwany lipidowym, który chroni skórę przed szkodliwym wpływem wiatru, słońca, mrozu, a także przed czynnikami bakteryjnymi i chemicznymi.

Nadmierne wydzielanie łoju stanowi istotny problem dla kosmetyki, ponieważ wiąże się z nim wiele uciążliwych chorób skóry, np. łojotok, trądzik. Od stanu wydzielania łoju zależy rodzaj cery, a tym samym sposób jej pielęgnowania.

Czynność resorpcyjna skóry. Przenikanie przez skórę wiąże się w istotny sposób z kosmetyką dlatego, że stosowanie prawie wszystkich preparatów kosmetycznych i ich skład chemiczny zależą od stopnia i szybkości ich przenikania przez skórę. Przenikanie to odbywa się zwykle przez ujścia mieszków włosowych i gruczołów łojowych (tzw. pory skórne). W ten sposób przedostają się przez skórę do krwiobiegu substancje rozpuszczalne w tłuszczach, a częściowo i w wodzie. Skóra otaczająca, pokryta naskórkiem z jego warstwą rogową, stanowi trudno przepuszczalną barierę dla wszelkich preparatów kosmetycznych. Przez pory najłatwiej przechodzą tłuszcze zwierzęce, nieco trudniej roślinne, a najtrudniej mineralne. Wazelina i parafina (tłuszcze mineralne) są z tego powodu tłuszczami najmniej wartościowymi dla skóry i najgorszymi, aczkolwiek jako najtańsze stanowią często podstawę preparatów kosmetycznych.

W celu lepszego wchłaniania niektórych tłuszczów stosuje się często masaż skóry.

II. RODZAJE CERY, ICH ROZPOZNAWANIE I PIELĘGNOWANIE

Istnieje kilka klasyfikacji rodzajów skóry twarzy (cery). Jedną z nich jest podział tzw. niemiecki, oparty na wieku:

1) wiek dziecięcy (0–8 lat) – skóra jest dobrze nawodniona;

2) wiek młodzieńczy (9–17 lat) – skóra jest przetłuszczona, często mieszana (tłusta w środkowych częściach twarzy, sucha w częściach bocznych);

3) wiek dojrzały (18–54 lat) – podział na skórę: suchą, tłustą oraz wrażliwą;

4) wiek podeszły (55–70 lat) – podział jak wyżej, ale z wyraźniejszymi cechami uszkodzeń tkanki łącznej (zmarszczki i fałdy) i drobnych naczyń (siatkowate rozszerzenia naczyń);

5) wiek starczy (70 lat i więcej) – skóra jest sucha, uboga w gruczoły łojowe, słabo nawodniona, obecne są liczne fałdy, bruzdy oraz zmarszczki.

Inne podziały wyróżniają 6 rodzajów skóry: normalną, suchą, wrażliwą, tłustą zanieczyszczoną, suchą zanieczyszczoną i trądzikową. Jeszcze inne – 4 rodzaje: skórę normalną, tłustą, wrażliwą i zanikową. Ta ostatnia jest cerą chorobową.

Francuzi dodatkowo odróżniają jeszcze skórę w trądziku różowatym (*coupe rosé*).

W Polsce jest przyjęty na ogół podział na 4 rodzaje cery: normalną, tłustą, mieszaną i suchą. Można by wyodrębnić jeszcze jeden rodzaj, określany nazwą cery pomarszczonej i zwiotczałej lub starczej.

Cera normalna nie ma żadnych defektów, reaguje prawidłowo na wodę i mydło (podstawowe środki służące do oczyszczania skóry), nie jest nadmiernie przesuszona (ma prawidłowy stopień wilgotności i nie wymaga nawodnienia), nie ma rozszerzonych ujść gruczołów łojowych (porów skóry), jest matowa i gładka. Spotyka się ją bardzo rzadko, najczęściej u dzieci do okresu pokwitania i niekiedy u dorosłych, ale stosunkowo młodych osób.

Cera tłusta jest szaroziemista lub żółtawa, świeci się, widoczne są rozszerzone pory, w ujściu których znajdują się czarne punkty, tzw. zaskórniki. Czarny zaskórnik jest to czop rogowy zatykający ujście gruczołu łojowego (poru skórnego). Przyczyną czarnego zabarwienia jest utlenianie keratyny (substancji rogowej), która stanowi część składową zaskórnika, lub obecność melaniny (czarnego barwnika skóry) przedostającej się z głębszych warstw naskórka. Białe zaskórniki są właściwie cystami (zamkniętymi torbielami) wypełnionymi wydzieliną łojową.

Skóra tłusta występuje najczęściej u młodzieży w wieku pokwitania, wskutek zwiększonej pracy gruczołów łojowych.

Wyjątkowo także u niemowląt i osób starszych.

Cera mieszana ma cechy cery tłustej i cery suchej, przy czym boczne partie twarzy są suche, a środkowe (nos, broda, czoło) – tłuste. Jest to cera najtrudniejsza do pielęgnowania, ponieważ inaczej należy traktować boczne części twarzy, a inaczej środkowe. Cera ta jest zwykle bardzo wrażliwa nawet na podstawowe środki do jej oczyszczania, tj. na wodę i mydło. Występuje stosunkowo często, od okresu pokwitania do przekwitania. Najczęściej pojawia się między 35 a 45 r. życia.

Cera sucha jest najdelikatniejsza i najwrażliwsza ze wszystkich rodzajów cery. Zwykle cienka, różowa, napięta, źle reaguje zarówno na środki służące do jej oczyszczania, jak i na wpływy atmosferyczne (słońce, wiatr, mróz). Jedynie deszcz i mgła działają na nią korzystnie. Długotrwałe działanie szkodliwych wpływów atmosferycznych, zwłaszcza słońca i wiatru, może spowodować przedwczesne powstawanie zmarszczek i innych objawów starzenia się skóry, takich jak bruzdy, fałdy, rozszerzenia naczyń krwionośnych, ciemne barwnikowe plamy, rogowacenie starcze. To ostatnie w niektórych przypadkach może prowadzić do powstawania stanów przedrakowych, a nawet raka skóry.

Cera sucha występuje zwykle w miarę starzenia się organizmu, co jest związane z utratą wody i zmniejszonym wydzielaniem gruczołów łojowych. Spotyka się ją najczęściej po 40 r. życia. Wyjątkowo może występować od okresu wczesnej młodości.

Cera starcza (pomarszczona i zwiotczała), zob. s. 1985.

Pielęgnowanie różnych rodzajów cery

Zasadą pielęgnowania cery jest utrzymanie skóry w stanie zdrowia. W tym celu należy ją prawidłowo oczyszczać i odżywiać oraz chronić przed szkodliwymi czynnikami zewnętrznymi, głównie atmosferycznymi. Do pielęgnowania cery należy rownież jej upiększanie, czyli makijaż.

Pielęgnowanie cery normalnej jest najprostsze i zależy od wieku. U niemowląt skórę należy zmywać jeden, dwa razy dziennie (w tym jeden raz powinna to być kąpiel całkowita). Twarz niemowlęcia zmywa się watką zmoczoną w ciepłej wodzie, najlepiej przegotowanej. Mydło do kąpieli powinno być przetłuszczone, lanolinowe (Palmolive lub Bambino). Jeżeli używa się wody z kranu, zbytnią jej twardość można zmniejszyć przez dodanie boraksu kosmetycznego w ilości 1/2 łyżeczki na litr wody.

Osoby dorosłe z cerą normalną nie powinny w zasadzie używać żadnych kosmetyków, poza okresowym stosowaniem kremu ochronnego oraz niewielkiej ilości pudru, co chroni przed niekorzystnym działaniem czynników atmosferycznych. Wszelkie kosmetyki wywierają w mniejszym lub większym stopniu szkodliwy wpływ na cerę m.in. przez to, że utrudniają oddychanie skóry i „zatykają" jej pory (ujścia gruczołów łojowych). Każdy krem, choćby najlepszy, w pewnym stopniu zasklepia ujścia gruczołów łojowych. Puder ma działanie wysuszające, co powoduje wcześniejsze występowanie zmarszczek. Każdy róż, tłusty w kremie lub suchy w kamieniu, oraz wszelkie podkłady niszczą cerę, powodując zatykanie i rozszerzanie porów skóry. Następstwem długotrwałego i stałego używania pomadki do ust jest zblednięcie czerwieni warg. Mechanizm tego zjawiska tłumaczy się w następujący sposób: delikatny nabłonek śluzówki warg pokryty warstwą pomadki traci zdolność normalnej respiracji (oddychania przez skórę), co powoduje jego niedożywienie, a w następstwie gorsze ukrwienie. Kobiety, które nie malują ust, mają wargi znacznie czerwieńsze niż te, które je pokrywają warstwą pomadki. Młode dziewczyny do 25 r. życia powinny używać środków upiększających jedynie okazjonalnie.

Przy cerze normalnej istotne znaczenie ma profilaktyka, mająca na celu zapobieganie zmarszczkom, które stanowią jeden z najtrudniejszych problemów kosmetyki. Już w okresie dojrzewania należy unikać nadmiernej mimiki, a zwłaszcza marszczenia czoła.

Pielęgnowanie cery tłustej. Cera tłusta jest dla kobiety bardziej korzystna niż sucha. Zwiększone wydzielanie gruczołów łojowych, ale jeszcze w granicach fizjologicznych, zapewnia normalną grubość płaszcza tłuszczowego, zapobiega nadmiernemu wysuszaniu i pękaniu skóry, opóźnia proces tworzenia się zmarszczek. Pielęgnowanie cery tłustej zależy od stopnia łojotoku. Polega ono na oczyszczaniu i ewentualnym odtłuszczeniu. Do najlepszych środków odtłuszczających stosowanych wieczorem należy ciepła woda z mydłem przetłuszczonym (o oddziaływaniu kwaśnym), które dobrze zmywa z powierzchni skóry brud, kurz, tłuszcz i kosmetyki. W ciągu dnia, głównie w lecie, stosuje się mieszanki odtłuszczające, np. 2% spirytus salicylowy. W celach wysuszających można też używać pudrów; 1% puder siarkowy barwiony na kolor cielisty (np. niemiecki Sulfoderm) lub inne pudry o działaniu przeciwłojotokowym (np. Camyna-Stepin) zmniejszą łojotok, nadają świecącej skórze wygląd matowy i tuszują niektóre defekty cery tłustej. Również aerozole i papki działają wysuszająco w przypadkach znacznego stopnia łojotoku. Używanie maści i kremów jest natomiast przeciwwskazane.

Obecnie przemysł kosmetyczny produkuje kremy do cery tłustej. Przywracają one równowagę wodną zachwianą przez stosowanie preparatów odtłuszczających, a jednocześnie chronią przed niekorzystnymi wpływami środowiska (wiatr, mróz) i tuszują defekty cery oraz działają przeciwzapalnie. Należą do nich kremy z serii Normaden firmy Vichy Fluide „Jour" Matifiant Clarinsa. Istnieją również serie kosmetyków pomocnych przy pielęgnowaniu cery tłustej, powodujących głębokie oczyszczanie, odtłuszczanie i zwężanie porów. Składają się one z żeli oczyszczających, toników i lotionów, np. Clearasil lub seria Oxy.

Pielęgnowanie cery mieszanej jest stosunkowo najtrudniejsze. Występuje tu jednocześnie skłonność do łojotoku oraz nieprawidłowa reakcja na wodę i mydło (uczucie palenia, napięcia, zaczerwienienia i podrażnienia). Stan taki nazywa się łojotokowym zapaleniem skóry (zob. Choroby skóry, s. 1976).

Cerę mieszaną pielęgnuje się w następujący sposób. Wieczorem zaleca się mycie twarzy ciepłą, przegotowaną wodą lub naparem z rumianku, który działa przeciwzapalnie i łagodzi ewentualne podrażnienia. Mydło powinno być przetłuszczone, bardzo łagodne, np. dla dzieci. Jeżeli po umyciu twarzy wystąpi mimo to podrażnienie, jest wskazane zastosowanie maseczki z płatków owsianych. Boczne części twarzy można posmarować dobrym tłustym kremem.

Cera mieszana zazwyczaj źle reaguje na wszelkie środki kosmetyczne, dlatego należy ograniczyć stosowanie tych preparatów lub stosować je bardzo ostrożnie. Jeżeli skóra nie toleruje wody i mydła (częste podrażnienia), można do zmywania stosować oliwę, mleko przegotowane, mleczko kosmetyczne lub płyn kosmetyczny lotion (na niskoprocentowym spirytusie), zwłaszcza przy porannym oczyszczaniu cery, która o tej porze nie wymaga użycia wody z mydłem. Często korzystnie wpływa naświetlanie w zimie lampą Vitalux lub Sollux (z niebieską żarówką). Nasłonecznianie w tych przypadkach powinno być bardzo ostrożne i w zasadzie powinno dotyczyć tylko osób młodych, przy zastosowaniu preparatów ochronnych (kremy z filtrem UV).

Przy cerze mieszanej zaleca się dietę z wyłączeniem pokarmów ostrych, ponadto brak dowodów na wpływ diety na cerę. Należy ostrożnie stosować kosmetyki, z wyjątkiem pudru na środkowe partie twarzy.

Pielęgnowanie cery suchej. Cerę tę oczyszcza się i odżywia dwukrotnie w ciągu dnia – rano i wieczorem. W i e c z o r e m twarz zmywa się ciepłą wodą, najlepiej przegotowaną z dodatkiem azulanu lub wywaru z rumianku, albo 2–3% kwasu borowego, oraz delikatnym mydłem przetłuszczonym lub dziecinnym. Jeśli skóra nie znosi wody i mydła, można używać mleka przegotowanego, mleczka lub śmietanki kosmetycznej albo oliwki kosmetycznej dla dzieci. R a n o użycie wody i mydła nie jest konieczne, gdyż cera, oczyszczona wieczorem z kurzu i brudu oraz ze stosowanych w ciągu dnia kosmetyków, wymaga jedynie odświeżenia. Do tego celu najlepiej nadaje się tonik bezalkoholowy lub woda mineralna (np. mazowszanka), w której macza się watkę i przeciera skórę twarzy oraz powieki. N a n o c zaleca się stosowanie kremów odżywczych, zawierających: lanolinę, eucerynę, cholesterynę, masło kakaowe, olbrot, oliwę. Również kremom z woskiem pszczelim (propolisem) przypisuje się działanie odżywcze, regenerujące i odmładzające (propolis często jednak daje reakcje uczuleniowe). Jeżeli stopień wysuszenia skóry jest znaczny, krem stosuje się na skórę całej twarzy na okres jednej godziny przed snem, po czym nadmiar kremu ściera się ligniną lub zmywa twarz mleczkiem kosmetycznym. Jeżeli stopień wysuszenia cery jest mniejszy, na całą twarz stosuje się krem nawilżający, a pod oczy odpowiedni krem lub żel „pod oczy".

Również zależnie od stopnia wysuszenia skóry twarzy do jej zmywania stosuje się mleczka kosmetyczne, np. lanolinowe, śmietankę kosmetyczną lub tzw. lotiony, tj. płyny na niskoprocentowym alkoholu. Godne polecenia są maski kosmetyczne.

Cera sucha sprzyja wczesnemu powstawaniu zmarszczek i fałd oraz siatki rozszerzonych naczyń krwionośnych. Jest bardzo wrażliwa na kosmetyki (głównie wodę i mydło) i na czynniki atmosferyczne (słońce, wiatr, mróz). Pod ich wpływem łatwo może ulegać zaczerwienieniu, pękaniu i złuszczeniu.

Skóra starcza (pomarszczona i zwiotczała)

Skóra starcza, pomarszczona i zwiotczała, występuje na ogół u osób w wieku podeszłym. Może powstać również przedwcześnie w następstwie długotrwałego narażenia na promienie nadfioletowe, na działanie wiatru i mrozu, co prowadzi do zwyrodnienia włókien sprężystych, wysuszenia, ścieńczenia i pomarszczenia skóry.

Skóra starcza może być następstwem cery suchej, tłustej i mieszanej. Najczęściej występuje u osób z cerą suchą i pojawia się tym wcześniej, im gorzej cera ta jest pielęgnowana w wieku młodym i dojrzałym. Skóra starcza jest wówczas zwiotczała, pomarszczona, cienka, sucha, różowa, pokryta siecią linijnych zmarszczek, fałd i rozszerzonych drobnych naczyń krwionośnych, rozgałęziających się drzewkowato. Skóra starcza będąca następstwem cery tłustej jest szarożółta, pokryta siecią licznych zmarszczek, bruzd i fałd zarówno w środkowych, jak i bocznych partiach, zwłaszcza skroniowych i przy zewnętrznych kącikach oczu, oraz rozszerzonymi ujściami gruczołów łojowych, w których tkwią liczne zaskórniki. U osób starszych z cerą mieszaną tylko środkowe partie twarzy są świecące i pokryte zaskórnikami.

Jedną z przyczyn starzenia się skóry jest utrata wody, dlatego trzeba temu możliwie wcześnie zapobiegać, głównie stosując kremy nawilżające. Kremy te stosuje się na noc, ale w lecie przy gorącym klimacie można je stosować także w dzień. W zimie kremy te są na dzień przeciwwskazane. Wyjątek stanowi nowa generacja kremów nawilżających o dużej zawartości wody, które wchłaniają się pozostawiając na skórze film ochronny zapobiegający odmrożeniu, np. „Hydrix" Lancôme. Korzystny jest klimat wilgotny (deszcz i mgła), natomiast klimat gorący i suchy przyspiesza starzenie się skóry.

Pielęgnowanie cery zwiotczałej i pomarszczonej

Do podstawowych zasad pielęgnowania cery zwiotczałej i pomarszczonej należą:

1) stosowanie kremów ochronnych i światłoochronnych przed wpływami czynników atmosferycznych; opalanie jest przeciwwskazane;

2) stosowanie kilka razy dziennie najlepszych kremów odżywczych: witaminowych, hormonalnych (ostrożnie!) – na najlepszych tłuszczach (lanolinie, eucerynie, olejkach roślinnych);

3) stosowanie wieczorem kremów nawilżających po oczyszczeniu twarzy mleczkiem, oliwą lub specjalnymi płynami tonizującymi (lotionami) nie wysuszającymi;

4) stosowanie bardzo oszczędnego makijażu (rażący postarza i ośmiesza) na podłożu tłustego kremu; róż i pomadka powinny być tłuste, puder jasny;

5) pewne znaczenie może mieć stosowanie kremów z zawartością kolagenu

i elastyny (składników tkanki łącznej, nadających skórze sprężystość i elastyczność);

6) z zabiegów fizykoterapeutycznych przeciwwskazane są jakiekolwiek naświetlania promieniami nadfioletowymi – podobnie jak słońcem. Można natomiast stosować naświetlanie lampą Sollux z niebieskim filtrem. Przy cerze wybitnie zwiotczałej stosuje się w gabinetach kosmetycznych galwanizację lub faradyzację;

7) używanie kremów z lipozomami, nośnikami wody i substancji odżywczych, pozwalającymi uzyskać lepszy i dłuższy efekt nawadniający i regenerujący dla cery zwiotczałej i pomarszczonej.

Leczenie zmarszczek. Radykalne leczenie jest operacyjne. Wykonuje się minimalny zabieg zwany „podniesieniem twarzy" (tzw. lift). Wystarcza on na kilka, kilkanaście lat, po czym trzeba go ewentualnie powtarzać.

Pomocne mogą być takie zabiegi, jak: dermabrazja (mechaniczne ścieranie powierzchownych warstw naskórka) lub chemiczne złuszczanie naskórka (wykonywane kwasem trójchlorooctowym).

Wstrzykiwanie do fałd i większych zmarszczek oleju silikonowego lub parafiny jest obecnie mniej stosowane, może bowiem dawać powikłania. W bruzdy na twarzy wstrzykuje się natomiast kolagen cielęcy, co daje efekt spłycenia bądź wygładzenia bruzdy albo zmarszczki. Efekt ten utrzymuje się jednak tylko 6–12 miesięcy.

Do leczenia skóry starczej i jej powikłań można używać silnych środków złuszczających w postaci maści, kremów i żeli z zawartością kwasu witaminy A (preparat najczęściej stosowany nosi nazwę Retin A). Można je stosować łącznie ze środkami przeciwsłonecznymi. Wyniki są zachęcające.

Nowe osiągnięcia w kosmetyce

Dynamiczny rozwój przemysłu kosmetycznego, związany z odkryciami z biochemii farmaceutycznej, fizjologii, fizyki i medycyny, zrewolucjonizował opóźnianie procesów starzenia się skóry.

Istotne było odkrycie destruktywnego działania promieniowania nadfioletowego, powodującego starzenie skóry przez uwalnianie wolnych rodników, niszczących komórki naskórka, a także wywołującego nowotwory skóry. Prawie wszystkie kosmetyki zaopatrzono w filtry chroniące przed promieniami UVA i UVB oraz substancje neutralizujące wolne rodniki, m.in. witaminę E.

Powszechność kontaktowych odczynów alergicznych i podrażnień po stosowaniu kosmetyków i środków upiększających, sprawiła że zainteresowano się preparatami naturalnymi, głównie substancjami roślinnymi i mineralnymi, uważanymi za mniej szkodliwe i alergizujące. Zaprzestano dodawania substancji zapachowych, konserwantów i stabilizatorów. Powstały całe linie kosmetyków hipoalergicznych. Zaczęto stosować rośliny znane już w starożytności z właściwości odmładzających i pielęgnujących urodę, m.in. aloes, algi morskie, kiełki pszenicy, awokado (te ostatnie zawierające łatwo przyswajalne tłuszcze roślinne).

Producenci kosmetyków dotleniających wykorzystali rolę tlenu, ułatwiającego i uaktywniającego procesy oddychania oraz przemian wewnątrzkomórkowych i regenerujących komórki, zdolne do produkcji wyższej jakości kalogenu i elastyny (białka podporowe skóry, nadające jej elastyczność i sprężystość). Elastyna i kolagen (głównie cielęcy) weszły w skład wielu preparatów kosmetycznych, pomagając utrzymać sprężystość skóry oraz zapobiegając utracie przez nią wilgoci. Zawartość kwasu hialuronowego w kremach zapewnia z kolei utrzymanie właściwości poziomu wilgotności w komórkach naskórka.

Współpraca laboratoriów kosmetycznych z farmaceutycznymi zaowocowała powstaniem nowej generacji kosmetyków, których siła i zasięg działania jest porównywalny z lekami. Nazwano je kosmoceutykami lub kosmolekami, np. liposomy, cząsteczki fosfolipidów, mające powinowactwo do błon komórkowych komórek naskórka. Charakteryzują się one dużo głębszą penetracją w naskórek i mogą przenosić się wraz z wodą i innymi substancjami biologicznie czynnymi, rozpuszczalnymi w wodzie i tłuszczach. Przenikając przez przestrzenie międzykomórkowe i wbudowując się w ściany komórek, mają właściwości silnie odmładzające i nawilżające. Innym przykładem są ceramidy (naturalne składniki substancji międzykomórkowej), podawane w kapsułkach, mają duże zdolności ochronne, nawilżające i odmładzające. Opóźniają one starzenie m.in. przez inaktywację wolnych rodników, a dzięki nieobecności stabilizatorów i substancji zapachowych nie alergizują.

Zawrotną karierę w kosmetyce zrobiły również naturalne kwasy owocowe (cytrynowy, jabłkowy, winny, glikolowy, mlekowy). Przyspieszają one złuszczanie warstwy rogowej i przemianę materii w skórze, pobudzając komórki naskórka do ciągłej odnowy, tym samym zmniejszają blizny i przebarwienia skóry, a głównie działają przeciwzmarszczkowo. W wyższych stężeniach (powyżej 50%) powodują głębokie złuszczenie (eksfoliację) naskórka.

Ustabilizowaną pozycję w leczeniu trądzika pospolitego mają kwasy: azaleinowy i witaminy A, działające keratolitycznie oraz zmniejszające łojotok. Kwas witaminy A likwiduje dodatkowo efekty uszkadzającego działania promieni nadfioletowych na skórę, zmniejszając zmarszczki, przebarwienia i rogowacenie posłoneczne.

III. MASAŻ KOSMETYCZNY

Masaż kosmetyczny ma na celu przedłużenie młodości i zachowanie zdrowia. Ogranicza się on do masażu twarzy, dekoltu, ramion i włosów. Nieumiejętnie wykonany nie tylko nie wywiera dodatniego wpływu na urodę, ale może się przyczynić do rozwoju zmarszczek i fałd na twarzy. Powinny go wykonywać tylko doświadczone kosmetyczki lub masażystki.

Najważniejszym celem masażu kosmetycznego jest zachowanie elastyczności i jędrności skóry i mięśni oraz zapobieganie zmarszczkom i fałdom. Przy zmarszczkach i fałdach już powstałych masaż niewiele pomaga i nie może zastąpić zabiegu chirurgicznego. Jako środek pomocniczy do masażu twarzy najlepiej nadaje się, zwłaszcza przy cerze suchej, oliwa kosmetyczna i tłusty krem poślizgowy, a przy cerze tłustej spirytus, który stosuje się do tzw. masażu jacquetowskiego (opisał go Francuz o tym nazwisku). Każda kobieta może sama codziennie wykonywać masaż twarzy (automasaż), musi jednak znać pewne zasady, z których najważniejsza brzmi: należy masować zawsze zgodnie z przebiegiem i kierunkiem mięśni! Ruchy przy masażu twarzy ilustruje załączony rysunek.

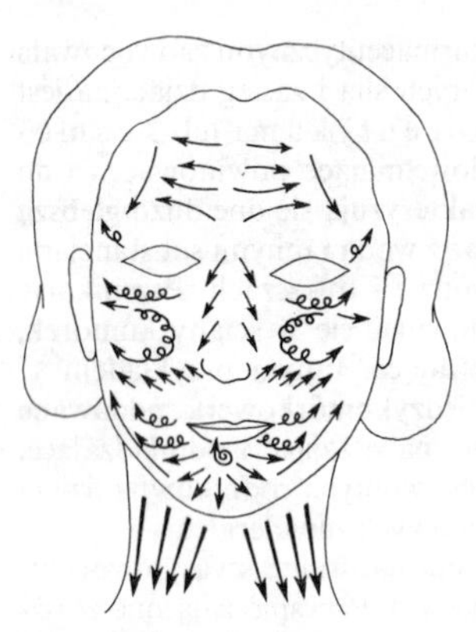

Ruchy automasażu twarzy

Masaż włosów odgrywa doniosłą rolę w prawidłowym ich pielęgnowaniu. Można go wykonywać samemu przez codzienne szczotkowanie włosów dość twardą szczotką z naturalnej szczeciny (szczotki nylonowe elektryzują włosy, a druciane kaleczą skórę głowy!). Masaż taki wpływa korzystnie na brodawki włosowe, powodując ich przekrwienie oraz rozprowadza równomiernie wydzielinę gruczołów łojowych, tak aby nie zatykała ujść tych gruczołów i nadawała włosom połysk i elastyczność. Masaż elektryczny włosów wykonuje się w gabinetach kosmetycznych za pomocą darsonwalizacji. Do tego celu są używane elektrody w formie grzebieni i szczotek.

IV. PREPARATY I ŚRODKI KOSMETYCZNE UŻYWANE DO PIELĘGNOWANIA I UPIĘKSZANIA CERY

Mydła toaletowe stosuje się w celu utrzymania niezbędnej czystości i higieny skóry; usuwają one brud, nadmiar tłuszczu i resztki kosmetyków. Mydła, będące zasadowymi solami kwasów tłuszczowych, łączą się przy myciu z tłuszczem naskórka, emulgują go wraz z brudem i spływają. Mydła o odczynie zbyt zasadowym wysuszają skórę i drażnią ją. Podrażniony naskórek jest zaczerwieniony, łuszczy się i pęka. Idealne mydło powinno mieć oddziaływanie obojętne lub nieco kwaśne i zawierać dużo tłuszczu.

Mydła przetłuszczone (lanolinowe, dziecinne) o kwaśnym odczynie nadają się do stosowania przy wszystkich rodzajach cery: normalnej, suchej, tłustej i mieszanej. Nie powodują podrażnień i w zasadzie nie niszczą płaszcza tłuszczowego skóry. Nawet najlepsze i najdroższe mydła nie odpowiadające tym wymaganiom mogą doprowadzić do podrażnień i uczuleń skóry twarzy.

Mydła lecznicze nie mają dużego zastosowania, ponieważ przez swój zasadowy odczyn mogą doprowadzić do nadmiernego wysuszenia i podrażnienia skóry. Zawarte w nich leki również nie spełniają swego zadania, gdyż nie przenikają w głąb skóry. Nawet cera tłusta wymaga mydła przetłuszczonego, które usuwa z niej brud i wydzieliny gruczołów skórnych: łojowych i potowych.

Maski kosmetyczne, tzw. **maseczki**, są to papki, które nakładane na skórę twarzy w formie papkowatej, a potem wysychające na niej, mogą mieć działanie: ściągające, wysuszające, rozpulchniające, tonizujące, wybielające, odżywcze i upiększające. Maski te mogą zawierać: białko jaja kurzego, żółtko, miód, zioła, siarkę, tlenek cynku, mąkę kartoflaną, talk, mączkę ryżową, siemię lniane, alkohol oraz wiele innych preparatów naturalnych i chemicznych (kolagen, mikroelementy). Maski można też wykonać z rozgrzanej parafiny (w przypadkach zwiotczenia skóry), z owoców i jarzyn (maski witaminowe) lub z kaolinu (maska „porcelanowa").

M a s k ę o d ż y w c z ą na cerę suchą sporządza się np. z 1 żółtka jaja, 50 g oleju sojowego, 50 000 j. witaminy A w roztworze oleistym, 5 g miodu i 5 g parafiny płynnej. Wykonuje się jak majonez.

M a s k a z i o ł o w a wywiera działanie rozpulchniajace. Stosowana jest przed oczyszczaniem skóry z zaskórników. Podstawą jej musi być siemię lniane, które działa rozpulchniająco. Połączone jest ono z taką samą ilością rumianku i rozmarynu w równych częściach. Rumianek i rozmaryn można zastąpić nostrzykiem, macierzanką lub bratkami.

Przygotowanie maski ziołowej jest stosunkowo proste. Sproszkowane zioła zalewa się wodą i ogrzewa na ogniu do konsystencji papki, sprawdzając, aby maska nie była zbyt gorąca, następnie rozprowadza się ją szpatułką na czole, potem na nosie, brodzie i policzkach, zostawiając wolne powieki. Zioła przykrywa się płatkami ligniny, kawałkiem gazy lub płótna, a te kawałkiem plastyku, który działa jak kompres rozgrzewający. Po 10–15 min maskę zdejmuje się, obmywa skórę wilgotną gazą lub kawałkiem płótna i przystępuje do oczyszczania cery.

Gotowe maski ziołowe na różne rodzaje cery produkuje Herbapol.

M a s k i o w o c o w e przygotowuje się z rozgniecionych truskawek, malin, moreli lub z pokrojonego w plasterki ogórka, pomidora, marchwi.

Stosuje się również maski: z twarożku, otrąb pszennych z oliwą i naturalnego miodu; z otrąb pszennych i żytnich z dodatkiem mikroelementów, z drożdży rozgniecionych w mleku. Te ostatnie mają raczej zastosowanie na cerę tłustą, łojotokową.

M a s k a z z i e m n i a k ó w działa bardzo korzystnie przy skłonnościach do podrażnienia i zaczerwienienia skóry twarzy; jeden ziemniak rozgotowuje się w mleku i w postaci ciepłej papki nakłada na twarz na 10 min, po czym twarz zmywa się letnim mlekiem lub wodą.

M a s k a z u b i t e j p i a n y jednego białka (może być z dodatkiem kilku kropli cytryny) działa wysuszająco i ściągająco na cerę tłustą.

Pudry, będące mieszaniną bardzo drobno sproszkowanych substancji mineralnych, mogą składać się z: talku, mączki ryżowej, soli magnezu, tlenku tytanu i cynku, barwników (najczęściej ochry) i perfum. Pudry lekkie zawierają tylko substancje mineralne. Są nieszkodliwe dla skóry, ale ich wadą jest gorsze przyleganie do skóry. Takie pudry produkuje polski przemysł kosmetyczny. Pudry ciężkie zawierają sole metali ciężkich, lepiej przylegają do skóry, ale rozszerzają pory i czasami wywołują podrażnienia cery. Praktycznie puder ciężki można rozpoznać przez potarcie go o złotą obrączkę, która wówczas ciemnieje.

Działanie pudrów kosmetycznych polega na ochronie skóry przed szkodliwymi wpływami atmosferycznymi i kurzem ulicznym, na jej wysuszaniu i upiększaniu przez tuszowanie widocznych braków cery. Osoby o cerze suchej i wrażliwej nie powinny stale używać pudru, natomiast powinny go stosować osoby o cerze tłustej.

Kremy kosmetyczne są to maści ze znaczną zawartością wody, nie zawierające substancji sproszkowanych. Kremy takie, zależnie od stosunku części tłuszczowej do wody, określa się jako emulsje wody w oleju lub oleju w wodzie. Składają się z podstawy tłuszczowej oraz środków dodatkowych: leczniczych i kosmetycznych, najczęściej w formie roztworów. Podstawę tłuszczową stanowią najczęściej tłuszcze zwierzęce: lanolina, która jest tłuszczem z wełny owczej, chemicznie zbliżonym do łoju wydzielanego przez gruczoły łojowe skóry ludzkiej; smalec wieprzowy; olbrot (tłuszcz płynny otrzymywany z wielorybów zwanych kaszalotami) i euceryna (cholesterynowana wazelina). Nieco mniej wartościowe są tłuszcze roślinne, jak oliwa lub olejek migdałowy, ponieważ szybko jełczeją. Najmniej wartościowe są tłuszcze mineralne: wazelina (czysta), parafina i olej parafinowy. Zamiast odżywiać skórę, powlekają ją warstwą nieprzenikalnego tłuszczu, który zatyka pory. Krem na dobrym tłuszczu szybko wchłania się w skórę.

W zależności od środków dodatkowych wyróżnia się kremy: chłodzące, osłaniające, odżywcze, nawilżające, przeciwzapalne, przeciwsłoneczne, pod puder, przeciwzmarszczkowe, witaminowe, hormonowe i inne.

W zależności od zastosowania na różne rodzaje cery kremy dzieli się na: tłuste, półtłuste i nawilżające. Można także wyróżnić kremy odżywcze, regenerujące, oczyszczające, ochronne, hipoalergiczne, złuszczające itp. Obecna tendencja w kosmetyce to odchodzenie od tłustych, ciężkich kremów na rzecz półpłynnych emulsji, szybko się wchłaniających i nie zalegających na powierzchni skóry.

Dobry krem musi spełniać następujące warunki: 1) nie może utrudniać oddychania przez skórę ani prawidłowego wydzielania gruczołów potowych i łojowych; 2) nie powinien psuć się ani wydzielać nieprzyjemnego zapachu (który może być czasem spowodowany źle oczyszczoną lanoliną); 3) powinien być dobrze wchłaniany przez skórę; 4) powinien mieć odczyn obojętny albo lekko kwaśny; 5) powinien zawierać dość dużo wody (zwłaszcza kremy nawilżające); 6) nie powinien powodować podrażnienia skóry ani uczulenia (zob. Uczulenia na kremy, s. 2000).

Farby do ust, policzków i makijażu oczu. Należą tu: pomadki do ust, róże do policzków i cienie na powieki. Preparaty te składają się z podstawy, którą najczęściej jest tłuszcz, barwnika i zapachu. Podstawę stanowią: różu do policzków - wazelina i cerezyna; pomadki do ust - woski, lanolina, oleje mineralne i roślinne; cieni na powieki - woski i wazelina. Jako środek zapachowy stosuje się olejki eteryczne, jako barwnik - najczęściej eozynę i rodaminę (w pomadkach hipoalergicznych, nie uczulających, zamiast eozyny stosuje się często karmin koszenili, który jako roślinny nie uczula).

Farby do ust i policzków, podobnie jak pudry, poza kryciem pewnych usterek cery i jej upiększaniem oraz nadawaniem pewnego kolorytu twarzy, chronią skórę przed kurzem ulicznym i szkodliwymi wpływami zewnętrznymi. Pomadki ponadto chronią wargi przed nadmiernym wysuszeniem. Korzystniejsze są pomadki tłuste. Dobre pomadki powinny być trwałe, mieć odpowiednie zabarwienie (zależne od mody, koloru cery i ubioru) oraz nie wywoływać szkodliwych odczynów miejscowych.

Róż do policzków może być tłusty i suchy (w postaci kamienia lub proszku, stosuje się go przy cerze wybitnie tłustej). W zasadzie nie powinny go używać osoby bardzo młode, natomiast osoby starsze, których skóra policzków ma raczej skłonność do wysuszania, powinny używać różu tłustego, harmonizującego z kolorem pomadki do ust. Podstawą różu są przeważnie tłuszcze mineralne, dlatego nie należy go długo pozostawiać na skórze ze względu na możliwość podrażnień; poleca się dokładne zmywanie różu na noc. Jako różu do policzków można także używać pomadki do ust (wówczas mają identyczny kolor), rozcierając jej niewielką ilość równomiernie po wtarciu odrobiny tłustego kremu w skórę policzków.

Cienie na powieki mogą być w kamieniu, pudrze, kremie lub pomadce.

Farby do brwi i rzęs (do makijażu oczu). Stanowią je naturalne barwniki roślinne (henna) lub sztuczne (farby utleniające, zob. Uczulenia na farby do włosów, s. 2001). Farby pozwalają na zmianę koloru brwi i rzęs na brązowy lub czarny na dłuższy okres (kilka tygodni). Podobny efekt, ale znacznie krótszy, kilku-, kilkunastogodzinny, można osiągnąć stosując ołówki do brwi i tusz do rzęs. Istnieją tusze łatwo zmywalne (spływają przy płaczu) oraz trwałe, nie schodzące nawet podczas pływania i trudno usuwające się. Tusze są produkowane w postaci kamienia, pasty lub płynu z wmontowaną w pojemnik (w formie ołówka) spiralą, w kolorze: czarnym, brązowym, niebieskim, zielonym, popielatym. Tusze w kamieniu lub paście nakłada się za pomocą specjalnych szczoteczek. Blondynki powinny dobierać tusz do koloru oczu, rudowłose powinny używać tuszu niebieskiego, zielonego lub brązowego, brunetki czarnego. Ołówki do brwi produkowane są w kolorach czarnym, brązowym, szarym oraz w kolorach pastelowych.

Perfumy są esencjami zapachów naturalnych lub stanowią mieszaninę zapachów naturalnych i sztucznych, bywają także pochodzenia wyłącznie sztucznego. Poza bezpośrednim stosowaniem na skórę i włosy, perfumy (zwykle olejki eteryczne) mają szerokie zastosowanie w produkcji kosmetyków: kremów, pudrów, różów, pomadek, maseczek, mleczka, lotionu, mydeł itp.

Ogólne zasady makijażu

Makijażem nazywa się sztukę upiększania twarzy. Jego rodzaj i sposób wykonania zależą od cery, kolorytu skóry, włosów, oczu, ubioru, pory dnia i wieku.

Środki tuszujące stosuje się przy istnieniu defektów cery, np. rozszerzeń naczyniowych, naczyniaków płaskich, blizn różnego rodzaju, znamion barwnikowych, znamion bezbarwnych, w bielactwie nabytym, trądziku itp. Są to zwykle preparaty barwne nakładane na skórę lub barwiące warstwę rogową naskórka. Kremy lub pudry o naturalnym, białym zabarwieniu, stosowane jako środki tuszujące nie dają efektu zadowalającego, a raczej sprawiają wrażenie nienaturalne i nieestetyczne.

Z preparatów kryjących nakładanych na skórę najsłabsze działanie ma podkład w kremie, tworzący na skórze gładką powierzchnię dla przyjęcia pudru, oraz puder w kremie, w którym zawartość barwnika wynosi jedynie 10–20%. Najlepsze efekty dają tzw. preparaty maskujące w postaci kremów, płynów i sztyftów, zawierające 35–45% barwnika. Pożądaną w tych przypadkach wysoką nieprzezroczystość osiąga się przez dodanie 20% dwutlenku tytanu. Zawsze barwa preparatu dobranego powinna jak najmniej różnić się od naturalnego zabarwienia skóry.

Do maskowania większych ognisk chorobowych, np. dużych naczyniaków, plam bielaczych itp., lepiej nadają się preparaty w postaci kremów, np. amerykański preparat o nazwie Terri Cover Cream w 4 odcieniach: jasnym (light), średnim (medium), ciemnym (dark), bardzo ciemnym (extra dark). Do maskowania niewielkich defektów skóry wystarczają preparaty w formie pałeczek lub sztyftów, w kształcie przypominającym pomadkę do ust, np. sztyft maskujący pod nazwą „Conceal" firmy Heleny Rubinstein oraz sztyft „Errace plus" Max Factora. Zaletą ich jest możliwość nakładania na małą powierzchnię względnie grubej warstwy preparatu kryjącego, a wadą możliwość przeniesienia i wprowadzenia do skóry zakażenia bakteryjnego.

Drugą grupę środków tuszujących stanowią preparaty barwiące warstwę rogową naskórka. Są one nieszkodliwe i proste w użyciu. Z polskich należy tu np. Citosol firmy Lechia, z niemieckich – Viticolor firmy Hermal Chemie. Oba są nietoksyczne i dobrze maskujące. Nadają się jedynie do tuszowania plam odbarwionych, np. w bielactwie nabytym.

V. NIEKTÓRE CHOROBY I PIELĘGNOWANIE WŁOSÓW

Niektóre choroby włosów

Łysienie rozlane u kobiet może występować w różnych okresach życia: po okresie dojrzewania, między 30 a 40 r. życia i w okresie przekwitania. Przyczyny mogą być różne: dziedziczne, hormonalne, łojotok, nerwowe, niedokrwistość (niski poziom żelaza we krwi), niedobory pokarmowe. Wypadanie włosów rozpoczyna się na szczycie głowy lub w okolicy czoła, z tym że nigdy nie dochodzi do całkowitego wyłysienia (nawet na szczycie głowy), a jedynie do przerzedzenia i ścieńczenia włosów. Często wyłysieniu towarzyszy łojotok i łupież. Choroba ma przebieg długotrwały z okresami poprawy i pogorszenia.

Leczenie jest bardzo trudne i polega przede wszystkim na leczeniu przyczyny. Leczenie hormonalne stosuje się bardzo ostrożnie. Prowadzi się leczenie wzmacniające organizm i układ nerwowy. Leczenie miejscowe polega na zwalczaniu łojotoku przez stosowanie mieszanek spirytusowych wysuszających (np. Acnosan, spirytus salicylowy z dodatkiem innych leków, maści na łupież). W przypadkach suchego łupieżu – i to u obojga płci – korzystnie działa szampon do mycia włosów z zawartością selenu – Selsun. W patogenezie łupieżu ma również udział drobnoustrój *Pityrosporum Ovale*, dlatego do walki z nim wprowadzono szampony zawierające preparaty przeciwgrzybicze, jak pirytion cynku lub ketokonazol (Healing Shampoo, Nizoral).

Łysienie typu męskiego jest najczęstszą odmianą łysienia (90%). Ponad 50% mężczyzn po 50 r. życia łysieje. Przyczyna nie jest dokładnie znana. Przypuszcza się, że istotną rolę wywierają hormony męskie, łojotok, a także wzmożone napięcie skóry głowy. Istnieje pewna dziedziczna tendencja do łysienia tego typu.

Początek łysienia występuje zazwyczaj po 40 r. życia, a wyjątkowo już po 20 r. życia. Proces zaczyna się w okolicy kątów czołowych i na szczycie głowy, natomiast na obwodzie zarost pozostaje prawidłowy.

Leczenie jest trudne, podobne do leczenia łysienia rozlanego u kobiet.

Łysienie plackowate. Ten rodzaj łysienia występuje zarówno u dzieci, jak i u dorosłych mężczyzn i kobiet. Przyczyny nie są dokładnie znane. Pewną rolę odgrywa układ nerwowy (np. silne przeżycie nerwowe), zaburzenia hormonalne, ropne ogniska w organizmie (zatoki, zęby, migdały itp.). Choroba zaczyna się zwykle w tyle głowy i w okolicach ciemieniowych, obejmuje brodę u mężczyzn, okolice brwi i rzęs, pachwin i dołów pachowych (tablica 32 a).

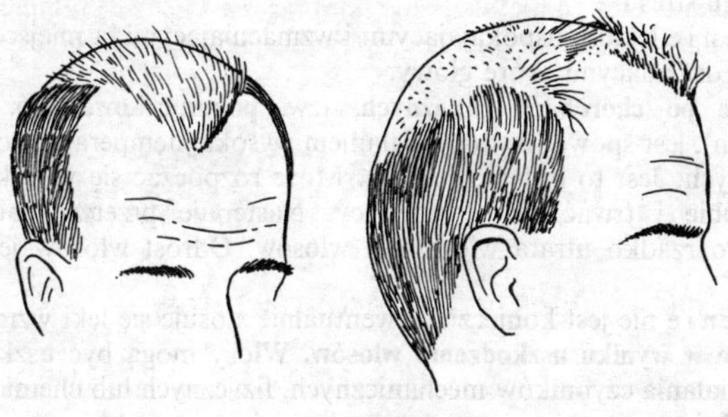

Łysienie typu męskiego

Leczenie jest trudne, choć zmiany są w zasadzie odwracalne. Może ciągnąć się miesiącami, a nawet latami. Najgorzej rokują postacie brzeżne i wyłysienie całkowite, zwłaszcza u dzieci. Czasami zmiany mogą się cofać samoistnie. Leczenie miejscowe polega na: wcieraniu w skórę głowy mieszanek drażniących na spirytusie (powodują przekrwienie), naświetlaniu kwarcówką, przebywaniu na słońcu, stosowaniu ręcznego lub wibracyjnego masażu w gabinecie kosmetycznym. Można również stosować masaż elektryczny za pomocą aparatu do darsonwalizacji (prąd zmienny wysokiej częstotliwości). W łysieniu plackowatym stosuje się też inne metody leczenia, np. fotochemioterapię (naświetlanie ognisk promieniani UVA po uczuleniu skóry psoralenami), wcieranie preparatów drażniących lub powodujących przekrwienie skóry (Histadermin, Cygnolina, Airol) lub mieszanek z dexametazonem. Przy ogniskach bardzo licznych lub wyłysieniu całkowitym jest wskazane noszenie peruki (treski). Odrastające włosy są odbarwione (nie należy ich farbować!), dlatego można je smarować sokiem z łupin zielonych orzechów i alkoholu (w równych częściach). Leczenie ogólne polega na podawaniu witamin (witaminy A, B comp., C), leków ogólnie wzmacniających, mikroelementów (żelazo, fosfor itd.), a także uspokajających. Szczególne znaczenie przypisuje się podawaniu cynku (polski preparat Zincteral, szwedzki Solvezink w tabletkach musujących). Wyniki są zachęcające, choć nie zawsze radykalne.

Łysienie poporodowe jest skutkiem zaburzeń hormonalnych oraz urazu porodowego. Zwykle najsilniejsze jest w 10–20 tygodni po porodzie. Trwa kilka miesięcy, cofa się na ogół samoistnie w okresie do 6 miesięcy po porodzie. Objawia się ścieńczeniem i przerzedzeniem włosów, początkowo na szczycie, potem na całej głowie.

Leczenie nie jest konieczne, ale można stosować leki wzmacniające i uspokajające lub psychoterapię, a także witaminy i mieszanki drażniące do wcierania w skórę głowy.

Łysienie neuropochodne, czyli psychogenne polega na tworzeniu się ograniczonych, nieregularnych ognisk; rzadziej jest rozlane. Może przypominać łysienie plackowate. Występuje zwykle w kilka dni lub 2–3 miesiące po zadziałaniu stresu.

Leczenie lekami uspokajającymi i wzmacniającymi, a miejscowo – mieszankami drażniącymi skórę głowy.

Łysienie po chorobach zakaźnych, tzw. **pogorączkowe** (np. po durze brzusznym), jest spowodowane działaniem wysokiej temperatury oraz toksyn bakteryjnych. Jest to łysienie rozlane. Może rozpocząć się w kilka miesięcy po chorobie i trwać ok. 2 miesięcy. Następuje przerzedzenie włosów, wyjątkowo rzadko utrata większości włosów. Odrost włosów jest na ogół całkowity.

Leczenie nie jest konieczne, ewentualnie stosuje się leki wzmacniające.

Łysienie w wyniku uszkodzenia włosów. Włosy mogą być uszkodzone na skutek działania czynników mechanicznych, fizycznych lub chemicznych. Do czynników mechanicznych zalicza się: przewlekłe urazy, złe pielęgnowanie włosów (złe czesanie i szczotkowanie, naciąganie, ścisłe zaplatanie, nieprawidłowy masaż skóry owłosionej, złe uczesanie, np. tzw. koński ogon, przewlekłe drapanie np. przy alergicznych (uczuleniowych) chorobach skóry. Włosy mogą ulegać rozszczepieniu, stają się łamliwe, następują zmiany ich zabarwienia itp. Uszkodzenia włosów są na ogół ogniskowe, może dochodzić do ograniczonych wyłysień. Często zmiany są nasilane na brzegach skóry owłosionej (po silnym i nieumiejętnym szczotkowaniu).

Do czynników fizycznych mogących działać szkodliwie na włosy należą: promieniowanie nadfioletowe i słoneczne, suszarki do włosów powodujące znaczne ich wysuszanie, rozszczepianie się i łamliwość, rozjaśnianie, a także promieniowanie rentgenowskie (w odpowiednio wysokich dawkach powoduje całkowite wypadnięcie włosów).

Spośród czynników chemicznych uszkadzających włosy i powodujących łysienie wymienić należy: 1) metale ciężkie i inne środki trujące (np. tal, trucizna na szczury powodująca prawie całkowite wypadnięcie włosów); 2) pewne leki (np. leki cytostatyczne, stosowane przy leczeniu niektórych nowotworów, powodują zahamowanie wzrostu włosów i łysienie; następuje bardzo szybkie i gwałtowne łysienie typu rozlanego); 3) środki kosmetyczne i preparaty fryzjerskie.

Leczenie. Konieczne jest natychmiastowe usunięcie czynnika przyczynowego. Zwykle łysienie cofa się całkowicie, wyjątek stanowi uszkodzenie po działaniu promieni rentgenowskich, które w dużej dawce mogą powodować całkowitą i trwałą utratę włosów.

Łysienie starcze zależy od ogólnoustrojowego procesu starzenia się. Polega na przerzedzaniu włosów na szczycie głowy. Włosy stają się suche, łamliwe, cienkie. Stopniowo proces może zajmować całą skórę owłosioną. Leczenie jest raczej nieskuteczne. Pomocne jest tu odpowiednie pielęgnowanie włosów: szczotkowanie, stosowanie odżywek, mieszanek drażniących.

Siwienie polega na utracie barwy włosów i jej zmianie na srebrzystobiałą (tablica 32 b). Budowa włosa jest prawidłowa. Przyczyny nie są znane, przypuszczalnie mają znaczenie czynniki hormonalne, zaburzenia nerwowe oraz niedobory witaminowe, najprawdopodobniej fizjologicznie związane z ogólnoustrojowym procesem starzenia się. Mechanizm siwienia polega na zaburzeniach wytwarzania lub przenoszenia barwnika we włosach oraz na pojawieniu się pęcherzyków powietrza we włosie.

Odmiana fizjologiczna rozpoczyna się po 35–40 r. życia. Siwienie postępuje zwykle od nasady włosa, ale nie jest to reguła. Najpierw pojawia się na skroniach, może stopniowo objąć całą głowę. Nie zawsze jest równoległe do procesu starzenia się organizmu. Wpływa na to klimat, rasa, warunki pracy.

Odmiana przedwczesna, bardzo podobna do fizjologicznej, występuje ok. 20–30 r. życia; uwarunkowana jest czynnikami genetycznymi (rodzinnymi).

Odmiana chorobowa może być następstwem ciężkich chorób zakaźnych, wyniszczających, niedożywienia, awitaminozy, ciężkich wstrząsów nerwowych.

Leczenie jest trudne i raczej nieskuteczne. Próby podawania kwasu paraaminobenzoesowego oraz witamin z grupy B były na ogół nieskuteczne.

Geriokaina (preparat odmładzający – witamina H) może przynosić poprawę w siwieniu starczym. Efekty może przynieść leczenie zaburzeń hormonalnych, nerwowych itp. Miejscowo można stosować farby do włosów (najlepiej u fryzjera).

Nadmierne owłosienie polega na chorobowym wzroście włosów w miejscach, gdzie w warunkach prawidłowych występuje jedynie prawie niewidoczny meszek włosowy. Przyczyną są zaburzenia hormonalne, najczęściej jajników. U kobiet między 25–50 r. życia jest to bardzo przykry defekt kosmetyczny. Występuje na twarzy w miejscu zarostu męskiego, w okolicy mostka, brodawek sutkowych, na brzuchu, kończynach górnych i dolnych. Często towarzyszy mu łojotok, trądzik, łysienie w okolicy czołowej. Włosy są grube, skręcone, czasami siwe.

Leczenie jest bardzo trudne. Aby nie pogarszać tego defektu, nie wolno włosów strzyc, wyrywać, golić, obcinać nożyczkami i opalać się na słońcu. Można stosować depilatory (krajowe lub zagraniczne) albo w gabinecie kosmetycznym pod kontrolą doświadczonej kosmetyczki: wosk kosmetyczny (głównie na kończynach górnych i dolnych), pasty depilacyjne albo wypalanie igłą elektryczną poszczególnych włosów (elektroliza lub elektrokoagulacja) oraz depilację pęsetą elektryczną. Dwie ostatnie metody są trwałe i nie powinny powodować odrostu włosów, a jeżeli to pojedynczych, cieńszych i słabszych. Ciemne, grube włosy można osłabić i rozjaśnić przecieraniem 2 razy dziennie 10% wodą utlenioną (rozcieńczoną perhydrolem).

Pielęgnowanie włosów normalnych, suchych i tłustych

Włosy normalne spotyka się rzadko, najczęściej u dzieci do okresu dojrzewania. Należy je myć raz na 7–10 dni w normalnym szamponie (ani wysuszającym, ani natłuszczającym). Po myciu można płukać w wywarze z ziół – włosy jasne najlepiej w rumianku, włosy ciemne w korze dębowej. Włosy należy szczotkować szczotką z naturalnej szczeciny. Nie należy nosić uciskających nakryć głowy ani uczesania, które powoduje naciągnięcie włosów (koński ogon, nawijanie na lokówki), ponieważ może to spowodować ich osłabienie i wypadanie. Nie trzeba bez potrzeby farbować włosów, gdyż farba osłabia nawet zupełnie zdrowe włosy.

Włosy suche spotyka się najczęściej w średnim i starszym wieku. Mogą być one delikatne, kruche, łamliwe i rozdwojone na końcach. Końce można przycinać nożyczkami. Włosy suche należy myć nie za często, przeciętnie co 10 dni, najlepiej w szamponie jajecznym lub oliwnym. Farbowanie i trwałą ondulację stosować tylko w razie konieczności, ponieważ powodują one wysuszenie włosów. Wskazane jest stosowanie zewnętrznie odżywek, oliwy lub witaminy A w roztworze wodnym albo oleistym.

Włosy tłuste spotyka się najczęściej, zwłaszcza u młodzieży w wieku dojrzewania. Myje się je, kiedy są przetłuszczone (gorąca woda pobudza czynność gruczołów łojowych i wzmaga łojotok, dlatego włosy należy myć letnią wodą) w szamponach ziołowych (tatarochmielowy, taro, piwny, cytrusowe). Wskazane jest szczotkowanie. Konieczna jest porada lekarza specjalisty, który przepisuje mieszanki wysuszające na włosy, ewentualnie maść na łupież i witaminy. Na łojotok owłosionej skóry głowy korzystnie działa słońce w lecie, a w zimie lampa kwarcowa. Szczotki i grzebienie należy utrzymywać w czystości.

VI. PIELĘGNOWANIE KOŃCZYN GÓRNYCH I DOLNYCH ORAZ PAZNOKCI

Pielęgnowanie kończyn górnych

Dłonie mogą być dotknięte różnymi wadami wrodzonymi i nabytymi (leczeniem ich zajmuje się chirurgia) oraz chorobami skóry, które rozwijają się w wyniku stykania się w ciągu dnia z licznymi szkodliwościami. Przez uszkodzony naskórek wnikają do organizmu drobnoustroje chorobotwórcze znajdujące się w kurzu i brudzie: bakterie, grzyby, drożdżaki i inne czynniki szkodliwe.

Pielęgnowanie skóry dłoni polega na jej oczyszczaniu i odżywianiu. Oczyszczanie to przede wszystkim mycie kilka razy dziennie w miękkiej, ciepłej wodzie przy użyciu mydła obojętnego lub o lekko kwaśnym oddziaływaniu. Jednak częste mycie rąk doprowadza do częściowego zniszczenia ochronnego płaszcza tłuszczowego, a obnażony naskórek stanowi wrota do wtargnięcia bakterii lub innych czynników szkodliwych, dlatego zapobiegawczo należy stosować kremy ochronne i odżywcze. W zawodach brudzących ręce jest zalecane ponadto używanie mydeł przetłuszczonych. Duże znaczenie w ochronie i pielęgnowaniu rąk mają rękawiczki. Chronią one dłonie przy wykonywaniu niektórych prac zawodowych lub domowych i przed szkodliwymi wpływami atmosferycznymi.

Skład kremów ochronnych zależy od czynników, z którymi styka się pracownik w swoim zawodzie. Kremy odżywcze natomiast powinny zawierać tłuszcze chemiczne zbliżone do tłuszczów wytwarzanych przez gruczoły łojowe skóry i łatwo wchłanialne, np. krem silikonowy.

Po umyciu ręce należy dokładnie osuszyć, aby zapobiec ich pierzchnięciu, które zdarza się najczęściej jesienią i zimą. Wskutek zmian temperatury, w następstwie mycia zimną wodą i niedokładnego wycierania rąk, może dochodzić nie tylko do spierzchnięcia naskórka, ale i do powstawania licznych pęknięć i rozpadlin, a przy skłonności osobniczej – nawet do odmrożeń. Zapobieganie polega tu głównie na dokładnym osuszaniu rąk i używaniu kremów lub płynu składającego się z gliceryny, spirytusu (pół na pół) i kilku kropel soku z cytryny. Ręce odmrożone leczy się naświetlaniami lampą Sollux i kwarcową, kąpielami naprzemiennymi (w zimnej i ciepłej wodzie), wcieraniem maści kamforowo-ichtiolowej i podawaniem doustnie witaminy PP. W cięższych przypadkach stosuje się diatermię krótkofalową.

Pielęgnowanie paznokci

Paznokcie powinny być zawsze czyste i równo opiłowane. Myje się je specjalną miękką szczoteczką, a pielęgnuje stosując zabieg zwany manikiurem.

Niewskazane jest częste zmienianie lakieru lub emalii, ponieważ wymaga to częstego używania acetonu lub zmywacza, które są bardziej szkodliwe dla paznokci niż emalia i lakier. Aceton, znajdujący się także w zmywaczu, ma działanie silnie wysuszające, powoduje łamliwość i kruchość paznokci. Aby temu zapobiec, dodaje się do zmywacza specjalne olejki, np. rycynowy. Istnieją również zmywacze nie zawierające acetonu oraz wzmacniające płytkę paznokciową, dzięki zawartości protein lub witamin w swoim składzie. Stałe wycinanie naskórka powoduje coraz szybsze jego odrastanie, dlatego korzystniej jest odsuwać brzegi naskórka za pomocą specjalnych przyrządów i płynów o odczynie zasadowym.

Łamliwość i kruchość paznokci. Przy zmianach tych paznokcie należy moczyć w gorącej oliwie i wcierać sok cytryny w okalający naskórek. Doustnie podaje się przez 4–8 tygodni żelatynę zwykłą rozpuszczoną w wodzie (10 g dziennie) lub pod postacią galaretek mięsnych albo owocowych. Silniejsze działanie mają gotowe preparaty zawierające żelatynę oraz inne środki wzmacniające paznokcie, np. Gellavit (Gellacet). Lakierowanie paznokci najlepiej przerwać na pewien okres.

Kwitnienie paznokci. Jest to występowanie na powierzchni płytek paznokciowych białych plam, nie ma ono nic wspólnego z bielactwem pojawiającym się na skórze. Przyczyna nie jest dokładnie poznana. Plamy te powstają prawdopodobnie wskutek przedostania się do masy paznokcia cząsteczek powietrza. Kwitnienie paznokci występuje najczęściej u młodzieży, nie jest niebezpieczne i mija bez leczenia.

Zmiany płytek paznokciowych mogą być również wyrazem różnych zaburzeń wewnątrzustrojowych, np. niedoboru żelaza, składników mineralnych i witamin. Dlatego korzystne wyniki w leczeniu wad daje dieta bogata w witaminy, głównie A i grupy B, składniki mineralne, białko, żelatynę.

Grzybica paznokci, zob. Choroby skóry, s. 1954.

Pielęgnowanie kończyn dolnych

Pielęgnowanie nóg jest ważnym elementem ogólnej higieny ciała. Nogi wykonują codziennie wielki wysiłek, są ciągle w ruchu, często zmieniają pozycję (przy czym przeważa pozycja pionowa), na nich opiera się masa całego ciała i to często zbyt duża (przy otyłości). Nadmierne obciążenie oraz stosunkowo krótki okres wypoczynku nóg w dzień i w nocy może, przy braku odpowiedniej dbałości, doprowadzić do bardzo poważnych zaburzeń zarówno w krążeniu, jak w kościach, stawach i skórze. Wieczorem zwykle występują obrzęki niewielkiego stopnia, bolesność i uczucie palenia skóry stóp. Pod wpływem niewygodnego i niehigienicznego obuwia powstają zniekształcenia, odciski i modzele. Pewne znaczenie ma w tych przypadkach nadmierne pocenie się stóp.

Podstawowym warunkiem higieny stóp jest noszenie odpowiedniego obuwia, przewiewnego, lekkiego i wygodnego. Ciasne damskie pantofle na wysokich obcasach o wąskich noskach sprzyjają u kobiet nie tylko powstawaniu wrośniętych paznokci, odcisków, żylaków i deformacji stóp, ale również przemieszczaniu kobiecych narządów mieszczących się w miednicy małej.

Następnym warunkiem higieny stóp jest codzienne zmienianie skarpet, rajstop i pończoch oraz mycie nóg wodą z mydłem przynajmniej raz dziennie w zimie, a kilka razy dziennie w lecie. Zapobiega to poceniu się stóp, ale jeśli mimo takiego postępowania nogi pocą się, stosuje się leki w postaci pudru (np. Mycodermina) lub sprayu (np. Undofen-Spray). Leki te stosuje się również przy grzybicy potnicowej stóp.

Odciski powstają wskutek ucisku i ocierania się palców lub podeszwy stóp o skórę obuwia. Jeżeli są duże, długotrwałe i głęboko wrośnięte, konieczny jest zabieg chirurgiczny. Mniejsze, płytsze odciski, stwardnienia i złuszczający się naskórek na stopach są usuwane podczas zabiegu zwanego pedikiurem.

Pedikiur wykonuje się co 4–6 tygodni, w zależności od potrzeby.

Pedikiur robi się po wymoczeniu nóg w wodzie z mydłem. Narzędzie należy przed i po zabiegu odkazić, aby zapobiec powstawaniu zakażeń bakteryjnych, drożdżyc i grzybic. Obecnie ze względu na profilaktykę zakażenia wirusem HIV (zapobieganie AIDS) narzędzia powinny być moczone w chloraminie 2–5% przez 10 min. Paznokci nie należy wycinać zbyt głęboko przy brzegach (szczególnie dotyczy to palucha), aby nie wrastał. Również zbyt częste wycinanie zrogowaciałego naskórka powoduje szybkie narastanie nowego. Podczas każdej kąpieli należy naskórek ścierać pumeksem. Korzystnie na uczucie zmęczenia nóg wpływa codzienna wieczorna kąpiel z dodatkiem różnych substancji (np. sól ciechocińska lub iwonicka) oraz masaż połączony z wcieraniem odżywczego kremu.

Aby zapobiec powstawaniu żylaków i obrzęków, należałoby sypiać z nogami ułożonymi nieco wyżej, unikać długotrwałego stania podczas dnia i siedzenia z podkurczonymi nogami.

VII. USZKODZENIA SKÓRY, WŁOSÓW I PAZNOKCI WYWOŁANE STOSOWANIEM KOSMETYKÓW

Uszkodzenia skóry związane ze stosowaniem kosmetyków można zaliczyć do grupy uszkodzeń wywołanych przez środki chemiczne działające zewnętrznie. Wynikiem miejscowego działania kosmetyków mogą być odczyny pierwotnie drażniące (toksyczne) oraz odczyny alergiczne. Odgraniczenie obu typów reakcji jest niezmiernie trudne, często jedna przechodzi w drugą.

Odczyny pierwotnie drażniące powstają w miejscach stosowania preparatu i zależą od stężenia i czasu działania tego preparatu. Po odstawieniu kosmetyku nie szerzą się, ustępują i nie nawracają. Mogą występować u wszystkich osób. Objawiają się stanem zapalnym skóry, połączonym ze złuszczeniem, wysiękiem, niekiedy pęcherzami. W cięższych przypadkach może nastąpić nawet poważne uszkodzenie naskórka i skóry (np. przy stosowaniu preparatów żrących), połączone z silną bolesnością.

Odczyny alergiczne występują tylko u osób nadwrażliwych na dany preparat. Pojawiają się na ogół szybko, nawet w miejscach odległych od stosowania kosmetyku, np. uczulenie na lakier do paznokci może wystąpić na powiekach. Przypominają wyprysk (egzemę), objawiają się zaczerwienieniem, swędzeniem, złuszczaniem, wysiękiem i obrzękiem.

Alergeny (czynnik przyczynowy) udaje się niekiedy ustalić na podstawie tzw. prób płatkowych (kontaktowych). Polegają one na przyłożeniu do skóry płatka gazy o wymiarach 1x1 cm lub krążka ze specjalnej bibuły, nasyconych badaną substancją. Wynik odczytuje się po 48 i 72 godz. Reakcja uczuleniowa objawia się zaczerwienieniem, sączeniem, obrzękiem i świądem w miejscu próby. Próby te można wykonywać przed zastosowaniem pewnych kosmetyków, w celu zapobieżenia niepożądanym odczynom, zwłaszcza u alergików. Jeśli badany preparat nie jest dobrze znany, należy go rozcieńczyć zarówno do prób, jak i próbnego zastosowania.

Uczulenia na kremy. Kremy kosmetyczne wywołują na ogół mało uszkodzeń skóry, które przeważnie są spowodowane działaniem podstawy tłuszczowej, konserwantów lub środków dodatkowych (leczniczych).

Przyczyną może być złe przygotowanie kremu, jego zbytnia zasadowość lub też uczulenie skóry na niektóre składniki. Pewną rolę odgrywa też niewłaściwe zastosowanie kremu, np. tłustego kremu odżywczego na cerę tłustą, który przeznaczony jest jako krem ochronny na cerę suchą. Powstawaniu reakcji uczuleniowych sprzyja zła konserwacja tłuszczów, prowadząca do ich jełczenia i fermentacji. Tłuszcz stosowany do kremów powinien mieć skład możliwie zbliżony do składu chemicznego tłuszczu skóry i kwasowość zbliżoną do jego kwasowości (odczyn kwaśny).

Również niektóre emulgatory, środki konserwujące (nipagina, nipasol), środki barwiące i zapachowe, a także środki lecznicze zawarte w kremach mogą być przyczyną odczynów alergicznych. Do silnie działających leków mogących wywołać odczyny skórne, zarówno toksyczne, jak i alergiczne, należą: rtęć, rezorcyna, kwas salicylowy, bizmut, siarka, fenol; znajdują się one głównie w środkach złuszczających, przeciwłojotokowych, przeciwbakteryjnych i przeciwpasożytniczych.

Uczulenia na pudry. Najczęściej przyczyną uczuleń na pudry nie jest ich osnowa, ale barwniki i substancje zapachowe. Dodawanie do pudrów soli metali ciężkich jest ustawowo zakazane, ponieważ mogą one wywołać niepożądane odczyny toksyczne. Charakterystycznym objawem uczulenia na puder jest zaczerwienienie i przebarwienie skóry twarzy bardzo długo trwające i trudne do leczenia.

Uczulenia na farby do ust, policzków i powiek. Uczulenia te są przeważnie wywołane zawartymi w farbach barwnikami, rzadziej substancjami zapachowymi (olejkami eterycznymi), a tylko wyjątkowo podstawą tłuszczową. Najczęściej występują uczulenia na wargach, rozpoczynające się niewielkim świądem i złuszczaniem, które przechodzi w bolesność, pieczenie, a nawet obrzęk i pęcherzyki, niekiedy ropne.

Farby do powiek mogą wywołać stany zapalne spojówek oraz podrażnienia skóry, będące często następstwem uczulenia na barwniki farb do brwi i rzęs, takie jak sole kobaltu, parafenylenodwuamina oraz związki srebra. Zwykle najpierw pojawia się zaczerwienienie i swędzenie w okolicy skóry powiek, potem obrzęk i wyprysk, który może doprowadzić do znacznego zgrubienia naskórka. Tusz do rzęs może wywołać podrażnienie spojówek wskutek szkodliwego działania podstawy mydlanej.

Odczyn alergiczny na skórze twarzy, a głównie powiek, może być reakcją uczuleniową na środki zastosowane w innych okolicach ciała. Można to ustalić za pomocą prób płatkowych (zob. wyżej) ze wszystkimi używanymi kosmetykami. Odstawienie uczulającego preparatu i leczenie przeciwalergiczne dają szybką poprawę.

Uczulenia na maski kosmetyczne zdarzają się bardzo rzadko. Mogą je powodować znajdujące się w maskach leki (specjalnie podawane), środki upiększające oraz konserwanty.

Uczulenia na środki rozjaśniające włosy. Stosowana tu woda utleniona i amoniak uszkadzają substancję rogową (keratynę) włosów i wysuszają je. Włosy stają się porowate, kruche i łamliwe. Uszkadzające zmiany mogą występować zarówno na owłosionej skórze głowy, jak na szyi, karku i na powiekach (obrzęk).

Uczulenia na farby do włosów. Uczulenia te mogą powodować farby utleniające, farby metaliczne (obecnie wycofane) i wyjątkowo farby roślinne (np. henna). Chorobowa reakcja (najczęściej na farby utleniające) objawia się: świądem, obrzękiem skóry głowy i twarzy, karku i okolic zausznych, zmianami rumieniowo-zapalnymi, obrzękiem powiek, a często także wtórnym zakażeniem i objawami ogólnymi – dreszczami, gorączką, niepokojem i podnieceniem, które mogą zadecydować o leczeniu chorej w szpitalu.

Uczulenia na płyny do trwałej ondulacji. Niepożądane objawy występujące przy wykonywaniu trwałej ondulacji można podzielić na 2 grupy: objawy ogólne i objawy miejscowe.

O b j a w y o g ó l n e mogą być spowodowane przegrzaniem głowy, co jest szczególnie niebezpieczne u starszych osób z miażdżycą naczyń krwionośnych i nadciśnieniem (możliwość wylewu krwi do mózgu). U takich osób jest wskazane wykonywanie jedynie trwałej na zimno. Inne objawy ogólne związane z używaniem płynów do trwałej ondulacji (zwłaszcza siarczków i tioglikolanów) są u klientek dość rzadkie, występują natomiast u fryzjerów.

O b j a w y m i e j s c o w e, czyli uszkodzenia włosów i skóry owłosionej, mogą być spowodowane: działaniem czynników mechanicznych (pociąganie, nawijanie na zakrętki), fizycznych (wysoka temperatura) i chemicznych (płyny do trwałej ondulacji). Czynniki chemiczne, czyli płyny używane do trwałej ondulacji, mogą działać drażniąco (głównie alkalizująco) lub powodować reakcję alergiczną (nietolerancję). Włosy mogą wówczas ulec znacznemu zmatowieniu i wysuszeniu, łatwo pękają, łamią się, rozdzielają na końcach. Wyjątkowo może dojść nawet do całkowitej utraty włosów, co może być konsekwencją błędu przy wykonywaniu zabiegu (płyn o zbyt dużym stężeniu, złe zmywanie, zła neutralizacja) lub indywidualnej reakcji.

Na największe niebezpieczeństwo są narażone osoby pozostające w stałym kontakcie z płynami do zimnej trwałej ondulacji, tzn. fryzjerzy i pracownicy zatrudnieni przy produkcji tych płynów (tablica 32 c).

Uczulenia na brylantyny i pomady do włosów. Uszkodzenia skóry po użyciu brylantyny i pomad mogą być trzech rodzajów, w zależności od środka działajacego. Jeśli środkiem takim jest o l e j m i n e r a l n y (wazelina, olej parafinowy) źle rektyfikowany – występują na czole, na granicy skóry owłosionej, na karku i w okolicach uszu w y k w i t y przypominające trądzik – zaskórniki, grudki, krostki ropne. Podobne zmiany mogą pojawiać się u robotników zatrudnionych przy produkcji brylantyny.

Przy stosowaniu brylantyny mogą też następować mechaniczne uszkodzenia naskórka wskutek wtarcia cząsteczek kurzu, brudu oraz drobnoustrojów chorobotwórczych. L e c z e n i e polega na usunięciu przyczyny wywołującej, jak przy innych uczulających kosmetykach, i postępowaniu jak w przypadkach trądzika.

Przyczyną odczynów wypryskowych, tj. alergicznych, mogą być również s u b s t a n c j e d o d a t k o w e używane do produkcji brylantyny. Szczególną skłonność do takich odczynów mają ludzie z suchą skórą i suchym łupieżem owłosionej skóry głowy. Objawy w postaci rumienia, złuszczania i świądu występują głównie na czole i karku. Brunatne przebarwienia na czole i skroniach mogą występować jako reakcja na perfumy i olejki eteryczne oraz oleje mineralne zawarte w brylantynie.

Uczulenia na szampony. Owłosiona skóra głowy na ogół lepiej znosi szampony niż mydła toaletowe i mydła do golenia. Zasadowość większości tych preparatów może być jednak przyczyną odczynów podrażenienia. Oprócz odczynów podrażnienia rzadziej mogą wystąpić odczyny alergiczne, które jest trudno od tych pierwszych odróżnić z powodu podobnych objawów, takich jak: świąd, zaczerwienienie skóry głowy, kruchość i łamliwość włosów wskutek wysuszenia. Złagodzić ten stan można płucząc włosy po myciu kwaśnymi płynami (np. słabym roztworem octu lub soku z cytryny).

Działanie mydeł. Mydło działa na skórę zarówno drogą chemiczną, jak i fizyczną. Działanie chemiczne polega na zobojętnieniu substancji kwaśnych znajdujących się na powierzchni skóry (kwaśny płaszcz tłuszczowy), wskutek czego dochodzi do dłużej lub krócej trwającego przesunięcia w kierunku zasadowym. W następstwie działania fizycznego detergentów znajdujących się w mydle zmniejsza się napięcie powierzchniowe, w związku z czym naskórek pęcznieje, staje się bardziej wodochłonny i przepuszalny. Przedłużone działanie mydeł może zatem powodować podrażnienia skóry, zwłaszcza suchej. Skóra tłusta i normalna mają większą zdolność odnowy swego ochronnego płaszcza tłuszczowego, łatwiej więc „potrafią" obronić się przed tym działaniem.

Odczyny alergiczne po użyciu mydeł bardzo trudno odróżnić od podrażnień skóry. Zwykle wywołują je dodawane do mydeł substancje zapachowe i barwniki.

Podobne odczyny, aczkolwiek znacznie mniej nasilone, mogą dawać kremy i mydła do golenia. Ważne jest tu odróżnienie podrażnienia skóry lub jej uczulenia od wywołanego przez dokładne wygalanie się brzytwą lub żyletką.

Odczyny po depilatorach. Depilatory niszczą keratynę włosa i mogą drażnić skórę wywołując rumień i pieczenie oraz krostki ropne. Tego rodzaju podrażnienie może stać się przyczyną uczulenia, które objawia się świądem oraz pęcherzykami. Ostatnio stosuje się środek depilujący mniej szybki w działaniu, ale za to mniej drażniący i uczulający. Jest to tioglikolan wapniowy.

Uczulenia na lakiery do paznokci. Około 17% wszystkich odczynów alergicznych spowodowanych przez kosmetyki powodują lakiery do paznokci i lakiery do włosów. Czynnikiem wywołującym reakcje uczuleniowe są zwykle żywice zawarte w lakierach, zwłaszcza sulfamidowe. Podobne żywice zawierają też lakiery do sztucznej biżuterii powodujące alergię. Charakterystycznym umiejscowieniem zmian odpowiadających suchemu wypryskowi są tu nie palce (mają grubszą skórę), ale delikatne powieki. Rozpoznanie potwierdzają próby płatkowe.

Częste odczyny alergiczne wywołują też olejki eteryczne, głównie bergamotowy.

CHOROBY NOWOTWOROWE

I. WIADOMOŚCI OGÓLNE

Całokształtem zagadnień związanych z procesem nowotworowym zajmuje się dziedzina wiedzy nazywana o n k o l o g i ą. „Onkologia jest nauką o etiologii, patologii, epidemiologii, zapobieganiu, rozpoznawaniu, wielospecjalistycznym leczeniu chorych na nowotwory i ich dalszej kontroli, opiece nad nieuleczalnie chorymi oraz o organizowaniu społecznej walki z tymi chorobami" (wg prof. T. Koszarowskiego).

Koncepcje powstawania nowotworów

N o w o t w ó r z ł o ś l i w y jest to stan, w którym dochodzi do niekontrolowanego rozwoju zmienionych morfologicznie i czynnościowo komórek, początkowo w miejscu pierwotnej zmiany, potem do naciekania otaczających tkanek i wreszcie do wędrowania i namnażania się zmienionych komórek w miejscach odległych (p r z e r z u t y). Ten charakterystyczny przebieg choroby stanowi podstawę rozpoznania klinicznego oraz służy do określenia stopnia zaawansowania rozwoju nowotworu.

Komórki nowotworowe zachowują często pewne cechy tkanek, z których powstały. W miarę postępu choroby dochodzi jednak do dalszej utraty cech morfologicznych i funkcjonalnych tkanki macierzystej. Mówi się wtedy o stopniowym o d r ó ż n i c o w a n i u n o w o t w o r u.

T e o r i e tłumaczące mechanizm p o w s t a w a n i a n o w o t w o r ó w można podzielić na dwie zasadnicze grupy: genetyczne i epigenetyczne.

T e o r i e g e n e t y c z n e zakładają, że początkowa zmiana o charakterze mutacji powstaje w materiale genetycznym komórki (w kwasie dezoksyrybonukleinowym – DNA). Zmieniony jakościowo lub ilościowo genom moduluje zmianę morfologiczną (fenotypową). T e o r i e e p i g e n e t y c z n e zakładają, że pierwotny defekt w aparacie pozagenetycznym indukuje w następstwie zmianę w DNA. Utrwalony, zmieniony genotyp przekazuje nową cechę potomnym komórkom nowotworowym. Popularność tych koncepcji jest uwarunkowana stanem wiedzy. Chronologicznie pierwsze teorie postulowały epigenetyczne mechanizmy powstawania nowotworów. W miarę rozwoju wiedzy, zwłaszcza badań nad mechanizmami chemicznego i fizycznego, a potem wirusowego nowotworzenia (karcinogenezy), przewagę uzyskiwać zaczęły teorie genetyczne. W dalszych rozważaniach nad mechanizmami karcinogenezy przyjęto, że zaczątkiem procesu nowotworowego jest mutacja w aparacie genetycznym.

Etapy rozwoju nowotworu

Dzięki badaniom nad powstawaniem raków skóry u zwierząt i badaniom w warunkach hodowli komórek poza organizmem ustalono, że proces powstawania nowotworów zachodzi stopniowo jako konsekwencja co najmniej kilku mutacji. Tradycyjnie w procesie tym wyróżnia się trzy podstawowe etapy: inicjację, promocję i progresję.

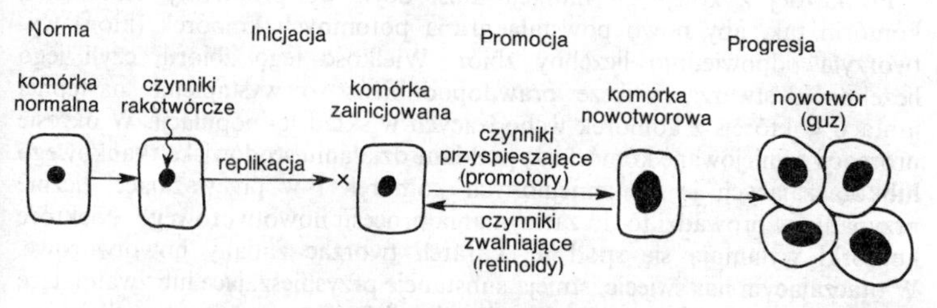

Etapy powstawania i rozwoju nowotworów

I n i c j a c j a jest to etap, w którym czynnik rakotwórczy wywołuje zmianę w aparacie genetycznym komórki (DNA). Aby doszło do utrwalenia się tej nowej cechy, komórka musi mieć potencjalne zdolności do replikacji. Tylko wtedy zmiana (mutacja) w podstawowej dla życia części genomu komórki może prowadzić do powstania nowotworu. Do takich genów należą geny kodujące powstawanie białek istotnych dla inicjowania bądź zatrzymywania proliferacji komórek, czyli tzw. onkogenów i antyonkogenów. Mechanizm wyłamywania się spod kontroli ogólnoustrojowej może więc sprowadzać się do wzmocnionej ekspresji (amplifikacji) genów zawiadujących procesami proliferacji albo też osłabiania lub wyłączenia tych genów, które ograniczają replikację komórek (geny supresorowe). Ten ostatni mechanizm, związany ze zniesieniem supresji, ma prawdopodobnie podstawowe znaczenie w inicjacji procesu nowotworowego.

Istnieje sporo dowodów wskazujących, że przynajmniej w części nowotworów ludzkich podatność na tę chorobę jest dziedziczona. Do takich nowotworów należy np. siatkówczak występujący u małych dzieci, w którym mutacja jednego z genów supresorowych (Rb) jest dziedziczona. Innym przykładem jest rodzinne występowanie polipowatości jelita, zaliczanej do stanów przedrakowych. W tym przypadku wykazano brak genu supresyjnego APC. Podobne braki w prawidłowej ekspresji innych genów supresyjnych znaleziono u osób chorych na raka jelita i raka sutka. W większości przypadków samo wystąpienie mutacji w którymkolwiek z genów supresorowych nie determinuje jednoznacznie wystąpienia choroby nowotworowej. Oznacza natomiast znaczne podwyższenie ryzyka zachorowania. W kaskadzie mutacji prowadzących do powstania nowotworu pierwsza mutacja, będąca odpowiednikiem inicjacji, może być dziedziczona.

Promocja jest to etap, w którym zainicjowana komórka ze zmienionym w wyniku mutacji genomem przechodzi wiele zmian (mutacji), aż do nabycia cech morfologicznych (fenotypowych) komórki nowotworowej. Szczególnie ważne dla przebiegu procesu karcinogenezy są mutacje tych fragmentów DNA, które kodują powstawanie białek istotnych dla adhezji (przylegania) komórek. Zmniejszenie adhezyjności komórek we wczesnym okresie rozwoju nowotworu umożliwia mu przekraczanie barier pomiędzy tkankami, a w późniejszym okresie może ułatwiać tworzenie przerzutów.

Po każdej z kolejnych mutacji musi dojść do proliferacji zmienionej komórki tak, aby nowo powstała grupa potomnych komórek (klon) wytworzyła odpowiednio liczebny zbiór. Wielkość tego zbioru, czyli jego liczebność, stwarza większe prawdopodobieństwo wystąpienia następnej mutacji w którejś z komórek wchodzących w skład tej populacji. W okresie promocji zainicjowane komórki są poddane działaniu środowiska tkankowego lub otaczających je nie zmienionych komórek i w przeważającej liczbie przypadków prowadzi to do zatrzymania procesu nowotworowego. Niektóre komórki wyłamują się spod tej kurateli tworząc zmiany nowotworowe. W otaczającym nas świecie istnieją substancje przyspieszające lub zwalniające promocję. Do najlepiej poznanych czynników promocyjnych zalicza się pochodne estrów forboli (składniki olejku krotonowego), natomiast do drugiej grupy witaminę A i jej chemiczne pochodne.

Progresja jest to etap, w którym następuje wzrost zmienionych nowotworowo komórek. Do progresji dochodzi wtedy, gdy zaistnieją dogodne warunki, czyli w okresie osłabienia równowagi (homeostazy) organizmu (np. osłabienia odporności, zaburzeń hormonalnych itp.). Dopiero w tym okresie nowotwór może być rozpoznany klinicznie. Wzrost nowotworu przebiega przeważnie niepowstrzymanie i podwajanie jego masy następuje przeciętnie co 90 dni.

Czynniki rakotwórcze

Czynniki rakotwórcze odgrywają podstawową rolę w powstawaniu nowotworów i działają na etapie inicjacji, a często też na etapie promocji. Ze względu na charakter dzieli się je na chemiczne, fizyczne i biologiczne (wirusy).

Czynniki chemiczne. Rakotwórcze czynniki chemiczne są to takie związki, które w odpowiednich warunkach mogą powodować rozwój nowotworów złośliwych. Po przedostaniu się do organizmu większość z nich musi być uczynniona do tzw. prawdziwych karcinogenów. W takiej postaci łączą się z DNA komórek normalnych, prowadząc do mutacji.

Wiele związków chemicznych wykazujących działanie mutagenne jest zarazem karcinogenami, nie każdy jednak mutagen jest karcinogenem, natomiast każdy karcinogen jest mutagenem. W patologii ludzkich nowotworów liczba czynnych związków karcinogennych jest stosunkowo skromna. Wymienimy tu związki chemiczne i procesy technologiczne o udowodnionym działaniu rakotwórczym: 1) węglowodory aromatyczne, 2) czteroaminobifenyl, 3) arsen i niektóre jego związki, 4) azbest, 5) produkcja auraminy, 6) benzen, 7) benzydyna, 8) chlornafazyna, 9) eter bischlorometylowy i jego produkcja, 10) chrom i niektóre jego związki, 11) dietylostilbestrol, 12) wydobywanie hematytów, 13) produkcja alkoholu izopropylowego, 14) melfalan, 15) iperyt azotowy, 16) dinaftyloamina, 17) nikiel i jego związki, 18) sadza, smoły, oleje mineralne, 19) chlorek winylu (monomer), 20) estrogeny, 21) pył drzewny i skórzany.

Czynnik rakotwórczy, aby zadziałać na dany narząd, musi mieć określoną postać i dawkę. Na przykład rakotwórczy azbest jest tylko wtedy rakotwórczy, gdy znajduje się w określonym stężeniu i formie (włókna ok. 5 μm) we wdychanym powietrzu przez wiele lat. Może on wówczas spowodować rozwój nowotworu złośliwego płuca lub opłucnej. Jest natomiast zupełnie nieszkodliwy przy zetknięciu się ze skórą.

Stosunkowo dużo substancji rakotwórczych znajduje się w gazach spalinowych samochodów, samolotów oraz w dymie z kominów fabryk. Są to głównie węglowodory aromatyczne i niektóre metale. Czynniki rakotwórcze dostają się do atmosfery, do wody i gleby, dlatego otaczające nas środowisko w miarę uprzemysłowienia staje się coraz bardziej skażone.

Do udowodnionych czynników rakotwórczych należy dym tytoniowy. W zależności od ilości wypalanych papierosów i czasu trwania tego nałogu, ryzyko zachorowania na nowotwory złośliwe płuca i krtani wzrasta od kilku do kilkunastu razy. Przeciętnie co jedenasty palacz zachorowuje na raka płuca.

Działanie rakotwórcze wywierają również niekiedy leki, np. w określonych okolicznościach pewne hormony, a także leki obniżające odporność (immunosupresyjne), stosowane przy przeszczepach narządów. Inne leki, chociażby tylko podejrzane o rakotwórczość, zostały wyeliminowane z lekospisów.

Niedobory niektórych witamin oraz składników pożywienia mogą być także szczególną formą działania rakotwórczego. Za takie uważa się niedobory witaminy A, B_{12} i C oraz przewlekły niedobór białka.

Również sposób odżywiania, używki i zwyczaje mogą zwiększać możliwość zachorowania na nowotwory złośliwe. Wiadomo, że w grupach ludności spożywającej dużo produktów wędzonych (węglowodory aromatyczne), solonych i silnie kwaśnych, przy małym spożyciu świeżych owoców i jarzyn (witamina C), częściej występuje rak żołądka. Liczne badania wskazują na wyższe ryzyko zachorowania na nowotwory u osób pijących w większych ilościach alkohol lub kawę.

Według opinii Światowej Organizacji Zdrowia (WHO) 80% ludzkich nowotworów powstaje w wyniku działania zewnętrznych czynników środowiskowych.

Czynniki fizyczne. Spośród tych czynników do rakotwórczych zalicza się promieniowanie jonizujące (Roentgena, radu i innych izotopów promieniotwórczych) oraz promieniowanie nadfioletowe (słońce, lampy kwarcowe). Wspólną cechą działania tego promieniowania na komórki eksponowane na ich działanie jest zdolność wywoływania pośrednio uszkodzeń w DNA.

Promieniowanie jonizujące, z natury przenikliwe, może wywoływać nowotwory w różnych narządach. Promieniowanie nadfioletowe, nieprzenikliwe, powoduje rozwój nowotworów skóry i wargi, zwłaszcza ludności białej zamieszkującej obszary podzwrotnikowe. Promieniowanie to jest jednak szkodliwe dla skóry tylko przy działaniu nadmiernym. Stosowane z umiarem może być czynnikiem korzystnym dla organizmu.

W normalnych warunkach drobne uszkodzenia DNA mogą być naprawione; niezależnie od tego, co było czynnikiem uszkadzającym. Korekta zmian jest możliwa dzięki specyficznym enzymom, które ogólnie nazywa się reparacyjnymi, czyli naprawczymi. U osób z defektem tych enzymów (suchość skóry, przebarwienia skóry, skóra żółta pergaminowa) częstość występowania nowotworów jest 40 – 100-krotnie wyższa niż w normalnych populacjach ludzkich.

Czynniki biologiczne. Udział wirusów w rozwoju nowotworów u zwierząt oraz poza organizmem w badaniach eksperymentalnych jest udowodniony. Nie ma natomiast bezpośrednich dowodów na potwierdzenie roli wirusów w etiopatogenezie nowotworów u ludzi.

Onkogenne wirusy mogą być typu DNA (zawierają kwas dezoksyrybonukleinowy) lub typu RNA (zawierają kwas rybonukleinowy). Materiał genetyczny wirusa typu DNA po wniknięciu do komórki łączy się z jej DNA. W ten sposób powstaje nowy, zmieniony genom komórkowy. Kilka dodatkowych genów zawartych w DNA wirusa zmienia metabolizm komórki i może doprowadzić do przemiany, czyli transformacji nowotworowej. Wirusy typu RNA po wniknięciu do komórki muszą zmodyfikować genom gospodarza tak, aby umożliwić sobie replikację. Wirusy te mają w swoim wnętrzu enzym, zwany odwrotną transkryptazą. Enzym ten umożliwia im odtworzenie na matrycy DNA gospodarza fragmentu kodującego wytwarzanie wirusowego RNA, a w następstwie i białek zależnych od RNA wirusa. Zwielokrotnienie DNA zależnego od wirusa typu RNA może tak zmienić metabolizm komórki, że nabywa ona cech nowotworowych. Wirusowe teorie powstawania nowotworów zostały rozszerzone o pojęcie tzw. onkogenu, czyli fragmentu genomu kodującego informację niezbędną do wytwarzania wirusa RNA. W normalnych komórkach onkogen jest integralną częścią komórki. Wielorakie czynniki fizyczne, chemiczne i biologiczne mogą w pewnych warunkach wywoływać mutację w tych genach, powodując kaskadę reakcji biochemicznych wiodących do transformacji nowotworowej.

Przedstawione wyżej rozważania na temat roli wirusów dotyczą nowotworów u zwierząt. Na podstawie wieloletnich badań epidemiologicznych można powiedzieć, że jeżeli nawet niektóre nowotwory ludzkie były indukowane przez wirusy onkogenne, to sposób ich przekazywania nie ma charakteru zakaźnego. Wyjątek stanowią nowotwory towarzyszące AIDS oraz raki szyjki macicy.

Nie istnieją wystarczające dowody na to, że bakterie i inne mikroorganizmy mają istotny wpływ na powstawanie nowotworów. W niektórych krajach (Egipt, Sudan) występuje przywra *Schistosoma haematobium* – pasożyt krwi przewlekle drażniący pęcherz moczowy, co prowadzi do jego stanów zapalnych, w przebiegu których powstają również nowotwory złośliwe tego narządu.

Czynniki zawodowe. Szczególny problem stanowi zawodowe narażenie na niektóre rakotwórcze czynniki fizyczne, chemiczne lub nawet biologiczne, które występują w większej dawce i działają przewlekle.

Już w roku 1775 Pott zauważył częste występowanie raka moszny u kominiarzy. Używanie przez kominiarzy przez wiele lat ubrań roboczych nasyconych sadzą z kominów powodowało, że zawarte w tej sadzy substancje rakotwórcze wywoływały nowotwory skóry. Pod koniec ubiegłego wieku (1895) zauważono częstsze występowanie raka pęcherza u ludzi zatrudnionych w przemyśle przy produkcji niektórych barwników anilinowych.

Później zauważono częściej występującego raka skóry palców u radiologów. Nie znając jeszcze dokładnie istoty promieni Roentgena i sposobów ochrony przed nimi, radiolodzy w czasie badania rentgenowskiego napromieniali przez wiele lat dużymi dawkami głównie skórę palców. Po wielu latach zaczęły pojawiać się w tych miejscach nowotwory skóry.

Obecnie znanych jest wiele substancji, których stężenie w powietrzu i styczność z nimi w czasie pracy powinny być maksymalnie ograniczone. Do takich substancji należą: niektóre węglowodory aromatyczne, chlorek winylu, arsen, beryl, nikiel, azbest, niektóre produkty smoły pogazowej i olejów mineralnych oraz promienie nadfioletowe, Roentgena, radu i innych izotopów promieniotwórczych.

Czynniki ryzyka i grupy podwyższonego lub wysokiego ryzyka

Czynnikami ryzyka nazywa się wszelkie sytuacje, które zwiększają prawdopodobieństwo zachorowania człowieka na nowotwór złośliwy. Czynniki ryzyka mogą być zewnątrzpochodne i wewnątrzpochodne. Ryzyko jest wyrażone liczbą określającą, ile razy częściej chorują na daną postać raka osoby obciążone czynnikami ryzyka w stosunku do osób nie obciążonych nimi.

Zewnątrzpochodnymi czynnikami ryzyka mogą być różne czynniki środowiska naturalnego (np. nadfioletowe promienie słoneczne działające w nadmiarze na skórę zwiększają ryzyko zachorowania na raka skóry), środowiska pracy (praca przy azbeście bez odpowiednich ochron przed pyłem zwiększa ryzyko zachorowania na raka płuca) oraz

Udział poszczególnych czynników ryzyka lub ich grup w powstawaniu nowotworów złośliwych u człowieka

Czynnik	% nowotworów
Palenie tytoniu	30
Alkohol	3
Żywienie	35
Dodatki do żywności	1
Czynniki seksualne i prokreacyjne	7
Czynniki zawodowe	4
Skażenie środowiska	2
Produkty przemysłowe	1
Leki i działania medyczne	1
Czynniki geograficzne	3
Inne	13

tzw. czynniki zwyczajowe (palenie tytoniu zwiększa ryzyko zachorowania na raka płuca, krtani i innych narządów) oraz niektóre zwyczaje seksualne (rak szyjki macicy).

Wewnątrzpochodnymi czynnikami ryzyka są niektóre zaburzenia hormonalne (np. wysoki poziom estrogenów w organizmie może być czynnikiem ryzyka dla raka sutka i narządu rodnego), niektóre postacie nadżerki szyjki macicy, zwyrodnienia torbielkowate sutka, nieprawidłowe zwężenia i polipy przewodu pokarmowego (polipowatość rodzinna), nierodzenie (wyższe ryzyko zachorowania na raka sutka), ciąża w późniejszym wieku, niezachodzenie w ciążę (rak sutka, jajników).

Poznanie czynników ryzyka zachorowania na nowotwory umożliwiło określenie tzw. grup ryzyka. Stanowią je osoby poddane działaniu czynników ryzyka przez dłuższy czas i w określony sposób. Do celów profilaktycznych lekarze identyfikują osoby z podwyższonym ryzykiem zachorowania na dany nowotwór oraz poddają je szczegółowej i częstej kontroli. Wymaga to prowadzenia specjalnych badań okresowych, np. u kobiet mammografii, czyli prześwietlania piersi.

Stany przedrakowe

Stan przedrakowy jest to zmiana chorobowa (patologiczna), z której rak rozwija się częściej niż z innych stanów patologicznych.

Stany przedrakowe dzieli się na dziedziczne i nabyte.

Stany przedrakowe dziedziczne są to stany chorobowe, do których skłonność została przekazana dziedzicznie. Zalicza się do nich:

— skórę żółtą pergaminową charakteryzującą się ścieńczeniem całej skóry z żółtym podbarwieniem lub tylko ognisk, z występującymi zgrubieniami naskórka; niemal zawsze ze skóry żółtej pergaminowej powstaje rak skóry;

— mnogie nerwiakowłókniaki Recklinghausena (choroba Recklinghausena) występujące w kościach; w ok. 10% przekształcają się w mięsaki;

— polipowatość rodzinną jelit; jest to stan przedrakowy jelita grubego.

Ustalone czynniki lub okoliczności (sytuacje) rakotwórcze

Czynnik (sytuacja)	Typowa ekspozycja	Lokalizacja nowotworu
Aflatoksyny	skażone pożywienie	wątroba
Alkohol etylowy	picie	jama ustna, gardło, krtań, przełyk
Aminy aromatyczne	zawodowa	pęcherz moczowy
Arsen (tylko niektóre związki)	zawodowa	skóra, płuca
Azbest	zawodowa	płuca, opłucna, otrzewna
Benzen	zawodowa	szpik kostny, białaczki
Bischlorometylowy eter	zawodowa	płuca
Busulfan	leczenie	szpik kostny
Chloramfenikol	leczenie	szpik kostny, białaczki
Chlorek winylu (monomer)	zawodowa	wątroba
Chlornafazyna	leczenie	pęcherz moczowy
Chrom (tylko niektóre związki)	zawodowa	płuca
Clonorchis sinensis (przywra)	pasożyt przewodów żółciowych	przewody żółciowe
Cyklofosfamid	leczenie	pęcherz moczowy
Dietylostilbestrol	leczenie	pochwa
Difenylohydantoina	leczenie	układ chłonny
Estrogeny	leczenie	macica, sutek
Fenacetyna	leczenie	miedniczki nerkowe
Hematyty (wydobywanie)	zawodowa	płuca
Immunosupresyjne leki	leczenie	układ chłonny, niektóre inne lokalizacje
Iperyt azotowy	zawodowa	układ oddechowy
Izopropylowy alkohol (produkcja)	zawodowa	jama nosowa
Kadmu tlenek	zawodowa	gruczoł krokowy
Melfalan	leczenie	szpik kostny
Nikiel i jego związki	zawodowa	jama nosowa, płuca
Promieniowanie jonizujące	zawodowa, medyczna	szpik kostny i inne lokalizacje
Promieniowanie nadfioletowe (UV)	ekspozycja słoneczna, lampy kwarcowe	skóra
Pył drzewny	zawodowa	jama nosowa
Pył przy przerobie skóry	zawodowa	jama nosowa
Sadze i smoły (węglowodory aromatyczne)	zawodowa	skóra, drogi oddechowe
Schistosoma haematobium (przywra)	pasożyt przewodów moczowych	pęcherz moczowy
Węglowodory aromatyczne	zawodowa	skóra, płuca
Wirus B zapalenia wątroby	zakażenie	wątroba

Stany przedrakowe nabyte. Należą tutaj:

— niektóre stany zapalne przewlekłe, np. przewlekłe, zanikowe nieżyty żołądka, wrzodziejące zapalenie jelita grubego, niektóre postacie nadżerki szyjki macicy, zapalnie zmienione przetoki;

— niektóre stany patologiczne wywołane przewlekłym działaniem czynników szkodliwych lub drobnoustrojów oraz rogowacenie białe śluzówek (leukoplakia), rogowacenie starcze naskórka, polipy przewodu pokarmowego, brodawczaki przewodów sutkowych;

— zmiany zwyrodnieniowe i przemieszczenia tkanek, np. zwyrodnienie gruczołowe sutka (adenoplasia), zwyrodnienie torbielkowate sutka (mastopatia), metaplazja jelitowa w żołądku.

Podział i występowanie nowotworów

Tradycyjna nazwa nowotwór używana jest zarówno na określenie nowotworów łagodnych, jak i złośliwych. Główną cechą wspólną, łączącą te dwie grupy chorób, jest „nowotworzenie" tkanki, czyli tworzenie guza.

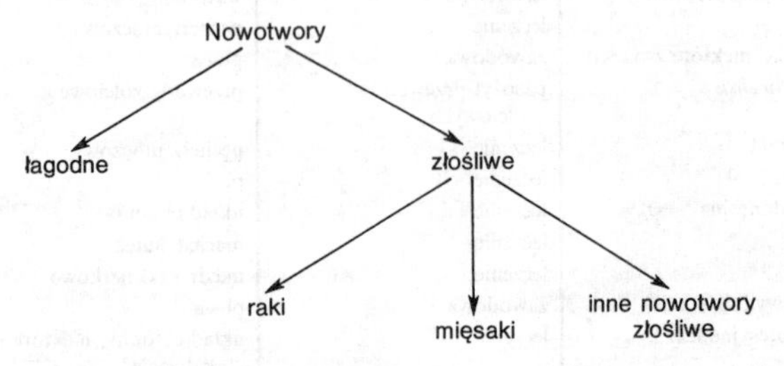

Tradycyjny podział nowotworów. Wynika z niego, że nie każdy nowotwór jest nowotworem złośliwym, nie każdy nowotwór złośliwy jest rakiem, ale każdy rak jest nowotworem złośliwym

N o w o t w o r y ł a g o d n e nie stanowią zwykle zagrożenia dla życia, ponieważ powolnie wzrastają, nie dają przerzutów oraz stosunkowo łatwo je leczyć. Zagrożenie takie mogą jednak stwarzać, gdy są umiejscowione w narządach ważnych dla życia (np. w mózgu).

N o w o t w o r y z ł o ś l i w e rosną szybko i powodują powstawanie przerzutów. Inną częstą ich cechą są nawroty choroby po leczeniu. Obraz mikroskopowy nowotworów złośliwych jest charakterystyczny dla tych chorób i zupełnie odmienny niż nowotworów łagodnych. Najczęstszym nowotworem złośliwym w Polsce i w większości krajów na świecie jest r a k, czyli nowotwór złośliwy wywodzący się z tkanki nabłonkowej (ponad 90% wszystkich nowotworów złośliwych w Polsce). Nazwa została dawno przyjęta z powodu podobieństwa zaawansowanego raka sutka do zwierzęcia wodnego o tej nazwie. Pozostałe nowotwory złośliwe to m i ę s a k i, wywodzące się z innych tkanek niż nabłonkowa, oraz inne choroby nowotworowe (np. ziarnica złośliwa, białaczki, czerniak).

Nowotwory złośliwe zajmują czołowe miejsce wśród chorób trapiących cywilizacje XX w. Gwałtowny rozwój przemysłu i urbanizacji, które zmieniły w znaczny sposób środowisko człowieka, szybkie rozprzestrzenianie się niektórych nawyków (np. palenie tytoniu) oraz starzenie się społeczeństwa spowodowały duży wzrost zachorowalności na nowotwory złośliwe.

Zachorowalność na nowotwory złośliwe w różnych krajach

Polska należy do krajów o średniej zachorowalności na nowotwory złośliwe. Na każde 100 000 osób jest średnio ponad 200 zachorowań w ciągu roku. W krajach wysoko uprzemysłowionych i zurbanizowanych, takich jak Stany Zjednoczone, Wielka Brytania, Szwajcaria, liczba ta wynosi 300 i więcej. W krajach rozwijających się, np. w Nigerii lub Indiach, zachorowalność na nowotwory złośliwe jest niższa i wynosi średnio 100 rocznie na każde 100 000 ludności.

Różnice w zachorowalności w mieście i na wsi. We wszystkich krajach z dobrze zorganizowanym rejestrem zachorowań na nowotwory stwierdza się większą częstość zachorowań na nowotwory złośliwe w mieście niż na wsi. Podobnie sytuacja przedstawia się również w Polsce. Zachorowalność na wsi jest zbliżona do stwierdzanej w krajach rozwijających się, natomiast w dużych miastach – np. w Warszawie – przekracza już 300 na 100 000 ludności rocznie, a więc jest taka, jak w krajach wysoko uprzemysłowionych.

Różnice zachorowalności na nowotwory w czasie. Dane statystyczne dotyczące występowania nowotworów są zbierane w różnych krajach od kilkudziesięciu

Zachorowalność mężczyzn na najczęstsze nowotwory złośliwe w Polsce w 1991 r.

Umiejscowienie nowotworu	% wszystkich zachorowań	Liczba zachorowań na 100 000 (współczynnik)
Płuco	29,8	79,0
Żołądek	8,8	23,3
Gruczoł krokowy	5,3	13,9
Pęcherz moczowy	5,1	13,4
Krtań	5,0	13,3
Skóra	4,4	11,6
Odbytnica	4,1	10,8
Okrężnica	3,9	10,2
Nerka	3,3	8,7
Trzustka	3,1	8,3

Zachorowania kobiet na najczęstsze nowotwory złośliwe w Polsce w 1991 r.

Umiejscowienie nowotworu	% wszystkich zachorowań	Liczba zachorowań na 100 000 (współczynnik)
Sutek	17,0	37,4
Szyjka macicy	9,2	20,2
Płuco	7,0	15,4
Jajnik	6,2	13,7
Trzon macicy	6,1	13,4
Żołądek	5,6	12,3
Skóra	5,0	10,9
Okrężnica	4,9	10,8
Odbytnica	4,2	9,3
Pęcherzyk żółciowy	3,5	7,7
Trzustka	3,3	7,4

lat. W Warszawie dane takie, zbierane od 1888 r., pozwalają porównać wzrost zachorowalności. Biorąc pod uwagę fakt, że do końca XIX w. nie notowano trwałych wyleczeń osób chorych na nowotwory, można przyjąć, że w tym czasie liczba zachorowań równała się liczbie zgonów. W 1888 r. w Warszawie notowano 64,9 zgonów z powodu nowotworów złośliwych na 100 000 mieszkańców. W roku 1988 liczba zachorowań przekracza 300 na 100 000 mieszkańców. Przyrost ten jest tylko częściowo spowodowany wzrostem liczby czynników rakotwórczych (uprzemysłowienie). Główną przyczyną jest znaczne przedłużenie życia ludzkiego i rozszerzenie się nałogu palenia tytoniu. Opanowanie wielu chorób zakaźnych i przedłużenie życia spowodowało, że obecnie więcej ludzi dożywa do „wieku nowotworowego". Występowanie nowotworów złośliwych wzrasta bowiem gwałtownie wraz z wiekiem.

Epidemiologiczne badania wykazały, że przyrost zachorowalności na nowotwory złośliwe w Polsce wynosi ok. 1,5% rocznie.

Występowanie nowotworów w zależności od wieku i płci

U dzieci i młodzieży nowotwory złośliwe występują rzadko – do 20 r. życia notuje się 10 lub mniej przypadków zachorowań na 100 000 osób rocznie.

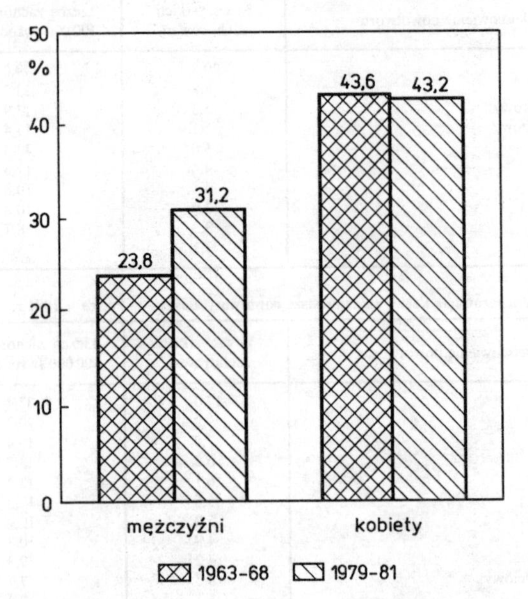

Szanse wyleczenia chorych na nowotwory złośliwe (wg płci) w latach 1963–1968 i 1979–1981

Dziesięciokrotnie więcej zachorowań (100 na 100 000) występuje już w 40 r. życia i około stukrotnie więcej (1000 zachorowań na 100 000) – w 80 r. życia. Ryzyko zachorowania na nowotwory złośliwe wzrasta zatem dziesięciokrotnie co 40 lat.

Do 1970 r. kobiety w Polsce chorowały częściej na choroby nowotworowe niż mężczyźni. Od 1971 r. większa jest zachorowalność mężczyzn. W 1978 r. zachorowalność obu płci na 100 000 osób wynosiła: 207,2 mężczyzn i 185,0 kobiet, w 1987 r. odpowiednio 231,5 mężczyzn i 196,4 kobiet. Ogółem rocznie zachorowuje w Polsce ok. 100 000 osób.

Nowotwory złośliwe są drugą co do częstości przyczyną zgonów w Polsce (po chorobach serca i naczyń) i powodują ok. 20% wszystkich zgonów.

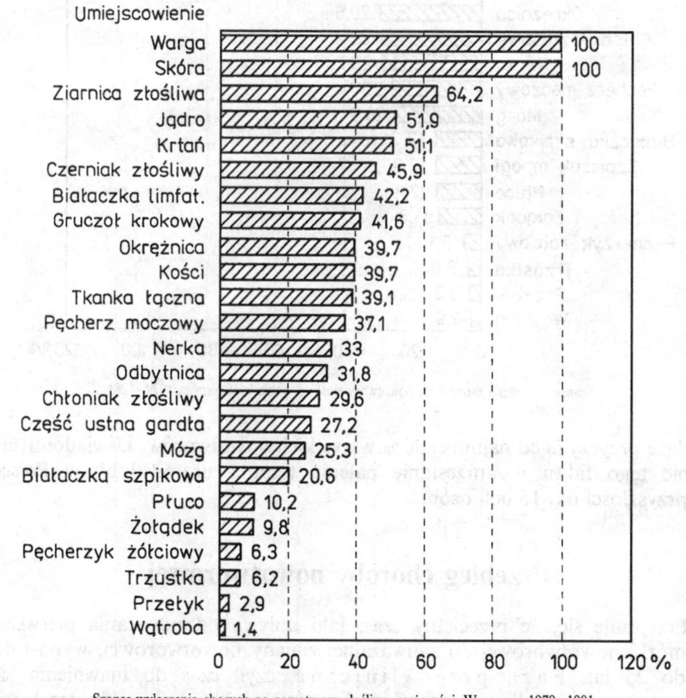

Szanse wyleczenia chorych na nowotwory złośliwe, mężczyźni, Warszawa 1979–1981

Z porównań liczby zachorowań i zgonów na nowotwory złośliwe wynika, że ok. 30 000 ludzi w Polsce jest trwale wyleczonych z nowotworu złośliwego. Liczba ta byłaby dwukrotnie większa, bez żadnych dodatkowych odkryć, gdyby chorzy wcześniej zgłaszali się na leczenie.

Bardzo ważną sprawą, zależną wyłącznie od człowieka, jest palenie tytoniu,

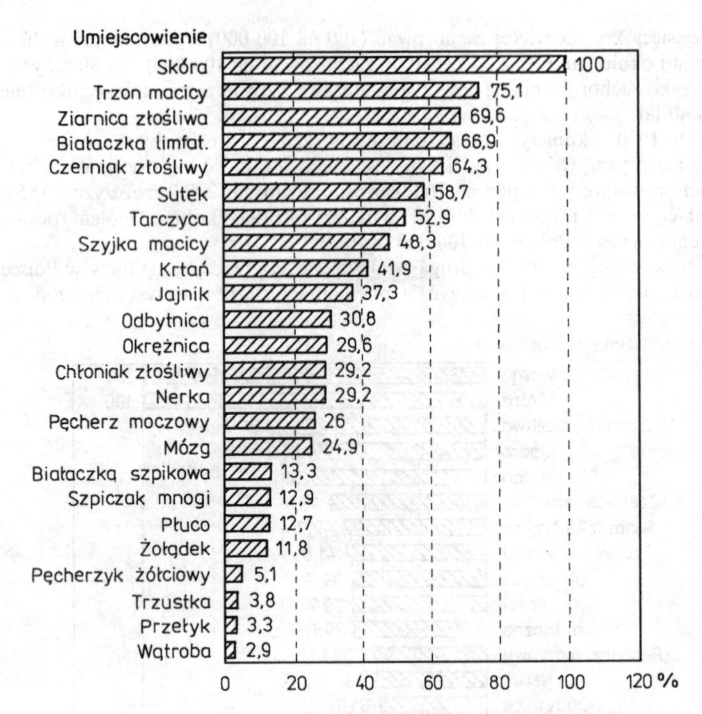

Szanse wyleczenia chorych na nowotwory złośliwe, kobiety, Warszawa 1979–1981

będące przyczyną co najmniej 30% wszystkich nowotworów. Uświadomienie sobie tego faktu i zaprzestanie palenia tytoniu uratowałoby w Polsce w przyszłości ok. 15 000 osób.

Przebieg choroby nowotworowej

Przyjmuje się, że przeciętny czas, jaki upływa od powstania pierwszej komórki nowotworowej do zauważalnej zmiany nowotworowej, wynosi od 5 do 25 lat. F a z a p r z e d k l i n i c z n a, czyli czas do ujawnienia się nowotworu, trwa długo, natomiast f a z a k l i n i c z n a zwykle przebiega w szybkim tempie. Wynika to z faktu, że liczba komórek nowotworowych w obu przypadkach zwiększa się dwukrotnie w prawie jednakowym czasie, jednak w fazie przedklinicznej liczba tych komórek jest stosunkowo mała, natomiast w fazie klinicznej podwajają się miliony, a później miliardy komórek.

N i e l e c z o n a c h o r o b a n o w o t w o r o w a ma następujące stadia:

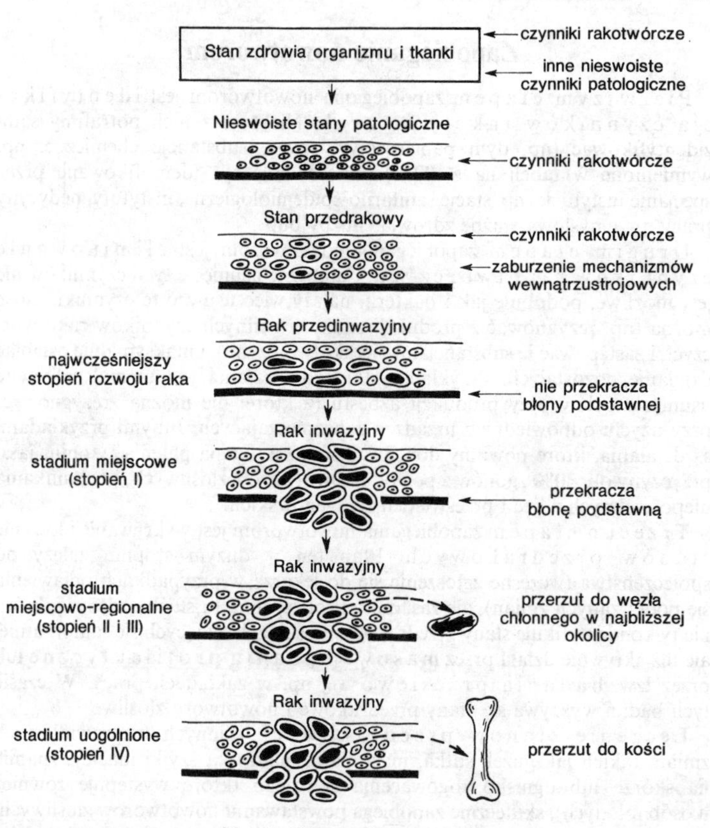

Schemat przebiegu choroby nowotworowej

stadium miejscowe, stadium miejscowo-regionalne, stadium uogólnione. W stadium miejscowym, zwykle o I stopniu zaawansowania, nowotwór jest ograniczony tylko do narządu, w którym powstał. W stadium miejscowo-regionalnym (zwykle stopień zaawansowania II lub III) nowotwór zajmuje narząd, w którym powstał, i przeniósł się na otoczenie (nacieki innych tkanek lub przerzuty do okolicznych węzłów chłonnych). W stadium uogólnionym nowotwór daje przerzuty odległe od miejsca swego powstania.

W leczonej chorobie nowotworowej rozwój nowotworu zostaje zwykle zatrzymany w fazie, w której rozpoczęto leczenie. U dużej liczby chorych udaje się całkowicie zlikwidować chorobę. Obecnie w Polsce można wyleczyć trwale niemal 30% chorych na nowotwory złośliwe.

Zapobieganie nowotworom

Pierwszym etapem zapobiegania nowotworom jest identyfikacja czynników rakotwórczych. Niektóre z nich potrafimy sami zidentyfikować (np. dym papierosowy, pewne substancje chemiczne, np. wymienione w tabeli na s. 2011), inne muszą być identyfikowane przez specjalne instytucje, np. stacje sanitarno-epidemiologiczne, instytuty medycyny pracy, przemysłową służbę zdrowia, służby bhp.

Drugim etapem zapobiegania nowotworom jest eliminowanie czynników rakotwórczych. Całkowite usunięcie tych czynników nie jest możliwe, podobnie jak i bakterii, należy więc usuwać te czynniki, które można (np. rezygnować z produkcji znanych i silnych czynników rakotwórczych i zastępować je substancjami nierakotwórczymi), i maksymalnie osłabiać działanie pozostałych. Przykładem takiego działania jest niemal całkowite usunięcie pyłów przy produkcji azbestu (z której nie można zrezygnować) przy użyciu odpowiednich urządzeń zabezpieczających. Innymi przykładami są działania, które powinny doprowadzić do unikania palenia tytoniu, jako przyczyny ok. 30% zgonów z powodu nowotworów złośliwych, oraz unikania niepotrzebnych zdjęć i prześwietleń rentgenowskich.

Trzecim etapem zapobiegania nowotworom jest wykrywanie i leczenie stanów przedrakowych. Etap ten w dużym stopniu zależy od społeczeństwa (wczesne zgłoszenie się do lekarza w przypadkach pojawienia się podejrzanych zmian), ale zasadniczą rolę spełnia tu służba zdrowia, która nie tylko identyfikuje stany przedrakowe u osób zgłaszających się samorzutnie, ale też aktywnie działa przez masowe badania profilaktyczne lub przez tzw. badania przesiewowe, np. w zakładach pracy. W czasie tych badań wykrywa się stany przedrakowe i nowotwory złośliwe.

Leczenie stanów przedrakowych i innych nieprawidłowych zmian, takich jak guzek sutka, mastopatia, nadżerka szyjki macicy, znamię na skórze lub ognisko rogowacenia starczego (które występuje również u osób młodych), skutecznie zapobiega powstawaniu nowotworów złośliwych. Nieprawdziwe są poglądy, iż takich zmian nie powinno się usuwać, bo wówczas może rozwinąć się nowotwór. Zasady postępowania medycznego w tych przypadkach są tak precyzyjne, że umożliwiają wyleczenie zmiany i niedopuszczenie do powstania nowotworu złośliwego.

Dekalog profilaktyki raka

1) Nie pal papierosów, fajki, cygar – palenie tytoniu powoduje ok. 30% nowotworów.

2) Ograniczaj picie alkoholu, zwłaszcza wysokoprocentowego – picie alkoholu powoduje ok. 5% nowotworów.

3) Wystrzegaj się nadmiernego spożywania produktów silnie solonych i kwaśnych (głównie marynowanych) i tłuszczów – czynniki żywnościowe powodują ok. 30% nowotworów.

4) Jedz codziennie owoce i jarzyny, zwłaszcza surowe, oraz co najmniej

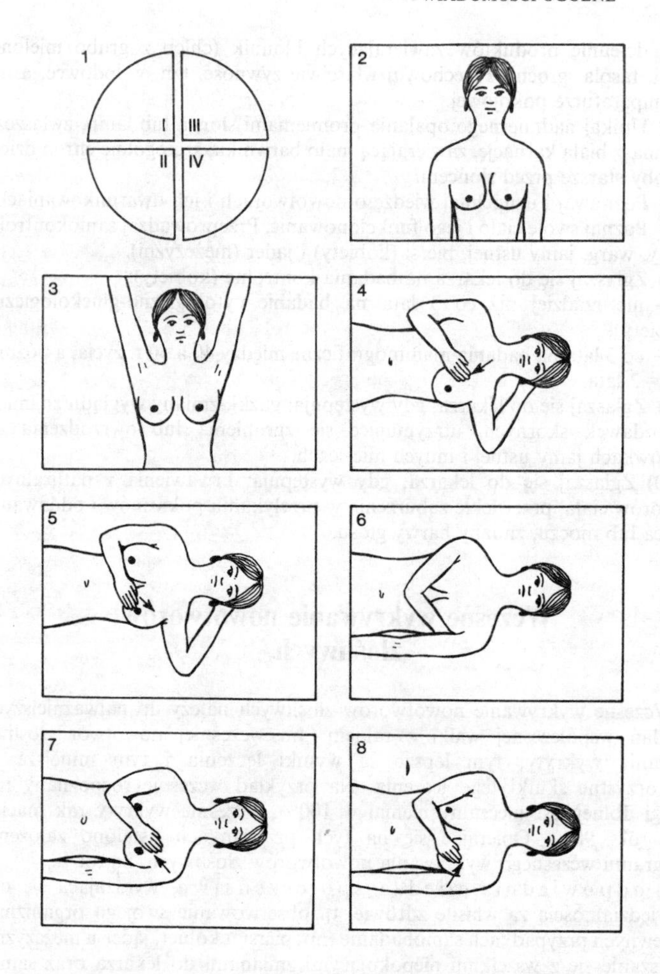

Samodzielne badanie piersi. Pierś dzieli się umownie na cztery ćwiartki (1), staje lub siada przed lustrem z rękami opuszczonymi wzdłuż ciała i ogląda piersi dokładnie zwracając uwagę, czy są symetryczne oraz czy nie ma zmian na skórze i w brodawkach (2). Po uniesieniu ramion do góry należy oględziny powtórzyć (3). Kolejne badania prowadzi się w pozycji leżącej. Po podłożeniu zwiniętego koca lub poduszki pod plecy i lewej ręki pod głowę (4 i 5), lekko wyprostowanymi palcami prawej dłoni bada się lewą pierś, naciskając delikatnie przesuwa się palce ruchem okrężnym po powierzchni skóry poszczególnych ćwiartek sutka, a następnie nieco zginając palce i stosując większy nacisk sprawdza się miąższ każdej ćwiartki sutka, zwracając uwagę na wszelkie nierówności, zgrubienia, guzki i bolesność. W ten sam sposób bada się brodawkę sutkową i okolice pachy (6). Brodawkę sutkową należy ponadto ucisnąć, zwłaszcza u podstawy, zwracając uwagę, czy nie pojawi się wydzielina. Badając zewnętrzne ćwiartki sutka oraz pachowe węzły chłonne można rękę ułożyć wzdłuż ciała (6, 7, 8). Prawą pierś bada się lewą ręką w podobny sposób i w takiej samej kolejności

30 g dziennie produktów zawierających błonnik (chleb z grubo mielonej mąki, fasola, groch). Przechowuj właściwie żywność, tzn. w lodówce, a nie w temperaturze pokojowej.

5) Unikaj nadmiernego opalania promieniami słońca lub lamp, zwłaszcza gdy masz białą karnację, zawierającą mało barwnika; szczególnie chroń dzieci i osoby starsze przed słońcem.

6) Poznawaj i uzupełniaj wiedzę o nowotworach i ich uwarunkowaniach.

7) Poznaj swoje ciało i jego funkcjonowanie. Przeprowadzaj samokontrolę: skóry, warg, jamy ustnej, piersi (kobiety) i jąder (mężczyźni).

8) Zgłaszaj się do lekarza na badania kontrolne (kobiety):

— nie rzadziej niż co 3 lata na badanie cytologiczno-ginekologiczne (kobiety),

— co 3 lata na badania mammograficzne między 40 a 50 r. życia, a później co 1 – 2 lata.

9) Zgłaszaj się do lekarza, gdy występują: guzki, zmiany wyglądu znamion i brodawek skórnych, utrzymujące się zgrubienia lub owrzodzenia na śluzówkach jamy ustnej i innych miejscach.

10) Zgłaszaj się do lekarza, gdy występują: krwawienia z naturalnych otworów ciała, przewlekłe zaburzenia w przełykaniu pokarmów i oddawaniu stolca lub moczu, zmiany barwy głosu.

Wczesne wykrywanie nowotworów złośliwych

Wczesne wykrywanie nowotworów złośliwych należy do najważniejszych działań współczesnej walki z rakiem. Im wcześniej nowotwór złośliwy zostanie wykryty, tym lepsze są wyniki leczenia i tym mniejsze są niekorzystne skutki tego leczenia. Na przykład wcześnie rozpoznany rak wargi dolnej jest uleczalny niemal w 100%, wcześnie wykryty rak macicy – w ok. 90%. Opierając się na tych przesłankach ustalono założenia programu wczesnego wykrywania nowotworów złośliwych. Są to:

1) odpowiednia wiedza społeczeństwa, wyrażająca się odpowiedzialnością za własne zdrowie, tj. obserwowanie swojego organizmu, w pewnych przypadkach samobadanie (np. piersi u kobiet, jąder u mężczyzn), zgłaszanie się z wszelkimi niepokojącymi zmianami do lekarza oraz samorzutne zgłaszanie się na badania kontrolne;

2) specjalna rola lekarzy tzw. pierwszego kontaktu (lekarzy rejonowych, wiejskich, przemysłowych, ginekologów); lekarze ci, jeżeli podejmą jakiekolwiek podejrzenie, że zmiana może być nowotworowa, powinni skierować chorego do lekarza onkologa lub innego właściwego specjalisty w celu ustalenia rozpoznania choroby;

3) przeprowadzenie przez lekarzy onkologów i innych specjalistów (np. chirurgów) niezbędnych badań, aż do ustalenia właściwego rozpoznania;

4) prowadzenie zorganizowanych badań przesiewowych (skryningowych) wśród osób bez objawów choroby;

5) w ostatnich latach w związku z rozwojem diagnostyki opartej na metodach biologii molekularnej stworzono podstawy do wykrywania zmian genetycznych wskazujących na predyspozycje rodzinne powstawania nowotworów. Ich szerokie zastosowanie jest jednak ciągle sprawą przyszłości.

Metody leczenia nowotworów złośliwych

Leczenie chirurgiczne jest najstarszą metodą leczenia nowotworów. Już w starożytności opisywano próby leczenia nowotworów tą metodą. Dopiero jednak ostatnie ponad stuletnie doświadczenia, a głównie poznanie mechanizmów powstania i rozwoju nowotworów, umożliwiły skuteczne działania chirurgii w tej dziedzinie.

Radioterapia, czyli leczenie promieniowaniem jonizującym (promienie rentgena, gamma, radu, kobaltu-60 i in.), jest stosunkowo nową metodą, liczącą ponad 80 lat. Doskonalenie wiedzy o promieniowaniu jonizującym i aparatach wytwarzających je spowodowało, że radioterapia stała się drugą (obok chirurgii) pod względem skuteczności metodą leczenia nowotworów złośliwych.

Chemioterapia, czyli leczenie środkami chemicznymi, zapoczątkowane zastosowaniem iperytu azotowego jest metodą leczenia nowotworów znaną od kilkudziesięciu lat, ale przeżywającą obecnie rozkwit. Wieloletnie doświadczenia doprowadziły do sformułowania precyzyjnych programów leczenia, uwzględniających optymalne leki i dawki w leczeniu danego nowotworu.

Immunoterapia, czyli leczenie środkami zmieniającymi (zwykle zwiększającymi) odporność organizmu, jest jeszcze metodą o ograniczonym zakresie stosowania, wydaje się jednak, że metoda ta może mieć istotne znaczenie w leczeniu nowotworów w przyszłości (np. szczepionka BCG, levamisol).

Hormonoterapia jest metodą stosowaną od wielu lat. Podawanie niektórych hormonów w nowotworach tzw. hormonozależnych daje dobre wyniki leczenia, np. przy raku sutka lub gruczołu krokowego. W ostatnich latach wprowadzono leki antyhormonalne (np. antyestrogeny hamujące wydzielanie gonadotropin).

Poza ww. metodami stosuje się jeszcze inne sposoby leczenia nowotworów, jak np. działanie promieni lasera, zamrażanie (kriochirurgia), elektrokoagulacja (koagulacja tkanek przy użyciu prądu elektrycznego) oraz inne rzadkie metody leczenia.

Terapia genowa, której idea sprowadza się do uzdrowienia czynności komórki przez wprowadzenie do jej DNA genów, które uzupełniałyby funkcje ich zmienionych odpowiedników. Metoda ta jest jednak w dalszym ciągu na etapie prac eksperymentalnych i jej zastosowanie jest sprawą dość odległą.

Doświadczenia wielu lat wykazały, że właściwe leczenie zależy od dokładnego określenia postaci nowotworu i jego zaawansowania. Dopiero potem można zastosować najwłaściwszą metodę lub metody leczenia. Niektóre nowotwory udaje się wyleczyć przy zastosowaniu jednego rodzaju leczenia (tzw. monoterapia, np. rak skóry – chirurgicznie lub radioterapia albo chemioterapia), natomiast inne wymagają użycia kilku metod w odpowiedniej kolejności (np. rak sutka: leczenie chirurgiczne + radioterapia + chemioterapia + hormonoterapia).

Rodzaj nowotworu, stopień jego rozwoju i metody leczenia ustala zespół lekarzy złożony z różnych specjalistów (np. patolodzy, radiolodzy). Postępowanie takie nazywa się wielodyscyplinarnym podejściem do rozpoznania i leczenia nowotworów złośliwych.

W Polsce warunki do wielodyscyplinarnego podejścia do zwalczania nowotworów istnieją głównie w placówkach onkologicznych, które mają nie tylko odpowiednią kadrę, ale i nowoczesny sprzęt.

Wyniki leczenia chorych

Do końca ubiegłego stulecia nie notowano trwałych wyleczeń nowotworów złośliwych. Od początku obecnego wieku notuje się stały postęp w tej dziedzinie. W krajach, w których istnieje dobra wykrywalność chorych na nowotwory oraz osób zagrożonych, podjęcie natychmiastowego i właściwego leczenia daje ok. 50% wyleczeń. Podobne wyniki uzyskano w placówkach onkologicznych w Polsce w latach 1970–75 (rys. poniżej). Wyniki leczenia

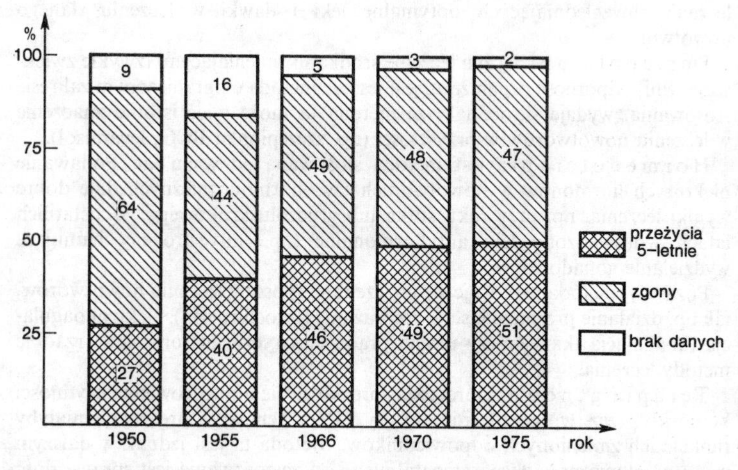

Przeżycia chorych na nowotwory (nowe zachorowania), leczonych w pełnoprofilowych placówkach onkologicznych (w Instytucie Onkologii oraz w placówkach onkologicznych w Białymstoku, Łodzi i w Poznaniu)

w innych placówkach służby zdrowia były i są nadal gorsze (ok. 30% wyleczeń). Zależą one jednak głównie od większego zaawansowania choroby u osób zgłaszających się do leczenia. Szansa wyleczenia zwiększa się o ok. 25%, jeśli leczenie jest rozpoczęte o jedno stadium zaawansowania nowotworu wcześniej (przy podziale zaawansowania nowotworów złośliwych na 4 stadia).

Wyniki leczenia zależą również od umiejscowienia nowotworu. Na przykład rak skóry jest wyleczalny niemal w 100%, rak wątroby lub trzustki – tylko w niewielkim odsetku przypadków.

Trzecim czynnikiem wpływającym na wyleczalność nowotworu jest właściwe, kompletne leczenie. Nawet leczenie nowotworów znacznie zaawansowanych może dać dobre wyniki, gdy stosuje się tzw. leczenie skojarzone przy użyciu kilku metod w odpowiedni sposób, np. leczenie chirurgiczne + radioterapia + chemioterapia.

Lecznictwo onkologiczne w Polsce

Placówką, która kieruje zwalczaniem raka w Polsce, jest Centrum Onkologii – Instytut im. Marii Skłodowskiej-Curie z siedzibą w Warszawie i oddziałami w Gliwicach (woj. katowickie) i w Krakowie.

W 1975 r. utworzono 11 regionów onkologicznych obejmujących cały kraj.

Miasto	Adres	Województwo objęte opieką
Białystok	ul. Ogrodowa 12	białostockie, łomżyńskie, olsztyńskie, suwalskie
Bydgoszcz	ul. M. Skłodowskiej-Curie 9	bydgoskie, toruńskie, włocławskie, pilskie
Gdańsk	ul. Dębinki 7	gdańskie, elbląskie, słupskie
Gliwice	Wybrzeże Armii Krajowej 15	katowickie, bielskie, częstochowskie
Kraków	ul. Garncarska 11	krakowskie, kieleckie, krośnieńskie, nowosądeckie, rzeszowskie, tarnobrzeskie, tarnowskie
Lublin	ul. Jaczewskiego 2a	lubelskie, bialskopodlaskie, chełmskie, przemyskie, zamojskie
Łódź	ul. Gagarina 4	łódzkie, piotrkowskie, skierniewickie, sieradzkie
Poznań	ul. Garbary 15	poznańskie, kaliskie, konińskie, leszczyńskie, zielonogórskie
Szczecin	ul. Unii Lubelskiej 1	szczecińskie, gorzowskie, koszalińskie
Warszawa	ul. Wawelska 15 i ul. Findera 101	warszawskie, ciechanowskie, płockie, ostrołęckie, radomskie, siedleckie
Warszawa	ul. Grenadierów 51/59	warszawskie, ciechanowskie, płockie, ostrołęckie, radomskie, siedleckie
Wrocław	ul. Hirszfelda 8	wrocławskie, jeleniogórskie, legnickie, wałbrzyskie, opolskie

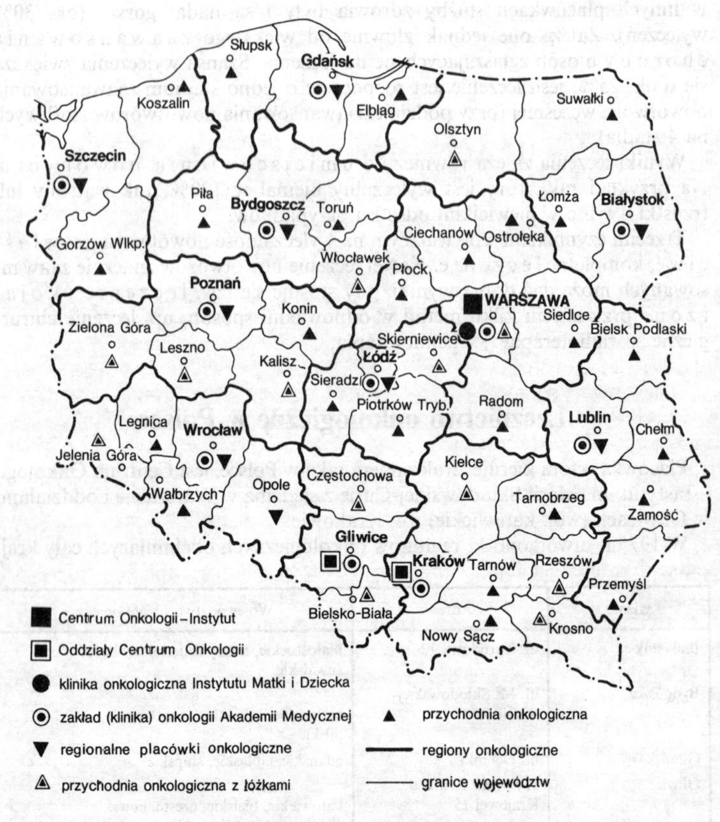

Sieć onkologiczna w Polsce w 1994 r.

W każdym regionie działa przynajmniej jedna placówka onkologiczna dysponująca wszystkimi współczesnymi metodami diagnostycznymi i leczniczymi oraz łóżkami specjalistycznymi.

We wszystkich województwach działają poradnie lub przychodnie specjalistyczne. Zamieszczona tabela podaje adresy regionalnych placówek onkologicznych sprawujących opiekę onkologiczną dla kilku województw.

Poza wymienionymi placówkami opiekę nad chorymi na nowotwory sprawują kliniki akademii medycznych, oddziały onkologiczne w szpitalach ogólnych lub specjalistycznych, placówki lecznictwa nieonkologicznego oraz sieć poradni wojewódzkich, poradni lub przychodni onkologicznych. Opiekę onkologiczną nad dziećmi i młodzieżą pełnią: Instytut Matki i Dziecka w Warszawie oraz kliniki pediatryczne akademii medycznych.

Placówki onkologiczne poza leczeniem prowadzą również stałą kontrolę nad chorymi z większym ryzykiem zachorowania na nowotwór, kontrolę nad chorymi po leczeniu szpitalnym oraz leczenie ambulatoryjne.

II. METODY LECZENIA NOWOTWORÓW

Leczenie chirurgiczne

Leczenie operacyjne jest w dalszym ciągu najskuteczniejszą metodą leczenia większości nowotworów. Metoda ta ma za sobą wielowiekową tradycję. Do ubiegłego stulecia stosowana była dopiero wówczas, gdy nowotwór sprawiał już dolegliwości, powodował grożące życiu krwotoki, zakażenia, a więc był w końcowym stadium procesu chorobowego, zwykle tak zaawansowanym, że nie istniały szanse wyleczenia.

W wieku XX rozwój metod diagnostycznych pozwolił na wykrywanie nowotworu w bardzo wczesnym stadium i precyzyjne określenie jego rodzaju. Rozwój innych dyscyplin medycznych zmniejszył ryzyko powikłań towarzyszących zabiegowi operacyjnemu, pozwolił na przygotownie chorego do operacji, bezpieczne znieczulenie i prowadzenie pooperacyjne. Opracowano zasady chirurgicznego leczenia nowotworów, a mianowicie:

1) dążenie do operowania w bardzo wczesnym stadium choroby, gdy nie wystąpiły objawy uogólnienia procesu nowotworowego;

2) operowanie doszczętne, tzn. usuwanie zmiany nowotworowej wraz z marginesem tkanek zdrowych lub nawet z całym zajętym narządem;

3) w przypadkach koniecznych usunięcie węzłów chłonnych leżących w sąsiedztwie guza.

Decyzje co do rodzaju operacji podejmowane są na podstawie przeprowadzonych badań mikroskopowych: a) wycinka pobranego ze zmiany chorobowej, b) materiału uzyskanego przez nakłucie guza, lub c) tkanki pobranej podczas trwającej operacji (badanie śródoperacyjne – badanie doraźne).

Rozwój chirurgii nowotworów i stworzenie możliwości wykonywania rozległych zabiegów operacyjnych zadecydowały o konieczności kompleksowego leczenia chorego przez zespół specjalistów. Chory operowany np. z powodu nowotworu umiejscowionego w obrębie głowy i szyi musi być często poddany zabiegom plastycznym, które nie tylko odtwarzają dobre warunki kosmetyczne, ale często po prostu umożliwiają odżywianie się i inne czynności życiowe.

Niektóre typy operacji stosowanych w leczeniu nowotworów powodują przejściowe lub trwałe okaleczenie. Opracowano zatem liczne środki pomocnicze z powodzeniem zmniejszające skutki kalectwa, np. protezy stosowane po usunięciu piersi lub kończyn, elektroniczne krtanie zastępujące chorym usuniętą krtań, samoprzylepne, jednorazowe worki z tworzywa sztucznego stosowane u chorych ze sztucznym odbytem lub przetoką wytworzoną po usunięciu pęcherza moczowego.

Oprócz klasycznych metod chirurgicznych, przy użyciu noża chirurgicznego, w praktyce znalazły również zastosowanie elektrochirurgia, kriochirurgia, chirurgia laserowa, chirurgia wykorzystująca ultradźwięki i chirurgia endoskopowa.

Elektrochirurgia polega na niszczeniu tkanek nowotworowych przy użyciu elektrody (w kształcie szpilki lub płytki) połączonej ze źródłem prądu wysokiej częstotliwości. Przytknięcie elektrody do tkanek powoduje ich przegrzanie i zniszczenie. Metoda ta jest z powodzeniem stosowana w leczeniu niewielkich, powierzchownych zmian.

Kriochirurgia jest metodą wykorzystującą niszczące działanie niskiej temperatury. Narzędziem jest kriosonda, oziębiana ciekłym azotem do temperatury – 180°C. Kriochirurgia jest z powodzeniem stosowana do niszczenia niewielkich, leżących powierzchownie zmian, zwłaszcza na błonach śluzowych. Jest metodą prawie bezbolesną. Może być z powodzeniem stosowana w warunkach ambulatoryjnych.

Chirurgia laserowa ma coraz większe zastosowanie w leczeniu zmian nowotworowych umiejscowionych na skórze lub na błonach śluzowych dróg oddechowych, przewodu pokarmowego i narządów moczowo-płciowych. Szczególnie przydatna jest w leczeniu łagodzącym zmian upośledzających drożność narządów, takich jak przełyk, tchawica, jelito grube.

Chirurgia wykorzystująca ultradźwięki. Używa się w niej specjalnego noża przenoszącego drgania wysokiej częstotliwości. Pozwala to na operowanie zwłaszcza narządów miąższowych. Metoda ultradźwiękowa umożliwia prawie bezkrwawe usuwanie części narządów, takich jak nerki i wątroba.

Chirurgia endoskopowa jest metodą, która polega na operowaniu wewnątrz jam ciała (opłucnowej lub otrzewnowej) przez wprowadzone do tych jam endoskopy. Metoda ta pozwala na usuwanie narządów lub ich części bez otwierania jamy brzusznej lub klatki piersiowej. Użycie aparatów do zamykania naczyń i wykonywania mechanicznych zespoleń (staplery) rozszerzyło zakres operacji endoskopowych, skracając czas pobytu pacjenta w szpitalu i pozwalając uzyskać bardzo dobry efekt kosmetyczny (bez skórnej blizny pooperacyjnej).

Leczenie chirurgiczne zapobiegające. W onkologii ten rodzaj leczenia chirurgicznego odgrywa podstawową rolę. Istnieje bowiem wiele schorzeń, które uznano za stany przedrakowe, tzn. że pozostawienie tych zmian bez leczenia może doprowadzić do ich przekształcenia się w raka. Do zmian takich należą m.in. niektóre rodzaje guzków tarczycy, zmiany na błonach śluzowych, mnogie polipy jelita grubego, niektóre typy znamion barwnikowych. Chirurgiczne usunięcie tych zmian, zanim ulegną one przemianie nowotworowej, chroni przed rozwinięciem się choroby i daje szanse całkowitego wyleczenia.

Operacje rozpoznawcze są to takie operacje, po których dopiero może być podjęta ostateczna decyzja dotycząca leczenia. Istnieje nadal pewna grupa chorób nowotworowych, w których wykonanie operacji (otwarcie jamy brzusznej lub klatki piersiowej) i śródoperacyjna kontrola narządów oddaje nieocenione usługi i przynosi choremu duże korzyści.

Radioterapia – leczenie promieniowaniem jonizującym

Radioterapia, obok chirurgii, stanowi jedną z metod doszczętnego leczenia nowotworów złośliwych. Jako leczenie radykalne znajduje zastosowanie głównie u chorych, u których proces nowotworowy jest ograniczony do samego guza pierwotnego i najbliższej okolicy obejmującej obszar naciekania nowotworowego, najbliższych naczyń i węzłów chłonnych będących miejscami przerzutowania. Prawidłowe ustalenie sposobu leczenia energią promienistą pozwala uzyskać najlepsze wyniki przy możliwie najmniejszym ryzyku powikłań i z zachowaniem funkcji narządu, w którym jest umiejscowiony nowotwór. Leczeniem energią promienistą zajmują się onkolodzy specjaliści radioterapeuci. Istotną rolę w leczeniu spełniają współpracujący z lekarzami wyspecjalizowani fizycy medyczni.

Radioterapia doszczętna (radykalna) jest zasadniczą formą leczenia, a jej celem jest wyleczenie chorego. Przez wyleczenie w sensie onkologicznym rozumie się zniszczenie guza nowotworowego i ewentualnych przerzutów w sąsiedztwie. Wyleczony chory ma taką samą szansę przeżycia, jak osoba w tym samym wieku, która nie chorowała na nowotwór. Radioterapia doszczętna zakłada pewne ryzyko uszkodzeń popromiennych.

Radioterapia paliatywna ma na celu zahamowanie procesu nowotworowego i (lub) zmniejszenie dolegliwości związanych z chorobą nowotworową.

Ze względu na różne źródła promieniowania radioterapia dzieli się na teleradioterapię z zastosowaniem wiązki promieniowania z zewnątrz, brachyterapię, gdy źródło promieniowania (np. rad) jest umieszczone w jamach ciała lub bezpośrednio w guzie albo w jego otoczeniu oraz radioterapię ze stosowaniem izotopów promieniotwórczych dożylnie lub doustnie (np. jod promieniotwórczy w leczeniu raka tarczycy).

W radioterapii największe zastosowanie ma nadal promieniowanie X, czyli rentgenowskie, o różnych energiach, i promieniowanie gamma, jakkolwiek od dość dawna jest stosowane również promieniowanie cząsteczkowe, a w szczególności napromienianie wiązką elektronów.

Promieniowanie X i gamma – oprócz cech typowych dla promieniowania elektromagnetycznego (świetlnego, cieplnego itp.), dzięki wysokiej energii charakteryzuje się dużą przenikliwością w ciałach nieprzepuszczalnych np. dla światła. W lecznictwie jest stosowane promieniowanie X i gamma o energiach rzędu megaelektronowoltów (MeV).

Dawkę promieniowania określa się w grejach. Jeden grej (1 Gy) odpowiada w układzie CGS 100 radom. W planowaniu leczenia promieniami ustala się dawkę na obszar ciała zajęty przez nowotwór. Przy zastosowaniu jednego pola wlotowego dawka promieniowania maleje z głębokością na skutek zmniejszającej się odległości od źródła promieniowania i pochłaniania w tkankach. W celu uzyskania odpowiednio dużej dawki równomiernie rozłożonej w obszarze zajętym przez nowotwór stosuje się napromieniowanie z kilku pól wlotowych. Postępowanie takie wymaga dokładnego określenia obszaru zajętego przez proces nowotworowy i dużej precyzji w kierowaniu wiązki promieni, aby skoncentrować dawkę w obrębie guza i ochronić sąsiadujące z nowotworem tkanki prawidłowe.

Terapia ortowoltowa (rentgenowska) i megawoltowa. Przez kilkadziesiąt lat źródłem promieniowania stosowanym w leczeniu wiązkami od zewnątrz był terapeutyczny aparat rentgenowski. W ostatnich dziesięcioleciach stosuje się powszechnie tzw. *terapię megawoltową* (tzn. bombę kobaltową, przyspieszacz liniowy), z zastosowaniem promieniowania o dużo większej energii i związanej z tym większej przenikliwości. Zalety terapii megawoltowej w porównaniu z konwencjonalną terapią rentgenowską są znaczne. Chorzy na ogół lepiej znoszą terapię megawoltową. Znacznie słabsze są skórne odczyny popromienne i odczyny ogólne.

Dzięki dużej przenikliwości stosowanego promieniowania, terapia megawoltowa umożliwia podanie na guzy głęboko leżące żądanej dawki, co nie zawsze jest możliwe w terapii rentgenowskiej ortowoltowej. Promieniowanie o wysokich energiach nie ulega wybiórczemu pochłanianiu w kościach i chrząstkach, co zmniejsza ryzyko popromiennego uszkodzenia tych struktur.

Terapia megawoltowa jest obecnie zasadniczą metodą leczenia energią promienistą nowotworów złośliwych.

Terapia rentgenowska znajduje niekiedy zastosowanie w leczeniu paliatywnym i w leczeniu radykalnym niektórych nowotworów usytuowanych powierzchownie. Wiązka elektronów generowana w przyspieszaczach liniowych charakteryzuje się ograniczonym – w zależności od energii – zasięgiem w napromienianych tkankach. Ta cecha wiązki elektronów jest wykorzystywana do ochrony wrażliwych narządów leżących na większej głębokości niż obszar wymagający napromieniania.

Wskaźnik promienioczułości jest to różnica wrażliwości na działanie promieniowania guza nowotworowego i otaczających go tkanek prawidłowych. Określa go stosunek dawki letalnej guza do dawki tolerancji prawidłowych tkanek otaczających nowotwór. Wskaźnik promienioczułości stanowi wykładnik możliwości leczenia energią promienistą.

Wskaźnik promienioczułości świadczy przede wszystkim o większej zdolności regeneracyjnej tkanek prawidłowych niż nowotworu. Ta większa zdolność naprawy w tkankach prawidłowych zaznacza się zwłaszcza wówczas, gdy stosuje się tzw. *napromienianie „frakcjonowane”*, tzn. powtarzającymi się niewielkimi dziennymi dawkami (frakcjami) przez okres zazwyczaj kilku tygodni. Leczenie frakcjonowane w porównaniu z leczeniem jednorazową ekspozycją pozwala na zwiększenie różnicy efektu w tkankach prawidłowych i w guzie, a tym samym poprawę wskaźnika promienioczułości.

W r a ż l i w o ś ć n o w o t w o r ó w na promieniowanie nie jest jednakowa. Te nowotwory, których wyjałowienie nie jest możliwe bez trwałego uszkodzenia sąsiednich narządów, cechuje niekorzystny wskaźnik promienioczułości. Guzy o dużej masie są z reguły trudniejsze do wyleczenia niż guzy małe.

Obserwacje kliniczne i badania radiobiologiczne ostatnich lat wykazały, że nowotwory uznawane za niepromienioczułe można jednak skutecznie leczyć napromienianiem „bezpiecznymi" dawkami, jeżeli znajdują się w stadium subklinicznym, w postaci drobnych ognisk niewidocznych makroskopowo. Stwierdzenie to rozszerzyło zakres wskazań do stosowania radioterapii w klinice nowotworów.

R a d i o t e r a p i a jest stosowana w leczeniu nowotworów jako metoda samodzielna oraz w różnych kombinacjach z leczeniem chirurgicznym i chemioterapią.

Rozwój radioterapii w ostatnich dekadach zmierza w kilku kierunkach:

1) k o n c e n t r a c j i w i ą z k i p r o m i e n i o w a n i a w obszarze zajętym przez nowotwór z jednoczesnym oszczędzaniem sąsiadujących z nowotworem tkanek zdrowych. Celowi temu służy zastosowanie symulatorów, tomografii komputerowej i komputerowego planowania leczenia. Aparatura ta pozwala ocenić z dużą dokładnością umiejscowienie nowotworu i dokonać wyboru optymalnej techniki leczenia. Wykorzystanie wiązki elektronów jest szczególnie pomocne w ochronie narządów położonych na większej głębokości niż miejsce napromieniane – np. płuca w przypadkach napromieniania ściany klatki piersiowej;

2) n a p r o m i e n i a n i a tzw. e l e k t y w n e g o (z wyboru) stosowanego po zabiegach operacyjnych w celu zniszczenia ewentualnie nie usuniętych subklinicznych ognisk nowotworu w obszarach, w których istnieje duże zagrożenie wznową lub przerzutami. Pozwala to na znaczne zmniejszenie częstości nawrotów choroby w leczonym obszarze;

3) n a p r o m i e n i a n i a k i l k a r a z y d z i e n n i e (h i p e r f r a k c j o n o w a n i e), zwiększającego szansę wyleczenia guzów szybko rosnących i zmniejszającego ryzyko późnych powikłań popromiennych;

4) z a s t o s o w a n i a s k o j a r z o n e g o l e c z e n i a cytostatykami i energią promienistą, pozwalającego w niektórych przypadkach na wykorzystanie zalet obydwu metod leczenia;

5) z a s t o s o w a n i a w b r a c h y t e r a p i i m e t o d y „a f t e r l o a d i n g", czyli ładowania pierwiastkiem promieniotwórczym pustych pojemników po umieszczeniu ich w miejscu aplikacji, np. u chorych na raka szyjki macicy w szczycie pochwy i w kanale macicy. Zwiększyło to znacznie bezpieczeństwo pracy personelu, a w konsekwencji dokładność aplikacji.

Postęp w radioterapii pozwolił na uzyskanie znacznej poprawy wyników leczenia chorych na różne nowotwory złośliwe, zarówno po terapii samodzielnej, jak i skojarzonej z innymi metodami leczenia. Wielokrotnie zmniejszyła się obecnie liczba ciężkich uszkodzeń popromiennych, tak groźnych w dobie terapii ortowoltowej (rentgenowskiej).

Chemioterapia i inne metody farmakologiczne

Chemioterapia

Chemioterapia nowotworów, czyli leczenie przy użyciu leków (środków) cytostatycznych hamujących rozwój nowotworów, jest jedną z najnowszych dziedzin w terapii onkologicznej. Leki cytostatyczne oddziałując na ważne życiowo funkcje komórek prowadzą do ich zniszczenia lub co najmniej pozbawiają je zdolności do dalszego dzielenia się. Istnieją następujące grupy środków cytostatycznych:

1) środki alkilujące – substancje mające czynne rodniki zdolne do alkilacji, które wiążą się z ważnymi strukturami komórek (np. kwasami nukleinowymi); do grupy tej zalicza się m.in. chlorambucil, cyklofosfamid i nitrogranulogen;

2) antymetabolity – „niepełnowartościowe" substraty, które wbudowane w istotne dla życia struktury komórek tworzą produkty końcowe nie mogące pełnić ich prawidłowej funkcji; typowymi przedstawicielami leków tej grupy są: 5-fluorouracil, metotreksat i 6-merkaptopuryna;

3) antybiotyki przeciwnowotworowe – substancje pochodzenia organicznego (najczęściej otrzymane z bakterii lub grzybów) o działaniu cytostatycznym; do grupy tej zalicza się: adriamycynę, bleomycynę i daktynomycynę;

4) tzw. trucizny mitotyczne – środki, które wiążąc się z wrzecionem podziałowym komórki uniemożliwiają jej podział na dwie komórki potomne, np. winkrystyna, winblastyna, wepesid;

5) środki o działaniu innym niż powyżej wymienione, np. sole metali ciężkich (cis-platyna), inhibitory syntezy białek (prokarbazyna), pochodne nitrozomocznika (BCNU, CCNU), enzymy (1-asparaginaza).

Środki cytostatyczne są niespecyficzne, tzn. działają na wszystkie żywe komórki (prawidłowe i nowotworowe) proporcjonalnie do szybkości ich wzrostu i dzielenia się. Im szybciej wzrasta nowotwór lub tkanka prawidłowa, tym większy jest efekt cytostatyczny leku. Wśród tkanek prawidłowych komórki układu krwiotwórczego i nabłonka przewodu pokarmowego należą do najszybciej wzrastających i tylko niektóre nowotwory dorównują im dynamiką wzrostu (np. ostre białaczki, niektóre nowotwory układu chłonnego). Większość nowotworów wzrasta wolniej, dlatego wywołanie skutecznego efektu terapeutycznego wiąże się zawsze z ryzykiem efektu toksycznego (odwracalne uszkodzenie komórek prawidłowych).

Integralną częścią chemioterapii nowotworów jest leczenie wspomagające, mające na celu zapobieganie, łagodzenie i leczenie objawów niepożądanych wywołanych cytostatykami. Tolerancja układu krwiotwórczego i nabłonka przewodu pokarmowego ogranicza dawkowanie leków cytostatycznych, których ujemne skutki działania jako objawy niepożądane pochodzą właśnie z tych układów. Do najważniejszych objawów niepożądanych należą: 1) obniżenie odporności organizmu wynikające ze zmniejszenia liczby krwinek białych, co może zwiększać ryzyko wystąpienia powikłań zakaźnych; 2) zmniejszenie liczby krwinek płytkowych, co może powodować zaburzenia w krzepnięciu krwi oraz 3) uszkodzenie nabłonka przewodu pokarmowego, mogące prowadzić do upośledzenia wchłaniania, nudności i biegunki.

Leki cytostatyczne różnią się aktywnością w stosunku do poszczególnych nowotworów (pewien stopień specyficzności) oraz rodzajem i nasileniem wywołanych objawów niepożądanych. W leczeniu najczęściej stosuje się kilka leków jednocześnie aktywnych w stosunku do leczonego nowotworu, ale różniących się mechanizmem działania i toksycznością.

Wyróżnia się następujące rodzaje (typy) chemioterapii:

1) terapię uzupełniającą – po leczeniu miejscowym (operacja łącznie z napromienianiem lub bez niego) w celu zniszczenia mikroprzerzutów niemożliwych do wykrycia dostępnymi metodami diagnostycznymi, których późniejsze ujawnienie się jest wysoce prawdopodobne; stosuje się ją u niektórych chorych na raka sutka oraz w guzach zarodkowych jądra u mężczyzn;

2) terapię przedoperacyjną lub przed napromienianiem, stosowaną w celu zmniejszenia masy guza i umożliwienia operacji lub ograniczenia pól napromieniania; stosuje się ją np. u niektórych chorych na nowotwory płaskonabłonkowe głowy i szyi, ziarnicę złośliwą;

3) terapię w zaawansowanych nowotworach, bardzo wrażliwych, w celu ich wyleczenia, np. u wybranych chorych na chłoniaki i białaczki, lub w celu zahamowania tempa ich wzrostu i złagodzenia objawów, np. u chorych na szpiczaka lub raka sutka;

4) terapię indukcyjną – przed leczeniem miejscowym (najczęściej operacyjnym), w celu jak najwcześniejszego leczenia mikroprzerzutów i zapobiegania ich tworzeniu się oraz oceny skuteczności stosowanej chemioterapii na podstawie badania pod mikroskopem usuniętego guza; metoda ta jest stosowana u wybranych chorych na mięsaki.

Chemioterapia nowotworów, mimo określonych już sukcesów, jest nadal w wielu sytuacjach klinicznych w sferze badań. Dłuższej obserwacji wymaga zwłaszcza ocena odległych skutków stosowania cytostatyków.

Hormonoterapia

Niektóre nowotwory wykazują pewien stopień zależności od zmian hormonalnych w organizmie (np. raki sutka, gruczołu krokowego, trzonu macicy). Zmiany w poziomie hormonów mogą prowadzić do hamowania lub stymulacji wzrostu tych nowotworów, dlatego w celu zwiększenia skuteczności leczenia nowotworów hormonozależnych często kojarzy się chemioterapię z leczeniem hormonalnym lub stosuje się je naprzemiennie. W leczeniu raka sutka stosuje się usunięcie jajników u chorych miesiączkujących, a antyestrogeny (antyhormon) u kobiet nie miesiączkujących. W leczeniu chorych mężczyzn na raka gruczołu krokowego stosuje się usunięcie jąder i (lub) hormony żeńskie (estrogeny).

Immunoterapia

Immunoterapia jest to leczenie nowotworów przez zwiększanie sił obronnych organizmu i mobilizowanie ich do zwalczania nowotworu na zasadzie reakcji antygen-przeciwciało. Ten rodzaj leczenia, z którym wiąże się duże nadzieje, znajduje jeszcze niewielkie praktyczne zastosowanie.

III. CHOROBY NOWOTWOROWE

Nowotwory skóry

Wyróżnia się nowotwory skóry łagodne, o złośliwości miejscowej (półzłośliwe) i złośliwe.

Nowotwory łagodne

Nowotwory łagodne skóry jest to grupa zmian występujących w postaci znamion barwnikowych, włókniaków, gruczolaków, nerwiaków, naczyniaków i nabłoniaków. Najczęstsze są znamiona barwnikowe.

L e c z e n i e polega na oszczędnym usunięciu chirurgicznym zmiany wraz z marginesem zdrowej skóry lub błony śluzowej. Zabieg powinien być wykonany przez lekarza, a usunięta zmiana zbadana histologicznie. Niektóre znamiona mogą być usunięte za pomocą zabiegów niszczących, takich jak k r i o d e s t r u k c j a lub e l e k t r o k o a g u l a c j a.

Usunięcie znamienia nie jest szkodliwe. Bezwzględnie powinny być usuwane znamiona leżące w miejscach drażnionych (powierzchnie dłoni i stóp, okolica pasa, fałd podsutkowy), ponieważ istnieje niebezpieczeństwo przemiany ich w czerniaka.

Nowotwory półzłośliwe

Włókniakomięsak guzowaty skóry. Nowotwór ten wywodzi się z tkanki łącznej skóry właściwej. Różowobrunatne guzki łączą się ze sobą w płaski, a następnie guzowaty naciek nie ulegający owrzodzeniu. Najczęściej występuje w pasie barkowym, skórze brzucha i pachwinach. Jest to nowotwór o miejscowej złośliwości, rzadko dający przerzuty do węzłów chłonnych.

L e c z e n i e jest chirurgiczne. Po nieradykalnych zabiegach często występują wznowy.

Nowotwory złośliwe: raki i czerniaki złośliwe

Raki skóry występują często; stanowią one 4,4% nowotworów złośliwych u mężczyzn i 5,0% u kobiet. Przeważnie występują u osób po 50 r. życia.

Zachorowaniu sprzyjają: przewlekłe nasłonecznienie, promieniowanie jonizujące, przewlekłe urazy mechaniczne i termiczne, działanie dziegci, olejów mineralnych i oleju kreozolowego, parafiny i związków arsenu oraz czynniki biologiczne (np. zaburzenia rozwoju skóry typu żółtej skóry pergaminowej).

Do stanów przedrakowych skóry należą: rogowacenie starcze, przewlekłe stany zapalne skóry wywołane czynnikami fizycznymi i chemicznymi, żółta skóra pergaminowa, róg skórny. Żółta skóra pergaminowa jest to dziedziczne, wrodzone zaburzenie rozwoju skóry, w którego przebiegu powstają pojedyncze lub mnogie ogniska raka, rzadziej czerniaka. Choroba występuje w wieku dziecięcym i młodzieńczym. Rokowanie bardzo poważne.

Rak podstawnokomórkowy. Wywodzi się z warstwy podstawnej naskórka lub przydatków skóry. Występuje najczęściej na twarzy. Ma wygląd guzka lub nacieku o wałowatych brzegach, następnie kraterowatego ubytku pokrytego strupem. Zmiany są pojedyncze lub mnogie. Wzrost raka jest powolny. Nie występują przerzuty.

Rak kolczystokomórkowy wywodzi się z warstwy kolczystokomórkowej naskórka. Ma wygląd guzka lub płaskiego nacieku, z reguły owrzodzonego, pokrytego strupem. Umiejscawia się na twarzy, w obrębie kończyn (dłonie), rzadziej w innych okolicach ciała. Wzrasta szybciej niż rak podstawnokomórkowy. Przerzuty do okolicznych węzłów chłonnych daje stosunkowo rzadko i późno. Niekiedy występują przerzuty odległe.

Choroba Bowena. Jest to śródnabłonkowy rak skóry, o przebiegu wieloletnim, najczęściej łagodnym. Często współistnieje ze złośliwymi nowotworami narządów wewnętrznych.

Choroba Pageta. Jest to odmiana raka skóry z gruczołów apokrynowych (np. potowych, mlecznych). Występuje w obrębie brodawek sutkowych, dołów pachowych, odbytu, narządów płciowych. Może dawać przerzuty do węzłów chłonnych i przerzuty odległe.

Rokowanie w rakach skóry jest dobre, zwłaszcza w przypadkach mało zaawansowanych. Trwałe wyleczenia stanowią prawie 100%.

Czerniak złośliwy. Jest to nowotwór o dużej złośliwości, atakujący głównie osoby w wieku od 40 do 60 lat. Etiologia nie jest znana. W około połowie przypadków rozwija się w obrębie znamion skórnych. Za zezłośliwieniem znamienia przemawia jego rozrost, uwypuklenie, zmiana barwy, owrzodzenie, ból i krwawienie. Powiększenie się znamion lub pojawianie nowych w czasie ciąży nie świadczy o zezłośliwieniu.

Czerniak ma postać przeważnie ciemnego guzka otoczonego niekiedy czerwonym rąbkiem zapalnym. Wokół guzka mogą znajdować się mniejsze guzki, zwane satelitarnymi. Nowotwór rozwija się w obrębie skóry lub w błonach śluzowych (np. jamy ustnej, jamy nosowej i narządów płciowych, odbytnicy). Może rozwijać się także pod paznokciem i w gałce ocznej (zob. Choroby układu wzrokowego, s. 1710). Przebieg choroby jest szybki. Występują przerzuty do okolicznych węzłów chłonnych, następnie odległe (do wątroby, płuc, kośćca i innych narządów).

Rozpoznanie opiera się na wywiadach, wyglądzie i ocenie histologicznej zmiany. Stosuje się także badania cytologiczne i histologiczne. W większości przypadków do badania histologicznego usuwa się całą zmianę pierwotną. Wczesne rozpoznanie czerniaka zwiększa szanse jego wyleczenia.

Zapobieganie to przede wszystkim profilaktyczne usuwanie znamion ulegających stałym urazom (np. znamiona stóp, dłoni, okolic płciowych i inne).

Rokowanie zależy od umiejscowienia nowotworu, od poziomu naciekania skóry przez komórki czerniaka, zaawansowania miejscowego i dynamiki zmiany oraz od obecności lub nieobecności przerzutów. Właściwe leczenie pozwala osiągnąć 60–70% wyleczeń pięcioletnich.

Leczenie nowotworów skóry

Leczenie chirurgiczne jest najskuteczniejszą metodą leczenia, zwłaszcza zmian małych, umiejscowionych w okolicach, w których istnieje margines tkanek, pozwalający na zeszycie skóry po wycięciu zmiany. W leczeniu zmian na skórze twarzy niejednokrotnie zachodzi potrzeba stosowania chirurgii plastycznej. Czasami leczenie chirurgiczne jest stosowane tylko do usuwania węzłów chłonnych, natomiast sama zmiana pierwotna jest leczona np. promieniami jonizującymi. W przypadku czerniaka leczenie chirurgiczne jest podstawową metodą leczenia. Zwykle polega ono na szerokim wycięciu zmiany chorobowej i zastosowaniu wolnych przeszczepów skóry. W wielu przypadkach podczas operacji usuwa się z wyboru (elektywnie) okoliczne węzły chłonne. Niekiedy węzły usuwa się po kilku tygodniach, a w niektórych przypadkach w kilka lat po pierwotnej operacji.

Radioterapia raka skóry jest równie skuteczna, jak leczenie chirurgiczne i daje wyleczenie w ponad 90% przypadków. Wybór jednej z tych metod zależy od umiejscowienia nowotworu, jego rozległości, od doświadczeń i możliwości zakładu leczniczego. Radioterapia w ograniczonych rakach skóry znajduje zastosowanie zwłaszcza wówczas, gdy rekonstrukcja tkanek usuwanych chirurgicznie jest szczególnie trudna. Rak na kończynach jest raczej wskazaniem do leczenia chirurgicznego ze względu na duże niebezpieczeństwo martwicy popromiennej. W zaniedbanych rakach naciekających chrząstki i kości możliwości zarówno radioterapii, jak i chirurgii są ograniczone. Niekiedy zastosowanie jednocześnie obu tych metod może dać wynik pozytywny. Inne metody leczenia, jak np. elektrokoagulację, krioterapię (płynny azot), stosuje się rzadko, w bardzo małych zmianach raków skóry (nigdy w przypadku czerniaka). Metody te częściej są polecane w stanach przedrakowych skóry.

Leczenie chemiczne w nowotworach skóry, z wyjątkiem nielicznych przypadków, w których stosuje sie miejscowo cytostatyki w formie maści, nie odgrywa większej roli. Nowotwory tej grupy zalicza się do względnie opornych na cytostatyki.

Stany rzekomo nowotworowe

Czerniak młodzieńczy jest rodzajem znamienia występującym u ludzi młodych. Mimo mylącej nazwy znamię nie ulega zezłośliwieniu, rokowanie jest dobre.

Rogowiak kolczystokomórkowy przypomina raka skóry i może dawać pomyłki w rozpoznaniu. Stan chorobowy jest związany z mieszkiem włosowym. Etiologia nie jest znana. Występuje najczęściej na twarzy lub kończynach górnych. Ma wygląd kopulastego guzka z pępkowatym zagłębieniem w części środkowej, pokrytym rogowym strupem. Choroba ma przebieg łagodny i ustępuje samoistnie po kilku miesiącach. O rozpoznaniu decydują: krótkie wywiady, charakterystyczny wygląd i badania histopatologiczne.

Nowotwory głowy i szyi

Nowotwory złośliwe głowy i szyi stanowią ok. 15% wszystkich nowotworów złośliwych. Do tej grupy zalicza się nowotwory warg, jamy ustnej, zatok przynosowych, krtani, tarczycy, ślinianek oraz tzw. guzy szyi. Nowotwory mózgu, zob. Nowotwory układu nerwowego, s. 2068.

Nowotwory warg

Do nowotworów łagodnych warg zalicza się brodawczaki i naczyniaki. Spośród nowotworów złośliwych najczęstsze są raki warg.

Rak wargi jest najczęstszym nowotworem złośliwym wargi. Występuje głównie u mężczyzn powyżej 50 r. życia. Wpływ na rozwój nowotworu ma palenie tytoniu, przewlekłe nasłonecznianie i wpływy atmosferyczne. Stanami przedrakowymi są: rogowacenie białe i przewlekłe zapalenie przemieszczonych do czerwieni warg gruczołów ślinowych.

Najczęściej występuje rak wargi dolnej. Może rozwijać się w środkowej, bocznej części wargi, a także w obrębie kącika ust, przeważnie na bocznej powierzchni czerwieni wargowej. Początkowo ma wygląd płaskiego zgrubienia, często z powierzchownym ubytkiem (owrzodzeniem), pokrytym strupem. Stopniowo dochodzi do naciekania skóry, błony śluzowej przedsionka jamy ustnej, niekiedy kości żuchwy, co powoduje dolegliwości bólowe. Przerzuty do węzłów chłonnych podżuchwowych występują stosunkowo rzadko. O rozpoznaniu decyduje badanie histologiczne.

Rak wargi dolnej w ogromnej większości jest średnio lub mało promienioczułym dojrzałym rakiem płaskonabłonkowym. Wyniki właściwie przeprowadzonego leczenia są dobre. Uzyskuje się 80–100% wyleczeń.

Rak wargi górnej występuje znacznie rzadziej. Wyniki leczenia są nieco gorsze niż w raku wargi dolnej.

Czerniak warg występuje bardzo rzadko.

Leczenie nowotworów warg. Leczenie chirurgiczne. Niewielkie zmiany na wargach, średnicy do 1 cm, mogą być z powodzeniem leczone kriochirurgicznie lub elektrochirurgicznie. Zmiany długo trwające, większe, zwykle wymagają usunięcia części wargi i zabiegu odtwórczego. W niektórych przypadkach jest możliwe wycięcie wargi i odtworzenie jej podczas jednej operacji. Przeważnie jednak podczas pierwszego zabiegu usuwa się wargę wraz ze zmianą, a dopiero w kilka tygodni później odtwarza się wargę. W zaawansowanych przypadkach usuwa się niekiedy węzły nadgnykowe, uzupełniając leczenie chirurgiczne napromienianiem.

Radioterapia ma zastosowanie podobne jak w raku skóry (zob. s. 2034). Wyniki leczenia są dobre, podobnie jak po leczeniu chirurgicznym. Napromienianie nieoperacyjnych przerzutów raka wargi do węzłów szyi nie daje zadowalajacych wyników. Nie napromienia się czerniaków warg.

Nowotwory jamy ustnej

Do nowotworów łagodnych należą brodawczaki i naczyniaki. Spośród nowotworów złośliwych najczęstsze są raki, które stanowią ok. 6% wszystkich nowotworów złośliwych. Przeważnie chorują ludzie starsi powyżej 60 r. życia, ale nierzadko atakowani są ludzie młodzi, nawet w dwudziestych latach życia. Częściej chorują mężczyźni. Wpływ na rozwój raka ma przewlekłe palenie tytoniu (3 do 18 razy częściej chorują palacze), w mniejszym stopniu przewlekłe używanie alkoholu.

Stanami przedrakowymi są: rogowacenie białe, brodawczaki, przewlekłe stany zapalne i zanikowe śluzówek (zespół Plummer-Vinsona), przewlekłe urazy (np. źle dopasowane protezy). Rogowacenie białe (leukoplakia) jest to rogowacenie typu naskórkowego w obrębie błon śluzowych. Występują białawe, mętne plamy. Niekiedy powierzchnia zmian jest brodawkowata, zmiany są niebolesne.

Rozwój nowotworów złośliwych. W początkowym okresie stwierdza się zgrubienie, w obrębie którego powstaje powierzchowne owrzodzenie. Z czasem tworzy się twardy, kalafiorowaty naciek, łatwo krwawiący. Może on głęboko naciekać tkanki otaczające dając silne bóle. Szybko dochodzi do przerzutów w okolicznych węzłach chłonnych – w węzłach podżuchwowych, pozagardłowych i głębokich szyi. W nowotworach zaawansowanych występują odległe przerzuty.

Rozpoznanie musi być potwierdzone badaniem histologicznym, ponieważ podobne objawy mogą dawać przewlekłe stany zapalne jamy ustnej, gruźlica, kiła, promienica, niekiedy nowotwory łagodne.

Rak języka. Nowotwór ten najczęściej powstaje na bocznych powierzchniach języka, rzadziej na jego podstawie. Ze względu na ruchomość i ukrwienie języka rozwój choroby jest bardzo szybki. Wkrótce powstają przerzuty do okolicznych węzłów chłonnych (węzły szyjne), jak i węzłów odległych. Objawami rozwoju raka są: zgrubienia, naciek, niekiedy owrzodzenie błony śluzowej, a następnie mięśni języka, utrudnienie i bóle przy połykaniu, ból promieniujący do ucha. Niekiedy pierwszym objawem jest guz szyi (przerzut do węzłów chłonnych). O rozpoznaniu decyduje badanie histologiczne. Wcześnie rozpoznany rak języka daje 75% wyleczeń.

Rak dna jamy ustnej. Ten złośliwy nowotwór występuje rzadko. Ma wygląd nacieku, często z drążącym owrzodzeniem o twardych, wałowatych brzegach. Rozwój choroby jest początkowo bezobjawowy, następnie nowotwór szybko nacieka na żuchwę i język dając silne bóle oraz przerzuty do węzłów chłonnych szyi. Przerzuty są często obustronne. Wyniki leczenia zależą od prędkości rozpoznania i rozpoczęcia leczenia. We wczesnym stadium jest uleczalny w 75%.

Rak błony śluzowej policzka i dziąseł występuje rzadko. Często wpływ na jego rozwój ma przewlekłe drażnienie mechaniczne (np. proteza). Płaski początkowo naciek następnie wrzodzieje, dając dolegliwości bólowe. Rak powoli nacieka tkanki otaczające. Rak dziąseł rozwija się wolniej niż rak błony śluzowej policzka. Wyniki leczenia zależą od stadium rozwoju i są dość dobre (do 75% wyleczeń), gdy leczenie jest rozpoczęte wcześnie.

Rak podniebienia twardego zdarza się rzadko, rozwija powoli i tylko czasami daje przerzuty.

Leczenie nowotworów jamy ustnej. L e c z e n i e c h i r u r g i c z n e. Niewielkie zmiany na błonie śluzowej policzków, dna jamy ustnej lub języka mogą być leczone zarówno operacyjnie, jak i elektrokoagulacją lub kriodestrukcją. Zmiany większe wymagają bardziej rozległych operacji, często z koniecznością jednoczesnych operacji odtwórczych przy użyciu płatów skóry szyi, np. przy operacji dna jamy ustnej lub języka (usunięcie nawet połowy języka, po odpowiedniej rehabilitacji pooperacyjnej, nie upośledza ani mowy, ani zdolności połykania). Jednocześnie usuwa się węzły chłonne szyi, zwykle po stronie zmiany (operacja Creile'a).

R a d i o t e r a p i a. We wczesnych stadiach rozwoju nowotworów jamy ustnej obok leczenia chirurgicznego ma zastosowanie leczenie śródtkankowe, polegające na wszczepieniu związków promieniotwórczych (irydu, radu itp.). W późniejszych stadiach nowotwór jest napromieniany, wraz z dorzeczem okolicznych węzłów chłonnych, promieniami X i gamma od zewnątrz. Stosuje się również połączenie metody chirugicznej z radioterapią promieniami X, gamma kobaltu oraz elektronami.

Nowotwory gardła

Oprócz nowotworów łagodnych gardła, np. włókniaków i brodawczaków, istnieją nowotwory złośliwe – raki i chłoniaki – które stanowią mniej niż 1% wszystkich nowotworów złośliwych. Przebieg nowotworów złośliwych zależy od umiejscowienia. Mogą one występować w gardle górnym, środkowym i dolnym.

Nowotwory złośliwe gardła górnego – nosogardła. R a k l u b r a k l i m f a t y c z n y albo też inne nowotwory złośliwe rozwijają się niekiedy w szczególny sposób. Mała, często trudna do wykrycia zmiana pierwotna może dawać duże przerzuty do węzłów chłonnych szyi, zwłaszcza okolicy podusznej. Pierwszym widocznym objawem choroby może być guz szyi.

We wczesnym okresie choroba ma często p r z e b i e g b e z o b j a w o w y. Zaburzenia słuchu (ucisk na ujście trąbek słuchowych), utrudnione oddychanie przez nos, porażenia nerwów czaszkowych (naciekanie podstawy czaszki), bóle, krwawienia z nosa należą już do objawów późnych. O rozpoznaniu decyduje badanie laryngologiczne i badanie histologiczne (wycinki z nacieku jamy nosogardłowej lub punkcja powiększonych węzłów chłonnych szyi). Rozpoznanie ze względu na skryty przebieg wczesnego nowotworu jest zwykle późne. Wyniki we wczesnych okresach sięgają 40–45% wyleczeń 5-letnich.

Nowotwory złośliwe gardła środkowego. Są to najczęściej raki lub raki limfatyczne migdałka podniebiennego. Zwykle stwierdza się twardy naciek, często owrzodziały w obrębie migdałka podniebiennego. Naciek może przechodzić na łuki podniebienne, podniebienie, język.

Przebieg choroby jest początkowo bezobjawowy, do objawów późnych należą bóle, trudności w połykaniu, szczękościsk. Wcześnie występują przerzuty do węzłów chłonnych szyi. O rozpoznaniu decyduje badanie histologiczne. We wczesnym okresie można uzyskać do 60% wyleczeń 5-letnich.

Nowotwory złośliwe gardła dolnego. Są to najczęściej raki, zwykle umiejscowione w okolicy tylnej ściany gardła lub w okolicy zachyłka gruszkowatego. Mogą naciekać krtań i przełyk. Po okresie bezobjawowym występują bóle promieniujące do ucha, trudności w połykaniu, duszność, chrypka, krwioplucie. Do właściwego rozpoznania dochodzi niekiedy późno ze względu na utajony przebieg nowotworu w początkowym okresie. Możliwości lecznicze są ograniczone, rokowanie poważne.

Włókniak młodzieńczy. Jest to rzadki nowotwór jamy nosogardłowej pochodzenia łącznotkankowego, występujący w wieku 6–24 lat. Może dawać duże krwawienia z nosa. Rozrost nowotworu ulega samoistnemu zahamowaniu w wieku dorosłym.

Leczenie nowotworów złośliwych gardła. Leczenie chirurgiczne nie znajduje zasadniczo zastosowania w nowotworach gardła. Niekiedy wykonuje się operacje wczesnych raków migdałka podniebiennego i gardła dolnego. Leczeniem z wyboru ze względu na dość dużą promienioczułość nowotworów i małą dostępność do leczenia chirurgicznego jest radioterapia. Nowotwory gardła we wczesnych stadiach choroby dają przerzuty do węzłów chłonnych szyi, dlatego obszar napromieniania oprócz guza pierwotnego obejmuje szyję. Dawki promieniowania i obszar napromieniania są zróżnicowane w zależności od budowy histologicznej nowotworu.

Nowotwory krtani

Nowotwory krtani mogą być łagodne, np. włókniaki i brodawczaki, oraz złośliwe, tj. rak, mięsaki włókniste i chrzęstne, czerniak, spośród których najczęściej występuje rak.

Rak krtani. Nowotwór ten stanowi ok. 5,0% wszystkich nowotworów u mężczyzn. Rzadko występuje u kobiet. Częściej chorują mężczyźni powyżej 45 r. życia. Wpływ na rozwój ma przede wszystkim przewlekłe palenie tytoniu i używanie alkoholu.

Stanami przedrakowymi są rogowacenie białe i brodawczaki.

Przebieg choroby jest początkowo skryty, następnie pojawia się chrypka i zmiana barwy głosu. Są to główne objawy raka kartani. Inne, zwykle później pojawiające się, to: bóle promieniujące do ucha, trudności w połykaniu, krwawienie, duszność. Rak ma postać płaskiego lub guzowatego, często owrzodziałego nacieku. Początkowo szerzy się w obrębie krtani, następnie przechodzi na tkanki otaczające, np. język, gardło dolne. Daje przerzuty do głębokich węzłów chłonnych szyi, w późniejszym czasie przerzuty odległe.

O rozpoznaniu raka decyduje badanie laryngologiczne i histologiczne (wycinki). Stopień zaawansowania raka zależy od wielkości zmiany miejscowej.

Rokowanie we właściwie leczonych przypadkach zależy głównie od stopnia zaawansowania choroby. We wczesnych stadiach rak krtani jest wyleczalny w 90%, w późniejszych okresach choroby rak nie przekracza 50%.

Leczenie. We wczesnych rakach krtani stosuje się radykalne leczenie promieniami rentgenowskimi lub leczenie promieniami X w warunkach terapii megawoltowej. Rzadziej możliwe są chirurgiczne zabiegi oszczędzające (np. wycięcie części krtani). W przypadkach bardziej rozwiniętych leczeniem z wyboru jest leczenie chirurgiczne. Podstawowym radykalnym zabiegiem jest wycięcie całej krtani, niekiedy z usunięciem węzłów chłonnych szyi po jednej stronie, w skojarzeniu z radioterapią.

Nowotwory zatok przynosowych i szczęki

Oprócz nowotworów łagodnych, do których zalicza się polipy i brodawczaki, występują nowotwory złośliwe, spośród których ok. 85% to raki. Przewlekłe zapalenie zatok nie jest stanem przedrakowym.

Rak zatok przynosowych i kości szczękowej, czyli masywu szczękowo-sitowego. Choroba ma przebieg dość wolny, początkowo bezobjawowy. Objawy zależą od umiejscowienia i zaawansowania procesu. Występować mogą bóle, zmniejszona drożność przewodów nosowych, zniekształcenie twarzy, wytrzeszcz gałki ocznej z ograniczeniem jej ruchomości, porażenia nerwów czaszkowych. Występują przerzuty do węzłów chłonnych podżuchwowych, szyjnych i pozagardłowych.

W rozpoznaniu podstawowe znaczenie mają: wywiady, badanie rentgenowskie (zdjęcie zatok), badanie histologiczne (punkcja lub pobranie materiału pooperacyjnego po otwarciu zatoki).

Rokowanie jest poważne. Właściwe leczenie wczesnych raków (zazwyczaj skojarzone: chirurgia i radioterapia) daje do 40% wyleczeń 5-letnich.

Nowotwory żuchwy

Nowotwory żuchwy występują rzadko. Stosunkowo najczęstsze są szkliwiaki, raki płaskonabłonkowe, mięsaki. Rokowanie poważne.

Leczenie chirurgiczne jest leczeniem z wyboru. Zasadą jest maksymalnie doszczętny zabieg operacyjny. Radioterapię stosuje się wówczas, gdy radykalizm zabiegu operacyjnego był niepewny oraz w przypadkach nieoperacyjnych.

Nowotwory tarczycy

Nowotwory tarczycy, stanowiące ok. 1% wszystkich nowotworów, częściej występują u kobiet. Dzielą się na nowotwory łagodne – gruczolaki – i złośliwe – raki.

Gruczolaki tarczycy są to ograniczone rozrosty tkanki gruczołowej. Zazwyczaj występują w formie gładkich, miękkich, pojedynczych lub mnogich guzów w obrębie gruczołu, ruchomych przy połykaniu. W niektórych przypadkach mogą ulegać zezłośliwieniu. Szybko rosnący i twardniejący gruczolak, nie pochłaniający radioaktywnego jodu, powinien nasuwać podejrzenie nowotworu złośliwego.

Raki tarczycy. Nowotwory te występują najczęściej u osób w wieku 40–63 lat, częściej u kobiet. Wpływ na rozwój raka może mieć: napromieniowanie promieniami X okolicy szyi w dzieciństwie, niedobór jodu, uwarunkowania genetyczne, wole guzkowate. Stanami przedrakowymi tarczycy mogą być gruczolaki. Rak tarczycy ma postać twardego, pojedynczego guza lub rozlanego nacieku części lub całej tarczycy. Często powiększone są węzły chłonne w obrębie szyi.

Raki tarczycy dzieli się na dwie grupy: raki dobrze zróżnicowane (rak pęcherzykowy, rak brodawczakowy), które rosną powoli i dają późno przerzuty, oraz raki niezróżnicowane (lite) – o szybkim przebiegu, dające wcześnie przerzuty odległe.

Rozpoznanie opiera się na badaniu scyntygraficznym tarczycy po podaniu radioaktywnego jodu 131 i badaniu histologicznym po punkcji lub w czasie operacji. Guzki nie wychwytujące jodu, tzw. guzki zimne, budzą podejrzenie raka. We wczesnych, dobrze zróżnicowanych rakach tarczycy po prawidłowym leczeniu wyleczenia dochodzą do 80%. W przypadku nowotworów niezróżnicowanych wyniki są znacznie gorsze.

Leczenie. Leczenie chirurgiczne polega na usunięciu pojedynczego guzka tarczycy, czasem jednego płata lub nawet całego gruczołu. W niektórych przypadkach razem z tarczycą są usuwane węzły chłonne szyi (zob. Chirurgia tarczycy, s. 1528).

Radioterapia ma zastosowanie w bardziej zaawansowanych rakach tarczycy. W rakach dobrze zróżnicowanych leczenie polega na podawaniu izotopu jodu 131. W rakach niezróżnicowanych stosowane jest napromienianie promieniami X w warunkach terapii megawoltowej. Czasami kojarzy się leczenie operacyjne z napromienianiem.

Chemioterapia ma zastosowanie jako leczenie uzupełniające.

Hormonoterapia jest stosowana w wysoko zróżnicowanych rakach i polega na podawaniu hormonów tarczycy.

Nowotwory ślinianek

Nowotwory ślinianek bywają łagodne, półzłośliwe, tzn. o miejscowej złośliwości, i złośliwe. Nowotwory łagodne to: gruczolak limfatyczny, gruczolakotorbielak (guz Warthina), onkocytoma, guz śluzowo-nabłonkowy

Stewarda (postać łagodna), tłuszczaki, naczyniaki i inne. Do n o w o t w o r ó w z ł o ś l i w y c h należą: guz śluzowo-nabłonkowy Stewarda (postać złośliwa), raki i oblak.

Gruczolak wielopostaciowy, czyli **guz mieszany**. Jest to najczęstszy guz ślinianek. Występuje w postaci sprężystego, niebolesnego, niewielkiego guzka, najczęściej w śliniance przyusznej, który rośnie przez wiele lat i nieraz osiąga duże rozmiary. Komórki nowotworowe guza często przerastają jego torebkę, dlatego po wyłuszczeniu nierzadko występują nawroty miejscowe, czyli w z n o w y. Guz mieszany może ulegać zezłośliwieniu. W każdej wznowie po operacji istnieje większa możliwość zezłośliwienia guza. R o z p o z n a n i e opiera się na badaniu klinicznym i histologicznym. Materiał do badania histologicznego uzyskuje się drogą punkcji. R o k o w a n i e po szerokim usunięciu gruczolaka wielopostaciowego jest dobre.

Raki ślinianek mogą mieć budowę gruczolaków lub raków niezróżnicowanych. Często rozwijają się na tle guza mieszanego (zob. wyżej). Podobnie jak guzy mieszane, w większości przypadków rozwijają się w śliniance przyusznej. Występują uporczywe bóle promieniujące do ucha, niekiedy szczękościsk, objawy porażenia nerwu twarzowego. Występują przerzuty do węzłów chłonnych szyi, następnie do narządów odległych. R o k o w a n i e poważne.

Oblak. Jest to rzadki guz o złośliwości przede wszystkim miejscowej. Rośnie powoli. Długo istniejący oblak może jednak dawać odległe przerzuty.

Leczenie. L e c z e n i e c h i r u r g i c z n e guzów ślinianek rzadko bywa leczeniem wystarczającym. Najczęściej zabiegi operacyjne są kojarzone z następowym n a p r o m i e n i a n i e m. Pewne niebezpieczeństwo jest związane z usuwaniem guza ślinianki przyusznej, ponieważ przez ślinankę przechodzi nerw twarzowy. Zdarzają się przypadki uszkodzenia tego nerwu, co powoduje porażenie połowy twarzy. Konieczne jest wówczas leczenie usprawniające i zabiegi plastyczne.

Guzy szyi

Większość guzów nowotworowych szyi to przerzuty do węzłów chłonnych tej okolicy. Źródłem przerzutów są nowotwory głowy i szyi lub innych narządów (żołądek, płuca, jajnik itp.). Do nowotworów pierwotnych szyi zalicza się n o w o t w o r y t a r c z y c y i p r z y t a r c z y c. T o r b i e l e s z y i są następstwem zaburzeń rozwojowych. Mają postać guza szyi, ale nie są nowotworami.

Stwierdzenie guza szyi wymaga natychmiastowego badania specjalistycznego. O dokładniejszym rozpoznaniu i ustaleniu właściwego leczenia decyduje badanie histologiczne (punkcja lub zbadanie usuniętej części albo całego guza).

Nowotwory układu wzrokowego

Zob. Choroby układu wzrokowego, s. 1709.

Nowotwory układu pokarmowego

W Polsce nowotwory układu pokarmowego stanowią ok. 1/4 wszystkich nowotworów u kobiet i ok. 1/3 nowotworów u mężczyzn. Najczęściej występują w wieku 50–70 lat. Najważniejszą rolę etiologiczną odgrywają składniki żywieniowe. W społeczeństwach bogatych częstsze są raki jelita grubego, w społeczeństwach ubogich raki żołądka.

Rak przełyku

R a k i p r z e ł y k u stanowią 2,0% wszystkich nowotworów u mężczyzn i 0,5% u kobiet. Czynnikami predysponującymi są: przewlekłe stany zapalne i zanikowe śluzówki oraz palenie tytoniu w połączeniu z nadużywaniem alkoholu. Najczęściej rozwijają się raki płaskonabłonkowe o małym stopniu zróżnicowania histologicznego. Mają one charakter owrzodziałego guza i przeważnie powstają w 1/3 środkowej części przełyku, rzadko w 1/3 górnej części.

Objawy. Każde utrudnione przechodzenie kęsa pokarmowego przez przełyk musi budzić podejrzenie raka i powinno być wskazaniem do natychmiastowego zgłoszenia się do lekarza i przeprowadzenia specjalistycznych badań. Wyraźne objawy występują bardzo późno. U ok. 90% chorych oprócz zaburzeń połykania występuje spadek masy ciała. Mogą też wystąpić osłabienie, brak apetytu, wymioty, powiększenie węzłów chłonnych szyi. W stadium raków zaawansowanych pojawia się chrypka (porażenie nerwu zwrotnego) i uporczywy kaszel (przetoka przełykowo-tchawicza).

Leczenie c h i r u r g i c z n e jest trudne. Usunięty przełyk jest zastępowany częścią żołądka lub jelita przemieszczoną do klatki piersiowej. Jeśli jest to niemożliwe, aby umożliwić choremu odżywianie, do żołądka wprowadza się dren z tworzywa sztucznego lub gumy, którego część zewnętrzna jest wszyta w powłoki brzuszne. Jest to tzw. g a s t r o s t o m i a pozostawiana najczęściej na stałe. Udrożnić przełyk można też za pomocą lasera.

W leczeniu raka przełyku, zwłaszcza w jego górnym i środkowym odcinku, gdzie leczenie chirurgiczne ma ograniczone możliwości, znajduje zastosowanie r a d i o t e r a p i a. W niewielkich zmianach nowotworowych jako leczenie doszczętne ta metoda terapii daje możliwość trwałego wyleczenia. W bardziej zaawansowanych nowotworach napromienianie ma najczęściej charakter paliatywny, tzn. jest stosowane w celu przyniesienia ulgi choremu. Stosowana jest terapia megawoltowa i duże dawki promieniowania. R o k o w a n i e jest poważne.

Nowotwory żołądka

Nowotwory żołądka stanowią 8,8% nowotworów u mężczyzn oraz 5,6% nowotworów u kobiet. W Polsce rak żołądka jest drugim co do częstości występowania nowotworem u mężczyzn i szóstym u kobiet.

Rak żołądka. Zachorowaniu prawdopodobnie sprzyja dieta o wysokiej zawartości skrobi, uboga w świeże warzywa i owoce (mała ilość witaminy C). Do innych czynników usposabiających należą stany przedrakowe, do których zalicza się: gruczolaki (polipy), niedokrwistość złośliwą, stany po resekcji żołądka (w 15–20 lat po resekcji) oraz chorobę wrzodową. Wrzód trawienny żołądka ulega przemianie złośliwej w ok. 5–10% przypadków. Obok ww. do stanów przedrakowych należy też metaplazja, czyli nieprawidłowe przekształcenie nabłonka w żołądku, które prowadzi do rozwoju raka żołądka typu jelitowego oraz dysplazja stanowiąca wysokie ryzyko zachorowania na raka.

Rak gruczołowy stanowi ok. 97% nowotworów żołądka. Pozostałe 3% to nowotwory łagodne, spośród których najczęstszy jest mięśniak gładkokomórkowy.

Umiejscowienie raka jest podobne do umiejscowienia wrzodów trawiennych. W ponad połowie przypadków występuje w części przedodźwiernikowej żołądka, w ponad 26% – wzdłuż krzywizny mniejszej, w ok. 10% – we wpuście i w okolicy podwpustowej, w ok. 2–3% – wzdłuż krzywizny większej.

Rak żołądka szerzy się naciekając ścianę żołądka i powodując jej usztywnienie, następnie wrasta do narządów otaczających sieci, trzustki, krezki. Daje przerzuty do węzłów chłonnych okolicznych i odległych, m.in. nadobojczykowych lewych, krwiopochodne przerzuty do wątroby oraz wszczepy do otrzewnej. U kobiet powstają przerzuty w jajnikach (guz Kruckenberga).

Objawy. W 50% przypadków pierwszym objawem jest krwawienie z przewodu pokarmowego i zwykle jest to objaw raka zaawansowanego. Do późnych objawów należy też utrata masy ciała, brak apetytu i wyczuwalny guz. Do objawów wczesnych zalicza się następujące dolegliwości:

1) uczucie gniecenia, przepełnienia, pieczenie itp. (tzw. dyskomfort) w nadbrzuszu;

2) pobolewanie lub bóle w nadbrzuszu mogące przypominać chorobę wrzodową, z sezonowością występowania włącznie;

3) niedokrwistość niedobarwliwa; w olbrzymiej większości przypadków jest to objaw nowotworu przewodu pokarmowego; niedokrwistość pierwotna tego typu należy do rzadkich chorób.

Rozpoznanie. Zalecane są następujące badania:

1) Badanie kału na krew utajoną. Wynik dodatni świadczy o prawdopodobieństwie nowotworu. Jednorazowy wynik ujemny nie ma wartości diagnostycznej.

2) Badanie radiologiczne żołądka i dwunastnicy. Jest ono wysoce skuteczne i pozwala na ustalenie charakteru zmiany chorobowej, jej rozległości i umiejscowienia. Jeśli badanie kontrolne w czasie leczenia choroby wrzodowej nie pozwala na stwierdzenie zagojenia wrzodu po 4–6 tygodniach prawidłowego leczenia, wrzód taki jest uznawany za potencjalnego raka.

3) Gastrofiberoskopia, czyli wziernikowanie żołądka, pozwalające na bezpośrednią ocenę procesu chorobowego i pobranie wycinków do badania mikroskopowego.

Leczenie chirurgiczne jest metodą z wyboru i polega na usunięciu żołądka lub jego części. Po usunięciu części żołądka pozostała jego część rozciąga się do wielkości umożliwiającej normalne odżywianie. Po usunięciu całego żołądka narząd ten można odtworzyć z jelita.

Radioterapia i chemioterapia mają ograniczone znaczenie. Niekiedy jest stosowana chemioterapia wielolekowa.

Rokowanie zależy od stopnia zaawansowania raka i jego postaci histologicznej.

Zapobieganie jest trudne. Pewne efekty daje zastosowanie właściwej diety (większa ilość świeżych owoców i jarzyn), leczenie stanów przedrakowych i stała kontrola osób z podwyższonym ryzykiem choroby (anemia złośliwa, stan po operacji żołądka, przewlekłe wrzody żołądka, rozrost błony śluzowej żołądka, dłużej utrzymujące się, ok. 3 miesięcy, objawy gastryczne, ryzyko gentyczne).

Nowotwory jelita cienkiego

Nowotwory w jelicie cienkim występują rzadko. W Polsce notuje się ok. 50 zachorowań na nowotwory złośliwe rocznie. Przeważnie chorują osoby po 50 r. życia. U osób młodszych rozwijają się przeważnie nowotwory łagodne i chłoniaki złośliwe, u starszych – raki. Około 1/3 wszystkich nowotworów jelita cienkiego stanowią zmiany łagodne, najczęściej gruczolaki (polipy), 1/3 – raki i rakowiaki, pozostałą 1/3 – chłoniaki i mięsaki. Około 50% wszystkich nowotworów jelita cienkiego umiejscawia się w dwunastnicy i pierwszej pętli jelita czczego. Do najczęstszych objawów należą: bóle brzucha, spadek masy ciała, wymioty, żółtaczka.

Rakowiak. Jest to nowotwór, który może rozwinąć się w każdym odcinku przewodu pokarmowego, najczęściej jednak umiejscawia się w wyrostku robaczkowym, a następnie w odbytnicy i okrężnicy. Powstaje równie często u osób obojga płci, po 50 r. życia. Rakowiaki wydzielają serotoninę lub histaminę i bradykininę.

Objawy. Poza zwykłymi objawami guza przewodu pokarmowego rakowiak może wywoływać objawy nadmiernego wytwarzania serotoniny i napadowe biegunki, kolkę brzuszną, zmienne wykwity rumieniowe na twarzy, napady dychawicy oskrzelowej i inne. Objawy te noszą nazwę zespołu rakowiaka.

Leczenie nowotworów jelita cienkiego jest chirurgiczne i polega na usunięciu części jelita wraz ze zmianą oraz odtworzeniu ciągłości jelita przez zeszycie pozostałych jego odcinków. Usunięcie nawet metrowych odcinków jelita nie powoduje istotnych zaburzeń w funkcjonowaniu organizmu.

Raki jelita grubego

Raki jelita grubego stanowią ponad 8% wszystkich nowotworów złośliwych. Mężczyźni chorują nieco rzadziej. Przeważają chorzy starsi, choć zdarzają się zachorowania osób młodych i dzieci.

W powstaniu raka jelita grubego odgrywają rolę następujące czynniki:

1) polipowatość rodzinna – w przypadku nieleczenia, na tle tej

choroby rak rozwija się nieuchronnie po rozmaicie długim czasie, często u osób młodych i wieloogniskowo;

2) wrzodziejące nieswoiste zapalenia jelita grubego – po wielu latach trwania tej choroby rak rozwija się 30–60-krotnie częściej niż u osób uprzednio zdrowych;

3) gruczolak kosmkowy – jest to stan szczególnego zagrożenia rakiem;

4) gruczolaki (polipy) mieszane lub cewkowe, zwłaszcza umiejscowione w dalszym odcinku jelita grubego; większe niż jeden centymetr, wrzodziejące, szybko powiększające się, zatracające szypułę i rozwijające się u chorych po 40 r. życia wymagają szybkiego leczenia, gdyż pod tymi postaciami mogą „ukrywać się” wczesne raki.

Uchyłkowatość lub stan zapalny uchyłków jelita grubego nie stanowią zagrożenia rakiem, natomiast bardzo często utrudniają jego rozpoznanie.

Około 50% raków jelita grubego rozwija się w odbytnicy i jest stosunkowo łatwych do wykrycia. W esicy umiejscawia się ok. 25% raków; można je wykryć za pomocą wziernikowania.

Raki jelita grubego mają utkanie gruczolakoraka o różnym stopniu złośliwości histologicznej. Rak okrężnicy może tworzyć polipowate, łatwo krwawiące guzy, które rzadko powodują zaburzenie drożności jelit. Może także rozwijać się w postaci owrzodziałych nacieków, które wcześnie zwężają światło jelita i powodują objawy przewlekłej niedrożności (naprzemienne zaparcia i biegunki). Raki jelita grubego naciekają otaczające tkanki, powodując niekiedy przetoki do sąsiednich narządów.

Objawy raka jelita grubego w dużym stopniu zależą od umiejscowienia guza. Raki lewej połowy okrężnicy powodują: zmianę rytmu wypróżnień, naprzemienne biegunki i zaparcia, pojawienie się świeżej krwi w stolcu, parcie daremne, uczucie niepełnego wypróżnienia, bóle podbrzusza po stronie lewej i (lub) bóle krocza, częste objawy niedrożności. Raki prawej połowy okrężnicy objawiają się niedokrwistością niedobarwliwą, wyczuwalnym guzem, bólem w prawym dole biodrowym albo w podbrzuszu, rzadko dają objawy niedrożności.

Rokowanie jest dość dobre. Zajęcie węzłów chłonnych rokowanie pogarsza, podobnie jak niedrożność lub perforacja.

Leczenie. Chirurgicznie są leczone wszystkie gruczolaki, polipowatość rodzinna i operacyjne postacie raków. Polipowatość rodzinną powino się leczyć radykalnie już w wieku młodym. Leczeniem z wyboru jest doszczętne wycięcie okrężnicy z wytworzeniem stałej przetoki jelita cienkiego (ileostomia). Leczenie chirurgiczne raka jelita grubego polega na usunięciu zmiany nowotworowej wraz z częścią jelita i odtworzeniu jego ciągłości. Czasami jest konieczne wytworzenie przetoki kałowej, zwanej sztucznym odbytem. Zwykle po kilku miesiącach przetokę tę można zamknąć i przywrócić naturalną drogę oddawania stolca. Jeśli nowotwór znajduje się w odbycie lub w dolnej części odbytnicy, usuwa się dolny odcinek jelita wraz ze zmianą chorobową i na stałe wytwarza sztuczny odbyt w okolicy biodrowej.

Radioterapię w raku odbytnicy i odbytu można stosować jako leczenie przed- lub pooperacyjne. W nowotworach nieoperacyjnych lub we wznowach po leczeniu chirurgicznym możliwości leczenia paliatywnego są bardzo ograniczone. Czynione są próby poprawy wyników leczenia przez stosowanie po operacji leczenia chemicznego, połączonego z immunoterapią.

Zapobieganie polega na leczeniu stanów przedrakowych, badaniu odbytnicy palcem przez lekarza, badaniu kału na krew utajoną oraz wziernikowaniu jelita grubego.

Nowotwory odbytu

Nowotwory odbytu stanowią ok. 1% wszystkich nowotworów. Najczęściej są to raki płaskonabłonkowe lub gruczołowate. Z innych nowotworów najczęściej występuje czerniak złośliwy. Stanami usposabiającymi do powstania raka odbytu są długotrwałe przetoki okołoodbytnicze, przewlekłe stany zapalne oraz kłykciny kończyste.

Raki odbytu objawiają się bólem, krwawieniem, świądem, pieczeniem, zwłaszcza po oddaniu stolca. Niekiedy pierwszym objawem jest guz w odbycie lub jego okolicy albo też powiększenie węzłów chłonnych pachwinowych. Rozpoznanie jest łatwe. Leczenie jest najczęściej chirurgiczne i polega na wycięciu guza lub całej odbytnicy oraz wytworzeniu trwałej przetoki kałowej.

Radio- i chemioterapia mają znaczenie ograniczone.

Nowotwory trzustki

Nowotwory trzustki stanowią ponad 3% wszystkich nowotworów. Występują w 50–60 latach życia, nieco wcześniej u mężczyzn oraz u osób palących tytoń i chorujących na przewlekłe zapalenie pęcherzyka żółciowego i kamienie żółciowe. Do nowotworów łagodnych należy wyspiak, gastrinoma i glukagonoma, spośród nowotworów złośliwych najczęstszy jest rak.

Wyspiak wywodzi się z komórek wysp trzustki produkujących hormon isnulinę. Jest to dość rzadki guz o charakterze gruczolaka, wywołujący napady niedocukrzenia.

Gastrinoma. Jest to gruczolak wywodzący się z utkania wyspowego trzustki, produkujący hormon gastrynę powodującą owrzodzenie żołądka. Choroba ma ciężki przebieg dając charakterystyczny zespół objawów zwany zespołem Zollingera-Ellisona (guz trzustki i owrzodzenie żołądka).

Glukagonoma. Jest to rzadki nowotwór o charakterze gruczolaka powstałego z komórek wyspowych, wytwarzający hormon trzustkowy glukagon.

Rak trzustki jest najczęstszym nowotworem tego narządu. Umiejscawia się w 2/3 przypadków w głowie trzustki, w 1/3 przypadków w ogonie i trzonie.

Mięsak trzustki jest nowotworem złośliwym występującym bardzo rzadko.

Objawy. Nowotwory trzustki wydzielające hormony zwykle dają objawy powodowane nadmiarem tych hormonów. Objawy raka zależą od umiejscowienia. Rak głowy trzustki szybko powoduje żółtaczkę, niedokrwistość, wyniszczenie i objawy zwężenia dwunastnicy. W raku ogona i trzonu trzustki na pierwszy plan wysuwają się bóle w nadbrzuszu promieniujące ku tyłowi.

Rozpoznanie wczesnych nowotworów trzustki, zwłaszcza raka, jest trudne. Bardzo pomocne są badania za pomocą tomografii komputerowej oraz ultrasonografii. Zwykle rozpoznanie ustala się po otwarciu jamy brzusznej i zbadaniu pobranego materiału tkankowego pod mikroskopem.

Leczenie, zwykle operacyjne, zależy od umiejscowienia nowotworu. Przy zmianach położonych w obrębie ogona trzustki leczenie polega na usunięciu części trzustki wraz z guzem. Przy nowotworach głowy trzustki oprócz części trzustki usuwa się również część dwunastnicy. Chorzy po takich operacjach zwykle muszą być dodatkowo i stale leczeni podawaniem enzymów trzustkowych, a często również i insuliny, jako leku przeciw cukrzycy powstałej na skutek operacji.

Zapobieganie polega głównie na zaprzestaniu palenia tytoniu oraz leczeniu stanów zapalnych trzustki, pęcherzyka żółciowego i kamicy żółciowej.

Nowotwory wątroby

Pierwotne nowotwory wątroby występują rzadko. Częstsze są guzy przerzutowe raka innych narządów. Do pierwotnych nowotworów należy *wątrobiak* i *rak* przewodów wewnątrzwątrobowych. Wątrobiak jest związany z marskością wątroby i z uprzednim zakażeniem wirusem B żółtaczki zakaźnej (HBV), natomiast rak przewodów wewnątrzwątrobowych z zakażeniem przywrą pasożytniczą.

Objawy wczesne nowotworów wątroby są niecharakterystyczne, podobne do powszechnie występujących dolegliwości w innych chorobach wątroby i pęcherzyka żółciowego. Są to: uczucie pełności, rozpieranie w prawym podżebrzu, pobolewania i bóle w tej okolicy. Wyczuwalny guz jest *późnym objawem* choroby.

Rozpoznanie ustala się na podstawie badań, głównie ultrasonografii, scyntygrafii wątroby, tomografii komputerowej, jądrowego rezonansu magnetycznego oraz badania histologicznego tkanki uzyskanej z punkcji guza.

Zapobieganie polega na leczeniu stanów zwiększających ryzyko zachorowania, takich jak kamica wątrobowa, zakażenie przywrą, żółtaczka zakaźna. W marskości wątroby jest niezbędna okresowa kontrola, ponieważ choroba ta stanowi wysokie ryzyko zachorowania na nowotwór złośliwy tego narządu. Ryzyko zachorowania na wątrobiaka zwiększa zawodowy kontakt z chlorkiem winylu, dlatego też jest niezbędne stosowanie właściwych warunków ochronnych.

Leczenie. Wyniki leczenia pierwotnych nowotworów złośliwych są złe. *Leczenie chirurgiczne* polega na usunięciu części wątroby razem z guzem nowotworowym. Dzięki zdolnościom regeneracyjnym jest możliwe usuwanie znacznej części wątroby, bez ujemnych następstw dla jej przyszłej czynności. *Radioterapia* jest niekiedy stosowana w guzach promienioczułych.

Nowotwory pęcherzyka żółciowego i przewodów żółciowych

Nowotwory złośliwe częściej występują u kobiet (ok. 4%) niż u mężczyzn (ok. 1,2%). Na ogół występują powyżej 50 r. życia u osób z kamicą żółciową (75% przypadków). Najczęstszym nowotworem złośliwym jest rak, bardzo rzadko występują inne nowotwory.

Rak pęcherzyka żółciowego. Najczęstszą postacią jest rak gruczołowy, rzadziej – płaskonabłonkowy.

O b j a w y w c z e s n e są niecharakterystyczne, takie jak przy kamicy żółciowej lub przewlekłym zapaleniu tego narządu. Stałym objawem jest ciągły ból w prawym podżebrzu i podbrzuszu, niezależny od rodzaju diety. Dołącza się brak łaknienia, wymioty, osłabienie. Żółtaczka i guz w okolicy pęcherzyka żółciowego są późnymi objawami.

R o z p o z n a n i e wczesnych przypadków odbywa się na podstawie badania mikroskopowego wyciętego pęcherzyka żółciowego, zwykle przypadkowo po usunięciu pęcherzyka z powodu kamicy. Rokowanie jest wówczas w miarę pomyślne.

L e c z e n i e chirurgiczne polega na usunięciu pęcherzyka, czasem z częścią przylegającej do niego tkanki wątrobowej.

Z a p o b i e g a n i e polega na leczeniu kamicy żółciowej.

Nowotwory układu oddechowego

Nowotwory tchawicy

Nowotwory tchawicy występują rzadko, jakkolwiek są znane zarówno guzy łagodne: włókniaki, gruczolaki, jak i złośliwe – raki. Podstawowym o b j a w e m jest kaszel, następnie duszność. O r o z p o z n a n i u decyduje bronchoskopia i badanie histologiczne (wycinki z guza).

Nowotwory oskrzeli i płuca

Do łagodnych nowotworów oskrzeli należą gruczolaki, rzadko włókniaki, tłuszczaki i śluzaki, do złośliwych – raki. Guzem na pograniczu łagodnego nowotworu i zaburzenia rozwojowego jest hamartoma.

Gruczolaki oskrzeli stanowią 2–8% wszystkich nowotworów oskrzeli. Występują najczęściej w 20–30 latach życia, częściej u kobiet, przede wszystkim w obrębie dużych oskrzeli.

O b j a w y. Kaszel, krwioplucie, niekiedy duszność o zmiennym nasileniu oraz inne dolegliwości; przebieg choroby i badanie rentgenowskie mogą sugerować raka płuc. R o z p o z n a n i e może być potwierdzone na podstawie badania tomograficznego klatki piersiowej, bronchoskopii oraz badań histologicznych wycinka pobranego w czasie wziernikowania oskrzeli. Najczęściej, bo w 90%, występuje r a k o w i a k oraz o b l a k oskrzeli.

W przebiegu r a k o w i a k a może występować z e s p ó ł o b j a w ó w ogólnych związanych z wytwarzaniem przez guz 5-hydroksytryptofanu (prekursora serotoniny): napadowe rumienie skóry twarzy i tułowia, bóle brzucha, biegunki. W kilku procentach przypadków gruczolaki oskrzela ujawniają potencjalną złośliwość – nawracają w leczeniu operacyjnym, naciekają tkanki otaczające i okoliczne węzły chłonne, a nawet dają odległe przerzuty.

Hamartoma. Jest to zaburzenie rozwojowe mające charakter guza, który rozwija się w ścianie oskrzela. Zaburzenie to polega na nieprawidłowym zestawieniu elementów tkankowych danej okolicy. W skład guza wchodzą tkanki: chrzęstna łączna, tłuszczowa i nabłonkowa. R o k o w a n i e jest dobre. Guz bardzo rzadko ulega zezłośliwieniu.

Rak oskrzela lub **rak płuca**. Rak płuca jest szeroko stosowanym synonimem raka oskrzeli. Zazwyczaj rozwija się w obrębie nabłonka błon śluzowych oskrzeli lub oskrzelików oraz z gruczołów oskrzeli. Istnieją 4 podstawowe typy histologiczne raka płuca:

r a k p ł a s k o n a b ł o n k o w y – najczęstszy (ok. 50%), o stosunkowo najpomyślniejszym przebiegu;

r a k d r o b n o k o m ó r k o w y niezróżnicowany – o dużej dynamice przebiegu i złośliwości, drugi co do częstości występowania (ok. 20–25%);

r a k g r u c z o ł o w y – stanowi ok. 15–20% wszystkich przypadków raka, dynamika jego rozwoju jest nieco mniejsza;

r a k w i e l k o k o m ó r k o w y – występuje rzadziej, dynamika zmian jest duża.

Te podstawowe typy histologiczne raka płuca stanowią 90% tego nowotworu.

Rak płuca na ogół występuje między 45 i 65 rokiem życia, jest najczęstszym nowotworem u mężczyzn i stanowi 29% wszystkich chorób nowotworowych. Częstość zachorowań u kobiet wynosi 7,0%. Po 2000 r. w krajach rozwiniętych rak płuca stanie się najczęstszym nowotworem złośliwym także u kobiet. Przewiduje się dalsze zwiększenie liczby zachorowań u obu płci.

P r z y c z y n y. Istnieje ścisła zależność między wzrostem zapadalności na raka płuca i wielkością produkcji oraz paleniem tytoniu. Szkodliwe działanie wywiera dym tytoniowy, zarówno składniki jego fazy gazowej (cyjanowodór, aldehyd mrówkowy, akreloina i in.), jak i fazy stałej (ciała smołowate – przede wszystkim policykliczne węglowodory aromatyczne). Przewlekłe palenie tytoniu zwiększa ryzyko zachorowania 10–40-krotnie, zwłaszcza po 45 r. życia. Inne czynniki szkodliwe – narażenie w niektórych zawodach (przemysł metalowy, górniczy, kontakt z azbestem), zanieczyszczenie powietrza atmosferycznego – mają mniejsze znaczenie. Czynniki te oddziałują w większym stopniu na palaczy (sumowanie czynników szkodliwych).

O b j a w y raka płuca są różne i zależą od umiejscowienia, zaawansowania i typu histologicznego guza. Dzieli się je na ogólne, płucne i pozapłucne.

O b j a w y o g ó l n e to osłabienie, zmniejszenie aktywności, uczucie znużenia, złe samopoczucie, spadek masy ciała. Są to często jedyne objawy choroby, która w pierwszej fazie rozwoju, a nawet później, może mieć przebieg skryty. Objawy płucne to kaszel, krwioplucie, nawracające zapalenie płuc, bóle w klatce piersiowej, duszność, chrypka. Najczęstszym i niejednokrotnie jedynym objawem jest suchy kaszel. Objawy pozapłucne to dolegliwości i zmiany stawowe, zmiany neurologiczne, skórne, zaburzenia hormonalne i metaboliczne.

W zależności od lokalizacji wyróżnia się: raka płuca centralnego (pochodzącego z dużych, głównych oskrzeli), raka płuca pośredniego (z rozgałęzień oskrzeli o mniejszym przekroju) i raka płuca obwodowego (z drobnych oskrzelików).

W zaawansowanych stadiach rak nacieka dużą część tkanki płucnej i daje przerzuty do węzłów wnęki płucnej i śródpiersia. Rak szczytu płuca powoduje niekiedy silne bóle barku, bóle ręki promieniujące do IV i V palca, opadanie powieki, zwężenie źrenicy po stronie zmiany, suchość gałek ocznych. W przebiegu choroby może dochodzić do uszkodzenia górnych żeber. Naciekanie raka i ucisk na duże naczynia może wywoływać obrzęk górnej połowy ciała, rozszerzenie powierzchownych żył w obrębie tułowia (tzw. głowa meduzy) i narastającą duszność.

Rozwój raka płuca zmniejsza w różnym stopniu sprawność chorego. Sprawnością określa się stan fizyczny chorego. Ma ona decydujący wpływ na tolerancję leczenia i rokowanie.

Rozpoznanie ustala się na podstawie zdjęć rentgenowskich klatki piersiowej, zdjęć tomograficznych, badania plwociny, wziernikowania oskrzeli, oceny cytologicznej wymazu z oskrzeli lub histologicznej wycinków. W guzach obwodowych niedostępnych do badania bronchoskopowego, w celu weryfikacji stosuje się cienkoigłową punkcję przez ścianę klatki piersiowej.

Rokowanie w raku płuca jest bardzo poważne, zależy od zaawansowania procesu, utkania histologicznego raka, stopnia sprawności chorego i radykalności podjętego leczenia. Najgorzej rokuje rak niezróżnicowany. Szanse trwałego wyleczenia mają chorzy o dużej sprawności, po radykalnych zabiegach chirurgicznych. Chory z rakiem płuca nie leczony przeżywa przeciętnie 6–8 miesięcy od rozpoznania.

Leczenie. W raku płuca stosuje się leczenie chirurgiczne, radioterapię i chemioterapię, jako metody samodzielne lub w skojarzeniu.

Leczenie operacyjne polega na usunięciu wraz z guzem płata płucnego lub całego płuca. W niektórych typach nowotworów zabieg może być ograniczony do samego guza. W fazie badań klinicznych znajdują się stosowane w bardzo wczesnych zmianach metody kriochirurgiczne i elektrochirurgiczne. Usunięcie nawet całego płuca pozwala znacznej części chorych powrócić do pełnej aktywności życiowej. Zob. też Chirurgia, s. 1445.

Radioterapia ma zastosowanie w leczeniu doszczętnym jako uzupełnienie leczenia chirurgicznego, rzadziej jako metoda samodzielna. Przeważnie jest stosowana jako leczenie paliatywne, zarówno w leczeniu guzów pierwotnych w obrębie klatki piersiowej, jak i odległych przerzutów, zwłaszcza do kości i mózgu. W tych przypadkach jest niekiedy kojarzona z leczeniem środkami cytostatycznymi, tj. ze stosowaniem leków hamujących podział komórek (chemioterapia).

W rakach niedrobnokomórkowych (płaskonabłonkowych, wielkokomórkowych i gruczołowych) po leczeniu chirurgicznym radioterapia ma na celu zniszczenie ewentualnych nie usuniętych mikroskopowych ognisk raka w okolicy cięcia chirurgicznego i w okolicznych węzłach chłonnych. Stosowane dawki są duże. Czynnikiem limitującym wielkość dawek jest możliwość uszkodzenia prawidłowej tkanki płucnej, serca i rdzenia kręgowego.

W rakach drobnokomórkowych radioterapia jest często stosowana jako leczenie uzupełniające chemioterapię. Dawki stosowane w tych przypadkach są niższe, a leczenie paliatywne przynosi choremu dużą ulgę i ustąpienie ciężkich objawów. W leczeniu odległych przerzutów, zwłaszcza w mózgu i w kościach, zastosowanie umiarkowanych dawek promieniowania daje zazwyczaj szybko i często długotrwałe efekty.

Chemioterapia. Ten rodzaj leczenia przynosi pomyślne rezultaty w raku płuca drobnokomórkowym, który wykazuje dużą wrażliwość na leki. W niektórych ośrodkach leczenie tego typu raka rozpoczyna się od leczenia chemicznego, które ewentualnie uzupełnia się leczeniem operacyjnym lub napromienieniowaniem.

Nowotwory wtórne płuc. Są to przerzuty innych nowotworów do płuc. Często występują liczne ogniska nowotworu. O rozpoznaniu decyduje badanie mikroskopowe lub stwierdzenie ogniska pierwotnego.

Nowotwory opłucnej

Nowotwory pierwotne opłucnej występują bardzo rzadko. Przeważnie jest to międzybłoniak wywodzący się z międzybłonków opłucnych. Nowotwór ten, o dużej złośliwości, rośnie guzowato lub nacieka szeroko powierzchnie opłucnej. Może naciekać ścianę klatki piersiowej, dawać przerzuty do węzłów wnęki płuca i śródpiersia, także przerzuty odległe, np. do wątroby. W jamie opłucnej występuje płyn. Rokowanie jest bardzo poważne.

Nowotwory wtórne to najczęściej przerzuty do opłucnej innych nowotworów złośliwych (np. sutka) lub nacieki w wyniku szerzenia się nowotworu przez ciągłość (np. raka płuca). Zwykle występują wtedy wysięki nowotworowe do jamy opłucnej. O rozpoznaniu decyduje m.in. badanie cytologiczne płynu opłucnego. Leczenie chirurgiczne i leczenie energią promienistą rzadko znajdują zastosowanie. Leczenie cytostatykami daje ograniczone efekty.

Nowotwory śródpiersia

Charakteryzuje je duża różnorodność. Nowotwory złośliwe stanowią 30% guzów śródpiersia. Wyróżnia się:

1) nowotwory pierwotne śródpiersia;

2) choroby układowe o lokalizacji śródpiersiowej (np. ziarnica złośliwa, chłoniaki);

3) guzy wrastające do śródpiersia przez ciągłość z innych narządów (z tarczycy – wole zamostkowe, z tchawicy, dużych oskrzeli, przełyku, rzadziej serca, dużych naczyń);

4) nowotwory przerzutowe, najczęściej w przebiegu raka płuca, jąder, jajników, tarczycy, sutka;

5) torbiele śródpiersia.

O b j a w y są ściśle związane z lokalizacją zmian, przede wszystkim z uciskiem na otaczające narządy. Są to: chrypka, kaszel, zaburzenia połykania, duszność, bóle w klatce piersiowej, objawy nacisku na duże naczynia żylne, np. obrzęk górnej połowy ciała, rozszerzenie powierzchownych żył w obrębie tułowia (tzw. głowa meduzy), które powstają w wyniku ucisku masy nowotworowej na żyłę odprowadzającą do serca krew z górnej połowy ciała i kończyn górnych. Niekiedy wczesnym objawem choroby bywa dyskretny zespół neurologiczny, zwężenie źrenicy, opadanie powieki, zapadnięcie gałki ocznej.

P i e r w o t n e n o w o t w o r y ś r ó d p i e r s i a w zależności od lokalizacji dzieli się na guzy przedniego i guzy tylnego śródpiersia.

Guzy przedniego śródpiersia. Są to najczęściej potworniaki i guzy grasicy.

P o t w o r n i a k i. Są to guzy nowotworowe wywodzące się z listków zarodkowych: ektodermy (skóra, tkanki nerwowe), endodermy (nabłonek układu oddechowego, pokarmowego), mezodermy (tkanka łączna). Mogą być torbielowate, lite lub o strukturze mieszanej. Występują zazwyczaj w młodszym lub średnim wieku. Około kilkunastu procent guzów ulega zezłośliwieniu.

P o t w o r n i a k ł a g o d n y (torbiel skórzasta) jest guzem torbielowatym, niekiedy wielokomorowym. R o k o w a n i e jest dobre.

P o t w o r n i a k z ł o ś l i w y występujący najczęściej u mężczyzn, jest nowotworem o niskim stopniu zróżnicowania tkanek. Struktura guza jest często lita. Nowotwór szybko nacieka tkanki i daje odległe przerzuty. R o k o w a n i e jest bardzo poważne.

Potworniaki w śródpiersiu tylnym występują bardzo rzadko.

G u z y g r a s i c y występują najczęściej w przednio-górnym śródpiersiu u osób w różnym wieku, najczęściej między 30–40 r. życia. Wywodzą się z tkanki grasicznej. Na ogół przebieg choroby jest skryty, bezobjawowy. Jeśli objawy występują, to w formie męczliwości mięśni (miastenia).

T o r b i e l e g r a s i c y mają przebieg bezobjawowy i są wykrywane zazwyczaj przypadkowo.

G r a s i c z a k i są guzami niezłośliwymi lub o różnym stopniu złośliwości. Mogą być lite lub torbielowate. Bardziej złośliwe guzy szybciej naciekają otoczenie (osierdzie, opłucną, tkankę płucną). R o k o w a n i e jest zawsze poważne i zależy od zaawansowania oraz złośliwości nowotworu.

Guzy tylnego śródpiersia. Są to przede wszystkim guzy pochodzenia nerwowego. Występują w różnym wieku, mają często przebieg skryty. Mogą uciskać kręgi i żebra, powodując ich uszkodzenie. Mogą wzrastać w obrębie otworów międzykręgowych i szerzyć się do wnętrza kanału kręgowego, dając bardzo silne, opasujące klatkę piersiową dolegliwości bólowe, niekiedy objawy neurologiczne.

N o w o t w o r y ł a g o d n e rozwijają się z otoczek nerwów (w ł ó k n i a k n e r w o w y, o s ł o n i a k n e r w o w y). Są to zwojaki i przyzwojaki.

N o w o t w o r y z ł o ś l i w e. Należy tutaj n e r w i a k z a r o d k o w y w s p ó ł c z u l n y, guz o bardzo dużej złośliwości, rozwijający się z tkanek embrionalnych i występujący przede wszystkim u dzieci (zob. Chirurgia wieku rozwojowego, Nowotwory u dzieci, s. 1679).

Torbiele śródpiersia. Nie są to nowotwory w ścisłym znaczeniu, najczęściej są to zaburzenia rozwojowe. Wyróżnia się: torbiele oskrzelowe, płucnoosierdziowe (celomiczne) i inne. Najczęstsze są torbiele oskrzelowe. Są to zazwyczaj pojedyncze, okrągłe lub owalne, jednorodne guzy związane ze śródpiersiem. Zwykle nie dają objawów klinicznych. Wymagają niekiedy l e c z e n i a o p e r a c y j n e g o.

Leczenie. L e c z e n i e c h i r u r g i c z n e guzów śródpiersia polega na usunięciu nowotworu wraz z narządem, z którego wyrasta. Najczęściej zmiany wywodzą się z grasicy i wymagają usunięcia razem z grasicą. Usunięcie tego narządu u człowieka dorosłego nie pozostawia ujemnych następstw. Radykalne leczenie operacyjne nie zawsze, ze względu na umiejscowienie zmian, jest możliwe, zwłaszcza w guzach naciekających narządy i tkanki otaczające. W tych przypadkach leczenie chirurgiczne uzupełnia się radio- lub chemioterapią.

Samodzielnie r a d i o t e r a p i a ma ograniczone zastosowanie. Do leczenia promieniami kwalifikuje się tylko niektóre postacie guzów śródpiersia, np. grasiczaki, które cechuje dość duża promienioczułość.

C h e m i o t e r a p i a. W niektórych, zaawansowanych postaciach guzów śródpiersia leczenie cytostatykami jest leczeniem uzupełniającym.

Nowotwory sutka

Nowotwory sutka są najczęstszymi nowotworami u kobiet. Występują w postaci łagodnej i złośliwej, a zagrożeniem ich powstania są zmiany guzopodobne w sutku.

Nowotwory łagodne i stany patologiczne

Gruczolak i gruczolakowłókniak występują głównie u kobiet młodych (w wieku 20–40 lat). Zwykle są to guzki gładkie, okrągłe lub o nieregularnym kształcie, dość elastyczne, w całości przesuwalne, niebolesne i wolno rosnące. Ze względu na możliwość pomyłki co do charakteru guza, w każdym przypadku powinno być przeprowadzone badanie mikroskopowe potwierdzające r o z p o z n a n i e (punkcja, usunięcie guzka). L e c z e n i e jest operacyjne a r o k o w a n i e dobre.

Brodawczak sutka występuje pojedynczo lub jako brodawczaki mnogie. Rozwija się powoli w przewodach mlecznych, powodując stany zapalne i wydzielinę z brodawki, często krwawą. Z tego powodu zespół objawów występujących przy brodawczakach piersi określa się jako „pierś krwawiącą” lub „wydzielającą”. Uciskając wyczuwalny guzek lub podejrzaną okolicę powoduje się zwiększenie wydzielania wydzieliny.

Rozpoznanie opiera się na badaniu mikroskopowym chirurgicznie usuniętego zmienionego zrazika (część miąższu sutka). W przypadku brodawczaków mnogich mikroskopowo zbadany musi być cały gruczoł sutkowy. Rokowanie dobre.

Guz liściasty (nazwa historyczna) jest łagodnym nowotworem rzadko występującym (ok. 5% guzów sutka). Rozwija się u kobiet w różnym wieku, powoli, w formie nieregularnego, nawarstwiającego się guza. W późnym okresie rozwoju może uciskać naczynia krwionośne powodując sinawe zabarwienie sutka. Z czasem może nastąpić przemiana złośliwa w mięsaka sutka. Rozpoznanie ustala się na podstawie badania mikroskopowego, zwykle w czasie operacji. Rokowanie dobre.

Gruczolakowłókniak zarodkowy u mężczyzn. Nowotwór ten rozwija się z pozostałych zawiązków gruczołu mlecznego, częściej w okresach zaburzeń hormonalnych (dojrzewanie, starczość) lub leczenia hormonalnego hormonem żeńskim, np. z powodu gruczolaka gruczołu krokowego. Są to twarde guzki zwykle w pobliżu brodawki sutkowej, bolesne samoistnie i przy ucisku. Rozpoznanie musi być ustalane badaniem mikroskopowym. Leczenie jest operacyjne a rokowanie dobre.

Torbiel sutka jest zwykle guzkiem elastycznym, nie zawsze dobrze odgraniczonym. Rośnie dość szybko, niekiedy powoduje bóle. Ze względu na możliwość istnienia procesu złośliwego w ścianie torbieli przeprowadza się badanie mikroskopowe płynu z nakłutej lub usuniętej operacyjnie torbieli. Rokowanie dobre.

Gruczolistość sutka, określana także jako **zwyrodnienie sutka włóknistotorbielkowate** lub **mastopatia**. Jest to bardzo częsty proces patologiczny u kobiet, polegający na rozroście tkanki łącznej i nadmiernym rozmnażaniu się komórek nabłonka pęcherzyków sutka. Proces ten jest spowodowany nieprawidłowym oddziaływaniem tkanek gruczołu sutkowego na zaburzone proporcje hormonów płciowych, w wyniku czego powstają guzkowate, nieregularne, często bolesne przy ucisku, różnej wielkości zmiany ogniskowe lub obejmujące cały sutek. Dość często występują one obustronnie. W przebiegu choroby może dochodzić do powstania torbieli (zamykanie przewodów odprowadzających) i gruczolakowłókniaków. Mogą występować bóle w miejscu zmian, uczucie bolesnego obrzmienia sutków, zwłaszcza w drugim okresie cyklu miesięcznego. W przypadku stwierdzonej hyperplazji lub dysplazji ryzyko raka sutka wzrasta.

Leczenie hormonalne po precyzyjnym określeniu stanu hormonalnego chorej daje korzystne efekty. Ze względu na możliwość rozwoju procesu złośliwego (1–2% przypadków) niezbędne jest samobadanie piersi raz w miesiącu i okresowe badania lekarskie (profilaktyczne).

Nowotwory złośliwe

Nowotwory złośliwe sutka są najczęstszymi nowotworami u kobiet w Polsce (17,0%). Przeważnie występują raki sutka, bardzo rzadko mięsaki lub inne nowotwory.

Rak sutka występuje znacznie częściej u kobiet niż u mężczyzn (100:1). Mieszkanki miast chorują nieco częściej niż mieszkanki wsi. Zachorowalność wzrasta dość szybko po 35 r. życia, osiągając szczyt u kobiet w wieku okołomenopauzalnym

Do ważniejszych czynników zwiększających ryzyko zachorowania na raka sutka zalicza się: wystąpienie raka sutka w rodzinie (matka, siostry, córki), późna, po 30 r. życia pierwsza ciąża lub nierodzenie oraz niektóre zaburzenia hormonalne prowadzące m.in. do powstania tzw. zwyrodnienia torbielkowatego sutków (mastopatia). Pewne znaczenie zwiększające ryzyko może mieć nadwaga, zwłaszcza po okresie przekwitania. Kobiety, które miały raka sutka w jednej piersi, są ok. 5 razy bardziej zagrożone rozwojem raka w drugiej piersi niż zdrowe kobiety w tym samym wieku.

Rak rozwija się przeważnie z nabłonka drobnych przewodów gruczołów mlekowych, rzadziej ze zrazików gruczołowych. W zależności od miejsca powstania raka, typu jego rozwoju i budowy mikroskopowej wyróżnia się raka przewodowego, rdzeniastego, brodawkowatego oraz zrazikowego. Specjalną postacią jest rak wywodzący się z przewodów mlecznych brodawki sutka, tzw. rak Pageta.

Rak sutka może występować w postaci guzka w miąższu sutka, najczęściej o niezbyt wyraźnych granicach, w postaci zgrubienia tkanek lub utrzymującego się dłuższy czas zaczerwienienia brodawki albo skóry sutka (rak Pageta).

Objawami budzącymi podejrzenie raka są: zmiana symetrii sutka (uwypuklenie lub wciągnięcie skóry), wgłębienie skóry w wielu punktach, zwłaszcza przy podniesieniu rąk do góry, zaczerwienienie skóry i wielopunktowe jej zagłębienia podobne do skórki pomarańczy, wciągnięcie brodawki sutkowej i wyciek z niej, szczególnie krwisty, zgrubienia pod pachą lub obrzęk zapalny całej piersi.

Rak, który powstał z nabłonka przewodów lub zrazików sutka, może przez dość długi okres znajdować się w stadium bardzo wczesnego rozwoju (*in situ*) w formie guzka lub o wymiarach nie przekraczających 5 mm średnicy. W tym stadium może być wykryty i jest wówczas całkowicie uleczalny. Nie leczony rozwija się nadal, powiększając swoje wymiary, naciekając otaczające tkanki łącznie ze skórą, mięśniami i ścianą klatki piersiowej. Rozprzestrzenia się również drogą naczyń limfatycznych, początkowo do najbliższych węzłów chłonnych (pachowych, podobojczykowych, przymostkowych i zamostkowych), a następnie do węzłów chłonnych odległych. W zaawansowanym stadium daje przerzuty drogą krwionośną, głównie do kości, płuc i wątroby.

Rozpoznanie raka sutka następuje w wyniku badania lekarskiego oraz badania mikroskopowego pobranej tkanki. Pomocne są badania specjalne, takie jak: 1) radiomammografia, czyli prześwietlenie sutka promieniami Roentgena i utrwalenie obrazu na kliszy (mammografia) lub na specjalnym papierze kserograficznym (kseromammografia), 2) ultrasonografia (USG), tj. badanie tkanek sutka przy użyciu ultradźwięków. Jednak tylko badanie mikroskopowe tkanki pobranej za pomocą punkcji (nakłucia zmiany), wycinka z powierzchownie umiejscowionego nacieku lub całego guzka usuniętego w czasie operacji sutka (badanie śródoperacyjne, tzw. intra) pozwala ostatecznie ustalić rozpoznanie choroby. Postępowanie to nie jest groźne dla zdrowia, nie zwiększa również ryzyka przyspieszenia rozwoju raka.

Szczegółowe badanie lekarskie i badania dodatkowe umożliwiają ustalenie stopnia zaawansowania choroby. Stosowana obecnie tzw. klasyfikacja TNM: T – wielkość guza (tumor – guz), N – węzły chłonne (*nodes*) w regionie sutka, M – przerzuty (*metastases*) dalsze niż do regionalnych węzłów chłonnych – uwzględniająca cztery stopnie zaawansowania (I–IV) inwazyjnego raka sutka, umożliwia precyzyjne określenie stadium zaawansowania choroby, niezbędne do zastosowania prawidłowego leczenia.

Rak „przedinwazyjny" jest to najwcześniejsze stadium rozwoju raka. Nowotwór znajduje się jeszcze w całości w nabłonku, z którego powstał, i nie dokonał jeszcze inwazji tkanki łącznej, w której znajdują się naczynia chłonne i krwionośne, nie mógł więc spowodować przerzutów. Rak taki oznaczony jest stopniem 0.

Rokowanie zależy od stopnia zaawansowania nowotworu i stopnia jego złośliwości. Niekorzystny wpływ na rokowanie mają: 1) szybki wzrost guza i szerzenie się choroby, 2) młody wiek chorej, 3) niedojrzały lub nietypowy histologiczny charakter guza, przerzuty w węzłach i naciekanie przez nowotwór torebki węzła, komórki nowotworowe w naczyniach krwionośnych i chłonnych. Stopień dojrzałości guza określa się wg 3-stopniowej klasyfikacji Blooma lub tzw. cechą „G". Najlepsze jest rokowanie w pierwszym stopniu dojrzałości (złośliwości), bez przerzutów do okolicznych węzłów chłonnych (ponad 80% wyleczeń); w bardziej zaawansowanych stadiach, przy współistnieniu innych niekorzystnych czynników, szanse wyleczenia są znacznie mniejsze.

Zapobieganie rakowi sutka zależy w ogromnym stopniu od postawy zdrowotnej kobiet, ponieważ możliwe jest ograniczenie lub całkowite wyeliminowanie niektórych czynników ryzyka. Jeśli jest to możliwe, jest wskazane świadome, wcześniejsze rodzenie dzieci, unikanie długotrwałego stosowania (nie zawsze uzasadnionego) środków hormonalnych, niepotrzebnych prześwietleń klatki piersiowej i sutków oraz dbanie o utrzymanie należnej masy ciała (zmniejszenie nadwagi). Całkowicie zależne od kobiety jest postępowanie zapobiegawcze polegające na samobadaniu piersi co najmniej raz w miesiącu. Z każdą zauważoną zmianą w sutku, w brodawce, w skórze sutka i okolicy lub w okolicznych węzłach chłonnych kobieta powinna natychmiast zgłosić się do lekarza. Chociaż większość zmian w sutku lub jego okolicy to najczęściej choroby niegroźne (np. zwyrodnienie torbielkowate, czyli mastopatia), jednak nawet banalnie wyglądające zmiany mogą okazać się rakiem.

Z powodu częstego występowania raka sutka u dorosłych kobiet są organizowane tzw. badania przesiewowe (skryningowe). Kobiety po 40 r. ż. bez zmian w sutkach są badane kontrolnie nie częściej niż co 1–3 lata, natomiast kobiety ze zmianami – w zależności od charakteru zmian i czynników ryzyka. Kobiety poddane takim badaniom mają większe szanse wyleczenia, co umożliwia w niektórych przypadkach wykonanie zabiegu oszczędzającego (zachowującego pierś), ewentualnie wykryte nowotwory są we wcześniejszych stadiach. Wczesnego raka sutka można wykryć tylko za pomocą mammografii, dlatego badanie to zaleca się wszystkim kobietom, niezależnie od wieku, w przypadku podejrzanych zmian w sutku. Każda kobieta w wieku 40–49 lat powinna wykonać sobie mammografie kontrolne co 3 lata, a począwszy od 50 r. życia badanie to powinna przeprowadzać regularnie co 1–2 lata.

Mięsak sutka występuje rzadko. Zazwyczaj rozwija się u kobiet w wieku 30–35 lat. Poprzedzać go może przez czas dłuższy gruczolakowłókniak lub guz liściasty sutka. Nowotwór rośnie szybko, zajmując w krótkim czasie dużą część sutka lub cały sutek.

Rozpoznanie ustala się na podstawie badania mikroskopowego wycinka lub tkanki pobranej za pomocą nakłucia. Rokowanie jest często niepomyślne.

Leczenie nowotworów sutka

Postępowanie lecznicze w przypadkach raka sutka zależy od wielu czynników, m.in. od wieku chorej, budowy histologicznej guza, stopnia zaawansowania raka oraz współistnienia w organizmie innych chorób.

Leczenie chirurgiczne nowotworów łagodnych sutka, takich jak gruczolakowłókniaki lub zmiany zwyrodnieniowe, polega na usunięciu samej zmiany. Raki i mięsaki wymagają usunięcia całego gruczołu sutkowego wraz z pokrywającą go skórą, a często również z węzłami chłonnymi pachy. Po operacji należy stosować protezy zewnętrzne sutka, które nie tylko dają dobry efekt kosmetyczny, lecz również zapobiegają skrzywieniom kręgosłupa. Stosowane są w niektórych przypadkach operacje odtwórcze sutka. Kwalifikuje do tych operacji lekarz chirurg. Przy bardzo wczesnych rakach sutka można stosować częściowe wycięcie sutka (operacje oszczędzające).

Radioterapia raka sutka może być stosowana jako metoda samodzielna i jako metoda uzupełniająca leczenie chirurgiczne. Jest też powszechnie stosowana w leczeniu paliatywnym przerzutów odległych, zwłaszcza zlokalizowanych w kościach i w mózgu.

Raki sutka należą do nowotworów o średniej wrażliwości na promieniowanie. W raku nieoperacyjnym radioterapia jest stosowana jako leczenie doszczętne i daje szanse wyleczenia. Czasami umożliwia późniejsze radykalne leczenie chirurgiczne. Stosowane dawki promieniowania są umiarkowanie wysokie. Głównym czynnikiem ograniczającym możliwości radioterapii jest konieczność napromieniowania dużego obszaru ciała. Najczęściej stosuje się leczenie kobaltem-60, ale konwencjonalna metoda leczenia promieniami rentgena jest również skuteczna.

Radioterapia uzupełniająca po leczeniu operacyjnym ma na celu zniszczenie nie usuniętych chirurgicznie, niewidocznych ognisk raka w regionie blizny pooperacyjnej i w sąsiadujących naczyniach i węzłach limfatycznych. Napromienianie pooperacyjne zmniejsza niebezpieczeństwo nawrotów raka w okolicach blizny po operacji i w sąsiednich węzłach chłonnych. Stosuje się je głównie u kobiet po menopauzie. Z napromienianiem pooperacyjnym jest związane pewne ryzyko uszkodzeń popromiennych, zwłaszcza tkanki płucnej. W przypadku częściowego wycięcia sutka pozostały miąższ sutka napromienia się w celu zniszczenia ewentualnych pozostałości nowotworu lub innych ognisk pierwotnych nowotworu.

Chemioterapia i hormonoterapia. Metody te są stosowane samodzielnie w rakach sutka zbyt zaawansowanych, nieoperacyjnych. Chemioterapię stosuje się również jako tzw. leczenie „indukcyjne" przed operacją lub uzupełniające – po operacji. Hormonozależność nowotworu jest oceniana z dużym prawdopodobieństwem w badaniach zawartości tzw. receptora estrogenowego lub progesteronowego bądź innych w tkance nowotworowej. U kobiet przed menopauzą można spowodować cofanie się zmian nowotworowych usuwając jajniki będące głównym źródłem estrogenów lub podając antyestrogeny. Po menopauzie są stosowane z powodzeniem antyestrogeny, androgeny i preparaty progesteronu. Często obie metody – chemioterapię i hormonoterapię – stosuje się łącznie i jednocześnie, co zwiększa skuteczność ich działania bez nasilenia toksyczności.

Nowotwory żeńskich narządów płciowych

Zob. Ginekologia i położnictwo, s. 1883.

Nowotwory męskich narządów płciowych

Nowotwory prącia

Najczęstszymi nowotworami złośliwymi prącia są raki. Inne nowotwory złośliwe tego narządu, takie jak czerniaki i różnego typu mięsaki, są rzadkie. Występują też patologiczne rozrosty, nowotwory łagodne oraz raki przedinwazyjne, które stanowią różnego stopnia zagrożenie przekształcenia się w raka inwazyjnego.

Kłykciny prącia. Są to niezłośliwe nowotwory rozwijające się wskutek rozrostu nabłonka, mogące ulegać zwyrodnieniu złośliwemu. Przybierają one postać brodawczakowatych, często zrogowaciałych tworów w okolicy rowka zażołędnego lub też na powierzchni żołędzi i wewnętrznej powierzchni napletka. Rozpoznanie musi być potwierdzone badaniem mikroskopowym.

Brodawczaki prącia. Pojedyncze lub mnogie brodawczakowate twory, zwykle w rowku zażołędnym. Rosną szybko, niekiedy w górnej części rogowacieją.

Rogowacenie białe. Jest to rozrost z nadmiernym rogowaceniem nabłonka pod wpływem stanów zapalnych. Występuje w postaci białawych, szorstkich zgrubień na żołędzi.

Rogowacenie czerwone Queyrata i choroba Bowena. Są to raki przedinwazyjne rozwijające się śródbłonkowo. Tworzą się czerwone, aksamitne, pojedyncze lub mnogie plamy na nabłonku żołędzi, niekiedy o uniesionych brzegach, wewnątrz owrzodzenie. Rozpoznanie ustala się na podstawie badania mikroskopowego pobranego wycinka. Rokowanie na ogół pomyślne.

Rak prącia. Czynnikami usposabiającymi do rozwoju tego nowotworu złośliwego są: stulejka, niski poziom higieny osobistej oraz stany przedrakowe. Obrzezanie we wczesnym dzieciństwie niemal całkowicie zapobiega powstawaniu raka prącia. Rak ten występuje rzadko. Najwyższą zachorowalność stwierdza się u mężczyzn w wieku 45–55 lat.

Odróżnia się dwie postacie kliniczne: naciekającą (endofityczną) i wytwórczą (egzofityczną).

We wczesnym okresie rak prącia może mieć postać powierzchownego nacieku, brodawki lub stwardnienia, albo też owrzodzenia często pokrytego strupem. Postać naciekająca, przy małych zmianach zewnętrznych, może naciekać żołądź, ciała jamiste i cewkę moczową. W postaci wytwórczej mogą tworzyć się duże, kalafiorowate, owrzodziałe guzy.

Przerzuty raka prącia występują początkowo do węzłów pachwinowych, później do węzłów biodrowych. Naciek nowotworowy i towarzyszący stan zapalny mogą utrudniać oddawanie moczu. U chorych z wrodzoną stulejką zmiany nowotworowe przez długi czas mogą być niewidoczne, tak że pierwszym objawem może być powiększenie węzłów pachwinowych.

Każda zmiana chorobowa prącia powinna budzić podejrzenie nowotworu złośliwego i wymaga badania lekarskiego. W celu ustalenia rozpoznania jest konieczne badanie mikroskopowe.

Zapobieganie rakowi prącia polega na przestrzeganiu higieny osobistej (regularne mycie) oraz leczeniu stulejki i innych stanów chorobowych tego narządu, zwłaszcza zaś stanów przedrakowych i raka przedinwazyjnego. Częstsze stosowanie obrzezania we wczesnym dzieciństwie zmniejszyłoby w znacznym stopniu liczbę zachorowań.

Leczenie nowotworów prącia. Leczenie chirurgiczne. Wczesne, niewielkie zmiany są leczone operacją miejscową, elektrokoagulacją lub kriochirurgicznie (zamrażaniem). Zmiany bardziej zaawansowane mogą wymagać częściowego lub całkowitego usunięcia prącia. Amputacja prącia uniemożliwia odbywanie normalnych stosunków płciowych. Istnieją możliwości wykonywania zabiegów odtwórczych, pozwalających na przywrócenie zdolności płciowych. Przerzuty do węzłów pachwinowych i biodrowych są leczone chirurgicznie, a napromienianie jest leczeniem uzupełniającym.

Radioterapia raka prącia jest stosowana tylko we wczesnych i średnio zaawansowanych stadiach. Leczenie śródtkankowe najczęściej polega na wszczepieniu radioaktywnego izotopu irydu, napromienianie od zewnątrz – na stosowaniu promieni Roentgena. Wyniki leczenia są dobre w 65% przypadków.

Nowotwory jądra

Do najczęstszych nowotworów złośliwych jądra należą: nasieniaki, raki embrionalne i potworniaki. Dość często elementy tkankowe tych nowotworów występują w jednym guzie. Nowotwory jądra występują rzadko – stanowią 0,5–1% wszystkich nowotworów złośliwych u mężczyzn. Rozwijają się po 30 r. życia.

Objawy. Występuje powiększenie, stwardnienie i nierówności jądra, a niekiedy brak zarostu, feminizacja i bóle jądra. W 2–3% przypadków nowotwory występują obustronnie. Rozpoznanie ustala się badaniem mikroskopowym tkanki pobranej przez nakłucie jadra (rzadko) lub za pomocą nacięcia jądra po jego odsłonięciu, albo jądra całego usuniętego operacyjnie. Pomocne w rozpoznaniu są: USG i oznaczenie gonadotropin biologicznych markerów nowotworowych.

Rokowanie zależy od postaci histologicznej guza i stopnia zaawansowania nowotworu. Wysoką wyleczalność uzyskuje się we wczesnych stopniach zaawansowania nasieniaków.

Leczenie. Postępy w stosowaniu chemioterapii, a zwłaszcza leczenie skojarzone poprawiły niemal dwukrotnie wyniki leczenia. Leczenie chirurgiczne polega na usunięciu zmienionego jądra, co w niczym nie upośledza zdolności płciowych, jeżeli jedno jądro jest prawidłowe. W niektórych typach nowotworów jest konieczne usunięcie węzłów chłonnych zaotrzewnowych. W celu zwiększenia szans wyleczenia w przypadkach rozsiewania nowotworu stosuje się również zabiegi wycięcia przetrwałych zmian po chemioterapii.

Radioterapia jest leczeniem uzupełniającym po chirurgicznym usunięciu jądra, np. w przypadku nasieniaka, bądź leczeniem paliatywnym. Technika napromieniania uwzględnia rozprzestrzenianie się przerzutów drogami chłonnymi. Obszar leczenia promieniami obejmuje węzły biodrowe i zaotrzewnowe do wysokości przepony. Przy przerzutach do węzłów zaotrzewnowych, napromieniane jest również śródpiersie i okolice nadobojczykowe. Przy nasieniaku jądra (guz bardzo promienioczuły) możliwości wyleczenia we wczesnych stadiach choroby sięgają nawet 80% przypadków. Możliwości trwałego wyleczenia istnieją również u chorych w zaawansowanych stadiach choroby. Przy innych guzach jądra radioterapia jest leczeniem uzupełniającym doszczętne leczenie chirurgiczne, gdy przerzuty są niewielkie do węzłów zaotrzewnowych, lub leczeniem paliatywnym, gdy przerzuty są zaawansowane. Promienioczułość innych nowotworów złośliwych jądra (nie nasieniaków) jest niewielka.

Chemioterapia odgrywa dużą rolę, zwłaszcza w nowotworach zarodkowych jądra, ponieważ nowotwory te są bardzo wrażliwe na leki cytostatyczne. Leczenie chemiczne jest stosowane jako leczenie uzupełniające operację, a w przypadkach zaawansowanych – często w połączeniu z leczeniem chirurgicznym.

Zapobieganie polega na operacyjnym leczeniu niezstąpionych jąder oraz okresowym samobadaniu jąder, do którego chłopcy powinni być przyzwyczajeni począwszy już od szkoły średniej.

Nowotwory gruczołu krokowego

Nowotwory te należą do najczęściej występujących nowotworów u mężczyzn. G r u c z o l a k jest częstym nowotworem łagodnym gruczołu krokowego, a r a k tego narządu stanowi ok. 5,3% wszystkich nowotworów złośliwych u mężczyzn.

Rak gruczołu krokowego występuje zwykle po 60 r. życia. Związany jest ze zmianami czynności hormonalnej i być może z wysokobiałkową dietą, z przerostem gruczołu i gruczolakami. Rozwija się przeważnie w tylnym płacie gruczołu krokowego. Cechą charakterystyczną jest nierówność i powiększenie gruczołu o różnej konsystencji. Naciekanie torebki gruczołu może powodować bolesność.

O b j a w y to przede wszystkim zaburzenia w oddawaniu moczu, aż do zatrzymania moczu włącznie, bóle, a w późniejszych okresach krwiomocz i objawy przerzutów odległych (do węzłów chłonnych oraz kości).

R o z p o z n a n i e opiera się na badaniu palcem gruczołu przez kiszkę stolcową, USG, cystoskopii, badaniu mikroskopowym najczęściej materiału uzyskanego za pomocą nakłucia gruczołu krokowego przez kiszkę stolcową albo krocze. Stopień zaawansowania choroby pozwalają ocenić badania USG, badania poziomu fosfatazy kwaśnej we krwi, antygenu sterczowego (PSA), wziernikowanie pęcherza oraz badanie radiologiczne kośćca i płuc.

R o k o w a n i e, jeśli nie ma przerzutów, jest stosunkowo dobre – do 60% wyleczeń.

Leczenie. L e c z e n i e c h i r u r g i c z n e polega na usunięciu gruczołu krokowego, często z węzłami chłonnymi. Ze względu na hormonozależność nowotworów, może czasem zachodzić konieczność usunięcia jąder.

R a d i o t e r a p i a raka gruczołu krokowego znajduje coraz szersze zastosowanie, zwłaszcza w stadiach choroby mało zaawansowanych. Możliwości wieloletniego przeżycia ocenia się na ponad 50%. W raku bardziej zaawansowanym z przerzutami do okolicznych węzłów chłonnych lub do kości radioterapia ma charakter przede wszystkim paliatywny.

H o r m o n o t e r a p i a. Rak gruczołu krokowego należy do nowotworów hormonozależnych. W przypadkach nie kwalifikujących się do leczenia operacyjnego lub napromieniania poprawę daje stosowanie estrogenów albo hormonu luteinizującego lub usunięcie jądra (główne źródło hormonów męskich). Istnieją próby łączenia leczenia hormonalnego z chemioterapią.

Nowotwory układu moczowego

Nowotwory złośliwe nerki

Rak nerki jest najczęstszym nowotworem złośliwym tego narządu, jakkolwiek zachorowania są rzadkie i stanowią ponad 1% wszystkich nowotworów. U osób dorosłych rozwija się zwykle po 50 r. życia.

R a k j a s n o k o m ó r k o w y n e r k i jest najczęstszą postacią g r u c z o -

lakoraka. Przypomina wyglądem korę nadnerczy, stąd dawna nazwa nadnerczak. Stanowi 90–95% wszystkich guzów nerek. Daje objawy w postaci krwiomoczu i bólów w okolicy lędźwiowej. Przy przebiegu bezobjawowym występuje jedynie wysoka gorączka lub objawy czerwienicy. Daje przerzuty do okolicznych węzłów chłonnych oraz odległe do płuc, kości i mózgu.

Rozpoznanie ustala się na podstawie badania moczu, badania USG jamy brzusznej, urografii i angiografii (badania naczyń nerki).

Rokowanie jest bardzo poważne, zwłaszcza gdy naciek raka przekracza torebkę nerki. Można jednak uzyskać wieloletnie przeżycie, nawet gdy występują przerzuty.

Rak miedniczki nerkowej rośnie w postaci tworów kalafiorowatych. Może wrastać w miąższ nerki, szerzyć się wzdłuż moczowodów aż do pęcherza moczowego. Objawy jak w raku jasnokomórkowym, częściej występują obfite krwawienia.

Leczenie raka nerki — chirurgiczne polega na usunięciu zmienionej nerki i najbliższych nerce węzłów chłonnych. Gdy druga nerka jest czynna, nie upośledza to sprawności chorego. Ze względu na ograniczoną promienioczułość nowotworu, radioterapia jest głównie leczeniem uzupełniającym zabieg operacyjny wówczas, gdy występuje niepewność co do doszczętności leczenia chirurgicznego.

Nerczak płodowy, czyli **guz Wilmsa**. Wywodzi się z tkanek płodowych nerki. Stanowi 20% wszystkich nowotworów u dzieci. Najczęściej występuje w ciągu pierwszych 4 lat życia. Zob. Chirurgia wieku rozwojowego, s. 1678.

Nowotwory moczowodu

Nowotwory moczowodu, zarówno łagodne, jak i złośliwe, występują bardzo rzadko.

Rak moczowodu powoduje bóle o charakterze kolki nerkowej z obfitym krwiomoczem. Szybko rozwija się wodonercze. Leczenie operacyjne, niekiedy skojarzone z radioterapią. Rokowanie jest bardzo poważne.

Nowotwory pęcherza moczowego

Nowotwory złośliwe – raki i rzadziej mięsaki – występują najczęściej u ludzi starszych po 60 r. życia, 3 razy częściej u mężczyzn. Stanowią 3% ogólnej liczby zachorowań na nowotwory. Czynniki usposabiające do rozwoju raka to zawodowa styczność z barwnikami anilinowymi, przewlekłe palenie tytoniu, przewlekła choroba pasożytnicza bilharcjoza. Rozwój raka często poprzedzają brodawczaki.

Brodawczaki są to nowotwory łagodne w postaci tworów wyniosłych, często uszypułowanych. Mogą występować wieloogniskowo. Podstawowym objawem choroby jest bezbolesny krwiomocz. O rozpoznaniu decyduje wziernikowanie pęcherza oraz badanie histologiczne wycinka z brodawczaka. Brodawczaki po leczeniu operacyjnym często nawracają. Większość nawracających brodawczaków (zwłaszcza po wielokrotnym usuwaniu) ulega zezłośliwieniu.

Rak pęcherza moczowego. Wyróżnia się raki brodawczakowate o różnym stopniu dojrzałości, płaskonabłonkowe, gruczołowe, niezróżnicowane. Objawy to: częstomocz, krwawienie, bóle przy oddawaniu moczu i samoistne. Rozwijać się może zakażenie dróg moczowych, wodonercze. Nierzadko występuje zatrzymanie moczu. Rak nacieka ściany pęcherza, szerzy się na tkanki miednicy małej. Daje przerzuty do okolicznych węzłów chłonnych (biodrowych, pachwinowych). Późno występują odległe przerzuty do wątroby i kości. Przebieg raka jest często powolny.

Rokowanie zależy od stopnia zaawansowania nowotworu.

Leczenie małych zmian może polegać na ich elektrokoagulacji lub częściowym usunięciu pęcherza. Zmiany bardziej zaawansowane mogą wymagać usunięcia pęcherza w całości i wytworzenia przetoki moczowodowej. Niekiedy istnieje możliwość odtworzenia pęcherza z odcinka jelita.

Radioterapia jest leczeniem samodzielnym lub skojarzonym z leczeniem chirurgicznym, w zależności od stopnia zaawansowania nowotworu, jego lokalizacji w obrębie pęcherza oraz budowy histologicznej guza.

Chemioterapia może być stosowana w skojarzeniu z leczeniem chirurgicznym lub radioterapią, a także w zaawansowanych przypadkach ogólnie lub bezpośrednio do pęcherza moczowego w celu zniszczenia powierzchownych zmian nowotworowych.

Mięsak groniasty. Jest to złośliwy nowotwór pęcherza moczowego powstający z zarodkowej tkanki mięśniowej. Występuje przede wszystkim u dzieci i młodzieży. Cechuje go przebieg o dużej dynamice.

Leczenie jest chirurgiczne, niekiedy z uzupełniającą chemioterapią.

Rokowanie bardzo poważne.

Nowotwory cewki moczowej

Do łagodnych nowotworów cewki moczowej należą brodawczaki, do złośliwych – rak i bardzo rzadko czerniak oraz mięsak.

Rak cewki moczowej jest nowotworem rzadkim, występującym częściej u kobiet po 60 r. życia. Objawy: pieczenie cewki, bóle, trudności w oddawaniu moczu, krwiomocz. Leczenie jak w raku pęcherza moczowego, daje 50–60% wyleczeń.

Nowotwory kości

Nowotwory złośliwe kośćca

Nowotwory w obrębie kośćca są najczęściej guzami przerzutowymi. Nowotwory pierwotne występują bardzo rzadko. W ciągu roku rejestruje się jeden przypadek złośliwego nowotworu pierwotnego kości na 50–75 tysięcy ludności. Mimo to złośliwe guzy pierwotne stanowią poważny problem ze względu na stosunkowo częste występowanie u dzieci, ludzi młodych i z reguły bardzo poważne rokowanie. Przerzuty szerzą się przeważnie drogą krwi, rzadziej drogami chłonnymi. Najczęściej występują w płucach. Wzrost nowotworów jest różny, zależnie od ich budowy histologicznej. Najszybciej rosną: mięsak (guz) Ewinga i niektóre mięsaki kościopochodne.

Objawy. Zazwyczaj w początkowych stadiach rozwoju guzów kości stan chorego jest bardzo dobry, dopiero znaczny rozwój miejscowy guza wywołuje ból i uwypuklenie zarysu kości. Później powstaje obrzęk, zgrubienie tkanek miękkich w okolicy guza, zaburzenie czynności ruchowych, niekiedy złamania patologiczne. Przerzuty powodują wystąpienie niedokrwistości i wyniszczenie ogólne.

Rozpoznanie guzów następuje za pomocą badań rentgenowskich i histologicznych. W niektórych przypadkach są pomocne badania laboratoryjne krwi, np. w szpiczaku.

Mięsak kościopochodny jest najczęstszym nowotworem złośliwym kośćca. Występuje u ludzi młodych do 40 r. życia przeważnie w okolicach przynasadowych kości długich, zwłaszcza w okolicy kolana. Wywołuje bóle i zniekształcenia kości. Przebieg choroby jest zwykle szybki, r o k o w a n i e bardzo poważne.

Guz Ewinga lub **mięsak Ewinga** jest nowotworem zbudowanym z drobnych komórek pochodzenia mezenchymalnego. Występuje prawie wyłącznie u dzieci i młodzieży (zob. Chirurgia wieku rozwojowego, s. 1680). Podobne zmiany w wieku poniżej 25 r. życia są zwykle n e r w i a k a m i z a r o d k o w y m i, powyżej 25 r. życia – m i ę s a k a m i s i a t e c z k i. Choroba o b j a w i a się bólami i zniekształceniem kości z narastającą bolesnością. Często występują objawy ogólne, m.in. stany gorączkowe, niedokrwistość, przyspieszony OB. Istnieje możliwość trwałego wyleczenia, jednak r o k o w a n i e jest bardzo poważne.

Guz olbrzymiokomórkowy. Nowotwór ten występuje częściej u kobiet po 25 r. życia, zwykle w obrębie kolana, górnego końca kości ramiennej i dolnego końca kości promieniowej. Inne lokalizacje są rzadkie. Powoduje bóle i zniekształcenia chorego odcinka kości. R o k o w a n i e poważne.

Chrzęstniakomięsak występuje częściej w wieku dojrzałym (30–60 r. życia), w obrębie kości długich, obręczy barkowej, miednicy. Złośliwość guza jest dość znaczna, r o k o w a n i e poważne.

Guzy przykostne

Nowotwory te powstają ze struktur wchodzących w skład szkieletu, przede wszystkim w obrębie stawów.

N i e z ł o ś l i w e g u z y to włókniaki, tłuszczaki i maziówczak niezłośliwy. Niekiedy występują liczne zmiany chrzęstniakowe określane jako c h r z ę s t n i a k o w a t o ś ć m a z i ó w k o w a. Rozlane zmiany w obrębie błon maziowych w postaci guzowatych rozrostów to b a r w n i k o w o - k o s m k o w e g u z o w a t e z a p a l e n i e b ł o n y m a z i o w e j.

Złośliwe guzy okostnej, ścięgien, głębokich powięzi to najczęściej włókniakomięsaki o różnej złośliwości. Charakterystycznym guzem okołostawowym jest maziówczak złośliwy. Guz występuje najczęściej między 30–50 r. życia. Przebieg jest powolny, rokowanie poważne. Niekiedy dodatkowy uraz może przyspieszyć wzrost nowotworu.

Zmiany nienowotworowe i nowotworopodobne

Zalicza się tutaj chrzęstniakowatość kości oraz wyrośla kostne pojedyncze i mnogie. Zmiany rozwijają się we wczesnym dzieciństwie, mogą przyjmować kształt pojedynczych lub mnogich guzków, budząc podejrzenia nowotworu, nierzadko złośliwego.

Leczenie guzów kości. Leczenie chirurgiczne zależy od rozpoznania guza. W nowotworach łagodnych zabieg chirurgiczny jest ograniczony. W nowotworach złośliwych jest stosowane doszczętne usunięcie chorej kości, niekiedy amputacja kończyny.

Radioterapia. W większości przypadków guzy kości są nowotworami opornymi na działanie promieniowania, dlatego ta metoda leczenia ma zastosowanie głównie w przypadkach mięsaka Ewinga i w olbrzymiokomórkowych guzach kości. W leczeniu mięsaka Ewinga stosuje się również radioterapię skojarzoną z leczeniem chemicznym – chemioterapią. W leczeniu olbrzymiokomórkowych guzów kości stosowanie radioterapii lub leczenia chirurgicznego skojarzonego z napromienianiem zależy od umiejscowienia nowotworu, jego rozległości i możliwości leczenia operacyjnego.

Bardzo istotną rolę spełnia radioterapia w leczeniu paliatywnym przerzutów nowotworów złośliwych do kości. W tych przypadkach działa ona przeciwbólowo, zapobiega patologicznym złamaniom kości, a u chorych z przerzutami do kręgosłupa również przeciwdziała ciężkim powikłaniom neurologicznym.

Chemioterapia w leczeniu nowotworów kości ma ograniczone znaczenie. Stosowana jest zwłaszcza jako leczenie uzupełniające operację lub radioterapię. W wybranych przypadkach taka forma leczenia może spełniać dużą rolę. Do nowotworow średnio wrażliwych na leczenie chemiczne należy kostniakomięsak.

Nowotwory tkanek miękkich

Nowotwory tkanek miękkich wywodzą się z różnych tkanek: tkanki łącznej, tkanki tłuszczowej, tkanki mięśniowej (mięśnie poprzecznie prążkowane i gładkie), tkanki maziówkowej, tkanki naczyniowej, przetrwałej zarodkowej tkanki łącznej (mezenchymy), z tkanki nerwów obwodowych (z wyjątkiem zwojów). Nowotwory łagodne występują stosunkowo często, złośliwe – dość rzadko. Rozwój nowotworów jest różnorodny. O rozpoznaniu i leczeniu decyduje badanie histologiczne.

Nowotwory tkanki łącznej

Włókniaki. Są to łagodne, powoli rosnące nowotwory rozwijające się w tkance łącznej podskórnej. Mogą mieć postać uszypułkowanych, miękkich tworów lub twardych, zbitych niebolesnych guzów (tzw. włókniaki miękkie i twarde).

Śluzak. Nowotwór ten wywodzi się z zarodkowej przetrwałej tkanki śluzowej. Jest to łagodny guzek, zazwyczaj miękki, źle odgraniczony od otoczenia. Często umiejscawia się w przestrzeni zaotrzewnowej, pachwinie, w pachach.

Włókniak powięziowy. Jest to histologicznie niezłośliwy nowotwór. Występuje najczęściej u kobiet w połogu w obrębie brzucha, w postaci płaskich, twardych guzków. Tkanka łączna włóknista, z której nowotwór jest zbudowany, nacieka powłoki brzuszne. Częste nawroty po kolejnych usunięciach guza zmuszają do bardzo szerokich, poważnych zabiegów operacyjnych. Tylko wyjątkowo guz ulega przemianie złośliwej.

Włókniakomięsak. Jest to jeden z najczęstszych nowotworów złośliwych tkanki łącznej i w ogóle najczęstszy nowotwór tkanek miękkich (ok. 30–35%). Wyróżnia się trzy postacie kliniczno-histologiczne, różniące się szybkością rozwoju i tworzenia przerzutów.

Nowotwór występuje najczęściej jako gładki, twardy guz, przeważnie w obrębie kończyn. W miarę wzrostu wywołuje bóle i ogranicza sprawność kończyny. Daje najczęściej przerzuty do płuc (drogą krwi). R o k o w a n i e, zależne od typu nowotworu, jest zawsze bardzo poważne.

Śluzak złośliwy lub **śluzakomięsak**. Bardzo rzadki nowotwór złośliwy, rozwijający się na skutek zezłośliwienia śluzaka łagodnego. Może dawać odległe przerzuty.

Nowotwory tkanki tłuszczowej

Tłuszczaki. Są to nowotwory niezłośliwe, pojedyncze lub mnogie. Mają postać ograniczonych guzów. Najczęściej umiejscawiają się na szyi, plecach (okolica międzyłopatkowa), w przestrzeni zaotrzewnej i w śródpiersiu.

Zimowiak. Jest to szczególna postać t ł u s z c z a k a, rozwijająca się z komórek będących odpowiednikiem gruczołu międzyłopatkowego u zwierząt zapadających w sen zimowy. Najczęściej występuje na plecach. Wyjątkowo złośliwieje.

Tłuszczakomięsak. Histologicznie wyróżnia się 4 różniące się złośliwością typy nowotworu. Rzadko wywodzą się z niezłośliwego tłuszczaka. Najczęściej umiejscawiają się w dole podkolanowym, w pachwinie, na udzie, w przestrzeni zaotrzewnej. Naciekając tkanki otaczające mogą wywoływać silne bóle. Dają odległe przerzuty, głównie drogą krwi. R o k o w a n i e poważne.

Nowotwory tkanki mięśniowej

Nowotwory tkanki mięśniowej, czyli m i ę ś n i a k i, powstają z mięśni poprzecznie prążkowanych i mięśni gładkich.

Mięśniaki macicy, zob. Ginekologia i położnictwo, s. 1889.

Mięsak poprzecznie prążkowany. Jest to złośliwy nowotwór rozwijający się częściej w dużych grupach mięśniowych (uda, pośladki, mięśnie pasa barkowego). Początkowo jest to dobrze ograniczony, sprężysty guz, później nacieka tkanki i może dawać owrzodzenie skóry oraz krwawienia. Przerzuty odległe powstają przede wszystkim drogą krwi. Dość często występuje u dzieci (zob. Chirurgia wieku rozwojowego, s. 1681).

Mięsak mięśni gładkich. Ten złośliwy nowotwór jest wolno rosnącym guzem, który najczęściej występuje w obrębie mięśnia macicy (zob. Ginekologia i położnictwo, s. 1892), a także w ścianie przewodu pokarmowego. Przerzuty szerzą się drogą krwi. Rokowanie jest bardzo poważne.

Nowotwory z tkanki maziówkowej

Maziówczak złośliwy. Guz rozwija się z błony maziowej, torebek stawowych lub pochewek ściągnistych, najczęściej w stawach kolanowych, skokowych, łokciowych, biodrowych, barkowych i nadgarstkowych. Rozwój nowotworu jest powolny. Występują bóle, ograniczenie ruchów w stawie. W obrębie stawu wyczuwa się guz, w okresie zaawansowanym naciekający skórę i dający jej owrzodzenie. Przerzuty do płuc i wątroby powstają przede wszystkim drogą krwi. Rokowanie bardzo poważne.

Nowotwory tkanki naczyniowej

Mięsak naczyniowy. Jest to bardzo złośliwy nowotwór, występujący najczęściej w tkance podskórnej lub w mięśniach. Szybko daje przerzuty odległe.

Przybłoniak. Guz rozwija się z komórek otaczających naczynia włosowate – tzw. perycytów. Powstaje w tkankach miękkich, także w przestrzeni pozaotrzewnowej i krezce. Przebieg jest często złośliwy. Mogą występować odległe przerzuty.

Naczyniakomięsak limfatyczny. Jest to bardzo złośliwy guz, występujący rzadko w obrębie ramienia u kobiet po radykalnej operacji sutka. Leczenie chirurgiczne polega na odjęciu kończyny. Rokowanie poważne.

Nowotwory z zarodkowej tkanki łącznej (mezenchymy)

Mogą powstawać w tkankach miękkich i w narządach wewnętrznych. Są to nowotwory zwykle o dużej złośliwości, mające zdolność do wielokierunkowego różnicowania się. Dają odległe przerzuty, najczęściej do płuc.

Nowotwory z tkanki nerwowej

Nerwiakowłókniak. Jest to nowotwór łagodny występujący w postaci ograniczonej lub rozsianej. Daje jeden lub kilka miękkich, często uszypułowanych, brunatno zabarwionych guzków. W postaci rozsianej występuje w przebiegu choroby Recklinghausena (zob. Choroby skóry, s. 1971).

Osłoniak nerwowy lub **nerwiak osłonkowy** (zob. s. 2070), rozwija się z osłonki Schwanna nerwów obwodowych. Jest to twardy, najczęściej niebolesny guzek, rosnący powoli, zwykle w obrębie pnia nerwowego.

W niewielkiej liczbie przypadków oba guzy mogą złośliwieć, przekształcając się odpowiednio w nerwiakowłókniak złośliwy i osłoniak nerwowy złośliwy. Guzy złośliwe rosną szybko, naciekając okoliczne tkanki, dając szybko przerzuty odległe.

Leczenie nowotworów tkanek miękkich

Leczenie chirurgiczne jest metodą z wyboru w leczeniu doszczętnym tych nowotworów. Zabiegi chirurgiczne polegają na usunięciu nowotworowej zmiany z marginesem okolicznych tkanek zdrowych. W nowotworach kończyn niekiedy jest konieczne odjęcie kończyny.

Radioterapia ma dość duże znaczenie w guzach tkanek miękkich, zwłaszcza w skojarzeniu z leczeniem chirurgicznym.

Chemioterapia. Ponieważ nowotwory w tej grupie bardzo różnią się pod względem wrażliwości na leczenie chemiczne, chemioterapia w wybranych przypadkach może mieć duże znaczenie. Ogólnie zalicza się nowotwory tej grupy do średnio wrażliwych na leki cytostatyczne.

Nowotwory układu nerwowego

Nowotwory układu nerwowego dzieli się na nowotwory ośrodkowego układu nerwowego (mózgu i rdzenia kręgowego) oraz nowotwory nerwów obwodowych i układu wegetatywnego.

Nowotwory ośrodkowego układu nerwowego, łagodne i złośliwe, mogą być guzami pierwotnymi lub przerzutowymi. Pierwotne nowotwory złośliwe stanowią 2–5% wszystkich nowotworów złośliwych u ludzi.

Podstawowym objawem choroby, spowodowanym wzrostem ciśnienia śródczaszkowego na skutek ucisku guza, są bóle głowy, wymioty, zwolnienie tętna, obrzęk tarczy nerwu wzrokowego w oku. Z objawów neurologicznych mogą wystąpić porażenia nerwów czaszkowych i obwodowych, zaburzenia mowy, orientacji, czucia głębokiego, głuchota, ślepota, zaburzenia psychiczne, napady padaczkowe. Niekiedy pojawia się śpiączka z podwyższoną temperaturą ciała.

Rozpoznanie nowotworów ośrodkowego układu nerwowego następuje na podstawie objawów, badań rentgenowskich (łącznie z arteriografią i tomografią komputerową), jądrowego rezonansu magnetycznego oraz zabiegów chirurgicznych i badań histologicznych.

Glejaki

Glejaki jest to grupa nowotworów wywodząca się z tkanki glejowej, która stanowi zrąb tkanki nerwowej i pełni funkcje podporowe, odżywcze, odgraniczające i regenerujące.

Gwiaździaki są to nowotwory wywodzące się z komórek gwiaździstych tkanki glejowej – astrocytów. Rosną powoli, najczęściej są niezłośliwe lub o złośliwości miejscowej (mogą dawać wznowy). Złośliwą postacią jest gwiaździak anaplastyczny o szybkim, gwałtownym przebiegu.

Glejak wielopostaciowy jest najczęstszym (ok. 50%) złośliwym nowotworem wywodzącym się z tkanki glejowej. Cechuje go duża złośliwość. Przeważnie chorują ludzie w wieku 40–55 lat, częściej mężczyźni. Przebieg choroby jest szybki, występują objawy guza mózgu, szybko narastające.

Wyściółczak. Nowotwór ten wywodzi się z gleju nabłonkowego – ependymy, której komórki wyściełają komory mózgu i światło kanału kręgowego. Częściej chorują dzieci. Większość guzów usadawia się w tylnej jamie czaszki. Dość często występują przerzuty do rdzenia kręgowego. Radykalna operacja mogąca doprowadzić do pełnego wyleczenia nie zawsze jest możliwa do wykonania ze względu na umiejscowienie guza.

Skąpodrzewiak. Jest to rzadziej występująca postać glejaka, zwykle niezłośliwa, o wolnej dynamice wzrostu, jakkolwiek mogą się zdarzyć postacie złośliwe. Skąpodrzewiak jest najczęstszym glejakiem powodującym napady padaczkowe.

Rdzeniaki. Wywodzą się z mało zróżnicowanych komórek gleju nabłonkowego rdzenia kręgowego. Występują najczęściej w tylnej jamie czaszkowej, w obrębie móżdżku. Przerzuty do rdzenia szerzą się drogą płynu mózgowo-rdzeniowego. Rdzeniaki są nowotworami wieku dziecięcego i młodzieńczego (częściej chorują chłopcy) o dość dużej promienioczułości. Przebieg choroby jest dość szybki, rokowanie poważne. Właściwe leczenie daje duży odsetek wyleczeń.

Gąbczak biegunowy należy do rzadko spotykanych glejaków o dużej dynamice rozwoju. Ze względu na umiejscowienie (III, IV komora mózgu) jest zwykle nieoperacyjny. Rokowanie niepomyślne.

Nowotwory z osłonek nerwowych

Oponiaki są to guzy mózgu dość często występujące, przeważnie między 30 a 50 r. życia, zwłaszcza u kobiet. Stanowią ok. 20% nowotworów ośrodkowego układu nerwowego. Oponiaki wywodzą się z tkanki mezodermalnej opon mózgowo-rdzeniowych. Zazwyczaj niezłośliwe, rosną powoli uciskając tkankę mózgową. Mogą niekiedy ulegać zezłośliwieniu. Uraz czaszki może pobudzić lub przyspieszyć rozrost oponiaka.

Objawy oponiaka są najczęściej wynikiem ucisku i zależą od umiejscowienia guza.

R o z p o z n a n i e opiera się na przebiegu choroby i wynikach badań radiologicznych i jądrowego rezonansu magnetycznego. Wcześnie rozpoznany i właściwie leczony oponiak rokuje dobrze.

R o k o w a n i e w przypadkach zaawansowanych lub złośliwych jest poważne.

Osłoniak nerwowy lub **nerwiak osłonkowy** wywodzi się z komórek osłonki Schwanna. Najczęściej występuje w przedsionkowej części nerwu słuchowego, tj. VIII nerwu czaszkowego. Postać złośliwa występuje bardzo rzadko.

W p r z e b i e g u choroby wyróżnia się: okres słuchowy, w którym dominuje uczucie szumu, dzwonienia w uchu, okres „drętwienia" połowy twarzy związany z następowym uszkodzeniem nerwu trójdzielnego, okres móżdżkowy, w którym m.in. występują zaburzenia równowagi, mowy i niezborność ruchów, oraz okres wodogłowia, gdy dominują objawy podwyższonego ciśnienia czaszkowego. R o k o w a n i e we wczesnych zmianach jest dobre, w guzach zaawansowanych poważne.

Nowotwory pochodzenia zarodkowego

Guz przewodu czaszkowo-rdzeniowego lub **guz kieszonki Rathkego.** Jest to torbielowaty guz umiejscowiony w okolicy skrzyżowania nerwów wzrokowych. Nowotwór ten cechuje się niewielką złośliwością. R o k o w a n i e jest jednak poważne ze względu na umiejscowienie.

Szyszyniak. Jest to rzadko spotykany guz rozwijający się w obrębie szyszynki. Częściej chorują dzieci (chłopcy). Obok objawów neurologicznych u chłopców następuje przedwczesny rozwój narządów płciowych (w związku z uciskiem na podwzgórze). O r o z p o z n a n i u decyduje charakterystyczny zespół choroby i typowy obraz radiologiczny. R o k o w a n i e bardzo poważne.

Nowotwory pochodzenia mezenchymalnego

Naczyniak zarodkowy. Nowotwór niezłośliwy, stosunkowo rzadko występujący. Ze względu na umiejscowienie w obrębie ośrodkowego układu nerwowego r o k u j e poważnie.

Mięsak naczyniowy. Rzadki nowotwór o dużej złośliwości i bardzo poważnym r o k o w a n i u.

Przerzutowe nowotwory ośrodkowego układu nerwowego

W ośrodkowym układzie nerwowym często rozwijają się guzy przerzutowe raka płuca, raka sutka i innych nowotworów złośliwych. Stanowią one ok. 30% nowotworów ośrodkowego układu nerwowego. U części chorych badaniem klinicznym nie udaje się wykryć pierwotnego ogniska nowotworu złośliwego.

Nowotwory nerwów obwodowych i wegetatywnego układu nerwowego

Zwojak lub **nerwiak zwojowy**. Ten rzadko występujący guz wywodzi się ze zróżnicowanych komórek zwojowych. Częściej występuje w wieku młodzieńczym, zwykle w łańcuchu zwojów wegetatywnych, w rdzeniu nadnerczy lub w śródpiersiu tylnym. Guz śródpiersia może osiągać duże rozmiary i wzrastać do kanału rdzenia kręgowego. Rokowanie dość dobre.

Nerwiak zarodkowy współczulny. Jest to guz o dużej złośliwości, zbudowany z zarodkowych komórek układu nerwowego współczulnego, występujący zwykle u małych dzieci. Zob. Chirurgia wieku rozwojowego, Nowotwory u dzieci, s. 1679.

Leczenie nowotworów układu nerwowego

Leczenie chirurgiczne jest podstawowym sposobem leczenia i polega na doszczętnym usunięciu guza. W przypadku nowotworów ośrodkowego układu nerwowego nie zawsze jest ono możliwe ze względu na umiejscowienie lub zaawansowanie choroby. Częściowe usunięcie masy guza może jednak na pewien okres, nieraz długi, poprawić stan chorego.

Radioterapia nowotworów ośrodkowego układu nerwowego jest istotnym uzupełnieniem leczenia chirurgicznego. Leczenie napromienianiem stosuje się również u chorych, u których ze względu na umiejscowienie guza zabieg operacyjny nie jest możliwy. Obszar napromieniania i dawka zależą od wielkości, umiejscowienia oraz budowy histologicznej guza. W nowotworach mózgu rozprzestrzeniających się poprzez płyn mózgowo-rdzeniowy, oprócz guza pierwotnego lub loży po usuniętym guzie napromienia się cały kanał kręgowy. Napromienianie najbardziej złośliwych nowotworów ośrodkowego układu nerwowego ma charakter paliatywny. W nowotworach o mniejszej złośliwości radioterapia może być leczeniem doszczętnym.

Wyniki leczenia skojarzonego zależą od rodzaju nowotworu, stopnia doszczętności zabiegu operacyjnego, umiejscowienia guza i jego wielkości. Wczesne powikłania popromienne wynikają zazwyczaj ze wzrostu ciśnienia śródczaszkowego. Stosowane środki przeciwobrzękowe zmniejszają niebezpieczeństwo tego powikłania. Powikłania późne, występujące niekiedy kilka lat po leczeniu, są zazwyczaj wynikiem ogniskowej martwicy popromiennej.

Chemioterapia. Nowotwory złośliwe układu nerwowego zalicza się do średnio wrażliwych na leczenie chemiczne. Dla większości leków cytostatycznych bariera krew-mózg jest nie do przebycia. Tylko niektóre leki z tej grupy pokonują tę barierę (np. pochodne nitrozomocznika). W wybranych przypadkach cytostatyki (np. metotreksat) podaje się bezpośrednio do płynu mózgowo-rdzeniowego. Prowadzone są badania nad czasowym znoszeniem bariery krew-mózg w celu umożliwienia wniknięcia leków.

Guzy obwodowego i wegetatywnego układu nerwowego są leczone chirurgicznie. Leczenie energią promienistą i cytostatykami może mieć znaczenie wspomagające.

Nowotwory układowe

Pojęciem tym są określane choroby nowotworowe polegające na nadmiernym niekontrolowanym rozrastaniu się komórek układu krwiotwórczego i chłonnego (limfatycznego). Rozrastające się komórki jednego układu lub jednego etapu rozwojowego tych samych komórek „wyłamują" się spod fizjologicznych praw rządzących ich normalnym wzrostem.

Do „nowotworów układowych", określanych też jako „zespoły rozrostowe", należą białaczki oraz chłoniaki złośliwe obejmujące dwie podstawowe choroby: ziarnicę złośliwą i nieziarnicze chłoniaki złośliwe łącznie ze szpiczakiem. Choroby te u osób dorosłych opisano w dziale Choroby wewnętrzne: Zespoły rozrostowe układu krwiotwórczego i limfatycznego, s. 855; u dzieci – w dziale Pediatria: Choroby krwi i układu krwiotwórczego u dzieci, s. 1283–90 .

Nowotwory gruczołów dokrewnych i narządów zmysłów

Zob. Endokrynologia, s. 791, 785, 821.
Układ nerwowy s. 1550.
Ginekologia i położnictwo s. 1816.

Nowotwory u dzieci

Zob. Chirurgia wieku rozwojowego, s. 1676.

OSTRE ZATRUCIA

I. RODZAJ I PRZYCZYNY ZATRUĆ

Szybki rozwój cywilizacji w XX w., a szczególnie po II wojnie światowej, przyniósł wiele wspaniałych zdobyczy służących człowiekowi, ale wywołał także liczne uboczne, szkodliwe zjawiska społeczne. Jednym z nich jest obserwowany w ostatnich dziesięcioleciach wzrost liczby zatruć. Wpływ na to ma wiele czynników: wzrastająca ciągle, stosunkowo łatwa dostępność trucizn (zarówno leków, jak i środków używanych w przemyśle, rolnictwie, transporcie oraz w gospodarstwie domowym), obciążenie psychiczne związane z tempem współczesnego życia, będące powodem samozatruć wywołanych wprost, lub przez stany lekozależności i narkomanii, wreszcie używanie raczej trucizny niż innych sposobów w celu odbierania sobie życia.

Ostre zatrucia egzogenne, tzn. wywołane wniknięciem z zewnątrz do ustroju substancji szkodliwej, dzieli się na: 1) zamierzone, w tym samobójcze; 2) przypadkowe, 3) ostre zawodowe; 4) zabójcze.

Samozatrucia zamierzone i samobójcze stanowią najliczniejszą grupę zatruć. Próbą samobójczą nazywa się działanie przemyślane, zmierzające do samounicestwienia, które nie wynika z chwilowej niedyspozycji psychicznej. Samozatrucia zamierzone, częstsze niż samobójcze, są popełniane pod wpływem emocji, nieprzemyślanych reakcji, dla wywarcia wrażenia na otoczeniu lub dla osiągnięcia określonego celu. W wielu przypadkach są poprzedzane wypiciem alkoholu dla dodania sobie odwagi. Nieznajomość działania użytej trucizny albo wadliwa reżyseria zatrucia mogą być przyczyną niezamierzonej śmierci.

Zatrucia przypadkowe mogą być wynikiem ograniczonej zdolności oceny działania substancji, np. w przypadku dzieci lub ludzi pozostających pod działaniem alkoholu. Człowiek pijany często sięga po butelkę zawierającą jakikolwiek płyn; wielokrotnie zdarzały się przypadki wypicia w ten sposób np. rozpuszczalników, substancji żrących, środków ochrony roślin itp. Zatrucia u dzieci są to w większości zatrucia przypadkowe. Dochodzi do nich często np. podczas zabawy lekami lub artykułami gospodarstwa domowego.

Bezmyślność dorosłych, którzy pozostawiają trucizny w zasięgu ręki dziecka, była już niejednokrotnie przyczyną tragedii.

Zatrucia przypadkowe mogą zdarzyć się także ludziom ostrożnym najczęściej wtedy, gdy ktoś lekkomyślnie umieści substancję szkodliwą w opakowaniu lub miejscu właściwym dla środków spożywczych, albo zwykle używanych leków. Jest wielce karygodnym niedbalstwem przelewanie lub przesypywanie różnych substancji chemicznych z oryginalnych opakowań do butelek lub słoików po środkach spożywczych, albo po lekach bez usunięcia poprzedniej etykiety i bez odpowiedniego nowego oznakowania.

Ostre zatrucia zawodowe (stanowiące w ogóle niewielki odsetek zatruć) mogą wynikać z nieprzestrzegania przepisów bezpieczeństwa i higieny pracy przez pracownika lub pracodawcę, albo mogą być skutkiem powstania awarii urządzeń w czasie pracy.

Wśród czynników toksycznych, będących przyczyną ostrych zatruć, na pierwszy plan wysuwają się leki (ok. 60% wszystkich ostrych zatruć). Są to najczęściej leki nasenne, psychotropowe i przeciwbólowe. Do niedawna dość duży odsetek ostrych zatruć był spowodowany tlenkiem węgla, obecnie zatruć tych jest mniej, natomiast wzrasta częstość zatruć środkami ochrony roślin (pestycydami), rozpuszczalnikami i różnymi artykułami gospodarstwa domowego. Przyczyną wielu ciężko przebiegających zatruć przypadkowych w Polsce jest alkoholizm prowadzący do spożywania wysoce toksycznych alkoholi niespożywczych – alkoholu metylowego (metanolu) i glikolu etylenowego – lub produktów zawierających te alkohole.

II. PODSTAWOWE ZAGADNIENIA Z TOKSYKOLOGII OGÓLNEJ

Substancje szkodliwe mogą wniknąć lub być wprowadzone do organizmu różnymi drogami: 1) przez przewód pokarmowy (drogą doustną), 2) przez skórę i błony śluzowe rzadko innymi drogami (zatrucia kontaktowe), 3) przez płuca (zatrucia wziewne), 4) drogą pozajelitową (np. wstrzyknięcia podskórne, domięśniowe, dożylne).

Większość substancji szkodliwych dostających się drogą doustną dobrze wchłania się z przewodu pokarmowego. Wchłanianie to polega na przenikaniu substancji przez nabłonek jelitowy i jest na ogół proporcjonalne do jej rozpuszczalności w tłuszczach. Substancje będące słabymi kwasami lub zasadami są lepiej rozpuszczalne w tłuszczach w postaci niezjonizowanej. Na szybkość wchłaniania się trucizn z przewodu pokarmowego wpływa wiele czynników, m.in. skład treści pokarmowej, motoryka przewodu pokarmowego i flora bakteryjna jelit.

Skład treści pokarmowej może wpływać na tworzenie się kompleksów między substancjami szkodliwymi a białkami lub jonami metali. Kompleksy takie są źle rozpuszczalne i – co za tym idzie – słabo wchłaniane z przewodu pokarmowego. Przeciwnie, np. obecność w treści pokarmowej tłuszczów, a także alkoholu, może dramatycznie nasilić wchłanianie różnych substancji toksycznych. Podanie więc osobie zatrutej mleka (które zawiera tłuszcz) jako pierwszej pomocy może okazać się niebezpieczne, zwłaszcza w zatruciach substancjami rozpuszczalnymi w tłuszczach lub niezidentyfikowanymi truciznami.

C z y n n o ś ć m o t o r y c z n a przewodu pokarmowego warunkuje bezpośredni kontakt trucizny z powierzchnią wchłaniającą, odgrywa zatem dużą rolę w szybkości wchłaniania tej substancji.

F l o r a b a k t e r y j n a j e l i t, biorąc udział w procesach biotransformacji substancji trujących, może przyczyniać się do powstawania różnych metabolitów, co modyfikuje ich wchłanianie.

Tylko nieliczne substancje wchłaniają się w żołądku; większość przenika do krwi w jelicie cienkim, z krążeniem wrotnym dostaje się do wątroby i tutaj może ulegać metabolizmowi. Wydalone z żółcią metabolity niektórych substancji toksycznych w jelicie grubym mogą być ponownie wchłaniane do krążenia wrotnego.

Czasem zażyta przez zatrutego mieszanina kilku substancji może wywołać mniej gwałtowne objawy zatrucia niż jeden tylko ze składników mieszaniny, ponieważ jego wchłanianie jest upośledzone przez pozostałe składniki. Niekiedy jedna substancja ułatwia wchłanianie drugiej, np. tłuszcze przyspieszają wchłanianie substancji w nich rozpuszczalnych.

Po wchłonięciu trucizna dostaje się do krwi. Tam może w stopniu mniejszym lub większym (zależnym od rodzaju trucizny) związać się z jej białkami lub pozostać w formie wolnej. Aktywna jest frakcja wolna, rozpuszczalna w wodzie, między obiema zaś istnieje równowaga dynamiczna (czyli w miarę zmniejszania się wolnej formy, trucizna jest uwalniana z połączeń białkowych). Substancja toksyczna jest przenoszona z krwią do różnych tkanek i narządów, wywierając działanie szkodliwe, tj. objawy zatrucia.

Niektóre środki mogą ulec czasowemu m a g a z y n o w a n i u (np. DDT, trójchloroetylen w tkance tłuszczowej lub związki ołowiu w kościach). Większość ich jednak jest eliminowana dzięki procesom biotransformacji i wydalania. Procesy b i o t r a n s f o r m a c j i (m e t a b o l i z m), zachodzące głównie w wątrobie, na ogół powodują utratę biologicznej aktywności danej substancji. Czasem pierwsze produkty przemiany (metabolity) są bardziej toksyczne niż substancja pierwotna (np. formaldehyd i kwas mrówkowy – metabolity alkoholu metylowego, powodujące ciężkie zatrucie tym związkiem). Wydalanie trucizny, zarówno w formie metabolitów, jak i w formie nie zmienionej (zależnie też od rodzaju substancji trującej), może się odbywać przez układ moczowy (z moczem), pokarmowy (z kałem) lub oddechowy (z powietrzem wydechowym).

Wydalanie trucizny z moczem odgrywa ogromną rolę w odtruwaniu. Trucizny rozpuszczalne w wodzie są wydalane przez nerki drogą filtracji kłębuszkowej. Jednak część substancji ulega wchłanianiu zwrotnemu w kanalikach nerkowych. Wchłanianie zwrotne jest tym większe, im mniej zjonizo-

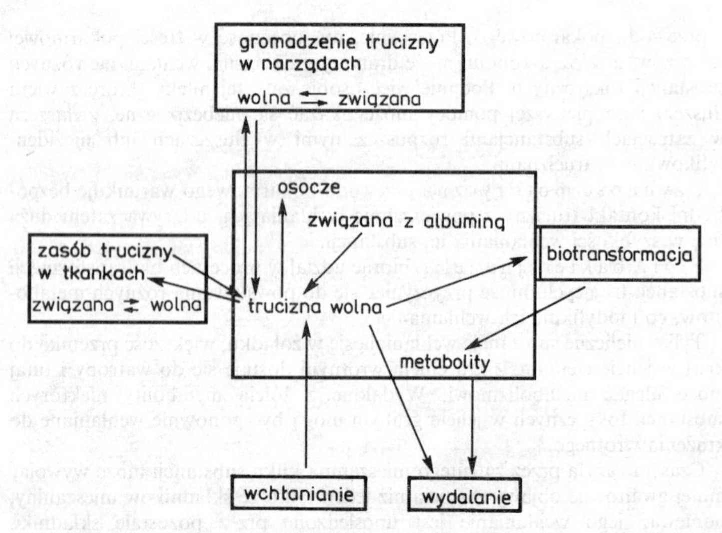

Obieg substancji toksycznych w organizmie (wg L.S. Goodmana, A. Gilmana)

wana jest dana substancja, a jonizacja zależy w dużym stopniu od odczynu moczu. Substancje kwaśne są mniej zjonizowane w środowisku kwaśnym, odwrotnie jest z zasadami. Zatem, aby zwiększyć wydalanie trucizny, należy doprowadzić odczyn moczu do pH przeciwstawnego odczynowi substancji trującej. Niewydolność nerek może utrudnić lub uniemożliwić wydalanie nerkowe.

Obieg substancji toksycznych wchłoniętych do organizmu przedstawiono na schemacie powyżej.

Działanie trucizny po wniknięciu do organizmu może rozpocząć się natychmiast lub być opóźnione (np. jeśli metabolit jest bardziej toksyczny niż trucizna pierwotna).

Dawka przyjętej trucizny (a ściślej wchłoniętej) jest decydująca dla przebiegu zatrucia, niemniej czynniki, takie jak: wiek chorego, stan odżywienia, interakcja z innymi związkami (szczególnie z alkoholem), przyzwyczajenie do preparatu mogą również przesądzić o losie zatrutego.

III. OBJAWY ZATRUCIA

Tylko niektóre zatrucia wywołują charakterystyczne o b j a w y p r z e d m i o t o w e. W większości przypadków symptomatologia kliniczna nie daje żadnej pewności diagnostycznej. Niemniej w wielu przypadkach baczna obserwacja chorego może być istotna w ustaleniu rozpoznania. Przeprowadzenie wywiadu z zatrutym lub jego otoczeniem może zdecydowanie dopomóc w ustaleniu:

1) czy jest to zatrucie;

2) jaki jest najprawdopodobniej rodzaj i jaka dawka substancji, która wywołała zatrucie (należy zabezpieczyć opakowania leków, środków chemicznych);

3) jakie były objawy we wczesnym okresie zatrucia;

4) jaki był psychiczny stan chorego przed zatruciem (depresja, alkoholizm);

5) czy chory był i z jakiego powodu uprzednio leczony, i jakie przyjmował leki.

Ważniejsze objawy przedmiotowe mogące sugerować zatrucie

Skóra i błony śluzowe. Sinica może być skutkiem przemiany hemoglobiny w methemoglobinę powstającą w zatruciach m.in.: aniliną, azotynami, azotanami (zatrucia wodą studzienną u niemowląt). Nadżerki, oparzenia mogą powstawać w rezultacie działania substancji żrących. Nadmierna suchość skóry występuje np. w zatruciach lekami cholinolitycznymi, wzmożona potliwość zaś może być wynikiem działania np. pestycydów fosforoorganicznych, nikotyny lub muskaryny. Żółtaczka może być spowodowana uszkodzeniem wątroby (muchomor sromotnikowy, czterochlorek węgla, paracetamol) lub hemolizą (arsenowodór).

Oczy (źrenice). Rozszerzenie źrenic powodują zatrucia: atropiną i jej pochodnymi, trójcyklicznymi lekami antydepresyjnymi, lekami przeciwhistaminowymi. Zwężenie źrenic może wystąpić wskutek zatrucia np. morfiną, fizostygminą, związkami fosforoorganicznymi, muskaryną. Widzenie barwne powoduje najczęściej naparstnica, marihuana, solanina, narecznica. Zaburzenia widzenia (aż do całkowitej ślepoty) występują u chorych zatrutych alkoholem metylowym, bromkiem lub chlorkiem metylu.

Ośrodkowy układ nerwowy. Pojawienie się senności, śpiączki to przede wszystkim wynik działania leków, ale również alkoholi, tlenku węgla, rozpuszczalników organicznych i pestycydów. Zaburzenia świadomości określamy wg skali Matthew następująco:

1 stopień – chory jest senny, reaguje na bodźce słowne;

2 stopień – chory jest nieprzytomny, reaguje na bodźce dotykowe i słabe bólowe;

3 stopień – chory jest nieprzytomny, reaguje tylko na silne bodźce bólowe;

4 stopień – chory jest nieprzytomny, bez odruchów, nie reaguje na żadne bodźce bólowe.

Śpiączka jest jednym z najczęściej występujących objawów w ostrych zatruciach, jednak czasem może się zdarzyć stan nadmiernego pobudzenia, np. w zatruciu atropiną, skopolaminą, kokainą.

Układ oddechowy. Objawy ze strony układu oddechowego mogą być skutkiem skurczów oskrzeli (działanie swoistych alergenów, ale również np. zatrucia adrenolitykami), rozwijania się toksycznego obrzęku płuc (np. zatrucia chlorem, amoniakiem, tlenkami azotu), powstawania nadmiernej ilości wydzieliny w drogach oddechowych (zatrucia związkami fosforoorganicznymi) lub porażenia ośrodka oddechowego (zatrucia morfiną, barbituranami, alkoholami).

Układ krążenia. Niektóre leki i związki chemiczne mogą powodować nadmierne przyspieszenie czynności serca (atropina, nikotyna, kokaina), inne zwalniają tę czynność (naparstnica, fizostygmina, muskaryna, związki fosforoorganiczne), jeszcze inne mogą spowodować zaburzenia rytmu serca (naparstnica, trójcykliczne leki antydepresyjne, rozpuszczalniki organiczne). Obniżone ciśnienie tętnicze krwi jest objawem mało charakterystycznym. Występuje w licznych ciężko przebiegających zatruciach.

Nerki. Istnieje wiele związków chemicznych wywołujących różnego stopnia uszkodzenie nerek, aż do wystąpienia pełnoobjawowej mocznicy. Do najczęściej spotykanych należą: sole rtęci rozpuszczalne w wodzie (sublimat), muchomor sromotnikowy, sole chromu, arsenu, glikol etylenowy, czterochlorek węgla.

Przewód pokarmowy. Objawy ze strony tego układu, takie jak: nudności, wymioty, bóle brzucha, biegunka – może wywołać większość substancji, zwłaszcza po przyjęciu doustnym.

Przebieg zatruć może być różnorodny. Objawy zatrucia mogą wystąpić:

— natychmiast, np. kontakt ze środkami żrącymi;

— w ciągu kilku minut lub godzin, narastając stopniowo, np. zatrucia lekami uspokajającymi;

— z pewnym okresem utajenia, po którym dopiero pojawiają się pierwsze objawy, np. zatrucia wziewne tlenkami azotu;

— dwufazowo, tzn. po okresie wstępnych objawów występuje poprawa, po której pojawiają się objawy uszkodzenia narządowego, np. w zatruciu muchomorem sromotnikowym.

Badając chorego, który uległ zatruciu, lekarz ocenia stan czynnościowy układów: krążenia, oddechowego, moczowego i pokarmowego.

W ocenie wydolności krążenia posługuje się metodami pośrednimi, do których m.in. należą: stałe monitorowanie czynności serca, pomiar tętna co 1 godz., pomiar ciśnienia tętniczego krwi co 1 godz., ocena ilości wydalonego moczu.

O istniejącej niewydolności oddechowej lekarz może wnosić z obserwacji wentylacji płuc minutowej, która jest iloczynem liczby oddechów na minutę i objętości jednego oddechu. W większości przypadków pojawia się sinica. Pewne rozpoznanie niewydolności oddechowej jest możliwe dzięki badaniom gazometrycznym krwi. Ostra niewydolność oddechowa u chorego zatrutego może być spowodowana zapadaniem nasady języka, zaleganiem wydzieliny w drogach oddechowych lub porażeniem ośrodka oddechowego.

Oceny p r a c y n e r e k lekarz dokonuje na podstawie ilości wydalanego moczu w jednostce czasu, ciężaru właściwego moczu oraz oznaczenia poziomu kreatyniny w surowicy krwi.

Oceniając u k ł a d p o k a r m o w y lekarz bada, czy istnieją uszkodzenia wywołane truciznami żrącymi, określa sprawność ruchową żołądka i jelit, różnicuje rodzaj żółtaczki.

Toksykologiczne badania laboratoryjne

Analiza toksykologiczna materiału biologicznego ma bardzo duże znaczenie dla postawienia prawidłowej diagnozy (tzn. stwierdzenia czy chory jest i czym jest zatruty), a także odgrywa rolę w dalszym leczeniu chorych ostro zatrutych. Najtrudniejszy jest pierwszy etap badań (diagnoza), głównie z powodu konieczności szybkiej identyfikacji trucizny, ponieważ o losie chorego często decyduje natychmiastowe wdrożenie prawidłowego postępowania lekarskiego. Dlatego oprócz wielu skomplikowanych, jednocześnie czasochłonnych technik laboratoryjnych (jak chromatografia gazowa lub cieczowa, spektrometria, kolorymetria), z powodzeniem są używane szybkie testy diagnostyczne, wykrywające substancję toksyczną we krwi lub moczu w ciągu kilku minut. Sprawą bardzo istotną dla otrzymania wiarygodnego wyniku jest pobranie przez lekarza udzielającego pierwszej pomocy odpowiedniego materiału do badań.

IV. OGÓLNE ZASADY LECZENIA OSTRYCH ZATRUĆ

Wbrew potocznej opinii, według której leczenie ostrych zatruć polega przede wszystkim na podawaniu odpowiednich odtrutek, o życiu chorego decydują zabiegi polegające na intensywnej terapii i usuwaniu trucizn z organizmu. Postępowanie lecznicze jest oparte na następujących działaniach:

1) usunięciu nie wchłoniętej trucizny (płukanie żołądka);

2) leczeniu podtrzymującym fizjologiczne czynności organizmu (intensywna terapia);

3) usuwaniu trucizny wchłoniętej (metody przyspieszonej eliminacji);

4) stosowaniu odtrutek;

5) leczeniu uszkodzeń narządowych ujawniających się w późniejszym okresie zatrucia (np. niewydolności nerek, wątroby), powikłań (np. zapalenia płuc zachłystowego) i skutków odległych (np. zwężenia przełyku po wypiciu substancji żrącej);

6) ewentualnym leczeniu psychiatrycznym (ocena stanu psychicznego u samobójców, leczenie odwykowe pacjentów uzależnionych).

Usuwanie trucizny nie wchłoniętej

Pierwsza pomoc. W zatruciu doustnym, jeżeli chory jest przytomny i ma zachowany odruch kaszlowy, należy wywołać wymioty przez podanie do picia 200–300 ml ciepłej, osolonej wody i ewentualne podrażnienie tylnej ściany jamy gardła (palec do gardła). Zabiegu tego nie wykonuje się u ludzi zatrutych benzyną i jej pochodnymi oraz substancjami żrącymi, jeżeli upłynęło więcej niż 15–20 min (tym ostatnim można podać do wypicia białko jaja kurzego).

W przypadku zatruć powierzchniowych należy zdjąć ubranie, usunąć z powierzchni ciała trucizny za pomocą wody i mydła. Skażone oczy trzeba płukać bieżącą czystą wodą przez ok. 10 min.

W zatruciu wziewnym choremu zapewnia się dostęp świeżego powietrza i chroni przed zimnem.

Jeżeli chory jest nieprzytomny, układa się go w położeniu bezpiecznym (na boku) i w takiej pozycji transportuje do szpitala. Chorego nieprzytomnego (jeśli nie jest zaintubowany) nie wolno przewozić w pozycji na wznak!

Płukanie żołądka polega na podawaniu przez zgłębnik założony do żołądka ciepłej wody, aż do uzyskania czystych popłuczyn. Chorych przytomnych płucze się do 6 godz. od momentu zatrucia (wyjątkiem są zatruci grzybami, których płucze się nawet w drugiej dobie zatrucia). Chorych nieprzytomnych oraz zatrutych benzyną i jej pochodnymi należy płukać zawsze po uprzednim zaintubowaniu rurką uszczelnioną w tchawicy (zapobiega to zachłyśnięciu się chorego i możliwości wystąpienia u niego toksycznego obrzęku płuc). Nie płucze się chorych zatrutych substancjami żrącymi, jeżeli minęło 30 min od momentu zatrucia.

Leczenie podtrzymujące fizjologiczne czynności organizmu – intensywna terapia

Polega ona na:

1) postępowaniu reanimacyjnym, jeśli jest konieczne (zob. Pierwsza pomoc, s. 2125);

2) podtrzymaniu czynności oddychania polegających na usunięciu przeszkód z dróg oddechowych: usunięciu protezy, odessaniu wydzieliny, a w razie potrzeby wprowadzeniu rurki do tchawicy lub dokonaniu tracheostomii w celu zapewnienia drożności dróg oddechowych, prowadzeniu oddechu wspomaganego lub kontrolowanego;

3) utrzymaniu prawidłowego krążenia krwi, przez wyrównanie hipowolemii (podawanie płynów pod kontrolą ośrodkowego ciśnienia żylnego), zwalczaniu spadków ciśnienia i wstrząsu oraz leczeniu zaburzeń rytmu serca farmakologicznie, a w razie potrzeby przy użyciu zabiegów elektroterapeutycznych (założenie elektrody endokawitarnej, defibrylacja);

4) zapobieganiu i zwalczaniu niewydolności nerek i wątroby;
5) utrzymywaniu prawidłowego bilansu wodno-elektrolitowego i zapewnieniu pełnego pokrycia kalorycznego;
6) dbaniu o higienę skóry (zapobieganie odleżynom), częstej zmianie pozycji chorego;
7) zwalczaniu stanów drgawkowych lub objawów obrzęku mózgu.

Usuwanie trucizny wchłoniętej

Usuwanie trucizny już wchłoniętej odbywa się metodami: diurezy forsowanej, hemodializy, hemoperfuzji i plazmaferezy.

Diureza forsowana (diureza wymuszona). Polega ona na podawaniu dożylnie dużej ilości płynów (10 – 15 l) i ewentualnie środków moczopędnych w celu zwiększenia wydalania moczu, a wraz z nim niektórych substancji znajdujących się w organizmie. Diureza forsowana jest stosowana wtedy, gdy trucizna lub jej czynny metabolit są rozpuszczalne w wodzie, a zatem ulegają filtracji w nerkach.

Dializa. Polega ona na oczyszczaniu krwi z substancji toksycznych za pomocą jej dyfuzji przez błonę półprzepuszczalną. Wyróżnia się d i a l i z ę o t r z e w n o w ą (wewnątrzustrojową), obecnie rzadko wykonywaną, gdzie błonę półprzepuszczalną stanowi otrzewna, oraz h e m o d i a l i z ę (dializę pozaustrojową lub zewnątrzustrojową), gdzie błoną półprzepuszczalną jest celofan znajdujący się w dializatorze (sztuczna nerka). Warunkiem skuteczności tej metody leczenia jest zdolność przechodzenia substancji trujących lub ich metabolitów przez błonę półprzepuszczalną. Zdolność tę mają substancje drobnocząsteczkowe rozpuszczalne w wodzie i nie związane z białkami.

Hemoperfuzja. Polega ona na pozaustrojowym oczyszczaniu krwi z substancji toksycznych za pomocą adsorpcji na węglu lub żywicy. Krew chorego jest przepuszczana przez hemoperfuzor, którym jest kolumna węglowa lub kolumna z żywicą. Zabieg ten może okazać się skuteczny w przypadku trucizn wielkocząsteczkowych lub związanych z białkami osocza.

Plazmafereza. Polega ona na oddzieleniu i usunięciu osocza od składników morfotycznych krwi. Substancje toksyczne, które łączą się z białkami są usuwane razem z oddzielonym osoczem.

Stosowanie odtrutek

O d t r u t k i (a n t i d o t a) są to substancje znoszące lub zmniejszające toksyczność trucizny albo powodujące zniesienie efektu biochemicznego spowodowanego działaniem trucizny. Podawanie ich jest jedną z metod leczenia ostrych zatruć.

Grupa odtrutek chelatujących metale (tzn. łączących się z metalami w kompleksy mniej toksyczne i łatwiej wydalane z organizmu) to: deferoksamina (Desferal), dimerkaprol (BAL) i jego pochodne – dimerkaptopropanosulfon (Dimaval) i kwas dimerkaptobursztynowy (DMSA), penicylamina (Cuprenil), wersenian dwusodowo-wapniowy (Chelaton, EDTA). Do odtrutek stosowanych w innych zatruciach należą: wersenian dwukobaltowy (Kelocyanor), tiosiarczan sodowy, azotyn sodowy – w zatruciach cyjankami; obidoksym, atropina – w zatruciach związkami fosforoorganicznymi; nalokson (Narcan) – w zatruciach opioidami, błękit metylenowy – w zatruciach związkami methemoglobinotwórczymi; etanol – w zatruciach alkoholem metylowym i glikolem etylenowym; flumazenil – w zatruciach benzodiazepinami; N-acetylocysteina (NAC) – w zatruciach paracetamolem, fragmenty Fab – w zatruciach naparstnicą; witamina B6 – w zatruciach hydrazydem oraz witamina K1 w zatruciach pochodnymi kumaryny.

Organizacja informacji toksykologicznej i leczenia ostrych zatruć

Wzrastająca liczba przypadków ostrych zatruć, a także wprowadzanie do obrotu handlowego nowych preparatów chemicznych i leków spowodowały, że konieczne stało się powołanie wyspecjalizowanych ośrodków zajmujących się leczeniem ludzi zatrutych, udzielaniem stałej informacji na temat toksyczności substancji i preparatów oraz zasad udzielania pomocy ludziom zatrutym. Obecnie w Polsce działa 9 ośrodków ostrych zatruć. Leczą one chorych zatrutych, udzielają informacji toksykologicznej i wykonują wiele badań toksykologicznych.

Ośrodki toksykologiczne w Polsce

Miasto	Adres	Województwo objęte opieką
Gdańsk	ul. Dębinki 7	elbląskie, gdańskie, koszalińskie, olsztyńskie, słupskie
Kraków	ul. Kopernika 27	kieleckie, krakowskie, nowosądeckie, tarnowskie, bielskie
Lublin	ul. Biernackiego 9	bialskopodlaskie, chełmskie, lubelskie, radomskie, zamojskie
Łódź	ul. Św. Teresy 8	bydgoskie, łódzkie, piotrkowskie, płockie, sieradzkie, skierniewickie, toruńskie, włocławskie
Poznań	ul. Mickiewicza 2	gorzowskie, kaliskie, konińskie, leszczyńskie, pilskie, poznańskie, szczecińskie, zielonogórskie
Rzeszów	ul. Lwowska 60	krośnieńskie, przemyskie, rzeszowskie, tarnobrzeskie
Sosnowiec	ul. Kościelna 13	częstochowskie, katowickie, opolskie
Warszawa	Al. Solidarności 67	białostockie, ciechanowskie, łomżyńskie, ostrołęckie, siedleckie, suwalskie, warszawskie
Wrocław	ul. Traugutta 112	jeleniogórskie, legnickie, wałbrzyskie, wrocławskie

V. OSTRE ZATRUCIA

Zatrucia pochodnymi kwasu barbiturowego (barbituranami)

Jest to grupa leków dawniej często stosowanych jako środki nasenne, uspokajające, przeciwdrgawkowe, a obecnie wychodzących z użycia. Tradycyjnie są składnikami wielu złożonych środków przeciwbólowych (np. Pabialgin, Veramid, Vegantalgin). Różnią się czasem działania, metabolizmem, aktywnością i toksycznością. Przyjęto je dzielić ze względu na czas działania nasennego, na cztery grupy:

1) długo działające 8–12 godz., np. fenobarbital (Luminal);
2) umiarkowanie długo działające 2–8 godz., np. cyklobarbital (Phanodorm);
3) krótko działające 1–4 godz., np. pentobarbital (Nembutal);
4) bardzo krótko działające 5–30 min, np. tiopental (Pentotal), heksobarbital (Evipan).

Barbiturany długo działające dobrze rozpuszczają się w wodzie, słabo w lipidach i w małym stopniu wiążą się z albuminami. Wraz ze zmianą grupy zmieniają się właściwości leków, czyli wzrasta powinowactwo do tłuszczy, zwiększa się stopień wiązania z białkami, a zmniejsza się rozpuszczalność w wodzie. Barbiturany grupy 1 są prawie całkowicie wydalane z moczem w formie nie zmienionej, grupy 4 zaś są metabolizowane w wątrobie i tylko w niewielkim procencie wydalane z organizmu nie zmienione.

Wszystkie barbiturany działają depresyjnie na ośrodkowy układ nerwowy, dlatego głównymi objawami zatrucia są: zaburzenia świadomości, narastająca senność aż do głębokiej śpiączki ze zniesieniem odruchów fizjologicznych. Ciśnienie tętnicze krwi obniża się, temperatura ciała spada. W bardzo ciężkich zatruciach dochodzi do porażenia oddechu i wstrząsu.

Pierwsza pomoc

Jeżeli chory jest przytomny i ma zachowany odruch kaszlowy, należy wywołać wymioty podając do picia wodę lekko osoloną i mechanicznie drażniąc gardło. Chorego nieprzytomnego trzeba ułożyć w pozycji bezpiecznej (bocznej ustalonej). Nie podawać płynów do picia, nie wywoływać wymiotów. Konieczne jest wezwanie lekarza. Zatruty w każdym przypadku musi być leczony w szpitalu.

Zatrucia pochodnymi benzodiazepiny

Do tej grupy leków należą m.in.: chlordiazepoksyd (Elenium, Libirium), diazepam (Relanium), oksazepam (Oxazepam), nitrazepam (Nitrazepam), temazepam (Signopam), medazepam (Rudotel). Są one najczęściej używaną grupą leków uspokajających, nasennych, przeciwlękowych, przeciwdrgawkowych i rozluźniających mięśnie. Benzodiazepiny stosuje się bardzo szeroko w lecznictwie, często chorzy je nadużywają. Dłużej przyjmowane mogą prowadzić do lekozależności. Zatrucia tą grupą leków to obecnie najczęstsze zatrucia zamierzone. Pochodne benzodiazepiny działają na swoiste receptory w ośrodkowym układzie nerwowym. Metabolizowane są w wątrobie.

Objawy zatrucia. Obserwuje się uspokojenie, senność, zaburzenia równowagi i mowy, śpiączkę – zwykle niezbyt głęboką.

Pierwsza pomoc jest taka jak przy zatruciu barbituranami.

Zatrucia pochodnymi fenotiazynowymi

Należą tu: chlorpromazyna (Fenactil), lewomepromazyna (Tisercin), perazyna (Taxilan, Pernazyna), promazyna, perfenazyna (Trifalon), prometazyna (Diphergan) oraz wiele innych.

Jest to duża grupa leków neuroleptycznych, która działa uspokajająco, znosi u pacjentów omamy i urojenia (stąd szerokie zastosowanie w psychiatrii w leczeniu psychoz) oraz wykazuje silne działanie przeciwwymiotne. Fenotiazyny są często przyczyną zamierzonych zatruć i przedawkowań (np. Diphergan w syropie dla dzieci).

Objawy zatrucia to senność, zaburzenia równowagi, śpiączka, czasami występują objawy pozapiramidowe (drżenia, sztywność mięśni, tiki). W ciężkich zatruciach może dojść do spadku ciśnienia tętniczego krwi, zaburzeń rytmu serca, drgawek, zwężenia źrenic, zaburzeń termoregulacji.

Pierwsza pomoc jest taka jak przy zatruciu barbituranami.

Zatrucia trójcyklicznymi lekami antydepresyjnymi

Do leków tych należą: amitryptylina (Saroten), doksepina (Sinequan), imipranina (Tofranil), opipramol (Insidon, Pramolan). Te leki antydepresyjne mają szerokie zastosowanie we współczesnym lecznictwie psychiatrycznym. Ze względu na dużą toksyczność zatrucia nimi stanowią zawsze poważne zagrożenie życia chorego. Trójcykliczne leki antydepresyjne, oprócz działania hamującego na ośrodkowy układ nerwowy, cechuje duża kardiotoksyczność spowodowana głównie toksycznością cholinolityczną (czego wyrazem są ciężkie zaburzenia rytmu serca). Wchłaniane są szybko z przewodu pokarmowego, wiązane z białkami tkanek i rozkładane często do czynnych metabolitów w wątrobie.

Objawy zatrucia to senność, suchość w jamie ustnej, rozszerzenie źrenic, zaburzenia równowagi, początkowo pobudzenie psychoruchowe, potem senność i śpiączka (niezbyt głęboka). W ciężkich zatruciach pojawiają się drgawki, sztywność mięśni, zaburzenia oddychania, spadek ciśnienia tętniczego krwi, przyspieszenie czynności serca (mogą też wystąpić bardzo ciężkie i różne zaburzenia rytmu serca).

Pierwsza pomoc, jeżeli zatruty jest przytomny, polega na wywołaniu wymiotów w celu usunięcia z żołądka niewchłoniętego leku. Jeśli jest nieprzytomny, postępowanie jak z chorym nieprzytomnym. W każdym przypadku zatrucia należy natychmiast wezwać lekarza. Leczenie prowadzi się w warunkach szpitalnych.

Zatrucia karbamazepiną (Tegretolem, Amizepiną)

Jest to lek przeciwpadaczkowy, stosowany też w przypadkach nerwobólu nerwu trójdzielnego oraz psychozach starczych. Ostatnio staje się on częstą przyczyną zatruć zamierzonych.

Objawy zatrucia to splątanie, początkowo pobudzenie i agresywność, zaburzenia orientacji, w ciężkich zatruciach dochodzi do głębokiej śpiączki z zaburzeniami oddychania, obniżeniem temperatury ciała i spadkiem ciśnienia tętniczego krwi.

Pierwsza pomoc taka jak przy zatruciu barbituranami.

Zatrucia analgetykami opioidowymi

Należą tu m.in. morfina, heroina, petydyna. Działają one tłumiąco na ośrodkowy układ nerwowy. Są silnymi środkami przeciwbólowymi. Rzadko są przyczyną zatruć zamierzonych, natomiast często są spotykane przedawkowania u osób uzależnionych. Na ogół są stosowane dożylnie (częściej od czystych preparatów morfiny jest wstrzykiwany tzw. kompot uzyskiwany ze słomy makowej i makiwara).

Objawy zatrucia to senność, zaburzenia mowy, śpiączka, zaburzenia oddychania, w bardzo ciężkim zatruciu spadek ciśnienia tętniczego krwi. Źrenice są bardzo wąskie (szpilkowate).

Pierwsza pomoc. Przeważnie chory wstrzykuje truciznę dożylnie, dlatego nie wywołuje się wymiotów. Dalsze postępowanie jak przy zatruciu barbituranami.

Zatrucia pochodnymi kwasu salicylowego (salicynami)

Najbardziej znany jest kwas acetylosalicylowy występujący w lekach jako Aspiryna, Asprocol, Calcipiryna, Polopiryna i wchodzący w skład wielu środków złożonych m.in. tabletek od bólu głowy. Salicylany wykazują działanie przeciwgorączkowe, przeciwzapalne, przeciwbólowe, antyagregacyjne. Podane miejscowo działają słabo przeciwgrzybiczo albo keratolitycznie (złuszczają naskórek). Leki te często są przedawkowywane (szczególnie u dzieci), rzadziej służą do zatruć zamierzonych.

O b j a w y z a t r u c i a to: nudności, wymioty, szum w uszach, niepokój, zawroty głowy. W ciężkich zatruciach mogą się pojawić halucynacje, śpiączka, przyspieszenie i pogłębienie oddechu, a następnie jego osłabienie, drgawki, podwyższenie temperatury ciała, czasami dochodzi do uszkodzenia nerek i wątroby.

P i e r w s z a p o m o c jak w przypadku każdego zatrucia (s. 2079). Należy bezwzględnie wezwać lekarza. W ciężkich zatruciach leczenie szpitalne.

Zatrucia niesterydowymi lekami przeciwzapalnymi

Do tej grupy leków należą powszechnie używane: diklofenak (Voltaren), indometacyna (Metindol), piroksykam (Piroxicam, Felden), fenylbutazon (Butapirazol).

Wzrasta liczba ostrych zatruć tymi lekami, zarówno zamierzonych, jak i przedawkowań (dotyczy to głównie dzieci).

O b j a w y z a t r u c i a to: nudności, wymioty, bóle brzucha, zawroty głowy, zaburzenia orientacji i widzenia, senność (głęboka śpiączka rzadko), drżenia, drgawki, zaburzenia oddychania, spadek ciśnienia tętniczego krwi, przyspieszenie czynności serca. Może dojść do uszkodzenia nerek, wątroby i zaburzeń hematologicznych.

P i e r w s z a p o m o c taka jak w zatruciach barbituranami.

Zatrucia paracetamolem (Acetaminofenem, Acenolem, Panadolem, Tylenolem)

Obecnie jest to coraz częściej stosowany lek przeciwgorączkowy i przeciwbólowy, dlatego rośnie liczba zatruć zamierzonych i przypadkowych (również u dzieci) tym lekiem.

Paracetamol szybko wchłania się z przewodu pokarmowego. W wątrobie ulega przemianom, a jeden z jego metabolitów powoduje martwicę komórek wątrobowych (w przypadku przedawkowania).

O b j a w y z a t r u c i a występują dość późno (pierwsza doba może być bezobjawowa); należą do nich: nudności, bóle brzucha, wymioty, a następnie objawy uszkodzenia wątroby, tj. powiększenie wątroby, żółtaczka. W ciężkich zatruciach dochodzi do martwicy wątroby, może wystąpić również niewydolność nerek.

P i e r w s z a p o m o c to bezzwłoczne wezwanie lekarza.

Zatrucia atropiną i środkami cholinolitycznymi

Alkaloidy tropanowe znajdują się w wielu roślinach psiankowatych, których przedstawicielami są: bieluń dziędzierzawa (*Datura stramonium*), pokrzyk wilcza jagoda (*Atropa belladonna*), lulek czarny (*Hyoscyamus niger*) i mlecznica odurzająca (*Scopolia carnolica*). Alkaloidy tropanowe zawarte w tych roślinach to przede wszystkim hioscyna, skopolamina i atropina. Syntetyczne odpowiedniki tych alkaloidów stosuje się jako leki spazmolityczne (przewód pokarmowy, układ moczowy, dychawica oskrzelowa). Zatrucia są notowane przeważnie u dzieci wskutek pomyłkowego spożycia owoców roślin zawierających alkaloidy tropanowe i wśród osób nadużywających w celu samoodurzenia.

Objawy zatrucia. Pierwszymi objawami są suchość i pieczenie w ustach, trudności w mówieniu, przełykaniu, wzmożone pragnienie. Zatruci są w stanie znacznego splątania umysłowego, pobudzenia słownego i ruchowego (czasami dochodzącego do szału). Mają zaburzenia widzenia z porażeniem akomodacji oraz halucynacje (omamy). Skóra jest sucha, ciepła, zaczerwieniona. Źrenice są szerokie. Czynność serca ulega przyspieszeniu, czasem występuje niemiarowość rytmu serca. Istnieje bolesne parcie na pęcherz z niemożnością oddania moczu. W przypadkach ciężkich zatruć po okresie pobudzenia następuje okres śpiączki, w którym może dojść do zatrzymania czynności serca i porażenia ośrodka oddechowego.

Pierwsza pomoc jak w każdym zatruciu (s. 2079). Niezbędne jest wezwanie lekarza i leczenie szpitalne.

Zatrucie tlenkiem węgla

Wszelkie gazy powstające w warunkach niecałkowitego spalania węgla są źródłem trującego tlenku węgla, gazu bez barwy i zapachu. Tlenek węgla (czad) występuje w gazach: spalinowych, świetlnym, przemysłowych (koksownie, gazownie), piecowym (piece hutnicze, piece węglowe źle przewietrzane). Do zatrucia CO dochodzi najczęściej przypadkowo wskutek używania wadliwych domowych instalacji gazowych (piecyki łazienkowe), zbyt wczesnego zamykania pieców domowych, przebywania w zamkniętym garażu podczas pracy silnika samochodowego lub wreszcie znajdowania się w atmosferze pożaru. Przy zatruciach-zaczadzeniach tlenek węgla wiąże się z hemoglobiną i powstaje karboksyhemoglobina. Powinowactwo tlenku węgla do hemoglobiny jest trzystakrotnie większe niż do tlenu. Karboksyhemoglobina jest niezdolna do przenoszenia tlenu, co prowadzi do niedotlenienia tkanek.

Objawy zatrucia. We wczesnym okresie występuje osłabienie, niepokój, tętniący ból i zawroty głowy. W miarę upływu czasu pojawia się senność, apatyczność, utrata świadomości, zaburzenia oddychania, przyspieszenie czynności serca, zaburzenia rytmu serca. Występuje uszkodzenie mięśnia serca (w badaniu EKG – niedokrwienie, a nawet cechy zawału). W późniejszym okresie zatrucia mogą uwidocznić się objawy uszkodzenia różnych struktur ośrodkowego układu nerwowego – w postaci porażeń, niedowładów, a także upośledzenia intelektualnego.

Pierwsza pomoc polega przede wszystkim na wyniesieniu zatrutego ze skażonej atmosfery i przeniesieniu w miejsce z dostępem świeżego powietrza. Jeżeli jest on zamroczony, należy ułożyć go w pozycji bezpiecznej. Następnie natychmiast trzeba wezwać lekarza.

Zatrucia alkoholami

Zatrucie alkoholem metylowym

Alkohol metylowy (metanol, karbinol, spirytus drzewny) jest cieczą bezbarwną, lotną o zapachu przypominającym alkohol etylowy (etanol), dobrze rozpuszczalną w wodzie. Ma szerokie zastosowanie jako rozpuszczalnik. Występuje w niektórych preparatach gospodarstwa domowego, zwłaszcza w płynach do mycia szyb.

Metanol często jest traktowany jako substytut etanolu i pity zamiast niego. Jest przyczyną wielu ciężkich zatruć, przeważnie przypadkowych. Alkohol ten bardzo szybko wchłania się z przewodu pokarmowego i jest następnie metabolizowany w wątrobie do znacznie od niego toksyczniejszych: aldehydu i kwasu mrówkowego. Te właśnie metabolity doprowadzają do powstania bardzo ciężkiej kwasicy metabolicznej prowadzącej do często nieodwracalnego uszkodzenia ośrodkowego układu nerwowego, zwłaszcza nerwu wzrokowego.

Objawy zatrucia. Początkowo są takie jak w upojeniu alkoholem etylowym – zapach alkoholu z ust, zaburzenia równowagi, mowy i orientacji, bóle głowy, wymioty, bóle brzucha, senność, śpiączka, potem pojawiają się zaburzenia oddychania (oddech przyspieszony, głęboki), spada ciśnienie tętnicze krwi, przyspiesza się czynność serca. Charakterystyczne dla tego zatrucia zaburzenia widzenia mogą pojawić się w różnym czasie zatrucia (mogą być znacznie opóźnione), ale zawsze są groźne (uszkodzenie nerwu wzrokowego przez metanol może doprowadzić do całkowitej ślepoty).

Pierwsza pomoc. Wywołanie wymiotów ma sens tylko w bardzo wczesnym okresie (metanol wchłania się w ciągu 2–4 godz.). Jeżeli pacjent jest przytomny, należy podać do wypicia 150–200 ml 25% alkoholu etylowego. Chorego nieprzytomnego powinno się ułożyć w pozycji bezpiecznej na boku. W każdym przypadku trzeba natychmiast wezwać lekarza. Leczenie musi przebiegać wyłącznie w warunkach szpitalnych.

Zatrucie glikolem etylenowym

Jest to oleista, bezbarwna ciecz o słodkim smaku, rozpuszczalna w wodzie. Glikol etylenowy (alkohol dwuwodorotlenowy) jest stosowany jako rozpuszczalnik, składnik płynów hamulcowych i płynów do chłodnic (płyn Borygo).

Do zatruć tym związkiem dochodzi na ogół przypadkowo. Dotyczy to przeważnie ludzi uzależnionych od alkoholu, którzy piją glikol etylenowy „zamiast" alkoholu spożywczego. Glikol etylenowy bardzo szybko wchłania się z przewodu pokarmowego i w wątrobie ulega metabolizacji do kwasu szczawiowego (przez aldehyd glikolowy i kwas glioksalowy).

Objawy zatrucia. Początkowo przypominają objawy występujące w upojeniu alkoholem etylowym – zaburzenia równowagi, mowy, orientacji, nudności i wymioty, zamroczenie. Po kilku godzinach następuje śpiączka, zaburzenia oddychania (oddech kwasiczy), przyspieszenie czynności serca, drgawki. Obserwuje się spadek diurezy, aż do całkowitego bezmoczu (ostra niewydolność nerek).

Pierwsza pomoc tak jak w zatruciu alkoholem metylowym.

Zatrucie alkoholem etylowym

Alkohol etylowy jest używką często spożywaną w nadmiernych ilościach. Łatwo wchłania się z przewodu pokarmowego, osiągając maksymalne stężenie we krwi po 1–2 godz. W organizmie alkohol etylowy ulega utlenianiu do aldehydu octowego, dalej metabolizowanego do dwutlenku węgla i wody. Często jest wydalany przez płuca z powietrzem wydychanym („probierz trzeźwości").

Objawy zatrucia. Stan typowego upojenia alkoholowego jest powszechnie znany. Stopień zaburzeń występujących w zależności od stężenia alkoholu we krwi przedstawia tabela (wg Du Pana). Zatruci alkoholem etylowym (3–4‰ we krwi) w stanie śpiączki mają zniesione czucie bólu

Ilość alkoholu we krwi w promilach	Objawy
0,1–0,5	bez uchwytnych zmian
0,5–1,0	zaburzenia ostrości widzenia i zdolności adaptacji do ciemności
1,0–1,5	euforia, przedłużony czas reakcji
1,5–2,0	jak wyżej + zaburzenia równowagi i koordynacji
2,0–2,5	spotęgowanie zaburzeń równowagi i koordynacji (stan silnego upojenia)
2,5–3,0	silne zaburzenia równowagi i koordynacji, zaburzenia świadomości
3,0–4,0	głęboka, a nawet śmiertelna śpiączka

i osłabiony odruch kaszlowy, zachowują natomiast odruchy spojówkowe i reakcję źrenic na światło. Skóra ich jest zwykle zaczerwieniona, czasem może występować sinica i nadmierne pocenie się. W ciężkich przypadkach dochodzi do zaburzeń oddechowych, przyspieszenia czynności serca i obniżenia ciśnienia tętniczego krwi, nierzadko występuje niedocukrzenie, a czasem kwasica. Śmierć następuje wskutek porażenia ośrodka oddechowego.

Pierwsza pomoc. Postępowanie ogólne jest takie jak z chorym nieprzytomnym. W przypadkach ciężkich zatruć jest konieczne leczenie szpitalne.

Zatrucie alkoholem izopropylowym (izopropanolem)

Alkohol izopropylowy jest alkoholem jednowodorotlenowym używanym do nacierań, do czyszczenia szyb, znajduje się w płynach po goleniu, ma też zastosowanie w przemyśle. Jest związkiem dwukrotnie bardziej toksycznym niż alkohol etylowy. Zatruciu ulegają osoby nadużywające alkoholu, zdarzają się też zatrucia przypadkowe. Zatrucie może nastąpić drogą wziewną i doustną.

Objawy zatrucia, zarówno wziewnego, jak i doustnego, są podobne do objawów zatrucia alkoholem etylowym, jednak znacznie wcześniej występują nudności, wymioty, bóle brzucha. Chory staje się apatyczny, senny, traci przytomność. Występuje zniesienie odruchów, zaburzenia oddychania i śmierć.

Pierwsza pomoc. Postępowanie ogólne takie jak z chorym nieprzytomnym. Konieczne jest natychmiastowe wezwanie lekarza.

Zatrucia rozpuszczalnikami organicznymi

Są to substancje różnorodne pod względem chemicznym, płynne, odznaczające się dużą lotnością i dobrą rozpuszczalnością w tłuszczach. Kumulują się w tkankach bogatych w lipidy. Działają narkotycznie na ośrodkowy układ nerwowy (są używane przez osoby nadużywające do odurzania się przez wąchanie). Wykazują toksyczne działanie wielonarządowe. W praktyce toksykologicznej najczęściej notuje się zatrucia trójchlorkiem etylenu, czterochlorkiem węgla i benzyną.

Zatrucie benzyną

Jest ona bezbarwną, nierozpuszczalną w wodzie cieczą, o charakterystycznym zapachu, stosowaną jako rozpuszczalnik i materiał pędny. Wchłania się przez przewód pokarmowy, drogi oddechowe i skórę. Zatrucia benzyną należą najczęściej do przypadkowych. Wypicie łyku benzyny na ogół nie powoduje objawów zatrucia, mogą ewentualnie pojawić się nudności, wymioty, zawroty głowy. W ciężkich zatruciach występują zaburzenia równowagi, zamroczenie, senność, utrata przytomności, drgawki. Niebezpieczne jest zachłyśnięcie się benzyną (podczas wymiotów, szczególnie u małych dzieci) może wtedy dojść do toksycznego obrzęku płuc lub chemicznego zapalenia płuc. Miejscowo benzyna drażni skórę i błony śluzowe, przy długotrwałym kontakcie może dojść do oparzeń.

Pierwsza pomoc. Należy choremu zapewnić świeże powietrze. W przypadku skażenia skóry trzeba zdjąć odzież i zmyć skórę (jeśli nie ma oparzeń) wodą z mydłem. Skażone oczy koniecznie płukać dużą ilością wody (pod bieżącym strumieniem). Nie wywoływać wymiotów, nie podawać mleka, tłuszczów. Jeżeli chory jest zamroczony, powinno się ułożyć go w pozycji bezpiecznej na boku. Natychmiast wezwać lekarza. W przypadku wypicia niewielkiej ilości benzyny leczenie szpitalne nie jest konieczne.

Zatrucie trójchloroetylenem (Tri)

Trójchloroetylen jest cieczą bezbarwną o charakterystycznym zapachu podobnym do chloroformu, trudno rozpuszczalną w wodzie, dobrze natomiast rozpuszczającą się w tłuszczach, alkoholu i eterze. Ma zastosowanie jako rozpuszczalnik. Zatrucie może nastąpić drogą wziewną lub przez przewód pokarmowy, a w wysokich stężeniach nawet przez skórę.

Objawy zatrucia to zapach rozpuszczalnika z ust, nudności, wymioty, zamroczenie, senność, śpiączka, poszerzenie źrenic. Po kilku następnych godzinach często występuje krótkotrwała pozorna poprawa stanu chorego, po której ponownie zapada w śpiączkę. W ciężkich zatruciach dochodzi do przyspieszenia czynności serca i poważnych zaburzeń jego rytmu. Miejscowo trójchloroetylen drażni skórę i błony śluzowe.

Pierwsza pomoc jest taka jak w zatruciu benzyną.

Zatrucie czterochlorkiem węgla (tetrą)

Jest on bezbarwną, lotną cieczą nierozpuszczalną w wodzie. Rozpowszechniony w użyciu jako rozpuszczalnik, składnik gaśnic przeciwpożarowych tetrowych, fumigant (preparat stosowany w postaci gazowej). Jest to jedna z bardziej toksycznych substancji. Może być przyczyną ciężkiego zatrucia nawet po kontakcie wziewnym. Wchłania się również dobrze przez przewód pokarmowy i skórę.

Objawy. Zatrucia ostre mają przebieg dwufazowy. Po upływie kilku godzin od momentu zatrucia występują nudności, wymioty, silne bóle brzucha, które najczęściej są kojarzone z zatruciem pokarmowym. Dolegliwościom tym towarzyszą bóle głowy, zawroty głowy, zaburzenia świadomości, do śpiączki włącznie. Występują zaburzenia oddychania, zaburzenia rytmu serca, drgawki. Po 1 – 2 dniach przebiegających bez innych dolegliwości pojawia się żółtaczka, zmniejsza się ilość oddawanego moczu, aż do całkowitego bezmoczu (niewydolność nerek). Śmierć następuje wśród objawów śpiączki wątrobowej.

Pierwsza pomoc przy zatruciach wziewnych polega na zapewnieniu świeżego powietrza, sztucznym oddychaniu, podawaniu tlenu. Przy zatruciach kontaktowych należy usunąć ubranie i zmyć ciało wodą z mydłem. Zawsze jest konieczne wezwanie lekarza i leczenie szpitalne.

Zatrucia grzybami

W Polsce rośnie wiele gatunków grzybów, których spożycie wywołuje objawy zatrucia, ale tylko jeden z nich powoduje zatrucie śmiertelne. Grzybem tym jest muchomor sromotnikowy (*Amanita phalloides*) i jego białe odmiany: muchomor jadowity (*Amanita virosa*) i muchomor wiosenny (*Amanita vernalis*). Wywołują one 90% śmiertelnych zatruć grzybami. Grzyb ten jest najczęściej mylony z kanią, pieczarką łąkową i gąską zieloną. Różni się od wspomnianych m.in. tym, że ma dwa kołnierzyki, jeden u podstawy trzonu, a drugi w górnej jego części. Duża śmiertelność w zatruciu muchomorem sromotnikowym powinna być przestrogą dla niedoświadczonych zbieraczy grzybów. R o z p o z n a w a n i e t r u j ą c y c h g r z y b ó w na podstawie ich g o r z k i e g o s m a k u, c z e r n i e n i a srebrnej ł y ż k i lub c e b u l i w trującej potrawie grzybowej, z ż ó ł k - n i e n i a g r z y b a p o p o s o l e n i u j e s t c a ł k o w i c i e f a ł s z y w e i z a w o d n e!

Z a t r u c i a m u c h o m o r e m s r o m o t n i k o w y m charakteryzują się wielogodzinnym opóźnieniem w wystąpieniu pierwszych objawów od momentu spożycia, bardzo ciężkim przebiegiem i wysoką śmiertelnością.

Czynnikami toksycznymi zawartymi w muchomorze sromotnikowym są dwie grupy polipeptydów: mniej toksyczne f a l o t o k s y n y i bardziej groźne a m a n i t o t o k s y n y z amanityną na czele. Toksyny te są odporne na wysoką temperaturę (gotowanie nie niszczy ich) i na enzymy trawienne.

O b j a w y z a t r u c i a pojawiają się późno (6–48 godz., przeciętnie 12 godz.). Są to początkowo nudności, wymioty, bóle brzucha, biegunka. Po upływie doby lub później pojawia się żółtaczka, skaza krwotoczna, skąpomocz. W ciągu następnych dni rozwija się ostra niewydolność nerek i wątroby. Zgon następuje wśród objawów śpiączki wątrobowej.

Z a t r u c i a i n n y m i g a t u n k a m i g r z y b ó w mogą powodować objawy ostrego nieżytu żołądkowo-jelitowego (tęgoskór, borowik szatan, mleczaj). Po spożyciu niektórych grzybów (strzępiaki, lejkówki) oprócz ww. objawów żołądkowo-jelitowych mogą wystąpić tzw. o b j a w y m u s k a r y - n o w e – ślinotok, łzawienie, pocenie się. Natomiast po zjedzeniu muchomora czerwonego występują o b j a w y a t r o p i n o w e – szerokie źrenice, pobudzenie psychoruchowe, omamy wzrokowe i słuchowe. Spożywanie o l - s z ó w e k może prowadzić do uszkodzenia wątroby, a z a s ł o n i a k a r u d e g o do uszkodzenia nerek i wątroby.

P i e r w s z a p o m o c polega na wywołaniu wymiotów, zabezpieczeniu wymiocin i resztek potrawy grzybowej do badania mykologicznego oraz na natychmiastowym wezwaniu lekarza lub udaniu się do szpitala.

Zatrucia metalami i metaloidami

Są to dość rzadkie zatrucia, ale przebieg mają ciężki i są obarczone dużym wskaźnikiem śmiertelności. Zatrucia wziewne są najczęściej konsekwencją narażenia zawodowego, natomiast w praktyce toksykologicznej spotykamy się z ostrymi zatruciami przypadkowymi lub samobójczymi, a nawet zbrodniczymi.

Rtęć

Rtęć metaliczna nie jest toksyczna. W przypadku wypicia rtęci metalicznej (często z rozbitego termometru) należy podać środek przeczyszczający w celu szybszego usunięcia jej z przewodu pokarmowego. Uwalniane pary z drobin rtęci (np. z rozbitego termometru) są toksyczne i powodują zatrucia przewlekłe. Związki nieorganiczne rtęci dobrze rozpuszczalne w wodzie (np. sublimat) wywołują objawy ciężkiego krwotocznego nieżytu przewodu pokarmowego i niewydolność nerek. Organiczne związki rtęci (np. nasienne zaprawy rtęciowe) są niebywale toksyczne i wywołują ciężkie i nieodwracalne uszkodzenie ośrodkowego układu nerwowego.

Chrom

Sole chromu, chromiany i dwuchromiany są używane do wyrobu barwników i farb (żółte farby), w garbarstwie i analityce. Powodują początkowo objawy krwotocznego nieżytu żołądkowo-jelitowego, a następnie doprowadzają do uszkodzenia nerek i wątroby (ciężka niewydolność tych narządów).

Związki ołowiu

Ołów jest jednym z najtoksyczniejszych metali. Szeroko stosowany w przemyśle, powoduje stałe zanieczyszczenie środowiska, a często również przewlekłe zatrucia u ludzi. Bywa też przyczyną ostrych zatruć, które mogą być skutkiem jednorazowego przyjęcia związku ołowiu lub gwałtownego zwiększenia stężenia tego pierwiastka w organizmie wskutek uruchomienia go z depozytów tkankowych (głównie z kości).

W ostrym zatruciu na początku dominują objawy żołądkowo-jelitowe, potem pojawia się ostra encefalopatia, tj. objawy z ośrodkowego układu nerwowego. Może dojść do uszkodzenia nerek i wątroby. Zmiany w układzie krwiotwórczym (anemia) są charakterystyczne głównie dla przewlekłych zatruć tym metalem.

Szczególnie toksycznym związkiem ołowiu jest czteroetylek ołowiu, środek przeciwstukowy, dodawany do benzyny. Uszkadza on głównie ośrodkowy układ nerwowy w sposób nieodwracalny. Wypicie nawet kilku mililitrów tego związku prowadzi nieuchronnie do śmierci.

Arszenik (trójtlenek arsenu)

Jest to biały proszek, bez zapachu, nierozpuszczalny w wodzie. Stosuje się go do produkcji barwników i pestycydów, w stomatologii używa się jako pasty arszenikowej do niszczenia miazgi zęba (w tej postaci najczęściej zażywany w celach samobójczych). Jest to silna trucizna komórkowa, wywierająca wielonarządowe działanie.

O b j a w y z a t r u c i a to: nudności, wymioty, bóle brzucha, biegunka niezwykle nasilona, prowadząca szybko do znacznego odwodnienia i w konsekwencji do wstrząsu. W późniejszym okresie dochodzi do uszkodzenia wątroby i nerek. Po kilku tygodniach mogą rozwinąć się objawy zapalenia wielonerwowego.

P i e r w s z a p o m o c w zatruciach metalami polega na: wywoływaniu wymiotów, podaniu do picia białka jaj kurzych, ewentualnie mleka. W razie skażenia skóry należy zmyć ją obficie wodą. Koniecznie trzeba wezwać lekarza i leczyć chorego w szpitalu.

Zatrucia pestycydami

P e s t y c y d a m i nazywa się preparaty chemiczne stosowane do walki ze szkodnikami i chorobami roślin. Środki te są tak liczne i różnorodne pod względem budowy chemicznej, że ich klasyfikacja pod tym kątem sprawia duże trudności. Spośród wielkiej liczby pestycydów najczęściej spotykane grupy chemiczne to: węglowodory chlorowane, związki fosforoorganiczne, karbaminiany pochodne pyretroidów.

Stopień toksyczności pestycydów określa się k l a s ą t o k s y c z n o ś c i. Pestycydy klasy I i II są truciznami, III i IV – substancjami szkodliwymi, V – praktycznie są nieszkodliwe. Aktywność biologiczna pestycydów zależy od substancji czynnej, która jest głównym składnikiem każdego preparatu. Stopień toksyczności może się zwiększać lub zmniejszać w zależności od nośnika lub rozpuszczalnika substancji aktywnej. W zależności od formy użytkowej pestycydy dzieli się na:

— preparaty do opylania w proszku,
— preparaty do opryskiwania w płynie,
— fumiganty (preparaty stosowane w postaci gazowej),
— granulaty.

Zatrucia węglowodorami chlorowanymi

Są to związki chemiczne dobrze rozpuszczające się w lipidach, łatwo kumulujące się w tkankach organizmów żywych (zwłaszcza w tkance tłuszczowej i narządach bogatych w lipidy), odporne na czynniki detoksykacyjne (odtruwające) i trwałe w środowisku zewnętrznym.

Są częściej przyczyną zatruć przewlekłych. Najbardziej rozpowszechnionym preparatem z tej grupy był DDT (dwuchlorodwufenylotrójchloroetan), obecnie w większości krajów wycofany z użycia. Innymi preparatami są np.: Aludryna, Dieldryna, Endryna, Heptachlor, Izodryna, Lindan, Metoksychlor, Tiodan. Z nielicznymi wyjątkami preparaty te są już wycofane lub wycofywane z produkcji ze względu na trwałość i wieloletnie zaleganie w glebie.

O b j a w y o s t r e g o z a t r u c i a węglowodorami chlorowanymi charakteryzują się narastającym niepokojem, lękiem, podnieceniem ruchowym, któremu towarzyszyć mogą zaburzenia koordynacji ruchów. Wcześnie pojawia się ślinotok, nudności i gwałtowne wymioty. Następnie narasta osłabienie, uczucie mrowienia w okolicy ust, drętwienie języka, zawroty i bóle głowy, drętwienie kończyn. Po kilku godzinach mogą wystąpić drżenia mięśni, drgawki. W bardzo ciężkich przypadkach rozwija się obrzęk płuc. Późnymi powikłaniami mogą być zapalenia wielonerwowe, porażenia i zaniki mięśniowe.

Pierwsza pomoc. U osób zatrutych drogą doustną, przytomnych, należy spowodować wymioty. W zatruciach kontaktowych usunąć odzież, zmyć ciało wodą z mydłem. W każdym przypadku natychmiast wezwać lekarza. Nie podawać do picia mleka, tłuszczów, alkoholu. Konieczne leczenie szpitalne.

Zatrucia związkami fosforoorganicznymi

Do tej grupy środków należy wiele związków będących bardzo silnymi truciznami. Najczęściej stosowane preparaty to: Anthio, Bi-58, Diazinon, Ekatin, Eolofos, Foschlor, Gardona, Lebaycid, Metasystox, Metofos, Nemafos, Nogos, Nuvan, Ovadofos, Phytosol, Primicid, Szklarniak, Winylofos, Zolone.

Związki fosforoorganiczne są substancjami krystalicznymi lub oleistymi, nierozpuszczalnymi w wodzie, natomiast dobrze rozpuszczającymi się w tłuszczach i rozpuszczalnikach organicznych.

Działanie ich polega głównie na wiązaniu i blokowaniu w organizmie enzymu – esterazy acetylocholinowej (acetylocholinesterazy) rozkładającej acetylocholinę. Dochodzi do nadmiernego nagromadzenia się acetylocholiny w synapsach nerwowych i płytkach nerwowo-mięśniowych i wystąpienia objawów zatrucia.

Zatrucia wziewne (np. podczas opryskiwania) są rzadkie i na ogół przebiegają prawie bezobjawowo. Doustne zatrucia, zwłaszcza gdy pestycyd należy do I lub II klasy toksyczności, mogą być niezwykle groźne dla chorego.

Objawy zatrucia to: obfite pocenie się, ślinotok, łzawienie, kaszel, wzmożone wydzielanie w oskrzelach, wymioty, bóle brzucha, biegunka, zwężenie źrenic (szpilkowate), bradykardia (zwolnienie czynności serca), drżenie włókienkowe, drgawki, osłabienie siły mięśniowej, zaburzenia oddychania, w ciężkich zatruciach śpiączka.

Pierwsza pomoc jak w zatruciach węglowodorami chlorowanymi.

Zatrucia karbaminianami

Do tej grupy pestycydów należą m.in. preparaty, takie jak: Baygon, Karbatox, Pirimor, Unden. Działanie tych związków jest podobne do działania związków fosforoorganicznych, ale ponieważ blokowanie acetylocholinesterazy jest krótkotrwałe i odwracalne, nie dochodzi do ciężkich zatruć, jak w przypadku poprzednio opisywanej grupy pestycydów.

O b j a w y z a t r u c i a są podobne, ale szybko przemijają.

P i e r w s z a p o m o c jak przy zatruciach związkami fosforoorganicznymi.

Zatrucia substancjami żrącymi

Do substancji żrących należą: 1) silne kwasy nieorganiczne: kwas solny, azotowy, siarkowy, fosforowy; 2) niektóre kwasy organiczne: mrówkowy, octowy, mlekowy; 3) zasady nieorganiczne: wodorotlenek sodu, potasu, wapnia; 4) amoniak; 5) nadtlenek wodoru; 6) fenole; 7) podchloryny: sodowy, potasowy; 8) krzemiany: sodowy, potasowy; 9) sole alkaliczne: węglany, fosforany.

Substancje żrące są przyczyną zarówno zatruć samobójczych, jak i przypadkowych (te ostatnie są dość często spotykane wśród dzieci). Mogą być składnikami preparatów używanych do mycia i czyszczenia urządzeń sanitarnych szeroko stosowanych w gospodarstwie domowym, znajdują się również w płynach usuwających farby, lakiery oraz rdzę (odrdzewiacze).

Działanie substancji żrących polega na uszkodzeniu tkanek wskutek oparzeń chemicznych z martwicą skrzepową (kwasy) lub rozpływną (zasady). Oprócz zmian miejscowych może dojść do objawów ogólnoustrojowych w postaci zaburzeń równowagi kwasowo-zasadowej. Niektóre substancje żrące (np. fenol, lizol) mogą uszkodzić narządy miąższowe. Wdychanie par tych substancji lub zachłyśnięcie się nimi może doprowadzić do ciężkiego toksycznego obrzęku płuc.

O b j a w y z a t r u c i a. Występują one na skórze w postaci zaczerwienienia, pieczenia, bólu, obrzęku, pęcherzy. Oczy mogą piec, być zaczerwienione lub łzawić. W przewodzie pokarmowym pojawiają się bóle w jamie ustnej, przełyku i nadbrzuszu, wymioty często krwiste, biegunka krwawa (lub czarne stolce). Powikłaniami mogą być: wstrząs, perforacja przełyku (a w konsekwencji może dojść do zapalenia śródpiersia) lub żołądka (wtedy powikłaniem jest zapalenie otrzewnej). Późnymi powikłaniami są zwężenia i blizny w przewodzie pokarmowym. W układzie oddechowym występuje drapanie w gardle, ból za mostkiem, kaszel, duszność, odkrztuszanie wydzieliny podbarwionej krwią. Może wystąpić obrzęk płuc i obrzęk głośni.

P i e r w s z a p o m o c. W przypadku s k a ż e n i a s k ó r y należy zdjąć odzież, zmyć skórę wodą, a w przypadku s k a ż e n i a o c z u – przemywać je obficie bieżącą wodą. W z a t r u c i u d o u s t n y m należy sprowokować wymioty tylko do 15 min od momentu wypicia, potem podać do wypicia wodę (nie więcej niż dwie szklanki), mleko, białka jaj kurzych (w zatruciach kwasami podać soki owocowe, w zatruciach zasadami – roztwór kwasu octowego złożony z dwóch łyżeczek octu na szklankę wody). Jeśli od momentu zatrucia upłynęło więcej niż 1 godz. należy zrezygnować z podawania czegokolwiek doustnie. Przy z a t r u c i u d r o g ą w z i e w n ą trzeba chorego wynieść na świeże powietrze i zapewnić mu spokój. Konieczne jest natychmiastowe wezwanie lekarza.

Zatrucie formaldehydem (aldehydem mrówkowym)

Formaldehyd jest gazem o ostrym, nieprzyjemnym zapachu, dobrze rozpuszczalnym w wodzie oraz w rozpuszczalnikach organicznych. 40% wodny roztwór formaldehydu zwany jest formaliną. Ma zastosowanie jako środek odkażający, utrwalający tkanki (denaturuje białko). Jest środkiem silnie drażniącym błony śluzowe, tworzącym nieodwracalne połączenia z białkiem komórek, co prowadzi do ich uszkodzenia lub obumarcia.

Objawy zatrucia wziewnego to: podrażnienie spojówek oczu połączone z silnym łzawieniem, kaszel, ból za mostkiem, duszność. Przy dużych stężeniach może wystąpić obrzęk głośni. W ciężkich zatruciach może dojść do obrzęku płuc i niewydolności oddechowej.

Objawy zatrucia drogą pokarmową to: natychmiastowe silne bóle brzucha, nudności, wymioty, biegunka. W ciężkich zatruciach dochodzi do utraty przytomności, zapaści.

Pierwsza pomoc jak w zatruciach substancjami żrącymi.

MEDYCYNA SĄDOWA

I. ROLA I ZADANIA MEDYCYNY SĄDOWEJ

Przedmiotem medycyny sądowej są zagadnienia życia i śmierci regulowane przez prawo i rozpatrywane przez wymiar sprawiedliwości. Wymagają one zasady wiązania teorii z praktyką, korzystania z nowych badań i technik z różnych dziedzin medycyny.

Zakres medycyny sądowej dyktuje życie, dlatego ulega on ciągłemu poszerzaniu, np. o medycynę wypadkową, drogową, ubezpieczeniową, zagadnienia z dziedziny etyki itp.

Medycyna sądowa zajmuje się wieloma specyficznymi zagadnieniami, takimi jak np. tanatologia, traumatologia, toksykologia sądowo-lekarska, serohematologia sądowo-lekarska, oraz powikłaniami zagadnień związanych z życiem płciowym człowieka.

Tanatologia jest nauką o śmierci, o toczących się procesach biochemicznych i biofizycznych w okresie wygasania życia i przechodzenia w stan śmierci.

Traumatologia to nauka o uszkodzeniach ciała, mechanizmach ich powstawania, identyfikacji narzędzi, którymi zostały zadane, związku przyczynowym między uszkodzeniem a chorobą lub śmiercią.

Toksykologia sądowo-lekarska zajmuje się wykrywaniem substancji chemicznych, narkotyków, trucizn w tkankach i narządach, określanie ich stężenia, a także mechanizmu i skutków działania.

Serohematologia sądowo-lekarska zajmuje się wykorzystaniem badań grup krwi w procesie ustalania spornego ojcostwa, badaniem materiału biologicznego i innych dowodów rzeczowych.

Rozwój medycyny sądowej wiąże się ściśle z rozwojem medycyny ogólnej, prawodawstwa i postępowania sądowego. W celu ustalenia przedmiotowych dowodów winy oskarżonego sąd powołuje biegłych sądowych, którzy są wykształconymi w danej dziedzinie rzeczoznawcami i powierza im wykonanie specjalnych badań. Badania te mają dostarczyć niezbędnych dowodów w postępowaniu sądowym. Zasady i tryb powoływania biegłych określa w sposób szczegółowy Kodeks postępowania karnego i cywilnego.

B i e g ł y w z a k r e s i e m e d y c y n y s ą d o w e j czynności swe wykonuje na zlecenie władz wymiaru sprawiedliwości lub organów ścigania. Zlecenie to może dotyczyć oględzin miejsca zdarzenia, wykonania sekcji zwłok, zbadania osoby pokrzywdzonej lub poszkodowanej, analizy akt sprawy, badań laboratoryjnych (chemicznego, serologicznego itp.) oraz obowiązkowego stawiennictwa w sądzie we wszystkich przypadkach, gdy udział biegłego tego wymaga.

Z każdej czynności biegły sporządza p r o t o k ó ł, składający się z opisu badania i opinii. Opinia zawiera rozpoznanie oraz wnioski, które są podsumowaniem, a często odpowiedzią na stawiane przez zleceniodawcę pytania oraz kwalifikacją prawną stwierdzonych zmian.

W przypadku s e k c j i z w ł o k do biegłego z zakresu medycyny sądowej należy:

1) ustalenie w sposób dowodowy przyczyny zgonu, czy była to śmierć naturalna czy nienaturalna (gwałtowna), a więc taka, która powstała w wyniku zadziałania czynnika zewnętrznego. Jeśli była to śmierć gwałtowna, biegły ustala, jakie działanie ją spowodowało: zabójstwo, samobójstwo, nieszczęśliwy wypadek;

2) rozpoznanie stwierdzonych uszkodzeń i ewentualna identyfikacja użytego narzędzia;

3) badanie materiału biologicznego pobranego podczas sekcji;

4) badanie dowodów rzeczowych.

W przypadku b a d a n i a o s ó b p o k r z y w d z o n y c h lub p o s z k o d o w a n y c h biegły z zakresu medycyny sądowej określa rodzaj i kwalifikację uszkodzeń ciała, identyfikuje narzędzia. W sprawach inwalidzkich i ubezpieczeniowych ustala stopień utraty zdrowia. W sprawach sądowych cywilnych opiniuje, dokonując badań dotyczących spornego ojcostwa, zdolności płodzenia itp.

Na podstawie doświadczenia z badania skutków przestępstw i nieszczęśliwych wypadków medycyna sądowa wypracowuje normy i zasady zapobiegania podobnym zdarzeniom w przyszłości i na tym polega jej r o l a p r o f i l a k t y c z n a. Bierze udział w zwalczaniu alkoholizmu, lekomanii, narkomanii i innych szkodliwych społecznie zjawisk.

Medyk sądowy, obok przedstawicieli innych dziedzin nauki, przez udział w badaniach (ekshumacjach) zbiorowych grobów ofiar z okresu II wojny światowej oraz okołowojennych dostarcza danych mających znaczenie w dociekaniu prawdy historycznej.

II. TANATOLOGIA – NAUKA O ŚMIERCI

Medycyna sądowa, która na potrzeby organów ścigania przestępstw zajmuje się ustalaniem czasu zgonu i przyczyny śmierci, jest szczególnie zainteresowana objawami występującymi w czasie umierania i zmianami pośmiertnymi.

Umieranie

Według współczesnych poglądów śmierć nie jest zjawiskiem jednoczasowym, ale procesem dłużej trwającym i przebiegającym określonymi etapami. Do procesu umierania zalicza się m.in.: okres konania, czyli agonię, śmierć kliniczną oraz śmierć biologiczną.

Agonia jest procesem, który na ogół poprzedza śmierć i cechuje się upośledzeniem czynności podstawowych dla życia człowieka układów: oddychania i krążenia. W okresie agonalnym czynność tych układów może być na tak niskim poziomie, że jest trudna do zaobserwowania przy użyciu metod rutynowych nawet dla lekarza. Jeśli ten etap agonii przedłuża się, mówi się o śmierci pozornej – letargu.

Śmierć kliniczna jest stanem, w którym dochodzi do zatrzymania czynności krążenia i oddychania z towarzyszącą utratą świadomości. Wprowadzenie intensywnej terapii i nowoczesnej aparatury reanimacyjnej pozwala w wielu przypadkach uratować życie ludzi znajdujących się w stanie śmierci klinicznej. Zabiegi reanimacyjne mają na celu przywrócenie czynności serca i oddychania. O powodzeniu i skuteczności tych zabiegów decyduje fakt podjęcia samodzielnej czynności przez mózg. Tkanka mózgowa jest najbardziej wrażliwa na niedobór tlenu, który jest skutkiem zatrzymania krążenia i oddychania. W okresie 3–6 min dochodzi do nieodwracalnych zmian w korze mózgu.

Śmierć osobnicza, czyli **mózgowa**, jest następstwem obumarcia komórek mózgu, w wyniku przedłużającego się niedokrwienia lub nieodwracalnego uszkodzenia, np. urazowego, toksycznego, chorobowego. Nierzadko zabiegi reanimacyjne przywracają czynność serca i układu oddechowego, natomiast mózg nie podejmuje funkcji z powodu nieodwracalnych zmian.

Zabiegi lekarskie mające na celu utrzymanie czynności płuc i serca po śmierci biologicznej mózgu określa się terminem dystanazji. Związanych z tym jest wiele zagadnień prawnych i etycznych, np. kiedy lekarz ma prawo odłączyć aparaturę i zaprzestać zabiegów utrzymujących życie wegetatywne, czyli dokonać ortotanazji. Stwierdzenie śmierci mózgowej (osobniczej) opiera się na specjalistycznych badaniach, takich jak: izoelektryczny zapis w badaniach elektroencefalograficznych, wyraźny wzrost oporności elektrycznej mózgu w odcinku skroniowym lub brak krążenia mózgowego w badaniach angiograficznych.

Śmierć biologiczna, czyli śmierć komórek organizmu, następuje w różnym czasie i zależy od przyczyny zgonu oraz od warunków środowiska, w jakich znajdują się zwłoki. Śmierci biologicznej ulegają najpierw narządy szczególnie wrażliwe na brak tlenu, np. mózg. W innych narządach w tym czasie toczą się jeszcze procesy życiowe z malejącą intensywnością.

Okres interletalny jest to czas upływający od momentu śmierci klinicznej do biologicznej. Charakterystyczną jego cechą jest to, że jedne komórki są obumarłe, natomiast inne wykazują jeszcze czynności, jakkolwiek znacznie obniżone. Objawy życia poszczególnych komórek stanowią podstawę oceny czasu śmierci. Reakcje te są nazywane suprawitalnymi lub interletalnymi. Można je zaobserwować po zastosowaniu odpowiedniego bodźca. Na przykład podanie atropiny (bodziec farmakologiczny) do przedniej komory oka powoduje rozszerzenie źrenicy w pierwszych 20 godz. po zgonie, uderzenie młoteczkiem (bodziec mechaniczny) mięśnia dwugłowego ramienia wywołuje jego wyraźną reakcję do ok. 2 godz. po zgonie, zadziałanie stymulatorem elektrycznym (bodziec elektryczny) na mięśnie okrężne oka do 4,5 godz. po śmierci wywołują reakcję tych mięśni. Charakterystyczną cechą śmierci biologicznej jest postępująca autoliza i gnicie, które prowadzą do rozkładu ciała ludzkiego na proste związki chemiczne.

Rodzaje śmierci. Na potrzeby praktyczne medycyna sądowa wyróżnia trzy rodzaje śmierci na podstawie przyczyny zgonu i mechanizmu zejścia śmiertelnego, a mianowicie: śmierć naturalną, nagłą i gwałtowną.

Śmierć naturalna jest następstwem fizjologicznego starzenia się organizmu. Uważa się, że człowiek musi umrzeć przeciętnie po przeżyciu 90–100 lat. Nieliczne tylko jednostki umierają śmiercią naturalną. Znacznie częściej śmierć człowieka jest następstwem zmian chorobowych.

Śmierć nagła z przyczyn chorobowych występuje wśród pozornego zdrowia zaskakując otoczenie. Powoduje ją np. zawał mięśnia serca.

Śmierć gwałtowna jest następstwem szeroko pojętego urazu: mechanicznego, elektrycznego, termicznego, chemicznego itp. Śmierć gwałtowna jest głównym przedmiotem zainteresowania medycyny sądowej ze względu na odpowiedzialność prawną jednostki lub instytucji, które się do niej przyczyniły lub ją spowodowały.

Znamiona śmierci

Rozpoznanie śmierci biologicznej z punktu widzenia sądowo-lekarskiego opiera się na stwierdzeniu charakterystycznych zmian pośmiertnych, jakimi są znamiona śmierci: plamy opadowe, stężenie pośmiertne, oziębienie pośmiertne, wysychanie pośmiertne oraz bladość pośmiertna.

Plamy opadowe powstają w wyniku spłynięcia krwi pod wpływem siły ciążenia do naczyń znajdujących się w najniżej położonych częściach ciała. Po upływie ok. 30 min po zgonie uwidaczniają się jako sinowiśniowe plamy w okolicy karku i małżowin usznych, a po 4–6 godz. są całkowicie wykształcone i obejmują całą niżej położoną powierzchnię ciała nie stykającą się z podłożem. Po 6–8 godz. przy zmianie pozycji ciała plamy opadowe przemieszczają się w niżej położone części ciała, ale w miejscach, gdzie były uprzednio, skóra niezupełnie blednie (wędrówka plam opadowych). Po upływie 10–12 godz. plamy opadowe ulegają utrwaleniu, co jest związane z rozpadem (hemolizą) krwinek czerwonych i zwiększoną przepuszczalnością ścian naczyń, powodującymi podbarwienie tkanek miękkich przez barwnik krwi na kolor brudnowiśniowy. Plamy opadowe zmieniają się w plamy dyfuzyjne.

Intensywność plam pośmiertnych zależy od ukrwienia przed śmiercią. U osób anemicznych i po krwotokach plamy opadowe są bardzo skąpe, niemal niewidoczne. Barwy plam opadowych są pomocne przy rozpoznawaniu ostrych zatruć, np. plamy malinowoczerwone występują u osób zatrutych tlenkiem węgla, a plamy brunatne w przypadkach zatruć azotynami, aniliną itp. Umiejscowienie plam opadowych wskazuje pozycję, w jakiej zwłoki się znajdowały, np. w przypadkach powieszeń plamy na obwodowych częściach ciała tworzą tzw. skarpetki i rękawiczki.

Stężenie pośmiertne jest to usztywnienie i skrócenie mięśni w wyniku procesów biochemicznych toczących się w mięśniach jeszcze po śmierci klicznej. Siła stężenia pośmiertnego zależy od masy mięśniowej, a szybkość jego występowania od temperatury otoczenia (w wyższej temperaturze następuje szybciej) i wysiłku fizycznego poprzedzającego zgon, np. drgawki, bieg itp. Najwcześniej, po upływie 30 – 60 min stężenie obejmuje mięsień serca i przeponę, następnie mięśniówkę przewodu pokarmowego. W 1 – 3 godz. po śmierci objęte są stężeniem mięśnie mimiczne twarzy oraz drobne mięśnie palców rąk i stóp. W pozostałych mięśniach szkieletowych stężenie rozwija się w ciągu 6 – 8 godz.

W pełni rozwinięte stężenie pośmiertne nadaje zwłokom odpowiednie ułożenie: kończyny górne są lekko zgięte w łokciach, dłonie zaciśnięte w pięści, kończyny dolne lekko zgięte w kolanach. Stężenie pośmiertne ustępuje na ogół w tej samej kolejności, w jakiej się pojawiło, po upływie 48 – 72 godz. po śmierci.

Oziębienie pośmiertne jest związane z wygaśnięciem procesów przemiany materii i stałą utratą ciepła (przez promieniowanie, parowanie i przewodzenie). Proces ten trwa do momentu wyrównania temperatury ciała z temperaturą otoczenia. W naszym klimacie następuje to przeciętnie po upływie 16 – 20 godz. W pierwszych 6 – 9 godz. po zgonie temperatura zwłok spada dość regularnie po ok. 1°C/godz., co jest momentem orientującym przy określaniu czasu śmierci. Szybkość oziębienia zwłok zależy od temperatury i wilgotności otoczenia, rodzaju odzieży, w jaką ubrane są zwłoki, oraz grubości tkanki tłuszczowej.

Wysychanie pośmiertne, które jest postępującą utratą wody przez zwłoki, ujawnia się przede wszystkim w postaci żółtawobrunatnawego, pergaminowatego stwardnienia powłok skórnych w miejscach pozbawionych zrogowaciałego naskórka (wargi, błona śluzowa nosa, wargi sromowe) oraz w postaci zmatowienia rogówki.

Bladość pośmiertna jest wynikiem braku krążenia oraz skutkiem opadania krwi do niżej położonych części ciała. Jest najmniej pewnym znamieniem śmierci, ponieważ może występować w omdleniach, anemii itp.

Rozkład i przeobrażenie zwłok

Autoliza i gnicie są procesami rozkładowymi toczącymi się po wystąpieniu śmierci klinicznej, niezależnie od pojawienia się i rozwoju znamion śmierci.

Autoliza to proces rozkładu tkanek organizmu pod wpływem własnych enzymów. Najwcześniej, bo po upływie kilku minut po śmierci klinicznej rozpoczyna się autoliza komórek mózgu, w dalszej kolejności komórek wątroby i kanalików nerkowych.

Gnicie jest to proces rozkładu pod wpływem bakterii gnilnych, które za życia są saprofitami w przewodzie pokarmowym. Po śmierci bakterie te bardzo szybko się mnożą i prowadzą do rozkładu związków białkowych. Decydującą rolę w procesie rozkładu gnilnego odgrywa temperatura i wilgotność otoczenia oraz bakteryjne procesy chorobowe, które toczyły się w organizmie przed śmiercią. Hamująco na proces gnilny wpływa niska temperatura (ok. 0°C), mała wilgotność otoczenia (np. sucha gleba), słabe ukrwienie tkanek (np. zgon spowodowany krwotokiem) i leczenie antybiotykami.

Proces gnilny objawia się zielonkawym zabarwieniem powłok brzucha, które pojawia się po upływie 12–24 godz. Zabarwienie to jest wynikiem przejścia hemoglobiny (barwnika krwi) w sulfohemoglobinę pod wpływem siarkowodoru. Wytwarzające się przy tym gazy, które wydzielają bardzo przykrą woń, wypełniają jamy ciała, pętle jelit, przedostają się do tkanki podskórnej, dając obraz tzw. gigantyzmu Caspra (rozdęcie zwłok, zatarcie rysów twarzy). Rozkład gnilny w ciągu 2–4 lat prowadzi do zupełnego zeszkieletowania zwłok.

Strupieszenie, czyli **mumifikacja**, powstaje w przypadku, gdy zwłoki przebywają w środowisku suchym, przewiewnym i w wysokiej temperaturze (w naszym klimacie są to strychy, suche piwnice itp.). Charakterystyczną cechą mumifikacji jest lekkość zwłok spowodowana utratą wody (nawet do 1/3 pierwotnej masy ciała). Skóra powłok jest brunatna, sucha, przylegająca ściśle do podłoża kostnego. Zwłoki są kruche i łatwo ulegają uszkodzeniom mechanicznym. Proces mumifikacji przebiega w różnym czasie, co najmniej w ciągu kilku tygodni.

Przeobrażenia tłuszczowo-woskowe. Dochodzi do nich w środowisku wilgotnym, przy małym dostępie tlenu i stosunkowo niskiej temperaturze (np. głębokie, zimne jeziora, wilgotna, gliniasta ziemia itp.). Wskutek odpowiednich procesów enzymatycznych i bakteryjnych (beztlenowych) dochodzi do powstania tzw. tłuszczowosku. Proces ten najwyraźniej zaznaczony jest w tkance tłuszczowej, która przyjmuje postać szarawobiałych, plastycznych mas. Proces ten trwa dość długo, pełne przeobrażenie zwłok występuje po upływie 1–3 lat.

Przemiana torfowa i bagienna polega na garbnikowaniu skóry kwaśnymi składnikami tych gleb i demineralizacji kości. Przeobrażenie to występuje rzadko.

III. TRAUMATOLOGIA – NAUKA O USZKODZENIACH CIAŁA

Uraz, czyli trauma, jest pojęciem dynamicznym określającym szkodliwe działanie różnych czynników na ciało ludzkie. Badanie skutków urazów zadanych narzędziami przeprowadza się zarówno przy opiniowaniu w sprawach o przestępstwo przeciwko zdrowiu i odszkodowań za doznane urazy, jak i w toku badań pośmiertnych.

Badania sądowo-lekarskie osób żyjących mają na celu ustalenie: rodzaju uszkodzenia, rodzaju narzędzia, jakim ono zostało spowodowane, siły i kierunku działania tego narzędzia z uwzględnieniem liczby urazów, czasu ich powstawania, jak też związku przyczynowego między istniejącą chorobą i doznanym urazem ciała. Kwalifikacja sądowo-lekarska ciężkości uszkodzenia jest oparta na obowiązujących ustawowych przepisach karnych, cywilnych i ubezpieczeniowych.

Badania sądowo-lekarskie pośmiertne pozwalają ustalić: przyczynę zgonu, związek jej z uszkodzeniami ciała, które z uszkodzeń spowodowały śmierć oraz czy były zadane ręką obcą (zabójstwo), własną (samobójstwo), czy też były wynikiem nieszczęśliwego wypadku. Bardzo ważne jest odróżnienie obrażeń powstałych za życia i u jego schyłku od powstałych już po śmierci. O tym, że obrażenia powstały za życia, świadczą: odczyny zapalne, cechy gojenia, podbiegnięcia krwawe, krwotoki, zatory (powietrzne, tłuszczowe, tkankowe, bakteryjne), ogniska zachłystowe krwią w płucach.

Urazy mogą być spowodowane działaniem czynników mechanicznych, chemicznych, cieplnych (działanie niskiej i wysokiej temperatury) lub promieniotwórczych, energii elektrycznej, niskiego i wysokiego ciśnienia atmosferycznego, niedoboru pokarmów, a nawet przeżyć emocjonalnych.

Urazy mechaniczne

Urazy mechaniczne mogą być zadane narzędziami tępymi, ostrokrawędziowymi i ostrokończystymi, jak też bronią palną. Skutki działania narzędzi zależą nie tylko od ich rodzaju i kształtu, lecz również od siły i kierunku działania oraz budowy anatomicznej tkanki lub narządu, na który działa uraz.

Narzędzia tępe (młotki, pałki, kije, podłoże) powodują zaczerwienienie skóry, obrzęki, podbiegnięcia krwawe, otarcia naskórka, rany tłuczone, darte, miażdżone, szarpane lub kąsane.

Narzędzia ostrokrawędziowe (tasaki, siekiery, tnące – noże, brzytwy, żyletki) i ostrokończyste (szpady, druty, gwoździe) powodują rany rąbane, płatowe, cięte, kłute.

Broń palna powoduje rany postrzałowe o różnorodności uszkodzeń, zależnych od: rodzaju tkanek, odległości, z jakiej padł strzał, kierunku strzału, rodzaju amunicji i broni. Uszkodzenia postrzałowe mają ranę wlotową, kanał rany, a niekiedy ranę wylotową. Rana wlotowa przy strzale z bliska cechuje się: obecnością sadzy, rozprysków prochu, czerwonym zabarwieniem tkanek w początkowym odcinku kanału, co jest spowodowane działaniem tlenku węgla powstałego podczas spalania prochu. Przy postrzale z przystawienia powstają obrażenia sztancowe jak odbicie lufy broni na skórze. Przy strzale z oddali (odległość 40 – 50 cm z broni krótkiej, 60–100 cm z broni długiej) rana wlotowa nie ma opisanych wyżej cech, lecz wyłącznie rąbek otarcia i rąbek zabrudzenia. Kanał rany postrzałowej jest w zasadzie linijny. Zmiana jego kierunku może być spowodowana rykoszetem wewnątrz ciała, np. o kość, lub dostaniem się pocisku do światła naczyń, przewodu pokarmowego, kanału kręgowego. Rana wylotowa jest na ogół większa od wlotowej, nie ma nigdy strefy osmalenia, rąbka zabrudzenia ani ziaren nadpalonego prochu. Przy strzałach z pobliża lub z niedalekiej odległości ustala się, czy strzał padł z własnej czy obcej ręki.

Śmierć z uduszenia gwałtownego

Przyczyną tego rodzaju śmierci jest mechaniczne działanie czynników zewnętrznych, doprowadzające do braku wymiany gazowej w płucach. Do tego typu zgonów zalicza się: zagardlenie, utonięcie, unieruchomienie klatki piersiowej, zatkanie otworów i dróg oddechowych, zamknięcie w ciasnej przestrzeni.

Zagardlenie jest to mechaniczne uciśnięcie narządów szyi spowodowane ręką (zadławienie) lub pętlą (powieszenie, zadzierzgnięcie). W powieszeniu pętla obciążona jest ciałem ludzkim, w zadzierzgnięciu pętla zaciśnięta może być specjalnym krępulcem lub obcą ręką. Pętla pozostawia ślad na szyi zwany bruzdą. Ma ona przebieg poziomy w zadzierzgnięciu, w powieszeniu ramiona bruzdy wznoszą się ku górze. Przy zadławieniu na szyi pozostają ślady działania palców i paznokci w postaci otarć owalnych lub łukowatych zadrapań z okrągławymi zasinieniami.

Powieszenia są najczęściej samobójcze, zadzierzgnięcie zbrodnicze lub rzadziej samobójcze, natomiast zadławienia zawsze są następstwem działania zbrodniczego. Ucisk na szyję prowadzi do zaburzeń krążenia mózgowego i niedotlenienia mózgu wskutek częściowego lub całkowitego zamknięcia światła tętnic szyjnych. Istotną rolę w mechanizmie śmierci z zagardlenia spełnia także zamknięcie dopływu powietrza do płuc w wyniku przesunięcia nasady języka ku górze – dochodzi wówczas do tzw. tamponady jamy nosowo-gardłowej. Ucisk na sploty nerwowe w okolicy tętnicy szyjnej może również spowodować śmierć odruchową wskutek zatrzymania czynności serca.

Utonięcie jest śmiercią gwałtowną z uduszenia, spowodowaną odcięciem dopływu powietrza do płuc przez wodę lub inne płyny. Podczas sekcji zwłok najbardziej charakterystyczną zmianą jest rozedma wodna płuc, czyli ostre rozdęcie płuc. Wskutek zachłyśnięcia się cieczą, w której nastąpiło utonięcie, ciecz ta trafia do żołądka i początkowego odcinka jelita cienkiego. Z cieczą dostają się do przewodu pokarmowego i płuc cząstki w niej zawarte (np. muł, błoto, plankton), które można wykryć za pomocą odpowiednich metod.

Istnieją różnice w patomechanizmie śmierci z utonięcia w wodzie słodkiej i w wodzie morskiej. Sekcja zwłok osób, które utonęły w wodzie morskiej, nie wykazuje typowej rozedmy wodnej płuc, ale obrzęk płuc. Bardzo istotną sprawą jest też odróżnienie zgonu z utonięcia od zgonu, który nastąpił w wodzie z innych przyczyn. Zgony takie zdarzają się w przypadku chorób narządów wewnętrznych, po spożyciu alkoholu, wskutek przemęczenia lub na drodze odruchowej w wyniku podrażnienia zimną wodą zakończeń czuciowych skóry, co prowadzi do zaburzenia czynności układu wegetatywnego (u t o n i ę c i a a t y p o w e). Śmierć na drodze odruchowej może nastąpić u osób kąpiących się w zimnej wodzie po długim przebywaniu na słońcu. Częste przypadki utonięcia zdarzają się także wśród osób, które przebyły operację uszu, uraz mózgu oraz z padaczką.

Po dłuższym przebywaniu w wodzie skóra zwłok jest pokryta „gęsią skórką". Na dłoniach i stopach w wyniku skurczu mięśni przywłosowych jest ona spęczniała i zmarszczona („skóra praczek"). Śmierć z utonięcia jest najczęściej następstwem nieszczęśliwego wypadku. Podczas sekcji zwłok obducent zachowuje dużą ostrożność w ocenie obrażeń, ponieważ tonący mógł doznać różnych uszkodzeń podczas próby ratowania się. Na zwłokach spotyka się niekiedy obrażenia, które są wynikiem uszkodzeń spowodowanych przez śruby statków, kry lodowe, zwierzęta wodne. Zdarzają się przypadki wrzucenia zwłok do wody w celu zatarcia śladów przestępstwa.

Unieruchomienie klatki piersiowej uniemożliwia wykonywanie ruchów oddechowych. Śmierć spowodowana tego rodzaju przyczyną zdarza się wskutek zasypania ziemią przy pracach w głębokich wykopach, w katastrofach komunikacyjnych przy przygnieceniu częściami pojazdu mechanicznego, w czasie ucisku na klatkę piersiową podczas „kolankowania" oraz przy zbyt silnym obandażowaniu klatki piersiowej, zwłaszcza u niemowląt.

W drogach oddechowych i w przewodzie pokarmowym zwłok osób przysypanych ziemią z reguły znajdują się cząstki piasku, żwiru, ziemi. U osób zmarłych wskutek mechanicznego ucisku na klatkę piersiową występują obrażenia w postaci złamania żeber, czasem łącznie z uszkodzeniem narządów wewnętrznych. Przysypania ziemią są zwykle następstwem nieszczęśliwych wypadków, natomiast unieruchomienie klatki piersiowej podczas kolankowania jest następstwem zbrodniczego działania przy próbie przełamania oporu ofiary, np. w czasie gwałtu.

Zatkanie otworów i dróg oddechowych odcinające dopływ powietrza do płuc i powodujące śmierć z uduszenia jest najczęściej wypadkowe. Może zdarzyć się u niemowląt podczas karmienia piersią lub w czasie snu (przyciśnięcie twarzyczki do poduszki). Zbrodnicze zatkanie otworów oddechowych spotyka się w dzieciobójstwie. U osób dorosłych zgony z uduszenia tego typu zdarzają się u chorych na padaczkę, u nieprzytomnych lub w wyniku zadławienia się kęsem pokarmowym albo protezą zębową.

Niedobór tlenu i nadmiar dwutlenku węgla. W c i a s n y c h p o m i e s z c z e n i a c h obniżeniu stężenia tlenu w powietrzu towarzyszy zazwyczaj wzrost stężenia dwutlenku węgla. Śmierć z uduszenia spowodowana brakiem tlenu i nadmiarem dwutlenku węgla zdarza się przy kopaniu głębokich studni, w wykopach, kopalniach na skutek niespodziewanego, wypadkowego odcięcia dopływu powietrza. Może być też spowodowana zbrodniczym zamknięciem ofiary w ciasnym pomieszczeniu. Zwłoki osób w tych przypadkach mają wilgotną skórę, ponieważ po śmierci następuje ochłodzenie powietrza, prowadzące do skraplania się pary wodnej. Zjawisko to ma ważne znaczenie kryminalistyczne, zwłaszcza że wyniki sekcji zwłok są zazwyczaj ujemne. Rozpoznanie opiera się na badaniu składu powietrza w pomieszczeniu, w którym nastąpił zgon.

Działanie wysokiej i niskiej temperatury

Oparzenia są spowodowane działaniem płomienia lub silnie rozgrzanego płynu albo przedmiotu. Możliwe są już przy temp. 80°C. Wyróżnia się 4 stopnie oparzeń: I stopień – rumień, II – obrzęki i pęcherze, III – martwica, IV – zwęglenie (zob. Chirurgia, s. 1421). Zgon u osób dorosłych może nastąpić już przy oparzeniu II stopnia, jeśli obejmuje ono 50% powierzchni ciała. U małych dzieci śmierć może być następstwem stosunkowo niezbyt rozległych oparzeń.

Pod wpływem wysokiej temperatury białko ustrojowe ulega koagulacji dając stężenie cieplne, które na zwłokach „wyraża się" zgięciowym ułożeniem kończyn. Wykazanie obecności hemoglobiny tlenkowęglowej we krwi zwłok jest dowodem, że osoba ta jeszcze żyła w pomieszczeniu objętym płomieniem. W przypadku spalenia zwłok w celu zatarcia śladów morderstwa można ustalić, czy było to pośmiertne zwęglenie zwłok.

Zamarznięcie. Działanie niskiej temperatury zależy od czasu jej działania i stopnia oziębienia ciała. Początkowo występuje bladość, potem przekrwienie skóry i pęcherze, a w końcu martwica, czyli obumieranie odmrożonych części ciała. Badanie sekcyjne wypada w zasadzie ujemnie. Pewną wskazówkę diagnostyczną może stanowić wykazanie tzw. plam Wiszniewskiego w błonie śluzowej żołądka i dwunastnicy, będących ogniskami martwicy (owrzodzenia) spowodowanej długotrwałym skurczem naczyń włosowatych śluzówki przewodu pokarmowego.

Działanie energii elektrycznej

Porażenie prądem. Szkodliwe działanie prądu zależy od jego napięcia, natężenia, gęstości i częstotliwości oraz od oporu tkanek, na które działa. Typowe „znamię prądu", czyli miejsce jego zadziałania, może mieć postać pergaminowato przyschniętego o t a r c i a n a s k ó r k a, otoczonego wyniosłymi brzegami, o p a r z e n i a na niewielkiej przestrzeni lub z w ę g l e n i a. Spotykane jest najczęściej na dłoniowej powierzchni rąk lub podeszwowej powierzchni stóp.

Niezależnie od efektu miejscowego prąd elektryczny wywiera d z i a ł a n i e o g ó l n e, prowadzące do zmian w mikrostrukturze komórek narządów wewnętrznych z zaburzeniem równowagi bioelektrycznej mikrostruktur. Do zgonu może dojść w następstwie porażenia układu przewodzącego serca, porażenia ośrodka oddechowego lub spastycznego skurczu mięśni oddechowych. Śmiertelne porażenie prądem jest najczęściej wypadkowe. Wyjątkowe są przypadki samobójstw i zabójstw.

Porażenie piorunem. W czasie rażenia piorunem wyzwala się energia elektryczna o napięciu wielu milionów wolt i sile wielu tysięcy amperów. Zmiany w ciele człowieka rażonego występują w postaci oparzeń wszystkich stopni. Czasem są to „figury piorunowe", o wyglądzie drzewiastych rozgałęzień koloru brunatnawego. Zwęglenia skóry przypominają niekiedy rany rąbane lub rany podobne do wlotu pocisku śrubowego. Elementy metalowe odzieży (guziki, sprzączki) ulegają stopieniu, odzież rozdarciu i opaleniu.

Zmiany ciśnienia atmosferycznego

Obniżenie ciśnienia atmosferycznego powoduje spadek ciśnienia tlenu nie tylko w powietrzu, ale i we krwi. Przy wysokości 3000 m n.p.m. występują pierwsze objawy chorobowe, przy 7000 m – utrata przytomności.

Podwyższenie ciśnienia atmosferycznego, np. przy zanurzeniu się w głąb morza, wywołuje c h o r o b ę k e s o n o w ą, spowodowaną uwalnianiem się nadmiaru rozpuszczonego we krwi azotu. Przy raptownej zmianie ciśnienia uwolniony gaz powoduje zatory uszkadzające ośrodkowy układ nerwowy lub serce.

Brak i niedobór pokarmów

Przekroczenie granicy niedoboru białka i witamin prowadzi do choroby głodowej charakteryzującej się spadkiem masy ciała do 20 kg u ludzi dorosłych, a następnie zanikiem i zwyrodnieniem narządów. Śmierć z głodu jest przedmiotem zainteresowania medycyny sądowej w przypadku podejrzenia karygodnego działania, mającego na celu doprowadzenie do zgonu przez ograniczenie pokarmów. Dotyczy to przeważnie małych dzieci, osób niedołężnych i starców. W większości przypadków sekcje wykazują jednak, że przyczyną śmierci z wyniszczenia są zazwyczaj guzy nowotworowe przewodu pokarmowego lub inne przewlekłe choroby.

IV. ZAGADNIENIA ZWIĄZANE Z ŻYCIEM PŁCIOWYM CZŁOWIEKA

Popęd płciowy jest silnym czynnikiem wpływającym na postępowanie człowieka. Zarówno osoby o prawidłowym, jak i zboczonym popędzie płciowym mogą popełniać przestępstwa seksualne. Polski Kodeks Karny z dnia 19 kwietnia 1969 r. traktuje o różnych rodzajach przestępstw seksualnych odnoszących się do czynności przeciwko wolności osobistej i obyczajowości, jak i przeciwko zdrowiu i życiu. Przestępstwa, podczas których dochodzi do zaspokojenia lub pobudzenia popędu płciowego, Kodeks Karny określa nazwą czynów nierządnych. Zawarte w Kodeksie zakazy (art. 168–170, 173–177) odnoszą się do dokonywania czynu nierządnego albo wbrew woli osoby, z którą go dokonywano, albo z osobami pozbawionymi zdolności rozumienia znaczenia czynu lub kierowania swym postępowaniem, z osobami pozostającymi w krytycznym położeniu lub w stosunku zależności, albo też z nieletnimi i krewnymi w linii prostej. W czasie popełnienia przestępstw seksualnych sprawcy mogą dokonywać czynów przestępnych przeciwko zdrowiu i życiu (art. 148–164 kk), np. zabójstwo, pobicie ofiary.

Zboczenia płciowe

W dochodzeniu przestępstw seksualnych duże znaczenie mają badania dowodów rzeczowych, prowadzone w celu wykrycia obecności nasienia, krwi, wydzielin pochwy, smegmy podnapletkowej, włosów, oraz oględziny ciała ofiary i sprawcy. U kobiet ważne znaczenie ma badanie ginekologiczne w przypadku gwałtu.

Zgwałcenie jest to zmuszenie ofiary przemocą, groźbą bezprawną lub podstępem do odbycia czynu nierządnego. Nie musi to być równoznaczne z odbyciem stosunku płciowego w pełnym tego słowa znaczeniu. Przy pierwszym w życiu spółkowaniu u kobiety w większości przypadków dochodzi do przedarcia (defloracji) błony dziewiczej, znajdującej się przy wejściu do pochwy. Świeże uszkodzenie tej błony cechuje się przedarciem sięgającym aż do podstawy błony, o brzegach obrzmiałych, zaczerwienionych, pokrytych skrzepem krwi. Stwierdzenie świeżego uszkodzenia błony dziewiczej lub wykrycie nasienia w pochwie to najważniejsze dowody dokonanego gwałtu. W czasie walki lub obrony ofiary powstają też obrażenia na ciele w postaci podbiegnięć krwawych na wewnętrznej powierzchni ud, spowodowane gwałtownym ich rozwieraniem. Wyjątkowo zdarzają się też poważne uszkodzenia narządu rodnego w postaci głębokich rozdarć krocza, ściany pochwy lub oderwania tylnego sklepienia pochwy. Wynikiem stosunku niepełnego, tzw. przedsionkowego, mogą być niewielkie podbiegnięcia krwawe lub zaczerwienienia w śluzówce warg sromowych i w przedsionku pochwy. W tych przypadkach nie dochodzi do uszkodzenia błony dziewiczej.

Poronienie – aborcja

Poronienie jest to przerwanie ciąży w okresie jej trwania do 16 tygodnia. Ustawa z dnia 7 stycznia 1993 r. o planowaniu rodziny, ochronie płodu ludzkiego i warunkach dopuszczalności przerywania ciąży określa warunki przerwania ciąży. Dokonywanie przerywania ciąży wbrew przepisom ustawy jest zabronione. Ustawowo okres ciąży trwa 180–300 dni. Przerywanie ciąży między 16 a 28 tygodniem nosi nazwę porodu niewczesnego, między 28 a 36 tygodniem – porodu przedwczesnego. Przy sądowo-lekarskich ustaleniach odbytego poronienia lub porodu zachodzi konieczność stwierdzenia, czy wydalenie płodu nie było następstwem działania czynników zewnętrznych.

Dzieciobójstwo

Dzieciobójstwo jest to pozbawienie życia własnego dziecka przez matkę w czasie trwania porodu pod wpływem jego przebiegu. Istotę tego przestępstwa określa art. 149 kk. Podczas sekcji zwłok noworodka zwraca się uwagę, czy był on niedojrzały, zdolny do życia poza łonem matki, czy urodził się żywy i jak długo oddychał po urodzeniu. Ważna jest ocena przyczyny zgonu, który może wynikać z przyczyn naturalnych lub z winy osób trzecich.

Dzieciobójstwo czynne jest to działanie zbrodnicze matki doprowadzające do śmierci noworodka przez: zadławienie, zadzierzgnięcie, urazy tępe główki, utopienie, wytrzewienie itp. Dzieciobójstwo bierne jest to zaniechanie niezbędnej opieki pielęgnacyjnej nad noworodkiem.

V. TOKSYKOLOGIA SĄDOWO-LEKARSKA

Toksykologia jest nauką o truciznach, o ich działaniu i wykrywaniu. Toksykologia sądowo-lekarska zajmuje się opiniowaniem dla władz wymiaru sprawiedliwości tych przypadków śmierci lub rozstroju zdrowia, które mogły być spowodowane działaniem trucizny. Oprócz przypadków ostrego i podostrego zatrucia toksykologia sądowo-lekarska zajmuje się również takimi zagadnieniami, jak: nietrzeźwość w komunikacji i w pracy, środki odurzające i zależność, pomyłki lekarskie i farmaceutyczne, doping w sporcie itp.

Trucizna i jej działanie

Trucizną nazywa się każdy związek chemiczny, który po wchłonięciu zadziała szkodliwie na organizm. Działanie trucizny zależy od wielu czynników: od jej rodzaju, dawki, stanu rozłożenia, niekiedy od stężenia lub szybkości i drogi wprowadzenia do organizmu. Podanie trucizny z pokarmem lub innym związkiem chemicznym może zobojętnić lub spotęgować jej działanie.

Najsilniej działają trucizny wprowadzone dożylnie, dootrzewnowo, domięśniowo oraz podskórnie. Równie gwałtowne działanie występuje przy truciznach dostających się w postaci par i gazów przez drogi oddechowe. Niektóre trucizny mogą wchłaniać się przez nie uszkodzoną skórę oraz błony śluzowe narządów płciowych i odbytnicy. Najczęstsze są jednak zatrucia doustne przez drogę pokarmową. O skutkach zatrucia decydują ostatecznie: wiek, płeć, budowa fizyczna, ogólny stan zdrowia, zwiększona tolerancja lub nadwrażliwość.

Rodzaje zatruć

Z punktu widzenia sądowo-lekarskiego istotne jest nie tylko rozpoznanie zatrucia i ustalenie rodzaju trucizny, ale także stwierdzenie, czy w grę wchodziło z a t r u c i e u m y ś l n e (s a m o b ó j c z e lub z b r o d n i c z e) czy też w y p a d k o w e. Zatrucia stanowią obecnie ok. 50% wszystkich zamachów samobójczych. Odsetek z a t r u ć z b r o d n i c z y c h znacznie zmalał od czasu udoskonalenia metod badawczych w toksykologii sądowej.

Do z a t r u ć w y p a d k o w y c h należą:

— użycie trucizny zamiast leku, alkoholu lub napoju;

— zażycie zbyt dużej dawki lekarstw, omyłkowe podanie niewłaściwego leku lub nieprawidłowe skojarzenie z innymi lekami, podanie leku w nieprawidłowy sposób lub nieprawidłową drogą;

— spożycie trujących grzybów, wilczej jagody itp.;

— zatrucie alkoholem;

— zatrucia zawodowe.

R o z p o z n a n i e ś m i e r c i z z a t r u c i a opiera się na:

— okolicznościach, w jakich nastąpiło zejście śmiertelne, i objawach poprzedzających zgon (wymioty, biegunka, bóle brzucha, śpiączka, drgawki itp.);

— wynikach oględzin i sekcji zwłok;

— wynikach badań chemicznych oraz innych badań dodatkowych narządów pobranych w czasie sekcji zwłok.

Podział trucizn

Istnieje wiele różnych kryteriów podziału trucizn. W praktyce medyczno-sądowej stosuje się klasyfikację nawiązującą do wyników sekcji zwłok. Dzieli się zatem trucizny na te, które: 1) dają zmiany anatomiczne miejscowe lub ogólne, 2) nie wywołują wyraźnych zmian anatomicznych, ale np. charakteryzują się specyficzną wonią lub zmieniają zabarwienie krwi i narządów, oraz 3) nie pozostawiają w zasadzie żadnych zmian w obrazie sekcyjnym.

Trucizny działające miejscowo. Należą tu trucizny o działaniu żrącym. Wchodzą one w bezpośrednią reakcję chemiczną ze składnikami komórek powodując charakterystyczne zmiany martwicze. Należą tutaj s t ę ż o n e k w a s y i z a s a d y. Zatrucia doustne zdarzają się głównie na skutek omyłki lub w celach samobójczych. W celach zbrodniczych trucizny żrące są stosowane rzadko. Zdarzają się jednak przypadki oblania ofiary tymi środkami, prowadzące do oszpecenia.

Trucizny działające ogólnie zwane są truciznami miąższowymi. Początkowo wywołują one podrażnienia przewodu pokarmowego, a po wchłonięciu prowadzą do zmian zwyrodnieniowych w narządach. Do tej grupy należą metale ciężkie (rtęć, ołów, tal), metale ziem alkalicznych (bar), metaloidy (arsen, fosfor). Zatrucia tymi związkami są dziś stosunkowo rzadkie. Obserwuje się głównie zatrucia arszenikiem, sublimatem (chlorkiem rtęci) i niekiedy czteroetylkiem ołowiu.

Ostre zatrucia arszenikiem zdarzają się sporadycznie, jakkolwiek w dalszym ciągu stosowany on bywa do celów zbrodniczych i w zamachach samobójczych. Zatrucia wypadkowe zdarzają się w przemyśle, gdzie związki arsenu mają szerokie zastosowanie przy wyrobie barwników i w hutach szkła. Pastę arszenikową stosuje się też w stomatologii. Dawka śmiertelna dla arszeniku wynosi około 0,1 – 0,2 g. Objawy ostrego zatrucia przypominają zakażenie bakteryjne. Sekcja zwłok wykazuje charakterystyczne zmiany w przewodzie pokarmowym z wodnistą treścią w jelitach oraz liczne wybroczyny krwawe. Zmiany zwyrodnieniowe narządów występują w okresie późniejszym, głównie w zatruciach podostrych i przewlekłych.

Zatrucia sublimatem, czyli chlorkiem rtęci, są najczęściej wynikiem samobójstwa lub nieszczęśliwego wypadku. Szerokie zastosowanie tego związku, m.in. jego roztworów jako środka odkażającego, ułatwia dostęp do tej trucizny. Dawka śmiertelna wynosi 0,1 – 0,2 g. Sublimat uszkadzając nerki i wydzielając się wtórnie do światła jelita daje bardzo charakterystyczny obraz sekcyjny w postaci tzw. nerki sublimatowej i owrzodzeń błony śluzowej jelita grubego.

Trucizny krwi

Wiele związków chemicznych wywiera wybiórcze, wielorakie, szkodliwe działanie na krew. Należą tu m.in.: tlenek węgla, azotyny, cyjanowodór.

Ostre zatrucia tlenkiem węgla należą do jednych z najczęściej spotykanych zatruć śmiertelnych. Tlenek węgla jest produktem powstającym w procesie niecałkowitego spalania związków organicznych. Do dużych stężeń tlenku węgla dochodzi najczęściej w pomieszczeniach małych, przy braku dobrej wentylacji, np. w łazienkach. Tlenek węgla znajduje się w gazie świetlnym oraz w niewielkich ilościach w gazie ziemnym. Występuje również w kopalniach węgla w czasie pożaru i wybuchu oraz w gazach spalinowych samochodów. W tym ostatnim przypadku do zatruć śmiertelnych dochodzi najczęściej w kabinach samochodowych przy zapalonym silniku i unieruchomionym samochodzie.

Tlenek węgla łatwo przenika przez ściany i stropy i może spowodować zatrucie osób znajdujących się w pomieszczeniach sąsiadujących z miejscem jego wydzielania. Przyczyną zatruć tlenkiem węgla mogą być wady instalacji domowych urządzeń gazowych lub niecałkowite spalanie gazu, na skutek używania naczyń kuchennych o dużej średnicy utrudniającej dopływ powietrza do palników kuchni gazowych.

Toksyczne działanie tlenku węgla polega na tworzeniu się tlenkowej hemoglobiny (karboksyhemoglobiny), niezdolnej do łączenia się z tlenem, oraz inaktywacji enzymów komórkowego oddychania (tj. oksydoreduktaz). Przy dużych stężeniach tlenku węgla w powietrzu krew już po kilku oddechach ulega nasyceniu do granic niebezpiecznych dla życia i może nastąpić natychmiastowa śmierć nie poprzedzona objawami ostrzegawczymi. Zwłoki osób zmarłych z powodu ostrego zatrucia tlenkiem węgla mają charakterystyczne różowo-czerwone zabarwienie pośmiertnych plam opadowych, błon śluzowych, krwi i narządów wewnętrznych.

Zatrucia azotynami powodują m.in. przemianę hemoglobiny krwi w methemoglobinę. Bywają one wywołane przede wszystkim azotynem sodu stosowanym jako dodatek do peklowania mięsa. Azotyn sodu wyglądem przypomina sól kuchenną i z tego powodu najczęściej dochodzi do wypadków śmiertelnych. Dawka śmiertelna wynosi ok. 4 g. Krew zawierająca methemoglobinę ma charakterystyczne brunatnawe zabarwienie.

Zatrucia cyjanowodorem. Cyjanowodór należy do jednych z najsilniejszych trucizn. Jego dawka śmiertelna wynosi około 1 mg/kg. Sole cyjanowe, takie jak cyjanek potasowy, ulegają w środowisku kwaśnym soku żołądkowego hydrolizie wydzielając cyjanowodór. Dawka śmiertelna dla cyjanku potasowego wynosi około 0,15 g. Cyjanowodór i jego sole łatwo wchłaniają się przez błony śluzowe przewodu pokarmowego i dróg oddechowych.

Działanie cyjanowodoru polega na blokowaniu enzymów oddychania komórkowego (oksydoreduktaz). Po spożyciu dawki śmiertelnej proces zatrucia trwa sekundy. Szczególnie narażeni na zatrucia wypadkowe są pracownicy zatrudnieni w galwanizerniach. Największą grupę zatruć śmiertelnych stanowią samobójstwa. Zatrucie zbrodnicze tym związkiem zajmuje również jedno z pierwszych miejsc. Ze zwłok wyczuwa się charakterystyczną woń gorzkich migdałów, krew i plamy opadowe mają niekiedy wyraźne, czerwone zabarwienia, a błona śluzowa żołądka ma wygląd aksamitu.

Trucizny ośrodkowego układu nerwowego

Do tej grupy trucizn należy wiele związków chemicznych mających charakterystyczne zapachy, np. alkohole, rozpuszczalniki organiczne (trójchloroetylen – Tri, chloroform, eter), węglowodory nasycone wchodzące w skład olejów silnikowych. Większość trucizn tej grupy nie powoduje charakterystycznych zmian w obrazie sekcyjnym, np. alkaloidy grupy opium, strychnina, atropina, a także leki.

Zatrucia alkoholem etylowym, czyli **etanolem**. W medycynie sądowej alkohol metylowy zajmuje czołowe miejsce wśród wszystkich trucizn. Prowadzi on do największej liczby zgonów z powodu ostrego zatrucia, jego spożycie sprzyja zejściu śmiertelnemu osób ze zmianami chorobowymi układu krążenia, wiele czynów zbrodniczych i zamachów samobójczych często łączy się z jego nadużyciem. D a w k a ś m i e r t e l n a alkoholu etylowego dla osób dorosłych wynosi ok. 6–8 g/kg, a dla dzieci 3 g/kg (100 ml wódki zawiera ok. 33 g czystego alkoholu).

Alkohol etylowy wykazuje wyraźny synergizm toksyczny z wieloma lekami, głównie nasennymi, a także z innymi truciznami, np. środkami ochrony roślin z grupy związków fosforoorganicznych. Przypadki śmiertelnych zatruć zdarzają się również na skutek spożywania a l k o h o l u m e t y l o w e g o zamiast alkoholu etylowego oraz wszelkiego rodzaju płynów kosmetycznych (spirytus salicylowy, woda brzozowa), płynów do mycia szyb (np. Autowidol), płynów hamulcowych i innych płynów zawierających glikol etylenowy, stosowany jako środek przeciwzamarzający. Osoby znajdujące się pod działaniem alkoholu często ulegają przypadkowym zatruciom różnymi płynami stosowanymi w gospodarstwie domowym (detergenty, rozpuszczalniki), zwłaszcza jeśli są one przechowywane w butelkach po napojach alkoholowych lub orzeźwiających.

Alkohol etylowy łatwo i szybko resorbuje się z przewodu pokarmowego. Przy pustym żołądku już po ok. 15 min może się wchłonąć połowa spożytego alkoholu, a po 0,5–1 godz. może on osiągnąć maksymalne stężenie we krwi. Przy wypełnionym żołądku najwyższe stężenie następuje dopiero po upływie ok. 2–3 godz. W ciągu godziny z organizmu zostaje wyeliminowane ok. 7 g alkoholu (0,15‰).

W praktyce sądowej szkodliwe działanie alkoholu na sprawność psychofizyczną jest rozpatrywane głównie w aspekcie jego wpływu na wypadkowość komunikacyjną i wypadki w pracy. Istnieje ustawowy obowiązek poddania się badaniom koniecznym do ustalenia zawartości alkoholu w organizmie. Badanie za pomocą probierza trzeźwości ma jedynie charakter wstępnej próby selekcyjnej.

Śmiertelne zatrucia lekami mają najczęściej charakter zamachów samobójczych. Głównie spotyka się zatrucia lekami nasennymi i psychotropowymi. Często w grę wchodzi zażycie kilku różnych leków. N i e s z c z ę ś l i w e w y p a d k i wskutek spożycia leków w dawce trującej najczęściej dotyczą małych dzieci, które mogą spożyć drażetki jako cukierki.

Wraz z rozwojem nadużywania leków wzrasta liczba ostrych śmiertelnych z a t r u ć p o c h o d n y m i m o r f i n y i to głównie otrzymywanymi w warunkach domowych z niedojrzałych makówek i słomy makowej (narkomania). W czasie oględzin zwłok w tych przypadkach często zwracają uwagę liczne ślady po wstrzyknięciach.

Zatrucia pokarmowe mogą być wynikiem:
— działania jadów bakteryjnych, w tym jadu kiełbasianego;
— spożycia trujących grzybów, wilczej jagody itp.;
— zastosowania nadmiernej ilości środków konserwujących (np. azotynów do peklowania mięsa);
— rozpuszczenia się wewnętrznej cynkowanej warstwy puszki od konserw;
— obecności środków ochrony roślin na owocach lub warzywach.

VI. BADANIE DOWODÓW RZECZOWYCH (ŚLADY BIOLOGICZNE)

Każdy człowiek wykonujący jakąkolwiek czynność pozostawia mniej lub bardziej widoczne ślady swego działania. Ze zjawiska tego korzystają organa ścigania karnego w praktyce śledczej. Ślady związane z badanym zdarzeniem (dokonanym przestępstwem) służą do ustalenia prawdy obiektywnej i stanowią dla sądu dowody rzeczowe w konkretnych sprawach.

Do śladów, które najczęściej są poddawane badaniom kryminalistycznym w celu ich identyfikacji, należą m.in.: ślady linii papilarnych, ludzkich stóp, zębów, środków transportu drogowego, ślady mechanoskopijne, broń palna i ślady jej użycia, dokumenty, zapis magnetofonowy głosu ludzkiego, substancje chemiczne, wyroby metalowe i półfabrykaty, ślady biologiczne, takie jak: krew, wydzieliny i wydaliny ciała ludzkiego, włosy, kości i inne szczątki ciała ludzkiego.

Badanie śladów biologicznych

Specjaliści z zakresu medycyny sądowej zajmują się przede wszystkim badaniem śladów biologicznych. Po dokładnym obejrzeniu, opisie, wykonaniu szkicu oraz fotografii na miejscu zdarzenia, ujawnione ślady biologiczne na zwłokach, ubraniu, podłożu, różnych przedmiotach zabezpiecza się do badania.

Badanie śladów krwi. Badający ekspert musi odpowiedzieć na wiele pytań sformułowanych przez prokuratora, m.in.:

1) czy są to plamy krwi;

2) jeśli tak, to jaka jest przynależność gatunkowa krwi – czy jest to krew ludzka, psia, konia, świni itp.;

3) w przypadku ujawnienia krwi ludzkiej, jaka jest jej przynależność grupowa w zakresie niektórych układów grupowych;

4) jaka jest płeć osoby, od której pochodzi krew;

5) jaki charakter mają plamy na garderobie podejrzanego lub innych dowodach rzeczowych – czy powstały w wyniku krwawienia tętniczego, czy są to plamy pochodzące z rozbryzgu, czy są to plamy kontaktowe itp.

Ślady krwi ujawnia się przy użyciu specjalnych metod optycznych, pozwalających zidentyfikować barwnik krwi (hemoglobinę) lub jego pochodne. Po zidentyfikowaniu barwnika krwi plamę bada się za pomocą surowic odpornościowych, swoistych dla białek zawartych w badanych plamach. Pozwala to na ustalenie, czy krew pochodzi od człowieka czy zwierzęcia i na określenie gatunku tego zwierzęcia. Po stwierdzeniu, że badana plama krwi pochodzi od człowieka, przeprowadza się badania grupowe następujących układów: ABO, MN, Rh, Gm, PGM, AK. Wyniki badań zależą od trwałości badanych cech, od czasu, jaki upłynął od wynaczynienia do chwili przeprowadzenia badań, od sposobu zabezpieczenia materiału, od wpływu czynników zewnętrznych na plamy krwi (środki chemiczne, temperatura itp.).

Wykrycie chromatyny płciowej żeńskiej (ciałka Barra) i męskiej (ciałka Y) pozwala na odróżnienie krwi pochodzącej od kobiety i mężczyzny. Badania serologiczne krwi dają odpowiedź na pytanie prokuratora: czy ślady krwi na garderobie podejrzanego mogą pochodzić od denata (czynniki grupowe we krwi denata ustala się pobierając jego krew podczas sekcji zwłok) lub czy krew na garderobie podejrzanego nie może pochodzić od denata.

Badania śladów krwi pozwalają również ustalić, czy krew pochodzi od osoby dorosłej czy małego dziecka, ponieważ oba rodzaje krwi różnią się typem zawartej w niej hemoglobiny. We krwi osób dorosłych występuje hemoglobina typu HbA, u dzieci w okresie życia płodowego hemoglobina typu HbF. U noworodków występuje jeszcze 60–80% hemoglobiny płodowej HbF. Przy podejrzeniu kryminalnego poronienia lub dzieciobójstwa badania plam krwi mają ogromne znaczenie.

Badanie plam śliny. Plamy takie występują na niedopałkach papierosów, znaczkach pocztowych, kopertach i innych dowodach rzeczowych. Ich obecność bada się metodami serologicznymi, cytologicznymi i chemicznymi. Na podstawie przeprowadzonych badań można ustalić np. że na niedopałkach papierosów znajduje się ślina mężczyzny, a nie kobiety i jaką on ma grupę krwi: A, B, AB lub 0. Większość ludzi bowiem wydziela m.in. w ślinie i nasieniu charakterystyczną dla siebie substancję grupową.

Badanie śladów nasienia. Spermę ludzką, czyli nasienie, bada się najczęściej w związku z przestępstwami na tle seksualnym. Plamy na bieliźnie lub odzieży osób pokrzywdzonych, na ich ciele lub w jamach ciała (pochwa, odbyt, jama ustna) bada się w celu stwierdzenia, czy pochodzą one od spermy ludzkiej. Badanie tych plam na obecność antygenów grupowych A, B, AB, 0 pozwala na wnioskowanie grupy krwi osoby, od której pochodzi sperma.

Badanie śladów smółki, wód płodowych, odchodów połogowych i kału prowadzi się w związku z dochodzeniem odbytego porodu lub dzieciobójstwa oraz przestępstw na tle seksualnym.

Badanie włosów przeprowadza się w związku z wieloma przestępstwami. Pozwalają one ustalić, czy włosy pochodzą od człowieka czy od zwierzęcia, a w przypadku dysponowania włosem ludzkim z cebulką włosową – czy jest to włos kobiety czy mężczyzny (badanie chromatyny płciowej). Przeprowadzając badania serologiczne włosa można określić grupę krwi osoby, od której ten włos pochodzi.

Na podstawie mikroskopowego badania włosa można niekiedy stwierdzić działanie trucizn, np. takich jak tal.

Badania fragmentów kości. Badania histologiczne (mikroskopowe) fragmentów kości mają na celu ustalenie, czy pochodzą one od człowieka czy zwierzęcia. Jeśli są to kości zwierzęce, można określić również przynależność gatunkową zwierzęcia (koza, sarna, pies itd.).

Kości ludzkie są poddawane również badaniom serologicznym, pozwalającym ustalić grupę krwi osoby, od której pochodzą. W przypadku kości spalonych identyfikacja ich fragmentów jest możliwa tylko wówczas, gdy zachowa się struktura kości zbudowana ze związków nieorganicznych.

VII. BADANIA W CELU USTALENIA OJCOSTWA

Sądy w dążeniu do poznania prawdy materialnej w sprawach spornego ojcostwa zwracają się do biegłych o wydanie różnego rodzaju opinii, które dotyczą m.in. takich działów biomedycznych, jak serohematologia, antropologia, seminologia.

Badania grupowe krwi

Badania serologiczne w sądowym dochodzeniu ojcostwa początkowo ograniczały się do najwcześniej rozpoznanego układu grupowego krwi, tj. do układu AB0. Odsetek wykluczeń ojcostwa wynosił wówczas ok. 20%. Później włączano również układ MN i Rh. Obecnie pracownie serologiczne wykonują rozszerzone badania uwzględniając następujące układy i cechy grupowe krwi: AB0 (łącznie z A_1 i A_2), MN, Rh (C^W, C, c, D, D^U, E, e), Kell (K), Hp, Gm, AP, PGM, EsD, GL0. Przeprowadzenie badań serologicznych krwi matki, dziecka i domniemanego ojca w zakresie wyżej podanych układów grupowych stwarza możliwość wykluczenia ojcostwa u ok. 80% mężczyzn, którzy nie są ojcami dzieci. Wprowadzony do badań w ostatnich latach układ HLA, związany z krwinkami białymi, zwiększa możliwość wykluczenia ojcostwa u 98% mężczyzn, którzy nie są ojcami dzieci. Im szerszy zakres analizy serologicznej, tym większe są szanse wykluczenia ojcostwa mężczyzn, domniemanie ojcostwa nie jest słuszne.

Zgodnie z prawami dziedziczenia (zob. Patologia, s. 296), potomstwo musi mieć w swej krwi cechy krwi obojga rodziców. Podstawą wykluczenia ojcostwa jest, mówiąc najprościej – stwierdzenie we krwi dziecka w określonym wieku takiej cechy, której brak u wskazanego mężczyzny. Dziecko musi mieć ukończone 6 miesięcy, gdyż dopiero po tym okresie są w pełni wyrażone badane antygeny. Wszyscy badani – dziecko, matka, domniemany ojciec – nie mogą mieć przetaczanej krwi w ostatnich trzech miesiącach, aby uniknąć odczytania cech krwi przetoczonej za cechy grupowe krwi badanego. W przypadku badania układu HLA dziecko musi mieć ukończone 3 lata.

Dziedziczenie różnych cech organizmu warunkują geny zawarte w chromosomach. Są wśród nich i geny warunkujące dziedziczenie odpowiednich cech krwi. U człowieka mającego grupę krwi AB będą to geny warunkujące grupę krwi A i geny warunkujące grupę krwi B. Geny te znajdują się w dwóch różnych chromosomach tworzących parę. Ich stosunek wynosi zawsze 1:1.

Podczas tzw. podziału redukcyjnego komórki rozrodczej (mejozy, zob. Fizjologia, s. 89) dochodzi do rozdzielenia (rozchodzenia) się par chromosomów inaczej niż w pozostałych komórkach organizmu, gdzie nie tylko komórka, lecz i chromosomy ulegają podziałowi, a wraz z nim do rozdzielenia się genów. Tak więc 50% dojrzałych gamet (plemników i jaj) będzie mieć gen warunkujący cechę krwi A, a drugie 50% – gen warunkujący cechę krwi B. Jeśli oboje rodzice mają grupę krwi AB (genotyp AB – cechy obecne w obu chromosomach, z których jeden pochodzi od ojca, a drugi od matki), dziełem przypadku będzie, którą z tych cech (A czy B) odziedziczy dziecko po ojcu, a którą po matce. Jeżeli plemnik z genem warunkującym grupę krwi A połączy się z komórką jajową z genem warunkującym grupę krwi A, to dziecko będzie miało grupę A (genotyp AA). Dziecko rodziców z grupami AB (AB × AB) może mieć również na tej samej zasadzie grupę krwi B (genotyp BB) lub grupę krwi AB (genotyp AB).

Rodzicami dziecka z grupą krwi 0 (genotyp 00) mogą być jedynie rodzice posiadający w swym genotypie cechę 0 (dziedziczy ono jedno 0 po ojcu, drugie 0 po matce). Rodzice ci mogą mieć genotypy: A0 × B0, 00 × B0, A0 × 00 lub 00 × 00.

Grupy krwi			
rodziców	potomstwa	rodziców	potomstwa
0 × 0	0	A × B	0, A, B lub AB
0 × A	0 lub A	0 × AB	A lub B
0 × B	0 lub B	A × AB	A, B lub AB
A × A	0 lub A	B × AB	A, B lub AB
B × B	0 lub B	AB × AB	A, B lub AB

Przedstawiona wyżej tabela obrazuje dziedziczenie cech układu AB0. Daje ona odpowiedź na pytanie, jaką grupę krwi może mieć dziecko przy znanych grupach krwi rodziców, a jednocześnie, jakiej nie może mieć, czyli w jakich przypadkach z zakresu tego układu może być wykluczenie ojcostwa.

W układzie AB0 wyróżnia się następujące fenotypy (cechy stwierdzalne za pomocą badań serologicznych): A, B, AB i 0.

Fenotyp A – możliwe genotypy AA, A0
Fenotyp B – możliwe genotypy BB, B0
Fenotyp AB – genotyp AB
Fenotyp 0 – genotyp 00.

W przypadku oznaczenia fenotypu AB i 0 wiadomy jest genotyp. U osoby, u której stwierdzono grupę krwi A (fenotyp A), serologicznie nie można stwierdzić jej genotypu, ponieważ może ona mieć genotyp AA lub A0. To samo dotyczy grupy krwi B. Genotyp grupy A lub B możliwy jest do ustalenia jedynie przez badania rodzinne (dziadków, rodziców i rodzeństwa).

Według Dungerna i Hirszfelda „cechy A i B dziedziczą się jako cechy dominujące w stosunku do braku tych cech". Zasadę dominacji cech można zrozumieć na przykładzie genotypów A0 i B0, które stwierdza się jako fenotyp A i B. Ten sam fenotyp A i B wystąpi w przypadku genotypów AA i BB.

Przykład badań serologicznych, na podstawie których można wykluczyć ojcostwo pozwanego (w kilku układach) w stosunku do dziecka:

pozwany	AB M C^{W} c D EE K – Gm 1 Hp 1 – 1 AP BA Es D 2 – 2 PGM 1-1
matka	A M c c D ee K – Gm 1 Hp 2 – 2 AP BA Es D 2 – 1 PGM 2-1
dziecko	0 MN Cc D ee K + – Gm 1 Hp 2 – 2 AP CA Ex D 1 – 1 PGM 2-2

Podstawą do wykluczenia ojcostwa jest niezgodność w następujących układach:

1) AB0	dziecko nie dziedziczy cechy A ani B od ojca,
2) Rh	dziecko nie dziedziczy cechy C od ojca,
3) Rh	dziecko nie dziedziczy cechy e od ojca,
4) Kell	dziecko nie dziedziczy cechy K+ od ojca,
5) Hp	dziecko nie dziedziczy cechy 2-2 od ojca,
6) AP	dziecko nie dziedziczy cechy C od ojca,
7) EsD	dziecko nie dziedziczy cechy 1-1 od ojca,
8) PGM	dziecko nie dziedziczy cechy 2-2 od ojca.

Jak widać na podanym przykładzie, dziecko dziedziczy cechy od matki, natomiast cechy obecne we krwi dziecka, które nie występują u matki ani pozwanego, muszą pochodzić od ojca – lecz ojcem tym nie może być pozwany.

Obecnie w krajach rozwiniętych identyfikuje się ojca dziecka. Badania te polegają na porównaniu pewnego odcinka DNA w krwinkach białych, co określa jednoznacznie, czy mężczyzna jest ojcem dziecka.

Inne badania

Badania antropologiczne przeprowadza się w przypadku, gdy wynik ekspertyzy serologicznej nie wykluczył ojcostwa. Zakres ekspertyzy antropologicznej obejmuje podobieństwa i różnice cech morfologicznych w budowie ciała i ukształtowaniu niektórych jego okolic oraz narządów (budowa czaszki, oczu, nosa, ust, uszu itp.).

Zestawienie znaczących cech podobieństwa pomiędzy dzieckiem i domniemanym ojcem, przy braku tych cech u matki, oraz zespół cech znacząco odmiennych, również przy braku ich u matki, służy do ustalenia stopnia prawdopodobieństwa w skali od 1 do 7. Wartość dowodową badań antropologicznych sądy oceniają ze szczególną ostrożnością, na tle całokształtu materiału zebranego w sprawie.

Badanie uzupełniające. Kiedy analiza serologiczna nie daje podstaw do wykluczenia ojcostwa, a mężczyzna twierdzi, że jest niepłodny, przeprowadza się badanie uzupełniające, które ma na celu stwierdzenie, czy pozwany w okresie koncepcyjnym nie był zdolny do zapłodnienia kobiety. Badanie to, wykonane według określonego schematu, obejmuje: wywiad lekarski, badanie podmiotowe (internistyczne i neurologiczne) oraz badanie seminologiczne (nasienia).

Badanie nasienia przeprowadza się trzykrotnie w określonych warunkach i odstępach czasu. Polega ono na obliczeniu liczby plemników w 1 ml badanej wydzieliny, na określeniu żywotności plemników, ich ruchliwości, charakteru ruchu, nieprawidłowości budowy oraz obecności innych składników. Badanie seminologiczne wskazuje na aktualny stan czynności gruczołów płciowych męskich, sądom natomiast zależy na określeniu zdolności domniemanego ojca do zapłodnienia kobiety w określonym czasie (czasami po kilku latach). Badanie to wymaga od biegłych wnikliwej oceny wielu okoliczności i dużego doświadczenia.

Ocena czasu poczęcia może być rozważana w dochodzeniu spornego ojcostwa. Przyjąwszy, że dziecko urodzone z ciąży trwającej od 180 do 300 dni jest zdolne do życia pozałonowego, można domniemać, że ojcem dziecka jest ten, kto obcował z matką nie dawniej niż 300 dni lub nie później niż 180 dni przed urodzeniem się dziecka. Istnieje korelacja pomiędzy długością ciała noworodka a czasem trwania ciąży. Domniemanie ojcostwa powinno być oparte na wiarygodnych spostrzeżeniach zanotowanych przez fachowy personel służby zdrowia, wskazujących na cechy niedojrzałości noworodka (wcześniactwo) lub pewne cechy przenoszenia.

VIII. USTALANIE TOŻSAMOŚCI

Zbadanie i ustalenie tożsamości osób żywych lub zwłok wchodzi w zakres obowiązków lekarza biegłego z zakresu medycyny sądowej. Ustalenie tożsamości osób żywych opiera się na określeniu cech morfologicznych tzw. portretu opisowego. Do cech tych zalicza się: wielkość i kształt głowy, układ, wielkość i kształt nosa, oczu, brody, policzków, rodzaj profilu, kształt twarzy, barwy włosów, oczu, skóry, znamiona wrodzone i nabyte (takie jak: tatuaże, blizny, znamiona zawodowe itp.). Do cech dynamicznych portretu pamięciowego należą: rodzaj chodu, mimika, gestykulacja, sposób mówienia, palenia papierosów itd. Również badanie serologiczne grupy krwi może przyczynić się do identyfikacji osoby żywej.

Określenie wieku osoby o nie ustalonej tożsamości, co najczęściej dotyczy osób starszych z zanikami pamięci i małych dzieci, opiera się na badaniu ogólnym (wzrost, waga, cechy płciowe itp.), radiologicznym (badanie punktów kostnienia szkieletu u dzieci i młodzieży, u osób starszych – zmiany inwolucyjne kośćca, stopień uwapnienia chrząstek krtani) i badaniu stomatologicznym.

Jedną z metod kryminalistyki jest daktyloskopia. Zajmuje się ona ustalaniem tożsamości człowieka na podstawie charakterystycznych rysunków linii na opuszkach palców. Rysunki te są wytworzone przez listewki skórne, zwane liniami papilarnymi, poprzedzielane tzw. rowkami (bruzdami).

Linie papilarne mają cechę całkowitej indywidualności, niezmienności – począwszy od życia płodowego do śmierci — oraz niezniszczalności – uszkodzenie naskórka nie niszczy wzorów. Głębokie uszkodzenie skóry właściwej, połączone z wytworzeniem blizny, uszkadza jedynie miejscowo rysunek linii papilarnych.

Ustalanie tożsamości nieznanych zwłok

Identyfikacją zwłok o nie ustalonej tożsamości zajmują się uprawnione władze przy udziale lekarzy sądowych. Ważnym elementem rozpoznawczym jest odzież, którą dokładnie opisuje się, uwzględniając jej poszczególne części, krój, materiał, znaki firmowe, monogramy, dokonane poprawki lub przeszycia, stopień zniszczenia, zabrudzenia. Podobnie opisuje się przedmioty i dokumenty znalezione w odzieży oraz przedmioty znajdujące się na zwłokach, np. pierścionki, obrączki itp. Powinna być sporządzona dokumentacja fotograficzna twarzy, całych zwłok oraz znaków szczególnych, jeśli takie stwierdzono.

Podczas dokonywanych oględzin zwłok opisuje się dokładnie uzębienie, uwzględniając dokonane zabiegi sanacyjne i protetyczne. Z uzębienia wykonuje się odlewy gipsowe, jeśli istnieją ku temu warunki – zdjęcia radiologiczne panoramiczne. Ponadtc zabezpiecza się protezy, mostki, a w niektórych przypadkach całe uzębienie.

Opisy cech morfologicznych muszą być dokładne, podobnie jak i znaków szczególnych. Niektóre dane, np. modzele, blizny na dłoniach, zanieczyszczenia pod paznokciami mogą być pomocne przy określaniu zawodu lub trybu życia.

Sekcja zwłok pozwala na stwierdzenie przebytych chorób, zabiegów operacyjnych i urazów. Podczas sekcji pobiera się materiał biologiczny do badań serologicznych, mających oznaczyć przynależność grupową (grupę krwi), oraz włosy do badań porównawczych. W każdym przypadku należy wykonać badania daktyloskopowe.

Ustalenie tożsamości zwłok zeszkieletowanych ma na celu przede wszystkim stwierdzenie: czy są to kości człowieka, a jeśli tak, to czy jednego czy więcej osobników. Następnie określa się płeć, wzrost, wiek oraz cechy indywidualne poszczególnych osobników.

Podstawowym badaniem mającym na celu *identyfikację gatunkową* jest porównawcze badanie kości i badanie serologiczne. Niekiedy przeprowadza się badanie histologiczne. Przy ustalaniu liczby osób, od których pochodzą kości, bierze się pod uwagę liczbę kości, podobieństwo kości symetrycznych, dymorfizm płciowy. Przy *określaniu płci* bierze się pod uwagę różnice płciowe w budowie: miednicy, czaszki, kości długich, mostka, obręczy barkowej. Jeśli szkielet jest kompletny, określenie płci nie nastręcza trudności, jeśli natomiast istnieją poszczególne kości – jest problematyczne.

Określanie wzrostu opiera się na zależnościach między długością kończyn i wzrostem oraz między sumą wysokości kręgów i wzrostem.

Ustalenia wieku opierają się na badaniu uzębienia (tzw. kryteria zębowe anatomiczne i histologiczne), cech przekroju górnej nasady kości ramieniowej i udowej, stopnia zarastania i zacierania się szwów czaszkowych, cech budowy spojenia łonowego.

Końcowym stadium identyfikacji indywidualnej jest metoda superprojekcji, polegająca na fotomontażu zdjęcia osoby poszukiwanej ze zdjęciem czaszki. Jeśli brak jest zdjęcia osoby zaginionej, stosuje się metodę rekonstrukcji plastycznej. Opiera się ona na technice rzeźbiarskiej i polega na nakładaniu masy plastycznej na odlewy gipsowe czaszki. Odtwarza się w ten sposób obrysy głowy i twarzy.

PIERWSZA POMOC

Wstęp

Postęp nauk medycznych w ciągu ostatnich 30 lat, zastosowanie w leczeniu chorych nowych grup leków, wprowadzenie do medycyny nowych rozwiązań technicznych z innych dziedzin (np. elektrotechniki) – zwiększyły możliwości ratowania życia ludzkiego w sytuacjach uznawanych do tej pory za beznadziejne.

Powstała nowa dziedzina nauk medycznych – intensywna opieka medyczna, zajmująca się leczeniem stanów zagrożenia życia (zob. też Chirurgia, Intensywna terapia medyczna, s. 1411). Po początkowych sukcesach intensywnych metod leczenia okazało się jednak, że ciągle jeszcze traci życie duża grupa osób, które teoretycznie – gdyby wziąć pod uwagę tylko rozległość i rodzaj urazu lub choroby – nie powinny były umrzeć. Osoby te giną z powodu zbyt późno podjętego leczenia. Najlepszy system łączności i organizacji opieki doraźnej służby zdrowia nie zapewni nigdy natychmiastowej pomocy choremu ani poszkodowanemu. A właśnie taka pomoc decyduje często o jego życiu.

Obowiązkowym szkoleniem ratownictwa objęto te służby komunalne, które profesjonalnie uczestniczą w obsłudze wypadków: policję, straż pożarną, ratowników wodnych, górskich, personel lotniczy itp. Niezwykłe znaczenie ma znajomość zasad udzielania pierwszej pomocy w jak najszerszych kręgach społeczeństwa. Człowiek udzielający pomocy doraźnej, nie będący lekarzem i nie dysponujący żadnym sprzętem, musi działać według określonych zasad postępowania ratunkowego. W specjalistycznym ambulansie lub szpitalu zasady są takie same, z tym że niektóre metody postępowania mogą być zastąpione przez określoną aparaturę oraz leki. Medycyna nie dysponuje jednak żadnymi metodami, które potrafiłyby odwrócić martwicę mózgu, serca lub nerek wynikłą z niedotlenienia tych narządów na skutek zatrzymania krążenia i zbyt późnego podjęcia właściwej pomocy.

Osoba przystępująca do udzielania pomocy (świadek wypadku, członek rodziny) – w myśl zasady zbadaj – rozpoznaj – działaj – powinna najpierw ocenić stan chorego, tzn. wydolność najważniejszych układów jego organizmu.

Ocena stanu świadomości

Zaburzenia świadomości mogą mieć różne nasilenie: od stanu lekkiego zamroczenia z zaburzeniami orientacji w czasie i miejscu, połączonego niejednokrotnie z pobudzeniem ruchowym, przez stany przypominające głęboki sen bez reakcji na bodźce świetlne i dźwiękowe aż do głębokiej śpiączki, w której osoba nieprzytomna nie reaguje nawet na silne bodźce bólowe. Jako standardowy bodziec bólowy proponuje się pocieranie pięścią okolicy mostka lub silny uchwyt dwoma palcami za mięsień kapturowy biegnący od karku do ramienia. Ocenę przytomności uzupełnia się oglądając gałki oczne. Należy zwrócić uwagę na tzw. zborność gałek ocznych, tzn. czy są one ustawione symetrycznie, zbieżnie (jak w zezie), rozbieżnie czy w ogóle niesymetrycznie. Ponadto trzeba oceniać źrenice: ich wielkość – mogą być nadmiernie wąskie „szpilkowate" lub nadmiernie szerokie – oraz symetryczność. Należy również sprawdzić reakcję źrenic na światło – powinny się symetrycznie zwęzić po rozwarciu powiek. Ocenę stanu świadomości i obserwację gałek ocznych należy zapamiętać i przekazać przybyłemu lekarzowi, ponieważ może to mieć duże znaczenie dla ustalenia prawidłowego rozpoznania i dalszego leczenia w szpitalu. Z tych samych powodów warto również ocenić napięcie mięśni – tzn. czy poszkodowany wykonuje ruchy kończynami (którymi?), czy też są one zupełnie wiotkie.

Ocena wydolności oddychania

Oceny wydolności oddychania dokonuje się na podstawie obserwacji – jeżeli to jest możliwe – ruchomości klatki piersiowej, ze zwróceniem uwagi na to, czy nie jest nadmierna i czy jest symetryczna (tzn. czy jedna połowa klatki piersiowej porusza się równolegle z drugą). Najważniejszym objawem świadczącym o istnieniu oddychania jest stwierdzenie wypływu strumienia powietrza w czasie wydechu. W tym celu należy zbliżyć ucho do nozdrzy i ust osoby poszkodowanej – słyszalny, swobodny wydech świadczy o oddychaniu prawidłowym. Jeżeli wydechowi towarzyszą chrapliwe dźwięki, bulgotanie, świsty – mówi to o istnieniu zaburzeń drożności dróg oddechowych spowodowanych częściowym ich zatkaniem (np. wymiocinami, krwią itp.) lub zwężeniem dróg oddechowych. Jeżeli nie słychać wydechu, nastąpiło zatrzymanie oddychania, nawet jeśli utrzymują się jeszcze ruchy klatki piersiowej.

Ocena wydolności krążenia

Jeżeli osoba poszkodowana ma zachowaną świadomość lub przy zaburzeniach świadomości wykonuje ruchy oddechowe, oznacza to, że czynność krążenia krwi nie została przerwana. Świadomość, oddychanie, napięcie mięśni zanikają natychmiast po ustaniu krążenia (w 4–8 s od zatrzymania pracy serca). Jeżeli więc stwierdza się głęboką śpiączkę z wiotkością mięśni i brak ruchów oddechowych, należy podejrzewać, że nastąpiło zatrzymanie krążenia. O tym, czy serce jeszcze pracuje (praca serca może się utrzymywać nawet do kilku minut od zatrzymania oddychania), świadczy wyczuwalne dotykiem tętno (pulsowanie) w dużych tętnicach dochodzących od aorty (tętnicy głównej). Najdogodniejszym miejscem badania są tętnice szyjne zewnętrzne, przebiegające tuż obok krtani, po stronie prawej i lewej szyi. Brak tętna po obu stronach szyi świadczy o zatrzymaniu krążenia. Natychmiast powinno się przystąpić do postępowania reanimacyjnego. Osłuchiwanie tonów serca, obserwacja zabarwienia skóry (bladość, sinica), ucieplenia kończyn są subiektywne, mogą być bardzo mylące i stanowią stratę czasu.

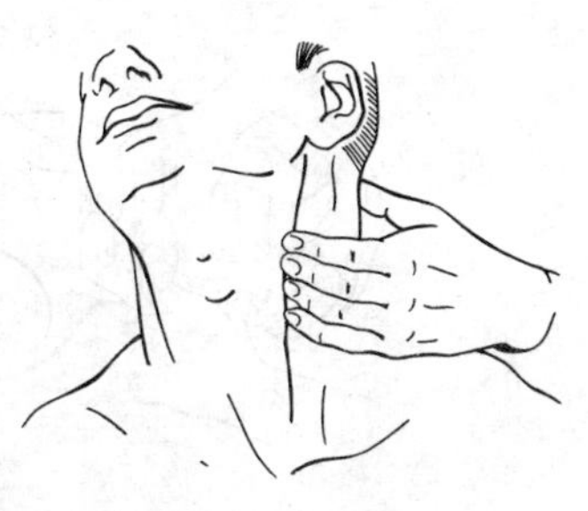

Miejsce badania tętna na tętnicy szyjnej

Postępowanie reanimacyjne

Reanimacją, resuscytacją krążeniowo-oddechową lub ożywianiem nazywa się zespół czynności ratunkowych, które mają na celu podtrzymanie albo zastąpienie zaburzonych czynności organizmu. Przyczyną, która doprowadziła do zaburzeń, może być np. krwotok ze zranienia, ciężkie urazy klatki piersiowej lub brzucha, zaburzenia rytmu serca po porażeniu prądem, piorunem lub w świeżym zawale, ostre niedotlenienie (w utonięciu, zatruciu czadem, spalinami). Postępowanie reanimacyjne prowadzone na miejscu wypadku i w czasie transportu stwarza możliwość prowadzenia dalszego leczenia w ośrodku specjalistycznym. Biorąc pod uwagę pewną kolejność, w jakiej na ogół przebiegają zaburzenia, przyjmuje się następujący schemat postępowania: zapewnienie drożności dróg oddechowych, sztuczne oddychanie i pośredni masaż serca.

Zapewnienie drożności dróg oddechowych

Niedrożność dróg oddechowych może być spowodowana tzw. ciałem obcym (krwią, śluzem, wymiocinami, sztucznym uzębieniem, kęsami pokarmu itp.), które zatyka światło gardła i krtani, lub zwiotczeniem mięśni, które w normalnych warunkach utrzymują drożność tych narządów. Ciała obce z jamy ustnej należy usunąć mechanicznie (palcem, chusteczką itp.), układając głowę ratowanego na bok i odciągając kąciki ust tak, aby znalazły się niżej niż wejście do tchawicy, co pozwoli na spłynięcie wydzielin na zewnątrz (rys. na s. 2126). Niedrożność wynikającą ze zwiotczenia mięśni

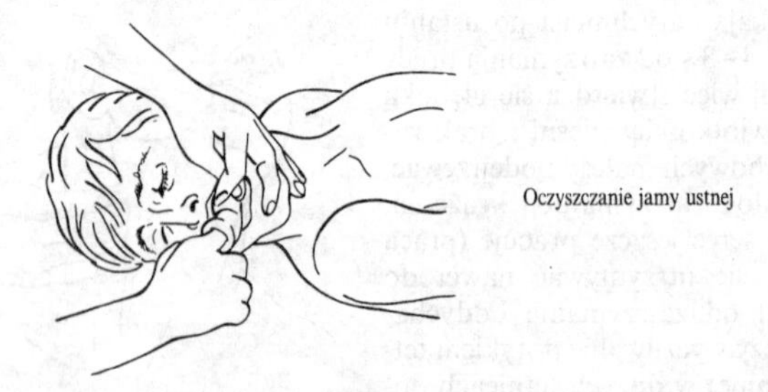

Oczyszczanie jamy ustnej

należy usunąć napinając mięśnie szyi odpowiednimi chwytami (rys. niżej). Jeśli powróci prawidłowe oddychanie, można poprzestać na podtrzymywaniu drożności dróg oddechowych, oczekując na pomoc specjalistyczną, jeżeli oddychania nie stwierdza się, należy przystąpić do wykonywania sztucznego oddychania.

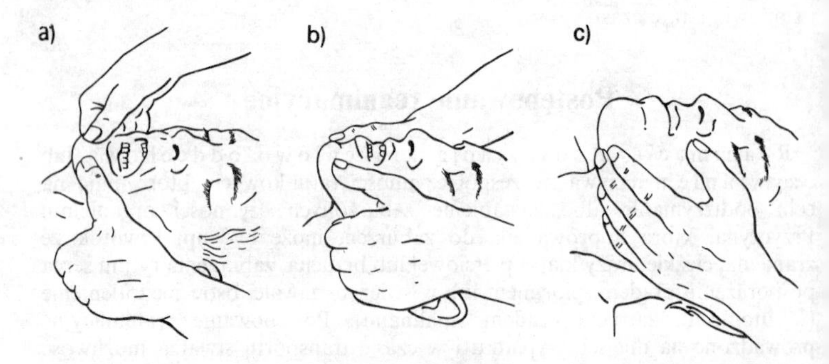

Zapewnienie drożności oddechowej: a) energiczne odciągnięcie żuchwy do dołu, b) podciągnięcie żuchwy i c) odchylenie głowy do tyłu

Sztuczne oddychanie

Najskuteczniejszym sposobem sztucznego oddychania jest tzw. metoda „usta-usta". Polega ona na wdmuchiwaniu do ust ratowanego wydechowego powietrza ratownika, z częstością 10 – 15 razy na minutę. Oczywiście, należy zachować drożność dróg oddechowych przez odpowiednie ułożenie głowy ratowanego oraz okresowe oczyszczanie jamy ustnej (zob. rysunki wyżej). Po wykonaniu kilku oddechów należy zbadać, czy istnieje krążenie. Jeżeli tak – kontynuuje się sztuczne oddychanie, jeżeli nie, należy przystąpić do postępowania mającego na celu przywrócenie krążenia, tj. do masażu serca pośredniego.

Masaż serca pośredni

Masaż serca pośredni polega na rytmicznym uciskaniu 1/3 dolnej części mostka, przez co uzyskuje się ściśnięcie serca między kostnymi strukturami klatki piersiowej (mostek i kręgosłup), prowadzące do wytłoczenia krwi z komór do dużych naczyń, a tym samym do względnie skutecznego

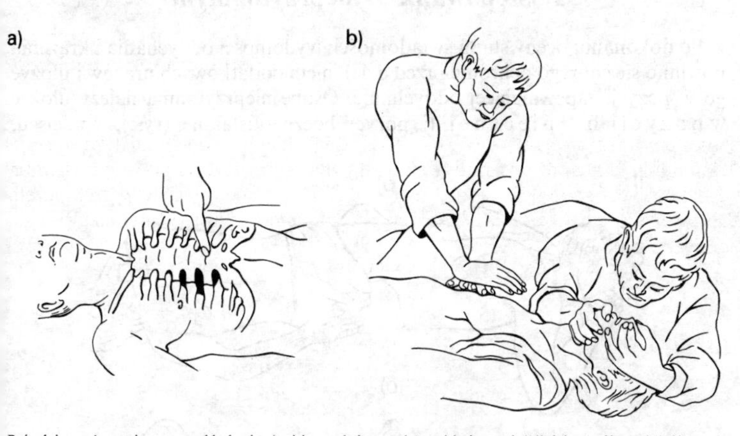

Pośredni masaż serca i sztuczne oddychanie: a) miejsce, w którym należy uciskać mostek (1/3 dolna część mostka), b) masaż serca (sposób ułożenia rąk) i sztuczne oddychanie

przepływu krwi przez ważne dla życia narządy – mózg, naczynia wieńcowe serca, płuca. Przed wykonaniem zabiegu chorego należy położyć na plecach, na twardym podłożu, zachowując drożność dróg oddechowych, a następnie, przed podjęciem czynności uciskania, kilkakrotnie silnie uderzyć pięścią w przednią powierzchnię klatki piersiowej w dolnej części mostka. Na wysokości 1/3 dolnej powierzchni mostka należy następnie wykonywać energiczne rytmiczne pchnięcia dłoniową powierzchnią nadgarstka, tak aby ugiąć mostek w tym miejscu o 4–5 cm. Wymaga to sporo wysiłku (w reanimacji dorosłych) i wykorzystania masy ciała ratownika. Istotne jest przestrzeganie uciskania klatki piersiowej w ściśle określonym miejscu, gdyż ucisk innej okolicy może spowodować złamanie żeber utrudniające dalsze postępowanie lecznicze. Ponieważ krew rozprowadzana w czasie masażu powinna być utlenowana, *zawsze konieczne jest jednoczesne prowadzenie sztucznego oddychania* – na każdy wdech powinno być 5–10 uciśnięć mostka. Podobne proporcje przyjmuje się, jeżeli jest dwóch ratowników mogących na zmianę prowadzić sztuczne oddychanie i masaż serca. Akcję reanimacyjną należy kontynuować aż do przybycia pomocy kwalifikowanej. Bardzo trudna jest decyzja o przerwaniu postępowania reanimacyjnego, chociaż uważa się, że jeśli po godzinie (przy prawidłowo prowadzonej akcji) nie stwierdza się śladów samodzielnej czynności oddychania i krążenia – lub zmian w stanie przytomności – szanse powrotu chorego do życia są niewielkie. Zob. też Choroby układu krążenia, Postępowanie reanimacyjne, s. 686.

Postępowanie z nieprzytomnym

Po dokonaniu oceny stanu świadomości, wydolności oddychania i krążenia powinno się chorego ochronić przed działaniem dodatkowych urazów i ułożyć go w pozycji zapewniającej oddychanie. Osobę nieprzytomną należy ułożyć w pozycji bezpiecznej, tj. pozycji bocznej ustalonej (rys.), w miejscu,

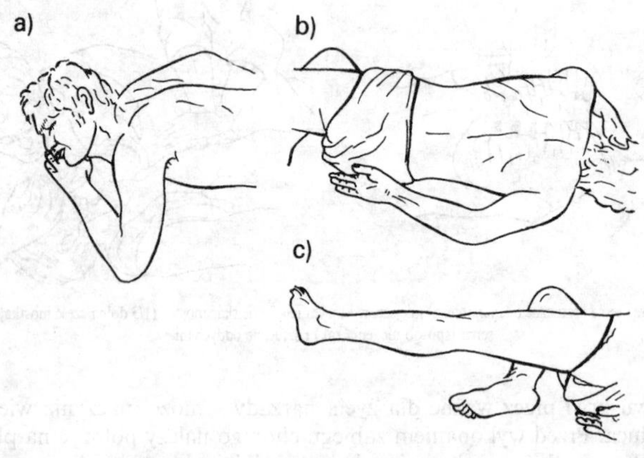

Bezpieczne ułożenie osoby poszkodowanej w pozycji bocznej ustalonej: a) głowa odgięta do tyłu, twarz skierowana do podłoża, kończyna górna dalsza od podłoża zgięta w stawie łokciowym, a ręka podłożona pod twarz (zapobiega to powrotowi głowy do pozycji przygięciowej); b) kończyna górna bliższa podłoża wygięta w stawie łokciowym i wysunięta do tyłu (zapobiega to przewróceniu się na plecy); c) kończyna dolna bliższa podłoża zgięta w stawie kolanowym i wysunięta do przodu (zapobiega to przewróceniu się na brzuch), kończyna dolna dalsza od podłoża jest wyprostowana

w którym straciła przytomność. Zdecydowanym błędem jest próba sadzania, stawiania lub transportowania w tych pozycjach. Pozycja boczna ustalona zapobiega zachłyśnięciu się chorego oraz niedrożności gardła wywołanej zapadaniem się języka i opadaniem żuchwy. W tym ułożeniu treść znajdująca się w jamie ustnej i w gardle samoczynnie wylewa się na zewnątrz. W zasadzie nie powinno się chorego przenosić, chyba że znajduje się w miejscu wypadku niebezpiecznym (torowisko, jezdnia o dużym nasileniu ruchu). Jeżeli nieprzytomny oddycha, można go pozostawić w bezpiecznej pozycji i oczekując na przybycie kwalifikowanej pomocy okresowo sprawdzać wydolność oddychania i krążenia. W razie stwierdzenia zaburzeń tych czynności należy podjąć postępowanie reanimacyjne.

Zaburzenia świadomości mogą wynikać z bardzo wielu przyczyn i wymagać różnych metod leczenia specjalistycznego. Decyzję o podaniu jakichkolwiek lekarstw należy pozostawić lekarzowi. Podawanie płynów i lekarstw doustnie – często spotyka się próby podawania „kropli nasercowych" pobudzających (kardiamidu), a nawet alkoholu – jest stanowczo przeciwwskazane.

Rany

Najczęściej mamy do czynienia z ranami głowy, twarzy oraz kończyn – przeważnie rąk. W przypadku zranień rąk nawet drobne i pozornie banalne zranienia mogą powodować wiele cierpień, a nawet doprowadzić do kalectwa.

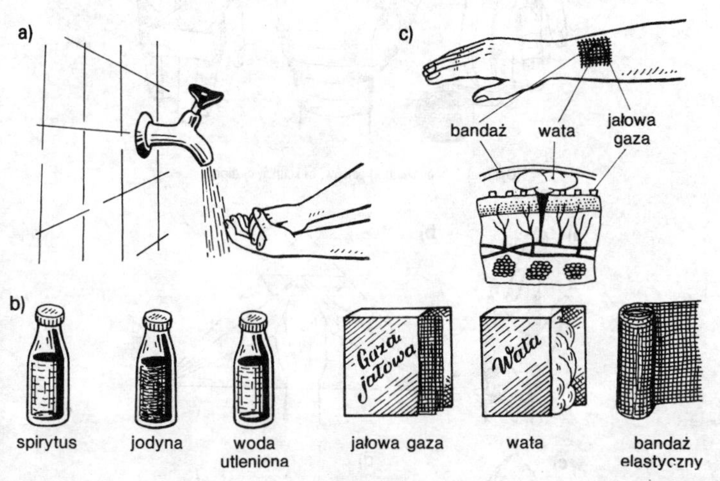

Prawidłowe postępowanie przy opatrywaniu rany: a) staranne umycie rąk, b) środki odkażające i opatrunkowe, c) prawidłowe założenie opatrunku uciskowego

Największe niebezpieczeństwo nawet bardzo drobnych zranień tkwi w możliwości zakażenia tkanek pozbawionych naturalnej osłony, jaką jest skóra. W większości przypadków bakterie chorobotwórcze rzadko dostają się w głąb tkanek w chwili zranienia. Do zakażenia najczęściej dochodzi później. Dlatego pierwsza pomoc powinna polegać na szybkim założeniu sterylnego opatrunku, chroniącego zranione tkanki przed wtórnym zakażeniem.

Pierwsza pomoc przy zranieniach w wypadkach powinna polegać na pokryciu rany opatrunkiem chroniącym przed zakażeniem oraz na opanowaniu krwotoku, jeżeli może on zagrażać życiu. Nie należy stosować żadnego odkażania rany ani też dotykać jej palcami. Nie należy także zakładać jakichkolwiek opasek uciskowych powyżej zranienia w celu zatrzymania większego krwawienia; prawidłowe założenie opatrunku uciskowego na ranę spełni to zadanie. Opatrunek taki wykonuje się z kilku warstw jałowej gazy i waty, które następnie należy przymocować bandażem gazowym lub elastycznym (waty i ligniny nie należy kłaść bezpośrednio na ranę). Praktyka wykazała, że jest to najwłaściwszy sposób tamowania krwawienia w obrębie ręki.

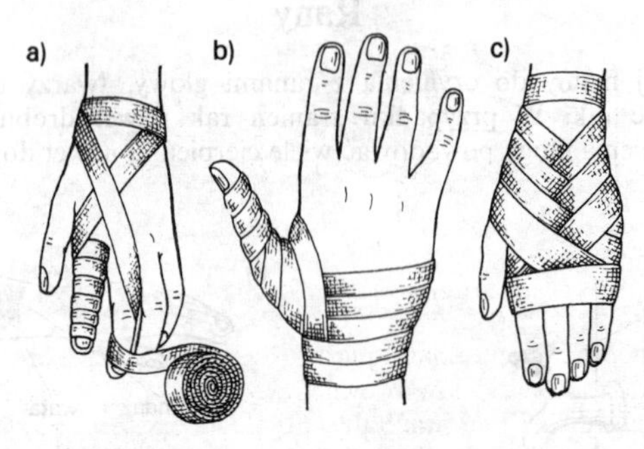

Opatrunek bandażem: a) palców, b) kciuka, c) dłoni

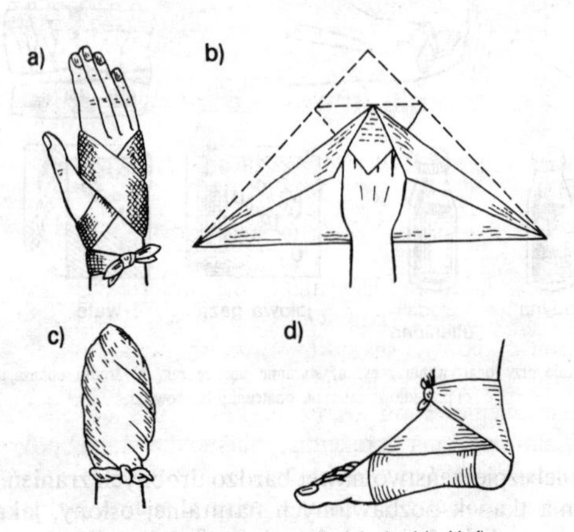

Opatrunek chustką trójkątną: a) dłoni, b, c) całej ręki, d) stopy

U w a g a! Jeśli chorego czeka wielogodzinny transport do lekarza, można wówczas odstąpić od wyżej wymienionej reguły i odkazić ranę spłukując ją obficie wodą utlenioną. Jednocześnie należy odkazić skórę otaczającą ranę, usunąć z niej kurz, brud i ziemię, substancje żrące itp. Po zabezpieczeniu samej rany jałową gazą można następnie okolicę rany wygolić na dużej przestrzeni, skórę odtłuścić eterem lub benzyną, odkazić jodyną lub którymś z barwnikowych antyseptyków.

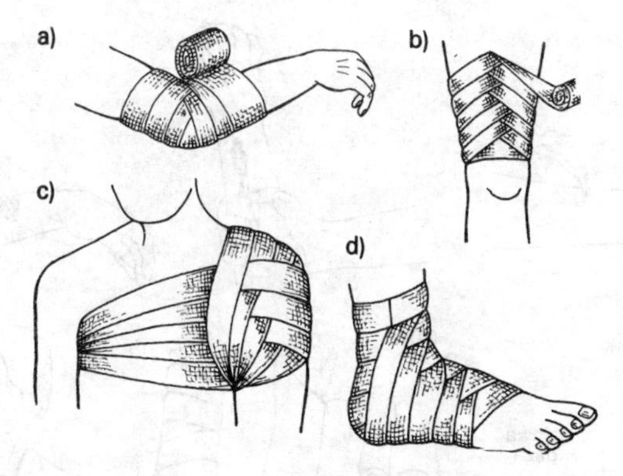

Opatrunek bandażem: a) okolicy łokcia, b) uda, c) barku, d) stopy

Przy zranieniach głowy, klatki piersiowej, brzucha i miednicy, kiedy istnieje groźba zakażenia narządów wewnętrznych, należy zakładać wyjątkowo masywne opatrunki i pilnować, aby nie uległy one przemoczeniu, ponieważ może wówczas nastąpić zakażenie z zewnątrz. Dobrą ochronę stanowi warstwa celofanu włożona między dwie warstwy gazy.

Tamowanie krwotoku zewnętrznego

1) Krwawiącego należy położyć. W żadnym przypadku nie należy przeprowadzać akcji ratowniczej, jeśli chory stoi lub siedzi, gdyż wypływ krwi jest wówczas znacznie większy, a poza tym ranny widząc wypływającą krew może zemdleć.

2) Krwawiącą kończynę należy unieść do góry (nad poziom serca).

3) Jeśli rana jest ziejąca, bez większego ubytku tkanek, można włożyć do niej tampon z jałowej gazy i zamknąć opatrunkiem przylepcowym typu „motylek" lub „rozgwiazda". Niewątpliwą zaletą tego opatrunku jest to, że nie obejmuje on okrężnie kończyny, co zawsze pociąga za sobą ryzyko upośledzenia krążenia. Następnie ranę należy zaopatrzyć opatrunkiem uciskowym typu kokon (rys. s. 2132). Opatrunek taki wykonuje się z kilku warstw jałowej gazy i waty, które następnie należy przymocować bandażami.

Przy gwałtownym krwawieniu na kończynę można założyć pneumatyczną opaskę Esmarcha. Nakładanie niepneumatycznych opasek, a niekiedy – co gorsza – improwizowanie opaski uciskowej z gumowego drenu lub podobnego materiału bywa niebezpieczne. Wyjątek może stanowić jedynie szeroka (8 cm) i elastyczna taśma gumowa.

Zarówno tamponada rany, jak i nałożenie opatrunku uciskowego zawsze wymagają czasu, dlatego w każdym przypadku, po położeniu rannego oraz ułożeniu rannej kończyny nad poziomem serca, należy akcję ratowniczą

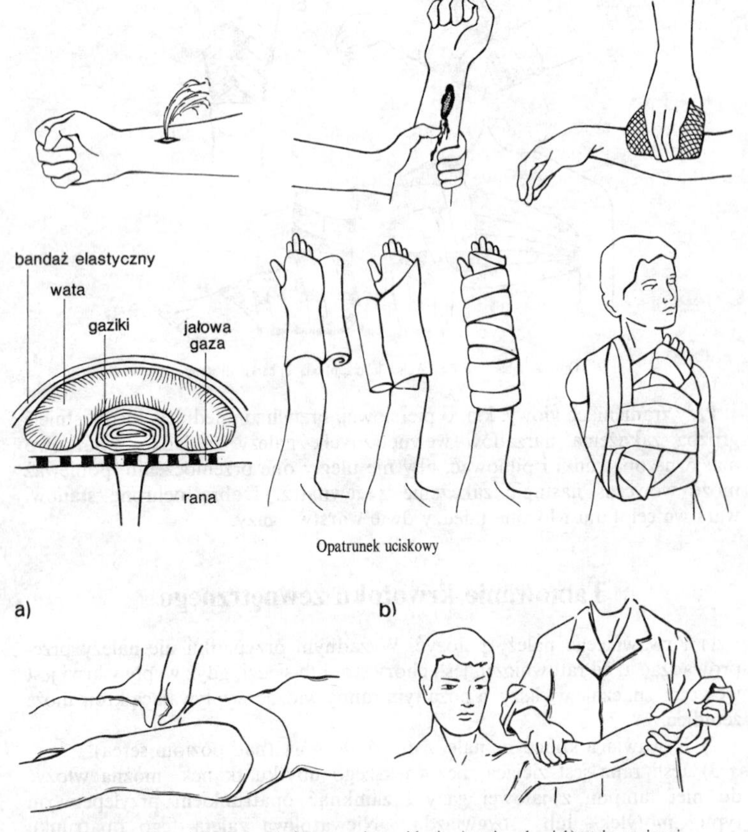

Opatrunek uciskowy

Czasowe zatrzymanie krwotoku z kończyn sposobem uciskania: a) tętnicy udowej, b) tętnicy ramiennej

rozpoczynać od ręcznego zaciśnięcia tętnicy doprowadzającej krew do uszkodzonego odcinka ciała.

Rany tłuczone i miażdżone powodują krwawienia typu sączenia, bez cech nagłego, masywnego krwotoku.

Podejrzenie krwotoku wewnętrznego

Urazy tępe bez „otwarcia" powłok ciała mogą powodować krwotok wewnętrzny. Krwotok taki należy podejrzewać zawsze, jeśli chory blednie, czoło zrasza mu pot i staje się apatyczny. Tępy uraz nadbrzusza może spowodować rozerwanie śledziony lub wątroby, uraz okolicy lędźwiowej grozi uszkodzeniem nerki, urazy czaszki mogą spowodować wylew krwi do mózgu, złamania i miażdżenia kończyn łączą się ze znacznym wylewem krwi do tkanek.

Pierwsza pomoc. W przypadku każdego silnego urazu głowy, klatki piersiowej, brzucha i miednicy oraz w złamaniach trzonów kości długich (kość udowa, kości podudzia) należy rannemu zapewnić absolutny spokój, a także, jeśli to jest możliwe, ochładzać ranną okolicę (worek z lodem).

Amputacja urazowa

Przy całkowitej amputacji kończyny na skutek urazu chorego należy natychmiast położyć, a ranną kończynę ułożyć nad poziomem serca. Tamowanie krwotoku polega na jałowym zaopatrzeniu rany. Z reguły wystarcza nałożenie odpowiedniego opatrunku uciskowego na ranę oraz przybandażowanie 2–3 zwojami bandaża elastycznego. Jeśli ma się do dyspozycji pneumatyczne opaski uciskowe, można zastosować odpowiedni ucisk na udzie lub ramieniu, z tym że również w tym przypadku obowiązuje wyższe (ponad poziom serca) ułożenie kończyny na czas transportu chorego do szpitala.

Przy amputacji całkowitej odcięte tkanki należy jałowo zaopatrzyć i zabrać razem z rannym, gdyż mogą one następnie posłużyć do naprawy innych uszkodzeń ciała u tego chorego. Jeśli jest to możliwe, kończynę jak i oddzielone zupełnie tkanki należy oziębić (obłożyć workiem z lodem itp.).

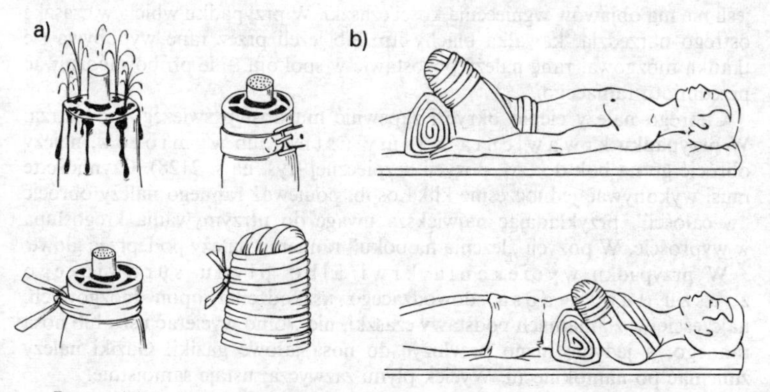

Zatamowanie krwotoku, zaopatrzenie kikuta i ułożenie chorego w przypadku całkowitej amputacji urazowej

Przy niecałkowitej amputacji urazowej kończyny – nawet wówczas, kiedy wydaje się, że ranny odcinek połączony jest z amputowanym jedynie pasmem skóry – nie należy amputowanego odcinka „zarzucać” na górny, np. „odciętego" podudzia na udo, a starać się utrzymywać go w osi kończyny. Pomocne w tym jest unieruchomienie zwykłą szyną Kramera. Postępowanie takie, przy istnieniu pewnego krążenia w odcinku amputowanym, może pomóc uratować kończynę.

Urazy głowy

Urazy głowy są różnorodne, poczynając od lekkiego zranienia skóry, przez wstrząśnienie mózgu i otwarte złamanie pokrywy czaszki, a skończywszy na ciężkim uszkodzeniu tkanki mózgowej.

Rozległość i zakres widocznego zranienia powłok głowy z reguły nie są równoznaczne ze stopniem uszkodzenia struktur anatomicznych położonych głębiej. Tkanka mózgowa może ulec nawet poważnemu zniszczeniu bez widocznych uszkodzeń skóry głowy lub pokrywy czaszki.

Krwawienie lub wyciekanie surowiczo-krwistej wydzieliny z nosa lub ucha sugeruje, że doszło do bezpośredniego połączenia między jamą czaszki a zatokami przynosowymi albo uchem środkowym, a więc do złamania podstawy czaszki, czyli ciężkiego uszkodzenia ciała.

Nawet trwająca kilka sekund utrata świadomości w czasie wypadku lub bezpośrednio po nim wskazuje na wstrząśnienie mózgu. Późniejsza utrata przytomności sugeruje krwotok nadoponowy; stanowi temu towarzyszy z reguły rozszerzenie jednej ze źrenic i wymioty.

Pierwsza pomoc w urazach głowy polega na położeniu rannego na plecach i zapewnieniu mu całkowiego spokoju. Ranę należy zaopatrzyć jałowym opatrunkiem, a ranę silnie krwawiącą – opatrunkiem uciskowym, jeśli nie ma objawów wgniecenia kości czaszki. W przypadku wbicia w czaszkę ostrego narzędzia, kawałka blachy itp. lub jeżeli przez ranę wydobywa się tkanka mózgowa, ranę należy pozostawić w spokoju i nie próbować usuwać przedmiotu raniącego.

Chorego należy ciepło okryć i zapewnić mu dostęp świeżego powietrza. W przypadku krwawienia z jamy ustnej lub wymiotów, należy obrócić go na bok do tzw. pozycji bezpiecznej (rys. na s. 2128). Czynność tę musi wykonywać jednocześnie kilka osób, ponieważ rannego należy obrócić „w całości", przykładając największą uwagę do utrzymywania kręgosłupa w wyproście. W pozycji „leżenia na boku" rannemu należy podeprzeć głowę.

W przypadku wyciekania krwi albo płynu surowiczego z uszu lub z nosa, dowodzącego uszkodzenia opon mózgowych, najczęściej w złamaniach podstawy czaszki, nie wolno wycierać uszu lub nosa rannego, a jedynie luźno przyłożyć do nosa jałowe gaziki. Gaziki należy zmieniać po namoknięciu. Wyciek płynu zazwyczaj ustaje samoistnie.

Ciężkie zranienia twarzoczaszki – jamy ustnej i żuchwy – mogą doprowadzić, w miarę narastania obrzęku, do niedrożności dróg oddechowych (po upływie ok. godziny). Dlatego nie należy nigdy ściśło obandażowywać ciężkich zranień szczęki dolnej, jamy ustnej lub gardła, gdyż może to odciąć przepływ powietrza w miarę narastania obrzęku.

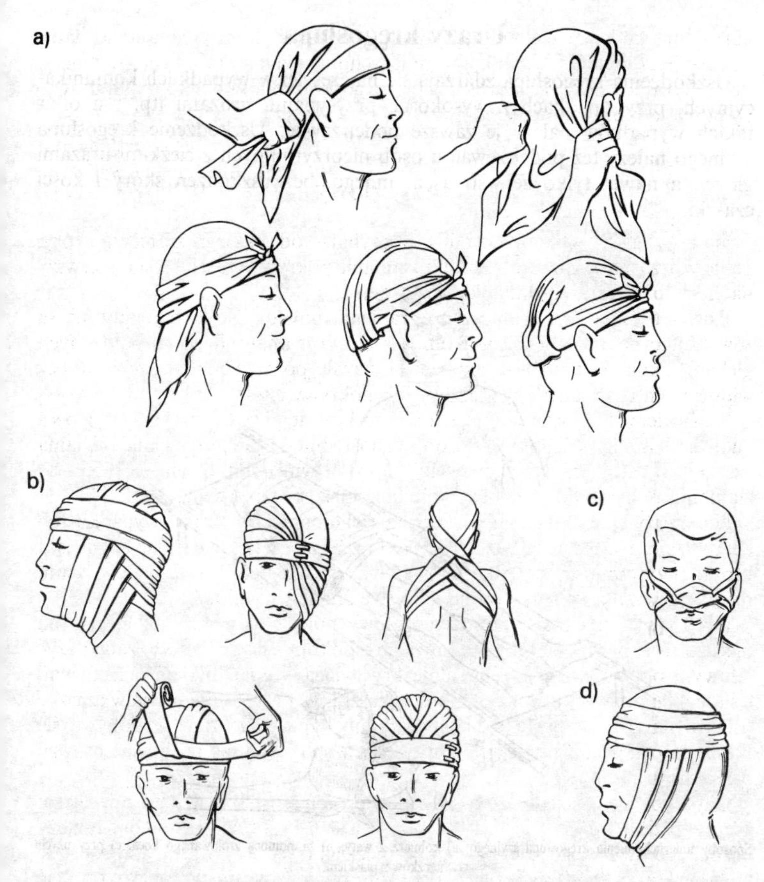

Sposoby opatrywania zranień głowy i twarzy: a) chustką, b) bandażem, c) opatrunek typu proca, d) unieruchomienie żuchwy

Ranny z urazem czaszki (bez wymiotów lub krwawienia z jamy ustnej) powinien być transportowany w pozycji leżącej w ułożeniu na plecach. Wskazane jest nieznaczne uniesienie wyżej wezgłowia noszy, przez co zmniejsza się groźbę obrzęku mózgu. Jeśli ranny doznał ciężkiego uszkodzenia twarzoczaszki, wówczas transportuje się go w ułożeniu na boku lub twarzą w dół (na brzuchu).

U w a g a! Należy pamiętać, że ciężkim urazom głowy towarzyszą często uszkodzenia kręgosłupa szyjnego. Z tego względu jest wskazane obłożenie głowy po bokach woreczkami z piaskiem, zrolowanymi kocami itp. (rys. na s. 2136), w celu zapobiegnięcia niepożądanym ruchom głowy.

Urazy kręgosłupa

Uszkodzenia kręgosłupa zdarzają się najczęściej w wypadkach komunikacyjnych, przy upadkach z wysokości, przysypaniu gruzami itp. i u ofiar takich wypadków należy je zawsze podejrzewać. Uszkodzenie kręgosłupa szyjnego należy też podejrzewać u osób nieprzytomnych z ciężkimi urazami głowy, a nawet tylko ze wstrząsem mózgu, bez uszkodzeń skóry i kości czaszki.

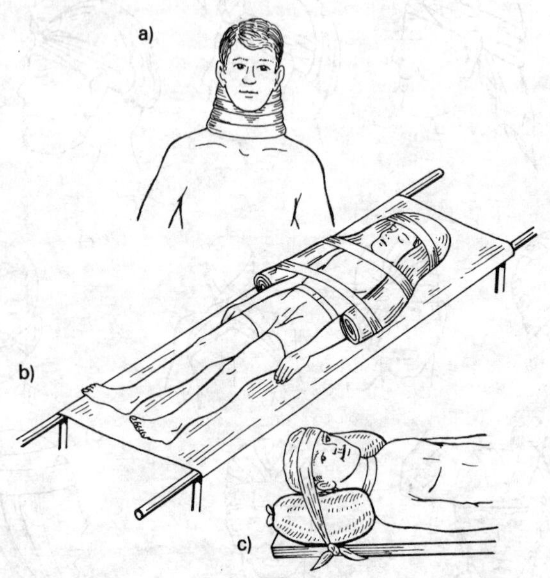

Sposoby unieruchomienia kręgosłupa szyjnego: a) kołnierz z waty, b) za pomocą zrolowanego koca, c) przy użyciu woreczków z piaskiem

Przy niestabilnym uszkodzeniu kręgosłupa, kiedy może nastąpić przemieszczenie kręgów, zawsze istnieje groźba ucisku na rdzeń kręgowy, a co za tym idzie – porażenia kończyn. Dlatego zawsze przy udzielaniu pierwszej pomocy obowiązuje postępowanie, jak gdyby rannemu groziło w każdej chwili uszkodzenie rdzenia.

P i e r w s z a p o m o c w urazach kręgosłupa polega na takim ułożeniu rannego, aby jego tułów i głowa znajdowały się w tzw. pozycji pośredniej, zapobiegającej nadmiernemu zgięciu lub wyprostowaniu, czyli w pozycji zapobiegającej nasileniu lub też spowodowaniu ucisku na rdzeń kręgowy.

Udzielając pomocy rannemu (np. przysypanemu lub przywalonemu), a także w czasie transportu do szpitala, pod żadnym pozorem nie wolno wyciągać go ani unosić za głowę i biodra albo barki i biodra, gdyż powoduje to nadmierne wygięcie kręgosłupa, mogące doprowadzić do ucisku na rdzeń kręgowy.

Jeżeli przy wynoszeniu chorego z miejsca, gdzie uległ wypadkowi, nie można użyć nawet prowizorycznych noszy, wówczas należy przetransportować go w pozycji leżącej na brzuchu trzymając za wyciągnięte w poziomie ręce i nogi, co daje wyprostne położenie kręgosłupa.

Przenoszenie osoby poszkodowanej na nosze i układanie nań powinno być wykonane przynajmniej przez kilka osób, podtrzymujących ją jednocześnie pod głową, pod karkiem, klatką piersiową, okolicą lędźwiową oraz miednicą i udami. Chory nie może być ruszany z noszy, na których został ułożony bezpośrednio po zabraniu go z miejsca wypadku, aż do chwili zbadania przez specjalistę w szpitalu i ewentualnym wykonaniu zdjęć rentgenowskich, pozwalających na postawienie dokładnego rozpoznania.

W razie konieczności transportu na dalsze odległości, należy zachować szczególną ostrożność przy karmieniu chorego, gdyż w pozycji „leżenia na płask" utrudnione jest połykanie. Dlatego przed próbą karmienia należy chorego uczyć połykania śliny.

Najlepiej jest transportować chorego na „twardych" noszach. W pozycji leżącej na plecach choremu należy podłożyć zwinięty w rulon koc, poduszkę lub zwitek odzieży pod kolana. W pozycji leżącej na brzuchu, co może być konieczne np. przy grożącym obrzęku lub niedrożności górnych dróg oddechowych (zranienia żuchwy, obrażenia szyi itp.), koc należy podłożyć pod barki (piersi) chorego.

Chorego należy przywiązać do noszy tak, aby uniemożliwić najmniejsze ruchy ciała w czasie transportu. Jeśli więzy obluźnią się, co może się zdarzyć w czasie transportu samochodowego, należy zatrzymać samochód i umocowanie poprawić.

W razie uszkodzenia szyjnego odcinka kręgosłupa zawsze – oprócz wyżej opisanego unieruchomienia – należy zastosować kołnierz fabryczny lub z waty dokładnie obejmujący szyję chorego od podbródka do mostka. Można też unieruchomić uszkodzony odcinek za pomocą koca albo okładając głowę woreczkami z piaskiem (rys. na s. 2136).

Zwichnięcia stawów i złamania kości

U r a z o w e z w i c h n i ę c i a s t a w ó w zdarzają się o wiele rzadziej niż złamania kości. Z reguły dotyczą one, w obrębie kończyny górnej – stawu barkowego, stawu łokciowego oraz stawów kciuka, a w obrębie kończyny dolnej – stawu skokowego, kolanowego i biodrowego.

Postępowanie w ramach p i e r w s z e j p o m o c y nie różni się właściwie od stosowanego w złamaniach, z tym że przy unieruchomieniu chorej kończyny należy ściśle przestrzegać „przyjętej przez nią pozycji", gdyż jest to ustawienie przymusowe! Nie wolno poruszać ranną kończyną, nie wolno korygować jej nieprawidłowego ustawienia, a jedynie ograniczyć się do jej unieruchomienia najprostszym i najskuteczniejszym sposobem.

Przy podejrzeniu złamania kości najważniejszą zasadą w udzieleniu pierwszej pomocy jest unieruchomienie uszkodzonego odcinka przed poruszeniem rannego. Ranny powinien być poruszany ostrożnie i tylko w razie bezwzględnej potrzeby. Należy zawsze tego przestrzegać niezależnie od rodzaju złamania, gdyż niejednokrotnie przy dalszym badaniu w szpitalu są wykrywane inne złamania lub obrażenia. Poza tym wszelkie zbędne zmiany pozycji ciała mogą przyczynić się do wystąpienia wstrząsu lub pogłębić wstrząs już istniejący.

Aby osłabić szybkość narastania obrzęku w miejscu złamania, kończynę należy ułożyć nieco wyżej, nad poziom serca. Jeśli chory jest transportowany na dalsze odległości, trzeba sprawdzać, czy w miarę narastania obrzęku opatrunek nie uciska kończyny. W celu zmniejszenia obrzęku można też kończynę obłożyć workami z lodem. Stosowanie zimna łagodzi ból, a przy upośledzeniu dopływu krwi – zwiększa szanse na uratowanie kończyny.

Jeśli istnieje konieczność wyniesienia rannego ze złamaniem kończyny dolnej z rejonu zagrożenia, muszą to zrobić co najmniej 2 osoby. Ratujący stają po stronie kończyny złamanej. Jeden podkłada ręce pod plecy i pośladki chorego, który obejmuje go za szyję, drugi podkłada ręce powyżej i poniżej miejsca złamania, pszesuwając je aż pod kończynę zdrową; rannego podnoszą jednocześnie.

Jeśli chory jest nieprzytomny, czynność tę muszą wykonywać co najmniej 3 osoby, gdyż nie wiadomo, czy chory nie doznał dodatkowych obrażeń, np. miednicy lub kręgosłupa, których nie można rozpoznać bez dokładnego zbadania chorego.

Unieruchomienie prowizoryczne kończyny górnej

Najprostszym sposobem unieruchomienia całej kończyny górnej jest podwieszenie jej na temblaku (z ubrania rannego, chustki trójkątnej lub bandaża) albo przymocowanie do klatki piersiowej.

Uszkodzenie okolicy barku i ramienia. W uszkodzeniach w obrębie barku lub kości ramiennej najlepiej jest stosować opatrunek szynowy, obejmujący chorą kończynę od zdrowej łopatki do palców chorej kończyny. Opatrunek ten spełnia swoje zadanie jedynie wówczas, gdy jest odpowiednio domodelowany. Opatrunek taki zazwyczaj wykonuje się z 2 standardowych szyn Kramera, które odpowiednio wymoszcza się watą lub ligniną i okręca bandażami, i dopiero w takiej postaci zakłada się na uszkodzoną okolicę, a następnie przymocowuje do klatki piersiowej i kończyny okrężnymi obwojami, najlepiej przy użyciu bandaża elastycznego. Koniecznym uzupełnieniem tego rodzaju opatrunku jest zawsze podwieszenie kończyny na temblaku.

Opatrunek tego typu stosuje się w uszkodzeniach: obojczyka, łopatki, stawu barkowego, kości ramiennej oraz stawu łokciowego. Zawsze należy dokładnie przymocować szynę do uszkodzonej kończyny, gdyż wyeliminowanie drobnych urazów jest podstawową zasadą zapobiegania wstrząsowi pourazowemu i innym powikłaniom (rys. na s. 2139).

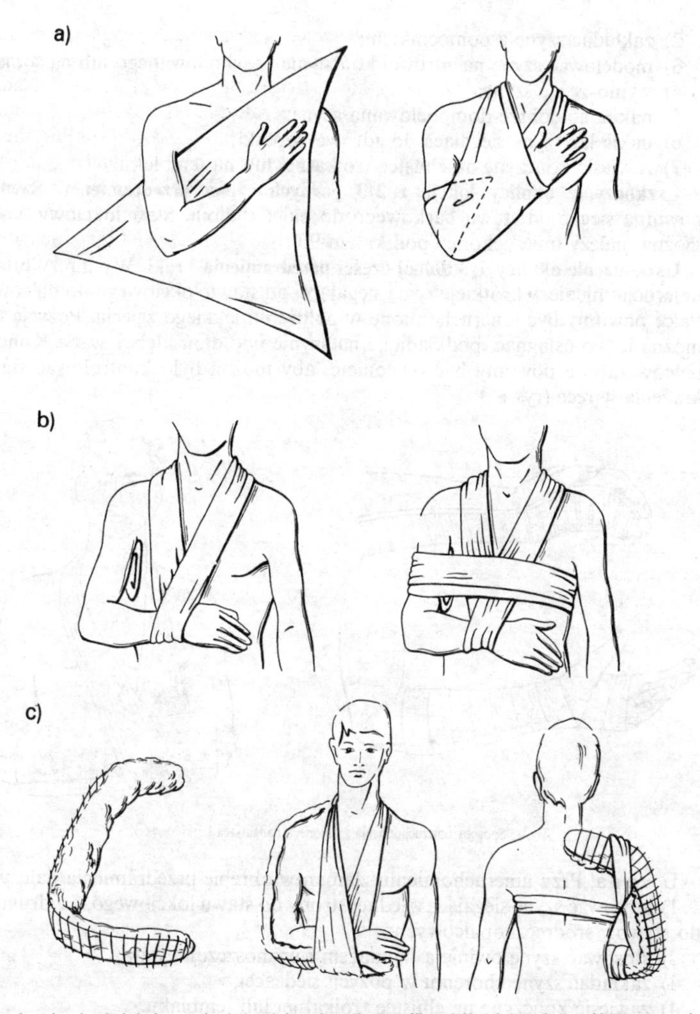

Sposoby unieruchomienia kończyny górnej: a) podwieszenie na chustce trójkątnej, b) podwieszenie na szyi i przymocowanie do klatki piersiowej za pomocą bandaża, c) unieruchomienie przy użyciu szyny Kramera i podwieszenie na chustce lub przymocowanie bandażem

U w a g a! Przy unieruchamianiu złamań w obrębie obręczy barkowej i kości ramiennej należy:

1) zakładać szynę choremu w pozycji siedzącej;

2) zakładać szynę z pomocnikiem;
3) modelować szynę na zdrowej kończynie poszkodowanego lub na sobie;
4) wymoszczać szynę;
5) nakładać dobrze domodelowaną szynę;
6) nakładać szynę sięgającą do zdrowej łopatki;
7) zawiesić kończynę na chustce trójkątnej lub na temblaku.

Uszkodzenie okolicy łokcia i 2/3 górnych części przedramienia. Szyna powinna sięgać od stawu barkowego do palców dłoni. Staw łokciowy, jeśli można, należy unieruchomić pod kątem 90°.

Uszkodzenie okolicy 1/3 dolnej części przedramienia i ręki. Wystarczy tutaj unieruchomienie w krótkiej szynie sięgającej od stawu łokciowego do palców. Palce powinny być unieruchomione w położeniu lekkiego zgięcia. Pozycję tę można łatwo osiągnąć, podkładając na szynie pod dłoń kłębek waty. Końce palców zawsze powinny być odsłonięte, aby można było kontrolować stan krążenia w ręce (rys.).

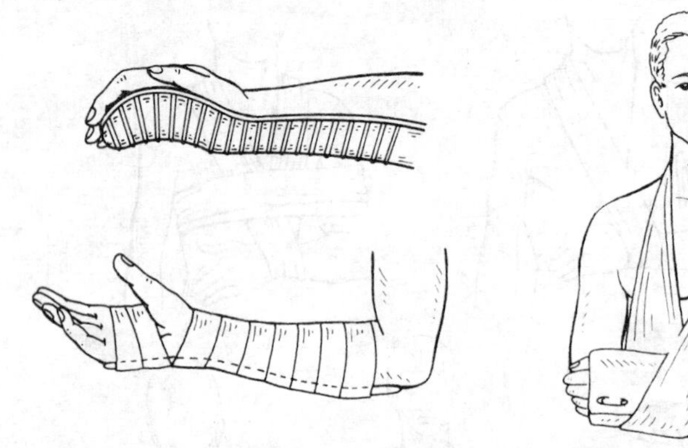

Sposoby unieruchomienia zranionego nadgarstka i ręki

U w a g a! Przy unieruchomieniu złamań w obrębie przedramienia należy:
1) stosować szynę sięgającą z jednej strony do stawu łokciowego, a z drugiej do stawów śródręcznopalcowych;
2) stosować szynę owiniętą bandażem i wymoszczoną watą;
3) zakładać szynę choremu w pozycji siedzącej;
4) zawiesić kończynę na chustce trójkątnej lub temblaku.

Unieruchomienie prowizoryczne kończyny dolnej

Najprostszym rodzajem u n i e r u c h o m i e n i a c a ł e j k o ń c z y n y d o l n e j jest przybandażowanie jej do nogi zdrowej, jeśli nie istnieje „przymusowe ustawienie" rannej kończyny, jak np. w zwichnięciach w stawie biodrowym.

Uszkodzenie okolicy biodra, uda i kolana. Przy uszkodzeniach stawu biodrowego albo kości udowej, kończynę należy unieruchomić w szynie Dichterichsa, Thomasa lub w szynach Kramera. Gwarancją całkowitego unieruchomienia jest dokładne przymocowanie szyny zarówno do uszkodzonej kończyny, jak i do klatki piersiowej, najlepiej za pomocą bandaży elastycznych.

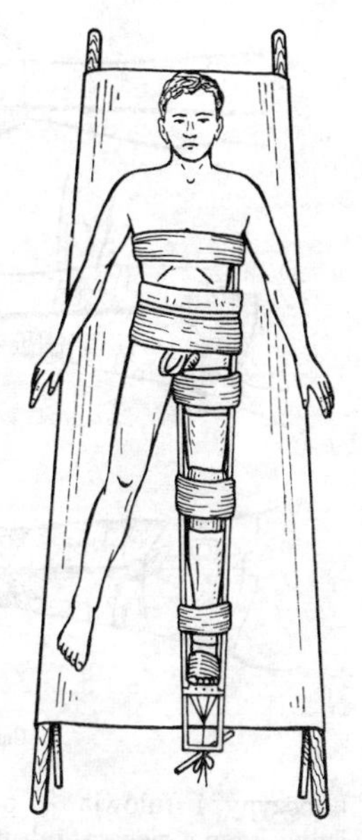
Unieruchomienie kończyny dolnej szyną Dichterichsa (opis w tekście)

Szyna Dichterichsa składa się z trzech elementów: listwy długiej, krótkiej i podeszwy drewnianej; 1) listwę długą, złożoną z dwóch rozsuwanych części, należy ułożyć po zewnętrznej powierzchni kończyny – od pachy do ok. 5 cm poniżej podeszwy stopy; 2) listwę krótką, składającą się również z dwóch rozsuwanych części, układa się po wewnętrznej stronie kończyny – od krocza do ok. 5 cm poniżej podeszwy stopy; przymocowana do obwodowego końca listwy na zawiasach poprzeczna deseczka służy do połączenia obu listew po ich nałożeniu na kończynę; 3) podeszwę drewnianą, po uprzednim przeprowadzeniu jej przez boczne klamry obu listew szyny, przymocowuje się za pomocą bandaża do stopy; umocowany do podeszwy sznur z nakretką pozwala na zastosowanie wyciągu.

Nakładając szynę Dichterichsa należy ochronić występy kostne kończyny (talerza biodrowego, krętarza dużego kości udowej, kłykcia kości udowej, kłykcia kości piszczelowej oraz kostki podudzia) za pomocą gazy lub waty. Szynę przymocowuje się do tułowia i kończyny bandażami gazowymi lub elastycznymi.

Szyna Thomasa składa się z metalowego pierścienia lub metalowej półobręczy obszytych skórą i odchodzących od nich metalowych prętów. Szyna daje bardzo trwałe i dobre unieruchomienie pod warunkiem, że jest prawidłowo założona. Aby mogła spełniać swą rolę, musi się opierać pierścieniem o guz kulszowy i kości łonowe w okolicy krocza.

Obwód kończyny należy przymocować do szyny za pomocą przyłożonego na podudziu wyciągu plastrowego z deseczką, łączącą go z końcem szyny specjalną sprężyną lub elastycznymi paskami gumy. Podłożenie wałka pod zgięcie kolanowe zapewnia przyjęcie prawidłowego ustawienia stawu kolanowego. Szynę do kończyny przymocowuje się za pomocą bandaży elastycznych.

Szyny Kramera. Zazwyczaj do unieruchomienia stawu biodrowego i kości udowej używa się trzech standardowych szyn Kramera odpowiednio je dopasowując i przymocowując do kończyny. Jedną z nich umieszcza się po wewnętrznej stronie kończyny – od pachwiny do stopy i zagina się pod podeszwą. Dwie pozostałe szyny układa się po zewnętrznej stronie

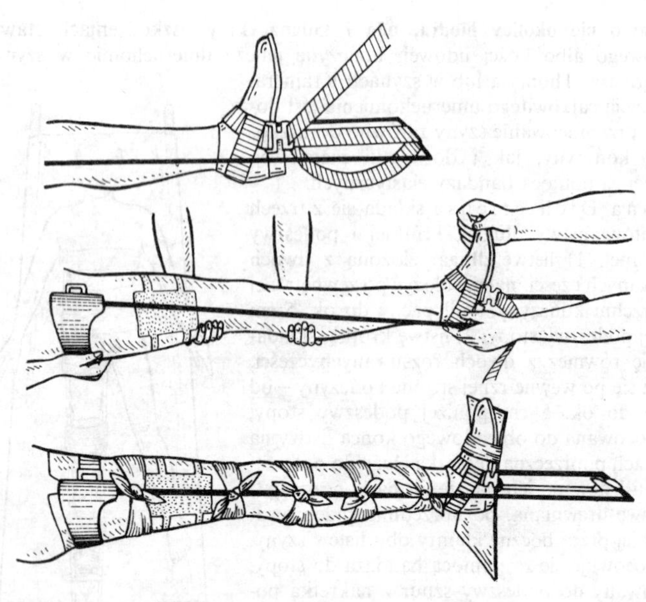

Unieruchomienie kończyny szyną Thomasa

kończyny i tułowia – od pachy aż do stopy, układając je tak, aby jedna szyna sięgała od pachy do kolana, a druga od grzebienia kości biodrowej do kostki zewnętrznej. Szyny wykłada się watą, ligniną lub bandażami. Watą też ochrania się występy kostne: talerz biodrowy, pachwiny, krętarz kości udowej, stawu kolanowego, kostki oraz tułów do wysokości sutków (rys. a na s. 2143).

U w a g a! Przy unieruchamianiu złamań w obrębie uda należy:

1) zakładać szyny z pomocnikiem;

2) zakładać szynę sięgającą listwą zewnętrzną do dołu pachowego, a listwą wewnętrzną do pachwiny (dotyczy to szyn Kramera i Dichterichsa);

3) wymościć szynę watą i bandażami;

4) przymierzać i doginać szynę na zdrowej kończynie lub na sobie;

5) podłożyć watę lub gazę w punktach występów kostnych;

6) dokładnie przymocować listwy szyny do klatki piersiowej i kończyny za pomocą bandaża gazowego lub elastycznego.

Uszkodzenie kości podudzia i stawu skokowego. Przy tego rodzaju uszkodzeniach używa się dwóch szyn Kramera, obejmujących kończynę z obu stron. Zasadą w tych uszkodzeniach jest unieruchomienie stawu kolanowego; szyny powinny sięgać co najmniej do połowy długości uda (rys. b).

U w a g a! Przy unieruchomieniu złamań w obrębie podudzia należy:

1) zakładać szyny z pomocnikiem;

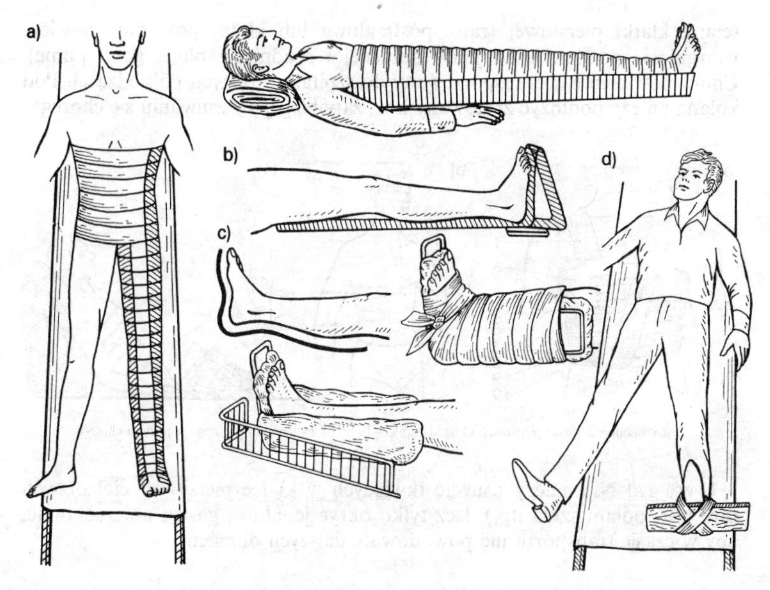

Unieruchomienie kończyny szynami Kramera

2) stosować szyny sięgające co najmniej do połowy uda;
3) modelować szyny na zdrowej kończynie lub na sobie;
4) podłożyć watę lub gazę w miejscach występów kostnych;
5) dokładnie przymocować szyny do kończyny za pomocą bandaża.

Uszkodzenie stopy. Przy zranieniach stopy unieruchomienie może ograniczać się do stawu skokowego; staw kolanowy pozostaje wolny. Wystarcza wówczas jedna standardowa szyna Kramera, ułożona na tylnej powierzchni podudzia i podeszwie, wymodelowana i dopasowana do kształtu mięśnia trójgłowego łydki (rys. c).

Urazy klatki piersiowej

W każdym przypadku pourazowych bólów klatki piersiowej lub mostka nasilających się przy oddychaniu, kaszlu albo dźwiganiu, należy owinąć klatkę piersiową bandażem, najlepiej elastycznym, lub szerokim plastrem. Plastra nie należy nakładać okrężnie, a najlepiej objąć nim jedynie bolesną połowę klatki piersiowej. Jeśli rana przeszywa klatkę piersiową, należy ranę tę starać się szczelnie zamknąć opatrunkiem z folii posmarowanej wazeliną lub kremem albo opatrunkiem klejowym lub plastrowym, w celu uchronienia chorego przed groźnym upośledzeniem oddychania. Przerwanie ciągłości ściany klatki piersiowej (rana postrzałowa lub kłuta) powoduje bowiem wtargnięcie powietrza do jamy opłucnej i spadnięcie płuca (tzw. odmę). Chory powinien być transportowany do szpitala w pozycji półsiedzącej. Pod kolana należy podłożyć zrolowany koc, zapobiegający zsuwaniu się chorego.

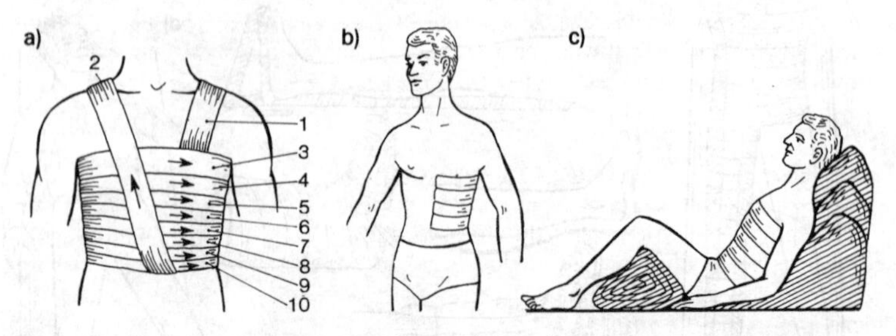

Unieruchomienie klatki piersiowej: a) bandażem (1 – 10 liczba zwojów), b) plastrem, c) pozycja chorego

U w a g a! Nie należy usuwać tkwiących w klatce piersiowej ciał obcych (np. nóż, odłam szkła itp.), lecz tylko okryć je jałową gazą i unieruchomić, aby w czasie transportu nie powodowały dalszych obrażeń.

Urazy brzucha i miednicy

Najczęściej urazy jamy brzusznej są urazami zamkniętymi, bez przerwania powłok ciała. Urazy otwarte występują rzadko. Podobnie jest z urazami miednicy. Niekiedy bardzo mały i nie pozostawiający śladów na skórze uraz może być przyczyną ciężkich uszkodzeń wewnętrznych. Czasami wyraźnie widoczne obrażenia odwracają naszą uwagę od wstrząsu, zawsze towarzyszącego silnym urazom brzucha. Silne urazy brzucha najczęściej doprowadzają do groźnego dla życia uszkodzenia narządów jamy brzusznej i pęcherza moczowego.

P i e r w s z a p o m o c przy urazach brzucha polega na ułożeniu rannego na plecach lub na boku i zgięciu nóg w stawach biodrowych i kolanowych. Tego rodzaju pozycja, znosząc napięcie mięśni brzucha, zmniejsza ból

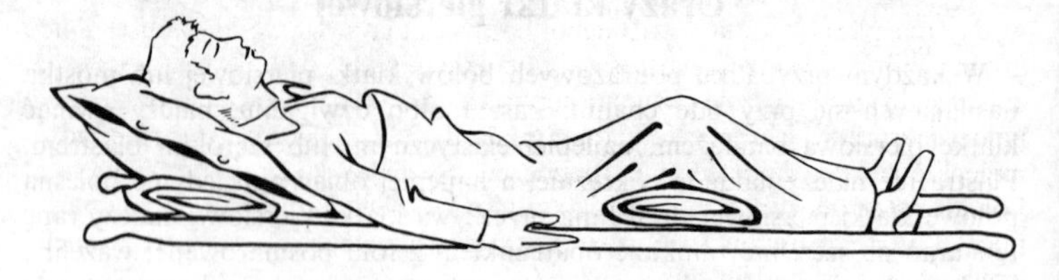

Ułożenie rannego w brzuch

i szkodliwe napięcie tzw. tłoczni brzusznej. Zwiększenie ciśnienia panującego w jamie brzusznej, a zwłaszcza nagła jego zmiana, mogą pogłębiać istniejące uszkodzenia, a niekiedy wywoływać ciężki krwotok.

Przy otwartych zranieniach jamy brzusznej, którym towarzyszy wypadnięcie trzewi, nie wolno wpychać narządów do jamy brzusznej. Należy wówczas ranę tylko okryć jałową gazą, a w jej braku nawet czystym ręcznikiem. Nie należy również usuwać tkwiących w ranach przedmiotów, a jedynie okryć je jałową gazą. Niezbędny jest szybki transport rannego do szpitala.

Obrażenia wielomiejscowe

Postępujący rozwój przemysłu oraz środków komunikacji powoduje, że coraz częściej u ofiar wypadku dochodzi do rozległych i ciężkich obrażeń wielomiejscowych, wymagających wysoko specjalistycznej pomocy chirurgicznej w trybie pilnym.

P i e r w s z a p o m o c. Udzielając pierwszej pomocy rannemu z ciężkimi obrażeniami wielomiejscowymi należy przestrzegać pewnego schematu postępowania, gdyż jedynie to daje gwarancję największej skuteczności akcji ratunkowej.

Należy zrobić co następuje:

1) opanować masywny krwotok zewnętrzny (zob. s. 2132);
2) zapewnić drożność dróg oddechowych (zob. s. 2126);
3) unieruchomić złamania i widoczne obrażenia stawów i aparatu mięśniowo-więzadłowego (zob. s. 2139—2141);
4) szybko przetransportować chorego do szpitala.

Sposób unieruchomienia i przewożenia rannego zależy od stopnia uszkodzenia poszczególnych układów lub narządów. Chociaż ciężkie obrażenia wielomiejscowe stwarzają wielkie prawdopodobieństwo uszkodzenia kręgosłupa i czaszki, to unieruchomienie transportowe chorego musi zapewnić mu drożność górnych dróg oddechowych – chorego należy ułożyć na boku jak na rys. na s. 2128.

Oparzenia

Przy każdym oparzeniu należy przyjąć zasadę, że jest ono cięższe, niż się wydaje na pierwszy rzut oka. Głębokie oparzenia mogą wydawać się mniej groźne niż są w rzeczywistości, gdyż są prawie niebolesne, ponieważ zniszczeniu ulegają zakończenia nerwowe. Każdego ciężko poparzonego należy jak najszybciej przewieźć do szpitala na oddział leczenia oparzeń, gdyż najlepsze efekty daje leczenie rozpoczęte w ciągu godziny od wypadku. Ponadto stan chorych nawet bardzo ciężko i rozlegle poparzonych może być początkowo stosunkowo dobry i poszkodowany zniesie transport o wiele lepiej niż w parę godzin później.

Jeżeli na kimś zapali się ubranie, należy palącego się przewrócić na ziemię i owinąć kocem lub płachtą i „poturlać" po ziemi, wyduszając w ten sposób tlen spod okrycia. W pozycji „na stojąco" osoba paląca się jest dodatkowo narażona na niebezpieczeństwo wdychania ognia, dymu i gorącego powietrza, co grozi uduszeniem.

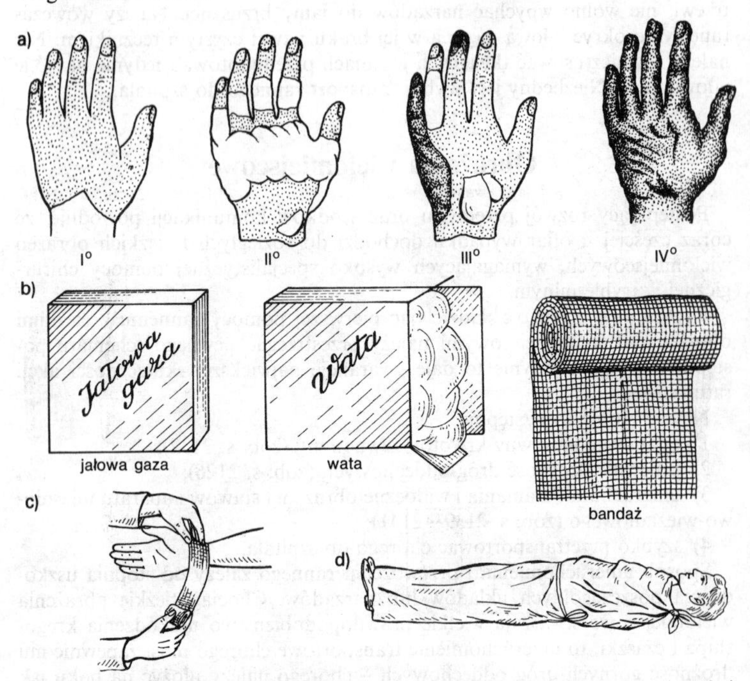

Postępowanie w przypadku cieplnego oparzenia ciała: a) stopnie oparzenia ręki; b) materiały opatrunkowe; c) opatrzenie małego oparzenia; d) oparzenia całego ciała – chorego należy zawinąć w jałowe lub czyste prześcieradło i szybko przetransportować do szpitala

Po ugaszeniu płomieni choremu należy zapewnić spokój i nie zdejmować z niego odzieży ani materiału, którym duszono ogień. W wielu miejscach tkanina może przykleić się do skóry i oderwanie jej niepotrzebnie odsłoni ranną powierzchnię. W celu złagodzenia bólu odzież można oblać zimną wodą.

Odkryte miejsca oparzone należy osłonić jedynie jałowymi opatrunkami. Przy udzielaniu pierwszej pomocy n i e w o l n o „malować" oparzonej skóry barwnikami, np. błękitem metylenowym, zielenią brylantową lub gencjaną, a już w żadnym wypadku nie wolno stosować wymienionych barwników w oparzeniach twarzy, rąk oraz okolic stawu kolanowego i stawu łokciowego. Nie należy też stosować środków silnie koagulujących, a więc wytwarzających strup, takich jak spirytus lub tanina. Nieprzestrzeganie podanych zaleceń może doprowadzić do powstania brzydkich, szpecących blizn, a niekiedy przykurczów skóry. W żadnym wypadku nie należy nakładać na oparzoną skórę olejów i maści, gdyż ich działanie przeciwbólowe i ochronne jest

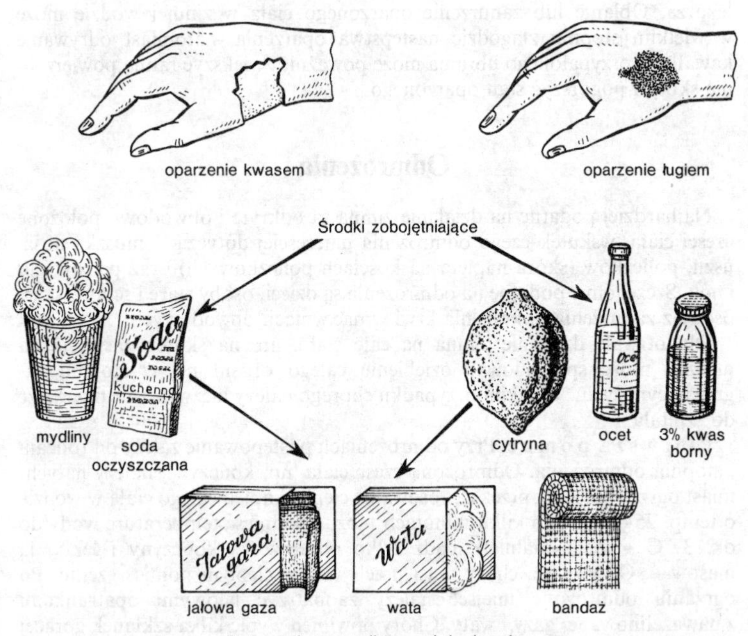

Postępowanie w przypadku oparzeń chemicznych

wątpliwe, za to w wysokim stopniu utrudniają one oczyszczenie i „opracowanie" rany, jak również określenie stopnia i rozległości oparzenia.

O p a r z e n i e s k ó r y w o k o l i c y o c z u należy przemywać dużą ilością zimnej wody, a w przypadku oparzenia płynami żrącymi – przemywanie kontynuować z minutowymi przerwami przez cały czas transportowania chorego do szpitala. Jeśli oparzenie nastąpiło z dala od jakiegokolwiek ośrodka leczniczego i chorego czeka dłuższa podróż, do oka można zakroplić jakiś lekki olej, np. rycynowy.

W przypadku o p a r z e n i a r ą k i p a l c ó w należy pamiętać o szybkim zdjęciu z palców pierścionków i obrączki.

U w a g a! Jeśli ratownik musi przebiec przez płomień, powinien zarzucić na siebie (na tułów i głowę) koc, płaszcz, kołdrę itp. i w momencie wskoczenia w ogień wstrzymać na potrzebny czas oddech. Oczywiście, ideałem jest okrycie się materiałem niepalnym (np. kocem przeciwpożarowym) lub trudno palnym (płaszczem skórzanym). Zawsze dobrze jest oblać okrycie wodą. Zapaloną lub nawet tlącą się odzież trzeba natychmiast z siebie zrzucić, nie należy próbować gaszenia jej na sobie. Można też, jeśli stnieją warunki, oblać się wodą lub zanurzyć w wodzie. Sposoby te są szczególnie zalecane, jeśli paląca się odzież parzy ciało. W zmoczonym ubraniu należy czekać pomocy lekarza. Oblanie lub zanurzenie oparzonego ciała w zimnej wodzie może w wielkim stopniu złagodzić następstwa oparzenia, natomiast odrywanie kawałków przypalonego ubrania może poważnie zwiększyć ranną powierzchnię skóry i pogorszyć stan oparzonego.

Odmrożenia

Najbardziej podatne na działanie zimna są odkryte i obwodowo położone części ciała, wskutek czego odmrożenia najczęściej dotyczą koniuszka nosa, uszu, policzków (skóra napięta na kościach policzkowych) oraz palców rąk i nóg. Szczególnie podatne na odmrożenia są dzieci, osoby stare i schorowane, osoby z zaburzeniami krążenia krwi w naczyniach obwodowych.

Długotrwałe działanie zimna na całe ciało, np. na skutek zaśnięcia na mrozie, może spowodować oziębienie całego organizmu w stopniu zagrażającym życiu. W takim przypadku chorego należy niezwłocznie przewieźć do szpitala.

P i e r w s z a p o m o c. Przy odmrożeniach postępowanie zależy od rodzaju i stopnia odmrożenia. Odmrożoną część ciała, np. kończynę, należy natychmiast ogrzewać, bądź przez zastosowanie ciepłej kąpieli całego ciała w wodzie o temp. 25–30°C (po kilku minutach można podnieść temperaturę wody do ok. 37°C – maksymalnie!), bądź tylko odmrożonej kończyny i lekko ją masować. Oczywiście, chory musi przebywać w ciepłym pomieszczeniu. Po ogrzaniu odmrożone miejsce należy zaopatrzyć jałowymi opatrunkami z nawazelinowanej gazy i waty. Chory powinien wypić kilka szklanek gorącej herbaty lub innych płynów. Może też wypić 1–2 kieliszki białej wódki. Jeśli na skórze występują pęcherze lub grożące martwicą sine przebarwienia, chorego należy natychmiast przewieźć do szpitala. Wskazaniem do przewiezienia do szpitala jest też złe ogólne samopoczucie chorego, duszność i osłabienie.

Ciała obce w gardle, przełyku, nosie, uchu i oku

C i a ł o o b c e w g a r d l e i p r z e ł y k u może stanowić przeszkodę w oddychaniu, ponieważ zatyka drogi oddechowe lub powoduje utrudnienie oddychania przez pobudzenie odruchów obronnych (kaszel, kurcz głośni, wymioty). Należy spróbować usunąć ciało obce mechanicznie – palcem – lub po zwróceniu poszkodowanego twarzą do dołu i głową niżej – uderzając go pięścią między łopatki. Jeżeli ciało obce, np. rybia ość, nie powoduje zatkania dróg oddechowych, a tylko podrażnienie, należy starać się uspokoić poszkodowanego i przewieźć go do szpitala lub ambulatorium. Ciało obce z gardła, tchawicy i przełyku bezpiecznie może usunąć jedynie specjalista za pomocą odpowiednich narzędzi.

Ciało obce w uchu nie zagraża życiu i również jego usunięcie powinno pozostawić się specjaliście. Wyjątek stanowi dostanie się do ucha owada, którego można usunąć wkraplając do przewodu słuchowego oliwę lub spirytus (nie wodę!). Podobne postępowanie dotyczy ciał obcych w nosie.

Ciało obce w oku. Pierwsza pomoc polega na przemywaniu oka jak największą ilością wody – nawet strumieniem wody z kranu lub węża ogrodniczego, oczywiście przy niewielkim ciśnieniu. Kierunek przemywania powinien przebiegać od kącika przynosowego na zewnątrz, a powieki powinny być szeroko rozwarte palcami. Nie należy stosować żadnych kropli leczniczych lub innych płynów. Po przemyciu na oko należy założyć jałowy gazik, a poszkodowanego skierować do okulisty.

Porażenie prądem elektrycznym i piorunem

Prąd o wysokim napięciu lub natężeniu może wywołać uszkodzenia mechaniczne zbliżone do rany ciętej lub oparzeniowej i należy je opatrywać tak jak te rany. Innym następstwem działania prądu elektrycznego są zaburzenia rytmu serca (z zatrzymaniem pracy serca włącznie) i czynności mięśni. Pod tym względem bardzo niebezpieczny jest prąd „sieciowy" (50 Hz, 220 V) i używany do napędu silników, tzw. siła (50 Hz, 380 V). Przed przystąpieniem do ratowania porażonego należy upewnić się, czy źródło prądu zostało wyłączone, spowodować jego wyłączenie lub odłączyć ofiarę od źródła prądu używając dostępnych materiałów o właściwościach izolacyjnych (drewno, gruba folia z tworzywa sztucznego, fragmenty odzieży). Następnie należy ocenić stan świadomości ofiary i w przypadku stwierdzenia zaburzeń wydolności oddychania i krążenia przystąpić do reanimacji. Prawidłowo prowadzona akcja reanimacyjna stwarza możliwość pomyślnych wyników specjalistycznego leczenia zaburzeń rytmu serca przy użyciu tzw. defibrylacji elektrycznej (zob. Choroby układu krążenia, s. 687). Wiele ofiar porażenia prądem wróciło do pełnego zdrowia po długotrwałej czasem reanimacji dzięki podjęciu jej natychmiast na miejscu wypadku (przez członków rodziny lub współpracowników).

Ratowanie tonącego i topielca

Istnieje zasada – nie narażać siebie w czasie ratowania tonącego. Udzielanie pomocy tonącemu wymaga od ratownika nie tylko zdolności pływackich, ale często trudnej umiejętności holowania poszkodowanego, a nierzadko obezwładnienia przerażonej, pobudzonej ruchowo ofiary. Uważa się, że najłatwiej chwycić tonącego od tyłu za barki lub włosy i holować do brzegu utrzymując jego głowę nad powierzchnią wody. Już w wodzie należy ocenić stan, w jakim znajduje się ofiara. Jeśli jest ona nieprzytomna, powinno się przystąpić do reanimacji oddechowej, tj. do sztucznego oddychania.

U ofiar utonięcia praca serca utrzymuje się stosunkowo długo po utracie świadomości i zatrzymaniu oddychania (kilka do kilkunastu minut). Po oczyszczeniu mechanicznym jamy ustnej niezwłocznie należy przystąpić do oddychania metodą „usta-usta". Akcję kontynuuje się na brzegu zgodnie z zasadami reanimacji oddechowej lub, jeśli zanikło tętno – oddechowo-krążeniowej, tzn. stosuje się sztuczne oddychanie wraz z masażem serca. Zupełnie bezcelowe są propagowane dawniej metody usuwania wody „z płuc" utopionego, ponieważ niewielkie ilości wody, jakie mogą zalegać w górnych drogach oddechowych (ok. 200 ml), nie mają żadnego znaczenia dla powodzenia akcji ratowniczej. Rozmaite manewry, jak rozbieranie ratowanego, układanie w rozmaitych pozycjach itp. opóźniają tylko skuteczną akcję, jaką powinno być prawidłowo prowadzone sztuczne oddychanie. Jeśli ofiara utonięcia oddycha, ale jest nieprzytomna, układa się ją w pozycji bezpiecznej (na boku – rys. na s. 2128), i okresowo ocenia wydolność oddychania i krążenia, opatrując ewentualne obrażenia i chroniąc przed utratą ciepła. Decyzję o podaniu płynów lub lekarstw oraz o dalszym postępowaniu podejmuje wezwany lekarz.

Uduszenie

Uduszenie jest wynikiem przerwania dopływu powietrza do płuc. Może tu wchodzić w grę: powieszenie, zadzierzgnięcie (ucisk szyi przez jej opasanie), zatkanie dróg oddechowych np. kęsem pokarmu lub (zdarza się to u dzieci) założoną na głowę torbą foliową, ucisk klatki piersiowej (przygniecenie). Pierwsza pomoc polega na jak najszybszym udrożnieniu dróg oddechowych (zwolnieniu zacisków, wydostaniu ciał obcych itp.) i podjęciu reanimacji oddechowej (sztucznego oddychania), a jeżeli doszło do zatrzymania krążenia, uzupełnionej masażem serca. Osoby, u których nie doszło do zatrzymania krążenia, w większości udaje się uratować, chociaż u części dochodzi do uszkodzenia mózgu wywołanego niedotlenieniem na skutek przerwania czynności oddychania.

Masowe zranienia

Współczesna cywilizacja przemysłowa i militarna stwarza zagrożenia katastrofami, w których może dojść do masowych ofiar. Najsprawniejszy system organizacji służby zdrowia nie jest w stanie zapewnić optymalnej opieki wszystkim poszkodowanym. Do akcji ratowniczej powinni się włączyć świadkowie katastrofy. Pomoc powinna polegać na opanowaniu paniki i wykonywaniu poleceń personelu fachowego. Jeśli nie ma na miejscu personelu medycznego ani ratowniczego, należy starać się podjąć inicjatywę przynajmniej w celu zaprowadzenia porządku i próby zorganizowania pierwszej pomocy. Z konieczności jest ona zminimalizowana do ewakuacji ofiar z miejsca zagrożenia i segregacji poszkodowanych według wielkości obrażeń. Cały wysiłek należy skupić na średnio i lżej rannych, gdyż szanse na uratowanie bardzo ciężko rannych i umierających są znikome (w praktyce oznacza to zaniechanie podejmowania akcji reanimacyjnej). Pomoc sprowadza się do opatrzenia krwawiących ran i złamań, zabezpieczenia przed dodatkowymi urazami, uspokajania nadmiernie pobudzonych emocjonalnie ludzi i zapewnienia opieki dzieciom uczestnikom katastrofy.

Apteczka pierwszej pomocy

W domu, samochodzie lub w czasie pobytu na wczasach z dala od punktów pomocy medycznej należy mieć ze sobą zestaw środków potrzebnych w najczęstszych wypadkach. Powinien on zawierać: podstawowe, dostępne środki opatrunkowe, takie jak wata, lignina, sterylna gaza, bandaże – zwykły i elastyczny, przylepiec i przylepiec z opatrunkiem oraz prosty środek odkażający np. wodę utlenioną, jodynę lub spirytus, nożyczki, bańki lekarskie. W skład apteczki samochodowej powinna wejść jeszcze: tzw. chusta trójkątna pomocna w prowizorycznym zaopatrzeniu złamań.

Zestaw leków powinno się ograniczyć do prostych leków przeciwbólowych (polopiryna, pyralgina), węgla w tabletkach, sody oczyszczonej, kwasu bornego. Doświadczenia współczesnego ratownictwa wykazały całkowitą nieprzydatność wielu popularnych dawniej leków, np. lobeliny lub kardiamidu, oraz niektórych sprzętów, jak szczękorozwieracz, językotrzymacz, opaska uciskowa.

INDEKS

A

B

C

E

F

G

H

L

Ł

M

N

O

Q

R

S

U

Y

Z

Ź

Ż

POLECAMY PAŃSTWU
KSIĄŻKI NASZEGO WYDAWNICTWA

● ***Oksfordzkie podręczniki medyczne***

J.A.B. Collier, J.M. Longmore, J.H. Harvey
Oksfordzki podręcznik medycyny klinicznej
red. nauk. tłum. Piotr Zaborowski

G.R. McLathie
Oksfordzki podręcznik chirurgii
red. nauk. tłum. Marek Maruszyński

R.A. Hope, J.M. Longmore, P.A.H. Moss, A.N. Warrens
Oksfordzki podręcznik lekarza klinicysty
red. nauk. tłum. Piotr Zaborowski

L. Mitchell, D.A. Mitchell
Oksfordzki podręcznik stomatologii klinicznej
red. nauk. tłum. Zofia Rump

● ***Medycyna dla wszystkich***

S. Abraham, D. Llewellyn-Jones
Anoreksja, bulimia, otyłość

N. Coni, W. Davison, S. Webster
Starzenie się

Padmal de Silva, Stanley Rachman
Nerwice natręctw

D. Julian, C. Marley
Choroba wieńcowa